ISBN 978-0-260-93162-7
PIBN 10989673

ALLGEMEINE
LITERATUR-ZEITUNG
VOM JAHRE
1789.

ERSTER BAND.

JANUAR, FEBRUAR, MÄRZ

JENA
in der Expedition diefer Zeitung,

LEIPZIG,
in der churfürftl. fächf. Zeitungs-Expedition.

und WIEN,
bey Jofeph Stahel, Buchhändler.
1789.

ALLGEMEINE

LITERATUR-ZEITUNG

1839.

ERSTER BAND.

JANUAR, FEBRUAR, MÄRZ.

VORBERICHT.

Aufser den in der Ankündigung für den nunmehro anfangenden Jahrgang 1789 der Allg. Lit. Zeitung bereits gemeldeten Veränderungen müssen wir noch einige kleine, zur Bequemlichkeit unsrer geehrtesten Leser, getroffne Einrichtungen nachholen.

1) Die bisherige Art die Beylagen mit einerley Numer des vorhergehenden Stücks zu bezeichnen, und beyde durch *a* und *b* von einander zu unterscheiden, hat in der wöchentlichen Spedition manche Verwirrung, in der Aufbewahrung der Stücke mehrmals Defecte, auch oft unnöthige Anfragen veranlafst. Wir heben daher für dieses und alle folgenden Jahre die besagte Bezeichnung (z. B. Nro. 250 ᵃ und 250 ᵇ) auf, und lassen die Beylagen in der ordentlichen Numer mit fortlaufen, so dafs in einem Jahrgang, in so fern wöchentlich sieben Stück herauskommen, die Numern anstatt wie bisher mit Nro. 312 zu schliefsen bis 365 fortlaufen, auch wenn noch mehrere Beylagen nöthig seyn sollten, die Numern der Stücke noch weiter fortgehn, so dafs das letzte Stück auf den 31sten December, bald Nro. 365, bald Nro. 380, 400 u. s. f. seyn kann.

Um also zu wissen ob man alle Stücke vollständig habe, darf man jedesmal sich nur nach der über jedem Stücke stehenden Numer richten, und darf sich keinesweges daran stofsen, wenn einmal in der Seitenzahl, in der Signatur, oder im Datum des Stücks ein Druckfehler vorkommen sollte.

2) Das Monatsregister wird von itzt an, zur Bequemlichkeit der Leser, auch auf das Intelligenzblatt bey dessen ansehnlich erweitertem Plane mit eingerichtet; und also der letzten Monats-Numer desselben angehängt werden.

° 2

3) Mehr.

3) Mehrmals hat man bey uns angefragt, wie man am fchicklichften die Allg. Lit.
Zeitung, in Abficht der Zahl der Bände, könne einbinden laffen. Wir wollen
daher noch anzeigen, dafs man künftig jeden Jahrgang der A. L. Z. am fchicklichften in vier Bände faffen könne; den vierten läfst man jedesmal fo lange
ungebunden, bis die zu dem Jahrgange gehörigen Regifter dazugekommen find.
Das Intelligenzblatt macht hinfort feinen eigenen Band aus und bekömmt auch
fein eignes Hauptregifter. Da die Monatsregifter, nur zum einftweiligen Gebrauche bis zur Ablieferung der Hauptregifter beftimmt find, fo kann fie der
Buchbinder, wenn er den Jahrgang des Intelligenzblatts einbindet, nach Belieben des Befitzers, darin laffen oder wegfchneiden.

Jena, den 1ften Januar 1789.

Die Herausgeber der A. L. Z.

ALLGEMEINE
LITERATUR-ZEITUNG

Donnerſtags, den 1ten Januar 1789.

GOTTESGELAHRTHEIT.

LONDON: *Propofals for printing by fub-*
fcription a new tranſlation of the holy Bible,
from corrected texts of the Originals; with
various readings, explanatory notes, and cri-
tical obſervations. (with Specimens of the
work.) By the Rev. Alex. Geddes, LL. D. Vier
Bog. im gröſsten Quartformat. 1788.

Das Vorhaben des Hrn. Geddes muſs unſern
meiſten Leſern bereits bekannt ſeyn. Hier
legt er theils ſeine Bedingungen, theils eine Probe des Werks dem Publicum vor. Die Einrichtung deſſelben iſt dieſe. Den Columnentitel macht,
auſſer der Anzeige des Buchs und Kapitels, auch
noch mit kleinerer Schrift, der Inhalt. Der Text
läuft, wie natürlich iſt, an einander fort, die Vers-
zahlen ſtehen auf dem innern Rande. Oben iſt auf
der einen Seite das Jahr der Welt, auf der andern das Jahr vor Chriſto bemerkt. Zunächſt unter dem Texte ſtehen die Varianten, aus den Ueberſetzungen und Handſchriften; unter dieſen, in
geſpaltener Columne, erläuternde Noten. Die
philologiſch-kritiſchen Anmerkungen werden, wie
es ſcheint, ihre Stelle hinter den einzelnen Büchern erhalten. Zu Probeſtücken hat der Hr. Vf.
folgende gewählt: 1 Moſ. I-II, 3. weil es das erſte Kapitel des erſten Buchs Moſe iſt; 2 Moſ. XII,
51 — XVI, 5. weil dieſer Abſchnitt, auſſer der
Mannichfaltigkeit des Stils, Beyſpiele von jeder
Gattung von Verbeſſerung des dermaligen Textes
enthalte; und Pſ. XVI, weil dieſer hier zum er-
ſtenmale deutlich und zuſammenhängend gemacht
ſey, ohne dem Text die mindeſte Gewalt anzuthun,
oder irgend eine kritiſche Conjectur zu Hülfe zu
nehmen. Die Anmerkungen dazu auf 5 ungedruckten Blättern, brechen bey Exod. XIII, 16 ab, um die
Koſten eines weitern Bogens zu ſparen. Dieſe Anmerkungen ſcheinen ſehr weitläufig angelegt zu ſeyn.
Wir wollen doch Einiges davon anführen. Von
ברא heiſst es: „Man hat ohne Grund angenommen, das Wort bedeute ein Erſchaffen aus Nichts.
Vielmehr zeigt es ein Bilden, Umſchaffen einer
bereits vorhandnen Materie an. So verſtund hier
das Wort Juſtin der Märtyrer. Wir ſehen, ſagt

er, 1 Apol. S. 14. daſs Gott alle dieſe Dinge aus
ungebildeter Materie, εξ αμορφου ὑλης, machte."
— Ferner: „אלהים bezeichnet, nach ſeiner urſprünglichen Bedeutung, Stärke, Macht. Daſs
man meynt, die Grundbedeutung hebräiſcher
Worte ſey immer in einem *Verbum* zu ſuchen,
iſt eines von jenen unerklärbaren Vorurtheilen,
die wir, mit unbedingtem Gehorſam, von der Maſorethiſchen Schule angenommen haben. Ich bin
vielmehr überzeugt, und werde vielleicht einmal
es zu beweiſen ſuchen, daſs beynahe alle Radical-
worte jeder Sprache *Nomina* ſind." — שמים.
ארץ wird ſehr wahrſcheinlich von 2 arabiſchen
Worten abgeleitet, welche hoch und niedrig bedeuten." Zu Gen. I, 5. heiſst es: Saadias insbeſondere giebt den wahren Sinn beſtimmt an,
deſſen Worte überſetzt ſeyn ſollten: *cum tranſiſ-*
ſet crepuſculum, et aurora, dies unus, dixit Deus
etc. und nicht, wie es in der Polyglotte heiſst:
cum praeteriiſſet nox, et dies, dies unus. (Aber
das Arabiſche heiſst doch nicht anders als ——
ولما مضى الليل والنهار يوم واحد شا
(الله.

Was die *Kritik* des Vf. betrifft; ſo macht er
mit dem maſorethiſchen Text gar keine Umſtände, wie ſich auch gleich aus den erſten Worten ſeiner Anrede an das Publicum erwarten läſst:
Unter den Gelehrten iſt es nicht länger zweifelhaft, daſs die hebräiſchen Bücher der heil. Schrift
in einem verſtümmelten und unvollkommnen Zuſtand auf uns gekommen ſind; und die Gelehrſamkeit dieſes Jahrhunderts iſt auf eine rühmliche Weiſe angewendet worden, ſie ſo nahe als
möglich auf ihre urſprüngliche Richtigkeit zurück
zu bringen." Hier ſind die Aenderungen, die er
im erſten Kapitel vornimmt: Vers 6 wird die Formel ויהי־כן aus dem 7 Vers eingerückt. Hierzu die Anmerkung: daſs dieſer Zuſatz, aus dem
Griechiſchen, urſprünglich einen Theil des Textes ausmachte, das ich meines Theils vollkommen
überzeugt. Diejenigen, die anders denken, können mich alſo nicht tadeln, daſs ich ſie auf eine
ſo vorſichtige Weiſe eingerückt habe. Meine
Gründe, dafür werden in der allgemeinen Einleitung

A

tung vollſtändig dargelegt werden. Man wolle
dies zugleich auf alle ähnliche Fälle anwenden."
(Warum iſt nicht auch V. 7 nach וברך das Wort
אלהים aus dem Griechiſchen eingerückt?) V.
8. wird eingerückt כי טוב אלהים וירא. V. 9.
wird der Zuſatz der LXX In den Text aufgenom;
men. V. 14. wird der Zuſatz des Samar. und der
LXX להאיר על הארץ eingeſchoben. V. 15
iſt abermals der Zuſatz der LXX eingerückt. V.
20 eben ſo. V. 26 iſt die Lesart des Syrers וככל
חית הארץ aufgenommen, und V. 28 iſt eingerückt — וככהסה ובריח הארץ ובכל. Ein beſonderer kritiſcher Grundſatz iſt bey Exod. XIII, 8. wo
ſtatt מצרים מארץ angenommen wird מארץ מצרים,
geäuſſert: "Der Leſer ſoll ſich nicht wundern,
daſs dieſer Zuſatz auf das Anſehen einer einzigen
griechiſchen Handſchrift und der koptiſchen Verſion eingerückt iſt. Ich würde geneigt geweſen
ſeyn, ihn ſo gar auf das bloſſe Anſehn der Lettern einzurücken; ſo ungerne entſchlieſs ich mich
eine Stelle, die ſchicklich und analogiſch iſt, zu
verwerfen, aus dem Grunde, daſs ſie ein
Einſchiebſel ſeyn könnte. Wenige Einſchiebſel,
glaub ich, hat der Text erhalten, aber ſehr, ſehr
viele Abkürzungen."

Als Probe der Ueberſetzung führen wir den
16ten Pſalm an. Bewahre mich, o Gott, denn
auf dich trau ich. | Zu dem Herrn hab ich ge-
ſagt: Mein Gott biſt du, von dir kommt all mein
Gutes. Was jene unheilige Gottheiten der Erde betrifft, mit all den Groſsen, die ſich daran
ergötzen; ſo mögen ihre (der Götzen?) Sorgen
viel werden! Zurück müſſen ſie eilen! | Trank-
opfer von Blut will ich ihnen nicht ausgieſsen:
ihre Namen ſelbſt will ich nicht anführen mit meinen Lippen. Du, o Herr, biſt der Anweiſer.
meines Erbtheils und meines Bechers, du biſt es,
der mein Loos behauptet. | Die Meſsſchnüre ſind
für mich gefallen auf angenehme Stellen: ergö-
tzend, in Wahrheit, iſt das Erbtheil, das mir zu-
gekommen. | Ich will den Herrn preiſen, daſs
er mich erinnert: ja, mein eigenes Gewiſſen be-
ſtraft mich jede Nacht. | Den Herrn hab ich mir
immer vor Augen geſetzt, damit ich nicht abwei-
che vom Wege der rechten Hand. | Darum iſt
mein Herz froh, und meine Leber freuet ſich,
ſelbſt mein Fleiſch wohnt in Sicherheit. | daſs
du meine Seele nicht willſt dem gierigen Grab
überlaſſen, noch zugeben, daſs dein Frommer die
Grube ſehe. | Sondern willſt mich kennen laſſen
den Weg des Lebens, Ueberfluſs von Freude in
deiner Gegenwart, ewiges Vergnügen zu deiner
rechten Hand. | — Zu dem 10ten Vers iſt keine
Variante angemerkt. In den untergeſetzten Noten
heiſst es: Man glaubt, der ganze Pſalm gehe auf
Jeſ. Chriſtus nach ſeinem zweyten und prophetiſchen Sinne. — Die Ueberſetzungsart übrigens
ſcheint nicht gleichförmig zu ſeyn: da im 7 V. ſtatt

meine Nieren, geſetzt iſt, mein Gewiſſen, warum
denn im 9ten Vers, meine *Leber* freuet ſich?

Die Bedingungen ſind folgende: Das Ganze ſoll
aus 6 Bänden gr. 4 beſtehen, davon der 1 - 4te
das Alte Teſtament nebſt den apokryphiſchen Büchern, der 5te, das Neue Teſtament, und der
6te den bibliſchen Apparatus, mit Landkarten und
Regiſtern enthalten ſoll. Subſcribenten erhalten
jeden Band für 1 und eine halbe Guinee. Sobald tauſend Subſcribenten vorhanden ſind, wird
mit dem Druck der Anfang gemacht. Wenn die
erwartete Unterſtützung erfolgt; ſo wird auch eine wohlfeilere Ausgabe in 6 kleinern Bänden
veranſtaltet werden, welche die vollſtändige Ueberſetzung, nebſt dem Weſentlichen der Noten
und Einleitungen, aber ohne die philologiſch-
kritiſchen Erläuterungen enthalten ſoll.

Unſers unmaſsgeblichen Bedünkens ſollte der
ehrwürdige Hr. D. Geddes die *critical obſervations*, die manchmal beſonders nachſchlagen muſs,
zur Bequemlichkeit ſeiner Leſer in einen beſondern Band zuſammenſtellen. Auch könnte er eben
dieſe *critical obſervations* um ein beträchtliches
abkürzen. Er ſagt ſelbſt: „Manche liebe Zeile
habe ich ausgeſtrichen, und doch fürchte ich,
nicht genug ausgeſtrichen zu haben." Dieſe Be-
ſorgniſs möchte in der That nicht ungegründet
ſeyn. Wozu denn Anmerkungen, wie die folgende, Gen. I. 14. מארת. So, *defective*, hat
die gedruckte maſorethiſche Text: aber ſieben
Handſchriften mit dem Samarit. leſen מאורת,
mit der vollſtändigen Ausnähung von Buchſtaben.
Zehen Mſpt. haben מאורת und drey מארת.
Viele tauſend Worte (mit Gunſt des Hn. Michaelis) ſind ſo verkürzt worden, ſeit der Einführung
der Vocalen." Und von dieſer Art finden ſich
nicht Wenige. Sollen nicht die ſämtlichen Verſchiedenheiten von dieſem Werth ausgezeichnet
werden — und wer könnte dies auch wünſchen? —
warum muſs denn gerade bey Gen. I. 16. angeführt werden: גרל. גרלים. Aber Sam. mit
ſieben Mſpten גרור. Noch dazu iſt
die Zahl *ſieben* nicht einmal genau; es ſind der
Mſpte bey Kennicott ungleich Mehrere. - Was
die *Kritik* des Hn. D. Geddes betrifft; ſo gönnen
wir derſelben, wie billig iſt, allen nur erdenklichen Spielraum: doch ſollten wir meynen, die
Veränderungen, die mit dem Original vorgenommen werden wollen, könnten vor der Hand, bis
allgemein beliebt ſeyn werden, in der Ueberſetzung, etwa mit kleinerer Schrift, von dem
Uebrigen unterſchieden bleiben: die Sache hätte
einen gewiſſen Anſtrich von Beſcheidenheit, und
lieſse ſich überdies durch den Vorgang einiger
nicht verächtlichen Kritiker rechtfertigen.

HAMBURG u. LEIPZIG: *Myſtiſche Erklärung
über das Hohelied Salomonis, in welcher erwieſen wird, daſs dieſes Lied der Lieder die
Kirchengeſchichte des alten und neuen Teſtaments*

meints und auch zugleich den wahren *Weg
zur mystischen Vereinigung der Seelen mit
Gott abbilde und anzeige*. 1788. 1242 S. 8.
Wir gestehen, dass gleich der Anfang des Titels, *mystische Erklärung*, die so wenig mit unsern Grundsätzen einer gesunden und vernünftigen Erklärung vereinbar ist, und die ungewöhnliche Dicke des Buches uns von dem Durchlesen
eine Zeitlang abgeschreckt habe. Der Vf. ist uns
ganz unbekannt. Wir sehen aber doch, dass dieses nicht die erste Frucht ist, womit er das gelehrte und christliche Publicum heimsuchet. Schon
im J. 1756 gab er eine dreyfache Paraphrase über
das Hohelied heraus. 1782 liess er eine Verbesserung der fünf ersten Sectionen dieses Buches
drucken. Er hat auch eine exegetische Aufklärung einiger dunkeln Stellen der heiligen Schrift,
in wenigstens zwey Theilen, (442 S.) imgleichen
theologische Betrachtungen über die Krankheiten
des menschlichen Lebens, auch 1785 eine Sammlung aller seiner theologischen Schriften, und in
diesem J. noch eine Abhandlung von der wahren
Beschaffenheit und Nutzen der Kindertaufe drucken lassen. Uns, und vielleicht wenigen von unsern Lesern sind diese Schriften, ja nicht einmal
Recensionen davon zu Gesichte gekommen. Sie
gehören vermuthlich zu den vielen, welche in
Deutschland gedruckt, aber nicht gelesen werden.
Der Vf. giebt dem Hohenliede einen zwiefachen
historischen, und noch überdem einen geheimen
und die Heilsordnung betreffenden Sinn. Wir
waren begierig aus der Vorrede die Gründe zu
lernen, warum er den Wortverstand verwirft. Er
findet es aber nicht nöthig, wie er selbst saget,
den Beweis des von ihm gefundenen dreyfachen
Sinnes zu führen; aber bedenkt, dass Salomo durch Eingebung des heiligen Geistes geschrieben habe, der wird leichtlich einsehen, dass es
sehr unbesonnen sey, jemand sich untersteht,
die unermessliche Grösse der unendlichen Weisheit
Gottes nach dem kleinen Horizont seiner menschlichen Weisheit zu messen, und meynet, die Weisheit Gottes könne nicht überschwenglich mehr thun,
als er weiss oder verstehet; Ephes. 3 v. 20. Er
hat daher zur Erläuterung des geheimen Sinnes
die sieben Stufen beschrieben, welche seinem Vorgeben nach eine durch die Sünde von Gott getrenn-
te Seele ersteigen muss, ehe sie zu der innigsten Gemeinschaft und Vereinigung mit dem allerheiligsten
Gott (so weit dieselbe in dem gegenwärtigen Leben
möglich ist) gelangen kann. Dem Commentar ist ein
summarischer Inhalt des Hohenliedes vorgesetzt.
In den vier ersten wird die Kirchengeschichte
A. und N. T. überhaupt abgebildet, in den 3 folgenden die zu Salomo's Zeit lebende Kirche der
Heiden redend eingeführt. Der neunte enthält
eine Aufforderung an diese Kirche, Abgötterey
und Aberglauben zu verlassen. Der Rest des Buches wird in 4 Abschnitte eingetheilt: Cap. 1. 9
bis 2, 2. 2, 3 bis 5, 2. 5, 3 bis 8; 3 und von

da an bis zu Ende. Bey einem jeden Abschnitt
wird gehandelt: 1) im *Vorbilde* von der Kirche
unter den Juden; 2) im *Gegenbilde* von der Kirche unter den Heiden, und nachher unter den
Christen; 3) im *geheimen Sinn* von dem Zustande eines Menschen von dem Anfange seiner Bekehrung an. Die Geschichte der jüdischen Kirche wird bis zur Zerstörung Jerusalems im J. C.
70, die der heidnischen und christlichen von der
Sündfluth an bis zum Ende der Welt abgebildet.
Der geheime Sinn führt den Menschen durch die
vorhin genannten sieben Stufen bis an das Ende
seines zeitlichen Lebens. Wir glauben, unsre
Leser werden an dieser allgemeinen Uebersicht
der Behandlungsart des Vf. genug haben, und keine Exempel verlangen, woran man seine gewalt-
samen Verdrehungen erkennen könne. Denn wer
solche Sachen in dem Hohenliede antrifft, kann
doch wohl nicht anders, als höchst gewaltsam,
willkührlich und ungereimt mit dem Buche umgehen. Der Commentar selbst ist in 15 Sectionen
abgetheilt. Zu Anfang einer jeden Section steht
eine Uebersetzung, die wörtlich, oft sinn- und
durchgehends geschmacklos ist. Man nehme nur
gleich den Anfang: *Er wird mich küssen mit dem
Kusse seines Mundes. Denn gute (werden seyn)
deine Lieben für Wein.* v. 3. *Den Geruch betreffend (werden seyn) deine Oehle gute (Oehle)* —
v. 4. *Wir werden gedenken machen Deiner Lie-
bes für Wein.* Die Erklärung, welche gemeiniglich nach dem dreyfachen Sinne in kleinere Abschnitte A B C bezeichnet, zerlegt ist, besteht in einer Reihe biblischer Sprüche, so wie sie die Phantasie des
Vf. an einander gekettet hat. Zusammenhang und
Ordnung sucht man darin vergebens. Am allerwenigsten ist zwischen den gehäuften Schrift-
stellen und dem zu erklärenden Texte eine
Verbindung. Das wenige Philologische, was der
Vf. zur Erklärung einfliessen lässt, stehet in Anmerkungen unter dem Texte. Es wäre eine überaus sonderbare Erscheinung, wenn ein so grosser
Liebhaber von mystischen Erklärungen ein guter
Philolog wäre. Seine Kenntnisse in diesem Fache
sind sehr eingeschränkt. z. E. 2, 14 wird פתח wie
Richt. 5. 26 *durchbort* übersetzt. Aber diese Uebersetzung ist unbewiesen, und für die Stelle im
Hohenl. sehr unschicklich — 2, 16 רעה בשושנים
soll heissen: *der die Lilien weidet* — v. 17 *Berge
Bether* d. i., *Berge der Theilung* bezeichnen die
Königreiche der gelobten Landes, welche den
übrigen 7 Stämmen durchs Loos zugetheilt waren; Jos. 18. 10. 3, 1 משכב bezeichnet die
Stiftshütte wie Jes. 57, 7. 8. den Tempel — Richtig ist die Bemerkung, dass 3. 8 חרב אישׁ des
partic. pass. ungeachtet fassende das Schwerdt
zu übersetzen sey. — 4. 8. waget er auch einmal
von den Puncten abzuweichen, und אתו von אתה
kommen zu deriviren. Aber mit mir vom Libanon o Braut nach der gewöhnlichen Punctation, ist

ist feuriger und dichterischer, als des Vf. komme vom Libanon o Braut. Es ist indessen so selten, daß der Vf. sich die Freyheit erlaubt, von dem gewöhnlichen Texte in Puncten oder Consonanten abzugehen, daß er sie in einem Anhange, deren dieses Buch verschiedene hat, entschuldiget. Ein Exempel, daß er auch einen Consonanten corrigirt, ist 4, 12. wo בל statt בל gelesen wird — Richtig wird 5, 11 קוצה durch Locken gegeben, und die Uebersetzung von תלתלים gehäuft, sehr gehäuft, kömmt der wahren ziemlich nahe — Was zur Erklärung der letzten Worte 5, 12 gesagt ist, kömmt mit dem, was Velthusen über diese Stelle sagt, so sehr überein, daß man glauben sollte, er hätte es aus diesem Schriftsteller genommen, wenn nicht aus so vielen andern Stellen seine Unbekanntschaft mit ihm gewiß wäre. Jeder Section ist ein Gebet angehängt (wie werden hier nicht die Spötter lachen, wenn nicht zu erwarten wäre, daß auch diesen das Werk zu unerheblich seyn wird), welches mit ein paar Versen und einem biblischen Spruche beschlossen wird. Das vernünftigste, was wir im ganzen Buche angetroffen haben; und welches wir kaum von einem solchen Mystiker erwartet hätten, ist die Warnung gegen unmittelbare Offenbarung und innerliche Einsprache (S 622).

Nürnberg, b. Felseker: D. Joh. Geh. Rosenmülleri Scholia in Novum Testamentum. Tomus V. continet Pauli Epp. ad Timoth. Tit. Philem. et Hebr. — Ep. Jacobi — Apocalypsin. Editio II. auctior et emendatior. 1788. 650 S. 8.

Alle Veränderungen und Verbesserungen dieser Scholien in dieser zweyten Ausgabe anzuzeigen, ist bey ihrer Menge unmöglich, und einige auszuheben, ist überflüssig, da es schon bekannt ist, mit wie viel Sorgfalt der Hr. D. in der Auslegung die Neuern zu vergleichen, und mit wie viel Glück er meist das Beste aus ihnen auszuwählen

weiß. Die wenigsten Veränderungen finden wir in den Scholien über Petri Briefe, in welchen noch ein ziemliches Feld zu Untersuchungen, vielleicht auch zu Verbesserungen übrig bleibt. Wir können dem Hn. D. nicht beystimmen, wenn er 2 Pet. 1, 16. παρουσια von der schon erfolgten Zukunft Christi ins Fleisch erklärt (L K. 3, 4.) unter dem προφητικος λογος die Weissagungen des A. T. versteht (v. 219.) ιδια επιλυσις v. 21. von der innern Verständlichkeit der Prophezeihungen nimmt, u. K. 2. zuweilen sich so erklärt, als ob auf gnostische Irrthümer angespielt würde. — Besonders gut sind in der Apokalypse die Sujets der Gemählde in den Visionen jedesmal angegeben und dadurch auf die Dunkelheit ein Strahl des Lichtes geworfen.

VERMISCHTE SCHRIFTEN.

Hannover, b. Schmid: Ueber den Umgang mit Menschen von A. Freiherrn von Knigge. 1788. Zweyte verbesserte Auflage.

Nimmt 15. S. mehr ein, als die erste Auflage und hat vor dieser vorzüglich einige Noten voraus, voll der gereiztesten Empfindlichkeit gegen einige Recensionen. Ob es einer Vertheidigung der Beurtheilung in der A. L. Z. (N. 117. d. J.) gegen dieselben bedürfe, mag der Leser nach einem Beyspiele entscheiden. Am Schlusse des zweyten Theils beruft sich der Verf. gegen dieselbe darauf, daß er den Unterschied zwischen dem was sittlich gut ist, und dem was erlaubte Klugheit ist, sorgfältig beobachtet habe, und gleich darauf behauptet er, daß ein solcher Unterschied gar nicht existire. Der höhnische und bittere Ton dieser Noten giebt eben kein Beyspiel der Urbanität, die der Vf. in seinem Werke empfiehlt. Die Unanständigkeit einiger Aeußerungen darf hier um so mehr gerügt werden, da sie nicht gegen die A. L. Z. sondern gegen eine Recension in den Göttingischen Anzeigen gerichtet sind.

KLEINE SCHRIFTEN.

Rechtsgelahrtheit. Unter der allgemeinen Angabe Deutschland: Ueber das Eigenthumsrecht. der böhmischen Obrigkeiten auf die Gründe ihrer Unterthanen, und über die Gerechtigkeit der hieraus entstehenden Frohn oder Robotschuldigkeit. Ein Wort zu seiner Zeit. 1788. 2 B. 8. (3 gr.) Der Vf. beantwortet die Frage: ob die Böhmische Robot gerecht oder ungerecht sey, ungemein gut. Das Ausland denkt sich die böhmischen Obrigkeiten als so viele kleine Despoten, und bedauert den Unterthan, daß er kein Eigenthum habe; bemerkt aber nicht die Entstehung der böhmischen Bauergründe zurück. Sie ist folgende: Wo ein Rittersitz oder Schloß war, sammelten sich Menschen, erhielten ein Stück Landes zur Bearbeitung und zum Genuß unter der einzigen damals möglichen Bedingung, daß sie diejenigen Grundstücke, die sich die Obrigkeit vorbehielt, pflegten; und damit nicht jeder, der durch solche Unterstützung empor kam, von einer Obrigkeit zur andern lief, wurde die Unterthänigkeit eingeführt. Dies ist der Ursprung der damaligen Bauergründe und Robot. Der Verf. hätte nicht nöthig gehabt bis zur Geschichte der Völkerwanderun-

gen hinaufzusteigen, weil alle jetzige Besitzer Böhmens ein jus naturale, dem nicht praescribiret werden kann, auf die Bauergründe haben, vielmehr hätte er die Entstehung und Geschichte der Schlesischen Frohnen berühren sollen, wie sie in den neuen ökonomischen Nachrichten der patriotischen Gesellschaft zu lesen sind, und diese würden als gleichen Ursprungs einen Beweis mehr gegeben haben, indem der preußische Zepter die Obrigkeiten ungekränkt läßt, und nicht leidet, daß die Bauern als bloße Bestandinnhaber ihrer Stellen mit diesen auch nur eine Caution leisten. Welches sie auch nicht können, weil sie mit einem fremden Eigenthum Vorstand machen würden. Gedrungen und kräftig beweiset der Vf., daß der Kaiser eine doppelte Ungerechtigkeit begienge, wenn Er den Bauern ein Eigenthum gäbe, das sie wieder ererbt, noch gekauft, nicht geschondet erhalten; giebt aber dreyerley Arten an, die Bauergründe von den Obrigkeiten auszulösen, und sie so frey zu machen. Wir empfehlen sie denjenigen zur Beherzigung, welchen daran gelegen ist, den Bauern das Eigenthum zu verschaffen.

ALLGEMEINE
LITERATUR - ZEITUNG

Freytags, den 2ten Januar 1789.

RECHTSGELAHRTHEIT.

Jena, b. Cuno's Erben: *Ueber das Recht protestantischer Fürsten unabänderliche Lehrvorschriften festzusetzen und über solche zu halten.* Veranlaßt durch das preußische Religionsedict vom 9ten Julius 1788, von Doct. *Gottlieb Hufeland*, Professor der Rechte zu Jena. 1788. 76 S. 8.

Selbst politische Seher von sehr mittelmäßigem Beobachtungsgeiste weissagten einer so merkwürdigen Erscheinung, als das preußische Religionsedict ist, in unsern Tagen, bey dem auffallenden Kampfe zwischen edelm Freiheitssinn und schwärmerischem Unsinn, zwischen dem ruhigen Streben duldsamer Wahrheitsforscher und den Riesenprojecten so manches orthodoxen Kämpfers die lebhaftesten, obwohl sehr verschiedenartigen Eindrücke. Noch ehe der Triumph des geschäftigen Haufens allgemein ward, milderte ebendieselbe wohlmeinende Hand, welche die Sanction bekräftigt hatte, das Empörende ihres Inhalts, und gab dadurch beiden Parteyen das schönste Beyspiel der Mäßigung. Vielleicht, daß die Nachwelt den Vorfall unter den günstigsten Ereignissen unserer Zeit frohlockend aufzählt! Wäre auch die Freyheit im Denken weniger dadurch befestigt worden; so würde es schon für die Zukunft von den heilsamsten Folgen seyn, daß er den Untersuchungsgeist weckte über die Frage: was vermag die Macht des Fürsten in einem Departement, welches die Gottheit sich selbst vorbehalten zu haben scheint, indem sie die Seele des Sterblichen zu den verschiedensten Kräften und Vorstellungen bildete? Der Verf. dieser Anzeige, den sein Amt, so wie sein innerer Beruf, verpflichtet, Recht und Wahrheit, ohne Ansehen der Person, zu suchen, wo er es findet, war über diese höchstwichtige Angelegenheit völlig bestimmt, und hatte seine Untersuchung wiederholt, ehe er gegenwärtige Schrift in die Hand nahm. Er hat sich noch nie über diese Sache schriftlich geäussert: aber der Wahrheitsfreund fürchtet keinen vernünftigen Widerspruch; denn dieser kann ihn nicht entrüsten. Wird man ihm darum die Freude mißgönnen, wenn er einem andern in dem Gebiete der Frey-

A. L. Z. 1789. *Erster Band.*

heit begegnet? In der That hat der Rec. Freude dieser Art bey Lesung gegenwärtiger Abh. mehr als einmal empfunden, wenn er gegen Hauptsätze des Verf., so wie sie in dem Stufengange der Untersuchung vorkommen, gegründete Einwürfe zu machen glaubte, und in der Folge durch befriedigende Erklärungen beruhigt wurde. — Eine allgemeine u. unabänderliche Glaubensnorm, nach welcher sich alle Mitglieder des evangelischen Religionstheils richten müßten, ist weder nach rechtlichen Begriffen, noch nach den ächten Grundsätzen der protestantischen Religion, möglich. Ein Satz, auf dessen Beweisgrunde die Entscheidung der Streitfrage einzig beruht. Wir wollen sehen, wie ihn der Vf. bewährt. Sollten sich auch bey einzelnen Sätzen Schwierigkeiten und Bedenklichkeiten finden, die nicht ganz befriedigend gehoben sind, zum Theil vielleicht nie ganz gehoben werden können, so wird doch der Total-eindruck der hier vorgetragenen Gründe jeden Unbefangenen, der den Gesichtspunkt des strengen Rechts, und selbst die überwiegenden Forderungen einer gesunden Politik, festhalten will, für die Meynung des Vf. bestimmen. Seitdem der Untersuchungsgeist bey uns allgemeiner geworden ist, sind, nach der richtigen Bemerkung des Vf., aus dem Zirkel der eigentlich wissenschaftlichen Forscher auch schon zu den andern Menschenklassen so viel Kenntnisse und Ueberzeugungen ausgegangen, daß vielleicht kein Volk so viel aus gründlicher Ueberzeugung wahrhaft religiöse und tugendliebende Menschen aufzuweisen hat, als das unsrige. Bey allen diesen erfreulichen Aussichten betremdet es, daß bey den meisten grossen Verbesserungen, die man vornehmen will, immer die Rechtsgelehrten in den Weg treten. (Versteht sich, mit verkehrter Anwendung des Rechts, welches aber bey den S. 3. angeführten Beyspielen von Aufhebung der Leibeigenschaft, der Klöster, Frohnden, Hut und Trift, sobald die Frage rechtlich entschieden werden soll, nicht immer der Fall seyn dürfte.) Höchstwichtig für die gegenwärtige Streitfrage ist der Satz: Menschen *können* nicht von andern Menschen das Recht erhalten, diesen vorzuschreiben, was sie sich in Rücksicht auf Moral und Religion sollen vortragen lassen. Der Be-

B   weis

weis liegt in einem Grundfatze, der unter die
wenigen unabänderlichen und unverletzlichen Lehren des Naturrechts gehört: dafs alles das nicht
übertragen werden kann und darf, deffen Uebertragung entweder unmöglich oder verboten ift.
Jeder Vertrag hierüber ift fchlechterdings ungül-
tig. Der Fall ift bey allen Rechten, die, ohne
allgemeine Gesetze der Moral zu verletzen, nicht
von dem Handelnden an Andere überlaffen werden dürfen, oder die wohl gar der Handelnde
felbft nicht hat. Das wichtigfte Grundgefetz der
Moral aber ift für jeden Menfchen feine eigene
Verbefferung; „und diefe kann nur nach felbft
„eingefehenen, und als gut anerkannten Vorfchrif-
„ten und Gefetzen der Moral vorgenommen,
„und nur auf folche Sätze der Religion gebaut
„werden, die jeder felbft für wahr annimmt: eben
„weil die ganze Verbefferung eines jeden Men-
„fchen eigenes Werk feyn mufs, wobey ihn
„zwar andere leiten, aber nie ohne feine eigene
„Mitwirkung gänzlich führen können, und weil
„Mangel an Ueberzeugung den Sätzen der Reli-
„gion und Moral alle Kraft nimmt, und geradezu
„alsdann alle Verbefferung darnach unmöglich
„macht. Diefe Ueberzeugungen nun kann kein
„Menfch nach feinem willkührlichen Gefallen feft-
„fetzen oder ändern; er kann fie auch nie auf
„immer für fich feftfetzen, da er nicht über die
„Unveränderlichkeit feiner Ueberzeugungen ge-
„bieten kann; er kann daher auch Niemanden das
„Recht geben, fie willkührlich für ihn feftzufe-
„tzen, oder noch ihn zu zwingen, dafs er die
„einmal feftgefetzten nie wieder verliere.“ Was
hier von einzelnen Menfchen gefagt ift, gilt
auch von Verbindungen unter denfelben in diefer Rückficht, von Gemeinden; denn diefe beftehen aus einzelnen Menfchen, und die Wirkung
der Religionsfätze auf die ganze Gemeinde kann
nur ftatt haben, in fo fern fie auf einzelne ftatt
hat. Es kann alfo auch eine Gemeinde fich nicht
verbinden, ewig daffelbe als wahr anzufehen;
und eben fo wenig kann fie einem, er fey wer
er wolle, das Recht übertragen, das, wovon fie
überzeugt feyn folle, oder Glaubensartikel, für
fie feftzufetzen, oder ihre alten Ueberzeugungen
unverändert zu erhalten. Das Recht, zu beftimmen, was in den Verfammlungen der Gemeinde
vorgetragen werden foll, hängt blos von dem
Gefammtwillen der Gemeinde felbft ab: der jedoch ohne Ausnahme abänderlich bleibt, und der
Mehrheit der Stimmen nicht unterworfen feyn
kann. Sogar in einen Streit über Religionsmey-
nungen kann der Staat fich nur alsdenn mifchen,
wenn Gefahr für ihn daraus entftünde. „Höch-
„ftens alfo bleibt dem Fürften nur das Recht, Leh-
„ren zu verbieten, die geradezu und unftreitig
„die Erhaltung des Staats in Gefahr bringen, nicht
„aber Lehren vorzufchreiben, oder einmal feft-
„gefetzte Lehrvorfchriften ohne den Willen der
„Gemeinde zu erhalten.“ (So einleuchtend der

So nötig, bedenklich fcheint er in der Anwendung. Einmal, ift negative Vorfchrift, nicht
auch Vorfchrift? Nächftdem, wer foll beftimmen, ob ein vor der Gemeinde angenommener Lehrfatz für den Staat gefährlich fey?
ob der Staat zugeben könne, dafs die Gottheit
Chrifti, die Dreyeinigkeit u. dergl. m. geläugnet
werde? Der Fürft? der es ohne Zweifel nach
Maasgabe feiner Privatüberzeugung thun wird.
Oder ift jene Beftimmung ein unübertragbares
Recht der ganzen Nation? Wenn fie diefe ift, wie
foll diefe entfcheiden? Nach Mehrheit der Stimmen? in einer Sache, wo es auf die Ueberzeugung jedes Einzelnen ankommt? Wahr fagt der
Vf. nach Rec. Ueberzeugung, dafs eigentliche Religionslehren den Staat gar nicht in Gefahr bringen können. Aber wird jeder Regent ihm hierinn beyftimmen? Wie, wenn man dem Fürften
das Befugnifs zu allen und jeden Vorfchriften
über eigentliche Religionslehren geradezu abfprä-
che? welches nach S. 17, des Vf. Meynung
zu feyn fcheint.) Den proteftantifchen Fürften infonderheit ift keinesweges das Recht allein übertragen, unveränderliche Glaubensartikel feftzufetzen,
oder über den feftgefetzten für immer zu halten;
felbft nach dem Collegialfyftem nicht. Denn 1)
zu Anfang der Reformation felbft haben die Fürften gar keine Lehrvorfchriften feftgefetzt. Zur
Zeit der Uebertragung der Kirchengewalt (urfprünglich verftand man wohl nicht vielmehr hierunter, als ein gebildetes Lehrfyftem. 2) Diefes hielt man
damals für fo feft gegründet, dafs an die Frage:
was foll bey geänderter Ueberzeugung in Dingen des Glaubens Rechtens feyn? gar nicht gedacht wurde. 3) Nach dem Sinne der vornehmften Häupter und Leiter der Reformation follten
die Fürften blofs Gewiffensfreyheit erhalten u. befördern. 4) Können doch in der kathol. Kirche einzelne Bifchöfe eben fo wenig Glaubensartikel beftimmen. 5) Stillfchweigende Einwilligung ift nicht
gedenkbar; denn die allgemeine Einwilligung aller
Proteftanten in Deutfchland ift unerweislich, und
fie müfste von allen Einzelnen erfolgen feyn. Was
mit Gewalt durchgefetzt worden ift, wie die Einführung der Formulae Concordiae in Sachfen, ift
doch nicht frey bewilligt! (Unfers Erachtens liegt
immer der ftärkfte Grund darinn, dafs eine folche
Einwilligung, der Natur der Sache nach, nicht
erfolgen könne und dürfe.) — Aber verhindern
die Reichsgefetze der Proteftanten an einer
Aenderung ihres Lehrbegriffs? (Wenn fie auch
wollen; fo können fie es nicht. Was die Reichsgefetze hierüber fagen, z. B. der 17 §. des Re-
ligionsfriedens, der 5 §. des R. A. von 1566,
J. P. O. art. 7. §. 2. gründet fich auf des Hn. Vf.
eigene obige Bemerkung; dafs die Proteftanten
damals beffere Ueberzeugungen in ihrem Lehrfyftem für unmöglich hielten. In wie ferne diefe
Vorausfetzung richtig, und alfo auch die darauf
gebauten

gebauten Beſtimmungen unumſtöſslich ſind, lehrt die neuere Religionsgeſchichte. Dabey verliere man den Geſichtspunkt bey Betrachtung der ältern Reichsgeſetze nicht, nach welchem die Proteſtanten eigentlich nur nach Schutzwehre wider die Katholiken ſtrebten. Dieſe machte aber die Erhaltung ihrer genauern Verbindung, wo nicht der innern, doch der äuſſern, räthlich und nothwendig. Iheſer Geiſt lebt in denen Stellen, die auf ihre Veranlaſſung in die Reichsgeſetze kamen.) Der Hr. Vf. hat allen Scharfſinn aufgeboten, auch zu zeigen, daſs in der That die Reichsgeſetze von einer bejahenden Antwort dieſer Frage nichts enthalten. Aber wir fürchten, daſs dieſs gerade diejenige Seite ſeyn dürfte, auf welche die Gegner am liebſten eindringen werden. Er ſtreitet mit zehn Gründen, die denn freylich doch gewiſs ſo viel beweiſen, daſs durch einzelne Abweichungen der Proteſtanten von ihrem Lehrſyſtem nicht der Verluſt ihrer Rechte im Reiche ſtehe, und daſs die Katholiken kein Recht auf die Unveränderlichkeit des proteſtantiſchen Lehrſyſtems erlangt haben. — Wer hat denn aber dieſes Recht, über Aufrechthaltung oder Abänderung der Lehrvorſchriften etwas zu verordnen? Alle, die es den Fürſten abſprachen, legten es der Kirche bey, ohne zu bedenken, in welche Schwierigkeiten dieſe allgemeine Rückweiſung nothwendig verwickelte. Denn wer iſt die Kirche in dieſer Rückſicht: Nicht der Fürſt: nicht die Geiſtlichkeit: ſondern nur eine Gemeinde: wenigſtens iſt eine ſchon hinreichend. Und hier kommt es nicht auf Mehrheit der Stimmen bey Feſtſetzung gewiſſer Lehrvorſchriften an; ſondern auf jeden Einzelnen, der aber auch ſtillſchweigend einwilligen kann. Den Begriff der Kirche, mit Bemerkung falſcher und richtiger Folgerungen, die daraus gezogen werden und zu ziehen ſind, findet man hier S. 45. u. f. ſehr genau entwickelt. Wenn irgend eine Veränderung in dem Glaubensſyſtem einer Kirche gemacht wird, geſetzt auch daſs ſie nicht gleichförmig angenommen würde, wenn nur dieſelbe ohne Trennung geſchieht, und wenn nur noch dieſelben Mitglieder in ihrer Verbindung zu gemeinſchaftlicher Religionsübung bleiben; ſo hört darum die Kirche nicht auf, dieſelbe zu ſeyn. Nahm nicht ein Theil der Augsb. C. Verwandten die Concordienformel an, ohne ſich darum von dem andern zu trennen? Eine gemeinſchaftliche Lehrvorſchrift iſt nur bey einer einzelnen Gemeinde nothwendig. Es können mehrere Gemeinden in einer Verbindung ſtehen, welche gar nicht von gemeinſchaftlichen Lehrvorſchriften abhängt; wenigſtens ſind nur wenige der letztern hinreichend, und in andern können ſie höchſt verſchieden denken; letzteres z. B. über die Gottheit Chriſti, das Abendmahl, die Genugthuung. Dagegen kann darinn ein gemeinſchaftliches Band beſtehen, daſs ſie nur Vernunft u: Bibel, nicht aber Tradition, als Quelle ihrer Religions-

erkenntniſſe (und anderer Lehren, wodurch ſie ſich von andern Religionsverbindungen unterſcheiden), annehmen, nächſtdem aber gegen Unterdrückung ſich gemeinſchaftlich vertheidigen wollen. Es iſt ganz unnütz, an Feſtſetzung allgemeiner Lehrvorſchriften zu denken, da die allgemeine Annahme eigentlich von der beſondern Willkühr jeder Gemeinde abhängt, und alſo allgemeine geſetzliche Beſtimmung hier gar nichts bewirken kann, weil es immer jeder Gemeinde frey ſtehen muſs, davon abzuweichen; ohne den Willen der Gemeinde iſt niemand befugt, ſich in dergleichen Abänderungen zu miſchen; denn unter andern kann dieſe ja eben wollen, daſs ohne alles Aufſehen der Prediger ihr vortragen ſoll, was er ſeiner Ueberzeugung nach, für wahr und gut hält. In der That hat man auch ſchon mehrmals ganz nach dieſen Grundſätzen gehandelt, wovon S. 59 aus Moſheims Kirchen. S. 563 f. Beyſpiele angeführt werden, die Rec. aus ſeinem Wohnorte vermehren könnte. Wir übergehen, was S. 54 und 58. von der Macht der Geiſtlichen, ihre Meynung über Glaubensſachen zu äuſſern, geſagt wird, und wo uns als Beſtimmung, daſs die Gemeinde dem Prediger bey den Vorträgen in ihren Verſammlungen zwar Einſchränkungen machen könne: nicht aber bey ſeinen ſchriftlichen Vorträgen, es ſey denn, daſs durch dieſe die Wirkung jener kirchlichen Vorträge gänzlich vernichtet würden, — nicht genau genug zu ſeyn ſcheint. So viel von dem Recht. — Ausführlich entwickelt der Vf. S. 61 u. f., was eine einſichtsvolle Staatskunſt über dieſe Frage anrieth: obwohl man nicht fragen darf, ob etwas rathſam ſey? ſo bald entſchieden iſt, daſs es durchaus unrecht ſey. So innig wir beyſtimmen, daſs bey denkenden Köpfen nie eine völlige Uebereinſtimmung in Meynungen geweſen, noch zu hoffen iſt; ſo wenig möchten wir doch behaupten, daſs wenn alle Prediger ihr Amt niederlegen müſsten, die nicht ganz nach den ſymboliſchen Büchern lehren, oder wohl gar nicht übereinſtimmend mit denſelben glauben, dieſes alle redlichen und gewiſſenhaften Männer than werden. Auch unter den ſtrengſten Orthodoxen hat Rec. Männer der letztern Art, verehrungswürdige Geiſtliche, gekannt, wie der Vf. auch auf der folgenden Seite ausdrücklich ſagt. Daher iſt wahrſcheinlich, daſs Hr. H. jene Aeuſſerung auf diejenigen einſchränkt, die wirklich anders denken oder lehren, aber keine Heuchler ſeyn wollen. Den Schluſs machen Vorſchläge über das Verhalten derer, die mit der Kirchengewalt verſehen ſind, in Rückſicht auf Lehrvorſchriften. Sie ſind eben ſo klug, als gut gemeynt. Nur bey N. I. S. 70 treten die oben ſchon geäuſſerten Bedenklichkeiten von der Privatüberzeugung des Regenten ein. Eigentliche Religionslehren können dem Staate und den Sitten nicht Gefahr bringen. Ueber ſie verordne der Staat gar nichts:—

Ueber

Ueber Geſchmack und Form dieſer Abhandlung zu urtheilen, bleibt andern überlaſſen, die ihre Lage über den Schein der Parteylichkeit hinwegſetzt.

Stutgard, b. Mezler: *Hanzely's Grundriſs des Reichshofiaemtlichen Verfahrers in Juſtiz- und Gnadenſachen, mit den nöthigen Formeln. Dritten und letzten Bandes zweyte Abtheilung.* 1788. 87 S. Text, 495 S. Beylagen. 8. (1 Rthlr. 12 gr.)

Der Verf. beſchlieſst hiermit ſein in allem Betracht ſehr nützliches und vollſtandiges Werk, in welchem die Theorie über jeden Gegenſtand des reichshofräthl. Verfahrens vorausgeſchickt, und dann die praktiſche Anwendung durch mehrere Beyſpiele gezeigt wird. Beſonders dieſe, über zwey Drittheile des Buchs betragende Sammlung von Beyſpielen, welche in anderen Autoren, die über den Reichshofrathsproceſs geſchrieben haben, und insbeſondere in *Moſers Einleitung* etc., entweder gar nicht, oder doch nicht ſo vollſtändig und paſſend anzutreffen find, machen dies Buch ausnehmend brauchbar, ſo wohl für den angehenden Sachwalter, der ſich ſonſt über den Stil ſeiner Bittſchriften quälen, und manche unangenehme Zurechtweiſung erfahren muſs, als für den jungen Reichshofrath ſelbſt, der in Abfaſſung der Reſolutionen und Urtheile noch nicht die gehörige Uebung erlangt hat. An der Authenticität jener Beylagen kann um ſo weniger gezweifelt werden, da der Vf. die beſte Gelegenheit hatte, aus zuverläſigen Quellen zu ſchöpfen. — Dieſer Theil iſt nun beſonders den *Gnadenſachen,* und den, durch den R. Hofrath auszuübenden kaiſerl. *Reſervatrechten* gewidmet. Bloſs im 24ten Kapitel wird noch von verſchiedenen *Juſtizgeſchaften* gehandelt, die einer beſondern richterlichen Leitung bedürfen, als z. B. von den verſchiedenen Arten kaiſerlicher Commiſſionen; von dem Geſuch und Zulaſſung des Armenrechts; ingleichen um Beſtellung eines Anwaldes von Amtswegen; von den *Decretis* des Kaiſers an den R. R. von den *Decretis per imperatorem* an den Hofmarſchall, von den *inſinuatis* und *reinſinuatis in Freundſchaft*; (ſo heiſst die wechſelſeitige Art der Mittheilung zwiſchen dem R. H. R. und den öſterreichiſchen ſo genannten Hofſtellen), von den Präoccupationſchriften; von Geſuchen um Beförderung der Relation und Beſtellung anderer Referenten etc. Die übrigen zwölf Kapitel XXV-XXXVII enthalten theils *actus voluntariae juriſdictionis,* welche der R. H. Rath mit dem R. Kam. Gerichte gemeinſchaftlich ausübt, als: die Beſtätigung einer Adoption oder Emancipation, Kap. XXV, die Beſtellung der Vormünder, Kap. XXVI. die Bekräftigung errichteter Vergleiche, Verträge und Statuten, Kap. XXVII. die Ertheilung ſichern Geleits, Kap. XXVIII. —

theils aber Gnadenertheilungen und vorbehaltene Rechte des Kaiſers, welche vom R. H. Rath in deſſen Namen ausſchlieſsend ausgeübt werden, als; die Verleihung der Groſsjährigkeit; Kap. XXIX. Die Beſtätigung einer Primogenitur; K. XXX. Die Erlaubniſs zu Verpfändung oder Veräuſserung von Reichslehnen; K. XXXI. Die Ertheilung kaiſerl. Privilegien, insonderheit der Druckprivilegien; Kap. XXXII. und XXXIII. Die Ertheilung eines Moratorii; K. XXXIV. Die Legitimation Unehelichgeborner; K. XXXV. Die Verleihung der Reichslehne; K. XXXVI. und die Huldigung der Reichsſtädte Kap. XXXVII. - Die Theorie von allen dieſen Gegenſtänden iſt ſehr bündig und kurz aus den vorhandenen Beyſpielen jeder Art abſtrahirt; und ſie iſt um ſo ſchätzbarer, da das Verfahren in dieſen Sachen weniger auf beſtimmten Geſetzen und Vorſchriften, als auf der bisherigen, oft willkührlichen, Obſervanz beruhet.

Moratoria pflegt der R. H. Rath zwar auch *Mittelbaren,* jedoch faſt nie ohne vorgängige Berichtserforderung, zu ertheilen. (S. 72) Dies dürfte wohl von denjenigen Reichsſtänden, welche das *jus de non appellando et autonomiae* genieſsen, nicht eingeräumt werden.) Bey dem Geſuch Unmittelbarer um Verleihung des Rechts der *Groſsjährigkeit,* wird nur errödert, daſs der Unmündige von den Jahren der Groſsjährigkeit nicht zu weit entfernt ſey: (S. 56) Es iſt alſo nicht, wie in mehrern Provinzialgeſetzen, eine gewiſſe Norm beſtimmt. Die desfalls angeführten Beyſpiele (Beylage 1139 u. 1140.) reden von einem Alter von 22 u. 24 Jahren. Kaiſerliche *Privilegia,* welche auf gewiſſe allgemeine Rechte und Freyheiten lauten, werden gemeiniglich *auf ewig,* die zu gewiſſen Fabricaten und Unternehmungen hingegen der Regel nach nur *auf zehn Jahre* ertheilt. (S. 62) Nicht bloſs von Büchern, ſondern ſelbſt von Fabricaten und Medicamenten, müſſen 18 Exemplare zur Vertheilung unter die Mitglieder des R. H. Raths eingeſchickt werden, es wäre denn, daſs jedes einzelne Stück von ſehr groſsem Werth wäre. (Beyl 1163) Der Verf. verſpricht noch eine Abhandlung *über das reichshofrathliche Verfahren im Allgemeinen,* ohne Rückſicht auf beſondere Juſtiz- und Gnadenſachen, nach dem Plan und dem Format des gegenwärtigen Werks, welche jedoch nur in einem einzigen Bande beſtehen ſoll. Auch ſey er jetzt mit der Umarbeitung ſeiner *Anleitung zur neueſten R. H. Rathspraxis* beſchäftiget, welche verſchiedene Zuſätze und Veränderungen erhalten werden, und damit würden ſeine *Grundlinien der R. H. Rathspraxis im allgemeinen* ganz wegfallen. Jeder Kenner des deutſchen Reichsproceſſes muſs, in Erwägung der bisherigen nützlichen Bemühungen des Vf., dieſen künftigen Arbeiten deſſelben mit Vergnügen entgegen ſehen.

A L L G E M E I N E
L I T E R A T U R ‒ Z E I T U N G

Sonnabends, den 3ten Januar 1789.

RECHTSGELAHRTHEIT.

JENA, b. Melchiors Erben: *Institutiones Juris Criminalis* — scripsit *Joh. Chr, Koch,* D.Ser. Hafs. Landgrav. a Consil. Intim. Acad. Giefs. Cancellar. et Prof. Jur. Priv. Com. Palat. Caesar. — *Editio octava denuo emendata et aucta.* 1788. 472 S. ohne die Vorreden und Regifter. 8. (1 Rchlr. 4 gr.)

Wir haben diese Ausgabe mit der fiebenten v. J. 1786. genau verglichen, und keine folche Veränderungen — denn die Verbefferung der in der vorigen Ausgabe angezeigten Druckfehler wird doch nicht in Berechnung kommen — angetroffen, die den Beyfatz: denuo emendata rechtfertigen könnten. DiefZufätze beftehen in hie und da zum erften mal angeführten Schriften und in bemerkten neuen Ausgaben bereits erwähnter Bücher, z. B. S. 21. 97. 131. 137. (Die hier angeführte Diff. von *Carl Ferd. Hommel de caufis poenam rapinae capitalem haud mitigantibus,* Lipf. 1776. exiftirt nicht, fondern *Chr. Gottl. Hommel* hat in gedachtem Jahre zu Wittenberg auf einem Quartbogen *Thefes Jur. Crim. de cauf. poen, rap. cap. haud mitig.* herausgegeben.) 165. 234. 262. 383. u. f. w. Die Befitzer der vorigen Edition können bey diefen Umftänden um fo mehr diefe neuefte Auflage entbehren, als fich fchon daraus ergiebt, dafs auch der literarifchen Zufätze nicht viele feyn können, weil beide Ausgaben vollkommen feitengleich gedruckt, und in Anfehung der Lettern nicht verfchieden find. Da übrigens das Publicum diefes Lehrbuch des gelehrten Hn. Vf. fo gut aufgenommen hat, dafs es nun innerhalb 30 J. achtmal aufgelegt worden; fo wünfchten wir, dafs bey der neunten Auflage der Hr. Geh. R. fich zum Vortheil feiner Lefer entfchliefsen möchte, der Revifion und Vervollftändigung der diefem Handbuch offenbar zur Zierde gereichenden Literatur fich zu unterziehen.

LEMGO, in der Meyerifchen Buchh: *Zachariae Richteri,* Philof. et Jur. utr. D. Lipf. *Infitutiones Juris Criminalis Carolino et Saxonico juri accommodatae in ufum praelectionum academicarum.* — *Accefit in calce Conftitu- A. L. Z. Erfter Band.* 1789.

tio Criminalis Caroli V. — *Editio noviff- ma.* — 1788. 182 S. ohne die C. C. C. 8. (8 gr.)

Der im Jahr 1766 verftorbene Vf. hat diefes Compendium 1763 herausgegeben. Bey Vergleichung beider Ausgaben hat fich gezeigt, dafs die fe *Editio noviffima* ein ganz unveränderter Abdruck der erften Ausgabe ift, nur dafs die *Corrigenda et Emendanda,* weil die Druckfehler wirk. lich in dem neuabgedruckten Text verbeffert worden, auf dem letzten Bogen hinweg geblieben find. Wir haben alfo von diefem neuen Abdruck eines alten Buchs hier nichts weiteres zu fagen, als dafs der Verleger beffer gethan hätte, die Beforgung deffelben einem Sachverftändigen zu übertragen: fo würden doch wenigftens die feit 1763 publicirte *Conftitutiones Juris Saxonici Crimina. lis* gehörigen Orts nachgetragen worden, vielleicht auch diefes Lehrbuch felbft (denn aus einer neuen Auflage follte man fchliefsen dafs es noch bey Vorlefungen zu Grunde gelegt wird) in einem unfrer Zeit mehr anpaffenden Gewande erfchienen feyn.

PHILOSOPHIE.

LEIPZIG, b. Crufius: *Fragmentarifche Beyträge zur Beftimmung und Deduction des Begriffes der Caufalität und zur Grundlegung der naturlichen Theologie; in Beziehung auf die Kantifche Philofophie.* Von *J. F. Flatt,* Prof. der Philof. zu Tübingen. 1788. 190 S. 8. (12 gr.)

Die fragmentarifche Befchaffenheit diefer Beyträge fowohl, als der Raum, den wir uns bey diefer Anzeige erlauben dürfen, machen uns einen nur irgend verftändlichen Auszug aus diefer Schrift unmöglich, den wir von diefer Schrift um fo lieber gegeben hätten, da fie einerfeits dem ungenannten Tieffinne und gewifs eben fo feltenen Belefenheit ihres Verfaffers Ehre macht, andererfeits aber nur auf fehr wenige Lefer zählen kann. Das letztere glaube ich der in metaphyfifcher Lecture nicht ungeübte Recenfent aus der unglaublichen Mühe, fchliefsen zu können, die ihm das wiederholten Verfuche fich in Hn. Flatts Gedankenreihe hinzuzuftudi: ren,

C

ren, gekoftet haben; eine Mühe, die in Rückficht auf die Nichtkenner der *Kritik der reinen
Vernunft* durch die zum Theil diefem Werke ab-
geborgte Kunftfprache, in Rückficht auf die Kenner durch die zum Theil abweichende Bedeutung
Kantifcher Kunftworte, in Rückficht auf alle überhaupt aber durch die wirklich gar zu häufigen Noten
unter dem Texte äufserft erfchwert werden mufs.
Da der Inhalt gröfstentheils in einer Prüfung der
Kantifchen Entwickelung und Deduction des Begriffes der Caufalität befteht, und da fich alle in
derfelben aufgeftellten Zweifel und Einwendungen
auf die von Hrn. Kant feftgefetzten, von Hn. Flatt
aber unrichtig aufgefafsten Begriffe von *Erfcheinung* und *Ding an fich felbft* zurückführen laffen,
fo glauben wir uns damit begnügen zu können,
dafs wir einige Proben vorlegen, aus welchen fich
ergeben foll, dafs auch Hr. *Flatt*, nach der Weife
aller uns bekannt gewordenen Gegner der Kantifchen Philofophie, in den gegenwärtigen Beyträgen *widerlege, was Hr. Kant nicht behauptet hat.*
Unfre Lefer werden uns dann auch nicht blofs auf
unfer Wort glauben dürfen, dafs fie nichts dabey
verlieren, indem wir ihnen die fcharffinnigen
und künftlichen Wendungen vorenthalten müffen, womit der Vf. das, was er die Anwendbarkeit des Begriffes der Caufalität auf transcendentale Objecte, Hr. Kant aber den alten Mifsbrauch
diefes Begriffes nennt, zu vertheidigen fucht.

Im erften Fragmente *über die Beftimmung des
verfchiedenen Begriffes der Urfache* meynt Hr. F.:
„die Erklärungen des allgemeinen Begriffes von
„Urfache, die von verfchiedenen Philofophen zum
„Grunde gelegt würden, liefsen fich vielleicht al-
„le auf folgende drey Arten von Beftimmungen
„zurückbringen: Entweder wird jener Begriff
„durch den Begriff von Zeit ohne Zufatz einer rei-
„nen *Kategorie*, oder blofs durch *Kategorien* oh-
„ne Einmifchung der *Zeitbedingung*, oder durch
„eine *Vermifchung* reiner Kategorien mit dem
„Zeitbegriff beftimmt. Den erften nennt er den
„*reinfinnlichen*, den zweyten den rein*transfcenden-
„ten*, und den dritten den *gemifchten*." Diefer dreyfachen Beftimmung zufolge läfst er auch „*mehrere,
(!!) von einander abweichende Deductionen* (aFr. S.
89.) „zu, deren *keiner Gültigkeit* abgefprochen wer-
„den könne." Schon die äufserft unpaffende Bene-
nung, *rein transfcendent,* womit hier der eigentliche *Grundbegriff* der Urfache, (denn das ift wohl
der Begriff, in wiefern, wie fich Hr. F. ausdrückt,
der reine Verftand aus fich felbft fchöpft) belegt
wird, zeigt genug an, dafs damit keineswegs ebenderfelbe Begriff, den Kant mit dem Ausdruck *Kategorie der Urfache* bezeichnet, gemeynt feyn
könne. Dies wird durch die Befchuldigung: Kant
habe den reinen Verftandesbegriff der Caufalität
fo unbeftimmt gelaffen, dafs nach feiner Entwicklung kein Unterfchied zwifchen Urfache und Wirkung übrig bliebe, noch viel auffallender. Den
Beweis davon glaubt Hr. F. in folgender Stelle (Kr.

d. r. V. n. A. S. 301) gefunden zu haben. „Vom
„Begriffe der Urfache würde ich, wenn ich die
„Zeit wegliefse, in der etwas auf etwas anders
„folgt, in der reinen Kategorie nichts weiter fin-
„den, als dafs er etwas fey, woraus fich auf das
„Dafeyn eines andern fchliefsen läfst, und es wür-
„de dadurch Urfache und Wirkung gar nicht von
„einander unterfchieden werden können." Hier,
meynt Hr. F., habe Kant den Unterfchied zwifchen
den *Begriffen* von Urfache und Wirkung auf
die blofse Zeitbedingung, und alfo auf die *an-
fchaulichen Gegenftände* allein eingefchränkt, und
folglich in Rückficht auf alle blofs *Denkbaren* trans-
fcendenten Objecte, z. B. die Gottheit, und die
Seele als *ein Ding an fich felbft*, zum Nachtheil
des von ihm felbft aufgeftellten *moralifchen Er-
kenntnifsgrundes* aufgehoben. Allein Kant läugnet in der angezogenen Stelle fo wenig als irgend
anderswo den Unterfchied zwifchen den beiden
wefentlichen Beftandtheilen der Kategorie der Cou-
falität, nämlich zwifchen den *Begriffen* von Urfache und
Wirkung von der Zeitbedingung abhange; fondern er zeigt nur, dafs ohne die Zeitbedingung
(ohne Succeffion), die Anwendbarkeit der von einander verfchiedenen Begriffe von Urfache und
Wirkung auf einen *gegebenen Stoff* unbeftimmt
bleiben müfste, in dem man, wenn nicht das eine
des Gegebenen vorhergienge, und das andere folgte, nicht unterfcheiden könnte, welches der *Grund*
und welches die *Folge* wäre. Da die Kategorie
der Caufalität, in wie ferne fie im Gemüthe a priori vorhanden ift, eine blofse Form der Vorftellung,
und in wie ferne fie *rein* gedacht wird, ein blofser
Begriff ift, (oder will Hr. F. eine *Sache* aus ihr
machen?) fo bedarf fie, wenn fie mehr als blofser
Begriff werden, wenn fie *beftimmte* Beziehung auf
Gegenftände erhalten foll, einer *Beftimmung*, die
fie als blofse Denkform, und als blofser Begriff,
nicht hat; und welche fie dann auch in Rückficht
auf erkennbare Gegenftände durch das *in der Zeit*
gegebene, in Rückficht auf die blofs *denkbaren* Gegenftände des moralifchen Glaubens durch die
praktifche Vernunft erhält. Wenn aber Hr. Prof.
Jakob, den Hr. F. als Erläuterer der Kantifchen
Theorie bey diefer Gelegenheit anführt, in feiner *Prüfung der Mendelsfohnfchen Morgenftun-
den*, die Denkbarkeit einer Urfache ohne Zeitbe-
ftimmung geradezu läugnet, fo mag er es vor
der Krit. d. r. V., die diefelbe fo oft und fo ausdrücklich behauptet und erörtert, verantworten,
und Hr. Flatt kann jene Stelle mit beftem Fuge unter diejenigen feines Buches zählen, die, wie er
fich S. 16 ausdrückt, eben nicht als Mufter philofophifcher Präcifion zu betrachten wären.

Auch die Kantifche Deduction des Begriffes der Caufalität *fcheint* (Hr. Flatt bedient fich
fehr oft, aber nicht immer diefes befcheidenen
Ausdruckes) dem Vf. „ganz darauf angelegt zu
feyn, die transcendentale *Realität* (die Anwendbarkeit

barkeit auf Gegenſtände an ſich ſelbſt) *völlig um-*
zuſtoſsen, und den Begriff von Urſache in ein
„Hirngeſpinſt zu verwandeln, welchem in den
„*wahrhaft wirklichen Objecten* gar nichts reelles
„entſpricht, 2 Fragm. S. 71. u. 72.“ — Denn
nach Kants Behauptung wäre der Begriff von
Succeſſion, der von dieſem Philoſophen zur objectiven Realität des Begriffes von Urſache gefordert würde, lediglich auf *Erſcheinungen* nicht auf
Dinge an ſich ſelbſt anwendbar; dieſer Behauptung zufolge gäbe es alſo auch keine *wahrhaft*
wirkliche, keine auſser unſerer Vorſtellung reelle
Entſtehung; und alle *Entſtehung* wäre *bloſser*
Schein. Nun ſtütze ſich der Kantiſchen Deduction
zufolge die Realität des Begriffes der Urſache auf
die *Vorausſetzung, daſs etwas entſtehe*, und dieſer Begriff könne nur in *ſo ferne* auf Gegenſtände bezogen werden, als dieſe Succeſſion bey denſelben vorausgeſetzt würde; alſo hänge die Realität des Begriffes der Urſache in K. Syſteme von
einer Vorausſetzung ab, die auf einem *leeren*
Scheine beruhe etc.“ — Da dieſer Einwurf, ſo
wie die übrigen von H. Flatt gerügten Widerſprüche, die ihm in dem Kantiſchen Syſteme zu liegen ſcheinen, mit der richtig verſtandenen Bedeutung, in welcher der Ausdruck: *ing an ſich*
ſelbſt in der K. d. r. V. gebraucht wird, hinwegfällt:
ſo glauben wir, daſs unſeren Leſern einige Winke zu näherer Beſtimmung dieſes *Wortſinnes*,
willkommen ſeyn dürfen, als eine fortgeſetzte Erzählung der Flattiſchen Angriffe, die, da ſie auf
eigentlichen Wortſtreit hinauslaufen, für bloſse
Zuſchauer eben ſo unbelehrend, als dunkel, und
langweilig ausfallen müſsen.

Was nennt Hr. F. den *wahrhaft wirklichen,*
auſser unſerer Vorſtellung reellen Gegenſtand?
den Gegenſtand, inwieferne er in keiner möglichen Vorſtellung vorkommen kann? oder den
Gegenſtand einer möglichen Vorſtellung, der
mehr als bloſse Vorſtellung iſt? Doch wohl das
Letztere? Die *Realität* in dieſem Sinne müſste
freylich den Gegenſtänden unſrer Vorſtellungen
ſchon vermöge des Bewuſstſeyns überhaupt zukommen, welches nur durch Unterſcheidung der
bloſsen Vorſtellung vom Subjecte, und Objecte
möglich iſt. Der von der bloſsen Vorſtellung
unterſchiedne Gegenſtand *kann* daher auch *nicht*
ſelbſt, aber er *muſs* doch durch etwas, was ſeine
Stelle vertritt (ihn *repräſentirt*) in der bloſsen
Vorſtellung vorkommen. Dieſes in der Vorſtellung dem *Gegenſtande entſprechende* iſt von der
Form der bloſsen Vorſtellung, die dem vorſtel-
lenden *Subjecte* durch das Vorſtellungsvermögen
angehört, und durch welche allein eine Vorſtellung auf das Subject bezogen werden kann, weſentlich verſchieden, heiſst der *Stoff* der Vorſtellung, und enthält den Grund von der Beziehung
aufs Object. Dieſer Stoff muſs jedem endlichen
Vorſtellungsvermögen, gegeben werden, und *kann*
demſelben *nur als bloſser Stoff,* d. h., ohne die

Form der Vorſtellung, die er erſt durch das Vorſtellungsvermögen erhält, gegeben werden. Er
muſs dieſe Form der Vorſtellung, die er auſser
dem Gemüthe nicht haben kann, wenn er nicht
eine Vorſtellung geweſen ſeyn ſoll, bevor er etwas vorſtellte, erſt im Gemüth annehmen, wenn
aus ihm Vorſtellung werden, wenn er den Gegenſtand in einer Vorſtellung repräſentiren ſoll. Es
kann alſo der von der bloſsen Vorſtellung verſchiedene Gegenſtand durch den ihm im Gemüthe
entſprechenden Stoff nur in ſo ferne vorgeſtellt
werden, als dieſer die *Form der Vorſtellung* angenommen hat, die dem *Gegenſtande an ſich*
ſelbſt, ſo wenig als dem bloſsen Stoffe zukommen
kann, er nicht *ebenfalls eine bloſse Vorſtel-*
lung ſeyn ſoll. Soll nun alſo das *Ding an ſich*
ſelbſt, in wie ferne es auſser dem Gemüth vorhanden iſt, wie die Gegner der Kritik nicht leicht
zugeben werden, keine bloſse Vorſtellung ſeyn;
ſoll der ihm in der Vorſtellung entſprechende Stoff
nicht eine Vorſtellung ohne die Form einer Vorſtellung ſeyn, wie ſie ebenfalls kaum eingeſtehen
dürften, ſo muſs alſo *Vorſtellung des Dinges an*
ſich ſchlechterdings *unmöglich ſeyn.* Und ſo zeigte ſich dann, daſs die Vorſtellung des *Dinges an*
ſich, welche Hr. Flatt für die Vorſtellung des *wahr-*
haft wirklichen angeſehen hat, ein *bloſser Schein*
war, während dasjenige, was er für *bloſsen Schein*
hielt, in einem ganz ausnehmenden Verſtande das
wahrhaft wirkliche zu heiſsen verdiente.

Alſo nicht das *Ding an ſich,* aber die *Vorſtel-*
lung deſselben iſt ein Unding. Das Ding an ſich
iſt das *Subject,* das von allen bloſsen Prädicaten,
als welche allein in der Vorſtellung vorkommen
können, verſchieden iſt. Aber die Vorſtellung eines Dinges an ſich ſelbſt iſt die Vorſtellung eines
Subjects durch kein in einer Vorſtellung vorkom-
mendes Prädicat. Auch der *Moraliſche Glauben*
kann und ſoll alſo keineswegs durch ein der Gottheit ſelbſt unmögliches Wunder eine widerſpre-
chende Vorſtellung wirklich machen. Er kann
und ſoll uns, ſo wenig als unſer wirkliches *Er-*
kennen vermag, Bekanntſchaft mit *Dingen an ſich*
verſchaffen, und die objective Realität, welche
durch unſere *praktiſche Vernunft* gewiſsen anſchau-
ungsleeren Vorſtellungen (Ideen) beygeleget wird,
muſs, ſo ſehr ſie auch für unſer Bedürfniſs hinreicht, der objectiven Realität, welche unſre An-
ſchauungen der Dinge auſser uns durch den von
auſsenher *gegebenen Stoff* erhalten, in Rückſicht
der Evidenz weit nachſtehen, indem ſie ſich zu
einander wie bloſses Denken zum Erkennen, wie
Glauben zum Wiſsen, wie Fürwahrhalten des Unbegreiflichen zum Fürwahrhalten des Begreiflichen verhalten.

STAATSWISSENSCHAFTEN.

WIEN, ST. PETERSBURG u. BERLIN (LEIPZIG,
b. Gräff): *Was iſt den gröſsern Fürſten zu*
rathen,

rathen, um das Wohl und Glück der Länder zu befördern, in freymüthigen Vorschlägen an Joseph II, Catharina II- und Friedrich Wilhelm II; von Joh. Gottf. Schinly. 1788. 82 S. 8. (6 gr.)

Der heilsame Vorschlag ist nichts geringers als ein allgemeiner Frieden. Ueberhaupt ist der Gedanke an eine so hohe Vervollkommnung der Staatskunst immer edel und menschenfreundlich, was auch ein Eiferer in seiner Abgötterey unsers philosophischen Jahrhunderts, Jerusalem u. a. von den zufälligen Vortheilen des Krieges preisen mögen. Die seit vier Jahrhunderten immer genauer gewordenen Verbindungen der gebildeten europäischen Staaten lassen auch für die ferne Zukunft etwas hoffen, da schon jetzt an jedem Krieg alle durch Unterhandlung Theil nehmen, und die Kostbarkeit der so hoch getriebenen Rüstung ihn immer schwerer macht. Vielleicht muste in dem ersten rohen Zustande der Menschheit bey der allgemeinen Freyheit der Selbstrache die gegenwärtige Ordnung oder nur noch zur Zeit der Befehdungen in Deutschland der Landfrieden eben so schwierig und unmöglich scheinen. Aber die bisherige Entwürfe greifen dem allmähligen Fortschritt der Natur zu sehr vor, und bleiben daher Träumereyen. So gieng es dem gutem Abt St. Pierre, und so wird es auch Hn. Sch. gehn, wenn er gleich meynt, die Lage und das Verhältnifs der Staaten habe sich seitdem geändert. Noch seinem eigenen Anführen ist ein junger Theologe, zu unerfahren in Staatsachen, um den Gegenstand gründlich zu beurtheilen, und besorgt selbst, die Ausführung werde mager gerathen seyn. Aber doch, meynt er, könnten hohe Personen, politische Genies und Staatsmänner desto eher die kleine Schrift lesen, über seine Vorstellung nachdenken, und den Plan weiter ausführen. Das möchte nun wohl schwerlich geschehen, oder die Mühe belohnen, weil gar nichts besonders daran ist. Es sollen nach seinen, der Hauptabsicht gerade widersprechenden, Gedanken erst die grofsen Mächte Rufsland, Oestreich, Preusen, England und Frankreich Frieden schliefsen, die fatalen Raubnester, Algier, Tunis u. s. w. bändigen, und die kleinern, wie Portugall, Spanien, die Pforte u. s. w. sich mit dazu bequemen. Ein allgemeiner Congrefs, wie die französischen Reunionskammern könnten alle Ansprüche prüfen, und darüber entscheiden, die Vertauschung der österreichischen Niederlande gegen Bayern durchsetzen, Preufsen mit dem Tausch der Lausitz gegen Anspach und Bayreuth oder Danzig, Thoren und einem Stück von Polen befriedigen, und Frankreich Avignon wieder geben. Ferner gienge es mit vereinigten Kräften gegen den Turken, das Reich wurde erobert und getheilt. Denn müsten alle Staaten ewige Zufriedenheit mit ihren Besitzungen geloben, einen allgemeinen Frieden schliefsen, und

ein allgemeines Staatsrecht annehmen, dagegen aber alle besondere Verbindungen aufgehoben werden. Die Kriegsheere würden abgedankt, bis auf die zur innern Sicherheit nöthige Mannschaft, oder allenfalls eine kleine gleiche Anzahl von 4000 Mann, um an bestimmten Orten die Streitigkeiten wie durch ein Duell auszumachen, welches denn die Abgaben sehr verminderte, und den Landmann in Absicht der beschwerlichen Frohndienste erleichterte. So wäre der Weg gebahnt durch Aufklärung, Gesetze, Bevölkerung und Gewerbe das Glück der Länder zu befördern, und Hr. Schinly thut dazu noch manche besonders artige Vorschläge, z. B. Rufslands öde Gegenden durch Schacherjuden anzubauen, und Aufklärung durch Jesuiten zu verbreiten, die er doch für das vielköpfige Ungeheuer der Offenbarung Johannis erkläret.

PHILOLOGIE.

Nürnberg, b. Grattenauer: Französisches Lesebuch, herausgegeben von M. Konrad Mannert, Lehrer am Gymnasium in Nürnberg. 1788. 392 S. 8. (18 gr.)

Der um die Schulgelehrsamkeit sonst schon in wichtigern Stücken, besonders durch seine Bemühungen um die alte Geographie verdiente Hr. M. M., welcher neuerlich von der Sebaldschule an das Egidiengymnasium versetzt ist, liefert hier eine Sammlung, die mit vielem Nutzen wird gebraucht werden können. Sie ist für Jünglinge bestimmt, welche die Anfangsgründe und einen Vorrath der gemeinsten Wörter schon gefast haben und zugleich darauf eingerichtet, ihnen Kenntnisse der Geschichte, Statistik und Französischen Literatur beyzubringen. Nach dieser Absicht ist die Auswahl und Einrichtung sehr gut getroffen. Es sind lauter gröfsere Stücke aus Gallands 1001 Nacht, Voltaire's Zeitalter Ludwigs XIV, Menteile's Erdbeschreibung von Spanien, Raynals Geschichte beider Indien und Mercier's Schilderung von Paris, alle von anziehendem und für junge Leute schicklichem Inhalt. Dazu gethan hat Hr. M. nichts als eine kurze Nachricht und treffende Beurtheilung von jedem Schriftsteller und einige kleine Berichtigungen bey Voltaire oder Erklärungen einiger Namen. In Absicht der Sprache verweiset er an das Wörterbuch, aber wenigstens bey Mercier vielen Neologismen wären doch wohl kleine Anmerkungen dienlich gewesen, weil die gemeinen Wörterbücher die Hülfe versagen, z. B. Egrefin, Persifflage, Redingote u. d. g. Für Vermeidung der Druckfehler hätte er auch besser sorgen sollen. Uebrigens gesteht er selbst, dafs zur Vollständigkeit noch Briefe, Auszüge von Lustspielen und Gedichte nöthig gewesen wären, und würde daher sehr wohl thun, sie in einem zweyten Bändchen nachzuhohlen.

ARZNEYGELAHRTHEIT.

Bern, bey Seizer u. Comp.: *Traité des principales et des plus fréquentes maladies externes et internes. A l'usage des jeunes docteurs en medecine, des chirurgiens médecins et des praticiens, qui suppleent au défaut des médecins gradués, ainsi qu'à celui des personnes eclairées, qui, par des motifs de bienfaisance, exercent la médecine dans les campagnes, ou qui, peu à portée des secours de l'art, sont obligés d'etre leur propre médecin et de medicamenter ceux, qui les environnent. Ouvrage qui contient non seulement les directions nécessaires pour apprendre à bien distinguer les maladies et a les traiter a l'aide du regime et des ordonnances usitées pour l'apothecaire, mais encore au moyen de remedes domestiques, ou rediges en une petite pharmacie portative, peu dispendieuse. Dédié a LL. EE. les Souverains Seigneurs de l'Etat de Berne. Par M. Jean Frederic de Herrenschwand, Doct. en M. — ci devant premier médecin du Roi de Pologne et conseiller intime de S. M. et de la Sue. Cour de Saxe-Gotha, médecin, consultant de la ville de Berne, etc.* 1788. 540 und 154 S. gr. 4. (3 Rthlr. 18 gr.)

Ebendaselbst: *Abhandlung von den vornehmsten, und gemeinsten innerlichen und äusserlichen Krankheiten, zum Gebrauch junger Aerzte und Wundärzte und solcher aufgeklärter und wohlthätiger Menschenfreunde, welche auf dem Land die Arzneykunst ausüben, oder die wegen Entfernung medicinischer Hülfe, ihre eigne Aerzte seyn müssen, Von J. F. von Herrenschwand. — Aus dem Französischen.* 1788. 32 und 705 S. 4. (3 Rthlr. 18 gr.)

Kaum möchte es in einem Lande nothwendiger seyn, diejenigen, die keine Aerzte sind, in der Heilung der vornehmsten Krankheiten so zu unterrichten, dass sie sich im Nothfall selbst Hülfe leisten können, als in der Schweitz, wo die ausübende Heilkunde auf dem Lande fast ganz in den

Händen der Wundärzte und Quacksalber ist, und auch die Landstädte keine besoldeten Aerzte haben. Solchen Personen eine zweckmäsige Anleitung zur Heilung der Krankheiten in die Hände zu geben, war ein Theil der Absicht des Vf. Zugleich soll dieses Buch jungen Aerzten und den in der Schweitz so häufigen Medicinalchirurgen Anleitung geben, wie sie die diätetische und medicinalische Behandlung ihrer Kranken einzurichten haben. Der Vf. verräth nicht undeutlich die Absicht durch dieses Werk eine allgemeine Richtschnur fest zu setzen, nach welcher, wenigstens in dem Canton, dessen Arzt er ist, junge Aerzte und Wundärzte bey Heilung ihrer Kranken handeln sollen, und er hofft, dass auch die angränzenden Länder diese seine Anweisung nutzen werden, die er daher auch in der deutschen, unter seiner Aufsicht abgefassten Uebersetzung, die bis auf die schweitzerischen Provinzialausdrücke, sehr gut gerathen ist, ans Licht treten liess. Dass Hr. v. H. die Schwierigkeiten seines Unternehmens wohl eingesehen, ist nicht zu leugnen, dies zeigt so wohl die Vorrede, als die Ausführung des Werks selbst. Wirklich ist es auch fast unmöglich in einem für so viele Köpfe geschriebenen Werke alle nothwendigen Erfordernisse eines zum allgemeinen Gebrauch bestimmten Systems der pathologischpraktischen Arzneygelahrtheit zu verbinden, die höchste Deutlichkeit und Bestimmtheit in Darstellung der Krankheiten, ihrer Ursachen, Kennzeichen und Heilungsanzeigen und die genaueste und bestimmteste Auswahl der sichersten, wirksamsten und einfachsten Arzneyen. Bey Fiebern und andern schnellen Krankheiten ist der Versuch die praktische Heilkunde zur Volkswissenschaft zu machen nur so erträglich gelungen; stec aber kennt noch kein zum gemeinen Gebrauch bestimmtes Werk, von dem man behaupten könnte, dass es die Kenntniss und Kur der langwierigen Krankheiten nur erträglich und so behandelt enthielt, dass man nicht von dem Mangel der Bestimmung der Fälle, wo verschiedene Heilungsanzeigen zu beobachten sind, und von der unbequemen Auswahl der vorgeschlagenen Heilmittel grosse Nachtheile zu befürchten hätte. Diese Klippen hat der Vf. dieser in ihrer Art einzigen zum populären

Gebrauch beftimmten Ahweifung zur ausübenden Heilkunde mit vieler Sorgfalt zu vermeiden gefucht. Sein Werk ift theils vollftändiger, als jedes andere zu ähnlichen Zwecken beftimmte. In dem es die hitzigen und langwierigen Krankheiten und auch felbft die äufserlichen Verletzungen faßt, die am häufigften vorfallen, Wunden, Gefchwüre u. f. w.; theils ift auch die Ausführung fo befchaffen, dafs man den Kenner des kranken menfchlichen Körpers, den Arzt, der die Fälle bey einzelnen Krankheiten wohl zu unterfcheiden weifs, wo andere Anzeigen, andere Kurmethoden fodern und den Auswähler zweckmäfsiger und wirkfamer diätetifcher und pharmaceutifcher Verordnungen nicht fo leicht bey einem Kapitel ganz vermiffen wird. Befonders hat dies des Rec. ganzen Beyfall, dafs der Verf. überall auf die Verbindung einer genauen Lebensordnung mit dem Gebrauch der Arzneyen gefehen hat, und in diefem Stücke hat fein Werk Vorzüge vor den allermeiften andern, die in gleicher Abficht gefchrieben wurden. Bey dem allen aber zweifeln wir, ob es, fo wie es ift, feinem Zwecke ganz entfprechen werde. Den Fehler, den manches für Nichtärzte gefchriebenes Buch hat, dafs es die Volksklaffe, für die es gefchrieben ift, nicht verftehen kann, hat zwar diefe Anleitung nicht: die Befchreibung der Krankheiten, die ohnedem kurz ift, und die weitläuftigen Kurvorfchläge find verftändlich, höchftens ift der Vortrag des Vf. nur durch das Monotonifche der Kurvorfchläge ermüdend. Aber wir können weder der Einrichtung des Werks, noch der Ausführung einzelner Kapitel unfern Beyfall ganz geben. Den Lehrlingen wenigftens einige Grundfätze der allgemeinen Heilkunde und einige Kenntnifs der allgemeinen Kurmethoden beyzubringen, war es faft nothwendig, dafs der Vf. in einer Art von Einleitung einige Kapitel der allgemeinen Heilungswiffenfchaft gab. Da hat er die pathologifche Ordnung befolgt, und erft von den Temperamenten und deren diätetifchen Behandlung, dann von den Krankheiten der feften und flüffigen Theile und deren Heilung geredet. Dies ift nun zwar gar fehr zu billigen, nur müffen die Krankheiten ohne höchfte Noth nicht vervielfältigt, und dadurch die Vorftellungen, die fich ein Laye von Gegenftänden der Heilungswiffenfchaft machen kann, nicht auf Abwege gebracht werden. Diefen Fehler hat Hr. v. H. in einem hohen Grad begangen. Eben feine aus dem Syftem der allgemeinen Krankheitslehre entlehnte Ordnung hat ihn bewogen, allgemeine Krankheiten, die immer mit einander verbunden find und von einander abhangen, die alfo nur in ein Gemälde zufammen geftellt werden müffen, als befondere Arten zu behandeln. Die wohl in unferm Syftem aber nicht in der Natur gegründete allzugrofse Trennung der Krankheiten der feften Theile von den flüffigen hat er beybehalten, und bey diefer Ordnung

muſste er nun freylich die Erfchlaffung der feften Theile, die Verfchleimung des Bluts und die unwirkfame weifse Schärfe als eben fo viele befondere Krankheiten abhandeln, die doch alle recht füglich unter einen Gefichtspunkt hätten geftellt werden können. Was er aber in der allgemeinen Heilungswiffenfchaft zu weitläufig gethan hat, dies thut er bey Behandlung einzelner Krankheiten zu wenig. Da hat er zwar im Ganzen genommen die Fälle, wo die entzündungs- und reitzwidrige Kurart nothwendig ift, wohl angegeben, und dafs er, den praktifchen Grundfatz, überall, wo Entzündung vorhanden ift, diefe zuerft zu heilen, in feinem Volksbuche genau beobachtet habe, kann ihm nicht abgefprochen werden. Die Abhandlungen von den hitzigen Krankheiten find auch ziemlich befriedigend, nur wider die Theorie der Bösartigkeit bey Anfang der Fieber und wider die Kur der Bösartigkeit, die allgemein durch Abführungen und Aderläffe bewirket werden foll, wider den zu allgemeinen Satz, dafs die rofenfarbenen Petechien weder bey Kindern, noch bey Erwachfenen fchlimm find, wider die Vorfchläge bey der Kur der Faulfieber, da auf die Fälle, wo Fieberrinde, Wein, oder Mineralfäuern nothwendig find, nicht gefehen wird, und wider die Anordnung, zwey Unzen Fliedermufs auf einmal zur Abhaltung des Fieberfrofts bey Fiebern zu geben, laffen fich erhebliche Einwendungen machen. Bey den langwierigen Krankheiten war die Arbeit des Vfs. überhaupt fchwerer, und da find die einzelnen Arten einer Krankheitsgattung viel zu wenig unterfchieden worden. So foll der Tetanus allemal eine Mixtur aus Lindenblüten und Schlüffelblumenwaffer, Pulver de Gutteta und Klapprofenfaft fodern. Bey der Fallfucht wird der Würmer, der gewöhnlichften Urfache der Krankheit, nicht erwähnt, felbft des wirkfamften Mittels gegen diefes Uebel, des Baldrians wird nur flüchtig gedacht, dagegen aber ein geheimes Specificum, welches der Vf. erfunden, und Hr. Morell in Bern verkauft, empfohlen. Bey den paralytifchen Krankheiten der Harnwege, u. f. f. find diefe Mängel befonders merklich, und diefe werden den Nutzen, den ein folches Werk fchaffen könnte, fehr vermindern. Manche andere Kapitel find dagegen recht gut ausgearbeitet. Das Kap. von dem Podagra und deffen Kur enthält zwar nicht alle die Mittel, die in unfern Zeiten empfohlen worden find; alles aber, was der Vf. über diefe Krankheit fagt, ift vortrefflich, auch die Kapitel von der Luftfeuche, von den Folgen der Selbftbefleckung find fehr gut ausgearbeitet. Bey den Würmern fand Rec. feine Erwartung in der Hoffnung betrogen. Da hoffte er das berühmte Specificum des Vf. wider den Bandwurm befchrieben zu finden; aber er fand nichts, als die Nachricht, dafs er mehr als hundert Kranken den Bandwurm mit kurzen Ringen in weniger als **36** Stunden abgetrieben habe, dafs er aber das Mittel

tel noch für sich behalten wolle: Zugleich giebt er nicht undeutlich zu verstehen, daß die Mischungen, die man bisher als die Herreafchwandifchen ausgegeben, falsch find. Eben diese Geheimnißkrämerey, die einem Mann, der sich für das Wohl der Menfchen fo sehr zu interefsiren vorgiebt, um fo viel weniger anständig ist, beflecket diefes Werk auf einer andern Seite, und könnte wenigstens den Verdacht erregen, daß noch einige andere Abfichten, als die Beförderung des Menfchenwohls, den Vf. fein Werk zu fchreiben bewogen hätten. Er hat nemlich die Arzneymittel, auf welche er fich im Werke bezieht, beygefügt, und Rec. bekennt mit Vergnügen, daß er in den allermeisten Vorfchriften Einfachheit und Wirkfamkeit auf eine fehr vortheilhafte Art vereinigt gefunden hat. Weil aber vielen es zu weitläuftig feyn könnte, mit 225 Mitteln alle wichtigern Krankheiten des Menfchen zu heilen, fo hat der Vf. alle Heilkräfte diefer Mittel in 48 Compofitionen zufammengebracht, auf welche in dem Verzeichnifs der Arzneyen immer hingewiefen wird. Diefe hat er mit fehr grofser Mühe entworfen, und da die meiften aus Schweizerkräutern beftehen, fo hofft er, man werde einen hohen Grad von Wirkfamkeit in ihnen gewahr werden. Weil aber die meiften Apotheker feine Arzneyen fchlecht bereiten, und die allergeringfte Veränderung feine Zufammenfetzungen verderben würde: fo hat er, um Meifter von feiner Handapotheke zu bleiben, die Zufammenfetzung von diefen 48 Mitteln für fich behalten, und Hr. Morell, Chemift und Apotheker in Bern, verkauft (auf weffen Rechnung?) diefe 48 geheimen Arzneyen in befondern Kiftchen von verfchiedener Gröfse für den Preis von 90, 155 und 276 Franz. Livres. Mit diefen Handapotheken wird auch das Werk des Hn. v. H. zum Verkauf ausgeboten.

STAATSWISSENSCHAFTEN.

Prag u. Leipzig, b. Widtmann: M. N. A. Kopetz' Leitfaden zu dem Sonnenfelfifchen Lehrbuche der politifchen Wiffenfchaften, nach der neueften Auflage deffelben, zum Gebrauch von Studirenden herausgegeben. 1787. Erfter Theil, Policey. 271 S. 8. (12 gr.)

Der Vf. hatte, wie er anführt, diefen Leitfaden anfangs nur zu feinem Gebrauch bey Privatrepetitionen entworfen, und würde aller Aufmunterungen ungeachtet, es bey diefer Beftimmung gelaffen haben, wenn er nicht geglaubt hätte, durch Bekanntmachung deffelben, den Werth der politifchen Wiffenfchaften bey der Studirenden Jugend zu erhöhen, und die Laufbahn derfelben zu erleichtern. — Diefe Arbeit ist alfo weiter nichts, als eine Auflöfung des bekannten Sonnenfelfifchen Lehrbuchs in eine ausführliche Tabelle oder Ueberficht, welche zugleich die Hauptgründe jedes Lehrfatzes enthält. Wenn man einige wenige

Anmerkungen ausnimmt; fo hat der Vf. von dem Seinigen nichts hinzugethan. Vollftändigkeit und logikalifche Ordnung ist durchgängig beobachtet. Dabey geht (S.1-86.) eine allgemeine Einleitung voraus, die aus lauter Fragen ohne Antworten befteht, welche, nach des Vf. Abfichten, zur Wiederholung und Selbftprüfung dienen follen. Diefe Fragen paffen aber nicht ganz auf jene Ueberficht, fondern beziehen fich mehr als diefe, auf das Sonnenf. Lehrbuch, wie denn auch die Paragraphen deffelben angeführt find. Diefe Verfchiedenheit rührt daher, weil der Vf. (wie er felbft gefteht) manche Abhandlungen ganz von neuem umarbeitete, da die Fragen fchon unter der Preffe waren, und weil er wünfchte, dafs Studirende fich nicht mit der Ueberfchrift allein begnügen, fondern nur durch felbige eine Erleichterung erhalten follen. Der Nutzen des ganzen Werks dürfte demnach lediglich auf einige Erleichterung der Repetition akademifcher Vorlefungen über jenes Lehrbuch fich einfchränken. Die tabellarifche Ueberficht ist für den Studenten, der fich die politifchen Wiffenfchaften recht fyftematifch einprägen will, und jene Fragen follen, wie es fcheint, ein Hülfsmittel für den Repetenten abgeben, oder auch dem Studenten felbft, wenn er für fich allein repetirt, zum Leitfaden dienen. Genau betrachtet können felbige für einen denkenden Kopf von wenig oder gar keinen Nutzen feyn: Denn wer das Skelett vor fich hat, kann fich alle diefe, ohnedem zu weitläuftig abgefaßten, Fragen leicht felbft machen, und der Student verliert viel Zeit, wenn er, an ftatt das Lehrbuch fogleich felbft zu lefen, bey jeder Frage die Antwort in demfelben nachfchlagen foll. Nur demjenigen, deffen kurzes Gedächtnifs und fchwere Faffungskraft wiederholte Einprägung erfordert, kann dadurch einige Erleichterung verfchafft werden.

Ohne Meldung eines Verlegers: Heilbronnifche Feuerordnung. — 1787. 127 S. 4. (8 gr.)

Der Abdruck diefes Policeygefetzes für die Einwohner der Stadt ist nicht nur ein rühmlicher Beweis von der Sorgfalt des Rathes, fondern kann auch auswärts den Nutzen haben, Aufmerkfamkeit und Verbefferungen zu veranlaffen. Denn es ist mit mufterhafter Sachkenntnifs abgefafst, alles in genauer Rückficht auf die befondern Umftände und Einrichtungen der Stadt und meiftens auch mit weifer Mäfsigung der Strenge, die beym Gefetzgeben über folche Gegenftände fo fehr gemein, und doch oft nicht ausführbar oder felbft zweckwidrig ist. Wer felbft die Feuerordnungen von Hamburg, Berlin und andern grofsen Städten und die Schriften eines Glafers und Heinemanns kennet, der findet doch hier manche neue und gute praktifche Bemerkungen, welche die Schrift dem Policeyverftändigen zum Unterricht empfehlen.

Nach einer Vorerinnerung wegen der jährlich zweymal angeordneten Löfchübungen ist das erfte

die

die Verordnung über Verhütung des Feuers.
Dahin gehört theils der feuerfichere Bau, die Anlage und Reinigung der Heerde und Kamine, theils die Auflicht über Lichte und Feuer, Wasservorrath überhaupt, theils die Einschränkung mancher Arbeiten bey Lichte, der Vorrathe brennbarer Waaren und Vorsicht der mit Feuer arbeitenden Handwerker, Ueber dieses alles gehen die Verordnungen, fehr ins Besondere, und enthalten viel Gutes. Doch ist manches, fo viel sich ohne eigene Kenntnifs der Umstände des Orts beurtheilen läßt, auch wohl zu unbestimmt, z. B. große Wäschen follen nicht in Küchen, fondern nur bey Waschöfen gestattet werden, Unbedachtsamen, Alten, Unvermögenden, Kranken, übel fehenden Personen und Kindern foll nicht erlaubt werden mit bloßem Licht aus der Stube zu gehen; Lichter follen nicht anders als mit wohlschließenden Lichtscheren geputzt werden. Als Erinnerung zur Vorsicht ist dergleichen fehr gut, aber allgemeine Auflicht der Policey darauf ift doch nicht möglich, also schickt es fich auch nicht zum Gesetz, und der Vf. hätte dabey überall in den Schranken belehrender Empfehlung für die Hausväter bleiben follen, fo wie es in einigen befondern Stücken wirklich geschehen ist. Ein zweyter Abschnitt bestimmt die öffentlichen Anstalten zu fchneller Entdeckung eines Brandes durch Thürmer, Nachtwächter und Soldatenpatrullen.

Das hauptfächlichste ift die Lösch- Feuerwacht und Fluchtordnung, welche aus 96 §§. bestehet. Vor dem Ausbruch wird hier fehr weislich befohlen in der Stille Hülfe zu fuchen, und dazu Anordnung gemacht. Das plötzliche, allgemeine Lermschlagen, welches leider noch an den meisten Orten gewöhnlich ist, hat fehr oft die nachtheiligsten Folgen. Denn fo werden auch ohne Noth von der zudringenden Menge Gebäude, Zimmer, Tapeten und Geräthe mit Wasser überschwemmt und beschädigt, anstatt, daß einige Kannen mit Vernunft gebraucht dem ganzen Schaden viel besser hätten abhelfen können. Dieses fchenet der Wirth, er verheimlichet also das Feuer und darüber wird es größer. Aus gleicher Ursach ist auch mit Recht alle Strafe der Verwahrlofung aufgehoben, wenn nur gleich ordentlich Hülfe gesucht wird. Die Einrichtung der Hülfe zum Löschen ist nach den verschiedenen Arten der Leute, der Lage der Orte u. f. w. ausführlich und genau beschrieben, fo daß mit Grunde eine gute Wirkung davon erwartet werden kann. Ein befonderer Vorzug ist hier wieder, daß die Löscharbeiter angewiesen werden, nicht fo wohl das im Feuer stehende Haus als die anstoßenden zu retten. Denn die Erfahrung lehrt, daß bey jenen felten noch etwas ausgerichtet, und oft doch diefes darüber verabfäumt, und fo das Feuer vergrößert wird. Auch fehlt es nicht an dienlichen Maafsregeln wegen eines enstehenden zweyten Brandes, wegen Erhaltung des Wasservorrathes und wegen Rettung der Sachen. Vorzüglich alles

Feuervermehrende fortzuschaffen ift fehr gut, aber dafs der Eigenthümer felbst z. B. Stroh und Holz flämmen, und Kostbarkeiten oder wenigstens Dinge von höhern Werth zurück flrten folle, ift wohl zu viel gefordert, und wird fchwerlich befolgt werden. Billig muß fürs gemeine Beste auch die öffentliche Anstalt der Policey forgen, den einzelnen Bürger aber die Wahl und Bestimmung des Vorzugs unter feinem Eigenthum frey bleiben. Uebrigens ift die dabey nach Glafers Vorfchlägen gegebene Anweisung verschiedene Arten Sachen zu retten ein fehr nützlicher Unterricht, wobey doch feine Uebertreibungen und feltfamen nicht anwendbaren Anstalten gemäßiget und vermieden find. Den Beschluß mache die Ordnung nach dem Brand wegen der Gerichtschaften, Schäden, Untersuchung, Belöhnungen u. f. w.; anhangsweife bis §. 100 aber ift noch eine kurze Verordnung über die Hülfe bey einem auswärtigen und Waldbrand hinzugefügt.

VERMISCHTE SCHRIFTEN.

Hannover, bey Schmide: *Fragmente zur Kenntnifs und Belehrung des menfchlichen Herzens*, von C. F. Pockels: Erste Sammlung: 1788. 170 S. 8. (12 gr.)
Es find flüchtig hingeworfene Gedanken und Bemerkungen über mancherley Empfindungen, Charaktere und Sitten der Menschen, in verschiedenen Lagen und Verhältnissen ihres Lebens; z. B. über Freundschaft, Frauenzimmer, Empfindfamkeit, große Gefellschaften u. dergl. Wer viel der eigne Welterfahrung, noch eine ausgebreitete Lectüre hat, der kann immer einiges Vergnügen, und manche im Leben brauchbare Lehre daraus schöpfen. Um aber dergleichen Betrachtungen ein ausgebreitetes Interesse zu verschaffen, müßte fich der Vf. künftig bey der verfprochnen Fortfetzung, nicht wie bisher, damit begnügen, etwas Wahres und Gutes in einer reinen und gefälligen Sprache gesagt zu haben, fondern feine Beobachtungen tiefer schöpfen; feine Raifonnements genauer bestimmen und zusammenhängender ausführen, dasjenige was fchon oft und gut von andern gefagt worden, lieber verglaffen, oder doch demselben durch einen Zufatz origineller Gründe und Anwendungen oder durch überraschende Zusammenstellungen und eigene Wendungen den Reiz der Neuheit zu ertheilen wiffen. Alsdann würde eine folche Lectüre felbst dem geübten Menschenkenner eine nützliche Unterhaltung gewähren, und dem Psychologen fehr schätzbare Materialien für feine Wiffenschaft liefern.

Einzelne Stellen zur Probe laffen fich aus der vorliegenden Sammlung defswegen nicht wohl aushehen, weil fich unters Bedünkens keine vor den andern im Guten oder Fehlerhaften merklich auszeichnet. Uebrigens ift für äußere Schönheit des Papiers und Druckes hinlänglich geforgt worden.

ALLGEMEINE
LITERATUR-ZEITUNG

Montags, den 5ten Januar 1789.

RECHTSGELAHRTHEIT.

BERLIN u. LEIPZIG, b. Decker: *Entwurf eines allgemeinen Gesetzbuchs für die Preußischen Staaten. Zweyter Theil. Zweyte Abtheilung.* 1787. S. 221 — 565. 8. (1 Rthlr.)

In dieser zweyten Abtheilung wird die Lehre von dem Sachenrechte fortgesetzt, von welchem im Vorhergehenden theils die allgemeinen Begriffe und Quellen, theils insonderheit die Lehre von dem Eigenthum und die Arten solches zu erwerben, erörtert sind. Jetzt werden die *unmittelbaren Erwerbungsarten* durchgegangen, und zwar: 1) diejenigen, welche sich auf Verträge unter Lebendigen gründen. (VIII. Tit. S. 225 — 353). 2) die, welche aus Verordnungen von Todeswegen entstehen (IX Tit. S. 354 — 425.) Sodann folgen (im X. Tit. S. 525 — 459.) die Erwerbungen des Eigenthums der Sachen und Rechte durch einen Dritten; ferner die Mittel das Eigenthum zu erhalten (XI Tit. S. 455 — 508), das Recht der Verfolgung des Eigenthums (XII Tit. S. 509 — 514.) und endlich die rechtlichen Wege, das Eigenthum zu verlieren und aufzuheben. (XIII Tit. S. 515 — 565). Auch hier kommen merkwürdige Abweichungen vom Justinianschen Rechte, und ganz neue Verordnungen und rechtliche Präsumtionen vor, wobey sich erhebliche Erinnerungen machen lassen. Nur einiges davon zum Beyspiel. Im VIII Tit. 1 Absch. vom Kaufs- und Verkaufsgeschäften wird §. 76 — 129. die Lehre von den Zubehörungen bey allerley Arten von Grundstücken und Gebäuden, wie auch bey beweglichen Sachen, sehr vollständig erörtert. Unter andern werden (114.) zu einer verkauften Bibliothek auch die Repositorien und Schränke gerechnet, auf welchen die Bücher sich befinden. Hingegen Kleider- und Bücherschränke, wenn sie auch in oder an der Wand befestiget sind, werden (§. 109.) als Zubehörungen eines Wohngebäudes geachtet. (Beide Präsumtionen dürften wohl in dem Fall umzukehren seyn, wenn die Schränke ohne derselben oder des Hauses Beschädigung nicht weggenommen werden können.) Prinzen und Prinzessinnen des königl. Hauses dürfen ohne ausdrückliche Einwilligung des Ober-

A. L. Z. Erster Band. 1789.

haupts im Staat keine Darlehn gültig aufnehmen. (Tit. VIII. §. 528.) (Aber doch wohl dann, wenn sie durch den Genuß einer bestimmten Apanage, oder durch den Besitz gewisser Ländereyen, *separatam Oeconomiam* haben?) Die Erben des Ausstellers eines Schuldscheins werden durch *zehnjährige Präscription* von der Schuld befreyet, welche bey bestimmten Termin, von dem Tage des Ablaufes, bey unbestimmter Frist, von dem Tode des Erblassers, angeht. (Tit. VIII. §. 561. u. f.) Dies ist eine Ausnahme von der (in der 1 Abth. Tit. VI. §. 429.) bestimmten Regel, daß die *Verjährung durch Nichtgebrauch*, wenn die Gesetze nicht ausdrücklich ein anderes bestimmen, in *dreyßig Jahren* vollendet werde; eine Ausnahme, welche für die Erben des Schuldners, wenn ihnen *bona fides* ermangelt, allzugünstig ist.) Wenn sich der Erborger weigert, die besprochene Summe anzunehmen, so ist er den andern wenigstens mit Entrichtung der halbjährigen Zinsen schadlos zu halten verbunden. (§ 577.) Ist keine Zeit zur Rückzahlung bestimmt, so steht beiden Theilen eine *dreymonatliche Aufkündigung* frey (§. 581); beträgt aber das Darlehn nur 50 Rthlr., oder weniger, so findet eine *vierwöchentliche Aufkündigung* statt. (§ 582) (Diese letztere Verordnung scheint um deswillen ungerecht zu seyn, weil der ärmere Schuldner, dem 50 Rthlr. so viel gelten als einem andern 1000 Rthlr., dadurch oft gedrückt werden würde: Die Aufkündigungszeit muß daher immer, ohne Rücksicht auf das Kapital, durchgängig die dieselbe seyn.) Bey Darlehnen von 25 Rthlr. und weniger, wird Scheidemünze, bey Darlehnen von 30 Rth. und weniger, halb Courant und halb Scheidemünze vermuthet. (Tit. VIII § 595.) (Scheidemünze sollte in der Regel nie vermuthet werden, weil ihre Bestimmung sich lediglich auf den kleinen Detailhandel einschränkt. Diese gesetzliche Präsumtion scheint daher sich auf ein dermaliges Mißverhältniß der Scheidemünze gegen Courantmünze zu beziehen). Kaufleuten wird gestattet *sechs*, und Juden *acht vom Hundert* an Zinsen sich verschreiben zu lassen. (§ 605) Mehr als einjährige Zinsen im Voraus abzuziehen ist nicht erlaubt. (§ 614.) (Auch dies sollte nicht einmal erlaubt seyn; denn. jeder Abzug im

E   Vor-

Voraus vermindert die Benutzung des Kapitals, und läuft alfo auf einen Wucher hingus.) Ueber zweyjährige und ältere Zins · Rückftände dürfen neue Schuld - Scheine gegeben und Zinfen davon verfchrieben werden, jedoch mufs folches gerichtlich.gefchehen. (§. 616. fq.) Die über zehn Jahre rückftändigen und in der Zwifchenzeit nicht gefoderteø Zinfen werden für erlaffen geachtet. (§. 627.) Bey den Schenkungen (Tit. VIII. Abfch. 9.) ingleichen bey den Teftamenten und Codicillen (Tit. IX. Abfchn. 1.) finden fich mehrere Befchränkungen der natürlichen Freyheit, welche wahrfcheinlich die Vorbeugung der Proceffe zur Abficht haben. So find (§. 750.) blofse Verfprechungen eines Gefchenks nicht verbindlich, wenn fie nicht gerichtlich aufgenommen worden; und bey unbeweglichen Sachen wird, aufser der Uebergabe, noch ein fchriftlicher Vertrag erfodert (§. 732.) Jedes Teftament oder Codicill foll zum gerichtlichen Protocoll erkläret, oder von dem Teftator felbft den Gerichten übergeben, und im letzten Fall von ihm eigenhändig unterfchrieben und befiegelt werden. (Tit. VIII. §. 49. u. 66.) Doch können Legate, welche den zwanzigften Theil des Nachlaffes wahrfcheinlich, oder nach der Verficherung des Erblaffers, nicht überfteigen, ohne gerichtliche Uebergabe verordnet werden. (§. 102.) Wunderbar ift es, dafs bey aufsergerichtlichen, durch Uebergabe vollzogenen, Schenkungen der *Wiederruf* noch *innerhalb fechs Monaten* geftattet wird (Tit. VIII. §. 67.) und dafs die Wiederrufung, wegen nachgebohrner Kinder, blofs bey *verfprochenen Schenkungen* ftatt finden foll; (§. 797.) dafs gerichtlich erklärte Verfchwender, *bis auf die Hälfte ihres Vermogens* zum Nachtheil der nächften Anverwandten teftiren dürften (Tit. IX. §. 20.); dafs, auf dem Fall, da der Teftator und der eingefetzte Erbe ihr Leben in einem gemeinfamen Unglücksfall verlieren, nicht die Präfumtion, welche in dem Titel der Pandecten *de rebus dubiis* angegeben find, ftatt finden, fondern, dafs keiner den andern überlebt habe, vermuthet werden, und daher auf die Erben des Letztern kein Erbrecht übergehen foll. (Tit. IX. §. 154. fq.)

Die Lehre von den *Miteigenthume*, welche nach dem, in der Vorerinnerung zur erften Abtheilung angegebenen, Plane hier auch mit vorkommen follte, ift zur dritten Abtheilung gezogen worden, weil fich bey der Bearbeitung gefunden habe, dafs fie mit den Abarten des Eigenthums in genauer Verbindung ftehe. Auch bey gegenwärtiger Abtheilung waren die Preife von 50. und 25. Ducaten unter den bekannten Bedingungen ausgefetzt, und die Einfendung der Schriften bis zum Ausgang des Novembers 1788. erwartet.

ERDBESCHREIBUNG.

FLENSBURG u. LEIPZIG, b, Korte: *Bericht von der Halbinfel Sundewitt und dem Glücksburg-* *fchen Erblande, nebft einer kurzen hiftorifchen Nachricht von dem Fürftlich - Glucksburgfchen Haufe.* 1788. 174 S. 8.

Die kleine Schrift ift von Hn. Johann Chriftian Gude, der anfänglich in Fürftl. Glücksburgifchen Dienften ftand, aber nachmals fich als Juftitzrath in Friedrichsftadt aufgehalten hat. Sie ift ein nützlicher Beytrag zur Geographie und Gefchichte eines kleinen Stückes des Herzogthums Schleswig, und einer bereits erlofchenen Linie des königl. dänifchen Haufes. Aber wie fie jetzt erfcheint, ift fie nicht neu, fondern fchon 1778 bey Eckhardt zu Altona gedruckt, und hat blofs obenftehenden Titel mit der veränderten Jahrzahl und dem Namen des Verlegers enthalten. In der That war das Werkchen nur fo fehr fparfam in das Publicum gekommen, dafs der Vf. Urfache hatte, durch Ueberlaffung der Exemplare an eine Buchhandlung den Abfatz zu befördern. Aber fovielhätte durch Umdrucken des letzten Bogens und der Stammtafel jetzt daran gewandt werden follen, dafs nicht in der Stammtafel und S. 173 u. f. Herzog Friedrich Heinrich Willhelm, der fchon vor verfchiednen Jahren verftorben, durch deffen Tod feine ganze männliche Linie erlofchen, und das Land dem Könige anheim gefallen ift, noch jetzt 1788 der *jetztregierende Herzog* von Glücksburg genannt, und feine Witwe, jetzige Gemalin des Herzogs von Bevern, noch jetzt als feine Gemalin aufgeführt worden wäre.

GESCHICHTE.

Gräz: *A Julius Caefars Staat- und Kirchengefchichte des H. Steyermark. Fünfter Band* 1787. 1 Alph. 9 Bog. *Sechfter Band.* 1788. 1 Alph. 6 B. 8. (1 Rthl. 4 gr.)

Der fünfte Band erzählt die Regierungen der habsburgifchen Prinzen von Albrecht 1 bis auf Wilhelm den Freundlichen. Im *erften Abfchnitte* enthalten die vorläufigen Abhandlungen das Stammregifter der öftreichifchen Herzoge, von Rudolph I bis auf Ernft den Eifernen; die Ausführung des Grundfatzes, dafs Rudolph die Länder Oeftreich und Steyermark habe an fein Haus bringen können, weil *damals* die Collateralfucceffion noch nicht gegolten hätte, und Ottokars Belehnung von Richard nicht mit den gehörigen Feyerlichkeiten gefchehen, auch nicht von den Kurfürften gebilligt fey; von Fauftrecht, Turnieren, Fehden höchft verwirrte, unverdaute und unrichtige Begriffe. Der Verf. citirt ein paarmal bey diefer Materie *Schmidts* Gefchichte der Deutfchen. . Wenn er fie wirklich gelefen hat, fo ift diefes ein Beweis, wie fchwer es hält, in einem folchen Kopfe aufzuräumen. Der *zweyte Abfchn.* erzählt die eigentliche Staats- und Kirchengefchichte. 1*ftes Cap.* politifche Gefchichte bis auf Albrecht II 1330. Unter Albrechts

Albrechts I Regierung war Heinrich Abt v. Admont
ein gewaltiger Prälat; der Vf. tadelt ihn als einen
ftolzen gewaltthätigen Mann, der Albrechts Gunft
und die dadurch erhaltene Landshauptmannfchaft
mifsbrauchte. Der Abt Heinrich hetzte Albrecht
und den Erzbifchof von Salzburg an einander, und
erregte durch feinen Druck eine allgemeine Em-
pörung in Steyermark, Kärnthen und Oeftreich.
Albrecht bekam Gift, und die Aerzte ftellten ihn
auf den Kopf, um ein Erbrechen zu erregen, welches denn mit folcher Gewalt erfolgte, dafs er
ein Auge verlor, welches diefen fchon häfslichen
Prinzen fcheufslich machte. Der Aufruhr dauerte
lange. — Unter Rudolph II 1482 findet man 2 Truch-
feffe in Steyermark, von denen einer vermuthlich
der am Hofe wirkliche Dienfte leiftende gewefen
ift. Das Wapen Herzogs Friederichs von Steyermark war fein Bildnifs zu Pferde, im Schilde
das Wapen von Oeftreich, und in der Fahne den
fteyermärkifchen Panther. Die Gefchichte von
Oeftreich und die Kaifergefchichte verfchlingt die
Gefchichte von Steyermark. Den Krieg der beiden Nebenkaifer, Friedrichs und Ludwigs, erzählt
der Vf. weitläuftig, und folgt dabey Oienfchlager.
Friedrich mufste am Ende feines Lebens noch
mit feinem unzufriedenen Bruder fechten. 2tes
Cap. Kirchengefchichte. „So fieng man an, fagt
der Vf. S. 191, dem Volke den nachtheiligen Begriff einzuätzen, dafs man durch Geld fo vielen
Nachlafs der Strafen verfchaffen könne, als durch
Bufswerke und Abtödtung der Sinnen." — Man
freuet fich, wenn man hin und wieder in diefem
Buche auf dergleichen, wenn auch nicht ganz reine, Gefühle der Wahrheit ftöfst. „Geiftliche Filou-
Streiche" nennt Hr. C. die Predigten der herum-
ziehenden Ablaskrämer des 16ten J. H. Die Erzbifchöfe von Salzburg widerfetzten fich fchon in diefen Zeiten oftmals den Eingriffen der Päpfte. Der
E. B. Conrad IV erhielt von dem P. Nicolaus IV
licentiam teftandi bis auf 10,000 Ducaten, ungeachtet er ein Auguftinermönch war. Wir finden
in diefen Zeiten häufig Stiftung zu Schmauferey-
en für die Mönche in den Klöftern, die Pitanniae,
confolationes, refectiones, fpeciales, folatia u. f.
w. hiefsen. Die Kapitel, die die Kirchengefchichte enthalten, find auch in diefem Theile wichtiger und belehrender, als die politifche Gefchichte.
3tes Cap. Politifche Gefchichte bis auf Wilhelm
den Freundlichen. Der Vf. fchildert den K. Johann von Böhmen ungemein gut, wenn er ihn
ein romantifches Genie nennt. Als die Hn. Albrecht II und Otto die Belehnung mit Kärnthen
von Ludwig IV erhielten, fo ertheilte er ihnen
auch ausdrucklich das Münzrecht. Die Gemeinen
(bedeutet wohl fo viel als Gilden) der Münzen
oder Flandrenfer, die allein mit Münzen, Gold
und Silber handeln durften, hatten damals grofse
Freyheiten. S. 27. Alfo waren auch hier die
Flandrer die ausfchliefsenden Geldwechsler. Die
H. von Oeftreich haben fehr frühzeitig grofse Pri-

vilegien in Abficht der Juden erhalten, die der Vf.
S. 294 aufzählt, bey der Gelegenheit einer Verfolgung diefer Unglücklichen wegen einer vor-
geblich von ihnen mishandelten Blut und Wunden
zeigenden Hoftie. Man weifs es fchon, dafs der
rechtgläubige Chorherr dergleichen niemals bezweifelt. Als 1342 der K. Johann von Böhmen
den H. Albrecht befuchte, um mit ihm ein Bundnifs zu fchliefsen, war jener blind und diefer lahm.
Bey einer geheimen Unterredung liefsen fie ihre
Bedienten allein; als fie die Unterredung geendigt hatten, wollte der König weggehen, aber er
konnte die Thür nicht finden, und der lahme Herzog konnte ihn nicht dahin führen; fie mufsten
alfo zufammen bleiben, bis es den Bedienten gefiel, wieder zu kommen. Dafs, nach der von H.
Albrecht gemachten Hausordnung, feine Söhne
feine Länder in einer Mutfchierung regieren follten, läugnet der Vf. S. 333., ungeachtet die Worte es anzuzeigen fcheinen, und die Sache damals
gewöhnlich war. Rudolph nannte fich in einem
Diplom für St. Stephan v. J. 1359 Pfallenz - Erzherzog, Palatinus Archidux. Auf die Protefta-
tion von Kur-Pfalz lies er den Titel Pfalz aus,
und nannte fich nachher bald Erzherzog, bald Herzog. Nach Friedrich III Diplom über diefen Titel haben fich gewöhnlich anfangs nur die Prinzen
Erzherzoge genannt, die Oeftreich, Steyermark,
Kärnthen und Krain befafsen. Nach Rudolphs Tode dauerte die Mutfchirung zwar noch fort, aber
Leopold beham doch Steyermark fpecieller zugetheilt. Nach Leopolds Tode regierte Albrecht III
allein. Leopolds Söhne, Wilhelm und Albrecht
IV, führten völlig eine gemeinfchaftliche Regierung. 4tes Cap. Kirchengefchichte. S. 426 werden einige Nachrichten von den Erpreffungen des
römifchen Hofs unter Johann XXII von dem erz-
bifchöflichen Stule zu Salzburg gegeben. Sie ftie-
gen bey der Wahl des Erzb. Gregor 1396 auf 1000
Goldgulden für die Camera Apoftolica, 5000 Gold-
guld. für die Camera Cardinalium, u. 2066 Goldg.
für die Minuta Servitia an die Familiares und Of-
ficiales. Diefer Typus ift auch von den Concordaten geblieben. Aber der Erzb. Siegmund gab
nur überhaupt 16,000 Scudi und der jetzige, in Betracht, dafs er vorher Beyfitzer der Rotae roma-
nae gewefen war, nur 7000 Scudi. Aber die Päpfte fetzten die Stifter in den damaligen Zeiten auf
mehrere Art in Contribution, und Gregor XI, Urban
VI, und andere zogen anfehnliche Steuern aus Salzburg. Erzb. Pilgrim erhielt von dem Papfte 1391 Bul-
lam fanguinis, oder das Recht, Kriegen beyzuwoh-
nen, und Todesurtheile zu unterfchreiben, welches nach dem Vf. das erfte Beyfpiel diefer Art
von unnöthiger Difpenfation in Deutfchland ift.

Der 6te Band geht bis auf K. Karl V. 1520, und
enthält, ohne vorläufige Abhandlungen, gleich
im 1ften Cap. die politifche Gefch. bis auf Friedrich den Friedfamen 1425. Albrecht IV ftarb,

E 2   und Goog

und hinterließ Albrecht V noch minderjährig. Wilhelm ftarb 1406 ohne Kinder. Es ist nicht völlig ausgemacht, ob die Herzoge damals getheilt haben; aber man findet doch, daß H. Ernst der Eiferne allein Herzog von Steyermark, Kärnthen und Krain gewefen ist. Er nannte fich Erzherzog. Diefer 2te Stammvater des Haufes Oeftreich ftarb 1424. 2tes Cap. Kirchengefchichte bis auf Friedrich den Friedfamen. 3tes Cap. Politifche Gefchichte von Friedrich dem Friedfamen bis Maximilian I bis 1493. Friedrich trat die Regierung an, als er majorenn war 1435; doch fo, daß fein Bruder Albrecht, nach der damaligen Gewohnheit, einen gewiffen Antheil daran nahm, und Friedrich fogar verfprach, fich ohne deffelben Einwilligung nicht zu vermählen. Da der K. Siegmund eine Gräfin von Cilli geheirathet hatte, fo hob er diefes Haus in den Fürstenstand. Die Herzoge widerfetzten fich diefer Erhebung fo lebhaft, daß daraus fogar ein Krieg entstand. 1440, in eben dem Jahre, da Friedrich Kaifer wurde, nöthigte ihn Albrecht zur Ländertheilung, nach dem Ausfpruch von 8 aus den Ständen erwählten Schiedesrichtern von jeder Seite. Albrecht erhielt 2 Fünftheile, und Friedrich behielt drey, Die fortgefetzten Händel zwifchen den fchläfrigen Friedrich und dem länderfüchtigen Albrecht füllen jetzt den gröſten Theil der Erzählung aus. Friedrich gab für Steyermark neue Gefetze, von denen hier kein folcher Auszug gegeben wird, der jemand ein Genüge thun könne. Manchem Ausländer würde mit Erklärung des Johann-Grafen-oder Hansgrafenamtes, des Marktfutters, des Geleits in den Landfchranen u. d. gl. gedient gewefen feyn. S. 137 werden die Stände aufgeführt, die auf einem Landtage 1446 erfchienen find, und die Anmer-

kung gemacht, daß von 20 dafelbft als Stände genannten Stiftern jetzt 10 aufgehoben find. S. 339 wird hinzugefügt, daß der jetzige Kaifer überhaupt 34 Klöfter aufgehoben; und 27 in Steyermark gelaffen habe. Friedrich lag auch in den Streitigkeiten mit dem jungen König Ladislav von Ungarn immer unter. Der Tod deffelben vermehrte die Uneinigkeit zwifchen dem Kaifer und feinem Bruder. 1459 fiel auch Cilli nach dem Ausgange des Haufes an den Kaifer. Albrecht ftarb 1463, aber die Unterthanen waren deswegen nicht ruhiger ; innre Kriege und die Einbrüche der Türken in Ungarn erhielten das Land in beständiger Bewegung. 4tes Cap. Kirchengefchichte. Der Erzb. Friedrich von Salzburg fchützte fich weislich gegen die fchlimmen Folgen, die die Concordaten, die der K. Friedrich fchloſs, hätten haben können, und der Papft gab gerne nach. 1462 wurde das Bisthum zu Laybach errichtet. 5tes Cap. Politifche Gefchichte bis auf Karl V. Die Vertreibung der Juden und Anführung einiger landesherrlichen Verordnungen ist das allein wichtige. 6tes Cap. Kirchengefchichte. Der Anfang der Reformation wird nur kurz und fo befcheiden genug erzählt. — Es wird noch ein Theil folgen.

BERLIN, b. Wever: *Lebensgefchichte des Herzogs Ludwigs Ernſt von Braunfchweig Lüneburg. Erftes Stück. 1787. 45 S. 8. Zweytes Stück. 1788. 52 S. 8. (5 gr.)* Ein bloßer Auszug aus dem allgemein bekannten Schlözerifchen Werke. Der Epitomator erklärt diefes in einem Vorberichte ; es wäre aber vielleicht nicht übel gewefen, diefe Nachricht gleich auf dem Titel zu geben.

KLEINE SCHRIFTEN.

OEKONOMIE. *Stuttgart,* b. Mezler: *Oekonomifche Beytrüge und Bemerkungen zur Landwirthfchaft auf das Jahr 1789. oder Unterricht für den Landmann, fowohl in Abficht auf feine Gefundheit, als auch bey dem Acker-Wiefen-, Garten-und Weinbau, dergleichen bey allen Gattungen der Viehzucht, und wie das Vieh nicht nur gefund zu erhalten, fondern auch bey vorkommenden Seuchen und Krankheiten leicht und glücklich zu curiren und als eine Fortfetzung des ehemaligen Landwirthfchaftskalenders.* 53 S. 4. (4 gr.) Diefe von Hrn Generalfuperintendenten Sprenger fortgefetzte Sammlung erhält fich noch im zweyten Jahrzehend, und ift beständig aus den beften im vorigen Jahre herausgekommenen Schriften gehüpft. Dergleichen find für diefes Jahr: *Oekonomifches Portefeuille, Wernert Kotechifmus der Kleebauer, Dietrichs Pflanzenreich, Chrifts guldenes A. B. C. für Bauern, Mundt Landwirthfchaftlicher Magazin und Preiſschrift, Wiefen - Verbefferung.* Vom Hn. Praelaten Sprenger felbft find zwey Verfuche. Er hat nemlich 1) in Adelberg, wo er wohnt, und der Boden ziemlich leicht ift, fchon etliche Jahre, nachdem der drey blätterige Klee für das Vieh abgemähet war, unmittelbar darauf ohne vorhergehendes Pflügen auf den Acker fäen, und mit fchmalen Furchen ungefähr 4 Zoll tief den Saamen mit dem Klee zugleich unterackern laffen. Vor Winter und im Anfang des Frühlings ftand die Saat fehr dünne, wurde aber immer dichter ; der Acker zeichnete fich im Wachsthum den Sommer über, und im Ertrag bey der Erndte vor andern Kleeäckern merklich aus, die er einmal ackern, rauh eggen, und einfurig beftellen ließ. Hätte es doch Hn. S. gefallen, uns die Garbenzahl diefes und anderer Kleefäen anzugeben ! Das Criterion Veri ift heutiges Tages in der Oekonomie nöthig. 2) Im Jahr 1782 giengen von Weintreßern 5 Weinstöckchen auf. Im Herbft, 1787 trugen fie 2 - 3 Träubchen von etlichen Beeren, ganz dem Gefchmack ihrer Sorte gleich. Wie wenn die Sorten der entfernteften Länder durch Saamen, welches leichter als durch Reben gefchehen kann, anzupflanzen wären?

Numero 6.

ALLGEMEINE
LITERATUR-ZEITUNG

Dienſtags, den 6ten Januar 1789.

KRIEGSWISSENSCHAFTEN.

Wieneriſch Neustadt, b. Adam: Des Gr. Franz Kinsky, geſammelte Schriften. Fünfter Th. ; welcher die Abhandlung vom *Druck der Erde auf Futtermauern* enthält, neu bearbeitet und vermehrt. 1788. 178 S. 8. 10 Kupf. und 8 Tabellen. (1 Rthlr. 12 gr.)

Die neue Bearbeitung und Vermehrung beziehet ſich auf die vom Hn. Grafen im Jahr 1776 herausgegebenen Beyträge zur Ingenieurwiſſenſchaft. Der Hr. Vf. bauet ſein Syſtem auf die Belidorſchen Begriffe vom Abſchieben der Erde nach parallelen Trapezien; er berichtiget aber das Verfahren ſeines Vorgängers mit vieler Gründlichkeit und tiefen mathematiſchen Einſichten. Ohne uns in die Gründe einzulaſſen, wodurch er das Schwankende des Belidorſchen Verfahrens aufdeckt, iſt ſchon das ein auffallender Mangel beym letztern, daſs man immer andere Reſultate erhält, je nachdem man die Höhe in mehr oder weniger gleiche Theile theilet. Dieſem Mangel wird hier durch die Anwendung der Rechnung des Unendlichen abgeholfen. Im 8 §. wird Belidor für den erſten angegeben, welcher den Druck der Erde nach mathematiſchen Gründen zu beſtimmen geſucht habe; dies iſt eine kleine literariſche Unrichtigkeit: Denn Couplet hat ſeine Abhandlungen über dieſen Gegenſtand in den Jahren 1726, 27 und 28 bekannt gemacht, und Belidors *Science des Ingenieurs* iſt erſt 1729 erſchienen. Ein anders Verſehen können wir um ſo weniger unbemerkt laſſen, da die Aufklärung deſſelben zur Beſtimmung des Werths der ganzen Arbeit gehöret. Im 7 §. löſt nemlich der Hr. Vf. die Aufgabe: den Druck der Erde gegen eine ſenkrechte Fläche zu finden, folgendergeſtalt auf. Er berechnet den Innhalt des abſchiebenden Dreyecks, und beſtimmt daraus die reſpective Kraft, mit welcher es auf der ſchiefen Fläche herunter rutſcht. Dieſe reſpective Kraft multiplicirt er mit einem correſpondirenden Hebelsarm, das iſt mit der Senkrechten auf die Linie, welche durch den Mittelpunkt der Schwere des Dreyecks, mit der ſchiefen Fläche parallel gezogen wird. Das Product

ſiehet er als das Moment des Erdendrucks in Abſicht auf die verticale Fläche an. Es iſt aber nur das Moment des correſpondirenden Hebelarms, und nicht der verticalen Fläche. Um das letztere zu finden, muſste man die reſpective Kraft in zwey Kräfte zerlegen, wovon die eine ſenkrecht auf der verticalen Ebene ſtünde; das Moment würde alsdann in Anſehung des Hebelarms $\frac{2a}{3}$, $= \frac{a^3}{6}$, ſtatt $\frac{a^3}{12}$ ſeyn. Man erhält aus dem erſten das letztere, wenn man mit Belidor die reſpective Kraft wegen der Friction und des Zuſammenhangs der Erde um die Hälfte vermindert; ein Verfahren, welches der Hr. Graf freylich ſehr unmathematiſch findet, das ſich aber nichts deſto weniger in ſeinen Berechnungen mit eingeſchlichen hat. Die Brauchbarkeit des Werks hat dadurch eigentlich nichts verloren; denn das erſtere Moment hätte ein ſtärkeres Mauerwerk nach ſich gezogen, als die Erfahrung zu erfodern ſcheint; hingegen wäre der Hr. Vf. vielleicht zu ganz andern Erörterungen veranlaſst worden, wenn ihn bey der erſten Erſcheinung des Werks, irgend ein Recenſent auf dieſen Umſtand aufmerkſam gemacht hätte. Nun möchten wir gerne auch Beyſpiele von des Hn. Vf. ſcharfſinnigen Bemerkungen beybringen; allein es wird uns theils unter der Menge der Wahl ſchwer, theils würden wir uns auch bey Dingen, die wir aus dem Zuſammenhange reiſſen müſsten, nicht leicht verſtändlich machen können.— Im Uebrigen müſſen wir ohnehin jedem, der über dieſen Gegenſtand gründlich denken lernen will, rathen, ſich dieſes Buch anzuſchaffen. Wir bemerken alſo nur noch ſummariſch, daſs der Hr. Vf. für die verſchiedenen beym Feſtungsbau vorkommenden Fälle, acht Hauptformeln liefert, wovon einige durch einen mühſamen Calcul gefunden werden. Denjenigen, welche vor dergleichen zu erſchrecken pflegen, dienet zum Troſt, daſs die aus dieſen Formeln berechneten, und dem Werk beygefügten Tabellen nur nachgeſchlagen werden dürfen. Die Conſtruction der geometriſchen Oerter, welche der Hr. Hauptmann von Zach hinzu geſetzt hat, möchten auch nicht jedem behagen, ob ſie

fonſt ſchon eine ganz artige Speculation ausmachen, und zum Beweiſe dienen, daſs der Vf. ſich
in der höhern Mathematik gute Kenntniſſe erworben habe. In einem Anhange entwickelt der Hr. v.
Zach die Grundſätze, welche er aus den mündlichen Unterredungen des Hn. Grafen geſchöpft hat.
Hier wird die Rechnung nicht auf die Abſchiebung
der parallelen Trapezien, ſondern auf Dreyecke
gebaut, die ihre gemeinſchaftliche Spitze im un-
terſten Punkt der ſenkrechten Fläche haben. Dieſe Vorſtellung ſcheint in der That beym Erdreich,
das einen Zuſammenhang hat, natürlich zu ſeyn.
Lange giebt ſich der Hr. Hauptmann mit der Friction und dem Zuſammenhange ab; endlich abſtrahirt er von dieſen Dingen, und findet für das

Moment des Erdendrucks $\frac{a^3}{12}$ + 0,69314; dieſes ſtimmt mit des Hrn. Grafen Moment nicht überein, daher ſucht der Hr. von Zach einige Gründe hervor, woraus dieſer Unterſchied zu erklären ſeyn möchte; ſie ſind aber nicht befriedigend,
und können es auch nicht ſeyn, weil ſein Moment in der That viel zu klein iſt: denn im 36 ſ.
iſt der Hebelsarm nicht $\frac{a}{3}$, ſondern $\frac{2a}{3}$; der letztere giebt zum Moment $\frac{a^3}{6}$ + 0,693.... Dieſes
Moment iſt gröſser als das Klnskyſche, und muſs
auch gröſser ſeyn, weil dabey nicht auf den Zuſammenhang der Erde geſehen wird. Sonſt ſind
die mehreſten Sentenzen des Hrn. von Zach gegen
das Ende des Anhangs etwas ſchief ausgefallen,
weil ſie ſich auf ein paar Formeln gründen, die
beide nicht richtig aus ihren Vorderſätzen hergeleitet worden.

HANNOVER, b. Pokwitz: *Neues militäriſches
Journal.* Zweytes Stück. 1788. 276 S. 8.
2 K. (1 Rthlr. 4 gr.)

1. Fortſetzung der neuen Taktik des verſtorbenen regierenden Grafen Wilhelm von Schaumburg-
Lippe. Es iſt zu wünſchen, daſs der Hr. Herausgeber auch noch die Beſchreibung von den Bücke-
burgiſchen Falkonetten, vorzüglich aber der Hand-
mörſer mit Zeichnungen begleitet, liefern möge. 2. Fortſetzung der Beſchreibung des
Sächſiſchen Vierpfünders. Das Exerciz enthaltend. 3. Einige (intereſſante) Nachrichten, welche die Sächſiſche Artillerie überhaupt betreffen.
Mit freymüthigen Reflexionen begleitet. Die zu
dieſem Artikel gehörige Ladette iſt nicht überall
nach den Regeln der Kunſt gezeichnet, und daher etwas undeutlich. 4. Relation von der Schlacht
bey Haſtenbeck. Von einem Augenzeugen, bey
der Alliirten Armee. 5. Relation von eben derſelben von einem franzöſiſchen Officier. 6. Bemerkungen über die Schlacht bey Haſtenbeck und
Erläuterungen der gegebenen Relationen. Dieſes

zuſammen giebt ſamt dem Plan der auf dem Ter-
rain geprüft worden ſeyn ſoll, und ſonſt auch mit
der Beſchreibung gut zuſammenpaſst, dem Leſer einen vollſtändigen und deutlichen Begriff
von dieſer Schlacht. 6. Nachrichten und Recenſionen von neuen militäriſchen Büchern. 7. Preuſſiſche Penſionen. 8. Anekdoten. Aus dieſer Anzeige kann man genugſam abnehmen, daſs auch
dieſes Stück, wenigſtens für einen oder den andern Leſer eine wichtige Lectüre abgiebt.

ERDBESCHREIBUNG.

BERLIN, bey Wever: *Taſchenatlas, oder
geographiſches ſtatiſtiſches Handbuch von allen vier Welttheilen, zum lehrreichen Unterricht der Jugend.* Nebſt 42 Landkarten.
1788. gr. 8. 267 S. mit Regiſter. (1 Rthl.
20 gr.)

Der Vf. will der Jugend eine kleine Geographie in die Hände liefern, die zugleich einen bequemen, wohlfeilen, und leicht fortzubringenden
Atlas enthalten ſoll. Daſs dies wirklich noch ein
Bedürfniſs für unſere Schulen bey allem Ueberfluſs
von groſsen und kleinen Karten und geographiſchen Compendien ſey, kann niemand leugnen.
Ob es aber durch gegenwärtigen Taſchenatlas abgeholfen ſey, iſt eine andere Frage. Die Karten
ſind wirklich zu klein, auf einem Octavblatt von
der gewöhnlichen handmänniſchen, etwa ein paar
ausgenommen, ohne Zweifel mit einem Storch-
ſchnabel abgezeichnet, und ſo äuſserſt grob und
ſchlecht geſtochen, daſs man glauben muſs, ein
Lehrburſch habe die Namen darauf geſetzt. Auffallend iſt auch die Schreibart Orleanf, Tourf,
Nimef, Karlſruhe. Dabey ſind die Fächer für die
Provinzen oft zu klein für den Namen der Hauptſtadt, der deshalb in einer andern anfängt. Bey
der Illumination der Gränzen ſind auch die Far-
benſtriche verhältnismäſsig viel zu ſtark und geben den kleinen Kartenbildchen ein widriges Anſehen. Bisweilen ſind auch die Striche über die
wahren Gränzen ſehr merklich ausgewichen. So
iſt bey dem Oeſtreichſchen Kreiſe das Janvier-
tel gar nicht in die Gränze gezogen, oder
war es auf der Karte, die hiernach gezeichnet iſt,
noch nicht von Bayern abgeſondert? Zwo dieſer
Karten, die von den ſaubern gehören,
nämlich die von den vereinigten und öſterreichiſchen Niederlanden, kennen wir ſchon. Sie befinden ſich in der Sammlung unparteiiſcher Schriften über die gegenwärtigen Unruhen in den Niederlanden, welche in eben dieſer Verlagshandlung 1787 herausgekommen ſind. So viel können
ſie indeſs nutzen, daſs Anfänger die ungefähre
Lage der Provinzen und Hauptörter ſich darauf
gedenken können, welches all rdings beſſer iſt,
als wenn ſie bey dem öffentlichen Unterrichte
gar keine Karte vor ſich hätten, wie das allerdings bey manchen der Fall iſt.

Wegen

Wegen des engen Raums hat auch bey manchen Ländern, wie in Spanien, Frankreich und
England die jetzt übliche Abtheilung in Provinzen Statthalterschaften etc. nicht gebraucht werden können, und da der Hr. Vf. nur so viel Hauptörter im Buche nennet, als auf den Kärtchen
angebracht werden konnten: so iehlen auch mehrere merkwürdige Städte, die er sonst wohl nicht
würde ausgelassen haben. Uebrigens, wenn man
die Einleitung, und die unbekannteren Welttheile ausnimmt, ist diese kleine Erdbeschreibung mit
Fleis gemacht, und wohl zu gebrauchen. Das
Hauptbuch nämlich, das er bey Europa und Nordamerika gebraucht, ist die statistische Uebersicht
der vornehmsten deutschen und sämtlichen Europäischen Staaten etc. 1786, aus welcher alles richtig abgeschrieben ist, den kleine Schreibfehler bey Portugal, wo die jährlichen Einkünfte
der Krone zu 80 Mill. Thaler statt so viel Livres
angesetzt ist, und dass er gegen die Tabelle S.
156 Frankreich für den bevölkertsten Staat in
Europa hält, etwa ausgenommen.

Rec. sagt, dass dies nicht so ganz von der
Einleitung und den unbekannten Welttheilen gel-
te. In jener nämlich sind die ersten Begriffe von
Geographie ziemlich unter einander geworfen,
und zum Theil falsch. Nachdem er von den Landkarten geredet, sagt er: wenn sich die Erdbeschreibung hiemit allein beschäftigt, so heisst sie die
politische Geographie; dahingegen die mathematische mit der Grösse, Gestalt und Bewegung der
Erde als eines Körpers der ganzen Welt sich beschäftigt. Wer wird hier einen richtigen Begriff
von der politischen Geographie und ihrem Unterschied von der mathematischen fassen können?
Unter die Meere rechnet er unter andern die
Ostsee, und das rothe Meer; Meerbusen ober den
der sinus Persicus, der Flämische Meerbusen u. s. w.
Die Europäischen Sprachen theilt er in 3 grosse
und 3 kleine Stammsprachen. Zu den ersten
rechnet er die lateinische, deutsche und sclavo-
nische, welches aber die 3 letztern sind, kann man
nicht finden, denn es sind ihrer 8 genannt. Zu
der sclavonischen rechnet er 7, und jetzt die böhmische und mährische als verschiedene Sprachen
an. Ein Vorzug dieses Buchs bey Europa ist auch
die Angabe der verschiedenen Münzsorten in den
Ländern.

Die übrigen Welttheile sind zu kurz und zu
mangelhaft beschrieben. Von der freyen Tartarey führt er nur jenseits des caspischen Meeres
Turkestan, Usbek und blofs dem Namen
nach, das Kirgisenland und die arabische Tatarey, diesseits des caspischen Meeres aber die Ca-
bardey und Daghistan an. Weitläuftiger ist er bey
Persien, darinn er 24 Landschaften anführt. Die
erste nennet er Irauca (Irak Age...; der Kupferstecher macht daraus Jaracca. Dazu gehört auch
Dilem, welches hier besonders gezäukt ist, Torge

soll wohl Juirsian oder Korgan seyn, das ist aber
eine Wüste. Die darinn genannte grosse Stadt
Astarabad liegt mit der Provinz gleiches Namens
darunter. Auch Komes (Kumas nach Hauwa)
ist auch nur eine Wüste, und Masendam (Masen-
tan) nebst Lauristan kleine Distrikte. Candahar
gehört aber gar nicht dazu, sondern ist ein unab-
hängiges afghanisches Königreich.

In Nordamerica fehle auch manches, z. B.
Shelburn in Neufschottland, in und um welcher
Stadt 30,000 Einwohner sind.

Noch fehlerhafter ist Südamerica, und besonders das spanische, davon er doch neben andern
in der neuen Staatskunde v. Spanien, 2 Th. Berlin
1785. so viele gute Nachrichten hätte finden können. Statt dessen hat er die falsche Eintheilung
von Südamerica in 7 Theile, als Terra firma, Peru,
Chili, Terra Mogellanica, Paraguay, Brasilien,
und Amazonenland. Bey Terra firma wird nicht
bemerkt, dass es eine kleine Provinz vom Vice-
königreich Neugranada oder Santa Fé de Bogota
sey, darunter auch Popagan, Quito und die Provinz Mainas steht. Dass Paraguay unter dem Vi-
cekönigreich la Pla oder Buenos Ayres (dessen
hier gar nicht gedacht ist) stehe, und dass das
Amazonenland nicht vorhanden sey, ist doch auch
nach gerade bekannt genug.

GESCHICHTE.

London, b. Robinson: History of the Internal
Affairs of the united Provinces from the Year
1780. to the Commencement of Hostilities in
June. 1787. 354 S. 8.

Diesen Titel führt der erste in England gemachte Versuch, die bekannten niederländischen Unruhen im Zusammenhange zu beschreiben. Er
unterscheidet sich aber in der ersten Anlage
so wohl, als in der ganzen Ausführung von der im
vorigen Jahr bey Keursley angefangenen Introduction to the History of the Dutch Republic, welche in mehrern Ländern eben diese merkwürdige
Revolution unserer Tage zu behandeln, angefangen hat. Wenn aber dieser Verfasser die Geschichte der niederländischen Unruhen nach den geheimsten Triebfedern zu entwickeln sucht, mit den
Absichten und der Denkungsart der vornehmsten
Theilnehmer die genaueste Bekanntschaft zeigt,
und als ein aufmerksamer unparteyischer Beobachter jede kleine Begebenheit bemerkt, die das
Ganze aufklären kann, so hat der Vf. der vor uns
liegenden Geschichte bey seiner Arbeit eine ganz
andere Absicht. Er will blofs für die, welche Zeitgenossen dieser Unruhen waren, und die vorzüglichsten Vorfälle aus den gemeinen Quellen der
neuesten Geschichte, Zeitungen und politischen
Monatsschriften erfahren haben, zur bessern Uebersicht des Ganzen eine zusammenhängende Geschichte

fchichte liefern, wobey nur die gewöhnlichften Hülfsmittel benutzt, und keine neuen Unterfuchungen angeftellt werden, einzelne Lüken auszufüllen, oder weniger bekannte Thatfachen deutlicher vorzulegen. Aufmerkfame Zeitungslefer werden hier alfo die Verbindung der Stadt Amfterdam mit Nordamerica, den Ausbruch des Kriegs mit England, die Scheldeftreitigkeiten, die erften Unruhen in Utrecht, die Entlaffung des Herzogs von Braunfchweig, die Hager Commendantenfachen, die erften kriegerifchen Auftritte in Geldern, nebft andern mit diefen bald gleichzeitigen, bald fpätern Begebenheiten ausführlicher oder kürzer erzählt finden, je nachdem feine Quellen befchaffen waren. Ganz unparteyifch zeigt er fich nicht allemal bey Erzählung einzelner Begebenheiten, und vorzüglich nimmt er die Democraten in Utrecht, Harlem und Elburg in Schutz. Oft find die wichtigften Vorfälle nur berührt, und ohne alle; Erläuterung hingeworfen, und daher für viele Lefer unverftändlich, wie die eigentliche wahre Veranlaffung der erften Volontairs, die berüchtigte Confultationsacte von 1766, die Anfprüche des Kaifers auf Maftricht etc. Gern hätten wir über das Anhalten des Staatsboten in Herzogenbufch von Seiten des Herzogs Ludewig, die, nach unferm Vf., vorzüglich deffen Entlaffung befördert haben foll, etwas mehres gelefen, da in der bekannten Schlözerfchen Vertheidigungsfchrift nichts davon erwähnt worden. Manche von des Vf. Erzählungen mußten ihm zu erweifen fchwer fallen, wie z. B. die Nachricht S. 92 von dem eigenhändigen Brief des König von Frankreich an den Kaifer der Scheldeftreitigkeiten wegen, und dem erften Verfuch des jetzt regierenden Königs von Preußen in Holland Frieden zu ftiften, von vielen andern Vorfällen find wir indefs in Deutfchland beffer unterrichtet, als der Vf., und das Complot, dem Herzog Ludewig in Achen feine Schritten zu rauben, ift längftens mit allen Nebenumftänden ans Tageslicht gekommen. Die letzten Nachrichten hat der Vf. von den Utrechter Unruhen vor fich gehabt, auch find die Gelderfchen Händel und ihre Wirkungen in Holland und den übrigen Provinzen, deutlich und umftändlich befchrieben. Da der Vf. fein Werk vor dem Marfche der preußifchen Truppen endigte, fo hat er feinen Lefern die letzten fchnellen und für den Erbftatthalter fowohl als feine preußifchen Bundesgenoffen glorreichen Fehden mit den holländifchen Patrioten nicht mittheilen können.

Leipzig, b. Böhm: Lebens - und Regierungsgefchichte Friedrichs des andern, Königs in Preußen. Dritter Theil, welcher die Ge-

fchichte der Jahre 1761 bis zum Hubertsburger Frieden enthält. Mit Beylagen. 1788. 128 S. Beylagen. 514 S. in 8. (1 Rthlr. 12 gr.)

Nach dem Tode des Auditeurs Seyfarth, von dem die beiden erften Theile des Werkes herrühren, wünfchte der. Verleger daffelbe wenigftens bis auf den Hubertsburger Frieden fortgeführt zu fehen. Er that unferm Vf. den Antrag, der fich um defto williger dazu entfchlofs, da Seyfarth Materialien zu den rückftändigen Theilen hinterlaffen hatte. Er hofft, dafs er fich diefer Arbeit fo unterzogen habe, dafs man wenig Unterfchied zwifchen diefem und den beiden vorigen Theilen finden werde, läfst uns aber in Zweifel, ob. wir eine weitere Fortfetzung des Werkes zu erwarten haben. Rec. hat diefe Gefchichte mit derjenigen verglichen, die fich in den Werken des unfterblichen Königs, von dem oben gedachten Zeitpunkte, findet, und nach den höchft billigen Einfchränkungen, die unfer Vf. bey einer folchen Vergleichung auszubedingen ein fo mannichfaltiges Recht hat, mochte das Refultat dahin ausfallen, dafs man nach dem Zwecke des Vf. mit feiner Treue, dem Umfange feiner Erzählung und der Auswahl der Begebenheiten im Ganzen ziemlich zufrieden feyn kann. Wir fagen mit Vorbedacht, im Ganzen, denn einige Abfchnitte des Werks, wohin z. B. die Erzählungen von den Vorfällen bey der alliirten Armee gehören, verdienen kein fo günftiges Urtheil. Hingegen zeigt fich der Vf., was die Stellung der Begebenheiten betrifft, keinesweges. als ein Meifter; durch ihn wird niemand eine Ueberficht über das Ganze, oder eine Kenntnifs von den Beziehungen erlangen, welche die hier erzählten Operationen der Heere auf einander haben. Ueberhaupt fcheint der Vf. auf den letzten Theil feiner Arbeit nicht fo viel Fleifs gewandt zu haben, als auf den Anfang. Der Ton der Erzählung ift etwa der, den man in militärifchen Relationen und Auffätzen in Gefchäften gewohnt ift, und unter diefer Vorausfetzung nicht zu verwerfen. Allein der Vf. mufs fich auch nicht aufser diefer Sphäre verfuchen, denn dafs er für eine leichtere und feinere Schreibart kein Talent hat, zeigt die fteife und fchwerfällige, S. 121 befindliche, Ueberfetzung eines Briefes des Königs an die Gräfin von Camas. Auch fieht man aus diefer Ueberfetzung, dafs eine tiefe Kenntnifs der franzöfifchen Sprache nicht die Stärke des Verfs. feyn mag. Er überfetzt die Worte: Depuis que la mort a trouffé une Catin des pays hyperboréens (Berliner Monatsfchrift 1787 Seite 202) Seit der Tod eine gewiffe Katze im Lande der Hyperborer eingefcharret hat.

ALLGEMEINE
LITERATUR - ZEITUNG

Mittwochs, den 7ten Januar 1789.

MATHEMATIK.

Leipzig: *Verfuch der Einrichtung unfers Erkenntnifsvermögens durch Algeber nachzu-
fpuren* (durchgehends mit Rückficht auf die
Kantifche Philofophie) von *Chr. Ludw. Schübler* Senator zu Heilbron am Nekar)' 1788. 264
S. 8. (16 gr.)

Die Bemühung, das Verfahren des menfchlichen Verftandes in Bildung feiner Erkenntniffe durch feinen Gang in der Mathematik, als einer Wiffenfchaft, wo er überall ungezweifelte Gewifsheit vor fich hat, kenntlich zu machen, verdient gewifs Lob, und wer es weifs, wie fchwer
es ift, über den wahren Geift der Mathematik
gründlich zu philofophiren, den mufs diefes Buch,
das fich an diefes Unternehmen wagt, nicht wenig aufmerkfam machen. Nach einer kurzen Gefchichte der bisherigen Schickfale der Kantifchen
Philofophie fucht der Hr. Verf. einige Hauptfätze
derfelben, nicht nur, wie der Titel verfpricht,
durch die Algeber, fondern auch durch einige
Sätze aus der Geometrie und Mechanik in vier *Lu-
cubrationen* zu erläutern.

In der erften, die er Propädeutik oder Vorübungen zur Algeber nennt, bemüht er fich zu
zeigen, dafs in der Arithmetik alles auf *Synthefis* der Vorftellungen, und ihrer Zurückführung
auf *Einheit der Apperception* beruht. Größe,
fagt er, ift nach H. *Kant*, kurzgefafst: Vielheit
des gleichartigen fynthetifch verknüpft, alfo mufste dabey immer Synthefis vorausgefetzt werden,
alsdann könne Analyfis eintreten und decompo-
nieren. Zählen ohne Synthefis fey Nonfens, Addi-
ren ebenfalls. In Addition, Multiplication und
Erhöhung zu Potenzen fey daher *Synthefis*, in
Subtraction, Divifion und Brüchen überhaupt aber
fey *Analyfis* (Hier follte wohl in der Stelle der
Bruche das Ausziehen der Wurzeln als Correlat
von der Erhöhung zu Potenzen ftehen. In den
Brüchen hingegen mufs Divifion der Einheit,
und der Zähler Multiplication des Quotienten erfordert, wie der Hr. Verf. S. 69-76 felbft gefteht.
Allein wenn Addition und Multiplication Synthefis
ift; fo mufs es auch Subtraction und Divifion feyn,
denn man bekommt die Differenz doch nicht an-

ders, als dafs man zur kleinern Zahl fo viele Einheiten addirt, bis die gröfsere als Summe entfteht.
Der Hr. Verf. fcheint hier alfo die Synthefis und
Analyfis in der Urtheilen mit der fynthetifchen
oder progrefsiven und analytifchen oder regreffi-
ven *Methode* zu verwechfeln). Nun die bekannten erften Begriffe von Verhältniffen, Proportionen und Progreffionen mit vielem Umfchweife,
und dann die Lehre von den Brüchen, die er als
Verhältniffe behandelt, und wo er vorzüglich der
Meynung ift, dafs bey der Multiplication und Divifion der Brüche ohne Reduction auf einerley
Nenner, eben fo wenig, als bey ihrer Addition
und Subtraction, fynthetifche Einheit der Apperception möglich fey, wovon aber Rec. nicht überzeugt worden ift.

Die *zweyte* Lucubration S. 102 - 177 ift Einführung in Algeber felbft, mit Anwendung auf
Raum und Zeit. Zuerft von entgegengefetzten
Größen (Nicht gründlich genug. Warum follte
unter andern die Negative Größe — e fich nicht
von a — b im eigentlichen Sinne fubtrahiren laffen? Es bedeute z. B. — e eine Schuld von taufend Thaler; fo heifst doch jemanden diefe Schuld
abnehmen, geradezu fo viel, als fein Vermögen
a um taufend Thaler vergröfsern, oder auch feine Schulden — b um fo viel vermindern.) Von
der Algeber felbft, einige Gleichungen vom erften Grade. Endlich Anwendung der Algeber auf
etliche leichte Aufgaben über die gleichförmige
Bewegung zweyer oder mehrerer Körper. Diefe betreffen den Hauptzweck des Verf., nemlich die Kantifche Lehre von der Zeit und den fo
genannten Schematismus der reinen Verftandesbegriffe zu erläutern, daher fuchte er durch diefelben zu zeigen, dafs die Größe des Raums fich
nur durch Zeittheile conftruiren laffe, und daher
die Zeit als Urfache und der Raum als Wirkung
anzufehen fey.

Die *dritte* Lucubration über die Kategorie
der Quantität und die Conftruction geometrifcher
Begriffe insbefondere S. 178 - 235. hat eben diefen
Zweck. Jede Figur werde durch Zufammenfetzung gleichartiger Theile in der Zeit erzeugt,
folglich unter die Kategorie der *Größe* durch,
Zeiteinheit fubfumirt, und fo werde jede Erfcheinung im Raum verftändlich und vergleichbar, indem die Zeit fie als *Größe* verfinnlicht. Die
Brüche

Brüche $\frac{1}{a}$, $\frac{b}{a}$, $\frac{a}{a}$ feyn die drey allgemeinen Bezeichnungen für die Kategorien der *Einheit, Vielheit* und *Allheit* oder *Totalität*. Lage oder Ortsveränderung verändert die Größe nicht, wie überhaupt a+b = b+a ift. Diefer Satz fey die Bafis der Geometrie. Einige Sätze als Beyfpiele, unter denen die Beweife des V. für die Gleichheit der Wechfelwinkel bey Parallellinien nur den Fehlen haben, dafs fie vorausfetzen, durch einen gegebenen Punkt gehe mit einer gegebenen geraden Linie nur *eine* Parallellinie.

Die *vierte* Lucubration ift über Continuität in Größe, Zeit und Empfindung. Wenn im zufammengefetzten Verhältniffe $d:e = \left(\frac{d:t}{t:e}\right)$ die letztern Exponenten m, p find; fo dafs dm = t und tp = e ift; fo ift bekanntlich des Verhältniffes d:e Exponent = mp. Hierüber bemerkt nun der Hr. V. vorzüglich folgendes: die Größe t, die das Erkenntnifs des Verhältniffes d:e vermittelt, kommt in d:t in der Kategorie der *Allheit* $\frac{d'}{a}$, in t:e aber in der Kategorie der *Einheit* als Maafs $\frac{t}{a}$ vor, und da t jede mögliche Größe feyn kann; fo ift der Exponent mp erftaulich mannigfaltig. Das Zutreffen deffelben Exponenten mp aber in *jedem* Falle beweife einen *fließenden Zufammenhang aller Größen* in allem, was Zahl und Zeit betrift, und diefes fuhre gerade zu und anfchaulich auf das große Grundgefetz der Natur, auf das Princip der Continuität. (So viel Rec einfieht, beweift diefes Zutreffen wohl nichts weiter, als dafs einerley Factoren, immer daffelbe Product geben, nämlich wenn d:t = 1:m, und t:e = 1:p ift; fo, ift immer, d:e = 1:mp.) Nun könne man ferner jedes Urtheil durchs Verhält ifs d:e bezeichnen, und d. als Subject, e als Prädicat annehmen. Da aber der Menfch die Beziehung zwifchen d:e nicht unmittelbar kennt, fondern an die Vermittelung feiner Sinnlichkeit gebunden ift; fo bedürfe er immer fein t zur Aushlfe, d. i. die *Zeit*, weil t mifd und e gleichartig feyn müffe, und wir wiffen alfo von d:e weiter nichts, als in fo fern für uns d:e = $\frac{d:e}{t:t}$ und fo das Mannigfaltige unter *eine* Benennung gebracht fey. Dem hiebey beforgten Vorwurfe, dafs er die *qualitativen* Verhältniffe zu fehr mit *quantitativen* verwechfele, begegnet er dadurch, dafs auch Hn. *Kant* in jeder befondern Naturlehre nur fo viel eigentliche *Wiffenfchaft* angetroffen werde, als darinn Mathematik anzutreffen fey, und Hr. Schübler glaubt diefes dahin ausdehnen zu können: in jedem menfchlichen Urtheile fey nur fo weit beftimmte Erkenntnifs, als die Affertionen darinn unter die

Kategorie der Quantität fubfumirt worden find. In Anfehung des *Subjects* bezieht er fich deshalb auf die Eintheilung aller Urtheile in einzelne, befondere und allgemeine. In Anfehung des Prädicats aber auf die Kantifche Anticipation der Wahrnehmung, dafs in allen Erfcheinungen das Reale, was ein Gegenftand der Empfindung ift, einen *Grad* d. i. *intenfive Größe* habe. Letzteres fucht er noch dadurch zu beftätigen, weil wir alles, was Qualität heift, entweder *accentuiren*, oder nicht, jenes, wenn wir fagen: der Berg ift fehr hoch, der Fels ift fehr hart. Diefes, wenn wir fagen: die Stadt ift rund, die Rofe ift weifs etc. Im letztern Fall erkläre fich der Urtheiler blofs *vag* und *unbeftimmt*, weil es unausgemacht bleibt, unter welche Kategorie der Quantität der Gegenftand mit feiner Eigenfchaft zu fubfumiren fey, indeffen müffe in der Nähe befehen das Prädicat, das hier blofs als *Quantum* überhaupt angekundigt werde, in der Exiftenz doch immer eine gewiffe *Quantität* haben, und fo wie nun von jeder Größe zu einer andern z. B. von $\frac{2}{5}$ zu $\frac{3}{5}$ in unzählichen kleinen Stufen fortgefchritten werden kann, eben fo laffen fich in dem Uebergange von jeder Qualität zur andern unzahliche Stufen gedenken.

Rec. fchätzt Hn. *Schübler* als einen Dilettanten der Mathematik, der diefe vortrefliche Wiffenfchaft nicht blofs lernt, fondern felbft darüber denkt. Indeffen beforgt er doch fehr, dafs feine Methode, das für fich feftftehende Kantifche Syftem durch die Mathematik zu beftätigen, weder den Mathematiker, noch den Philofophen befriedigen dürfte. Dafs die Verhältniffe des Raums fich durch Zeitverhältniffe beftimmen laffen, ift unlengbar, aber dafs jenes *nur* durch diefe gefchehen könne, folgt hieraus fo wenig, dafs vielmehr umgekehrt die Zeitverhältniffe fich gar nicht anders als durch *Linienverhältniffe* conftruiren laffen. Eben fo wenig dürfte es den Geometern einleuchten, dafs jede Figur unter die Kategorie der Größe vermittelft *Zeiteinheit* fubfumirt werde, und in der That würde es mit der Evidenz der Geometrie mifslich ausfehen, wenn z. B. der Beweis, dafs verfchiedne Kreisbogen eines Centriwinkels den Halbmeffern proportional find, fich, wie der Verf. S. 215 natürlicher Weife vergeblich zu zeigen fuche, darauf gründete, dafs diefe Bogen fich wie die Gefchwindigkeiten ihrer Halbmeffer verhielten, da umgekehrt, diefer mechanifche Satz bekanntlich erft aus jenem geometrifchen hergeleitet werden mufs, weil es für fich gar nicht einleuchtend ift, dafs die Gefchwindigkeiten zweyer Punkte einer gedrehten Linie fich wie ihre Diftanzen vom Centro verhalten. Ueberhaupt ift Rec. mit der Art, wie Hr. Schübler die Geometrie behandelt, am allerwenigften zufrieden. Die Vergleichung der vermittelnden Größ-

Größe t in einem zusammengesetzten Verhältnisse mit der *Zeit*, als dem Schema der Kategorien ist allerdings *sinnreich*, aber mehr auch wohl schwerlich. - Daß aber ein nicht accentuirtes Prädicat das Urtheil in jedem Falle vag und unbestimmt lasse, ist unrichtig, weil es allerdings Prädicate giebt, die gar nicht *quantitativ* sind, und sich nie accentuiren lassen. So ist das Urtheil: der Cirkel ist *rund*, völlig bestimmt, denn das Prädicat: *rund* hat keinen Comparativ, mithin keine Quantität. Ich kann wohl sagen, daß der Grad der *Krümmung* beym kleinen Cirkel größer sey, als beym größern, aber nicht, daß jener *runder* sey, als dieser, oder daß der Cirkel runder sey, als die Ellipse. Eben so bestimmt ist das Urtheil: die Schenkel des Winkels sind *stetig* und *gerade*, oder die Flächen des Würfels sind *eben*. Denn es würde eine sonderbare Sprache seyn, wenn man hier accentuiren, und sagen wollte: die Schenkel sind *sehr stetig*, *sehr gerade*, und die Flächen des Würfels sind *sehr eben*. Nach Hn. *Kant* hat zwar alles *empirische* Reale, d. i. was wir durch *Empfindung* kennen, einen Grad, aber nach ihm sind auch die Qualitäten: *stetig*, *gerade*, *rund*, *eben* etc. keine empirische, sondern solche die wir a priori kennen. Hierdurch fällt also die Meynung des H. Verf., daß in unsern Urtheilen nur so viel bestimmte Erkenntniß sey, als die Assertionen darin unter die Kategorien der Qualität subsumirt worden sind. So löblich also auch das Unternehmen des H. V. ist, die Mathematik zur Aufhellung der Philosophie anzuwenden; so muß Rec. dennoch bekennen, daß die Ausführung desselben ihm grossentheils mehr ein Spiel des Witzes, als wahre gründliche Aufklärung zu seyn scheint. Uebrigens kann Rec., dem Anfänger wegen, zwey auffallende Fehler nicht unbemerkt lassen, die S. 7 vorkommen, wo erstlich bey der Division $\dfrac{A}{A}$ das *Residuum* mit dem *Quotienten* verwechselt, und sodann bey Product $\dfrac{A}{A}$, B der Factor $\dfrac{A}{A} = 1$ so betrachtet wird, als wenn er hier wirklich $= 0$ wäre.

BERLIN, bey Himburg: *Versuch einer neuen Summationsmethode nebst andern damit zusammenhangenden analytischen Bemerkungen* von *Johann Friedrich Pfaff*. 1787. 120 S. 8. (10 gr.)
Dieser erhebliche Beytrag zur Analysis der Rechenkunst wurde durch das bisher eben nicht sehr gebräuchliche Analysis, Summen unendlicher Reihen dadurch zu finden, daß man ihre einzelnen Glieder selbst in unendliche Reihen auflöst, veranlasset. Ein Gedanke, der zwar auf dem ersten Blicke unfruchtbar, und die Schwierigkeiten noch zu vergrößern scheint, bey näherer Ent-

wickelung aber oft die glücklichsten Aufschlüsse zur Summation der Reihen darbietet. Die Bemühung des Hn. Verf. dies in so vielen besondern und merkwürdigen Beyspielen, so einleuchtend und lehrreich gezeigt zu haben, verdient allen Dank, wir können aber hier nur einiges aus den Untersuchungen desselben ausheben. Zuerst literärische Nachrichten über reciproke Reihen der geraden Potenzen der natürlichen Zahlen, welche mit der Quadratur des Kreises zusammenhängen, und schon so manche Untersuchungen der Hn. Bernoulli, Euler u. a. veranlaßt haben. Das allgemeine Glied einer solchen Reihe ist $\dfrac{1}{n^m}$ oder wenn die Glieder mit abwechselnden Zeichen fortgehen $\pm\dfrac{1}{n^m}$; und so überhaupt die Summe einer unendlichen Reihe, deren allgemeines Glied N heißt mit ΣN, welche Bezeichnungsart bey der Zerlegung der Reihen sehr vortheilhaft ist. Auf den Summationen der erwähnten reciproken Reihen, beruhen nun auch die von allgemeinen z. E. wo die Zähler der Brüche nach den Cosinussen oder Sinussen vielfacher Bogen fortgehen. Diese zu summiren, werden die trigonometrischen Linien durch ihre Bogen ausgedrückt. Dies giebt eben so viel unendliche Reihen, die man zusammen nach den Potenzen der Bogen ordnet, und so mit Zuziehung des Satzes daß,

$$\Sigma + n = 0 \text{ und}$$

$$\Sigma \dfrac{1}{n^m} = \dfrac{2^{m-1}}{1 \cdot 2 \cdot 3 \cdots m}\, A^m \pi^m,$$

wo A^m die mte Bernoullische Zahl bedeutet, summiret.

Nun verschiedene Bemerkungen die sich hiebey gelegentlich darbieten z. E. Ueber Gränzen der Verhältnisse, über Vorsichten, die man überhaupt beym Gebrauche des unendlichen zu erwägen habe, um auf keine Ungereimtheiten zu verfallen. Ueber das Paradoxon, daß die Summe der unendlichen Reihe $1 + 1 + 1\dots = \dfrac{1}{2}$ sey. Daniel Bernoullis Erklärung gefällt dem Verf. nicht. Durch Betrachtung der Ergänzungen fallen wie bey dieser, so bey andern unendlichen Reihen, ähnliche Paradoxen sehr leicht weg. Ueberhaupt aber empfiehlt der Hr. Verf. Vorsichten bey dem Mechanismus des Calculs, wobey man nicht selten Gefahr laufe, die Verbindung der Grundbegriffe aus den Augen zu verlieren, wenn er nicht mit Geisteskraft gelenkt werde. Ferner, Summirung von Reihen mit Potenzen der Sinussen oder Cosinussen so wohl einfacher als vielfacher Bogen, die Coefficienten dieser Reihen mögen nun nach Potenzen der natürlichen Zahlen, oder nach Brüchen, deren Nenner gedachte Potenzen sind, fortgehen. Als Resultat aller Betrachtungen fließt endlich daraus:

daraus die allgemeine Summation aller unendlichen Reihen, mit einerley oder abwechfelnden Zeichen, deren allgemeine Glieder φn; φr. $\cos\varphi$; ψn. $\sin n\varphi$ u. d. gl. find, wo φn irgend eine algebraifche rationale gerade Function von n; ψn eine ungerade vorftellt. Auch können gedachte Functionen noch in die $n$te Potenz einer willkührlichen Gröffe x multiplicirt, und alfo noch allgemeiner gedacht werden. Der Gebrauch unmöglicher Gröfsen hiebey erleichtert vieles in diefen Unterfuchungen. Nun Reihen von Tangenten und Secanten. Hiebey eine Bemerkung über die Zerfällung unendlicher Reihen in Factoren, wobey Bedenklichkeiten ftatt finden, wenn man die Reihen nach Art der Gleichungen behandelt, deren Wurzeln gedachte Factores geben follen. So fey z. B. wohl der Mühe werth noch näher zu unterfuchen, ob auch wurklich die Reihe Sin. $x = x - \dfrac{x^3}{1.2.3}$ etc, für $x = \pm \tau$; $\pm 2\tau$ etc.

(wo τ den halben Umfang bedeutet) verfchwinde. Zuletzt auch Summirungen änderer Reihen z. E. logarithmifcher, — Betrachtungen über einige Integrationen, insbefondere über die allgemeine Integrationsformel

$$S y\, dx = y x - \frac{x^2 dy}{1.2.dx} \text{ etc,}$$

machen den Befchlufs diefer lehrreichen Abhandlung.

SCHÖNE WISSENSCHAFTEN.

Leipzig, b. Göfchen: *Gefchichte des Thomas Jones, eines Findelkindes.* Aus dem Englifchen. Dritter Band. 1787. 608 S. Vierter Band. 1787. 504 S, Fünfter Band. 1788. 479 S. Sechfter Band, 1788. 503 S. 8. (5 Rthlr.) Was bey der Anzeige der beyden erften Bände zur Empfehlung diefer meifterhaften Ueberfetzung gefagt ift, gilt auch von diefen vier letzten, mit welchen das Ganze geendigt wird. Von Ermüdung des Ueberfetzers während feiner Arbeit, von geringerer Anftrengung feines Fleifses gegen den Schlufs derfelben, fanden wir keine Spur. Und freylich weifs *Fielding* feinen Lefer, folglich auch den emfigften Ueberfetzer, feinen Ueberfetzer fchon in unverrückter, immer gleich munterer Aufmerkfamkeit zu unterhalten; und von folch einem Ueberfetzer, wie der gegenwärtige ift, darf man ficher vorausfetzen, dafs ihn der Schlufs feines Werks faft zu früh überrafcht, dafs er, wie *Diderot* von der Lefung der Klariffe fagte, fein Vergnügen immer um eine Seite kürzer habe werden fehen. Uebrigens mufs man unfrer Literatur zu dem durch diefe Verdeut-

fchung erhaltenen neuen Gewinne Glück wünfchen.

Ein paar während der Durchlefung bemerkte Kleinigkeiten theilen wir auch diefsmal, zum Behuf künftiger Durchficht, mit. B. III. S. 98. mufste wohl ftatt bey verfchiedenen Gelegenheiten ftehen: „aus verfchiednen Gründen. „Im Engl. on *feveral accounts.* Die Gründe felbft werden gleich darauf angeführt. — S. 100, ift das: „Ich fürchtete, die Verunreinigung — — hätt' uns Sie rauben wollen,“ etwas zu englifch: *would have robbed us of you,* (würde uns Ihrer beraubt haben.“ — S 176 wären die Worte des Originals: „*A poor Man has a foul to be faved as well as his betters*“ nicht zu überfetzen gewefen: „Ein arm Menfch hat doch auch eine Seele, die auch erlöfet werden mufs,“ fondern: „die auch felig werden will; „ und das: *at well as his betters,* nicht: „fo gut als feine Vorgefetzten“ fondern blofs: „eben fo gut wie vornehme Leute.“ — S. 179 ift das: „eben fo wie's ift“ nicht wohl verftändlich, wenn man dabey das hier doch zu wörtlich überfetzte: *even fo as it is,* nicht in Gedanken hat, welches vielmehr heifst: „fo gut als es auch ift.“ — S. 229. „Die Dichter nahmen ihre Zuflucht zu diefem *Seelenvermögen,* deffen *Stärke und Innhalt* ihre Lefer nicht meffen konnten.“ *Power* geht im Englifchen wohl gewifs nicht auf *imagination,* worauf es unfer Ueberfetzer gezogen hat, fondern auf *Deity;* und der Sinn ift: die heidnifchen Dichter nahmen ihre Zuflucht zu einer Kraft, von deren Umfange die Lefer nicht urtheilen, d. i. von der fie nicht beftimmen konnten, was ihr möglich oder unmöglich fey. — S. 328. find die Worte des Originals faft zu fehr umfchrieben, und das Wort *Lielenlaufer,* vom gemeinen Advocaten gebraucht, möchte wohl aufser dem Hamburgifchen Gebiete nicht bekannt feyn, fo paffend es hier ift. — B. IV. S. 111. „Die fchöne Nymphe Echo fchien mit folchen Entzücken diefen geliebten Namen nachzufprechen, dafs, wenn es wirklich eine *folche* Nymphe giebt, Ovid, wie ich glaube, *ihrem Gefchlechte viel zu nahe gethan hat.“* Sollte der Sinn der Worte: that, *if there is really fuch a perfon, I believe Ovid hath belied her fex;* nicht vielmehr diefer feyn: „dafs, wenn es wirklich folch eine Perfon giebt, Ovid ihr vermuthlich ein unrechtes Gefchlecht gegeben hat?“ indem er fie nemlich zur Nymphe machte. Dafs *to belie* fo viel heifsen kann, als eine falfche Vorftellung von einer Sache machen, beftätigt *Johnfon's* Wörterbuch. — Kleine Verftofse diefer Art, die bey einer fo langen Arbeit unvermeidlich find, liefsen fich vielleicht noch mehrere auffinden; aber wer vermag darnach zu hafchen, wenn er von dem Verf. und feinem Ueberfetzer fo anziehend unterhalten, und in eine ganz andere als kritelnde Laune verfetzt ift?

ALLGEMEINE
LITERATUR - ZEITUNG

Donnerstags, den 8ten Januar 1789.

PHILOSOPHIE.

BERLIN, b. Mylius: *Magazin zur Erfahrungs-
seelenkunde* — herausgegeben von *C. P. Moritz* u. *C. F. Pockels*. Sechsten Bandes erstes bis drittes Stück. 135 S. gr. 8, 1788.
(1 Rthlr. 6 gr.)

Aufser den fortgesetzten Artikeln verdienen folgende besonders ausgezeichnet zu werden:
Im ersten Stücke der Beytrag zur Geschichte
der Visionen; im zweyten das Gespräch über den
Zustand der Seele nach dem Tode, ein philoso-
phisches wohl durchgeführtes Gespräch von Hrn.
Prof. *Buhle.* Am Schluffe beantwortet Theokles
die Frage: Ob wir uns nach dem Tode wieder
sehen werden? also: „Das wird von den Orga-
nen abhängen, worinn die Denkkraft nach dem
Tode gehüllt werden wird. Aber wenn die
Freundschaft unsre Gesinnungen harmonisch
macht, wenn wir sympathetisch empfinden, wenn
wir gemeinschaftlich nach dem höchsten Wahren
Guten und Schönen streben, wenn wir uns zur
Anbetung des Unendlichen vereinigen, dann werden wir uns wieder *erkennen,* wenn wir uns auch
nicht wieder *sehen.*“ Im dritten Stücke die psychologischen Bemerkungen über Träume und
Nachtwandler. Unter den einzelnen Erzählungen
merkwürdiger Fälle interessirt die S. 27 durch
ihre Seltsamkeit. Zu Ende des sechzehnden
Jahrhunderts begegnete dem Heinr. Wilby Esq.
einmal einer seiner jüngern Brüder auf dem Felde, und drückte eine Pistole auf ihn los, die aber
zum Glück versagte. Wilby wand ihm die Pistole aus der Hand, glaubte, es sey blofs scherzhafte Drohung, fand aber, als er zu Hause kam, Kugeln darinn. Von diesem Augenblick an, beschlofs
er, alle menschliche Gesellschaft zu fliehen, und
sperrte sich selbst in drey Zimmer eines Hauses
in Grubstreet in London ein, wo er vierzig Jahre bis an seinen Tod blieb, ohne sich von einem
lebendigen Menschen, aufser seiner Dienstmagd
Elisabeth, die ihm sein Kaminfeuer, Bett und
Tisch besorgte, sehen zu lassen, wiewohl ihn auch
diese nur selten zu sehen bekam. — Immer noch
behauptet sich dieses Magazin in dem gerechten

A. L. Z. 1789. Erster Band.

Anspruch an die Aufmerksamkeit solcher Leser,
die das γνῶϑι σεαυτον unter ihre Maximen zählen.

ARZNEYGELAHRTHEIT.

WEISSENFELS u. LEIPZIG, b. Severin: *Anwendung und Wirksamkeit der Elektricität zur
Erhaltung und Wiederherstellung der Gesundheit des menschlichen Körpers a. d. F. d. Abts
Bertholon du St. Lazare* übersetzt, und mit
neuen Erfahrungen bereichert und bestätiget,
von D. *Carl Gottlob Kühn,* Prof. der Med. in
Leipzig 2ter B. mit 6 Kupf. 1789. 349 S. gr.
8. (1 Rthl. 6 gr.)

Der Hr. D. K. hat in diesem Band, aufser ein
paar ihm selbst zugehörenden erläuternden Anmerkungen, blofs die Uebersetzung des französischen
Originals geliefert, und zwar, wie er versichert,
nicht deswegen, weil es ihm izt an neuen und
eigenen Erfahrungen fehle, sondern blos damit
der Band nicht zu ungleichförmig würde. Er wird
deshalb auf Ersuchen seines Verlegers den noch
übrigen Vorrath, welcher theils aus elektrischen
Kuren der von Bertholon nicht benutzten Schriftsteller, theils aus solchen besteht, die von ihm
angesehenen Personen auf seine Bitten mitgetheilt
wurden, in einem dritten Bande liefern, und er
gedenkt in demselben die Namen seiner Beförderer denen entgegen zu stellen, welche zwar auch
Erfahrungen in diesem Zweig der Heilkunde gemacht haben wollen, aber ihn nicht einmal auf
sein Ansuchen um Beyträge einer Antwort ge-
würdiget haben. (Der Rec. bemerkt dies letztere
deswegen, damit sich vielleicht noch mancher der
es hier liest, zum Besten der Kunst und der leidenden Menschheit entschliefse, das versäumte,
ehe der dritte Band wirklich erscheint, nach zu-
zubringen.) Der gegenwärtige zweite Band enthält vom 2ten Absch. noch das 7-11te Kap. von
der Wirksamkeit der Elektricität in schmerzhaften
Krankheiten, als von der Wirksamkeit der Elektricität im Gliederflufs, Hüftweh, Gicht etc. in
Verirrungen des Verstandes, bey Ausleerungen,
z. B. goldenen Ader, unterdrückter monatlicher
Reinigung, Ruhr, Speichelflufs; in Kachexien und
H.   Schein-

Scheintod. Im 3ten Abſchn. iſt die Rede von der Methode, wie die Elektricität angewandt wird; von den Elektriſirmaſchinen und den nöthigſten Geräthſchaften; von den verſchiedenen Arten der Elektriſirung und deren Mittheilung, von welchen der Vf. fünf annimmt, nemlich das Bad, den Wind, die Büſchel, Funken und Erſchütterung, alles in ſo fern poſitive Elektricität dabey ſtatt hat. Nun auch von den negativen Elektriſirmethoden, welchen B. eine ganz eigne Wirkſamkeit zuſchreibt, und bey Gelegenheit derſelben alle die Krankheiten klaſſificirt, die hieher gehören, und die Meynungen anderer Phyſiker unterſucht, die ſie über dieſen Gegenſtand geäuſſert haben; am Ende des Abſch. folgen auch kürzlich die andern Methoden, deren ſich die vorzüglichſten Elektriſirer bedient haben, auch Hülfsmittel und diätetiſches Verhalten bey elektriſchen Kuren, u. Vorſichtigkeitsregeln. Der 3te Theil enthält einen Anhang zu den vorigen Theilen, worinn einige im Werke ſchon erwähnte Lehren umſtändlicher auseinandergeſetzt werden. Dann von der Elektr. beym Zahnweh und bey der Blindheit. Vom beſondern Einfluſs der Luftelektricität auf gewiſſe Kranke z. B. Wahnſinnige, wo auch ein Tagebuch der periodiſchen Anfälle eines ſolchen Kranken nach Mondspunkten und Witterung eingeſchaltet iſt, und woraus ſich ergiebt, daſs ſich die Anfälle vorzüglich nach dem Neu und Vollmond richten, die ſtillen Tage meiſt den Vierteln zugehören, und in Abſicht der Wetterveränderungen, die Anfälle der wirklichen Witterung ſelbſt vorausgehen, ſo daſs es ohngefehr hier derſelbe Fall wie beym Barometer iſt. Ein anderes Tagebuch bezieht ſich auf den Ausbruch der monatlichen Reinigung. Dieſe hat bey einer Frau in 31 hintereinander erfolgten Ausbrüchen 16 mal in den Syzygien; 9mal in den Vierteln; eben ſo viel mal in den Apſiden; 11mal in den Knoten (nach Hn. K. Aequinoctien) und 6mal in den Wendepunkten (nach Hn. K. Mondsgleichen) gezeigt; kein einzigesmal im erſten und letzten Viertel, wenn dieſe nicht mit andern Mondspunkten zuſammentrafen. Aus einer Tafel von natürlichen und jählingen Todesfällen ergiebt ſich, daſs die Anzahl derſelben bey ſchöner Witterung faſt den ſechſten Theil ſo viel beträgt als bey ſchlechter, indem von 56 nur 8 in ſchönes, und 48 in ſchlechtes Wetter fallen. Sie gehen auch meiſt vor den Mondspunkten und beträchtlichen Witterungsänderungen her. Am Ende noch von der Wirkung des elektriſchen Schlags auf verſchiedene Thiere.

GESCHICHTE.

London, bey Robinſon: *Notices and Deſcriptions of Antiquities of the Provincia Romana of Gaul, now Provence, Languedoc, and Dauphiné; with Diſſertations on the*

Subjects, of which thoſe are Exemplars; and an Appendix deſcribing the Roman Baths and Thermae diſcovered in 1784 at Badenweiler. By Governor *Pownall*, F. R. S. and F. S. A. 1788. XII und 197 S. gr. 4. nebſt VII Kupferplatten. (3 Rthlr 12 gr.)

Nach dem Titulblatte folgt unmittelbar S. iii. bis XII eine ſogenannte Analyſis des Buchs, anſtatt der Vorrede, welche nach den Seitenzahlen den Inhalt genau und vollſtändig angiebt. Sie iſt, wie das ganze Buch mit groſſer Beſcheidenheit geſchrieben, und kann fuglich die Stelle eines Regiſters vertreten. Der Vf. macht ſich darinnen zu nichts mehr anheiſchig, als Liebhabern der Alterthümer, welche nicht leicht in einem andern Lande mehr, als in dieſem Theile von Europa, Gelegenheit finden werden, ihre Wiſsbegierde zu befriedigen, und dieſe Gegenden deſswegen bereiſen wollen, Notizen mitzutheilen, durch welche ſie in Stand geſetzt werden, das Merkwürdige allenthalben aufzuſuchen, und zu finden; damit ſie nicht, wie es ihm ſelbſt gegangen, aus Unwiſſenheit, manches wichtige überſehen oder vernachläſſigen. Er klagt auch und vermuthlich mit Recht, daſs die vor ihm bekannt gemachten Nachrichten und Zeichnungen von Alterthümern dieſer Länder, ſelten zuverläſſig, deutlich und vollſtändig wären, und verſpricht dieſem Fehler, ſowelt ſeine Beobachtungen reichen, abzuhelfen; welches er auch öfters wirklich geleiſtet, vorzüglich in Anſehung des Montfaucon. Doch läſst er, ſowohl dieſem als andern franzöſiſchen Antiquaren, beſonders den noch lebenden, welche ihn, bey ſeinen Unterſuchungen, mit groſſer Bereitwilligkeit unterſtützet, alle Gerechtigkeit wiederfahren und gedenket ihrer Bemühungen und Beyſtandes dankbarlichſt, mit dem verdienten Ruhme. Vorzüglich rühmt er (S. 148.) Hn. *Schneider* einen deutſchen *Directeur de l'Ecole Roy. gratuite de Deſſein des Academies de Lyon et Vienna*, der viel genaue Zeichnungen von Alterthümern nach angeſtellten ſorgfältigen Unterſuchungen, gemacht, die er mit Erklärungen in Kupfer herauszugeben Willens iſt. Er kündigt auch theils einige ganz neuerlich gemachte und noch nicht bekannt gewordene Entdeckungen an; theils macht er das Publicum auf verſchiedene antiquariſche Werke, welche es bald zu erwarten hat, in voraus aufmerkſam. Alles dieſes nun ſpannte die Erwartungen des Rec. ſehr hoch, und er hoffte dieſes Werk als ein Hauptbuch, in ſeiner Art ankündigen zu können; fand ſich aber, leider! in ſeiner Erwartung gröſstentheils getäuſchet. Denn; nach ſeiner Einſicht, wird es bloſs demjenigen, welcher die Provincia Rom. ſelbſt bereiſen kann, unentbehrlich ſeyn, und, wie wenig Perſonen werden es, auf die Art, benutzen können? Andere Liebhaber der Alterthümer werden ihre Neugierde darinnen zwar merklich gereizt, aber entweder gar nicht befriedigt, oder doch in

fo ferne getäufcht finden, als fich der Vf. durch
unverzeihliche Nachläffigkeiten, um alles Zutrau-
en und Glaubwürdigkeit, muthwilliger Weife gebracht hat. Schon die häufigen und groben Druckfehler, welche faft überall vorkommen, fo oft
als lateinifche Stellen aus den Claffikern, in den
Noten, zum Beweis angeführet werden, machen
Ihn verdächtig, dafs er nicht alle in dergleichen Schriften unentbehrliche Aufmerkfamkeit
und Genauigkeit angewendet; aber der Umftand,
dafs Text und Kupferftich von einander abweichen, z. B. S. 60, wo eine Auffchrift ganz anders
angeführt wird, als fie auf der II Kupferpl. ftehet; und dafs fo gar, in den auf die letzten Seite
angehängten wenigen Verbefferungen der Druckfehler, eine andere Auffchrift noch fehlerhafter
abgedruckt worden, als fie vorhero S. 93. mitgetheilet war; mufs die Accurateffe des Vf. höchft
unwahrfcheinlich machen, ohne welche doch in
dergleichen Nachrichten, alles unbrauchbar und
vergeblich ift. Was foll man nun aber erft dazu fagen, dafs der Vf. S. 128 nicht finden, oder fich
befinnen kann, dafs der Kaifer Tiberius den Namen Claudius gehabt habe; dafs er S. 162 eine
neue Erklärung einiger Buchftaben auf ein paar
Lampen giebt, welche fich darauf gründet, dafs
diefe Buchftaben auf die eine Lampe gefetzt worden,
ehe Julius Caefar noch Caefar gewefen, auf die
andre aber, nachdem er Caefar geworden? und,
dafs er S. 165. einer ehernen Münze gedenkt, welche 1785, kurz vor feiner Ankunft in Lyon aus-
gegraben worden, und welche er auf der IV K.
Pl. zweymal mit der Umfchrift M. Portius Cato
Cenfor ftehen, und diefe Umfchrift auch im Texte fo abdrucken laffen, da doch jeder Anfänger weifs, dafs diefe berühmte Familie nicht
Portia, fondern Porcia gefchrieben worden: zu gefchweigen, dafs er die (in den Augen des Rec.
fehr zweifelhafte) Aechtheit derfelben, aus dem
grofsen Barte des Kopfes auf der Münze erwei-
fet, weil Horaz fchon den Cato intonfus genennet, und doch ausdrücklich fagt: whofe beard is
fhaven, ohne es in den Verbefferungen, als einen Druckfehler zu bemerken. Wer kann nun
einem folchen antiquarifchen Schriftfteller trauen,
und was helfen feine Nachrichten und Anzeigen
dem, der fie nicht von neuem, nach den Originalen unterfuchen und dadurch berichtigen kann?
Lange ift der Rec. daher unfchlüffig gewefen, ob
er zu dem fchon gefagten noch etwas hinzufetzen, oder es dabey bewenden laffen follte?
Gleichwohl wird das Buch, aufser England, vermuthlich in wenige Hände kommen; und es kann,
wenigftens gut feyn, zu wiffen, wovon man darinne etwas finden könne, wenn etwa jemanden
einmal daran gelegen ift, die Antiquitäten diefer
Gegenden fich vollftändig bekannt zu machen,
und keine Nachricht davon unbenutzt zu laffen.
Wir wollen alfo erftlich kurz angeben, was auf den
Kupferplatten geliefert worden, und hernach noch

einiger andern Dinge gedenken, welche uns die
merkwürdigften gefchienen. Auf der I Kupferpl.
N. 1. kommt ein gallifcher Schild, und, zwey
Signa militaria, mit dem Löwen und Eber, als
Unterfcheidungszeichen zweyer gallifchen Nationen, wie fie auf dem Triumphbogen zu Orange
zu fehen find, vor. N. 2. Eine Auffchrift auf
einem Schilde, in Geftalt einer Teffera, mit den
Buchftaben MARIO, die aber, wie der Vf. fagt,
vielleicht auch MARCO gelefen werden können.
N. 3. der nun abgetragene fogenannte Tour d'Hor-
loge, ehemals wahrfcheinlich ein Maufoleum zu
Aix. N. 4. und 5. eine fchöne, in diefem Mau-
foleo gefundene Urne von weiffem Marmor, deren Maafse auch forgfältig angegeben werden.
Sie fcheint ganz mit umgekehrten Lorbeerblättern
bedeckt zu feyn, und ift von vorzüglich fchöner
Arbeit. N. 6. eine andere eben dafelbft gefundene Urne, welche der Vf. nicht ausgemeffen, weil
fie ihm ihrer Form nach nicht gefallen. Auf
der II Kupferpl. N. 1. ein Sarcophag zu Marfeille,
mit einer Auffchrift, welche, wie fchon oben gefagt, unzuverläffig ift. N. 2. eine fehr fchöne Urne eben dafelbft von Alabafter, an welcher zwey
Schlangen als Handhaben angebracht find, welche
der Vf. als Symbole der Dii penetrales oder Dii
manes anficht. N. 3. der Kopf von einer kleinen
ehernen Bildfäule des Mercurius commercialis,
mit einer gallifchen beflügelten Mütze. N. 4. ein
vas unguentarium oder alabaftron von orientalifchen Alabafter, fehr fchön gearbeitet. N.
5. eine patera aus einem Steine oder Gemme, Jade
genannt, gedrehet. Auf der III Kupferpl. N. 1.
ein Inftrument, im Bade die Haut damit abzurei-
ben, aus Bimftein, und daher pumex genannt, nach
der Vf. Meynung. N. 2. ein ex voto in alto relie-
vo, auf weiffem Marmor, ein mit vollem Winde fe-
gelndes Schiff vorftellend. N. 3. ein Sardonix, auf
welchem eine Cleopatra als Minerva falutifera erhaben gefchnitten ift, aus Aegypten gebracht, und
in einer Erbfchaft 3000 Ecus gefchätzt, fehr fchön,
n. 4. ein fonderbarer der Bona Dea gewidmeter
Altar, welcher auch fehr fonderbar erklärt wird.
n. 5. ein Bruckftück einer Bildfäule von weiffem
Marmor, welche den Mithras vorftellen foll, nebft
einer andern dergleichen, welche Montfaucon Pl.
215. und Suppl. II. pl. 42. falfch geliefert. n. 7.
ein Sarcophag, dergleichen noch hunderte, auf
den Elyfiifchen Feldern bey Arles gefunden werden, und welche, nach und nach abwechfelnd von
Griechen, Lateinern, Heiden und Chriften gebraucht worden. Auf einem ift die Oelernäte und
Oelpreffe in Figuren deutlich vorgeftellt. Auf der
IV. Kupferpl. n. 1. Ein Triumphbogen zu Glanum
Livii, deffen Befchreibung aber, S. 81. 82. nicht
mit dem Kupfer übereinzukommen fcheinet. n. 2.
eine Saxea turris, oder, nach des Vf. Meynung,
ein Grabmahl ebendafelbft. n. 3. die fchon erwähnte und S. 165. erklärte Münze des Cato Cenfor.
Auf der V. Kupfpl. n. 1. Ueberbleibfel einer Brücke

H 2

cke über den Flufs Vidourte, zwischen Lunel und Golargues nach der Zeichnung Hr, Plauchut, zu Nismes. n. 2. Die Auffchrift an der *Maifon Carrée* zu Nismes, von welcher nur noch die Nägel übrig find, welche die Buchftaben gehalten, und durch deren Hülfe Hr. Seguier die Infchrift felbft wieder hergeftellt, wie das Kupfer deutlich zeiget. Er liefst nämlich: C. CAESARI. AVGVSTI. F. L. CAESARI. AVGVSTI. F. COS. DESIGNA-TO. PRINCIPIBVS. IVVENTVTIS. n. 3. ein Durchfchnitt von einem Cuneus eines Amphitheaters, vorzüglich von dem noch zu Nismes vorhandenen, um zu erklären, wie die grofse Menge Zufchauer, ihre angewiefenen Plätze, ohne Verwirrung einnehmen und verlaffen können; ein fchönes Stück, welches die Sache fehr deutlich macht. n. 4. eine Zeichnung, um es deutlicher zu machen, wie die Maftbäume an den Amphitheatern angebracht worden, an welche die *vela* befeftiget waren. Sie gehört zu n. 3. und ift eben fo merkwürdig. n. 5. ein paar Mühlfteine zu einer Handmühle, welche S. 145. erklärt werden, doch fo, dafs die Erklärung mit dem Stiche nicht übereinftimmt. Auf der VI. Kupferpl. ift ein Grundrifs und zwey Aufrifse eines Theils einer Wafferleitung, welche zur Erklärung und Deutlichmachung diefer Art von Gebäuden allerdings fehr branchbar find, fo wie fie auch S. 168. f. befchrieben werden. Auf der VII. Kupferpl. Plan und Durchfchnitt der 1784. zu Badenweiler entdeckten Römifchen Bäder, welche von S. 183 — 97. im erften Appendix umftändlich erkläret wird, und von dem Bafelifchen des Hn. Gmelin vorfetzlich abweicht, weil der Vf. die Sachen anders gefunden. Er erkläret, nach der Abficht des Vf. die Stellen der Alten, von den Bädern fehr gut, die Erklärung aber leidet, ohne Zeichnung, keinen Auszug.

Aufser den antiquarifchen Nachrichten bringet der V. auch hin und wieder naturhiftorifche, ftatiftifche und politifche Anmerkungen mit an, welche fich der Rec. zu beurtheilen nicht anmafset. Die Reife des Vf. gieng über Orange, Aix, Mar-

feille, Glanum Livii, Campus lapideus, (welcher aus dem Durchbruch der Ufer des Genfer Sees erklärt wird, indem die Rhone, die mitgebrachten Kiefel hier niedergelegt,) Arles, Nismes, Vienne, Lyon; und in diefer Ordnung folgen auch die angetroffenen Alterthümer auf einander. Er glaubt auch manches in ein neues Licht geftellt zu haben, welches nicht zu leugnen ift, wenn nur feine Unzuverläfsigkeit und Unwiffenheit, die wir oben gerüget, das neue Licht nicht wieder verdunkelten. Dem Rec. hat die Abhandlung vom Serapis S. 98 — 114. weniger gefallen, als die von der Einrichtung der Amphitheater S. 133 — 41. und S. 168 — 81. von den Wafferleitungen, nach dem ungedruckten Memoire eines Academikers zu Lyon M. Deforme, der alles genau unterfucht, und gefunden hat, dafs die Alten fehr wohl gewufst, dafs das Waffer in Röhren beftändig das Gleichgewichte hält, und nur, zu Erfparung allzugrofser oder überflüfsiger Unkoften, die Röhren felbft über Brücken geführet, um mit der gröfsten Erfparnifs, und auf die dauerhaftefte Art, das Waffer durch ein Thal, von einem Berge auf den andern zu bringen, wobey zugleich Vitruv. VIII. 7. hinlänglich erläutert wird.

Es kommen auch hin und wieder, einzelne, nicht unbedeutende Nachrichten vor, z. B. S. 55. von einer Silbermünze des Kaifers Otho, in dem Cabinette des Präfidenten de Saint-Vincens, zu Aix, mit dem fogenannten Hercules bibax, und der Umfchrift ΗΡΑΧΛΗΣ ΣΕΡΑΠΙΩΝ, welche nach des Präf. Aeufserung, kein Münzkenner in Frankreich erklären könne, und die der Vf. doch, aber nicht gar zu glücklich zu erklären fucht. Wir fürchten aber unfre Lefer ohnehin fchon zu lange mit einem Buche aufgehalten zu haben, deffen Glaubwürdigkeit allzuwenig gegründet ift. Nur müffen wir noch hinzufetzen, dafs der II. Appendix. S. 195 — 97 Geben Nummern von Alterthümern angiebt, welche der Vf. felbft nicht gefehen, und nur aus *Bouché Effai fur l'hiftoire de Provence.* 2. voll. 4. Marfeille 1785. zum Gebrauch künftiger Reifenden ausgezogen.

KLEINE SCHRIFTEN.

ENDSCHREIBUNG. *London,* b. Wilkie: *Remarks on the Travels of the Marquis de Chatelux, in North-America.* 8. 80 S. (16 gr.) Die Reifen des M. von Chatelux find unter uns bekannt. Sie find ins Englifche überfetzt worden, von einem Anhänger der Nord-Amerikanifchen Partey. Gegen das Werk und gegen die Anmerkungen des Ueberfetzers, ift gegenwärtige Schrift gerichtet. Sie ift mit gewaltiger Hettigkeit gefchrieben. Franklin, Wafhington und alle andern amerikanifchen Krieger und Staatsmänner, find in des Vf. Augen elende Menfchen; alle englifchen Generals aber Helden und die edelften Männer. Indeffen bleibt fo viel gewifs, dafs die elenden Menfchen für diesmal über die Helden gefiegt haben. Um doch eine Vorftellung von des Vf. Art

zu denken zu geben, bemerken wir nur, was er S. 35. darüber fagt, dafs der englifche Ueberfetzer General Sullivans Zug gegen die Indianer mit dem Rückzuge der Zehntaufenden vergleicht. „Unglückliche Griechen," ruft er aus, „wäret ihr doch lieber befiegt worden, als dafs euch fo eine Schmach widerfahren wäre! Bejammernswürdiger Xenophon; deine Fähigkeiten, dein Muth wird fo eludiglich herabgewürdigt, dafs fich fo gar die milde Weisheit des Sokrates ereifern würde, wenn er erfahren könnte, dafs man feinen erhabenen Schüler mit einem Advokaten von Neu-Hampfhire in Vergleichung fetzt!" Wer nun noch mancr U nterricht oder Vergnügen in dem Büchlein finden zu können, der kaufe und lefe es.

ALLGEMEINE
LITERATUR - ZEITUNG

Freytags, den 9ten Januar 1789.

GESCHICHTE.

LONDON, b. Kearsley: *Introduction to the history of the Dutch Republic for the last ten Years' reckoning from the Year 1777.* 318 S. 8. 1788.

Wir glauben allerdings, dafs gegenwärtige Geschichte der neuesten Unruhen in den vereinigten Niederlanden feit 1777, bey ihrer Vollendung; (denn was wir bis jetzt davon vor uns haben, ist blofs Einleitung,) die Entstehung jenes Bürgerkrieges, deffen allmählige Fortschritte, und die endliche Wiedereinsetzung des Haufes Oranien, in alle feine Rechte und Prärogativen getreu darstellen, und vollständig beschreiben werde. Der Vf. kennt den Staat, deffen neueste Auftritte er zum Gegenstand feiner Unterfuchungen wählt, durch langen Aufenthalt, er hat während diefer Streitigkeiten die wichtigsten Schriften beider Parteyen gefammelt, er kennt die Schwierigkeiten fo verwickelte und von beiden Parteyen oft abfichtlich verstellte Begebenheiten in gehöriges Licht zu fetzen, keiner von beiden Parteyen anzuhängen, und die guten und böfen Handlungen noch lebender Personen, nach ihren geheimsten Triebfedern zu fchildern. Wir tragen daher kein Bedenken, diefe Geschichte, als die noch einzig vorhandene, allen denen zu empfehlen, die Hollands Verfaffung und Staatsparteyen richtig kennen lernen, und den Gang der letzten Unruhen, die Cabalen der Patrioten, und die von der oranischen Partey begangenen Fehler gehörig beurtheilen wollen. — Etwas kürzer hätte fich freylich der Vf. wohl hin und wieder faffen, auch manche Wiederholungen vermeiden können. Uns fcheinen manche Erläuterungen der Hauptgeschichten zu fehr ins Detail gezeichnet, dafs der Lefer darüber die Hauptfachen beynahe vergifst. Manche weitläuftige politische Raifonnemens stehen mit der eigentlichen Geschichte in keinem Verhältnifs, und Ordnung in der Stellung der Begebenheiten vermifst man gleichfalls häufig genug. So fcheint uns z. B. die Charakterifirung des Erbstatthalters und des Herzog Ludewig von Braunschweig nicht ganz am rechten

A. L. Z. Erster Band. 1789.

ten Orte zu stehen, und wir begreifen nicht, warum der Vf., was er über die Würde, Gewalt und den Einflus des Erbstatthalters mit grofsem Fleifse gefammlet hat, nicht an einem Orte beyfammen liefert, fondern diefe Materie in verschiedenen ganz abgefonderten, und andere Dinge behandelnden Abfchnitten ftückweife vorträgt, wodurch an der Ueberficht fehr viel verloren wird. Indeffen entfchädigt er dafür wieder durch Auswahl der Begebenheiten, fcharfe und wichtige Blicke in die Verfaffung und abwechfelnde Lage der Republik, durch getreue Charakterifirung der handelnden Personen, und lehrreiche Entwickelung fo vieler kleinen und grofsen Begebenheiten, welche über diefe Einleitung fo wohl, als die künftige Geschichte der Unruhen, Licht und Klarheit verbreiten können. — Der Verf. fängt feine Einleitung mit der Schilderung der holländischen Staatsparteyen an, die er in drey Klaffen, heftige Republicaner, Oranischgefinnte, und die Gemäßigten eintheilt, welche letztere von manchen Sonderlinge *(whimfical)* genannt werden. Er zeigt hierauf, wie nach geendigten Kriegen mit Spanien die republicanifche Partey empor kommen mufste, wie Oldenbarneveld und de Witt das Haus Oranien vergebens zu unterdrücken fuchten, und wie eben diefe Parcey feit Wilhelm III Tode bis 1748 wieder alle Gewalt an fich zu reifsen wufste. Zu wenig hat der Vf. bey diefen Staatsveränderungen auf ihre nächsten Veranlaffungen, die Minderjährigkeit Wilhelm III, und mit der eben diefem Prinzen 1702 erlöfchende ältere oranifche Linie Rückficht genommen, ohne welche es der Gegenpartey nicht möglich gewefen wäre, die Statthalterwürde der Union zweymal aufzuheben. Die Abwechfelungen des fremden Einfluffes, wie und warum Holland bald von Frankreich, bald von England abhieng, werden fehr gut auseinander gefetzt, und der Vf. findet den wahren Grund, warum die antioranifche Partey, oder die Vertheidiger der Freyheit immer im franzöfifchen Intereffe gewefen, theils in der gemeinen Verbindung Englands mit dem Oranifchen Haufe, theils in der befondern holländischen Verfaffung, da alle Gewalt und die gefetzgebende Macht nur in den

Hin-

Händen weniger angesehenen Familien, das Volk überhaupt aber von allen Regierungsgeschäften ausgeschlossen ist, und schildert zur Ueberficht der dortigen städtischen Verfaffung, weil die Städte in jeder Provinz, Friesland ausgenommen, so großen Theil an der Regierung nehmen, die Regierung von Amfterdam. Hier befitzen 49 Perfonen, die einander zu ihren Stellen befördern, alle Civil- und Criminalgerichtsbarkeit, die Vergebung der Aemter hängt von ihnen ab, so wie die Verwendung fämmtlicher Staatseinkünfte, fie haben das Recht die Einwohner nach ihrem Gutbefinden zu taxiren, und fie ernennen die Repräfentanten von Amfterdam in den Staaten von Holland. Bis zum Jahr 1776 war die antioranifche Partey weder fo angesehen, noch fo zahlreich oder fo populär, als ihre Gegner, aber in Abficht der Reichthümer und ränkevollen Politik ihnen weit überlegen. Die Anhänger des Statthalters ordnet der Vf. in fieben Klaffen, und zeigt, warum jede, befonders der Adel, die Armee, die kleinen Städte, die Geiftlichen (letztere find es nach Schlözers *Ludwig Ernft* keinesweges bey den letzten Unordnungen gewefen) die oranifche Partey nehmen. Um fo entgegengefetzten Parteyen bey einer Verfaffung, die fo viele Punkte der Regierungskunft zweifelhaft und unbeftimmt läfst, zu leiten, wurden aufserordentliche Talente und Gefchicklichkeit erfodert, die dem oranifchen Haufe vorzüglich im fechszehnten und vorigen Jahrhundert, eigenthümlich waren. Nach einigen kurzen Betrachtungen über die Revolution von 1748, kommt der Vf. auf den Herzog Ludewig von Braunfchweig, deffen Einflufs, befondere Maafsregeln, und perfönlichen Charakter er eben nicht begünftigt, und als die vorzüglichfte Ursache der letzten Unruhen und des Verfalls der Statthalterwürde anzugeben kein Bedenken trägt. In der Schilderung feines Charakters find zu ftarke Farben gewählt, und fo beleidigende Ausdrücke, *with the countenance of an ox he has the fagacity of a much more fubtle animal,* wird fich kein unbefangener parteylofer Gefchichtfchreiber erlauben. Grofse Fähigkeiten hat unfer Vf. bey diefem Fürften nicht bemerkt, aber wohl Betriebfamkeit, Penetration und Menfchenkenntnifs, nur zu viel Verftellung, die er auch bey unbedeutenden Kleinigkeiten blicken liefs. Aufrichtigkeit und Freygebigkeit fpricht er ihm ganz ab, auch foll der Herzog diefe Tugenden nie geachtet haben. Seine Landsleute zog er beym Militär zu parteyifch dem Eingebornen vor, daher das Mifsvergnügen bey den Truppen in einem folchen Grade ftieg, dafs bey einer Mufterung der holländifchen Garde (hier ift aber weder Jahr noch irgend ein näherer Umftand angegeben) 17 Schüffe auf ihn gefchahen, wodurch auch ein Kammerherr des Prinzen, ein Geldrifcher von Adel auf der Stelle getödtet ward. Ueberhaupt wirft der Vf. dem Herzog vor, dafs er immer nach dem Grundfatz gehandelt, der

Statthalter habe ein von der Republik ganz verfchiedenes Intereffe.

Durch Englands in unfern Tagen fo allgemein ausgebreiteten Handel, durch das Glück diefer Nation in Oftindien mufste die Eiferfucht der Niederländer vorzüglich rege werden, weil diefe Republik davon die Folgen am fchmerzhafteften fühlte. In den Handelsftädten wuchs daher befonders während des amerikanifchen Krieges die Zahl der englifchen Widerfacher, fo fehr auch der Statthalter es ferner mit Grofsbrittannien hielt. Dabey fieng die zunehmende Schwäche des Staats an fichtbar zu werden, welche beide Parteyen ihren Gegnern zuzufchreiben bemühet waren. Der Vf. bleibt bey der Auseinanderfetzung diefer Schwäche, des Handelsverfalls, der Fabrikenabnahme, der ganz heruntergekommenen Seemacht meiftens bey allgemeinen Schilderungen, doch zuweilen fucht er diefe auch durch allerley eingeftreute Anekdoten oder einzelne Thatfachen intereffant zu machen. So giebt er die Staatsfchulden der Republik um 1776 auf fieben und achtzig Millionen Pf. Sterling an, und von dem in der nordamerikanifchen Kriegsgefchichte bekannt genug gewordenen Gouverneur von Euftatius de Graaf wird verfichert, er habe ein einträgliches Monopol mit Katzen und Frettgen getrieben, und jedermann, der was bey ihm zu fuchen, hätte diefe Thiere von ihm zu hohen Preifen kaufen müffen. Manche von diefen Staatsfchwächen oder den von beiden Parteyen begangenen Staatsfehlern hatten ihren Grund in der fonderbaren, oder wie der Vf. folche nennt, unglücklichen Einrichtung und Verfaffung der niederländifchen Republik, welche daher von ihm nach ihrer wahren Geftalt, und zuweilen mit treffender Darftellung ihrer Fehler gefchildert wird. Bey diefer Gelegenheit wird des Statthalters Amt und Würde fehr gut und beffer als Janiçon und Poftel dies thun konnten, oder thun durften, auseinander gefetzt. In Friesland hat das Volk nicht blofs in dem einem Diftrict Weftergow, fondern in drey Gritearien Antheil an der Wahl feiner Repräfentanten auf dem Landtage, auch hat der Vf. nicht bemerkt, dafs die Deputirten diefer Provinz in der Verfammlung der Generalftaaten keinesweges wie die übrigen durch Inftructionen gebunden find, fondern eben fo frey, wie die englifchen Parlementsglieder votiren. Die *Vroetfchaps*, von denen die Stadtregierungen abhängen, beftehen in Holland aus 648, und in der ganzen Republik aus 2300 Gliedern. Wenn einige von den fchwächern Provinzen merken, dafs Holland fehr von ihren Beytritt oder Beyftimmung verlegen ift, fo pflegen fie dies wohl unter befonders eingehängten, für fie vortheilhaften, Bedingungen zu thun, welches ebenfalls in den kleinen holländifchen Städten oft genug gefchieht. So führt der Vf. ein Beyfpiel der Stadt Briel an, die nicht anders 1735 dem von den übrigen holländifchen Städten beliebten Wiener Vertrag beytreten wollten, als bis ein gewiffer Vander crap der hier grofse Verbindungen hatte, die Stelle eines Obriftlieutenants bey den Truppen der Republik erhielte. In allen Provinzen hat man zwar feftgefetzt, dafs einhellige Stimmen zu allen Sachen von Wichtigkeit erforderlich feyn müffen; allein nirgends ift gefetzlich und deutlich beftimmt, welche Dinge zu den *Wichtigen* gehören. Ueberhaupt bemerkt der Vf. von der niederländifchen Conftitution, fie habe alle Fehler der drey gewöhnlichen Staatsverfaffungen, ohne eine von ihren guten Eigenthümlichkeiten. Bey derfelben findet fich weder innere Stärke noch Schnelligkeit in der Ausführung, noch Verfchwiegenheit; ferner kann man nicht umhin, in diefer Verfaffung den Defpotismus der Monarchie, ohne ihren Nachdruck, die Infolenz der Ariftocratie ohne deren Klugheit, und die Schwäche der Democratie, ohne die damit verknüpfte Freyheit wahrzunehmen. Alle Vorrechte des Statthalters und die Grenzen feiner Gewalt find in den niederländifchen Grundgefetzen eben fo wenig genau und deutlich beftimmt. Der Verf. meynt, feine Anhänger hätten diefe für allzu wichtig und Diseuffionen über felbige für allzu kitzlich, und zu weitführend gehalten, die Gegenpartey aber aus politifchen Abfichten vermieden, fich in eine genaue Beftimmung derfelben einzulaffen. Indeffen laffen fich feine Gerechtfame nach den drey Punkten, Macht, Anfehen und Einflufs beftimmen. Erftere gründet der Vf. auf Gewalt und Meynung, fein Anfehen beruhet auf Gefetzen und Verjährung, und der Einflufs ift durch Geld, Befchützung (*Patronage*) und Gewohnheit erlangt worden. An der gefetzgebenden Gewalt nimmt, nach unferm Vf., der Erbftatthalter keinen Theil, wir wiffen aber damit nicht zu reimen feinen Sitz unter der holländifchen Ritterfchaft, die drey von ihm abhängenden Stimmen in der Landesverfammlung von Seeland, und die von ihm zum Landtage in Utrecht ernannten *Geeligeerden*; Gerechtfame, die der Vf. in der Folge wirklich annimmt, und aus einander fetzt. Manche Gerechtfame der Statthalterfchaft hätte Wilhelm IV bey feiner Wiedereinfetzung 1748 feftfetzen und aufs genauefte beftimmen können; allein er kannte entweder die Wichtigkeit des damaligen Zeitpunktes nicht, oder er vernachläffigte aus einmal angenommener Mäßigung, alle Vortheile der damaligen Crifis zu benutzen. Bey des Erbftatthalters Einkünften wiederholt der Vf. die gewöhnliche Schätzung von zwey Mill. Gulden, feine deutfchen Länder mit berechnet. (Die Quellen, woraus Hr. Schlözer neulich eine detaillirte Lifte feiner niederländifchen Einkünfte in feinen Staatsanzeigen abdrucken laffen, war unferm Vf. alfo nicht bekannt.) Nach diefen und andern allgemeinen

Bemerkungen über die niederländifche Staatsverfaffung, die Rechte des Statthalters, und die Staatsmängel diefer Republik, kommt der Vf. auf die vorzüglichften Triebfedern der letztern Unruhen, und charakterifiret eben fo frey und kenabar den alten Greffier Fagel, den ehemaligen Grofspenfionair Bleyswick, den Baron Bootesaar, den der ehemalige englifche Gefandte, Sir Jofeph Yorke durch feine Gemalin regierte, eben diefen Gefandten, deffen Grundfätze das oranifche Anfehen in der Republik gegen die allmählich wachfenden patriotifchen Parteyen zu behaupten nicht befolgt wurden. Die Vornehmften der oranifchen Partey follen, als die Sache noch zu leiten und einzulenken war, fchwache, furchtfame Leute gewefen feyn, bey denen Auffchub das befte Hülfsmittel war. Der H. von Braunfchweig wählte lieber zweydeutige hinterliftige Staatsregeln, als nachdrücklichen Widerftand, und der Erbftatthalter handelte ebenfalls nicht mit der fo nothwendigen Entfchloffenheit und Thätigkeit. Weil Amfterdam in der Republik eine fo anfehnliche Rolle fpielte, und einige der dortigen Magiftratsperfonen gefchäftig genug waren, des Erbftatthalters Anfehen zu untergraben, fo theilt der Vf. ebenfalls feine Bemerkungen über den Charakter und die Denkungsart der Herren Temmink, Rendorp, des Amfterdammer Penfionais von Berkel, verfchiedner für den franzöfifchen Hof agirenden Emiffarien mit, worunter einer den Beynamen Don Quixote führt, der feine Pasquillen gegen den Erbftatthälter und den Herzog von Braunfchweig aus dem Opdenhofs Caffeehäufe im Haag zu datiren pflegte. Dafs der Vf. in diefer Gefellfchaft den damaligen franzöfifchen Gefandten den Herzog de la Vauquion vergeffen haben follte, war wohl nicht zu erwarten. Diefer war eigentlich für einen fo wichtigen Poften, als er damals bekleidete, nicht gefchaffen, indeffen wufste er durch feine Activität, leidenfchaftliches Parteynehmen, Ränke aller Art, und dafs er den berühmten d'Avaux zum Mufter wählte, den ganzen Zweck feiner Sendung vollkommen zu erreichen. So fehr er auch den Abfichten feines Hofes gemäfs in allem dem Statthalter zuwider war, fo ward fein Hafs gegen den Fürften durch einen fatyrifchen Kupferftich aufs höchfte gereizt, worinn feine Grundfätze beiffend verfpottet wurden, und dafs folcher vom oranifchen Hofe her ins Publicum gekommen. Die Gefchichte der Verbindung diefes Gefandten mit den Häuptern der Patrioten, und ihre wirklichen Fehden mit dem Erbftatthalter, oder den eigentlichen Ausbruch der Unruhen, welche zehn Jahre lang die vereinigten Niederlande zerrütteten, haben wir erft in den folgenden Theilen zu erwarten, über deren Anzahl und Erfcheinung der Verf. fich an keinem Orte diefer Einleitung erklärt hat.

SCHOENE

SCHOENE WISSENSCHAFTEN.

Zürich, b. Orell u. C.: *Allgemeine Blumenlese der Deutschen. Sechster Theil.* 1788. 448 S. und 4½ Bog. Reg. 8. (20 gr.)

Dieſer ſechſte Theil der bekannten *Füſsliſchen* Auswahl deutſcher Gedichte, wird auch unter dem Titel: *Sinngedichte der Deutſchen,* beſonders verkauft. Denn er iſt eine Anthologie von deutſchen Epigrammen in zwanzig Büchern, wovon die 12 erſten und das zwanzigſte deutſche Originalſtücke, und die eilf übrigen deutſche Nachahmungen und Ueberſetzungen griechiſcher und römiſcher Sinngedichte enthalten. Die, von der erſtern Art belaufen ſich hier auf 670, da ihrer überhaupt, nach des Herausgebers Angabe, vielleicht zwanzig Tauſend ſind, aus denen er wählte. Allerdings ein günſtiges Vorurtheil für die Güte ſeiner Auswahl. Und in dieſer ſcheint uns auch wirklich Hr. F. – ſeine ziemlich zahlreichen Vorgänger übertroffen, und von ihnen allen noch die beſte und geſchmackvollſte Anthologie geliefert zu haben, die wir bisher beſitzen, und wozu der poetiſchen Blumen gewiſs ſchon genug vorhanden ſind. Rühmlich iſt die dabey beobachtete kritiſche und moraliſche Strenge des Herausgebers, obgleich der letztern einige von der dichteriſchen Seite unverwerfliche Stücke aufgeopfert werden muſsten. Uebrigens wird jeder Kenner unſrer vaterländiſchen Poeſie dem Herausgeber dieſer Blumenleſe gern darinn beyſtimmen, und dem Nichtkenner wird es dieſe Sammlung ſelbſt beſtätigen können, daſs man in den beſten deutſchen Sinngedichten jenen Charakter gewichtigen Schrots und reinen Korns

nicht vermiſſe, der überhaupt jedem Werke ächter deutſcher Art und Kunſt eigenthümlich iſt, und welcher wohl das ſchärfſte Salz des Römers und die feinſte Spitze des Galliers reichlich aufwiegt, daſs man auch in einigen ſogar die ſchmuckloſe griechiſche Grazie wieder finde, die dem Sinngedichte bey den ältern Griechen ſo viel Anmuth und Reiz ertheilte. Auch wird man ſich ſchwerlich daran ſtoſsen, daſs in dieſe epigrammatiſche Sammlung manche Stücke aufgenommen ſind, die eigentlicher unter die Rubriken der Fabel als des Liedes gehören würden. Die Aufnahme vieler ältern Stücke von *Logau, Gryph, Wernicke, Zinkgräf* u. a. wird man dem Sammler gewiſs Dank wiſſen. Aus der griechiſchen Anthologie ſind einige der ſchönſten Blumen nach *Herder's, Tobler's, v. Stolberg's* und *Götz's* glücklichen Ueberſetzungen in das zwölfte bis achtzehnte Buch, und an die ſiebenzig aus *dem Martial* von *Ramler, Opitz, Kuh* u. a. in das neunzehnte aufgenommen worden.

VERMISCHTE SCHRIFTEN.

Wien, Berlin u. Hamburg, und in der Beygangſchen Buchh. zu Leipzig: *Ernſt und Laune. Eine periodiſche Schrift in vermiſchten Erzählungen, ſatyriſchen und moraliſchen Aufſätzen, mit illuminirten Mode- und andern Kupfern.* No. I-IV. (7 gr.)

Der Titel ſagt alles, nur das nicht, daſs die meiſten Artikel complirt, die eignen unbedeutend, und folglich beides, dieſer Ernſt und dieſe Launen ſehr entbehrlich ſind.

KLEINE SCHRIFTEN.

Geschichte. Von Hn. Prof. *Baden* in Kopenhagen ſind nachſtehende Programmen im verwichenen jahre erſchienen:

1) Die Einladungsſchrift zu der Rede auf den Geburtstag des Königs, welche dasmahl Hr. Prof. *Hornemann* als Rector Magnificus gehalten hat, ſtellt auf einem Bogen *Imagines Regis Populosae* dar. Nach dem er die Beyſpiele blühender Monarchien aus dem Alterthum, und dagegen die alten Freyſtaaten mit allen den Gebrechen, die ihnen bey ihren übrigen Vorzügen eigen waren, aufſtellt hat, beweiſet er, daſs wahre Achtung und Liebe gegen das Volk auch bey Beherrſchern der Blumenchien ſtatt finden können, mit dem Beyſpiel des groſsen Preuſsiſchen Friedrichs, und auch der däniſchen Monarchien, die noch nach eingeführter Souveränität gütig und milde regieren, und denen die Nachwelt noch die Vortheile danken wird, welche die den däniſchen Staaten noch immer geſicherte Preſsfreyheit erzeuget.

2) Ein Programm bey Gelegenheit des am 22ten May von Hn. Prof. *Hornemann* an den Hn. Conferenzrath und Prof. *Colbiörnſen* übertragenen akademiſchen

Rectorats, *Midleton* (*Hiſtory of the Life of M. T. Cicero*) hatte bereits den berühmten Römer gegen die Vorwürfe der Unbeſtändigkeit und des Leichtſinns, ſowohl in deſsen Betragen gegen Freunde und Feinde und im Anklagen und Vertheidigen, als in Urtheilen und Meynungen ſehr geſchickt vertheidigt. Hr. Prof. *Baden* unternimmt es gleichwohl, und mit glücklichem Erfolg, verſchiedene von ihm ſelbſt, beym Leſen der Ciceroniſchen Schriften, bemerkte Urtheile über erlauchte Perſonen, oder über Gegenſtände der Philoſophie, des römiſchen Rechts, der Alterthümer, oder des gemeinen Lebens gegen unbillige Deutungen chicanirender Schriftſteller zu retten.

3) *Memoria Petri Kofod Ancker*, ein Gedächtniſs Programm auf den ſeligen Conferenzrath, dieſen vieljährigen und hochverdienten Lehrer, im Namen der Univerſität 25 S. in gr. 4. Es enthält Nachrichten von dem ältern und Schriften des verewigten Mannes. Dieſe hatte ſchon Hr. Bührens bey ſeiner deutſchen Ueberſetzung von Kofod Anckers däniſchen Lehnrecht gegeben. Aber die Einkleidung, die Eleganz und die Anmuth, womit Hr. Prof. Baden ſeinen Gegenſtand behandelt, machen auch dieſe Schrift vorzüglich leſenswürdig.

ALLGEMEINE
LITERATUR-ZEITUNG

Sonnabends, den 10ten Januar 1789.

PHILOSOPHIE.

Frankfurt, in der Gebhardischen Buchhandl.:
*Kantische Denkformen oder Kategorien von
Gottlob August Tittel*, mit dem Motto: *Wer
die Sonne des Tages nicht tragen kann, dem
fey die Nacht*. III S. gr. 8. (8 gr.)

Mit der Befremdung, womit ein rechtgläubiger und schulgerechter Dorfkantor die
Nachricht aufnimmt, ein gewisser Copernicus wolle die Welt glauben machen, dass die Sonne still
stehe, mit dem verbissenen, bald in Spott bald in
Mitleiden ausbreckenden, Unwillen, womit er mit
seinen Nachbarn über diese verderbliche Neuerung spricht, und besonders mit der wichtigen
und triumphirenden Miene, welche ihm dabey
theils das Bewusstseyn des Ansehens, das ihm
seine mündlichen *Commentationen* über den hundertjährigen Kalender bey seinen Zuhörern erworben haben, theils die Evidenz der Beweise
giebt, womit er seinen Gegner durch *Schrift*,
und jedermann in die augenspringende *Erfahrung*
zu Paaren treibt, tritt Hr. Tittel das zweytemal
gegen das fürchterlich-falsche der neuen Philosophie, nach welcher der *Verstand der Natur
vorangehen* soll (S. 103.) auf, nachdem unser
gutherziges Publikum bereits auf dem Wege war,
seines ersten, N. 260 und 267. der A. L. Z. vom
Jahr 1786 von einem andern Rec. nach Verdienst
gewürdigten, Angriffes gegen die, wie ers nannte,
Kantische Moralreform, und der lächerlichen Figur, die er dabey gemacht hatte, zu vergessen.
Er glaubt nun freylich die schwächste Seite des
Kantischen Systems an den in der Kritik der reinen Vernunft aufgestellten *Kategorien* ausfindig
gemacht zu haben, die er nach einigen ihm ganz
eigenthümlichen *Erläuterungen* und *Ausführungen*
fo fort, wie er sich S. III. ausdrückt, in die *Zahl
der Nullitäten verweist*.

Die Kategorien erläutert Hr. T. auf folgende
Weise: S. I. „Sie wären ein altes *abgebrauchtes*
„angevergessenes weggeworfenes Stück aus der
„Aristotelischen Philosophie; worüber man einen
„Mann aus dem vorigen Jahrhundert, den scharf-
„finnigen und sehr geschätzten, Vf. des Buches
„*la Logique ou l'Art de Penser* hören müsse" (der

denn freylich nichts anders darüber sagt, als was
im nächsten besten Compendium mit recht und
unrecht über die *Aristotelischen* Kategorien geurtheilt wird) „Kant habe dies verachtete und
„veraltete Stück, bey dem übrigens Aristoteles
„(S. 5.) doch wenigstens eine einfache nicht
„zu verwerfende Absicht gehabt hätte. S. 8: her-
„vorgesucht, umgearbeitet, versetzt, verziert,
„(daran) Schnitt und Farbe verändert, und führe
„nun seine Kategorien festlich daher; habe ihre
„Anzahl von 10 auf 12 vermehrt, ihre Stellung und
„ihren Ausdruck verändert, nach Gutfinden hie und
„da manches ab und zugethan, und endlich S. 10.
„ihren Rang und (ihre) Bestimmung gar merk-
„lich erhöht" — denn unter andern „sollen sie nach
„Kant sogar die *absolute Mensur* des Verstandes
„ausmachen, so daß dadurch der Verstand völlig
„erschöpft, und sein Vermögen gänzlich ausge-
„messen wäre; welches denn wohl der kühnste Ge-
„danke wäre, den je eine Menschenseele angewan-
„delt habe, nicht nur den wirklichen Vorrath der
„*Verstanderkenntnisse*, sondern selbst auch das
„ganze Verstandesvermögen rund und nett durch ein
„Dutzend Kategorien, d. i. soviel oben herein (a
„priori) dem Gemüth *eingelegte Begriffe!*
„völlig zu umschliessen!" — Die Kritik der
V. gegen alle diese Absurditäten rechtfertigen
wollen, wäre doch wohl eine unverzeihliche Versündigung an dem gesunden Verstande unserer
Leser; so wie ein fernerer Auszug aus den übrigen ohne Ordnung und Beweis hingeworfenen,
in der bekannten declamatorischen Sprache des Hn.
Vf. eingekleideten Beschuldigungen, wahre Verschwendung des Raumes. Also nur noch ein paar
Proben für diejenigen, welche aus dem oben angeführten noch nicht überzeugt wären: daß Hr.
T. das *Kantische* System mit genau so viel Sachkenntniß beurtheilt, als jener Dorfkantor das
Kopernicanische. S. 82. ruft Hr. T. aus: „Wozu
„brauch ich denn überhaupt solche *Formen?*"
(Die von Kant entwickelten Formen der Anschauungen, und der Begriffe.) „Zum Ordnen der Ge-
„genstände nach gewissen Verhältnissen, und
„unter gewissen Begriffen. Aber ordnen kann
„ich doch nicht eher bis die Gegenstände schon
„in der Anschauung gegeben find. Wie will ich ord-
„nen, wo noch nichts zu ordnen ist? *Anschauung*
„geht

K

„geht dem *Ordnen* voran. Erst muſs ich anſchauen, „dann was ich angeſchaut, auch ordnen. Wenig-„ſtens kann alſo dieſe *Form* nicht die *Bedingung* ſeyn, „wodurch die Anſchauung ſelbſt erſt möglich wird.“ Aber wer heiſst Hn. T. ſich unter den Formen der Anſchauung dieſen Unſinn denken? Die Stel-le der Kritik der Vernunft (S. 34 II Ausg.), die er hier anzudeuten, oder vielmehr anführen zu wollen ſcheint, lautet ganz anders: „Dasjenige, welches macht, daſs das *Mannichfaltige* der Er-ſcheinung (alſo nicht *Gegenſtände*) in gewiſſen Verhältniſſen geordnet werden *kann*, nenne ich *Form der Erſcheinung*.“ Das *Ordnen* alſo, wo-von in der Kr. d. V. die Rede iſt, geſchieht *in und durch* Aufnehmen des gegebenen *Stoffes*, der die *Form* der *Anſchauung*, die er doch wohl *nicht auſser* dem Gemüthe hat, und die doch wohl eine *Bedingung* der Anſchauung iſt, *im Ge-müthe* annimmt. Und nun leſe man noch ein-mal, was Hr. T. vom *Ordnen der Gegenſtände*, und von der *Anſchauung, die dem Ordnen vor-hergeht*, ſchwätzt! Unmittelbar darauf deraiſon-nirt er wie folgt: „Wozu gar nun zweyerley Formen — Form zum Anſchauen und Form zum Denken, Form der Sinnlichkeit und des Verſtandes? Aber beiderley Formen treffen doch nur auf einerley *Gegenſtand*, wie er in der An-ſchauung gegeben wird. Alſo — den nemlichen Gegenſtand, den ich unter *irgend einer* Form nun anſchaue“ (Kant ſpricht von der Form der *An-ſchauung*, und Hr. T. unterſchiebt ihm den ſinnloſen Begriff von der *Form eines Dinges an ſich ſelbſt*) „ſoll ich unter gewiſſen *andern* Form, auch denken?“ (Nicht doch! die *gewiſſe andere Form* ſoll ja keine Form des *Gegenſtandes*, ſondern des *Denkens* deſſelben ſeyn.) „Aber was ich ſchaue, das denke ich auch ſchon.“ (Mein Ge-müth wird aber dabey doch nicht auf *ebendieſel-be Weiſe* beſchäftigt; oder geht bey Hn. T. *eben daſſelbe* vor, wenn es ein Vergnügen genieſst, und wenn er daſſelbe nur *denkt* ? Kennt ſeine Lo-gik keinen Unterſchied zwiſchen einer *Anſchau-ung* und einem *Begriffe!*) „Wenn ein Gegen-ſtand nur mein Organ afficirt, nicht auch die See-le zum Denken weckt, ſo iſt das noch nicht An-ſchauung, Intuition.“ Das letzte muſs Hr. T. vol-lends im Traume niedergeſchrieben haben. Weder das Afficirtſeyn der Organe, noch Denken, noch beides zuſammen genommen iſt *Anſchauung*. — „Aeuſserſt unnatürlich,“ heiſst es S. 90. „wär es, *nach Kant* ſich einzubilden, daſs zum *Schauen* ſelbſt der körperlichen Gegenſtände ſchon eine *frühere Vorſtellung* vom Raum im Gemüth vorange-hen müſſe, daſs z. B. ein Kind die erſten Geſtal-ten, die es an ſich erblickt, gar nicht *ſchauen* könnte wenn es nicht *vor dem Schauen* ſchon etwas räum-liches im Gemüth ſich *vorgeſtellt* hätte. Ein Wahn, deſſen Nichtigkeit etc.,“ deſſen Nichtigkeit freylich der nächſte beſte Primaner auch ohne Hn. Ts. Er-läuterung einzuſehen, aber nur ein Prof. der Phi-

loſophie, wie Hr. T., dem Vf. der Kr. d. V. an-zudichten fähig ſeyn kann. Seltſam ſticht übri-gens mit dem Grinſen der verunglückten Ironie, die Hr. T. ſo gerne gegen Kant annimmt, der treuherzige plumpe Schulmeiſterton ab, womit er in denſelben die platteſten Dinge von der Welt vor-docirt: z. B. S. 94, „Ein Philoſoph müſſe ja doch nicht Dinge, wie ſie nun in einem mit Kenntniſſen ſaturirten Manneskopf ſo gereihet, ſo geſchürt und geordnet liegen, eben ſo auch in dem (den) Kopf des Kindes, und die Vorſtellungsart des werden-den Denkers legen.“ — Nur ſehr ungerne, und bloſs in Rückſicht auf den Zeitverderbenden und Kopfverwirrenden Unfug, der gegenwärtig von ſo manchen unberufenen Gegner und Vertheidiger der Kantiſchen Philoſophie getrieben wird, haben wir uns bey dieſer äuſserſt unbedeutenden Lucu-bration ſo lange aufgehalten; ohne daſs wir hof-ſen könnten, Hn. T. und ſeines gleichen zu über-zeugen: daſs etwas mehr dazu erfordert werde, um die Kritik der Vernunft zu kritiſiren, als um ein populäres Compendium der populären Philoſophie zu populariſiren.

ALTONA, im Montagiſchem Verlage: *Vorleſun-gen über die Kantiſche Philoſophie*, gehalten vom Prof. *Will*. 1788. 200 S. 8. (9 gr.) Die öffentliche Bekanntmachung dieſer Vorle-ſungen verdient nicht nur den Dank der Zu-hörer des Hrn. Verf., denen ſie zugeeignet ſind, ſondern auch einer gewiſſen zahlreichen Klaſſe des gelehrt. Publicums, die (S. 5.) „gerne wiſſen möchte, „was in dieſen unſern Tagen für eine Revolution in „der philoſophiſchen Welt vorgehe, was die Kritik „der reinen Vernunft ſey, die jetzt immer zur „Sprache kömmt, und was denn der ſo hoch ge-„prieſene und ſo ſehr herabgewürdigte Kant für „ein neues Gebäude auf den Trümmern aller bis-„herigen philoſophiſchen und (?) metaphyſiſchen „Syſteme aufführe.“ Für das Bedürfniſs dieſer Art von Wiſsbegierigen iſt nun in den vor uns liegenden Vorleſungen auf eine unſerer Meynung nicht ganz unbefriedigende Weiſe folgendermaſsen geſorgt. Im erſten Abſchnitte trägt Hr. Prof. Will eine kurzgefaſste *Geſchichte der Kantiſchen Phi-loſophie* vor, in welcher er insbeſondere von dem *Urſprunge*, der *Aufnahme* und den *Schickſalen* derſelben, den *Werken des Königsbergiſchen Phi-loſophen* ſelbſt, und ſeiner *Freunde* und *Gegner* ziemlich vollſtändige und in *Hauptſachen* getreue Nachrichten ertheilt. II Abſch. *Kantiſcher Begriff*, *Eintheilung und Auseinanderſetzung* (?) *der Phi-loſophie*. III A. *Begriff der Kr. d. r. Vern.* oder *Erklärung, was ſie ſey, und was ſie nicht ſeyn ſoll.* (Beide Abſchnitte liefern in ſyſtematiſchen und tabellariſch-geordneten Auszügen, die hieher ge-hörigen Definitionen und Eintheilungen aus den Kantiſchen Schriften.) IV A. *Kurzer ſumma-riſcher Inhalt der Kr. d. r. V.* nach *meiner Dar-ſtellung*. Der Vf. nennt dieſen Artikel ſelbſt ei-nen

nen unvollkommnen Auszug, mit welchem er blofs
einen *Vorschmack* von der Kantifchen Art zur
philofophiren geben, und auf denfelben den ausführlichen Hauptinnhalt nach der *Schulzifchen* (freylich, beftimmtern und fafslicheren) *Darftellung,*
folgen laffen wollte, die auch den Innhalt des V
Abfch. ausmacht. Der VI liefert den *Hauptinnhalt
der Kritik der praktifchen Vernunft o d e r (?) der
Grundlegung zur Metaphyfik der Sitten.* Die bald
darauf herausgekommene Kr. der pr. V. wird den
Hrn. Vf. bereits überzeugt haben, dafs er das *Oder*
in diefer Rubrik zurück nehmen müffe. VII A.
*Meine Beurtheilung der Kantifchen Vernunftkri-
tik in etlichen Sätzen.* Hr. W. nimmt hier die Kr.
der r. V. gegen die bekannteften der übereilten
Befchuldigungen ihrer Nicht- und Halbkenner in
Schutz, und trägt feine eigenen Zweifel und Bedenklichkeiten gegen manches, was ihn in jenem
Werke entweder nicht hinlänglich bewiefen fchien,
oder dunkel geblieben ift, auf eine Art vor, aus
welcher zwar einerfeits erhellt, dafs er die Kr.
der r. Vern. (wie er felbft nicht für unmöglich
hält, S. 136.) nicht *allezeit* recht verftanden habe.
(Wir unterfchreiben von Herzen das Zeugnifs, das
er fich bey diefer Gelegenheit felbft giebt: „durchaus hab' er fie gewifs nicht mifsverftanden")
die aber andererfeits der Unbefangenheit und
Befcheidenheit eines Mannes Ehre machen, der
(S. 12.) „fo viele Philofophien durchgewandert,
„theils gelernt, theils gelehrt hat: die Feuerlein-
„fche, die Leibnitzifch-Wolffifche, und die Baumgar-
„tenfche, die Darjefifche, die Crufuffifche, die Fe-
„derifche, — und noch in feinem hereinbrechen-
„den Alter die Kantifche ftudirt hat;" wir fetzen
hinzu: Im Göttex genommen mit einem Erfolge ftudirt hat, deffen fich wohl die wenigften
der bisherigen Prüfer derfelben zu rühmen Urfache haben.

HALLE, b. Gebauer: *Philofophifches Magazin.*
Herausgegeben von *I. A. Eberhard. Erftes
Stück.* 1789. XII und 116 S. 8. (8 gr.)
Dem erften Auffatze zufolge, welcher die Ankündigung enthält, wollen der Vf. und feine ungenannten Mitarbeiter das Intereffe, welches die
Nation an den Unterfuchungen der Philofophie,
felbft der abftracten, gegenwärtig nimmt, nutzen,
auch das ihrige zur Berichtigung ftreitiger Punkte
beytragen. Der Ton, welcher in den Proben
des erften Stücks herrfcht, der Ton des uneingenommenen Nachdenkens, die Beftimmtheit der
Gedanken, welche beweifet, dafs der Schriftfteller
feinem Gegenftande gewachfen ift, und die Vorzüge eines bedeutungsvollen, nicht leichten, Vortrags, laffen erwarten, dafs die Vf. ihren Endzweck erreichen werden. Sie erklären fich ausdrücklich, vorzügliche Rückficht auf Kants neue
Lehre nehmen zu wollen, deffen Bemühungen
jenes lebhaftere Intereffe des Publicums an der
Speculation hervorgebracht hat. Im 2 Auffatze,
Ueber die Schranken der menfchlichen Erkenntnifs,

werden, im Gegenfatze mit dem allgemeinen Skep-
ticismus, die dogmatifchen Grundfätze der Leibnitzifchen Philofophie über die Quellen und die
Gewifsheit der Erkenntnifs aufgeftellt. Sie beruhen, nach der Bemerkung des Vf., auf einer
Zergliederung jedes Erkenntnifsvermögens, des
finnlichen fo wohl, als des intellectuellen, und ihrer Gefetze, und können daher eben fo wohl kritifch genannt werden als Kants Grundfätze.
(Nicht in diefer Hinficht nennt Kant feine Philofophie kritifch. Nicht wegen der Abfonderung
der verfchiedenen Erkenntnifsvermögen, fondern
wegen der zuerft von ihm angeftellten Abfonderung der Anwendung der intellectuellen Vermögens auf Gegenftände der Erfahrung, und auf
Dinge aufser aller Vorftellung.) Kant, heifst es,
verwerfe die objective Gültigkeit der in jenem
Syfteme richtig abgefonderten Vernunftbegriffe,
theils weil fie keine Bedingungen der finnlichen
Anfchauung enthalten: (nicht defswegen, fondern
weil fich ohne diefe Bedingungen der finnlichen
Anfchauung keine Möglichkeit eines Gegenftandes,
gefchweige feine Wirklichkeit, erweifen läfst.)
theils weil fie keine Gegenftände geben, das
heifst, weil fie nicht unmittelbar anfchauend find,
Aber fie find von den finnlichen Vorftellungen abgezogen, und können in diefen angefchauet werden. (Hier giebt alfo der Vf. den Hauptgrund-
fatz Kants, dafs die Realität der Verftandesbegriffe nur in ihrer Anwendung auf finnliche An-
fchauungen beftehe, felbft zu.) Zum Befchlufs
bemerkt der Vf., dafs die Leibnitzifche Philofophie
in der Widerlegung Hume's mehr leifte als Kant,
indem fie die rationale Pfychologie, Kosmologie
und Theologie retten, welches K. nicht vermag.
(Gerade darin befteht ja das eigenthümliche von
Kants Philofophie, dafs er zeigt, diefe rationale
Metaphyfik *könne* in dem gewöhnlichem Sinne
nicht gerettet werden.)
Da der Vf. eine nähere Prüfung der Kritik der
reinen Vernunft verfpricht, fo fey es Rec. erlaubt
zu erinnern, dafs diefe, der natürlichen Ordnung
gemäfs, wohl von der Theorie von Raum und Zeit
anfangen mufs, und ihn in diefer Hinficht aufmerkfam darauf zu machen, dafs durchaus nicht
ein einziges von Kants bisherigen Gegnern das
geringfte hierüber vorgetragen hat, was einen
Lefer befriedigen könnte, der die Natur der geometrifchen Evidenz kennt. Ohne eine Erklärung
aber, worinn diefe gegründet fey, und wie fie
z. B. aus Leibnitzifchen Begriffen von R. und
Z. entftehen können, ift es, wie bekannt, unmöglich, einen Schritt weiter vorwärts zu thun:
Hierüber alfo erwarten wir des Vf. Gedanken zuerft zu lefen.

3) *Ueber die wahre und falfche Aufklärung,
und über die Rechte der Kirche und des Staats in
Anfehung derfelben.* Eine gute Ausführung des
richtigen Begr.ffs von Aufklärung, als welche
dem Vorurtheile entgegen gefetzt ift, welches

aus Täufchungen der Einbildungskraft, Leidenfchaft und Autorität entfpringt. Sie verlangt alfo nur eigene Prüfung, bezieht fich nicht auf gewiffe Wahrheiten, fondern auf die Art fie einzufehen. Es ift daher eine falfche Aufklärung, wenn man bey folchen, die keiner Einficht aus Gründen fähig find, die Autorität zweifelhaft macht, auf denen ihre Ueberzeugungen beruhen. Bis fo weit fehr gut, und fehr nützlich diejenigen zu belehren, die durch die bekannten ftürmifchen Fragmente über Aufklärung etwa nur in leidenfchaftliche Bewegung gefetzt worden. Das folgende enthält viel Gutes, ift aber nicht völlig befriedigend. Es giebt, heifst es, kein Recht, der wahren Aufklärung Gränzen zu fetzen. (Es fehlt die Erörterung der Frage: ob es dem Staate oder der Kirche erlaubt fey, die Gränzen der wahren und falfchen durch Gefetze zu beftimmen.) Die Kirche hat kein folches Recht. Sie darf nicht einmal dem Geiftlichen in Abficht auf den Unterricht etwas vorfchreiben, denn mit der Pflicht des Lehrers verträgt fich keine andere Vorfchrift, als eigne Ueberzeugung. (Aber wird er, um feine Zuhörer über einen Gegenftand zu belehren, der jedem fo heilig ift als Religion, und worinn jede Neuerung fo leicht die Gewiffen beunruhigt, nicht immer auf die Denkungsart und die Vorurtheile feiner Zuhörer Rückficht nehmen müffen? Setzt nicht alfo fchon die Klugheit, ohne die er feinen eignen Endzweck nicht erreichen kann, feiner Freymüthigkeit Gränzen? Streitet wohl alfo jede Verpflichtung auf Lehren mit feinem Gewiffen? — Und von Seiten der Gemeine: aus welchem Grunde foll es

unrechtmäfsig feyn, wenn fie in der Stunde der öffentlichen Erlauung folche Meynungen nicht vorgetragen wiffen will, die fie für falfch und für ärgerlich hält? — fo lange fie felbft nicht ihre Ueberzeugung ändert?) Der Staat darf der Einficht keine Gränzen fetzen, denn ihre Beförderung ift einer feiner wefentlichen Endzwecke. Religion ift kein Gegenftand gefetzlicher Entfcheidung, denn fie beruhet auf Wahrheit. Auch aufserhalb der Kirche darf der Staat die wahre Aufklärung nicht hindern, denn fie ift nie dem Endzwecke der bürgerlichen Gefellfchaft hinderlich oder fchädlich. (Sie felbft will, aber die Frage: ob das Beftreben danach nicht oft fchädlich feyn könne, und was dabey zu beobachten, ift ganz vergeffen.)

4) Charakterzüge der Mexicanifchen Indianer aus der Reife des Menonville. So ungleichartige Dinge, die, um wirklich philofophifch lehrreich zu werden, einer ganz eignen Behandlung bedürfen, bleiben beffer weg. Es mufs anjetzt in jeder periodifchen Schrift aus Nebenurfachen, für möglichfte Mannichfaltigkeit geforgt werden, um fich dadurch zu halten: aber gerade diefes ift der Weg zum Verderben.

5) Eine Epiftel über das Frauenzimmer in Verfen. In den fchleppenden langen Gedichte finden fich viele übertriebene, oder ganz falfche Gedanken, wenige gute. Solche Wegwerfung ift nicht Galanterie, und Blumenfeile allein machen keine Eleganz aus. Sehr mittelmäfsige Verfification, und nur einige nicht ganz unglückliche Wendungen und Ausdrücke. — Endlich ein paar Recenfionen.

KLEINE SCHRIFTEN.

LITERARGESCHICHTE. Nürnberg, in der Schneiderifchen Buchhandl.: Lebensgefchichte des fehr berühmt gewordenen Hofraths Johann Gottfried Grofs, gewefenen Erlanger Zeitungsfchreibers, verfafst von W. 22 S. 1788. 8. Aus einem Programm der Erlanger Univerfität und aus mündlichen Nachrichten hat Hr. W., der auch perfönliche Bekanntfchaft mit dem 1768 verftorbenen Stifter der Erlangifchen politifchen Zeitung gehabt zu haben behauptet, gefchöpft. Blofs als Facet ans Nachrichten, die nicht jedermann bekannt find, mufs man diefen Auffatz betrachten. Denn zur eigentlichen Biographie fehlt nicht allein die philofophifche Beurtheilung von dem Charakter des Mannes, deffen merkwürdiges Leben hier erzählt wird, fondern auch der Vortrag. Die Schreibart ift ganz altväterifch und oft fehlerhaft z. B. Er erfurilst, ein obfcönliches Urtheil. S. 14. heifst es: Sehr „liebte er das fchöne Gefchlecht, welches ihm jedoch „manche Tucke fehen liefs" S. 14 wird angezeigt, dafs fchon Grofs den Gedanken von einem allgemeinen encyklopädifchen Wörterbuch, und zwar noch früher, als die Franzofen, gehabt habe.

VERMISCHTE SCHRIFTEN. Unter dem angeblichen Druckort Stockholm. (Eifenach, b. Wittekind:) Epiftel an feine Hochwürden den Hn. Oberhofprediger D, I. A. Stark zu Darmftadt über deffen wichtiges Buch den Cryptocatholicifmus etc. betreffend; nebft einer Probe eines Novi indicis librorum Prohibitorum et Expurgandorum von der Congregatione Indicis des neuen Deiftifchen unheiligen Stuhls. 1788. 92 S. gr. 8. Ein ftark- und fchnellgläubiger Freund der reinen Lehre erleichtert hier fein theils vom heiligen Eifer für die gute Sache des Hn. D. Stark (insbefondere deffen in dem wichtigen Buche über Cryptocatholicifmus von ihm felbft auf eine fo edle Art vertheidigte Unfchuld, und freymüthig an Tag gelegte innige theologifche Denkart,) der Hn. Demarets, Lavater, Pfenninger und des fel. Gotze, die ftellvertretende Genugthuung, die Theopneuftie, den heiligen Geift, und die Gefellfchafe der reinen Lehre; — theils von frommer Galle über die fchlimme Sache, der allgem. deutfchen Bibliothek, der Berliner-Monatfchrift, ihrer Herausgeber, des neuen naturalififchen-Pupfithums u. f. w. volles Herz; und würzt die daraus verfertigte Olla petrida mit beifsenden Sarcafmen, und unfocratifcher Ironie, die die Lieblingsfigurn mancher Streiter von diefer Partey geworden find.

A L L G E M E I N E

L I T E R A T U R - Z E I T U N G

Sonntags, den 11ᵗᵉⁿ Januar 1789.

VERMISCHTE SCHRIFTEN.

HALLE, b. Curts Witwe: *Staatsrecht und Sta-*
tiſtik des Kurfürſtenthums Sachſen und der
dabey befindlichen Lande, von *Carl Heinrich*
von Römer. *Erſter Theil*, 1787. 608 S. 8.
(2 Rthlr.)

Des Vf. Abſicht geht dahin, diejenigen, welche
von der innern und äuſern Verfaſſung der
kurſächſiſchen Lande Kenntniſſe zu haben wünſchen, mit einem Handbuche zu verſehen, welches nicht nur die vorzüglichſten Gerechtſame
und Verhältniſſe des Kurhauſes Sachſen gegen
Kaiſer, Reich und Miſſtände ſo wohl, als gegen
Landſtände und Unterthanen, darſtellen, ſondern
auch die Quellen und Schriften enthalten ſoll,
aus welchen jene Rechte ſich erweiſen und erforſchen laſſen. Das ganze Werk iſt in *drey Thei-*
le gebracht, davon der gegenwärtige *erſte* die
Kur-Sächſiſche Landeskunde, ſo viel davon zur
richtigen Beurtheilung des Staatsrechts erforderlich iſt, und denn das *äuſſere Staatsrecht*,
oder die Verhältniſſe des Kurfürſten gegen Kaiſer,
Reich und Miſſtände und auch gegen auswärtige
Mächte enthält. Der *zweyte Theil* iſt lediglich
dem *innern Staatsrechte* gewidmet, und der *drit-*
te wird die *Statiſtik*, oder eine vollkommne Ueberſicht, von der innern politiſchen und ökonomiſchen Verfaſſung darſtellen. Dieſe Anordnung iſt
zwar ſyſtematiſch, jedoch nicht die zweckmäſigſte,
die der Vf. nur wählen konnte. Es wäre ſchicklicher geweſen, die Geographie mit der Statiſtik
zu verbinden, ſodann das *innere* und zuletzt das
äuſſere Staatsrecht abzuhandeln. Beiderley Staatsrecht wird auch in dieſem Theile, wie aus dem
Inhalte erhellen wird, nicht ſorgfältig von einander abgeſondert. Man kann übrigens dem Verf.
weder zu groſe Weitläuftigkeit, noch einige wenige Irrthümer und verzeihliche Auslaſſungen abgerechnet, erhebliche Mängel zur Laſt legen.
Die nöthigen Vorerkenntniſſe aus dem deutſchen
Staatsrecht werden billig vorausgeſetzt, oder
doch nur mit wenigen Worten berührt. Beobachtet er auch in den zwey folgenden Theilen eben
dieſen Maasſtab, ſo gebührt ihm das gerechte Lob,

A. L. Z. Erſter Band. 1789.

das ſchwere Feld des kurſächſiſchen Staatsrechts
und Statiſtik zuerſt auf eine recht gemeinnützige
Weiſe und ſo vollſtändig bearbeitet zu haben, als
die Kräfte eines Privatmannes es geſtatten wollten,
der bloſs aus edirten Urkunden ſchöpfen konnte,
und dem das innere Heiligthum der Archive verſchloſſen war. Gemeinnütziger wird unſtreitig dies
Buch für ſeine Mitbürger ſeyn, als das zu Ende 1786,
mit dem erſten Theil angefangene *Canzleriſche Ta-*
bleau hiſtorique etc. de l'Electorat de Saxe, welches theils durch ſeinen überaus hohen Preis,
theils dadurch, daſs es in einer fremden Sprache
geſchrieben iſt, und noch eines Ueberſetzers bedarf, für viele, denen es vorzüglich zum Handbuch dienen ſollte, ganz verſchloſſen bleibt.
Man muſs das gegenwärtige Werk nicht etwa als
einen Auszug des Canzleriſchen, oder als eine
Nachahmung deſſelben betrachten, da der erſte
in jenem mehrere Materien enthält, die
in dieſem noch nicht vorkommen, und der zweyte Theil auch bereits in dieſem Jahre erſchienen
iſt. Vielmehr ſcheint Hr. v. Römer ſeinen Plan
früher angelegt und ausgearbeitet zu haben. Indeſs hat er, ſo viel die geographiſche Ueberſicht
betrifft das Canzleriſche Tableau gut nutzen können, wiewohl ihm, wie er ſagt, manche Unrich-
mer vorgekommen, die er zu rügen ſich vorbe-
halte. Solches geſchieht z. B. S. 93, allwo bemerkt wird, daſs Büſching und Canzler das Ritter-
gut Callenberg mit dem Städtchen Calenberg verwechſeln, und erſteres ganz irrig zu dem Amte
Waldenburg rechnen. In ſo fern der Vf. die Er-
werbungsgeſchichte der verſchiedenen Kurſächſiſchen Provinzen und der damit verknüpften Gerechtſame erklären muſste, iſt er meiſt der ältern
Glaſeyſchen und neuern Heinrichiſchen Geſchichte getreu geblieben, hat aber auch die Abhandlungen eines Kreiſigs, Schöttgens, Grieb-
ners, Gärtners Müllers und anderer, ingleichen die *Tabellen über die Staatswirthſchaft eines*
Staats der vierten Gröſſe, fleiſsig benutzt, nicht
minder die Urkunden ſelbſt aus Goldaſts, Lon-
dorps, Lünigs und andern Sammlungen, meiſt
auszugsweiſe angeführt. Zur beſſern Ueberſicht
ſind mehrere genealogiſche Tabellen beygeſügt,
ingleichen (S. 110.) ein Verzeichniſs der, im Kur-

L   für-

fürftenthum Sachfen und den dazu gehörigen Länden befindlichen Aemtern, Städten, Schriftfafsen, Amtfafsen, Vorwerken, Dörfern und wüften Marken, welche ganz von den Canzlerifchen Angaben copirt ift. S. 488 befindet fich auch eine tabellarifche Ueberficht der auf den gefammten kurfächfifchen Landen haftenden Beyträge zu den Römermonaten und den Kammerzielern, und dabey ein anderes Verzeichnifs, wie die verfchiedenen Reichskreife nach dem Reichsmatricular- u. Kammermatricular-Anfchlag, verhältnifsmäfsig in Anfatz kommen. Diefe ebenfalls aus dem Canzlerifchen Werke entlehnte Tabelle gehört jedoch eigentlich zum deutfchen Staatsrechte, und kann hier keinen befondern Nutzen leiften. Die in I Hauptabtheilung, Abfch. 1-3. enthaltene geographifche Vorkenntniffe find, im Ganzen genommen, weder zu kurz noch zu weitläufig, auch im guten Zufammenhange vorgetragen. Man bemerkt jedoch, dafs der Vf. bey Befchreibung der Schönburgifchen Herrfchaften (S. 86 — 102. ausführlicher und beftimmter ift, als bey den andern, dem Kurhaufe mittelbar unterworfenen Dynaftien und einverleibten Befitzungen. Denn er giebt bey jenen felbft die einzelnen Feuerftätte und die einzelnen Einkünfte genau an, welche Angaben bey den andern mangeln. Diefen genauern Detail können wir ihm als gräflich Schönburgifchen Rath und Vafallen, um fo weniger verargen, da folcher nicht fo wohl aus Vorliebe, als aus dem Beftreben nach gröfstmöglichfter Vollftändigkeit, herzurühren fcheint, und der Vf. im übrigen die kurfächf. Landes- u. Lehnsherrlichen Gerechtfame über diefe Herrfchaften fehr unparteyifch beurtheilet. Er will (S. 88.) die neuerlich behauptete Reichsafterlehnseigenfchaft der Herrfchaften Glaucha, Waldenburg und Lichtenftein nicht zugeftehen, weil die Grafen u. Herren von Schönburg die ältern Lehnbriefe, worauf fie fich berufen, noch nicht in der Urfchrift vorgezeigt hätten, und diejenigen, welche Kurfachfen aus der böhmifchen Lehnskanzley erhalten habe, von diefer Eigenfchaft nichts erwähnten. Er macht die richtige Bemerkung, dafs, wenn man auch diefe Eigenfchaft zugeftünde, daraus noch lange nicht die Reichsunmittelbarkeit folge, weil es auch mittelbare Reichslehne geben könne und noch gebe. Bey Befchreibung der vereinigten Kur- und Erblande (2 A. S. 166. u. f.) geht der Vf. nicht nach dem Canzl. Beyfpiel, in das Detail der einzelnen Ortfchaften ein, fondern er bemerkt blofs die Zahl, nicht aber die Namen, Befitzer u. fonftige Eigenheiten der einzelnen Städte, Flecken, Dörfer und Rittergüter. Zu deren beffern Ueberficht dient die angeführte Tabelle (S. 110), nach welcher in dem Kurfürftenthume und den dazu gehörigen Landen zufammen 275 Städte, 6181½ Dörfer, 482 Vorwerke und Freygüter, und 528 wüfte Marken befindlich feyn follen. Der Vf. glaubt jedoch felbft (S. 156), dafs die Anzahl der

Städte, mit Einfchlufs der Marktflecken, bis auf 280 anfteigen dürfte. Die Anzahl der Rittergüter laffe fich am wenigften beftimmen. In dem vierjährigen Kriege fey die Hufenzahl in den 7 Kreifen mit Inbegriff der Seifter, 73,396 gewefen. Das Markgraffchum Oberlaufitz fey als ⁷⁄ₑ, die Niederlaufitz als ⁵⁄ₑ, das Fürftenthum Querfurt als ¹⁶⁄₈₀ die Graffchaft Mansfeld als ¹⁄₈₀ der gefamten Kurfächf. Lande betrachtet worden. S. 115 u. f. wird das Amt Dresden ein Oberamt genennet, welcher Irrthum vermuthlich daher entfteht, weil der Beamte den Titel eines Oberamtmanns führt, obfchon das Amt felbft weder den Beynamen noch die Vorzüge eines Oberamts hat. Die Stifte Merfeburg, u. Naumburg mit Zeitz, werden ebenfalls (S. 124) zu den vereinigten Erblanden gerechnet, jedoch ganz uneigentlich, da fie zu keinem der 7 Kreife gefchlagen find, und ihre ganz befondere Verfaffung und eigene Verhältniffe gegen das Kurhaus haben. Der V. glaubt, die dafigen Bifchöfe hätten fich von alten Zeiten her als Landfaffen betragen; welches doch nicht fchlechterdings zu behaupten fteht, da die Bifchümer in der alten Reichs-und Kammermatrikel aufgeführt find. Durch das Teftament Kurfürftens Joh. Georg I vom 20 Jul. 1652 fcheine zwar Herzog Albrechts Verordnung vom J. 1499, nach welcher alle von ihm befeffene Lande als ein untrennbarer Staatskörper betrachtet werden follen, gänzlich abgeändert worden zu feyn: es handele auch folches Teftament nicht, — wie von Seiten des Kurhaufes behauptet worden wollen, — blofs von einer Apanage, fondern von wirklicher Abfindung mit Land und Leuten; allein felbiges fey doch nur eine Ausnahme von der Regel; und durch den erfolgten Abgang der drey Nebenlinien, Merfeburg, Weifsenfels und Zeitz, wären die kurfächfifchen Erblande wieder in ihre alte Verfaffung gekommen. (S. 129) Sollte aber dies von allen intereffirten Theilen, anerkannte Teftament nicht eine ftillfchweigende Aufhebung jener verordneten Untheilbarkeit enthalten, welche vielmehr dem alten Erbgangsrechte zuwider war, und daher, um wieder aufzuhören, einer befonderen kaiferl. Genehmigung wohl nicht bedurfte?) Zu den nicht einverleibten Kurlanden (III Abfchn. S. 131 ff. werden 1) die Markgrafthümer Ober-und Niederlaufitz; 2) das Fürftenthum Querfurt; 3) der Antheil von Henneberg; 4) die Ganerbfchaft und Voigtey Treffurt gezählet. Die Graffchaften Mansfeld und Barby werden zwar (S. 110) bey den einverleibten Landen mit erwähnt, (obgleich jene nicht einmal einem Kreife einbezirkt ift), kommen aber doch bey den nicht einverleibten (S. 152 ff.) wieder vor. (Und fie fcheinen auch eigentlich zur letztern Klaffe zu gehören, da fie ihre eigene Verfaffung haben, und auf Reichs- und Kreistägen als befondere Befitzung in betrachtet werden.) Im IV Abfchn. von der Lehnseigenfchaft fämtlicher unmittelbarer kurfachf.

kurfächf. Lande, wird (S. 167) (Jedoch ohne Ausführung hinlänglicher Gründe) die Vermuthung
geäufsert: das Burggrafthum Meifsen fcheine in
den erften Zeiten, nach feiner Errichtung, ein
Lehn der Markgrafen zu Meifsen gewefen zu feyn.
(S. 171 ff.) Der Vf. ftellt zwar die alte, nachher
durch den Egerifchen Vertrag 1459 feftgeftellte
Lehnsverbindung mit der Krone Böhmen nicht in
Abrede, welche aus einem zwifchen Markgraf
Friederich dem Kleinen und König Wenceslaus
gefchloffenen Kauf herrühren foll, — behauptet
aber, dafs wenn auch durch diefen Kauf das Eigenthum der im J. 1422 in Anfpruch genommenen 64 Meifsn. Städte und Schlöffer an Bohmen
übergegangen wäre, die Markgrafen doch die
Landeshoheit darüber nie abgetreten hätten. (S.
174) Die Ober- und Niederlaufitz wurden, vermöge des Prager Hauptreceffes, vom 30 May 1635
zwar erb- und eigenthümlich und unwiderruflich,
jedoch lehnsweife, und wie rechte Mannlehns Art
und Eigenfchaft mit fich bringet, abgetreten, dabey aber die Lehn auf des Kurfürften Johann Georg I damals lebende Töchter und deren männliche Abkunft mit erftreckt. Der Verf. folgert
daraus (S. 190) dafs, nach Abgang des Alber-
tinifchen Mannsftamms, da das zur gefamten Hand
damit beliehene Haus Altenburg ausgeftorben, zuerft an die, von erwähnten fächfifchen Prinzeffin-
nen abftammenden Landgrafen von Heffendarmftadt und Herzogen von Hollftein - Gottorp, und
erft nach deren Ausfterben an den Lehnherrn zu-
rückfallen würden. (Allein dagegen ift einzuwenden, dafs diefe den Töchtern Kurfürftens Joh. Georg I ertheilte Anmerkung nach dem Sinn obigen Receffes, auf den Fall, da die Sohne vorher
verftürben, gerichtet zu feyn fcheinet, und dafs,
wenn auch folches nicht wäre, es doch zuvörderft
darauf ankommen dürfte, ob die Töchter und deren Nachkommenfchaft, diefe verficherte Lehns-
folge, bey den vielfältig vorgekommenen Lehns-
fällen, auch gehörig erneuert haben?) Da die
Grenzen einer Recenfion es nicht geftatten, bey
den übrigen vier Abtheilungen diefes Buchs, welche das aufsere Staatsrecht enthalten, in ein gleiches Detail einzugehen; fo wollen wir nur einige
befondere Meynungen, welche Aufmerkfamkeit
oder Berichtigung verdienen, kürzlich bemerken.
II Hauptabtheil. von den perfönlichen Eigenfchaften, Rechten und Würden eines Kurfurften von
Sachfen. I Abfchn. von feiner Regierungsfähig-
keit. Die Verordnung Herzog Albrechts vom Jahre
1495 habe nicht, (wie einige behaupten wollen),
das Primogeniturrecht, fondern das Seniorat zur
Abficht. Nach Erlangung der Kur aber fey das
Seniorat durch das Recht der Erftgeburt verdrängt
worden, weil es unthunlich gewefen wäre, letzteres blofs bey den zu unbeträchtlichen Kurlanden
beyzubehalten. (S. 182) Nach dem Sinn der Al-
bertinifchen Verordnung vom J. 1499 wären alle
neuerworbene Lande, muthin Henneberg, Treffurt,

Querfurt, die Ober- und Niederlaufitz, wahrfcheinlich für theilbar zu achten, wie denn folches mit
Treffurt und Henneberg fchon vorgekommen fey.
(S. 185) Nach den deutfchen Reichsgefetzen fcheine es zwar, als ob jeder Reichsftand fich entweder
zur katholifchen oder zur proteftantifchen Kirche
halten müffe: allein die Erfahrung widerfpreche
diefem Grundfatze, da der König von England,
als Kurfürft von Hannover, fich zur englifchen
Kirche bekenne, die von der, im deutfchen Reiche geduldeten reformirten Kirche, weit abwei-
che. (S. 192) II Abfchn. von der Vormundfchaft
eines Kurfurften von Sachfen. Die Volljährigkeit
fcheine zwar nach der pfälzifchen und fächf. Bulle (S. 195) und dem Beyfpiel Kurfürft Friedrichs
II mit Antritt des 18ten Jahres anzufangen. Allein
die G. B. Kap. XXIV § 4. erfordere die Erfüllung
deffelben. Der Vormund müffe theils den Ständen
theils dem angehenden Regenten felbft, von feiner Verwaltung Rechnung ablegen. (Dies dürfte
aus der altdeutfchen herkömmlichen Obfervanz
und aus den neuerlichen Beyfpielen, wohl fchwer
zu erweifen feyn.) III Abfchn. Von den Titeln
und Wapen eines Kurfürften von Sachfen. (S. 209)
Noch itzt fcheint es dem Vf. zweifelhaft, ob fich
der Kurfürft den Titel eines Pfalzgrafen ausfchlie-
fend beylegen dürfe? (S. 215.) Der Titel eines
Landgrafen habe vor dem eines Marggrafen grofse
Vorzug, und es fey höchft wahrfcheinlich, dafs
verfchiedene Marggrafen den Landgrafen einigermafsen fubordinirt gewefen. (Dem Vf. würde es
an Beyfpielen fehlen, diefe Vermuthung zu begründen: wohl aber läfst fich behaupten, dafs Marggrafen fowohl als Landgrafen den ehemaligen Herzogen der alten deutfchen Völkerfchaften unter-
geben waren.) IV Abfchn. Von der Sachfifchen
Herzogs-und Kur-Würde, (S. 254. fq.) die Achtserklärung Kurfürft, Johann Friedrichs Ao. 1546.
könne, nach den Grundfätzen des damaligen deutfchen Staatsrechts nicht ungerecht genannt werden, und Herzog Moritz habe die Kurwürde, wo
nicht auf eine edele, doch auf eine zu recht beftändige Art erlangt. V Abfchn. Von den übrigen Würden eines Kurfurften von Sachfen und
den damit verbundenen Gerechtfamen. VI Abfchn.
Von den erblichen Hofämtern eines Kurfürften von
Sachfen. Hier wird (S. 280.) irrigerweife dem
Erbmarfchall die Direction des Hofmarfchalamts
und aller dahin gehörigen Gefchäfte beygelegt:
Der Erbmarfchall hat mit diefen Gefchäften nichts
zu thun, am wenigften aber die Direction derfelben. Sein Amt befteht blofs in der Direction
der Landesverfammlungen, und die Stände müffen fich fowohl bey ihm, als bey dem Hofmar-
fchalamte legitimiren. S. 282. hätten auch die
Marfchälle von Bieberftein als vormalige Erbbe-
amte der Marggrafen von Meifsen erwähnt werden können. III. Hauptabtheilung. Von den
Verhältniffen des Kurfürften von Sachfen gegen
Kaifer und Reich. I Abfchn. von den befondern

L. 2 . Rechten

Rechten und Obliegenheiten deſſelben. Der Vf.
glaubt (S. 298.), daſs Kurſachſen nebſt Brandenburg, wegen Mansfeld *ein votum virile* im Fürſten-
rath behaupten könne, obgleich ſolches manchen
Rangſtreit veranlaſſen würde. Bey der Theilnahme an Ernennung der Kammergerichtsbeyſitzer
(S. 301.) erwähnt er nur die Kreispräſentation,
nicht aber die doppelte Präſentation, welche der
Kurfürſt von Sachſen, theils für ſeine Perſon, theils,
ſtatt der vormaligen Kurpfälziſchen Stelle abwech-
ſelnd mit Kurbrandenburg und Kurbraunſchweig
auszuüben hat. II Abſchn. *Von den Vikariats-
gerechtſamen des Kurfürſten von Sachſen.* Der
Urſprung derſelben ſey nicht, wie die meiſten
behaupten, in dem Pfalzgräfliſchen, noch, wie
Ludwig glaubt, in dem Erzmarſchal-Amte, ſondern lediglich in der herzogl. Würde zu ſuchen.
Fürſtenlehne könnten die Vikarien anders nicht,
als mit Bewilligung aller drey Reichskollegien,
verleihen. (S. 332.) (Dieſer Fall dürfte ſich wohl
nie ereignen.) III Abſchn. *Von dem Reichs Erz-
und Erb-Marſchall-Amt.* Dieſe Gerechtſamen
beſonders die des Erbmarſchalls, werden in Hinſicht auf Kurſächſiſches Staatsrecht etwas zu ausführlich erörtert; und doch vermiſt man die
neuern Vorfälle, wodurch die Gerichtsbarkeit, die
Policey, und der Juden Schutz, auf den itzigen
Reichstage manche Veränderung erlitten und
neue Beſtimmungen erhalten haben. IV. Abſ. *Von
dem Reichsoberjägermeiſteramte der ſonſtigen Marggrafen von Meiſsen:* Urſprünglich waren ſelbige
nur zu R. Jägermeiſtern im Oſterlande und im
Lande Pleiſsen beſtellt, eben ſo wie die Grafen
von Schwarzburg, die Herzoge von Pommern
und Würtemberg es in einzelnen Provinzen waren: anjetzt aber könne man, nach den vorhandenen Urkunden, *zwey R. Oberjägermeiſter* annehe-
men: den Kurfürſten von Sachſen, als Marggrafen von Meiſsen und den Erzherzog von Oeſterreich. V Abſchn. *Von dem Pfalzgrafliſchen Amt
der Kurhauſes Sachſen.* Dieſes gründe ſich vorzüglich auf die Sächſiſche *Autonomie,* nach welcher der Kurfürſt von Sachſen als *interpres et*

defenſor Juris veteris Saxonici angeſehen werde.)
VI Abſchn. *Von der Direction der R. Tage bey.*
Erledigung des Mainzer Stuhls. VII Abſchn.
*Von der Direction des evangeliſchen Religions-
körpers.* Das Kurhaus Sachſen, oder vielmehr
das Geh. Rathskollegium deſſelben, habe vorizt
nur ſo lange ein gegründetes Recht auf dieſes
Amt, als die Evangel. Miſſtände noch keinen andern gültigen Schluſs, wegen deſſen anderwei-
ter Beſtellung gefaſt hätten. VIII Abſchn. *Von.
der Kreisdirection und dem Kreis : Obriſtenamt.*
IX Abſchn. *Von den an das deutſche Reich bey-
zutragenden Oblaſten.* IV Hauptabtheilung. *Von
den vorzüglichſten Verhältniſſen des Kurfürſten
von Sachſen gegen die Herzogl. Sächſiſchen Hän-
ſer, und andere R. Stände und Staaten.* Hier
werden (im 1. Abſchn. S. 503. ſq.) Die zwiſchen
dem Kurhauſe und den Herzogl. Häuſern beſtehenden Auſträge detaillirt. Dann folgen im II.
Abſchn. *die Verhältniſſe gegen auswärtige Mächte;* vornemlich die Verhältniſſe gegen Oeſterreich und Preuſsen. Er ſagt S. 525. „es ſey ihm
„nicht bekannt, daſs die Kurfürſten von Sach-
„ſen mit dem Könige von Portugall, Spanien,
„Frankreich, England, Schweden, Holland, den
„Italiäniſchen Staaten, oder wohl gar mit der
„Kaiſerin von Ruſsland, oder der ottomanniſchen
„Pforte einige hieher gehörigen Verträge ge-
„ſchloſſen hätten." Hier ſollten die, mit den
Kronen Dännemark, Schweden und Preuſsen,
wegen des Abzugsgeldes, beſtehende Conven-
tionen, und der mit Frankreich wegen Aufhebung des *Droit d'Aubaine,* Ao. 1779. geſchloſſe-
ne Vertrag erwähnt werden: einzelne Hand-
lungsverträge mit Venedig, Spanien u. a. Staaten nicht zu gedenken, von welchen der Vf. freylich nicht gedruckte Nachrichten haben konnte.)
In den letzten Abſchnitten, werden noch die verſchiedenen Ober- und Erb-Aemter, ingleichen
die Michelehnſchaften, Expectanzen und ſonſtige
Anſprüche des Kurhauſes Sachſen ſehr umſtänd-
lich erzählt, und durch Stammtafeln erläutert.

KLEINE SCHRIFTEN.

LITERARGESCHICHTE. *Altdorf,* b. Meyer : *Chriſt.
Gac. Trewi memoriam Altdorfinae univerſitati muniſice
largeque donatorum Rector hujus Academiae Joh. Chriſt.
Siebenkeet, J. D. et Prof. P. O. decenter iterat.* 1788.
p. 8. 4. In dem Programm ſelbſt kömmt nichts vom
Trew vor. Da dieſer aber ein berühmter Arzt geweſen, ſo wird unſtreitig davon die Veranlaſſung ergriffen, einige Proben von einem noch ungedruckten Kommentar des *Philotheus* über die Aphoriſmen des *Hippokrates* aus einer Handſchrift der Altdorfer Univerſitäts-Bibliothek gegeben. Bey einem Fragmente des
Kommentars ſetzt die Vf. der lateiniſchen Ueberſetzung
von *Corradus* eine eigne entgegen.

ALLGEMEINE
LITERATUR - ZEITUNG

Montags, den 12ten Januar 1789.

VERMISCHTE SCHRIFTEN.

Leipzig, b. Weygand: *Geschichte der menschlichen Närrheit, oder Lebensbeschreibungen berühmter Schwarzkünstler, Goldmacher, Teufelsbanner, Zeichen - und Liniendeuter, Schwärmer, Wahrsager und anderer philosophischer Unholden.* Fünfter Theil. 1787. 391 S. 8. (1 Rthlr.)

Dieser Band enthält fünf Lebensbeschreibungen. 54) *Quirinus Kuhlmann*, ein *Fantast*; — und das zwar allerdings einer von der ersten Klasse, der nicht weniger Willens war, als in den Papst den Antichrist zu stürzen; zu Konstantinopel dem Grossultan das Evangelium, oder vielmehr Jakob Böhmens mystischen Unsinn zu predigen; in dem neu zu errichtenden tausendjährigen Reich, (das er *Kuhlmanthum* nannte,) als ein zweyter Christus zu regieren, und alle übrige Religionen seiner Tollheit nach zu reformiren. Daß dieser Mensch, der sich mit Schwerdt und Zepter in den Händen, sieben Sterne um das Haupt, zur Seite Sonne und Mond, mit der Unterschrift: *Quirinus Kuhlmann*, ein *gerufener Prinz Gottes der Israeliten, Christen und Jesueliter*, (so wollte er seine Religionsverwandte nennen) in Kupfer stechen ließ; — daß dieser Mensch, wiewohl er anfangs Naturgaben besessen, wahnwitzig zu nennen war; daß man ihn, der bald nach London, bald nach Smyrna und Konstantinopel, bald wieder nach Hamburg und Petersburg streifte, überall kleinere Narren durch seine größere Narrheit aufwiegelte, und mancherley Unfug wissentlich und unwissentlich anfieng, hätte auffangen und einsperren sollen, das ist wohl keinem Zweifel unterworfen; aber wenn der Verf. bey seinem grausamen Schicksal die Verf. ihn verbrannt wurde, weil er sich für einen zweyten Christus ausgegeben, S. 80 sagt: „Kuhlmann sey kein bloser „irrender Schwärmer, sondern ein vielfacher Ver- „brecher und offenbarer Betrüger, der zur Strafe „lange schon reif gewesen," mithin die liebe russische Justiz noch zu vertheidigen scheint; so können wir unmöglich mit einstimmen. Kuhlmann

A. L. Z. 1789. Erster Band.

war gewiß ein wahnsinniger Mensch; so handelt kein vorsetzlicher Betrüger! Des Protestantischen Geistlichen *Meinecke* Betragen, der ihn angab, war in so fern zu entschuldigen, als er besorgen mußte, seine ganze, erst junge, Gemeinde könne im Verdacht ähnlicher Lehrsätze kommen, was in einem so barbarischen Lande freylich, höchst gefährlich war. Aber die Justiz *mordete* diesmal, und *richtete* nicht. — Eben so sonderbar klingt es, wenn der Vf. alle Augenblicke sagt: *Weil Kuhlmann bekanntermaaßen zwey Weiber hatte.* Er war ja, wie der Vf. S. 35 selbst sagt, nie mit jener, sich ihm an den Hals werfenden, Margaretha von Lindau, copulirt, eben so wenig mit den beiden andern; es war also bloß ein Concubinenwechsel; denn daß er deren mehrere auf einmal gehabt, finden wir eben so wenig. — 55) *Heinr. Khunrath*, Theosoph und Goldkoch. — Ein Leben kann man das, was von diesem Thoren gesagt wird, wohl kaum nennen; denn der Vf. gesteht, daß man eigentlich *nichts* von ihm wisse; alle seine Fata füllen noch nicht drey Seiten; und davon streitet noch die eine bloß über sein Sterbejahr. Das Verzeichniß seiner Schriften aber ist stärker, als man gewöhnlich es angiebt. Bekanntermaßen werden *sie* vorzüglich von Schwärmern und Theosophen geschätzet, find aber so sinnlos, daß man sich allerdings wundern muß, wie der berühmte *Joh. Val. Andreä* hier eine *vorzügliche Weisheit* vermuthen konnte. (S. 99) — 56) *George Reichard,* Afterprophet. Ein armer wahnwitziger Schulmeister zu Seehausen und Rösa, der zu Zeiten des dreißigjährigen Krieges, wo das Prophezeihen und Gesichtersehen ordentlich epidemisch war, alle Augenblicke den Himmel offen, und eine Menge Dinge voraus sah, die nachher — nicht eintrafen. Fast hält sich der Vf. bey diesem Elenden zu lange auf, da seine Träumereyen so wenig Einfluß auf die Mitwelt hatten. — Woher weiß der Biograph (S. 108.), daß die zweyte Erscheinung ein *vorsätzlicher Betrug* war? Konnte denn diesem Thoren nicht eben so gut, wie das erstemal, etwas in einem Fieber Anfall geträumt haben? *Unsinn* findet man allerdings: aber *Bosheit* spürt man dabey nicht. Wichtiger ist das Leben der berüchtigten

M. tigten

tigten 57.) Quietiſtin Madame *Guyon*, einer Schwärmerin, der es gelang, ſogar den berühmten *Fenelon* zu täuſchen, und ihn in manche Unannehmlichkeit zu verwickeln. Die Abentheuer dieſer geiſtlichen Don Quixotin (nur daſs ſie zuweilen ins Allzulange fallen) ſind oft lächerlich genug; vorzüglich ſo lange ihr geiſtlicher Sohn und vermuthlich ihr weltlicher Liebhaber P. la *Combe* mit auf der Bühne bleibt. S. 205. ſteht eine Anekdote, die für unſre flüchtigen Vielſchreiber tröſtlich iſt. Zu einer Zeit, da ſie den ganzen Tag zu reden und zu predigen, nur die Nacht frey, und noch überdies das quartan Fieber hatte, ſchrieb ſie zwanzig duodez Bände zuſammen; ſchrieb ſo unglaublich geſchwind, daſs der fertigſte Kopiſt kaum in funf Tagen abſchreiben konnte, was ſie in einer einzigen Nacht ausgeheckt hatte. Ihre ziemlich weitläuftige Auslegung über das hohe Lied ſchrieb ſie, trotz häufiger Beſuche in anderthalb Tagen; und ſchrieb dabey ſo geſchwinde, daſs ihr der Arm heftig aufſchwoll, *der ihr aber von einer armen Seele, die ſie im Tiaume aus dem Fegefeuer erbeten hatte, wunderthätig geheilt ward.* Nicht übel wird ihr zur Geſellſchafterin gegeben (S. 58.) eine faſt noch berufenere Antoinette *Bourignon*. Bey den Lebensbeſchreibungen, die von dieſer ſogenannten heiligen Jungfrau, S. 245 angegeben werden, vermiſſen wir die vom *Holberg* in ſeinen berühmten Damen, die freylich nichts neues lehrt, aber doch zur Vollſtändigkeit gehörte. Acuſſerſt komiſch iſt der Glaube dieſer Schwärmerin, daſs ſie nicht nur alle ihre Anhänger geiſtlicherweiſe wieder zu *gebären* glaubte, ſondern dabey auch körperliche Schmerzen an eben denſelben Gliedmaſen zu empfinden vorgab, und zwar deſto heftiger, je wichtiger die Perſonen waren. Ein gewiſſer Archidiaconus kam ſehr gelind bey ihr auf die geiſtige Welt; deſto ſchmerzlicher aber ein Superior. de Cort. Als ſie dies erzählte, und der Archidiacon antwortete: er ſey auch klein und hager, jener hingegen ein feiſter gemäſteter Pfaffe, merkte ſie nicht einmal, daſs dieſs Spott war. (S. 321.) — Herrlich iſt die Beſchreibung, die ſie vom Adam machte. (S. 336.) Im Anfange hatte er, ſtatt des *beſtialiſchen männlichen Gliedes* eine *Naſe*, gerade wie die Naſe im Geſicht, aus welcher himmliſche Wohlgerüche ſtrömten, und aus welcher alle Menſchen hervorgehn ſollten; denn er trug im Bauche zwey *Büchſen*, in der einen wuchſen die Menſchen wie kleine Eier, aus der andern wurden ſie befruchtet. Dann unſer Vf. gerade der Gegenfüſsler des bekannten *Arnolds* ſey, und ſo wie dieſer immer die Irrenden zu vertheidigen ſich bemüht, gegenſeitig ihre Fehler zu wahren *Verbrechen* hinan zu ſchrauben ſucht, haben wir ſchon einigemal erinnert, nirgends aber wird es deutlicher als hier. — Die *Bourignon* hatte zu Lisle bekanntermaſsen eine

Erziehungsanſtalt, der ſie ſieben Jahr vorſtand, als die Schwärmerinn auf einmal glaubte, alle ihre jungen Mädchen wären Hexen, und hätten das engſte Bündniſs mit dem Teufel. Daſs dies Unſinn war, leidet gar keinen Zweifel; aber Rec. ſtaunte nicht wenig, als er las, daſs der Vf. eine *offenbare Bosheit* und Verläumdung der *Bour*. drinnen ſuchte. Eben darinnen, daſs ſie es, wie er ſelbſt ſagt, mit dieſen Mädchen lieber gar bis zum Scheiterhaufen getrieben hätte, liegt ein Beweis, daſs die Närrin wirklich von dieſer Teufeley ſich überzeugt gehalten; denn welche mehr als teufliſche Bosheit, — eine Verderbniſs, zu deren Muthmaſsung wir nicht den geringſten Grund in ihrem übrigen Leben finden! — hätte dazu gehört, zwölf bis funfzehn, zum Theil noch zarte, Kinder den Flammen zu übergeben, nur um von ſich ſprechen zu machen? Auch traf ja die Schwärmerin nachher noch faſt überall Teufel und Hexen an. Ein Zeichen, daſs dieſer Wahnſinn bey ihr zur fixen Idee geworden war! — Selbſt in der unſchuldigen Stelle, wo ſie (S. 314.) glaubt, Gott habe zu ihr geſprochen: *Suche nichts auſser dir!* und ſie ihm antwortet: *Warum haſt du mich weiblich geſchaffen?* findet der Vf. einen Verdacht, der ſich nur erzwingen, oder erdichten läſst — Eben ſo möchte er S. 377. lieber gar den Argwohn eines Mordes, oder wenigſtens der Wiſſenſchaft darum, auf ſie bringen. Da übrigens, dem Vernehmen nach, Hr. Hofrath *Adelung* der Verfaſſer dieſes Werks iſt, ſo befremdet es, hier und da Redensarten anzutreffen, die mit ſeinen Grundſätzen des Stils nicht ganz harmoniren. Stellen wie S. 334. Sie konnte den Unhold nicht mehr *riechen* (ſtatt leiden), den Quirin Kuhlmann *führte ſie nicht beſſer ab, denn auch er wollte allein Hahn im Hünerkorbe Gottes ſeyn.* S. 369. wie ſie am zweyten Theil ihrer Schrift *kleckte*; etc. er ward *boſsigen Geiſtes* etc. taugen doch gewiſs nicht zur hiſtoriſchen Schreibart, ſondern ſind pöbelhaft. Zwar hat Hr. Adelung die letzte Redensart ſchon in ſeinem Werk über den Stil, ſehr komiſch gefunden; aber wäre ſie es auch, (wiewohl ſie nur poſſenhaft iſt,) wie kömmt ſie hieher? Gleichwohl giebt es keine Seite, wo man nicht auf ähnliche Phraſen ſtöſst. — Hr. Adelung tadelt auch ſo gern Titel, z. B. Biographien, Scenen etc. Sollte ſein Titel hier ganz richtig ſeyn? Eine Geſchichte der *Narrheit* iſt dies Werk wohl nicht; ſondern es ſind nur Geſchichten von *Narren*. Ein Unterſchied, der nicht imaginär iſt. — Endlich ſtöſst man in dieſem Buche, alle Augenblicke auf Druckfehler, die, zumal in Zahlen, ſehr unangenehm ſind; z. B. S. 6 heiſst es: Kuhlmanns M tter ſey 1719 zwanzig Jahr nach dem Tode ihres Sohnes geſtorben. Kuhlmann ward 1690 verbrannt; welche Zahl iſt nun ein Druckfehler?

Nördlingen, b. Beck: *Georg Gottfried Stre-*
lins — Oetting. Kammerraths — *Realwör-*
terbuch für Kameralisten und Oekonomen.
Vierter Band von Flußarbeit bis Juwelen,
mit 2 K. 1788. 820 S. gr. 8. (2 Rthl.)
Je weiter Hr. K. R. Str. in der Ausarbeitung
seines Wörterbuchs fortrückt, desto besser scheint
er nach seinem auf höchstens zehn Bände gemachten Plan die verhältnißmäßige Kürze zu treffen.
In Absicht der Güte und Brauchbarkeit gehet dadurch nichts verloren, das Werk gewinnet vielmehr und wird den Liebhabern desto angenehmer. Insonderheit kann es in Vergleich mit dem
seit der Ausgabe des dritten Bandes zum Wett-
eifer angefangenen Auszug der Krünitzischen Encyclopädie leicht den Vorzug verdienen. Denn
es ist selbstständiger und erhält unabhängig für
sich eine gewisse Vollkommenheit, anstatt dass
jener fast immer nur Beziehung auf das grosse
Werk nimmt, und daher mehr reizet als selbst befriediget. Hr. Str. bekommt also dadurch wenigstens das Vorurtheil des bessern und bisher sogar
des wirklich besten in seiner Art, wenn gleich
seine Arbeit von einem möglichen Ideal noch
ziemlich weit zurück stehet.

Es sind in diesem vierten Bande manche wichtige Stücke recht gut ausgeführt, so daß sie dem
Anfänger oder Liebhaber hinlängliche Belehrung und gute Grundsätze über die aufgesuchten Gegenstände verschaffen. Dahin gehören die
Artikel: *Forst, Geld, Gesinde, Glas, Gold, Haar,*
Häring, Hammer, Handwerk, Holz, Huf, Hut
und *Indig* grossentheils mit ihren vielen Zu-
sammensetzungen. So wird z. B. unter *Geld* von
dem Begriff und Endzweck desselben gehandelt,
der Vortheil des ordentlichen Umlaufs und die
Mittel, ihn durch Credit oder allerley Papiergeld
zu vermehren, gezeiget, die Klagen über den
Mangel daran als ungegründet, und das Verbot
der Ausfuhr als unnütz und vergeblich verworfen, wegen des übrigen aber mit Recht auf *Mun-*
ze verwiesen. Der *Häring* wird erst genau beschrieben, alsdenn die Geschichte der Züge und
des Fangs von verschiedenen Nationen erzählt, das
Verfahren beym Einsalzen gelehrt, und die mancherley Arten im Handel mit ihren Zeichen und
Preisen angeführt. Eben so enthalten viele kürzere Artikel allerley gute Nachrichten, z. B. *Fuß*
von den verschiedenen Massen, *Gewicht* die Vergleichung desselben, *Hamburg* von dem dortigen
Handel, *Januar, Junius* und *Julius* von den
Verrichtungen in der Landwirthschaft, welche
für diese Monate gehören. In manchen andern
dagegen finden sich freylich auch noch auffallende Mängel und Unrichtigkeiten z. B. unter *Fran-*
zosenkrankheit des Rindviehes wird des Resultats
der Graumanischen Untersuchung und der dadurch veranlassten Aufhebung der alten Gesetze
gar nicht gedacht, sondern es heißt noch ganz
nach dem alten Wahn; „der Genuß des Fleisches

„ist der Gesundheit sehr nachtheilig, und kann
„wohl einen schleunigen Tod veranlassen." *Ge-*
binde ist in mancherley Sinn erklärt, der sehr bekannte aber, da es ein bestimmtes Böttgergefäß,
sonderlich zum Wein, bedeutet, ist ausgelassen.
Bey *Glaubersalz* wird nichts von der Verfertigung
gesagt, die doch in grossen Fabriken geschiehet,
und eben so bey *Haarbleiche* nichts von dem
Verfahren. *Holzwürmer* sind nach einigen Gattungen benannt, aber gerade die wichtigste, nämlich die Larve der Borkenkäfers, welche die
Wurmtrocknifs der Nadelwaldungen verursacht,
ist ganz übergangen. Unter *Juden* sind verschiedene Arten ihrer Duldung angeführt; aber es
fehlt die beste derselben, da sie mit allen Privilegien christlicher Kaufleute und Banquiers, desgleichen als Aerzte u. s. Gelehrte, völlige Staatsbürger sind. Besonders fehlt es in den Begriffen
und Erklärungen, oft selbst bey den gemeinsten
Dingen an der richtigen Bestimmung und Genauigkeit z. B. „*Forst*" heißt es „ist ein Wald von
„einer beträchtlichen Gröfse, welcher *ein Privat-*
„*eigenthum* ist und unter — Forstbedienten steht."
Wälder, die dem Staat oder Fürsten gehören,
würden also ausgeschlossen seyn, und gerade
diese heissen doch am häufigsten und recht in
besondern Verstande Forsten. *Franzäpfel* sind
nicht blofs, die aus Frankreich angeführet werden, sondern auch alle, die auswärts von gleichen
Arten wachsen. „*Gränze*, die Linie, welche das
„Eigenthum eines Gutbesitzers von dem Eigen-
„thum seines Nachbars scheidet." und doch kommt
gleich darauf von Landes-Jagd u. d. g. Gränzen
vor, die oft von jenen ganz unterschieden sind.
Dieses mufs blofs aus Uebereilung im Sammeln
und Niederschreiben herrühren, denn an der nöthigen Kenntnifs zu Vermeidung solcher Fehler
mangelt es Hn. Str. gewifs nicht. Eben das ist
ohne Zweifel die Ursach der hin und wieder auf-
stofsenden ökonomischen Vorschläge, welche
schlechterdings und besonders im Grossen nicht
ausführbar seyn können. So wird z. B. gegen
das Schälen der Hafen in Holzschonungen gerathen, die Stämme mit einer Mischung von Baum-
öl und Hirschkolbenöl zu bestreichen. Zu den
vorzüglichsten Heckenstauden rechnet die Eiche, Lin-
de, Rofskastanie, Eller und sogar Kiefer gerechnet. Endlich herrschet auch noch aus gleichem
Grunde immer zu viel Ungleichheit und Einmi-
schung ganz fremder Sachen; z. B. unter *Frühling*
wird einige Blätter lang von dessen Witterung
geredet, unter *Herbst* aber gar nicht. Bey *Gar-*
ten wird die Lustgärterey ganz von der Oekonomie und Cameralwissenschaft ausgeschlossen und
doch Hirschfelds (Hirschfelds) Theorie der Garten-
kunst unter den vornehmsten Gartenbüchern empfohlen. Unter *Holzsame* wird nur von Tannen,
Kiefern und Lerchen ordentlich gehandelt, und
dann hinzugesetzt; „die Samen der Laubhölzer
„werden mit ihren Behältnissen eingesammelt und

M 2   aus-

„ausgefäet;" da doch gewifs vorzüglich die Eichen-
und Buchenfaat eben fo wichtig ift, und eben fo genaue Vorficht in der Behandlung erfordert. Von
Infecten wird viel allgemeines gefagt, dafs blofs
zur Naturkunde gehört, und nicht ökonomifch ift.
Der Artikel *Infel* ift faft blofs geographifch, *In-
ftinkt* phyfiologifch, *Johannisfeuer* antiquarifch
u. d. gl.

BERLIN, b. Maurer: *Kurzer Abrifs der neueften europäifchen Denkwürdigkeiten, Politik,
Religion, Sitten, Gefchmack und Literatur
betreffend. Erfter Theil.* 1788. 191 S. 8.
(10 gr.)

Der ungenannte Vf. will nach einer fonderbaren Zufchrift an die Recenfenten weder als Ge-
fchicht-, noch Romanfchreiber, noch Statift - und Politiker, noch Satyriker beurtheilt, fondern nur
ein unparteyifcher Beobachter der Welt feyn,
der fein Augenmerk auf alles wendet, was den
Ruhm der Erleuchtung, der Sittlichkeit und des
Gefchmacks unferer Zeit ins Licht fetzet. In
der Abficht verfpricht er von den wichtigften Vorfällen des letzten Jahrzehends in Staatshändeln,
Wiffenfchaften und Religion kurze Auszüge der
Begebenheiten ohne weitere Ordnung, als wie fie
ihm einfallen, und Stoff zu nützlichen Betrachtungen geben, und bittet am Ende höhnifch um
eine fanftmüthige und gründliche Beurtheilung
feiner Fehler. In diefem Theile nun hat er es
blofs mit Denkwürdigkeiten aus dem politifchen
Fache zu thun. Er muftert die europäifchen Staaten nach der geographifchen Ordnung. Von Portugall und Spanien fagt er wenig über den Mangel der Aufklärung, von Frankreich etwas mehr
über feinen auswärtigen Einflufs, die Duldung
der Proteftanten, die Luftbälle, die Handlungs-
gefchichte, die Juftiz, den Luxus und die Moden.
Grofsbritannien wird in Abficht des Sittenverder-
bens und der Juftiz, vorzüglich nach Wendeborns
Nachrichten, fehr mitgenommen. Von den vereinigten Niederlanden ift der Screit mit Venedig,
mit Oeftreich über die Schelde, hauptfächlich aber
mit dem Erbftatthalter weitläuftig erzählt, und
den Befchlufs machen die Unruhen in den Oeftreichifchen Niederlanden. Die Materialien zu
diefem allen hat der Vf., feinem eigenen Geftänd-
nifs nach, aus öffentlichen Blättern genommen.
Auch nicht den kleinften Zug von Begebenheit
oder Betrachtung wird man neu finden, nur allein die Manier ift ihm eigenthümlich, z. B. von
den Patrioten in Holland fagt er: „Jetzt ftürzen
„fie zwar ihre Hoffnung auf ihr Bundnifs mit
„Frankreich, und fehen den Schutz diefer Krone
„für Flügel an, unter die fie fich bey heran-
„hender Gefahr verbergen wollen. Allein wenn
„der König von Preufsen feine Adler unter fie
„fenden wird, wo wird da Ihr Trotz auf jene Hah-

„ne bleiben?" Eine beygefügte Anmerkung erklärt noch die witzige Anfpielung, und fagt:
„man will gar nichts fchimpfliches hiermit andeu-
„ten, ein Hahn ift ein ehrliches Thier." — An
diefer einzigen Probe werden die Lefer genug haben, und die verfprochene Fortfetzung von den
übrigen Staaten, von Religion, Theologie, Moral und Wiffenfchaften, Erziehung, Buchhandel,
Lefebibliotheken, Kritik und Theater höchlich
verbitten.

STUTTGART, gedruckt in der Buchdr. der hohen
Carlsfchule: *Schwäbifches Archiv,* herausgegeben von *Hausleutner.* Erftes Stück mit
einem illuminirten Kupfer 1788. 136 S.
gr. 8.

Der Plan diefes Archivs, den der Herausgeber,
der Profeffor an der Akademie zu Stuttgart ift,
voranfchickt, ift weit umfaffend, aber mit Be-
dächtlichkeit angelegt. Für die Bewohner von
Schwaben mufs es eine erwünfchte Erfcheinung
feyn, dafs fich endlich der Mann gefunden hat,
der für feine Provinz das leiften will und kann,
was bereits für manche andere Provinz Deutfchlands mit Beyfall und glücklichem Erfolg geleiftet
worden ift. Denn Schwaben, felbft Wirtemberg
nicht ausgenommen, ift noch lange nicht hinlänglich bekannt, und verdient doch, vielleicht nicht
weniger, als irgend ein anderes Land gekannt zu
werden. An erheblichen Beyträgen und Nachrichten kann es alfo gewifs lange nicht fehlen. Und follte
auch diefes erfte Stück nicht gleich alle Aufmerkfamkeit erregen; fo läfst fich doch erwarten, dafs
das Unternehmen, wenn es nur den Beftand von
Beftand unterhalten wird, bald von mehrern Seiten her mit Beyträgen befördert werden werde,
die es auch den Auswärtigen fchätzbar machen
müffen. Einen beträchtlichen Raum diefes erften
Hefts nehmen, wie nicht unbillig ift, Beyträge
zur Gefchichte und ältern Statiftik des Herzogthums Wirtemberg ein. Die topographifche Befchreibung der Befitzungen und Gerechtfame des
unmittelbaren befreyten Reichsgotteshaufes Roth
erregt den Wunfch nach mehrern ähnlichen Befchreibungen von den vielen kleinern Gebieten
in Oberfchwaben, zur Berichtigung der Geographie. Für auswärtige Lefer wird befonders der
liebente Artikel, *Grofsing in Schwaben,* merkwürdig feyn. Das illuminirte Kupfer ftellt die weibliche Volkstracht von Bahlingen im Würtembergifchen vor. Nach und nach follen die Lefer des
Archivs alle fchwäbifche Trachten, und mitunter
auch zuweilen Vorftellungen von Nationalfitten
und Nationalfpielen erhalten. Vielleicht würden
Abbildungen von Naturfcenen, deren Würtemberg befonders fo viele vortrefliche hat, noch angenehmer feyn.

ALLGEMEINE
LITERATUR - ZEITUNG

Dienſtags, den 13ten Januar 1789.

MATHEMATIK.

BERLIN, b. Heſſe: *Leonhard Eulers Einleitung in die Analyſis des Unendlichen;* aus dem Lateiniſchen überſetzt und mit Anmerkungen und Zuſätzen begleitet von *Joh. Andr. Chriſtian Michelſen.* Prof. der M. und Phyſ. am vereinigten Berl. u. Cölln. Gymnaſ. 1 Buch 1788. 626 S. gr. 8. (2 Rthlr.)

Dieſes ſchöne Euleriſche Werk, das nicht etwa nur für gelehrte Mathematiker, ſondern ſelbſt für Anfänger geſchrieben iſt, und in deſſen erſtem Buche man die ganze Lehre von den algebraiſchen und transcendentiſchen Functionen, ihre Umformung, Auflöſung und Entwickelung; das Wiſſenswürdige über die Eigenſchaften und Summationen unendlicher Reihen; einen neuen und merkwürdigen Weg die Exponentialgröſen zu behandeln; einen deutlichen und fruchtbaren Begriff von den Logarithmen und deren Gebrauch und den neuen, von Eulern entdeckten, Algorithmus der Winkelgröſen, vorgetragen findet, dieſes hätte ſchon längſt verdient, auch unlateiniſchen Mathematikern lesbar gemacht zu werden. H. M., den man ſchon aus ſo mancher andern Schrift als einen geübten Mathematiker kennt, hat dieſes Bedürfniſs nicht allein befriediget, ſondern auch in ſeinen hie und da zwiſchen den Text eingeſchalteten Anmerkungen manches deutlicher und leichter zu machen geſucht, was ihm für Eulers eigendliche Leſer noch zu dunkel und zu ſchwer ſchien; überdies befinden ſich auch viele literariſche Nachweiſungen darinn, die ſich entweder auf die andern Euleriſchen Schriften, oder auf die von fremden Mathematikern, welche den nemlichen Gegenſtand behandelt haben, beziehen. An der Schreibart merkt man es nicht, daſs man eine Ueberſetzung aus dem Lateiniſchen vor ſich hat, und gleichwohl iſt ſie mit möglichſter Treue gemacht. Auſſer dieſem ſchien es nun Hn. M. noch nützlich, manche von den abgehandelten Materien, auch nach einer andern Methode bearbeitet, mitzutheilen; auch einige etwas weiter auszuführen und ſie auf beſondere Fälle anzuwenden, und auf ſolche Art entſtanden die Zuſätze, die ſich Anhangsweiſe hinter den Text von S. 419

bis zu Ende des Bandes, befinden. In dieſem giebt Hr. M. von Kapitel zu Kapitel erſt eine kurze tabellariſche Ueberſicht und ausführliche Darſtellung des Inhalts, worauf allerhand Auszüge aus Eulers eignen und anderer Mathematiker Schriften folgen; ſo z. B. beym 1ſten und 4ten Kap. vollſtändige Auseinanderſetzungen einiger aus der gemeinen Algebra vorausgeſetzten Gegenſtände, als über die Methode, wie aus zwey Gleichungen, die eine unbekannte Gröſe mit einander gemein haben, eine Gleichung gefunden werden kann, in welcher dieſe unbekannte Gröſe nicht enthalten iſt. Auch Beweiſe ſolcher Sätze, die Euler blos hiſtoriſch angeführt hat, als, den Beweis des Binomiſchen Lehrſatzes für die Fälle, wo die Exponenten keine ganze Zahlen ſind. Vollſtändigere Beweiſe einiger andern Sätze. Behandlungen einiger im Werke unterſuchten Materien nach einer andern Methode. Weitere Ausführungen einiger Unterſuchungen und Anwendungen auf beſondere Fälle. Weitläufiger, als bey irgend einem andern Gegenſtand, iſt Hr. M. bey der Theorie der Logarithmen geweſen. Er läſt es hier nicht bloſs bey den von Euler mitgetheilten Regel für die Erfindung der Logarithmen kleiner Zahlen bemerken, ſondern giebt auſſer einer ganz allgemeinen Regel, auch Regeln zur Erfindung ſolcher groſsen Logarithmen, die nicht in den Tafeln ſtehen. Schon bey den Zuſätzen zum 6ten Kap. äuſſert er manchen ſcharfſinnigen Gedanken über den Werth von a in der Exponentialgröſe a^x, wovon er in dem Zuſatze zum folgenden Kap. weitern Gebrauch macht. Hier zeigt er gleich Anfangs, daſs man in der Lehre von den Logarithmen das Abſolute vom Poſitiven ſorgfältig unterſcheiden müſſe. Wenn man die Baſis eines logarithmiſchen Syſtems nicht abſolute nehmen wolle, ſo ſey es gleich viel, ob man ſie poſitiv oder negativ annehme. Wenn man die Baſis nicht abſolute annahm, ſondern dabey auf eine zufällige Beſchaffenheit in der Maaſe ſähe, als es entgegengeſetzte Gröſen erfordern, ſo gehöre jeder Logarithme zu zwey einander entgegengeſetzten, ſonſt gleichen, und auſſerdem noch zu einer Menge unmöglicher Gröſen. Bey Beleuchtung des Euleriſchen Lehrſatzes, daſs jeder gegebnen Zahl unendlich viele Logarithmen zukämen, zeigt

N   ſich fich der Nutzen von der erwähnten Bemerkung abermals; es gelten nemlich die von E. gemachten Schlüsse nur in fo fern allgemeine, als fein $\frac{o}{x}$ pofitiv bleibt und x eine Zahl, die gröfser als 1, mithin ebenfalls pofitiv ift. Hr. M. würde fich gewifs vielen feiner Lefer fehr empfehlen, wenn er fich im Vortrag kurzer faffen wollte.

ERDBESCHREIBUNG.

PARIS, bey der Witwe Prault: *Etat actuel de l'Inde et confiderations fur les etabliffemens et le Commerce de la France dans cette partie du monde.* 1787. 224 S. 8.

Der Verf. ift ein Vertheidiger der feit dem letzten Kriege in Frankreich errichteten neuen oftindifchen Gefellfchaft, und fucht durch diefe Schrift, feine Landsleute nicht nur auf diefen Handel aufmerkfam zu machen, fondern auch die Nothwendigkeit darzuthun, diefen Handel nicht von Privatperfonen, fondern von einer befonders dazu privilegirten Gefellfchaft treiben zu laffen. Er giebt daher zuerft eine Befchreibung von Indien und den Ländern, die wir Europäer unter diefem Namen zu begreifen pflegen, fo gar von Neuholland, der Oftafricanifchen Kufte, und dem benachbarten Infeln, theilt hierauf feine Gründe für die Nothwendigkeit der Gefellfchaft mit, und fchliefst mit einer kurzen Gefchichte der 1785 in Frankreich neuerrichteten Compagnien und ihren bisherigen Gefchäften. Die Befchreibung von Indien, ein kurzer, doch mit Sachkunde entworfener, Abrifs, enthält, einiges Detail bey Oftafrica ausgenommen, wenig neues und unbekanntes für Lefer von Raynals Schriften, und der neueften in Deutfchland über Oftindien gedruckten Werke; bey den Ländern und Infeln jenfeit Malacca ift folche kaum fur Zeitungslefer der gewöhnlichften Klaffe befriedigend. *Ile celebre* fur Celebes, das zweymal vorkommt, halten wir wie billig fu reinen Druck oder Uebereilungsfehler. Mofambique ift jetzt der vorzüglichfte Ort der Oftküfte für den Sklavenhandel; felbft bey Oftafrica ziehen Neger daher für ihr Vorgebürge der guten Hofnung. Auch Hr. Bolts, der Stifter der Oefterreichifchen Handelsgefellfchaft, hatte auf diefer Küfte an dem Meerbufen Lagoa eine Niederlaffung verfucht, die aber fchon feit vier Jahren verlaffen ift. Madagafcar fehen die Franzofen gewiffermafsen als ihnen gehörig an, und der Verf. bedauert, dafs man den Engländern nicht im letzten Frieden den Handel dahin unterfagt habe. Indefs haben die Franzofen 1786 einige Engländer wirklich von Madagafcar vertrieben, die unter Anführung des berüchtigten Benjuski auf der Nordöftlichen Küfte bey Bombetot eine Niederlaffung anfangen wollten. Franzöfifche Schiffe befuchen auf diefer Infel vorzüglich Fort Dauphin, Antongil, (vielleicht hat der Hannöverifche Offizier, deffen Reifen von Madras wir vor einiger Zeit angezeigt

haben, aus diefem Namen fein Fort *Antonin* gemacht, welches den Franzofen gehört,) und Foulpoint. Port Luques, der befte Hafen auf der ganzen Infel, der die gröfsten Kriegsfchiffe aufnehmen kann, und vielleicht einmal die Engländer, die deffen Vortheile kennen, anreizen konnte, rath der Verf. je eher je lieber zu befetzen. Auffer Rindvieh holt das benachbarte Isle de France von Madagafcar in manchen Jahren 3 Mill. Pfunde Reifs. Auf Bourbon ift völlig der dritte Theil der Infel durch einen Vulcan verwüftet, der noch nicht erlofchen ift. Von den kleinen benachbarten Infeln hat Frankreich die Infel Rodrique befetzt, die etwa 14 französifche ⃞ Meilen grofs ift, und eine Menge Schildkröten erzeugt, imgleichen Sechelles, die etwa 80,000 Morgen (arpens) nebft Praslin von etwa 40,000 Morgen. Beide find den heftigen Orcanen weniger ausgefetzt als Isle de France. Auch auf Diego Garcias 7 Gr. S. Br. haben die Franzofen einige Neger gelaffen, die Schildkröten fangen muffen. Die Engländer wollten, wie aus den Zeitungen bekannt ift, folche vor einiger Zeit an fich reiffen, haben fie aber wieder verlaffen müffen. In Mangalor haben die Engländer keine Garnifon mehr, fondern diefen Hafen Tippo Saheb bereits 1785 abgetreten. Auch Baroach (Barokin) haben fie längftens den Maratten zurückgegeben. Der Handel nach den perfifchen und arabifchen Meerbufen wird von englifchen Privatkaufleuten betrieben, die dorten für 2 Mill. Thaler indifche Waaren meift gegen baar Geld verkaufen. Die Maldiven hat nach unferm Verf. Hyder Aly erobert. Wenn er diefe Nachricht nicht aus Maitre de la Tour Leben diefes Helden entlehnt hat, fo ift es uns wirklich unbegreiflich, wie Hyders fpätere europäifchen Biographen eine für ihn fo wichtige Eroberung verfchweigen können. Des Verf. Vorwurf S. 89., die Engländer hätten dem Grofsmogul den Tribut von Bengalen nie bezahlt, ift ganz unerweislich. Er erhielt bis 1770, fo lange er unter ihrem Schutze in Elhadabet lebte, die verfprochene Summe. Wie er fich aber von den Maratten verleiten liefs, nach Delhi zurück zu kehren, ward erft der Tribut freylich höchft ungerechter Weife inne behalten, und er hat feitdem vergeblich deffen Bezahlung gefodert. Die Portugiefen haben noch zur Zeit eine Factorey in Bengalen, Namens Bandel, welche nahe bey Chinfura liegt. Bey den Philippinen wird von der neuen 1785 errichteten philippinifchen Gefellfchaft in Spanien gehandelt, und wir haben noch in keiner Schrift, felbft in den neuen Staatskunde von Spanien nicht, fo genaue Nachrichten von diefer Compagnie, als bey unferm Verf. gefunden. Der König nahm nebft dem königlichen Haufe mit 4000 Actien Antheil an diefem Handel nach Afien, auch für die Einwohner der Philippinen wurden 3000 Actien offen gelaffen, die fie erft nach Verlauf zweyer Jahre baar ein-

einlöfen durften. Die Gefellfchaft darf überall
im fpanifchen America-indifche Waaren frey' einführen. Der franzöfifche Handel mit China kann
mit drey Schiffen von 7 bis 800 Tonnen füglich
beftritten werden. Es werden dazu baar 7, bis
800,000 Piafter erfordert, und die Retourladun-
gen nach Frankreich betragen zwifchen 6 bis acht
Mill. Livres. An Thee verbraucht Frankreich
nur für 300,000 L. Im Jahr 1785. ward Canton
von 59 Europäifchen Schiffen befucht, darunter
nur ein franzöfifches war. Die Portugiefen handelten dagegen mit fiebzehn Schiffen in diefem Hafen, von denen vierzehn aus Goa und Macao
kamen. Von dem Oftindifchen Handel der Holländer fagt der Verf., dafs in ihren Auctionen
jährlich fur 35 bis 40 Mill. L. verkauft werden,
auch foll ihr Handel mit den verfchiedenen indifchen Reichen 20 Mill. werth feyn.

Bey Unterfuchung der Frage, ob der indifche
Handel jedem Privatkaufmann, oder nur einer Gefellfchaft zu überlaffen fey, werden die gewöhnlichen Gründe für die Gefellfchaften angeführt,
unter andern, dafs Privatkaufleute den Markt fo
leicht überfchwemmen, und zu viel Waaren einer
Art und mehr als fie abfetzen können, einführen,
dafs fie befonders bey den Baumwollen Waaren
felten das rechte Affortiment einzukaufen vermö-
gend find, dafs fie nicht wie Gefellfchaften, ihre
Waaren, wofür fich keine Käufer finden, bis zu
einem beffern Zeitpunkt zurücklegen, und ihre
Beftellungen in Indien nach ihrem Abfatz in Europa einrichten können. Dagegen aber hätte der
Verf. auch die Einwürfe gegen die Gefellfchaften,
die Menge der zu einem fo entfernten Handel er-
foderlichen Bedienten, die Koftbarkeit derfelben,
und die Schwierigkeiten, fie in gehörigen Schranken zu erhalten, anführen und beantworten follen. Zur Gefchichte der neueften franzöfifchen
öftindifchen Gefellfchaft findet man hier das wichtigfte über ihre Entftehung und dermalige Befchaffenheit beyfammen, und keiner von denen,
die vor unferm Verf. fich über diefe Materien
eingelaffen haben, hat felbige, fo viel wir uns
erinnern, mit gleicher Ausführlichkeit und
Vollftändigkeit behandelt. Sie wird erft auf fieben Jahre errichtet, ihre Octroi ift aber feitdem bis
1800 erweitert, auch ihr Fond bis auf vierzig
Millionen erhöhet worden. Im erften Jahr rüfte-
ten fie acht Schiffe aus; weil deren Rückkehr
aber erft gegen Ende des Jahrs 1787 zu erwarten war, fo ward der Gefellfchaft erlaubt befonders Cattune von fremden Handelsgefellfchaften
zum Behuf der franzöfifchen Manufacturen zu kaufen. Ihre Auction im Jahr 1786 ftieg daher fchon
auf 10 Millionen und ihre zweyte zu Ende eben
diefes Jahrs nach der Zurückkunft des ihr vom
Könige überlaffenem Chinafahrers Dauphin, auf
25 Millionen L. Die Gefellfchaft rüftete 1787
zehen Schiffe von 7000 Tonnen Ladung aus,
welche nebft den Baarfchaften 19 Mill. L. am

Werth betrugen, und erwartete 6 Retourfchiffe.
Daher auch ihre Agenten in Liffabon und Copenhagen zurückberufen wurden. Hr. Morellet, deffen Unterfuchungen über den indifchen Handel 1769
fo viel zur Aufhebung der alten Gefellfchaft beytru-
gen, hat im vorigen Jahr auch diefe neue in einer befondern Schrift angegriffen.

LITERARGESCHICHTE.

Leipzig, bey Dyk: Goldoni über fich felbft
und die Gefchichte feines Theaters, aus dem
Franzöfifchen überfetzt und mit einigen Anmerkungen verfehen von B. Schatz. Erfter
Theil. 504. S. Zweyter Theil 429 S. Dritter Theil. 368 S. 1788. 8. (3 Rthlr. 16 gr.)

Nachrichten von dem Leben und der Bildung
eines Schriftftellers, der beynahe 200 dramatifche
Stücke in Profa und in Verfen geliefert hat, und
in der theatralifchen Kunft feines Volks als Re-
formator aufgetreten ift, müffen an fich fchon
jeden Freund der fchönen Literatur intereffiren.
Aber eine abwechfelnde Mannichfaltigkeit von
Begebenheiten, Anekdoten, Sittengemählden u.
d. m., mit denen diefe Lebensbefchreibung durch-
flochten ift, die beleuchtenden Blicke, die auf
das Theaterwefen und den dramatifchen Gefchmack der Italiener darin geworfen werden,
eine Menge geiftreicher und unterrichtender Bemerkungen über die Sitten und das häusliche
Leben der Italiener, und noch ausführlichere
Nachrichten von Paris, eine leichte lebhafte und
faft dramatifche Darftellung, ein charakteriftifcher
Vortrag, der in die Gefellfchaft des Autors
bringt und ihn beffer fchildert als alle feine
Werke, die unverkennbare Sprache der Wahrheit
und der Geift herzlicher Gutmüthigkeit, der
durch das ganze Werk ausgegoffen ift, machen
es für alle Lefer ohne Unterfchied intereffant und
empfehlungswürdig., Ein zwey und fiebenzigjäh-
riger Greis erzählt uns hier im Ton der angenehmften Munterkeit die grofsen und kleinen Merkwürdigkeiten feines fchriftftellerifchen, häuslichen
und gefellfchaflichen Lebens, und wenn er in
der Wahl der letztern auch nicht immer ftreng genug gewefen ift, fo follte fchon allein die naive
Treuherzigkeit, die ihn einen fo hohen Grad von
Theilnehmung bey dem Lefer vorausfetzen läft,
ihm die Nachficht deffelben erwerben. Grofse
Gefinnungen, und eine philofophifche Verläug-
nungsgabe darf man hier freylich nicht fuchen.
So muls man fich auch an einem reichem Maafse
von Autoreitelkeit, die oft ins Lächerliche, an
einer gewiffen Eigennützigkeit, die oft ins Arm-
felige und Niedrige fällt, nicht ftofsen, um diefen Charakter lieb zu gewinnen; aber ein weiches
zartfühlendes Herz, die unbegränztefte Bonhommie, eine unerfchöpfliche Quelle von fröhlicher
Laune, und eine feltene Billigkeit gegen fremde
Ver-

N 2

Verdienſte geben ihm an unſerm Wohlwollen wieder, was er an unſerer Bewunderung etwa verloren haben mag. Seine Schwächen ſelbſt, die
er uns entweder mit Offenheit bekennt, oder auch,
ohne es ſelbſt zu wiſſen, ſchildert, und die man
übrigens einem 72jährigen Greis ſehr geneigt
ſeyn wird, zu verzeihen, tragen vielmehr zum
Intereſſe der Erzählung bey, als daſs ſie es ſchwä-
chen ſollten. Auch hat ſeine gefällige Meinung
von ihm ſelbſt gar nichts von dem anſtoſsigen widrigen Egoismus, womit ſo viele, weit gröſsere,
Schriftſteller ihren Leſer drücken; — eine Bemerkung, die ſich dem Recenſenten vorzüglich in
dem XVI und XVII Capitel des III Theils. aufge-
drungen hat, wo unſer Autor ſeine Zuſammenkunft mit J. J. Rouſſeau beſchreibt. Wie gern
würde man einem Goldoni ein parteyiſches Urtheil über dieſen ihm ſo höchſt fremdartigen Charakter verziehen haben, und doch dürften wenige Leſer ſeyn, denen nach Leſung dieſer Stellen der groſse philoſophiſche Dichter nebſt dem
italieniſchen Komödienſchreiber nicht — ſehr
klein erſchiene.

Der Erſte Theil dieſes Werks liefert uns die
Schickſale des Autors, bis ſich ſeine theatraliſche
Laufbahn ganz entſchieden hat. Er war Arzt,
Rechtsgelehrter und erhielt ſogar die Tonſur in
Pavia; aber ſein innrer Ruf zur Bühne ſiegte über
alle Verſuche, die ihn derſelben abtrünnig machen ſollten. Dieſer Theil enthält ſehr ſchätzbare Bemerkungen über Venedig, Rom und andre
Städte Italiens. Der Zweyte beſteht beynahe ganz
aus kurzen Zergliederungen ſeiner wichtigſten
Stücke, der Geſchichte ihrer Entſtehung, ihres
Glücks oder ihres Falles. Im Dritten iſt er in Paris, und verbreitet ſich mit vieler Ausführlichkeit
und einer beynahe jugendlichen Wärme über alles
Merkwürdige dieſer ſeiner neuen Vaterſtadt. In
einem vierten Theil will Hr. Schatz kritiſche Bemerkungen über Goldoni und ſeine Werke liefern.

Die Ueberſetzung iſt faſt durchgängig leicht
und flieſsend; hier und da freylich vermiſst man
ſehr die angenehme Nachläſſigkeit des Originals.
Die Sprache könnte reiner ſeyn. Sollten wir
wirklich für die Wörter ſoupiren, geniren, Do-
ctrin, apatiſch u. a. keine gleichbedeutenden
deutſche haben? Manchmal iſt die Wortfolge un-
deutſch; Geboren in dem ſanften Klima von Venedig, hatte ſich ſo daran gewöhnt u. ſ. f.
- S. 22. 1 Theil. Daſs in der Converſationsſprache
ſein Ton oft in das Geſuchte fällt, ſcheint der
Ueberſetzer ſelbſt gefühlt zu haben, und er ſucht
dieſen Vorwurf der deutſchen Sprache überhaupt
zuzuwälzen, die ſich nicht wohl anders, wie er
ſagt, von dem Extrem des Platten ſoll entfernen
können, als durch das entgegengeſetzte Extrem
des Künſtlichen. Da Hr. Schatz es wohl ſchwerlich mit ſo vielen unſrer klaſſiſchen Schriftſteller
wird aufnehmen wollen, die von der deutſchen
edlern Geſellſchaftsſprache Muſter geliefert ha-

ben, ſo kann ſich dieſer Vorwurf nicht wohl weiter als auf den Kreis des Umgangs erſtrecken,
den er ſelbſt beobachtet hat; und wenn ihm dieſer zwiſchen Platt und Geſucht keinen Mittelweg
zeigte, ſo war er immer ein wenig raſch, dieſes
Urtheil auf ſeine ganze Nation auszudehnen.
Wenn ſich die deutſche Sprache auch von einer
gewiſſen Klaſſe Menſchen, die ſchwerlich eine
Prüfung darinn aushalten dürfte, dieſen eben ſo
ungereimten als unverdienten Vorwurf machen
laſſen muſs, ſo ſollte man ihn wenigſtens jetzt
nicht mehr in die Welt hineinſchreiben. Die hin
und wieder eingeſtreuten Anmerkungen des Ueberſetzers ſind nicht ohne Gehalt, und würden
an Werth nichts verloren haben, wenn ſie auch
mit etwas weniger Anmaaſsung geſchrieben wären.

VERMISCHTE SCHRIFTEN.

GROTTKAU, in der W. Schulanſtalt: Oberſchle-
ſiſche Monatſchrift, herausgegeben von J.
C. C. Löwe und Peuker I - V. St, 1780. 480
S. 8.

Nicht auf Oberſchleſien allein, aber doch vorzüglich auf dieſe Provinz, ſoll ſich der Inhalt dieſer Monatſchrift beziehen, es wird aber die Beſtimmtheit des Plans, vielleicht auch der Werth,
wenn gleich nicht die Anzahl der Aufſätze gewinnen, wenn die Herausgeber ſich Oberſchleſien
ganz allein zum Kreiſe ihrer Bemühungen wählen
wollten. Es würde dann eine Monatſchrift werden, wie die mit vielem Beyfall angefangne für die
Churbraunſchweigiſchen und Lüneturgiſchen Lande von den Herren Jacobi u. Kraut u. a. Eine Menge
von Reimgedichten ſind herzlich mittelmäſsig, alſo in und auſſer Oberſchleſien wohl nur Lücken-
büſser. Unter den Anekdoten zur Charakteriſtik
Friedrichs II find nicht wenige beſonders anziehend. Von wiſſenſchaftlichen Aufſätzen iſt ein
Zehntheil ökonomiſchen Inhalts, deren wir in der
Folge beſonders gedenken werden.

BERLIN, im Verlag der Realſchule: Berliniſche
Jahrbücher, eine Wochenſchrift. Des Jahrs
1788 erſte Hälfte 422 ?

Nachrichten von neuen Verordnungen, Kabi-
netſchreiben, Beweiſen der landesväterlichen Sorgfalt, Mildthätigkeit, und Menſchenliebe des Königs, von Veränderungen bey den Militär und Ci-
vilſtande und andern Berliniſchen Zufällen, machen
den beſten und zweckmäſsigſten Theil dieſer Wochenſchrift aus, und dieſer iſt auch auſser Berlin
intereſſant. Der Artikel von gehaltnen Schulprüfungen könnte wohl wegbleiben; die tadelnde
Kritik iſt auch hier faſt noch mit mehrern Unbequemlichkeiten verknüpft, als bey Beurtheilungen
gehaltner Predigten. Endlich würden auch dieſe
Jahrbücher ſo wenig als ihre Leſer etwas verlieren, wenn die Recenſionen und Zänkereyen mit
Recenſenten künftig wegfielen.

Numero 14.

ALLGEMEINE
LITERATUR-ZEITUNG

Mittwochs, den 14ten Januar 1789.

GESCHICHTE.

KOPENHAGEN: *Efterretninger om Grönland, uddragne af en Journal holden fra 1721 til 1788 af Paul Egede.* 284 S. gr. 8.

„Vor 60 Jahren," fagt der ehrwürdige Bifchof Egede in der Zueignungsfchrift an den Kronprinzen von Dännemark, „hatte ich die Gnade, Ew. königl. Hoheit Urältervater, dem Könige Friedrich IV, meines Vaters Rapport von dem Zuftande der Miffion und des Handels in Grönland zu überliefern." Die fernern Schickfale enthält diefe Schrift. Die Begeifterung, welche den Vf. eben fowohl, als feinen berühmten und um Grönland fo hoch verdienten Vater, den Bifchof Hans Egede, antrieb, Aufklärung und reinere Religionskenntniffe unter einem rohen Volke zu befördern, hat ihn noch jetzt nach 80 Jahren noch nicht verlaffen. Er bittet den Kronprinzen, der die erneuerten Verfuche zur Wiederentdeckung der verlornen Ofterbucht oder des alten Grönlands verfügt hatte, fich der 6000 Seelen (denn fo hoch fchätzt er die Anzahl der Einwohner des jetzt bekannten Grönlands) anzunehmen, und ihre fernere Aufklärung befördern, bittet diefes, wie er fagt, am Rande des Grabes, und will, bey Gewährung feiner Bitte, freudig in die Gruft gehen. Dies Tagebuch würde fchon lange erfchienen feyn, wenn nicht eine gewiffe, ehemals in Religionsfachen in Dännemark herrfchende eingefchränkte, Denkart, und die Furcht, durch die Zweifel der Grönländer bey manchen Lehren des Chriftenthums die Schwachen im Volk zu ärgern, die Ausgabe verhindert hätte. Jetzt hat fich diefe Denkart geändert. Das Volk ift aufgeklärt genug, um fich durch die Zweifel der Grönländer nicht irre machen zu laffen. Und die Freunde des Vf., befonders der vortreffliche Herr Kammerherr Suhm, beftimmten ihn, dies in feinem 72ten Jahr angefangene, und bis zu feinem 80ten fortgefetzte Tagebuch herauszugeben, wenn er gleich felbft glaubt, dafs es beffer gewefen feyn würde, aus den Materialien diefes Tagebuchs eine zufammenhängende Befchreibung von Grönland zu machen, fo erlaubten ihm das doch fein Alter

und feine Kräfte nicht. Es behielt alfo die Form, und wir begnügen uns, einige Merkwürdigkeiten auszuzeichnen!

Der Vater des Vf. ging mit ihm, der damals 12 Jahr alt war, und feiner ganzen Familie, mit 3 Schiffen 1721 von Bergen in Norwegen unter Segel, und bekam, nach einer glücklichen Reife von vier Wochen, am 3 May, Statenhuk zu Geficht; ein gräfliches Land, welches ganz mit Eis und Schnee bedeckt zu feyn fchien, längft welchem man hin und wieder Eisberge mitten im Sturm in Gefahr, vom Eife eingefchloffen zu werden. Der Schiffer, welchen ein Signal des andern Schiffes von einem Schaden, den es genommen hatte, unterrichtete, kam in die Kajüte, und fagte zu der Mutter des Vf. und den Kindern: Befehlt euch Gott, und bereitet euch zum Tode. Aber der alte Hans Egede verwies ihm feine Furchtfamkeit, beruhigte die Mannfchaft, und erwartete ruhig das Ende des Sturmes, das erft um Mitternacht erfolgte, da denn das Wetter heiterer ward, und das Schiff wieder in offner See war. Am 3 Jul. kamen fie endlich in dem Lande, das fie befuchen wollten, und in einem guten Hafen an. Sie gewannen bald die Einwohner durch kleine Gefchenke, und bauten fich eine Hütte. Die Kinder nahmen Theil an den Spielen und Leibesübungen der Grönländer. Der Vf. mufste die jungen Grönländer mündlich, theils durch gewählte biblifche Gefchichten, in der Religion unterrichten, welches aber fchwer und mangelhaft von Statten ging. Ueberhaupt erfchwerten ihnen den Unterricht eine Art von angeblichen Zauberern, welche die Grönländer *Angekkok* nennen, die alle chriftliche Religionsgefchichte und Lehre für Betrügerey ausgaben, und lächerlich machten, weil die Ankömmlinge die Betrügereyen aufdeckten, wodurch fie das Volk zu täufchen pflegten. So fagte 1725 ein folcher zu dem Vf.: Ich habe von Vorbeyfahrenden erzählen gehört, dafs in eurem Lande eine Jungfrau einen Sohn gehabt habe, der ein groffer Angekkok gewefen ift, und wunderbare Dinge gethan, alle Krankheiten geheilt, ja Todte lebendig gemacht hat, dafs eure Väter ihn getödtet ha-

O

haben, und dafs er nachmals wieder lebendig geworden, und gen Himmel gefahren ift. Wäre er
zu uns gekommen, wir hätten ihn geliebt und
wären ihm folgfam gewefen. So tolle Leute giebt
es bey uns nicht, die den tödten, der lebendig
machen kann. Warum erfchlug er nicht jene
fcheufslichen Menfchen, und kam herüber zu
uns? — Um zu verhüten, dafs das Volk den
alten Hans Egede, deffen Einfichten und Wohlwollen es hochfchätzte, nicht für einen Angekkok halten mögte, fagten die Angekkok, die
fich immer rühmten, Reifen nach dem Himmel
zu machen: fie hätten ihn dafelbft niemals angetroffen. Und trug fich ein Unglück, wie etwa
Mangel an Nahrung, zu, fo hiefs es gleich: das
kommt von den Reden des Priefters, die Luft kann
dergleichen nicht vertragen. Bey alle dem fcheinen fie nicht rachgierig zu feyn. Einer diefer
Zauberer, Namens Elik, hatte fich verlauten laffen, es wäre ein Leichtes, wenn die Dänifchen
Coloniften gröfstentheils auf ihren Handelsreifen
wären, die zurückgebliebenen zu erfchlagen, und
fich dann ihrer fchönen Güter und Waaren zu bemächtigen. Diefen holten Hans Egede, mit feinem Sohne und andern feiner Gefährten, die fich
alle mit Flinten bewafnet hatten, nahmen ihn gefangen, gaben ihm einige Streiche mit einem
Strick, und liefsen ihn nachmals wieder mit den
Seinen, die fich nach ihm zu erkundigen kamen,
nach Haufe gehen, nachdem er verfprochen hatte, fich nicht wieder für einen Zauberer auszugeben. Er war nicht nur damals fehr zufrieden,
dafs er mit dem Leben davon kam, fondern als
er nachmals den Vf., der noch ein Knabe und
durch Sturm verfchlagen war, in feine Gewalt
bekam, nahm er ihn freundfchaftlich auf, und
rächte fich nicht. Und es ift, fagt der Vf., die
Denkart der Grönländer, wenn fie glauben Unrecht zu haben, ihre Strafe, ohne Befchwerde
zu führen, auszuhalten. S. 81. u. f. erzählt der
Vf. eine fabelhafte Nachricht von einem in alten
Zeiten vorgefallenen Streite der Einwohner
Grönlands, die fich Innuk nennen, mit Ausländern, die fie Kablunak zu nennen pflegen, in
welchem endlich die erfteren fiegten, indem fie
die letztern ausrotteten, und ihre Wohnungen
verbrannten. Bey allem Fabelhaften diefer Tradition erkennt der Vf. darinn doch deutlich die
Spur derjenigen Ausrottung, welche die Normän-
ner im 15ten Jahrhundert von den Eingebornen in
Grönland erlitten haben, und welche nicht nur
aus den noch dafelbft befindlichen Trümmern der
Kirchen und Privatwohnngen, fondern auch aus
den von Mallet aus dem Vaticanifchen Archiv erhaltenen Nachrichten erhellet,die hier lateinifch und
in einer Dänifchen Ueberfetzung beygefügt find.
Nach S. 97. ff. haben die Zauberer ihre befondere
von der Landesfprache unterfchiedene Sprache,
und geben, wenn fie ja aus jener fich einiger
Wörter bedienen, folchen dennoch eine ganz ande-

re und oft ganz entgegengefetzte Bedeutung, wovon hier Beyfpiele angeführt find. S. 104. ff. liest
man eine kurze Nachricht von der Sternkunde
der Grönländer. S. 117. Als der Vf. eine grön-
ländifche Ueberfetzung des erften Buches Mofis
vollendet hatte, wandten ihm ein paar offene
Köpfe, deren Hülfe er fich bey der Ueberfetzung
bediente, ein: es würde nicht gut feyn, die Grönländer das alles lefen zu laffen: z. B. den Bruder-
mord, den Kain, eines der erften vernünftigen
Gefchöpfe Gottes, begieng, Jacobs an feinem Vater und Bruder verübten Betrug, der Patriarchen Vielweiberey, und befonders Simeons und
Levi Bosheit. — Nachmals erkannte er felbft,
dafs die Ueberfetzung des N. T. nützlicher feyn
würde, vollendete 1740 das Evangel. Marci, fand
aber bald, dafs die Verfertigung eines Katechismus bewandten Umftänden nach, noch nöthiger
wäre, als die Bibelüberfetzung, und legte fogleich
die Hand ans Werk. Noch in demfelben Jahre
wurde der Vf. durch einen andern Miffionar abgelöfet, verliefs, mit vieler Betrübnifs, die Grönländer, unter welchen er fo viele Jahre, nicht ohne mancherley Gefahr und Befchwerden, aber
gleichwohl bey dem Seegen, den er bey feinem
Bekehrungs- und Aufklärungsgefchäften fand, ver-
gnügt, gelebt hatte, und traf feinen alten ehrwürdigen Vater zu Kopenhagen bey gutem Wohlfeyn
an. Hierauf folgen die Nachrichten von dem
Fortgange der Miffionsanftalten und der Coloni-
en, von der Sorge und Auflicht, die, nach dem
Tode feines Vaters, der Vf. über das Miffionswe-
fen führte, von der Erbauung einer Kirche, und
Auslichten zur Aufführung noch einer andern,
von verfchiedenen Grönländern, die man nach
Dännemark brachte, um fie aufzuklären, und
durch diefe das Bekehrungswerk wirkfamer
zu betreiben, von Ueberbleibfeln ehemals zerftör-
ter Colonien, von grönländifchen Pflanzen und
Gewächfen, von den neueften Verfuchen, die
unzugänglich gewordene Ofterbucht, oder das alte Grönland wieder zu entdecken, die zwar noch
bisher fruchtlos gewefen find, aber doch, nach
des Vf. wahrfcheinlichem Urtheil, es bey fortge-
fetztem Beftreben nicht immer feyn werden; von
den verordneten Infpectionen und deren Wirkfamkeit, von der moralifchen und politifchen Wichtigkeit der Sorge für Grönland u. f. f. Merkwürdig in Abficht auf die Fortfchritte der Aufklärung
roher Leute ift ein Schreiben eines gebornen, und
von dem alten Hans Egede getauften Grönlän-
ders an den Verf., das S. 230 ff. eingerückt ift.
Nicht minder merkwürdig ift die Bemerkung, dafs
eine der kleinen Infeln zwifchen Japan und Kam-
fchatka nicht nur den Namen Umanak mit einer
grönländifchen Colonie gemein hat, fondern auch
die Bewohner diefer und verfchiedener andrer
dafelbft befindlichen kleinen Infeln in Kleidung,
Fahrzeugen und Sitten den Grönländern ähnlich
find. Die ganze Schrift verdient fowohl ihres Inhalts

halts wegen alle Aufmerkfamkeit, als wegen des aufserordentlichen Beyfpiels von dem, was der Eifer für eine gute Sache, und ausharrendes Beftreben unter unendlichen Mühfeligkeiten ausrichten können, das fie in den Unternehmungen des verdienftvollen Vf, und feines eben fo hochachtungswürdigen Vaters aufftellt. Auch dient fie, da fie bis auf die neueften Zeiten fortgeht, zur Ergänzung deffen, was der Vater des Vf. und Cranz über Grönland gefchrieben haben.

LITERARGESCHICHTE.

LONDON, b. Faulder: *Catalogue of five hundred celebrated Authors of Great Britain, now living; the whole arranged in alphabetical order; and including a complete lift of their publications, with occafional ftrictures, and anecdotes of their lives.* 1788. 20 B. 8.

Der Verf., oder die Gefellfchaft der Verf., weifs fich laut der Vorrede nicht wenig damit, dafs dem Publikum hier ein Werk von ganz neuer Art vorgelegt werde, zu welchem fo gut als nichts vorgearbeitet gewefen fey. Man follte doch denken, das vor einiger Zeit erfchienene vollftändige Regifter zu den Monthly Review müfste ein nicht ganz unnützes Hulfsmittel gewefen feyn. Soviel ift gewifs, dafs diefer erfte Verfuch mit grofser Nachläfsigkeit, wenigftens mit fichtbarer Eile ausgeführet worden ift. Davon nichts zu fagen, dafs mancher Schriftfteller übergangen ift; — (denn der Plan fcheint fich nicht auf alle erftreckt, fondern gerade auf die Summe von fünfhundert eingefchränkt zu haben) — fo ift bey denen, welche angeführet werden, die Lifte ihrer Werke gar häufig nichts weniger als complett. So wird bey *Sir William Jones* gerade das Hauptbuch, *poëfeos afiaticae commentarii*, nicht angeführt; bey *Newcome* wird feines Commentars über die kleinen Propheten nicht gedacht; von Dr. Woide heifst es: er hat *grammatica Aegyptica* und *lexicon Aegyptico-latinum* in einem Quartbande herausgegeben; aber feine Ausgabe der alexandrinifchen Handfchrift ift vergeffen. Wie nachläfsig ift folgender Artikel: "Fofters, Georg und Johann Reinhold. Diefe Herrn, Vater und Sohn, "find Deutfche, fie kamen etwa vor 20 Jahren, "nach England, weil fie fich einige Erwartungen "von der Begünftigung ihrer Majeftät der Köni- "gin gemacht hatten. Hr. Georg Fofter ift Vf. "einer gutgefchriebenen Nachricht in 2 Quart- "bänden, von einer Reife des Capitän Cook, die "er felbft mitgemacht hatte. Unter dem Namen "des Andern find enthalten die Einleitung in die "Mineralogie; ein Verzeichnifs von Thieren "und Pflanzen in Nordamerika; Ueberfetzungen, "der Reifen des Osbeck, Kalm, Boffu und ande- "rer; und eine Sammlung von Reifen und Ent- "deckungen im Norden. Das Werk, *Characteres*

"*generum plantarum, quas in itinere ad infulas* "*maris auftralis collegerunt*, fcheint die gemein- "fchaftliche Arbeit beider Brüder zu feyn, und "eine kleine Schrift, *Tableau de l'Angleterre*, "die im Jahr 1785 unter der Hand herumgieng, "ift ihnen zugefchrieben, und als Geburt ihres "Mifsvergnügens und ihrer Rache wegen ihrer "nicht erfüllten Erwartungen angefehen worden." Nicht felten findet man auch ein Urtheil über die Verdienfte des Schriftftellers. Von *Gibbon* heifst es: feine Gelehrfamkeit ift ohne Beyfpiel, feine Beurcheilungskraft ift gefund, fein Verftand durchdringend und fcharf, und feine Gabe, lächerlich zu machen, angenehm und vorzüglich. *White*: feine Gelehrfamkeit kannte man aus feinen frühern Werken; aber fein Genie, die Beredfamkeit und der Nachdruck feines Stils wurden erft durch feine Reden über den Muhammedanifmus entfchieden. (Den gröfsten Lobfpruch, den er je erwarten konnte, erhielt er von Gibbon felbft, der im 5ten Bande feines Werks S. 409. veranlafst durch den Gedanken: vielleicht würde die Auslegung des Korans jetzt in den Hörfälen von Oxford vorgetragen, und von den Kanzeln würde von eben befchnittenen Verfammlung die Heiligkeit und Wahrheit der Offenbarung Mohammeds bewiefen, die Note beyfügt: doch zweifle ich aufrichtig, ob die Oxfordifche Mofchee einen Band von fo zierlicher und finnreicher Polemik hervorgebracht haben würde, als die Predigten find, die Hr. Prof. White kürzlich für die Bamptonifche Stiftung geliefert hat. Seine Bemerkungen über den Charakter und die Religion Mahomets find feinem Gegenftand immer angemeffen, und im Ganzen auf Wahrheit und Vernunft gegründet. Er verrichtet das Amt eines lebhaften und beredten Vertheidigers; und bisweilen erhebt er fich zu dem Verdienfte eines Gefchichtfchreibers und Philofophen.) Bey Archibald Maclaine heifst es: Man hat von ihm eine Ueberfetzung von Mosheims Kirchengefchichte mit Anmerkungen, die von den Gelehrten dem *barbarifchen Latein* des Originals vorgezogen zu werden pflegt. — An biographifchen, literarifchen, politifchen Anekdoten fehlt es nicht; wir wollen einige anführen. *Sir Jofephs Banks* ift feinem Herkommen nach ein Schwede. Sein Vater, der in nicht fehr glänzenden Umftänden nach England kam, machte fein Glück auf eine aufserordentliche Weife. Als er eines Tages von feiner Arbeit nach Haufe gieng, führte ihn fein Weg durch eine Strafse, wo eine Feuersbrunft ausgebrochen war. Eine Dame zeigte fich an dem Fenfter eines in Flammen ftehenden Haufes. Banks hatte den Muth, durch die Flammen durchzudringen, und das Glück, die Dame zu retten, er überlieferte fie den ihrigen, und gieng feines Wegs. Die Dame, welche gern ihre Dankbarkeit entrichten wollte, konnte nachgehends ihren Retter auch durch Anfragen in den öffentlichen Blättern nicht erfahren; aber da fie einmal in ihrem Wagen durch die Strafsen von London fuhr, glaubte fie ihn zu erkennen. Man erkundigte fich, und die Umftände trafen zufammen. Der Erfolg war, dafs die Dame, eine reiche junge Wittwe, ihren Retter heirathete, und dies war die Grundlage zu dem gegenwärtigen Reichthum des Präfidenten der königlichen Gefellfchaft. — *Edmund Burke* bewarb fich ehedem um das Lehramt der Logik auf der Univerfität Glasgow; bey der Wahl erhielt er nur wenige Stimmen, und fiel durch. (Nachgehends hat ihn diefelbe Univerfität zu ihrem Rector erwählt.) — *D. Richard Hurd* ift durch die Protection des Lord Mansfield empor gekommen. Im Jahr 1782 foll er die Ehre gehabt haben, die Würde eines Erzbifchofs von Canterbury von fich abzulehnen. Ihm wird eine Feigheit der Seele fchuld gegeben. Diefe habe ihn veranlaßt, eine Lebensbefchreibung von Bifchof Warburton, feinem ehmaligen Gönner, die fehr freymüthig gefchrieben feyn foll, und beftimmt war, der neuen Ausgabe der Warburtonifchen Werke vorangefetzt zu werden, zurückzubehalten, dafs fie nun erft nach dem Tode ihres Verf. ans Licht treten dürfe. — *Jenkinfon*, nunmehr *Lord Hawkesbury*, vermiethete fich nach geendigten Univerfitäts Jahren als Rec. im politifchen Fache an *Griffiths*, den Herausgeber des *Monthly Review*; er wohnte auch eine Zeitlang bey Griffiths im Haufe; diefer aber fey fo wenig mit ihm zufrieden gewefen, dafs er einigen feiner Freunde im Vertrauen bezeugt habe, Jenkinfon, fey der fchlechtefte Rec., den er je gehabt habe. — *Merry*, Mitglied der Florentinifchen Akademie *della Crufca*, wird für den Vf. der Gedichte gehalten, die feit einiger Zeit mit der Unterfchrift *della Crufca* herauskommen (und den Lefern des Hamburgifchen *britifh Mercury* nicht unbekannt feyn können.) *Dr. Parr*, der jetzt in der Nachbarfchaft von *Warwick* ein Privat Erziehungs-Inftitut hält, in welchem fich auch der einige Sohn des *Rich. Sheridan* befindet, (und in England für einen mächtigen Lateiner gilt,) ift Vf. der bekannten lateinifchen Vorrede zu der neuen Ausgabe von *Bellenden*. Seine lateinifche Schreibart, heifst es, ift ftark, männlich und fchön; aber die Theile paffen nicht immer zufammen, und befitzen zuverläffig weniger Grazie und Anmuth, als Nachdruck und Stärke. — *Woolcot*, ein Arzt, der vorher auf der Infel Jamaica prakticirt hatte, ift der muthwillige *Peter Pindar*, deffen Gedichte, die fo ganz unwiderftehlich zum Lachen hinreifsen, vornemlich gegen die erfte Perfon in Grofsbrittannien gerichtet find. Man glaubt, der *Cerberus* fey durch einen Jahrgehalt gebändiget worden. Mitunter kommen auch Anekdoten im Gefchmack des Kirchen- und Ketzer-Allmanachs; z. B. von *D. Horsley*, nunmehrigen Bifchof von St. Davids, heifst es: *Doctor Horsley* heurathete feine Haushälterin, und ift der Herausgeber der neueften Ausgabe von *Sir Ifaac Newton's Principia*. Die hochberühmte Frau *Catharina Macaulay*, Gefchichtfchreiberin von Grofsbrittannien, werde von ihrem zweyten Gemahl, dem Hn. *Graham*, nicht zum beften gehalten; bey aller Aufmerkfamkeit auf fie, habe er zugleich einen fo hohen Grad von Zärtlichkeit für das Geld, dafs er ihr zumuthe, ohne Bedienung zu leben, und die Stelle der Köchin und der Stubenmagd felbft zu verfehen. — Durch künftige Ausgaben foll das Buch immer mehr berichtiget und vollftändiger gemacht werden. Gefchiehet diefes, wie man hoffen darf; fo wird es fehr brauchbar, und auch für Deutfchland, das für auswärtige Literatur fo viele Aufmerkfamkeit hat, fehr intereffant werden können.

KLEINE SCHRIFTEN.

GOTTESGELAHRTHEIT. *Nürnberg*, im Verlag der Silebnerfchen Buchdruckerey und Buchhandl.: *Gewiffenhafte Erklärung über die Einführung der allgemeinen Beicht in Nürnberg*, von M. *Georg Wolfgang Panzer*, Schaffer b. St. Sebald. 1788. 4. 2 Bog. Diefe kleine Schrift ift bereits vor zwey Jahren von dem berühmten Hn. Verf. aufgefetzet worden, um fie im Namen des dafigen Stadtminifteriums bey der Behörde zu übergeben. Da aber diefes aus Urfachen unterblieb, und die von vielen aufgeklärten Chriften gewünfchte allgemeine Beichte noch nicht eingeführet worden ift; fo liefs er fie nun abdrucken, um von dem Minifterium den allenfalls zu fchöpfenden Verdacht abzuwenden, als ob es ein fo gutes Werk geflifentlich zu hindern, fich bemühte. Nach vorausgefchickter Belehrung über die eigentliche Befchaffenheit der Sache, erklärt fich der Vf. über die Art und Weife, wie die allgemeine Beichte dafelbft eingerichtet werden könnte, und theilt 13 Vorfchläge mit, die wohl überdacht und dem Zuftande des dafigen Minifteriums und der Gemeine ganz angemeffen find.

ERBAUUNGSSCHRIFTEN, *Magdeburg*, b. Pansti: *Abfchiedspredigt, vor der Gemeine zu Tangermünde gehalten* von *Gottf. Aug. Ludwig Hahnftein*, dritten Prediger an der Stephanskirche daf. 30 S. 8. (2 gr.) Popularität und Eindringlichkeit charakterifiren diefe, zum Beften armer Kranken herausgegebene, Kafualrede, darinn der Vf. aus 2 Petr. 3, 18. *den beften und wichtigften Wunfch eines chriftlichen Lehrers an feine Gemeine beym Antritt feines Amts* auf eine würdige Weife abgehandelt hat.

A L L G E M E I N E
L I T E R A T U R - Z E I T U N G

Donnerſtags, den 15ten Januar 1789.

PHILOSOPHIE.

Leipzig, b. Müller: *Denkwürdigkeiten aus der philoſophiſchen Welt* herausgegeben von *K. A. Caeſar.* Dritter Band. 1786. 306 S. Vierter Band. 1787. 300 S. Fünfter B. 1787. 243 S. Sechſter B. 1788. 274 S. 8. (jeder Band 18 gr.)

Mit dem dritten Bande hat der Hr. Herausgeber dieſes Journals ſeinen anfänglichen Plan dahin abgeändert, daſs künftig nur jede Oſter- und Michaelismeſſe ein Band herauskommen, und die Literatur der Philoſophie gänzlich davon getrennt werden ſoll. Es enthält daher ſeit dieſer neuen Einrichtung keine Recenſionen, ſondern theils neuausgearbeitete philoſophiſche Abhandlungen und andere, auch poetiſche Aufſätze von verſchiedenen Verfaſſern, theils auch, und zwar vornemlich im *ſechſten* Bande Ueberſetzungen aus dem Franzöſiſchen, Engliſchen u. ſ. w.

Unter den *Originalaufſatzen* der oben angezeigten Bände zeichnen ſich durch ihre gute Eigenſchaften ganz vorzüglich aus die Abhandlungen von Hn. M. *Heydenreich.* z. B. über die Möglichkeit einer allgemeinen Theorie der ſchönen Künſte (B. 3. S. 231.), über den Spinoza (B. 4. S. 139. B. 6. S. 270.), über Empfindung und Phantaſie (B. 5. S. 136. B. 6. S. 265.), ſo wie auch ſeine Gedichte; ein Aufſatz von Hrn. M. *Lobel* über die Declamation (B. 5. S. 45); die beiden Abhandlungen der Hrn. M. *Pleſſing* über Ariſtoteles und über die Platoniſchen Ideen (B. 3. S. 1. u. f.) und einige, die den Hn. *Herausgeber* ſelbſt zum Verfaſſer haben, z. B. (B. 4. S. 103.) über den Zweck der Strafen. Hr. *Hungar* hat (B. 3. S. 391) ſeine, ihrer Weitſchweifigkeit ungeachtet, dennoch leſenswerthen Bemerkungen über die Abſtraction bey unſern angenehmen und unangenehmen Empfindungen, als dem Beſtimmungsgrunde ihrer Klaſſification beſchloſſen. Die Aufſätze von Hn. *Kindervater* z. B. über das Eingebildete in der menſchlichen Glückſeligkeit (B. 4. S. 51.) laſſen ſich gut leſen, wenn auch wenig Neues darinnen ſeyn möchte. Der Brief des Hn. Prof. *Jakob* in Halle an Hrn. Prof. Caeſar, des

A. L. Z. 1789. *Erſter Band.*

Hrn. Jacobi Idealismus und Realismus betreffend (B. 5. S. 206) kann manchen Miſsdeutungen der kritiſchen Philoſophie vorbeugen. Mehrere Abh. ſind weder durch Vorzüge, noch durch Fehler merkwürdig. Hr. ***rn ſagt (B. 4. S. 85.) über die Axiome wenig mehr, als dasjenige, was Kant in der Kritik der reinen Vernunft bereits geſagt hat. Möglichſt unbedeutend ſind die *fragmentariſchen Ideen über Raum und Zeit* B. 6. S. 226.) von Hn. * nr *. Wenn irgend etwas dazu beytragen kann, den hartklingenden Ausſpruch eines ſelbſtdenkenden Freundes der kritiſchen Philoſophie, worinn dieſer die Verſchmähung derſelben vornemlich auf Rechnung des Miſsverſtandes ſchreibt, hiſtoriſch zu beſtätigen: ſo ſind es fragmentariſche Ideen dieſer und ähnlicher Art. Wer, der mit einigen ſpeculativen Geiſte und mit Unbefangenheit die Vernunftkritik jemals las, und ſie nur in ihren weſentlichſten Theilen verſtand, kann wohl z. B. dasjenige, was *in* einem Begriffe enthalten iſt, mit demjenigen (S. 215.) verwechſeln, was nothwendiger Weiſe zu demſelben gehört? oder daraus, daſs ſelbſt zur Vorſtellung des Raums die Vorſtellung des Raums und der Zeit ſelbſt (S. 222.) folgern? oder dasjenige, was von der empiriſchen Vorſtellung des Raums und der Zeit (wovon Platner in ſeinen Aphorismen ſpricht) gilt, ohne weiteres auf die Grundvorſtellung und urſprüngliche Bedingung jener Phantaſiebilder übertragen? Ob es aber edel und würdig gehandelt ſey, einen Prof. Jakob, und dergleichen Männer *geſtrenge und eifrige* Kantianer zu ſchelten (S. 216.), mag das ſittliche Publicum beurtheilen; wir wünſchen nur, daſs kein Freund der kritiſchen Philoſophie ſich einmal ähnliche Griffe gegen ihre Verächter erlaube, ſo bequem ſich dieſe auch anbringen lieſſen.

Von den *Ueberſetzungen*, die in dieſen Bänden vorkommen, waren, wie uns dünkt, die Fragmente der Philoſophie des Hn. *Turgot* (B. 4. S. 1.); die Betrachtungen über die Schriftſteller, welche von der peinlichen Geſetzgebung gehandelt haben, aus dem Franzöſiſchen des Hn. *Lacretelle*; die Vergleichung des Zoroaſter, Confu-

P   cius

cius und Muhamed aus dem Franzöfifchen des Hn.
von *Paſtoret* und Davidis *Humei de vita ſua acta
liber ſingularis*, der gröſsern Verbreitung durch
diefes Journal allerdings werth. Was aber die
meiften übrigen, aus dem Englifchen überſetz-
ten Auffätze der Hrn. *Barnes*, *Hall*, *Bew*, *W.*,
Falconer und *Charles de Poliers* betrifft, fo hätten diefe, da der wirklich unterrichtende Theil
ihres Inhaltes durch beffere Ausführungen deutfcher fowohl als englifcher und ins Deutfche
überfetzter, Philofophen bereits ziemlich allgemein unter uns bekannt ift, gar füglich unüberfetzt bleiben können. Es ift daher allerdings zu befürchten, dafs mehrere Lefer, fo
wie wir, fich über Mangel an Intereffe bey dem
gröſsten Theile der Auffätze, die im *fechſten*
Bande enthalten find, beklagen werden.

NÜRNBERG, b. Grattenauer: *Ueber Materia-
lismus und Idea'ismus*, von *Adam Weishaupt*,
Herzoglich Sachfen Goth. Hofrath. Zweyte
ganz umgearbeitete Auflage. 1788. 216 S.
8.
Da Hr. Weishaupt für gut gefunden hat, die
ganze Grundvefte feines Idealiftifchen Syftems bey
der Umarbeitung der gegenwärtigen Schrift un-
verrückt ftehen zu laffen, ohne auf die in unfrer
Anzeige der erften Auflage (A. L. Z. 1787. No.
1866.) gegen daffelbe gemachten Erinnerungen,
die geringfte Rückficht zu nehmen, fo können
wir nichts weiter thun, als unfere Lefer noch einmal
auf gedachte Anzeige zu verweifen.

STAATSWISSENSCHAFTEN.

GÖTTINGEN, b. Ruprecht: *Göttingiſches Magazin für Induftrie und Armenpflege*. 1ten
Bandes 1ter Heft. 1788. 126 S. (8 gr.)
Unftreitig ein fehr wohlthätiges Unternehmen,
dem man nicht blofs Unterftützung von Lefern,
fondern vornemlich praktifche Anwendung von
Vorftehern des Armenwefens, und Beyträge von
Perfonen, die fich praktifche Erfahrung darinn gefammelt haben, wünfchen mufs. Der Herausgeber, Hr. Paft. *Wagemann* in Göttingen, der
fich feit mehreren Jahren mit der Armenverforgung
und Bildung verlafsner Kinder dafelbft befchäftiget, giebt zuerft einige Bemerkungen über In-
duſtriefchulen im Allgemeinen, und über die göt-
tingifche insbefondere; hiernächft eine Nachricht
über Anlage und Einrichtung der bey dafiger In-
duftriefchule eingeführten Manufaktur der *dräter-
nen Leinwebergefchirre*, von Hn. *Lift*; ferner
werden die erften Arbeitsfchulen in Heffen durch
die reformirten Prediger, Hn. *Martin* in Holzhaufen, und die zu Wake bey Göttingen, von Hn.
Paftor *Heimhöfel* eingerichtet, befchrieben. Hr.
W. erklärt hierauf einige vorzügliche Urfachen
des Verarmens und Bettelns, die er in verfchul-

dete und unverfchuldete eintheilt. Zu den erften rechnet er das in den niedrigften Ständen ein-
geriffene Kaffeetrinken, das unzüchtige Leben,
den Müffiggang und die Unmäfsigkeit. Es folgen noch verfchiedene Verordnungen und Rechnungen über Allmofenkaffen. Von dem Rechnungs-
auszuge der Weimarifchen von 1787, wo die Einnahme die Ausgabe mit 141 Rthlr. 11 gr. 6¼ Pf.
überwiegt, bemerkt Hr. W., dafs dies ein feltener Anblick fey, und für die Haltbarkeit des Inftituts ein vortheilhaftes Urtheil errege.

VERMISCHTE SCHRIFTEN.

MANNHEIM und LEIPZIG, b. Schwan u. Götz:
Patriotiſches Archiv für Deutſchland. Sie-
benter Band. Nebft Ulrichs von Hutten Bildnifs und dem Plan der Prager Schlacht vom
Jahr 1620. 1787. 556 S. 8. (1 Rthlr. 12
gr.)
I. *Heldenmüthiges, ungedrucktes Schreiben Ulrichs
v. Hutten an Erafmus von Rotterdam. von Schlofs
Ebernburg den 13 Nov. 1520. Aus dem Origin.* Vorher einige Betrachtungen über Huttens, Erasmus u.
Luthers Art zu denken, und zu handeln, befonders in fo fern fie mit einander contraftiren, ganz
in der kühnen, kräftigen und originellen Manier
des Herausgebers. Der Brief felbft, deffen Original fich in dem gräflich Leyenfchen Archive zu
Bliescaftell findet, ift gerade in der Zeit gefchrieben, da fich H. laut und öffentlich für Luthers Sache erklärte, und nunmehr von feinen
Feinden alles zu erwarten hatte. Er bittet den
Erasmus, der fich damals in Mainz oder Cölln
befand, auf das zartlichfte und dringendfte, unter diefen Umftänden, die auch für ihn höchft
gefährlich waren, fich mit der Flucht zu retten,
erklärt aber mit feinem gewönlichen Heldenmu-
the, dafs ihn felbft nichts von feinem einmal ge-
fafsten Plane abbringen folle. Das fchöne, bey
diefem Bande befindliche Bildnifs des edlen Huttens ift von Verhelft nach einem Gemälde geftochen, das die von Huttenfche Familie zu Würzburg verwahrt. II. *Merkwurdiges geheimer Bericht von der Römiſchen Königswahl Ferdinands
II, und den Anfangen des dreiſſigjährigen Krieges. Mit verſchiedenen wichtigen Beylagen.
Aus Originalien und glaubhaften Handſchriften.*
Der eigentliche Bericht wird allerdings dem Ge-
fchichtforfcher, befonders wegen einiger bisher
unbekannten Umftände, Vergnügen machen, obgleich die meiften und hauptfächlichften hier
befindlichen Nachrichten, jemanden der mit
der Gefchichte und den Acten diefes Zeitraums vertraut ift, nicht allerdings neu feyn können, zu gefchweigen, dafs in Rückficht der Vollftändigkeit und Unpartheylichkeit diefes Auffatzes,
verfchiedenes zu erinnern feyn möchte. Die Beylagen enthalten: I) Protocolle, des über die be-
vor-

vorstehende · Römische Königswahl gehaltenen Kurpfälzischen geheimen Rathsseßionen, 1619. II) Kurfürst Friedrich V, bey eben gedachter Königswahl abgegebenes Votum.. III) Schreiben des kurpfälzischen Gesandten Grafen zu Solms auf dem Wahltage zu Frankfurt, an Fürst Christian zu Anhalt, d. d. 23 Juli, 1619. IV) Bedenken der kurpfälzischen geheimen Räthe, wegen Annehmung der Friedrich V angetragenen böhmischen Krone. V) Abusus und Mängel, so bey dem böhmischen Kriegswesen und sonst fürgangen. VI) Originalbericht Fürst Christians zu Anhalt über die verlorne Schlacht bey Prag, d. d. Cüstrin, den 1 Jan. 1621. mit Beylagen. Dieses letzte Stück ist ohne Zweifel das schätzbarste von allen, und ßec. freute sich ungemein dieses Schreiben hier vollständig zu finden, da er schon lange, durch einige Fragmente davon, die Beckmann in seine Anhaltische Geschichte eingerückt hat, lüstern auf das Ganze gewesen war. Hingegen muß er, wegen der unter N. 1. enthaltenen Protocolle, bemerken, daß sie längst in allgemein bekannten Büchern gedruckt sind. Sie kamen zuerst in dem so genannten Archivo Protestantium heraus, und mit diesem in die Londorpische Acta publica, s. den dritten Theil derselben, (Ausg. v. 1668.) S. 664. Im Londorp findet sich sogar noch das Protocoll vom 9 Jul., das in dem vor uns liegenden Moserschen Abdrucke fehlt. III. *Friedrich IV, Kurfürst zu Pfalz Fragment aus der auf ihn, von dem Hofprediger Pitiscus, 1610 gehaltenen Leichenpredigt.* Beweise, daß der Kurfürst kein Heuchler, sondern nach innerer Ueberzeugung der Reformirten Kirche beygethan gewesen. Betrachtungen über Leben und Wandel des Kurfürsten vor Gott und Menschen, und die daraus entspringende Furcht oder Hofnung, wegen seiner ewigen Seligkeit. IV. *Glaubensbekenntniß Hrn. Georg Freyherrn von Spangenberg, kaiserlichen und kaiserl. königlichen wirklichen geheimen Raths, Kurtrierischen Staats- und Conferenzministers, gewesenen Wahlbothschafter bey Kaiser Karl VII. und K. Franz, und zuletzt kaiserl. Con-Commissarii bey der Reichskammergerichtsvisitation, aufgesetzt im 79 Jahre seines Alters, im J. 1777. Nach dem eigenhändigen Original. Nebst einer Nachricht von seinem Leben, und einen Theil seines Briefwechsels in den letzten zehn Jahren seines Lebens.* S. war der Sohn eines evangelischen Pfarrers in der Grafschaft Hohenstein, ein Bruder des Bischofs der evangelischen Brüdergemeine, und vermuthlich im Jahre 1698 gebohren. Er studirte in Jena, und nahm auch daselbst die Magisterwürde an, verließ aber die Theologie, und gieng als Cabinetssecretarius, erst in Meinungische, nachher in Ellwangische Dienste. In dieser letztern Dienstverbindung trat er zu der kathol. Kirche über. Sp. hatte von jeher eine große Neigung zur Myßik gehabt, Th. Kempis a Tauierus und Arnd waren seine

Handbücher, und diese Neigung verließ ihn sogar nach seiner Religionsveränderung nicht, wie er denn auch mit der Brüdergemeine zu Neuwied in Verbindung stand. Unter diesen Voraussetzungen scheinen seine Aeußerungen: „Es „kömmt alles auf den Glauben an Chri„stum an, das übrige ist Pfaffengeschwätz;" und „Unsere Pfaffen und eure Pfaffen sind einer „wie der andere," einen deutlichen Aufschluß über seine Religionsveränderung und Religionsgesinnungen zu geben. Bey dem allen merkt Hr. v. M. von ihm an: daß er sich ein eigenes Geschäft daraus gemacht, und es eine Art von Leidenschaft bey ihm gewesen sey, junge Leute, beiderley Geschlechts, zur kathol. Kirche zu bringen, und daß er einen großen Theil seines Vermögens daran verwendet. „An sein Wohnhaus zu Coblenz war „ein großer schöner Saal angebauet, welcher mit „einer großen Anzahl in einer Höhe und Breite „gemalter Frauenzimmerportraite ausgeschmückt „war, die er mir selbst mit den Worten: Das „sind meine Kinder, zeigte. Es waren lauter Töch„ter von armen protestantischen adelichen Fami„lien, die durch seine Bemühung und Unterstü„tzung zur kathol. Kirche gebracht, und dafür „auf verschiedene Weise weiter von ihm versorgt „worden." (S. 230) Es verdient gewiß die größte Aufmerksamkeit, wenn ein Mann, wie Hr. v. M., S. 223 versichert, er könne, wenn es ihm anständig wäre, den Beweis führen, daß nicht Katholiken, sondern ursprünglich Proselyten, seit 20 Jahren her den Grund zu den neuern kirchlichen Revolutionen in Oesterreich gelegt hätten. Wir müssen dasjenige übergehen, was der Herausgeber von Sp. politischer Laufbahn sagt, so merkwürdig auch vieles davon ist, wohin wir sonderlich die Nachrichten von der Visitation des C. G. rechnen. Das Glaubensbekenntniß, und vorzüglich der Briefwechsel, sind übrigens voll von den Ideen, und in der Sprache geschrieben, wodurch sich die Brüdergemeine auszeichnet. V) *Apocryphes Schreiben eines alten Fürsten an seinen Sohn.* Ohne Zahl von Jahr und Tag, aber noch länger denn für die Hand voll Jahre dieses Seculums brauchbar und empfehlungswürdig. Mit Anmerkungen. Diesen Aufsatz, der zuerst durch das *Deutsche Museum* vom Jahre 1780 bekannt gemacht ist, fand unser Herausgeber einer Aufnahme in sein Archiv würdig, und begleitet denselben mit Noten, worinn man ihn nicht verkennen wird. VI) *Bauern-Politik und Bauern-Weisheit, in einigen Gesprächen, gehalten zwey Meilen zwischen Rhein und Mayn, in den Jahren 1766 und 1782. Aus dem Original.* Auch dieser Aufsatz ist in dem *Deutschen Museum* vom J. 1777, aber aus einer unvollständigen Abschrift abgedruckt; ganz erscheinet er hier zum erstenmale. VII) *Nachricht von zwo äußerst seltenen und merkwürdigen Schriften, Litaneia Germanorum und Lamentationes Germanicae Nationis vom Jahre*

1525.

1525. *Invectiven* gegen die Röm. Kirche. Die letzte Schrift ist eine auf Deutschland angewandte Nachahmung der Klaglieder Jeremiä. VIII) *Kabinetstucke.* Auch diesesmal werden die unter dieser Rubrik gelieferten Stücke, theils durch ihre eigenthümliche Wichtigkeit oder Sonderbarkeit, theils durch das frappante Licht, worinn sie gestellt sind, so wohl Vergnügen als Unterricht gewähren.

KLEINE SCHRIFTEN.

LITERARGESCHICHTE. *Leipzig*, b. Weidmann: *Ueber den Charakter Zollikofers*, an Hn. *Kreissteuereinnehmer Weise. Von C. Garve.* 1788. 48 S. gr. 8. (3 gr.) Zollikofers auszeichnende Züge waren: eine in ihren Aeuserungen gemäßigte, aber darum nicht minder lebhafte, und beynahe immer gleiche innere Wirksamkeit des Geistes und des Herzens: vorzüglich aber eine Harmonie des Charakters, die sich schon durch das eigenthümliche gesetzte anständige Wesen äuserlich ankündigte. Durch dieses Gleichgewicht aller Neigungen ward in ihm selbst die größere Ausbildung solcher Vollkommenheiten verhindert, welche durch übertriebene Aufmerksamkeit auf eigne persönliche Verhältnisse, und überwiegende Begierde zu gefallen, erzeugt zu werden pflegen. Eben dadurch, daß ihm diese Art der Eitelkeit fehlte, war er zum Beobachter und Sittenlehrer anderer Menschen berufen: und seine Anlage zum ruhigen Nachdenken, und Festigkeit in der schweren Bezeichnung desjenigen Weges zur Wahrheit, den der größere Haufe gehen kann, bestimmte ihn zum Religionslehrer in solchen Zeiten, wo Unerschrockenheit im Zweifel und Aengstlichkeit im Festhalten des Alten mit einander kämpften. Mit diesem Tugenden seines öffentlichen Charakters, stimmte auch sein Privatcharakter überein, und daraus erklärt sich seine Neigung fürs Landleben, zur Ordnung und zu einer gewissen simpeln Eleganz.

So schildert der Vf. seinen rühmlichst bekannten verstorbenen Freund. Mit diesem vortrefflichen Charakter steht sein Vortrag in schöner Uebereinstimmung. Kein eigentlich rednerischer Schmuck, keine malerische Beyworte. Gedankenreiche, kurze Perioden, in einem gemäßigten fließenden Tone. Nicht etwa viele gedrängte Sentenzen voll tiefen Sinnes, aber hin und wieder treffende Reflexionen. Das alles macht *hier* die größeste Vollkommenheit des Vortrags aus. Die sanfte Wärme, wodurch dieser Aufsatz etwas so sehr anziehendes erhalten, ist wohl nicht bloß Wirkung der Freundschaft: es scheint noch eine eigne Theilnehmung gerade mit diesen Vollkommenheiten mitgewirkt zu haben; die vielleicht in einer besondern Uebereinstimmung unter den Charakteren des Schriftstellers und seines Freundes gegründet seyn mag. Bey den ungewöhnlichen Vollkommenheiten dieser wenigen Bogen verweilt ein Rec. so gern einige Augenblicke, da die wortreiche Mittelmäßigkeit so mancher Meßprodukte den Verstand und Geschmack zu lähmen drohen.

Leipzig, in Commiss. der Beygangsch. Buchhandl.: *Zollikofer. Ein Denkmal für seine Freunde und Verehrer.* 1788. 1 B. 8. (2 gr.) Unter der Menge flüchtiger Blätter, welche der Tod den allgemein verehrten, der Welt und seiner Gemeine zu früh entrissenen Zollikofers veranlaßt hat, ist der gegenwärtige Bogen. Es scheint die (vielleicht zu arbeitsame) Arbeit eines jungen Mannes von hellem Kopf und lebhaftem Gefühl zu seyn weder das Schlechteste noch das Beste. Wir glauben es dem Vf. gern, daß keine der eigennützigen Absichten, die bisweilen bey Schriften dieser Art

obwalten mögen, hier *zum Grunde liegen*; daß das Herz empfand und niederschrieb, was der Verstand bewundert hatte; daß er kein Ganzes, sondern ein Fragment; einzelne Züge zu einem künftigen Gemälde, *die bald eine geübtere Hand ausführen werde,"* liefern wolle; aber dies alles kann nicht hindern, daß Freunde u. Verehrer des Verstorbenen das sogenannte *Denkmal* der Würde des Mannes nicht genug angemessen, die Charakteristik desselben zu allgemein und oberflächlich, und manche der eingestreuten Bemerkungen und Anspielungen theils unzweckmäßig, theils unbestimmt und schief, finden dürfen. Ohne diese unsere Besorgniß durch einzelne Stellen und Aeuserungen zu belegen, erinnern wir den Vf., dessen Grundsätze und Anlagen künftig noch reifere Arbeiten hoffen lassen, die von ihm selbst aufgestellte Bemerkung: „Es kann alles gesagt werden; nur kommt es auf das *Wie* dabey an, da das oft vielen Verstand und gutes Herz verlangt. Vor allen Dingen aber müssen wir ihn bitten, auf die Wahl seines Ausdrucks aufmerksamer zu seyn, da es oft nur an diesen zu liegen scheint, daß manche Stellen etwas ganz anderes sagen, als der Vf. im Sinne hatte, oder der Zusammenhang des Ganzen erforderte.

VERMISCHTE SCHRIFTEN. *Prag*, in der k. k. Normalschulbuchdruck.: *Gottesdienst gemäß allgemeiner Pfarreinrichtung.* Auf Verordnung der k. k. Religionscommission in Böhmen. Nach Einverständniß des Hn. Fürst-Erzbischofs zu Prag, und der Hn. Bischöffe zu Leitmeritz und Königgraz. 1787. 97 S. in 16. (3 gr.) Es ist allerdings lobenswerth, daß die k. k. Religionscommission in Böhmen, dafür sorgt, den Gottesdienst für den gemeinen Mann verständlicher, erbaulicher und zweckmäßiger einzurichten. Zu diesem Behuf ist gegenwärtige Schrift abgedruckt worden, worinne man die Einrichtung des Gottesdienstes in den Sonn- Fest- und Wochentagen findet. Der Messe ist eine deutsche Uebersetzung beygefügt worden, so daß der lateinische Text in der einen Columne und auf der andern die deutsche Uebersetzung erscheint. Recht gut. Aber damit ist nur ein kleiner Schritt vorwärts gethan. Wird denn nicht einmal der Zeitpunkt kommen, wo die katholische Kirche in Deutschland die Fesseln der lateinischen Liturgie abwerfen, und gleich den Sclavoniern, Croaten u. s. w. den Gottesdienst in der Landessprache halten wird? Die gewöhnlichen Gründe, die man für die Beybehaltung der lateinischen Sprache anführt, sind wirklich seicht und unzulänglich. Man sieht es, daß es der k. k. Religionscommission auch am Herzen gelegen, eine gute Auswahl von Liedern zu treffen: inzwischen erheben sich doch nicht über das Mittelmäßige, und sind ob drunter. Das einzige Morgenlied: Nun bin ich froh, vom Schlafe wach — zeichnet sich vor allen andern durch Reinheit der Sprache und herzerhebende Gedanken aus.

GESCHICHTE.

ULM: *Johann Friedrich le Bret Magazin zum Gebrauch der Staaten- und Kirchengefchichte, wie auch des geißlichen Staatsrechts katholifcher Regenten in Anfehung ihrer Geißlichkeit.* Zehnter Theil, nebft einem vollftändigen Regifter, über alle zehn Theile. 1788. 1 Alph. 3 Bog. 4 Bog. Reg. 8.

Diefe vorzügliche Sammlung ift mit diefem zehnten Theile gefchloffen, deffen Erfcheinung felbft fich ziemlich lange verfpätet hat. Er enthält nur 8 Abhandlungen, die aber fämmtlich fehr wichtig find. 1) Gedanken eines Griechen über den Grundplan der Propaganda, und deffen Veränderung und Entwickelung. Hr. le B. verfichert, dafs die Einkleidung nicht erdichtet fey, fondern wirklich einen Briefwechfel mit einem gelehrten Griechen enthalte. Die Abhandlung ift in den jetzigen Zeiten, wo die Profelytenmacherey der römifchen Kirche ein fo wichtiger Gegenftand der Aufmerkfamkeit geworden ift, fehr zur rechten Zeit mitgetheilt. Sie ift gründlich und fchön gefchrieben. Die Profelytenmacherey der katholifchen Kirche, fagt ihr Verfaffer, hatte keinen feften Grund, bis Gregor XV die *Congregatio de propaganda* ftiftete. Er war ein Schüler und eifriger Verehrer der Jefuiten, und ein brennender Verfolger der Ketzer. Der Vf. fetzt die Stiftungs- und andere zu der völligen Einrichtung der Propaganda gehörende Bullen her, und commentiret fie mit vieler Einficht und Darlegung richtiger der wahrhaftig chriftlicher und toleranter Begriffe, nur etwas zu wortreich. S. 14 erzählt er die Anekdote, dafs ein gewiffer Kardinal J. aus der angefehenen Familie von G. in feinem Teftamente einige hundert Seelmeffen für Judas geftiftet habe! Diejenigen, welche die Behauptung, dafs die Katholiken ihre Bemühungen, Profelyten zu machen, feit einiger Zeit verdoppelt haben, mit einem Hohngelächter widerlegen, werden fich doch vielleicht wundern, eben diefes auch von einem Orientaler zu lefen, der indeffen freylich von diefen Behauptungen im Occident unterrichtet ift, und das, was er vor-

trägt, zu ihrer Beftätigung fagt. Man findet hier, bey ihm im Oriente wie im Occidente, für diejenigen, welche von der griechifchen Kirche zur römifchen übergehen, Belohnungen ausgefetzt; der katholifche Katechismus ift ins Griechifche überfetzt, und, wie den Proteftanten das Sailerfche Glaubensbuch, Griechen in die Hände gefpielt, ja fo gar eine unentgeldliche Erziehungs- und Unterrichtungsanftalt für die illyrifche Jagend zu Loretto geftiftet, von der Jefuiten Vorfteher find. Da diefes Inftitut bald verfiel, fo erneuerte es Urban VIII. Eben diefer Papft ftiftete 1627 und 1628 zur Unterftützung der Propaganda noch 3 andere Inftitute gleicher Art. Eins zu Prag, worinn 20 Zöglinge aus Böhmen, Schlefien, der Pfalz, der Brandenburgifchen Mark, Ober- und Niederfachfen und Heffen zu Ketzerbekehrern erzogen werden follten. Es wurden dazu 1530 Thaler von der apoftolifchen Kammer ausgefetzt. Ein drittes errichtete er in Wien von 20 Zöglingen diefer Art, die aus Oeftreich und der Schweiz genommen werden follten. Endlich ftiftete er ein viertes zu Fulda von 30 Alumnen, die aus Franken, Heffen, Sachfen, Meiffen, Braunfchweig, Mecklenburg, Holftein etc. genommen werden follten. Es wurde dazu mehr wie für alle die übrigen Inftitute, nemlich 1800 Thaler ausgefetzt, und ausdrücklich verordnet, dafs man fuchen follte die Söhne der Güter habenden Edelleute in diefes Inftitut zu nehmen. 2) Geburts- und Todesliften von Venedig von 1773-1782. Die Todten find in allen Jahren ftärker als die Gebornen. 1782 ift fogar die Zahl der Geb. 4466. und der Geft. 6359. Gewöhnlich ift aber die Zahl der Gebornen über 5000. Die mittlere Zahl von den im Findelhaufe aufgenommenen ift 420. 1771 aber 540, von welchen 128 geftorben find. Noch gröfser ift die Sterblichkeit 1778, wo von 436-124 geftorben find. 3) Verzeichnifs der Ziehungen des öffentlichen Lottos zu Venedig. Der Gewinn des Lotto ift erftaunlich. Wenn einmal in einem Jahre mehr ausgezahlt, als eingenommen ift, fo ift es unbedeutend. Aber im Gegentheil findet man gleich auf der erften Seite den Einfatz am 1 Jul. 1734 zu 44,636 und den von den Einfetzern gemachten Gewinn zu

8,015 Ducaten. Hier nimmt noch die Regierung den Ueberschuß zu sich, und man mag es als eine Auflage auf leichtgläubige Thoren ansehen. Aber wo es ehemals und jetzt noch in manchen deutschen Fürstenthümern ausländischen Pachtern erlaubt war, die Unterthanen zu plündern! 4) Vom römischen Zinsbuche. Das Wort Zins der römischen Kirche kann im ausgedehntern und engern Verstande genommen werden. Im erstern begreift es Tribute, gewisse jährliche Gefälle, jeden jährlichen Canon etc. Im engern Verstande begreift das Wort eine jährliche Pension, welche Kirchen und kirchlichen Personen, entweder zum Zeichen einer Unterwerfung und Abhängigkeit, oder sonst eines der Kirchen zuständigen Rechts entrichtet werden muß. Gregor XIII erhöhete die Verbindlichkeit, einen einmal schuldigen Zins zu bezahlen, und verordnete, daß der, welcher am Peter Paulstage den zu leistenden Zins nicht abgetragen hätte, desjenigen verlustig seyn sollte, weswegen er den Zins bezahlte. Cardinäle, Herzoge und Könige, ja qui vel alia etiam majori dignitate praesulserint et praefulgeant, also der Kaiser sollte davon nicht ausgeschlossen seyn. Alle Jahr wird über diesen Zins ein neues Buch angefangen. Es wird aber sehr verheimlicht, und seit dem Albinischen, das von Muratori in seinen Alterthümern aufgenommen ist, findet man nicht, daß ein Gelehrter ein römisches Zinsbuch mit diplomatischer Genauigkeit bekannt gemacht hätte. Wir sind also Hn. Le B. für die Mittheilung des hier abgedruckten desto mehr verbunden. Es ist vom 1784. und man findet allerdings darinn manche Merkwürdigkeit. So steht der Herzog von Pincenza mit 9000 Ducaten darinn aufgeführt; allein Hr. le B. versichert in der Note, daß sie nie bezahlt würden. Die Erzbruderschaft des h. Hieronymus bezahlt für die Uebernehmung der Aufsicht und Besorgung der neuen Gefängnisse ein Pfund Wachszins. Wichtige, in die tausend laufende, Summen haben wir nirgends gefunden; die Einnahme aus diesem Zins ist überall nicht sehr groß. Von den ansehnlichsten Gütern werden oft nur einige Pfunde Wachs entrichtet, besonders wenn ehemalige Nepoten die Stifter der Familien sind, die sie besitzen. 6) Elmireno über die gothische Fassung der Charfreytagsgebete der röm. Kirche. Gothische Fassung, nennt der Vf. zweckwidrige, erbauungslose, harte, unverständliche, wider den Begriff reiner Gottesverehrungen anstoßende Abfassung öffentl. Gebetsformeln. Die Gebete, welche der Vf. hier durchgehet, sind aus dem Gebetbuche genommen, das die Cardinäle vor sich liegen hatten, als er dem Gottesdienste in der päpstlichen Capelle am Charfreytage beywohnte, und das den Titel führt: Uffizio della settimana santa etc. con Osservazioni divote dell' Abbate Al. Mazzinelli. Rom 1758. Freylich haben diese Gebete viel Abgeschmacktes; aber die liturgi-

sche Gebete der Protestanten sind auch nicht alle frey davon. Die Bemerkungen darüber enthalten auch daher nichts, was nicht schon öfters gesagt ist. 7) Zehnjährige Berechnungen aller Stiftungen ad pias causas in Venedig, vom Inquisitor alle Acque. Die Bilanz begreift 16 Kategorien, und ergiebt sich daraus, daß in 10 Jahren von 1755 bis 1765 zu piis causis die Summe von 3,913,967 Scudi 17 Livr. gegeben ist. 8) Elmireno Kategorien der Nuntien in Deutschland. Er versteht unter diesen Kategorien die verschiedenen Verhältnisse, worinn ein jeder Nuntius steht, und durch welche er einem Lande schädlich oder nützlich seyn kann. Er betrachtet ihn daher in dem Verhältniß als päpstlicher Gesandter, als päpstlicher Officialis, als Erzbischof in partibus, als Ordinarius, ja mehr als ein solcher, wie aus des Nuntius Pacca Beyspiele erwiesen wird. Er zeigt aus ältern und neuern Vorfällen, wie die Nuntien jedes von diesen Verhältnissen gemißbraucht haben. Diese Abhandlung ist, Weitschweifigkeit im Stil, und zu ausgedehnte Wiederholung schon bekannter Sachen abgerechnet, sehr gut. — Das Register geht über alle 10 Theile, und ist hinlänglich vollständig.

VERMISCHTE SCHRIFTEN.

Basel, b. Schweighäuser: Nova Acta Helvetica physico-mathematico-anatomico-botanico-medica, tabulis aeneis illustrata et in usus publicos exarata. Vol. I. 1787. 10. u. 314 S. 4. mit 7 Kupfertafeln. (1 Rthl. 12 gr.)

Es sind nunmehr elf Jahre verflossen, seit der achte Band der Actorum Helveticorum erschien. Mit diesem neuen Bande, der als der neunte jener Sammlung von den Besitzern derselben angesehen werden kann, fand man es nach einem so langen Aufschub rathsam den Titel in: Nova Acta H. abzuändern und eine neue Bändezahl anzufangen. In der Vorrede giebt der jetzige Sekretär, Hr. Dan. Bernoulli, Nachricht von den Veränderungen, welche sich zeither, hauptsächlich durch Todesfälle verschiedener Mitglieder, mit der Gesellschaft zugetragen haben. Die gegenwärtige Anzahl der auswärtigen Mitglieder beträgt 35, der einheimischen 11 und aus Basel 24. Den Anfang macht des ältern Dan. Bernoulli Leben, von seinem Neffen, dem jungen Dan. Bernoulli aufgesetzt. Es ist auch schon im J. 1782 besonders gedruckt, und also wohl unserm Lesern schon bekannt. II. Von einer lebendig gebärenden Eidexe von Joh. Franc. Ed. v. Jacquin (a. 1778. von dem damals erst 11 Jahr alten Vf. aufgesetzt.) Es schien eine noch nicht beschriebene Art zu seyn, deren Kennzeichen aber weiter nicht angegeben werden. III. Beschreibung dreier neuer Pflanzengattungen. Von ebendemselben. (a. 1780.) Die erste, welche in

dem

dem botanifchen Garten zu Wien unter dem Namen *Sclerocarpus Africanus* aufbewahrt wird,
gehört zur 19ten Claffe des Linn. Syftems, und
zwar zu der Ordnung Polygamia fruftranea. Die
zweyte (*Elaeodendron* orientale, ein Baum aus
Isle de Bourbon) gehört zur 1ten Ordn. der 5ten
Klaffe, und die dritte (*Lochenalia tricolor* aus
Afrika) zur erften O. der 6ten Klaffe. Noch
werden einige Bemerkungen über eine noch nicht
befchriebene Art der *Sterculia* aus St. Maurice
mitgetheilt. Die beygefügten Figuren find nur
in Anfehung der Blumentheile belehrend. III.
Ueber den Schall elaftifcher *Körper* vom fel. *Lan-
bert* (à. 1777. franzöfifch.) V. Von den Mafchinen, die vermittelft der Kurbeln in Bewegung gefetzt werden, ebenfalls von *Lambert* (1775. franz.)
VI. *Dan. Melander* (jetzt *Melanderhjelm*) von
der Verminderung der Sonnenmeffe und dem
Widerftand des Aethers. VII. *J. K. Zwinger* von
dem a. 1756. zu Bafel herrfchenden rothen und
weifsen Friefel. Die Urfache war unbekannt,
wenigftens aus der Witterungsbefchaffenheit nicht
klar. Eine eigentliche Epidemie konnte man diefes Friefelfieber nicht nennen, auch ftarben eben
nicht viel Leute dran, am meiften wurden Kindbetterinnen und erwachfene Mädchen, aber doch
auch Kinder und Mannsperfonen, nur, foviel der
VI. weifs, kein Alter davon befallen. Unterm
Schein geringer Unpäfslichkeit fchlich es heran,
und wurde zuweilen binnen 7, 14. auch wohl mehreren Tagen, ohne fonderlich fchlimme Symptome herbeyzuführen, tödlich. Der weife Friefel-
ausfchlag war kritifch, wenn er nicht zu früh
noch zu fpät kam, und gehörig auf der Haut ftehen blieb, im Gegentheil gefährlich. Der Tod
erfolgte unter einer plötzlichen Ohnmacht, Steckflufs oder Convulfionen. Zuweilen gefellte fich
diefer Friefel auch zu andern Ausfchlagsfiebern
und zu chronifchen Krankheiten; manchmal
konnte man faft kein Fieber dabey bemerken.
(Man fieht aus allen Umftänden, dafs diefes Friefelfieber von der Gattung der fchleimigen Ner-
venfieber war.) Die befchriebene Heilartift gröfstentheils zweckmäffig, wenn man einige feit
1756 mit Recht aufser Gebrauch gekommene
Mittel abrechnet. VIII. *Ph. R. Vicat* Gefchichte
eines rheumatifchen Kopfwehs, mit Augenweh,
Dunkelheit der Augen und trocknem Huften ver-
gefellfchaftet, welcher mit Magenkrampf abwech-
felte, und endlich durch einen Ausgufs des Quaf-
fenholzes gehoben wurde. IX. *Deffelben* Beobachtung von einem halbfeitigen Schlagflufs bey
einem engbrüftigen 70jährigen Greife, welcher
zugleich mit der Engbrüftigkeit durch einen von
felbft entftandenen Speichelflufs gehoben wurde.
Eine merkwürdige und fehr gut erzählte Gefchichte. X. *Deffelben* Krankengefchichte eines engbrüftigen Alten, welcher nach einem langwierigen Durchfall und darauf folgenden Ruhr nebft
auffahrenden Hitzblattern von der Engbrüftigkeit

befreyet wurde, hinterdrein aber, da die Ruhr aufhörte und Wafferfucht dazu kam, am Steckflufs
und Brand im Unterleibe ftarb. Hr. V. vermuthet, dafs fcrophulöfes Gift an diefer Krankheit
vielen Antheil gehabt haben möge. XI. Eine
befondre Krankengefchichte, von dem ungenannten Patienten felbft aufgefetzt, nebft beygefüg-
ter Beurtheilung des Falles von Prof. *Mederer*
zu Freyburg. Da der Kranke zwey Jahr alt war,
bekam feine Mutter eine hitzige Bruftkrankheit.
Weil fie viel verdorbene Milch in den Brüften
hatte, fo rieth ihr ein Arzt, fie follte fich diefelbe täglich von dem Knaben ausfaugen laffen.
Diefes gefchah, aber ungefähr nach einem halben Jahre verfiel der Knabe in eine Krankheit;
welche der Arzt nicht zu nennen wufste. Drei-
fig Tage lang hatte er die peinlichften Schmerzen,
und nahm nichts als Arzneyen zu fich. Von der
Zeit an, da er wieder zu effen anfieng, bekam
er einen gewaltigen Huften mit fchäumenden
Schleimigen Auswurf, welcher mit zunehmenden
Alter immer ärger wurde, und eine Lungenkrank-
heit zu feyn fchien. In feinem vierzehnten Jahre bekam er eine hier nicht näher beftimmte
Krankheit, welche ein eitriger Auswurf entfchied.
Er bekam nunmehr ein fehr gefundes Anfehen
und wuchs ftark, ungeachtet der Huften und
eitrige Auswurf immer fortdauerte. Diefer wurde ums 16te Jahr noch häufiger, befonders des Morgens, zugleich ftellten fich herumziehende Schmerzen, befonders in der Bruft ein, manchmal auch
Blutauswurf. Aufserdem fehlte ihm nichts. Der
vielen vergeblich gebrauchten Kuren überdrüffig,
fieng er endlich an, gar keine Diät mehr zu beobachten. Im 18ten Jahr bekam er, nach häufig
getrunkenem kalten Bier und anhaltendem Schwa-
bifchtanzen einen ungeheuern Blutauswurf, der
viele Tage anhielt, und fich endlich mit einer harten fpannenden Gefchwulft auf der linken Seite
der Bruft endigte. Diefen zertheilte er durch ge-
wärmte Küffen, und freywilliges ftarkes Huften.
Der Auswurf blieb nach wie vor gleich häufig bis
ins 28fte Jahr des Kranken, wo die Gefchichte
aufgefetzt ift, nur der Bluthuften blieb faft ganz
weg, fo wie auch die Schmerzen. Durch freywilliges ftarkes Huften verfchafte er fich immer
die meifte Erleichterung. Uebrigens waren alle
natürliche thierifche und Lebensgefchäfte, wie
bey einem Gefunden, aufser dafs er in den letzten 7 Jahren Hämorrhoidalbefchwerden litt. –
Hr. Mederer urtheilt, unfers Bodiinkens, fehr richtig, dafs der erfte Grund diefer in verfchiedenen
Ruckficht fonderbaren Krankheit eine Lungen-
entzündung gewefen fey, welche zu mehreren-
malen wiedergekommen, und einen Eiterfack mit
fchwiefgen Wänden gebildet habe. Die Gefchwulft
auf der linken Seite der Bruft fey nichts andere
gewefen als ein Beftreben der Natur, das Eiter
durch eine äufserliche Oefnung herauszufchaffen,
und hiebey hätte man ihr zu Hülfe kommen follen.

len. Da nun der Eiterfack wahrfcheinlich in der Gegend der ehmaligen Gefchwulft mit dem Bruftfell verwachfen fey, fo rathet Hr. M. an derfelben Stelle die Paracentefis zu machen, um durch die Oefnung auf eine bequemere und fichrere Art als durchs Huften das Eiter aus den Lungen zu fchaffen. XII. Achill. Mieg, von dem künftlichen Bau des menfchlichen Körpers und einigen Hülfsmitteln, deren fich die Natur zu Unterhaltung des Kreislaufs bedient, als Beweifen der göttlichen Weisheit; eine Rede, die der Vf. beym Antritt des Rectorats in Bafel hielt. XIII. C. Wetter medicinifch chirurgifche Beobachtungen. 1. Heilung einer fkirrhöfen Ohrendrüfengefchwulft, welche metaftatifch nach einer chronifchen Hemicränie entftanden war, durch Blutigel und Seidelbaft. 2. Eine fkirrhöfe Hodengefchwulft, durch trockne Bähungen mit Holzafche geheilt. 3. Eine Bauchgefchwulft, welche von einer Anhäufung vieler kleiner Steine entftanden war. 4. Ein Faulfieber mit Petefchen und blutigen Ausleerungen. Der Vf. fchreibt diefe Symptome (wir zweifeln fehr, ob mit Recht,) dem Limburgifchen Käfe zu, welchen die Patientin vor der Krankheit in gröffer Menge gegeffen hatte. XIV. D. Bernoulli Befchreibung eines zweyköpfigen Foetus. Die Speiferöhre und der Magen waren doppelt, Därme, Lungen und Herz einfach, die Aorta in ihrem Urfprung doppelt; aus ihr entfprang die linke Subclavia, und die Carotides des linken Kopfs, hingegen aus der Lungenfchlagader die rechte Subclavia und die Carotides des rechten Kopfs. Die Luftröhre war obenher, das Rückgrat durchaus doppelt. Der Beweis, dafs diefer Foetus, wenn er leben geblieben, nur als eine Perfon anzufehen gewefen, und nur eine Seele gehabt haben würde, fcheint dem Vf. unfers Bedünkens nicht ganz geglückt zu feyn. XV. Jac. Bernoulli hydroftatifche Bemerkungen (franzöfifch) XVI. Des Grafen Rafumowsky Beobachtungen über einige Berge im Kanton Bern. (franzö-

fifch) Die Felfen des Mühlthals beftehen gröftentheils aus Kalkftein auf Granit aufgefetzt: der Blaublatten, in welchem ein fchwarzes rundkörniges kalkartiges Eifenerz bricht, enthält bituminöfen fchwarzen Schiefer, Glimmer und Kalkhornfchiefer. — Ueberhaupt ift in den Berner Alpen der Kalkftein, welcher keine Verfteinerungen enthält, und alfo urfprünglich ift, auf den Granit, und auf den Kalkftein der Schiefer und Hornfchiefer überall aufgefetzt. XVII. A. Socini medicinifch praktifche Beobachtungen. Von einem freywillig erfolgten Eiterausflufs aus dem Nabel. 2. Von einem Blutfpeien. XVIII. W. de Lachenal Zufätze und Verbefferungen zu Hallers Hift. ftirp. Helvet. Spec. 1. Sie betreffen insgefamt die erfte Klaffe des Hallerfchen, oder die 19te des Linneifchen Pflanzenfyftems. XIX. D. Huber Beobachtungen über den Stern Algol im Perfeus. Der Vf. glaubt, die periodifche Verminderung des Lichts bey diefem Sterne rühre von einem um ihn fich drehenden Planeten her, welcher ihn abwechfelnd verdunkle.

ERLANGEN, bey Palm: Neues katechetifches Magazin, von Georg Heinrich Lang, Superint. und Pfarrer zu Hohenaltheim. Dritter Band. Erfte Abtheil. 1788. 169 S. 8. (9 gr.) Der Vf. liefert darin eine einzige Abhandlung: über die Tauglichkeit der meffianifchen Pfalmen zu Lefeftücken für die Jugend in den Landfchulen. Schon anderwärts hatte der Vf. felbige bezweifelt; allein er fand, wie auch wohl zu vermuthen war, verfchiedenen Widerfpruch. Itzt vertheidigt er feine Behauptung gegen die ihm gemachten Einwendungen mit Gründen und Autoritäten. Hierauf folgen mehrere bald kürzere, bald längere Beurtheilungen und Auszüge aus Kinder- und Erziehungsfchriften, mit hin und wieder eingeftreuten guten Regeln und praktifchen Bemerkungen.

KLEINE SCHRIFTEN.

ERBAUUNGSSCHRIFTEN. Dresden, b. Gerlach: Drey Predigten, nebft einigen Abhandlungen verwandten Inhalts, von M. Heinrich Chriftian Gehe, Paftor und geiftl. Infpect. der Churfürftl. Landfchule Pforta. 1787. 120 S. gr. 8. (8 gr.) Unter den Predigten zeichnet fich die dritte: über den Einflufs der Wahrheit, es ift ein ewiges Leben — auf die Beruhigung, Tugend und Hofnung des Chriften, Luc. 16, 19 — 31. vorzüglich aus. Doch ift die im Anhange beygefügte Abhandlung, über einige wichtige Fehler des gemeinen Unterrichts in der Religion, bey weitem das befte Stück in dem Buche. Die hauptfächlichften find: dafs man die Jugend nicht durch höthige Vorerkenntniffe von der natürlichen Religion zur Annahme des eigentlichen chriftlichen Unterrichts gehörig vorzubereiten, die einem jedem zu wiffen nöthige Religion mit der dem gemeinen Chriften ganz entbehrlichen gelehrten Theologie zu verwechfeln, die Beweife für einzelne Lehren und Pflichten unvorfichtig auszuwählen und anzuordnen, fie mehr zu zählen, als zu wägen pflegt. Insbefondere tadelt der Vf., dafs man noch immer den Erfahrungsbeweis, durch welchen fich das Chriftenthum einem jeden Freunde der Wahrheit fo nachdrücklich empfiehlt, zu felten braucht; die Religion noch itzt gewöhnlichermaffen mehr als eine Sache des Gedächtniffes, als des Verftandes und Herzens zu behandeln, und das Bibellefen vom Anfange bis zu Ende, ohne allen Unterfchied, Auswahl und alle nöthige Vorerkenntniffe, gerade zu der, mit der Sprache und den Sitten der Vorwelt und des Judenthums noch ganz unbekannten, chriftl. Jugend zu empfehlen fucht.

ALLGEMEINE

LITERATUR-ZEITUNG

Sonnabends, den 17ten Januar 1789.

NATURGESCHICHTE.

ZÜRICH, b. Orell, Gessner, Füssli u. Comp.: Magazin für die Naturkunde Helvetiens. Herausgegeben von Dr. Albrecht Höpfner. 3ter Band. 440 S. gr. 8. (1 Rthlr. 10 gr.)

Der erste Artikel dieses Bandes, der einen erfreulichen Beweis abgiebt, wie glücklich es dem Herausgeber schon gelungen sey, den Enthusiasmus für vaterländische Naturkunde, der ihn selbst belebt, mehrern seiner Mitbürger mitzutheilen, enthält zwo Reden und ein Schreiben des Hn. Prof. J. Ith in Bern, über die Perfectibilität des Menschengeschlechts, für die er Beweise auch aus der Physik der Erde in der hier eingerückten ersten Rede beyzubringen sucht; aus der Naturgeschichte des Menschen in der 2ten. Die Schicksale des Menschen stehen mit den Veränderungen der Erde in genauester Beziehung S. 14. In Schichten S. 20., mit welchen der Grundstoff Granit S. 18, bis zur höchsten Erhebung hin von dem andern Bestandtheil unsers Planeten belegt ist, werden alle Mineralien erzeugt. — Alle? und nur in diesen Schichten? daraus würde folgen, dass keine Gänge, oder dass diese keine Werkstätte der Mineralien wären. — Unsere Erde gewinnt an Regelmässigkeit und Schönheit, an Sicherheit und Festigkeit, an Fruchtbarkeit, Milde des Klima's und Veredlung der Producte unaufhörlich S. 27. — Wäre dieses zugegeben fürs Ganze, so müsste doch wohl auch noch hiezu bemerkt werden, dass bey mehrerer Verbreitung der Cultur über das Ganze, manche, auch grosse, weitläuftige Gegenden und Länder von ihrer höchsten Cultur sehr weit, und bis zur vorigen Rohheit wieder herunter sinken könnten, und wirklich herunter gefunken wären, wie es vielen, wo nicht allen den, noch dazu mit vorzüglichen Naturgaben reichlich ausgestatteten Ländern gegen Morgen ergangen ist, aus welchen zu uns gegen Abend die Cultur schritt. — Ist die Handelschaft, wie solche bey uns (in Zürich) beschaffen, unfern Landen schädlich oder nützlich, in Absicht auf den Feldbau und die Sitten des Volks? beantwortet im IIten Artikel von Hn. Dr. Rathshn. u. Stadtrath Hirzel. Unter Handelschaft versteht der Vf. hier meist Manufacturen, besonders Baumwollenspinnerey und Weberey, auch das Stricken leinener Strümpfe, und es entscheidet seine genaue Beschreibung des Nahrungsstandes der ganzen Gegend, dass im Ganzen eine vorzügliche Cultur des Landes sich an denjenigen Orten zeige, wo auch der Fabrikverdienst von vielen Jahren her am stärksten war; dass eben an allen jenen Orten eine vorzügliche Bevölkerung angetroffen, hingegen die Bevölkerung in Abnahme. und der Landbau schlecht betrieben gefunden werde, wo man keine Fabriken habe. Man findet hier Gegenden beschrieben, wo das 8te, ja 10te Korn erbauet wird. Gemeinweidenvertheilung, Kleebau, Erdäpfelbau, Bepflanzung der Wiesen mit Obstbäumen und Wässerung derselben, Düngung mit Erdarten, welche den Acker verbessern können, von dem geschelden Kleinjogg angefangen; alle diese Kenntzeichen ländlichen Wohlstandes, wovon die Abhandlung voll ist, in der beschriebenen Gegend wirklich in Uebung, und in Thatsachen von Nutzen dargestellt, geben auch dem, der mit eignen Augen nicht sehen kann, Beweis genug, dass es der edle Vf. nicht übertrieben hat, wenn er S. 68. solche Gelände einen wahren Lustgarten Gottes nennt. Strohwiesen, auf welchen man nicht Heu, sondern nur Stroh bauet, eben darum sie schätzt, so gar eben des Strohes wegen sie cultivirt, und gegen Nutzen davon zieht, werden jedem Landwirthe in Deutschland neu, vielleicht gar lächerlich vorkommen. S. 72. wird angeführt, dass die abhangende Lage des Geländes zulasse, in tiefer liegenden sumpfigen Gründen Wässerungen zuwege zu bringen, wodurch eine grosse Menge schwarzen Strohes erzeugt werde. Auf diese Art des Landbaues sey sehr viel Fleis und Sorgfalt verwendet, weil der aufmerksame Bauer den grossen Nutzen von Vermehrung des Düngers wahrgenommen habe, daher man auch diese Art Wiesen so theuer bezahle, als die Futterwiesen. Gegen Ende des 3ten Jahrzehndes des gegenwärtigen Jahrhunderts, habe man angefangen, Torfrieder; nachdem der Torf benutzt worden, in die schönsten Strohwiesen zu verwandeln. — Ein schöner Beweis der in diesen Gegenden immer wachsenden Bevöl-

Bevölkerung wird S. 102 und 108 nach Auszügen von Tabellen vom Jahr 1477, bis zum J. 1785 gegeben. Wir begnügen uns, davon nur anzuführen, dafs im erften Jahre die Volksmenge 51,892 war, im letzten 167,564 war. Von zwey Orten, Regenfperg und Waedenfchweil, deren letzterer nur 9,356 Juchart, erfterer 18,414 Jucharte an Gütern befitzt, wird S. 122 und 123 die Volksmenge verglichen. Letzterer hatte im J. 1700 3997, erfterer 4280 Einwohner. Im J. 1773 hatte erfterer 3949 Einwohner, letzterer 7415, und eben in diefem letztern nahmen feit Anfang des jetzigen Jahrhunderts die Baumwollenfabriken überhand, er hat jetzt 1965 Arbeiter in diefen Fabriken, da jener nur 176 hat. Vortheilhaft und glücklich ift die Eigenheit der Manufakturen diefes Landes, dafs fie nicht in der Stadt behalten, fondern im Lande zerftreuet find. Sind neben den befondern Umftänden, unter welchen der Verdienft in den Fabriken den Feldbau begünftiget, ja auch andere an manchen Orten zu finden; unter welchen diefer Fabrikverdienft dem Feldbau nachtheilig wird; fo laffen fich doch von einer guten Policey, durch gefchärftes Nachdenken und Anftrengung des Fleifses diefe nachtheiligen Umftände gar wohl heben, wie von S. 127 bis 139 fehr einleuchtend erwiefen wird. Und wenn auch bey Reichthum und vermehrten Umlaufe des baaren Geldes manche fehr grofse Uebel mit unter aufkeimen, fo ift diefes doch nur vom Mifsbrauche des baaren Geldes wahr. —

Die chemifche Unterfuchung des Helvetifchen Topffteins, vom Hn. Oberkämmerer Wiegleb in Langenfalza, macht den 3ten Artikel aus. Diefes Foffil, deffen Unterfuchung hier befchrieben wird, war aus Graubündten, wo allerley feuerfefte Töpfe daraus gedrechfelt werden S. 158. Das wahre Verhältnifs der Beftandtheile diefes Gefteins in einer Unze war Kiefelerde 3 Drachmen 4 Gran, Eifen 1 Dr. 15 Gr., Alaunerde 32 Gr., Kalkerde 2 Gr., Flufsfpathfäure 2 Gr., Bitterfalzerde 3 Dr. 5 Gran. —

Nun folgen die *zwo gekrönten Preisfchriften über den Thonfchiefer, Hornfchiefer und die Wacke*, die erfte vom Hrn. D. L. Guftav Karften, Preußifchen Bergkadett, die 2te vom Hn. Bergfecretär Voigt in Weimar. Nach S. 283 des 1ten Bandes diefes Magazins S. 386 des 2ten, und S. 168. auch 239 diefes 4ten Bandes, war die Aufgabe: Ueber die 3 Benennungen: *Hornfchiefer, Thonfchiefer* und *Wacke*, mit welchen, befonders erftern und letztern, bisher freylich fehr viel Unfug unter den Mineralogen getrieben worden ift, — richtige, beftimmte, der Natur der Steinarten angemeffene, *Eintheilung, Benennung* und *Befchreibung* zu verfertigen; fie durch deutfche und lateinifche Trivialnamen genau zu beftimmen; Geburtsort und Localben nnung anzuführen. Zweck derfelben war, nach S. 382 des erften Theils diefes Magazins, der grofsen Un-

gewifsheit, Unordnung und Unrichtigkeit in Eintheilung, Benennung und Befchreibung diefer 3 Felsarten abzuhelfen, ihren Benennungen alfo mehrere Beftimmtheit zu verfchaffen. Unter 4, auf die Frage eingelaufenen Antworten, wurden den S. 286 des zweyten Bandes, zwey ganz untauglich, die hier aufgeführten zwey aber fo ganz vollkommen entfprechend gefunden, dafs man fich genöthiget fahe, beiden den Preis zuzuerkennen. Umftandlich ihren Lahalt hier anzu geben, würde zu hier nicht zuläffiger Weitläuftigkeit führen, wir können alfo nur zerftreute Bemerkungen geben, welche die jetzt leicht mehr feltenen Liebhaber des Mineralreichs darauf nur leiten helfen follen, mit defto mehr Aufmerkfamkeit beide wohl verfafste Schriften felbft zu lefen. Die Verfaffer mufsten, wie aus dem Zwecke der Preisaufgabe folgte, mit Widerlegung mancher, bisher bey Schriftftellern herrfchenden Irrthümer, fich vorzüglich befchäftigen, und fie thun das auch mit aller nöthigen Freymüthigkeit, doch geht Hr. Karften bey weitem fo fanft nicht mit den Irrenden um, als Hr. Voigt, welches man bald finden wird, wenn man, was die Widerlegung des Hn. Haidingers betrifft, S. 249, gegen die Seiten 168. 171. 175. befonders 188 hält. Es ift ganz gut, dafs man fchärffte Beftimmtheit in Befchreibung, Klaffificirung etc. der Foffilien fordert, aber ift fie denn auch allemal, befonders jetzt noch möglich? Wollten wir in aller Schärfe verfahren, fo dürfte auch wohl der Dachfchiefer als eine fehr unmineralogifche Benennung, beides zur Lächerlichkeit und zum Wegwerfen reif genug feyn, denn im Grunde hat fie kein gröfseres Recht auf die Beybehaltung der Mineralfyftemen, als die Benennung Pflafterftein, Geftellftein, Mauerftein, etc. Hr. Karft. will zwar S. 177, dafs der wahre Dachfchiefer, allemal reiner Thonfchiefer feyn müffe, aber kann denn nicht Glimmerfchiefer, Sandfchiefer etc. auch auf die Dächer genagelt werden, und gefchieht diefes etwan nicht wirklich? Ift er aber einmal auf die Dächer genagelt, fo ift aller Schiefer, Dachfchiefer, er mag beftehen, woraus er nur immer will. Rauhigkeit im Widerfpruche dienet nur dazu die Vereinigung mehrerer zu einer feften Meynung, welches doch bey der Art Beftimmungen, wovon die Preisfchriften handeln, auch wohl mit zum Zweck gehört, noch mehr zu verhindern, da ohnedem die ewige und unüberwindliche Verfchiedenheit in den Meynungen, befonders in der Mineralogie durchaus einheimifch zu feyn fcheinet. So fieht man auch hier in diefen 2 Abhandlungen, dafs Hr. K. dem Wernerichen Hornfchiefer beytritt, S. 218 u. f. Hr. V. hingegen bey feinem vorlängft fchon angenommenen Hornfchiefer verbleibt. S. 245 u. f. Hr. Karften räumt die Wacke fehr willig ihren Platz unter Lagern zwifchen den Gefteinlagern der urfprunglichen Gebirge, fogar unter den

Gang-

Gangarten ein S. 236, da hingegen S. 267.
Hr. V. fie nur mit dem Zufatze *grau*, in *Grau-
wacke* allein gelten laſſen will, welcher Meynung,
des grofsen Miſsbrauchs wegen, der immer mit
dem Worte Wacke vorgegangen iſt, Rec. gern
auch mit beytritt. Hr. V. hat *Thonfchiefer*, S.
258. *Schieferthon*, S. 263, verhärteten Thon, als
befondere Gattungen, die alle *Thon* und *fchiefrig*
find, daher *K.* nur *Thonfchiefer* als einzige Gattung
aufführt mit der Bemerkung S. 202 u. f. daſs Wetz-
fchiefer und Alaunfchiefer zuweilen an feiner Statt
in den Gebirgen fich finden. — Schade! daſs Hr. Karſtens Schrift durch eine Menge Druckfehler gar
fehr verunſtaltet worden. Der VIte und VIIte
Artikel handeln *über die Urfache des Mangels,
und der hohen Preife der Butter im Canton Bern,
u. die Mittel dagegen ab.* Die erſtere Schrift iſt die
Beantwortung einer Preisfrage von Hn. H. K. Nü-
fcheler, Secretarius der L. Oekonom. Kommiſſion
in Zürich, letztere iſt ein Anhang dazu, vom
Hn. Herausgeber des Magazins. Als Urfachen des
Mangels und der Theurung der Butter, werden
unter andern, auch mit angegeben, die harten
Winter der Jahre 1784 und 1785 S. 270, die ſtarke Bevölkerung bey Fabrikverdienſt, und das
überhandnehmende Caffeetrinken. Zu Mitteln
gegen die Theurung der Butter werden mit empfohlen Aufhebung der Brache ſammt Gemeinde-
hütung, um Klee und andere Futterkräuter zu
bauen, und fo mehr Vieh zu halten; Austrock-
nung fumpfiger Rieder zu gleichen Zweck S. 274.
Beygelegt iſt der Preisfchrift eine Zehndord-
nung wegen Kleebaues, worinn man die weife
Anordnung der Obrigkeit mit Vergnügen lieſt,
den Kleebau, und zwar nur den, welcher allein
das Brachjahr ausfüllt, mit Zehnderlaſs zu be-
günſtigen; den Klee dagegen mit Abgaben zu belegen, welcher mehrere Jahre dauert, als Luzer-
nerklee, Efporfett, wie nemlich nicht auf
entlegenen oder fchlechten Aeckern gebauet wird.
S. 278 und 279.
*Die Befchreibung des Pfefferer Gefundbrun-
nens*, vom Hn. Dir. Hirzel jun. in Zürich, 1tes
Stück. Reife von Zürich nach Pfeffers macht den
8 Artikel. Mit etwas Umſtändlichkeit, die der
Eleganz wegen angebracht zu feyn fcheint, gefchrieben, wie gleich S. 376 die Befchreibung des
Schiffes beweifet, auf welchem man von Zürich
aus über den freundlichen See fährt, und man
fich freudig überlaſſen kann, weil Gefchirr und
Leute bequem genug find. — Den 11 Artikel
füllt *eine Zufchrift der löbl. Phyſical. Oekonomi-
fchen Gefellfchaft in Zürich, an die ehrfame Gemeinde Altſtetten bey Zürich.* In dem Eingange
zu diefem fieht man mit Wohlgefallen, daſs gedachte Gefellfchaft Befprechungen mit Gemeinden über den Zuſtand des Feldbaues und Bau-
ernwefens hält, und dann, um auf ihre Mängel
und deren Verbeſſerung fie aufmerkfam zu machen, dergleichen Zufchriften an die Gemeinden

erläſt, die dann in Gemeindeverfammlungen
von einem ihrer Vorgefetzten abgelefen werden.
S. 370. Es enthält dies Schreiben im planen,
auch dem geringſten Menfchen verſtändlichen,
auf gute Menfchen allemal Eindruck machenden Familientone, freundfchaftliche Zufpra-
che, das Laufen nach Verdienſt bey den Fabriken in der Stadt einzufchränken, und dem Land-
baue auch einige Zeit Aufmerkfamkeit und Mühe
zu widmen. X. *Vorfchlag* von Hn. Director
Exthaquet *zu Servoz in Faucigny verfchiedene,
vorzüglich Kupfererze, auf eine neue Weife zu
probiren.* Mit Salpeter S. 390 foll diefes gefchehen, und Hr. Exthaquet verfichert, daſs er verfchiedene Kupfer- und Bleyerze fo probirt, und
S. 391 *mehr* Metall aus ihnen erhalten habe, als
durch die gewöhnliche Probirart. Mehrere Me-
tallurgen, welche diefe Probirart nachgemacht
haben, hat es, wie Rec. bekannt iſt, nicht glü-
cken wollen, fo viel Metall zu erhalten, als bey
der gewöhnlichen Probirart. Oder vielleicht
fehlen ihnen noch Handgriffe, Vorfichtsmittel, die
Hn. Exf. bekannt find. VI. *Von eben dem Vf.:
Neue Verfuche, den Stahl zu bereiten, und das
Gold zu reinigen.* Von cämentirtem oder ge-
branntem Stahle iſt die Rede, deſſen Bereitung
Hr. Exf. die vorzüglichſte Verfahrungsart zu feyn
fcheint. S. 403. Das Gold zu reinigen, bereitet
Hr. Exf. aus drey Theilen calcinirter und zer-
ſtofsner Knochen, 2 Theilen Vitriolöhl, das mit
3mal fo viel Waſſer verdünnt iſt, eine Fluor
Phosphorfäure, die halb mit fixem mineralifchen
Laugenfalze gefättigt iſt, und fchmelzt mit derfelben das unreine Gold S. 408 und 410. Zuletzt folgen noch Recenſionen und Nachrichten.

LITERARGESCHICHTE.

NÜRNBERG, b. Zeh: *Chriſtoph Gottlieb von
Murr Journal zur Kunſtgefchichte und zur
allgemeinen Literatur.* Vierzehnter Theil.
1787. 369 S. Funfzehnter Theil. 1787. 390
S. 8. (Jeder Theil 20 gr.)

Wollte Hr. von M. fein Journal nicht zuweilen
mit minder erheblichen und doch dabey weitläuftigen Abhandlungen, Auszügen und Digreffionen
überladen, und folches nicht noch öfter durch
unnütze Apologien feiner Lieblinge, der Jefuiten,
verunreinigen; fo dürfte er auf weit mehr Beyfall Anfpruch machen, als er wirklich erhält, da
er jetzt zum Theil weniger erhält, als er verdient. Die Abwechfelung der Materien iſt unterhaltend; die ältere Gefchichte und die Denkmäler der Kunſt werden oft in ein helleres Licht
gefetzt, und die Nachrichten, befonders von ausländifchen Literatur, machen dem neugierigern
Liebhaben Vergnügen. — Auch gegenwärtige
Theile enthalten mancherley ausführliche Notizen
und Berichte, wovon einige angeführt werden
follen. Im 14ten Theile befchäftiget fich der Hr.

Vf. gleich zuerſt mit den 16 nackten Vorſtellungen, welche Giulio Romano zeichnete, Marcanto-
nio in Kupfer ſtach, und Pietro Aretino mit Sonetten verſah — und zeigt auch in dieſem Fache
eine; nicht gemeine Kenntniſs und Beleſenheit.
Sehr freygebig iſt er mit Anführung der Sonett.
Da ſie ſo gar natürlich ſind, ſollte man ſie wohl
zur Kunſtgeſchichte rechnen können? Doch ſie
machen das vollſtändige Complement zu den Figure. — Dann folgen Kunſtnachrichten aus
verſchiedenen Ländern und Erinnerungen zu Hn.
v. Heinecke neuen Nachrichten von Künſtlern.
Bey der Literatur wird zuerſt der Anfang einer
ausführlichen Beſchreibung der ſämtlichen Reichs-
kleinodien und Heiligthümer, welche zu Nürnberg
verwahret werden, geliefert. Die portugieſiſche
Literatur enthält hauptſächl. *Animadverſiones cujusdam plures per annos in Braſilia Miſſionarii
in librum Lipſiae*, 1782, 8. editum, qui inſcribi-
tur: Briefe über Portugal aus dem Franz. herausgegeben von M. C. Sprengel Vollkommen nach
jeſuitiſchem Geiſte, voll von übertriebener Parteylichkeit, von Vorliebe für den bigotten K. Johann V, und von Haſs gegen K. Joſeph I und gegen Pombal! Hier wäre es zu weitläufig, manches zu unterſuchen und zu widerlegen. Doch
aber nur einiges: S. 21L Die 15000 Mann unter Joh. V. möchten immer zu Waſſer und zu Land
hinreichend geweſen ſeyn, wenn nur die Officiere
und Soldaten beſſer geweſen wären. Hausbe-
diente der Generale waren Hauptleute, und was
Lord Tirawley und Graf v. der Lippe 1762 er-
fuhren, das fand unter der vorhergehenden Regierung in eben dem Grade ſtatt. S. 224. oben.
Das *brachium ſaeculare* vollzog freylich die Strafe bey denen, die in die Inquiſition kamen, aber
wurde vorher auch immer der Proceſs von weltlichen Räthen unterſucht? S. 230 Nothwendig
muſſte Pombal Fremde zu Generals-und Officiers-

ſtellen nehmen, wenn er ſie nicht ſchlecht beſe-
tzen wollte. S. 236. Was hier beſtritten wird
ſind doch wohl keine *Deliramenta*. Der Abt
Diego Barboſa Machado führt in ſeiner Bibliotheca Luſitana (Liſſabon 1741) 248 Lebensbeſchrei-
ber der h. Jungfrau an, die zuſammen 297 Schriften über dieſen Gegenſtand verfertigten, worunter nur einige Predigten und Gedichte waren. —
Unter die türkiſche Literatur wird ſogar eine Ueberſicht des Perſonals am türkiſchen Hofe ge-
miſcht. Den Beſchluſs dieſes Theils machen literariſche Nachrichten von Tyll Eulenſpiegel. —
In dem 15 Th. findet man unter andern: Neue
Beyträge zur Geſchichte der Oelmalerey — Verſuch einer nürnbergiſchen Kunſtgeſchichte vor
den Zeiten Albr. Dürers, 2tes Stück; von der
Malerey — und etwas von der Glasmalerey in
Nürnberg. Unter der Rubrik: *Literatur*, ſind
neue diplomatiſche Beyträge zur Geſchichte Nürn-
bergs, die verſchiedene Objecte betreffen, abgedruckt, und zuletzt beſchließt die Fortſetzung
der ausführlichen Beſchreibung der Reichsinſig-
nien. Auf dieſe Materie verwendete der Hr. Vf.
vor andern viele Mühe. — Nebenbey ſtöſt man
unvermuthet auf ganz eigene Urtheile; z. B. S.
106 im 14ten Th. wird in einer Anmerkung von
der Lebensgeſchichte „des vortrefflichen Mannes
„und wahren Märtyrers aller Ungerechtigkeit und
„Chikane, Friedrichs Freyherrn von der Trenk,
„geſagt: Dieſes Buch ſollte als ein Spiegel in al-
„len hochpreiſfl. Raths- und Gerichtsſtuben Eu-
„ropens vor jeder Seſſion *durchgegangen werden,*
„und in goldenem Bande prangen; mit der Auf-
„ſchrift:

„*A Wit's a feather, and a Chief's a rod,*
„*An honeſt man's the nobleſt work of God. Pope.*‚-
Könnte nicht ein Unparteyiſcher dieſem Märty-
rer mit mehrerm Rechte zurufen:

„*Tute hoc intriſti, tibi omne eſt exedendum?*

KLEINE SCHRIFTEN.

GOTTESGELAHRTHEIT. *Berlin*, ohne Anzeige des
Verlegers: *Erläutertes Ja! oder Beweis, daſs es einer
proteſtantiſchen Lehrers Pflicht und Gewiſſen erfordere,
chriſtliche Aufklärung zu befördern.* 1788. 46 S. 8. (3 gr.)
Aus dem Titel wird man den wahren Inhalt dieſer Bogen
nun freylich nicht errathen können. Nach einigen voraus-
geſchickten allgemeinen Anmerkungen und Erklärungen:
was Sünde? Vergebung der Sünden? Verföhnung, und
göttliche Straſen ſind? (p. 1 – 14.) und worinnen alles
ſolche in den Geſetzen des Chriſtenthums und in göttlichen Straſen geradezu weggeleugnet, und alles Stell-
vertretende in der Verſölmung Jeſu, als widerſinnig und
ungereimten vorgeſtellt wird: kömmt der Vf. auf den eigentlichen Zweck ſeiner Schrift; nämlich welchem er die
Unannehmlichkeit und Unſtatthaftigkeit der Gründe zu
zeigen ſucht, womit ein proteſtantiſcher Geiſtlicher in
einer Schrift: *erläutertes Nein, aus der Verlaſſenſchaft
eines Hamburgiſchen Predigers*, die Beybehaltung der Pri-

vatbeichte hat unterſtützen wollen. Der Vf. hat dieſs mit
einem Aufwand von Worten gethan, welchen die ſeich-
ten Gründe ſeines Gegners nicht verdienten. Daſs die
irgendwo eingeführte allgemeine Beichte ſogleich auch
ein untrügliches Kennzeichen einer wahren chriſtlichen
Aufklärung ſey? möchte wohl durch Thatſachen und
redende Geſchichten zu bezweifeln ſeyn.

Erlangen. b. junge: *Denkmal der Hochachtung und
Liebe dem weiland Hochwürdigen und Hochgelehrten Herrn
D. Joachim Ehrenfried Pfeifer — Prof. Sup. und Paſtor
in Erlangen* — geſetzt von *D. Ge. Fried. Seiler.* 3 B. 4.
Eine ſimple, kunſtloſe Schilderung des moraliſchen Charakters dieſes Theologen, wie in Leichen — oder Ge-
dächtniſspredigten zu werden pflegt, daran die
ſchönſte Treue und Wahrheit der Schilderung und
das rührendeſte die Achtung iſt, womit Hr. D. Seiler dieſem Seinem Lehrer nach ſeinem Tode begegnet. —

ALLGEMEINE
LITERATUR - ZEITUNG

Sonntags, den 18ten Januar 1789.

RECHTSGELAHRTHEIT.

CARLSBURG in Siebenbürgen, mit bifchöfl. Lettern: *Leges ecclefiafticae regni Hungariae et provinciarum adjacentium, opera et ftudio Ignatii Comitis de Batthyan, Epifcopi Tranfylvaniae colleEtae et illuftratae. Tomus primus. Anno MDCCLXXXV.* 706 S. Fol. nebft 2 u. ein halb Bog. Dedication an den Herrn Erzbifchoff, Grafen von Migazzi, zu Wien.

Unfere Anzeige diefes, für Ungarn und auch für deutfche Rechtsgelehrte und Liebhaber der Kirchengefchichte wichtigen, Werks ift nur fcheinbar verfpätet. Eine beygefügte Nachricht des Buchdruckers fagt, dafs im J. 1785 zwar der Anfang mit dem Drucke, und zwar zu Clausenburg, gemacht, dafs es aber erft gegen das Ende des Jahres 1787 zu Carlsburg oder Weifsenburg, wohin man einen Theil der Buchdruckerey gebracht habe, vollendet worden fey. Unftreitig wird es das vollftändigfte u. glaubwürdigfte *Corpus juris ecclefiaftici Hungarici* werden. Aeltere handfchriftliche Sammlungen diefer Art wurden ehedem, und zum Theil noch jetzt in ungarifchen Bibliotheken, aufbewahrt. Was merkwürdig und zu haben war, hat Hr. Graf Batthyan fich verfchafft, oft mit beträchtlichen Koften, und benutzt. So hat er einen anfehnlichen Apparat von einem, bey den Ungarn fehr gefchätzten, Gelehrten Samuel Szekely, für 600 Gulden an fich gekauft. Ungarifche Gefetzfammlungen, ohne jedoch fich auf das Kirchenwefen einzufchränken, hatten vor ihm fchon Sambok oder Sambucus 1581 und Moffoczy 1584 geliefert. Vorgearbeitet hatte ihm einigermaafsen der Pater *Karl Peterffy* durch feine ungarifche Concilienfammlung, welche unter andern auch für die Sphragiftik wichtig ift; ein Autor, der durch feine Grofsfprecherey, Tadelfucht und unausftehlich weitläuftigen Digreffionen, wenn man die Synodalfchlüffe auffuchen mufs, oft läftig wird, und deffen Zuverläffigkeit noch nicht aufser Zweifel ift. Auch gehören hierher: des Bifchoffs von Zagrab, Franz Tjauzy, *Conftitutiones fynodales Dioecefis Za-*
A. L. Z. Erfter Band. 1789.

grabienfis, 1766, und Hn. *Paul Jof. v. Rieggers Specimen Corporis juris ecclef. regn. Hungar.* Vindob. 1768, in zwey Theilen, welches nach der Ordnung der Decretalen Gregors IX zufammengetragen, und fehr bequem zum Handgebrauch ift; nur dafs zwifchen dem erften und andern Buche eine weitläuftige, faft den vierten Theil des ganzen Werks einnehmende, Digreffion über das Recht der ungarifchen Könige, die Bifchöfe zu ernennen, die gröfstentheils aus *Kollars hift. diplomat. juris patronatus* zufammengetragen ift, am unrechten Orte fteht. In gegenwärtiger Sammlung ift, um der Vollftändigkeit willen, die Spelmannifche für England nachgeahmt; wiewohl auch Harduin, Manfi u. a. fchon auf ähnliche Art, nur unter andern Titeln, gefammelt haben. Zu feinen *Legibus ecclefiafticis Hungariae* rechnet z. B. der Hr. Vf. von allgemeinern Kirchengefetzen die Schlüffe der fardicenfifchen Synode, Decretalen der Päpfte, dann die Particularkirchengefetze, die National-, Provincial-, und Diöcefantynoden, die Verordnungen der päpftlichen Legaten, der Primaten, Erzbifchöfe und Bifchöfe, die Statuten der Kapitel u. *Conftitutiones Regularium;* endlich auch königliche Gefetze und Schlüffe, die auf National- oder Reichsverfammlungen *(Leges mixtae)*, wo auch die hohe Geiftlichkeit mit verfammelt war, errichtet worden find, in fo fern fie auf das Kirchenwefen Beziehung haben. (Der Vf. führt S. 42 ff. verfchiedene merkwürdige Beyfpiele von *Conciliis mixtis* in und aufserhalb Ungarn an, die denen fich feyn mögen, welche der Hypothefe, dafs darinn der Urfprung der Reichsftandfchaft der deutfchen Bifchöfe und Aebte zu fuchen fey, ergeben find. Nur Schade, dafs die hohe Geiftlichkeit auf Reichstagen erfchien, ehe man an Concilien dachte!) Von allgemeinern Concilien ift hier nur das fardicenfifche aufgenommen, theils weil es in der Hauptftadt Illyriens, welches die ungarifche Nation fich vindicirt, errichtet worden, theils weil zwey pannonifche Bifchöffe Urfacius und Valens eine vorzügliche Rolle auf diefer Synode fpielten. (Eben fo meynte fchon Leibnitz, dafs in eine deutfche Concilienfammlung die Schlüffe zweyer Generalconcilien gehörten.) Dafs mehrere illyrifche Synoden
S   fchlüffe

schlüsse (Synodus dalmatina, falonitana und spalatenfis) eingerückt sind, entschuldigt der Hr. Vf. durch die ehemalige Verbindung dieser Provinzen mit Ungarn, und weil die Gerichtsbarkeit ihrer Bischöfe sich auch über ungarische Provinzen erstreckte, fast eben so, wie ehedem Sirmond mainzische, trierische, cöllnische und mechelnsche Synodalschlüsse in seine *Concilia Galliae* aufnahm. Diesem zufolge stehen in diesem ersten Theile S. 173 bis 433, die Synodalschlüsse und übrigen *Acta ecclesiastica* bis auf das Jahr 1076, jene von Num. I bis LIII. Unter den Synodalschlüssen machen die sardicensischen S. 173 bis 197, nebst verschiedenen dahin gehörigen Actenstücken, und mit bemerkten Abweichungen der verschiedenen Editionen, den Anfang. Den Schlüssen der zweyten sardicensischen Synode der orientalischen Bischöfe wiederfährt diese Ehre nicht. Von ihr sagt der Hr. Vf. S. 101: *Decretum (orientalium Episcoporum Homousion condemnantium) impietate in Dominum Jesum plenum, et a regula ecclesiastica magnopere dissidens Synodalibus actis a me editis inserere nolui, quum aeternis tenebris dignum sit.* Dann folgen, gleichsam als Anhang, von Num. LIV. bis CLXV. S. 433 bis 706 Excerpte aus königl. Verordnungen in Kirchensachen, die vom Jahre 1092 bis 1729 ergangen sind; zum Theil sind auch die Verordnungen vollständig eingerückt; fast auf eben die Art, wie in der Mansischen Conciliensammlung am Schlusse einiger Theile Capitularien der fränkischen Könige beygefügt sind. Unter dem Texte sind Anmerkungen angebracht, die selten weitläuftig sind, und meistens Erläuterungen, Zusätze, historische Umstände, verschiedene Lesarten, die Quellen u. dergl. enthalten. Als eine Probe dieser Anmerkungen, welche die Zigeuner betrifft, heben wir S. 499 aus einer Verordnung K. Matthias I von 1459 aus. In dieser heisst es: Philister, Tataren und *Comani* sollten vom Kriegsdienste ausgeschlossen seyn. In der Note sagt Hr. B.: *Cumanos e: Jazyges hodie quoque habemus, nemo tamen existimet, hodiernos genus esse pristinorum: oppida enim et possessiones pene omnes per Turcas et Tartaros desolatae fuerunt, nova quae nunc visuntur loca, novus et unde unde confluens populus inhabitat. Tartaros suspicor esse illud genus hominum, quos nunc Zingaros vocamus; in hanc suspicionem me induxerunt sequentia, utpote, primo bellico usui deseruisse-ipsos patet ex Uladislai secundi salvo conductu Pharaonibus dato a Chr. 1496 — ubi dixit Rex — secundo Zingaros jam pro Ismaelitis, jam pro Agarenis habitos pariter scimus, hoc ipsum constat etiam de Tartarit, sic apud Du Cange Chronicon S. Medardi Suessionis ait de Tartaris: a quibusdam vero peritis creduntur esse Hismaelitae, id est filii Ismaelis, quem habuit Abraham ex Agar ancilla sua, quos David vocat Agarenos.* Zur Sphragistik sind in diesem Bande ausser mehrern,

hier und da eingerückten bischöflichen und andern Siegeln, drey Majestätssiegel merkwürdig, die auf besondern ganzen Bogen beygefügt sind, von dem ungarischen König Karl I, von 1325 zu S. 460, von K. Vladislaus II von 1511 zu S. 566, und von Kaiser Ferdinand II von 1626 zu S. 672. Auch hat Rec. S. 369, 381 und 397 Monogrammen des Ungarischen Königs Stephan bemerkt, die alle in der Figur von einander abweichen. — Die beiden, dem Werke als Einleitung vorgesetzten, Dissertationen sind: a) *de Synodis regiis*, von S. 1 bis 96; und b) *Recensio legum ecclesiasticarum* von S. 97 bis 172. Beide sind für das Werk sehr brauchbar, insonderheit die letztere. Allein in der ersten wird viel zu weit ausgeholt und umständlich angeführt, was theils ganz hätte wegbleiben können, theils in einer Vorrede hätte gesagt werden sollen. Gleichwohl zeigt sich häufig Mangel an historischen Kenntnissen und an Belesenheit. Aber das Lob der Mäsigung und Unparteylichkeit gebührt dem Vf. insonderheit in den Streitigkeiten zwischen dem weltlichen und geistlichen Arm, wo er blos historisch erzählt, und wo er demüthig glaubt, dass beider Rechte so fest gegründet wären, dass sie von ihm weder vertheidigt, noch angegriffen zu werden brauchten; wahre Streitigkeiten dieser Art wären entweder gar nicht, oder doch nur sehr wenige vorhanden; und das Beyspiel des Petr. de Marca folle ihn warnen, der den Streit eher vermehrt, als beygelegt habe. Die erste Abhandlung liefert gute Beyträge zu einer ungar. Rechtsgeschichte, vorzüglich werden die verschiedenen gedruckten und ungedruckten ungarischen Gesetzsammlungen angezeigt, zum Theil sogar nach ihrem Inhalt sehr ausführlich, z. B. die Veresische von 1565, S. 22 bis 28, die Menghinische S. 28 ff. und andere. Die Parerga sind meistens nicht zum besten gerathen. Was S. 48 von den Capitularien der fränkischen Könige gesagt wird, hätte hier ganz, oder doch größtentheils, wegbleiben können. Ueberdem ist es irrig, wenn der Vf. S. 49 meynt, die Capitularien hätten nicht als Gesetze gegolten. Lex und Capitulare hatten beide Gesetzeskraft; nur in der Art der Enstehung waren sie verschieden, indem letzteres vom Könige entworfen, und den Grossen des Reichs zur Genehmigung, wie noch jetzt die königl. Edicte in Frankreich dem Parlement zur Einregistrirung, vorgelegt ward: ersteres aber entwarf die Nation selbst, allenfalls mit Beystimmung oder Genehmigung des Königs. Viel Mühe hat sich der Hr. Vf. gegeben, die *affinitatem Legum hungaricarum cum capitularibus regum Francorum* S. 55 u. ff. zu zeigen, welches ihm Gelegenheit giebt, von ihrer Errichtungsart, *de compositione, divisione, testamentis, comitibus, missis regiis, teloneis, conjuratoribus, insurrectione (Heerbann), servis; operis servorum* und *sigillo judiciali*, zu handeln; alles Vergleichungsweise, und in der That mehr spielend, als ernstlich.

Erst

Erſt S. 60 kommt er auf die von ihm ſogenannten Synodos regias (im Gegenſatze der eccleſia-
ſticarum), und wieder nach verſchiedenen Aus-
ſchweifungen S. 74 ff. auf die ungariſchen Synodos regias. In Anſehung der Acatholicorum
meynt der Vf., man müſſe ſie belehren und er-
mahnen, nicht aber mit ihnen ſtreiten, welches
nicht nur unnütze, ſondern auch ſchädlich wäre. Die wider ſie gegebenen Geſetze könne
man ſo wenig zu den geiſtlichen rechnen, als die,
welche zu ihrem Vortheil gereichten: aber letztere dürften auch nicht den ungariſchen Biſchöffen
imputirt werden. Daſs man zu Luthers Zeiten
Anhänger deſſelben in Ungarn um ihres Religi-
onsbekenntniſſes willen verbrannt habe, wider-
ſpricht.der Vf. S. 90 ff. Von den Religionsgeſe-
tzen für die Evangeliſchen in Ungarn handelt der
Hr. Vf. S. 91 bloſs remiſſive, indem er ſein Werk
nicht damit beladen will. Die zweyte Abhandlung enthält über jedes einzelne Stück des Werks
ſelbſt von Num. 1 bis 53 bald weitläufigere, bald
kürzere Vorerinnerungen, die vielleicht beſſer in
dem Werke ſelbſt an gehörigen Orten ſtünden.
Die hiſtoriſchen Anmerkungen über die ſardicen-
ſiſchen Schlüſſe S. 97 ff. würden nicht ſo mager
ſeyn, wenn der Hr. Vf. neuere Kirchenhiſtoriker,
und beſonders die Spitleriſche Abhandlung darüber in dem Geſchichtforſcher, gekannt hätte.
Ueber die ganze Sammlung ſoll man, dem aus-
drücklichen Verlangen des Hn. Vf. zufolge, das
Haupturtheil verſparen, bis ſie ganz erſchienen
ſeyn wird. In dieſem Theile haben wir guten
Druck und Correctheit bemerkt. Ein Inhaltsver-
zeichniſs könnte freylich ſchon bey dieſem Bande
ſeyn. Ein gutes Regiſter über Text und Noten,
Siegel, Monogrammen u. d. m. hoffen wir am
Schluſſe des Werks zu finden.

Ohne Druckort: Vollſtändige Acten in der von
Sr. kaiſerl. Majeſtät dem regierenden Herrn
Burggrafen von Kirchberg in der künftigen
Sayn-Hachenburgiſchen Succeſſionsſache per
Reſcriptum de 7 Januarii 1787 (1786.) auf-
getragenen Unterſuchungsſache, mit den
darinn erſtatteten commiſſariſchen Berichten
und weiter ergangenen Reichshofraths Con-
cluſis. 1787. 130 S. Fol. (1 Rthlr.)
Ein Intermezzo in dem vorläufigen Sayn-Hachenburgiſchen Erbfolgeſtreit! Es war von der
regierenden Frau Fürſtin zu Wied, als eventuel-
len Sayn-Hachenburgiſchen Erbſchaftsprätenden-
tinn bey dem Reichshofrath unter andern die Anzeige gemacht worden, daſs auf Veranlaſſung
der Vormundſchaft der minderjährigen Burggräfinn Iſabelle, die bekanntlich ebenfalls Anſprüche auf die S. H. Erbſchaft macht, ſeit einiger
Zeit neuangehenden Unterthanen von der Ha-
chenburgiſchen Regierung die Huldigung auch
auf die Burggräfin Iſabelle, ja ſogar auf deren
Bräutigam, den Erbprinzen von Naſſau-Weilburg,

eventualiter erſtreckt worden ſey. Der Reichshofrath befahl hierauf in einem Concluſo vom 7
Jänner 1786 dem regierenden Hn. Burggrafen
Auguſt zu Kirchberg, gehörig zu unterſuchen,
„was es mit der angeblichen, auch dem Hn. Erb-
„prinzen von Naſſau-Weilburg geleiſteten Huldi-
„gung, und der Betheiligung ſeiner Regierungs-
„canzley in dieſen Verpflichtungen für eine Be-
„ſchaffenheit habe, und nach Befund der Sache
„derſelben derley Unternehmen für die Zu-
„kunſt ſchärfeſt zu unterſagen, ſämmtliche in ob-
„erwähnter Abſicht auch dem Herrn Erbprinzen
„zu Naſſau-Weilburg mit Pflichten belegte Un-
„terthanen derſelben ſo fort zu entlaſſen, dieſem
„vorgängig aber ſodann die beygeſchloſſenen Pa-
„tentes allenthalben im Lande unverzüglich be-
„kannt machen und affigiren zu laſſen.” In den
gedachten Patenten werden die eventualiter geleiſteten Huldigungspflichten, wenn es damit die
angezeigte Beſchaffenheit habe, „als ganz unver-
„bindlich und unwirkſam, als den übrigen Erb-
„ſchaftsprätendenten vollkommen unnachtheilig”
erklärt. Noch ehe die committirte Unterſuchung
angefangen und vollendet war, ließ ſchon der
Hr. Burggraf die Patentes allenthalben im Lande
anſchlagen, obgleich ſo wohl die verwittw. Fr.Burg-
gräfin von Kirchberg, als deren Hr. Vater, der Hr.
Fürſt Reuſs Heinrich XI zu Graiz, Vorſtellung dagegen gethan, und erſterer ſogar Berufung an
kaiſ. Maj. eingewendet hatte. Es wurde dieſes
Verfahren damit entſchuldigt, daſs es ſo der Abſicht und den Worten des Reichshofraths Concluſi
gemäß ſey, worin es heiſſe: dieſem vorgängig,
und nicht: dieſes; und dann wäre auch das Wort
ſodann in dem Originalreſcript nicht enthalten.
Die Unterſuchung ließ der Hr. Burggraf durch
einen fürſtl. Anhalt-Schaumburgiſchen Regierungsrath ſo veranſtalten, daſs zuerſt gegen 80
Unterthanen abgehört wurden, dann aber der
Regierung verſtattet wurde, ihre Vernehmlaſſung
auf die Ausſagen der abgehörten Unterthanen,
oder vielmehr ihre Vertheidigung, einzureichen;
nachdem letztere ſchon vorher mehrmals vorgeſtellt hatte, daſs es nicht ſchicklich ſey, den Anfang der Unterſuchung mit Abhörung der Unterthanen zu machen, ſondern daſs man zuvörderſt
ihr im ſelbſt die nöthigen Erkundigungen ein-
ziehen, und ihre Ehre und Anſehen bey den Unterthanen ſo viel möglich ſchonen möge. Dieſe
ausführliche Vertheidigungsſchrift iſt ſo gründlich und muſterhaft gerathen, daſs ſie als das
intereſſanteſte Stück dieſer Acten verdiente, einzeln gedruckt zu werden. Der Reichshofrath erhielt von dieſem Verfahren theils durch die be-
ſchwerende Anzeige der Vormundſchaft der minderjährigen Burggrafinn Iſabelle, theils durch den
eigenen vorläufigen Bericht des Hn. Burggrafen
Nachricht. Derſelbe erklärte darauf in einem
Concluſo vom 23 May 1786, daſs der Hr. Burggraf die Gränzen ſeines Auftrags überſchritten,

„die

„die Patenten unter Verdrehung des deutlichen „Wortlauts des kaif. Refcripts vom 7 Jänner" zu früh, ohne das Refultat der Unterfuchung abzuwarten, bekannt gemacht, und mit „einem ganz „zweckwidrigen, weitausfehenden und unnöthi- „gen Verhör der Unterthanen" angefangen habe. Sodann wurde diefes „der kaif. Willensmeynung „zuwiderlaufende Benehmen ernftgemeffenft ver- „wiefen, und befohlen mit Hintanfetzung der, „der kaiferl. Abficht gänzlich entgegen unternom- „menen, Unterthanenabhörung fich diejenigen „Huldigungsprotocolla, welche über die Verpflich- „tung der als Zeugen angeführten Unterthonen „abgehalten worden find, vorlegen zu laffen, und „falls fich darinn ausgedruckt befinde, dafs die „Verpflichtung auf die minderjährige Burggräfinn „Ifabelle, oder den Hrn. Erbprinzen zu Naffau- „Weilburg namentlich mit gerichtet feyen, in „glaubhafter Abfchrift an kaif. Maj. zur weitern „Maafsnehmung einzufenden." Als endlich die fämmtlichen hier abgedruckten Commiffionsacten nebft dem Commiffionsbericht von dem Hn. Burggrafen eingefchickt waren, wurde in einem Conclufo vom 19 Dec. 1786 die burggräfl. Regierungscanzley von allem gegen diefelbe hierunter gefchöpften Verdacht von oberftrichterlichen Amts wegen freygefprochen, diefelbe für vollkommen gerechtfertigt erklärt, u. dem Hn. Burggrafen refcribirt, fich aller fernern Unterfuchung zu enthalten, und mit Beyfeitigung alles unverdienten Vertrauens derfelben das vormalige landesherrliche Vertrau-

en fernerhin nicht zu entziehen, auch die kaiferl. Patenten unverzüglich abzunehmen. So endigte fich diefer unangenehme Vorfall, wobey, der vollkommnen Rechtfertigung der Regierungscanzley ungeachtet, es gleichwohl fcheint, dafs Rechtfertigungsgründe des burggräflichen Verfahrens theils in der landesherrlichen Macht, theils in den erft nachher genauer beftimmten Ausdrücken des R. H. R. Conclufi liegen, indem z. B. die Art der Unterfuchung anfänglich nicht vorgefchrieben war. Auch ift nicht zu läugnen, dafs der Verdacht wider die Regierungscanzley fcheinbar genug war, und dem Hn. Burggrafen einige Empfindlichkeit hierüber zu verzeihen ift. Findet fich einmal eine Verkettung unangenehmer Umftände, fo häufen fich oft von beiden Seiten widrige Vorfälle, Gefinnungen und Argwohn, die alsdenn manchen Auftritt, wo nicht immer rechtfertigen, doch wenigftens entfchuldigen.

FRANKFURT u. LEIPZIG: Kurze Beleuchtung der Embfer Punktation, meiftens aus der Gefchichte. 1787. 178 S. gr. 8. (8 gr.)

Der Inhalt der Embfer Punctation ift in diefer mit Fleifs und Belefenheit gefchriebenen Abhandlung von Abfatz zu Abfatz durchgegangen: überall find freymüthige Bemerkungen über das curialiftifche Syftem und Erläuterungen einzelner Sätze der Punctation aus dem Kirchenrecht, vorzüglich aus der Gefchichte, beygebracht, und die beften ältern und neuern Schriftfteller angeführt; wovon fich nicht wohl ein Auszug geben läfst.

KLEINE SCHRIFTEN.

LITERARGESCHICHTE. Leipzig, in der Klaubartfchen Officin: Spicilegium VII — X, Autographorum, illuftrantium rationem, quae intercefit Erafmo Roterodamo cum aulii et hominibus aevi fui praechuis umnique re publica. Das 7te und 8te, jedes XX S. 1787. Das 9te XXVI das 10te XVI S. 1788. 4. Hr. D. Burfcher öfnet noch immer feine reichhaltigen Schätze von handfchriftlichen Briefen an den grofsen Erafmus, und theilet fie nach und nach bey allerhand öffentlichen Gelegenheiten in akademifchen Ankündigungen mit. Bey jedem, von welchen Briefe abgedruckt werden, redet er vorher kürzlich von deffen Leben, Schriften, andern mit dem Erafmus gewechfelten und fchon gedruckten Schreiben, ingleichen auch von den Urtheilen, welche E. von diefem feinem Correfpondenten gegen andere gefället hat. Ferner bemerkt er noch den Hauptinhalt der folgenden Briefe. Die Noten erläutern zuweilen den Text und geben einige Umftände von den erwähnten Perfonen an. Diefe 4 Programme liefern zufammen 21 Zufchriften, worunter auch eine deutfche ift. Die Vf. derfelben find Franc. Craneveld, Joh. Löble, D. Lucas Klett, Corn. Duplicius Scepper, Adrian Wiele, Barthol. Welfer, Fauftus Cejebris, Jac. Spiegel, Claud. Cantiuncula, Joh. Paun-

gärtner, Chriftoph Gering, Ulr. Zafius, Viglius ab Ayta Zuichemus und Cafp. Urfin. Velius. Etliche darunter haben hier wohl das erftemal die Ehre öffentlich genannt, und dadurch, wo nicht berühmt, doch bekannt zu werden. Der innere Werth der Briefe ift, wie man leicht denken kann, verfchieden. Aufer den nützlichen und angenehmen ift auch einige (z. B. die zwey vom Gering, der bey Joh. l'aungärtner in Dienften war, und dem Erafmus im Namen feines. Herrn Wein fchickte) fo leer und unerheblich, dafs fie ohne irgend einigen Nachtheil hätten weggelaffen werden können. Die Entzieferung der leuchteften und bekannteften Abbreviaturen ift überflüffig und hindert wegen der häufigen Parenthefen im Lefen. Bey folchen Abdrücken fcheinen die Abbreviaturen überhaupt ganz entbehrlich, vorausgefetzt, dafs der Herausgeber fie recht lefen kann. Bey des Ulr. Zafius Leben hätte vorzüglich Rieggers Biographie, die vor den Zafifchen Briefen (Ulm, 1774. 8.) fteht, empfohlen werden können. In dem Schreiben des Cafp. Urf. Velius findet fich eine unzeitige und unglückliche Kritik. Velius fchreibt: ex animo ejus finceriffo. Hr. B. ergänzt die Abkürzung mit einem Beyfatze: (fincerifimo, pro: fincerrimo.)

GOTTESGELAHRTHEIT.

STENDAL, b. Franzen und Grofse: *Die älteften
Urkunden der Hebräer im erften Buch Mofe,
für freymüthige Alterthumsforfcher, neu
überfetzt und erläutert.* 1788. 8. 350 S. (1
Rthl. 6 gr.)

Natürlicher, wenigftens beftimmter würde diefer Titel gewefen feyn: Das erfte Buch
Mofe, neu überfetzt und erläutert, von einem
freymüthigen Alterthumsforfcher. Freymüthig ift
der unbekannte Verf., rafch und vielleicht etwas
eilig: aber dabey nicht ftürmifch und höhnifch,
fondern gutmüthig, befcheiden, voll Ehrlichkeit
und guten Willens: wer ihm auch nicht immer
beyftimmen zu können glaubt, wird ihm doch das
Zeugnifs der Gefchicklichkeit und der guten Abficht nicht verfagen können. Voran zieht eine
Allegorie, die eben fo gut hintennach folgen,
und vielleicht noch beffer ganz wegbleiben konnte. Die vorläufige Abhandlung, *von den Quellen
der Urgefchichte überhaupt*, enthält das nicht,
was die Auffchrift erwarten läfst; es find allgemeine Vorftellungen von dem urfprünglichen Zuftand der Menfchen und Völker; die Gedankenreihe des Vf. kann Rec. nicht bündig und ange-
fchloffen genug finden. Beffer gefällt ihm die
darauf folgende *Einleitung zur Beurtheilung und
Erklärung der älteften Urkunden der Hebräer*,
die jedoch meift Dinge enthält, die jetzt nicht
mehr ungewöhnlich find: es wäre denn der Gedanke, S. 66 es erhelle aus der ganzen Anlage
der Erzählungen im erften Buch Mofe, dafs dem
Hirtenleben ein höherer Werth beygelegt werde,
als der Lebensart der Landbauer und Städtebe-
wohner. Das ganze erfte Buch Mofe wird in 2
Hauptftücke getheilt, die Urgefchichten der Vorwelt, Kap. 1 — 11. und die Gefchichte der Urvä-
ter der jüdifchen Volks, Kap. 12—50. Jenes
wird wieder in 6 für fich beftehende Stücke zerlegt. 1) Urgefchichte der Welt, 1—2, 4. 2) Urgefchichte der erften Menfchen, — 3, 24. 3) Zufätze zur Urgefchichte Kap. 4. 4) Gefchlechtsre-
gifter Adams, 5—6, 8. 5) Gefchichte Noahs,
6, 9 — 9, 29. b) Abkömlinge der Söhne Noahs,
oder Urgefchichte der Völker, 10 — 11, 32. Je-

A. L. Z. 1789. Erfter Band.

des Stück wird zuerft überfetzt: auf die Ueber-
tzung folgt die Erläuterung. Die Ueberfetzung
ift, wie es die Befchaffenheit des Originals angiebt, bald profaifch, bald metrifch. Hie und
da, wie bey dem erften Stück, und Cap. 3, 14-19
findet man eine doppelte, eine metrifche und profaifche zugleich. Die Ueberfetzung hat viel Verdienft. Sie ift deutlich, natürlich, und fliefsend:
aber um diefes zu feyn, ift fie freylich nicht wörtlich, nicht nach dem langfamern Gange der erften
Sprache, fondern frey, ganz im Gefchmack des
jetzigen Vortrags. Dafs bey mancher Stelle von
jedem kundigen Zweifel und Einwendungen gemacht werden könnten, verfteht fich von felbft.
Bey folchen Stücken, davon in Herder's Geift der
hebräifchen Poefie bereits eine Ueberfetzung vorhanden ift, ift diefe vornehmlich benützt worden.
Wer fich davon überzeugen will, vergleiche das
49fte Kap. (Herders II Th. S. 192.) Man mufs
aber geftehen, dafs die neuere Ueberfetzung des
Ungenannten meift fliefsender und gefchmeidiger
ift, als die frühere. Hier ift die Probe an einen
kurzern Stücke Cap. 27, 27. 28. 29.

Herder I Th. S. 303.	*Der Ungenannte S. 195.*
Sieh meines Sohns Geruch	Sieh meines Sohns Geruch
ift wie Geruch des Feldes,	ift ein Geruch des Feldes,
Das Gott gefegnet hat.	Das von Jehova felbft gefeg-
Gott gebe dir vom Thau des	nenet.
Himmels	Gott gebe dir vom Thau des
Und von der Erde Saft und	Himmels
Korns und Moftes viel.	Und von der Erde Fett und
Es dienen dir die Völker!	Korn und Wein die Fülle.
Sie beugen fich vor dir!	Die dienen Völker mit!
Sey Herr auch deiner Brüder!	beugen fich vor dir!
Es bücken fich dir deine	Sey deiner Brüder Herr! Sie
Mutter Söhne!	neigen fich vor dir!
Verflucht fey, wer dir flucht!	Verflucht fey, wer dir flucht!
Gefegnet, wer dich fegnet!	Gefegnet, wer dich fegnet!

Und nun zu den Erläuterungen. Die Kosmogenie hält der Vf. S. 81. für das Gemälde eines Dichters der Vorwelt, der nach, feinem Zeitalter anpaffenden, Vorftellungen die Schöpfung in unnachahmlich edler Einfalt mahle, und fo mit eindrin-
gendem fiegenden Feuer die Seinen anreitze, jeden andern Tag der Arbeit, den Sabbath aber
der Ruhe zu weihen. Das Paradies ift S. 99. die
Schilderung der goldenen Zeiten der erften Men-
T fchen

schen, wie sie sich aus dem Alterthum von dem Geschmack eines morgenländischen Dichters erwarten läfst. Von dem zweyten Stück heifst es S. 106. „Sollten wir uns irren, wenn wir dieses Gedicht als ein Eheftandslied ansehen, darin wir gewarnet werden, nicht der Lüfternheit unserer Sinne zu folgen, indem sie uns oft verleite, ein fchlechteres Loos zu wählen, als uns bey gerader Befolgung der fchlichten Natur zu Theil werden würde." (Der Dichter mufs in der That feine Zeitgenoffen für fehr finnreich gehalten haben, oder, er dichtete nicht für fie.) Die Stelle Kap. 5, 3. wird S. 118. fo gedeutet: Adam hatte feine beiden älteften Söhne verloren, der bald darauf dem Adam geborne Sohn wurde nun hier, durch Erneuerung feines fchon damals erhaltenen Namens, von Adam zu feinem Statthalter eingefetzt: Du bift mein Erfatz, mein Statthalter, mein Nachfolger, mein Kalife. Die Söhne Gottes Kap. 6. find die Grofsen und Mächtigen. Aus den ungleichen Heirathen der Grofsen mit den Geringen entftanden Empörer und Tyrannen. Von der Einrichtung des von Noa erbaueten Schiffes, fagt der Vf. S. 128. habe ich nichts zu fagen, weil ich nichts davon weifs. Die Gefchichte Noas foll weiter nichts fagen als: Noa war der Erfinder der Schiffbaukunft. (Ob Noa den Zeitpunkt der bevorftehenden Ueberfchwemmung von felbft berechnet habe, darüber erklärt fich der Vf. nicht.) Der Babelifche Thurm follte ein Denkmal werden, ehe man fich weiter zerftreuete. Aber ein Ungewitter trennte der vorher fo einigen Haufen auseinander. Abraham heifst es S. 299. ein eifriger Verehrer Jehovens. Er fah alles das Seinige als Gefchenk Jehovens, fich aber als feinen Vertrauten, das heifse, als einen unumfchränkten Herrn an, der befugt wäre, die Seinigen durch den Dienft Jehovens zu leiten und ihnen feine Erwartungen und Entfchliefsungen als von ihm erhaltene Orakel bekannt zu machen. Die Nachrichten Cap. 12 — 24 werden als folche angenommen, die auf alle Fälle ficher von Abraham und aus feinen Zeiten herrühren. S. 321. fo wie bey den folgenden leicht zugeftanden werden müfse, dafs alle diefe Erzählungen von Jakob herrühren." In der Anfage heifst es S. 322. „Aus der Erzählung von Jakobs eigenen Begebenheiten leuchtet allenthalben eine gewiffe, feinem Charakter angemeffene, Klenmeifferey hervor. Seine Begebenheiten follten nun einmal den Anftrich des Wunderbaren haben, es mochte fich herkommen, wo es wollte. Bey feinen Träumen, bey feinen Ränken, und bey feinem furchtfamen, fchleichenden Verhalten bringt er allenthalben Jehova ins Spiel." Dabey läfst es der Vf. unentfchieden, S. 325. ob diefe Urkunden und Erzählungen bereits fchriftlich von den Vorfahren des jüdifchen Volks aufbewahrt worden, oder blofs mündlich. Dem Befchlufs macht ein Anhang zur Erläuterung der alten Zeitrechnung. — Die hie und da reichlich angebrachte Literatur

gründet fich wohl nicht immer auf eigene Einficht. S. 22. ftehet „Lord Kaimes Verfuch einer Gefchichte des Menfchen" und „Home Gefchichte des Menfchen" neben einander. Lord Kaimes ift kein andrer als Heinrich Home, fo wie Lord Monboddo (nicht Montboddo) kein andrer ift als Jak. Burnet. Michaelis Einleitung in das alte Teftament ift nirgends angeführt.

INGOLSTADT, b. Krüll: *Syftema Theologiae moralis Chriftianae, juftis theorematibus conclufum. Confcripfit P. Aemilianus Reif,* Benedictinus. Benedictobwranus, SS. Theol. Doct. et Prof. in alma catholica Univerf. Ingolft. — Tom. I. 1787. 1 Alph. 8 Bog. 8. (18 gr.)
Ein neues Compendium zu Vorlefungen über die theologifche Moral; aber ohne die mindefte Neuheit, nicht blofs der Lehren und ihrer Beweife, fondern auch der Methode, Anordnung und Schreibart. Die letztere ift fo barbarifch und mönchifch, dafs die edle Difciplin, welche der Vf. bearbeitet, wirklich dadurch gefchändet, und verekelt wird. Diefer erfte Theil enthält blofs die Einleitung zur chriftlichen Sittenlehre, und den erften Abfchnitt von chriftlich moralifchen Pflichten überhaupt. Urfachen der Weitläufigkeit des Buchs find, dafs erftlich der Vf. vieles einmifcht, was theils in das Recht der Natur, theils in die Dogmatik gehört; dafs er zweytens eine ungeheure Menge von Diftinctionen aus den fcholaftifchen Theologen beybehält, und umftändlich erörtert; dafs er drittens lange Stellen aus Kirchenvätern, vornehmlich aus Gregor und andern Homileten und Afceten abfchreibt, Stellen, die nichts erläutern, und anftatt welcher taufend andere und beffere aus neuern Predigtbüchern, da ftehen könnten.

GRÄZ, b. Weingand und Ferftl: *Schreiben eines Landpfarrers an feinen Freund über das Brevier und die Verbindlichkeit daffelbe zu bethen.* Von *Franz Xaver Neupauer,* Lehrer des Kirchenrechts und der Landesgefetze. 1787. Drey Bog. 8. (3 gr.)
Drey Fragen, in welche die Unterfuchung zerfällt, werden hier fehr befriedigend beantwortet: 1) *Ift das Brevier, wie es dermalen befteht, ein wirkliches Gebet?* Der Vf. vergleicht es mit dem Vater unfer, zeigt, wie fehr diefes ein Mufter von Gebetsformeln fey, wie fehr aber das Brevier ihm nachftehe, in Abficht des Unzufammenhangs, der gedankenlofen Redfeligkeit u. f. w. Uns dunkt, um jene Frage treffend zu beantworten, hätte der Verf. noch weiter zurückgehen, und unterfuchen müffen, erftlich: find überhaupt Formeln eines Gebets wirklich Gebet? zweytens, verträgt fich der Zwang, den ein pofitives Gefetz auferlegt, gewiffe Formeln zu gewiffen Zeiten und in beftimmter Anzahl zu wiederholen, mit der Natur und Abficht des Gebets?

bets? drittens, kann eine beständige und unveränderliche Gebetsformel mit der Andacht und
Herzensgegenwart bestehen, die das Gebet erfodert? Dann erst würde die Beschaffenheit des
Breviers selbst in Betracht gezogen werden können. Hier aber ist von dem allen, was eben zur
Sache gehörte, fast gar nichts gesagt. Die Frage
2) *Hat die Kirche je ein Gesetz gegeben, wodurch
der Klerus verbunden würde, dieses Brevier zu
beten?* wird mit Recht verneint. Nur entschlüpft
dem Vf. ein arger Parachronismus, wenn er sagt:
Gregor VII habe verordnet, es sollte das Fran-
ciscanerbrevier überall gebetet werden. 3) *Wurde ein solches Gesetz nicht vielmehr zweckwidrig
gewesen seyn?* Ja; denn der Geistliche kann die
Zeit, welche dies Beten erfodert, nützlicher zu
einer für seine Geistesbildung heilsameren Medita-
tion oder Lektüre verwenden; er kann das Brevier nicht allezeit ohne Zerstreuung abmachen; er
bedarf, da er noch stärker, als jeder Laye, zum
Beten verpflichtet ist, keines besondern Zwang-
gesetzes u. s. w. Diese kleine Schrift ist uns übrigens ein neues und sehr schätzbares Zeugniß von
der erleuchteten Denkungsart und den edeln Gesinnungen ihres von der besten Seite schon bekannten Verfassers.

RECHTSGELAHRTHEIT.

KOPENHAGEN, b. Gyldendal: *Kongelige Aller-
naadigste Forordninger og aabne Breve som
til Island ere udgivne af de Konger af den
Oldenborgiske Stamme.* 3 Deel. 1787. 506
S. 8.

Der Herausgeber dieser königlich dänischen
Verordnungen für Island, deren 1ster Theil schon
1776, der 2te 1778 herauskam, ist Hr. Magnus Ketil-
son, Syffelmann (eine Art Unterrichter in den Syffeln
oder Distrikten,) in Dale-Syssel in Island, der
sich durch verschiedene, theils ökonomische, theils
andre Schriften, besonders auch durch die Ausgabe der Annalen Biörns von Skardsäse (1774
und 1775) rühmlichst bekannt gemacht hat. Der
gegenwärtige 3te Theil der Verordnungen und
offenen Briefe für Island enthält die von den Königen Fridrich III, Christian V, und Friedrich IV.
Der Herausgeber hatte den Vortheil, daß ihm
der gelehrte Bischof zu Skalholt, Hr. Hans Finn-
sen, den Gebrauch seiner vortrefflichen Sammlung erlaubte, und daß der sel. Conferenzrath
Erichsen aus den königlichen Kammer-Archivs
Protocollen ihm alle diejenigen Vorstellungen und
königliche Resolutionen ausziehen ließ, die Island betreffen. Wenn er auf diese Weise bey
dem 3ten Theile mit bessern Hülfsmitteln, als bey
den vorigen Theilen versehen gewesen ist, so
klagt er dennoch, daß er einige erhebliche königl. Briefe nicht hat auftreiben können, die er
aber, wenn er sie erhalten kann, in der letzten

Zugab: des Werks liefern will. Verschiedene
unerheblichem Inhalts hat er nur, und dieses
bloß in Rücksicht auf die Aufklärung, welche sie
der Geschichte geben mögten, auszugsweise mitgetheilt. Anmerkungen hat er weniger als im
2ten Theil beygefügt. Ein recht gutes Register,
ohne welches Sammlungen dieser Art nicht viel
genutzt werden können, gedenkt er am Ende
des ganzen Werks zu liefern.

ROSTOCK, b. Koppe: D. *Joh. Chrst. Eschen-
bach* in Acad. Rostock, Prof. jur. ord. *Commentationes juridicae.* Fasc. L. 1788. 83. S.
In 8. (3 gr.)

Der Hr. Vf. giebt seine kleinern akademischen
Schriften mit Zusätzen und Verbesserungen in
einer Sammlung heraus. Der erste Theil enthält
fünf Abhandlungen: 1) *De restitutione in integrum, quae fit brevi manu;* 2) *de expensis cri-
minalibus stricte se dictis;* 3) *de homicidio pro-
ditorio;* 4) *de defensione pro evertenda confron-
tatione;* 5) *de inquisitione summaria,* die sich
durch zweckmäßige Kürze, Deutlichkeit und gute Beurtheilung empfehlen.

FRANKFURT u. LEIPZIG: *Elmireno Kategorien
der Nuncien in Deutschland.* 1788. 112 S.
gr. 8. (8 Gr.)

Ein bloßer Abdruck eines Aufsatzes in *Le Bret
Magazin zum Gebrauch der Staat- und Kirchengeschichte,* 10 Theil, Num. VIII.

MAINZ, auf Kosten der typogr. Gesellschaft:
Collectio praestantiorum etc. Tom. XI—XIV.
1788. gr. 4.

Unter dieser Aufschrift, als einem allgemeinen
Schmutztitel, wird der bereits von uns angezeigte Nachdruck der besten, und vorzüglich freyern,
Gallicanischen Grundsätzen folgenden römisch katholischen Kanonisten fortgesetzt. Thomasius
Werk: *disciplina vetus et nova* machte die ersten
zehn Bände aus. Der eilfte und zwölfte aber enthält:

*Defensio declarationis conventus cleri Gallica-
ni An. 1682 de ecclesiastica potestate, auctore
— D. Jac. Benign. Bossuet —* Tom. I S. 40
u. 548. Tom. II S. 328. Anhang und Register S. 143.

Der Abdruck dieses berühmten Buchs ist nach
der Ausgabe, die zu Amsterdam im J. 1745 erschien, veranstaltet. — Der dreyzehnte Band besteht aus:

*De potestate ecclesiastica et temporali, sive de-
claratio cleri Gallicani Anni 1682 S. Scriptu-
rae, sanctorum Patrum, Conciliorum, Roma-
rum Pontificum etc. testimoniis firmato; Au-
thore Ludov. Ellies Dupinio.* S. 28 u. 332.

Diese sehr gelehrte und freymüthige Abhandlung kam zuerst in französischer Sprache im Jahr

1707

1707 ohne Namen des Verfaſſers heraus, unter
dem Titel: *Traité de la puiſſance eccleſiaſtique
et ſecutiere par un Docteur en Theologie de la Faculté de Paris.* Dupins Namen trägt erſt die neue-
ſte und vollſtändigſte Ausgabe, die im Jahr 1768
von *Dinouard* in drey Bändchen beſorgt iſt. Die
gegenwärtige lateiniſche Ueberſetzung aber iſt dieſelbe, welche zu Wien 1776 herauskam. Die
Mainzer Herausgeber haben aber die Documente
und Zuſätze der Dinouardiſchen franzöſiſchen
Edition mit aufgenommen.

*De antiqua eccleſiae diſciplina. Diſſertationes
hiſtoricae, excerptae ex conciliis oecuménicis,
et ſanctorum Patrum et auctorum eccleſiaſti-
corum ſcriptis. auctore Lud. Ell. Dupinio.*
S. 16 u. 475.

Dies bekanntere und vortreffliche Buch deſſelben Verfaſſers macht den vierzehnten Band unſerer Sammlung aus. — Der Vorrath iſt gar ſehr
grofs, um noch eine lange Reihe von Bänden erwarten zu laſſen, wenn die Verfaſſer die Werke
der de Marca, Richer, Florens, Auguſtin, Febronius u. a. mit in ihren Plan ziehen, und Aufmunterung genug finden. Wir wünſchten, dafs ſie
ihre Aufmerkſamkeit auch auf ſolche Schriften,
vornemlich ſeltnere und koſtbarere richten mögten,
welche die Geſchichte und Kritik des ältern Kirchenrechts betreffen, z. B. *Balleriniorum differt. de an-
tiquis canonum collectionibus* u. dergl.

ARZNEYGELAHRTHEIT.

WIEN, b. Wappler: *Joſephi Eyerel commen-
taria in Maximiliani Stollii Aphorismos de cog-
noſcendis et curandis Febribus. Tom. prim.*
1788. 352 S. 8. (1 Rthlr.)

Unverfälſchte geläuterte Beobachtungen, und
durch eine vollſtändige Induction daraus abgezogene Leitungsbegriffe beſtimmt und lichtvoll darzuſtellen, das war Boerhavens Vorzug und ſeine
Stärke. Stoll nahm bey der Ausarbeitung
ſeiner Aphorismen Boerhaven zum Muſter. und
niemand hat ihm das eben ſo allgemeine als gerechte Lob ſtreitig gemacht, dafs es ihm gelungen, ſein Muſter, wo nicht zu erreichen, doch
ſich demſelben mehr, als noch jemand, zu nähern. Hätte Boerhave unſer letztes Jahrzehend
erlebt, und ſich der Entdeckungen, Bereicherun-
gen und Verbeſſerungen der neuern Zeiten bedie-

nen können, ſo hätte er ſelbſt gewifs von ſeinen Sätzen manchen ausgeſchloſſen, viele verbeſſert, mehrere eingeſchoben. Stoll leiſtete in ganzer Fülle, was
von einem heutigen Boerhave zu erwarten war.
Genie, Sprachkunde, philoſophiſche Sachkenntnifs, Beſtimmtheit des Ausdrucks, und alle übrigen Eigenſchaften, die zu einem aphoriſtiſchen
Vortrage einer Wiſſenſchaft gehören, befafs Stoll
im vorzüglichen Grade. Nicht minder würdig
waren daher auch ſeine herausgegebenen Aphorismen, einen geſchickten Commentator zu erhalten, ſo wie ſich einſt ein Van Swieten durch
die Erläuterung der Boerhaviſchen Sätze unſterbli-
chen Ruhm erworben. Hr. E., einer ſeiner beſten, Schüler, der mehrere Jahre den Unterricht
ſeines vortrefflichen Lehrers genoſſen, ihm beynahe beſtändig zur Seite war, ſeine weitläuftigen Collectaneen befafs, und dabey ein Mann
von gründlich praktiſchen Einſichten, Gelehrſamkeit und Erfahrung, war allerdings am ge-
ſchickteſten, dieſes Werk über ſich zu nehmen,
deſſen baldiger Fortſetzung und Vollendung das
gelehrte Publicum mit Verlangen entgegenſiehet.

Hr. E. folgt ſeinem Lehrer in der Ordnung
der Aphorismen Schritt für Schritt; liefert das,
was St. eigen war, aus ſeinen bekannten, bereits
gedruckten Schriften und hinterlaſſenen Papieren,
benutzet an Ort und Stelle jedesmal auch die
Swietenſchen Commentarien, und die Bemerkungen anderer Aerzte, welche St. Lehren beſtätigen,
und führt manchmal auch eigene Beobachtungen
und Erfahrungen an. Der erſte Theil geht nur
bis auf die entzündliche Bräune. Neue Gedanken, Winke, Verbeſſerungen, die nicht ſchon in
Stolls Rat. Med. und anderen ſeiner Schriften enthalten wären, und die wir ſeiner Zeit angezeiget
haben, haben wir nicht gefunden.

Sehr ſchätzbar ſind die Anreden, welche Stoll
in den Jahren von 1776-1786 jedesmal beym Anfange ſeiner cliniſchen Vorleſungen an ſeine Zuhörer gehalten hat, welche Hr. E. dieſem Theile vorgeſetzt hat. Sie enthalten vortreffliche Lehren über die Wichtigkeit des cliniſchen Studiums,
den wahren Gegenſtand deſſelben, ſeine Hinderniſſe, ſeine Beförderungsmittel, die beſte Art
ſolches zu lehren und zu lernen. Jede iſt ein
neuer Beweis von Stolls Geiſt und Herz, von ſeinen Verdienſten um die Kunſt, die in der ganzen Welt vielleicht nur an einem einzigen Orte
mifsgekannt und mifsgedeutet worden ſind.

KLEINE SCHRIFTEN.

GOTTESGELAHRTHEIT. Lemgo, b. Meyer: *Geneſeos
ex Onkeloſi paraphraſi Chaldaica quatuor priora capita
una cum Danielis Cap. II. Chaldaice, ſcholis ſuis chaldai-
cis deſtinavit Guilielmus Fridericus Hezel.* Prof. Gieſſens.
16 S. 8. (3 gr.) Nichts weiter, als ein bloſer Abdruck
der genannten Kapitel nach der Chaldäiſchen Ueberſetzung
ohne Vorrede und Noten. Anſtatt des 2ten Kapit. Daniels, welches in jeder hebräiſchen Bibel, die die Zuhörer in den chaldäiſchen Vorleſungen gewifs beſitzen werden, ſchon vorhanden iſt, hätte ein anderes Stück genommen werden ſollen.

VERMISCHTE SCHRIFTEN.

Leipzig, b. Weidmanns E. u. Reich: *Johann Macfarlans*, Predigers in Edinburg, *Unterſuchungen über die Armuth, die Urſachen derſelben, und die Mittel ihr abzuhelfen.* — Aus dem Engliſchen überſetzt und mit einigen Anmerkungen und Zuſätzen begleitet von *Chriſtian Garve.* 1785. 396 S. 8.

Ebendaſelbſt: *Anhang einiger Betrachtungen über Joh. Macfarlans Unterſuchungen die Armuth betreffend, und über den Gegenſtand ſelbſt, den ſie behandeln: beſonders über die Urſachen der Armuth, den Charakter der Armen, und die Anſtalten ſie zu verſorgen* von *Chriſtian Garve.* 1785. XXVI und 214 S. 8.

Bärlau, b. W. G. Korn: *Abhandlung von den menſchlichen Pflichten,* in drey Büchern: aus dem Lateiniſchen des *Marcus Tullius Cicero,* überſetzt von *Chriſtian Garve.* — Neue verbeſſerte und mit einigen Anmerkungen vermehrte Ausgabe. 1787. XXIII und 354 S. 8. (16gr.)

Ebendaſ.: *Philoſophiſche Anmerkungen und Abhandlungen zu Cicero's Büchern von den Pflichten* von *Chriſtian Garve.* Anmerkungen zu dem *erſten* Buche. Neue verbeſſerte und mit einigen Anmerkungen vermehrte Ausgabe. 1787. 330 S. — Anmerkungen zu dem *zweyten* Buche 246 S. — Anmerkungen zu dem *dritten* Buche. Neue verbeſſerte und mit einigen Anmerkungen und einer Abhandlung *über die Verbindung der Moral mit der Politik* vermehrte Ausg. 1788. 306 und 158 S. 8. (16gr.)

Dieſe angehängte Abhandlung iſt auch unter folgendem eignen Titel erſchienen:

Ebendaſelbſt: *Abhandlung über die Verbindung der Moral mit der Politik,* oder einige Betrachtungen über die Frage: *in wie fern es möglich ſey, die Moral des Privatlebens bey der Regierung der Staaten zu beobach-* A. L. Z. Erſter Band. 1789.

ten? Von *Chriſtian Garve.* 1788. 156 S. 8. (8 gr.)

Dies ſind einige der neueſten Schriften eines von dem beſten Theile unſrer Nation mit größtem Recht ſehr hochgeſchätzten Schriftſtellers, der ſeines fortdaurenden Werthes bey allen Veränderungen, die auch in der Philoſophie vorfallen können, ſehr gewiſs ſeyn kann, da wohl metaphyſiſche, nie aber pſychologiſche und moraliſche, Unterſuchungen, wenn ſie auf die von Hrn. G. bekannte Art angeſtellt werden, als unnütz oder entbehrlich angeſehen werden können; allein nicht ſo wohl der gemeinſchaftliche Urſprung derſelben, als vielmehr die Verwandſchaft ihres Inhalts veranlaſst uns, ſie in einer Anzeige zu verbinden. Das wichtigſte neue in denſelben nemlich (denn was unter den durch die Ueberſetzung des Cicero veranlaſsten Schriften in den vorigen Ausgaben enthalten war, gehört für unſere Anzeige nicht mehr) bezieht ſich vorzüglich auf *eine* Wiſſenſchaft, die Politik, und wird auf jeden Fall, geſetzt des Hn. Vf. Behauptungen finden auch nicht immer den allgemeinſten Beyfall, zur Bereicherung derſelben beytragen.

Die eignen Aufſätze des Hrn. Garve, die ſich in dieſen Schriften befinden, ſind wieder, wie man von ihm ſchon gewohnt iſt, durch das Studium und die Ueberſetzung fremder Werke entſtanden; er erklärt ſich darüber in der Vorrede zur *Zugabe* zu *Macfarlan's Schrift* mit der ihm eignen Offenheit und Unbefangenheit, die den Leſer nicht bloſs für den Schriftſteller, ſondern für die Perſönlichkeit des Menſchen ſo ſehr und ſo vortheilhaft einnimmt, und wiegt dabey zugleich mit ſeiner bekannten bedächtigen Art zu unterſuchen, die dem Leſer alle Seiten des Gegenſtandes aufdeckt, den Schaden und Nutzen der Ueberſetzungen und des Hanges unſerer Nation zum Ueberſetzen gegen einander ab.

Ueber *Macfarlan's Schrift* hier zu urtheilen wäre überflüſſig; ihr Werth iſt ſchon bekannt, und Hr. G. beſtimmt ihn in der *Zugabe* (S. 1-16.) überaus treffend. Eben ſo wenig wird es nöthig ſeyn, über die Ueberſetzung deſſelben etwas zu ſagen, da Hrn. *Garve's Manier* und *Stärke* darin darinn ſchon hinlänglich bekannt und erprobt ſind.

Die Ueberſetzung des *Cicero*, deren Werth im Ganzen wir hier auch nicht zuerſt würdigen dürfen, hat der Hr. Vf. in dieſer neuen Ausgabe mit ſehr großer Sorgfalt durchgeſehen und verbeſſert; wir haben auf 175 kleinere und größere Stellen bemerkt, an denen Spuren der ſorgſamen Feile zu ſehen waren. Hr. G. geſteht ſelbſt in der neuen Vorrede (S. XIX. u. f.), daß er dazu vorzüglich von einem der ſtrengſten, aber der ſcharfſinnigſten ſeiner Kunſtrichter in der *Zürcher Bibliothek der neueſten Literatur* vermlaßt worden; aber es macht eine üb"us angenehme Unterhaltung, die zur Vermehrung der Achtung gegen den würdigen Vf. nicht wenig beyträgt, wahrzunehmen, wie er bald aus Ueberzeugung den Erinnerungen jenes Kunſtrichters Gehör giebt, bald aber ſeine Gründe vorbringt, warum er der vorgeſchlagenen Abänderung nicht mit Ueberzeugung folgen, oder dieſe und jene Lesart nicht aufnehmen könne. So z. B. rechtfertigt er S. 16. die Beybehaltung ſeiner von dem lateiniſchen Text den Worten nach wirklich abweichenden Ueberſetzung durch den verſchiedenen Genius beider Sprachen; S. 83 durch die größere Schicklichkeit in der Gedankenreihe des Cicero: S. 111. giebt ihm die Bedeutung der Redensart *rationem habere rei* ſelbſt, wo *ratio* wohl nicht Abſicht und Plan, ſondern bloß Aufmerkſamkeit auf etwas anzeigt, beſonders in ſo fern ſie durch den Zuſammenhang der ganzen Stelle unterſtützt wird, gültige Schutzreden für ſeine Ueberſetzung an die Hand. Bey der S. 111. gleich folgenden Stelle: *Hanc naturae tam diligentem fabricam imitata eſt hominum verecundia*, ſcheint es aber uns nicht nöthig zu ſeyn, bey *verecundia* an etwas. *willkührlich eingeführtes* zu denken, da man ſehr wohl ſagen kann, daß auch die Triebe des Menſchen, wie ſeine natürliche Schamhaftigkeit, die Einrichtung der körperlichen Natur nachahmten; ſo wenigſten dürfte das willkührlich eingeführte hier ſo wenig auszudrücken ſeyn, als es Cicero ausgedrückt hat, der vielleicht bey dieſer Stelle gar nicht an den Unterſchied der natürlichen und willkührlich eingeführten Schamhaftigkeit gedacht hat.

Die wirklich aufgenommenen Verbeſſerungen beziehen ſich bald auf Stellen, welche in der frühern Ausgabe ausgelaſſen, bald auf beſſere Lesarten, bald auf genauere Ueberſetzungen, bald auf einen beſſern deutſchen Ausdruck. Von ſolchen vorher ausgelaſſenen und nun aufgenommenen Stellen, freylich bald größern bald kleinern, zuweilen bloß einzelnen Worten, haben wir 14 bemerkt, nemlich L. I. C. 3. §. 7. *quibus et ſe poſſint juvare et ſuos.* (Warum aber iſt hier *juvare* durch *jene Vergnügungen verſchaffen* überſetzt?) C. 11. §. 1. *enim*; §. 11. *adeo ſumma erat obſervatio in bello movendo*; C. 16. *Quaque et his — adferendum*; C. 23. §. 4. *videatur*;

C. 29. §. 12. *igitur*; C. 32. §. 3. *ipſarümque virtutum in alia alius mavult excellere*; L. II. C. 3. §. 1. *quam quidem tibi cupio eſſe notiſſimam*; C. 4. §. 6. *Quid enumerem — potuiſſet*; C. 20. §. 1. *itaque vulgo loquuntur*; §. 6. *aut exſpectari*; L. III. C. 6. §. 14. 15. *Modo hoc ita faciat — humanae ſocietati*; C. 13 §. 8. *Sin autem dictum — praeſtandum putas*; C. 14. §. 6. *hac villa iſti carere non poſſunt*; C. 22. §. 8. *Poteſt autem — infamia*, doch iſt die letzte Stelle nicht ganz am rechten Orte eingeſchoben. Hie und da ſind vielleicht noch kleine Auslaſſungen geblieben; z. B. L. II. C. 4. §. 3. *admodum* u. d. gl.; einige ſind auch wohl nur in der neuen Ausgabe durch des Setzers Schuld entſtanden, z. B. S. 25. *gloriae cupiditas Ehrgeitz*; ferner S. 73. u. S. 88. Am wenigſten aber iſt es uns erklärbar, warum S. 245. *principe hujus memoriae philoſophorum* fehlt!

Mehrere beſſere Lesarten ſcheint Hr. G, aus der Heuſingerſchen Ausgabe, die er überhaupt bey dieſer neuen Bearbeitung ſehr gebraucht zu haben ſcheint, aufgenommen zu haben, z. B. L. I. c. 24. §. 7. *parcius* ſtatt *paratius* u. a. m. Eine große Verbeſſerung im ganzen Sinn iſt unter andern durch die Annahme der Heuſingerſchen Lesart L. I. c. 29. §. 12 entſtanden:

Text nach Heuſinger. S. 71. 73.	*Alte Ausgabe* S. 72. 73.	*Neue Aug.* S. 17. 18.
Facilis igitur eſt diſtinctio ingenui et illiberalis joci. Alter eſt, ſi tempore fit, remiſſo homine ac libero quidem, ſi rerum turpitudo adhibetur, ſi et verborum obſcoenitas.	Die Merkmale, wodurch ſich der geſittete Scherz von dem pöbelhaften unterſcheidet, ſind leicht zu finden. Der eine iſt immer paſſend zu der Gelegenheit, bey welcher er geſagt wird, entſteht, aus der Fröhlichkeit des Gemüths, und unterdrückt den Charakter niemals; der andere braucht ſchmutzige Worte, um ſchändliche Ideen auszudrücken und iſt mehr die Wirkung einer niedrigen Erziehung und Denkungsart als der Ausdruck des Vergnügens.	Der geſittete Scherz iſt daher von dem pöbelhaften leicht zu unterſcheiden. Jener iſt, wenn er zur gehörigen Zeit geſagt wird, des weiſeſten Mannes. in den Stunden ſeiner Erholung nicht unwürdig; dieſer iſt ſelbſt einem freyen und wohlerzogenen nicht anſtändig, weil entweder die Sachen ſchmutzig oder die Ausdrücke ſchmutzig ſind.

Was dieſe Stelle dabey gewonnen hat, ſpringt in die Augen; nur ſehen wir nicht ein, warum *homine* gerade durch *des weiſeſten Mannes*, überſetzt iſt. — Doch iſt auch bey ſolchen. Fällen Hr. G., wie leicht zu erwarten war, nie ohne Prüfung zu Werke gegangen, wie er denn auch L. I. c. 29. §. 13. die alte Lesart *ne nimis omnia profundamus* gegen Heuſinger und die von ihm aufgenommene Verbeſſerung *ne mimis o. p.* durch den Zuſammenhang der Stelle und durch Parallelſtellen ſehr gut vertheidigt.

Auch

Auch in den Stellen, wo bloſs der Sinn in der Ueberſetzung verbeſſert worden, iſt der Einfluſs der Heuſingerſchen Anmerkungen ſichtbar, wie unter andern L.II. c. 10. §. 11. *majores partes animi a virtute detorquere*, welches in der alten Ausgabe S. 152 *alle*, in der neuern S. 179 *die edlern Kräfte des menſchlichen Geiſtes von der Bahn der Tugend abziehn*, überſetzt iſt. S. 62 iſt auch *offenſionum ignominia* nach *Heuſingers* Erinnerung, weit richtiger durch die *Art von Schande*, die mit *fehlgeſchlagenen Bemühungen* um öffentliche Aemter verbunden iſt, als vorher durch die *Feindſchaften*, die man bey Verwaltung öff. Aemter auf ſich ladet, gegeben worden. So iſt auch L. 3. c. 4. §. 6. die Stelle: *Aliter enim teneri non poteſt, ſi quae ad virtutem eſt facta progreſſio* wegen der Schutzrede, die Heuſinger für die Redensart: *progreſſionem tenere* gehalten, anders überſetzt worden:

Alte Ausgabe S: 209.	Neue Ausgabe S. 253.
Denn auf keine andre Art können wir den Rückfall vermeiden, wenn wir vielleicht in unſrer Beſſerung ſchon Fortſchritte gemacht haben.	Denn auf keine andre Weiſe können wir in der Verbeſſerung unſrer ſelbſt, woſern wir darinn einigen Anfang gemacht haben, weiter fortſchreiten.

Sonſt ſind auch viele andre in der That wichtige Abänderungen, um den Sinn treffender darzuſtellen, ſowohl in einzelnen Ausdrücken, als auch in ganzen Perioden, wäre es auch nur um die Gedankenfolge des Cicero genauer beyzubehalten, hinzugekommen. Proben vom erſten finden ſich faſt auf allen Seiten, z. B. S. 3. *apte, diſtincte, ornate dicere* war in der erſten Ausgabe durch: *ſchicklicher, ordentlicher, anmuthiger*, iſt aber in der neuen durch: *genau beſtimmter, der Sache angemeſſener und zierlicher* Ausdruck überſetzt. *Inſtitutio vitae communis* war alt. A. S. 7. *beſondre Verfaſſungen des menſchlichen Lebens und der Geſellſchaft*; n. A. S. 10. *Bildung des Menſchen zum geſelligen Leben* überſetzt. S. 13. ſind *anteceſſiones rerum*, die in der a. A. S. 10. durch *Fortſchreitung der natürlichen Begebenheiten* überſetzt waren, in der n. A. mit genauer Beybehaltung der Metapher durch *Abſtammung der Dinge* überſetzt, u. d. gl. m. Exempel von Veränderungen in ganzen Perioden ſind folgende:

| L. I. c. 4. §. 4. *Eademque natura vi rationis hominum conciliat homini et ad orationis et ad vitae ſocietatem.* | Alte Ausg. S. 10. Eine andre Eigenthümlichkeit des Menſchen iſt, daſs eben dieſe Vernunft ihn vermittelſt der Sprache zur Geſelligkeit fähig macht, und durch die Bedürfniſſe des Lebens zu derſelben antreibt. | Neue A. S. 13. Eine andre Eigenthümlichkeit unſrer Natur iſt, daſs eben dieſe Vernunft einen Menſchen mit dem andern vermittelſt der Sprachfähigkeit zu gegenſeitiger Mittheilung ihrer Gedanken und durch gleiche Bedürfniſſe zu thätigen Hülfsleiſtungen verbindet. |

| L. r. c. 14. §. 11. *Si minus, plures cauſae majoresque ponderis plus habebunt.* | A. A. S. 25. 26. Wenn dieſes nicht ſtatt findet, ſo werden auch einige dieſer Gründe hinlänglich ſeyn; und je mehrere derſelben zuſammenkommen, deſto ſtärker wird das Gewicht werden, welches unſrer Wahl den Ausſchlag giebt. | N. A. S. 34. Wenn dieſes nicht ſtatt findet, ſo wird es genug ſeyn, denjenigen (Wohlthaten) den Vorzug zu geben, bey welchen die meiſten und wichtigſten derſelben (Bewegungsgründe) ſtatt finden. |

Man ſieht ohne unſre Erinnerung, daſs dieſe letztere kürzer und richtiger iſt; der doppelte Gebrauch des Zeitworts: *ſtattfinden*, hätte können vermieden werden.

| L. 1. c. 24. §. 12. *Sunt qui, quod ſentiunt, etiam ſi optimum ſit, tamen invidiae metu non audent dicere.* | A. A. S. 64. Viele geben ihre Stimme nicht für diejenige Partey, welche ſie für die beſte halten, ſondern für die, mit welcher ſie am wenigſten anzuſtoſſen glauben. | N. A. S. 72. Viele wagen es nicht ihre wahre Meynung, wenn ſie auch die beſte iſt, zu ſagen, wenn ſie damit anzuſtoſſen beſürchten. |

Manchmal hat ſich auch Hr. G. nur dem Gang des Cicero in den Ausdrücken mehr genähert, und ſchon dadurch, ohne den Sinn eigentlich zu ändern, treuer überſetzt, wie unter mehrern die Vergleichung der verdeutſchten Periode: *Nam quod Herculem Prodicium dicunt* etc. L. I. c. 32. §. 10. in der A. S. 89. u. in der n. A. S. 101. zeigt. Mehrmals iſt auch ſchon dadurch der Ueberſetzung ein Gewinn zugewachſen, daſs ſie mehr ins Kurze zuſammengezogen worden, wie L. I. c. 35. §. 1., wo die vorher in den Text eingeſchobenen Definitionen herausgenommen, und dafür eine erklärende Anmerkung unter den Text geſetzt worden. Selbſt die auf den richtigſten deutſchen Ausdruck gewandte Aufmerkſamkeit iſt höchſt lobenswürdig, wie z. B. S. 13, wo ſtatt den Plan *von ſeinem Leben entwerfen*, es jetzt viel richtiger heiſst, den Plan *zu* u. dergl. m. Daſs trotz aller dieſer höchſt rühmlichen Bemühungen dennoch die Ueberſetzung auch in dieſer neuen Geſtalt nicht durchaus unverbeſſerlich iſt, kann ihr unmöglich zum Vorwurf gereichen. Auſſer dem, daſs der deutſche Ausdruck ſehr häufig noch etwas zu weitläufig iſt für den lateiniſchen iſt, ſo wären auch wohl hie und da noch einige andere kleine Erinnerungen zu machen; warum iſt z. B. S. 13 eingeſchoben: die Vernunft, die ihn *fähig macht*, welches im lateiniſchen nicht ſteht, und in der ältern Ausgabe fehlt. L. L. c. 9. §. 4. iſt eine Stelle zwar beſſer als in der ältern Ausgabe überſetzt; aber doch noch dem Cicero zu viel geliehen:

Text.	A. A. S. 22.	N. A. S. 27.
Itaque eos ad rem publicam ne accesseros, quidem putat, nisi coactos. Aequius autem erat, id voluntate feri. Nam hoc ipsum ita justum est, quod recte fit, si est voluntarium.	Eben so irrig ist es, wenn man behauptet wahre Weltweise müssten öffentliche Aemter nicht anders annehmen, als wenn sie dazu genöthiget würden. Warum sich zu einer guten Sache erst zwingen lassen? Ist nicht alles, was rechtmäßig dann erst Tugend, wenn es freywillig geschieht?	Eben so irrig ist also, was man daraus folgert: Weltweisen (e) müssten öffentliche Aemter nicht anders annehmen, als wenn sie dazu genöthiget würden. Grade sie, dünkt mich, sollten sich am bereitwilligsten dazu finden lassen. Denn jede an sich gute Handlung wird dann erst Tugend, wenn sie freywillig geschieht.

Sollte S. 28 *difficilis* nicht zu stark durch *eigne Aufopferung* übersetzt seyn? Solche und ähnliche Erinnerungen liessen sich vielleicht bey L. l. c. 12 §. 1. bey *equidem illud etiam animadverto* etc. (vergl. Heusingers Noten), bey c. 28 §. 5. wo zwar die Uebersetzung verbessert, aber doch dabey der bedeutende Gegensatz von *movet oculos* und *movet approbationem* verloren gegangen ist, und S. 2. §. 3. wo es nach der Abänderung statt: *so denken und handeln*, wohl heißen müsste: *so dachten und handelten*, und noch an ein paar Stellen machen. — Ausser allen jenen Verbesserungen hat denn Hr. *G.* auch noch durch historische, unter dem Text angebrachte Erläuterungen mehreren Lesern der neuern Ausgabe, mitunter auch wohl selbst Kennern des Alterthums, ein Dankenswerthes Geschenk gemacht.

(Der Beschluss im nächsten Stücke.)

KLEINE SCHRIFTEN.

Philosophie. *Halle, b. Franke:* Briefe über die Antinomie der Vernunft von J. G. E. Maaß Mag. der Philosophie in Halle. 1788. 92 S. 8. Daß Hr. Magister *Maaß* das Thema zu seinem, vermuthlich ersten Versuche, aus einem Felde gewählt habe, von welchem ihm das Beyspiel so häufig mislungener Arbeiten philosophischer Veteranen billig hätte zurückschrecken sollen, ist um so mehr zu bedauren, da dieser Versuch einerseits nicht gemeine Anlagen, andererseits aber einen desto grösern Mangel an Nüchternheit der Speculation, zu dem bestimmten festen Gedankenschritte verräth, zu dem mehr als blosses Talent und guter Wille gehört. Die Zweifel und Bedenklichkeiten über die *Antinomien* der (missverstandenen) *Vernunft*, die hier ein wenig zu voreilig dem Publikum vorgelegt sind, würden sich in dem selbstdenkenden Kopfe des Vf. gewiß von selbst verloren haben, wenn es ihm gefallen hätte, sein Manuskript und seine Bekanntschaft mit den Kantischen Werken noch ein paar Jahre älter werden zu lassen. Aufs wenigste würde er sich dann gehütet haben, einem Briefsteller Tirsden, wie dieß S. 9. „Sie, der Sie das ganze Reich der menschlichen Vernunft mit einem Blicke übersehen" u. s. w. — noch weniger aber sogar arge und auffallende *Sophistereyen* sagen zu lassen, als die Gründe und Gegengründe wirklich sind, welche eines der merkwürdigsten Resultate der Kritik der Vernunft zur Sophisterey herabwürdigen sollen. Wer kennt nicht den so oft wiederholten und widerlegten Einwurf gegen die Kantische Philosophie:" Daß sie den Dogmatismus bestreite, und gleichwohl selbst im höchsten Grade dogmatisire." Der Correspondent H. eröffnet im ersten Briefe damit seinen Angrif. Er sieht nicht ein, wie Freund K**, der Kants Partey schlimm genug, wie wir bald sehen werden, vertheidigt, die Behauptung: daß Raum und Zeit blosse Formen unserer Sinnlichkeit wären, mit seinen übrigen Grundsätzen vereinigen könne, indem letztere alles Dogmatism verwerfen, jene aber offenbar dogmatisch wäre. In der Antwort sucht K** die Begriffe seines Freundes über den Dogmatism zu berichtigen, aber leider auf eine Art, die bey diesem Freunde (und dem lesenden

Publicum) nichts geringeres als vertraute Bekanntschafe mit der Kunstsprache der Kr. d. r. V. und Uebereinstimmung mit derselben in ihren wesentlichen Principien voraussetzt. „Wenn wir (heißt es S. 14.) unter einem dogmatischen Satze überhaupt und in weiterm Sinne einen solchen verstehen, der *synthetisch* ist und *a priori erkannt wird* u. f. w." Mit allen diesen Aufwand von Worten wollte K** indessen nichts weiter gesagt haben, als: Kant nenne nur diejenigen Sätze dogmatisch, durch welche etwas von einem *Dinge an sich selbst*, wovon keine Vorstellung möglich wäre, behauptet würde. Dies, meynt H** in seiner Gegenantwort, wäre aber gerade bey dem Satze H** der Fall; der dem Dinge an sich selbst Raum und Zeit abspräche und folglich ja etwas vom Dinge an sich selbst behaupte. Kann man armseliger mit Worten spielen, als hier mit dem *Dinge an sich* und den Behauptungen von einem *Dinge an sich* gespielt wird. Der Satz: Raum und Zeit sind Formen der blossen Anschauung, spricht dem Dinge an sich Raum und Zeit ab, ohne demselben eine dem Raum und der Zeit entgegengesetzte Beschaffenheit beyzulegen; d. h. ohne vom Dinge an sich etwas positives zu behaupten, so wie ich von Milne oder Berlin behaupten kann, daß es nicht im Monde des Sirius liege, ohne daß ich darum diesen Mond unter einem andern Prädicate, als daß es nicht die Erde ist, behaupten nöthig habe. Will Hr. Maaß durchaus, daß damit etwas von Dinge an sich selbst behauptet wäre, somuß er auch annehmen, daß durch den Satz: das Ding an sich ist keine Anschauung" ja sogar durch den Satz: Vom Dinge an sich läßt sich nichts behaupten, etwas von Dinge an sich selbst behauptet würde. Ganz anders sieht sich der Correspondent K. aus der Sache, er schlägt das *Sophisma* seines Gegners durch folgenden (ironischen?) *Machtspruch* gegen den Kant dieser bewunderte Philosoph, gegen den sie doch vermuthlich nichts einwenden, behauptet ebenfalls den nothwendigen Streit der Vernunft über die kosmologischen Ideen, erklärt ihn aus einer falschen Vorstellung von der Sinnenwelt, und verwirfs ebenfalls den Dogmatismus." ‼ *Ohe jam satis est!*

ALLGEMEINE
LITERATUR - ZEITUNG

Mittwochs, den 21sten Januar 1789.

VERMISCHTE SCHRIFTEN.

LEIPZIG, b. Weidm. E. u. R.: *J. Macfarlans Unterfuchungen über die Armuth etc.*

BRESLAU, b. Korn: *Abhandlungen von den menfchl. Pflichten* etc. mit Anmerkungen von *Garve* etc.

Befchlufs der im vorigen Stück abgebrochnen Recenfion.

Die der Ueberfetzung des Cicero angehängten *Abhandlungen* haben faft gar keine Abänderungen erlitten, aufser dafs bey dem dritten Th, derfelben einige Anmerkungen hinzugekommen find, von denen fich ein paar fchon auf die neue, befonders gedruckte, Abhandlung beziehen, die denn wohl unter allen die gröfsefte Aufmerkfamkeit verdient. Hr. G. hat fich durch diefelbe ein fehr grofses Verdienft um die Menfchheit erworben, da fie eine Frage von dem allerbedeutendften Gewicht von neuem, in gewiffer Rückficht fogar zuerft, in Auslegung bringt. Sollte nun auch feine Beantwortung nicht völlige Genüge leiften, fo wird fie auf jeden Fall die Unterfuchung darüber wecken, und wir wünfchen recht fehr, dafs unfere denkenden Köpfe fie nicht fallen laffen mögen, bis befriedigende Grundfätze darüber heraus gebracht, und, wo möglich, zugleich in den nöthigen Umlauf gefetzt worden find. Dafs in der gegenwärtigen Abhandlung nicht durchaus folche fich finden dürften, wird vielleicht fchon manchem ahnden, der die Auffchrift derfelben genau erwägt. Es foll nur von der *Verbindung der Moral mit der Politik* gehandelt werden; als ob diefe, die doch eigentlich nur Klugheitslehre, nur Regierungskunft feyn foll, ganz fchweigen mufste, wenn es wirklich gefetzmäßige Vorfchriften der Sittlichkeit hier gäbe. Nach der zweyten Hälfte des Titels foll nur gefragt werden: *ja wie ferne es möglich fey, die Moral des Privatlebens bey der Regierung der Staaten zu beobachten?* Durch diefe Frage fcheint fchon der ganze Gefichtspunkt verrückt zu feyn; die eigentliche erfte und wichtige Frage mufse heiffen: *giebt es eine Moral für Staaten?* Mufs diefe bejahet werden; fo darf gar nicht mehr gefragt wer-

den, ob es *möglich fey*, fie zu beobachten? Aber das könnte fich wohl zeigen, dafs manchmal die Moral der Staaten von der Moral einzelner Menfchen (oder, wie Hr. G. fagt, von der Moral des Privatlebens, verfchieden wäre; und da würde die Unterfuchung der Frage, wie fie Hr. G. aufgeworfen hat, gleichfam nur als eine Nachlefe zu betrachten feyn, die anzuftellen wäre, wenn durch jene vorläufigen, eigentlich wichtigen, Nachforfchungen das Feld geräumt worden, und durch welche man in eine Vergleichung zwifchen der Moral der Staaten und des Privatlebens erhalten würde. Es kann nach allem diefem in der That gar nicht befremden, wenn man in Hn. G. Abhandlung wirklich gröfstentheils nur das letztere findet, felbft fo, dafs Hr. G. fehr häufig als Ausnahme von der Moral des Privatlebens aufftellt, was eigentlich als moralifches Gefetz für die Staaten aufgeführt feyn müfste; wie z. B. S. 70. 71. u. an andern Orten, wo er mehrere Beyfpiele nach den gewöhnlichen moralifchen Vorfchriften, die doch felbft unter Privatleuten Ausnahmen leiden, verdammt, aber wohl als cilaubt unter Völkern rechtfertigt. Hr. G. bemerkt zuvörderft, dafs fich zwifchen der Lage des Regenten und Privatmannes zwey wichtige Unterfchiede fänden: 1) Ein Souverain lebe mit dem andern im Naturftande, alfo ohne Richter; der Privatmann im Staate und habe den Beyftand des Richters. 2) Der Souverain habe für eine grofse Gefellfchaft zu forgen; der Privatmann blofs für fich und die Seinigen. Man fieht hieraus leicht, dafs Hr. G. nur von der äufsern Politik, nicht von der innern, in Anfehung welcher jene Frage doch auch fehr wichtig ift, fpreche; dies abgerechnet find aber jene Bemerkungen ganz unftreitig von dem gröfsten Einflufs in die ganze Entfcheidung der gedachten Frage. Die erfte Bemerkung leitet Hn. G. auf den Stand der Natur und die Pflichten einzelner Menfchen in demfelben. Man zweifle mit Recht, ob er je Statt gefunden habe. (Das follte man nicht; es ift unmöglich, dafs *der* Naturftand, den das Naturrecht und die mit demfelben verbundenen Wiffenfchaften brauchen, ftatt gefunden haben; denn fein einziges Merkmal ift blofs, dafs kein Staat da ift; alle andere müffen entfernt werden,

weil fonſt die Beantwortung der Frage: was würde unter Menſchen Recht ſeyn, wenn kein Staat
da wäre? nicht rein genug gegeben werden könnte. In dieſer Rückſicht kann es denn auch nicht,
wie Hr. G. S. 4. ſagt, „eine Schwierigkeit mehr
„machen, dafs wir hierbey die Erfahrung zu Ra-
„the ziehen können." Sie iſt hier unmöglich, und
würde auch, wenn ſie möglich wäre, doch zu
nichts dienen, als die rechtliche und moraliſche
Unterſuchung zu verwirren, die allein zu entwickeln hat, was geſchehen ſoll; nicht aber was
wirklich geſchieht; ein Erfordernifs, gegen das
Hr. G. mehrmals in der Folge z. B. S. 53. 64.
verſtöfst. Alle übrigen Beziehungen und Verhältniſſe, die nicht den Staat vorausſetzen, widerſprechen zwar der Idee des Naturſtandes gar nicht,
und können in demſelben gedacht, folglich auch
Fragen über dieſelben unterſucht werden; nur
mufs man ſie nie als unzertrennlich mit demſelben
verknüpft anſehen.) Von dem Naturſtande bemerkt der Hr. Vf. drey Eigenthümlichkeiten: 1)
Jeder ſey allein Richter über das, was zu ſeiner
Sicherheit gehört. (Eigentlich iſt er es über alle
ſeine Handlungen, deren Beurtheilung alſo allein
von ihm ſelbſt abhängt; es iſt daher in gewiſſer
Rückſicht ſehr treffend, was S. 9. geſagt wird:
„Für Menſchen im Naturſtande, für Regenten,
„kommt es nicht ſo wohl auf Regeln des Rechts,
„als auf die Bildung ihres Geiſtes und Herzens
„an;" denn gewifs wird das bloſe Daſeyn der
Regeln für ſie nichts wirken, wenn ſie ihnen nicht
nachkommen wollen, welches Wollen hier blofs
durch Erweckung und Ausbildung ihres ſittlichen
Charakters möglich wird; aber wenn ſie nun wollen,
ſo müfsten ſie doch wohl Regeln des Rechts kennen? und ſo käme es denn doch auf Regeln des
Rechts an.) 2) Gewiſſens - und Zwangspflichten
ſind hier, in Abſicht des wirkſamen Grundes ihrer Verbindlichkeit, nicht unterſchieden. (Ganz
gewifs; der Zwang kann nicht aus dem Grunde
der Verbindlichkeit zur Pflicht entſtehen; aber
Rechte zu zwingen können bewieſen werden, die
freylich manchmal aus Mangel an phyſiſcher Un-
terſtutzung ohne Erfolg ſeyn können; aber dieſer Mangel an phyſiſchen Erfolg des Rechts kann
doch den moraliſchen Begriff von Recht nicht um-
ändern. Wäre das, wie Hr. G. S. 12. u. f. wirklich behauptet; ſo müfste im Staate daſſelbe gelten; ſo kann ein Richter nie ungerecht ſprechen,
weil es auf nichts als auf den Erfolg ankäme,
um zu beſtimmen, ob etwas Recht ſey. 3) Das
Eigenthumsrecht wird nicht durch ſo deutliche
und unverletzliche Regeln beſtimmt. (So wie Hr.
G. dieſe Behauptung S. 16. erklärt, dafs es nicht
durch allgemein kenntliche und deutliche Zeichen beſtimmt, und nur durch Wachſamkeit und
Gewalt des Eigenthümers geſchützt werden könne; kann man nichts dagegen haben. Dieſe Un-
ſicherheit, welche trotz der wirklich-allgemeinen
und unverletzlichen Regeln über das Eigenthums-

recht, der Natur der Sache nach, bey der Anwendung unter mehrern entſtehen mufs, iſt ein Haupt-
bewegungsgrund, in den Staat zu treten; kann
aber nie dazu gebraucht werden, dafs man das
Recht des Eigenthums im Naturſtande ganz leug-
ne, wie Hr. G. doch 7. B. S. 22. 24. u. a. a. O.
thut. Eben jene Schwierigkeiten treten zwiſchen
Nationen ein, wie S. 26-38. gezeigt wird; und
ſie thun wohl, ſie durch Verträge zu heben; aber
wenn alles Recht des Eigenthums im Naturſtande
geleugnet wird; ſo müſste ja jede Nation ungerecht handeln, die ihr Land gegen eine andere
Nation vertheidigte, mit der ſie keinen Vertrag
darüber geſchloſſen hätte.) Die zweyte Bemerkung
war: der Regent handelt für eine ganze Nation.
— S. 39. „Das höchſte erdenkliche Geſetz aller
„menſchlichen Handlungen iſt, zu thun, was dem
„Menſchengeſchlechte im Ganzen genommen am
„nützlichſten iſt." Dieſer Satz, der S. 56. noch
einmal wiederholt iſt: („Alles iſt Recht, was
„dem menſchlichem Geſchlecht im Ganzen er-
„ſprieslich iſt") beruht auf einer falſchen Erklärung des Begriffs vom allgemeinen Beſten, die
ſchon die ſonderbarſten Behauptungen erzeugt
hat, und auch Hn. G. in der Folge zuweilen irre
führt. Nicht das Menſchengeſchlecht im Ganzen,
als worunter man auch; wie man denn wirklich
(S. 151. u. a. O.) thut, den gröſsern Theil deſſelben verſtehen kann, ſondern alle Menſchen müſſen der Zweck und Gegenſtand der Moral ſeyn
Mufs ich dieſen, wie freylich faſt ohne Ausnahme der Fall ſeyn wird, einſchränken, ſo
iſt das höchſte Verbot: keinem, ohne alle Ausnahme zu ſchaden; nur alsdenn, wenn dies Verbot meine Handlungen nicht einſchränkt, tritt das
Gebot ein: zu nutzen, wem ich könnte. Im Col-
liſionsfalle bin ich wohl verbunden lieber d.
gröſsern als den kleinern Schaden, lieber von
der gröſsern als kleinern Zahl allen Schaden ab-
zuwehren, und hier tritt dann vieles von dem
ein, was Hr. G. in der Folge ſehr gut bemerkt,
aber nie iſt es erlaubt, dem kleinen Theil wirklich Schaden zuzufügen, um den Nutzen des gröſsern zu mehren. Dieſe Beſtimmungen müſſen offenbar die nöthigen Vorſchriften der Staatenmoral
hergeben; u. nie werden ſolche dann dahin gehen
den geringern Theil immer dem gröſsern aufzuopfern. Eine überaus wichtige Bemerkung des Hn. G.
iſt die (S. 3.), dafs der Regent, nicht blofs als Regent, Repräſentant und Vorſteher einer groſsen
Anzahl Menſchen, ſondern zugleich auch als Privatmann, Hausvater u. f. w. zu betrachten ſey;
und manchmal alſo die Vortheile ſeines Hauſes,
eben ſo gut als die Vortheile der Nation, befördern könne; was denn freylich oft ſeine Verhältniſſe ſehr unter einander miſche, und die Ent-
ſcheidungen ſelbſt in ſeinen eigenen Augen ſchwerer mache. — Was Hr. G. S. 43. von der geringern Verbindlichkeit, die manchmal Verträge bey
Nationen haben muiſten, ſagt, iſt gröſstentheils
wahr,

wahr, hat aber feinen Grund darinn, weil ich in
in einem folchen Fall zwar dem andern ein Gut
nehme und Schaden zufüge, aber doch nicht einen fo grofsen, als ich durch Haltung des Ver-
trags meinem Volke oder andern thun würde.
Allein bey folchen Fällen find in der Moral unter
einzelnen Menfchen auch die Verträge nicht verbindlich. Wenn mir jemand Brod aufzuheben gegeben hat, fo darf ich es freylich nicht eſſen, weil
ich das Depofitum wieder geben mufs; aber dann
hört die Verbindlichkeit doch wohl auf, wenn
ich und meine Familie ohne das Brod durchaus
Hungers ſterben würde? — Ein anderes wichtiges
Moment in diefen Unterſuchungen iſt die Ungleichheit der Staaten. Mit Recht ſagt Hr. G. S. 46,
dafs eine gröfsere Anzahl Menfchen wichtiger als
eine geringere fey; aber das iſt, wohl zu merken,
ja nicht fo zu verſtehen, dafs jene ihren Nutzen
mit wirklichem Abbruch und Schaden der übrigen
befördern dürfe; fondern blofs in fo weit, dafs,
wenn eine von beiden durchaus Schaden erfahren,
oder aber wenn eine von beiden fich wirklichen
Nutzen (ohne Abbruch der Güter, die die andere Nation fchon befäſse) erwerben wolle, alsdann
die gröfsere vorzuziehen fey. — Eben fo wichtig iſt es auch, wenn Hr. G. S. 54. auf den Einfluſs aufmerkfam macht, den Fürſten nicht blofs
auf ihr Volk, fondern auf das ganze Menfchengefchlecht haben, der ja nicht überfehen werden
darf. - , Dafs nach S. 69. auch ungerechte und
gefetzwidrige Revolutionen Gutes gewirkt haben,
iſt zwar ein Troſt wider die Unzufriedenheit mit
der Vorfehung; ſ ann aber nie auf ſittliche Handlungen und die Vorfchriften dazu Einfluſs haben,
da der Werth von diefen nicht von ihrem zufälli-
gem Erfolg, fondern von den dabey beabfichtig-
ten Zweck und deſſen Gefetzmäſsigkeit abhängt.
— Doch es iſt unmöglich den ganzen Gedankenreichthum diefer Abhandlung unfern Lefern dar-
zulegen, in der beynahe alle nur möglichen Beziehungen, die in diefer Materie vorkommen können, angedeutet find, und die eben deſswegen für
alle künftigen Unterfuchungen erhebliche bleiben
mufs. Nur in Rückficht auf die letztern haben
wir uns auf einige von den Principien eingelaſſen,
aus denen man gar zu leicht falfche Folgerungen
ziehen könnte. Dafs Hr. G. felbſt folche ziehen
follte, das hat keine Gefahr, und wird keinem,
der diefen behutfamen und höchſt wohlwollenden
Schriftſteller nur einigermaſsen kennt, in den
Sinn kommen. Selbſt in diefer Abhandlung hat
er fich mehrmals deutlich genug gegen alle folche falfche Anwendungen erklärt; z. B. S. 49.
„Je ungewiſser es wird, wie viele ihrer Unterha-
ben, und in welchem Grade fie wirklich durch
Ausführung ihrer Entwürfe werden glücklicher
werden; um deſto weniger Erlaubnifs haben die
Fürſten zur Beförderung ihrer Endzwecke, zur
Unterſtützung diefer Unternehmungen, gewaltfa-
me Mittel zu wählen, oder in anderer Rechte und

Befitzungen Eingriffe zu thun." — S. 78. macht
er es zum erſten Gefetz für einen tugendhaften
Fürſten: „Aendre in deinem Verhältniſſe mit deinem
Volke, in den Verhältniſſen deines Volks mit andern Volkern, aufser von der Noth gedrungen,
oder durch aufserordentliche Vorfälle aufgefodert,
— nichts." S. 93. „In dem Zuſtande allgemeiner
Ruhe darf ein guter und menfchenfreundlicher
Fürſt nie zuerſt oder freywillig etwas ſtören," u.
dergl. m.

Alle jene bey diefer philofophifch-politifchen
Abhandlung fo fichtbaren Vorzüge der bedächtigen Durchprüfung der ganzen Gegenſtandes, der
Betrachtung aller feiner Seiten, und der Würdigung aller feiner Beziehungen findet man mit dem
gröfsten Vergnügen in der durch Macfarlans Schrift
veranlafsten Unterfuchung über die Armen
wieder. So gegründet auch die gewöhnliche
Foderung, dafs einer Unterfuchung über befondre politifche Gegenſtände viele einzelne Erfahrungen zum Grunde liegen, und alfo nur ein fogenannter Praktiker fich derfelben unterziehen muf-
fe, beym erſten Anblick fcheinen mag; fo wird
man doch noch bey genauerer Anficht die Behauptung des Hrn. Vf. (Zugabe zu Macf. Vorrede
S. XXIX.) fehr gegründet finden, „dafs es überhaupt nutzlich fey, wenn über fpecielle Gegenſtände der Polizey und der Staatsverwaltung
zwey Arten von Leuten ihre Gedanken dem Publicum mittheilen, die, welche nur allgemeine
Kenntniſſe hierinn und ihr Nachdenken in philofophifchen Unterfuchurgen geübt, und die,
welche die Gefchäfte unter Händen haben, und
das Detail derfelben kennen. Die erſten find mehr
dazu gefchickt, die Puncte der Unterfuchung
aufs reine zu bringen, zuerſt vollſtändig alles,
worauf zu fehen iſt, zu fammeln; die andern find
fähiger zu beurtheilen, was ihnen vorgelegt iſt,
das Mögliche von dem Unmöglichen, das Schwere von dem Leichten, die Regel von den Ausnahmen abzufondern; kurz die Modificationen zu
finden, unter welchen die Theorien der erſtern
anzunehmen und anzuwenden iſt?" — Wenn nun
die Schriftſteller der erſtern Art mit jenen vorher
genannten Eigenfchaften begabt find, die alle eine genaue Abwägung aller Vortheile und Nachtheile einer Einrichtung des Gegenſtandes erzeugen müſſen, welche vielleicht nirgends fo freg-
lich in ihrem Fache iſt, als bey politifchen For-
fchungen; fo iſt in der That der Vortheil, der
für Wiſſenfchaft und Ausübung daraus entſtehet,
bis zum Unſtreitigen einleuchtend. Und dennoch
möchten wir kaum Hn. G. vorliegende Unterfuchung ganz zur erſten Klaſſe rechnen; es liegt
eine grofse Menge Individueller, felbſt localer, Erfahrungen (f. S. 81. u. a. a. O.) dabey theils ausgedrückt, theils doch fichtbar genug zum Grunde.
Wie gerne zögen wir hier mehreres von dem aus,
was theils von den Urfachen der Armuth, wie
fie in der Gefchichte, wobey Einfuhrung der
X 3   Scla-

Sklaverey, des Geldes, des Chriftenthums, das
Feudalfyftem, und der neuere Luxus und Handel
als Hauptepochen angefehen werden, oder in der
Verfchiedenheit des Standes, der Nationen, der
Wolfeilheit oder Theurung, der auch in fpeciellern Urfachen, zu grofser Wolfeilheit der Arbeiten der erften Hand, Schwächung des Körpers
durch gewiffe Arbeiten, Abnahme eines vorher
blühenden Gewerbes und Mifsbräuchen der Zünf-
te liegen, theils vorzüglich. treffend vom Charakter der Armen, und den Armuth erzeugenden oder
durch fie erzeugten Fehlern, theils von Anftalten
für die Armen, dem Vortheil vereinigter Auffucht
über alle Armenanftalten der Arbeitshäufer, der
Erziehung der Soldaten- und Bettelkinder, den
Waifen- und Zuchthäufern, manchen andern Verfuchen und Vorfchlägen für diefelben, einigen
Regeln über die Behandlung der Armen u. f. w.
gefagt wird, wenn wir nicht auf die doppelte Art
ins Gedränge kämen, wegen der Befchränktheit
des Raums nicht zu viel, und wegen der gleichen Theilung von Vorzügen, welche die Wahl
erfchweren, nicht zu wenig auszuziehen. Wir
begnügen uns daher, den Lefern als vorläufige
Beyfpiele pfychologifcher vorbereitender politifcher Beobachtungen über die Armen, die S.
30 ff. entwickelten Folgen des Schuldenmachens,
die Bemerkungen über den Bauernftand, die
Betteley in demfelben S. 48. und feine Neigung zu
derfelben S. 64. und die Folgen des verfallenden
Nahrungsftandes S. 82 ff., als Beurtheilungen fremder Vorfchläge die Anmerkungen über Hn. Rulfs
Schrift S. 121. und die Beurtheilung des Vor-
fchlags von Vereinigung mehrerer reichen Familien zur Unterftützung der Armen S. 165., als Be-

obachtungen über bisherige Anftalten die Beurtheilung des Umftandes, dafs fich die Civilbe-
dienten den Beyträgen zur Armencaffe entzögen
S. 157; und als neue Vorfchläge, die S. 131
empfohlne Erziehung der Soldatenkinder, um
aus ihnen wieder Soldaten zu ziehen, vor andern
zu nennen. — Uebrigens haben alle in diefen
Abhandlungen vereinigten Vorzüge die uns ge-
gebne Hoffnung, Hr. G. würde, nach Art feiner
Bearbeitung des.Cicero, auch die Politik des Ariftoteles überfetzen und commentiren; zu einer der
fchönften Erwartungen erhoben, aus denen uns
unfre Phantafie das Gemälde der literarifchen Zukunft zufammenfetzt.

LEIPZIG, b. Gräff: Hierokles Schnurren, nebft
einem Anhang neuer Schnurren für luftige
Lefer. 1789. 56 S. kl. 8. (6 gr.)
Vademecumfammlungen müffen ein fehr dringendes Bedürfnifs unfers Zeitalters geworden
feyn, da man die Vorrathskammern aller Sprachen durchfucht, um es zu befriedigen. Dafs die
acht und zwanzig Schnurren, wie hier das Wort
Afma überfetzt wird, nicht von dem platonifchen
Philofophen Hierokles feyn können, macht das
fade von den meiften diefer Einfälle nur zu wahrfcheinlich, und fo hätten fie immer unüberfetzt
bleiben können. Vermuthlich aber follten fie
nur ein Vehikel feyn, um die drey und fechzig
neue Schnurren ins Publicum zu bringen, die den
Anhang ausmachen, und wovon mehr, als die
Hälfte, den Druck nicht verdiente. Es ift daher
gut, dafs der Sammler Lefer, die fchon luftig
find, und nicht folche, die es erft durch ihn werden follen, vorausgefetzt hat.

KLEINE SCHRIFTEN.

GOTTESGELAHRTHEIT. Wirzburg, b. Rienner: Von
der Welt- und Menfchenkenntnifs des Prediger; Eine homiletifche Abhandlung von Bernard Andrei. 1788. 56 S. 8.
Voll praktifcher Bemerkungen offenherzige Klagen und
feiner Rathfchläge, welche der gewöhnliche Schlag von
Predigern nöthig macht. Was für Schade aus Unkunde
der Welt und Menfchen befonders durch Mönchspre-
digten entfteht; wie übertrieben daher oft die Foderungen, wie unnatürlich die Sprache, wie zweckwidrig die
Mittel zu gefallen find — und wie ein Prediger diefem
Schaden vorzubeugen habe, ift vortrefflich, deutlich und
warm vorgeftellt, und befonders das Mufter der Britten,
denen der Vf. fogar vor Maffillon und Bourdaloue den
Vorzug einräumt, empfohlen. Es ift alles lefenswerth.

RECHTSGELAHRTHEIT. Erlangen, b. Palm: Erne-
ftus (!) Fridericus (!) Hallocher, Principia juris romani
de praefcriptione criminali, junctis cogitatis nonnullis de
abrogatione ejus fuadenda. 1788. 52 S. 4. (4. gr.) Diefe
Inauguralfchrift des Vf. ift in zwo Abfchnitte abgetheilet. Der erfte enthält die Lehre von der Verjährung in
peinlichen Fällen; nach den Gefetzen und nach den Gerichtsgebrauch. Die Ausführung ift richtig; aber kurz und
ohne neue Bemerkungen. Wichtiger ift der zweyte Abfch.,
worinn über die Rechtmäfsigkeit und Zuläfsigkeit der Verjährung philofophiret wird. Die verfchiedenen Gründe,
worauf man fie zu ftützen gefucht, find hier aufgeführet; und
als unzulänglich verworfen; auch find die Gedanken philofophifcher Rechtsgelehrten über ihre Einfchränkung oder
gänzliche Abfchaffung beygebracht. Der Vf. hält fie für
ungerecht und fchädlich. Sie habe keinen wahren Grund
und der Zweck der Strafe könne und müffe auch nach
abgelaufener Verjährungszeit erreicht werden; ja die
Strafe mache doch mehr Eindruck, wenn man fehe,
dafs fie auch nach fo langer Zeit noch zugefügt werde.

A L L G E M E I N E
L I T E R A T U R - Z E I T U N G

Donnerſtags, den 22ten Januar 1789.

RECHTSGELAHRTHEIT.

DRESDEN u. LEIPZIG, b. Breitkopf: *Lehnrecht des Markgrafthums Oberlauſitz*, aus Landes- u. Provincialgeſetzen, auch andern öffentlichen Urkunden erläutert. Herausgegeben von *Benjamin Gottfried Weinart*, Churf. Sächſ. immatric., auch Oberlauſitz. recipirten Advocaten, gräfl. Hoymſchen Gerichtsdirector und Amtmann etc. *Zweiter Theil*. 1788. 436 S. 8. ohne die Vorrede und Regiſter. (1 Rthr.)

Der Titel ſollte heiſſen: meine Collectaneen zu dem Lehnrechte des M. O. Der erſte Theil, welcher 1785 erſchien, und in der A. L. Z. bereits angezeigt worden iſt, enthielt Sammlungen des verſtorbenen Churſächſ. Raths und Hiſtoriographen D. Joh. Chriſtian Budäus, und hatte, bey aller rohen Zuſammenſtellung der Materialien, wenigſtens das Verdienſt, manche bisher weniger bekannte Sachen und Präjudicien zu liefern. Eine nachſichtsvolle Aufnahme deſſelben mag nun Hn. W. Muth gemacht haben, auch ſelbſt das Büchermachen zu verſuchen, und auf die unbarmherzigſte Art in der Eile zuſammenzuraffen, was etwa noch zu dem erſten Theile dienlich ſchien, und zwar in der beliebten Moſerſchen Zuſätzeform. Wenn Hr. W. alles dieſes *exercitii gratia* zu ſeiner eigenen Notiz gethan, und das Miſt der gelehrten Welt vorenthalten hätte; oder wenn er alle ſeine Gloſſen in kurzen Anmerkungen dem erſten Theile an gehörigen Orten beygefügt hätte, jedoch nur *remiſſive*, und nicht *in extenſo*, mit weitläuftiger Extrahirung neuerer, ſehr bekannter akademiſcher und anderer Schriften; ſo möchte das noch hingehen: allein bey ſo bewandten Umſtänden ſcheint ein Zuruf der Kritik um ſo nothwendiger, da die Vorrede auf Zurüſtungen zu abermaligen Büchermachen ſchlieſſen läſt. „Wer- „de ich dazu veranlaſſet, ſagt der Vf., (ſo) könn- „ten noch Analecta folgen, deren ich einen gu- „ten Vorrath, nebſt oberlauſirziſchen ſchriftlichen „Nachrichten beſitze, die ich leider! gröſtentheils „von dem Feuer des Kuchenbeckers und der Grau- „ſamkeit des Gewürzkrämers gerettet (habe).'' Sind dieſe geretteten Reliquien von Bedeutung, ſo möchten wir gerne um die gelehrten Leſer das

A. L. Z. Erſter Band. 1789.

Verdienſt haben, den Hn. Vf. hierdurch zu ver. anlaſſen, ſolche einem ſachkundigen und geſchmackvollen Landsmann zur Verarbeitung abzutreten, oder ſich ſelbſt durch Uebung und ſorgfältiges Studium, ſowohl der Materie ſelbſt, als guter Schriftſteller, vorher geſchickter hierzu zu machen. Um einige Beweiſe zu unſern Lobſprüchen zu liefern, wollen wir dem Buche die Ehre erweiſen, eins und das andere anzuführen. Schon im erſten Theile machte er eine ganz überflüſige und triviale Digreſſion über den Urſprung der Lehen den Anfang, wovon das Reſultat Ungewiſsheit und Muthmaſsung war. Gleichwohl beglückt uns der Hr. V. hier mit einem Zuſatze. „Etwas iſt „demohnerachtet noch anzuführen, und zwar „aus einem Werke, das vielleicht nicht in „Jedermanns'' (auch ſelbſt nicht in des Hrn. Verfaſ.) „Hände kommt.'' Es iſt: *Hervé theorie des mat. feod.* nach ſeinem ganzen Titel. Und nun folgt ein wörtlicher, zwey Seiten langer, Abdruck der von dieſem Werke in der A. L. Z. n. 19. 1786 enthaltenen Recenſion, ſo viel davon hieher gehörte, nebſt Anführung einiger Gedoch ihrer in erwähnten ältern Schriftſteller (die neuern und beſſern kannte Hr. W. vermuth. lich nicht) und Verweiſung auf alle Syſteme und Compendien des Lehnrechts. Auch kannte Hr. W. nur vier Theile von dem nicht in Jedermanns Hände kommenden Buche; er hätte aber aus der A. L. Z. n. 181. 1787. auch den fünften kennen lernen können, welchem bald eine Recenſion der drey letztern Theile nachfolgen wird. War im erſten Theile dieſes oberlauf. Lehnr. S. 3. Schött. gen angeführt; wohlan ſo liefert hier S. 4. Hr. W. die Stelle *in extenſo*, und füllt damit eine Seite. Beyläufig fällt ihm S. 5. ein, ob denn auch die Oberlauſitz wirklich eine Provinz des deutſchen Reichs geweſen ſey? Um eine Seite hierüber an. zufüllen, thut ein Extract aus Gribners Progr. über dieſe Frage, in Hofmanns Scr. Rer. Luſ, gu. te Dienſte. Wird S. 6. der I Th., die ehemalige Verwandlung der ſechſtädtiſchen Erbgüter in Lehn angeführt; ſo verdient hier der Hr. Vf. mit Vergnügen das Honorarium von 3 Seiten, indem er die Urkunde K. Ferdinands hierüber von 1558. aus Hofmann u. a. O. abdrucken laſst. S. 11. u. ff. findet man faſt vollſtändige Abdrücke, in deut-

Y   licher

licher Ueberfetzung, von Bieners (Der Vf. nennt nur die Refpondenten) *Diff. de feudis utriusque Lufatiae.* L. 1785. u. *de civib. praefertim fax. feudor. equeftr. capacib.* L. 1784. u. a. Diff., wobey der Vf. weidäuftige Stellen aus Urkunden, und ganze ausführliche Refponfa nicht vorenthält. Dies hilft denn *feliciter* weiter bis S. 78. Hierauf folgen bis S. 85. Extracte über die Obergerichtsbarkeit der oberlaufitzer Vaffallen; bis S. 89. fchon gedruckte Refponfa über das Geldlehn. Im I. Theile wird über den Lehnspflichttheil ein Rechtfpruch aus *Putonei enunc. jur.* angeführt: Der Hr. Vf. erfreut hier S. 90. ff. feine geehrten Lefer damit; und weil Hommel in *progr. de legitima filiarum ex fendo* einen ähnlichen bekannt gemacht hat; fo folgt auch diefer hier zu gefchwinder Einficht S. 92. bis 96., ob er gleich auf die Laufitz nicht die mindefte Beziehung hat; desgleichen S. 97. bis 100. aus Horns jurisp. feud., und wieder S. 100 bis 106. aus Budäi obf., S. 107 bis 112 abermals ein Rechtsfpruch aus Putonei enunc.; nicht weniger S. 112 bis 118 aus Stryk. Und fo reicht bis S. 136, und fo weiter durch das ganze Opus, immer ein Refponfum, *cum fpecie fucti, allegatis Doctorum, et rationibus dubitandi et decidendi,* dem andern freundlich die Hände, wenn fie gleich im erften Theile fchon angeführt waren, zuweilen mit der Entfchuldigung im Vorbeygehen, weil die Bücher nicht in allen Bibliotheken anzutreffen wären; letztere z. B. bey einem 20 Seiten langen Refponfo aus Thomafii jurift. Händeln S. 149 bis 169. Wenn Hr. W. S. 240 f. die Beyfpiele des gehaltenen Vorritts vollftändig anzugeben glaubt, fo irrt er; denn das ältefte von 1529, Antons von Schreibersdorf, welches noch älter ift als der Ferdinandeifche Freyheitsbrief von 1544, fehlt ihm. Das Laufitzifche Magazin von 1778 giebt Nachricht davon. Der neuere merkwürdige Streit über die Erbfolge in die Herrfchaft und Stadt Liberofa wird S. 277 bis 286 verhältnismäfsig kurz abgefertigt, aber doch nur Hn. Bieners Worten, „weil deffen Schrift in wenig Händen (nicht fo!) „welches Hr. D. Biener mir gewifs verzeihen wird, „weil es unmöglich einigen Nachtheil für ihn „bringen kann;“ und gleichwohl verweifet der Vf. S. 286 auf die Schrift felbft, wo „jeder in „diefem Rechtszweig kundige Gelehrte“ (wohin wir, unfers Orts, den Hn. Vf. noch zur Zeit nicht rechnen können) „das Uebrige mit vielen „Vergnügen felbft nachlefen wird.“ Mit dem nach der Ordnung des erften Theils hieher gegoffenen Meere von ältern Präjudicien hat der Vf. den Durft feiner Lefer noch nicht gelöfcht zu haben; daher folgt von S. 310 bis S. 404. noch ein „Anhang verfchiedener rechtlichen Entfcheidungen“, an der Zahl neun, die alle aus der ältern Zeit von Facultäten und Schöppenftühlen herrühren, und wahrfcheinlich auch fämmtlich fchon anderwärts gedruckt find. S. 404 wieder

eine Beylage zum 9 Kap. „wegen des Streits der „Lehn- und Leibgedingsbriefe halber“; in Summa eine Stelle aus der Kanzley-Taxe, Präjudicien, Schreiben u. d. Endlich S. 422 bis zu Ende eine Beylage zum 10 Kap., enthaltend ein Verzeichnifs der Ritterdienfte des Fürftenthums Görlitz von 1683. Unfere Lefer fehen hieraus, dafs Hr. Weinart es herzlich gut mit fich felbft und feinen Lefern meynt; und wir ebenfalls mit beiden, vorzüglich aber mit dem Hrn. Autor, befonders in Ruckficht auf den Fall, wenn ihm etwa wieder einmal Drang, feine gelehrte Nothdurft zu verrichten, ankommen follte. Fürwahr, fonft hätten wir ihm in der A. L. Z. nicht fo viel Raum gegönnt!

LITERARGESCHICHTE.

Göttingen, in Vandenhoeck - Ruprechtifchen Verlage: *Verfuch einer akademifchen Gelehrtengefchichte von der Georg-Auguftus-Univerfität zu Göttingen;* vom geheimen Juftizrath *Pütter.* Zweyter Theil von 1765 bis 1788. mit 6 Kupfern. 1788. 412 S. gr. 8. (1 Rthlr. 4 gr.

Aus dem erften Theile diefes mufterhaften Werkes, der vor 23 Jahren erfchien, kennt man fchon den Plan, nach welchem der Hr. Vf. gearbeitet hat, und hier wird er nicht nur beybehalten, fondern auch um vieles erweitert. Zuerft werden die Nachrichten von der Stadt und Univerfität überhaupt fortgefetzt. Hierauf folgt ein vollftändiges Verzeichnifs aller Lehrer und ihrer Arbeiten, und zuletzt werden die gelehrten Anftalten und Einrichtungen befchrieben. Bey der zweyten Abtheilung werden theils die verftorbenen, theils die noch an anderen Orten lebenden, theils die gegenwärtigen Docenten mit Erwähnung ihrer Lehrftunden nach den Facultäten aufgeführt. Zu dem erften Theile werden hin und wieder, wo es nothwendig ift, Ergänzungen und Fortfetzungen beygefügt. Gleich unter der erften Rubrik werden die, feit der Stiftung der Akademie, als Prinzen und Grafen eingefchriebenen Studierende angezeigt. Jene find nach S. 17 u. f. 12, und diefe 144, oder vielmehr nach den Zufätzen 149. (S. 374 werden 11 Prinzen angegeben.) Noch einige andere Fürften und Grafen machten von ihrem Stande nicht Gebrauch. Die Schriftenverzeichniffe der Lehrer find fo vollftändig, dafs nur wenige kleine Beyfätze gemacht werden könnten. (Da bey jedem Lehrer bemerkt wird, wo von ihm, etwas weitläuftiger Meldung gefchieht, fo könnte bey Heumann und Heilmann auch Klotz angeführt werden, der in Vol. I. Act. Litterarior. von ihren Lebe.sumftänden, Kenntniffen und Verdienften befonders redete. Von eben diefen beiden Gelehrten find die Heynifchen Memoriae, ingleichen das Käftner. Elogium Tob. Mayeri auch *in Sam. Murfinnae Bibliograph. Select. Vol.*

Vol. I. eingedruckt.. — *J. Ph. Gabler* [S. 97.]
Ichrieb noch: *Proluf. exeget. in locum difficilem
Gal. III, 20. ad oration. aditialem* — und *Differt.
theol. inaugur. de Jacobo Epiftolae eidem ad-
fcriptae auctore;* beides zu Altdorf 1787. 4. gedruckt.) So nützlich und reichhaltig diefe literarifche Notizen find; fo ausgezeichnet und her-
vorftechend find hierauf die Berichte von der Ver-
fchönerung und Vergröfserung der Univerfitäts-
gebäude, vorzüglich aber der herrlichen Bibliothek. Durch beftandige Ankäufe und anfehnliche
Schenkungen wuchs folche bereits auf 120.000
Bände, womit noch eine beträchtliche Sammlung
von Kupferftichen verbunden ift. Auf gleiche
Weife ift das Mufeum vortrefflich geordnet und
durch königliche und andere patriotifche Unter-
ftützungen mit den feltenften Natur- und Kunft-
producten gefchmückt. In Anfehung der gelehrten Anftalten, die nach den Facultäten erörtert
werden, kommen vornehmlich das k. Predigerfe-
minarium, das theologifche Repetentencollegium,
das Paftoralinftitut, — das botanifche Garten, das
Accouchirhaus, das Krankenhofpital, — die mit
den fchönften Inftrumenten verfehene Sternwarte,
das philologifche Seminarium und der ökonomifche Garten in Betrachtung. Dann ift die Rede
von der k. Societät der Wiffenfchaften, von ge-
fellfchaftlich ausgearbeiteten periodifchen Schriften, von der k. deutfchen Gefellfchaft, vom hiftorifchen Inftitut, und von der neuen kön. Stiftung
der jährl. Preisaufgaben für Studirende nach den
Facultäten. Ein eigner Abfchnitt betrifft die Einrichtung der Lehrftunden nach den verfchiedenen
Wiffenfchaften und Difciplinen, der aber zu weitläufig fcheint, weil alles fchon bey den Vorlefungen der Profefforen vorgekommen ift. Zu-
lezt wird noch von der jetzigen Befchaffenheit
der Stadt und Univerfität wegen der Polizey, Difciplin, Sitten, Religionsübung und Oekonomie der
Studirenden gefprochen. Das letzte dient zur
Richtfchnur für Eltern und Vormünder. Am Ende ift eine Befchreibung der Jubelfeyer 1787. aus
den Annalen der Braunfchweig - Lüneburgifchen
Kurlande von Jacobi und Kraut beygefetzt. Die
fechs Kupfertafeln ftellen das Bibliotheksgebäu-
de, das Accouchirhaus, den botanifchen Garten
und die Stadt Göttingen im Grundriffe vor. —
Wegen der Aehnlichkeit des Titels folgt hier fogleich;

Göttingen, b. Vandenhoek und Ruprecht:
*Fragment einer Gefchichte der Georg-Au-
guftus-Univerfität in Göttingen.* 1787. XVIII
und 96 S. gr. 8. (8 gr.)
Der ehrwürdige Greis, *Hollmann*, befchäftigte
fich auf Ermunterung einiger feiner Collegen —
weil er als erfter und ältefter Profeffor in Göttingen alles felbft erlebt hatte, was hier vorgieng
— noch in feiner letzten Lebenszeit mit einer
fpeciellen Gefchichte diefer Akademie. Seine Ab-

ficht war, in vier Perioden alles zu umfaffen; die
erfte follte von dem Urfprung und Anfang bis auf
die Inauguration derfelben, die zweyte bis zur
Ankunft des Königs Georg II, 1748. die dritte
bis zur Errichtung der Societät der Wiffenfchaften und der nachher gefchehenen franzöfifchen
Invafion, und die vierte bis zur Ankunft der königlichen Prinzen auf diefer Akademie 1786 gehen.
Der Anfang wurde unter dem allgemeinen Titel
gemacht: „Die Georg-Auguftus-Univerfität zu
„Göttingen, in der Wiege, in ihrer blühenden
„Jugend und reifem Alter. Mit unparteyifcher
„Feder entworfen von Einem ihrer Erften, und
„nun noch übrigem, Akademifchen Lehrer." Diefer Titel ift auch hier abgedruckt; vor folchen
aber fetzte Hr. Hofr. *Beckmann* die obige Auffchrift und eine kurze Vorrede, in welcher er meldet, dafs der Vf., da kaum der Druck der erften
Periode fertig war, die Welt verliefs, und dafs
daher die Nachrichten felbft nicht weiter geliefert.
werden konnten. Die noch übrigen zerftreuten
Papiere follten einem künftigen Gefchichtfchreiber von Göttingen überlaffen werden. — Diefe
Bogen enthalten alfo einen fehr kleinen Zeitraum
von 1734 bis 1737. Ob es vortheilhaft gewefen
wäre, wenn der Vf. nach diefer Manier feine Gefchichte bis auf die neuern Zeiten bearbeitet hätte, will Rec. nicht entfcheiden. Es gehört nach
feinem Ermeffen hiftorifche Kunft und Klugheit
dazu, ganz individuelle Umftände ohne Nachtheil
der Lebendigen und Todten zu berichten. Oft
find auch dergleichen Perfönlichkeiten, wie fie
hier vorkommen, mehr beleidigend, als für Literatur und Gelehrfamkeit intereffant. Der
Vf., der zuerft nach Göttingen kam, und die erften Vorlefungen dafelbft hielt, befchreibt gleich
anfänglich mit Anführung der geringfügigften
Kleinigkeiten feinen Beruf und Abzug von Wittenberg auf die neue Akademie, — wo er fo
fchlechte Anftalten fand, dafs man fich wirklich
wundern mufs, wie man damals fchon Lehrer berufen mochte, che noch für die nothwendigften
Bedürfniffe einer hohen Schule und für Wohnung
und Bequemlichkeit ihrer Bürger geforgt wurde.
Nach und nach erfchienen auch die andern neube-
rufenen Profefforen, welche gewifs der neuen
Univerfität gröfstentheils Ehre machten, von
welchen aber hier einige mehr auf der fchlimmen, als guten Seite gefchildert werden. Bisher
wurde in Privatauditorien öffentlich difputirt und
promovirt. Doch machte man unterdeffen neue
Einrichtungen mit den öffentlichen Hörfälen, mit
der Bibliothek, Univerfitätskirche, Sternwarte,
Druckerey und Buchhandlung, bey welchen Artikeln aber der Vf. öfters fehr viele kritifche Bemerkungen macht. Alles ift übrigens mit ganz
befondern Anekdoten und freymüthigen, auch
nicht allezeit völlig gegründeten, Nachrichten
durchwebt. (Z. B. S. 63 wird von D. Gottfr.
Sellius (hier heifst er George) erzählt, dafs er
Y 2   in

in feiner erften Vorlefung nach der gewöhnlichen Anrede: *Honoratiſſimi comilitones*, etc. gänzlich verftummt fey und nachher den Katheder in Göttingen nicht mehr betreten habe. Wegen des erften Zufalls wird hier felbft eine nicht unwahrſcheinliche Urfache beygebracht; daſs nemlich der fogenannte holländifche Doctor vielleicht durch den von naffen Regenröcken verurfachten Qualm, weil es eben fehr ftark regnete — und durch die Menge der Zuhörer in Verwirrung gerieth. Wenn er aber nach diefem nicht mehr auf den Katheder in Göttingen gekommen wäre, wie könnte denn in *Gefneri prim. lin. Iſagoges in Erudition.univerf. ex ed. J. N. Niclas* T. II. S. 660 folgendes ftehen: *Uxor Profeſſoris noſtri* S*** (nach dem Regifter ift Sellius gemeynt) *minimum centum millia florenorum Belgicorum dote acceperat. Et, quum ſcholas haberet, in auditorio candelabra et emunctoria conſpiceres argentea, et quae ſunt his ſimilia.*) Der Vortrag ift dem Alter des Vf. ziemlich gleich. Aufserdem wird manches ohne Zeitordnung, manches doppelt, das meifte aber mit zu vielem Umfchweife erwähnt — und vieles foll doch noch weiter unten genauer berichtiget werden, das der Deutlichkeit wegen hieher gehört hätte, und das man nun fchwerlich mehr erfährt.

VERMISCHTE SCHRIFTEN.

BERLIN, b. Maurer: *Annalen des Theaters*; zweites Heft. 1788. 135 S. 8.
Im zweyten Heft diefer, in die Stelle der *Ephemeriden des Theaters* getretenen, und nach demfelben Plan u. mit demfelben Beyfall fortdauernden, periodifchen Schrift findet man: 1) *Gedichte*, Prologe u. Epiloge, worunter ein Prolog von *Ramler* in doppelter Rückficht merkwürdig ift, erflich, als ein Prolog zu einem einzelnen Stück, und dann wegen des Converfationstons, der darin herrfcht, ob er gleich in Verfen gefchrieben ift. 2) *Recenfentenkitzel*, ein Luftfpiel in einem Aufzuge, von *Veit Weber*, dem Verfaffer der *Sagen der Vorzeit*. Zur Aufführung fcheint diefes kleine Stück nicht beftimmt zu feyn, da es für den ungelehrten Theil der Zufchauer zu wenig Intereffe haben würde, und da es mehr eine Reihe von Dialogen, als ein eigentliches Schaufpiel ift. 3) Ueber die *Bellomoifche* Schaufpielergefellfchaft zu Weimar. 4) Von einer (unbilligen) Kritik über das *Frankfurther* Theater. 5) Tagebuch der *Mannheimer* Schaubühne. 6) Jährlicher Befoldungsftatus der Hofmufik, des deutfchen Schaufpiels, und des Ballets in München. 7) Nachrichten vom *Hamburger* Theater. 8) Vom königl. Nationaltheater in Berlin. 9) Ueber das *Schwerinifche* Theater. 10) Ueber die *Konftantinifche* Schaufpielergefellfchaft. 11) Kleine Chsrakteriftik der *Bondinifchen* Gefellfchaft, nebft Bemerkung der jährlichen Gagen. 12) Auszug eines Schreibens von *Hamburg*. 13) Nachricht von der *Grofsmannifchen* Gefellfchaft. Diefe Inhaltsanzeige beweift, wie ausgebreitet die Correfpondenz des Hn. Herausgebers, und wie er im Stande ift, vom gegenwärtigen Zuftand der vornehmften Theater in ganz Deutfchland zuverläffige Nachrichten zu ertheilen. Uebrigens liefert er freylich die Beyträge, wie er fie erhält, und es ift alfo nicht feine Schuld, dafs viele Auffätze mehr Stoff zu Betrachtungen, als Betrachtungen felbft enthalten. Einige Auffätze find zu fehr blofs Tagebuch, oder aber behaupten zu dictatorifch, dafs der oder jener oder fchlecht gefpielt habe, ohne Gründe anzuführen. Die Nachrichten von der *Mannheimer* Bühne zeichnen fich in den Urtheilen über Schaufpieler fowohl als Stücke fehr vortheilhaft aus. Bey den Nachrichten vom *Berliner* Theater wäre mehr detaillirte und documentirte Kritik zu wünfchen.

KLEINE SCHRIFTEN.

RECHTSGELAHRTHEIT. *Helmſtädt*, b. Kühnlin: *De poena legibus Romanis adverſus vindictam privatam ſancita in foris adhuc valida*, Differt. quam pro faculate docendi defendit D. *Ern. Lud. Aug. Eiſenhardt.* 1787. 23 S. 4. Es ift ftreitig, ob die röm. Gefetze wider die unerlaubte Selbfthülfe (*L. 7. D. ad L. Jul. de vi priv. L. 13. quod met. cauf. L. 7.* (unde vi) in Deutfchland gültig find. Der Hr. Vf. fucht ihre Anwendbarkeit *nach dem gemeinen Rechts*, vorzüglich gegen Claproth, zu behaupten, und beweifet feine Meynung daher, weil jene Gefetze durch kein allgemeines deutfches Gefetz, noch durch ein allgemeine Gewohnheit abgefchaft, und der deutfchen Verfaffung nicht gerade entgegen find, weil fie das Kanon. Recht beftätiget, und weil felbft deutfche Gefetze (O. C. a. 1521. R. I. a. 1532.) diefen Satz annehmen. Der gröfste Theil der Schrift befchäftiget fich mit Widerlegung der gegnerifchen Argumente. Rec. glaubt abenfalls, dafs das Röm. Recht, in Ermangelung der Landesgefetze, hierin das *jus comm.* ausmachen müffe. Die Praxis felbft aber ift wohl verfchieden, und kann durch einen oder den andern Fall aus einem einzelnen Lande nicht völlig erwiefen werden. Infoferne hätte Rec. in der Auffchrift ftatt der Worte *adhuc valida* lieber *adhuc obſervanda* gefetzt.

ALLGEMEINE
LITERATUR - ZEITUNG
Freytags, den 23ten Januar 1789.

SHOENE WISSENSCHAFTEN.

Wien, b. Gräffer: Gedichte von Gottlieb Leon.
1788. 208 S. 8. (16 gr.)

Hr. L. ist keiner von denjenigen Dichtern, welche zu des Parnasses höchstem Wipfel sich schwingen, aber auch keiner von jenen, die nur im Thale wandeln. Er hat keine blendende Imagination, keinen grofsen Reichthum an Bildern, keine schwer zu entziffernde Gedanken, keine stürmische Begeisterung; und keinen überquellenden humoristischen Witz: kurz, er ist kein Dichter von erstem Range, aber er ist ein guter Kopf und ein Versificateur von feinem Gefühl. Seine Gedanken sind gefällig eingekleidet, seine Metra sind fliefsend; und er empfiehlt sich durch Anmuth des Tons, durch Naivität und Wahl des Stoffs mehr als mancher berühmte Zögling einer grofsen Schule. Er wird seinen Leser nicht hinreifsen, aber er wird ihm gefallen. — Sectt man noch hinzu, dafs überall moralische Herzensgüte durchblickt, weifs man (wie Rec. durch einen Zufall weifs, wiewohl er nie zu Hn. L. Freunden sich rechnen konnte) dafs er unter mancher Aufopferung, und ohne grofsen Anspruch diese Gedichte schrieb; so wird man ganz gewifs den jungen braven Mann doppelt lieb gewinnen, und ihn aufmuntern, öfter vor dem Publicum zu erscheinen. Dies vom Dichter überhaupt. Nun von seiner diesmaligen Sammlung insbesondre:

Die darinn gleich zuerst stehenden Gedichte sind grade nicht die besten, und können ihm Schaden bey Lesern thun, die nur mit dem Anfange sich bekannt machen. Von seinen Oden verdient nur der Nachtgesang (S. 15) und auch der nur theilweise, diese Benennung. Von den nachstehenden nachgeahmten Liedern (eine Dichtungsart, die wir nicht empfehlen mögen!) erinnern die meisten allzusehr an das Original. Am besten gefällt uns das Maylied, (S. 31) wo nachstehende 3 Strophen, eine einzige Zeile ausgenommen, der Gleimischen Muse selbst werth gewesen wären:

O höret die Freude
Wie lieblich sie ruft!

Im jungen Getraide,
In bläulichter Luft.
Sie mischt ins Gekreisel
Der Maien so schön,
Ins Quellengesäusel
Ihr Silbergetön.

Ihr schnäbelt das Täubchen
Voll Minnebegier,
Sein trauliches Weibchen
Am Blüthenbaum hier;
Ihr blicken und springen
Die Schäflein im Thal;
Ihr zwitschern und singen
Die Vögelein all. (was wir wegwünschten!)

Ihr tanzen die Mädchen
Im maylichen Hain,
Nach lieblichen Flötgen
Und hellen Schalmein.
Sie gehn in Gewändern
Halb roth und halb weifs,
Mit Sträufsern und Bändern,
Und singen ihr Preifs.

Von den Idyllen gefällt uns *Salmacis* (S. 65) schon besser, als alles vorhergehende. Doch ist es nicht Idylle, sondern Erzählung zu nennen. Von den zwey Balladen hat die erstere sehr schöne Stanzen. Doch dafs in beiden einerley Metrum, und mancher gleiche Ausdruck sich findet; dafs in beiden ein Gespenst einem Bösewicht das Genicke bricht, thut der Wirkung eines jeden im Einzelnen Schaden. Am vorzüglichsten aber ist dem Vf. das Minnelied und der Volksgesang gerathen. Hier kann er populäre Leichtigkeit und richtigen Geschmack am gültigsten bewähren. Hier gefällt er eben durch den Ton, der nicht mühsam zu gefallen strebt. — Gleichwohl find die vielen Gedichte, die er im Charakter des Landboten Philipps, (zumal wenn man abrechnet, dafs der Wandsbecker Bote den ersten Anlafs zu dieser Idee gegeben haben dürfte), den Minnegedichten noch vorzuziehn. Welche Wahrheit herrscht z. B. in dem Lied am Grabe Marien Theresiens.

Es koſtet uns Ueberwindung, daſſelbe nicht *ganz*
abzuſchreiben; und von einigen Strophen können
wir uns nicht zurückhalten:

Da liegt ſie, bleich und blaſs, und ſtumm,
　Kron, Zepter um ſich her,
Und wird, gäb ſie dies alles drum,
　Doch nicht lebendig mehr.
Ihr Lebenslicht blieſs ſtill und mild
　Der Friedensengel aus.
Ach ſo ein fürſtlich Tugendbild
Kriegt bald nicht unſer Haus.
Ich wein', ob ſie mir wenig zwar
　Zu Lieb und Leid gethan,
Bloſs, weil ſie hold und gnädig war
　Dem armen Unterthan.
Und allen, groſs und klein, ſo gern
　Wohl' recht und billig thun:
Drum mag ſie auch recht ſanft im Herrn
　Bey ihrem Seelgen ruhn.
Ach, hat ſie doch ſo lang begehrt
　Zu ihrem lieben Franz.
Gott hat ihr nun den Wunſch beſchert,
　Dort hat ſie ihn denn ganz.
Ich ſteh und denk in meinem Sinn,
　Was wohl die Menſchheit ſey?
Sie war doch eine Kaiſerin,
　Und war vom Tod nicht frey.
Drum ſagt auch der Herr Jeſus Chriſt
　In ſeiner Schrift gar recht:
Vor unſerm Gott im Himmel iſt
　Der Herr ſo wie der Knecht. etc.

Man muſs das Urtheil, das noch in K. K. Staaten
über dieſe edelmüthige Fürſtin gefällt wird, ganz
und oft gehört haben, um alle ſeine Naivetäten
in den obigen Strophen zu verſtehn. Eben ſo ſchön
iſt das Gedicht auf Pius VI.

Die Freymaurerlieder, die den Beſchluſs machen, reihen ſich an Werth dicht an die Gedichte von Blumauer und Alxinger, und ſind Ueber-
bleibſel aus der berühmten Borniſchen Loge, welche die vortrefflichſte *auf einige Jahre* war, die
in Deutſchland blühte; die aber, durch *Verbeſſe-*
rung von oben herab, nachher leider ſank, und
jetzt ſchläft. — Wir hoffen, Hr. L. wird ſein Verſprechen eines *zweyten* Theils bald halten, und
hoffen noch zuverſichtlicher, daſs dieſer erſte gern
geleſen, und jener zweyte aufrichtig gewünſcht
werden wird.

BASEL, b. Thurneiſen: *Wernhard Hubers Fun-*
ken vom Herde ſeiner Laren der Freund-
ſchaft, der Wahrheit, dem Scherze. Mit Ku-
pfern und Melodien. 1787. 322 S. 8. (1
Rthlr.)

Daſs ein junger Mann ſich ein Handbuch halte,
in welches er einträgt, was ihm vorfölst, was
er lieſt, was er bemerkt, vielleicht was er ſelbſt

verfertigt, das iſt löblich und gut. Doch, daſs
er ein ſolches Handbuch *drucken* laſſe, das wird
wahrſcheinlich kein wahrer Freund ihm rathen. Wie
mancher Vers kann gut ſeyn für den Augenblick,
wie manche Bemerkung paſſend für einen freund-
ſchaftlichen Brief, wie manches Bruchſtück hinlänglich für den, der es deuten kann! Aber wenn
es dem Publicum aufgetiſcht werden ſoll, dann
kann unmöglich auf freundſchaftliche Nachſicht Anſpruch gemacht werden. Dies hätte auch Hr. H.
überdenken ſollen, als er ſein Collektaneenbuch
unter einem ſo ſeltſamen Titel drucken ließ. Es
ſind nur zu treulich *Funken*, und nichts als Funken. Wer kann ein Vergnügen dran finden, dieſe lange und häufig fliegen zu ſehn, wenn es nicht
zur Flamme kömmt? — Sollte wohl z. B. ein
Gedicht, wie folgendes, eine eigne Seite und
ein eignes Kupferblatt werth ſeyn? (S. 13) St.
Jacob bey Baſel eine Vergleichung.

Hier ſchwangen einſt ihr tapfer Schwerdt
Die Väter — ach da floſs zur Erd
Ihr Blut zum Heil der Söhnen. (*Söhne!*)
Wir ſchwingen hier recht tapfer auch
Die Gläſer — ha, dann fürſt im Bauch
Uns Wein — aufs Wohl der Schönen.

Ja was ſoll man überhaupt von einem Dichter
denken, der, wenn er folgende acht, kraftloſs,
und hartverſificirte Zeilen geſchrieben:

Du edle ſchöne Nelken! (*Nelke*)
Sollt denn auch du verwelken?
Und ſtehſt ſo gottlich da,
Und daſtſt Ambroſia!
Komm Blumenfürſtin Gottes!
Des ſchönſten Blumen *Todes*,
Stirb an Mariens Bruſt
Da ſtürb' ich ſelbſt mit Luſt.

der dann noch die zwey Zeilen aus dem *Voſt*
drüber ſetzen kann:

Ja bin ich noch dereinſt an deiner Bruſt geſtorben
So iſt kein Glücke mehr, das ich nicht auch erworben,

und nicht fühlt, daſs ja ſein ganzes Gedichtlein
in dieſen zwey Zeilen ſchon ſteckt? — Nicht
beſſer geht es dem Vf., wenn er ſich an gröſsere
Gedichte, Lieder, Balladen etc. wagt. Einzelne
Stellen gerathen bisweilen; aber weit öfter wird
er matt und hart; ja, wenn er vollends nach
Naivetät ringt, ſo verliert er ſich nicht ſelten
bis zur Ungereimtheit. In einem chriſtlichen Ref-
ſelied preiſt er, unſern Heiland, daſs er am liebſten bey Zöllnern, Sündern, Wittwen und Wai-
ſen eingekehrt ſey, und fährt denn alſo fort: S.
146.

Federhüte, goldne Weſten
Leckertafeln in Pallaſten
　　　　　　　　　　Große

Große, Weiſe — Höllenbrut
O die ſuſſen lange gut.
Phariſäer, Schriftgelehrte,
Wenn er einmal da einkehrte,
So geſchah zum größten Theil
Nur für einer Hure Heil.

Soll das wirklich geſungen werden? Und was
meynt er denn damit, wenn er in der nächſten
Strophe gar ſagt: Chriſtus habe ſich der Narren
angenommen? — Von ſeinen proſaiſchen Aufſätzen ſind manche grade zu, ſo wie ſie hier ſtehen, unverſtändlich, z. B. die S. 143 und 147. die
nebſt vielen andern Briefconcepte zu ſeyn ſcheinen. Noch andre ſind die kläglichſten Nachahmungen, wie, z. B. die Vorrede in des Buches
Mitte S. 174. Noch andre halbe Reflexionen, die
da aufhören, wo man glaubt, es wird doch endlich etwas kommen; z. B. S. 184. Wenn nun ein
ſolcher Schriftſteller ſich noch obendrein die Mine
des Satirikers geben will; wenn er alle Au-
genblike mit vermeynten Talenten ſich brüſtet;
wenn er auf Männer, wie Schlözer iſt, faſt pöbelhaft ſchimpft; dann — doch unſern Leſern könnte bey unſrer Anzeige die Geduld vielleicht
eben ſo vergehen, wie ſie dem Rec. beym Werke
ſelbſt oft vergieng.

PARIS, b. Bailly: Les Etourdis, ou le Mort
ſuppoſé, comedie en 3 actes, en vers, répré-
ſentée, pour la premiere fois par les comédiens
italiens ordinaires du Roi, le vendredi 24 Dec.
1787 etc. 1788. (10 gr.)
Die Erfindung kann dem Vf. keinen Aufwand
gekoſtet haben; denn mit den Unwahrſcheinlich-
keiten nimmt ers keineswegs genau. Wie ſchwer
z. E. das ſey, in Paris, welches einen Sartine gehabt hat, einen falſchen Todtenſchein zu haſchen;
wie überdem Jourdain und Michel bey der Erſcheinung eines vermeyntlichen Geſpenſts ſich nehmen; wie durchaus weder die plötzliche Ankunft
des Onkels, noch auch ſeine Bereitwilligkeit zu
zahlen; oder ſeine und ſeiner Tochter Verſöhn-
lichkeit, im gewöhnlichen Gange der Dinge ſey:
das fällt dem Franzmann nicht ein. Dies über-
hebt uns der Mühe, vom Innern der Fabel etwas
aufzulegen; wem kann dran liegen, von der Auflöſung eines Knotens etwas Nähers zu hören, welcher ſo nachläſſig geſchürzt ward? Einige nicht
unglückliche Theaterſpiele, und noch mehr gut
treffende einzelne Verſe mußten freylich dem
Stücke aufhelfen; wie denn auch ein wenig Lächeln bey S. 10. 13. 25. 37. 74. 75. uns anwandel-
te. Eine Probe mag der Brief ſeyn, welchen der
junge Candidatus mortis an jeden ſeiner Schuld-
herrn ſchreibt. Während des Schreibens ſpricht
er mit ſich ſelbſt, und ſchließt: Quel ton perſua-
ſſl Monſ. Jourdain doit s'y rendre; und
nun ließt er: — Vieux coquin, dans une heure
au plus tard, je ſerai mort; adieu. Toute rancu-

ne à part, je veux bien te donner des avis ſalutai-
res, Amende, toi, renonce à tes gains, uſuraires;
Songe qu'en l'autre monde, où je vais aujourd'hui,
on eſt fort mal reçu, chargé du bien d'autrui . . .
er ſagt ihm dann, er ſolle froh ſeyn, daß der Onkel die Hälfte zahlen werde: Mais ſi, pour ton
malheur, il te prend fantaiſie de vouloir conteſter,
tu peux compter, vieux fou, qu'exprès je revien-
drai, pour te tordre le cou. Als eine, auf Sicht
zu zahlende, Anweiſung kömmt, ruft Folleville
aus: J'aime fort les effets, dont l'échéance eſt
prompte; Eben Er erwägt, wie lange er zu
Daiglemont, Studierens wegen in Paris geweſen
ſey, und wieviel falſche Rechnungen er nach Hauſe geſchickt habe, und nun ſagt er: Notre taxe
ſavoir devroit être envié, ſi nous avions apris tout
ce, qu'on a payé. (Rec. erinnert ſich hier, daß,
als er auf der hohen Schule war, ein troſtlöſer
Vater ihm ſchrieb: „Muß es denn wirklich zur
„Amputation des Fuſſes kommen, der meinem gu-
„ten Sohne ſo viel Verſäumniß und Schmerz, und
„mich über tauſend Thaler gekoſtet hat?" —
Der gute Sohn war, aber friſch und geſund, wie
ers immer geweſen war.) Viel hat der Vf. ſeinem Stücke dadurch geſchadet, daß er dem Onkel etwas ſagen läßt, was ein ſo verſöhnlicher
Mann nicht ſagen mußte: Aux travers de l'eſprit
aiſement on fait grace: Mais les fautes du coeur,
jamais on ne les paſſe.

BERLIN u. FRANKFURT a. d. Oder, b. Kunze:
Freyherr von Feldſchwamm, ein komiſcher
Roman, in ſechs Büchern. 1789. 260 S. in
8. (12 gr.)
Die Scherze des Vf. ſind von der Art, wie folgende, S. 23: „Ich beſchloß, reinen Mund von
„den Liebeshändeln meiner Tante zu halten, und
„wenn ſie mich von einem ganzen Regiment Ca-
„vallerie niedergeritten würde," oder wie S. 55:
„Sein Magen fieng an, von oben und unten, ſich
„ſeiner Burde zu entladen," oder wie S. 84. wo
von den Anfällen einer alten Buhlerin auf die
Keuſchheit des Helden die Rede iſt: „Da ich das
„ſechzehnte Jahr ſchon im Rücken hatte, ſo
„ſpürte ich bald die Folge ihres Spiels, und opferte
„ſonach meine Erſtlinge auf einem Altar, das ſchon
„durch die Opfer von Juden, Heiden, Türken,
„Mönchen, Officieren, kurz, von allem Volke tief
„ausgebrannt geworden war." Uebrigens iſt folgende Stelle, S. 22, Urſache, daß ſich Rec. alles
weitern Urtheils über dieſen Roman enthält: „Es
„gieng über mein armes Gefäß mit ſolcher Ge-
„walt her, daß ich von den Augenblick an be-
„ſchloß, keine Viſionen mehr zu haben; ich em-
„pfehle dieſes Präſervativ gegen alle Viſionen La-
„vater's, Pfenniger's, und der Geſellſchaft der
„reinen Lehre; die Execution davon könnten ſie
„unmaßgeblich den Herausgebern der Berliner
„Monathſchrift, und dem Redacteur der A. L. Z.
„auftragen."

Z 2   BERLIN,

BERLIN, b. Petit u. Schöne: *Der Donnerſtag
iſt wunderlich*, ein Originalluſtſpiel in fünf
Aufzügen. 191 S. 8. (14 gr.)

Hr. *Trampel*, Hr. *Unkepunz*, Monſieur *Uhlu*, Hr.
Klapperbein, Hr. *Klatſchroſe*, Hr. *Pavian*, Madame *Hull*, Mamſel *Lilla*, Hr. *Vandal* und dergl.
originale Namen mehr, halten den Faden dieſes
Stücks. Wir fanden dieſe Perſonen gähnend,
überfreſſen, beſoffen — fanden eine Liebhaberinn,
die Bedienten wirft und ſchlägt, von Maruffle
Marmotte und Canaille ſpricht. Wir fanden Mo-
nologe von 91 Zeilen; platte Späſſe, und ekel-
hafte Ausdehnungen mühſam herbeygeſchleppter
Alltäglichkeiten! — Ein Stück ohne Zweck, Plan,
Sitten und Beluſtigung.

REVAL, b. Iverſen u. Fehmer: *Der Eremit
auf Formentera*. Ein Schauſpiel mit Geſang
in zwey Aufzügen. Von *Auguſt von Kotzebue*. gr. 8. (8 gr.)

Am Morgen, nach einer ſtürmiſchen Nacht,
überläſt der Eremit ſich ſeinen Empfindungen
am Ufer der See. Sein Diener Fernando will
eben Unterhalt ſuchen, da findet er eine junge
Türkin an dem Strande, vom Meere ausgewor-
fen. Sie verpflegen ſie, und erfahren, daſs ein
Spanier ſie aus Algier entführte, auf ſeiner Kö-
nigsflotte ſollte ſie mit Don Barcelo nach Spani-
en, als ihre Fregatte ſcheiterte. Sie beweint
nun den Gram ihres Vaters, Haſſan Machmud.

Eben dieſer iſt es, welcher alle Jahre einmal den
Eremiten auf Formentera beſucht. Selina fürchtet ſich, zum Vater zurückzukehren; ſie wird in
die Hütte gebracht, ſich zu erholen, bald landen
Algieriſche Seeräuber, unter ihnen Pedro und ſein
Diener Petrillo. Haſſan Machmud kommt ebenfalls auf der Inſel an. Aus ſeinen Klagen über
den Entführer erfuhr Pedro, daſs er Haſſans Tochter entführt hat. Der Eremit entdeckt dem be-
trübten Vater, ſeine Tochter ſey auf der Inſel.
Indeſs findet Pedro einen Grabſtein, mit ſeiner
Mutter Namen, klagt es Haſſan, welcher nun
weiſs, daſs der unglückliche Eremit Pedros Vater iſt. Haſſan erhielt ſeine Tochter von dem Eremiten, dieſer, einen verloren geglaubten Sohn,
von Haſſan. Die Geſchichte des Eremiten entwickelt ſich. Haſſan entdeckt den Entführer,
zürnt, vergiebt, Pedro bleibt Chriſt, Selina Türkin, und wechſelſeitiges Wohlwollen ſchlieſst das
Stück. — Guter Dialog, leichte, angenehme,
Geſänge, und Güte des Herzens, die in allen Zügen lebt, ſind das Verdienſt dieſes niedlichen Stückes. In der Mitte, ſcheint Pedrillos Scherz —
die ernſte Begebenheit, faſt zu lange zu trennen.
Der Componiſt muſs alſo Sorge tragen, durch
Wiederholung dieſen Fehler nicht zu vergröſsern.
Die Toleranz des Schluſschors iſt herrlich und wahr.
Gebe Gott, daſs kein Leſer ſich beſinne, ob denn
auch Türkinnen in ſeinen Himmel gelangen
können?

KLEINE SCHRIFTEN.

GOTTESGELAHRTHEIT. Bonn, in der Hofdruckerey:
*Die Lage der Kölniſchen Kirche in den erſten Jahrhun-
derten ihrer Entſtehung bis auf die Regierung Erzbiſchofs
Hildebalds im J. 1732*. Bearbeitet von *Georg Franz Bäl-
len, von Blum*. Das aus dem Virgil genommene Motto: —
*Res antiquae laudis et artis
Ingredior, ſanctos auſus recludere fontes.* —
welches dieſe Zeitſchrift, die durch die neuern Streitigkeiten des kölniſchen Hofes mit dem Römiſchen Stul
veranlaſst wurde, auf dem Titel anführt — könnte
bey dem erſten Anblick den Leſer neue hiſtoriſche Entdeckungen erwarten laſſen. Dergleichen findet man zwar
hier nicht, wenn man anders nicht einige neue hiſtoriſche Muthmaſungen hieher rechnen will, die der Hr.
Vf. zuweilen nicht ganz unglücklich gewagt hat. Wohl
aber eine mit vieler Beleſenheit doch nicht mit dem beſten
Geſchmack gemachte Sammlung hiſtoriſcher Sagen und
Nachrichten, die mit der kölniſchen Geſchichte in einem
bald nähern, bald entferntern Zuſammenhange ſtehen.
Nach einer Einleitung vom Urſprung und Fortgang der
biſchöflichen Macht, nach Febroniuſſchen Grundſätzen,
wird vom Anfang des Erz- und Bisthums Köln bis auf
die Zeiten der aufgekommenen falſchen Decretalen Iſidors
gehandelt; und *Maternus*, der am Ende des 3ten Jahrh.
in die Kölniſche Gegend kam, für den erſten Biſchof, und
Kunibert für den erſten Metropolitan zu Köln angenommen; wobey zugleich die Rechte der Metropolitanen erzählt, und aus der Geſchichte der kölniſchen Biſchöffe

bewieſen werden. Hierauf folgen vier Abtheilungen.
I. *Allgemeine Bemerkungen über den alten Zuſtand der
Kölniſchen Kirche*. II. *Ueber die Verhältniſs derſelben
zum päbſtlichen Stul*. III *Ueber die geiſtliche Verfaſſung
des Kölniſchen Bisthums und biſchöfliche Rechte*. IV. *Ueber
das Verhältniſs der biſchöflichen Gewalt zu der Weltlichen.*
Mit der Ausführung aller dieſer Materien werden die
Glaubensgenoſſen des Hn. Vf. wenigſtens dieſſeits der
Alpen, größtentheils zufrieden ſeyn, wenn gleich Proteſtanten über manches, wie ſich leicht denken läſst,
verſchiedener Meynung ſind. In der Vorrede an den
Leſer, mit welchem Hr. v. B. ſo wie in den Citaten immer ſehr höflich durch ſie ſpricht, macht er bekannt,
daſs er, wenn dieſe Abtheilung der Geſchichte gefalle,
den erſten Theil *des Verſuch der kölniſchen Kirchen - und
Staatsgeſchichte*, der ſchon bis J. 953. zum Druck fertig
ſey, gegen Subſcription liefern wolle. Nützlich kann
dieſe Geſchichte immer werden; ob ſie aber gefallen
werde, das iſt ſchwer zu hoffen. Die Schreibart hat weder Annehmlichkeit noch Correctheit, und die Rechtſchreibung der eigenen Namen iſt gar zu ſonderbar. Der
Vf. ſchreibt *Zipnan*, *Zirilus*, *Zeleſin* u. ſ. w. — Folgern ſie folgen, die *Thoren* (*Portae*) der Stadt Agrippi-
na, ein Urtheil faſſen ſi. fällen. Unparteyiſch möchte
ſie auch von einem Vf. nicht ausfallen, der in der Vorrede ſagen kann, die erhabenen Regenten des Kölniſchen
Kurſtaats ragen *über alle andere* durch die kurfürſtliche,
die biſchöflich - und erzbiſchöfliche Würde hervor.

ALLGEMEINE
LITERATUR-ZEITUNG

Sonnabends, den 24ten Januar 1789.

GOTTESGELAHRTHEIT.

,, ALTONA, gedr. von Eckhardt: *Bibliotheca bi-*
blica sereniffimi Würtenbergenfium ducis olim
Lorkiana edita, et sereniffimo duci inscripta
a Jac. Georg. Chrift. Adler, profeffore Haf-
nienfi, et ad aedem facram Friedericianam
paftore primario. 407. 222. 152 152 S. 4.
(4 Rthlr. 12 gr.)

Dafs der Herzog von Würtemberg die Lorkfche
Bibelfammlung zu Kopenhagen gekauft hat,
und dafs fie jetzt zu Stuttgard aufbewahrt wird,
ift eine längft bekannte Sache. Der gegenwärtige Catalogus wurde zu Kopenhagen verfertiget,
und ift auf Koften der Wittwe-Lork, die bald
nach ihrem Mann geftorben ift, gedruckt. Der
fel. Befitzer hat von den Polyglotten, den hebräifchen Bibeln und den Ausgaben des griechifchen
N. T. felbft das Verzeichnifs gemacht, jedoch
nicht ganz zu Ende gebracht. Von den lateinifchen, französifchen, englifchen und andern Bibeln liefs er noch bey feinen Lebzeiten einen
Katalog durch feine jüngern Freunde beforgen.
Hr. Adler hat die Ausgabe nach der Zeitfolge
geordnet, die orientalifchen und einige andere
Ausgaben felbft befchrieben, hin und wieder einige Erläuterungen beygefügt, und die von andern gemachten Verzeichniffe durchgefehen.
Durch diefe Bemühungen ift gegenwärtiges Werk
ein für die biblifche Literatur wichtiges Hülfsmittel geworden, welches fo lange unentbehrlich
bleiben wird, bis die Mafchifche Ausgabe von *Le*
Long Bibliotheca facra, die aber fo langfam fortrückt, dafs man beforgen mufs, fie werde ganz
in Stecken gerathen, geendiget feyn wird. So
fehr es zu verwundern ift, dafs Lork in einem
Zeitraum von 30 Jahren eine Sammlung von
5000 verfchiedenen Ausgaben biblifcher Bücher,
in einer von Druckorten fo abgelegenen Stadt
als Kopenhagen ift, zufammen bringen konnte,
fo mufs man doch nicht glauben, dafs ihm keine gefehlt habe. Faft in jedem Fache find beträchtliche Lücken. Lork hatte z. E. nicht eine
einzige hebräifche Ausgabe aus dem 15ten Jahrhundert. Möchte doch der Fürft, der in kurzer
A. L. Z. Erfter Band. 1789.

Zeit eine der anfehnlichften Bibliotheken in der
Welt errichtet hat, durch den Ankauf des de
Roffifchen Apparat feine jetzt fchon einzige Bibelfammlung zu einer Vollkommenheit bringen,
die den gröfsten Verehrer der Bibel und Sammler von Bibelausgaben fich vielleicht nie als möglich gedacht haben! Der erfte Theil enthält die
hebräifchen, griechifchen und orientalifchen Ausgaben. Der 2te die lateinifchen und mit diefer
Sprache verwandten Ueberfetzungen, der 3te
die deutfchen, der 4te die englifchen, holländifchen, dänifchen, fchwedifchen und andere, der
5te die Apokryphifchen Bücher, poetifche Para-
phrafen, biblifche Harmonien, Concordanzen, Hi-
ftorien und Bilder. Anmerkungen mit A bezeichnet haben wir nur in dem erften Theile bemerkt,
und auch da nicht viele.

HALLE, b. Hemmerde und Schwetfchke: *Zur*
Revifion der kirchlichen Hermeneutik und Dog-
matik v. D. Joh. Sal. Semmler. Erfter Bey-
trag. 1788. 131 S. 8. (8 gr.)
Viel neues werden die Lefer der Semlerifchen
Schriften hier nicht antreffen. Verfchiedenheit
in der Erklärung der heil. Schrift und in der Dar-
ftellungsart der darin enthaltenen Dogmen hat
immer unter den Chriften ftatt gefunden; die moralifche Religion und das wahrhafte Chriftenthum ift davon nicht abhängig gewefen. Man kann
in der flermeneutik und Dogmatik fehr abweichende Lehren vortragen; die Privatreligion eines jeden Chriften, alfo die meifte hievon,
nicht gebraucht, darf aber darnach nicht gebildet
werden. Diefes find ungefähr die Haupt fätze,
welche von einer Seite betrachtet und
aus der Gefchichte erläutert werden. Der Verf.
fängt von dem Unterfchied zwifchen den Juden
in Paläftina und Aegypten an, gefteht den Vorzug der letztern vor den erftern, und vermuthet,
dafs Arifteas durch feine Gefchichte der griechifchen LXX Dollmetfcher Ueberfetzung, die
Abficht gehabt habe, den Juden eine beffere Meynung von den Unfuden oder Heiden beyzubringen. Der Vf. behauptet auch, dafs die ganze
Aufgabe von der genannten Ueberfetzung bisher
noch nicht in der freyen hiftorifchen Lage, fon-
A 2   dern

dern stets in Abficht des hebräifchen Grundtextes unterfucht fey. Möchte er fich doch felbft diefer Arbeit unterziehen! Der Vortrag der Religionswahrheiten, wo man bald anfieng aufserwefentliche Dinge zu Hauptfachen, zu machen, wird von den Zeiten Juftini und Irenäi an erzählt. Man hielt zu viel auf hiftorifche Kenntnifs und verfäumte dadurch die moralifche. Lehrer der Kirche haben indeffen für den grofsen Haufen einen leichtern Inhalt und Vortrag ausgefucht, aber für fich und andere Chriften die befondere Erbauung auf einen viel allgemeinern Inhalt gegründet. In den folgenden Zeiten haben proteftantifche Lehrer, wenn fie gleich die eingeführte allgemeine Lehrordnung behalten müffen, fo wohl in Abficht auf den Kanon als auch auf die Auslegung, vollkommne Freyheit erhalten, ihren eigenen Einfichten zu folgen. Wenn alfo jemand verlangt, dafs andere an der reinen Lehre von Erbfünde, von *Satisfaction* eben fo beftändig halten als er: fo weifs er nicht, dafs die Anwendung der geiftlichen Religion nach der Ordnung Gottes unendliche Stufen hat, und dafs in allen Stufen die Ehre Chrifti befördert wird. Die praktifche Religion ift dadurch verdorben, dafs man fogenannte Glaubensartikel feftgefetzt hat. Proteftanten widerfprachen dem bisherigen Lehrinhalt und der Lehrfprache in vielen Artikeln, aber fie behielten auch ältere Kirchenlehren bey, *de trinitate, duabus naturis*, und geriethen über die Lehre *de communicatione idiomatum* in neue Streitigkeiten. Oeftere Wiederholungen und Mangel guter Ordnung charakterifiren die Semlerifchen Schriften, und find auch an der gegenwärtigen bemerkbar. Der Vf. kömmt daher in §. 21 wieder auf die erften Zeiten des Chriftenthums zurück, und fpricht von Pharifiern, Saddukäern und Effäern. Letztere haben feiner Meynung nach einen geheimen Orden ausgemacht, welcher fich mehr auf Erforfchung der körperlichen Welt in viel freyerer Verbindung mit der Moral gelegt hat. Die jetzigen Lieblingsbefchäftigungen des Vf. mögen ihn wohl auf diefen Gedanken gebracht haben. Er fcheinet auch in der Vorrede der geheimen Chemie und Phyfik das Wort zu reden, freuet fich über die ihm zugefchickten Werke Swedenborgs aus Stockholm, und nimmt es dem Gothaer Recenfenten übel, dafs er es zur Schande unfers Jahrhunderts gerechnet habe, dafs die Swedenborgifchen Schriften fo viel gelefen würden.

GESCHICHTE.

BERLIN, b. Heffe: *Darftellung der neuern Weltgefchichte in einem fruchtbaren Auszuge.* Erfter Theil. 1787. 1 Alph. 1 B. 8. (20 gr.)
In einem Verzeichniffe neuer Bücher am Ende diefes Buchs meldet der Verleger, dafs es eine Fortfetzung der *Vorlefungen über die Gefchichte*

für *Frauenzimmer* fey, davon um diefe Zeit acht Bände erfchienen waren. Dafs man den Titel geändert hat, kömmt vermuthlich davon her, weil der Verfaffer oder der Fortfetzer es empfand, wie wenig jene Vorlefungen zweckmäfsig abgefafst waren, die eben fo wohl *für Greife* oder *Officiere*, als *für Frauenzimmer*, hätten überfchrieben werden können. Die neuere Weltgefchichte wird hier mit den *fränkifchen Reiche* angefangen, und die Gefchichte des daraus entfprungenen *franzöfifchen* in diefem Theile bis auf den Tod des Königs Robert (J. 1031.) fortgeführt. Das fränkifche Reich wurde freylich gar bald das mächtigfte und berühmtefte unter allen deutfchen Reichen, die den Anhang der neuern Weltgefchichte auszeichnen, und in fo fern verdient es den erften Platz. Allein fo bald es zur Theilung deffelben kömmt, hat das Oftfränkifche oder deutfche Reich eine ganz andre Wichtigkeit für die Weltgefchichte als das franzöfifche, und hätte alfo diefem in der Ordnung vorgehen follen. Noch fehlerhafter ift es, dafs von den frühern deutfchen Reichen, von der grofsen Völkerwanderung überhaupt, gar keine Nachricht gegeben wird; da es doch nicht möglich ift, ohne damit etwas bekannt zu feyn, die neuere Weltgefchichte zu verftehen. Der Vf. glaubt fich deswegen hinlänglich durch die allgemeine Bemerkung zu rechtfertigen, es wären barbarifche Völker mit den Künften des Friedens und mit den Tugenden der Menfchheit unbekannt, die nur auf Krieg dachten, ihre erften Schritte durch Plündern und Blutvergiefsen bezeichneten; die Gefchichte eile alfo gern über diefe erften Auftritte der Rauhigkeit hinweg, und verweile fich nur bey den Zeiten, wo ein ruhigerer Geift und milderer Gefinnungen diefen Barbaren eigen wurde, worans ihnen weife Regenten und Gefetzgeber hervor giengen u. f. w. Er ift aber hier gar übel berichtet. Ueberhaupt hätte er nicht fo fehr mit Barbaren um fich werfen follen, wenn von den Deutfchen feit dem Jahr 400 die Rede ift; ein grofser Theil derfelben war es gewifs damals nicht. Selbft *Alarich*, Roms Eroberer, zeigte fich den Römern und ihren Kaifern an Geift und Klugheit fehr überlegen. Bald darauf geftanden römifche Schriftfteller, man lebe glücklicher und ruhiger unter den Vandalen und Sveven in Spanien, als unter der drückenden Regierung der Kaifer. Und wer war wohl der weifere und mildere Regente, der Oftgothifche Dietrich, Italiens Wiederherfteller? oder der fränkifche *Klodwig*, der fein Reich durch Treulofigkeit und Mord erweiterte? Uebrigens will der Vf. in feine *neuere Weltgefchichte*, aufser den franzöfifchen noch die Englifche, Spanifche, Portugiefifche, Deutfche und Italianifche aufnehmen; kann aber dadurch unmöglich dem Titel feines Buchs ein Genüge leiften, wenn es gleich, nach der Anlage des erften Theils zu urtheilen, mit einer ftarken Reihe von Bänden droht. Von dem

Aus-

Auszuge der Fränkisch - Französischen Geschichte, der in diesem Theile enthalten ist, können wir weiter nichts fagen, als daß er, ohne eben besondere Fruchtbarkeit zu verrathen, lesbar genug ausgefallen ist. Ob der Vf. aber *Daniel* oder de *Velly*, oder *Meusel* epitomirt habe? davon finden wir keine Spur. Es sollte jedoch selbst aus Büchern, die bloß für Liebhaber der Geschichte aufgesetzt werden, eine solche Nachricht nicht wegbleiben, Denn auch unter jenen befinden sich nicht selten Männer, die das gern vorläufig wissen möchten, ob sie dem Schriftsteller, der ihnen viele hundert Seiten lang vorerzählt, auf sein ehrliches Gesicht, oder wegen der guten Quellen glauben sollen, aus denen er geschöpft zu haben namentlich versichert.

Braunschweig, In der Schulbuchhandlung: *Tabellen zur Aufbewahrung der wichtigsten Veränderungen in den vornehmsten europäischen Staaten,* von *Jul. August Remer,* Prof. der Geschichte auf der Jul. Karls Universität in Helmstädt, Dritte Tabelle; erste Hälfte des Jahrs 1787. 2 Bog. 1788. (2 gr.) Die Einrichtung ist mit den beiden vorigen, die das J. 1786 enthielten, und daselbst in der fürstl. Waysenhausbuchhandlung 1787 herauskamen, einerley. Man findet nemlich in sieben neben einander stehenden Columnen von jedem Lande, wenn anders eine Veränderung darinn vorgegangen ist, Nachrichten über folgende Punkte: 1) Ausübung der höchsten Gewalt, Gesetzgebung und Gesetzverwaltung, 2) Finanzen, 3) Kriegswesen, 4) Landesverbesserungen, menschliche Betriebsamkeit und Kunstfleiß, 5) Handlung, 6) kirchliche Angelegenheiten, 7) Reich der Wissenschaften. Die Folge der Staaten ist Deutschland, Preußische Monarchie, Oesterreichische Monarchie, Großbrittannien, Frankreich, Spanien, Portugall, vereinigte Niederlande, Italien, Dännemark, Schweden, Rußland, Polen. Es kommt bey dieser Arbeit bloß darauf an. daß man unter der Menge der Merkwürdigkeiten, die unsre Statistischen Journale monatlich von jedem Lande liefern, das wichtigste aushebt; woraus die Bestandtheile der neuern Statistik so zusammen gesetzt werden können, daß in der Folge das Leben eines Menschen doch noch hinreicht, nebst andern nothwendigen Wissenschaften auch von dieser das Ganze zu übersehen. Schon in dieser Rücksicht wird man die Bemühung des Hn. Vf. als verdienstlich ansehen müssen. Um eine Probe von seinem Vortrage zu geben, wählt Rec. die Preußische Monarchie, und bemerkt durch Zahlen die Fächer, worinn jedes steht. 1) Neue Instruction für das Justizdepartement vom 5ten Januar. Neue Instruction für die Oberkriegs - und Domainenrechnungskammer vom 10ten Junius. 3) Vortreffliches Werbepatent vom 1ten Julius, und Werbemanifest. Errichtung eines Oberkriegscollegiums den 11ten

Jun. 4) Die Generaltobacksadministration und Koffeebrennerey werden den 6ten Januar aufgehoben. Aufhebung der Regie, und neuer Zolltariff den 1ten Jan. Verschiedene Summen zur Aufhelfung des Landes ausgezahlt. 5) Bemühung dem Handel aufzuhelfen. Regulirung und Verminderung der Transitozölle. Verordnung das Zoll- und Accisewesen betreffend vom 21 Jan. Altes Frankfurter Messreglement v. 1744 wieder hergestellt. Verordnung wegen Schlagung neuer Dukaten vom 7ten May. Die Bank in Berlin verzinset ihre geborgten Capitale nur mit 2 p. C. 7) Vermehrung der Einnahme der Preußischen Universitäten mit 10,000 Rthlr. Eröfnung einer unentgeltlichen Zeichenschule bey der Akademie der Künste in Berlin. Errichtung eines Oberschulcollegiums in Berlin.

Leipzig, In der Schönfeldischen Handl.: *Biographien der Selbstmörder.* Drittes Bändch. 1788. 204 S. 8. (16 gr,) Von den Selbstmördern, deren Geschichte wir hier erhalten, entschlossen sich vier aus Liebe, einer aus Ehrgeiz, einer aus Armuth, vier aus Schwermuth, einer aus Gefühl eines ihm geschehenen Unrechts, einer aus Behaglichkeit und einer aus Todesangst zu dem fürchterlichen Schritte. Verschiedene werden gerettet. Die Geschichten sind im Ganzen unterhaltend, in einem guten gefälligen Tone erzählt, und man sieht deutlich, daß der Vf. Menschen beobachtet hat und seine Beobachtungen zu ordnen und zu nutzen versteht. Hingegen möchten wir die Wahrheit der hier erzählten Vorfälle mit allen ihren Umständen nicht gern verbürgen, zumal da wir hier und da so gar die Wahrscheinlichkeit vermissen, die wir auf diesen Fall doch wohl als eine Rückbürgschaft verlangen könnten.

SCHOENE WISSENSCHAFTEN.

Frankfurt und Leipzig; *Melchior Kolbenschlags, Schulmeisters in Rappelsdorf, Jesuitische Reise, größtentheils aus seinem Reisejournal gezogen.* 1787. 143 S. 8. (9 gr.) Auf einem sächsischen, in Thüringen gelegenen Dorfe lesen der Hr. Pastor, der Hr. Schulmeister und der Gerichtsschreiber in den neuen deutschen Zeitschriften so viel von Jesuitismus und von verkappten katholischen Emissarien, daß sie endlich selbst für die Fortdauer des lutherischen Glaubens besorgt werden, und daß der Hr. Schulmeister unterstützt von den zwey andern, sich endlich entschließst, eine Wallfahrt im Lande herum anzustellen und zu forschen, ob er auch vielleicht solchen ausgestreuten Unkrautssaamen entdecken könne. Er zieht aus, wird in *Langensalza* zum Soldaten angeworben, und in Erfurt ausgeprügelt, caressirt in *Weissensee* sehr unglücklich mit einer Gast-

wirths-

wirthsfrau, giebt sich auf einigen Dörfern sehr
ungeschickt für einen großsen Gelehrten aus, verliebt sich zu *Freyberg* in ein Kammermädchen,
schreibt Liebesbriefe, die selbst für einen Dorf-
schulmeister allzu einfältig sind, wird in *Dresden*
aus der katholischen Kirche hinaus geworfen,
discourirt in *Leipzig* mit Hn. M. Masius und Geis-
ler dem Jüngern, und bekömmt endlich zu *Ron-
neburg* durch einen dienstfertigen Schneider doch
noch sein geliebtes Zöschen. Dies ist die Quint-
essenz eines Werkleins, dessen Vf. im letzten Cap.
versichert: „es solle keineswegs eine Plaisanterie
auf diejenigen Männer seyn, welche unser Zeitalter
vor gewissen heimlichen Vorkehrungen der Herren
aus der Gesellschaft Jesu warnen. — Aber es gebe
jetzt Leute, besonders Pastores und Geistliche, in
Flecken und Dörfern, bey welchen man Gefahr
laufe für einen Jesuiten und Parteygänger der
Jesuiten gehalten zu werden, wenn man zufälli-
ger Weise eine Nase habe, dergleichen die Herren nicht alle Tage sehen, die dann ihre Gemeinen von dergleichen Dingen unterhielten, kurz
einen Feuerlerm erhüben, wo entweder gar
nichts, oder statt Feuers faules Holz sich finde.
Diesen Herren zum Frommen sey gegenwärtige
kleine Geschichte geschrieben." Diese Absicht
wäre ganz löblich, doch um sie zu erreichen;
um eine solche Satyre eindringend und gern gelesen zu machen, müßte der Vf. mehrern Witz,
und ächtern Beobachtungsgeist, nebst komischem
Vortrag besitzen. Doch von allen diesen finden
wir auch nicht das kleinste Fünkchen; und müssen daher das ganze Product unter die Rubrik der
Papierverderbnisse classificiren.

Leipzig, in der Weygandschen Buchh.: *Pau-
line Frankini, oder Täuschungen der Leidenschaft und Freuden der Liebe.* 1789, 893
S. 8.
Der Plan dieses Romans ist eine Kette abentheuerlicher und ungewöhnlicher Begebenheiten,
die aber in Romanen so gewöhnlich sind, daß sie niemanden mehr überraschen können. Ein Vormund,
der sich aus eigennützigen Absichten seiner reichen
Mündel zum Gatten aufdringen will; gewaltsame

Attentate auf die Keuschheit eines Mädchens,
die durch ausgebrochenes Feuer und durch die
Dazwischenkunft ihres Geliebten vereitelt werden; eine große Menge von Duellen und Pro-
cessen; verschiedene Entführungen; mehrere
Mißverständnisse und Verwechslungen; der Todesfall einer Tante, die Mutterstelle vertrat, gerade am Hochzeittage der Nichte; Ueberfall
durch Meuchelmörder; Trennungen der Liebenden, erst durch Entfernung, und dann durch
den vermeynten Tod des Gatten; eine Schwester
der Heldinn, die nach der Entbindung von einem
unehlichen Kinde stirbt; die Hindernisse, welche
die Bemühungen finden, dieses unehliche Kind
von der Familie des Vaters anerkennen zu lassen;
Reisen unter fremden Namen und Gefahren, die
daraus entstehen, u. s. w. — eine große Zusam-
menhäufung tragischer Vorfälle, wie sie in hundert Romanen vorkommen! Nachdem der Vf. endlich es
selbst müde wird, mehr zu schreiben, so wird
dann plötzlich S. 375. auch das Schicksal müde,
die Heldinn zu verfolgen, und *überschüttet* sie nun
so schnell mit seinen Gunstbezeugungen, daß sie
und die Leser nicht wissen, wie ihnen geschieht.
Besonders bricht der Vf. bey ihrer Wiedervereinigung mit dem für todt gehaltenen Gemahl, die
doch die Hauptkatastrophe ist, so schnell ab, daß
vielleicht mancher eilfertiger Leser die letzten
Zeilen lesen wird, ohne recht zu wissen, ob *Frau-
kini* wieder da ist, oder nicht. Der Verfolger *Ei-
senfeld* kömmt so unzählig oft wieder zum Vorschein, daß man es endlich überdrüssig, und die
Schwärze seines Charakters dadurch gar zu ab-
scheulich wird. Die beiden Episoden von der
Frau von *Pregel* und dem alten Obristen haben
wenig Anziehendes, und unterbrechen das Ganze
oft zur Unzeit. Uebrigens spricht die Heldinn,
welche durchgängig redend eingeführt ist, in
einem ungezwungenen und gesetzten Tone, und
ihre Raisonnements sind zwar nicht neu, aber richtig gesagt. So steht z. B. S. 164. eine kurze,
aber sehr wahre, Charakteristik der Stadt Paris.
Ueberhaupt verdienen Einkleidung und Vortrag
bey diesem Romane dem Plane unendlich vorgezogen zu werden.

KLEINE SCHRIFTEN.

*Oekonomie. Berlin, b. Petit u. Schöne: C. C.
Zaumzegel* jun. aus Sachsen: *Oekonomische Gedanken:
I. über die Vortreflichkeit des Ackerbaues. II. Instruction
für wirthschaftliche Personen, und III. Von den Kennzeichen
einer guten und schlechten Wirthschaft.* 1788. 11 Bogen Tabellen und 44 S. 8. (4 gr.) Wie der Verf.
eine ganz unbedeutende Schrift dem König von Preußsen
zueignen konnte, begreift Rec. nicht. Weder Neubeit
noch Vollständigkeit, weder Ordnung, noch Einkleidung

findet man in diesen Blättern. Auch die Tabellen sind
fehlerhaft. Wer in aller Welt wird die Namen der Gras-,
hauer, und Heuwerber, der Schnitter und Drescher in
die Tabellen bringen? Sie gehören in das Journal oder
Handbuch. Erst hätte der Vf. das Hannöverische Magazin, oder Rathleffs Auszüge aus demselben lesen sollen,
so würde er eine vollständigere, besser geordnete, Instruction für Wirthschaftspersonen gefunden, und die seinige zurückgehalten haben.

ALLGEMEINE

LITERATUR-ZEITUNG

Sonntags, den 25ten Januar 1789.

RECHTSGELAHRTHEIT.

(Ohne Druckort): *Gegenbeleuchtung der vorläufigen Beleuchtung des an Se. Kurfürstl. Gnaden zu Mainz in Betreff der Embser Puncte von Sr. Fürstl. Gnaden zu Speier erlassenen Antwortsschreibens.* 1788. 157 S. in 8. (18 gr.)

Der Fürstbischof von Speyer hatte bekanntlich auf die von Mainz aus ihm mitgetheilten Embser Puncte in einem Schreiben an den Kurfürsten von Mainz geantwortet, und dieses Schreiben wurde durch den Druck bekannt gemacht. Dagegen erschien eine *vorläufige Beleuchtung des an Se. Kurfürstl. Gnaden in Betreff der Embser Puncte von dem Hrn. Fürstbischoff zu Speyer erlassenen Antwortschreibens,* worinn angeführet wir, dass der Fürstbischoff sich nicht nur den Embser Puncten widersetze, sondern sich auch an die Spitze aller Bischöfe stelle; mit ihnen gegen die Erzbischöfe gemeine Sache mache, und alle Ansprüche der röm. Kurie unterstütze, dass er fast alle Embser Puncte für widerrechtlich erkläre, dass er behaupte, man müsse den Papst in seinem zeitherigen Besitz lassen, dass er Bedenken trage, sich in Sachen, wo viele öffentliche Verträge oder R. Gesetze im Mittel liegen, ausser dem R. Tage zu erklären, dass er fürchte, der Landesherr, in dessen Gebiete sich die Diöcesangerechtsame erstrecken, werde sich die neuen Grundsätze nicht aufdringen lassen, dass er mit Aufhebung der Exemtionen zufrieden sey, und doch die Verbindung mit auswärtigen Obern nicht wolle aufgehoben wissen, dass er den Bischöfen die Dispensationen in dem Abstinenzgebote, in den Ehehindernissen, in den feyerlichen Ordensgelübden und in der Verbindlichkeit, die aus den heil. Weihen entstehet, nicht zugeben wolle, weil der Papst im Besitz sey, dergleichen Dispensen privativ zu ertheilen, dass ers für unrathsam halte, wenn ein Ordinarius fromme Stiftungen nach seinem Gutbefinden abändern könne, dass er zwar die Aufhebung der Quinquennalfaculäten wünsche, aber doch jene Rechte vom Papst jedem Bischoff lebenslänglich ertheilet wissen wolle, dass er den Nuntiaturen

A. L. Z. Erster Band. 1789.

eine Schutzrede halte, u, s. w, Hierauf antwortet nun der Verf. der vorliegenden *Gegenbeleuchtung:* Der Fürstbischoff habe nur über so wichtige Gegenstände, als die Embser Puncte enthielten, mit den Bischöffen sich berathschlagen, und denselben sein Bedenken darüber vorlegen wollen, dass man die rechtmäßig erlangte Gewalt des Primaten, nach seiner Einsicht, zu sehr einzuschränken suche. Viele Puncte hätten ganz, oder zum Theil seinen Beyfall. In solchen Dingen, die der Hierarchie unschädlich wären, müsse man Vorstellungen thun und Unterhandlungen pflegen, um sich durch wechfelseitige Nachgiebigkeit zu vereinigen. Er glaube mit Recht, dass man Niemanden, alfo auch den röm. Hof nicht eigenmächtig aus seinem unwidersprechlichen Besitz verdrängen solle. Die Bischöfe hätten zwar ihre Rechte von göttlicher Einsetzung: sie wären aber allerdings befugt gewesen, einige derselben, einem andern zu überlassen; ausserdem dürften sich auch die Erzbischöfe nur gefasst machen, ihren Vorzügen zu entsagen, und in die Gleichheit mit den Bischöfen zurückzutreten. Er habe durch sein Schreiben seine Gedanken, dem Kurf. nur vorläufig geäussert. Die Besorgniss wegen der Landesherrn, habe ihren guten Grund. Die Exemtionen der Religiosen seyen im Speyerschen schon vorher, und zwar nicht zuerst, sondern nach dem Beyspiele anderer, aufgehoben. Man werde doch in Mainz nicht alle Verbindung mit Obern, die in Deutschland wohnten, aufheben wollen, sondern der Sitz des neuen Generals solle vermuthlich in Mainz seyn. Der Besitzstand des Papsts in Ansehung der Dispensen sey nicht wider die göttliche Einsetzung, und beym Abstinenzgebote sey es wegen Einformigkeit und anderer Ursachen nöthig, dass mit Rom's Einstimmung die Aenderung getroffen werde. Wider die willkührlichen Abänderungen der milden Stiftungen sey er deswegen, weil sie oft nicht zum Besten des gemeinen Wesens und der Religion, sondern zu ändern Absichten getroffen würden, welchem noch in et. was vorgebeugt werde, wenn dem Obern die Gründe und der Gegenstand der neuen Bestimmung vorgeleget werden müsse. Dadurch, dass jedem Bischof die Faculäten lebenslänglich auf

B b   eine

eine dem bifchöfl. Anfehen angemeffene Art ertheilet würden, entgehe der ächten bifchöfl. Gewalt nichts. Die Nuntiaturen nehme er nicht in
Schutz, fondern erkläre nur, dafs er keine wahre Befchwerde für feine Gerechtfame gefunden
habe, wenn der Papft jene ihm vorbehalte-
nen Rechte, welche nur Rom fchlichten könne, nun durch eine in Deutfchland aufgeftellte
Nuntiatur ausüben wolle, u. f. f. — Da hier die
Beleuchtung wieder abgedruckt, und bey jedem
Puncte die *Gegenbeleuchtung* darauf folget, fo
kann man Gründe und Gegengründe leicht überfehen, und wir enthalten uns über die Hauptfache alles Urtheils. Der Ton ift in beiden Schriften mitunter ziemlich ftark, doch in der *Gegenbeleuchtung* noch ftärker, wo von „ehrlofen Paf-
quillanten, Verläumdern" und dergl. gefprochen
wird. An heftigen Vorwürfen und Befchuldigungen, die gewöhnlich von der andern Partey
mit noch heftigeren empfangen werden, fehlt es
auch nicht, z. B. S. 17 vergl. S. 19. S. 87. vergl.
S. 88. Auch find hie und da Nebendinge her-
beygezogen. Durch ein folches Verfahren gewinnt die Hauptfache nicht.

EISENACH, b. Wittekindt: *Allgemeine Anmerkungen über Berichte, nebft einigen Exempeln.*
1788. 167 S. 8. (8 gr.)
In dem Vorbericht bemerkt der Verf., (Joh.
Heinr. Gottlieb *Hermann*, H. S. Meining. Rath u.
Ammann), wie er feit einigen Jahren feine Nebenftunden dem in der Auffchrift angezeigten Gegenftand gewidmet, aber bey Erfcheinung des
Buchs: *Anweifung zu Abfaffung der Berichte
über rechtliche Gegenftände* mit der Arbeit inne
gehalten, jedoch in der Folge geglaubt habe, dafs
die öffentliche Mittheilung feiner Gedanken für
das Publicum nicht unnütz feyn werden, da der Vf.
jener Anweifung mehr in das befondere gehe, er
felbft hingegen fich länger und hauptfächlich mit
dem Allgemeinen diefer Materie befchäftige.
Nach vorangefchicktem Begriff des Worts *Berichts*,
und gegebenen Erläuterung, wie fich Berichte von
Urtheilsfragen und Relationen unterfcheiden, auch
dafs man fie ordentlicher Weife nur an unmittelbar Vorgefetzte richte, werden die Eigenfchaften
der Berichte, dafs fie deutlich, ausführlich und
wahr feyn follen, alsdann das Aeufsere derfelben
nebft der Schreibart, befonders in Rückficht auf
verbetene oder beendigte Aufträge abgehandelt.
Hierauf ift von den Veranlaffungen zu Berichten
und verfchiednen Gattungen derfelben die Rede,
Auch werden am Ende zur Beleuchtung der vor-
getragnen Sätze Formulare (von S. 101 bis 167.)
beygefügt. Den Begriff eines Berichts fetzt der
Vf. in einer dem Vorgefetzten fchriftlich vorgelegten Darftellung des Hergangs oder der Bewandnifs einer Sache oder des Vorfalls, und findet
die Erklärung in jener Anweifung: eine Anzeige
eines Beamten an feinen Vorgefetzten in öffent-

lichen oder Amtsfachen, theils zu weit, theils zu
enge. Da er fo viele Modificationen bey Berichten giebt, fo wäre vielleicht ganz im allgemeinen
der Begriff am ungezwungenften diefer: ein in
Amtsverhältniffen an einen Obern gerichteter Vortrag von der Befchaffenheit einer Sache. Diefer
Vortrag würde alsdann in den mündlichen und
fchriftlichen zerfallen. Amtsverhältniffe find we-
fentlich, und wir können dem Vf. in Anfehung
des Falls (S. 4) nicht beypflichten, indem derfelbe
allerdings, kraft des erhaltenen Auftrags, zur
Amtsfache wird. Auch verlieren mündliche Hin-
terbringungen einer gefchehenen Sache nicht überall und immer den Namen: Bericht, wenn man
fchon gewöhnlich die Idee eines fchriftlichen Auffatzes mit dem Wort, Bericht, zu verbinden
pflegt. Das Buch zeigt hin und wieder von praktifcher Einficht und Erfahrung, und es ift, da die
Schriften, in welchen Canzleygegenftände bearbeitet, oder fonft den Beamten zweckmäfsige Anleitungen gegeben werden, noch immer nicht zu
häufig erfchienen, in die Reihe der populären Abhandlungen, welche hie und da Nutzen ftiften
können, aufzunehmen. Aber der Stil ift nicht ge-
feilt genug, und oft kommen ganz triviale Allge-
meinfätze, Redensarten und Anfpielungen vor,
(wie z. E. S. 81. „von Leuten, die feit 30 Jahren
als pur Sachwalter mit *legibus obftantibus* fich ge-
balgt haben; von Leuten, die bey den bisher fleifsig abgewarteten Beruf des Ankleidens, Haar- u.
Bartputzens, auch Nachtretens, zu Wiffenfchaften
und Kenntniffen weder Gefchmack noch Unterricht
gewinnen können; — von Leuten, die nur Links-
um! Marfch! commandirt, oder nach dergleichen
Machtfprüchen Leib und Seele in Bewegung gefetzt haben; von Leuten, die Aemter und Bedienungen baar erkauft haben, und deren Verdienft
— Geld ift: von folchen Leuten, fage ich, follte
man nicht mehr fodern, als — Endlich vermifst
man auch alle literarifchen Notizen in diefem Bu-
-che, fo dafs es in Hinficht auf feinen wefentlichen Innhalt, fich nicht vorzüglich auszeichnet,
und befonders den Befitzern der *Anweifung zu Abfaffung der Berichte* entbehrlich ift.

PHILOLOGIE.

HELMSTÄDT, in Kühnleins Verlage: *P. Ovidii
Nafonis Amatoria e recenfione Petri Burmanni, cum varietate lectionis praecipua.* Pars I
et II. 1788. 523 S. 8. (1 Thlr 8 gr.)
Unter Amatoriis begreift der am Anfange der
Vorrede fich nennende Herausgeber, Hr. Prof.
Chriftian Gottlieb Wernsdorf zu Helmftädt die He-
roiden mit, welche nebft *Sabins Briefen* den erften
Theil diefer, vom Verleger blofs für Schulen beftimmten, Ausgabe ausmachen, fo wie im zweyten die eigentlichen *libri amorum, remedia amo-
ris* und *medicamina faciei*, mit billiger Weglaf-

fung

ung des *Halieuticon*, des *Epicedion* auf *Drufus*
und der *Elegie de Nuce*, befindlich find. Der
Text ift der Heinfius - Burmannifche, correct abgedruckt, unter den die beträchtlichern Varianten
aus beider Männer Noten gebracht find. Die
Auswahl derfelben ift nicht ohne Gefchmack getroffen, und wir bedauren nur, dafs der Verleger es feiner Convenienz nicht gemäfs fand, dem
Herausgeber in dem räfonnirten Verzeichniffe
der Lesarten fo fortfahren zu laffen, wie wir es
von vorn herein finden. Die im dritten Theile
der Leffingfchen Beyträge befindlichen Auszüge
Jac. Friedrich Heufingers aus vier Wolfenbütteli-
fchen Handfchriften find ebenfalls gebraucht, doch
nicht, wie in *Conrad Heufingers* Ausgabe in den
Text aufgenommen. Noch ift von dem in Helmftädt felbft befindlichen Codex Gebrauch gemacht,
der freylich fehr jung ift, aber doch einige ganz
artige Lesarten liefert, und aus zwey kleinen
Schriftchen des Hrn. Prof. Wideburgs bekannt
ift.

GÖTTINGEN, in der Vandenhoek - Ruprechtifchen Buchh.: *Syntagma Opusculorum fcho-
lafticorum varii argumenti, autore Joanne
Michaele Heinzio.* 1788. 448 S. 8. (18 gr.)
Schuleinladungsfchriften find freylich nicht felten. — Ephemeren, deren Verfaffer, wie dem
Rec. einmal einer felbft geftand, keine weitere
Abficht haben mögen, als Bürgermeiftern und
Rathmannen ihres Ortes Gelegenheit zu geben,
hinter dem glänzenden Goldbogen das Geficht
einmal einige Stunden in gelehrte Falten zu legen.
Zu mehrerem Ehrgeiz finden fich doch Lehrer
in gröfsern Städten aufgemuntert, und wir könnten mehrere nennen, deren kleine Schriftchen,
weil fie felten in den Buchhandel kommen, wir
nach dem Beyfpiele des H. Dir. Heinze gefammlet wünfchten. Rec. befafs die hier zufammenge-
druckten Gelegenheitsfchriften, wenige ausgenommen, einzeln, hat fie aber jetzt mit neuem
Vergnügen gelefen. Sie find in drey Claffen geordnet: in philologifch - pädagogifche, philologifch - kritifche, und hiftorifch - philofophifche.
Die erften find zunächft für die ftudirende Jugend
beftimmt, und entweder wird derfelben eine nützliche Lehre, wie das Horazifche *Sapere aude* in
fanftem paränetifchen Tone ans Herz gelegt, oder
auch eine heilfame Warnung vor einigen blenden-
den Neuerungen gegeben. Doch auch der Mann
wird fie gewifs gern lefen, weil er aufser dem
claffifchen Stil überall eine herzliche, forgfame
Liebe für das Befte der Jugend durchfcheinen fiehet, nirgends blofse Declamation, noch weniger
die *critica vannus* gehandhabet, vielmehr die Gegengründe in ruhiger Sprache vorgetragen findet.
Bekanntlich ift Hr. H. fo wenig blofs Grieche und
Lateiner, dafs er von jeher auch im Deutfchen
feine nicht unbedeutende Stimme mitgegeben hat,
und dem, was N. 5 vom übermäfsigen Gebrauche

der Mythologie in der deutfchen Dichtkunft, und
von der neuerlich einmal vorgefchlagenen Einführung der nordifchen Götterlehre gefagt ift, wird der
unbefangene Lefer feinen Beyfall eben fo wenig
verfagen, als der fechften Abhandlung, in welcher die lateinifchen Stiliften gegen den Vf. der deutfchen Gelehrtenrepublik in Schutz genommen find.
— Unter den philofophifch - kritifchen hat Rec. blofs
die *Obfervationes Livianas* mit den erften Ausgaben verglichen, und doch hin und wieder einen
kleinen Zufatz oder auch Abänderung im Ausdruck oder Wortftellung gefunden. —

GOTHA, in der Ettingerifchen Buchhandlung:
Eclogae Ovidianae, oder, aus dem Ovid ge-
fammlete Stücke, mit Einleitungen und einem hiftorifch - mytholog. und geographi-
fchem Regifter verfehen, zum Behuf der
Schulen herausgegeben, von *Albert Chriftian Meintke*, Corrector an der Schule zu
Ofterode am Harz. 1788. 280 S. 8. (18
gr.)
Ohne die Frage zu unterfuchen, über die Gesner und Ernefti felbft ehemals nicht einverftan-
den waren, ob Chreftomathien überhaupt für die
Jugend nützlich find, glauben wir doch dem Herausgeber der gegenwärtigen darinn beytreten zu können, dafs Ovid wenigftens in mehr als einer Rückficht der Jugend nur ftückweife vorgelegt werden follte. Hr. M. hat, wie die Vorrede befagt,
blos die *reitzendften* Erzählungen ausheben wollen, und man kann im Ganzen mit der Auswahl
fehr wohl zufrieden feyn. Eine einzige Erzählung (Ecl. 3) Priap und Lotis möchte doch vielleicht den feichteften Sinn etwas zu lebhaft *reitzen*, und Ecl. 8. v. 43 - 46. hätten aus gleichem
Grunde, ohne dem Zufammenhange zu fchaden,
wohl auch getilgt werden können. Gefetzt, der
Schüler, der eine vollftändige Ausgabe Ovids
vor fich hat, bemerkt die kleine Lücke, fo wird
er doch bald die gute Abficht des Lehrers bey diefer *pia fraus* anzuerkennen bereit feyn. Durch
die, jeder Ecloge vorgefetzte, Erzählung des Inhalts hat der Vf. etwas fehr Nützliches unternommen, und ob fich gleich annehmen läfst, dafs jeder Lehrer, zumal bey den Metamorphofen, die
Gefchichte jedes zu lefenden Stückes kurz vor-
erzählen werde, fo hat doch Hr. M. wahrfcheinlich auch auf Privatfleifs junger Leute Bedacht
genommen, und für diefe wenigftens ift der Ton
feiner Erzählungen in der That fo lebhaft, wie
fie ihn in diefen Jahren gern haben. Auch hat
es uns gefallen, dafs er am Ende jeder Erzählung
immer Stellen aus andern Dichtern, oder auch
aus Ovid felbft beybringt, wie eben diefelbe Gefchichte, obgleich zuweilen mit andern Umftan-
den, oder auch in einer andern Manier erzählt
ift. Das Regifter wird dem Jüngling nicht weniger gute Dienfte thun, nur hätte der Vf. in den
Artikeln, die bereits in den Einleitungen da gewefen

wefen waren, durch bloſse Verweiſung auf dieſelben kürzer abkommen können. Ein braver
Schulmann ſcheint Hr. M. bereits zu ſeyn, und
wenn er ſich nicht verleiten läſst, Polygraph zu
werden, ſo läſst ſich auch künftig ein guter Herausgeber alter Schriftſteller an ihm erwarten.
Jetzt entſchlüpften ihm doch zuweilen kleine Unrichtigkeiten, von denen wir einige herſetzen
wollen. S. 83 ſteht die Stelle Ovids: *Ultima ſemper Exſpeĉanda dies homini, dicique beatus Ante
obitum nemo ſupremaque funera debet.* Hierzu
ſetzt Hr. M. die Note: „*tragico quaſi hic noſter
cothurno incedit.*" Den Kothurn können wir
doch wirklich nicht finden. Die ganze Stelle iſt
nichts mehr und nichts weniger als ganz ſimpel
ausgedrückter Gemeinplatz, der, wenn auch die
Tragiker am meiſten Gelegenheit fanden, von
ihm Gebrauch zu machen, dennoch auch beym
Horaz und den Proſaiſten häufig vorkommt, und
man alſo eben ſo gut, und eben ſo falſch ſagen
könnte, Ovid hätte ſich hier zum lyriſchen Tone
erheben, oder zum proſaiſchen herabſtimmen wollen. S. 141. ſollen auch die Furien im Schatten-
reiche dem Orpheus Erlaubniſs gegeben haben,
ſeine geliebte Eurydice auf die Oberwelt zurückzuführen. Dies Recht hatten ſie nun wohl nicht,
und Ovid ſagt bloſs, ſie hätten damals zum erſtenmal geweint. Eine S. 38. gelegentlich bey-
gebrachte Conjectur über *Homeri Hymn.* in *Cere-
nem* v. 426. χρονον τ' αγανον ſur χροκαψντα γανου
empfiehlt ſich dagegen durch ihre Leichtigkeit, und
vielleicht hat Hr Voſs, der χ durch *crocumque
mollem* überſetzt, eben dies im Sinne gehabt.

KOPENHAGEN: *Danſk-Latinſk Ordbog, eller
det Latinſke Lexicons Tredie Deel, ſom in-
deholder de brugeligſte danſke Ord og Tale-
maader, med deres Latinſke Navne og Over-
ſattelſer. Ved M. Jacob Baden, Prof. Eloqu.
ved Kiöbnhavns Univerſität.* 1788. gr. 8.
787 S.
Die Abſicht dieſes Wörterbuchs, wovon die
beiden erſten Theile, welche das Lateiniſch-Däni-
ſche enthälten, ſchon 1786 herausgekommen

ſind, iſt eigentlich nur der däniſchen Studirenden
Jugend ein Wörterbuch in die Hände zu geben,
deſſen ſie ſich bey der Erlernung und bey den
Uebungen der lateiniſchen Sprache bedienen könne. Gleichwohl kann beſonders, dieſer 3te Theil,
der das däniſch-lateiniſche Wörterbuch enthält,
auch deutſchen Liebhabern der däniſchen Sprache,
die der lateiniſchen kundig ſind, Dienſte leiſten,
um ſo mehr da Aphelens Wörterbuch das einzige, das für die Deutſchen geſchrieben iſt, bey
aller ſeiner Gröſse, noch bey weitem nicht alle
Wörter in ſich faſst, die zum Leſen däniſcher
Schriftſteller erfodert werden, und da auſſerdem
Aphelen der deutſchen Sprache ſo wenig kundig
war, und zu wenig kritiſche Sprachkenntniſs beſaſs, als daſs er ein recht zweckmäſsiges Werk
hätte liefern können, endlich ſein Buch ſo ſelten
geworden iſt, daſs man Muhe hat, ein Exemplar
davon zu erhalten. Hr. Prof. Baden aber hat ächte kritiſche Kenntniſs des Däniſchen, und wäre
recht der Mann, von deſſen Hand ein für die Deutſchen brauchbares däniſches Wörterbuch erwartet
werden könnte.

LEIPZIG, b. Sommer: ΕΥΡΙΠΙΔΟΥ ΙΠΠΟΛΥ-
ΤΟΣ ΣΤΕΦΑΝΗΦΟΡΟΣ *e recenſione et cum
notis Rich. Fr. Phil. Brunk. Praelectionum cau-
ſa curavit Georgius Henric. Martini.* 1788.
VIII. u. 96 S. 8. (8 gr.)
Der verdienſtvolle Herausgeber hatte 1783 in
ſeiner *antiquorum monimentorum ſylloge* die Abhandlung eines ſiciliäniſchen Rechtsgelehrten,
Vincenz Guaglia, über einen jetzt im Dome zu
Gargenti für Taufſtein dienenden Sarkophag, worauf das tragiſche Ende des Hippolytus in halber-
habener Arbeit vorgeſtellet iſt, ins Lateiniſche überſetzt, und eine Abbildung beygefügt. Weil dieſes alte Kunſtwerk und des Euripides Trauerſpiel
ſich gegenſeitig erläutern, ſo glaubte Hr. M. nebſt
andern Freunden der Archäologie mit Recht, daſs
ein einzelner Abdruck des Euripideiſchen Hippolytus nicht ohne Nutzen ſeyn würde; der denn
auch die auf dem Titel bemerkte Abſicht hinlänglich erreicht.

KLEINE SCHRIFTEN.

PHILOLOGIE. *Meiſſen*, b. Erbſtein: *Homeri Iliados
Rhapſodia Φ. ſive Liber XXI. cum excerptis ex Euſtathii
Commentariis et Scholiis minoribus. In uſum ſcholarum
ſeparatim edidit Joannes Auguſtus Muller* A. M. et ill.
Scholae provinc. Miſen. Conr. 1788. 63 S. u. VI S. Vorr.
8. (6 gr.) Der Gedanke iſt recht gut, durch ſolche Auszüge aus den alten Commentarien die Bekanntſchaft mit
dem Homer bey Anfängern zu erleichtern. Hr. M. hat
ihn auch mit guter Beurtheilungskraft ausgeführt. Hin
und wieder findet man auch kleine Berichtigungen des
Euſtathianiſchen Textes, oder Nachweiſungen auf neuere
Schriften.

ALLGEMEINE
LITERATUR - ZEITUNG

Montags, den 26ten Januar 1789.

MATHEMATIK.

Münster, bey Perenon: *Nachrichten von dem Leben und Erfindungen der berühmtesten Mathematiker.* In alphabetischer Ordnung. Erster Theil, welcher die bis jetzt bereits verstorbenen enthält 1788. 308 S. 8. (12 gr.)

Ein sehr bequemes Handlexicon über diese Materie größtentheils aus dem Montucla oder dessen Epitomator gezogen, das vielen ganz gute Dienste leisten wird. Nur Schade, dass der Vf. keine Quellen und Hülfsmittel zum weitern Nachschlagen angiebt, und manche wichtige Erfindung, ja auch manchen Mathematiker, der sich durch eine wichtige Erfindung ausgezeichnet, und davon Montucla gute Nachrichten giebt, übergangen hat. So fehlt *Albatani*, der *Ptolemaus* der Araber, der in der Astronomie, und zwar in Ansehung der Vorrückung der Nachtgleichen, Ausmessung des Sonnenjahrs und der Ekliptik so grosse Verdienste hat. Dagegen führt er den weniger berühmten *Alpetragius* aus Marocco an. Vom Gerbert, nachmaligen Papst Sylvester, sagt er: er sey nach Arabien gereiset, und habe von da unsere Rechenkunst mitgebracht. Das ist nicht richtig. Er gieng als Mönch aus seinem Kloster nach Spanien, und brachte im Jahr 960 oder 970 unsere Rechenkunst mit arabischen Ziffern zu uns. *Albertus Grot*, oder *Magnus*; der doch unter die Wiederhersteller der Wissenschaften gehört, und sich auch als Mechaniker berühmt gemacht hat, ist ausgelassen. Vom *Anaxagoras* ist nicht gesagt, dass er auch von der Optik und Perspectiv geschrieben. *Apollonius Pergaus* (im Buche stehet Apollonius) ist in Ansehung seines Charakters mit dem Rhodier verwechselt, der hier fehlt. Des *Archytas* Erfindung einer fliegenden Taube, davon die Alten so viel gesagt, und deren die neuern Schriftsteller und Nachschreiber über die Luftbälle so häufige Erwähnung thun, scheint ihm eine Fabel zu seyn. Selbst dem grossen Aristoteles, ungeachtet er das Grundgesetz der Statik und Mechanik, dass Kräfte, die sich verkehrt wie ihre Geschwindigkeit verhalten, gleiche Wirkung thun, und sonst noch manche mathematische Wahrheit

d. L. Z. 1789. Erster Band.

gelehrt hat, vergönnt er hier keinen Platz. Ueber des *Archimedes* Brennspiegel, womit er die Römische Flotte angezündet haben soll, erklärt er sich ganz richtig, dass es durch keinen einfachen Spiegel, wohl aber durch mehrere Planspiegel, Buffons Versuchen zufolge, möglich sey. Aber woher bekam er so viele Planspiegel, die damals selten und theuer waren, und wie machte er es, dass sie alle richtig gestellt wurden? Es ist doch wohl immer am wahrscheinlichsten, dass die Schiessscharten der Mauer die Spiegel waren, aus welchen mit Katapulten verbrennliche Materien auf die feindlichen Schiffe abgeschossen wurden. Den *Justus Byrge* hält er mit *Kepiern* für den Erfinder der Logarithmen. Er führt aber doch selbst bey der Lebensbeschreibung des *Michael Stiefel* an, dass dieser schon 1544 in seiner *Arithmetica integra* mit den deutlichsten Ausdrücken der Logarithmen gedenckt. Nicht nur das, sondern er erklärt sie auch, da er mit den geometrischen Reihen, die arithmetischen, deren Glieder Logarithmen von jenen sind, vergleicht. Warum nennt man ihn nun nicht den Erfinder derselben? Bey dem *Dinostratus* (im Buche stellt Dinostrates) wäre es auch wohl nöthig gewesen, zu erinnern, dass man gezweifelt, ob die nach ihm genannte Quadratrix wirklich seine Erfindung sey, indem es wahrscheinlich ist, dass dem *Hippias*, *Socratis* Zeitgenossen diese Ehre gebühre. *Eudoxus*, der das Weltgebäude aus lauter concentrischen Sphären zusammen setzte, ferner *Flav. Gioja*, oder *Giri*, der vorgebliche Erfinder der Magnetnadel, *Posidonius* der Freund des Cicero, der aus der Höhe des Sterns Kanopus, am Steuerruder des Schiffs, die zu Alexandrien 7¼ Grad betrug, zu Rhodus aber in der Entfernung von 5000 Stadien in dem Horizont lag, den Schluss machte, dass der Umfang der Erde 240,000 Stadien betragen müsse; *Proclus*, Georg *Joachim Rheticus*, der für die Radius = 1 die Sinus, Tangenten und Secanten bis zu 15 Decimalstellen berechnete, und welchen wir fast noch ungerner vermissen, *Christoph Rudolph* aus Jauer, der die erste deutsche Regel Cofs, oder Algebra herausgegeben, alle diese und noch einige andere fehlen. Von dem reichen Nürnberger *Bernard Walther* hätte

C c   die

die Beſchreibung doch wohl etwas ehrenvoller ausfallen können. Er war, heiſst es, ein Dilettante — Walther ſchoſs in vielen Fällen das Geld her, wo Regiomontanus nur den Verſtand hergeben konnte; und ſo kamen dieſe beiden Leute wirklich recht gut zuſammen. Der Dilettante bezählte die Inſtrumente, welche Regiomontanus zum Behuf der aſtronomiſchen Obſervationen erfand und verfertigen lieſs. Er obſervirte doch, nachdem letzterer nach Italien gereiſet war, und noch lange nach ſeinem Tode fleiſsig fort, und entdeckte die Strahlenbrechung. Bey dem *Maurolycus* vermiſst man ſein Hauptverdienſt, nemlich ſeine Methode die Kegelſchnitte zu behandeln, der ſich ſelbſt *de la Hire* bediént. Er fand auch, daſs die Schattenlinien der Zodiakalzeichen auf den Sonnenuhren Kegelſchnitte wären.

Am meiſten aber vermiſſet man, wie ſchon geſagt, daſs er ſeine Quellen nicht angegeben; wenig Fälle ausgenommen, als bey dem Vernier, von dem er Nachrichten aus Käſtner, ſo wie man ſie. gewohnt iſt von ihm zu leſen, mitgetheilt, auch bey Wolfs Lebensbeſchreibung nennt er den Büſching und bey Eulern die Allg. L. Z. No. 13. 1785.

STUTTGART, b. Metzler: *Vollſtändige Anleitung zur niedern und höhern Mathematik, in ſo fern ſolche ſo wohl dem Officier überhaupt, als auch dem Ingenieur und Artilleriſten unentbehrlich iſt,* von *Georg Gottlieb Hahn,* Artillerielieutenant und ordentlicher Lehrer der Kriegswiſſenſchaft auf der Karls hohen Schule zu Stuttgard. Erſter Band. 1788. 522 S. Vorrede und tabellariſcher Inhalt 76 S. gr. 8. (1 Rthl. 12 gr.)

Des Hrn. Lieut. Abſicht iſt ein Werk für einen Kriegsmann zu ſchreiben, das ſo wohl ſeiner Anlage und innern Einrichtung nach, als auch hauptſächlich in Abſicht aus Vortrags von allen bisher in Deutſchland erſchienenen gänzlich verſchieden ſeyn ſoll. In Anſehung der Anlage ſoll es dadurch von andern ausgezeichnet ſeyn, daſs es niedere und höhere Mathematik zweckmäſsig verbindet, da bisher die meiſten (alſo doch nicht alle ·) die für Soldaten geſchrieben, die höhere Mathematik ſchlechterdings übergangen, und bloſs bey der ſogenannten Elementarmathematik ſtehen geblieben ſind. — Die Manier ſeines Vortrags beſteht in genauer Zergliederung, und Darſtellung aller einzelnen Sätze, die man ſonſt wohl für den mündlichen Vortrag aufſpart. Hier ſind daher unter den meiſten Paragraphen noch kleine Anmerkungen, die entweder die Richtigkeit des vorgetragenen Satzes einſchärfen, oder eine andere Art der Auflöſung und des Beweiſes, oder die Anwendung deſſelben betreffen. Zuweilen findet man auch wohl eine literariſche Nachricht. Auch bedient er ſich ſtatt der ſonſt gewöhnlichen Zeichen mehr der Worte.

Ueberhaupt muſs man dem Hn. Vf. das Zeugniſs geben, daſs er ſich in Anſehung des Vortrags einer genauen Ordnung und Deutlichkeit möglichſt befliſſen. Die Ordnung in der Elementararithmetik iſt wie in Karſtens Lehrbegriff, wie man auch ſchon aus dem ſehr ausführlichen *tabellariſchen Inhalte* des ganzen Buchs ſieht, der allenfalls ſtatt eines Regiſters dienen kann, und nicht nur dem Lehrling, ſondern auch andern, denen der Vortrag oft zu gedehnt und langweilig ſeyn möchte, ſehr zu ſtatten kommen wird. Was hier ſo. eben von der gedehnten und langweiligen Art des Vortrags geſagt iſt, hört auf, Vorwurf zu ſeyn, wenn es bewieſen werden kann, daſs die Sprache der Mathematiker durch beſtimmte Zeichen Anfängern nicht ſo deutlich ſey, als Worte. Z. B. mag ſein Beweis des Lehrſatzes von der Multiplication eines Bruchs durch eine ganze Zahl im 68 §., der doch auch mit Worten ganz kurz gefaſst werden kann, dienen.

Er zeigte, ſtatt eines allgemeinen Beweiſes, die Richtigkeit des Satzes an einem Exempel: „$\frac{2\cdot4}{7} = \frac{4}{7}$ iſt viermal ſo groſs, als $\frac{2}{7}$. Denn da dieſe Brüche gleiche Nenner haben, ſo iſt das ganze bey *beiden* (beiden) in gleich viel Theile getheilt. §. 65. folglich ſind dieſe Theile gleich groſs. Von dieſen gleich groſsen Theilen aber werden beym erſten Bruch ſo viel mal mehr genommen, als jene ganze Zahl Einheiten enthält: daher iſt derſelbe fünf ſo vielmal gröſser. In der Zeichenſprache würde man alles dieſes ſo ausdrücken $\frac{2}{7} \cdot X \, 4 = \frac{4}{7}$. Denn $\frac{2}{7} + \frac{2}{7} + \frac{2}{7} + \frac{2}{7} = \frac{8}{7} = \frac{2\cdot4}{7}$.„ Es frägt ſich nun, ob das letztere ſchwerer zu verſtehen ſey, als das erſte? Ueberſehen kann man es ſicher viel leichter, und wer es aus den vorhergegangenen Gründen nicht verſtehen kann, dem möchte wohl ſchwerlich alle hier gebrauchten Worte mehr Licht geben. Vielmehr weiſs Rec. aus dem Unterricht und Umgang mit ſolchen Köpfen, daſs ſie auch bey einer ſo kurzen Vorſtellung mit Worten, als die hier angeführte iſt, die erſten Gedanken über das Anhören oder Leſen der folgenden Sätze ſchon wieder vergeſſen. Bey der Vorſtellung durch Zeichen hingegen konnten ſie noch eher die Schluſsfolge überſehen, und kamen zu deutlichen Begriffen und Ueberzeugungen. Durch eben dieſe Zeichenſprache nun hätten leicht die übrigen Sätze, auch die §. 77—79. und §. 82 ohne Beweis vorgetragene Anweiſung, den gemeinſchaftlichen gröſsten Theiler von zwo oder mehrern Zahlen, und Aufhebung der Brüche auf wenigern Seiten vorgetragen, und erwieſen werden können, und wäre bey den Ziffern zugleich die allgemeine Bezeichnungsart der Zahlen durch Buchſtaben gelehrt worden; ſo hätten zugleich dieſe Sätze ohne vielen Aufwand von Worten ganz allgemein erwieſen werden können. Doch es iſt vielleicht nicht unnütze, daſs wir neben dieſer in unſern guten Lehrbüchern üblichen

Metho-

Methode' nun auch eine andre in diefem Buche finden, wo ftatt der Zeichen Worte gebraucht find. 'Bey der Buchftabenrechnung kommt indefs die erfte Methode auch vor, und das ganze Buch wird hier lesbarer.

Das fchätzbarfte darinn find für Anfänger unftreitig die vielen Exempel in der Buchftabenrechnung, und der Lehre von den Proportionen und Progreffionen, befonders aber in der Algebra. Ein Bedürfnifs unfrer meiften Lehrbücher, dem leicht durch eigenen Fleifs und aus andern vorhandenen Büchern abgeholfen werden kann, aber gewöhnlich nicht abgeholfen wird, weil man die Exempel nicht gleich im Buche findet; und gleichwohl ift es nicht möglich, ohne viele Uebung eine Fertigkeit im Calcul zu erlangen. Man lernt felbft durch diefe Exempel, wenn fie wohl gewählt, und finnreich behandelt werden, manche Methoden, die die Rechnung abkürzen, oder felbft die Theorie erweitern, und den Lehrling unvermerkt felbft zum Erfinder machen. Unfer Hr. Vf. hat das Verdienft, dafs er nicht felten folche verfchiedene Methoden angiebt. Um nicht lange zu wählen, führt Rec. nur folgende Beyfpiele an. Um die Wurzel einer Bruchpotenz zu finden, deren Nenner irrational ift, darf man nur Zähler und Nenner mit der um Eins verminderten Potenz des Nenners multipliciren, wodurch der Nenner rational wird, und folglich nur die Wurzel aus dem Zähler zu fuchen ift; z. B. $\sqrt[3]{\frac{1}{2}} =$

$\sqrt[3]{\frac{1\cdot 4}{2\cdot 4}} = \sqrt[3]{\frac{4}{8}} = \frac{1}{2}\sqrt[3]{4}$ oder wenn 2

Gleichungen für 2 unbekannte Gröfsen vorkommen, ift die eine fo gleich wegzufchaffen, wenn man fie mit dem Coefficienten eben diefer Gröfse in der andern multiplicirt; z. B. ax + by = c und dx + fy = k, giebt ad x + bdy = cd, und ad x + afy = ak, alfo bdy — afy = cd — ak, und y =

$\frac{cd - ak}{bd - af}$.

BERLIN, b. Wever: Beyträge zur kaufmännifchen Rechnungskunde überhaupt, infonderheit aber zur Rechung mit Logarithmen nach den logarithmifchen Tafeln für Kaufleute von M. R. B. Gerhardt, Königl. Preufs. Hof-Bank-Buchhalter. Erftes Stück. 1788. 12 B. in 8. nebft einer Tafel. (12 gr.)

Diefe Beyträge, welche Hr. G. von Zeit zu Zeit in ähnlichen Stucken fortzufetzen verfpricht, follen 1) die gewöhnlichen kaufmännifchen Rechnungen mit Gebrauch der Logarithmen, die Specialregeln und weniger gewöhnliche kaufmännifche Rechnungsvorfälle behandeln; 2) von der Münz-Maafs-und Gewichtkunde nur folche Nachrichten geben, die man in dahin gehörigen Handbü-

chern noch nicht findet, oder zu deren Berichtigung nöthig hat. Vortrefflich! Hr. G. befitzt alle dazu nöthige Gewiffenhaftigkeit, Kenntnifs und Erfahrung, wie feine Ausgaben des Nelkenbrecherifchen Tafchenbuchs und feine Münz-Mafsund Gewichtkunde beweifen können. · Man weifs nun, wo man fich wegen der fteten Veränderungen in diefen Dingen zu unterrichten hat; und wer dazu etwas beyzutragen weifs, würde wohl am gemeinnützlichften handeln, wenn er es an diefes Archiv überliefern wollte. Zu wünfchen wäre wohl, dafs man diefe Beyträge allein kaufen könnte, wohin allerdings auch fo verdienftliche und lehrreiche Beurtheilungen, als man im gegenwärtigen Stücke über den allgemeinen Contorifien, Leipzig 1788. antrifft, zu rechnen wären. Dergleichen haben viele nöthig, denen das übrige diefer Sammlung weniger nützlich ift. Es follen darin 3) auch einzelne Bemerkungen und ganze Abhandlungen über das doppelte Buchhalten geliefert werden.

Das erfte Stück ift fo gerathen, dafs man es allen, die fich mit grofsen kaufmännifchen Rechnungen abgeben, empfehlen kann. Im Vorberichte über die Befchaffenheit der Logarithmen überhaupt und der dahin gehörigen Tafeln kommt freylich manches vor, was ein Mathematiker richtiger und beftimmter, alfo deutlicher vortragen würde. Aber dann würden dagegen fo gute aus der täglichen Praxis hergenommene Beyfpiele fehlen, wodurch fich Hr. G. bey feinem Publikum vielen Eingang verfchaffen kann. Sind gleich feine Tafeln, wie wir bey deren Anzeige erortern mufsten, eben nicht die bequemften; fo wird fich dennoch, wer fich einmal dazu gewöhnt, und überhaupt Hn. Gerhardts Führung anvertraut hat, allemal beffer befinden, als der nicht logarithmifche Rechner.

SCHOENE WISSENSCHAFTEN.

LEIPZIG, in der Weygandifchen Buchhandlung: Sarah Burgerhard, eine niederländifche Gefchichte aus dem bürgerlichen Leben, in zwei en Theilen. 1789. 360 S. 8.

Es ift dies nur eine freye Ueberfetzung eines 1782 in holländifcher Sprache erfchienenen Romans, der zwey Damen, Namens Becker und Deken zu Verfafferinnen hatte, und fo viel Beyfall erhielt, dafs er fchon 1783 wieder aufgelegt, auch in das Franzöfifche überfetzt wurde. Die vier Bände des holländifchen Originals find in einen zufammengezogen, und auch fonft in diefer deutfchen Umarbeitung viele Veränderungen gemacht worden. Schon dadurch waren viele Abkürzungen möglich, dafs der Umarbeiter die Briefform des Originals verwarf, nur das Wefentliche der Erzählung beybehielt, und viele von den weitfchweifigen moralifchen Declamationen

weg-

wegſtrich. Dagegen hat er ſich bemüht, alles
beſſer zu verbinden, das Intereſſe des Ganzen zu
concentriren, und die Begebenheiten mehr zu-
ſammenzudrängen.

Breslau, b. Löwe: *Das blinde Ehepaar, oder,
die Gebetserhörung, eine Erzählung von
Schummel.* 1788. 40 S. 8.

So unerwartet die Cataſtrophe dieſer kleinen
Erzählung iſt, indem der durch die Pocken blind
gewordne Sohn eines verdorbnen Krämers mit
der blind gebornen Tochter eines ſehr reichen

Geheimenraths verbunden wird: ſo natürlich iſt
doch im übrigen die Darſtellung von den Geſinnungen und Schickſalen des frommen, und ohne
ſeine Schuld unglücklichen Krämers, der die
Hauptperſon ausmacht. Auſſer dem guten Ton,
empfiehlt ſich dieſe kleine Erzählung auch durch
ihren moraliſchen Endzweck, der dahin geht, zu
einer ſtandhaften Ertragung alles deſſen zu ermuntern, was die Vorſehung über uns verhängt, und
durch ein Beyſpiel den Satz zu erläutern, daſs
Gott am Ende alles wohl mache.

KLEINE SCHRIFTEN.

Gottesgelahrtheit. *London, b. Cadell u. Johnſon:* The Evidence for a future improvement in the ſtate
of mankind, with the means and duty of promoting it,
repreſented in a Diſcourſe — to the Supporters of a new
academical inſtitution among proteſtant diſſenters. By Rich.
Price, D. D. F. R. S. 1787. 56 S. 8. Durch die Vereinigung verſchiedener Gelehrten und die patriotiſche Unterſtützung, welche ſehr ſelten nützlichen Unternehmungen in Britanien mangelt, iſt in London eine akademiſche Erziehungs-Anſtalt, für Diſſenters im v. J. errichtet worden, welche vieles zu verſprechen ſcheint.
Richard Price, Andr. Kippis, Abr. Rees, Hugh Wor-
thington, G. Cadogan Morgan und John Kiddle meiſt berühmte Schriftſteller ſind die Directoren davon; alle
Arten von Wiſſenſchaftlichen und Sprachkenntniſſen werden (dem Plan und Verſprechen nach) darinnen getrieben; und jährlich für jeden Penſionär ſechzig Guineen
gefordert. Unter ſechzehn Jahren wird keiner, der Theologie ſtudiren will, kein Juriſte unter fünfzehn Jahren
angenommen. Durch die Erbauung eines eigenen Hauſes, durch die zum Geſchenk erhaltene Bibliothek des
D. Wilh. Harris und durch anſehnliche Subſcriptionen
und Vermächtniſſe, die ſchon im v. J. 8547 Pfund Sterling betrugen, ſcheint die ganze rühmliche Anſtalt dauerhaft fundirt zu ſeyn. Für ſie intereſſirt ſich auch mit
Wärme und muthiger Hofnung Hr. Price in dieſer Rede über Matth. 6, 10. die dem Menſchenfreund, dem
Verehrer des Chriſtenthums und dem Patrioten zeigt,
wie viel Gründe er für die Hofnung beſſerer Zeiten habe. Und wie viel iſt nicht eine ſolche Belehrung werth,
zu einer Zeit, wo die Schwäche und Trägheit vieler in
gänzlicher Muthloſigkeit an der Zukunft verzweifelt,
und nichts als Sturz, Untergang und Verfall ahndet und
weiſſagt? — Sie wird auf die Bibel (Röm. 11, 25. Pf.
2, 2, 3, 4. dann 2 Theſ. 2.) gegründet: aber (Gottlob!
daſs wir beſſere Gründe als dieſe poetiſchen und dunkeln
Stellen haben) noch mehr auf die Betrachtung der Natur und der Geſchichte gegründet. Stets war unter den
Menſchen Fortſchritt und Verbeſſerung; die Barbarey
der erſten Zeiten wurde durch bürgerliche Verfaſſungen
verdrängt; Künſte entſtanden aus Künſten, Männer aus
Kindern, höhere Wiſſenſchaft aus der niedern. Jede
Verbeſſerung nimmt ihrer Natur nach zu durch die grö-
ſere Thätigkeit und Bildung des Geiſtes, die ſie veranlaſst und fördert. Jedes Licht wächſt ſtufenweiſe. Auf
Baco folgt Boyle, auf Boyle Newton und jeder Vorgänger bahnet ſeinem Nachfolger den Weg. Falſche philoſophiſche Syſteme veranlaſſen beſſere Prüfung; jede Wahrheit ſteht feſter auf den Ruinen des Irrthums. Sollte
nicht eben dies auch in Abſicht auf Religion gelten? Je-

de Verbeſſerung in ihr fordert Vorbereitung und hält
mit dem Fortgang in andern Wiſſenſchaften gleichen
Schritt, und das jetzige Wachsthum in Wiſſenſchaften
muſs eine weitere Reformation bewirken. Selbſt nach
der Bibel muſs der Antichriſt ſtürzen, ehe das Reich des
Meſſias erſcheint. (Wo?) Beſonders aber erweckt die
Hofnung der neuerliche Fortſchritt in der Philoſophie
beſonders durch Newton, die zwar auf der einen Seite
Gleichgültigkeit gegen alle Religion und auf der andern
Hang zur Zweifelſucht erzeugte, aber ſelbſt durch dieſe
kurz dauernde Uebel am Ende der Religion vortheilhaft
werden wird. Aus dieſer Philoſophie iſt die Duldung entſtanden; aus ihr die Trennung der Religion von der bürgerlichen Jurisdiction und die Freyheit der Gewiſſens-
rechte (entſtanden? wird ſchon bewirkt? Noch nicht allgemein. Aber es wird noch geſchehen.) — Auch die gröſſere
Menſchlichkeit, der Verfall der päpſtlichen Macht, die
Aufhebung der Jeſuiten und vieler andern Klöſter, die
Handlungsgemeinſchaft zwiſchen den entlegenſten Reichen, ſelbſt die Feſtſetzung einer gleichen Repräſentation
der Stände in Frankreich und die Bemühungen dafür,
auch in andern Reichen Europens, dies alles unterſcheidet den jetzigen Zuſtand der Welt vom vorigen, zeigt
uns den Menſchen in einer beſſern Geſtalt, den Sturz
des Aberglaubens, den Fall des Antichriſts, das glückliche tauſendjährige Reich! — (Auch wenn der Vf. etwas
ſchwärmeriſch ſpricht, gefällt er; ein Enthuſiaſt in Hofnungen iſt doch beträchtlicher, als ein Schwärmer mit ſchwarzen Ahndungen eines Unglückspropheten.) — Die Mittel zur Verbeſſerung überläſst nur der Träge allein der
Vorſehung; aber jeder an ſeinen Theil kann ſie fordern:
der Reiche durch ſeine Güter; der Groſſe durch ſeinen
Rath und Unterricht. Die wirkſamſten ſind abſehlbar
durch Verbeſſerung der Regierung; Nichts verſtört mehr
als Despotismus; nichts erhebt mehr den menſchlichen
Charakter, als freye Regierung; hernach freyer Unter-
ſuchungsgeiſt, den keine bürgerliche oder kirchliche Gewalt unnatürlich hemme; noch mehr beſſere Erziehung
und Bildung der Jugend und beſonders der Religionslehrer, wozu, nach der Abſicht der Rede, der Vf. für einen
Einfluſs heil ſeiner Landsleute, die auf den beiden
Veilungen der kirchlichen Orthodoxie in England, Oxford
und Canterbuy, ihre Bildung nicht erhalten können,
die neue Anſtalt empfiehlt. — Es iſt in frohen Ausſichten auf die Zukunft für den menſchlichen Geiſt ſo etwas
erhebendes, daſs alles, was ſie begünſtigt, und wären
es auch nur Träume eines Patrioten, geſucht und darge-
ſtellt zu werden verdient.

ALLGEMEINE
LITERATUR - ZEITUNG

Dienſtags, den 27ten Januar 1789.

ARZNEYGELAHRTHEIT.

LEIPZIG, b. Weygand: D. *Joſeph Paſta*, Arztes am Krankenhauſe zu Bergamo, *Unterſuchungen über das Blut und über die Gerinnungen deſſelben, als Urſachen von Krankheiten.* 1789. 202 S. 8.

Der Vf. dieſes mit vieler Beleſenheit abgefaſsten Werks ſucht zu beweiſen, daſs das Blut in dem belebten thieriſchen Körper niemals gerinne, und daſs ſich daſſelbe nach dem Tode bloſs nach den Geſetzen ſeiner Schwere und nach der Lage ſenke, welche die Leiche hatte, bis ſie erkaltete. Er bezweifelt nach dieſer Vorausſetzung die Entſtehung des Schlages von blutigen und andern Anhäufungen im Gehirn, wenigſtens will er es nicht gelten laſſen, wenn man die Congeſtionen im Kopfe und in andern Theilen, die man nach dem Tode entdeckt, für Urſachen der Krankheit und des Todes halten will. Er erweiſt ſehr gut, daſs ganz andere Urſachen den Schlagfluſs bewirken können; damit iſt aber freylich nicht bewieſen, daſs dieſe Krankheit nicht auch von Congeſtionen entſtehen könne. Nur in der Zeit zwiſchen dem Tode und der Erſtarrung der Leiche können nach ſeiner Meynung Polypen entſtehen; in dem belebten Körper und, ſo lange die Säfte noch bewegt werden, niemals. Seine Theorie führt ihn ſo weit, daſs er auch die Blutklumpen, die ſich nach der Amputation in den verbundenen Gefäſen bilden, unter die Undinge rechnet, und glaubt, dieſe Klumpen entſtünden nie nach dem Tode. Die Gründe für ſeine Meynung führt er gut aus, beſonders den, daſs man nicht immer mit Gewiſsheit behaupten könne, eine Erſcheinung, die bey der Oefnung einer Leiche beobachtet wird, ſey ſchon beym Leben zugegen geweſen, und habe den Tod oder die Krankheit veranlaſſet. Wenn daher ſeine Behauptungen minder allgemein wären, ſo würden wir wider ihre Richtigkeit nichts einzuwenden haben. Den wichtigſten Grund für die Exiſtenz der Gerinnungen in den Säften und der Polypen bey Lebendigen übergeht er mit Stillſchweigen, nemlich daſs bey dem Abgange des Infarctus oft viele und be-

A. L. Z. Erſter Band. 1789.

trächtliche Schleimpolypen und Stücken von geronnenen Blute abgehen, die ihre runde und nicht ſelten wurmformige Geſtalt von dem Gefäſs erhielten, in welchem ſie gebildet wurden.

HEIDELBERG, in der Pfähleriſchen Univerſitäts-buchh.: *Ueber den Gebrauch und Miſsbrauch der peruvianiſchen Rinde, von Heinrich Tabor,* d. A. Doct. in Frankfurt am Mayn. 74 S. 8.

Es iſt immer verdienſtlich, die Layen in der Arzneykunde vor dem eigenmächtigen Gebrauch gefährlicher Hülfsmittel zu warnen, welche ihnen einige Aerzte aus übel angewandter Güte in die Hände gegeben haben. Hr. T. hohlt aber ziemlich weit aus, und handelt in den zwey erſten Bogen von den Vorzügen der Cultur, von dem damit verknüpften Nachtheil für die Geſundheit, vom Vortheil der Arzneykunde, vom Schaden der populären mediciniſchen Schriften, vom Miſsbrauch des Aderlaſſens, Purgirens und der Opiate, in einem etwas weitſchweifigen, bisweilen undeutlichen und unzuſammenhängenden Stil. Nur die letzte Hälfte des Büchelchens betrift den auf dem Titel genannten Gegenſtand.

GÖTTINGEN, b. Vandenhoek und Ruprecht: *Juſti Arnemann,* D. Med. Prof. *Commentatio de Aphtis. Quae ab ill. Reg. Soc. Med. Paris.* 25 *Aug.* 1787. *palmam alteram obtinuit.* 1737. 8. S. 8. (6 gr.)

Zuerſt eine Geſchichte des Alterthums der Schwämmchen; darauf folget die pathologiſche Beſchreibung dieſer Krankheit, von welcher wir nur das wichtigſte auszeichnen. Hr. A. ſetzt 3 Species feſt: 1) *Aphthae infantum,* 2) *Aphtae malignae noſod.* 3) *Aphtae ſympt.* Aus bekannten Gründen hätten wir auch da den ſo verführeriſchen Beynamen von Malignität gerne vermiſst. Bey ſehr häufigen innerlichen Schwämmchen ſind oft nur wenige im Munde. Sie erſcheinen meiſtens früher in dem Magen und der Speiſeröhre, ehe ſie in den Schlund entſtehen. Zu den Urſachen gehören: wenn die Kinder bey jedem Geſchrey an die Bruſt gelegt, und mit Milch überladen werden; Leidenſchaften, Schwelgerey,

D d · Un-

übriget.' 23. Schreiben des *Fürsten Colloredo.*
Durch den Kleebau wurden einige tausend Fuhren Dünger mehr erzeugt, 700 Lämmer mehr als
im J. 1785 erhalten, sämmtliches Vieh besser gewartet, und fleißiger gepfleget. 24. Schreiben des
Grafen von Rotenhahn. Alles Getraide auf eine
Kleefurche bestellt. Rec. wundert sich, daß von
Kleefeld dieses schwere Thema nicht weitläufiger ausgeführet. 30. Vom *Kammerrath Buhl.*
Der Pachter Hohnbaum auf dem Sachsen‑Gothaischen Kammergute Schweickhof ernährte mit 20
Simri Kleefeld 50 St. Rindvieh, 4 Pferde und 200
St. Schaafe. Diese letztere ließ er Vormittags
einige Stunden aus dem Pferch nicht so wohl zur
Huth als zum Gang auf die wenigen Brachweiden,
Mittags und Abends aber Klee vorlegen. Das
Paar Hammel verkaufte er für 9½ Rthlr., machte
10 Fuder Klee dürre, und da sein Pachtgut ungefähr 200 Simri Feld hat, und der Rodacher
Schäferey hutbar ist, doch 100 Gulden Huthgeld gab,
um seine Felder mit Klee nutzen zu können. 32.
Von *ebendemselben.* Aus einem kleinen Bezirk
Deutschlands, wo der Kleebau eingeführt ist; sind
in einem halben Jahre 2,954 gemästete Ochsen nach
Frankreich getrieben, und von da 317,048 Gulden
baares Geld dafur geholet worden. Das Dorf
Unterlauter im Coburgischen hat 7 Pferde, 2½ Paar
Ochsen, 10 Paar Stiere, 183 St. Kühe und junges Vieh mit grünem Klee gefüttert, 63½ Fuder
dürre gemacht, 10½ Simri Lucerne und Esper
96 Simri deutschen Klee aufs neue ausgesäet.

Die Gemeinde hat dieses Jahr 208 Stück Schaafe
gehalten, bisweilen den Sommer über gefüttert,
will künftig 300 halten, und mit Klee futtern.
Der Schultheis hat von 2 Kühen vom 1ten April
bis 2ten Dec. 29½ Pfund Butter und mit Innbegriff
zweyer Kälber 79 Gulden 4 Kr. 9 Pfen. gelöset.
Die Kühe wurden aber sorgfältig mit Klee gefüttert. Drey Schäfereyen sind wieder aufgehoben, und an die Gemeinden vertheilt worden.
34. Vom *Oekonomierath M. Stumpf.* Skizze der
Lahner Guthsbeschreibung.

VERMISCHTE SCHRIFTEN.

KOPENHAGEN u. LEIPZIG, b. Krögen: Hn. Prof.
Jungs *Abhandlungen ökonomischen und statistischen Inhalts,* 1788. 187 S. 8. (8 gr.)
Aus den kurpfälzischen Bemerkungen sind hier
folgende Vorlesungen des Hn. Prof., wir wissen
nicht, ob mit seiner Bewilligung, abgedruckt.
1) Staatswirthschaftliche Anmerkungen bey Gelegenheit der Holznutzung des Siegerlandes. 2)
Ueber das Handlungsgenie. 3) Landwirthschaftliche Geschichte einiger niederländischen Provinzen, 4) Ueber den Einfluß der Städte, Dörfer
und Bauernhöfe auf die Gewerbe des Volks.
5) Bemerkungen über den forstwissenschaftlichen
Zustand einiger Aemter im Herzogthum Berg.
6) Ueber die Wirkungen der Pracht und des
Luxus auf die Gewerbe.

KLEINE SCHRIFTEN.

RECHTSGELAHRTHEIT. *Wien,* b. v. Kurzbeck:
*Kleine Gedanken von der Unzertrennlichkeit des katholischen
Ehebandes.* Vorgelegt von *A. Julius Cäsar.* 1787. 53 S.
8. (4 gr.) Die Unzertrennlichkeit des kathol. Ehebandes soll hier aus der heil. Schrift, aus der Tradition,
aus den Kirchenvätern und aus dem Tridentinischen Concilium, gegen einige neuere, insonderheit gegen Neupauer, welcher die Ehescheidung nach dem N. T. nicht
bloß wegen Ehebruch, sondern auch wegen anderer
gleich wichtigen Ursachen zuläßt, erwiesen werden. Die
Stellen der h. Schrift, auf welche man diesen Satz gewöhnlich gründet, sind bekannt. Sie sind auch hier wiederholet; und wenn Matth. V, 32. XIV, 9. die Scheidung wegen Ehebruch erlaubt wird, so meynt der Vf.
man müsse diese wenigen Stellen nach den weit häufigeren
von ihm (passend u. unpassend) angeführten beurtheilen,
in welchen die Scheidung ohne Einschränkung verboten
werde. (In der That eine artige Hermeneutik! Lieber
gar einen solchen Zusatz ganz ausgestrichen. Die Frage,
ob in jenen Stellen von Privat‑ oder öffentl. Scheidung
die Rede sey, muß man bey solchen Schriftstellern nicht
erwarten.) Hierauf folgen eine Menge Stellen aus K.
Vätern und Concilienschlüssen, wider die Trennung des
Ehebandes. Bey dem Verbot des Trid. Conc. merkt der
Vf. an, daß es nur diejenigen verdamme, welche die
kathol. Kirche eines Irrthums beschuldigen, weil sie die
Ehe wegen Ehebruchs nicht trenne, daß es aber die

Lehre von Unzertrennlichkeit der Ehe nicht als Glaubenslehre festsetze, ja vielmehr den widrigen Gebrauch
der Griechen tolerire. — Auf den Einwurf, daß doch
die Trennung in dem Falle, wenn der ungetaufte Theil
aus Haß des christl. Glaubens seinen neugetauften Gatten verläßt, in kanon. Recht erlaubt sey, antwortet er,
daß eine solche Ehe ein bloßer bürgerl. Vertrag, kein
Sacrament, dergl. nur unter Katholischen statt finde, gewesen sey. Und, daß die Ehe, wenn der Beyschlaf noch
nicht erfolgt ist, durch die Profession des einen Gatten
getrennt wird, sucht er daraus zu erklären, weil die
noch nicht fleischlich vollendeten Ehen kein Zeichen der
Vereinigung Christi durch Annahme des menschl. Fleisches mit seiner Kirche, wie die bereits vollbrachten seyn.
Von der Ungerechtigkeit, welche darin liegt, daß der
unschuldige Gatte, der wegen Ehebruch des andern geschieden ist, vor dessen Tode nicht wieder heurathen
soll, wird hier nichts gedacht. Der Vf. wollte bloß die
gangbare Lehre seiner Kirche in Schutz nehmen. Er bekennt zwar in der Vorrede, daß er „in der alten
pedantischen Schulkavallerie auferzogen sey", meldet uns
aber zugleich, daß er nachher gleich einem h. Paul von
den Strahlen der ächten Wahrheit getroffen worden (?)
und von dem alten Steckenpferde gestürzet sey, wobey
es ihm jedoch lieb sey, daß er die alten Schullehren
kenne, und das Neue nicht blindlings anzunehmen
brauche.

ALLGEMEINE
LITERATUR - ZEITUNG

Mittwochs, den 28ten Januar 1789.

ERDBESCHREIBUNG.

HALLE. b. Dreyſig: *Reiſen des grünen Mannes durch Deutſchland und Ungarn.* 1787. 196 S. 8. (12 gr.)

Das Tagebuch eines Wanderers, der zu Fuſs zwar einen ziemlichen Theil von Deutſchland durchſtrich, und manche Stadt und manche Gegend, von der ſich etwas merkwürdiges ſagen lieſse, beſah; dem es aber ſchwer werden würde, eine gültige Urſache aufzufinden, warum er dies ganze Werklein habe drucken laſſen. Nirgends erblickt man eine Spur von Plan, und eben ſo wehlg, irgend etwas neues und intereſſantes. Bald leſen wir von Leipzig: „Wie bekannt, ſo giebt es „hier einen ganzen Schober voll *Magiſtri*, die mei„ſtens *unterm Schornſtein*, No. 40 logiren, und „von da aus Leute und Bücher *bekritikakeln*; doch „kann ein halber Thaler ſehr oft der Sache eine „andre *Wendung* geben. Hier iſt der Hauptſitz „von den Hebammen der 9 keuſchen Muſen, und „die ſtärkſte Niederlage aller Journalfabriken. „Hier lebt auch der Magiſter Maſius, der den „*Allgedanken* realiſiren wollte, *alle Religioſen un„ter einen Schabesdeckel zu bringen.*“ Bald erfahren wir: „daſs Abends dort in der *Petersſtraſse* „*Schnepfenſtrich ſey*, und ſich vielerley Jäger zum „Schnepfenfangen einfänden.“ — Bald hören wir (S. 40) „daſs die *eine Sohle von ſeinen Schuhen* „*ſich abgetrennt*, im Gaſthofe aber grade ein Schuh„macher gewohnt, und er ſich bey ihm *dieſes Be„dürfniſſes entledigt habe;*“ bald müſſen wir ein Selbſtgeſpräch auf die Kirchhof (S. 39), bald gar ein Gedicht an die Deutſchen zu Tacitus Zeiten (S. 44) ohne Salz und Kraft leſen. Bald erfahren wir S. 50, wie viel Menſchen 1784 zu Zwickau geboren, beerdigt, copulirt worden; ja ſogar, *wie viel man Predigten allda gehalten habe.* — Gleich darauf verſichert er: „Faſt alle Mädchen im Voigt„lande haben blondes Haar, und die ſanfteſten „blauen Augen. Es iſt alſo ſo gewiſs, wie zwey„mal zwey nach dem Peſcheck höchſt populären „Andenkens, viere iſt, daſs ſie dabey auch herz„lich verliebt ſind. — *Den Beweis?* Ja ick weiſs „weiter keinen, alt daſs ick mich recht herzlich ſatt „habe mit ihnen ſchnäbeln können.“ — Der Ver
A. L. Z. Erſter Band. 1789.

räther! Gut, daſs er nicht mehr von den gutherzigen Mädchen weiſs! Er erzählte es gewiſs, um ein paar Zeilen mehr drucken zu laſſen. — Nun kommt ein Geſpräch (S. 52) mit einem Dorfbarbier, wo der VE. dankte, als der Bart weg war, und uns gleichwohl treulich regiſtrirt, was der Bartputzer geſprochen habe. — Vom Karlsbade giebt er die elendeſten trivialſten Nachrichten; geſteht aber: „daſs ſeine *trante Freunde und* „*Freundinnen* ſie nicht von ihm würden haben be„kommen können, hätte nicht der rechtſchaffne „Kaufmann Meyer ſie ihm mitgetheilt.“ — Und auf dieſe Art reiſt der rechtſchaffne grüne Mann über Falkenau, Eger, Ellnbogen, Riegensburg; geht mit dem ordinären Floos nach München; erzählt *hier* ein Werberhiſtörchen, winſelt *dort* an der Agneſe Bernauerin Grabe; ſchifft nach Paſſau; übergiebt der Ewigkeit, daſs ein Paſſauer von ſeinem Biſchof ſagt: (S. 91) „Mei, dort wohnt „der Biſchof. Er iſch än klein Männchen, aber „hat lutheriſche Mucken im Kopf, wie der Kai„ſer etc. — ſagt es einem Otternheimer (S. 101.) nach: „daſs man den nachmaligen Kaiſer Leo„pold zu Otternheim bey ſeiner zu frühen Geburt „*in geſchlachteten Schweinen vollends zeitig gemacht* „*habe*;“ und ſchwatzt ſo fort, bis nach Wien, wo er Hez-Zettul abſchreibt, und über Dinge, die tauſendmal beſſer geſagt worden, etwas kannegieſſert; in Ende aber uns noch mit einem empfindſamen Dialog, den er mit der Mutter eines ertrunknen Jünglings gehalten haben will, regallirt. Was übrigens *Ungarn* auf den Titel kömmt, begreift der Rec. nicht; denn im Büchlein ſteht nichts davon, als (S. 186) daſs er übermorgen ſich dahin einſchiffen *wollen.*

LEIPZIG, b. Cruſius: *Geographiſches Handbuch in Hinſicht auf Induſtrie und Handlung*, von *Paul Jakob Bruns.* 1788. 262 S. 8. ohne Regiſter und Vorrede. (14 gr.) Unter den Schulbüchern, welche von einigen Profeſſoren in Helmſtädt für die deutſche Jugend in Nordcarolina geſchrieben werden, um von dem daraus zu löſenden Gewinn nicht nur eine Sammlung von Büchern als Geſchenk dahin zu ſchicken, ſondern auch die Ueberfahrt für 2 bis 3 evangeliſche Prediger zu bezahlen, iſt das hier

angezeigte so beschaffen; daß man ihm einen
guten Absatz in Deutschland versprechen kann.
Der künftige Kaufmann lernt hier die natürlichen
Produkte des Landes, die Verarbeitung derselben
in Fabriken und Manufakturen, und den Handel
damit, auch die vorzüglich schiffbaren Flüsse, und
die merkwürdigsten Handelsstädte, so weit es der
Raum so weniger Bogen verstattet, kennen. Bey
der Beschreibung der besondern Provinzen und
Städte hat der Vf. sehr zweckmäßig auf ihre Lage an den Flüssen Rücksicht genommen, und unter andern Deutschland nach seinen schiffbaren
Flüssen abgehandelt. Auch wird auf seine Vorstellung, um den Lauf derselben, und den Gang
der Waaren desto besser zu übersehen, bey
der Weigel- und Schneiderschen Kunsthandlung
eine von Hn. Güssefeld gezeichnete Karte von
Europa gestochen, worauf der Lauf der schiffbaren Flüsse genau gezeichnet, und die vornehmsten Handelsstädte angegeben sind. Besitzern dieses Buchs wird sie für 4 ggr. verkauft.

Da der Nordamerikanische Freystaat der Stand-
punct ist, von welchem der Vf. ausgeht, so ist
dieser Welttheil zuerst und verhältnismäßig am
vollständigsten beschrieben. Alsdenn folgen die
Europäischen Staaten am Atlantischen Meere, welche die meisten Handelsverbindungen mit America haben. Hinter jedem größern handelnden
Staate findet man sehr brauchbare allgemeine Anmerkungen zur Uebersicht des mannichfaltigen
und sehr verwickelten Verkehrs desselben mit andern Nationen. Da bey dem Nordamericanischen
Freystaate manche neue Schriften, auch einige
handschriftliche Nachrichten von den Producten und
dem Handel in den beiden Carolinen, von einem
dortigen Kaufmann genutzt sind: so sind wir auf
dieses erste Kapitel, das von America handelt;
besonders aufmerksam gewesen. Ueberhaupt findet man hier schon die neuen, seit der Unabhängigkeit entstandnen Landschaften und Staate; als
den unabhängigen Staat Kentuky am Ohio hinter
Virginien und Carolina, in 3 Cantons getheilt.
40,000 Einwohner, u. den Städten Louisville, der
Hauptstadt, und Pitsburg, am Ursprunge des Ohio.
(Dies ist wohl eine Uebersetzung. Die Quelle des
Ohio im Lande der Senegar unter dem Ontario See,
und Pitsburg ist auch weit außerhalb den Grenzen
von Kentuky, noch in Pensylvanien. Nach
Smyths Tours in the united states of America. In
Sprengels Beyträgen 5ter Th. S. 256) sind 4 Grafschaften im ganzen Lande, wozu 5 Städte entworfen sind Louis ville, Bearnstroon, Harrodsburg,
Danville, Boonsburg, Lexington, Leestoon und
Greenville. In letzterer wird zufolge der Recherches historiques et politiques sur les etats unis
de l'Amerique septentr. Par. 1788. Die Landtäge
der ganzen Landschaft, die jetzt schon aus 5 Grafschaften besteht, gehalten.) Ferner, die noch
nicht für unabhängig erkannten Districte Ver-
mont, worinn 1785 schon 15000 streitbare Männer

gezählt wurden, an der Westseite des Connecti-
cutflusses und Frankland hinter Nordcarolina, die
in 3 Cantons vertheilt ist, und 19000 Einwohner
hat. Auch die neuen von den Quäkern aus Nantuket angelegten Städte Hudson in Neu York am
Hudsonsfluss, und Newgarden in Nordcarolinas, (die
Niederlassung derselben am Fluss Kennebeck in
Sagadahok fehlt.)

Daß Boston jetzt nur 15000 Einwohner haben sollte, ist fast nicht wahrscheinlich. Man
schätzte sie noch 1778 25000, und Abbé Robin
einige Zeit darauf 30,000. Die Insel Nantuket,
die so viele Colonisten ausschickt, wird als ein
sandiger Fleck beschrieben, ohne Acker und Wie-
sewachs, ja ohne Steine und Holz, gerade so, wie
sich Hector S. John in seinen Briefen darüber ausdrückt. Aber eben dieser zeigt doch in der Folge
Weide und Ackerplätze in der Insel an, redet von
Fettweiden, und von Ausfuhr der Wolle, die ihnen die zahlreichen Schaafheerden verschaffen.
Zu Connecticut, das schon in 8 Counties abgetheilt seyn soll, wird auch noch ein Strich Landes
innerhalb der Grenzen von Pensylvonien an den
Quellen des Susquehannah gerechnet, dessen
Einwohner unabhängig, und ohne Regierungsform sind. Rec. gesteht, daß er sich dieses nicht
zu erklären weiß. Der Susquehannah entsteht
aus zwey Armen. Der östliche entspringt in
Neu York nicht weit vom Lande der 6 Nationen,
und der westliche in Pensylvonien auf den Gebirgen, die die Grafschaften Bedfort und Westmo-
reland theilen. Also hier müßte es seyn. Aber
sollten die Pensylvanier dieses gelitten haben?
Alt kann diese Niederlassung nicht seyn; denn
Rec. erinnert sich nicht, irgend etwas davon gelesen zu haben; auch nicht in der General History of Connecticut, die Hr. Prof. Sprengel auszugsweise in 2ten Theile seiner Beyträge zur
Völker- und Länderkunde geliefert hat.

Bey Neuschottland ist auch schon der neue
Anbau der Loyalisten bey und um Shelburn beschrieben. Shelburn, ein Hafen an der östlichen
Küste, die in einer Ausdehnung von 300 Meilen
viele Häfen und blühende Städte hat. — In Shelburn 3000 regelmäßige Häuser, und in und um
die Stadt 30,000 Einwohner.

Bey der Hudsons Bay werden auch die Versuche, eine nördliche Durchfahrt zu suchen, angeführt. Sie haben so viel gelehrt, daß sie (höchst
wahrscheinlich) nicht unter dem 67 Grade Nördl.
Br. liegt. (Etwas weiter hinauf sind aber Cooke
das Meer voll Eis.) Wäre sie thunlich, so müßte man an einigen Stellen bis auf den 72 Gr. N.
B. hinauf segeln, weil man in dieser Breite u. 110
Gr. W. L. von Greenwich die Mündung eines Fluf-
ses (Cooper Mine River) bemerkt hat. Aber diese, von Hn. Hearne entdeckte, Bucht der gefror-
nen See hatte ja noch zu beiden ein nach Norden
hinauf laufendes Ufer. Also müßte man noch
über 72 Gr. hinaussegeln, um in diese Bucht zu
kom-

kommen; und was könnte das nutzen? zumal da
felbft der Kupferminenfluß nicht durchgehends
fchiffbar ist, noch weniger eine Durchfahrt ver-
ftattet.

Bey Brafilien ist die Eintheilung des Cudena
noch beybehalten. Rocha Pitta hat nur 14 Haupt-
mannfchaften. Bey ihm fehlt Angrados Reies,
und das unter des Vincente liegende Land, welches er nebft St. Paul zu diefer Hauptmanfchaft
rechnet. Nach dem Raynal ist es gegenwärtig
nur in 9 Provinzen abgetheilt, deren jede von einem befondern Befehlshaber regiert wird, der
zwar von den andern unabhängig ist, aber doch
unter den Gerichtshöfen von Bahia und Rio Janeiro fteht. Nur Grofs Para und Maragnan find
davon ausgenommen.

Uebrigens wird fehr gut feyn, wenn bey der
zweyten Auflage die Lehren von Maafs, Gewicht
und Münzen weitläuftiger ausgeführt, auch diefen noch andere geographifche Vorbereitungsleh-
ren z. B. v. Globus, Landkarten u. d. gl. beygefügt
werden.

VERMISCHTE SCHRIFTEN.

KOPENHAGEN, gedruckt b. Popp: *Befkrivelfe
over Staden Kallundborg, tilligemed Hans Jakob Paludans Levnetsbefkrivelfe med Kobbere.
Udgivne af P. Paludan,* Praeft paa Chri-
ftianshavn. 1788. 296 S. in gr. 8., ohne die
voranftehende 88 S. ftarke Lebensbefchreibung Hans Jacob Paludans.

Die Lebensbefchreibung betrift den Bruder des
Vf. Johann Paludan, Schlofscapellan zu Friedens-
burg, und betrifft ihren Vater, der anfangs Ca-
pellan, nachmals Paftor zu Kallundburg und Probft
in. Arzt - Herred war, und 1782 geftorben ist.
Die guten und rühmlichen Kenntnifse und Eigenfchaften diefes Mannes, wovon fein Sohn und
Biograph umftändliche Nachrichten giebt, vermögen gleichwohl mehr diejenigen zu intereffiren,
welche ihn gekannt haben, oder in nähern Verhältniffen mit ihm ftanden, als das Publikum, dem
er unbekannt ist. Wir fchränken alfo unfere Anzeige auf die Befchreibung der Stadt Kallundburg
felbft ein. Eine Stadt, wie Kallundburg, die in
ältern Zeiten wichtig und berühmt war, und noch
in neuern nicht unbeträchtlich ist, verdiente allerdings gut befchrieben zu werden. Und dies hat
der Vf. geleiftet, indem er fich der Handfchriften
feines Vaters und eines gewiffen M. Leeragers
bediente, fie verglich, umarbeitete, und mit
Nachrichten vermehrte, die er felbft fammlete,
oder mitgetheilt erhielt. Die erfte Abtheilung
enthält die ältere Befchichte der Stadt. Im Anfang war der Ort nur ein kleines Fifcherlager,
oder ein Kaperhafen, den man Härvüg nannte.
Unter der Regierung Waldemars I, 1171, legte
Erbern Snare, ein berühmter Bruder des grofsen

Erzbifchofs Abfalon bey gedachtem Härvüg eine
Veftung an, welche Seelands weftliche Seite be-
fchützen follte, gleichwie fein Bruder Abfalon 8
Jahre zuvor an der öftlichen Seite Axelhuus baute,
aus welchem nachmals Kopenhagen geworden ist.
„Nicht durch des Stifters Schuld‟ fagt der Vf.
„wuchs nachmals die 3 Jahre ältere Schwefter auf,
„um der Jüngern, und andrer auserhalb der Fa-
„milie Stiefmutter, oder — Hyaene zu werden‟ Urfprung des Namens Kallundburg. Mönchsklofter
dafelbft erbaut um 1239. Schöne Lage des Orts.
u. f. f. Das alte vefte Schlofs, deffen in der dänifchen Gefchichte fo oft gedacht wird, das oft
ein Staatsgefängnifs und zugleich der Ort war,
wo das Reichsarchiv aufbehalten ward, ist nicht
mehr. Man pflugt und fäet itzt auf feinem alten
Platze. Mit dem Reichsarchiv wurden dafelbft
alte Handfchriften von Schriftftellern, befonders
auch von der römifchen Gefchichte aufbehalten,
die 1517 Papft Leo X. gegen einen Ablafsbriefbe-
kam, der auf eine königliche Majeftät und 12 Perfonen lautete, welche der König nach Gefallen
ernennen konnte. Eigentlich follte der Papft diefe Codices nur zur Leihe, und um Abfchriften
davon zu nehmen, haben. Aber die bald darauf
erfolgte Reformation verhinderte die Zurückfen-
dung. Dies ist eine aus Pontoppidans Annalen
mitgetheilte merkwürdige Nachricht. Fernere
Gefchichte diefes Schloffes, das 1658 von den
Schweden erobert und gefchleift wurde. Noch
handelt der Vf. von den zu K. ehmals verwahr-
ten Staatsgefangenen, den königl. und andern
Standesperfonen, die zu K. gewohnet, den Gelehrten, die hier geboren wurden, oder von der
Stadt den Namen führten. Zuletzt giebt er eine
Ueberficht der zunehmenden und abnehmenden
Verfaffung der Stadt bis auf die Einführung der
Souverainität in Dännemark, worinn alle Punkte,
die man in einer Ortsbefchreibung zu erwarten
pflegt, dergeftalt befchrieben werden, dafs das
Buch für die Stadt und ihre Bürger, und felbft
in Rückficht auf die Sorge der Regierung für die
Aufnahme des Orts, die ohne Kenntnifs ihres
Zuftandes nicht ftatt finden kann, gut und nütz-
lich, und als Beytrag zur Vervollkommnung der
allgemeinen Landesgeographie von Dännemark
brauchbar ist.

FRANKFURT am MAIN, b. Keßler: *Kamerali-
ftifch - ftatiftifche Auffätze* von I. D. A. Höck.
Gräfl. Ifenburg. Meerholzifchen Regierungsfe-
kretär. 1788. 174 S. (10 gr.)

Der Vf. that recht, feine zerftreute Schriften,
die nicht in alle Hände kamen, zu fammlen, und
wir hoffen, dafs Niemand feine ftatiftifche Verdienfte, Fleifs und Belefenheit verkennen wird.
Möchten doch mehrere in feine Fufstapfen treten,
fo würde Deutfchland bald die vollkommenfte Statiftik befitzen. Doch weifs Rec. aus Erfahrung,
dafs man in manchen Ländern noch gewaltig
heim-

heimlich thut; diese sollten durch des Grafen von Herzberg Abhandlung über die Bevölkerung der Staaten, durch die Materialien der alten und neuen Statistik Böhmens, durch Neckers Schriften zur Publicität sich ermuntern lassen. Doch wir kehren zu unserm Vf. zurück. Sein Werkchen enthält folgende Aufsätze: 1) *Ueber die Größe und Volksmenge der kaiserl. königl. Staaten.* Dem Vf. scheinen die Materialien zur alten und neuen Statistik Böhmens nicht bekannt geworden zu seyn, sonst würde er, was Böhmen betrifft, seinen Aufsatz umgearbeitet haben. Der nutzbare Flächeninhalt beträgt 778½ Quadratmeilen. Die Hauptstadt Prag zählt nur 72874 Köpfe, nämlich im Jahr 1786, und ganz Böhmen 2.757.910. Es scheint überhaupt, als wenn der Vf. die Abhandl. so gelassen hätte, wie sie einmal schon abgedruckt waren. Gegenwärtige ist vom Jahr 1787, wo der Vf. viel frischere Quellen gehabt hätte. 2) *Von dem Nutzen physikalisch ökonomischer Topographien;* besonders in Hinsicht auf die deutsche Staatenkunde. Den Einwurf, den manche gegen solche Landesbeschreibungen machen, daß sie in Kriegszeiten dem Feinde vortheilhaft seyn, beantwortet der Vf. ganz richtig so, daß man aus

eben dem Grunde auch Archive, Policeymagazine, und andere gute Anstalten unterlassen müsste. 3) *Von der Größe und Volksmenge der Landgrafschaft Hessen.* 4) *Statistische Topographie der Grafschaft Oberysenburg.* 5) *Skizze einer landwirthschaftlichen Polizey.* Sie ist nöthiger, als manche Kammern denken, noch ist kein wahrer Ernst in der Sache zu spüren. Rec. wünscht, daß, wo die Kammerräthe viel zu thun haben, und zum Theil als find, Kammerassessoren das Land in Rücksicht der Polizey bereiseten. 6) *Ueber die Staatshandlungsbilanz.* 7) *Oekonomisch-botanische Beschreibung der Weiden und Pappelbäume.* Wie kömmt diese unter statistische Aufsätze? Auch ist sie viel zu weitläufig von 51 Seiten. 8) *Vorschläge zur Einrichtung eines Forstseminariums* (oder Schule). Der Vf. hat Zanthiers, dieses unvergeßlichen Forstlehrers, Leben in seinen biographisch-literarischen Nachrichten von Oekonomen und Kameralisten 1784 herausgegeben. 9) *Ueber die Bildung praktischer Kameralisten.* Diese Abhandlung legen wir allen auf den Universitäten Cameralia hörenden Herren mit der auf Menschenwohl zielenden Bitte, keine Plusmacher zu werden, so nah ans Herz, als wir nur können.

KLEINE SCHRIFTEN.

GOTTESGELAHRHEIT. Unter dem angeblichen Druckort *Lissabon: Bilderdienst, Wallfahrten und Wunder.* Von P. *Auriophilus Fischer,* Schatzmeister zu Maria-Einsiedel. 1788. 98 S. 8. (6 gr.) Von allen Aufklärungsschriften in den kayserlichen Staaten gewiß eine der gründlichsten, bündigsten und besten. Der ungenannte Hr. Vf. reiht alles, was er wider Rom und dessen Religionsverkrüppelung auf dem Herzen hat, an den Faden der Verehrung der sogenannten Gnadenbilder, und zeigt es deutlich genug: daß er mit der Geschichte der christlichen Religion eben so gut bekannt sey, als mit den Jesuitischen Maximen des (*si diis placet*) apostolischen Stuhls. Mit seinen Einsichten verbindet er eine Freymüthigkeit, die nur in so weit beleidigt, als es die Wahrheit thut, und daß er die Politik des Römischen Hofes kenne, mag Sachkundigen folgende Stelle, wo der Papst mit den Mönchsorden redend eingeführt wird, zeigen. „Ein „Christ, heißt es S. 41. muß lebendigen Glauben haben, „folglich muß und darf er nicht viel wissen. Wer viel „weiß, kann nicht so viel glauben. Glauben heißet seinen „Verstand gefangen geben, und eben das ist das practi-„sche Christenthum; das ist hauptsächlich Verdienst. „Wer viel weiß, glaubt desto weniger; wissen heißt „nicht glauben; folglich wer viel weiß, hat weniger „Verdienst. Sehet Kinder! also ist es mathematisch rich-„tig: wer viel weiß, hat kein Verdienst, wer kein Ver-„dienst hat, hat einen todten Glauben, wer einen Christ, „kein Kind Gottes. — Ihr begreift also, was das wahre „Christenthum sey! es ist dies: Nichts wissen, alles, was „wir sagen, glauben, alles thun. Nun so lehret dann „eure Leute dieses reine, praktische Christenthum. Ich „sage, dieses reine; denn wer so glaubt, kann unmög-„lich ein Ketzer werden. Welch ein herrlicher Vor-

theil! Ach ja! so lehret demnach nur diese eure Leute, „recht fleißig und oft eure Wallfahrtsörter besuchen, „hier recht oft beichten und communiciren, den heil. „Ablaß gewinnen, emsig zum Opfer gehen, heilige Mes-„sen bezahlen, den heiligen Rosenkranz beten, das heil. „Scapulier küssen, den Bruderschaften und dem dritten „Orden beytreten, die Bruderschaftsgebeter fleißig verrich-„ten, alle Mittwoche und Sonntage fasten, die heiligen „Ordensgeistlichen hochschätzen, den Missionen bey-„wohnen, und, wenn sie selig werden, ihr Ver-„mögen und ihre Kinder Gott zu die Klöster schenken. „Lehret sie den Monarchen, die uns u. die christliche Kir-„che verfolgen, Treue und Gehorsam aufkünden, und „zu Gott, daß er sie züchtige und bekehre, flehen. „Lehret sie auch um die Erleuchtung aufklärender Ketzer-„gegnern bitten, — daß Gott der Feinde der Kirche dem-„thigen, tilgen und zu unsern Füßen legen wolle und „s. w.“ Dies ist zwar der Ton der ganzen Schrift nicht, aber würdig ist auch das, wo der Vf. sehr ernstlich spricht, und er beweiset es unwidersprechlich, daß die unfehlbare Kirche vormals ganz anders ausgesehen habe, als jetzt.

VERMISCHTE SCHRIFTEN. *Freyberg,* in der Craz-schen Buchhandl.: *Von den verschiedenen Graden der Feuigkeit des Gesteins, als dem Hauptgrunde der Hauptver-schiedenheiten der Haurarbeiten,* von Hn. *Werner,* Berg-Akademie-Inspector zu Freyberg. 1788. 20 S. 8. (1 gr. 6 pf.) Ist aus dem zweiten Stück des bergmännischen Journals besonders abgedruckt. Man sehe A. L. Z. 1788. Nro. 241b.

ALLGEMEINE
LITERATUR - ZEITUNG

Donnerstags, den 29ten Januar 1789.

PHYSIK.

Stuttgart, b. Metzler: *Beschreibung einiger Elektrisirmaschinen und elektrischer Versuche.* Dritte Fortsetzung. Mit Verbesserungen und Zusätzen zur zweyten Fortsetzung. Nebst einem Anhang, die Verbesserung der dephlogistisirten Luft aus Braunstein und Salpeter, und ihre Prüfung betreffend. Von *M. Gottlieb Christoph Bonnenberg,* Pfarrer in Altburg bey Calw. Mit 5 Kupfern. 1788. 224 S. u. 1 Bog. Vor. gr. 8. (20 gr.)

Der Vf. fährt eifrig fort, auf neue Einrichtungen der Elektrisirmaschinen und Vorrichtungen zu allerhand in die Sinne fallenden Versuchen zu denken. Die letzte Beschäftigung kann uns bey der unzähligen Menge solcher Spielwerke wenig interessiren; das erste aber verdient immer noch Aufmerksamkeit, wenn sich ein mechanischer Kopf damit abgiebt. Rec wird sich also darauf hauptsächlich hier einschränken. Nach einer kurzen Geschichte und Beurtheilung der vorzüglichern Elektrisirmaschinen kommen hier wieder die mit Wollen- oder seidenen Zeuge bespannten Trommeln und Walzen vor, die bekanntlich eine negative Elektricität geben. Da die gläsernen Scheiben deßhalb so wirksam sind, weil auf beiden Seiten die elektrische Materie erregt wird, davon die eine die andere abstösst, und an den Conductor bringt: so hat er hier gesucht, dieselben Vortheile so wohl an der Trommelmaschine, als an der grossen Walkierschen zu erhalten. Bey der letztern ist das leicht, und er hat ausserdem noch die wichtige Verbesserung angebracht, daß das Reibzeug in einiger Entfernung von den beiden Walzen, um welche das Zeug geschlagen ist, sich befindet. Aber bey der Trommel hat er ein blosses Ideal entworfen, das, so wie es hier mitgetheilt wird, alle Bewegungen der Trommel, und das Reiben des Zeuges, folglich allen Effect gänz unmöglich macht. Er hat nemlich die Axe der Trommel, wie auch schon die beiden Figuren der ersten Tafel zeigen, unbeweglich gemacht. Durch sie gehen lothrecht zwey Stäbe, welche das Reibzeug an der inwendigen

Seite der Trommel tragen. Bis so weit war die Idee gut. Aber nun kam es noch darauf an, die beiden Scheiben der Trommel in gleicher Entfernung von einander beweglich um diese Axe zu machen, und zwar so, daß eine Scheibe sich nicht mehr drehet als die andere. Letzteres ist durch 2 gleich grosse Schnurläufer an den Trommelscheiben so wohl, als an der Axe der Kurbel, womit diese umgedreht werden soll, bewirkt; ersteres aber durch zwey Stäbe oder Latten, an welchen die Scheiben der Trommel befestiget sind. Zum Ueberfluß läßt er durch diese Latten noch die beiden unbeweglichen Stäbe gehen, welche das innere Reibzeug tragen: wie ist es nun möglich, die Trommel im geringsten zu bewegen? Ueberhaupt ist es wegen dieser beiden Träger des Reibezeuges nicht möglich, die beiden Scheiben der Trommel inwendig unmittelbar zu verbinden. Wollte man die innere Einrichtung des Reibezeuges beybehalten: so müssten die beiden Scheiben, worüber das Zeug gespannt ist, an ein Paar andere Scheiben laufen, die so, wie hier abgebildet ist, befestiget seyn könnten, und um der leichtern Bewegung willen, an ihrem Umfang mit einigen Walzen in gehöriger Richtung versehen wären. Doch die ganze Einrichtung bleibt immer zu wandelbar und zu beschwerlich, auch merkt man wohl selbst aus der Verbesserung der ersten Zeichnung, daß sie wenigstens, bey Verfertigung dieser Beschreibung bloß in seinen Gedanken vorhanden gewesen ist.

Zur Ersparung des Platzes für die Walkiersche Maschine war in der Rec. der A. L. Z. N. 99. 1787. die lothrechte Stellung der beiden Walzen über einander in Vorschlag gebracht. Er erinnert dagegen, daß, da jede Walze 2 Fuß im Durchmesser und ihre Entfernung von einander 4 Fuß ist, die oberste 11 Fuß hoch zu stehen komme, wenn man die unterste auch nur 8 Fuß vom Fussboden abstehen liesse, welches eine Unbequemlichkeit gäbe, zu der obersten zu kommen. Die Frage ist hier, ob es nöthig sey, den Walzen 2 Fuß im Durchmesser zu geben? und wäre das auch um der Friction des Zeuges und anderer Ursachen willen

willen nöthig, so hat die Unbequemlichkeit nicht viel zu bedeuten, wenn der Platz es nothwendig macht, wofern anders die Höhe des Zimmers es verstattet. Freylich nehmen die Ladungsflaschen wieder etwas Raum ein; aber doch nicht so viel, als er hier rechnet, und überhaupt sicht man da leichter zu, wo man mit ihnen bleibt. Indefs hat auch unser Hr. Vf. einen Vortheil bey seiner Einrichtung, wobey er wieder Platz spart. Er setzt nemlich seine Flaschen auf einen über der Maschine angebrachten Rost. Das übrige in der Recension in Ansehung der verrechneten Zeuglänge, auch des zu gebrauchenden Glases statt der Seide zum Isoliren, giebt er zu. Er hat auch seinen Conductor geändert, und bedient sich jetzt statt des mit Staniol überzogenen Holzes einer Röhre von polirtem Blech 6 Zoll im Durchmeffer und 4 Fufs lang. Doch wir müssen die Vorzüge kürzlich berühren, die seine Maschine nach der jetzigen Einrichtung hat. Dafs sie wohlfeiler und leichter zu machen, auch lange nicht so vielen Gefahren unterworfen sey, als die Maschine von Glasscheiben, welche verhältnifsmäfsig eben so stark wirken, leidet keinen Zweifel, und ihr Vorzug wäre ganz entschieden, wenn sie weniger von der Witterung litten. Denn schon die Maschine des Hn. Verf. von einer einfachen Bahn blauen Tamis, (den er aber neu und mit sehr em Glanze nicht recht wirksam fand, und defshalb erst mufste waschen laffen,) gab bey trocknem Wetter, ohne gewärmt zu seyn, am Leiter 5 bis 6 Zoll, ja einmal 6½ Zoll lange Funken. Eine Batterie von 3 Flaschen und eben so viel Quadratfufs Belegung, waren durch 91 Umdrehungen der Walze, oder 30 Durchzügen des ganzen Zeuges durch das Reibezeug überladen. Nur einmal ertrugen die Flaschen 120 Umdrehung in, ohne sich selbst zu entladen; gaben aber darauf bey der Entladung einen so heftigen Knall, dafs er darüber erschrack. Der Funken war 2 Zoll lang, schien zackig zu seyn, und die Dicke eines Federkiels zu haben. Dies ist allein schon hinreichend, die vorzügliche Stärke dieser Maschine darzuthun. Hätte man nun gefirnifstes Taffent, und 2 Bahnen breit, wie Walkier hatte, aber mit gedoppeltem Reibezeuge versehen, wie stark würde da nicht der Effect seyn? Nähme man endlich 3 Bahnen solches Taffents neben einander: so zweifelt er nicht, dafs eine solche Maschine in Ansehung der negativen Elektricität das seyn würde, was die Teylersche für die positive ist; und das wären denn doch noch Kosten, die allenfalls ein bemittelter Privatmann daran wenden könnte, ohne auf die Freygebigkeit eines Fürsten, wie er wünscht, einen Anschlag zu machen.

Um indefs gleich starke Wirkung von solchen Zeugmaschinen, mufs man auch eine so reine trockene toire Luft haben, als der Hr. P. Bohnenberg. Ich wohne in einem Hause, sagt er, das allen vier Winden ausgesetzt ist, auf einer

sehr freyen Höhe, auf welche der regulirte Barometer niemals 27 Zoll erreicht, und nicht selten bis auf 25, 6" heruntersinkt. Da müfste man also in Sachsen, um unter gleichen Umständen sich zu befinden, seine Wohnung auf den höchsten Harzgebirgen nehmen; denn selbst auf dem Brocken beträgt oft die Barometerhöhe 25½ Zoll und drüber.

Er hat noch eine Beschreibung von der Faffung seines Glascylinders gegeben, die aber füglich hätte wegbleiben können. Unstreitig sind diese bey guter Witterung weit wirksamer, wenn man ihre innere Fläche mit einer Maffe, wie man sie zu Elektrophoren nimmt, dann übergiefst; oder eine Siegellack-Solution darin herumlaufen läfst. Auch mufs ein Luftloch in der einen hölzernen Büchse bleiben.

Unter die Verbefferungen seiner Maschine zählt er auch den Revolutionszähler, der durch die Kurbe leicht die erlangte Bewegung bekommen kann, und deffen beide Räder sehr leicht einen Platz in dem Gestell der Maschine finden. Am Ende erzählt er seine Versuche mit dephlogistifirter Luft aus Braunstein und Salpeter im Eudiometer, und schätzt die Güte der ersten zur Güte der letzten, wenn von jeder die ganze Maffe genommen und gemischt würde, wie 348:318. Dafs er den Braunstein in einem eisernen Mörfer zu stofsen anräth, und das für beffer hält, möchte wohl, zumal wenn er bey einem zweyten Gebrauch mit Vitriol, der 4ten Anmerkung zufolge S. 223 angefeuchtet würde, nicht eben die reinste dephlogisistirte Luft geben. Hr. D. Pickel erhielt dephlogisistirte Luft, deren Güte 395 war, des Vf. beste hatte nur 378. Wer weifs: ob nicht hier die Schuld an der Behandlung des Braunsteins liegt? Auch ist wohl die Salpeterluft nicht immer von gleicher Güte. Doch wir können uns hierbey so wenig, als bey seinen Fragen an seinen Recensenten in der Vorrede aufhalten, zumal da er letztere leicht in bekannten Büchern beantwortet finden kann, und sie überhaupt den Leser nicht interessiren.

Seine wichtigsten Bemerkungen für die Theorie sind wohl 1) die schon bekannte, und vom Hn. Apotheker von Barneveld in seiner medicinischen Elektricität wiederholte Beobachtung, dafs die Funken aus einer Batterie, wenn die Maschine nicht verhältnifsmäfsig stärker ist, nie so lang sind, als aus einer Ladungsflasche. Unfer Hr. Verf. setzt diesen, wohl erst mehr durch Versuche zu bestätigenden, Gesetze die Verhältnisse der Länge der Funken als Quotienten an, die man erhält, wenn man die Stärke der Maschine durch die belegte Fläche der Batterie dividirt.

2) Noch mehr erregte der Gedanke, dafs die Dicke des Glases der Batterie vielleicht ein gewisses Verhältnifs zur Stärke der Maschine erfordere,

dre, fo dafs ftärkeres Glas für ftärkere Mafchinen einen ftärkern Effect geben möchte, die Aufmerk-famkeit des Recenfenten, weil er fchon eben diefe Muthmafsung gehabt, ohne jedoch ein einfaches gerades Verhältnifs hier fich zu gedenken. Das ift eine Frage, die uns Hr. v. Marum an der Taylerfchen Mafchine beantworten könnte, dem wir fie deshalb hier öffentlich vorlegen.

BERLIN u. STETTIN, b. Nicolai: *Richard Kirwan's*, Esq. der königl. Gefellfch. der Wiffenfch. zu London ordentlichen Mitglieds, u. f. w. *Phyfifch - chemifche Schriften.* Dritter Band. Enthaltend fünf Abhandlungen. Aus dem Englifchen überfetzt von D. *Lorenz Crell.* 1788. 8. 10 u. 392 S. (1 Rthlr.)

Die Auffätze, die den Inhalt diefes Bandes ausmachen, find theils aus Ueberfetzungen und Auszügen in einigen periodifchen Schriften, theils felbft aus Anzeigen in der A. L. Z. fchon zu bekannt, als dafs fie einer neuen Beurtheilung in diefem Journal bedürften. Wir führen daher nur die Titel der hier abgedruckten Abhandlungen an, und fchreiben in paar Stellen ab, durch deren Vergleichung mit dem Original unfere Lefer die Güte diefer Ueberfetzung zu beftimmen im Stande feyn werden. Den Anfang machen die *Streitfchriften über die Entftehung der fixen Luft* von den Herren *Kirwan* und *Cavendish*, folgen *Kirwan's Bemerkungen über die fpecififchen Schweren,* die bey verfchiedenen Graden von Hitze wahrgenommen werden; nebft einer leichten Art, fie auf einen gemeinfchaftlichen Maasftab zu bringen, ferner ebendef. *Verfuche mit hepatifcher Luft,* und zuletzt die bekannten Abhandlungen *über die Temperatur verfchiedener Breiten,* und *über das Phlogifton und die Beftandtheile der Säuren.* Der Ueberfetzer fcheint bey Verdeutfchung diefer Schriften nicht überall die gehörige Sorgfalt angewendet zu haben; wenigftens hat er den Sinn des Originals nicht immer richtig und beftimmt ausgedrückt, wie folgende Beyfpiele darthun:

An Eftim. of the temperat. Seit. 119. Z. 18. S. 3. Z. 25.

And the mean heat of lat 28° being 72°,3, the difference between this and 22 is 40. 3.

Ueberfetz. Seit. 119. Z. 18.

Und ift die mittlere *Höhe* von 28° der Breite 72°, 3, fo beträgt der Unterfchied zwifchen diefer und 32°, nicht mehr als 40°,3.

Ebendaf. S. 43. Z. 5.

And for the fame reafon, this wind is obferved to be the drieft and coldeft on the eaftern coaft of Scotland; and the heavieft rains come from the Eaft and S. E.

Ebendaf. S. 156. Z. 16.

Man hat bemerkt, dafs diefer Wind fehr trocken und kalt an den öftlichen Küften vom Schottland wehet, und dafs die ftärkften Regenfchauer von S. O. herkommen.

An Effay on Phlogift. S. 14. Z. 27.

I found, that the bulk of inflammable air obtained

Ebendaf. S. 349. Z. 5.

Ich fand, dafs das Volumen der brennbaren Luft

---

from the fame fort and quantity of materials, with the affiftance of heat towards the end, was nearly ½ greater when it was obtained, over water, than when obtained over mercury.

mit der Beyhülfe der Wärme gegen das Ende von einerley Art und Menge der Materialien erhalten würde, beynahe ½ gröfser war, wenn fie über Waffer, als wenn fie über Queckfilber entbunden wurde.

An einigen Orten, z. B. S. 248. 249, hat der Ueberfetzer das Wort *Smel* durch Gefchmack verdeutlcht, S. 263. Z. 11. Weingeift ftatt Weinftein gefetzt, S. 324. Z. 1. aus Monaten Minuten gemacht, und S. 168. 202, 217, u. f. w. noch andere Fehler begangen, die eben fo, wie die vorher angeführten Stellen, das oben gefällte Urtheil rechtfertigen. Die Tabelle S. 132. fteht auch nicht am gehörigen Orte, und die Nachweifungen auf die Schriften der Herren *Prieftley*, *Cavallo* und anderer Naturforfcher find fo nachläfsig aus dem Original abgefchrieben, dafs man fehr viel Mühe anwenden mufs, wenn man die angeführten Stellen auffucher, und mit den Behauptungen des Hrn. *Kirwan* vergleichen will. Da diefe Schriften in unfere Sprache, überfetzt find, fo hätten fie hier billig nach diefen Ueberfetzungen, und nicht nach den Originalausgaben, citirt werden follen; denn die letztern find wohl nicht in den Händen der Lefer, für welche Hr. *Crell* feine Ueberfetzung beftimmt hat.

MATHEMATIK.

BERLIN, b. Heffe: *Anfangsgründe der Buchftabenrechenkunft und Algebra.* Von Johann *Andr. Chriftian Michelfen*, Prof. der Math. u. Phyf. am vereinigten Berl. und Cölln. Gymnal. 1788. 406 S. 8. (1 Rthlr.)

Man mufs diefes Werk nicht mit der 1786 erfchienenen, und in der A. L. Z. auch bereits recenfirten, Anleitung zur Buchftabenrechnung etc. verwechfeln, welches wegen der fehr grofsen Aehnlichkeit des Titels fonft leicht gefchehen kann. Jenes Werk ift in Briefen, und zum Selbftftudium; diefes aber in Form eines ordentlichen Lehrbuches zum Gebrauch beym mathematifchen Unterricht in der dritten und zweyten Klaffe des Berl. und Cölln. Gymnaf. abgefafst, von jenem ift zur Zeit nur der erfte Theil erfchienen, welcher noch nichts von Verhältniffen, und was diefen anhängt, enthält, und mit den unreinen quadratifchen Gleichungen fchliefst; diefes aber ift ein in feiner Art vollftändiges Werk, in welchem auch die Auflöfung der kubifchen und biquadratifchen Gleichungen, eine vollftändigere Beurachtung der unbeftimmten Aufgabe etc., und dann nach diefen die ganze Lehre von den Verhältniffen, Proportionen, Progreffionen, wiederkehrenden Reihen, und Logarithmen mit enthalten ift. Uebrigens nennt es der Vf. felbft einen freyen Auszug aus jenem gröfsern Werke, in welchem

er indefs fehr vieles von dem, was darinn zu weitläuftig, zu fpeculativ und zu wenig ausgemacht
war, ausgelaffen hat, und dies fcheint und fehr
klüglich gehandelt zu feyn. Unter das, was hier
von folchen problematifchen Gegenftänden z. B.
von der Möglichkeit des Verhältniffes — j : ɟ f;
von algebraifchen Producten gerader Linien, von
den Logarithmen der negativen und unmöglichen
Zahlen etc. noch beybehalten worden ift, erklärt
fich Hr. M. mit fo vieler Umftändlichkeit und Behutfamkeit, dafs, wenn man auch nicht feiner
Meynung feyn wollte, man doch nicht befürchten
darf, dafs der Anfänger durch feinen Vortrag auf
Irrwege möchte geleitet werden; fo fagt er nemlich bey dem Streit zwifchen Bernoulli und Leibnitz: wenn die Bafis eines logarithmifchen Syftems
abfolute angenommen wird, fo gehört zu jedem
Logarithmen nicht mehr, als eine abfolute Zahl,
und fo hinwiederum; ferner gehören unter der
vorausgefetzten Bedingung zu jeder pofitiven
Zahl, zwey mögliche Logarithmen, fo wie dagegen die Log. der unmöglichen Zahlen alle unmöglich find. Wenn man hingegen die Bafis entweder pofitiv oder negativ annimmt, fo gehören zu
jedem möglichen Logarithmen zwey entgegengefetzte, fonft gleiche, und aufserdem noch eine
unendliche Menge unmöglicher Gröfsen. Seite
26 in der Anmerkung, äufsert der Vf. einen Gedanken, bey welchem wir uns wieder eine kleine
Anmerkung erlauben; er fagt: „3 Fufs nach der
Rechten, und 3 nach der Linken, laffen fich nicht

zugleich denken, wer könnte fich vorftellen, dafs
jemand zu gleicher Zeit 3 Fufs nach der Rechten,
und 3 Fufs nach der Linken gienge?" — wenn
man fich nicht genau an den Ausdruck: 'gehen,
halten, fondern dafür überhaupt Bewegung nehmen will, fo läfst fich dies doch gedenken; man
fetze nemlich, es gehe jemand auf einem Flofse,
das von einem Strom getrieben wird, gerade fo
fchnell dem Strom entgegen, als diefer das Flofs
abwärts treibt: fo wird er fich fowohl nach der
Rechten und Linken zugleich bewegt haben, in
Abficht aufs Ufer hingegen nicht von feiner Stelle gekommen feyn; dies ift aber auch dem mathematifchen Satz, dafs + 3 und — 3 zufammen-
gedacht = o fey, völlig gemäfs. Die Ueberficht
von der gegenwärtigen Schrift giebt übrigens der
Vf. felbft auf folgende Woife. Sie enthält 1)
einen vorbereitenden Theil, und darinn 2) die
Lehre von den einfachen Veränderungsarten der
Gröfsen; b) eine Anweifung zu den algebr. Conftructionen. 2) Die Buchftabenrechenkunft und
Algebra felbft; a) eine Unterfuchung der beftändigen Gröfsen, fowohl nach ihrer Gleichheit und
Ungleichheit, als auch nach ihrem Verhältnifs mit
ändern. b) Eine Betrachtung der veränderlichen
Gröfsen, wieder nach ihrer Gleichheit und Verhältnifs mit andern, und im letzten Fall aufs neue
fo, dafs einmal die Findung diefes Verhältniffes
aus den gegebenen Gröfsen; und dann fo, dafs
die Findung der veränderlichen Gröfsen aus ihren
Verhältniffen gelehrt werde.

KLEINE SCHRIFTEN.

Gottesgelahrtheit. Frankfurt u. Leipzig, b.
Fleifcher: Der Brief an die Galater überfetzt und mit Anmerkungen begleitet. Ein Verfuch von M. Friedrich Auguft Wilhelm Kraufe. 1788. 80 S. 8. Hr. K. hatte bey
diefem Verfuch die beften und vorzüglichften Ausleger
vor fich, und fcheint fie nur an manchen Stellen mifsverftanden zu haben. Er läfst z. B. Kap I, 16. den
Apoftel fagen: er habe, nachdem ihn Gott feinen Sohn
geoffenbaret, um denfelben unter den Heiden bekannt
zu machen, nicht erft viel Unterfuchungen, darüber angeftellt — (ὀυ προσανεθεμην σαρκι και αιματι —) und
umfchreibt diefe Ueberfetzung in der Anmerkung alfo:
„ich habe nicht erft weidläuftig unterfucht, und lange
„überlegt, ob wohl dies die verheifsene beffere Religion fey
u. f. w. K. IV, 17. find die Worte: εκκλεισαι ὑμας
(ἡμας) θελουσιν; überfetzt worden: fie wollen euch
von ihren Verfammlungen ausfchliefsen. Luther hat ohn-
ftreitig beffer: fie wollen euch von mir abfällig machen.—
fie wollen mich um eure, oder euch um meine Gunft bringen. Die fchwere Stelle K. III, 20. fcheint Hn. K. am
beften fo erklärt werden zu können; ὁ δε μεσιτης ἑνος
(ἡμας) Θελουσιν; übersetzt worden: fie wollen euch
die folgenden: ὁ δε θεος εἱς εστιν; als die Antwort darauf anfehe: ift diefer nicht der Mittler deffen, der fich
immer gleich bleibt? ja! Gott bleibt fich immer gleich.

Diefe Vermuthung hat auch fchon Hr. Kallenbach in
Wernigeroda vorgetragen. Allein dagegen ift haupt-
lich der fehlende Artikel vor dem ἑνος, der nach diefer
Erklärung nothwendig dabey ftehen müfste. Die übrigen Erklärungsarten, deren man fo viele bey diefer
Stelle findet, hat Hr. K. gröfstentheils am Ende in einem
befondern Anhang deutlich auseinandergefetzt. K. II, 1.
ift der Nachlegefähigkeit des Apoftels Barnabas in der Ueberfetzung vergeffen worden. Auch flöfst man hie und da
von den Fluß Haly. S. 21. durch Gott dem Vater S. 22.
Furcht für das mofaifche Gefetz und der Suäfen. S. 25.
vor viele meiner Zeitgenoffen. Sich bezogen kommt einige male vor ftatt fich bezogen, und überall findet man
das Pronomen denen ftatt des Artikels den. Da dergleichen Schriften hauptfächlich Jünglingen in die Hände
kommen, und von diefen auch mit Nutzen gebraucht werden können: fo böten folche Kleinigkeiten, wegen der
in Rückficht des Schriftftellers fo wohl, als des jungen
Lefers zu befürchtenden Folgen, Kleinigkeiten zu heifsen auf. Denn der Jüngling wird durch gedruckte Fehler von diefer Art entweder irre geführt, oder ebendiefe
feinen Schriftfteller eingenommen werden. Diefe Erinnerung fchien dem Rec. um fo nöthiger, weil fich Hr.
K. alle die kleinen Briefe Pauli auf eben die Art, wie
diefen an die Galater, zu bearbeiten vorgenommen hat.

A L L G E M E I N E

L I T E R A T U R - Z E I T U N G

Freytags, den 30ten Januar 1789.

GOTTESGELAHRTHEIT.

KOPENHAGEN: *Quatuor Evangelia graece, cum variantibus a textu lectionibus codd. MSS. bibliothecae Vaticanae, Barberinae, Laurentianae, Vindobonensis, Escurialensis, Haunienfis Regiae, quibus accedunt lectiones verfionum furarum, veteris, Philoxenianae, et Hierofolymitanae. Juffu et fumtibus Regiis edidit Andreas Birch.* 1788. XCII u. 676 S. gr. 4. Mit drey Kupferplatten Schriftproben. (10 Rchlr.)

Der erſte Theil dieſer lange erwarteten ſehr prächtigen Ausgabe des N. Teſt. iſt zwar zu kurze Zeit in unſern Händen, als daſs wir den Vortheil, der durch ſie der Kritik zuwächſt, ganz genau zu beſtimmen ſchon wegen dürften. Es gehöret ein langer Gebrauch des Buches dazu, um mit Zuverlaſſigkeit entſcheiden zu können, wie groſs oder gering der Werth einer jeden von dem Editor benutzten Handſchrift ſey, was jede für beſondere Tugenden und Fehler habe, zu welcher Klaſſe ſie gehöre, u. dergl. Inzwiſchen glauben wir doch ſchon im Stande zu ſeyn, die Neugierde unſerer für die bibliſche Kritik ſich intereſſirenden Leſer in ſo weit zu befriedigen, daſs wir ſie nicht nur mit der Einrichtung des Werks bekannt machen, ſondern ſie auch, im Allgemeinen wenigſtens, von der Wichtigkeit des Geſchenks, welches ſie einer wahrhaft königlichen Freygebigkeit zu verdanken haben, überzeugen.

An der Sammlung der Materialien zu dieſer Ausgabe haben zwar mehrere däniſche Gelehrte Antheil gehabt; wirklicher Editor aber iſt allein Hr. Birch. Von ihm rühren auch die *Prolegomena* her, auſſer daſs von Hn. Moldenhawer ein Auffatz über die von ihm verglichenen griechiſchen Handſchriften des N. T. im Eſcurial, und von Hn. Adler eine kurze Nachricht von den Excerpten aus den drey ſyriſchen Ueberſetzungen, die er Hn. Birch mitgetheilt hat, eingerückt iſt. Auſſer dem wenigen, was ſich auf die gedachten drey Verſionen beziehet, unter welchen die bisher unbekannte Hierofolymitaniſch-ſyriſche ungemein wichtig zu ſeyn ſcheint, enthalten die

Prolegomena nichts, als eine Recenſion ſämmtlicher bey dieſer Edition gebrauchter griechiſcher Handſchriften. Unter dieſen ſind 36 Vaticaniſche, 10 Barberiniſche, 15 aus andern römiſchen Bibliotheken, 24 Florentiniſche, 1 aus Bologna, 14 Venetianiſche, 12 Wiener, 12 aus der Bibliothek des Eskurials und 3 Kopenhagner; alſo zuſammen 127 Codices. Freylich aber ſind dieſe nicht alle ganz verglichen; ſondern nur 10 ſind, nach Hrn. Birchs Angabe, vollſtändig und genau collationirt, 10 ſind in einzelnen gröſsern Stücken und nahmhaft gemachten Kapiteln verglichen, übrigens aber nur in ausgeſuchten wichtigern Stellen nachgeſehen, 70 ſind blofs in dergleichen einzelnen Stellen zu Rathe gezogen, 29 werden nur etliche wenige mal, z. B. Joh. 8, 1. angeführt, und bey 8 iſt gar nicht angegeben, was für ein Gebrauch von ihnen gemacht worden ſey. Unter allen dieſen Handſchriften befinden ſich 8 mit Unciälbuchſtaben geſchrieben. In Rückſicht auf das Alter, gehört nur einer, nemlich aus Sec. 9, zu den älteſten, 2 ſind aus Sec. 9, etwa 8 oder 9 aus Sec. 10, ungefähr 20 aus Sec. 12, 15, die übrigen alle aus Sec. 11 und 12. Als vorzüglich wichtig zeichnet der Herausgeber ſelbſt 11 aus, nemlich Vatic. 360, 1067, 1209, (Weſt. B.) Urbino Vatic. 2, Borgianus 1, (ein griechiſch-koptiſches Fragment des Johannes). Venet. Divi Marci 10, Vindobon. Lambec. 31, Eſcurial. 2, 8, und 9, Havn. 2. Nächſt dieſen macht er noch auf verſchiedene andere, welche eine nähere Unterſuchung verdienen, aufmerkſam. Darunter ſind zwey, (Vatic. 359 und Barberin. 10,) welche er für interpolirt aus der lateiniſchen Ueberſetzung hält, und einer (Cod. S. Marci Florent. 707), der in einem beſondern griechiſchen Dialect geſchrieben ſeyn ſoll. Schade iſt es, daſs von den allermeiſten Handſchriften in den Prolegomenen weiter nichts geſagt iſt, als unter welcher Nummer ſie in den Catalogen der Bibliothek, welcher ſie angehören, vorkommen, in welchem Jahrhundert ſie geſchrieben zu ſeyn ſcheinen, und was für Bücher ſie enthalten. Dies war um ſo weniger zureichend, da bey weitem der gröſste Theil der Codicum nur in einzelnen ausgeſuchten Stellen,

G g   die

die in den Prolegomenen nicht namhaft gemacht werden, verglichen worden ift, und es daher unfüglich viel Mühe macht, die Lesarten diefer Codicum zufammen zu fuchen, um fie unter einander zu vergleichen, und daraus ihre Befchaffenheit und ihren Werth zu beftimmen. Der Editor hingegen, der in feinen Excerpten alle Varianten jeder Handfchrift mit einem Blick überfah, hätte weit leichter und zuverläffiger ein treffendes Urtheil fällen, und die Verwandfchaft jedes Codicis mit andern fchon bekannten angeben können. Wenigftens hätte von jedem Codex fo viel gefagt werden follen, als Hr. Moldenhawer von den durch ihn verglichenen Handfchriften des Efkurials fagt. Vielleicht entfchließt fich Hr. B., diefem Mangel, der den kritifchen Gebrauch feiner Ausgabe fehr erfchwert, noch abzuhelfen. Rec. glaubt zwar gern, dafs ein grofser Theil der von Hn. B. aufgeführten Codicum einer genauern Vergleichung unwerth ift; und ftimmt ganz dem Urtheil, das Hr. Moldenhawer über dergleichen Handfchriften S. LXVII. fällt, bey: *lectio auctoritatibus abunde munita eorum fuffragio non indiget; minus confirmata haud majore probabilitate augetur.* Allein da nun fchon, mit Inbegriff der Lectionarien, über dreyhundert griechifche Handfchriften aufgezählt werden können, fo wird es, wenn nicht eine der Kritik höchft fchädliche Verwirrung entftehen foll, immer nothwendiger, dafs Codices der nur gedachten Art gleich bey ihrer Bekanntmachung als unbedeutende kenntlich gemacht werden. — Die allermeiften bey diefer Ausgabe gebrauchten Handfchriften kommen hier zum erftenmal zum Vorfchein. Nur wenige find darunter, die vorher fchon näher und namentlich bekannt waren; und von diefen werden hier genauere Vergleichungen, und zum Theil bis jetzt hatte, geliefert. Bey den Wiener Handfchriften ift jedoch Hr. Alter dem dänifchen Herausgeber zuvor gekommen. Von den 12 Birchifchen Wiener Codd. hat Hr. Alter aus 9 die Lesarten fchon drucken laffen. Dagegen hat Alter 5, welche Birch nicht hat, und umgekehrt hat B. 3 gebraucht, die bey A. fehlen. Bey Einem Wiener Cod. ftiefsen wir an. Hr. B. fagt, der Codex Kollarii 6 oder Forlofiae 16 fey Trefchows Carolinus. Hr. A. hingegen giebt diefem Carolino die Numer Kollarii 16, oder Forlofiae 6. Aus Vergleichung der Lesarten aber hat Rec. fich überzeugt, dafs dies nur ein und ebenderfelbe Codex fey, und dafs entweder Hr. B. oder Hr. A. in den Angaben der Numern einer kleinen Verwechfelung fich fchuldig gemacht hat. Bey Gelegenheit der Barberinifchen Handfchr., zeigt Hr. B. auf eine befriedigende Art, dafs der Verdacht, welchen einige Gelehrten gegen die Collation des Caryophilus gefchöpft hatten, ungegründet gewefen fey, und dafs Caryoph. feine Varianten aus wirklich römifchen Codd., fogar gröfstentheils aus dem alten Vaticano B. genommen habe.

Bey der Collation liegt der Text der dritten Stephanifchen Ausgabe zum Grunde, und eben diefer Text ift auch hier ohne alle Veränderung wieder abgedruckt worden. Unter dem Text ftehen die Varianten, aber keine andere als folche, welche Hr. B. oder feine dänifchen Freunde aus griechifchen Handfchriften und den fyrifchen Ueberfetzungen felbft excerpirt haben. Der Herausgeber hat diefen Grundfatz, blofs eigene Schätze mitzutheilen, fo ftreng befolgt, dafs er nicht einmal bey den Wiener Handfchriften, die vor ihm fein Landsmann, Hr. Trefchow, fchon unterfucht hatte, die Trefchowfchen Excerpte benutzt hat, um feine eigenen Auszüge aus dem nemlichen Codex vollftändiger zu machen. Nur bey dem berühmten Vatikanifchen Codex 1209 oder B hat man eine Ausnahme gemacht. Hr. B. hatte nur den Matthäus und Marcus (nebft der Apoftelgefchichte und fämmtlichen Briefen) verglichen; die Varianten zum Lucas und Johannes hat ihm Hr. Woide einmal bey den Bentleyifchen Papieren mitgetheilt. Seines Urtheils über die Aechtheit oder den Werth und Unwerth der Lesarten hat er fich durchgehends gänzlich enthalten, und blofs die Varianten felbft hingefetzt. Aber aus den Prolegomenen erhellet genug, dafs der Herausgeber und feine Gehülfen im Excerpiren mit den ächten Grundfätzen der Kritik wohl bekannt find.

Sonach erhält freylich diefe Ausgabe mehr nichts, als Beyträge zu den Materialien, welche der Kritiker verarbeitet, und zur Beurtheilung und Berichtigung des Textes benutzen kann. Aber die Beyträge find fehr beträchtlich und fchätzbar. Dies würden fie feyn, wenn fie auch blofs in einer vollftändigen u. genauen Collation des C. vat. 1209 beftünden, welcher, wo nicht der allerältefte, doch gewifs einer der älteften ift, und durch feine Beyftimmung eine grofse Menge Lesarten beftätiget, die neuere Kritiker, obgleich mit heftigem Widerfpruch anderer, für ächt erklärt haben. Allein diefe Handfchrift ift nicht die einzige von Belang, die man hier entweder zuerft oder doch genauer kennen lernt. Mehrere der oben fchon als merkwürdig ausgezeichneten Handfchriften haben eine beträchtliche Anzahl wichtiger Varianten hergegeben. Und wenn gleich einige diefer Codicum nur in einzelnen Stellen verglichen worden find, und die Begierde, fie genau kennen zu lernen, durch die aus ihnen mitgetheilten Excerpte mehr gereizt, als befriedigt wird, fo wird doch die hier gelieferte Variantenfammlung nicht nur den Nutzen haben, dafs die wahre Lesart vieler Stellen mit gröfserer Zuverläffigkeit beftimmt werden kann, fondern fie giebt auch dem Kenner wichtige Data an die Hand, ein gründliches Urtheil über die von neuern Gelehrten vorgetragene und befolgte Theorie der neuteftamentlichen Kritik zu fällen. Das hohe Alter mehrerer Recenfionen des Texts, ihre Verfchiedenheit oder Verwandfchaft, und infonderheit die Wichtigkeit der zur

Alexandrinifchen und zur Abendländifchen Recenfion gerechneten Handfchriften, fcheint uns eine neue und ftarke Beftätigung erhalten zu haben, und durch Hülfe fo mancher alten und vorzüglichen Codicum, mit denen man hier bekannt wird, läfst fich die anfängliche Befchaffenheit des Textes nach jeder der verfchiedenen Recenfionen genauer entdecken, und das, was durch fpätere Interpolation in die einzelnen Codices einer Recenfion fich eingefchlichen hat, und diefe jetzt verftellt oder gar dem Nichtkenner verdächtig macht, von demjenigen abfondern, was zur urfprünglichen Geftalt der Recenfion gehörte. Um aber nicht blofs bey dem allgemeinen ftehen zu bleiben, und um zugleich einen Beweis zu geben, dafs Rec. das vor ihm liegende Werk, fo viel bis jetzt möglich war, durchftudirt habe, und alfo feine Meynung darüber zu fagen befugt fey, mögen einige Bemerkungen über den berühmten alten Vaticanifchen Codex 1209, den Wetftein mit B. bezeichnet hat, hier einen Platz finden. Sie können dem, der die Birchifche Ausgabe brauchen will, einige Mühe erfparen, und vielleicht fetzen fie auch die Sachkundigen unter unfern Lefern in den Stand, fchon vorläufig von der Befchaffenheit und dem Werth diefes Codex einen wahren und beftimmten Begriff fich zu machen. — Der Codex vatic. hat eine grofse Aehnlichkeit mit den Wetfteinifchen Handfchriften C. D. L. 1. 13. 33. 69. 102, und mit den lateinifchen, koptifchen und äthiopifchen Ueberfetzungen, hat aber vor den meiften derfelben den Vorzug, dafs man von den unläugbaren Interpolationen und willkührlichen Aenderungen, die in jenen und zumal in D. 1, 69 fo häufig find, wenig und faft nichts antrifft. Er dient alfo zugleich zur Beftätigung ihrer guten Lesarten, und zur Bezeichnung und Berichtigung der Schlechten. Er felbft ift mit Sorgfalt gefchrieben, und offenbar eine treue Copie einer noch ältern ihm ganz ähnlichen Handfchrift. Eigenthümliche Lesarten, die gar nirgends anders, weder in Codicibus noch Ueberfetzungen, vorkämen, hat er nur wenige; und diefe find nicht wichtig, und gröfstentheils von geringem innerm Werth. Defto reicher hingegen ift er an Lesarten, für die man bisher nur einen oder etliche wenige, aber alte Zeugen kannte. Doch hat er nicht durchaus ganz einerley Text; fondern folgt im Matthäo, oder genauer, in deffen erfterem und gröfsern Theile, einer andern Recenfion, als in dem Reft der Evangeliften. Im Matthäo nemlich, die letzten Kapitel ausgenommen, nähert er fich vielmehr dem Codd. D. (Cantabrigienfi), als den Codd. C und L (Ephrem und Stephani's). Mit den letztern ftimmt er hier, wo fie eine andre Lesart als jener haben, nie leicht überein, es müfsten dann die Codd. 1 und 33 (Bengels Bafil. γ und Mills Colb. 8.) gleiche Lesart haben, in welchem Falle der Vatican. diefen dreyen oder vieren beyzutreten pflegt. Hingegen hat er in diefem Theile des

Matthäus eine Menge Lesarten, die man bis jetzt blofs in den Cod. Cantabr. gefunden hatte. Aber auch mit Cod. 1. ift er nahe verwandt, und in manchen Pericopen faft noch näher, als mit D, fo dafs man viele lectiones fingulares des Cod. 1. in ihm antrifft. Aufser den nur genannten Handfchriften hat er mit keiner mehr Aehnlichkeit, als mit 33. Allein fchon in den letzten Kapiteln Matthäi wird er feinen bisherigen Gefellfchaftern untreu, und neigt fich fehr merklich auf die Seite von Cod. L. und 102. Und hierin bleibt er fich in der erftern Hälfte des Marcus gleich. Vom C. Cantabr. entfernt er fich hier fehr weit, und ftimmt ganz auffallend und faft durchgängig mit L. und 102, oder mit einem von beiden in lectionibus fingularibus und in unbedeutenden Kleinigkeiten, überein. Um den Grad der Aehnlichkeit zwifchen Vatic. und L. zu bemerken, mufs man aber mit den Wetfteinifchen Excerpten aus den letzteren die reiche Nachlefe in Griesbachs fymbolis criticis vergleichen. Gegen die Mitte des Marcus geht zwar der Cod. 102 (Medicaeus) zu Ende; aber die Uebereinftimmung mit L dauert fort, und ift fo grofs, dafs, obgleich fonft auch zwifchen Cod. C und L eine fehr nahe Verwandfchaft ftatt findet, dennoch die zwifchen unferm Codex und L noch viel näher ift. Die nemliche Bewandnifs hat es mit der Vaticanifchen Handfchrift im Lukas. Faft durchgängig lieft fie wie L. Nur, weil D und Cod. 1. hier öfter mit L. übereinftimmen, als im Marcus, weicht auch die Vaticanifche von diefen beiden Handfchriften nicht fo oft ab, als in befagten Evangeliften. Aber von den unterfcheidenden Lesarten des Cod. D im Lukas kommt nur felten eine im Cod. vatic. vor. Da alfo der Cod. vatic. und L. augenfcheinlich aus Einer Quelle gefloffen find, fo kann jeder von beiden zur Berichtigung des andern benutzt werden, um das Jedem beygemifchte Fremde wieder abzufondern, Mit dem Cod. A (Alexandrino) ftimmt die Vaticanifche nur felten, und in unterfcheidenden Lesarten faft gar nicht, überein, aufser etwa in der Auslaffung der zwey Verfe vom blutigen Schweifse Jefu, Luc. 22, 43. 44, welche L. hat, aber Vatican. und Alexandr. auslaffen. Aber eben diefer Umftand, dafs der Cod. Vatic. hier aus feinem gewöhnlichem Gleife heraustritt, und zu einer unnatürlichen Coalition mit dem Alexandrinus fich bequemet, fchwächet feine fonft grofse Autorität bey diefer Stelle nicht wenig. Endlich im Johannes ift der Vaticanifche Text im Ganzen genommen, wie im Lukas, und die Uebereinftimmung mit L felbft in lectionibus fingularibus, fehr grofs, jedoch nicht ganz fo ftark als im Marcus und Lucas. Z. B. Joh. 5 hat L. den vierten Vers, vom Engel im Teiche Bethesda, Cod. Vat. hingegen läfst ihn, nebft Wetfteins C und Hrn. Birchs urbino-vaticano 2, und noch einem Parifer Codex, weg. Und weil im Johannes die Codd. A und D öfter mit L zufammen treffen, als in den übrigen

G g 2 Evan-

Evangeliften, fo ift auch unfer Vatic. hier mit A. D. übereinftimmiger. Zuweilen ftimmt er fogar mit D. allein; zuweilen mit der Recepta, z. E. Joh. 7, 59. 19, 14. 31; und nicht felten hat er auch eigene Lesarten, z. B. K. 4, 52. 7, 39. 9, 36, 19, 24. Die Menge der Varianten und der Umftand, dafs unter denfelben auch viele vorkommen, die blofs Kleinigkeiten, z. E. die Orthographie oder die Stellung und Ordnung der Worte betreffen, fcheint zwar die Gewähr zu leiften, dafs der Cod. Vatic. mit gröfster Sorgfalt verglichen fey. Indeffen möchte doch vielleicht noch eine Nachlefe zu halten, und es der Mühe werth feyn, die Bentleyifche Collation, die Hr. Wolde befizt, gegen die Birchifche zu halten. Wir hatten wenigftens ein Paar Lesarten des Vaticaners uns angemerkt, die wir in der dänifchen Edition vermiffen. Hr Wolde hatte in den Prolegomenen zu feinem Abdruck des Alexandrinifchen Codex S. 24. angegeben. Der Cod. Vat. laffe Matth. 26, 3. και οι γραμματεις aus, und habe v. 43. ευρειν ftatt ευρισκει. Beide Lesarten führt Hr. Birch aus andern Handfchriften an; aber der Vaticanifchen gedenkt er nicht.

Nächft dem Cod. Vat. wird am häufigften auf allen Blättern der Cod. Vindobon. Lambecii 31, den man aber fchon aus der Alexeifchen Edition kennt, angeführt. Diefe beiden Handfchriften haben den gröfsten Theil der Varianten hergegeben. Nach ihnen fcheint uns der Cod. Urbino Vaticanus 2 die wichtigften Lesarten geliefert zu haben. Sein Text ift von dem oben befchriebenen Vaticanifchen merklich verfchieden, und neiget fich, fo viel Rec. bis jetzt bemerken konnte mehr auf die Seite des Cod. Cantabr. und befonders des Cod. 1. Die Befchaffenheit feiner Lesarten verdient aber noch genauere Unterfuchungen. Die Efcurialhandfchriften 2, 8 und 9, nebft dem Codex Venet. Marc. 10, welche nur in einzelnen Stellen verglichen worden find, wären einer vollftändigen Collation vor hundert andern werth. Auch der Cod. Vatic. 360, der ehedem Aldo Manutio gehörte, verdient Aufmerkfamkeit, nicht nur vieler guten Lesarten wegen, fondern auch, weil aus ihm einige Lesarten in die Aldinifche Ausgabe gekommen find, die man bisher für Conjecturen des Aldus hielt. — Doch wir müffen abbrechen, und laffen übrigens dahin geftellt feyn, ob es nicht den Kritikern, für welche diefe fehr koftbare Ausgabe doch nur beftimmt feyn kann, lieber gewefen feyn würde, wenn man die ganze Variantenfammlung ohne Text in einen ftarken Octavband, der alles bequem hätte faffen können, zufammengedrängt hätte. Doch da die ganze Unternehmung durch königliche Freygebigkeit unterftützt worden ift, fo war es wohl auch rathfam und fchicklich, dem Werk die prächtige und gefchmackvolle typographifche Einrichtung zu geben, die es auch dem Nichtkenner auf den erften Anblick empfehlen konnte. Seiner baldigen Fortfetzung und Vollendung fieht gewifs jeder Freund der Kritik mit Begierde entgegen.

KLEINE SCHRIFTEN.

GOTTESGELAHRTHEIT. *Erlangen*, b. Palm: *Leitfaden bey meinem Unterricht in der chriftlichen Religion. Die chriftliche Sittenlehre.* Herausgegeben von D. C. A. Pick, erftem Lehrer der Stadtfchule in Vach, 1787. 4 B. 8. Es ift ganz richtig, was der Vf. in der Vorrede fagt, dafs ein Katechismus, in Fragen und Antworten abgefaffet, nicht recht paffend zum öffentlichen Schulunterricht fey. Er hat fich daher einer andern Methode in feiner Schule bedient. Zuerft liefs er die Kinder die Hauptbeweisftellen auswendig lernen, und erklärte ihnen die darinn vorkommenden dunkeln Ausdrücke, Sodann dictirte er ihnen fo kurz als möglich, was er zu ihrem näheren Unterricht über jede Materie zu fagen hatte. Und nun erft gieng er dies Punkt für Punkt katechetifch durch, um ihnen eine richtige und zufammenhängende Erkenntnifs beyzubringen. Er verfichert, dafs er auf diefem Wege die Kinder an eigenes Nachdenken gewöhnt und vielen Nutzen geftiftet habe; nur habe das dictiren zu viel Zeit weggenommen, und er fey hierdurch bewogen worden, diefen bisher *gefchriebenen* Leitfaden dem Druck zu übergeben; hier liefert er zuvörderft, die *Sittenlehre* und verfpricht, dafs auch die *Glaubenslehre* binnen kurzem nachfolgen folle.

Wider dies alles haben wir nichts weiter zu erinnern, als dafs der Vf. billig erft hätte zufehen follen, ob nicht unter den fchon gedruckten vielen Lehrbüchern für die Jugend etwa eins, dafs zu eben diefem Zweck brauchbar war, zu finden fey. Wenigftens mufste er feine Vorgänger zu übertreffen fuchen, wenn er felbft öffentlich im Druck erfcheinen wollte. Dies hat er aber nicht geleiftet, ob wir wohl diefem *Leitfaden* nicht allen Werth abfprechen wollen. Die chriftlichen Pflichten find darinn nach der gewöhnlichen dreyfachen Abtheilung ganz gut erklärt, und auseinander gefetzt: Es gefällt uns aber nicht, dafs der Vf. dabey blofs die Bibel zur Erkenntnifsquelle angenommen und daher zu oft unterlaffen hat, feine Lehrlinge auf die natürlichen Folgen der Tugend und des Lafters und die daraus entftehende Verpflichtung zu der erftern aufmerkfam zu machen. Auch haben wir die Anweifung, wie ein Chrift zur Erfüllung feiner Pflichten willig und tüchtig werden foll, vermifst. Beide Mängel find in unfern Augen wichtig. Man kann es der Jugend nicht früh genug zeigen, wie heilfam die Gebote in ihren Folgen find, und nicht oft genug den Weg zu einer recht thätigen Gottfeligkeit zeigen. Vermuthlich wird der Vf. letzteres mit bey den Glaubenslehren anbringen wollen, welches wir alfo erwarten müffen.

ALLGEMEINE
LITERATUR-ZEITUNG

Freytags, den 30ten Januar 1789.

VERMISCHTE SCHRIFTEN.

BRAUNSCHWEIG, im Verl. d. Schulbuchhandl.:
*Braunschweigisches Journal, philosophischen,
philologischen und pädagogischen Inhalts,*
Herausgegeben von *Ernst Chr. Trapp, Joh.
Stuve, Conr. Heusinger, und Joh. Heinr. Campe.* Erster, Zweyter, Dritter Band, oder Jenner
bis Decemb. 1788. (2 Rthrl. 18 gr. Subscr. Pr.)

Die Verbindung der auf dem Titel genannten
Herausgeber liefsen für die Wissenschaften,
denen dies neue Journal bestimmt ist, zum
voraus viel Gutes erwarten, und wenn der
Fortgang dem Anfange entspricht, wird es neben den ersten periodischen Schriften unfrer Nation einen ruhmvollen Platz behaupten.
Noch zur Zeit hat das Fach der Philologie die
wenigsten Beyträge erhalten, desto mehr ist die
Pädagogik bedacht worden; doch fehlt es auch
an guten philosophischen Aufsätzen, wie die umständliche Anzeige des ersten Jahrganges, die wir
hauptsächlich für Leser, die es nicht kennen sollten,
geben, beweisen wird. Das erste Stück beginnt mit
einem Auszuge eines Briefs von Hn. Garve. Er
hatte darinn einen Einwurf gegen die Nützlichkeit periodischer Schriften gemacht, der von der
Vereinigung mehrerer Mitarbeiter hergenommen
war, der allerdings nicht ohne Schein, und in
einzelnen Fällen auch wohl gegründet ist. Er
meynte nemlich, dafs viele Schriftsteller, die ihre
Beyträge zu solchen Journalen lieferten, fie eben
deswegen nachlässiger zu arbeiten verleitet würden, als wenn fie solche unter ihrem Namen hätten, herausgeben, und allein auf eigne Hoffnung
und Gefahr hätten arbeiten sollen. Dagegen zeigt
Hr. Campe, dafs dies nicht nothwendig, und nicht
immer zutreffe, und führt folgende Gründe für
die Nützlichkeit guter Journale an: 1) Sie find
ein gutes Mittel, nützliche Kenntnisse jeder Art
aus den Köpfen und Schulen der Gelehrten durch
alle Stände zu verbreiten. Sie find 2) bequem, interessante u. gemeinnützige Ideen darinnen niederzu-
legen, darüber man nicht gerade ein Buch schreiben
will. 3) Sie befördern die Freymüthigkeit, da man
in Gesellschaft andrer kühner schreibt, als fur sich
allein. 4) Sie find ein Vehikel der Belehrung für

A. L. Z. *Erster Band.* 1789.

Leute, die eigentliche Bücher gar nicht lesen mögen, oder nicht lesen können. 5) Sie find sehr
bequem, die verschiednen Stimmen denkender
Köpfe über wichtige oder noch streitige Puncte
zu sammeln. 6) Es wird in ihnen mehr, als in
andern Büchern geschehen kann, auf die Bedürfnisse der Zeit Rücksicht genommen. —
Hr. Domherr v. Rochow über die Frage: welches ist die beste Art, sowohl rohe als schon cultivirte Nationen, die sich in mancherley Irrthümern und Aberglauben befinden, zur gesunden
Vernunft zurückzuführen? *Rohe Nationen* heissen ihm nur die, welche weder lesen noch schreiben, noch rechnen können, und denen es an einer
richtigen Gotteserkenntnifs gebricht — *cultivirte*
diejenigen, welche diese Kenntnissen in dem Maasse
besitzen, dafs die Summe ihrer Irrthümer und ihres Aberglaubens dadurch merklich *vermindert* ist.
Aberglauben nennt der Vf. das Resultat der
Folgerung irgend eines theoretischen Irrthums.
Nach dem Sprachgebrauch aber ist nicht jede Folge eines theor. Irrthums Aberglauben, z. B., wenn
gleich Tycho Brahe's astronomisches System irrig
ist, fo kann man die Folgerungen daraus doch nicht
Aberglauben nennen. Selbst alchymische Versuche
find nicht Aberglauben. Die ist nur der Glaube
an unsichtbare, ohne vernünftigen Grund voraus-
gesetzte, wirkende Ursachen. Die Mittel, welche Hr. v. R. zu dem in der Frage ausgedrück-
ten Entzwecke vorschlägt, find bessere Lese- und
Lehrbücher, reinere Gesangbücher und Liturgien,
bessere Erbauungsbücher, rechtschaffne Lehrer in
Kirchen und Schulen, Seminarien für die Bildung
derselben, gleiches und hinlängliches Auskommen der Pfarrer und Schullehrer, besserer Gehalt
u. gröfsere Foderungen an Stadtpfarrer und Inspec-
toren, Aufhebung aller Winkelschulen, allgemeine Verbindlichkeit für die Kinder, sich den
öffentlichen Schulprüfungen zu unterwerfen, genaue Aufsicht in Erziehungshäusern, Hinderung
des Aberglaubens in den Seelen der Jugend durch
aufgeklärte Belehrung, Abstellung oder zweckmäfsige Versetzung solcher Prediger, die das Volk
wider wahre Verbesserungen aufwiegeln.
Hr. *Schlosser* über *Glaubenspflicht.* Basedow
räth, frühe dem Zögling anzugewöhnen, dafs er
das liebe, was die lange Erfahrung die Menschen
H h   Gutes

Gutes gelehret hat; damit er künftig lernen aus Glauben ans Gute zu leben,, wenn er keine Ueberzeugung hat, woraus er leben könne. (Etwas dem ähnliches, fagt Kant: Sorget Ihr nicht dafür, dafs ihr vorher, wenigstens auf halbem Wege, gute Menschen machet, fo werdet ihr nie aus ihnen aufrichtig Gläubige machen.) Sehr wahr ist der Spruch, womit Hr. Schloffer schlieſst: Mich deucht, in der Religion Christi liegen Dinge, die machen können, dafs wer glaubt, mit Weisheit lebe, und wer nicht glaubt, wünschen möge, zu glauben. — Man sieht gleichwohl nicht, was seine Gedanken für eine Glaubenspflicht beweisen, wenn man diesem Ausdrucke seine bestimmte Bedeutung laſst. Im vierten Stück hatte sich Hr. Campe und Hr Rahde darüber ausgelaffen. Es ist intereſſant, über dergleichen Fragen das pro und contra von einsichtsvollen Männern zu lesen. — Ein Ungenannter über die jetzigen Zwecke einer gewiffen geheimen Gesellschaft. Der Vf. dringt auf Abschaffung der Geheimniſskrämerey, auf Verbannung der Schwärmerey und alles blinden Gehorsams. Hr. Stute über das groſse Waisenhaus in Braunschweig, ein Auffatz, der durch mehrere Stücke fortläuft, und viel gute praktische Bemerkungen enthält, mit welchem zu vergleichen ist, was Hr. Villaume im 12ten Stück über Waisenhäuser gesagt hat. Hr. v. Winterfeld räth, Kinder, um ihnen die Kenntniſs des Geschlechtsunterfchiedes ganz unschädlich zu machen, einander oft entkleidet sehen zu laffen, quoniam ab affuetis non fiat paffio. (Freylich wenn die Auffeher immer dabey vernünftig und pflichtmäſsig handelten, und alle Gelegenheit zu erkünstelten Reitzungen des Geschlechtstriebes abgeschnitten würde, möchte der Rath fo übel nicht feyn.)

Im zweyten Stück empfiehlt Hr. Campe weise Maaſsregeln zur Einschränkung des übertriebenen Mitleidens bey Kindern und widerräth, Komödien durch sie auffuhren zu laſsen, aus guten Gründen.

Im dritten Stück giebt Hr. Campe Nachricht von dem Fortgange der entworfenen allgemeinen Schulencyclopädie, deren Ideen er im vierten Stücke weiter verfolgt, und Hr. Prof. Buhle einen Plan zu einer Sammlung von lateinischen Schriftstellern für Schulen mit zweckmäſsigen Veränderungen und Abkürzungen. Die Sorgfalt für Züchtigkeit scheint uns darinn zu weit zu gehen, wenn auch solche Stellen wie die Tacit. Annal. I. 10. abducta Neroni uxor, et confulti per ludibrium pontifices an concepto necdum edito partu rite nuberet, weggelaſsen werden follen. Denn die Stellen aus dem Tacitus könnnten doch nach einer guten Methode nicht für Kinder, sondern für Schüler der höchsten Klaſsen bestimmt werden; und diese können hier nichts lernen, was sie nicht schon wüſsten; zumal da ja auch die neuern Erziehungstheoretiker selbst der Meynung sind, fo gar Kinder schon

mit der Art und Weise der Fortpflanzung des menschlichen Geschlechts bekannt zu machen. So gar scheint es uns unmöglich durch Auszüge aus Ovidius Metamorphofen zu vermelden, daſs nicht doch jeder Schüler, der Luft hat, den Ovidius felbft lefe. Noch wäre fehr zu rathen, dafs über die auf solche Weise verstümmelten Autoren gar nicht der eigentliche Titel derfelben gesetzt, sondern dafs alle diese Stücke blofs unter dem Namen einer Chrestomathie, oder einem ähnlichen Titel gedruckt würden. — Hr. C. beantwortet einige Einwürfe gegen feine Preisfrage über die einer jeden besondern Menschenklaſse zu wünschenden Art der Ausbildung und der Aufklärung; und beklagt sich mit vollem Rechte über die gewaltige Sucht Verse zu machen in Deutschland.

Im 4ten Stücke hat Hn. Domherra v. Rochow Verfuch über die Regierungskunst; nicht voll tiefer Speculation, aber voll wahrer fafslicher Grundfätze. — Ein Ungenannter zeigt, — fehr einleuchtend — dafs geheime Gesellschaften, in so fern sie geheim sind, Gutes und Böses gegen einander abgewogen, zum Wohl der Menschheit Nichts beytragen. — Ueber einige Stellen des Florus, scharffinnige Bemerkungen von Hn. Heufinger.

Im fünften Stücke über Religion und Religionsgesellschaft, und den wesentlichen Unterschied des Katholicismus und Protestantismus; fehr treffend. Bey Gelegenheit des dem Hn. D. Semler zu Gefallen eingerückten, freylich für den Plan des Journals ziemlich heterogenen Schreibens von ihm, wollen wir nur bemerken, dafs wir die Behauptung deffelben, welche die Herausgeber als ein Axiom unterschreiben, keineswegs zugeben können, dafs nemlich die Kunst Gold zu machen von der Art fey, dafs nur ein Bube oder ein Rafender sie bekannt machen könne, wenn er fie wirklich befäſse. Ein Satz, hinter den sich die vermeintlichen Adepten fo oft verfteckt haben, um ihre Geheimniſskrämerey damit zu unterstützen. Ob taufend Centner Goldes mehr, durch ein ergiebiges Bergwerk, oder durch eine neue Kunsterfindung in Umlauf kommen, darüber wird doch die Welt wohl nicht untergehen? Oder meynt man, dafs wenn die Kunst entdeckt wäre, kein Müller mehr würde mahlen, kein Becker mehr backen wollen? Dagegen liegt in der Natur des Goldes ein kräftiges Vorbauungsmittel, diefes nemlich, dafs es nicht fatt macht. Auch wird sich doch wohl niemand einbilden, dafs das Goldmachen, wenn es je erfunden würde, eine fo leichte, und fo wenig kostspielige Operation werden könnte, als jeder, dem es einfiele, sich dadurch zum Kröfus machen könnte, fo bald er nur wollte! — Intereſſant sind die Anekdoten aus Hn. Käftners Jugendgeschichte. — Hn. Campens väterlicher Rath für feine Tochter ein Gegenstück zum Theophron, das viel Nutzen auch für viele andere Töchter Deutschlands stiften kann.

Im

·· Im ſechſten giebt Hr. Prof. Hildebrandt einige Beobachtungen über den Schlaf, die Hr. Campe pädagogiſch anwendet.

1. Das ſiebente beginnt mit einem treflichen Aufſatze von Käſtner (deſſen zweyter Vorname hier
unrichtig iſt) über die Art Kindern Geometrie
und Arithmetik beyzubringen. · Hr. Trapp beantwortet den Aufſatz von Hn. Rehberg über das Studium der alten Sprachen; ſein Aufſatz verdient
alle Achtung; doch ſcheint es uns beide Männer
werden bey noch etwas genauerer Beſtimmung der
Begriffe nicht ſehr weit mehr auseinander ſeyn;
wir wollen indeſs Hn. Rehbergs Replik in der Berliner Monatsſchrift abwarten. : : :

·· Im achten und folgenden Stücke von Hn. Prof.
Villaume Anmerkungen über die Frage ob der
Staat ſich in Erziehung miſchen ſoll, welche nach
der Lage der Menſchheit aus ſehr einleuchtenden
Gründen bejaht wird. Die Gränzen dieſer Ein-
miſchung werden mit vieler Präciſion beſtimmt.
Hr. Campe erläutert auch ferner die Begriffe von
Glaubenspflicht.

Im zehnten kömmt auſſer den Fortſetzungen
eine merkwürdige Beobachtung von Hn. Abegg
in Neckargemünd vor. Ein Knabe von dreyzehn
Jahren, der ſehr viel franzöſiſch ſprechen gehört
hatte, im Lateiniſchen aber grammatikaliſch
unterrichtet worden, war, muſste wegen eines gefährlichen Falles auf den Kopf trepanirt werden.
Während der Cur ſprach er oft die Formeln des
Analyſirens aus: Eſt tertia perſona ſingularis
u. ſ. f. Bey dem täglichen Verbande drückte er
jede ſchmerzhafte Empfindung aus durch: Ach!
ſupinum in u! Auf einmal aber, als ein junger
Mann, den er kannte, aus Heidelberg ankam,
fieng er an mit groſſer Fertigkeit und flüchtigkeit
franzöſiſch zu ſprechen, ungeachtet er vorher
kein Wort geredet, ſondern nur andre ſprechen
gehört hatte. Hr. Campe erklärt ſich den
Seufzer: ach ſupinum in u, ſo, daſs der Knabe
eine ihm ehmals ſo verdrießliche Formel mechaniſch zu einem Ausdruck des Schmerzens gebraucht
habe; wie einer ſeiner Freunde, der einen kleinen Tractat von der zweyten Auferſtehung geſchrieben hatte, ſich in ſeiner Krankheit ungemein erleichtert fand, ſobald man nur von der
zweyten Auferſtehung zu reden anfieng, und noch
unmittelbar vor dem letzten Athemzuge zu ſeiner
Tochter ſagte „ Fikchen rücke mir die zweyte Auferſtehung zurechte, welches er erhöhet haben wollte. Im elften
iſt eine wohlgerathne Ueberſetzung von des Hr.
Prof. Schütz. Programm, über die Glaubenseinig-
keit; u. Hn. Lorenz Oberlehrers zu Kloſterbergen,
Vorſchlag die Zeitfolge der Begebenheiten mit
leichter Mühe ohne Anzahlen zu erlernen, enthälten. Sonſt kömmt noch in dieſem und folgenden Stücke Hn. Schloſſers leſenswürdige Beantwortung der Einwendungen gegen ſeinen Aufſatz über die Glaubenspflicht vor. Die Hauptſache

läuft auf ein Reſultat hinaus, was wohl aus wenigen noch anſtöſsig ſeyn kann. Nachdem er geſagt hatte, er werde es niemanden verargen, wer
Chriſtum für einen bloſsen Moraliſten, wie Socrates
und ſeines gleichen halten wollte, ſo ſetzt er hinzu:
Dies aber nicht unmöglich iſt, daſs Gott durch
Chriſtum wirkte und lehrte, auf welche Art das geſchehen ſeyn mag; da es mir und tauſenden
höchſt unwahrſcheinlich iſt, daſs ein Mann wie
Chriſtus in dem Volke der Juden, wie es damals
war, aufſtehen, ſo leben, ſo lehren, und was
noch mehr iſt ſo ohne alle Beweiſe (?) überzeugen konnte, ohne Gottes unmittelbare Einwir-
kung; und da der Gedanke, daſs die Unſterblichkeit, daſs das Wohlgefallen Gottes an dem
Guten und die Verſicherung des Beyſtandes Gottes, wo wir zu ſchwach ſind, von Gott ſelbſt uns
zugeſagt worden ſey, uns unſtreitig weiſer und
beſſer machen muſs, ſo dünkt mich, hat Jeder unter uns, der Chriſti Religion kennt, die Pflicht
zu thun was er kann, daſs er glaube, Chriſtus
ſey Gottes Organ geweſen; und wer dieſen Glauben ſchwächt, ohne zu zeigen, wie er uns un-
weiſer oder ſchlechter mache, oder wer Chriſti
Verheiſſungen und Lehren unweiſe und ſchädlich
macht. (?) dieſe Beide ſcheinen mir ihre Pflichten gegen die Menſchheit ſehr zu verletzen. Wer
aber das, was in Chriſti und der Apoſtel Worten
bloſs zur Speculation gehört, uns zu glauben auf-
dringt, der ſcheint mir eben ſo u. beſcheiden und
unbillig zu ſeyn, als der mir unphiloſophiſch unbillig zu ſeyn ſcheint, der, ehe er Gott und Gottes Weiſe und Wege evident dargelegt hat, dieſe Worte für Worte des Unſinns auszugeben wagt.

Ohne Druckort: Dr. J. M. Aepli's Religiöſe
Briefe an ſeine Freundin Eliſen. 1787. 8.
120 S. (5 gr.)

Keine Unterſuchung von wichtigen Religions-
gegenſtänden, keine neue Glaubens Ausſichten,
keine vorzügliche, theologiſche Erörterungen
enthalten dieſe Briefe, dennoch machen ſie des
Vf. aufgeklärte Denkungsart, verbunden mit einem
gewiſſen Wohlwollen, zu einer guten Unterhaltung. Eben deswegen wollen wir auch nur
mit wenig Worten den Inhalt derſelben angeben,
damit ſie wiſſen, was ſie erwarten können. Der
erſte Brief bezieht ſich auf die individuelle Lage
des Schreibers und der Dame, an welche er
ſchreibt. Der zweyte ſoll beweiſen, daſs es im
Chriſtenthum nicht auf dem Glauben allein, ſondern vorzüglich aufs Thun ankomme, und eine
Menge Schriftſteller werden deshalb angezogen.
Der Dritte betrifft den Satz: daſs die Vernunft dem
Glauben Licht entgegen ſtehe, und beim Chriſtenthum allerdings anzuwenden ſey. Der vierte
(einer der beſten!) vergleicht den wahren praktiſchen Chriſten mit dem wahren praktiſchen Arzt,
und führt die ſonderbar ſcheinende, aber durchge-
ſetzte Bemerkung aus: daſs der abergläubiſche,

H h 2   oder

oder der Scheinchrift der läßigste Kranke nicht für sich nur, sondern auch für den Medicus sey. Der fünfte zeigt, daß der *wahre praktische Chrift* auch der verständigere, seine übrigen Lebenspflichten erfüllende Mann sey. Der sechste redet über den Werth einer richtigen Aufklärung, und über die Art, wie Aufklärer verfahren sollen. Neues ist eben nichts darinne; aber vieles, was nicht oft genug gesagt werden kann. Endlich der siebente Brief enthält einen Auszug der interessantesten Stellen und Sentenzen aus *Hirzels neuer Prüfung des philosophischen Bauers.* Diese Sentenzen sind zwar schön, und der A. versichert: daß ihn Elise *darum gebeten habe.* Aber zum nochmaligen Abdruck ist doch wohl dieser Auszug (zumal da er fast die Hälfte des ganzen Werkgens füllt, allzulang gerathen. Auch hätten einige Sätze des Originals nicht so gar dictatorisch

hergesetzt werden sollen. Z. B. S. 84. „*Ein Mädchen ist verdorben, wenn es einen Roman ließt.*" Rec. weiß gar wohl, daß, seitdem Roußeau bey Gelegenheit seiner neuen Heloise behauptet: an denen, die Romane lesen, sey nichts mehr zu verderben, dieser Satz oft nachgebetet worden sey; noch mehr, er gesteht selbst: daß er von den *fleißigen Romanenleserinnen* keine vortheilhafte Idee habe; aber so wie die Behauptung dasteht, ist sie Uebertreibung, und kann, wenn sie vor die Augen eines Frauenzimmers kömmt, gewiß öfter schaden, als nützen. — Die Schreibart ist übrigens nicht ganz von Provincialismen rein. Der Vf. z. B. sagt: Der *angeflossene Fluss; die beschlossenen Augen, das anerborne Elend, u. d. m. Kleinigkeiten zwar, aber doch Fehler!*.

KLEINE SCHRIFTEN.

HANDLUNGSWISSENSCHAFT. *Kopenhagen* b. Proft: *Bemerkungen über Banken wie auch über die zu Altona zu errichtende neue Bank,* in einem Sendschreiben an einen Freund. 30 S gr. 8. (4 gr.) Die neue Münzeinrichtung und Bank für die Herzogthümer Schleswig und Holstein hat eine beträchtliche Anzahl kleiner Schriften dafür und dawider veranlaßt. Unter den ersteren ist des Hn. Etatsrath Zoega Versuch zu Entwickelung seiner Begriffe von Arbeit und Handel-Geld-Münzen-Banken eine der wichtigsten, und gegen diese sind die Bemerkungen gerichtet. Der angenannte Vf. vermuthlich ein Kaufmann berichtiget anfänglich manches in den gegebenen allgemeinen Vorstellungen von Giro-und Zettelbanken, wozu er sich der Hamburger, Londoner und Stockholmer als Beyspiels bedienet. Darauf erzählt er die Geschichte der Kopenhagener Bank seit 1736 und zeiget die nachtheiligen Folgen ihres Misbrauches in dem Verlust des Gleichgewichts im Handel und des baaren Geldes. Der hiedurch erhöhte Wechselcurs und nicht die Menge der Zettel schwächt nach seiner Meynung ihren Credit, und daraus folgert er, daß weder die Einlösung der Zettel, noch eine immer mit Kosten verbundene Münzveränderung in Species dem Uebel abhelfen könne. Der neuen Bank endlich bedürfen, wie er glaubt, die Herzogthümer weder zu Erleichterung ihrer beym Handel mit rohen Produkten mäßigen Circulation noch wegen der Zettel, die sie von Kopenhagen erhalten können. Vielmehr würde dadurch ihr Ueberschuß im Handel wegen der starken Verbindung mit dem im Gleichgewicht so sehr einbüssenden Kopenhagen verloren gehen, und neue Anlaß derselben besorgliche Misbräuche können diesen Nachtheil vergrößern.

Gegen diese Schrift sind zur Vertheidigung des Hn. Z. Ebendaselbst, b. Popp: *Anmerkungen zu der unter dem Titel Bemerkungen über Banken — kürzlich erschienenen Schrift.* 1787. 72 S. 8. (4 gr.) herausgekommen. Nach einigen Erinnerungen über die Bestimmung der verschiedenen Arten von Banken, mit Bezug auf die zum Theil wörtlich ausgezogenen Grundsätze des Hn. Prof. Büsch ist der Hauptgrund, worauf alles beruht, daß der Ver-

lust im Gleichgewicht des Handels zum Theil mit von der Menge der Zettel herrühre, und dieser wird kurz aber gründlich erwiesen. Die Zettel vermehren nämlich den eingebildeten Reichthum und begünstigen dadurch den Einkauf fremder Luxuswaaren, die nicht mit einheimischen vergütet werden können, also muß bey der auswärtigen Ungültigkeit der Zettel desto mehr baares Geld verschwinden. Diesem kann folglich in etwas dadurch abgeholfen werden, daß man die Zettel einlöset und so das eingebildete des Reichthums, welches im Grunde Schuld der Nation ist, vermindert. So rechtfertiget nun der Vertheidiger die gute Absicht der Regierung mit der neuen Bank hinlänglich, den Vortheil der Münzveränderung aber setzt er hauptsächlich in Abstellung der bisherigen Unbequemlichkeiten von dem Kippen und Wippen, dem bey der neuen Speciesmünze durch Zahlung nach dem Gewicht, vorgebeugt werden könne. Außerdem hat er noch die einzelnen Behauptungen des Gegners fast Schritt vor Schritt verfolget, manche Nachricht verbessert, wodurch die Sache ein anderes Ansehn bekömmt, und die Folgerungen so berichtiget, daß es dem aufmerksamen Leser beider Schriften wohl nicht schwer fallen kann, das Uebergewicht der Gründe für ihn und die neuen Anstalten zu finden.

VERMISCHTE SCHRIFTEN. *Paris: Bien né, Nouvelles et Anecdotes, Apologie de la Flatterie.* 1788. 29 S. 8. Diese schwer zu habende Brochüre machte in Paris weit mehr Aufsehen, als sie es verdiente. Es ist eine so leicht geführte Satyre gegen den Monarchen, daß es sich nicht der Mühe verlohnte, darauf Jagd zu machen. Zuerst ein Gespräch der Weisheit mit dem König, die ihm dann den Wein und die Jagd verbietet, um seine Staaten glücklich regieren zu können. Dann etwas über die *lettres de Cachet. Requête d'un Conseiller du Parlement,* worin um die Befreyung der Parlamentsräche gebeten wird. Die übrigen Abschnitte heißen *Nouvelles et Anecdotes, Apologie de la flatterie,* alles gleich unbedeutend und seicht.

GOTTESGELAHRTHEIT.

1) ERLANGEN, b. Palm: *Neues katechetiſches Ma-*
gazin, von *Georg Heinrich Lang*, Hochfürſt-
lich Oetting - Oettingiſchen und Oetting Wal-
lerſteiniſchen Specialſuperintendenten und
Pfarrer zu Hohenaltheim. Zweyter Band.
Zweyte Abtheilung. 1787. 191 S. in 8.
(9 gr.)

2) HALLE, in der Waiſenhausbuchh.: *Bibliſcher*
Katechismus für Volksſchulen. Mit dazu gehörigen Erläuterungen und Beziehungen auf
das Handbuch gemeinnütziger Kenntniſſe.
1787. 124 S. 8. (2 gr.)

Aufſer den Recenſionen enthält No. 1. folgende
Stücke: 1) Fragſtücke zum Gebrauch meſ-
ner Confirmanden im J. 1787. Sie ſind in, eben dieſem Jahre bey Palm in Erlangen beſonders abgedruckt, und in der A. L. Z. No. 106. des 1788. Jahrgangs beurtheilt worden. 2) Können die Sprüch-
wörter Salomons beym Unterricht der Jugend in
der Sittenlehre gut zum Grund gelegt werden?
Hr. L. behauptet gegen Hn. Troſchel das Gegentheil aus guten Gründen, denen wir beypflichten.

Bey N. 2 hat der ungenannte Verf. Recht,
wenn er behauptet, daſs richtig verſtandene Aus-
ſprüche der Bibel und gute Liederverſe gemeiniglich die bleibendſten Kenntniſſe ſind, die Kinder aus dem Religionsunterricht mitbringen. Dies
hat ihn veranlaſst, einen bibliſchen Katechismus
zu verfertigen, wobey er ſo zu Werke gegangen,
daſs er die vorzüglichſten Wahrheiten der Religion in Fragen gefaſst, und ſolche mit Sprüchen aus der Bibel und ſchicklichen Lieder-
verſen beantwortet. Durch dieſe Methode
wird freylich der Zweck erreicht, daſs Kinder mit
den Ausſprüchen der Bibel und guten Liederver-
ſen bekannt werden, welche, wenn man
ſie nicht bloſs dem Gedächtniſſe einprägt, ſondern auch dem Verſtand deutlich macht, ihnen
durch ihr ganzes Leben als Quellen des Unterrichts
und des Troſtes nützlich ſeyn werden. Nur
müſste der Lehrer dieſes Buch zwar zum Leitfa-

A. L. Z. Erſter Band. 1789.

den des Unterrichts gebrauchen, nicht aber es
etwa ſchlechtweg auswendig lernen laſſen, zumai
da der Vf. ſelbſt geſteht, daſs ihm die Einrichtung
dieſes Buchs eiſerne Feſſeln angelegt habe.

BERLIN und STETTIN, b. Nicolai: *Katechi-*
ſationen von G. F. Treuwann. Dritter und
letzter Theil. 1788. 156 S. 8. (8 gr.)

Hr. Tr. liefert hier den Beſchluſs des 1786 angefangenen Werks, und verfolgt ſeinen einmal
gewählten Weg, (indem er bloſs die Fragen
angiebt, die Antworten aber dem Lehrling überläſst,) bis zu Ende. Rec. will zwar dem Vf. die
Gabe der Deutlichkeit in Zergliederung der Lehr-
ſtücke nicht abſprechen; allein aus Liebe zur Unparteylichkeit muſs er denoch auch, den St. 144
A. L. Z. 1786 gegen dieſe Methode gemachten Erinnerungen beypflichten. Ihre vielen Unbequemlichkeiten wägen zuverſichtlich der Vortheile auf, die der Vf. ſich davon verſpricht. —
In dieſem letzten Theile hat er bey jedem Lehr-
ſtück eine bibliſche Stelle zu Grunde gelegt, und
daraus alles das herzuleiten geſucht, was den Kindern davon zu wiſſen nöthig ſchien. — In der
Vorrede wird die Abhandlung *über die nöthigen*
Gränzen der Volksaufklärung fortgeſetzt, und aus
verſchiedenen Gründen — aus dem Unvermögen
der meiſten Menſchen von dieſer Volksklaſſe; aus
dem Mangel an nothwendigen Vorerkenntniſſen:
aus der eignen Lage des gemeinen Mannes, die
öftere Uebung ſeiner Seelenkräfte, und eignes
Nachdenken ihm unmöglich macht — gezeigt,
daſs ſie nicht allgemein und zu allen Zeiten (un-
vorſichtig und allzu raſch) zu ſuchen, ſondern
nur ſo weit thätig zu befördern ſey, als ſie auf
das ſittliche Verhalten des groſsen Theils der Menſchen einen nähern Einfluſs haben, und mit einer
göttlichen Sanction in ſteter Verbindung ſtehe.
Wenn wir ihm auch alles übrige zugäben, ſo könnten wir ihm doch darinn nicht beyfallen, daſs er
in manchen Stellen ſich zu ſtark und nicht beſtimmt genug gegen die zu erweiternde Aufklärung des gemeinen Mannes in Sachen der Religion erklärt; auch letztern noch immer mehr
durch Furcht für Strafe, als durch dankbare Lie-

be-

be gegen Gott zum Guten und zur Pflicht leiten will. Wir fehen nicht ein, warum Liebe und Dankbarkeit gegen Gott, als unfern höchften Wohlthäter, nicht eine, auch dem gemeinen Manne verftändliche und bey ihm wirkfame, Triebfeder feyn könnte.

RECHTSGELAHRTHEIT.

STUTTGART, gedr. in der Druckerey der Herzogl. hohen Carls-Schule: *Ueber die Rechtsfache des Freyherrn von Mofer mit des Hrn. Landgrafen zu Heffendarmftadt Hochfürftlichen Durchlaucht.* — Zur Beleuchtung einer in mehreren Zeitungen von diefer Sache ausgeftreuten Nachricht. — Von *Joh. Auguft Reufs.* 1788. 88 S. 8.

Hr. v. M. kann fehr ficher feyn, dafs der befsre Theil des Publicums, der immer Gründe zu feinem Urtheil verlangt, über ihn gewifs keine Meynung faffen wird, die der bisherigen, die es von ihm hegt, entgegen wäre, fo lange es nicht durch *vollftändige Vorlegung aller nöthigen Akten,* (denn b!ofse Urtheilsfprüche können hier nichts ausmachen, da das Publicum niemals eine Sache als *rem judicatam* anfieht,) in den Stand gefetzt wird, über den ganzen Zufammenhang der Sache zu urtheilen; denn es weifs nur zu gut, wie leicht auch die beften Fürften durch falfche Darlegung der Sachen hintergangen werden können. Indeffen hat Hr. *Reufs* fich gewifs den Dank deffelben erworben, dafs er das vor diefer Sache bisher bekannt gewordene, und noch manches andre, was fich leicht ans Publicum bringen liefs, hier mit den nöthigen Belegen nochmals zufammenftellt, und da erftaunt man denn in der That über das gänzlich rechtswidrige und nichtige Verfahren gegen Hn. v. M. Eine vom Reichshofrath für nichtig erklärte, und gänzlich aufgehobene, Commiffion, fährt, da Hr. v. M. fie mit dem gröften Grunde nicht anerkennen will, gegen ihn *in Contumaciam* fort, fchliefst die Acten, die der Juriftenfacultät in Frankfurt an der Oder fpricht aus diefen Cortumacialacten, wobey nicht die geringfte Verantwortung von Hn. v. M. ift, gegen denfelben auf *fechsjährigen Feftungsarreft,* und Erftattung von 22512 fl. — !! Und dies Urtheil wird von der Moferfchen Gegenpartey dem Publicum vorgelegt, um feine Meynung über diefe Sache zu berichtigen! Was für Vorftellungen müffen fich doch in gewiffen Köpfen vom Publicum gebildet haben!! — Aber in der That, Hr. v. M. ift auch bey diefer ganzen Sache, wir möchten faft fagen, pflichtwidrig nachgebend zu Werke gegangen, fo gut auch die Quelle diefer Nachgiebigkeit feyn mag. Es war in der That, wie Hr. *R.* mit Recht fagt, *unverzeihliche Gutmüthigkeit* nach S. 22 u. a. bey Niederlegung feines Amtes alle Briefe, Decrete etc. feines Fürften demfelben zurückzuliefern, un-

verzeihliche Gutmüthigkeit, die Injurten- und Satisfactionsklage bey dem R. H. R. zurückzunehmen; *unverzeihliche Gutmüthigkeit,* fich felbft zu dem in dem nichtigen Frankfurter Facultätsurtheil erkannten Feftungsarrefte ftellen zu wollen. Hr. v. M. war es nicht blofs fich, fondern feinen rechtfchaffenen Mitbrüdern in Staatsbediénungen fchuldig, durch ein Beyfpiel zu zeigen, wie man fich gegen Unterdrückung fchützen, und Schutz erhalten könne!

GÖTTINGEN, b. Dieterich: D. *J. Petr. Waldeck Inftitutiones juris civilis Heineccianae emendatae atque reformatae.* 1788. 462 S. 8. (1 RthL)

Kein Lehrbuch hat leicht das Glück gehabt, fo oft aufgelegt, und von fo vielen gründlichen Männern neu ausgearbeitet zu werden, als das gegenwärtige. Hr. W. hat gewifs das letzte gethan, was in diefem Lehrbuch noch zu verbeffern übrig blieb, und man möchte lieber fagen, es fey beynahe ganz feine eigene Arbeit, denn in allen Titeln kommen wefentliche Veränderungen vor, welche diefer Ausgabe vor der Höpfnerifchen merkliche Vorzüge geben. Die Ueberbleibfel der Wolfifchen Methode, welche eine Menge unnützer Paragraphen verurfachte, find vollends ganz ausgemerzt. Ueberall find theils zweckmäfsige Abkürzungen, theils aber auch fehr fchöne Zufätze gemacht. Unnöthige Literatur ift billig weggelaffen, dagegen defto mehr Fleifs auf Berichtigung der Gefetzftellen verwendet worden, wovon die wichtigften wörtlich beygebracht find, um dadurch Anfänger allmählich zum Studio der Quellen anzugewöhnen. So lange die Ordnung der Inftitutionen beybehalten wird, bleibt diefes Buch in der gegenwärtigen Ausgabe immer das vorzüglichfte, und fie würde noch mehr Abgang finden, wenn manche Studirende nicht zu fehr an den deutfchen Commentar Herrn Höpfners, und zugleich an deffen Ausgabe gefeffelt wären.

JENA, b. Cröker: *Der Erwerb des Pfandrechts durch die Verjährung erwogen, von Ernft Gottfried Schmidt.* 1788. 42 S. 4. (3 gr.)

Der Vf. unterfucht in diefer Abhandlung, welche fich aber durch keinen angenehmen Stil auszeichnet, die Frage, ob das Pfandrecht durch Verjährung erworben werden könne? und tritt aus Gründen, welche von der Analogie andrer dinglichen Rechte entlehnt find, billig der bejahenden Meynung bey. Noch intereffanter hätte die Abhandlung werden können, wenn der Vf. einige Ausfchweifungen in die Lehre von den Rechtspfandfchaften gemacht hätte, wo es an nicht unwichtigen Beyfpielen gefehlt haben würde, feinen Grunden, befonders in Beziehung auf Deutfchland, neue Stärke zu geben.

ARZNEYGELAHRTHEIT.

Edinburg und London, b. Elliot: *A set of anatomical tables, with explanations and an abridgment of the practice of midwifery; with a view to illustrate a treatise on that subject and collection of cases; by William Smellie, M. D.* A new edition carefully corrected and revised with notes and illustrations, adapted to the present improved method of practice by A. *Hamilton*, M. D. F. R. S. — and professor of midwifery in the university of Edinburg. 1787. 106 S. Text und 40 Kupsertafeln. (2 Rthlr.)

Dies ist das gröfsere Werk des Smellie, welches unter gleichem Titel zu London 1754 in grofs Folio herauskam, in einer kleinern, bequemen und wohlfeilen Gestalt. Die Kupfer sind im Octavformat von William Bell sehr schön gestochen, und werden bey dem Entbindungsarzt, der das gröfsere Werk des Smellie nicht hat, daffelbe wenigstens einigermafsen ersetzen. Zu den Erklärungen des Smellie, die, wie bekannt, auch eine genaue Anweifung zu den Handgriffen, und zum Gebrauch der Instrumente enthalten, hat der Herausgeber wenig beygefügt, oft aber auf seine erften Anfangsgründe der Entbindungskunst, oder auf diese oder jene andere neue Schrift über diese wohlthätige Kunst hingewiesen. Wo Smellie Methoden empfahl, die in den folgenden Zeiten verbessert, oder verworfen worden sind, hat er immer das neuere Verfahren mit wenig Worten beygefügt, z. B., dafs es bey vorliegendem Arme des Kindes nur felten nöthig sey, diefen abzulösen, um bequemer mit der Hand in die Gebärmutter zu kommen; dafs die Hakenzange des Smellie bey grofser Enge des Beckens und mit Nutzen angewendet werden könne. Die vierzigste Kupferplatte hatte schon der verstorbene Young dem Werke beygefügt, und Hr. H. hat auch bey diefer nur einige Erläuterungen und Verbefferungen hinzugefügt. Sie stellt die kleine krumme Zange, einen weiblichen Katheter, das Perforatorium des Dr. Denman, und einen doppelten stumpfen Haken vor.

Gera, b. Beckmann: *Schilderung der Veränderungen des menschlichen Lebens, oder von den Krankheiten des mannbaren Alters und ihrer Behandlung, mit den Vortheilen und Nachtheilen jeder Constitution, und mit überaus wichtigen Warnungen für die Aeltern in Rückficht der Gesundheit ihrer Kinder des einen und andern Geschlechts, besonders in den Jahren der Mannbarkeit, vom Herrn Daignan.* Erster Theil. 1789. 288 S. 8.

Daignan's Gefundheitslehre in Beziehung auf das kindliche und mannbare Alter, Leipzig. 1788. 8. (C. A. L. Z. 1788. N. 169a) und diese Schilderung sind ein Werk, nur mit dem Unterschied,

dafs letztere weniger Anmerkungen des Ueberfetzers, und nur den erften Theil des Werks, die Leipziger Ueberfetzung dagegen beide Theile deffelben enthält.

St. Petersburg, auf Koften des Verfaffers: *Erklärung lateinifcher Wörter, welche zur Zergliederungslehre, Physiologie, Wundarzneywissenschaft und Geburtshülfe gehören, in alphabetischer Ordnung, von Christoph Elias Heinr. Knackstedt, Ruff. Kaiferl.* Wundarzt und Operateur, öffentl. Lehrer der Lehre von den Knochen und ihrer fämtlichen Krankheiten auf der medic. chirurg. Schule in St. Petersburg. Zweyte verbefferte Auflage. 1788. 506 und 123. S. 8. (16 gr.)

Zu dem Zweck, wozu der Vf. diefes Wörterbuch beftimmte, ist es vollkommen gefchickt. Es soll Anfängern in der Wundarzney und Entbindungskunst die Kunstwörter ihrer Wiffenschaft kurz erklären, und ihnen zum bequemen Handbuch dienen, in welchen sie auch neuere Kunstwörter, die ihnen vorkommen, auffinden können. Der Vf. hat daher sehr auf Vollftändigkeit gefehen, und die neuern Erfindungen, die Namen in den neuern Zeiten bekannt gemachten chirurgifchen Werkzeuge u. s. w. aufgenommen u. erklärt. Im Ganzen sind alle Artikel sehr kurz, welches bey der Menge derselben, und bey dem löblichen Zwecke des Vf., das Buch nicht zu vertheuern, kaum anders feyn konnte. Am ausfuhrlichften sind noch die Artikel, welche zur Zergliederungskunst gehören. Ein unter dem Titel: *Deutfch lateinifche in alphabetifcher Ordnund folgende Benennung der Wörter, welche aus der Zergliederungslehre — vorhergehend erklärt worden als eine Zugabe besonders ausgegebenes* deutfches Regifter zu diefem Werk wird es für die, denen es beftimmt ist, noch brauchbarer machen.

Leipzig, b. Weygand: Dr. *Philipp Titt Wulfh,* Arzt des all. Entbindungshospitals, und Lehrer der Entbindungskunft in London, *praktifche Bemerkungen über das Kindbetterinnenfieber, worin die wahre Natur diefer Krankheit nachgeforfchet, und eine bis jetzt nützlich befundene Behandlung empfohlen wird.* Aus dem Englifchen. 1788. 84 S. 8.

Der Vf. ftarb in der Blüte feiner Jahre an einem bösartigen Fieber, welches durch eine kleine Verwundung des Fingers bey Zergliederung einer am Kindbetterinnenfieber verftorbenen Frau, veranlafst worden war. Seine Schrift enthält eine Menge von guten und brauchbaren Beobachtungen über eine der fchlimmften Krankheiten. Er hält das Fieber der Wöchnerinnen blofs für entzündlich, getrauet fich aber die eigentliche Natur der Entzündung nicht zu beftimmen: der Milchverfetzungen gedenkt er kaum unter den Ur-

Urſachen. Die Behandlung, bey welcher er äuſſerſt glücklich geweſen zu ſeyn verſichert, beruht ganz auf den Gebrauch der Brechmittel, und dem nachherigen Gebrauch toniſcher Mittel.

STENDAL, b. Franzen u. Groſse: R. W. Stacks, Mitgl. des Königl. Collegii von Aerzten in London; mediciniſche Fälle mit nöthigen Anmerkungen. Aus dem engliſchen überſetzt. 1788. 94 S. 8. (6 gr.)

Das Original: medical caſes with occaſional remarks, kam 1784 zu Bath heraus. Wahrſcheinlicherweiſe hat der Ueberſetzer nicht gewuſt, daſs von dieſem Werke ſchon im J. 1785. in der Sammlung auserleſener Abhandlungen zum Gebrauche praktiſcher Aerzte B. 11. St. 1. S. 18 bis 68, und S. 145 bis 154 eine Ueberſetzung geliefert worden iſt, welche ſeine Arbeit völlig enbehrlich machen würde, falls ſie nicht zwey Aufſätze enthielt, die Rec. in der angezeigten Sammlung nicht gefunden hat, nemlich einen Verſuch die Pöckeneinpfropfung gegen einige Einwürfe zu vertheidigen, die man wider ſie gemacht hat, und eine im Anhange beſchriebene ſehr merkwürdige Geſchichte der tödlichen Zufälle, welche eine unten an dem Magen befindliche ſcirrhöſe Geſchwulſt erreget hatte.

LEIPZIG, b. Haugs Wittwe: Dr. Carl Criſtian Krauſens, der Arzneyg. öffentl. Lehrers, Seniors der medic. Facultät zu Leipzig, — Abhandlung von heilſamer Säugung neugebohrner Kinder. Aus dem lateiniſchen überſetzt von J. C. F. Leune. 1788. 64 S. 8. (4 gr.)

Obſchon der verdienſtvolle Vf. über ſeinen Gegenſtand nichts Neues ſagt, ſo find doch die Vortheile der Selbſtſäugens in dieſelben ſo gut vorgetragen und die Fälle, in welchen es für die Mutter Pflicht iſt ihre Kinder ſelbſt zu ſäugen, oder ſie einer Amme anzuvertrauen, ſo bündig angegeben, daſs Rec. aufrichtig wünſcht, dieſes Buch möge in die Hände recht vieler Mütter kommen.

LEIPZIG, b. Heinſius: Gebrauch des Trokars bey dem Auffſchwellen des Rindviehes vom Ueberfreſſen, nebſt praktiſchen Bemerkungen über die Kleefütterung von einem ſiebenzigjährigen Oekonomen, Chriſtian Weiſen, Tobaksplanteur in Reinsdorf bey Zwickau. 1789. 47 S. 8. (2 gr.)

Nachdem was Medicus in den Kurpfälziſchen Bemerkungen, Mayer, Riem, Schubart, Werner in ſeinen Katechiſmus des Kleebaues vom Trokar geſchrieben haben, war es kaum möglich, etwas neues zu ſagen; der Vf. ſagt uns auch ſelbſt, daſs er ſeine Zuflucht zu den ihm bekannten Hülfsmitteln (einem lebendigen Froſch) genommen, und ſein Vieh allezeit ohne Stich gerettet. Vor einiger Zeit ſey ihm aber Hn. Riems Schrift zu Geſicht gekommen, und ihm der Gedanke eingefallen, ob nicht bey dieſem Inſtrument noch eine Verbeſſerung anzubringen ſey. Er hatte die Freude, ſeine Gedanken in Wirklichkeit zu ſetzen. Er lieſs Trokare verfertigen, aber mit 4 bis 6 Löchern mehr, als Hr. Riem angegeben, ſo daſs die Riemiſchen 12, die ſeinigen aber 16 Löcher haben. Wenn nun, (ſagt der Vf.), alle 12 Löcher verſtopft ſind, ſo daſs keine Luft mehr herauskann, ſo wird dies heilſame Inſtrument verſchrieen und verworfen, da indem von mir beſorgten Trokar hingegen, bleiben doch noch 4 bis 6 Löcher offen, wenn auch 12 derſelben verſtopft ſind. (Wie genau berechnet!) Ich bin feſt überzeugt, daſs ich auf dieſe Art etwas zur Verbeſſerung des Trokars beygetragen habe. Bey dieſer Ueberzeugung wollen wir den Vf. gern laſſen, müſſen ihm aber ſagen, daſs er zwey der beſten Hülfsmittel entweder nicht wiſſe, oder beyzuſetzen vergeſſen habe. 1) Eine Handvoll Schnupftabak in Milch dem aufgeblähten Vieh eingegoſſen, hebt die heftigſten Blähungen. 2) Oder noch beſſer, man füttere allen Klee geſchnitten, und mit Waſſer angefeuchtet, oder laſſe das Vieh erſt ſaufen, ehe man Klee füttert, dann wird es nie Blähungen haben.

KLEINE SCHRIFTEN.

GOTTESGELAHRTHEIT. Frankfurt und Leipzig: Das Blendwerk der neumodiſchen Aufklärung in der Religion. — Ein Fragment. 1788. 46 S. 8. Der Vf. beweiſet das Recht der proteſtantiſchen Kirchen, ſymboliſche Bücher zu haben, (wer hat ihnen das je beſtritten?) aus Gal. 1, 8. So auch wir oder ein Engel vom Himmel euch würde ein Evangelium predigen, anders denn ihr empfangen habt, der ſey verflucht. — (Darüber aber ſtreiten eben die Parteyen, ob die ſymboliſchen Bücher Evangelien ſind; die Logik des Vf. aber beweiſet auch die Rechte der Proteſtanten im Reiche aus den zehn Geboten.) Beyläufig macht er (S. 23. 24.) gegen diejenigen, welche in der

Taufformel die Dreyeinigkeit nicht finden die ſchöne Inſtanz: ob man wohl ſich einfallen laſſen könne zu behaupten, es habe jemand einem Vater, einem Sohne, und einer Rieſenkraft, oder einem Vater, einem Sohne und einer Schwindſucht Treue und Gehörſam gelobet? — Wie hell es wohl in dieſem Kopfe ausſehen mag! und wie viel wohl den vernünftigen Freunden der ſymboliſchen Bücher (denn deren geht es noch gewiſs auch) mit der Vertheidigung eines ſolchen Mannes gedient ſeyn mag, der ja nicht einmal weiſs, wovon jetzt in der gelehrten und politiſchen Welt eigentlich die Frage iſt!

ALLGEMEINE
LITERATUR - ZEITUNG

Sonnabends, den 31ten Januar 1789.

KRIEGSWISSENSCHAFTEN.

LONDON: *Elements of. Tacticks, and Intro-*
duction to military Evolutions for the Infan-
try, by a celebrated Pruſſian General, with
Plates. Translated from the German, by J.
Landmann, Proſeſſor of Fortification and Ar-
tillery to the Royal Military Academie at
Woolwich. 1787. 334 S. und 18 Kupf. 8.
(2 Rthlr. 12 gr.)

Des ſel. Generallieutn. von Saldern taktiſche
Grundſätze ſind unſtreitig ein ſehr nützliches
Buch für den, der ſie zu gebrauchen verſteht.
Wer aber mit dem Dienſt nicht ziemlich genau
bekannt iſt, der kann es unmöglich mehr als
halb verſtehen; theils weil es ganz in der preuſſ.
Militärſprache geſchrieben iſt, und im Stil alle
Eigenheiten eines Generals zeigt, der nur für
ſolche ſchreibt, die ihn aufs halbe Wort verſtehen; theils wegen vieler Druckfehler, die das
Werk verunzieren; theils weil gar zu oft Zeichnungen und Beſchreibung gar nicht genau mit ein-
änder zuſammen paſſen, und erſtere ſehr ſchlecht
und undeutlich ſind. Wer das Werk alſo für Ausländer brauchbar machen will, muſs die Sätze
heraus nehmen, und ſie dann umarbeiten. Dazu gehört aber freylich ein Mann, der das Werk
ganz verſteht, und dieſer Mann iſt Hr. Landmann
ſicherlich nicht. Er kann ein recht guter Prof.
der Artillerie und Fortification ſeyn, aber Taktik
überhaupt, und beſonders die neue preuſſiſche
iſt ſeine Sache nicht; ja ſelbſt der Sprache iſt er
nicht recht mächtig oder vielmehr, da er ein
Deutſcher iſt, ſo überſetzt er zu flüchtig und verfehlt den Sinn, auch da, wo es keine Schwierigkeit war, ihn richtig zu treffen, z. B. S. 4, überſetzt er: *den Kopf ein wenig nach der rechten*
Hand gedrehet; durch *the head inclined,* ſtatt
turned. S, 6. heiſst *ſich drängen, to ſupport one*
another ſtatt *to throng.* Ibid. wird das *Schweben*
wheeling, mit the *facings* überſetzt, welches die
Wendungen bedeutet. Vermuthlich hat Hr. L.
nicht begreifen können, wie man einen Mann
allein, weil er die Rekrut heiſst, das Schwen-
ken lehrt, und hat alſo ex ingenio emendirt. S. 10.

A. L. Z. Erſter Band. 1789.

ſteht ein ganz poſſirlicher Fehler. Der General
ſpricht von dem Commando: *Spanut den Hahn!*
und ſagt beym zweyten Tempo muſſe wirklich anf-
gezogen werden: *denn warum ſollte der Rekrut*
nicht gleich dieſelbe Uebung lernen, und (warum
ſollte er) *blind arbeiten?* Das iſt nun Hn. Landmann freylich zu kraus geweſen. Er überſetzt:
and on the ſecond motion he cocks; for why ſhould
not the recruit directly learn this part of the exer-
ciſe, ſo as to acquire a habit of performing it?
Darauf ſagt er in der Note : *This is the neareſt*
phraſe Ican imagine to convey the ſenſe of the
original, which litteraly is tho do it with the eyes
ſhut. Alſo *blind arbeiten,* (wo *blind* eben ſo gebraucht wird, wie in *blind feuern*) hat er ſo verſtanden, *blindlings mit verſchloſſenen Augen exer-*
ciren. Indeſs hat dieſe Ueberſetzung einen Vorzug vor dem Original; das ſind die vielen richtigen und deutlichen Zeichnungen. Die in der
deutſchen Ausgabe ſind nicht nur häſslich, ſondern oft ganz unverſtändlich. Die im Engliſchen
aber richtig und deutlich. Bey einer neuen Ausgabe müſste billig der deutſche Verleger dieſe
nachſtechen oder andre noch beſſere machen laſſen; wobey denn oft der Text nach Veranlaſſung oft der Kupfer geändert werden müſste. weil
beide, wie geſagt, oft nicht zu einander paſſen.

CARLSRUHE, b. Maclot: *Was iſt jedem Officier*
während eines Feldzugs zu wiſſen nöthig.
(Von *Medicus,* Markgräfl. Badiſchen Hauptmann und Adjutant.) 1788. 160 S. 8. 10
Kupfertaf.

Die Frage iſt faſt ein wenig zu hoch geſpannt,
und begreift, wie leicht zu erachten, mehr in
ſich als die Antwort. Der Vf. giebt hier vorzüglich eine Anleitung zum Lagerſchlagen, und zum
Lagerdienſt, für den Infanterieofficier. Er ſetzt
dabey Officiere voraus, die noch gar kein Lager
geſehen haben, und gehet daher ins geringſte
Detail hinein. Es iſt alſo nicht nur die Methode gezeigt, wie das Lager für ein Infanterieregi-
ment nach badiſcher Einrichtung abgeſteckt wird,
ſondern auch die Art wie die Zelte aufgerichtet,
wie die Pflöcke eingeſchlagen, die Kochlöcher,
gegraben, und ſelbſt, wie die Keſſel über das

K k   Feuer

Feuer gehängt werden, und dergleichen mehr.
In den Kupfertafeln find alle Feldgeräthfchaften
fo wohl für den Subalternofficier als gemeinen,
Soldaten, nebft der Art, wie fie gepackt werden,
abgebildet. Die Zeichnung vom Lager würde
etwas deutlicher ausgefallen feyn, wenn der Vf.
die Zelte im Grundrifs vorgeftellet, und die Maße der Diftanzen beygefchrieben hätte. Es ift
etwas mühfam fie im Text aufzufuchen. Sonft
können fich die Regimentsquartiermeifter das
Lagerabftecken erleichtern, wenn fie Leinen oder
Schnüre haben, auf welchen die Diftanzen bemerkt find. Die Regeln, wie fich der Officier
bey Märfchen und bey der Führung eines Commando zu verhalten hat, begreifen nur den gewöhnlichen Unterricht. Officiere, die noch keine Feldzüge oder Uebungslager mitgemacht haben, kann diefes Werkchen in den Stand fetzen,
dafs fie auf der Stelle ihren Dienft, trotz andern,
die fchon mehrmals dabey gewefen find, zu verfehen wiffen, und fich alfo dadurch die Unannehmlichkeit erfparen, in der Untergebenen, welche fchon Feldzüge mitgemacht haben, fragen
zu müffen, wie diefes oder jenes gemacht
wird.

SCHOENE WISSENSCHAFTEN.

WIEN, ohne Verlagsort: *Xenokrat, ein Ge-*
dicht in fieben Büchern. 1787. 8. 224 S.
(12 gr.)
Der Vf. giebt von feinem Helden, deffen Sprö-
digkeit gegen Phrynens Verfuchung er befingt,
ein fehr nachtheiliges Porträt. — „Ueberhaupt
(fagt er) bin ich in der Wahl meines Sujets *fehr*
„*unglücklich* gewefen. Mein Held ift eine Karri-
„*katur,* wie ihn die Gefchichte mir liefert. Denn
„was liegt fonderbares oder grofses darin, wenn
„ein trunkner Greis die Umarmungen eines Wei-
„bes verfchmäht, die er, wenn er fie nicht ver-
„fchmähte, *nicht benützen konnte?* " — Ob der
Xenokrates *der wahren Gefchichte* würklich eine
folche Karrikatur war, wie der Vf. hier glaubt,
darüber liefse fich noch vieles fagen. Er war Plato's fleifsigfter Schüler, ein Mann von der unbe-
fcholtenften Rechtfchaffenheit, von dem Diogenes
Laertius (wenn man natürlichen Stumpffinn ausnimmt) viel Lobenswürdiges erzählt. Von
feiner *Trunkenheit* und feinem *Unvermögen* (welches letztere freylich alles Verdienft wegnehmen
würde,) weifs der griechifche Gefchichtfchreiber
nichts. Noch weniger brauchte der Dichter das
von zu wiffen; der ihn ja, wie Wieland den Diogenes, behandeln konnte. Aber gefetzt nun, Xenokrates fey auch der *unverbefferlichfte* Sterbliche
gewefen; gefetzt, die feichten Gründe des Vf.:
Warum er ihn fo laffen müffen, wären unwider-
leglich; wer zwang alsdenn den Vf. grade diefen Hélden zu wählen? Oder warum liefs er ein Gedicht drucken, an welchem er felbft fo viele

Mängel eingefehn haben will? Beffer, das 1782
bereits erfchienene Fragment, wäre ewig ein
Fragment geblieben! Alle Augenblicke fieht man
zwar den Nachahmer der Mufarion; nur tritt er
ihr mit dem ungleichften Schritte nach, der fich
denken lafst. Alles ift gereimt, bald holprichte,
bald gedehnte Profe. Man fchlage mit uns auf,
wo man will, und man wird dies wahr finden.
Z. B. S. 65.

Was nützt, fprach er bey fich, das ganze Zeuge mit
Von aufgeblafenen Ideen?
Lafs, o Philofophie, jetzt deine Stärke fehen,
Und zeige deinen Einflufs hier:
Den Einflufs, welchen auf fein Leben
Des Mannes Lehre hat;
Denn es ift, zweierley, ein anders mit der Thad
Dem Lafter keinen Platz in feinem Herzen geben,
Ein anders in der Spekulation.
Und in Gedanken nur darüber fich erheben,
Und im ftolzen Predgerton
Von Dingen, die man felbft nicht glaubet, raifonniren,
Und andre fontenklar von Pflichten überführen,
Wo man nicht Anftand nimmt, fich felbft zu difpen-
firen. etc.

Nicht wahr, wenn unfre Lefer dies unabgefetzt,
und ohne die wenigen Reime läfen, fie würden
nie darauf fallen, dafs dies Verfe feyn follten?
Gleichwohl ift diefe Stelle noch eine der leidlich-
ften, denn wenn zumal der Vf. *launigt* fchreiben
will, dann zeigt er fich noch zweymal ftärker zu
feinem Nachtheil. So wenig er aber Dichter ift,
und jemals zu werden dürfte, fo kann man ihn
doch Belefenheit in den Alten nicht abfprechen;
nur dafs fie leider hier ein Fehler mehr bey ihm
wird. Jeden kleinen, ihm felbft etwas dichterifch-
klingenden Ausdruck belegt er *ad modum Ha-
vercampii et Burmanni* mit Parallel-Stellen aus.
Griechen und Lateinern; bey jedem Namen fchreibt
er halbe und ganze Seiten von Diogen, Aelian,
Herodot etc. ab; ja, da er einmal — vermuthlich zur Nachahmung der bekannten Wieland-
fchen Stelle:

Sie ftritten nicht um Kleinigkeiten;
Nicht, was die Linien im Buch Ye - Kim bedeuten etc.

erzählen will, woran Xenokrates nicht gedacht
habe, verfificirt, paraphrafirt und kommentirt
er faft alle die Fabeln, die Plinius im 7ten Buche
von den wunderbaren Völkern in Scythien, Afrika
etc. aufgezeichnet hat; und bringt nebenbey eine
Menge von aller Aftronomie, Philofophie, Naturgefchichte etc. zum Vorfchein. Dafs dies gelehrt
läfst, ift kein Zweifel; dafs es aber nur dem Buche ein noch abentheuerlicheres Anfehn giebt,
ift eben fo gewifs, und da es einer Affectation,
wie ein Ey dem andern gleicht, fo müffen wir
den Vf. bitten, wenn er ja noch mehr dichten
will, künftighin wenigftens räthlicher mit feiner
Belefenheit umzugehn.

Wien, b. Kurzbeck: *An das Feyernde Wien am Brauttage den 6ten Januar.* 1788. Fol. 8 S. (4 gr.)

Nur durch ein Verfehn ift die Anzeige diefes Gedichts fo lange verfchoben worden. Der ehrwürdige Barde *Denis* fingt fo felten noch, dafs jedes Lied von ihm zwiefache Bemerkung verdient. Auch diesmal hat er unter allen denen, die in nur zu zahlreicher Menge, Franzens und Elifabeths Beylager befangen, den Preis verdient; gefetzt, dafs auch fein diesmaliges Lied feinen ehmaligen *vorzüglichften* Liedern an Rang und Werth nicht ganz gleich kommen follte. Die Idee der zwey gegen einander fingenden Schutzengel ift fchon oft da gewefen; auch wollen die *weifen und rothen Wolkenfaulen* (die in 4. Zeilen viermal vorkommen) dem Rec. nicht ganz gefallen. Einige Stanzen einzeln betrachtet, haben allzufchwere Conftructionen, die die Mühe der Entwickelung nicht belohnen. Z. B.

> Wenn Gefchick den fchönften aller Tage
> Engelgleicher Bildung je verlieh,
> Ift dann nicht mit Rechte, Freund, o fage!
> Meine blühende Gefpiele dir?

Was der Dichter hier meint, erräth man zwar; aber der Inhalt ift *faft matt*, und die Periode gewifs *verfchraubt*. Noch unglücklicher dünkt uns die letzte Stanze, wo Elifens Engel fagen *will*, dafs Elife fchon, die dritte ihm anvertraute Oefterreichifche Prinzeffin fey, und es alfo thut:

> Und ich jauchze, dafs auf meine Bitte
> Nach Therefen Mutter, Jofephs Braut
> Von Elifen Gott bereits die dritte
> Meiner zarten Sorgfalt anvertraut.

Die *zarte* Sorgfalt wollen wir nicht erft rügen. Aber die dritte Zeile ift gewifs undeutfch. Eben fo geziert klingt der wiederholte Ausdruck: *Die Befchweber der Wolken.* Demungeachtet würde dies Gedicht. (hätte Sined nicht durch beffere uns verwöhnt) an und vor fich betrachtet, immer zu unfern guten Gedichten zu rechnen feyn; denn fein Gang ift leicht, feine Sprache erhaben, und fo mancher Gedanke geht vom Herzen wieder zu Herzen. Nur glaubten wir jene Flecken um fo mehr rügen zu müffen, je lieber das Völklein der Nachahmer an guten Dichtern nur ihre Flecken nachahmt.

Gera, bey Rothe: *Erzählungen zum Theil dialogifirt,* 216 S. 1789. 8.

Es find vier Erzählungen, nemlich: 1) *Nicht jeder Mann fpielt die Rolle des Mannes fo glücklich als der Ritter d'Eon,* aus einer Vorrede zu einer Sammlung dänifcher Rechtsfälle entlehnt, nur, dafs der Vf. fich bemüht hat, dem fehr abentheuerlichen Entfchluffe des Mädchens mehr Wahrfcheinlichkeit zu geben. 2) *Er tanzt nicht fchon,*

oder, die Gefchichte eines, fonft vernünftigen und fchätzbaren Mädchens, das die Grille hat, keinen zum Gatten zu wählen, der nicht ein guter Tänzer ift. 3) *Saed und Merwan,* eine hiftorifche Skizze aus der arab. Gefchichte, 4) *Beffer ein Sclave, als der Mann eines böfen Weibes,* aus Sadi's Rofenthal. Der Ton der Erzählung ift fehr fchläfrig, u. der häufig eingefchaltete Dialog hat keine einzige von den Eigenfchaften, wodurch der Dialog eine Erzählung beleben kann.

Altenburg, in der Richterfchen Buchhandl.: *Wettftreit der Großmuth.* Erftes und zweytes Bändchen. 1788. 190 S. 8. (10 gr.)

Die Großmuth, in welcher hier gewetteifert wird, ift die Großmuth zweyer Nebenbuhler und zweyer Nebenbuhlerinnen, die durch förmliche Akkorde fich über den gemeinfchaftlichen Genufs des geliebten Gegenftandes verabreden. Alle diefe Perfonen find folche Buhler und Buhlerinnen, und der Vf. fpricht von jener Gemeinfchaft nicht allein fo billigend, fondern mahlt auch die Zufammenkünfte der Liebenden fo anfchauend, ja oft fo ekelhaft, dafs jeder ehrbare Lefer Unwillen empfinden mufs. Diefer Roman wird dadurch noch fchädlicher, dafs der Vf. feinen verbuhlten Perfonen mehrere Züge von edler Denkungsart beylegt. Der Held des Romans wird am Ende noch der Ehemann der Operntänzerinn, deren Galanterien den Haupteinhalt ausmachen. Gegen das Ende find einige ganz heterogene Scenen von Selbftmord und Kerker eingemifcht. Die Erzählung ift äufserft nachläffig, und die Sprache fo unrein, wie möglich. Da kommen Ausdrücke, wie *einfchüchtern*, *Affiduitäten*, u. f. w. vor.

PHILOLOGIE.

Kopenhagen, b. Gyldendal, und Leipzig, in Commiffion b. Faber u. Nitfchke: *P. Terentii Afri Comoediae fex,* fecundum editionem Wefterhovianam, cum notis veterum fcholiaftarum, Wefterhovii et aliorum felectis. Opera et Studio *Gudmundi Magnaei,* Islandi, qui et multa de fuo adjecit. Accedit Index verborum et Phrafium copiofus. Tom. I et II. 1788. 76 und 1798 S. 8. (3 Rthlr.)

Die Andria ift ganz in der Manier Chr. Junkers und Conforten bearbeitet. Zum Glück war, wie Hr. M. mit lobenswürdiger Offenheit felbft gefteht, ein Ungenannter *vir illuftris et fapiens* fo aufrichtig ihm zu fagen, dafs ein nach deffen Plane ausgeführter Terenz keiner Seele nützen könne, und nun ward für die folgenden Stücke ein ganz neuer Zufchnitt gemacht, bey der das vorher zu enge Gewand nun dagegen zu weit ausfiel, obgleich die Noten nur felect find. Rec. weifs wohl, was fich für ausgehobene, oder caftrirte Noten fagen läfst, aber er weifs auch, das genaue Auswahl, und eine geübte Hand dazu gehöret, und beide vermifst er hier. Wie manche etymologifche Unrath des Donatus, wie manche Schwelgerey Wefterhovs in Häufung ähnlicher Stellen ift nicht ftehen geblieben! deren Platz wir lieber, wenigftens mehr als gefcheinen ift, durch Aufhellung der Noten Donats, die für junge Lefer nicht immer die leichteften find, oder doch gute Bemerkungen neuerer Gelehrten ausgefüllt gefehen hätten. Aber mit dem Jahre 1726, wo Wefterhovs Terenz herauskam, fcheint auch Hn. M. ganze literarifche Kenntnifs zu Ende zu gehen. Fabri Thefaurus von Cellar, Corte über Salluft, Perizonius über Sanctii Minerva, Farnabius, Minellius und Nic. Camus, welche dreyletztern zwar gewöhnlich, wie Hr. M. in der Vorrede S. 6 meynt, für Interpretes minorum gentium gelten, aber, wenn man ihm glauben will, wo nicht an Gelehrfamkeit, doch an Nutzbarkeit, allen Auslegern majorum gentium den Rang ftreitig machen, — dies, dies find die einzigen Bücher, die wir angeführt finden. Wir bedauerten den Hn. M. aufrichtig, als wir ungefähr in der Mitte des Buchs auf eine Stelle ftiefsen, wo er über feinen geringen Büchervorrath klagt; aber ohne zu verlangen, dafs er die feit Wefterhovs Zeiten erfchienenen kritifchen Schriften, der bey andern Autoren gelegentlich beygebrachten Bemerkungen über den Terenz in einer gewiffen Vollftändigkeit hätte benutzen follen, hätten wir doch gewunfcht, dafs er wenigftens die Zeunifche und Zweybrückifche Ausgabe, in denen er hin und wieder viel Gutes würde gefunden haben, die

Clavis von Schirach, Gesners Thesaurus, Lessings Dramaturgie u. f. w. gekannt, und gebraucht hätte. = Die eignen Noten des Herausgebers beftehen in Ausfüllung der leichteften Ellipfen, Bemerkungen oratorifcher Figuren u. d. gl. In dem Index find die Bedeutungen nicht gehörig geordnet, und er kann weder als Concordanz, noch als Wörterbuch nutzen. Wir zweifeln indeffen nicht, dafs Hr. M. unter günftigern Umftänden etwas beffers liefern könnte.

LEIPZIG, b. Sommer: Caji Plinii fecundi naturalis hiftoriae Volumen feptimum. Recensuit, varietatemque lectionis adjecit Joh. Georg. Frid. Franzius. 1788. 905 S. 8. (1 Rthlr. 18 gr.)

Wir freuen uns, dafs unfer im vorigen Jahre geäufserter Wunfch, diefen Abdruck des Harduinifchen Plinius mehr befchleunigt zu fehn, in Erfüllung geht. Der Verleger hat mit rühmlicher Sorgfalt für das Intereffe bey ungleich gröfserer Bogenzahl; (denn diefer Band begreift fechs Bücher, das ein und zwanzigfte bis zum fechs und zwanzigften) dennoch den Preis nicht erhöhet, und es bleibt uns nichts übrig, als den Herausgeber zu bitten, dafs er bey dem nun feinem Ende fich nähernden Abdrucke fremder Arbeit, das über den Plinius von ihm felbft gefammelte in fruchtbarer Kürze zufammenftellen, und fo fein eigenes Verdienft um den Plinius, wie es fich von einem fo gelehrten, und mit feinem Autor fo lange vertrauten Manne, erwarten läfst, begründen möge.

KLEINE SCHRIFTEN.

GOTTESGELAHRTHEIT. Köln, am Rhein in Everaets Buchdruckerey: Erklärung über die vornehmften Glaubensfätze der katholifchen Kirche zu Muhlheim am Rhein an dem hohen Frohnleichnamsfefte bey gewöhnlichen Feyerlichkeit in der Form einer hohern katechetifchen Rede vorgetragen von Johann Currich. Doct. d. h. Schrift, Synodal-Examinatoren, Regenten des dreyfach gekrönten Gymnaf. zu Köln und dafelbft der Gottesgelartheit u. Kirchengefch, wie auch der geiftl. Beredfamkeit öffentl. Lehrer. 1787. 5½ B. in 4. Hr. Corrich ift ein ganz anderer Controversprediger als weiland Pater Murz. Er fchimpft und fchmähet nicht; ja er verdammt nicht einmal gerade zu die diffentirende Parteyen der Chriften. Vielmehr hält er es für entfchieden, dafs man fich unter einander tragen und redlich und freundfchaftlich begegnen müffe. Aber er wehklaget doch im mitleidigen Ton über das Unglück fo vieler abtrünnigen Kinder, bittet fie alle flehentlich in den Schoofs der Kirche zurückzukehren, weil hiedurch nur allein wahrer Friede bewirkt werden könne. Denn, fagt er, die jetzige Ruhe ift nur als ein Waffenftillftand zu betrachten, der zwar beffer ift, als offenbarer Krieg, aber doch kein eigentlicher beglückender Friede. Diefer kan nur durch völlige Uebereinftimmung in den Lehren erhalten werden. Um es dahin zu bringen, fährt die katholifche Kirche in ihren Unterweifungen mit Sanftmuth und Geduld fort. (Was diefe Sanftmuth und Geduld betrift, fo beweifen wohl die gewöhnlichen Controversprediguen gerade das Gegentheil.) Hiezu hat auch die Kirche

vor andern das Recht, die die einzige ift, deren Jahre fich mit den Jahren des Chriftenthums berechnen laffen, und die ihre erfte Grundverfaffung und Anfehn bis itzt ununterbrochen behauptet hat. f. f. Diefen Punkt von dem Alter der kath. Kirche urgirt der Vf. in der ganzen Rede vornemlich und fein eigentliches Thema ift: Die Kirche hat durch keine einzige ihrer Glaubenslehren den geringften Anlafs zur Spaltung gegeben. Freylich ein fehr auffallender und unglaublicher Satz für jeden Kenner der Kirchengefchichte! Allein der Vf. der die Kunft zu declamiren fo ziemlich verfteht, und fich durch allerley Wendungen und Sprünge zu helfen weifs, fagt hier wirklich fo viel fcheinbares, dafs mancher ungeübte Lefer wohl durch ihn irre geführt werden könnte. Zu dem Ende geht er die vornehmften Lehrpunkte, worüber die Proteftanten mit den Katholiken ftreiten, z. E. Abendmaal und Mefsopfer, Rechtfertigung, die fieben Sacramente, Ablafs, Fegfeuer u. f. f. nach der Reihe durch, und fucht nicht nur durch eine möglichft milde Erklärung fie weniger anftöfsig zu machen, fondern auch die Beweife für diefelben aus der Schrift und den Kirchenvätern aufs fcheinbarfte vorzutragen. Infondernheit liegt es ihm recht am Herzen, das Alterthum diefer Lehren und die unverfälfchür Aufbewährung derfelben in der kathol. Kirche darzuthun. Etwas wirklich Neues, was erft einer neuen Beantwortung bedürfte, haben wir bey dem allen nicht angetroffen. Er hat gethan, was er als ein eifriger und toleranter Katholik thun konnte.

ALLGEMEINE
LITERATUR - ZEITUNG
Sonntags, den 1ten Februar 1789.

NATURGESCHICHTE.

Nürnberg, b, Winterschmidt: *Der wilden Bäume, Stauden und Buschgewächse, zweyter
Theil, welcher die Laub- oder Blätterbäume
enthält.* 1788. 72 S. Die Bog. A' — I.)
Tab. I — XXXIII. 4. (8 Rthlr.)
*Der wilden Bäume, Stauden u. Buschgewächse
dritter Theil, welcher die Stauden und Buschgewächse enthält.* 24 S. (Die Bogen A — C.)
Tab. I — XIIII. 4. (2 Thlr.)

Hr. Winterschmidt der Verleger, und auch
der Herausgeber gegenwärtiger Fortsetzung
eines von dem verstorbenen Waldamtmann Oelhafen zu Nürnberg im J. 1772 angefangenen Werks:
*Abbildung der wilden Bäume, Stauden u. Buschge-
wächse,* dessen erster Theil die auf 34 Tafeln
abgebildete Nadelhölzer enthält, hat den rühmlichen Entschluss gefasst, dem Forstmann und Oekonomen dadurch ein vorzügliches Werk in die
Hände zu liefern. Die Beschreibungen selbst,
sind noch grösstentheils von Oelhafen abgefasst
worden, und wir können sie vorzüglich Forstleu-
ten und Oekonomen, wegen der ausführlichen
Anweisung zum Anbau und dem Gebrauch der
vorkommenden Holzarten, als sehr unterrichtend
empfehlen. Nicht weniger die Abbildungen, die
mit dem bey Büchern dieser Art so seltenen
Vorzug, ausgemahlten Kupfern ähnlicher als illuminirten zu seyn, noch einen andern wesentli-
chen Vortheil damit verbinden: dass sie mit vieler Genauigkeit die mehrsten Bäume und Sträucher vom Anfang ihrer Ent-
wickelung bis zu ihrer Blüthe und Frucht in allen ihren verschiedenen Gestalten darstellen. —
(Bey verschiedenen unserer Blätter wünschten wir
das zu sehr ins Gelbe spielende Colorit sparsamer
vertheilt.) Die Vollendung musste auf diese Art,
aber gewiss zum Vortheil der Käufer, allerdings
aufgehalten werden, dazu uns aber in der Vorrede zum dritten Theil, so wohl in Rücksicht der
Laubhölzer, als auch der Buschgewächse alle Versicherung gegeben wird. Wir wollen kürzlich die
in beiden Theilen vorgestellten Gewächse namhaft machen. Laubbäume: Tab. 1-5, die Win-
ter- und Sommereiche (*Quercus robur Linn.*) —

A. L. Z. Erster Band. 1789.

6-8, die Rothbuche (*Fagus sylvatica.*) — 9-12,
die Weissbuche (*Carpinus Betulus*) — 13-15, die
Sommer- und Winterlinde (*Tilia europaea*) —
16-17, die Esche (*Fraxinus excelsior*) — 18-19,
die Ulme (*Ulmus campestris*) — 20-21, die Birke (*Betula alba*) — 22-28, der Ahorn (*Acer
pseudo-platanus, platanoides und campestris*) —
29-31, die Erle (*Betula Alnus*) — 32-33, die
Kornelkirsche (*Cornus mascula*) — 34-36, die
Wallnuss (*Juglans regia*) — 37-39, die Rosska-
stanie (*Aesculus Hippocastanum*) — 40-41, die
zahme Kastanie (*Fagus castanea*) — 42, der Aca-
cienbaum (*Robinia Pseudo-Acacia*) — 43, der
Vogelbeerbaum (*Sorbus aucuparia*). — Von den
Buschgewächsen werden abgebildet: Tab 1, der
Ginster (*Spartium scoparium*) — 2, der Färbegin-
ster (*Genista tinctoria*) — 3, die Berberis (*Berberis vulgaris*) — 4, der Mehlstrauch (*Viburnum
Lantana*) — 6, der Hartriegel (*Cornus sangui-
nea*) — 7-8, der Hollunder (*Sambucus nigra*) —
9, der Hirschholder (*Sambucus racemosa*) — 11-12,
der Wasserholder (*Viburnum Opulus*) — 13-14,
der blaue und weisse Hollunder (*Syringa vulgaris*). —

Zürich, b. Füessly: *Magazin für die Botanik.*
Herausgegeben von *Joh. Jac. Römer* und
Paul Usteri. Viertes Stück. 1788. 189 S. 8.
und 5 illumin. Kupfer. (12 gr.)
Dieses zur Verbreitung botanischer Kenntnisse
so nützliche Magazin erhält sich nicht nur in seinem Werth, sondern nimmt mit jedem Stück durch
mehrere Sorgfalt der Herausgeber, und den Beytritt gelehrter Kräuterkenner, an Interesse und
Reichhaltigkeit zu. Eigene Abhandlungen und
Aufsätze in gegenwärtigem Stück, deren genauere Anzeige wir vorzüglich schuldig sind, kommen
folgende vor: *Observationes quaedam botanicae
Auct. A. W. Roth, M. D.* Verschiedene Flechtenarten (*Lichenes*) werden hier beschrieben, und
auch auf den beygefügten Tafeln abgebildet. Der
*Lichen spadiceus — fruticulosus erectus, ra-
mosissimus, cavus: ramis vagis spinosissimis, scu-
tellis terminalibus magnis laceris, spinosis et ra-
muliferis* — nach der Bestimmung des Hrn. Dr.
Roths, und auf Tab I. fig. 1. aber sehr mangel-
L l haft

haft abgebildet, scheint Rec. kein anderer als der
Lich. oculeatus, Schreb. spicil. 1119. Weber gött.
259 und Dill. hist. tab. 17. fig. 31. zu seyn: folglich ist auch die Vermuthung unrichtig, als ob-
der von Hagen sogenannte Lich. spinosus hierher
zu ziehen seye. — Ein anderer, des Hrn. Dr.
Roths Lich. plumbeus (eine Benennung, die wir
auch schon dessvegen nicht würden gewählt haben, um keine Verwechselung mit einen von
Lightfoot so benannten und ganz verschiedenen
L. zu veranlassen) wovon ein Stückchen mit Scutellen ganz artig auf der ersten Tafel fig. 2. abgebildet ist, kommt in Hudsons Flora anglic. unter dem Namen L. verruculosus, oder bey Scopoli als der L. scrobiculatus, vor. — Die zuletzt
beschriebene varietas vivipara L. pulmonis entstehet vielleicht durch Zerstörung. — Nun folgen
Observationes botanicae, Auctore Car. Lud. Will-
denow. — Mit vieler Sachkenntnifs, aber nicht immer in der reinsten Sprache abgefasst. Gleich
Anfangs sagt der Vf.: Heic meu, difficili e classe
Cryptogamica, falsa detecta, orbi proponam eru-
dito. — Praecipua vegetabilia novissime in agro
Berolinensi a me lecta etc. — Und wirklich sind
die mehrsten der aufgeführten Kryptogamisten neu,
oder doch vom Vf. genauer bestimmt, und von
Tab. 1-4 ziemlich richtig vorgestellt. — Lichen
melanoleucus (Tab. I. fig. 2.) findet sich öfters mit
andern Flechtenarten auf ganzen Stücken der pe-
ruvianischen Rinde, aber eben so unvollkommen,
ohne Scutellen, wie er hier in Abbildung vorkommt — er scheint ens seyn sehr nahe mit dem L.
Glaucus verwandt zu seyn. — Die unter L. Tre-
melloides angehäuften Abarten sind sicher eben so
viele verschiedene Arten. — L. Cinchonae (Tab.
I fig. 3.) ist vielleicht eine Spielart von L. hirtus.
— L. Agaricus. decipiens, würden wir unter das
Geschlecht Hydnum verwiesen haben. — Peziza
marchia — einer Tremelle sehr ähnlich. — Ste-
monitis elongata — unkenntlich. — II. Auszüge aus fremden Werken, (vielmehr in extenso
abgedruckte Abhandlungen, welches wir aber bey
kleinen leicht vergriffenen Aufsätzen, den Herausgebern Dank wissen.) Dahl Observ. bot. circa
Syst. reg. diu. a Linné. Schreber de Persea ae-
gyptiorum. F. Wright von den officinellen Pflanzen Jamaika's. — III. Recensionen und kürzere
Bücheranzeigen, als Batsch Anleitung zur Kenntnifs und Geschichte der Pflanzen L. Index plant.
ed. 14oe. Syst. Linn. Weizenbeck Anzeige der um
München wildwachsenden Pflanzen. Anweisung
Naturalien zu sammeln etc. Jacquin ic. plantar.
rar. Vol. II, fasc. 1. Ehrhart Beyträge zur Naturkunde, IIter u. III B. Abbildung der Bäume
und Sträucher 1tes Duz. Kerners wittemb. Bäume
u. Gesträuche, 1-3 Heft. Leipziger Magazin zur
Naturk. 1784. Briefwechsel über die Naturpro
IIter B. An Account of the Culture and use of
the Mangelwurzel. Neue s. k. u. d. Abhandlung.
III Bd. Phys. Arbeit der eintracht. Freunde in

Wien, I. 1-3. Medicus Theodora speciosa — über
einige künstliche Geschlechte aus der Malvenfamilie
Relhan Flora Cantabrigiensis cum suppl. Roth,
Tentamen Flor. German. I. Koelle spicil. de Aco-
nito. Hoffmann vegetab. cryptogamica, Fasc. 1.
Hedwig descriptio musc. frondos. Tom. I. Planer
Index plant. Tábor Gebrauch und Misbrauch
der peruv. Rinde. · Batsch elench. fung. c. cont.
I. Krocker Flor. Siles. 1. Kerners, Abbildung der
ökonom. Pflanzen, 1ter B. — desselben Schwämme. — Kürzere Nachrichten, und ein Verzeichnifs von Druckfehlern machen den Beschlufs;
letzteres ist sehr ansehnlich, und wird bey jedem
den Wunsch erregen, dafs die Herausgeber zur
gröfsern Vollkommenheit des Magazins solches, —
und wir dürfen auch hinzusetzen, manche Provincialismen — vermeiden möchten.

GESCHICHTE.

FLENSBURG und LEIPZIG, in Kortens Buchh.:
Johann Adrian Bolten, Compastors an der
evangelisch-lutherischen Hauptkirche zu Altona, Ditmarsische Geschichte. Vierter und
letzter Theil. 1788. 523 S. gr. 8.
Der dritte Theil dieses Werks, der 1784 herauskam, beschäftigt sich noch mit dem vierten
Zeitraum, der schon im zweyten Theil mit den
Begebenheiten, die sich seit dem Treffen bey
Bornhövede zugetragen haben, anfängt, und enthält die politische Geschichte des Landes bis zu
der vollendeten Eroberung durch König Friedrich
II und seine Oheime. Der gegenwärtige 4te Theil
enthält den zweyten Abschnitt vom Religionszustande, dessen erste Abtheilung den Religions-
zustand, die zweyte aber den von der Reformation
betrachtet. Jener handelte nur ganz kurz ab,
und weiset auf die Stellen der vorigen Theile zurück, von den hier vorkommenden Materien bereits Nachricht gegeben worden. Dieser aber
handelt von dem Superintendenten und ihrer ein-
geschränkten Macht, von ihren Lebensumständen,
von der Stiftung der Schule zu Meldorf aus dem
daselbst aufgehobenen Kloster und ihren anfangs
nicht vortheilhaften Schicksalen, von Abstellung
mancherley Unordnungen, der die öffentliche Ruhe störenden Geschlechtsbündnisse, der Ordalien,
von Gesetzen wider Ruchlosigkeit und Unsittlich-
keit, von Ehegesetzen, von Religionsstreitigkei-
ten, besonders mit den Reformirten, von dem
Einflufs des Streits über das Interim auf Dithmarschen, von Synergistischen, Flavianischen,
Mennonitischen, Wiedertäuferischen, David-Jor-
dischen Unruhen, von der Anwendung der geistlichen Lehne. Deren Einkünfte wurden nicht
nur den Kirchen und den Schulämtern, sondern
auch den Kirchspielschreiberbedienungen beygelegt. Daher geschah es, dafs damals auch ein
Kirchspielschreiber Herr genannt wurde, welches

son=

folgt nur bey Predigern gewöhnlich war, und zu dem Mißverständnis Gelegenheit gegeben hat, daß man in alten Nachrichten Herr genannte Personen bisweilen für Geistliche gehalten hat, die doch weltliche, nur mit geistlichen Lehnen versehene, Personen waren. Eine nicht unerhebliche diplomatische Bemerkung. Der dritte Abschnitt handelt von der sonstigen Beschaffenheit und Verfassung, des Landes und der Landeseinwohner. Zuerst eine häßliche Abschilderung der Dithmarscher aus dem Presbyt. Bremen., die der Vf. nicht ohne Grund für übertrieben hält, wiewohl er die Beschuldigung merkwürdig, und nicht unwahrscheinlich findet, daß die Dithmarscher die Magen der Verstorbenen herauszureißen. sie auf lange Stangen zu setzen, und daraus zu weissagen pflegten. Dies scheint aus den heidnischen Zeiten hergenommen zu seyn, da man die Kriegsgefangenen den Götzen opferte, u. die Priesterinnen aus ihrem Eingeweide wahrsagten. Noch 1430 hatten die Dithmarscherinnen einem bey ihnen gebliebenen hamburgischen Rathsherrn den Magen ausgerissen, und ihn auf einem Spieße herumgetragen. Zu den bösen Sitten gehörten Selbstrache und Befehdungen, imgleichen Seeraub. Auch scheint der Genuß aller der Vortheile, die ihnen ihr zu ergiebiges Land gab, die Dithmarscher üppig gemacht zu haben. Unterschied der Marsch und Geest. Häufige Wasserfluten, unter welchen sich die von 1354, worin über 600,000 Menschen umgekommen seyn sollen, und die von 1362 und 1436, beide *de grote Manndrenke* genannt, fürchterlich unterschieden. Bey der schlechten Kenntnis des Deich- und Wasserbaues in den damaligen Zeiten kann es nicht befremden, daß im Dithmarschen viele Oerter, ja ganze Kirchspiele, von den Fluten weggespület sind. Ausserdem. daß viele von den in Königs Woldemar II Lagerbuch vom Jahr 1231 aufgeführten Dithmarsischen Oertern nicht mehr vorhanden sind, war auch das Kirchspiel, Langenbrok, das noch 1304 da war, im Jahr 1347 schon weg. Nachdem 1304 sich Dithmarscher der Herrschaft des Erzbischofs von Bremen entledigt und seine Edelleute theils ausgerottet, theils verjagt hatte, war es ein aristokratisch - demokratischer Freystaat. Denn der Erzbischof war nun nur dem Namen nach Oberherr. Als Freystaat war Dithmarschen beträchtlich genug, um von Monarchen zum Freunde verlangt; und selbst zum Schiedsrichter ihrer Streitigkeiten genommen zu werden. Selbst einzelne Kirchspiele, ja bisweilen einzelne Geschlechte betrugen sich als besondre Freystaaten, die mit andern Staaten Tractaten schließen durften. Das Land bestund aus 5 Vogteyen, deren jede ihren eignen Vogt (Advocatum) hatte. Die Angelegenheiten des ganzen Landes, wie auch Appellationen von einzelnen Kirchspielen gehörten vor die 48 Landesverweser, die aus den bemitteltsten Landleuten genommen wurden. Diese waren meistens

einfältige Leute, die aber doch oft gute Maaßregeln nahmen. Von den Landesversammlungen, auf die man von Aussprüchen der 48 provociren durfte, und auf welchen die öffentlichen Landesangelegenheiten, oft sehr tumultuarisch entschieden wurden. Die Todesstrafen waren selten, bestanden meistens im Verbrennen, wiewohl sich auch vom Hängen und Enthaupten Beyspiele finden. Scharfrichter hatte man nicht. Ihre Stelle vertraten die Slüter, eine Art obrigkeidlicher Personen, welche die Kirchengüter zu verschließen hatten, und daher jenen Namen führten. Von der Kriegsverfassung, den Festungen, den Städten u. der Insel Büsum u. f. f. S. 146 endigt sich der 4te, u. auf der folgenden fängt der 5te Zeitraum, bis zur Wiedervereinigung des bis dahin unter verschiedenen Landesherren getheilt gewesenen Landes unter dem Könige Christian VII. Dieser Zeitraum füllt zwar den ganzen übrigen Platz dieses vierten und letzten Theils. Aber er ist bey weitem nicht so erheblich, als jeder der vorigen. Denn er begreift nur den Zustand Dithmarschers von der Zeit an, da es aufhörte, ein eigner für sich bestehender Staat zu seyn, und eine dem Herzogthum Holstein einverleibte Provinz war. Man kann ihn als eine Sammlung von Materialien ansehen, deren sich ein Geschichtschreiber der allgemeinen holsteinischen Geschichte, bey der Vollständigkeit und Zuverläßigkeit, die der Vf. seinen Nachrichten gegeben hat, nützlich bedienen kann. Der erste Abschnitt, oder die Geschichte selbst, enthält die Nachrichten von der Theilung Dithmarschens zwischen den Könige von Dännemark Friedrich II, und den mit ihm zugleich regierenden Herzogen von Holstein, der nachmaligen Eintheilung in das königliche Süderdithmarschen, und das herzogliche Norderdithmarschen, den mannichfaltigen Unruhen und Beschwerden, welche Dithmarschen in den dänisch- schwedischen Kriegen auszustehen hatte, von den öftern schrecklichen Wasserfluten u. f. f. Endlich von der Vereinigung beider getrennten Landestheilen der Provinz, durch die Uebergabe des großfürstlich - ruffischen Antheils von Holstein an den König. §. 371 hebt der zweyte Abschnitt an, der vom Religionszustande, oder, eigentlicher zu reden, meistens von den dithmarsischen Pröbsten, Predigern, Kirchen, Schulen u. L f. handelt. Doch sind auch einige wenige, die Religionslehren und Streitigkeiten betreffende, Nachrichten mitgetheilt, unter welchen die von den ehemaligen Versuchen der römischen Kirche, Proselyten in Dithmarschen zu machen, S. 409 ff. merkwürdig ist. Daß nach S. 407 König Friedrich III 1647 seinem Generalsuperintendenten, D. Stephan Klotz, aufgetragen hat zu erfahren, daß sich die Ordinandi in den Herzogthümern königlichen Antheils nach auf die Concordienformel verpflichteten, das ist dahin zu berichtigen, daß nicht Friedrich III als König, denn

das war er 1647 bey Lebzeiten feines Vaters noch
nicht, fondern Friedrich, als Statthalter in den
Herzogthümern, diefes verfugt hat.　Uebrigens
kömmt es daher, dafs die fonft nie in diefen Ländern aufgenommene Concordienformel fich, was
den ehemaligen königlichen Antheil angeht, damals in den Predigereid eingefchlichen, wie folches in dem ehemaligen Hollftein-Gottorpfchen
Antheil 1734 aus einer andern Urfache gefchehen
ift. Der 3te Abfchnitt S. 445 ff. hat die Auffchrift: von der fonftigen Befchaffenheit und Verfaffung des Landes und der Einwohner. Meiftens
ftatiftifche Nachrichten, die, da fie eine befondere
Provinz betreffen, freylich nicht allgemein, aber
doch für das Land und deffen Beamten nützlich
find, wie denn auch die kurzen Nachrichten von
den Lebensumftänden der Pröbfte, Prediger und
Beamten in Rückficht auf die Landeinwohner, und
als Beyträge zur allgemeinen hollfteinifchen Gefchichte brauchbar heifsen können.　Die Schreibart des Vf. ift nicht die angenehmfte, auch nicht
immer correct.　Oft braucht er wie ftatt als; z.
E. S. 298 § 40. Z. 2 ff. Kaum war der Rückzug
kund worden, wie man es für nöthig erachtete,
die Süderdithmarfcher abzuftrafen. S. 299 Z. 5
fteht reteriret ftatt retiriret, oder richtiger ftatt:
fich zurückgezogen. S. 305 Z. 15 heifst es: Bifchof Chriftian Auguft, itziger Adminiftrator
der Gottorpifchen Lande, welches richtiger damaliger heifsen würde.

SHOENE WISSENSCHAFTEN.

Leipzig, b. Hilfcher: Die Unfchuld in Ketten
oder der willkommene Fürft. Ein Schaufpiel
in einem Akt. 1788. 8. 63 S. (4 gr.)

Eine dramatifche Arbeit, wo der Rec. unfchlüffig ift, und bleiben mufs, was er für elender
erklären foll, Fabel, Charaktere, oder Sprache. — Ein armer Graf von Sturm hat den Sohn
eines gleichfalls dürftigen Freundes, den Grafen
von Liebenau, erzogen, und diefer Jüngling und
Sturms Tochter, Henriette lieben fich. . Aber der
Vater will feine Tochter an einen reichen, bis
zum Eckel dummen Edelmann, der (ein Edelmann!) zum Grafen immer. Se. Gnaden und Excellenz fpricht; verheirathen; und fperrt deshalb den Grafen Liebenau in eine Dachkamer ein.
Als Henriette, trotz Bitten und Drohen den einfältigen Hn. v. Stüber doch nicht nehmen will,
läfst der Vater, (der abfcheuliche Tirann,) durch
feinen Verwalter eine grofse Kette herbringen,
ihre Hände damit feffeln, und nachdem er erft
heimlich gebrummt: Verflucht, auch das hilft nichts!
befiehlt er fie ebenfalls in ein Dachkämmerchen zu
bringen.　Der Verwalter aber voll Mitleiden, giebt
ihr den Schlüffel zur Kammer, und fagt: fie
möchte nur felbft hinauf gehn.　Indem die Unfchuld alfo in Ketten fich befindet, kommt der
Fürft, hält den Grafen von Sturm einen Geld Un-
terfchleif — man weifs nicht recht, welchen? —
u. einen Duel — man weifs nicht recht mit wem? —
vor; vergiebt ihm aber, weil er Reue, — man
weifs nicht worinnen? — bey ihm fpürt; unter
dem Bedinge: Dafs Henriettens Ketten abgenommen, und fie und Liebenau ein Paar werde. Hr.
von Stüber aber mufs ihnen 20000 Thaler zum
Brautfchatz geben, weil er mit in den Betrug
(man erfährt aber wieder nicht, wie?) verwickelt
gewefen war. — Vom Dialog wollen wir nur
gleich die allererften zwey Reden zu Proben geben:

Von Sturm (im Hereingehn vor fich) Und wenn ds
des Teufels wärft, fo mufst du fort.

Henriette (ihm auf dem Fuß nachfolgt) Sie konnen
meine Folgfamkeit, liebfter Papa; fie ift Pflicht. Aber
wer kann ein Herz zwingen, eine Empfindung zu verlaffen, die ihm fchon zur andern Natur ward? Drücken
Sie es fanft mit ihrer warmen Hand; es wird immer pochen,
und den Druck verfchmähen. Es arbeitet zu ftark in fich
felbft, dafs jede Wirkung von auffen vergebens ift.

KLEINE SCHRIFTEN.

Gottesgelahrtheit. Leipzig, b. Göfchen: Der
Brief Jacobi — überfetzt und mit Anmerkungen erläutert
von M. Ernft Friedrich Carl Rofenmüller, 1787. 30 S. 8.
Hr. R. hat fich bereits durch feine Ueberfetzung
von dem fünften Hymnus des Synefius als einen gefchickten und gefchmackvollen jungen Mann dem gelehrten
Publikum empfohlen, und darf auch bey diefer Ueberfetzung von einem der fchönften Denkmale aus den Zeiten der Apoftel auf den Dank aller derjenigen rechnen,
für welche er fie beftimmt hat, nämlich für folche, welche die Bemühungen neuerer Ausleger der Bibel nicht
felbft nützen können, und doch gern in beffern Verftänd-
nifs derfelben immer weiter zu kommen wünfchen. Die
Ueberfetzung ift fliefsend, natürlich und deutlich; auch
die Anmerkungen zweckmäßig — ohne allen Aufwand
von Gelehrfamkeit. Diefer war auch in fo fern ganz entbehrlich, weil fich Hr. R. bey der Darftellung des Sinns
an die in den Scholiis feines würdigen Hn. Vaters mit
Gründen unterftützten Erklärungen gehalten zu haben
fcheint, und diefen — fo viel Rec. aus der Vergleichung
einiger Stellen mit Vergnügen bemerkte — durch einen
wohlgewählten und ungekünftelten Ausdruck noch mehr
Annehmlichkeit zu verfchaffen gewufst hat. So überfetzt
Hr. R. K. 11, 22. wo συνεργειν τοις εργοις in den Scholiis erklärt worden war: infervire operibus i. e. producere bona opera; Sieheft du hieraus nicht, dafs die Folge feines
Glaubens gute Handlungen gewefen find? In der einzigen
Stelle K. V, 9, ift unftreitig den Worten ein falfcher Sinn
untergelegt worden: Klaget einander eure Leiden nicht;
(follte der Apoftel wohl diefes haben fagen wollen? und
noch dazu mit den Worten: μη εναζετε κατ' αλληλων?)
Ihr möchtet fonft, indem ihr klagt, nachtheilige Urtheile
von euren Nebenmenfchen fällen; diefe active Bedeutung
kann das κατακριθητε nicht haben.. Hrn. Potts Erklärung diefes Briefs hätte nicht unbenutzt bleiben follen.

ALLGEMEINE
LITERATUR - ZEITUNG

Montags, den 2ten Februar 1789.

SCHOENE WISSENSCHAFTEN.

LEMGO, in d. Meyerfchen Buchh.: *Grundriß der Theorie und Gefchichte der fchönen Wiffenfchaften*, von C. Meiners, Prof. der Philof. in Göttingen. 1788. 360 S. 8. (20 gr.)

Seit wenigftens zwölf bis funfzehn Jahren lieft Hr M. auf einer von Deutfchlands erften Univerfitäten Aefthetik. . Natürlich kann man vom Lehrbuch eines folchen Lehrers viel erwarten. Denn hat er mittlerweile nicht feine Begriffe durchdenken, berichtigen, vervollkommnen können? — Nun ift zwar wahr, ein Lefebuch — fo fehr manche junge Docenten damit eilen — ift, wenn es *vollkommen* feyn foll, fo fchwer; hat fo manche wichtige Erforderniße zu befriedigen, daß es allzuftreng feyn würde, wenn man in einzelnen Fällen nichts davon nachlaffen wollte. Aber drey Eigenfchaften muß doch wenigftens jedes befitzen, das nur einigermaßen den Beynamen: *gut, verdienen*, will: *Ordnung, Richtigkeit, Beftimmtheit.* — Ob diefe dem gegenwärtigen Buche zukommen, davon mögen mehr Beyfpiele, als unfer Urtheil, zeugen; nur verfichert Rec. zuvor, (weil Hr. M. in der Vorrede eine Beantwortung der Recenf. feiner Gefch. der Philof. A. L. Z. 1787. No. 82. u f. ankündigt,) daß er nie noch diefen Schriftfteller beurtheilte; daß er mit Vergnügen *manche* feiner Schriften laß, und daß er gewifs mehr mit Vorliebe, als Abneigung, fein Handbuch zu lefen begann.

Nachdem Hr. M. nur mit zwey Paragraphen gefagt hat, was er unter Aefthetik verftanden wiffen will, und in wie fern fchöne Künfte und Wiffenfchaften fich unterfcheiden, fpricht er in 4 Kapiteln von der Natur der Schönheit, dem Imaginativ - Schönen, dem Verftändlich - Schönen und dem Sittlich - Schönen; was aber das *Schöne im Allgemeinen* fey, wagt er nicht zu entfcheiden. Von den *äfthetifchen Rührungen* (d. h., von der Grundlage alles Uebrigen) findet man nicht ein Wort. Das *Erhabne*, die grofse Hälfte äfthetifcher Empfindungen, die dem Dichter oft fo unentbehrlich, als das Schöne ift, wird mit einem einzigen § im Vorbeygehen abgefertigt; und was

A. L. Z. Erfter Band. 1789.

erhaben, groß, ftark, edel, furchtbar erhaben fey, erfahren wir — nirgends. Erft im fiebenten Kapitel kömmt er auf den *Gefchmack.* Vom Genie wiederum nichts! Das achte Kapitel redet ein paar Worte über das *Pathos*. (*Wie?* davon nachher!) Grazie, Einfalt, Naivetät und Kontraft werden im neunten Kapitel zufammengeftellt. Nun erft kommen Intereffe, Handlung, Illufion, Nachahmung, *fchöne Natur* (durch neun Kapitel von der Schönheit felbft getrennt!) und Ideale an die Reihe. Alle theoretifche Sätze der eigentlichen Poetik werden im zwölften Kapitel mit fechs Paragraphen abgefertigt; aber Lukans Heldengedicht nimmt 18 Seiten ein, und des Ariftophanes Wolken füllen ihrer 36. Eben fo weitläufig kommen Corneille, Moliere, Milton dran; ja vom Fontenelle wird eine ganze Ekloge abgefchrieben, damit man fehe, wie man eine Idylle *nicht* machen foll. Unter den Dichtungsarten fängt die Epopee an, dann folgen Tragödie, Komödie, Oper, Ode, Lied, Elegie, Heroïde, Romanze, Aefopifche Fabel, Erzählung, Idylle, Lehrgedicht, Satire und Epigramm. — Die Rhetorik fertigt Hr. M. in drey Kapiteln ab, und läßt Briefe, Dialog, und die eigentliche Rede ganz hinweg. Dafs diefe Ordnung uns natürlich, und die gehörige Proportion beobachtet fcheine, müffen wir ganz verneinen; aber wir wollen, weil doch die Ordnung manchem noch *zufällig* an einem Lehrbuche *fcheinen* dürfte, nun auch Beyfpiele von der Richtigkeit und Beftimmtheit geben. S. 3 heifst fo: „Man findet bald, daß „die fchönen Wiffenfch. nur auf einander folgende, und *die fchönen Künfte nur coexiftirende* „*Gegenftände ausdrücken können*." Das ift zwar aus Leffings Laocoon abgefchrieben, aber ganz ohne in Leffings Sinn eingedrungen zu feyn. Die Schilderung einer Landfchaft, die Schilderung von Karthago, wie fie jetzt vor Aeneas Blicken liegt, ift doch gewifs etwas coexiftirendes, und dennoch der Theil eines Gedichts. Dafs die fch. Wiff. nichts coexiftentes ausdrücken *könnten*, fiel Leff. nicht ein; dafs fie aber *wohl thäten*, wenn fie felbft das coexiftirende als fucceffiv behandelten, weil im fucceffiven ihre *größte Kraft* beftehe, das behauptete er, und belegte es durch Beyfpiele aus dem Homer etc. — Welcher beftimmte Begriff kann

M m

kann durch eine Definirion wie folgende, S 17
bewirkt werden: „Schön find nur folche Gedan-
„ken, die Menfchen von gebildetem und unver-
„dorbnem Verftande mit geiftigem Wohlgefallen
„denken, und nicht blofs deswegen mit Wohlge-
„fallen denken, weil fie gewiffen Lieblingskennt-
„niffen oder Befchäftigungen nahe verwandt find.“
— Welcher Schwall von Worten, wie dunkel alles, und noch dazu wie unrichtig! Ich denke mir
wie Decius fich den unterirdifchen Göttern ver-
lobt, mit Wohlgefallen. Ift das deswegen ein
fchöner Gedanke? Er fährt fort: „Weder Neu-
„heit, noch Wahrheit, oder Wichtigkeit, oder
„Schwierigkeit allein machen Gedanken fchön;
„und es fcheint, als wenn fie entweder fcharffin-
„nig, oder erhaben, oder witzig und launigt feyn
„müisten etc. — Uns fcheint es, als ob Hr. M. fich
hier felbft nicht verftünde.' Klaffificirt er denn
wirklich das Erhabne fo beyher zum Schönen?
Weifs er nicht, dafs Schwierigkeit zwar nicht Erhabenheit, aber wohl die Schönheit, (die leichte
Ueberficht erfordert,) zerftore? Ift denn nach den
neuern Unterfuchungen, der Begriff der Laune
nicht weit genauer zu beftimmen? — Gleichwohl
fo durch einander gewirrt diefe Stelle ift, fo mag
fie noch hingehn gegen folgende Definition des
Komifchen, S. 21, wo wir wirklich kaum unfern
Augen trauten. „Das Komifche,“ fagt Hr. M,
„ift entweder eine glückliche Schilderung oder
Erdichtung lächerlicher Gegenftände, oder befteht auch in dem, was man mit dem Namen der
Laune bezeichnet hat.“ — Wir fragen jeden Lefer, ob er auch nur ein Haarbreit mehr, als vorher weifs, was komifch fey? — Das Komifche
befteht in lacherlichen Gegenftanden! Was ift denn
lacherlich? Giebt es denn auch keine traurige
Laune? — Der bekannte Jacques in Shakespears.
Was ihr wollt, ift doch wohl launicht; aber ift
das lächerliche, was er fagt? Nach dem, was Flö-
gel über das Komifche zufammengetragen hat;
nach dem, was Adelung hierin wirklich glücklich auseinander gefetzt hat; ja auch fchon nach
dem, was Ariftoteles vom Lächerlichen urtheilt,
ift eine folche Erklärung unerklärbar. — Was erfährt man S. 36, wenn es heifst: „Alle Leiden-
„fchaften hauchen fich entweder in fanfte, lieb-
„liche, oder brechen auch in rauhe und fchnei-
„dende Töne und Wörter aus, wovon freylich die
„einen fowohl, als die andern durch die Sprache
„und Sprachwerkzeuge eines jeden Volks modi-
„fizirt werden.“ Man entkleide diefe Periode von
dem blofs Klingendem, und fie wird heifsen : die Leidenfchaften brechen in Töne und Worte aus. — S. 40.
zählt Hr. M. die Niedlichkeit zur Grazie. — Nach
einftimmigen Urtheil der philofoph. Kunftrichter
ift Niedlichkeit die Schönheit im Kleinen. Schönheit aber, (was auch Hr. M. S. 9 dagegen fagt,)
bezieht fich hauptfächlich auf Form, Grazie hingegen auf Bewegung. — Naiv, fagt er auf eben.
diefer Seite, ift nicht jede offenherzige Aeufse-

rung von unfchuldigen Gefinnungen, noch viel
weniger mufs das Naive, wie Mendelsfohn fagte,
mit Würde verbunden feyn?“ — Nun gut, es
fey diefes beides nicht! Aber was ift es denn?
Hr. M. fagt davon kein Wort, fondern nur, dafs
es oft angenehmes Lachen, oft auch diefe Rührungen erweckt. Wie viel eine negative Kenntnifs tauge, — zumal fo unbewiefen negativ, ergiebt fich von felbft. S. 42. „Die Wörter Inter-
„effe und Intereffant werden ganz anders im ge-
„meinen Leben genommen, als wenn von dem
„Intereffe und Intereffanten der fchönen Wiff. die
„Rede ift. In diefen ift allein dasjenige inter-
„effant, was unfer fympathetifches und moralifches
„Gefühl reizen oder erwecken kann.“ Hier ift
Garve ausgefchrieben. Aber leider! wie? —
Welchen andern Begriff hat denn intereffant im
gemeinen Leben? Auch dort heifst es ja : was
um fein felbft willen unfre Aufmerkfamkeit reizt.
Dafs der gemeine Mann es fich nicht fo beftimmt,
wie der Philofoph denkt, ift richtig; aber etwas
ganz anders denkt er fich nicht dabey; wie das
z. B. der Fall mit der fchon einigemal erwähnten
Laune ift. Nachher ift das Wörtchen allein, gewifs ein Fehler. Garve meynt vorzüglich, und
dann hat er vollkommen Recht. Doch des Vfs.
Lieblingswendung ift : Dies ift etwas anders; nur
dafs er felten, oder beynahe nie angiebt, worinnen es anders ift. — Sonderbar klingt es, wenn
S. 54 Hr. M. bey den Verfarten fagt; „Die neu-
„ern Europäifchen Sprachen unterfcheiden fich
„von den alten am meiften durch den Reim, der
„den Griechen und Römern unbekannt, oder we-
„nigftens verhafst war.“ — Diefen Sprach-
(wenn es noch hiefse, Vers-) Unterfchied haben
wir doch nie für den wichtigften halten können.
Alfo ift auch wohl deutfcher Hexameter und grie-
chifcher einerley? denn beide reimen ja nicht.
— S. 55. „Der naturlichfte Grund der Eintheil-
„lung, oder vielmehr die Folge aller Dichtungsar-
„ten fcheint mir das höhere und geringere Alter-
„thum derfelben, und ihre mehr oder weniger all-
„gemeine Verbreitung zu feyn.“ — Der Natür-
lichfte? Recenfent kennt keinen willkührlichern!
Wie getrennt würden denn Satire und Lehrgedicht, Idylle und Erzählung; wie nahe verwandt
Ode und Drama feyn! Warum fchliefst denn der
Vf. felbft mit dem Epigramm, das beynahe zwey
Jahrtaufende eher, als die Oper da war? — Doch
wir glauben, diefe Beyfpiele mannichfaltiger Gattung, die aber fämmtlich nur aus den erften
viertehalb Bogen genommen find, und zehnfältig
verftärkt werden können, hinlänglich bewiefen
zu haben, wie eilfertig (aufs gelindefte zu fprechen) Hr. M. diefes Handbuch gefchrieben habe.
In der Poetik ift er wenigftens nichts beffer, als
in der äfthetifchen Theorie. In der Literatur der
Dichtungsarten fchreibt er fich faft durchgängig
nur auf Efchenburgs Handbuch. Sonderbar ift es
freylich, wenn ein Handbuch fich auf das andere
beziehet ;

bezieht; doch wäre es vielleicht nicht übel gewesen, wenn es zuweilen in der Theorie auch geschehen wäre.

BRAUNSCHWEIG, in der Schulbuchhandl. : Gedichte von Karol. Christiane Louise Rudolphi. Zweyte Samml. nebst einigen Melodien. Herausgegeben von Joach. Heinr. Campe. 1787. 8. 190 S.

Deutschland hat ize verschiedene Dichterinnen, und, wenn wir aufrichtig reden sollen, so glauben wir, es hat deren genug. Wir wollen uns hier nicht in die weitführende Frage einlassen: Ob schriftstellerische Arbeit, überhaupt genommen, dem schönen Geschlechte zu empfehlen oder abzurathen sey? Dass der weibliche Geist so gut, als der männliche, durch eine weislich gewählte Lektüre sich bilde; das wünschen gewiss alle wahre Freunde desselben. Aber dass nicht jede schriftstellerische Arbeit ihm gelinge, das gestehn hinwiederum selbst die eifrigsten Vertheidiger. Alles was langen Fleiss erfodert (denn eine Keralio ist Ausnahme von der Regel!) alles, was nicht nur hohen, sondern auch anhaltend hohen Schwung begehrt, gelang nie, oder wenigstens fast nie einer Dame. Man nenne uns die vortrefliche Tragödie, die vortrefliche Epopee, die eine Frau schrieb? Selbst der Kolumbus der Boccage, selbst die Cenie der Grafigny, wiewohl letztere noch ein Drama ist, nehmen wir nicht aus. — Oft hingegen gelingen ihnen Werke der Naivetät und der Leichtigkeit, der glücklichen Minuten, und empfindsamen halben Stunde; und den versificirenden Damen verbleibt daher immer das Lied, die Elegie, die Idylle und die Epistel. Alles sehr angenehme Dichtungsarten; nur dass Deutsche grade in ihnen schon so viele und so glücklich gearbeitete Stücke haben; dass sich dort kaum viel mehr, als Nachahmungen, erwarten lässt. Eben deshalb, so oft Rec. abermals ein Frauenzimmer als Dichterin auftreten sieht, denkt er, selbst dann, wenn es ihr nicht misslingt: Schade, dass sie nicht da versucht, wo es ihr gelingen konnte. Noch haben wir keine Sevigne; für eine solche Briefstelle, denn würden wir drey Liedersängerinnen hingeben können. Wenn man aber diese Gedanken, im allgemeinen, gesagt, so deuten wollte, als ob uns gegenwärtiges Bändchen von Gedichten insbesondre missfiele, so würde man ganz falsch uns auslegen. Vielmehr verdient Madame Rudolphi unter ihren versificirenden deutschen Schwestern, unsers Erachtens wenigstens die zweite Stelle; und wenn sie der Kärschin am Feuer der Imagination, in kühnen Bildern nachsteht, so sind ihre Gedichte gleicher durchgeführt, und von einer wärmeren Zärtlichkeit. Ihre Versification ist nicht so mannichfach, aber oft harmonischer. Ihre Gegenstände sind nicht so erhaben, aber minder eigennützig gewählt. Am besten gefällt sie uns, wenn sie Gemälde aus der Natur mit leichten gefühlvollen Ideen vergleicht; z. B. die Freude S. 16. oder wenn sie halbreligiöse Gesänge dichtet, wie z. B. an meinen lieben Kleinen bey einer Brandstelle, wo der Blitz gezündet hat. S. 110. Ihre Morgen- und Abendgesänge sind zwar mit vielen unsrer mänlichen Lieder nicht zu vergleichen. Doch nirgends ist sie matt. Nur bis zu hohen Gegenständen z. B. S. 128. sollte sie sich nicht versteigen. Es schlägt dann ein, was wir im Eingange sagten. Zur Probe stehe hier eines ihrer kleinsten, aber gewiss nicht schlechtesten Gedichte:

Grösse, Weisheit und Glückseligkeit.

Gross nenn' ich den, des Ohr vergebens
Des Tadels und des Beyfalls Schall berührt,
Den durch die labirinthischen Gänge dieses Lebens
Nur ein Gedanke: Rechthun, führt.

Weis' ist mir, wer aus allen Erdenblüten,
Für sich und alle Honig zieht,
Und alles Gift, das böse Nattern brüten,
Uns fliehen lehrt und — selber flieht.

Beglückt ist, wem bey klein und grosser Haabe
Sein reiches Herz das Zeugniss giebt:
Dir ward die schönste Himmelgabe,
Bist Liebe werth, und — bist geliebt.

Vollkommen fein und gut gesagt! Eine Ode über jeden solchen einzeln — gewiss auch der Ode werthen — Gegenstand würde vielleicht minder gelungen seyn; und nur desto rühmlicher ist die Bescheidenheit der Vf. Von ihren Gedichten sind 15. mit leichten, gefälligen Melodien von Hn. Wittbauer begleitet.

LEIPZIG, b. Breitkopf: Jacob Püterich von Reicherzhausen. Ein kleiner Beitrag zur Geschichte der deutschen Dichtkunst im Schwäbischen Zeitalter. Seinen in Leipzig zurückgelassenen Freunden gewidmet von J. E. Adelung 1788. 39 S. 4. (6 gr.).

Jacob Püterich von Reicherzhausen war ein Baierischer Ritter des 15ten Jahrhunderts, der an die verwittwete Erzherzogin von Oesterreich, Mathildis, 1462. einen sogenannten Ehrenbrief in 148. gereimten siebenzeiligen Strophen schrieb, und ihr darinnen einen so sonderbaren Mischmasch vorplaudert, dass, wenn sie anders ihn gelesen, sie wahrscheinlich mehr Langeweile, als Vergnügen dabey empfunden haben wird. Dieser Brief war zwar längst in Raimund. Duellii Excerpta historico-genealogica eingerückt; aber noch hatte sich keiner unserer Literatoren damit abgegeben, muthmaslich, weil die Reimerey für jeden so abschreckend war, dass er bald Anfangs mit Lesen inne hielt. Ja, Hr. Ad. selbst gesteht ehmals, schon den Duellius in Händen gehabt, und doch den Schatz von Entdeckungen, der in ihm befindlich war, nicht bemerkt zu haben. Nur in Dresden führte ihn ein glückliches. Ungefähr beym

Auf-

Auffchlagen grade auf eine Stelle, die ihn weiter zu lefen Luft machte, und die gegenwärtige Schrift veranlafste. Pütterich nämlich theilt unter andern der Erzherzogin ein langes Verzeichnifs von Ritterbüchern mit, die er in feiner Bibliothek, fo wie auch von einigen, die fie ausfchlufsweife in der ihrigen befitze. Seine Bücherfammlung aber war für die damaligen Zeiten nicht geringe. Er hatte an die 40 Jahre darüber gefammlet, und — was vor Erfindung der Buchdruckerey für einen Privatmann fehr merkwürdig ift — deren 164 Stück auf mancherley Art

Mit ftelen, rauben, auch dazu mit lehen
Gefchennckt, gefchrieben, gekhaufft und darzue funden

zufammengebracht. In diefem gereimten Katalog nun finden fich eine Menge alter Dichter und alte Gedichte, die wir zur Zeit nicht kannten; von einigen fchon bekannten Poeten und Werken kommen Berichtigungen und Zufätze vor; von mehrern erhalten wir wenigftens hypothetifche Ausfichten. Dies unterfucht Hr. Adel. in den Noten von S. 9. bis 25. und thut es mit derjenigen Kenntnifs alter Gelahrtheit, die man fchon an ihm zu finden gewohnt ift, und die auf den vortheilhaften Poften, wo er fich jetzt befindet, täglich noch vermehrt werden mufs. — Freylich ift das meifte nur Nomenclatur, und kann auch

nichts anders feyn, denn was uns Hr. Püterich neues und gutes liefert, find nur Namen. Ueber feinen Sach-Inhalt, und über fein poetifches Verdienft fällt Hr. A. felbft ein ftrenges Urtheil. Aber auch diefe Nomenclatur verbeffert manchen bisherigen hiftorifchen Verftofs, und kann noch günftigere Folgen für die Zukunft haben. — S. 27. ergänzt der Hr. Her. einige Nachrichten, vom Gefchlecht des berühmten Dichters, Wolfram von Efchenbach, die er gröftentheils auch durch Schlüffe aus dem Püterich herleitet, und endlich S. 34. giebt er noch von einem andern zeither fehr unbekannten Sänger des 15ten Jahrhunderts, Johann Wintler, der 1411. lebte, und ein gereimtes Buch der Tugend fchrieb, das 1486. zu Augsburg gedruckt ward, einige Auskunft und Proben. Bey den reichhaltigen Schätzen der Dresdner Bibliothek in alten Drucken, und in Ueberbleibfeln der Literatur aus dem 15ten und 16ten Jahrhundert läfst fich vom Hr. Adel. noch mancher Vortheil für unfre Literargefchichte hoffen; und wir freuen uns im voraus darauf: gefetzt auch, dafs wir nicht allemal den zu ftrengen Ton billigen könnten, der Hr. A. Lieblingston zu feyn fcheint. — Ob er andern nicht eine Conftruction, wie S. 14. wo er von einer Handfchrift, die Gottfched zu Wien einfahe, redet, tadeln würde, mögen wir nicht entfcheiden.

KLEINE SCHRIFTEN.

RECHTSGELAHRHEIT. München, bey Lentner: Von der Würde des Richteramts, oder Ideen zur Philofophie der peinlichen Gefetze. Für Juriften in Nebenftunden zu lefen. Herausgegeben von dem Hofrath von Eckartshaufen. 1788. 168 S. 8. (8 gr.) Nach dem Vorbericht ift diefes eine Rede, die von einem Gelehrten in Frankreich am Geburtsfefte des Königs gehalten wurde, und die Hr. v. E. ihrer Seltenheit und Gemeinnützigkeit wegen ins Deutfche überfetzte. Sie enthält keine neuen Auffchlüffe und Bemerkungen, ift aber durch ihre Einkleidung der Sprache ganz gefchickt, angehenden peinlichen Richtern wahre Begriffe von der Würde ihres Amtes beyzubringen, und fie zur Thätigkeit und zu ftrenger Befolgung ihrer Pflicht zu ermuntern. Der Vf. empfiehlt darinn die Wachfamkeit in Vorbeugung und Verfolgung der Verbrechen, die Sorgfalt, mit der ein Richter fein Urtheil einleiten, und die Billigkeit, mit der er es faffen foll, als die wichtigften Pflichten des peinlichen Richteramtes. Die Wachfamkeit in Vorbeugung der Verbrechen befteht in einer beftändigen Aufmerkfamkeit auf die Handlungen der Bürger, die fich nicht fo fehr durch Vielthun, als durch Ordnung und Genauigkeit im Thun zeigt, die auch von Sachen, welche unnütz oder wohl gar gefährlich zu wiffen find, keine Notiz nimmt, nicht zu tief in die Geheimniffe der Familien eindringen will, nicht durch drohende Gegenwart die unfchuldigen Vergnügungen der Bürger ftört, menfchenfreundliche Nachficht mit richterlicher Strenge verbindet. Bey Verfolgung der Verbrechen äuffert fie fich durch baldige Beftrafung derfelben, welche Pflicht gegen den beleidigenden ift, und den Eindruck der Strafe bey andern vermehrt. Die

Sorgfalt in Einleitung des Urtheils erfodert, dafs der Richter nicht nur das Verbrechen, worüber er richten will, mit allen feinen Umftänden, fondern auch den Beklagten, fo wie die Natur der Strafe genau kenne. So kömmt z. B. viel darauf an, ob der befchuldigte Todtfchläger ein wilder unbändiger Menfch, ob er rachfüchtig ift, ob er einen Bewegrund, fich zu rächen, gehabt hat, u. dergl. Die eingeholten Zeugniffe mufs der Richter forgfältig prüfen und den Werth derfelben nach der Ehrlichkeit und dem Verftande der Zeugen fchätzen. Die Ehrlichkeit eines Zeugen beurtheilt er wiederum nach feinem verfchiedenen Intereffe, feinem Art zu handeln, feinen Leidenfchaften und feinen Sitten, den Verftand derfelben nach feiner Profeffion, feiner Erziehung, feinen Talenten und andern Umftänden. Die Abfaffung des Urtheils gefchieht nach dem Inhalt der Gefetze, und in deren Ermangelung nach dem Geifte derfelben, welcher darinn befteht, dafs, fo viel möglich, die geringfte Strafe mit dem gemeinen Beften verbunden wird. — Was hier von der nöthigen Ausführlichkeit und Beftimmtheit eines peinlichen Gefetzbuches gefagt ift, gehört nicht zu dem Amte des Richters, von welchem doch eigentlich die Rede ift, fondern zu der Pflicht des Gefetzgebers. — Von der Gerechtigkeit eines Richters fcheint fich der Vf. S. 15. einen zu eingefchränkten Begriff zu machen. Sie erhält fowohl die genauefte Unterfuchung und Prüfung aller bey einem Verbrechen vorkommenden Umftände, als die richtige und unparteyifche Anwendung des jetzt eintretenden peinlichen Gefetzes. Beides macht aber von Seiten des Richters Einficht, Fleifs und Redlichkeit nothwendig.

ALLGEMEINE
LITERATUR - ZEITUNG

Dienftags, den 3ten Februar 1789.

OEKONOMIE.

LEIPZIG, b. Sommer: *Auf Erfahrungen beru-
hende für den gemeinen Landmann nöthige
Anweifung, wie derfelbe feine Schaafzucht
verbeffern, die Wolle vermehren und veredlen,
feine Schaafe gefünder erhalten, auch diefelben vor der Räude und andern Krankheiten
verwahren könne; nebft einem fichern Heilmittel wider die Räude.* Herausgegeben von
E. F. W. 1788. 325 S. 8. (18 gr)

Wie viel hat diefe Schrift nicht dadurch verloren, dafs fich der Vf. hinter den Vorhang geftellt hat? denn alle Augenblicke ftöſst
dem Leſer der Gedanke auf: ift auch das wahr?
wo find die Beweife, die neuern Erfahrungen?
indeffen bleibt es eines der wichtigften Gefchenke für den Landmann; nur ift es zu weitläufig
gerathen, weil der Verf. für gut befunden vom
Klee, von Verbefferung der Moräfte und Wiefen
zu handeln. I Kap. *Von den Kennzeichen junger
und guter Zuchtfchaafe.* Nirgends hat Rec die
Kennzeichen der Zähne, der guten Wolle, des
gefunden Schafes, des zur Zucht nöthigen Alters fo ausführlich gelefen, als hier; wenn er
aber im II K. *von den Hutungen der Schaafe, vom
Aus- und Eintreiben derfelben, und wie diefelben
fo wohl im Sommer als im Winter mit grünem und
dürrem Futter zu füttern,* fpricht; fo hat er uns
bey weitem nicht genug gethan. Er hätte rügen
follen, dafs in Deutſchland noch viel zu früh die
Schaafe auf die Weide getrieben werden; wie
dem Uebel zu fteuern, dafs die Schaafe nicht fo
manches Infect hinein freffen und faufen, er hätte die Drehkrankheit nicht der Sonnenhitze zufchreiben follen, wenn gleich Rec. es für unbarm-
herzig und unverantwortlich hält, dafs man die
Schaafe allein im höchften Sommer bey den bren-
nendften Sonnenftrahlen diefem Element fo ganz
ausfetzt. Wir wollen alle, die dies lefen, auf,
das Ihrige beyzutragen, dafs die eiferne Gewohnheit, die Schaafe von 11 bis 2 Uhr in Horden mitten
im freyen Felde zu ftellen, abgefchaft wird. Sind
denn nicht zwölf Stunden im Tage, wo Felder
mit Hordenfchlag belegt werden können, müffen

es denn die heiffeften Stunden des Tages feyn? —
Weiter hätte der Vf. nicht blofs bey D'Aubenton,
Bernhard, Holzhaufen und Schubart ftehen bleiben, fondern die neuern Hordenfütterungen in
Böhmen und der Pfalz aufrufen follen. Letztere
ftehen ja in dem erften Bd. der Vorlefungen der
Kurpfälzifchen Gefellfcaft. Auch hätte er den
Klee nicht fo allgemein anpreifen follen, ohne
Data davon anzugeben. Wir können die Meynung des Hn. Prof. Röffig von der Schädlichkeit
des Klees in keinem Fall annehmen, wenn auch
ihn unfchädlich befunden hätte, und doch ift nach
unfern Erfahrungen ein feines Heu den Schaafen,
u. der grüne und getrocknete Klee den Kühen an-
gemeffener, denn wie oft haben wir in der Landwirthfchaft naffen, magern, unten faulenden grünen
Klee, oft nicht fchimmlichten, grobftenglichen,
blätterlofen, (auch bey aller Vorficht) fchwitzenden
Klee. Der Vf. geht, welches auch Schubarts Fehler war, zu rafch, indem er räth, alle Brachen
mit Klee zu befäen, den Klee den Mutterfchaafen und jungen Lämmern zu füttern, Rec. hat
dies mehr als ein Jahr verfuchet, allein die Schaafe liefen es ftehen, und fahen fich nach Heu um,
wir wollen daher unfer bisheriges Geheimnifs
dem Publicum vorlegen. Nichts ift für die Lämmer und Mutterfchaafe beffer, als der feinftenglich-
te weiffe Klee (*Trif. Mont. L.*) Jeder Landwirth follte blofs für die Lämmzeit einige Aecker bauen;
ihn gleich, fo bald die erften Blüteknofpen faft ab-
geblühet find, mähen laffen, dann wird er Mütter
und Lämmer luftig freffen fehen, erftere werden
viele Milch, und letztere Stärke erhalten. Nun
wieder zu unferm Vf., der hauptfächlich Salz den
Schaafen öfters und reichlicher zu füttern anräth.
An manchen Orten giebt man bey herrfchaftlichen
Schäfereyen ungefähr auf 100 Stück Schaafe
auf ein Schaaf das ganze Jahr 4½ Loth kommt.
Dresdner Metze, und dies jährlich 4mal, fo dafs
Was ift das unter fo viele? Er will daher, dafs
man jedem Schaaf jährlich 1 Pf. 20 Loth geben
foll.

Da die böhmifchen Schaafmeifter fo geheim-
nifsvoll mit ihrem Mifchmafch von Salzlecken
find, die am Ende nichts mehr und nichts we-

N n   niger.

niger als getrocknetes Birken- und Erlenlaub,
Schaafgarbe und Bitterklee ift, fo wollen wir die S.
55 angeführte hier auszeichnen. „Man nimmt
„Wachholderbeeren, Angelika, Schaafgarbe, Wer-
„muth, Cardobenedictenkraut, Huflattig, bittern
„Klee, von jedem vier Hände voll. Recht klar
„geftofsenen Wafferfeachel ½ Pf., getrocknete und
„zu Pulver gemachte wilde Kaftanien 1 Pf., ge-
„fchrotenen Hafer, etliche Pf. Kleyen, von Rocken,
„etliche Hände voll nach Belieben, etwas Wagen-
„theer mit Heufamen und Kleyen fo lange unter
„einander gerieben, bis es wie Brodkrume wird,
„alsdann gehörig mit darunter gemengt, dann
„Salz, auf jedes Schaaf ½ Loth.“ Es ift probat für
die Lungenfäufe, ja felbft bey der Raude. III K.
Von der Zulaffung der Stöhre und von Verbeffe-
rung der Schaafzucht. Der Amtsverwalter Fink
bekömmt hier eine Zurechtweifung, indem der
Vf. aus feiner Erfahrung bemerkt, dafs einige
feiner Schaafe, die fchon fechs Jahr alt waren,
zweymal, vorausgefetzt, dafs die Stöhre beftändig unter der Heerde gelaffen, (welches, im Vorbeygehen gefagt, in manchem Lande Sitte ift,
nur unfern Schaafmeiftern, weil es mehrere Aufficht erfodert, nicht in die Köpfe will) die ältern
aber nur einmal zugekommen, da hingegen die
drey und vierjährigen am erften zweymal gelammt
haben. Die Bemerkung hat feine volle Richtigkeit, dafs junge und gut gefütterte Stöhre, (der
Vf. hätte noch dazu fetzen follen, die täglich in
der Springzeit ein Paar Kannen Hafer zu freffen
bekommen, und die nur 20 Schaafe zu belegen
haben,) zur doppelten Vermehrung der Lämmer
beytragen. S. 89 handelt er von der Wolle, derfelben Verfeinerung und Vermehrung. Wir
wünfchten, dafs er hier *die pragmatifche Gefchich-*
te der Schäferayen in Spanien, und der fpanifchen
in Suchfen und Anhalt - Deffau, oder Fink's Schrei-
ben über fichere Verbefferung aller groben Wolle
in den neuen Abhandlungen der Landwirthfchaftlichen Gefellfchaft zu Celle benutzt hätte. IV K.
Wie man die tragenden Mutterfchaafe behandeln
müffe, ingleichen was man für Vorficht vor, bey
und nach dem Lammen anzuwenden habe. Die
feltfame Gewohnheit der Landleute das Lamm mit
ein wenig Salz zu beftreuen wird hier empfohlen,
an andern Orten nimmt man etwas Mehl, dies
gefchieht auch bey den Kälbern. So lange diefe
Sitte in den Schranken der Mäfigung bleibt, und
ein Schaaf nicht zu viel Salz oder Mehl geniefst,
kann ein denkender Oeconom durch die Finger
fehen; da es aber in unfern Schäfereyen nicht
gefchiehet, und wegen der Menge nicht gefchehen kann, fo wäre lieber den Müttern ein befferes Surrogat, nemlich eine Tränke von Rocken
oder Hafermehl zu geben. Uebrigens verlangen
wir von dem Vf. uns die Beweife von folgendem,
wie von vielen andern Dingen in einer kleinen
Schrift nachzuliefern, wenn wir feinen Sagen Glauben beymeffen follen. S. 108. „Der Landmann

„habe die Körnerfütterung nur alsdann nöthig,
„wenn er feinen Lämmern und Mutterfchaafen
„kein Kleeheu, fondern nur ander Heu geben
„kann; hat er aber genugfame Vorräthe von Klee-
„heu, fo kann er diefe Körner füglich erfparen,
„weil fich feine Lämmer fo wohl, als wie die
„Mütter vortreflich, bey letzterem befinden, und
„noch beffer befinden werden, als wenn er ihnen
„fchlechtes Futter und gleichwohl Körner dabey
„giebt. Zugleich mufs ich auch mit anzeigen.
„dafs, wenn die Lämmer angefangen freffen zu ler-
„nen, es beffer fey, wenn man ihnen anftatt grü-
„nen Klees lieber dürren giebt, auch damit fo
„lange als möglich fortführt, und diefelben nur
„nach und nach an den grünen Klee gewöhnt,
„auch bey der grünen Fütterung behutfam geht.“
Wir haben gerade das Gegentheil erfahren. So
wohl den Kälbern als den Lämmern wurde zuerft
Luzerne, dann rother Klee, hernach Efper-u. f.
w. gefüttert, und man fah zum Erftaunen, wie
diefe Gefchöpfe heran wuchfen, und der Klee
fchadete befonders den Lämmern nicht das geringfte, deren Mütter fchon im vorigen Jahr mit
Klee gefüttert waren. Dadurch erfparte man 6
Fuder des feinften Heues, welches jährlich den
Kälbern preis gegeben ward, und manchmal nicht
zureichte. Vom Melken der Schaafe ift der Vf.
fo wie Rec., kein Freund, und es follte auf herr-
fchaftl. Domainen, wie es vom Fürften zu Deffau vor
einigen Jahren gefchehen, verboten werden. V K.
Vom fogenannten Lämmerleichten, oder cäftriren.
Er giebt zwey lefens- aber auch befolgungswerthe
Arten, das Caftriren der Lämmer auf eine weit
leichtere und diefen Thieren weniger Schmerzen
verurfachende Weife zu verrichten, die wir allen menfchlichen Landwirthen empfehlen. Denen
die nur einmal der hartherzigen, ja graufamen, Manier zugefehen haben, wird das Gefühl von felbft
fagen, was zu thun ift. Den Kälberlämmern die
Schwänze von dem Leibe zu fchneiden, ift eben
fo fchimpflich, und ohne Zweifel um der Bequemlichkeit der Schaafknechte zu fröhnen eingeführt; denn alle ihre Gründe halten keinen Stich,
und man hat da, wo man auf alles raffinirt, was
Geld einbringt, befonders im Würtembergifchen,
fchon lange die Gewohnheit eingeführt, den Schaafen die Schwänze zu laffen, Man gewinnet mehr
als das Scheererlohn vom Schwanze, und verkauft dort die Schaafe den Unkundigen mit den
Hämmeln zu gleichen Preifen. Einen Hauptum-
ftand hat der Vf. vergeffen, den die Schaafmeifter einwenden, man die Schaafe ihre Schwänze
behalten, dafs fie diefelben bey fchlechtem Wetter befchmutzen; allein diefe Einwendung zeigt
von der Trägheit der Schäfer, die ihre Finger
nicht gern nafs machen, fonft würden fie die
Schwänze ohne Widerrede wafchen.

VI K. *Von der Wollfchur, und was man vor*
und nach derfelben zu beobachten hat. Sollte der

Vf. nicht wiſſen, daſs die ein- und zweyſchürige
Wolle darauf beruhet, nach welcher Wolle mehr.
Nachfrage geſchiehet, und theurer bezahlt wird?
Wir werden noch in unſerm Jahrhundert erleben, daſs nach ſchlechter Wolle mehr Nachfrage ſeyn, und ſie, verhältniſmäſsig theurer (wie es
ſchon wirklich geſchieht) bezahlt werden wird,
als die verfeinerte, weil jetzt faſt alle Güter-
beſitzer veredelte Schaafe ſich anſchaffen, da
die Landesſchaafe unſer Klima einmal gewohnt,
und nicht ſo vielen Krankheiten ausgeſetzt ſind.
Wir ſind daher gar nicht mit dem Vf. einſtimmig,
daſs er den Bauern ſpaniſche Stöhre anſchaffen
anräth, man laſſe ihnen vielmehr ihre Landesſchaafe: da ſeine Wolle nie ohne ſchlechtere Wolle
verarbeitet wird, können ſie in kurzem beſſere Preiſe machen, ohne den geringſten Aufwand an Zeit,
Arbeit und Geld zu haben.

VII. VIII K. Vom Klee und andern Futter-
kräuterbau, Verbeſſerung der Moräſte und Wieſen übergehen wir, weil es nicht, unmittelbar
hieher gehöret.

IX K. enthält einige Anmerkungen über die
Raude der Schaafe und deren Heilmittel. Aus einem Sendſchreiben vom Verfaſſer der Vieharzneykunſt. Dieſer Brief iſt ganz mit den Geſinnungen
des Rec. übereinſtimmend, und von ihm mit vielem Vergnügen geleſen worden. Allerdings ſollten wir die Alten ſtudiren, die uns über die Krankheiten der Thiere vortrefliche Winke geben, und
gute Hülfsmittel vorſchlagen. War nicht, ehe die
Landwirthſchaft auf hohen Schulen Sitz und Stimme erhielt, die Vieharzneykunde ganz in den
Händen des Scharfrichters, Küh- und Schaafhir-
tens und alter Weiber? Wir empfehlen dieſes K.
allen, denen ihr Vieh lieb iſt, und die den Kranken
gern helfen wollen. Wahr iſts, die Alten lieb-
ten warme Ställe und gutes Futter, die Neuern
wenig und ſchlechtes Futter mit warmen Ställen;
D'Aub. ſatt Futter und keine Ställe; wir u. der Vf.
hohe u. luftige Ställe. Hr. W. hat indeſſen Unrecht,
wenn er ſeinen Schaafen ſüſſes und fettes Futter
giebt, beſonders viel Klee grün und dürr; ſeines Gras,
und bittere Kräuter, die viel aromatiſches, viele
Salztheilchen enthalten, ſind gewiſs dem Schaafe
zuträglicher; Räth er doch überall an, man ſoll
ihnen mehr Salz als gewöhnlich geben; übrigens
ſind wir und der Hr. W. S. 240. wo er die mit
Dunſtſchornſteinen verſehene Ställe noch einmal
empfiehlt, vollkommen eine Stimme. X Kap.
Von der ſogenannten heiſſen Sucht oder Raude
der Schaafe und deren Heilarten. Eine Abhandlung von Hn. D'Aubenton. XI K. handelt noch
von verſchiedenen Schaafkrankheiten und deren
Heilarten von Hrn. Bourgelet, Director der franzöſiſchen Vieharzneyſchule, von dem Bernhardiſchen Heilmittel wider die Raude der Schaafe,
kurz für alle Krankheiten die beſten Mittel, die
wir kennen. Der Anhang enthält einige kurze

Auszüge von höchſtwichtigen Verſuchen und Erfahrungen wegen Verbeſſerung der Schaafzucht
aus der Inſtruction pour les Bergers et pour les
Proprietaires de troupeaux des berühmten D'Au-
bentons, die wir aber ſchon lange durch Wich-
monns Schaafkatechiſmus kennen, und die dahin gehen, die Schaafe nie in Ställe zu bringen, welche
die eigentliche Urſache vieler Schaafkrankheiten
ſeyn, und die Kur derſelben unmöglich machen.

Stuttgart, b. Metzler: Journal für die
Gärtnerey, welches eigene Abhandlungen,
Auszüge, und Urtheile der neueſten Schriften, die vom Gärtnerweſen handeln, auch
Erfahrungen und Nachrichten enthält. XV.
Stück. 1788. vor 309-448. 8. (6. gr.)
Seit 1783 ſind XV Stücke geliefert worden.
Wenn nur der Vf. mit einigen thätigen und geſchickten Gärtnern in Verbindung und Correſpondenz ſtünde, wie man doch von einem Journaliſ-
ſten zu hoffen berechtiget iſt, ſo würden ſeine
Abhandlungen bald ſich über das mittelmäſsige
erheben. Der Beweis liegt gleich Anfangs jedem in Händen, da die erſte Abhandlung von Veredlung der Bäume durch das Copuliren gar nichts
neues enthält, ſondern den ſo oft gekochten
Kohl bis zum Eckel wieder kocht. II. Von den
vorzüglichſten Obſtſorten in der Pariſer Carthau-
ſe. Obſchon der Verf. glaubt, daſs er der erſte
ſey, der den Catalogue des Arbres à fruits les plus
excellens, les plus rares, et les plus eſtimés, qui
ſe cultivent dans les pepiniére des Reverends Pe-
res Chartreux de Paris 1785 ins Deutſche überſetzt habe, ſo hat ihn doch ſchon Rec. angeführt
geleſen. Alle werden wohl den Wunſch äuſſern: Möchten doch mehrere Klöſter auf ihren erſten Urſprung, die Erde anzubauen, zurückkehren,
dergleichen wahrhaft nützliche Anſtalten anfangen, und der Welt einen Beweis ihrer thätigen Exiſtenz geben! Schade, daſs mit der ſo berühmten Baumſchule ſich blofs Layenbrüder beſchäftigen, die Patres aber ein ſo ſinnloſes Pflan-
zenleben führen, wie in allen übrigen Carthauſen.
Es werden in dieſem Catalog 40 Pfirſchen nicht
nur aufgeführet, ſondern auch beſchrieben. Ferner 7 Aprikoſen, 37 Pflaumen, 17 Kirſchen, 39
Sommerbirnen, 28 Herbſtbirnen, 28 Winterbir-
nen, die Kochbirnen ſind, jedoch mit Recht, weggelaſſen, 37 Aepfel. Wem der Obſtcultur etwas gelegen, dem werden dieſe ganz gute Beſchreibungen intereſſiren; doch wünſcht Rec., daſs
der Liebhaber die Hirſchfeldiſchen Gartenkalen-
der, Chriſts güldenes A B C, Manger und Luedes
ebenfalls leſen möge. Vielleicht würden dadurch
mehrere ermuntert, Pomologien ihrer Gegend zu
liefern, damit wir einmal ein Ganzes erhalten.
III. Von dem Bau der Titover Rüben. Der Leſer erfährt, daſs ſie in trockenen Zeiten wur-
mig werden, nur 9-10 Wochen im Felde ſtehen;
und im Würtembergiſchen in dem Pfarrdorf Ober-

Jettingen, häufig gebauet, und gut verkauft werden.

PHILOLOGIE.

Göttingen, b. Dieterich: Edmundi Castelli
Lexicon Syriacum ex ejus lexico. heptaglotto
seorsim typis describi curavit atque sua adno-
tata adjecit Joann. David. Michaelis. Pars
secunda. 1788. S. 477·980. 4.

Mit Vergnügen zeigen wir das Ende dieses Syrischen Lexicon an. Ob es gleich nach einigen
Jahren weit vollständiger hätte geliefert werden
können, so kann es doch, so wie es anjetzt ist,
den Gebrauch der Syrischen Werke, die in der
Presse sind, sehr erleichtern. Der Herausgeber
hat auch diesen Theil mit erheblichen Zusätzen
bereichert, die größtentheils aus den Excerpten,
woraus seine syrische Chrestomathie bestehet, genommen sind. Sie kommen so häufig vor, daß
wir lieber auf das Buch selbst nachweisen, als
Exempel daraus ausheben. Der lateinische Ausdruck hätte wohl bisweilen kürzer, auch reiner
und deutlicher gefaßt werden können. Wenn
er z. E. von Schindler S. 739 sagt: non magnae
fidei auctor, nec multa cum re; so wissen wir

nicht, was er mit den letzten sagen will. Der Syrische Lexicographus, welcher bisweilen von dem
Vf. Novarinus genannt wird, z. E. S. 478. heißt
richtiger Novariensis, wie ihn der Vf. selbst nennet, z. E. S. 709. Sein vollständiger Name ist
Thomas Obicinus, oder auch, wie
ihn Castellus citirt Thomas a Novaria, s. Colome-
sii Italia Orientalis S. 188. 189. Schade ist es,
daß unser Vf. sein Lexicon nicht bey der Hand
gehabt hat. Castelli hat viele Wörter daraus excerpirt, die in keinem andern Lexico gefunden
werden. Der Mann muß also Hülfsmittel gebraucht haben, die andern nicht zu Diensten stunden. Ueber ܡܕܝܢܬܐ S. 783 allerhand Muth-
maßungen, die uns unbefriedigend zu seyn scheinen, Da es mit ܟܪܟܐ Städten verbunden,
so ist es wohl nichts anders als ܡܕܝܢܬܐ oppida,
pagi (S. 824.) denn der später lebende Schriftsteller die griechische oder lateinische Endung it
hinzugesetzt hat. Bey den Worten ܐܠܦ ܠܐ
nihil invenit (S. 879.) beschleicht den großen Philologen ein Gedächtnißfehler, der sich nicht daran erinnert, daß נ‏צ‏ד im Hebräischen, aber nicht
im Syrischen invenit heiße.

KLEINE SCHRIFTEN.

Oekonomie. Schwabach, b. Mitzler: Oekonomische
Skizzen, oder Dornen im Labyrinthe der heutigen Oekonomie. Von G. F. von Forstner. 1788. 46 S. Fortsetzung
meiner ökonomischen Skizzen. 1788. 56 S. kl. 8. (6 gr.)
Hr. von Forstner ist einer von denjenigen Landwirthen,
wie sich Columella welche wünschet, nemlich die beym
Ackerbau, Wissenschaft, guten Willen, und Vermögen vereinigen. Möchte doch jede Gegend einen solchen aufzuweisen haben, der den übrigen Lehrer, Vorbild und
Beyspiel wäre!

Das erste Stück, welches Hr. v. F. seinem Oncle
dem Freyherrn Pölnitz von Frankenhau zugeeignet hat,
berühret folgenden Hauptfehler, in der Landwirthschaft.
daß man sich von dem Wechsel der Getraidearten, und
des Dungs noch nicht hinlänglich überzeugt habe, vorzüglich hat Rec. gefallen, was S. 44 — 46. der Vf. anführt, welches dem denkenden und belesenen jungen
Mann Ehre macht. Die beregnete und ausgewachsene
Frucht und das halbverfaulte Stroh wegen Zehent geben,
die Anfeuchtung des Habers mit der Gießkanne in der
Scheune, die im Felde stehende Obstbäume, deren
Früchte in frühzeitigen Obst beschaben, und mehr zum
Schaden gereichen, die vor Michael. ihres Kräuterichs
schon beraubte Kartoffelstöcke. (Rec. hat anfangs Aug. bey
Gotha das Kartoffelkraut leider! schon abgeschnitten.)
Die säumselige Reparirung wirthschaftlicher Gebäude werden mit Recht als so viele Dornen der heutigen Oekonomie angegeben. Nur die Einführung hölzerner Gefäße beym Milchwesen hätte Rec. nicht erwartet. Zwar
führt er H. Germershausen als Gewährsmann an, allein
die Erfahrung stehet für die irdene Geschirre; indem
in letzern die Milch kälter stehet, nicht so geschwind als

in hölzernen sauer wird, auch das Holz einen widrigen
Geschmack der Sahne und Butter mittheilt. Da Hr. v.
F. die Schubartische Wirthschaft gesehen, so wundert
sich Rec., wie die flachen irdenen Milchgefäße seinem For-
scherblicke entgehen konnten.

Das zweyte Stück ist dem ehrwürdigen Hn. Kammerrath
Succow, ehemaligem Lehrer zu Jena, gewidmet. Er
handelt von der fehlerhaften Einrichtung der meisten Dung-
stätten. Hier hätten wir ebenfalls den Gedanken wohl-
wünscht, die Mistgütte mit einem leichten Dache zu bedecken, und verweisen deshalb den Vf. auf Münds Landw.
Magazin 2tes Quartalstück, wo aus vielen Gründen die
Dächer verworfen, an ihre Stelle aber Blume zu setzen
empfohlen wird. 2. Die gemischte Aussaat betreffend;
in den neuen Abhandlungen von Bern scheint das Vortheilhafte dieser Methode besser ins Licht gesetzt zu seyn.
Dürfen wir indeß etwas von dem Hn. Vf. bitten, so
wäre es die S. 13. angeführte Erndte- und Dresch-Regi-
ster von 30 Jahren (besonders wenn sie nach Hüpedens
Vorschrift im Schlözerischen Briefwechsel verarbeitet
würden) dem Druck zu übergeben, 3. Die Stall und
Hordenfütterung der Schafe. Eins der vorzüglichsten
mit Belesenheit und aus wohlbedächtiger Erfahrung ab-
strahirten Resultate, die wie die vorhergehende aus
seiner eigenen Wirthschaftsadministration herausgehoben
worden. 4. Etwas vom Kleebau. Wir foden den Hn,
v. Forstner auf, seine Versuche uns ferner mitzutheilen,
besonders eine physikalisch ökonomische Beschreibung
seiner fränkischen Gegend zu liefern, an denen es uns
überhaupt noch sehr gebricht.

ALLGEMEINE
LITERATUR - ZEITUNG

Mittwochs, den 4ten Februar 1789.

ERDBESCHREIBUNG.

STUTTGART, b. Erhard: *Friedrich Chriſtian Franz*, Prof. an der hohen Carlsſchule zu Stuttgart, *Lehrbuch der Länder und Völkerkunde in zweyen Theilen. Erſter Theil. Europa.* 1738. 272. S. 8. ohne XXIV S. Vorbereitung. (20 gr.)

Der Vf. vermiſste bisher, ohnerachtet der Menge der geographiſchen Handbücher, vornemlich noch eines, welches zu einem vollſtändigen Curſus, vom erſten Unterrichte an, bis zum Beſchluſse deſſelben, immer tauglich wäre. Angenehm wäre es uns geweſen, im Vorberichte einen Wink zu finden, in wieferne der Vf. vermuthet, grade durch ſein Handbuch dieſen Zweck zu befördern. Seine Ordnung iſt folgende. Nach einer ganz kurzen Einleitung in die ganze Geographie, folgt der Abriſs der Geographie einzler Länder nebſt etwas Geſchichte, dieſe etwas kürzer, als in Kleinforgs Erdbeſchreibung. Bey gröſsern und kleinern Oertern iſt ſo wie bey ganzen Ländern, Anzahl der Einwohner, nebſt einigen wenigen Merkwürdigkeiten aus der Geographie und Geſchichte, zum Theil durch einzelne Buchſtaben und Zahlen angegeben, z. B.

Evora mit 12000 E. F. Eb. U. ehemals des bekannten Sertorius Aufenthalt.

Fehrbelin. 1675.

Gehörte letzres, ſo wie die Erwähnung vom Sertorius auch wohl, in einem Curſus vom erſten geographiſchen Unterrichte bis zum letzten? Dergleichen Zweifel werden jedem ſachkundigen Leſer faſt auf jeder Seite einfallen. — Uebrigens ſind auch bey den kleinern deutſchen Landen, ſo wie bey den gröſsern Staaten, Gröſse, Anzahl der Oerter, Volksmenge, Einkünfte etc. angeführt.

Da es der erſte geographiſche Verſuch des Vf. iſt, ſo würde es unbillig ſeyn, ihm wegen der vielfachen vorkommenden Fehler Vorwürfe zu machen, wiewohl faſt alle von der Art ſind, daſs ſie aus Büſchings Erdbeſchreibung und andern guten neuen Compendien mit leichter Mühe könnten verbeſſert werden. Von einer Gewehr.

A. L. Z. Erſter Band. 1789.

Fabrik in der Stadt Teſchen, die der ſel. Hübner und Hager in einigen Auflagen ihrer Geographien erwähnen, weiſs man ſeit vielen Jahren dort nichts. — In *Bielitz* ſind die Leinweberey̆en bemerkt, die aber bey weitem nicht von ſolcher Bedeutung ſind, als die wichtigen Tuchweberey̆en, die der Vf. ſchon unter andern aus Schlözers Briefwechſel kennen ſollte, und die hier nicht erwähnt ſind. — *Moempelgard,* welches bekanntlich zu keinem Kreiſe von Deutſchland gehört, rechnet er zum oberrheiniſchen Kreiſe. — Die Grafſchaft *Sternberg,* die ſchon im J. 1781. vom Grafen von Lippe Detmold eingelöſt worden, wie aus Büſchings Erdbeſchreibung und Fabris Handbüchern bekannt iſt, wird hier noch als Churhannöveriſch angeführt. — *Pfalzburg* ſoll zum oberrheiniſchen Kreiſe gehören. — *Koſel* und *Ehrenberg* haben ſchon ſeit 1782 keine Feſtungswerke mehr. — In *Imbſt* ſollen viele Kanarienvögel gezogen werden, da es doch aus mehrern Schriften bekannt ſeyn muſs, daſs man die Kanarienvögel, die man von dort verſendet, gröſtentheils in einigen Gegenden von Schwaben aufkauft. — Das *Carlsruher Schloſs* ſoll im Mittelpunkte von 9 Hauptgaſſen der Stadt und 32 Alleen im Walde liegen. Der Vf. nehme nur den erſten beſten Grundriſs von Carlsruh, und vergleiche hiemit Büſchings Geographie; ſo wird er ſich eines beſsern belehren. — Daſs der *Harz* jetzt ganz *Churhannöveriſch* wäre, iſt eine Unwahrheit, die wahrſcheinlich aus einem Miſsverſtande herrührt. — In der Grafſchaft *Waldeck* (hier mehrmalen unrichtig *Fürſtenthum* genennt) ſoll man ſehr feines Gold gewinnen. — Schon aus dieſen wenigen Erinnerungen, die wir unter vielen andern auszeichnen, kann man leicht vermuthen, wie ungefähr die andern Europäiſchen Länder bearbeitet ſind. Und dennoch ſchreibt der Vf. in ſeiner Vorrede von Reſultaten ſeiner Beobachtungen von mehreren Jahren.

SCHÖNE KÜNSTE.

BERLIN u. STETTIN: *Beſchreibung der königl. Reſidenz Städte Berlin und Potsdam, Anhang oder Nachrichten von den Baumeiſtern, Bild-*

O o

kauern, Kupferstechern, Malern, Stukkatu-
ren und andern Künstlern, welche vom 13ten
Jahrhundert bis jetzt in und um Berlin sich
aufgehalten; von Fried. Nicolai. 1786. 8.
10½ B. (10 gr.)

Hr. Nicolai hat den Freunden der Kunst gewiss
einen angenehmen Dienst-erzeigt, dass er diesen Anhang von seiner Beschreibung von Berlin
hat besonders abdrucken lassen. Denn so meisterhaft diese auch ist, so ist sie doch theils zu speciel,
theils zu theuer, als dass jeder, der die Kunstgeschichte dieser Stadt zu besitzen wünscht, sie gleichfalls kaufen möchte. Da diese Nachrichten übrigens
schon seit 1779 bekannt sind, wo sie zum erstenmale als ein Anhang der zweyten Auflage der Beschreibung von Berlin erschienen, so brauchen
wir weiter von ihnen nichts zu sagen, als dass
Hr. N. den Fleiss und die Genauigkeit in Aufsu-
chen, die Richtigkeit in Beschreiben, und die
feste Wahrheit in den Angaben, die seine statistischen Beschreibungen überhaupt charakterisiren,
auch in den Zusätzen und Verbesserungen dieser
Nachrichten auf alle Art bewiesen hat.

VERMISCHTE SCHRIFTEN.

Königsberg u. Berlin, in der orientalischen
Buchdruckerey: המאסף שנת התקמח
כולל שירים ומכתבים אשר נקבצו ונאספו
יהד על ידי אנשי חברה שוחרי חמכ
והתושיה

à i. Der Sammler auf das Jahr 5548 (1788)
enthaltend Gedichte und Aufsätze, gesammlet und zusammen getragen von der Gesellschaft, die nach Vollkommenheit und Wahrheit
strebet. 1788.

Da wir die letzten drey Stücke von dieser Jüdischen Monatsschrift für d. J. 5548, nämlich die
Monate Thammuz, Ab und Elul (Jun. Julius und
August) jetzt vor uns haben; so wollen wir zur
Ergänzung unsrer Recension von den vorigen
Stücken sie kurz anzeigen; und wir werden ins-
künftige, so oft ein vollständiger Jahrgang heraus ist, davon Nachricht geben. Im Monat Thammuz ist ein Gedicht, eine Nachahmung des Liedes
des Hn. von Kleist zum Lobe der Gottheit. 2)
eine Erklärung des Siegesliedes Debora, nebst
einem Anhange, worinn die Uebersicht und Eintheilung des Ganzen gegeben wird. 3) Erklärung der Partikeln. למדין על מרין ירוץ
4) Sendschreiben an die Juden in Gallicien, worinn sie zur Befolgung des kaiserlichen Befehls, in
Kriegsdienste zu treten, ermuntert und ihre Ge-
wissenskrupel dagegen gehoben werden. 4) Fabeln. 5) Anzeige einer in Dessau zu errichtenden
Schule. Monat Ab. 1) Eine freye Uebersetzung
einer sehr langen Stelle aus Moses Mendelsohns
Jerusalem von S. 51 an, die in einem der vorigen

Stücke abgebrochen war. 2) die Nachricht, dass
Hofrath Mordechai Herz, Professor der Philosophie
und Lehrer der Experimentalphysik bey den königlichen Prinzen in Berlin geworden ist. Monat
Elul. 2) Anfang einer Weltgeschichte von den ältesten Zeiten, welche fortgesetzt werden soll.
Geschichte Aegyptens bis auf die Zeit der Eroberung von Cambyses, auch etwas von der Geographie und den Alterthümern dieses Landes.
2) Sendschreiben einiger Rabbinen zu Triest an
die zu Wien, die neueren kaiserl. Verordnungen
betreffend. 3) Fabeln.

ERBAUUNGSSCHRIFTEN.

Bremen, b. Cramer: C. G. L. Meisters, Doct.
und Prof. der Theol. etc. in Bremen, kleinere Erbauungsschriften. 1stes Stück 75, 2tes
79, 3tes 78 S. 1788. 8. (zusammen 12 gr.)

Bey dem ähnlichen Namen, den dies Werkchen
mit Toblers Erbauungsschriften führt, fehlt ihm
doch hin und wieder viel von Toblers na-
türlichem und herzlichem Vortrage. Nicht selten
wird es merklich, dass unser Vf. selbst in den prosaischen Aufsätzen dem gewöhnlichsten Gedanken
mit Fleiss einen gewissen Schwung oder Glanz geben, und da elegant reden will, wo die gemein-
verständliche Sprache der Natur und des Herzens
weit besser gefallen und kräftiger wirken würde.
Inzwischen wird es dem, der sich darüber und
über andere Kleinigkeiten, die wir nicht rügen
mögen, wegzusetzen weiss, auch hier nicht an
Gelegenheit mangeln; sein Verlangen nach Erbauung zu befriedigen, zumal da Hr. M., wenn
er will, in seinem Vortrage allerdings auch Interesse, Leichtigkeit und Anmuth recht gut zu verbinden weiss.

Weissenfels und Leipzig, b. Severin: Zur
Familien-Erbauung. Eine Auswahl von Pre-
digten über häusliche und gesellschaftliche
Angelegenheiten, von Joh. Christian För-
ster, Domprediger zu Naumburg. 1788. 272.
S. 8. (12 gr.)

Diese Predigten über einige evangelische Abschnitte, (12 a. d. Z.) entsprechen, im Ganzen,
genommen, ihrem Zweck, und verdienen in Ansehung der Wahl und Behandlung der Gegenstände Beyfall und Empfehlung. Der Verf. spricht
darinne, von der Religion, als der getreuesten
und glücklichsten Führerin durch alle Stufen des
menschlichen Lebens; von der Verbindlichkeit
der Aeltern; immer sorgsame Aufsicht auf ihre
Kinder zu haben; (in einigen Stücken, z. B.
dass Aeltern ihre Kinder nie aus ihren Augen lassen sollen, sind die Foderungen überspannt, wenigstens nicht bestimmt genug ausgedrückt), von
der frühzeitigen Bestimmung des Menschen zu
einer Lebensart; von den Quellen des Missver-
gnügens

gnügens im Eheſtande; (iſt in der Aufdeckung
der oft tief liegenden Quellen eines ſolchen Miſs-
vergnügens und in der Anzeige der bewährteſten
Mittel, ſolche zu verſtopfen, vorzüglich lehrreich) und von dem Chriſten in ſeinem irdiſchen
Berufe. — Der Vortrag iſt populär, ſanft rührend: nur hin und wieder mit einigen, dem gemeinen Mann nicht durchaus geläufigen Ausdrücken durchwebt. Auch ſind die Eingänge zuweilen im Verhältniſs gegen den Hauptvortrag wohl
zu lang.

BAMBERG u. WÜRZBURG, b. Göbhardt, Valentin Wilm, der heil. Schrift Baccalaureus und
ehemaligen Pfarrers zu Altenbanz, kateche-
tiſche Unterrichte auf der Kanzel zur Erklärung des buchſtäblichen Verſtandes der gewöhnlichen Epiſteln im ganzen Jahre. Zum
Gebrauche katholiſcher Prediger, auf dem
Lande, wie auch der Schullehrer, und zur Beförderung der Hausandacht bey Privatleuten
herausgegeben. 1788. I Band 556 S. II Bd.
612 S. 8. (1 Rthlr. 18 gr.)

Daſs Hr. W, unter den homiletiſchen und katechetiſchen Schriftſtellern der römiſchen Kirche
in Deutſchland eine vorzügliche Stelle verdiene,
davon legen ſchon ſeine vormals heraus gegebene Schriften ein gutes Zeugniſs ab. Er macht
ſich jetzt durch die Herausgabe des gegenwärtigen Werks ein neues Verdienſt um die Lehrer
ſeiner Kirche in Kirchen und Schulen. Um die
verſchiedenen, auf dem Titel genannten, Abſichten zu erreichen, hat er bey einer jeden Epiſtel
die Urſachen der gewöhnlichen Benennungen der
Sonntage, und den Urſprung und Abſicht der
Feſttage kurz angeführt, ſodann den Inhalt der
epiſtoliſchen Pericopen mit den Evangelien zu
verbinden geſucht; ferner den Wortverſtand der
Epiſteln erklärt, und die darinn liegenden Lehren heraus gezogen, und zuletzt noch ein auf
den Inhalt jeder Epiſtel paſſendes Gebet beygefügt. Bey der kurzen Nachricht von der Feyer
der Feſttage führt Hr. W. auch die an manchen
Feſttagen üblichen Gebräuche an, und ſucht denſelben die beſtmöglichſte vernünftige Deutung zu
geben. Was er bey der Lection am Feſte der Erſcheinung Chriſti S. 139 von den ſo genannten h.
drey Königen ſagt, das möchte ſich noch einigermaſen hören laſſen: ,,Man nennt die Weiſen
,,auch die heiligen drey Könige, weil ſie vorneh-
,,me Perſonen in Perſien ſind, aus welchen die
,,Könige ſind gewählt worden." Wenn er aber
hinzuſetzt: ,,dieſe Perſonen waren Abgötterer, ehe
,,ſie zu Chriſto bekehrt wurden," ſo kann dieſs
wohl durch keinen tüchtigen Grund wahrſcheinlich gemacht werden. Es iſt vielmehr aus demjenigen, was die evangeliſche Geſchichte von ihnen berichtet, die höchſte Vermuthung zu nehmen, daſs ſie Verehrer des einigen wahren Gottes geweſen ſind. Auſserdem iſt aus der Geſchich-

te bekannt, daſs ſeit Daniels Aufenthalte in jenen Gegenden, aus welchen die Magier kamen,
die Erkenntniſs und Verehrung des einigen wahren Gottes, beſonders aus den höhern Ständen,
zu welchen die Magier gehörten, gar nicht ungewöhnlich geweſen ſey. Daſs Hr. W. den Inhalt
der Sonntagsevangelien allezeit mit den Epiſteln
in Verbindung ſetzen will, das haben wir weder
für nothwendig, noch für nützlich halten können.
Sehr oft haben dieſe Verbindungen unnatürlich
und gezwungen ausfallen müſſen, wovon man
hin und wieder in beiden Theilen des Buchs Beyſpiele antrifft. Die meiſten Erklärungen der Epiſteln ſind richtig, und nach dem Faſſungsvermö-
gen der verſchiedenen Leſer, für welche das Buch
beſtimmt iſt, eingerichtet, und zeugen von den
guten bibliſchen Kenntniſſen des Vf. Eben das
müſſen wir auch von den Lehren ſagen, die er
aus den epiſtoliſchen Texten herleitet, biſs auf
diejenigen, wo er den Grundſätzen ſeiner Kirche
folgt. Er erklärt ſich auch, bey dem Vortrage ſolcher
Lehren, immer ſehr beſcheiden und erträglich. Bey
der Stelle 2 Cor. 12, 7 Es iſt mir ein Dorn ins Fleiſch,
gedrückt worden, nemlich der Satans Engel u. ſ. w.
ſagt der V. I B. S 322 : ,,Dadurch werden verſtanden
,,die böſe Begierlichkeit, die Bewegungen der ver-
,,derbten Natur, welche die Erbſunde in uns hinter-
,,laſſen hat. Im Grundtexte wird dieſe Begierlichkeit
,,ein ſpitziger Dorn genennt, der (dem) Paulus
,,ins Fleiſch eingeſtecket war. Wie nemlich ein ſol-
,,cher Dorn dem Menſchen groſse Schmerzen
,,bringt; alſo hat Paulus von der Begierlichkeit,
,,groſse und ſtarke Bewegung zur Sünde gelitten,
,,die ihm ſehr zuſetzten, und nicht weichen woll-
,,ten." Aber der Inhalt des 7 und 8 Verſes widerſpricht offenbar der Erklärung des Verf. und
zeigt deutlich, daſs Paulus hier nicht von inneren
Verſuchungen, ſondern von einem ſehr empfindlichen äuſserlichen Leiden rede. — Wenn Hr.
W. II B. 117, bey der Erklärung der Geſchichte
von der Himmelfahrt Jeſu, Apoſtelg. I, behaupten will, daſs 120 Perſonen, und unter dieſen,
auſser den 11 Apoſteln, Maria, die Mutter Jeſu,
die 72 Jünger, Maria Magdalena, Martha und ihr
Bruder Lazarus, und den Oelberge gegenwärtig
geweſen wären: ſo hat dies weder in Act. I, 13.
14, noch in andern Stellen einigen Grund, vielmehr erhellt aus denſelben, daſs. nur die 11 Apoſtel Jeſum dahin begleitet haben. — Durch die
ſeufzende Kreatur, Röm: 8, 18 - 23, verſteht der
Vf. II B. S. 254 die lebloſen Geſchöpfe, die zu unſerm Dienſte und Erhaltung erſchaffen ſind, und
von den Menſchen, vielfältig gemiſsbraucht werden. Die Schwierigkeiten, die im Texte ſelbſt
dieſer Erklärung entgegen ſtehen, werden von.
ihm dabey nicht ehrührt, Wir wünſchten, daſs
er Hn. Moſche Erklärung der Sonntagsepiſteln,
u. deſſen Bibelfreund darüber nicht nachleſen können. — Die Stelle bey der Erklärung des Texts
Epheſ. 6, 12, welche II B. S. 546 ſteht: ,,Nach der
,,Lehre

„Lehre der heil. Väter halten sich die bösen Gei-
„ster meistens in der Luft auf, darinn sie manch-
„mal allerley Ungewitter, Donnerwetter und an-
„deres Unheil anstiften, um den Menschen zu
„schaden" u. s. w. hätte billig wegbleiben sollen;
da diese Meynung der Väter weder Vernunft, noch
Schrift für sich hat. — Am wenigsten können
wir der Vorstellung. II B. S. 554. ff. unsern Beyfall geben, wo der Vf. von dem Streit gegen die
Feinde unserer Seligkeit also redet: „Der oberste
„Feldherr oder *Generalissimus* ist Gott selbst: die
„Officiere sind diejenigen, so an statt Gottes, auf

„Erden gesetzt sind, die Kirche zu regieren und
„die Seelen zu leiten, die Soldaten sind wir Men-
„schen" etc. — — Sonst kommen dergleichen,
wider den guten Geschmack anstossende Anspielungen im ganzen Buche selten vor. Die Schreibart des Vf. ist auch ziemlich rein, bis auf wenige
Worte und Wortfügungen, z. B. I B. S. 37. *Schan-
kungen*, S.   damit *verkosten* (schmecken), S.
307. unter *dem Laste* (der Last), S. 490. hat sie
zu Priestern *gewiehen* (geweiht). II B. S. 69. eingebildete *Fromkeit* (Frömmigkeit) u. s. w.

KLEINE SCHRIFTEN.

FREYMAUREREY. *Kosmopolis*: *Authentische Geschichte des Bruder Gordian, eines vorgeblichen Abgesandten des
hohen Ordens der Rosenkreuzer zur Grundlegung einer Kolonie in Schwaben. Aus dessen eigenen Briefen,* 1789. 230
S. Diese Schrift liefert einen merkwürdigen Beytrag
zur Geschichte der geheimen Gesellschaften und Ordens
Verbindungen, wodurch unser Zeitalter sich sehr auffallend unterscheidet. Je gewisser es ist, dass hinter dem
lockenden Schild dieser Verbindungen sich insgemein der
schädlichste Betrug versteckt, mit je grösserer Thätigkeit izt daran gearbeitet wird, diesen Verbindungen
überall und selbst unter der noch unverdorbnern mittlern
Volksklasse allmälig Eingang zu verschaffen, und je grösser endlich der Schaden ist, der dadurch angerichtet
wird; ein Schade, der sich nicht allein auf Kopf und
Herz und innere Zufriedenheit der Menschen, sondern
auch auf äussern Wohlstand, Familien-Glück und selbst
auf die Verhältnisse des bürgerlichen und gesellschaftlichen Lebens, in mancher Rücksicht erstreckt, desto nöthiger und
pflichtmässiger wird es auch, dieser im Finstern schleichenden Pest aus allen Kräften entgegen zu arbeiten, und
die listigen Ränke der falschen Ordens-Apostel, die mit
der Einfalt, Leichtgläubigkeit und Religions Schwärmerey gutmüthiger Menschen ein Gewerbe treiben, ans Licht
zu ziehen. Wer den seltsamen, und, wie es scheint, immer weiter um sich greifenden Hang unsers Zeitalters
zum Geheimnissvollen und die rastlose Betriebsamkeit gewisser Menschen diesen Hang zu befördern, und zu benutzen, bisher mit Unbefangenheit und vielleicht mit
bangen Ahndungen für die Zukunft beobachtet hat, der
wird sich doch zugleich freuen, und es der Vorsehung
welche stets für das Glück der Menschheit wacht, danken, dass sie in der zu unserer Zeit herrschenden allgemeinen Aufklärung und Publicität den Wirkungen jenes
schleichenden Giftes ein sehr wirksames Gegenmittel bereitet hat. Freylich kann es den Leuten, die so gerne im
trüben fischen möchten, nicht sehr gefallen, wenn ihre
Schritte in öffentlichen Schriften beleuchtet werden, und
sie nun ihre schlau angelegte Plane verrückt oder gar ge-
scheitert sehen, aber desto mehr gewinnt auf der andern
Seite das Glück der übrigen Menschen dabey, wenn durch
die Fackel der Publicität der Wirkungs-Kreis dieser gefährlichen Leute wo nicht ganz gesperrt, wenigstens beschränkt, und das Publikum vor ihren Schlingen gewarnet wird. Zur Beförderung dieses Zwecks dient auch
die gegenwärtige Schrift, in welcher ein gewisser D. Fu-
ger aus Heilbronn, der vor etlichen Jahren unter der

Maske eines Alchemisten und Rosenkreuzers eine Gesellschaft von Betrügern und Betrogenen in Schwaben stiften
wollte, zu seiner Schande entlarvt wird. Sie besteht aus
einer Sammlung von Original-Briefen, welche F. wegen
seines Aufenthalts in Tübingen an einen Ungenannten
schrieb, der sich aus schwärmerischem Hang zu geheimen
Wissenschaften von ihm in den Orden der Rosenkreuzer
hatte aufnehmen lassen, izt aber, nachdem er sich ge-
täuscht sah, diese Briefe öffentlich bekannt macht. Die
Bedingungen der Aufnahme verdienen besonders bemerkt
zu werden. Der Ungenannte musste zuerst versprechen,
sich allen Verordnungen der hohen Obern zu unterwerfen. Bruder Gordian empfiehlt dem Einzuweihenden in
diesem Rücksicht sehr angelegentlich Einfalt, Demuth und
Gehorsam als das sicherstten Mittel das Vertrauen der hohen Obern zu gewinnen, und der wichtigsten Aufschlüsse
empfänglich zu werden. Besonders warnt er ihn vor
Freymäurern und falschen Brüdern, und giebt ihm zu
verstehen, dass der Orden, zu welchem er, Bruder Gordian gehöre, die einzige Depositär der ächten Naturge-
heimnisse sey; u. s. w. Nach der zweyten Bedingung
musste sich der Ungenannte verbindlich machen, wenigstens ein neues Mitglied für den Orden zu werben, und
sich bey diesem Geschäfte vornemlich an die *goldene* Mit-
telklasse zu halten; die dritte (für Bruder G. allerdings
wichtigste) Bedingung bestund in Erlegung einer sehr
mässigen Receptions-Summe von 50 Rthl., wogegen der
Ungenannte eine förmliche *Tesseram receptionis* in einem
blauen Kärtchen erhielt. — Man erfährt zugleich aus
gegenwärtiger Schrift, dass er nicht blos in Tübingen, sondern auch in Stuttgart, Carlsruhe, Hechingen, Horn-
berg u. a. O. sehr geschäftig war, bis er zuletzt doch
genöthigt wurde, Schwaben zu verlassen. Dem Vernehmen nach soll er sich hernach nach Regensburg, und von
da nach Wien gewendet haben. Es ist in der That traurig, dass dieser Mann, dem es gar nicht an Talenten
fehlt, sich zu einem so heillosen und schimpflichen Gewerbe erniedrigen konnte, aber eben so sehr muß man
auch den ehrlichen Schwaben bedauern, der sich durch
seine eigene Schwäche und Leichtgläubigkeit so schänd-
lich berühren liess. Es liesse sich erwarten, dass durch
diese Schrift vielleicht mancher ehrliche Schwärmer, der
noch mit festem Glauben an alchemischen und rosenkreu-
zerischen Grillen hängt, klug gemacht werden könnte;
wenn man nicht wüste, dass unter allen Krankheiten
des menschlichen Verstandes Schwärmerey leider! die
unheilbarste ist.

ALLGEMEINE
LITERATUR-ZEITUNG.

Donnerſtags, den 5ten Februar 1789.

RECHTSGELAHRTHEIT.

WIRZBURG, b. Rienner: *Ueber Suggeſtivfragen des Richters.* — Ein Beytrag zum peinlichen Proceſſe, von *G. A. Kleinſchrod*, Hofrath und Profeſſor der Rechte. — 1787. 55 S. 8. (3 gr.)

Des Verf. Begriff von Suggeſtion, (wir hätten lieber ſuggeſtiviſche Frage geſetzt, weil ſich Hr. K. nur auf die Sugg. Fragen der Inquiſitionsproceſſe einſchränkt,) iſt: „diejenige Frage, welche das Vorſagen einer ſpeciellen mit dem Verbrechen in beſonderer Verbindung ſtehenden Umſtänden, oder das Nennen einer beſtimmten Perſon enthält, und dem Befragten dasjenige in den Mund legt, was man eigentlich von ihm zuerſt, und ohne Veranlaſſung hätte hören ſollen.“ Er theilt ſie in offenbare und verſteckte ein, und behauptet mit Recht, daſs ohne den Vorwurf einer Suggeſtion die dem Inquiſiten vorgelegte Frage den Namen des Verbrechens enthalten, und ihm die gegen ihn entſtandene Anzeigen (*indicia auctoris*) vorgelegt werden dürfen. Hr. K. entwickelt die Gründe, warum Suggeſtionen verboten ſind, mithin der Richter ſie nicht nur vermeiden, ſondern auch die Entſtehung und Gelegenheit dazu verhüten muſs; dann die Folgen einer Suggeſtion, wenn der Inquiſit geſteht, und wenn er läugnet, § 8. f. die Fälle, wo Suggeſtionen nach dem Gerichtsgebrauch erlaubt ſind; endlich ſetzt er die Suggeſtionen auseinander, welche bey der Generalinquiſition, bey der Specialunterſuchung, bey Zeugenverhören, bey der Tortur, bey Confrontationen, (an deren ſtatt das Vorleſen der Zeugenausſagen § 21 empfohlen wird,) und im Anklageproceſſe vorkommen können. — Die Abhandlung empfiehlt ſich nicht nur durch die gründliche Ausführung ihrer Gegenſtände, ſondern auch durch einen guten Stil. Den von *Peter Tſchanggo* zu Ofen 1784 auf 3 Octavbogen herausgegebenen: *Verſuch einer Abhandlung von der Suggeſtion im peinlichen Rechtverfahren,* (vergl. *Schott.* Bibliothek f. d. Jahr 1785 S. 471) hat Hr. K. nicht angeführt.

BRESLAU, b. Korn: *Verſuch eines Auszugs der römiſchen Geſetze in einer freyen Ueberſetzung, zum Behuf der Abfaſſung eines Volkscodex.* 45 bis 50ſtes Buch nach Ordnung der Pandekten. 1787. 130 S. 8. (12 gr.)

Der Vf. bleibt ſich auch in dieſer Fortſetzung, womit nunmehr die Pandekten geſchloſſen ſind, gleich. Niemand wird deſſen Fleiſs verkennen. Da aber gleichwohl diejenigen, welche an Entwerfung neuer Geſetzbücher arbeiten, das Original des römiſchen Rechts nicht entbehren können, ſo beſteht wohl das Hauptverdienſt dieſer Ueberſetzung darin, bis zu einem hohen Grad anſchaulich zu machen, wie viel ein, zwar mit aller innern Reichhaltigkeit verſehenes, aber ohne ſyſtematiſche Ordnung hingeworfenes Geſetzbuch von der Manier des römiſchen, dem neuen Entwurf des preuſſiſchen Geſetzbuchs nachſtehe, worin Vollſtändigkeit, Ordnung und Deutlichkeit zuſammenkommen, um ein gründliches und angenehmes Ganze darzuſtellen.

NATURGESCHICHTE.

PARIS und LONDON, b. Didot u. White u. BERLIN beym Verfaſſer: *Ichthyologie, ou Hiſtoire naturelle générale et particuliere des Poiſſons.* p. Marc. *Elie Bloch*, Dr. à Berlin etc. etc. *Sixieme et derniere Partie avec 36 Planches,* 1788. 152 S. Fol.

Iſt es nicht zu bedauern, daſs ein ſolches Werk, was wenigſtens an Richtigkeit und Sicherheit der Zeichnung, und an Summe der Arten und Beſchreibung derſelben, alle übrige ähnliche Werke übertrifft, unvollendet bleiben ſoll? Denn dies kündigt uns der fleiſsige Vf. an; mit dem Zuſatz, daſs ihm noch über hundert Zeichnungen zum Stich fertig liegen, die aber eben, wie die noch nicht gezeichneten ſeines Cabinets, bey der geringen Ermunterung zur Fortſetzung ſchwerlich erſcheinen werden. Hieran ſind denn leider gröſstentheils die vielen kleinen unbedeutenden, oft nichts lehrenden, Kupferwerke aus der Naturhiſtorie Schuld, womit Deutſchland überſchwemmt iſt. Rec. geſteht, daſs er die vielen Nachdrücke

und Copien des *Büffon*, die vielen, fich stets wie-
derholenden, Schmetterlingswerke, die dürftigen
Zoologien, welche die *Ekebrechtfche* Handlung beforgt, und ähnliche Arbeiten, nie ohne
Kummer und Verdrufs anfieht. Sie find offenbar
die Feinde aller belehrenden grofsen Werke diefer Wiffenfchaften. Ein gutes Compendium über
jeden Theil der Naturgefchichte, worin wenige,
aber mit reifer Ueberlegung entworfene, die
Charaktere genau angebende Kupfer aufgenommen
wären, etwa wie das *Erxlebifche* oder *Leskifche*,
daneben eine Nomenclatur aller Specierum, die
dann auf grofse ausgemahlte Werke, wie z. B.
auf die Werke eines *Schrebers*, *Blochs*, *Büffons*
verwiefe, dies wäre alles, was zum wahren Aufkommen der Naturgefchichte nützlich ift; da die
andern, halb unterrichtenden, Copien von gröfse-
ren Werken an fich mehr fchaden als nützen. Es
verfteht fich, dafs hier ganz und gar nicht die Rede fey von denjenigen Werken, die entweder in
kleinen Abhandlungen neue Phänomene der Naturgefchichte, neue Naturalien, neue Verfuche
anzeigen; oder welche eine einzige Klaffe befonders
erläutern, oder die endlich einzelne Gattungen
fpeciel abhandeln. Beyläufig kann Rec. doch bey
Gelegenheit des Blochfchen Werks fich nicht enthalten, anzumerken, dafs es fonderbar genug ift,
die Deutfchen in folchen Fächern vorfchreiten
zu fehen, wo man es gerade von andern Nationen erwarten müfste. Holland, Frankreich, England und Spanien, Länder, die durch ihre Lage,
ihre Colonien, die befte Gelegenheit haben, alle
Schätze der Natur zufammenzutreiben, und eben
daher auch die beften Befchreibungen darüber zu
liefern, können dennoch weder ein Schreberfches,
noch Blochfches, noch Martinifches Werk auf-
weifen, ja was noch mehr, nicht einmal Compen-
dia, die den deutfchen gleich kämen.

Die Vorrede wird fehr intereffant durch die
umftändliche Nachricht von dem Pater Plumier
und deffen Manufcript, dem er viele neue Arten
zu verdanken hat. Schade wär es, wenn dies
fchätzbare Werk nicht dereinft ganz abgedruckt
würde. Der Titel heifst: *Zoologia Americana
pifces et volatilia continens auctore R, p. Car. Plumier.* Es enthält eine Menge Zeichnungen, und
eine genaue Anatomie eines Krocodils, und viele
andere Naturmerkwürdigkeiten. Hr. *Bloch* ift
erbötig, es gegen billige Bedingungen abzuftehen.

Ein zweytes, gleichfalls fehr fchätzbares, Ma-
nufcript, deffen er fich bey Bearbeitung feines
Werkes hat bedienen können, führt den Titel:
*Celfis. J. Mauritii Naffov. Icolium Brufilicarum,
Tom. I.* Es findet fich auf der Berliner Biblio-
thek, und enthält 32 Quadrupeden, 87 Vögel, 9
Amphibien, 29 Fifche, 31 Infecten und verfchie-
dene Mollufca.

Da unfere Lefer fchon mit dem Plane des
Blochfchen Werks überhaupt bekannt find, fo
dürfen wir hier nur die Arten, welche diefer

Theil enthält, anzeigen. Nach einer vorläufigen
Eintheilung zu den Scorpänen oder Drachenbaar-
fen, überhaupt werden hier befchrieben und ab-
gebildet, Tab. 181: *Scorpaena Porcis.* T. 182
Scorp. fcrofa. T. 183 *Scorp. horrida.* T. 184
Scorp. volitans, diefe heifst beym *Linné Gafte-
rofteus volitans*, der ihn aber mit Unrecht dort-
hin rechnete, da feine Stacheln nicht abgefon-
dert, fondern durch eine Haut verbunden find.
Tab. 185 *Scorp. antennata*, vielleicht nur das
Weibchen des vorigen; doch giebt der Vf. gute
Gründe dagegen an.

Schollen 1) mit 9 Augen auf der rechten Seite; T. 186 *Pleuronectes Lismandoides* neu; T. 187
Pleuronectes Zebra, fehr fchön bandirt, neue Art.
2) Schollen, deren Augen auf der linken Seite:
T. 188 *Pleuron. bilineatus.* T. 189 *Pleuron pun-
ctatus*, fchon unter den Namen *Whiff* bey Pennant. T. 190 *Pleuron. macrolepidopterus*, der
Aramaca des *Pifo*. Als Supplement zu den Spie-
gelfifchen folgt T. 192 *Zeus Ciliaris*, wegen feiner monftröfen Faden oder haarähnlichen Anfäze
der Bauch- und Rückenfloffen, neu; Hr. *Bloch*
kennt noch mehr unbefchriebene Arten diefes
Gefchlechts. T. 192 *Z. Gallus* und *Z. infidiator*
mit Vorftellung der zum Infectenfange in eine
Spritze fich verlängernden Schnautze, wie beym
Sparus Infidiator. T. 193. Fig. 1. *Z. Vomer.*
Die Klipfifche; wovon T. 193. Der *Chaetodon
aureus*, aus dem Manufcript des Plumier; er lebt
bey den Antillen. Ihm folgt T. 194 der Japan-
fche Kaifer, *Chaetod. Imperator*, ein fchön ge-
ftreifter, grofser, fehr fchmackhafter Fifch, der in
dortigen Gegenden feinen Namen für feiner Koftbarkeit erhalten haben foll. T. 195 Der geftreif-
te Klipfifch, *Chaet. fafciatus*, auch aus dortigen
Gewäffern. Eben wie die folgende neue Art,
Chaet. guttatus. Sodann T. 197 eine trefliche Abbildung des *Chaetod. Faru* der Brafilier Tab.
198. *Chaetod. Pavo* und *Chaetod. Arnanus.* T.
199 *Chaetod. Teira* und *Chaetod. Vefpertilio*,
beide mit monftröfen Rücken und Afterfloffen.
T. 200 *Chaetod. Macrolepidotus* u. *Chaetod.
cornutus.* T. 201 *Chaetod. Unimaculatus*, u.
Chaetod. arcuatus. T. 202. *Chaet. roftratus* und
Ch. orbis. T. 203 *Chaetod. nigricans*, T. 204
Chaet. argus und *Chaet. vagabundus.* T. 205 *Ch.
ftriatus* und *Chaet. capiftratus.* T. 206 *Chaet. bi-
color*, gewifs einer der am fonderbarften gezeichneten Fifche, nemlich gerade die eine Hälfte
weifs, die andere dunkelroth, und *Chaet. Saxa-
tilis.* T. 207 *Chaet. marginatus.* T. 208 *Chaetod. Chirurgus*, ein am Schwanze hervorragender
Lanzenförmiger Stachel hat ihm den Namen gegeben; aus dem *Plumier* wieder vorhergeliehende
und folgende T. 209 *Chaet. rhomboides*, T. 210
Chaet. Glaucus. T. 211 *Chaet. Plumierii* u. *Ch:
ocellatus.* T. 212 *Chaet. Curacaö* und *Ch. Faber.*
T. 213 *Chaet. Mauritii* und *Chaet. Bengalenfis.*
T. 214 *Chaet. Ciliaris.* T. 215 *Ch. octofafciatus*
und

und *Ch. annularis.* Fr 216 *Ch. collare* und *Ch. mefoleucus.* Die Zufätze erläutern theils Geſchlechter, theils einzelne Arten, und einige ſind von Wichtigkeit. Von der Art ift die Bemerkung, daſs nicht blofs die Karpen, ſondern auch die Gründel Zähne im Gaume haben, und daſs die Anzahl der bekannten Karpenarten bereits auf 41 ſteige. S. 91 kommt eine Nachricht von dem Handel mit dem Blute (*Cipr. Alburnus*) des Rheins vor; es ernähren ſich über 50 Menſchen dadurch. S. 94 u. f. viel brauchbares zur Oekonomie des Karpen. S. 97 u. f. über den Lachs; die Flecken ſollen nicht beſtändig ſeyn, und man ſoll daher nicht auf verſchiedene Arten ſchlieſsen können. Ebenfalls viel bemerkungswürdiges in den Zuſätzen zum Hering. Möchte doch der Vf. zur Fortſetzung dieſes trefflichen Werkes kräftiger als bisher unterſtützt und ermuntert werden!

WEIMAR, in der Hoffmanſchen Buchh.: *Mineralogiſche Reiſen durch Calabrien und Apulien,* von *Albrecht Fortis.* In Briefen an den Grafen *Thomas von Baſſegli* in Raguſa. Aus dem Italieniſchen. 1788. 128 S. (8 gr.)
Dieſe Schrift enthält weit mehr, als ihr Titel beſagt, und der Hr. Vf. ſcheint damit die Abſicht gehabt zu haben, nicht nur den jungen Graf von Boſſegli, ſondern auch mittelbar die Regierung zu Neapel auf bergmänniſche und naturhiſtoriſche Gegenſtände aufmerkſam zu machen. Er ſchildert den Aberglauben, den Charakter und die Sitten jener Gegenden mit lebhaften Farben, kriſtiſirt ihre Geſchichte und einige ihrer Gelehrten, und verwebt in das Ganze einige ökonomiſche und mineralogiſche Bemerkungen, die jedoch den wenigſten Platz einnehmen, ſo führt er z. B. an, daſs der Staat Raguſa, in welchem die Güter des Grafen v. B. liegen, durchgehends aus Kalkſtein, mit vielem, zum Theil ſeltenen, Petrefacten von Seekörpern beſtehet, und daſs nicht weit von Vruchiza die Art Eiſenſtein, die unter dem Namen Bohnenerzt iſt, und deſſen ſich die dortigen Einwohner ſtatt der Flintenkugeln bedienen, gefunden wird. In Calabrien fand er meiſtens Kalkſtein von verſchiedener Art. Der ſchmale Bergrücken, *le Sodole,* beſtund aus Glimmerigen Thonſchiefer, (*Schiſtoja micacea*), welcher auf Kalkſchichten, wie ſie ſich in den Appeninen finden, aufgeſetzt war, und nicht weit von Mormanno und auch bey Urſomarſo fand er mehrere vulkaniſche Subſtanzen und andere Merkmale, die, wie angeführt wird, noch kein Schriftſteller erwähnt hat. Auch fand er in dieſen Gegenden ſchwarzen porphyrähnlichen Kalkſtein, den die dortigen Steinmetzen Probierſtein nennen, und einen löcherichten Kalkſtein, deſſen Höhlungen mit Glimmer- und Quarzkriſtallen ausgeſetzt waren. Die Gegend um das Städtchen Paola erzeugt glimmerichten Schiefer, der mit Quarz und rötli-

lichem oder grauem Granit und Probierſtein, (wahrſcheinlich alles nur in Geſchieben), abwechſelt, und Schichten des letztern (es wird hier unter Probierſtein ſchwarzer Kalkſtein verſtanden) nehmen den erhabenen Theil der Küſte ein. Die Ueberſetzung iſt übrigens flieſsend und gut.

ERDBESCHREIBUNG.

HAMBURG, b. Bohn: D. *A. F. Büſchings Erdbeſchreibung. Erſter Theil.* 1787. 1292 S. *Zweyter Theil.* Achte rechtmäfsige Auflage. 1788. 810 S. 8. (2 Rthlr. 14 gr.)
Auch in dieſer Auflage eines Meiſterwerkes hat der Vf. in allen Abſchnitten, die neueſten Veränderungen mit ungemeiner Sorgfalt angezeigt, mehrere kleine Unrichtigkeiten, die in den vorhergehenden Auflagen, überſehn worden, berichtigt und ſehr oft manche intereſſante Zuſätze beygebracht, wie man ſchon aus Vergleichung der Seitenzahlen dieſer und der vorhergehenden Auflage erſehen kann. Gegenwärtige Auflage iſt 128 Seiten ſtärker.

SCHOENE WISSENSCHAFTEN.

LEIPZIG u. WIEN, ohne Meldung des Verlags: *Geſchichte Sanfords und Mertons,* für Kinder erzählt. Aus dem Engliſchen herausgegeben, von J. H. *Campe.* 1780. 216 S. 8. (10 gr.)
Ein reicher engliſcher Edelmann, Merton, bittet einen verſtändigen Prediger, Barlow mit Namen, ſeinen zwar gutartigen, doch ſchon etwas verzärtelten, Sohn Thomas, zugleich mit dem hoffnungsvollen Knaben eines Pachters, Heinrich Sandford aufzuziehn. Barlow thut es, und entwickelt die verſteckten Talente des jungen Thomas durch Anhalten zur Arbeit, durch Herleſung lehrreicher Geſchichten oder Fabeln, und durch ſokratiſche Geſpräche; bewirkt es auch wirklich durch ſeine Lehren, die er ihm ſpielend beybringt, und durch Heinrichs trefliches Beyſpiel: daſs er praktiſch die erkannten Pflichten auszuüben anfängt. Dies iſt der Gang eines engliſchen Werks, deſſen Vf. Thomas Doy heiſst, das in ſeinem Vaterlande mit Beyfall aufgenommen ward, und ſeit 1783 ſchon 3 Auflagen erhielt. — Im Ganzen verdient es auch allerdings Lob und Gebrauch. Die Erzählungen in ihm ſind zwar nichts weniger als Erfindung des Vfs.; ſie ſind ſämtlich entlehnt, und nur hie und da etwas verengt, oder erweitert; höchſtens in Nebenumſtänden verändert. Aber ihre Auswahl iſt zur moraliſchen Abſicht gut getroffen, und ihr Vortrag angenehm. Nur die von den vier Matroſen zu Spitzbergen würden wir nicht gewählt haben, weil in ihr manches für einen ſo jungen Knaben allzuſchweres ſich findet. Noch minder würden wir, (wenn wir an Hr. Campe's Stelle geweſen wären) ſie überſetzt haben: da er ſelbſt

geftehn muſs, ſie ſchon einmal genützt zu haben.
Etwas minder als die Geſchichten gefallen uns
die Geſpräche. In Anſehung der Naturkenntniſ-
ſe, die Hr. Barlow beymiſcht, ſind ſie äuſserſt unvollſtändig; ſehr oft ſind ſie allzuwortreich; und
nicht ſelten ſtöſst man auf einen Umſtand, der
zu den übrigen nicht paſst. So z. B. weiſs S. 110
ein Knabe, dem ſchon mancherley von Amerika
und andern Ländern vorgeredet und vorgeleſen
worden iſt, noch nicht, warum es *bey uns* Tag
und Nacht wird, und kömmt erſt nach zwey Seiten Dialog auf die U-ſache, *weil die Sonne geht,*
und wiederkömmt. Am allerwenigſten endlich gefallen uns einige von den kleinen Begebenheiten,
die den Faden des Ganzen zuſammenknüpfen ſollen; ſo iſt z. B. der Auftritt des kleinen Thomas
mit dem Ferkel, der Sau und dem Gänſerich (S
119) allzu geſucht komiſch, oder vielmehr poſſenhaft, auch der Bau des Hauſes (S. 155 allzuaus-
gedehnt. In der letzten, wiewohl beſſern, Geſchichte, wo der kleine Thomas einer bedräng-
ten Familie auf eine edle Art beyſpringt, und ſie
vom Verderben rettet, finden wir es zwar möglich, daſs ein reicher Engländer ſeinem Sohn 40
Pfund geben, und ſich ſtellen könne, als wolle er
ſich nicht nach deren Anwendung erkundigen.
Daſs er ſich aber *wirklich* nicht darnach erkun-
digt, bleibt doch ein wenig unwahrſcheinlich. —
Ueberhaupt iſt es nicht zu läugnen, daſs für England das Werk mehr Verdienſte haben müſſe, als
es, auch noch ſo gut verdeutſcht, für Deutſchland haben kann. Denn wir ſind reicher an guten, und ſogar vortrefflichen Kinderſchriften, als
die Britten. Dennoch verdient Hr. Campe für die
Ueberſetzung Dank. Den zweyten Theil, wie er
ſelbſt erzählt, hat er einem ſeiner Freunde übertragen. Der Stil der Dolmetſchung iſt größtentheils gut; doch in zuſammenhängender Erzählung
beſſer, als im Dialoge.

Nürnberg u. Altdorf, b. Monath: *Verſuch*
in Werken der Beredſamkeit, beſtehend aus
Reden, die bey öffentlichen Feyerlichkeiten
gehalten worden; zum Beſten der Schulen
herausgegeben, von *Johann Chriſtian Jahn,*
Conrector in Culmbach. 1788. 8to. S. in
8. (18 gr.)
Aus der Zueignungsſchrift an Hn. Hofrath Har-
les, den theureſten Lehrer und Onkel, und an
Hn. Conſiſt. R. Lang, den hochgeneigten Gönner des Vf., lernt man freylich mehr ſeine Stärke
im Complimentirton, als in der Beredſamkeit,
kennen. Er bezeugt darin ihren *Wohlgebohrn*
Wohlgebohrn ſeine tiefſte Ehrerbietung; ſagt ihnen für die Beweiſe ihres Wohlwollens unterthä-
nigen Dank; wird ſich glücklich ſchätzen, wenn
Hochdieſelben dieſes Werkchen einiges Anblicks
würdigen werden; ruft den Allmächtigen an, daſs
er Sie mit beſtändigem Wohlſeyn bekronen möge;

und verharrt mit ehrfurchtsvoller Hochachtung
ſeines hochgeneigten Gönners unterthäniger Diener. — Alle dieſe, freylich nicht ſo ganz ungewöhnliche, Kratzfüsse würden wir nicht rügen,
wenn uns nicht vor einer Sammlung von Reden doppelt auffallend und unſchicklich dünkte,
die für junge Studirende zur Bildung und Nachahmung beſtimmt iſt. Zwar iſt der Vf. beſcheiden genug, ſeine hier gelieferten Reden nicht
für Muſter auszugeben; ſondern ſeine Abſicht iſt,
wie er ſagt, nur die: unerfahrnen Rednern einen
geringen Leitfaden, und einige wenige Winke zu
geben, wie ſie einen Hauptſatz nur einigermaſsen
bearbeiten ſollen. Das hieſse denn doch wohl,
durch mittelmäſsige Proben die Mittelmäſsigkeit
der Köpfe befördern und beſtärken, die doch in
der Redekunſt eben ſo unſtatthaft ſeyn ſolke, als
in der Dichtkunſt. Uebrigens ſcheint der Verf.
über den Werth ſeiner Proben ein ſehr gerechtes
Urtheil gefällt zu haben; denn *geringe* iſt dieſer
Werth am Ende wohl nur; *geringe* ſein Leitfaden, und ſein Verſuch nur einigermaſsen geglückt.
An der Wahl der in dieſen Reden abgehandelten
Sätze aus der populären Philoſophie, Geſchichte,
Naturhiſtorie u. ſ. f. würde nichts auszuſetzen
ſeyn, aber die Ausführung iſt mehrentheils ſehr
ſeicht, alltäglich und kraftlos. Sehr oft verliert
ſich die Schreibart in den ehemals ſo üblichen
ſchaalen Wochenblättern; und da, wo ſie ſich heben, und redneriſch werden ſollte, ſieht man ihr
zu ſehr das mühſame Beſtreben an, und ſie wird
geziert, antithetiſch und unnatürlich. Dazu
kommen ſo manche abſichtliche Erweiterungen
und gedankenleere Tautologien, und ſo ein lei-
ſamer, ſo übel zuſammengeſtellter Exempelkram,
daſs ſich der Leſer dieſer Reden nicht ſelten in
die Weiſiſche und Hübneriſche Schule verſetzt
glauben wird. Nur eine kurze Stelle zur Probe:
S. 22. „Der müſste ein Klotz ſeyn, bey dem
„nicht die Tragödie Thränen erzwingen, Seufzer
„erpreſſen ſollte; da ſchon die rohen blutdürſti-
„gen Römer durch eine einfältige Fabel gerüh-
„gen worden ſind, wieder nach Rom zurückzu-
„kehren, obgleich ſie vorhero allen Vorſtellungen
„kein Gehör gaben. Nur Gedichte konnten ſelbſt
„unter dem Geräuſche der Waffen den Zorn
„des Achilles ſtillen, ſeinen Schmerz lindern,
„Polykrates, der größte Tyrann, muſste doch
„den Anakreon lieben; und ſelbſt Nero, der ſonſt
„alles Gefühl der Menſchheit verloren hatte, u.
„den Thieren ähnlich war, konnte der Kraft der
„Dichtkunſt nicht widerſtehen. Ja, Cicero, der
„größte Redner unter den Römern, ſchämte ſich
„nicht, öffentlich zu ſagen, daſs er dem Dichter
„Archias ſeine ganze Beredſamkeit zu danken ha-
„be, und daſs er, von der Laſt der gerichtlichen
„Arbeiten entkräftet, zur Poeſie ſeine Zuflucht
„genommen, in ihrer angenehmen Geſellſchaft
„ausgeruhet, und neue Kräfte geſammlet habe.‟

ALLGEMEINE

LITERATUR-ZEITUNG

Freytags, den 6ten Februar 1789.

ARZNEYGELAHRTHEIT.

HALLE, in der Rengerifchen Buchhandlung: Auguft Gottlob Weber's, Dr. und Prof. der Heilkunde zu Halle, *Auszüge verfchiedener arzneywiffenfchaftlicher Abhandlungen aus den wöchentlichen Hallifchen Anzeigen. Zum Nutzen der Aerzte und Liebhaber der Arzneywiffenfchaft.* Erfter Band, welcher die Jahre 1729 bis 1756 enthält. 1788. 435 S. 8. (1 Rthlr.)

Die berühmteften Lehrer bey der Univerfität zu Halle und andre Hallifche Aerzte haben von Zeit zu Zeit Auffätze, die fonft nirgends gedruckt find, in die wöchentlichen Hallifchen Anzeigen eingerückt. Manche unter diefen betreffen Gegenftände, die dem Einwohner von Halle immer wichtig feyn werden, z. B. ob Halle ein ungefunder Ort fey, von J. H. Schulze, Rettung des befchuldigten und verworfenen Hallifchen Bieres, Puff, u. f. w. und da die Hallifchen Anzeigen felten vollftändig angetroffen werden, fo werden diefe Auszüge fchon aus diefem Grunde Liebhaber finden. Mehr als ein Drittheil der Abhandlungen, die in diefem Bande geliefert worden find, find von dem grofsen Arzte, Friedrich Hoffmann, und unter diefen find manche, die man mit Nutzen lefen wird, befonders die Auffätze von den Urfachen der gröfsern Mortalität im J. 1732, von der Gefundheit und Ungefundheit einiger Jahreszeiten, von dem Verhalten bey ungefunden Jahreszeiten, Beweis, dafs die Gefundheit des Körpers zur Gefundheit der Seele nothwendig fey, von den Wirkungen der Einbildungskraft in den menfchlichen Körper, von dem, der Gefundheit und dem Leben, fchädlichen Mifsbrauch des Gefchlechtstriebes, Unterfuchung, warum einige Jahrszeiten vor andern ungewöhnliche Krankheiten und mehrere Todesfälle herbeyführen, u. f. Auch von den gelehrten Aerzten: Michael Alberti, Joh. H. Schulze, Johann Juncker und Büchner find mehrere gemeinnützige und gute Abhandlungen im Auszuge gelierfert worden. Der Herausgeber hat das Verzeichnifs der Abhandlungen nach den Fächern der Heilkunde geordnet.

A. L. Z. Erfter Band. 1789.

und der Sprache der ältern Abhandl. mit der Sprache der neuern die möglichfte Uebereinftimmung zu geben gefucht. Er verfpricht die übrigen mit Weglaffung aller derer, die bereits in andern Sammlungen aufgenommen worden find, nachzuliefern, falls diefer Band Beyfall und Käufer finden wird.

AUGSBURG, b. Riegers Söhnen: *Johann Gottfr. Effich — Mitglied des med. Colleg. in Augsburg, praktifche Anleitung zur gründlichen Kur aller nur möglichen Gattungen venerifcher Krankheiten, für angehende Stadt-, Land- u. Feldwundärzte.* Sammt einem Anhange von den Bewahrungsmitteln wider das Luftfeuchegift, wie auch von feiner gänzlichen Ausrottung. 1787. 320 S. 8.

Um die graufamen Verwüftungen, welche das Gift der Luftfeuche bey Menfchen von allen Ständen bewirket, zu vermindern, und um zugleich die vielen Verwahrlofungen folcher Kranken zu verhüten, die Hülfe wider diefe Krankheit bey Wundärzten fuchen, verfafste Hr. E. diefe Anleitung, die ihm befonders defswegen nothwendig fchien, weil er die beffern Abhandl. über die Kur der Luftfeuche für die, denen er diefes Buch beftimmt hat, zu gelehrt hielt. Er handelt erft von den Eigenfchaften des Giftes der Luftfeuche im Allgemeinen und von den Mitteln wider daffelbe, dann redet er von den äufserlichen und innerlichen lokalen Krankheiten, welche das venerifche Gift zum Grunde haben, und endlich von der allgemein gewordenen Luftfeuche. Er beobachtet bey Behandlung diefer Gegenftände nicht die Ordnung, die wir für die befte gehalten haben würden. Er hätte erft die Zufälle, welche von dem über den Körper allgemein verbreiteten Gifte bewirkt werden, behandeln follen: dies aber thut er nicht, fondern fpricht erft von venerifchen Krankheiten der Haut, der Knochen, der äufsern Theile des Gefichts, und zuletzt endlich von den Krankheiten der Geburtstheile. Die Art des Vortrages, der in Fragen und Antworten abgefafst ift, verdient auch keinen Beyfall. Die Gabe fich ziemlich deutlich auszudrücken hat der Vf., theils aber ift die Ausführung ohne Noth

durch

durch die vielen Fragen weitläuftig geworden, theils hat er auch Erläuterungen, die völlig unnöthig waren, nicht genug vermieden, z. B. *Was ift das venerifche Harnbrennen?* Ein brennendes und fchmerzendes vom Luftfeuchegift entftandenes Harnen. *Was find venerifche Gaumengefchwüre?* Vom Luftfeuchegift entftandene Gefchwüre im Gaumen: *Was ift der venerifche Miflaut der Stimme?* Ein unangenehmer Laut der Sprache. So könnten wir noch eine grofse Menge von unnöthigen Fragen und eben fo unnöthigen und zwecklofen Antworten herfetzen. Er glaubt, dafs die Luftfeuche einzig und allein durch das Queckfilber geheilt werden könne, und hält alle andere Mittel wider diefe Krankheit unter allen Umftänden für unzureichend. Die Queckfilberfalbe und alle Bereitungen des Queckfilbers verwirft er bey der Heilung der Krankheit durchaus und fchlägt vor, die Krankheit in allen Fällen mit dem Gummiqueckfilber allein zu heilen. Andere Queckfilberbereitungen, z. B. der Sublimat, werden nur zur Heilung äufserlicher Krankheiten und zum äufserlichen Gebrauch vorgefchlagen. — Da der Vf. fein Buch für die niedrigere Klaffe der Medicinalperfonen beftimmt hat, von denen nicht immer zu vermuthen ift, dafs fie Vorfchläge, die zwar zum Wohl der Menfchen gegeben werden, aber auch die Zügellofigkeit einzelner Perfonen leicht befördern können, zu verftehen, wie fie follten, fo hätte er den erften Theil des Anhanges: *von den Bewahrungsmitteln wider das Gift der geilen Seuche*, billig unterdrücken follen: und wenn er auch nur von der Unzulänglichkeit diefer Mittel redet, die Mittel felbft aber dabey angiebt, fo wird es doch manchem fehr lieb feyn, wenn er ein Mittel erfährt, welches zur Verhütung der gewöhnlichften Folge der Geilheit wenigftens vorgefchlagen worden ift. Er felbft empfiehlt ein Mittel diefer Art, deffen Wirkfamkeit aber fehr trüglich feyn wird, und manchen Menfchen, der fich bey deffen Anwendung ficher glauben möchte, unglücklich machen kann. Die andern Vorfchläge, wie die gänzliche Ausrottung des Giftes der Luftfeuche zu bewirken fey, find meiftens von „dem grofsen Arzt „und Naturkündiger Burrii" entlehnt und beftehen darinn, dafs man die Angefteckten, die fich nicht heilen laffen wollen, dazu beftrafen, und wirkfame Anftalten wider die Ausfchweifungen junger Leute treffen foll. Die Nachricht S. 285, dafs man bey der Armee des Prinzen Eugen, unheilbar mit der Luftfeuche behaftete Weibsperfonen lebendig begraben habe, um einem gröfsern Unglück der Anfteckung bey der Armee vorzubeugen, hätte mit beffern Beweifen belegt werden follen.

LEIPZIG, b. Böhme: *Wenzel Trnka von Krzowitz*, des heil. röm. Reichs Ritters und Prof. zu Peft, *Gefchichte der Englifchen Krankheit.*

— *Amfterdam,* Lateinifchen, nebft einigen praktifchen Anmerkungen. 1789. 372 S. 8. (1 Rthlr.) Auch diefes Werk enthält, wie die andern Schriften des Vf. über andere Krankheiten, nichts weiter als Compilation deffen, was er in den Schriftftellern über diefe Krankheit vorfand. Diejenigen, welche des Lateins unkundig find und an Hn. T. Werke Gefchmack finden, werden fich diefer Ueberfetzung mit Nutzen bedienen können. Von S. 301 bis zu Ende des Werks hat der Ueberfetzer brauchbare Zufätze zu der Abhandlung des Vf. gröfstentheils aus neuern Schriftftellern geliefert.

SCHOENE WISSENSCHAFTEN.

BERLIN, b. Wever: *Albertine. Richardfons Clariffen nachgebildet, und zu einem lehrreichen Lefebuche für deutfche Mädchen beftimmt.* Erfter Theil. 1788. 382 S. Zweyter Th. 397 S. Dritter Th. 347 S. 8. (2 Rthlr. 8 gr.)

Seit mehr als vierzig Jahren hat Richardfons Clariffe nicht nur unter den englifchen, fondern unter allen den unzähligen bey mehrern Nationen gefchriebenen Romanen diefer Gattung, den erften Rang behauptet; und der vielfache Werth diefer fo intereffant und fo lehrreich erzählten Gefchichte ift fo allgemein anerkannt, dafs es fehr überflüffig feyn würde, ihn hier zu zergliedern. Selbft der kühlere Beurtheiler, dem Diderots Lobfpüche auf dies Werk in feiner bekannten Lobfchrift Richardfon's zu enthufiaftifch und zu verfchwenderifch dünken mögen, wird doch bey jeder neuen Lefung deffelben mit Rührung und Bewunderung gegen einen Schriftfteller erfülle werden, der, ungeachtet aller in Sitten und Denkungsart vorgefallenen Veränderung, immer noch einer der wahrften und treffendften Darfteller der Welt, des Herzens und des Lebens bleibt. Bald nach der erften Erfcheinung des englifchen Originals erfchien zu Göttingen eine deutfche Ueberfetzung deffelben. Sie hatte einige der würdigften Gelehrten zu Urhebern, und es wäre undankbar, den Werth nicht anzuerkennen, welchen fie in Verhältnifs der damaligen Ausbildung unfers Gefchmacks und unfrer Schreibart gewifs hatte. Beide wagen freylich noch nicht zu der Stufe ihrer jetzigen Vollkommenheit hinauf geführt, wenn gleich nicht mehr in ihrer Kindheit, wie in der Vorrede zu der gegenwärtigen Umarbeitung gefagt wird, worinn man überhaupt die Epoche des goldnen Zeitalters gar zu neu, fo neu annimmt, dafs fie jetzt erft zwanzigjährig feyn würde. Auch fcheint es wirklich zu viel gefagt, dafs feit jener glücklichen Revolution jene deutfche Ueberfetzung der Clariffe *nicht mehr lesbar* feyn foll. Gewundert hat es uns indefs, dafs bey der fo herrfchenden Romanenfucht, wovon feit den letzten zwanzig Jahren, deutfche Lefer.

Ver-

Verleger und Autoren ergriffen find, und bey der so oft unternommenen Reform, oder neuen Bearbeitung alter Ueberfetzungen der ausländifchen Romane, die Reihe noch nicht an die Richardfonifchen und vorzüglich an die Clariffe gekommen ift. Faft follte man daraus, die für den jetzigen Modegefchmack fehr ungünftige Folgerung ziehen, dafs der Ton diefes Romans für unfer Zeitalter fchon zu ernfthaft, die Ausführlichkeit deffelben zu langweilig, und der in die Gefchichte durchgängig verwebte Unterricht für Lefer, die mehr unterhalten, als belehrt zu werden wünfchen, zu ermüdend geworden. Dafs diefe Folgerung auch nicht fo ganz ungegründet feyn müffe, beftätiget felbft die gegenwärtige Unternehmung, und die Erklärung ihres Urhebers über die Veranlaffung dazu, und zu der umgeänderten Form, die er dem Original zu geben nöthig fand. Der jetzt herrfchenden unftäten, flüchtigen Lefelaune ift freylich wohl das kürzefte Buch das willkommenfte; und die Laune wird, wie der Vf. hinzufetzt, von den Grundfätzen der deutfchen Oekonomie unterftützt, und, wie er meynt, fo gar gerechtfertigt. Jene will keine funfzehn Alphabete mehr lefen; und diefe will und kann fie nicht kaufen.

Rec. gehört nun freylich mit zu denen, welche Richardfons Verdienft bey aller Ausführlichkeit feiner Erzählung, feine meifterhaften Gemälde, mit allem fleichthum ihres Beywerks, zu fehr fchätzen, als dafs fie die Einfchmelzung feiner 15 in 5 Alphabet wünfchenswerth finden könnten. Und bey diefen fürchtete der Vf. felbft fein Verfahren nicht völlig rechtfertigen zu können. Zu bedauern ift es freylich, dafs wir nun fchwerlich eine neue und beffere Ueberfetzung der ganzen Clariffe zu erwarten haben werden, die doch in mehr als Einem Betracht mehr zu wünfchen gewefen wäre, als ein blofser Auszug, und eine Nachbildung der englifchen Gefchichte in unfer deutfchen, wovon der Vf. glaubt, dafs dadurch feine Bearbeitung an Intereffe und Zweckmäffigkeit gewonnen habe. Dafs diefe Umänderung noch weit glücklicher ausgefallen ift, als wir gedacht hätten, ift freylich ein Beweis von der Gefchicklichkeit ihres Urhebers, der fich nicht blofs mit Umänderung der Scene und der Namen begnügte, fondern auf die dabey eintretenden übrigen Bedürfniffe Rückficht nahm; aber auch in den vielen Fällen, wo es keiner, oder doch nur einer geringen Abänderung bedurfte, ein Beweis mehr von Richardfon's grofsen Talenten, mit welchen er beim Lokalen feines Gemäldes, doch mehr den Menfchen, als blofs feine Landesleute fchilderte, und dadurch Schriftfteller für die Welt, und blofs für feine Nation war. Ein Vorzug, den auch Diderot anerkannte, und der ihm, wie wir fchon bemerkt haben, in Anfehung des Temporellen eben fo fehr, als des Localen, gebühret.

Wenn alfo diefe Umänderung mit der Clariffe einmal gefchehen follte und mufste; fo hat man fich immer noch zu erfreuen, dafs fie in fo gefchickte Hände gefallen ift. Denn Rec. hat fich theils durch Lefung der Albertine, ohne alle Rückficht auf ihr Urbild, theils auch durch Vergleichung diefes letztern mit der Nachbildung, mit Vergnügen überzeugt, dafs ihr ungenannter Verfaffer feiner Unternehmung gewachfen war, dafs er die Gabe eines leichten, natürlichen und, dabey immer lebhaften Vortrages in nicht gemeinem Maafse befitze.

London, b. Faulder, u. a. m.: Fables; Ancient, and Modern: after the Manner of La Fontaine, by William Wallbeck. 1787. 174 S. in 8. (3 Sh. 6 d.)

In dem fonft fo reichen Gebiete der englifchen Poefie ift, wie bekannt, das Feld der äfopifchen Fabel nicht fehr, und mit minder glücklichem Erfolge, als die übrigen angebauet. Gay bleibt immer noch der befte Fabeldichter diefer Nation; und doch verliert der Werth feiner Fabeln gar fehr, wenn man fie mit den Meifterwerken der Franzofen und Deutfchen in diefer Gattung zufammenhält. Der Vf. der hier anzuzeigenden Fabeln ift nicht der erfte, der eine Nachahmung La Fontaine's in englifcher Sprache verfucht hat; ehedem fchrieb Charles Denis in eben diefer Manier, ohne dafs fie ihm fonderlich gelang; und nur die geringe Anzahl brittifcher Fabeldichter ift vielleicht Urfache, dafs man ihn und feine Fabeln noch nicht ganz vergeffen hat. Unfer Vf. wurde zu feinem Verfuche durch die Aeufserung eines Franzofen veranlaßt, welches, vielleicht nicht fo ganz mit Unrecht behauptete, La Fontaine's Schreibart fey unnachahmlich, und fein. Witz fey von einem dem franzöfifchen Genie ganz eigenthümlichen Glanze, den alle andre Nationen, vornehmlich aber der phlegmatifchen Engländer in alle Ewigkeit nicht erreichen würden. Er felbft, gefteht, dafs mit Gewalt hervorgetriebene Früchte nicht immer den beften Gefchmack haben; und, fürchtet, dafs dies auch hier der Fall feyn werde; zum Theil, wie er hinzufetzt, durch feine eigene Schuld, weil er gar zu eilfertig dabey verfahren fey, den Ofen des Treibhaufes zu ftark geheizt, und es verfäumt habe, den Baum von Zeit zu Zeit zu befchneiden. Uebrigens habe er die Jafontänifchen Fabeln lange und unabläffig ftudirt, und fie vorher wörtlich in Profe, hernach aber freyer in Verfe, überfetzt. Unter diefen befinden fich auch zehn oder zwölf von feiner eigenen Erfindung, die er eben fo wenig auszuzeichnen für rathfam hält, als ein Alterthumshändler die Copien unter den Originalen. Aufserdem hat er aber auch den meiften Fabeln eine abgeänderte Wendung zu geben, und fie dadurch zu feinem Eigenthum zu machen gefucht. Er fchmeichelt fich übrigens nicht fein Mufter erreicht

reicht zu haben, deßen große Vortreflichkeit er
mit vielen Lobfprüchen anerkennt. So viel aus
der vorausgefetzten weitläuftigen Zufchrift, in
der noch manche andre Gegenftände, zum Theil
mit einer gewiffen Laune, abgehandelt werden,
auf die wir uns hier nicht einlaffen können.

Wie gefagt, der Franzofe, der *La Fontaine's*
Unerreichbarkeit behauptete, hatte doch wohl fo
ganz Unrecht nicht. Es ift keiner Frage werth,
ob fich in einer andern Sprache nicht eben fo vortrefliche, und vielleicht noch fchönere, Fabeln
verfertigen laffen; aber eine ganz andre Frage
ift die, ob feine ganze Manier in eine andre Sprache völlig überzutragen fey. Dies möchte nun
wohl um fo viel fchwerer, oder vielmehr unaus-
führbarer feyn, je inniger manche wefentliche
Schönheiten des franzöfifchen Dichters mit der
Eigenheit feiner Sprache, und ihren ganz eigenthümlichen Wendungen, verwebt find. So weifs
man, wie fehr der fogenannte *ftile Marotique* zu
dem charakteriftifchen feines Vortrages gehört;
und wie läfst fich diefer in einer andern Sprache
nachbilden? Gewifs nur äufserft unvollkommen
durch die Aufnahme obfoleter Ausdrücke und
fprüchwörtlicher Redensarten aus einem gleich
alten Dichter in derfelben. Noch mehr aber ift
der, in der franzöfifchen Sprache weit mehr, als
in irgend einer andern, ausgebildete Converfa-
tionston eine reiche Quelle der lafontainifchen Ge-
fchmeidigkeit und Naivetät. Und womit will man
diefen Vorzug in einer Ueberfetzung oder Nachahmung vergüten? Hiezu nehme man noch die
anmuthvolle Gefchwätzigkeit in den Fabeln diefes Dichters, jenes nie befchwerliche *caquet*, welches keine Sprache fo fehr, als die franzöfifche
in ihrer Gewalt hat, und gerade der englifchen,
die allen Wortaufwand meidet, und deren Ausdruck fich durch Kürze und Sparfamkeit vorzüglich auszeichnet, gerade am allerwenigften eigen
oder erreichbar ift. Diefe Eigenfchaft, wodurch
diefe Sprache für den philofophifchen, und felbft
für den höhern dichterifchen Vortrag fo bequem
und eindringlich wird, macht fie gerade für den
Fabelvortrag in *La Fontaine's* Manier fo unbequem. Schwerlich wird daher ein Lefer, der mit
diefer letztern nur einigermaßen bekannt ift, in

den Nachahmungen unfers Dichters ihren Charakter wieder finden; und gerade die Fabeln, die
er jenem Dichter nacherzählte, fcheinen ihm am
wenigften gelungen zu feyn. Hier ift eine Probe:
wobey die Vergleichung des Originals mit der Kopie unfer Urtheil hoffentlich beftätigen wird:

Le Coq et la Perle.

Un jour un coq détourna
Une perle qu'il donna
Au beau premier Lapidaire.
Je la crois fine, dit-il,
Mais le moindre grain de mil
Seroit bien mieux mon affaire.
Un ignorant hérita
D'un manufcrit, qu'il porta
Chez fon voifin le Libraire.
Je crois, dit-il, qu'il eft bon;
Mais le moindre ducaton
Seroit bien mieux mon affaire.

The Cock finding a Diamond.

A Cock a-ftratching up the ground
In fearch of food, a Diamond found,
Which fpurning from him, „Pfhaw! (fays he;)
„A Gem is of no ufe to me.
„Ladies, or Lapidaries might
„In fuch a bauble take delight;
„Its cut and colour would admire;
„Perhaps; — its largenefs or its fire,
„To me how welcomer a prize
„A Barley-corn of half its fize!
An' Ignoramus Heir-at-Law,
Rummaging over Papers, faw
A Manufcript, in crabbed hand,
Of which he did not underftand
A fyllable. „Perhaps, (fays he,)
„This might ineftimable be
„In fome learn'd Antiquary's eyes;
„But how much welcomer a prize
„To me — a Bond, or Banker's Note!
„Foregad! I would not give a groat
„For all the Manufcripts on Earth,
„Infooth, I wonder, of what worth
„The mufty things in the Mufeum!
„Who will, may read 'em, — fo IL ever fee 'em."

KLEINE SCHRIFTEN.

ŒKONOMIE. *Anfpach*, b. Haueifen: *Fried. Ludw.*
Walther, Die Lehre vom Dung, oder *Mift, für Land-*
wirthe, Gutsbefitzer, Policeybeamte, Cameraliften, Ge-
richtsverwalter, Richter und diejenigen die es werden wol-
len. 1788. 55 S. 8. (4 gr.) Wer die beften Schriftfteller benutzt, aus eigenen achtjährigen Beobachtungen Refultate abzieht, felbft fechs jahre ununterbrochen auf
einem Landgute zubringt, wie der Vf. hat gewifs auf der
ökonomifchen Bank Sitz und Stimme. Da er itzt Do-
cent der Naturgefchichte und Oekonomie auf der Univerfität Gießen ift, fo wird er zu gemeinte Winke mit
Dank annehmen. Nemlich da er ein fo warmer Verehrer Schuberts ift, hätte er auch angeben follen, zu welcher Zeit der Dung bey folchen Wirthfchaften, die gar

keine Brache haben, auf die Felder gebracht werden
müffe. Vielleicht hatte Hr. W. noch keine dergleichen
Wirthfchaften gefehen, weil fie wirklich felten vorkommen, felbft die Schubartifche ift uns kein com-
petentes Mufter, indem er bekanntlich viele Krapp und Kobl-
ftat baute. Wir können indeffen alle Waltherifche Schriften dem ökonomifchen Publikum empfehlen nicht nur
wegen der darin herrfchenden Ordnung und Kürze,
fondern auch hauptfächlich deswegen, weil er überall
den Kalender, Rechnungswefen, Policey, Kauf und
Verkauf, Pachten und Verpachten Deterioration und Me-
liorationsfälle, Abfonderung der Lehens- und Erbe,
Frohndienfte mit anführt, und kurz auseinander fetzt,
welches vor ihm noch keiner gethan.

ALLGEMEINE
LITERATUR - ZEITUNG

Sonnabends, den 7ten Februar 1789.

SHOENE WISSENSCHAFTEN.

MÜNSTER u. OSNABRÜCK, b. Perrenon: *Chriftian Ludolph Reinhold*, — *Akademie der bildenden Künfte. Nebft einer vollftändigen Mythologie oder Befchreibung der Mufter der Alten, und wie diefelben ihre Götter, Könige, Priefter und Helden bildeten.* Für Mahler, Bildhauer, Baumeifter und Dichter, auch zum Privat- und öffentlichen Gebrauch auf Schulen eingerichtet, mit XIV Kupf. 1788. 467 S. 8. (1 Rthlr. 12 gr.)

So einen vielverfprechenden Titel gefiel es dem Hn. Vf. dem drey und dreyfligften Product feiner bibliographifchen Laune zu geben. Wer da weifs, was Launen für wunderliche Effecte hervorbringen können, wird es dem Hn. Magifter fchon zu gute halten, wenn er fich von der feinigen hinreiffen liefs, Maler, Bildhauer, Baumeifter und Dichter ftillfchweigend für recht unwiffende gutwillige Leutlein zu erklären, und fich kein Bedenken machte, ihnen eine Menge unverdaueter und zweeklofer Dinge vorzutragen. Rec. hatte keines der vorhergegangenen zwey und dreyfig Werke zu Geficht bekommen, und ift eben nicht fehr lüftern darnach gemacht worden, und es war ihm daher nicht zu vergeten, wenn er *bona fide* zu Werke gieng, und in allem Ernft hier etwas anzutreffen hofte, das feine Kenntniffe erweitern müfste. Aber wie fehr fand er fich getäufcht! Ein unbedeutender Wuft oberfläachlich gefammelter, gröfstentheils in alphabetifcher, zum Theil auch ohne Ordnung zufammen getragener Collectaneen ohne Anzeige der Quellen, würden ihn bald vermocht haben, diefes Werkchen bey Seite zu legen, wenn er fich nicht verbunden geachtet hätte, es bis zu Ende durchzulefen. Welch eine mühfelige Arbeit dies gewefen feyn müffe, erhellet aus gegenwärtiger Probe der Schreibart. Gleich zu Ende des erften Abfchnitts, welcher von der Zeichnung des Menfchen, von der Geburt bis in fein reifes Alter handelt, drückt fich der Hr. Vf. alfo aus. „Man könnte auch eine Proportion der Thiere verlangen, allein es kommt einmal bey dem Zeichen-

A. L. Z. Erfter Band. 1789.

„artiften nicht auf eine mathematifche Genauig-„keit an, und zweytens mufs der Mahler, durch „die Naturgefchichte fich die Proportionen vor-„züglich zum Gegenftand machen." Bis hieher hatte Rec. geglaubt, dafs die Natur, aber nicht ihre Gefchichte, die befte Lehrmeifterin fo wohl bey Zeichnung des Menfchen als der Thiere, fey, aber er kommt noch beffer. „Er (der Zeichenartift) „mufs fich merken, dafs der Elephant gröfser „als eine Katze ift, und dafs die Glieder des Rhi-„noceros nicht fo gelenkig find, wie die Schenkel „des Hanfens." Sehr plan vorgetragene Wahrheiten, und es follte nicht fchwer werden eine Menge folcher Denkfprüche aus diefem finnreichen Werke zufammen zu bringen, wenn es unfer Raum verftattete, oder der Mühe werth wäre. Im dritten Abfchnitt führt der Hr. Vf. den Silen als Hofnarren des Bacchus, und die Bacchanten, als Hofdamen des letztern auf. Gewifs fpafshaft genug! Die Ueberfchriften der vierzehn Abfchnitte, in welche das Ganze eingetheilt ift, entfprechen dem Haupttitel vollkommen. Wer würde z. B. bey dem letzten Abfchnitt, welcher Bibliothek der zeichnenden Künfte überfchrieben ift, träumen laffen, dafs ein dem verwirrteften Auctionscatalogus ähnliches Verzeichnifs guter u. mittelmäfsiger Bücher durcheinander, ohne alle Anmerkungen und Nachweifungen, ein Vorfchlag zu einer artiftifchen Bibliothek heiffen folle. Den Befchlufs macht ein Verzeichnifs der bereits ans Licht getretenen Werke des Hn. D. Reinhold. Warum aber auf neun von den unzählbaren Druckfehlern als Errata hinten beygedruckt fich befinden, ift fchwer zu errathen; follte diefes nicht ein überlegter Autorgriff feyn, von welchem fich auf andere hier aufftofsende gar wohl fchliefsen liefse?

FRANKFURT am Main, in der Hermannifchen Buchhandl.: *Lehrbuch der deutfchen Schreibart, für die obern Klaffen der Gymnafien;* von *Chriftian Wilhelm Snell*, Prorector des Gymnafiums zu Idftein. 1788. 312 S. in gr. 8. (12 gr.)

Was die meiften neuen Lehrbücher veranlafst, und wohl immer ein Grund ihrer Vervielfältigung bleiben wird, war auch Veranlaffung des gegenwärtigen.

R s   wärtigen.

wärtigen. Der Vf. fand nämlich keines der bisherigen für das Bedürfniß feiner Schule zweckmäfsig genug, indem einige derfelben nicht für
den Gebrauch beym Unterricht gefchrieben, andre hingegen zu viel befaffend waren, und fich
zugleich auch über andre Theile der Kritik erftreckten. Gleich beym erften Anblick entdeckt
man, dafs bey dem hier gelieferten Entwurfe keiner von allen vorhergehenden fo fehr benutzt ift,
als *Adelung's* Lehrbuch *über den deutfchen Stil ;*
auch verfchweigt der Vf. in der Vorrede nicht,
dafs er keinem feiner Vorgänger fo viel, als diefem zu verdanken habe. Gewiffermafsen kann
man das, was er hier liefert, als Auszug oder Abkürzung jenes Adelungifchen Werks anfehn; fo
fehr ftimmen fie von Seiten des Plans, der Eintheilungen, der Grundfätze, der Regeln, und felbft
mancher Beyfpiele überein. In Anfehung diefer
letztern hat jedoch Hr. S. noch das meifte eigne
Verdienft; er hat viel, und meiftens fchicklich gewählte Beyfpiele faft durchgängig angebracht, die
allerdings in einem Lehrbuche diefer Art unentbehrlich find. Auch hat er hie und da manches
anders geordnet, näher beftimmt, oder minder
entfcheidend vorgetragen, als fein Vorgänger,
der nicht felten einfeitig und faft defpotifch entfcheidend wird. Im Ganzen kann man daher mit
diefer Arbeit ganz zufrieden feyn, und fie mit
gutem Nutzen zum Unterrichte in der Schreibart zum Grunde legen; denn was fie vielleicht
überfüffiges oder minder zweckmäfsiges hat, fällt
dem Verf. nur in fo fern zur Laft, als er feinem
Vorgänger allzugetreu folgte. So hat er z. B.
die ganze, faft unabfehliche, Reihe von Redefigu-
ren aufgenommen, die im Adelungifchen Lehrbuche aufgeführt find, und deren manche entweder
fehr uneigentlich unter diefe Rubrik gehören,
oder doch fehr unnöthig als befondre Figuren
ausgezeichnet werden. Uebrigens fieht man an
mehrern Stellen, dafs der Vf. felbft gedacht, geordnet und gefammelt, auch mehrere neuere
Schriften diefes Inhalts nachgelefen, und, wiewohl ohne fie zu nennen, oft wörtlich benutzt
hat.

Leipzig, im Verlage der Dyckifchen Buchhandl.
*Nachrichten von allen in Dresden lebenden
Künftlern,* gefammelt und herausgegeben von
Heinrich Keller. 1788. 220 S. 8. (14 gr.)
Den gröften Theil, der in diefer Schrift enthaltenen Nachrichten, hat Hr. K. den Künftlern
felbft, welche fie angehen, zu danken, daher er
auch ihre eignen fchriftlichen Auffätze beynahe
wörtlich beybehielt. Die Verfchiedenheit des
Stils ift hiervon eine natürliche Folge, und gereicht diefer Sammlung zu keiner geringer Empfehlung. Rec. hat die Entftehung derfelben mit angefehen, und kann daher um fo mehr für die
Aechtheit der in derfelben enthaltenen Nachrichten Bürge feyn. Für die durch Dresden reifen-

den Fremden befindet fich am Ende ein Auszug
der Befchreibung des Hn. Dir. Cafanova von Mengs
Altarblatt in der kathol. Kirche die Himmelfahrt
Chrifti vorftellend. Diefe fo meifterhafte als fchön
vorgetragene Befchreibung, welche im dritten Bd.
der N. Bibl. der fchönen Wiff. fteht, wird jedem
Mann von Gefchmack und Einficht auch hier wieder willkommen feyn.

VERMISCHTE SCHRIFTEN.

Leipzig, b. Jacobäer: *Für Eltern und Ehlufti-
ge unter den Aufgeklärten im Mittelftande.*
Eine Gefchichte vom Verfaffer von Sophiens
Reife. 1fter Theil 368 S. 2ter Theil. 1789.
8. (2 Rthlr.)
Der Vf. will durchaus nicht, dafs feine Werke
Romane genennet werden. Richardfons Werke,
die ebenfalls für beftimmte fittliche Endzwecke
gefchrieben find; und gelegentliche Ausführungen
moralifcher Wahrheiten enthalten, führen allgemein diefen Namen. Indeffen diefer Roman, oder
Nichtroman, wie man will — enthält die Gefchichte eines jungen Geiftlichen, der in dem Entfchluffe zu heyrathen, durch fonderbare und mannichfaltige Verhältniffe zu Frauen und Mädchen, fein
eignes und andrer Herzen in Rückficht auf eine
der wichtigften Angelegenheiten des menfchlichen Lebens kennen lernt. Eine fchöne und reizende Jüdin, die auf Veranlaffung feines Unterrichts zur chriftlichen Religion übergeht, fällt in
die heftigfte Leidenfchaft zu ihm, fchlägt aber
feine Hand aus, weil fie entdeckt, dafs ihr Her-
dem feinigen zuvorgekommen. Eine wunderfchö-
ne junge Wittwe vom Stande verliebt fich in ihn,
und ihre Erklärung, keinen andern als einen bürgerlichen heyrathen zu wollen, gleicht einem An-
trage. Sie ftimmt endlich herab, auf Bemühung
zum Genuffe der Liebe ohne Ehe. Ihr Vater,
ein alter General, der ihm eine Pfarre anbietet,
will ihn verheirathen, um feine Grofstöchter durch
ihn erziehen zu laffen, und trägt ihm ein junges
reitzendes Mädchen an, feiner Tochter Kammerjungfer, die aber gebildeter ift, als ihr Stand
verlangt. Von dem aufserordentlichen Talente
des Vf., Situationen mit hinreifender Lebhaftigkeit darzuftellen, von der Wärme der Empfindung, welche feine Gemälde und Perfonen fo anziehend macht, enthält diefes Werk nicht die
erften Proben. Seine glühende Einbildungskraft
und Empfindung geben den Gemälden eine Lebhaftigkeit, und das oft fehr glückliche Detail der
Situationen, giebt ihnen eine Wahrheit, die Theilnehmung erzwingt. Aber die brennenden Farben und die Rembrandfche Haltung müffen nicht
hindern, die Zeichnung der Charaktere zu prüfen.

Verkant, der Geiftliche, in den fich alle Weiber verlieben, mufs wohl viele Vollkommenheiten haben. Er ift fchön, hat fehr gebildete Den-
kungs-

kungsart, und fpricht fehr gut. weifs in der Converfation immer vortheilhafte Wendungen zu finden, hat viel Gefühl, befonders für Schönheit.
Aber was hat er für einen Charakter? Alle Weiber reitzen ihn, und er läfst fich mit jeder tiefer
ein, als ein Mann thun kann, der weifs, was er
will. Und doch will der Vf. in ihm nicht einen
Schönfprecher, einen Menfchen ohne Charakter
fchildern, denn alles ift von feiner Vortreflichkeit
voll, und die Moral foll in feinem Munde die
Wahrheit haben, die nur aus der eigenen Uebereinftimmung damit herrührt. Und ein Neuling
ift er auch nicht. Er ift 32 Jahr alt, und hat in
feiner Jugend folche Reifen gemacht und in Lagen gelebt, da feine Empfindung fo oft aufge-
regt werden müffen, dafs fein eignes Herz ihm
nicht mehr ein Abgrund feyn darf. Die Scenen, in
denen verdeckte Sinnlichkeit ihn verleitet, mit
der Kammerjungfer fich bis zu einem Heirathsan-
trage einzulaffen, find vortreflich. Aber die durch-
dachten feften Grundfätze, die er vorträgt, klei-
den fchlecht den Mann, der fich fo weit hinreifsen
läfst, indem er noch in Ungewifsheit ift, wie es
mit einem andern Mädchen, das er zu lieben
glaubt, werden wird. Der Lefer wird fehr begierig zu fehen, wie der Vf. in den folgenden
Bänden aus einem fo gebildeten Kopfe und fo
trocknen Herzen einen mufterhaften Mann, natürlich entftehn laffen will.

Die Kammerjungfer, das Mädchen von guten
Anlagen und lebhaften Herzen, das aber doch
zurückhaltender, überlegtamer ift, als Verkannt ift
obfchon fie nicht liebt, immer kleine Plane denkt,
ihn zu fehen, ift fehr natürlich und treflich gefchildert. Die Converfation am Ende des erften
Theils, wo das arme, aus ihrem angebornen
Stande verrückte Mädchen ihre Wünfche und die
ausgetheilten Körbe zu rechtfertigen fucht, hat
unverbefferliche Wendungen.

Der Charakter der Judin ift beynahe en blanc.
Die Idee, dafs ihr weiblicher Stolz fie bewegt,
den Geliebten auszufchlagen, weil ihre Delica-
teffe beleidigt wird, ift gut, aber diefe Empfindungen zeigen fich nicht als die bewegenden Urfachen. Sie raifonnirt nur, und fo raifonnirt fie
falfch.

Die Obriftin, ein Teufel von Neid, tyranni-
fcher Herfchfucht und moralifcher Gefühllofigkeit,
der dabey ein Engel fcheint, und alles bezau-
bert, gleicht vollkommen einer Alcina, nur dafs
fie nicht wie diefe, Fee ift. So aber müfsten
doch die Mittel zu entdecken feyn, wodurch
fie jene unerklärbare Wirkungen hervorbringt.
Der innere Zufammenhang ihres Charakters
ift eben fo räthfelhaft. Es fcheint zwar eine Art von Auffchlufs darüber enthalten zu follen, dafs fie fich insgeheim mit freygeifterifchen
Schriften befchäftigt. (Wie kann der Parteygeift
doch fo verblenden; dafs ein Mann von Gefühl
und Einficht den Rouffeau, Voltaire und Helvetius

hier zufammenftellt!) Aber wenn auch der Kopf
durch Lefen verwirrt wird, fo müffen doch die
Neigungen, die dadurch frey werden, im Herzen
da gewefen feyn. Dafs diefe Zauberin nichts
befferes zu erdenken weifs, den Gegenftand ihrer Begierde zu verführen, als die platten Angriffe, womit fie die Wafferfahrt befchliefst, pafst
auch nicht. In einzelnen Situationen fcheinen
einige Züge aus der Natur wirklich genommen
zu feyn, und Rec. erwartet vom Vf. eine Verficherung, (ähnliche mit mancherley ftolzen und
bittern Wendungen finden fich fchon in diefen
erften Bänden,) dafs diefe Obriftin nicht ein blofses Gefchöpf der Imagination fey. Aber das würde aus jenem noch nicht folgen. Einzelne Züge,
Geberden, Worte können der Natur gar wohl
copirt feyn, ohne dafs der Charakter mit getroffen feyn mufs.

Eine allgemeine Anmerkung über die Charaktere des Vf. fey hier vergönnt. Es ift feine Manier, dafs die mehreften anders ausfallen, als fie
anfangs fcheinen. Nun können feine Mithandeln-
de fich wohl in einander irren, aber das mufs
der Lefer nicht. Diefer mufs fehen, warum fich
jene irren: das ganze Spiel der Mafchinen mufs
ihm unverdeckt feyn. Wie könnte der Dichter
fich fonft rechtfertigen, dafs er Wahrheit und
nicht Hirngefpinfte erdacht habe?

Und nun der fittliche Endzweck, auf den der
Vf. fo oft und fo ftark dringt. Bey dem überhand nehmenden Luxus wird es nöthig, durch
die Erziehung, vornemlich den Töchtern armer
Gelehrten möglich zu machen, in einem Stande
glücklich zu feyn, der äufserlich geringer ift, als
ihre Geburt. Aber wie foll diefes gefchehen?
Es wäre überhaupt wohl am beften, zu zeigen,
dafs Genufs und Aufwand in keinem Stande mit
einander in gleichen Schritten zunehmen, und
dafs man fich auf die eigenthümliche Glückfeligkeit jedes Standes mehr einfchränken follte, welche von jenem Aufwande unabhängig ift. Sollte
und müfste aber jemand aus feinem Stande her-
ausgehen, fo habe er alsdenn die Art von Glückfeligkeit, welche der neuen eignet, aufzufuchen,
und fich ihrer fähig zu machen. So wäre z. E.
die Gefchichte eines braven Stadtmädchens, das
einen Landprediger heirathet, auf ftädtifche Vergnügungen bald Verzicht leiftet, die Tugenden
und den Genufs, deffen die Landfrau fähig ift,
zu erlangen fucht, und fo, eine gute Frau, Mutter, Wirthin wird; lehrreicher und nützlicher als
alle Extravaganzen, die fo felten vorfallen.

Statt deffen will hier alles aus feinem angebohrnen Stande heraus. Da ift eine reiche adliche Wittwe, die durchaus einen bürgerlichen heirathen will. Dagegen aber ein Gärtnermädchen,
(das einen Bruder Oberrechnungsrath, und einen
Bruder Feldprediger hat;) das eine Cultur erhält,
die weit über ihren Stand ift, (der lange, halb
platte, halb affektirte Brief zu Anfang des zweyten

ten Bandes, ift erkünftelt und nüßrathen,) und
wenigftens Predigerfrau werden will und foll.
Eine Jüdin, die Chriftin wird. Eine Prediger-
Tochter, die einen Schneider heirathet (Verkants
Tochter, welche die ganze Gefchichte herausgiebt, und deren Erziehung der Endzweck ift,
auf den in diefen erften Bänden immer hingewiefen wird.) Diefe Schneiderfrau, die nach mehr-
jähriger Ehe mit Unterricht in der theoretifchen
und praktifchen Mufik während ihres Mannes
Krankheit 100 Dukaten verdient, und der dennoch die Werkftätte nicht aneckelt! Alles diefes
find lauter Romangefchichten, die junge Köpfe
erhitzen und verdrehen, aber nicht bilden können.

Unter den einzelnen moralifchen Ideen, die
entweder geradezu empfohlen oder von denjenigen Charakteren vorgetragen werden, die des Le-
fers Hochachtung erwerben follen, eine Menge
eben fo verderblicher. Dafs man um ein Amt
fich durchaus nicht melden folle: (elender Hoch-
muth. Wie vielen Menfchen ift es möglich, ihre
Gefchicklichkeit bekannt zu machen, ehe fie ein
Amt haben?) dafs man fchlechterdings keine Frau
nehmen folle, die Geld hat: (der Vf. hätte lieber
lehren follen, wie ein Mann, der nicht, ohne auch
auf Vermögen zu fehen, heirathen kann, feine
Frau behandeln müffe, um dennoch eine gute
Ehe zu führen.) Dafs man fich unmittelbar durchs
Gebet regieren laffen folle. (Die tägliche Erfah-
fahrung lehrt, dafs die vermeynte Entfcheidung
Gottes nach dem Gebete, nur Täufchung gewif-
mer Neigungen ift, und dafs daher im Vertrauen
auf unmittelbaren Beyftand Gottes, mit Vernach-
lafsigung der von ihm gegebenen natürlichen
Mittel der Ueberlegung, gefafste Entfchlüffe, die
Quelle der unglücklichften Begebenheiten, und
namentlich fchlechter Ehen find.)

Die politifchen Ideen, welche eingeflöfst
werden, find, wo möglich, noch fchlimmer.

Durchaus jeder Menfch foll heirathen. (Wo foll
es denn mit der fo fchädlichen Vermehrung der
höhern Stände hinaus?) Jeder unverheirathete
ift, nach dem eigenen Ausdrucke des Vf., eine Null in der menfchlichen Gefellfchaft. (Alfo
eigner Genufs, ja alle noch fo wichtigen Bemühungen für das Wohl der Mitbürger, kommt in
keine Betrachtung, gegen das treffliche Verdienft
des rüftigen Burfchen, der ein Kind zeugt!) denn
Population ift der erfte Endzweck der Gefetzgebung. (Wie fchief! Sind mehrere Unglückliche
beffer daran, als weniger glückliche? Vermehrung der Population ift ja kein abfoluter Endzweck der Gefetzgebung, und überhaupt mehr
eine Folge guter Anftalten, als dafs dergleichen
auf diefelbe eigentlich gerichtet werden könnten,
welches nicht fehr oft thunlich ift.) Der Vf. zielt
ausdrücklich auf Gleichmachung aller Stände.
Der Lieutenant foll heirathen, weil der Unterofficier mit geringerem Solde heirathen kann. (Kennt
der Vf. fo fchlecht den Einflufs der äufsern Lage auf die Gefinnungen, die nach den verfchiedenen Beftimmungen, verfchieden feyn müffen?)
Hier nimmt er doch den Adel aus. Nur alles,
was nicht adlich ift, foll gleich feyn. (Sind ihm
die jetzigen Verfaffungen der Länder, und die
Verhältniffe der Stände fo wenig bekannt? Warum nimmt er den Adel aus?)

Die Sprache hat der Verfaffer bekanntlich
in feiner Gewalt. Von vielen Ausdrücken, die
er aus dem holländifchen überfetzte, um den
Mangel zu erfetzen, den unfre Sprache an Worten für gewiffe Begriffe hat, die vorzüglich
im gefellfchaftlichen Leben vorkommen, und
für welche fonft Ausdrücke aus der franzöfifchen
gebraucht werden, deren Reichthum daran, fie
für den Umgang fo bequem macht, könnten wohl
einige Beyfall finden.

KLEINE SCHRIFTEN.

RECHTSGELAHRTHEIT. Wien, b. v. Kurzbeck: Die
Klerifey hat, vermöge ihrer Einfetzung, das Recht Gefetze
zu geben. Von A. Julius Cäfar. 1787. 3½ S. (2 gr.)
Der Vf. will zeigen, „dafs, da die Kirche bis auf unfere
Zeiten ohne Widerfpruch der ihro Rechte nicht mifs-
kennenden Monarchen Gefetze gegeben hat, folche das
Recht des Landesfürften nicht verletzet, noch wider die
Vernunft, Offenbarung, Gefchichte ihr Recht ausgeübt hat." Den Beweis führet es 1)aus der Vernunft
— weil die Kirche, als Gefellfchaft, Anordnungen zu
Erreichung ihres Zwecks treffen könne (ganz richtig!)
und weil fie eine ungleiche Gefellfchaft fey, in welcher
einige befehlen, andere gehorchen, (die gewöhnl. Vorftellungsart der Katholiken!) 2) aus d. h. Schrift (durch
Herbeyziehung mancher unpaffenden Stelle.) Die Kir-
chengefetze können dem Staate nicht zuwider laufen, indem der Landesherr fie kann einfehen, und erft nach er-
theiltem Placitum regium bekannt machen laffen. Diefes
Placitum ift jedoch, nach der Meynung, nicht zur Kraft
des Gefetzes, fondern nur zur Bekanntmachung deffelben nöthig. — Die ganze Abh. ift wider eine Schrift

des Hn. Neupauer über diefelbe Materie gerichtet. Vieles fcheint uns Wortftreit zu feyn. Es kömmt drauf an,
ob man fich die Sache nach ihrer Natur, oder nach dem
kathol. Syftem vorftelle. Im erftern Falle kann fich die
Kirche, als Gefellfchaft, allerdings Gefetze zu ihrem
Zwecke vorfchreiben, der Regent braucht aber diejenigen, die dem Staat nachtheilig find, nicht gelten zu laffen: die Kirche kann ihr Recht wiederum ändern; z. B.
ihren Vorfehern übertragen. Im letztern wird die gefetzgebende Gewalt der Kirche (nicht der Klerifey, wie
der Vf. auf dem Titel fagt, da doch felbft nach S. 16,
not. d. nicht jeder Priefter Theil daran nimmt) gewöhnlich von göttlicher Einfetzung hergeleitet, und den Bifchöfen jure proprio beygeleget. Der Streit trift alfo die
Richtigkeit oder Unrichtigkeit der letztern Idee. Da nun
aber kirchl. Gefetze, die der Regent als gemeinfchädlich
verwirft, keine Verbindlichkeit im Staate haben können;
fo hängt in fofern die Kraft derfelben, die doch wohl
nichts anders als ihre Verbindlichkeit für die in der bürgerl. Gefellfchaft lebenden Mitglieder der Kirche ift, von
der Genehmigung des Regenten ab,

ALLGEMEINE

LITERATUR - ZEITUNG

Sonntags, den 8ten Februar 1789.

ARZNEYGELAHRTHEIT.

Pars) *Traité de la fièvre maligne simple et des fièvres compliquées de malignité.* Par M. *Chambon de Montaux, de la faculté de med. de Paris, medicin de l'hopital de Salpetriere.* Tom. I. 374 T. II. 354 T. III. 387. T. IV 354 S. kl. 8. (2 Rthlr. 18 gr.)

Hr. Ch. hat in diesem weitläuftigen Werke alles gesammelt und zusammen gestellt, was er nur zusammen bringen konnte, bey seinen Sammlungen aber weder die ganz alten, noch die neuesten Aerzte gehörig benutzt. Viele Thatsachen haben ihm mehrere Aerzte mitgetheilt, und die königliche Gesellschaft der Aerzte zu Paris, in deren Versammlung er mehrere Kapitel vorgelesen hat, billigte seinen Vorsatz, das Ganze durch den Druck bekannt zu machen. Ein ganzer Theil dieses Werks ist der pathologischen Behandlung dieses Fiebers, der zweyte den Heilmitteln wider dasselbe, gewidmet; der dritte und vierte handelt von den Verwicklungen des bösartigen Fiebers mit andern fieberhaften Krankheiten. Den Begriff der Bösartigkeit setzt der Vf. nicht so fest, wie es die neuern, besonders deutschen Aerzte gethan haben: er kennt auch keinen neuern deutschen Arzt, und von Swieten wird ungefähr der neueste seyn, den er gelesen hat. Er kennt wohl gewisse Krankheiten, die allemal mit sehr schweren und gefährlichen Zufällen verbunden erscheinen, die er aber nicht für eigentlich bösartig gehalten wissen will, so wie er mehrmals versichert, daß ihm die zufällige Bösartigkeit, die sich zu allen Fiebern gesellen kann, und nicht so wohl von der Natur des Fiebers, als von dem individuellen Zustand der Person abhängt, welche das Fieber befällt, nichts angehe. Das bösartige Fieber, welches er beschreibt, macht ein eigenes, einfaches Fieber aus, welches von Ursachen bewirkt wird, die das Lebensprincipium schwächen und nur mit solchen Zufällen verbunden ist, die aus dieser Quelle entspringen. Dieses Fieber kann daher auch nie als nothwendige Wirkung eines Krankheitsgiftes angesehen werden: es entsteht von entkräftenden Ursachen; die

in dem Körper selbst entstehen und ist ein einfaches Fieber, welches mehrere Gradationen hat, und sich mit andern Fiebern verbinden kann. Wenn eine dem Anschein nach leichte, Krankheit die Quelle des Lebens unmerklich zerstöret, in ihrem Verlaufe heftigere Zufälle veranlasset, und meistens den Tod zur Folge hat, so heißt sie, nach der Meynung des Vf., bösartig, und die Bösartigkeit bestehet also in dem Mißverhältniß, welches zwischen der scheinbar geringen Heftigkeit der Krankheit, ihrem schwachen Anfall und gefährlichen Folgen Statt hat. Das bösartige Fieber des Vf. muß immer von der Art der anhaltenden seyn. Ein bösartiges Wechselfieber giebt es nach seiner Meynung nicht, aus dem sonderbaren Grunde, weil bey dem regelmäßigen Wechselfieber der Puls in der Zwischenzeit zwischen zweyen Paroxismen von dem natürlichen Zustand nicht abweicht: da er aber doch die Bösartigkeit im Wechselfieber nicht abläugnen kann, so nimmt er an, ein bösartiges Wechselfieber habe nie ganz vom Fieber freye Zwischenzeiten, und ein Wechselfieber mit bösartigen Zufällen sey also kein Wechselfieber, sondern ein bösartiges. Aus der weitschweifigen Charakteristik der Krankheit, die den ganzen ersten Theil des Werks einnimmt, sieht man offenbar, daß sein bösartiges Fieber nichts anders als dasjenige Faulfieber ist, welches mit großer Entkräftung und Ermattung der Verrichtungen des Nervensystems verbunden ist. So sehr der Vf. sein bösartiges Fieber von dem Faulfieber unterschieden wissen will, so gesteht er doch offenherzig, daß das Wesen desselben in der Nervenreizung und der Ausartung des Nervensaftes, in der beginnenden Auflösung der Fasern und Verminderung der Thätigkeit derselben und in der Neigung der Säfte zur Fäulniß bestehe. Er findet daher auch zwischen dem Kerkerfieber und seinem bösartigen Fieber keinen Unterschied, und wenn er von der Verwicklung des bösartigen Fiebers mit dem Faulfieber redet, so begreift er unter diesem bloß ein solches Fieber, welches von der Fäulniß in den ersten, oder in den zweyten Wegen abhanget. Die nächste Ursache des bösartigen Fiebers liegt, nach seiner Meynung, in einer widernatürlichen Veränderung des Nervenfaftes, die er aber, wie ganz leicht einzuſehen iſt, nicht genau angeben kann. Bey dieſer Gelegenheit giebt er eine allgemeine pathologiſche Abhandlung über die widernatürlichen Veränderungen dieſer Flüſſigkeit, die aber freylich nicht die wirklichen Krankheiten derſelben, ſondern nur diejenigen faſst, die von jeder höchſt feinen Flüſſigkeit, welche in dem thieriſchen Körper abgeſondert wird, gedacht werden können.

Der ganze zweyte Band des Werkes handelt von den Heilmitteln wider dieſes Fieber. Der Vf. redet von dem Nutzen, den jede Methode, die zur Heilung empfohlen worden iſt, z. B. die abführende, erregende, toniſche, einſaugende, u. ſ. f. bey dieſem Fieber haben kann, hat aber keine Anleitung gegeben, wie dieſe Krankheit in ihrem Anfange, Fortgange und ihren verſchiedenen Wendungen zu behandeln iſt, welches doch bey einem Werke, das ausdrücklich für Anfänger beſtimmt iſt, nothwendig geweſen wäre. Doch enthält dieſer Theil einige Bemerkungen und Vorſchläge, die bey Heilung dieſer Fieber mit Nutzen angewendet werden können. Er beſtreitet mit ſehr wichtigen Gründen die in Frankreich ſo häufige Gewohnheit, bey allen Fiebern mit Delirium die Aderlaſſe desſwegen anzunehmen, weil viele Aerzte im Lande die Bösartigkeit von einem Drucke ableiten, welchen das Blut auf das Gehirn bewirke, und erzählt S. 50 die Geſchichte eines Parlementsadvocaten, der bey dem, mit Entkräftung und Nervenzufällen verbundenen Faulfieber, durch wiederholte Aderläſſe, auf die unverantwortlichſte Weiſe, getödtet worden. Den Blaſenpflaſtern, deren gehöriger Gebrauch bey dieſen Fiebern von äuſſerſter Wichtigkeit iſt, iſt er nicht günſtig; deſto mehr aber empfiehlt er den Gebrauch lauwarmer Bäder, von deren groſsen Wirkung bey dieſem Fieber ſehr auffallende Beweiſe gegeben werden. Dieſe Bäder ſind auch in Deutſchland gebraucht worden, und zwar mit einem Nutzen, der von ihrem häufigern Gebrauch deſto gröſsere Vortheile erwarten läſst, da man ſie zeither meiſtens nur als ein Mittel angeſehen zu haben ſcheint, welches noch zu verſuchen übrig iſt, wenn alle andre Heilmittel fruchtlos angewendet worden ſind. Noch gröſser muſs ihr Nutzen ſeyn, wenn ſie mit einer gröſsern Wirkſamkeit begabt ſind, als man bloſs von dem lauen Waſſer erwarten kann, und von der Wirkſamkeit ſolcher Bäder haben wir die ſchönſten Beweiſe. Bilguer brauchte in dem letzten Kriege, bey der ſächlichten Lagerruhr, Bäder mit Fieberrinde, Eſſig und Salpeter bey ſehr vielen Kranken, und da er vorher faſt alle verloren hatte, verlor er nunmehr nur ſehr wenige, und die Heilung erfolgte ſo ſchnell, als man nur immer erwarten konnte. Die deutſchen Aerzte ſcheinen das kleine Werk, in welchem Bilguer dieſe wichtigen Erfahrungen beſchreibt, zum Nachtheil für die Menſchheit und die Heilkunde, beynahe vergeſſen zu haben. Wider die Brechmittel iſt der Vf. mehr eingenommen, als er es ſeyn ſollte. Wenn ſie auch im Allgemeinen bey der groſsen Entkräftung nicht angezeigt werden, ſo ſind ſie doch ſehr oft von groſsem Nutzen, indem ſie die zufällige Urſache der Entkräftung entfernen, und zuweilen auch durch die Erſchütterung und den auf ſie folgenden Schweiſs den Gang der Krankheit vortheilhaft ändern und die Kriſen befordern. Die Fieberrinde hält er mit Recht für das Hauptmittel bey dem bösartigen Fieber: er giebt die bekannten Umſtände, unter denen ſie nützlich ſeyn kann, an, und ſpielt nicht mit allzu kleinen Gaben derſelben. Die andere Klaſſe von Mitteln, die mit Recht empfohlen werden, ſind die erregenden. Der Wein werde in Frankreich viel zu wenig bey dieſem Fieber gebraucht. Auf den Kampfer ſetzt er das meiſte Vertrauen, verordnet ihn aber in ſo groſsen Gaben, daſs wir ſeine Vorſchläge zu befolgen fürchten würden. Er verſichert, ihn oft zu einer Quente bey dieſem Fieber gegeben zu haben. Dies zu thun veranlaſſeten ihn Verſuche mit dem Kampfer an ſeinem eigenen Körper. Er hat groſse Stücken Kampfer, ohne allen Nachtheil, verſchluckt. Zwanzig Gran, die er auf einmal nahm, vermehrten die Wärme ſeines Körpers nicht. Auch von den Naphten verordnet er viel zu groſse Gaben: eine halbe Unze davon, meynt er, werde nicht ſchaden. Die Eſſignaphte zieht er billig an den andern vor. Von den Säuren überhaupt urtheilt er unrichtig. Er glaubt, daſs die Pflanzen- und Mineralſäuren nur in Hinſicht auf den Grad ihrer Wirkung verſchieden ſind, und daſs letztere die Nerven reizen. Von der höchſt unterſchiedenen Wirkungsart beider Arten von Säuren und davon, daſs die Arzneyen, welche Mineralſäuren fordern, von denen ganz verſchieden ſind, wo Pflanzenſäuren nothwendig ſind, weiſs er nichts, ſo wie er überhaupt die verſchiedenen Umſtände, unter denen die Faulfieber erſcheinen und welche den beſondern Weg bey der Heilung beſtimmen, nicht berührt.

Der dritte und vierte Band handelt von den Verwickelungen des bösartigen Fiebers mit andern fieberhaften Krankheiten. Von den bösartigen Entzündungsfiebern nimmt der Vf. drey Arten an, das Entzündungsfieber, welches von innerlichen und äuſſerlichen Urſachen bösartig geworden iſt, und dasjenige, welches gleich vom Anfang an mit Bösartigkeit verbunden erſcheint. Sehr gut bemerkt er, daſs man nicht jede Congeſtion des Blutes nach einem Theil gleich für Entzündung halten müſſe: oft hange die ganze Congeſtion von nichts weiter ab, als daſs den Gefäſsen die Thätigkeit fehle, welche nothwendig iſt, um die Säfte fort zu treiben. Von den faulichten Fiebern behandelt er jene, die einen faulichten Stoff in den erſten Wegen, oder in den Eingeweiden des Unterleibes zum Grunde haben; auch die bösartigen Wechſelfieber und nachlaſſen-

den

den Fieber haben eigene Kapitel: bey den erſtern
folgt der Vf. ganz dem Torti. Die Abhandlung
von dem Gebrauch der Fiberrinde bey Gallenfie-
bern enthält die ſchon lange in Deutſchland geltenden Regeln, ohne deren Beobachtung der Gebrauch dieſes Mittels ſchädlich wird. Ausführlich
iſt die böſartige Halsentzündung und die böſartige Ruhr behandelt. Von letzterer ſah der Verf.
eine Seuche, die den höchſten Grad der Böſartigkeit hatte, und oft ſchon am erſten Tage tödlich
war. Den Kampfer mit Oel aufgelöſt fand er unter den Heilmitteln noch am wirkſamſten. Von
dem böſartigen Katarrhalfieber, einer geheimen,
faſt ſchmerzloſen Bruſtentzündung mit Fäulniſs und
Nervenzufällen, hat er etliche Fälle aus Morgagni
und andern zuſammen geſtellt, die dazu dienen
können, die Aerzte auf dieſe, dem Anſchein nach
gleichgültige, Krankheit aufmerkſam zu machen.
Die Urſachen der Böſartigkeit des Kindbetterin-
nenfiebers, die von der Schwangerſchaft der Geburt und den nachherigen Umſtänden der Wöchnerinnen abhangen, ſind ſehr gut entwickelt.

1. Loɴᴅoɴ, b. Becket: *Obſervations upon the*
new opinions of John Hunter, in his late trea-
tiſe on the venereal diſeaſe, ending with the
ſubject of gonorrhoea and ſecond part of his
work. To be continued. *By Jeſſe Foot, Sur-*
geon. Second edition. 1788. 110 S. gr. 8.
(1 Rthlr. 4 gr.).

2. Loɴᴅoɴ, b. Johnſon, Murray u. Egerton:
A candid review of Jeſſe Foot's obſervations
on the new opinions of John Hunter, in his
late treatiſe on the venereal diſeaſe, ending
with the ſubject of gonorrhoea. By John Pea-
ke, Surgeon. 1788. 77 S. gr. 8. (16 gr.

Man vermuthete ſchon bey Erſcheinung der
Hunterſchen Werks über die veneriſchen Krankheiten, daſs die beſondern Meynungen, welche
es enthält, viele Gegner finden würden, und die
ſe Vermuthung hat ſich vollkommen beſtätiget.
Hr. F. ſchlieſst ſich an mehrere Arzneyverſtändige
an, denen Hunters Meynungen nicht gefallen wollen, aber nicht ganz mit ſolchem Glücke, daſs
wir ſeinen Waffen den Sieg über ſeinen ſcharfſinnigen Gegner verſprechen können. Seine Zweifel wider die Lehren dieſes berühmten Mannes
betreffen in dieſem Werke nur diejenige, Iwns
von dem Gift der Luſtſeuche im Allgemeinen und
von der Entſtehungsart und Kurmethode des Trippers und der Umſtände, die ſich oft bey demſelben ereignen, oder von der Luſtſeuche ſelbſt
behauptet wird. So ſehr er ſich an mehrern Orten vor dem Vorwurf eines Perſonalhaſſes gegen
Hr. H. verwahrt, ſo zeigen doch viele ziemlich
bittere und ſcharfe Ausfälle auf dieſen Gelehrten,
daſs er wenigſtens kein ganz uneingenommener
Gegner deſſelben ſey. Er folgt dem Hn. H. Schritt
vor Schritt und auch Lehrſätze, wo die Wahrheit
offenbar auf der Seite ſeines Gegners iſt, will er

zweifelhaft machen. Der Name Krankheitsgift,
den H. dem Gifte der Luſtſeuche beygelegt hatte, gefällt ihm durchaus nicht, desgleichen, daſs
H. ſo gar kurz über die erſte Entſtehung der Luſtſeuche weggegangen iſt. Er belehrt ihn mit drei-
ſter Stirn, daſs Nicolaus Leonicenus der erſte ſey,
der von der Luſtſeuche geſchrieben habe, und daſs
man den Tripper nicht eher als 1550 beobachtet
habe. Eben ſo ſtreitet auch eine andere Behauptung, daſs noch kein Menſch daran gezweifelt
habe, daſs das Gift des Trippers und der Chancres
von einerley Natur ſey, wider alle Wahrheit und
macht den literariſchen Kenntniſſen des Vf. wenig
Ehre: auch das, was H. mit den Nachrichten aus
den Inſeln der Südſee beweiſen wollte, verſteht
er zum Theil nicht ganz ſo, wie es H. meynte.
Hunter's Behauptung, daſs ein Reiz, an einer ab-
ſondernden Oberfläche angebracht, die Abſonde-
rung vermehre, giebt er zu, nicht aber, daſs
die reizende Materie beym Tripper die abgeſonderte Feuchtigkeit in Eiter verändere. Dieſe
letzte Meynung des ſcharfſinnigen Gelehrten leidet
nun unſtreitig ihre groſsen Ausnahmen, und H.
ſelbſt hat in ſeinem Werke keine Beweiſe für ſie
beygebracht: unter den ſehr erheblichen Gründen,
die wider ſie aufgeſtellt werden können, ſetzt ihr
Hr. F. nur einen entgegen, den H. in ſeinem Werke ſchon widerlegt hat, nemlich, daſs das Eiter
nothwendig von der Zerſtörung (Solution) der
Theile entſtehen müſſe, in denen es erzeugt wurde. H. Behauptung, daſs eine neue Anſteckung
mit einem Gifte gleicher Art nicht erfolgen könne, ſo lange die Folgen einer vorigen Anſteckung
fortdauern, beſtreitet er mit Raiſonnement, welches aber die Erfahrungen, die H. für dieſe
Meynung beybringt, nicht entkräftet. Am meiſten
iſt er mit ſeinem Gegner darüber unzufrieden,
daſs er ſo viele Zufälle bey dem Tripper aus
der Sympathie erkläret habe, aber der Vf. ſelbſt
hat keinen Begriff von der Mitleidenſchaft,
von welcher Hunter redet, und vermengt ſehr
ſonderbar die moraliſche Sympathie mit der
phyſiſchen. Das Wort Sympathie ſoll nach ſeiner
Meynung nur von ſolchen Affectionen gebraucht
werden, die eine Perſon bey den Verhältniſſen
einer ändern hat, und überall, wo H. dieſes Wort
gebraucht hat, will er das Wort Reizung untergelegt wiſſen. Alle Einwürfe, die er wider die
Hunterſche Theorie von der Geſchwulſt der Hoden,
der Drüſen und von den Krankheiten der
lymphatiſchen Gefäſse bey dem Tripper macht,
laufen im Grunde auf dieſe Einwendungen wider
die von H. angenommene Sympathie hinaus. Endlich ſpricht er ſehr weitläufig davon, daſs H. behauptet habe, der Tripper heile ſich insgemein
ſelbſt ohne alle Arzneyen, welches doch der Fall
nicht ſey, und H. ſelbſt nicht geglaubt haben müſſe,
weil er ſo ausführlich von den verſchiedenen Wegen geredet habe, die man bey der Heilung des
Trippers einſchlagen müſſe.

S 2   Dieſes

Diefes Werk ift zu reich an Worten und zu arm an richtigen und fcharffinnigen Gründen, als dafs der Vorwurf, den fein Vf. dem Hn. Hunter macht: *the profeffor is more at home with his Knife, than his pen*, nicht vielleicht auf ihn felbft zurücke fallen follte. Bey den vielen Blöfsen, welche er gegeben hat, mufste auch Hr. *Prake*, Hunters wärmer Vertheidiger, mit ihm ein leichtes Spiel haben. Unangenehm ift es auch bey diefem *candid review*, dafs der allergröfste Theil deffelben in Anzüglichkeiten beftehet, und dafs der Vf., wenn er mit Gründen wider Hn. F. ftreitet, es kaum mit andern, als folchen thut, die er aus H. Werk felbft entlehnt hat. Er hat etwas mehr Belefenheit, als fein Gegner; er hat wenigftens den Aftruc gelefen und zeigt dem Hn. F. ausführlich aus dem Scapula und Schrevelius, was Sympathie fey, weifs auch, dafs Grunpeck eher, als Nic. Leonicenus, von der Luftfeuche gefchrieben hat. Nicht übel ift der Gedanke, dafs die frühern Schriftfteller von der Luftfeuche des Trippers vielleicht deswegen nicht gedacht haben, (fie haben ihn früh genug gekannt, aber Hr. P. hält fich blofs an Aftruc) weil er ein ihnen fchon bekannter Zufall war, fie aber diejenigen Zufälle vornemlich befchrieben, die ihnen wegen ihrer Neuheit am meiften in die Augen fielen. Am weitläuftigften vertheidigt er H. in Hinficht auf die eiterhafte Ausleerung bey dem Tripper, aber nicht durch Erfahrungen, welche beweifen, dafs die Materie, welche bey dem Tripper abfliefst, der mit keinen Gefchwüren in der Harnröhre verbunden ift, und Eiter einerley Dinge find, fondern auch viele mit Ausfüllen untermifchte nichtsbeweifende Worte. Dafs Hunter feine Behauptung, dafs der Tripper fich felbft heile und nie eine Behandlung des Arztes nothwendig erfordere, nicht als bey jedem Tripper geltend angegeben habe, erinnert er mit Recht.

PHILOLOGIE.

Bremen, b. Förfter: *Franzöfifches Elementar-*

Lefebuch, befonders für Lateinlernende, von M. *Wilh. Chriftian Müller.* 1788. 568 S. 8. (1 Rthl. 6 gr.)

Hr. M. Müller hat nach feiner Erfahrung beym Unterricht im Franzöfifchen zuerft in einer eigenen Anftalt und nun feit einigen Jahren als Lehrer der Domfchule zu Bremen diefes Elementarbuch fo eingerichtet, dafs es zugleich als Sprachkunft, Wörterbuch und Chreftomathie gebraucht werden kann. Es enthält in mehr als 150 abgebrochenen, aber methodifch unter einander gemifchten, Lectionen: 1) das nöthigfte von der Ausfprache, dem Gebrauch der Artikel und dem Gefchlecht, den Beugungen der Haupt- und Zeitwörter und ihrer Verbindung unter einander, jedoch alles mit praktifcher Anwendung im Sprechen und Lefen; 2) die gemeinften Wörter und Redensarten, deren Erlernung den Anfängern durch Zufammenftellung derer, welche fich im Deutfchen oder Franzöfifchen reimen, durch die Aehnlichkeit mit den lateinifchen und durch allerley pädagogifche Spiele erleichtert und angenehm gemacht wird. 3) Das meifte find Erzählungen, Sentenzen, Fabeln, Lieder und Stücke aus der Erdbefchreibung, Gefchichte und Naturkunde, wodurch den Kindern zugleich allerley Sachkenntnifs beygebracht, und Stoff zur weitern Unterhaltung gegeben wird. Unter der Anführung eines guten Lehrers wird das Buch ohne Zweifel mit Nutzen für die erfte Jugend gebraucht werden können, aber in Kleinigkeiten hätte Hr. M. doch vorfichtiger die Fehler verhüten follen. z. B. S. 111. heifst es, Deutfchland gränze gegen Mitternacht an das Welt- und Baltifche Meer, Dännemark ift alfo überfehen, und S. 163. Schliefien fey von Friedrich dem Grofsen in dem Kriege von 1755 bis 63. erobert. Befonders gilt das auch von der in Buchern zum Unterricht für Kinder in Sprachen fo wichtigen Rechtfchreibung und Correctur z. B. *Baisbas* und *quel pais* und *ce pays, Hyikias, Dyphtongen, Balluage.*

KLEINE SCHRIFTEN.

Oekonomie. *Wien, b. Edlen v. Kurzbeck: Unterricht für die Schäfer, oder Leitung zur wahren Kenntnifs einer ächten und gründlichen Behandlung der Schafzuchs.* 3 Bog. mit einem Kupfer. 1786. 8. (4 gr.) Der Vf. fcheint ein Wirthfchafts-Inspector zu feyn, weil er S. 5. fagt, dafs feiner Verwaltung Herrfchaften anvertrauet feyn. Gleich anfangs bedauert er, dafs man die Schäfer für betrügerifch, faul und nachläffig halte; er aber habe eine beffere Meynung von feinen Schäfern fchen, und theilt uns daher die Eigenfchaften eines guten Schäfers und, was er wiffen mafs, mit. Sie werden ihm aber fchlechten Dank willen, wenn er S. 11-16. von ihnen verlangt, dafs fie diejenigen Kräuter und Gräfer, die fchädlich oder giftig find, ausrotten, die Weiden dagegen mit gefunden den Schafen dienlichen Pflanzen verbeffern, die Maulwurf und Ameifen-Haufen zerftören und ebnen follen. Dies mag genug feyn unfern Lefern zu fagen, dafs fich der Vf. mit weit mit feinen Kenntniffen, und follten fie auch blofs das Schäfergefchicht betreffen, verftiegen hat. Von S. 25. bis zu Ende handelt er von Schafkrankheiten, in denen er nichts eignes vorgetragen, fondern alles aus dem bekannten Haftier, Leuterbrück u. f. w. ausgefchrieben. Das Kupfer hat er aus Wichmanns Schafkatechifmus genommen, wie der Schäfer unter der Mitte des Hübelchens die Ader läfst, welches jedoch der kleine Beytreibers gefchwige Schafknecht weifs. Auch trifft man die Oefterreichifchen Provinzialnamen Büchel, Werkel, Schäferey, an.

ALLGEMEINE

LITERATUR - ZEITUNG

Montags, den 9ten Februar 1789.

OECONOMIE.

Leipzig, in der Weidmannfchen Buchh.: *Auserlefene Beyträge zur Thierarzneykunft*. Drittes Stück. 1788. VI und 262 S. 8. (14 gr.)

In diefem dritten Stück find enthalten: 1) *Huzard* von den Hautkrankheiten an den Füfsen der Pferde; 2) eine (von der Weimarifchen Polizeydirection bekannt gemachte) Heilungsart der Pockenfeuche unter den Schaafen; 3) *Devillaine* von den chronifchen Krankheiten des Rindviehs. 4) Ebenderfelbe von den hizigen Krankheiten der Schafe und Ziegen. 5) *Vicq d'Azyr* Nachricht von der Epizootie in der Picardie 1779. 6) *Chabert* von der Maulwurfsgefchwulft der Pferde. 7) Inftruction für die Schlefifchen Phyfiker wegen des Todfchlagens des an der Viehfeuche erkrankten Viehes (vom Jahr 1783). 8) Epizootie unter den Hirfchen bey S. Germain 1776. 9) Ueber einige Krankheiten in Poitou; nebft diefem eine kurze (und zwar ziemlich unvollftändige) Nachricht von dem k. k. Thierfpital zu Wien, und noch einige kleinere aus anderen Journalen entlehnte Verordnungen etc.

Die Herausgeber verdienen bey ihrem löblichen Unternehmen alle Ermunterung, da fie nichts geringeres im Sinne haben, als diefe Zeitfchrift zu einer Hauptfammlung zu machen, und nach und nach eine Revifion des ganzen Studiums der Thierheilkunde, und der dahin gehörigen Literatur zufammenzubringen. Aber dabey wär ihnen fehr zu rathen, für beffere Ueberfetzungen ausländifcher Stücke zu forgen, als in diefem Bande vorkommen. Nicht nur an Sprachkunde, fondern auch an medicinifchen und veterinärifchen Kenntniffen mufs der Ueberfetzer der franzöfifchen Abhandlungen, die den gröfsten Theil diefes Bandes ausfüllen, herzlich arm feyn. S. 34. Der kranke Theil wird fowohl im thätigen als ruhigen Zuftande mit einer fchwarzen Farbe überzogen; foll heifsen: „Die Pflafter nehmen während der Zeit, da fie auf dem kranken Theile liegen und wirken, eine fchwarze Farbe an." S. 34 „Ich hätte nichts wider das Wafchen der Füfse einzuwenden, wenn man nur gleich darauf die Theile wieder gehörig abwifchte;" heifst hier: *A. L. Z. Erfter Band.* 1789.

Ich hätte nichts dawider, wenn man es nur erft dann vornimmt, nachdem man die Theile gehörig abgewifcht hat. S. 45. *Es finden fich Zufalle ein, die man nothwendig den vorigen Mitteln zufchreiben mufs;* foll heifsen: „Es finden fich Zufalle, die man immer mehr den vorigen Mitteln zufchreiben zu dürfen glaubt." Das nemliche findet man S. 158 und S. 169. Was foll man aber dazu fagen, wenn der Ueberfetzer S. 40. Sublimat, Arfenik, und aromatifchen Abfud als gleichwirkende Arzneymittel aufftellt; *digeftif animé* S. 48 ein ätzendes Digeftiv nennt; wenn er S. 37 im Original des Huzard nicht weifs, wie er *Remede determinant du centre à la circonference* überfetzen foll; oder S. 49 *Cautere actuel* durch *fchnellwirkendes Arzneymittel* überfetzt —? Rec. freute fich, als er Huzards *Eaux aux jambes* überfetzt fand, und hofte den deutfche Nomenclatur vermehrt zu fehen; aber leider auch da heifsen *Eaux aux jambes* bald Mauken, bald Flufsgallen, bald Steingallen. Wo mag doch der Ueberfetzer S. 170. die Idee von kränklichen Wiederkäuen her haben? Im ganzen Verlauf der Abhandlung fteht kein Wort davon. Ferner heifst bey dem Hrn. Ueberfetzer *Paturon* S. 1 Ferfe, *Talon* S. 34 u. 150 Knöchel, *Farcin* S. 64 Räude, *Tumeurs aux ars* S. 11 Gefchwülfte in den Adern, *les mamelles* die Bruft, *mal de garot* oft ener Schaden, *Marechaux* S. 29 Stalleute, und S. 28 Rofsärzte etc, etc.

Auch ift hin und her manches ausgelaffen, z. B. S. 64 M. Rodriguez m' a auffi communiqué une *notice fur la Bibliographie Veterinaire Efpagnole jufqu'a prefent peu connue parmi nous, dont j'efpere faire quelque jour un bon emploi.* Schliefslich müffen wir noch erinnern, dafs *Pinte* S. 82 eine Kanne, *Chopine* (d. i. die Hälfte von Pinte) S. 183 eine Flafche, und 7 Zeilen nachher wieder 5 Kannen, S. 157 eine Kanne, und S. 98 ein Nöfsel heifse.

TECHNOLOGIE.

Leipzig, b. Kummer: *Beyträge zur Gefchichte der Erfindungen*, von *Joh. Beckmann*, Hofrath und ord. Prof. der Oekonomie zu Göt-

T t

Göttingen. Zweyten Bandes viertes Stück.
1788. 135 S. 8. (8 gr.)

Hr. Hofrath B. führt in diefer Sammlung mit
gleich rühmlichen Fleiße fort, aus dem Schatz
feiner mannichfaltigen Belefenheit fowohl zu Belehrung der Künftler und Gelehrten, als auch felbft
zur Unterhaltung im gemeinen Leben, angenehme Nachrichten mitzutheilen. Diefes Stück enthält: 1) *einen Zufatz zur Gefchichte der Uhren.*
Es ift nemlich die von Hn. Barrington dem König Robert Bruce in Schottland zu Anfang des
14ten Jahrhunderts zugefchriebene Tafchenuhr
nach einer zuverläffigen Nachricht unterge-
fchoben. 2) *Kork.* Er kommt fchon beym Theo-
phraft und Plinius vor, ward auch zum Schwimmen fowohl, als zu Stöpfeln gebraucht, doch
wurden letztere erft feit 100 bis 150 Jahren mit
den gläfernen Bouteillen recht gemein. 3) *Apotheken.* Die alten Aerzte machten die Arzneyen
felbft, und kauften nur Kräuter u. d. gl. von Krä-
mern, die pigmentarii, pharmacopolae u. f. w.
hiefsen. Apotheken hiefsen alle Waarenlager bis
um 1400, und die Vorfteher oder Eigenthümer
Apotheker. Die kunftmäßige chemifche Pharmacie kam von den arabifchen Aerzten über Italien
im 15ten Jahrhundert nach Deutfchland, und wurde durch Monopolien unterftützt. Das erfte Dif-
penfatorium kam 1498 in Florenz heraus. 4) *Erleuchtung der Gaffen und Illuminationen.* Erft
werden als Zufatz zum erften Band einige Stellen angegeben, die beftätigen, dafs im alten Rom
und Neapel keine Gaffenbeleuchtung gewefen,
Antiochien und Edeffa aber diefelbe gehabt haben. Dann von allgemeinen Erleuchtungen bey
Feyerlichkeiten, die fich bey Feften der Aegyptier, Juden und Griechen, in Rom bey nächtli-
chen Spielen, Geburtstagen u. d. gl. finden, und
endlich genaue Nachrichten von Beleuchtung einiger Städte, vornemlich Paris, London und
Wien. 5) *Buchweizen.* Er ift weder das Oci-
mum noch Eryfimum der Alten, wie einige gemeynt haben, fondern erft im 16ten Jahrhundert
aus dem nördlichen Afien zu uns gekommen.
Auch wird befonders der erft feit 50 Jahren Sibi-
rifche erwähnet, und Anhangsweife die Morhirfe,
Hokus Sorghum Linn, welche wahrfcheinlich
das Milium indicum beym Plinius ift. 6) *Die Tul-
pe,* ein Nachtrag zum vorigen. Sie ward aus der
Gegend von Conftantinopel, wo fie, fo wie fie
in der Krim und Syrien wild wächft, vermuthlich
von Busbeck, um die Mitte des 16ten Jahrhunderts nach Deutfchland gebracht, und Lipfius befchäftigte fich als Liebhaber mit ihrem Bau. 7)
Siegellack. Seit den Nachrichten im erften Bande hat Hr. Roos ein Lackfiegel von 1554 aus London, Hr. Anton eins von 1561 aus Breslau, Hr.
Spiefs aber eine Brieföblate von 1624 aus Speyer
gefunden und bekannt gemacht. Noch älter ift
jedoch das hier nicht angeführte von Hn. Rath
Curtius im Gefchichtsforfcher 6 Th. bemerkte

Lackfiegel von 1502, und die von Hn. Schwartner
zu Peft gefundene Oblate an einem Pafs von Brüffel 1603. 8) *Pantafeon* und 9) *fchleichende Gifte*
find auch nur kleine Ergänzungen diefer Artikel
im erften Bande. 10) *Quarantaine.* In Venedig
wurden zuerft 1348 drey Gefundheitsräthe ernannt, und 1423 ift das erfte Pefthaus auf einer
Infel, 1467 aber eins errichtet, die Ge-
fundheitspäffe von den Confuln find erft 1665 aufgekommen. 11) *Papiertapeten.* Der Anfang ihrer Verfertigung felbft bleibt unbeftimmt. Das
Drucken und Beftäuben mit gehackter Wolle u.
d. gl. trieb zuerft 1620 François zu Rouen, 1634
erhielt in England Lanyer ein Privilegium darüber, und 1670 erwähnt es auch in Deutfchland
Glorez von Mähren. Aber es ift dabey überall
von Zeugen die Rede. Den metallifchen Streu-
glanz erfand im vorigen Jahrhundert Hautfch in
Nürnberg, und eben fo alt ift der Gebrauch des
Glimmers zu Reichenftein in Schlefien.

MARBURG, in der neuen akadem. Buchhandl.:
*Beytrag zur Gefchichte des Salzwerks in den
Soden bey Allendorf an der Werra,* von U.
E. Kopp. 1788. 156 S. gr. 8. (10 gr.)

Hr. Juftizrath Kopp zu Caffel richtete feine Abficht bey diefer Schrift gar nicht auf eine Nachricht von der ökonomifchen Befchreibung des
Salzwerks und feiner gegenwärtigen Einrichtung,
fondern er fuchet blofs die bisher wenig bekannten Veränderungen des Eigenthums davon aufzuklären. Aus diefem Gefichtspunkt betrachtet,
verdienet die Abhandlung das Lob der Originalität, welches durch die Befcheidenheit des Verfaffers noch mehr gehoben wird. Denn er hat fleißig aus ältern gedruckten und handfchriftlichen
Nachrichten gefammelt, und befonders in den
Beylagen felbft 19 Urkunden mit hinzugethan,
welche den meiften Raum einnehmen. In der
Einleitung befchreibt er umftändlicher feine Quellen, befonders das Salzbuch des Magifter Joh. Rhe-
nanus, welcher unter Landgraf Wilhelm IV Pfarrer und zugleich Salzgraf war. Er bereifete
viele Salzwerke, und machte Verbefferungen, welches ihn bey feinem unordentlichen Leben und Trunkenheit doch fo weit fchützte, dafs
der Landgraf fich feiner gegen den Superintendenten annahm, und ihn entfchuldigte, dafs
er beym Salzlecken den Durft nicht löfchen könne, ob er nicht zur Wehr und unter die Schurs-
tücher griffe. Die Erzählung felbft ift in drey
Abtheilungen gefafst. Die ältefte Nachricht ift
von 973, da Otto II feiner Gemahlin einen andern
Gütern Tntinfoda fchenkte. Von 1300 an gehörte das Salzwerk verfchiedenen Privatfamilien,
welche zufammen Geburen von Soden genannt
werden. Neben ihnen wollte der Landgraf Heinrich I zwar auch Pfannen anlegen, verglich fich
aber dafür auf 25 Ofen Salz, die fie nach Caffel
lie-

liefern mußten. Ihre Privilegien wurden verſchiedentlich beſtätiget, aber die Abgaben erhöhet und bis auf 5000 rheiniſche Gulden gebracht. Philipp der Großmüthige legte aus Veranlaſſung des Salzmangels und neuer Streitigkeiten 1538 dennoch eigne Köche an und nahm von 1541 an die 44 pfännerſchaftlichen, jede für 200 Gulden, in Pacht, welche 1586 unter Willhelm IV auf unbeſtimmte Zeit verlängert iſt, und noch jetzt beſteht, da das Salzwerk 26,994 Rthlr. reinen Gewinn trägt. Aufſer der nützlichen Erläuterung, welche die Geſchichte des deutſchen Rechts und beſonders des Salzregals in mancher Abſicht durch die angeführten Begebenheiten erhält, werden überdem noch nebenbey manche Punkte der beſondern Landesgeſchichte von Heſſen aufgekläret, ſo wie S. 3 von der Gefangennehmung des Landgrafen Philipp, S. 38 von der Theilung zwiſchen Willhelm dem ältern und mittlern und S. 45 von der in Heſſen 1538 noch nicht eingeführten Erſtgeburt vorkommt.

PHILOLOGIE.

STENDAL, b. Franzen und Groſſe: *Ueber die Neuerungen in der Orthographie* von *Fried. Joſ. Winkler.* 1788. 46 S. gr. 8. (3 gr.)
Etwas zu ſpät erſcheint dieſe Vertheidigung der gemein üblichen Rechtſchreibung gegen die nun ſchon beynahe vergeſſenen Neuerungen von Klopſtock, Bürger u. a.; beſonders in Weglaſſung der nicht gehörten Buchſtaben. Hr. W. gebraucht für ſie ganz die gewöhnlichen Gründe. Sie dienen nämlich zu Bezeichnung 1. des Unterſchiedes gleichlautender Wörter z. B. Gaſtmahl, Denkmaal und dreymal 2. der harten und gedehnten Ausſprache z. B. reiſen und reiſſen 3. der Bengung und Ableitung z. B. Rofs und herrlich 4. der urſprünglichen Geſtalt fremder Wörter z. B. Philoſoph, Concoction, Horatius. Doch iſt die Ausführung von dem allen weder ſo deutlich noch gründlich, als man ſie bey Hn. Adelung u. a. Sprachlehrern längſt finden kann. Vornemlich fehlt es ganz an richtiger Beſtimmung der Gränzen in der Anwendung, da beſonders der Unterſchied des gleichlautenden ſich doch unmöglich überall durch die Schreibart ausdrücken läſst und die Ableitung ſehr leicht zu weit und auf Selſamkeiten führen kann, wie hier Stängel, Stämpel, Lüch im Schilf, zumal wenn man gar einer unrichtigen folgt, wie hier z. B. Hundsvot von Hundsvogt, lüderlich von Luder, womit auch Lotterbube und Lotterie zuſammengehören ſollen. Das ſonderbarſte iſt endlich, dafs Hr. W. im Eifer gegen die Neuerungen doch ſelbſt einige macht, die eben ſo wenig Nachahmung verdienen. Dahin gehört die gänzliche Verbannung des nach langen Selbſtlauten ſo nothwendigen ſs, wofür er in der Mitte immer ſſ und am Ende ſs ſetzt, des y in ſeyn und des ck, und das von ihm ſogenannte *Umteutſchen* peregriner *Verben* und *Namen*, wie Platon, Theber, Trojer, Odyſſeus.

　　　　━━━━━━━━━━━━━━━━

KLEINE SCHRIFTEN.

SCHÖNE WISSENSCHAFTEN. *London*, b. den Robinſon's: *I'll tell You What. A Comedy, in five Acts, as it is performed at the Theatre Royal, Haymarket. By Mrs. Inchbald.* 1786. 88 S. gr. 8. (1 Sh. 6 d.) Schon im vorigen und vornemlich im gegenwärtigen Jahrhunderte haben ſich mehrere engliſche Frauenzimmer durch ihre dramatiſchen Arbeiten ſehr vortheilhaft ausgezeichnet. Eine der erſten Stellen unter ihnen, in der Gattung des Luſtſpiels, verdient unſtreitig Miſtreſs Inchbald, die auch ſeit drey Jahren den Beyfall des engliſchen Publikums mehr und allgemeiner, als alle übrigen ihres und unſers Geſchlechts, auf ihrer Seite hat. Sie iſt die Witwe eines im J. 1779 verſtorbenen Schauſpielers, ſelbſt Schauſpielerin von Colman's Geſellſchaft, die, wie bekannt, in Winter auf der Bühne in Coventgarden, und im Sommer auf der im Hay-Market zu London ſpielt. Vor dem gegenwärtigen Stücke ſchrieb ſie nur, ſo viel wir wiſſen, ein Nachſpiel, unter dem Titel: *A Mogul Tale,* welches ſich auf die Luftſchiffart bezog, und großen Beyfall erhielt. Noch berühmter aber wurde ſie durch das hier anzuzeigende Luſtſpiel, dem auch ſeitdem ſchon mehrere mit gleichem Glücke gefolgt ſind. Man weiſs, dafs die engliſchen Luſtſpiele gewöhnlich mit Handlung etwas überladen, und ſelten nur getheilten Intereſſe ſind. Auch das gegenwärtige hat eigentlich eine doppelte Intrigue, die aber mit ſo vieler Kunſt in eins verflochten iſt, dafs der einzige daraus zu befürchtende Nachtheil, die Theilung und Schwächung des Intereſſe, wohl nicht leicht daraus zu beſorgen ſteht. Eben ſo glücklich hat die Verf. das Leidenſchaftliche und Rührende mit dem Komiſchen zu miſchen verſtanden, ohne dafs ihr Stück einen hervorſtechenden Anſtrich des einen oder andern erhalten hätte; auch ohne durch zu raſche Ueberſprünge vom Ernſthaften zum Scherzhaften die Empfindung des Leſers oder Zuſchauers Gewalt geſchähe. Die Situationen von beiderley Art hat ſie mit vieler Geſchicklichkeit anzulegen und zu benutzen gewuſst; und durch die immer rege Handlung, durch die Natur, Wahrheit und Lebhaftigkeit des Dialogs, durch überall eingeſtreuten treffenden und feinen Witz, und die nie übertriebene Stärke der leidenſchaftlichen Reden, wird man durchgehende in das lebhafteſte Intereſſe hineingezogen, und leſe zugleich in der ganzen Darſtellung eben ſo viel Lehrreiches als Wahres. Uebrigens leuchtet überall nicht blofs allgemeine Herzenskunde, ſondern vertraute Bekanntſchaft mit Sitten, Grundſätzen, Lauf und Ton der heutigen Welt hervor. Freylich ſieht man wohl, dafs die Charaktere und ihre einzelnen Züge hauptſächlich und zunächſt von dem herrſchenden Sitten der großen Welt in London abſtrahirt ſind. Dem ungeachtet, wäre dies Stück einer deutſchen Umarbeitung eben ſo fähig, als würdig; denn leider! ſind ja auch in unſrer groſſen

Welt. Ehescheidungen, Nebenverbindungen und alle, damit zusammenhängende Schritte des Leichtsinns nichts
weniger als unerhört.

Von eben dieser Verfasserin wurde den 13ten Februar
1787 folgendes neue Stück mit großem Beyfall auf das
Coventgarden-Theater gebracht:

    *London; Such Things are; a Play in five Acts — by
Mrs. Inchbald. The Second Edition. Printed for G. G. J.
and J. Robinson. 1788. 74 S. gr. 8. (1 Sh. 6 d.)* Als
Veranlaßung zu diesem Stücke giebt die Verfasserin die
Reisen an, die ein edelmüthiger Engländer durch ganz
Europa, und selbst nach einigen Gegenden von Asien
that, um die Gefängnisse seines Vaterlandes zu verbessern, und das Elend vieler Unglücklichen zu mildern.
Man sieht bald, daß darunter kein andrer, als der berühmte Howard gemeint ist, der in der Fabel dieses Lust-
spiels unter dem Namen Haswell in einem sehr liebenswürdigen Lichte erscheint. Die Ungewißheit, in welcher
dies Stück geschrieben wurde, veranlaßte die Verfasserin,
die Scene auf die Insel Sumatra zu verlegen, weil sie
glaubte, daß sie ihr dadurch die meiste Wahrscheinlichkeit ertheilen könnte. Der Inhalt ist kürzlich folgender:
Sir Lucke Tremor, der mit seiner Frau in einem Wort-
wechsel über sein und ihr Alter das Stück eröfnet, erhält verschiedene Besuche von lauter Personen, die in
der Folge an der Handlung Theil nehmen, und sich daher hier sogleich durch ihre Reden und ihr Betragen selbst
charakterisiren. Unter diesen ist nun auch Haswell, der
sich durch heilsame Vorschläge wider die Pest bey dem
Sultan sehr beliebt gemacht hat. Ein andrer von Tremor's Bekannten ist Twineall, der sich um eine Stelle
bey der Colonie bewirbt, und in dieser Absicht einen
seiner Freunde Meanright, der nach Europa abreisen
will, über die Sinnesarten derer befragt, bey denen er
sich in Gunst zu setzen wünscht. Jener, über sein krie-
chendes Betragen, unwillig, giebt ihm von allen ganz
falschen Bericht, und trägt dadurch zur Verschürzung des
Knotens, und zur Herbeyführung mannichfaltiger Situation, sehr viel bey. Haswell besucht indeß dortige
Gefängnisse, und da er von dem Sultan zur Belohnung
die Vollmacht erhalten hat, sechs Gefangne in Freyheit
zu setzen, so sucht er die würdigsten unter ihnen ausfindig zu machen. Auch hierdurch werden einige interessante, und zum Theil rührende Scenen veranlaßt.
Unter andern erbietet sich der Sohn eines gefangnen
Vaters mit der dringendsten Wärme, ihn durch eigne
freywillige Gefangengebung auszulösen, und ein Frauenzimmer, Arabella, die fast vierzehn Jahren im Gefängniß ist, schildert ihm ihre Lage, und die Vorfälle ihres
Lebens so rührend, daß er zu dem Sultan eilt, ihm darüber Vorstellung zu thun. Dieser thut ihm das Geständ-
niß, daß er ein Europäer und ein Christ, und durch
eine zufällige Aehnlichkeit mit dem Anführer der Revolution zu dieser Würde gelangt sey; nur bejammert er
zugleich den damaligen Verlust eines innigst geliebten
Weibes. Es findet sich, daß dies Arabella ist, die Haswell ihm zu seiner größten Freude wieder zuführt; wogegen ihm der Sultan unbeschränkte Erlaubniß zur Befreyung der Gefangenen ertheilt. Unterdeß hat Twineall
es mit allen denen verdorben, bey denen er sich einzu-
schmeicheln suchte, und es am Ende so arg gemacht,
daß er als Staatsgefangener eingezogen wird. Am Ende wird auch er, nach verschiednen Demüthigungen,
durch Haswell befreyet, der auch jenen liebevollen Sohn,
der sich zum Lösegelde seines Vaters anbot, dadurch
glücklich macht, daß er ihm die Hand Aureliens, seiner
Geliebten, verschaft. — Man sieht schon aus diesem, kurzen Auszuge des Plans, daß derselbe nichts weniger als

meisterhaft angelegt und durchgeführt ist. Der Gesichtspunkte, auf die der Zuschauer hingewiesen wird, daß
wirklich zu viel, und die Charaktere, so treffend sie auch
gezeichnet sind, greifen gar zu wenig in einander ein.
Vergleichungsweise gefällt uns daher das vorhin angezeigte Schauspiel weit mehr; es ist besser angelegt, und
glücklicher durchgeführt. Bey dem allen aber erkennt
man doch auch hier das Talent der Verfasserin überall;
und viele Schönheiten des Einzelnen halten den Leser
für jene Mängel größtentheils schadlos, welche jedoch
bey der Aufführung wohl nicht ganz der Fall seyn möchte.
Denn ein großer Theil des Beyfalls, den dies Lustspiel
in London erhielt, war wohl eine Folge des gleich durch
den Titel angedeuteten Umstandes, daß es dergleichen
Dinge giebt, wie hier dargestellt werden, und daß der
edle Mann, von dem Haswell's Charakter copiet ist, schon
die allgemeine Bewunderung der Nation auf sich gezogen hatte.

In eben dem Verlage *Incle and Yarico; an Opera,
in three Acts. As performed at the Theatre-Royal in the
Hay-Market, on Saturday, August 11th, 1787. Written
by George Colman, Junior. 75 S. gr. 8. (1 Sh. 6 d.)*
Der Stof dieses Singspiels ist aus dem englischen Zuschauer, und aus Gellert's Erzählung bekannt genug. Freilich scheint er mehr Anlage zu einem Trauerspiele, als
zu einem komischen Oper zu enthalten; und daß jene Art
ist er auch wirklich schon sowohl für die englische, als
französische Bühne, obgleich mit keinem sonderlichen
Erfolge, bearbeitet worden. In der That scheint er auch
mehr für eine Oper, als für die dramatische Behandlung schicklich zu seyn, da schon die Nothwendigkeit, mehrere Personen in die Handlung zu verflechten,
keine geringe Schwierigkeit macht. Es war daher möglich, manches abzuändern, wodurch denn aber die Theilnehmung nicht mehr so ungetrennt auf den beiden Haupt-
personen haften blieb. Am glücklichsten war vielleicht
der Gedanke, daß Inkle seine Yariko dem Gouverneur
von Barbadoes, dessen Tochter er heyrathen soll, als
Sclavin anträgt. Ueberhaupt kann man den VF., der mit
diesem Stücke die von seinem Vater mit Ruhm be-
tretene Laufbahn zuerst eintritt, das Talent der Erfindung wirkungsreicher Situationen und abstehender Charakterzeichnung nicht absprechen. Nur finden sich in
der Zusammensetzung des Ganzen hie und da manche
kleine Verstoßungen und Mishelligkeiten. Unter den
eingemischten Liedern sind ihm einige, besonders die im
Volkston, sehr gelungen.

*Bey Dilly: English Readings; a Comic Piece in one
Act. Inscribed to George Colman, Esq. 1787. 23 S. gr. 8.
(1 Sh.)* Eine witzige Satire auf die in England herrschende Gewohnheit, geschlossene Gesellschaften zum
Vorlesen zu halten, dergleichen sich vielleicht auch auf
den Mißbrauch unsrer deutschen Lesezirkel schreiben
ließe. Der angenannte VF. nimmt an, daß diese Vorle-
sesucht bis zu den niedrigsten Ständen in eine kleine, von
London weit entlegene, Stadtgedrungen sey. Ein Schu-
ster dieses Orts fühlt sich davon ergriffen, und ein junger Officier benutzt diese seine Schwäche, ihm unterdeß, daß er mit den Anstalten zu einer öffentlichen
Vorlesung, wozu er seinen Neffen aus London verschrie-
ben hat, beschäftiget ist, und darüber von der Gerichtsbarkeit des Orts zur Verantwortung gezogen wird, seine Tochter zu entführen, und sich heimlich mit ihr
zu verheirathen. Die Ausführung dieser Idee, und die
Mannichfaltigkeit mehrerer Personen von auffallenden
Eigenheiten des Charakters und Betragens ist ganz lebhaft und unterhaltend.

ALLGEMEINE

LITERATUR - ZEITUNG

Dienstags, den 10ten Februar 1789.

ARZNEYGELAHRTHEIT.

PARIS u. BESANÇON, b. Croullebois: *Abrégé sur les maladies des femmes grosses, et de celles, qui font accouchées, avec quelques Regles générales sur les Accouchemens, et la manière de faigner, et traiter les Enfants depuis la naifance jusques vers l'age de puberté.* Par *M. Boy*, Chirurgien major de l'Hospital Royal et. Militaire de Champlitte en Franche Comté. 1788. kl. 8. 222 S. (13 gr.)

Die Abficht des Vf. ift, (und dies hätte er billig auf dem Titel anmerken follen) dem Landvolk eine Anleitung zu geben, wie Schwangere und Gebährende in und nach der Geburt, fo wie auch Mütter bey Krankheiten der Kinder, fich verhalten müffen. Er fagt ausdrücklich: fein Werk fey nicht für grofse Städte, und um es zu verftehen, brauchte man nur lefen zu können. Er fcheint aber gefühlt zu haben, dafs, um die gemeinfte medicinifche Volksfchrift zu verftehen, da zu doch etwas mehr, als lefen zu können, gehört; denn unmittelbar darauf fodert er den aufgeklärten Theil der Landbewohner auf, den minder aufgeklärten verfchiedene in diefem Werk enthaltene Sätze zu erklären, und begreiflich zu machen. Er glaubt indeffen nicht, und hier hat er vollkommen recht, dafs alle Vorfchriften, die er überhaupt giebt, von allen in Ausübung gefetzt werden können, hofft aber, dafs man dadurch die gefährlichen Fälle werde einfehen lernen, um in Zeiten fich nach guter Hülfe umfehen zu können. Er eifert im Vorbeygehen gegen die Mütter, die ihre Kinder nicht felbft fängen, obgleich keine Umftände vorhanden find, die fie an diefer natürlichen Pflicht hindern, zeigt auch den grofsen Verluft, den die Population durch Nachläffigkeit in der phyfifch-medicinifchen Pflege der Kinder leide. Als Beyfpiele führt er die grofse Sterblichkeit in den Hofpitälern der Findlinge an, wo von 120 kranken Kindern 100 fterben. Ueberhaupt kann dies Buch von Nutzen feyn, es handelt die vorgetragenen Materien kurz und ziemlich deutlich ab. Unter vielen bekannten Sachen fcheinen uns folgende Bemerkungen hier

A. L. Z. 1789. Erfter Band.

einer Anzeige werth: Man hatte lange geglaubt, dafs die fäugenden Thiere deswegen nicht an der Verblutung des Nabels umkämen, indem die Mütter an denfelben mit ihren Zähnen eine Art von Quetfchung bey der Ablöfung verurfachten, wodurch folglich der Ausflufs des Bluts gehindert würde; Erfahrungen hätten aber bewiefen, dafs diefer Effect blofs daher rühre, weil die Mutter eine Zeit nach der Geburt allererft den Nabelftrang abbiffe, wo folglich das Thier fchon fpiriret hat, und daraus ein neuer Umlauf des Bluts erfolgt ift. Nach eben diefer Weife hätte man nicht nöthig, den Nabelftrang bey Kindern zu unterbinden, indem man denfelben allererft nach einiger Zeit, z. E. nach 19 Minuten, mehr oder weniger, nach der Stärke und Lebhaftigkeit des Kindes durchfchneiden könnte. Der Vf. fagt aber nicht, ob er dergleichen Verfuche bey Kindern wirklich gemacht habe.

Er verordnet die erften Tage nach der Geburt Fleifchbrühen von Rind- oder Kalbfleifch, weiche Eyer u. f. w., fehr wenig Brod und Fleifch Geléen; Nahrungsmittel, welche deutfche Geburtshelfer in den erften Tagen des Wochenbettes nicht leicht zu verordnen pflegen. Bey den Zähnen der Kinder, um den Durchbruch zu befördern, fchlägt der Verf. ein Mittel vor, das aber wieder zu feyn fcheint, er nimmt etwas Fliederblüthe, vermifcht felbige mit 3 Drachm, zerhacktem und gewafchenem Bley, bindet diefes in einen leinenen Lappen, thut es in eine Taffe voll frifcher Milch, bedeckt diefelbe mit Papier, fetzt es an einen warmen Ort, und nachdem die auf der Oberfläche verfeinerte Saare abgeronnen, wird felbige auf das Zahnfleifch geftrichen, oder vielmehr eingerieben.

Gegen die Würmer der Kinder hat er fich folgendes Mittel, äufserlich applicirt, mit dem gröfsten Nutzen bedient: *Rec. ol. Laurir. TR. Myrrh. et Aloes* aa ʒij ℥ *Gum. Aloës* ʒj. Alles zufammengemifcht, und auf heifser Afche gefchmolzen. Mit diefem Mittel reibt man verfchiedenemale die Nabelgegend, es half befonders einem Kinde von 8 Jahren, welches fehr elend an den fogenannten *Lumbricis* darniederlag, gegen welche die gewöhnlichen Wurmmittel keine Hülfe leiften wollten, die aber durch diefes Mittel abge-

U u

abgetrieben wurden. Diefes Kind lentescirte
fchon, und hatte zum öftern heftige Coliken.
Sollte diefes Mittel Bauchgrimmen verurfachen,
fo müfste man felbiges einige Tage äusfetzen,
oder nur gelinde Embrocationen machen. Auch
preifet er die Klyftiere von Milch und Zucker.
Er hält auch dafür, es gebe kein Beyfpiel, dafs Perfonen, welche die natürlichen oder inoculirten Pocken überftanden, fie felbige zum zweytenmale
bekommen hätten, wovon aber Rec. aus untrüglichen Erfahrungen das Gegentheil weifs.

ERFURT, b. Keyfer: *Gefchichte des Zinks in
Abficht feines Verhaltens gegen andere Körper, und feiner Anwendung auf Arzneywiffenfchaft und Kunfte,* entworfen von D. Georg Friedrich Chriftian Fuchs, aufserordent-
lichem Lehrer der Arzneykunde in Jena. 1788.
15 und 396 S. 8. (1 Rthlr.)
Man findet hier die Hirngefpinfte mancher Goldmacher und anderer Afterchemiften, z. B. des Be-
cher, Woydt, Jugel, ab Indagine u. f. w. oft mit
eben der Sorgfalt erzählt, mit welcher der Verf.
die richtigern Meynungen eines Cramer, Macquer, Bergmann, Leonhardi, de Morveau und
anderer einfichtsvoller Männer über die Natur
und die Beftandtheile des Zinks, über das Verhalten diefes Halbmetalls gegen andere Körper,
über die Heilkräfte deffelben, und der daraus be-
reiteten Blumen u. f. w. angeführt hat, und er ift
felbft bisweilen bey jenen umftändlicher, als bey
diefen, gewefen. Die nützlichen Verfuche des
Herrn Marggraf (*Nouv. Memoir. de l'Acad. Roy.
des Sc. et Bell. Lettr. Ann.* 1774 S. 108) find mit
Stillfchweigen übergangen, und die Meynungen
mancher Schriftfteller find nicht völlig richtig
vorgetragen. Hr. Hagen z. B. fagt an dem vom
Vf. S. 119 angeführten Orte nicht, dafs der Zink
Aehnlichkeit mit der Harnphofphor habe; er erinnert nur, dafs man beym Verbrennen jenes Halb-
metalles Erfcheinungen bemerkte, die denen ähnlich feyn, die man bey der Entzündung des Phof-
phors wahrnehme, und dafs Wenzel und De Laf-
fone hieraus gefolgert hätten, dafs Phofphor ein
Beftandtheil des Zinks fey; auch Hr. Leonhardi
behauptet in der ebendaf. Anm. 9 angeführten
Stelle das nicht, was ihm Hr. F. fagen läfst. Der
Vortrag hat manche Nachläffigkeiten, und zuweilen unnöthige Weitläufigkeit. S. 244 fagt
der Vf.: „Die Blumen, die hier entftehen, find
„nach Junker fein, der Ueberreft ift grün, giebt
„auch mit Waffer eine grafsgrüne Auflöfung,
„dickt man diefe ein, fo erhält man ein grünes
„Salz, da die grüne Farbe als ein rothes Pulver
„zu Boden fällt, es erfolgt dabey Verpuffung und
„Zerfprengung der Gefäfse." S. 273 trägt er die
nemliche Sache nach zwey verfchiedenen Schriftftellern, (von welchen doch der eine den andern
nur abgefchrieben hat.) zweymal faft mit denfelben Worten vor: „Nach Erxleben giebt," fagt

er, „Gold und Zink zu gleichen Theilen ge-
„fchmolzen, ein fehr hartes und fprödes Metall
„von einer weifen Farbe, das eine vortrefliche
„Politur annimmt. Den Zink kann man vom
„Golde in Geftalt der Zinkblumen treiben, wel-
„che aber etwas gelb und purpurfarbig find.
„Nach Baumé geben 3 Theile Zink und ein Theil
„Gold ein nicht fehr brüchiges Metall, es hat ein
„feines Korn, fieht aber etwas grau. Der Zink,
„wenn er auch mit Gold verfetzt ift, giebt doch
„Blumen. Die Blumen fehen etwas gelblich,
„und fpielen ins purpurfarbige; man kann den
„Zink durch blofses Feuer vom Golde fcheiden"
u. f. w.

VERMISCHTE SCHRIFTEN.

LEIPZIG, b. Crufius: *Hn. Peter Campers — kleinere Schriften die Arzney-Wundarzneykunft
und furnemlich die Naturgefchichte betreffend.* Ins Deutfche überfetzt von J. F. M.
Herbel. Mit Kupfern. *Zweyten Bandes,
zweytes Stück.* 1787. 182 S. 8. (16 gr.)
Dritten Bandes erftes Stück. 1788. 221 S. 8.
(18 gr.)
Eine Anpreifung der Auffätze des berühmten
Campers, eines der wahrhafteften und gröfseften
Zergliederer, Naturkündiger und Aerzte aller
Jahrhunderte und Nationen, ift überflüffig, und
der Dank, welchen Deutfchland dem Hn. Herbel
für ihre deutfche Bekanntmachung fchuldig ift,
ift defto gerechter, da faft alle vortrefliche Abhandlungen des Vf. hier von ihm felbft vermehrt
und verbeffert erfcheinen. Eine umftändliche Anzeige des Inhalts der in diefen beiden Stücken
verdeutfchten Abhandlungen würde zu viel Raum
einnehmen; es ift genug, wenn Rec. die mitgetheilten Abhandlungen blofs nennt, und einige
Winke, über den lehrreichen Inhalt deffelben giebt.
Das 2te Stück des 11ten B. enthält 1) *Ueber das
Gehörorgan der Fifche,* erfchien zuerft in dem
VI B. der *Mem. de Mathem. et de Phyf. prefent.
a l'Acad. roy. des Scienc.* Hier finden wir die
Zergliederung des Gehörorgans und des Gehirns
des Frofchfifches, des Hechts und des Rocken.
In den fechs Zufätzen rechtfertigt fich C. gegen
Monro, bezeugt, dafs er neuerlich von dem Dafeyn eines Vorhofs und eines runden Fenfters im
Gehörorgan der Sprützfifche überzeugt worden,
hält den Wallrath für ein gewiffes geronnenes
Fett, welches beym Cafchelot aufser der Hirn-
höle auf der obern Seite des grofsen Kopfs liegt,
und tritt die Entdeckung des Gehörorgans der
Schuppenfifche unterm Landsmann J. T. Kölreuter
ab. Aus einem in der Vorrede eingerückten Briefe des Vf. erfährt man, dafs C. alle feine Beobachtungen über die Sprützfifche Hn. Buffon zugefchickt hat, welcher alle Zeichnungen in Kupfer
ftechen laffen und mit Hn. C. Befchreibungen heraus...

ausgeben wollte. Wenn nur der Tod diefes berühmten Naturforfchers uns nicht um diefe Camperfchen Entdeckungen bringt! 2) Beobachtungen über das Rennthier, aus Allamand additions aus T. XV de l'Hift. Nat. de Mr. Büffon et d'Huberton. 3) Nachricht vom Sprachwerkzeuge des Orang-Utang, in einem Brief an Hn. Pringle, aus den philof. Transact. for the Year 1779, worinn die' vollkommne. Unmöglichkeit der Sprache diefer und anderer Affen erwiefen wird. 4) Anmerkungen über die Veränderungen, welche die Steine in der Harnblafe der Menfchen erleiden, nebft der von C. überfetzten mit Anmerkungen verfehenen Maretfchen Abhandlung über den Steinfchnitt in zwey Zwifchenzeiten und die Grundfätze Celfus Albucafis und le Drans über diefe Operation, mit den Beobachtungen Hn. Haaffs und van Wy's beftätiget, aus Mengelstoffen over de Steengroejing etc. Amfterd. 1782. Cumper hat an fich felbft beobachtet, dafs nach dem Genufs eines rothen Weins die Kryftallen, welche in dem Harn anfchiefsen, fehr fpitzig find, nach weiffem Wein befand er fich beffer, bisweilen blieben einige Kryftallen beym Abgang, der insgemein mit dem letzten Tropfen Harn gefchicht, in der Grube des Vorftehers ftehen, und verurfachten dafelbft Jucken und Schmerzen; viel Flüffiges oder Milch fpühlt fie weg; Kalkwaffer und Chitticks-lauge haben bey C. die Befchaffenheit des Harns nicht verändert. Die Harnfandkörnchen fetzen fich nur alsdann an den Seiten der Blafe an, wenn veraltete Steine die Subftanz der Blafe verdickt und die innere Fläche derfelben fo verdorben haben; dafs der ölichte Schleim fich nicht länger abfondert. Es bilde fich im Becken der Nieren und in der Blafe nicht eher ein Stein, als bis erft ein Körnchen in dem Innern der Höle fitzen geblieben, alsdenn erzeugt fich der Stein eben fo an dem Kern, wie der Spat in dem Belemnit, nemlich mit nach dem Mittelpunkt gerichteten Strahlen und mit Kreifen, die von der Fläche des Kerns gleichweit abftezhen. Die Subftanz des Steins bleibt fo lange die nemliche, als der Harn feine natürliche Befchaffenheit behält; fängt fich diefe aber an zu verändern, fo wird auch der Anwachs, fo wohl in Rückficht der Farbe als der Härte ungleich. Zur ●yförmigen, etwas platten Form der Steine gebe vielleicht auch die immerwährende Bewegung des Körpers Gelegenheit. C. hält alle bis jetzt bekannte fteinbrechende Mittel für kraftlos. Die Härte der Steine hänge allein von der Befchaffenheit des Harns ab und ftehe gar nicht mit der Zeit im Verhältnifs. Die zackichten Steine werden oft, wenn eine Krankheit der Blafe oder der Nieren darauf folgt, durch den Anwachs des weifslichten Schleims aus den Nieren wieder eben. Die Spitze des Katheters fchiefse in eng zufammen gezogenen kleinen Harnblafen oft unter dem Stein hinnein, und verhindere dadurch, weil die Spitze die Blafe hervor treibt,

das Fühlen des Steins. Albins Meynung, dafs viele kleine Steine in der Blafe zufammen wachfen könnten, widerlegt C. umftändlich und gewifs; auch die Steine in der Gallenblafe wachfen nie zufammen. Sehr wahrfcheinlich beuge die Oeleinfprützung mit einem hohlen Katheter dem Zunehmen der Steine vor. Ueber die Folgen grofser Blafenfteine in Rückficht des Steinfchnitts, breitet fich der Vf. umftändlich und fehr lehrreich aus. Der Inhalt der Maretfchen Abhandl. ift fchon bekannt; dafs Campers Anmerkungen gelehrt, unterrichtend, kurz, vortreflich find, wird jeder erwarten.

Im erften Stück des IIIten B. finden wir 1) Muthmafsungen über einige im St. Petersberge bey Maftricht gefundenen Verfteinerungen, aus den philof. Transact. Vol LXXVI. Kenntnifsvolle und lehrreiche Beweife, dafs diefe foffilen Knochen keinem Thiere von der Crocodillart zugehören, fondern meift Ueberbleibfel von Kafcheloten, Schildkröten u. dergl. find. C. fchliefst diefen Auffatz mit den Worten: ,,ich denke, es ift ein der Aufmerkfamkeit fehr würdiger Gegenftand, dafs man bis jetzt keine Menfchen- und fehr wenige Vögelknochen, in einem verfteinerten Zuftand und der Vorwelt gehörend, gefunden habe." 2) Kürze Nachricht vom Dugon des Grafen von Buffon und der Sirene Lacertina des Ritters Linné, aus den Vaterlandfche letteroeffeneryen, 1786. Der Vf. beweift, dafs der Dugon gar nichts mit dem Wallroffe gemein habe, fondern ein Fifch fey; fo bin fo zeigt er, dafs die Sirene lacertina keine Larve ift, fondern zum Fifchgefchlecht gehört. 3) Vorlefungen über das heutige herumgehende Viehfterben, auf der anatomifchen Schaubühne zu Gröningen öffentlich gehalten. Diefe Vorlefungen find aus der 1771 zu Copenhagen herausgekommenen Verdeutfchung fchon bekannt; aber Hr. Herbel hat Zufätze und einen Nachtrag zu den Ausmeffungen der Kiefern befonderer Thiere hinzugefügt, die ihm Camper im Monat November 1786 mittheilte, welche alfo hier zuerft erfcheinen. In den neuen Zufätzen fchreibt der Vf. das Nichtgerinnen der Milch im erften Magen den fpeichelartigen Feuchtigkeiten derfelben zu; auch nimmt er feine Meynung zurück, dafs die Schmalheit des Unterkiefers das zuverläffige Kennzeichen des Widerkäuens fey; (und gedenkt hier, dafs ihm der berühmte H. G. R. von Goethe, durch feine ihm mitgetheilten vortreflichen Beobachtungen über das Zwifchenbein des Oberkiefers, von der Abwefenheit der Schneidezähne im Oberkiefer der Wiederkäuenden Thiere, die Kameelsarten ausgenommen, überzeugt habe; fo wie er in der 2ten Abhandl. gefteht, dafs ihm diefer als Dichter allgemein verehrte, aber als Naturforfcher nur den berühmteften Adepten der Naturgefchichte bekannte, Gelehrte auch zuerft die offa intermaxillaria des Wallroffes und die Schneidezähne deffelben kennen gelehrt habe.) Auch dürfe man das Wiederkäuen nicht aus der Lage der Backenzähne, fondern blofs aus dem doppelten Magen herleiten. 4) *Schreiben an die Generalftaaten, betreffend die Einimpfung der Hornviehfeuche, gefchrieben den 16 Febr. 1770.* Erzählt die Nothwendigkeit und die Vortheile der Impfung. 5) *Von der Einimpfung der Rindviehfeuche, ihren Vortheilen und Bedingungen,* aus dem B. IV der Befchäftigungen der Berliner Gefellfchaft naturforfchender Freunde. 6) *Erläuterung einer in der K. Preufs. Inftruction von 1765 befindlichen Stelle das Verwefen der Kühhäute betreffend;* 7) *Ueber die Lungenwürmer,* beide aus dem B. I der Schrift. der Berl. Gefellfch. naturf. Freunde. In den Zufätzen zu diefer Abhandl. verfichert der Vf. aus fremden Beobachtungen, dafs diefe Würmer keine Folge der Einimpfung find, allein die Erfahrung feines eignen Meiers fcheint diefer Verficherung zu widerfprechen. 8) *Ueber die Bellenfucht der Kälber.* Eine brandichte, jederzeit tödliche Gefchwulft, die meiftens die Hüfte, doch auch bisweilen die Blätter angreift. Die Urfache ift noch unbekannt. 9) *Ueber die Giftfeuche.* Eine alte, aber doch wenig bekannte, Viehkrankheit, welche in Friesland *Fenyn* heifst, u. fehr tödlich ift, die zwar hier umftändlich befchrieben wird, aber ohne dafs *Camper* eine fichere Urfache davon, oder ein gewiffes Heilverfahren dagegen anzugeben vermag.

BERLIN, im Verl. der Buchh. der Realfchule: *Die göttliche Ordnung in den Veränderungen* des menfchlichen Gefchlechts aus der Geburt, dem Tode und der Fortpflanzung deffelben erwiefen, von *Johann Peter Süßmilch,* gewefenen K. Preufs. Oberconf. Rath, Probft in Cölln und Mitglied der K. Academ. d. Wiff. Zweyter Theil. Vierte verbefferte Ausgabe, genau durchgefehen und näher berichtiget von *Chriftian Jacob Baumann,* Prediger zu Lebus, neue Auflage. 1788. 580 S. gr. 8. und 81 S. Tafeln. (1 Rthlr. 8 gr.).

Die wiederholten Ausgaben diefes Werkes beweifen den Beyfall, womit es noch immer gefucht wird, den es aber auch verdienet, da es in feiner Art vortreflich, und wenigftens für Deutfchland das einzige ift. Hr. B. hat nach des Vf. Tode die vierte fchon 1775 beforgt, und mit einem dritten Theile vermehrt, die andern beiden aber nur in Kleinigkeiten verändert, Druckfehler berichtiget u. f. w. Eben fo erfcheinet diefer zweyte hier nur wieder neu abgedruckt, fo dafs er auch mit der dritten Ausgabe von 1765 in Seiten und Paragraphen übereinftimmt. Nur bey dem dritten Theile werden neue Vermehrungen zu erwarten feyn, weil doch feit der Zeit von manchen Ländern erft wieder gute und wichtige Nachrichten über Volksmenge, Sterblichkeit u. d. gl. bekannt geworden find, und Hr. B. würde wohl am beften thun, fie für die Befitzer der dritten und vierten Ausgabe auch befonders auszugeben.

KLEINE SCHRIFTEN.

ARZNEYGELAHRTHEIT. *Jena,* b. Strankmann: Difputatio de nuce vomica, quam pro gradu Doctoris defendit *Georg. Aug. Herm. Rofe,* Halberftadienf. 1788. 32 S. 4. Der Vf. erzählt zuerft einige chemifche Verfuche, die er mit den Krähenaugen angeftellt hat, und dann nennt er die Krankheiten, wider welche der innerliche Gebrauch diefer Frucht von einigen Aerzten mit Nutzen verfucht worden ift. Der Weingeift nimmt zwar, wenn man ihn eine Zeitlang über zerriebenen Krähenaugen an einem warmen Orte ftehen läfst, einen bittern Gefchmack davon an, äufsert aber doch keine fo ftarke auflöfende Kraft gegen diefe Frucht, als das Waffer. Diefe Flüffigkeit fcheint das eigentliche Menftruum der bittern und wirkfamen Theile der Krähenaugen zu feyn; fie erhält, wenn man fie damit kocht, einen höchft bittern Gefchmack und eine fchleimige Befchaffenheit; durch die Eindickung giebt diefe Abkochung ein geruchlofes, aber fehr bitteres Extract, das, in Anfehung der Farbe und Confiftenz, dem Tifchlerleime ähnlich ift. Auch das über Krähenaugen abgezogene Waffer fcheint etwas davon in fich genommen zu haben; denn es fieht milchig aus und befitzt einen betäubenden Geruch; doch bringt es in den Thieren, denen man es zu faufen giebt, keine nachtheiligen Wirkungen hervor. — Durch die trockene Deftillation fcheidet fich kein flüchtiges Salz, aber wohl eine dem Weingeifte ähnliche faure Flüffigkeit und ein ranziges Oel aus den Krähenaugen ab, und nach der Verbrennung im offenen Feuer laffen fie eine Afche zurück, die aus einer (vom Vf. nicht genau beftimmten) Erde, etwas feuerbeftändigem Laugenfalze und vitriolifirtem Weinfteine befteht, u. f. w. Diefe Frucht kann übrigens, ob fie fchon gemeiniglich zu den Giften gezählt wird, doch auch mit Recht eine Stelle unter den Heymitteln verdienen; denn fie hat fich wirklich in verfchiedenen Krankheiten, z. B. in Kolikfchmerzen, in unordentlichen Bewegungen der Nerven, in Wechfelfiebern, in der Peft u. f. w. fehr heilfam bewiefen, und felbft zuweilen einige hartnäckige Zufälle, die der Wirkfamkeit anderer Mittel widerftanden hatten, glücklich gehoben. Der Vf. empfiehlt fie daher, doch blofs nach den Beobachtungen anderer Aerzte, wider diefe und andere Uebel, und erzählt zwey ihm von Hn. *Buchholz* mitgetheilte Erfahrungen, welche die Heilkräfte diefer Frucht wider die Ruhr und den Durchlauf beftätigen, —

ALLGEMEINE
LITERATUR - ZEITUNG

Mittwochs, den 11ten Februar 1789.

ARZNEYGELAHRTHEIT.

London, bey Murray: *Principles of midwifery, or puerperal medicine, by John Aitken*, M. D. — *one of the Surgeons of the Royal infirmary, lecturer of anatomy, surgery and midwifery and honorary president of the chirurgico-obstetrical society of Edinburg. The third edition, enlarged and illustrated with engravings. For the use of Students.* Ohne Jahrzahl, mit 31 Kupfertafeln. gr. 8. (2 Rthlr. 12 gr.)

Nürnberg, b. Raspe: *John Aitkens — Grundsätze der Entbindungskunst*, nach der dritten verbesserten und mit neuen Kupfern vermehrten Ausgabe, aus dem Englischen übersetzt und mit einigen Anmerk. versehen von *Carl Heinrich Spohr* — Stadtphysicus zu Seefen. 1789. 287 S. gr. 8. (1 Rthlr. 20 gr.)

Dieses Lehrbuch zum Unterricht solcher, die die Entbindungskunst erlernen wollen, zeichnet sich durch die Ordnung, in welcher der Vf. seine Lehren vorträgt, durch mehrere neue Vorschläge zur Erleichterung schwerer Geburten und besonders durch die schönen und nützlichen Kupfer aus, welche er seinem Werke beygefügt hat. Das Werk zerfällt in drey Haupttheile: *puerperal anatomy, puerperal physiology*, und *p. pathology*. In dem ersten beschreibt er das Becken, die innerlichen und äußerlichen Geburtstheile, die Veränderungen, welche die Gebärmutter bey der Schwangerschaft erleidet, und die Theile des Kindes im Mutterleibe, in so fern sie von denen eines gebornen und athmenden Kindes abweichen. Im zweyten Theil handelt er von der monatlichen Reinigung, von der Schwangerschaft und der natürlichen Geburt, und giebt zugleich die Behandlung der Mutter vor, bey und nach der Geburt, und die Behandlung des Kindes bis zur Entwöhnung, die er weiter hinaus verschoben wissen will, an. Der letzte Theil beschäftiget sich mit der außerordentlichen Geburt, die er in die lange währende und widernatürliche eintheilt. Bey ersterer setzt er allemal die ordentliche Lage des Kindes voraus, die meisten

Ursachen derselben fallen daher auch auf die Seite der Mutter, und das Kind bewirket sie nur, wenn es widernatürlich gebauet, oder wassersüchtig ist, wenn die Membranen zu dicht sind, oder die Nabelschnur zu kurz ist, Die Geburt ist widernatürlich, wenn sich ein andrer Theil des Kindes als der Wirbel darbietet. Dieser ganze Theil wird auf 40 sehr weidläufig gedruckten Seiten abgehandelt, und die Darstellung der verschiedenen Fälle bey schweren Geburten, der Lagen des Kindes und der Wege, die gewählt werden müssen, um die Geburt zu befördern, ist so kurz, dass sich der Vf. das meiste davon für seine Vorlesungen vorbehalten hat. Ungleich weitläufiger ist er in Behandlung der Frauen- und Kinderkrankheiten. Unter den ersten handelt er sogar solche ab, welche mit der Entbindungskunst in entfernterm Bezuge stehen, die Mutterbeschwerungen, die Nymphomanie, den weißen Fluss u. s. f. Er behandelt diese Gegenstände, wie die übrigen, sehr kurz, aber deutlich, in sehr guter Ordnung und so, dass das Buch dem Lehrling eine Menge von Winken giebt, deren Aufklärung er von dem Lehrer zu erwarten hat: es wird daher auch zu Vorlesungen und für solche, die des Vf. Vorlesungen gehört haben, oder dasjenige, was bey außerordentlichen Geburten zu wissen ist, kurz übersehen wollen, sehr brauchbar seyn. Bey den Krankheiten sind nicht immer die Unterscheidungskennzeichen angegeben, und wo es geschehen ist, nur im Allgemeinen. Dies ist auch oft der Fall bey der Darstellung der Ursachen u. Kurvorschläge. Am vortheilhaftesten zeichnet sich das Werk durch neue und zum Theil nützliche Vorschläge bey außerordentlichen Geburten aus. Der Vf. empfiehlt den Hebel mehr als die Zange und besonders ein von ihm erfundenes Instrument dieser Art, welches sich durch eine angebrachte Schraube, eine mehr oder weniger krumme, ja eine gerade Richtung geben lässt: er nennt es daher auch den lebendigen Hebel, weil es die Stelle der Finger vertritt, ohne deren Dicke zu haben. Das Hinaufschieben der vorgefallenen Nabelschnur soll durch ein ausgehöltes Stück Elfenbein, welches in die Spitze des Hebels gebunden wird, sicher und gewiss bewirket werden. Der auch schon von andern gethane Vorschlag, durch kleine, von Luft aufgetriebene, Blafen die Gebärmuttervorfälle zurück zu halten, verdient alle Aufmerkfamkeit (ähnlicher und in aller Hinficht fehr gefchickter Werkzeuge diefer Art vus elaftifchem Harze, gedenket er nicht, ob er fchon auf der vorletzten Kupferplatte, wo ein Lufttmutterkranz abgebildet wird, ein ähnliches Inftrument aus diefem Harze abbildet, durch welches Luft aus den innern Theilen gezogen, oder in fie hineingelaffen werden foll.) Der Kaiferfchnitt ift in England noch niemals von Erfolg gewefen, und der Zertheilung der Schaambein-knochen trauet der Vf. in Fällen, wo der Durch-fchnitt des Beckens über einen halben Zoll werden mufs, auch nicht. Er fchlägt daher eine andere Zerfchneidung des Beckens vor, über deren Anwendbarkeit und Erfolg er Verfuche bey Thieren zu machen verfpricht, nemlich „zwey Ein-fchnitte, auf jeder Seite des Beckens einen, welche bis auf die Schaambeine reichen, den Schen-kelgefäfsen fo nahe, als ficher gefchehen kann, fo dafs der eine von dem andern etwa 4 Zoll entfernt fey; und zwey andere, welche damit zu-fammentreffen und die Vereinigung der Aefte der Schaam- und Sitzbeine berühren. Darauf werden die Knochen mit der biegfamen Säge, ohne Ver-letzung der drunter liegenden Theile, zerfchnitten." Die Kupfer, welche der Vf. zum Theil felbft angegeben, gröfstentheils aber aus den Werken des Ruyfch, Albinus, Haller, Sue, Bau-delocque, Smellie, Hunter, Brambilla, Plenk, Leak, u. f. f. entlehnt hat, machen einen fehr vorzüglichen Theil des Werks aus und find fehr gefchickt, feine Vorfchläge, befonders diejenigen, welche den Gebrauch der Inftrumente be-treffen, zu erläutern. Die Tafeln find nicht zu klein, um dadurch einen grofsen Theil ihrer Brauchbarkeit zu verlieren, und nicht fo grofs, um einen Theil der Liebhaber aufser Stand zu fetzen, das Werk zu kaufen. Das von Knight fehr fchön geftochene Bruftbild des Vf. gereicht dem Werke zu einer Zierde, die wir an der Ue-berfetzung ungern vermifst haben.

Bey dem grofsen Beyfall, welchen diefes Werk in England erhalten hat, (in zwey Jahren erfchie-nen drey Auflagen davon) und bey der wirkli-chen Brauchbarkeit deffelben, darf die Ueberfe-tzung nicht unter die unnützen Arbeiten gerech-net werden. Die Kupfer find von einem Nürn-bergifchen Künftler, Hn. G. Vogel, fehr genau nachgeftochen worden. Die Ueberfetzung felbft ift von dem durch andere Arbeiten diefer Art fchon bekannten Vf. derfelben mit ziemlichen Fleifse abgefafst. Bey Vergleichung mehrerer Bogen der Ueberfetzung mit dem Original hat Rec. nur eine Stelle gefunden, welche undeut-lich ift. Der Vf. fagt S. 77. the cellular fubftance between the bones and foft parts is dangerously deftroyed. Dies hat der Ueberfetzer gegeben:

Die Zellenfubftanz zwifchen — wird gefährlich zerftöhret.

STENDAL, b. Franzen und Grofse: Neues Ma-gazin für die gerichtliche Arzneykunde und mediciuifche Polizey. Herausgegeben von D. J. Th. Pyl. — Zweyter Band, drittes St. 1787. 124 S. 8. (12 gr.)

Die Einrichtung und der Zweck diefes Maga-zins ift bekannt, auch die Fähigkeit und die günftige Lage des Herausgebers, diefem Zweck zu entfprechen. Dies Stück enthält: 1) eine Nach-richt von der neueften Verfaffung des Obercollegii fanitatis zu Berlin und deffen neue Inftruction vom Jahr 1786; 2) einen umftändlichen, aber wohl nur in reichen Ländern ausführbaren, Plan zur Errichtung eines Hebammeninftituts für Weftpreuf-fen; 3) Neue Ausficht zur Vertilgung der Blat-tern; Hufelands Auffatz aus dem deutfchen Mer-kur; 4) ein Mittel die Blattern auszurotten; faft einerley mit dem Mittel der Hachenburgifchen Hebamme, aus dem Berlinifchen Intelligenzblatt; 5) über die frühe Beerdigung der Juden; aus der Berlinifchen Monatsfchrift; 6) Erinnerung über die Mörfer in den Apotheken; aus den Braun-fchweig. gelehrten Beyträgen. Er werden Ser-pentinmörfer und aus gefchmiedetem Eifen gegoffene, deren Oberfläche abgefchliffen worden, angerathen; 7) Vou der Selbftentzündbarkeit, aus den Strelizifchen Anzeigen; 8) nöthige Bekannt-machung der gefährlichen Giftkräuter, aus dem Journal von und für Deutfchl.; 9) Nachricht von einer Impotenz gröfstentheils aus einer morali-fchen Urfach; aus der Gazette falutaire; 10) Be-merkung eines äufserft fchädlichen Gebrauch der Hebammen bey neugebornen Mädchen; betrifft das fchon oft getadelte Ausdrücken und Bilden der Bruftwarzen bey Neugebornen. II. 1) Befchrei-bung des Hofpitals auf dem Vorgebürge der gu-ten Hoffnung, aus Menzels Befchreibung etc. 2) des Zuchthaufes zu Roeffel in Ermeland. Nachah-mungswürdig! 3) Regeln, welche den Hebammen in Sulzbach vorgelegt und mitgetheilt wurden; nichts was fich auszeichnete; 4). Circulare we-gen der Berichte über die Viehfeuchen. III. Die Biographien Buttners und Holtorfs, und IV kurze Nachrichten. Aus diefer Inhaltsanzeige fieht man, dafs der H. in diefem Stück feine gün-ftige Lage wenig genutzt und auch fchon fehr bekannte Auffätze wieder hat abdrucken laffen.

ERDBESCHREIBUNG.

KARLSBAD im Maltheferkreuze, (eigentlicher, PRAG, b. Schönfeld): Karlsbad, befchrieben zur Bequemlichkeit der hohen Gäfte. 1788. 1:8 S. 8. (8 gr.)

Dies Büchlein foll keine folche Befchreibung von Karlsbad nach Art derjenigen feyn, die Mar-

bald von Pyrmont, oder neulich D. Reufs von Bielin
lieferte; (eine ähnliche exiftirt fchon vomD.Becher,
und fieht jetzt einer verbefferten Auflage entgegen;) fondern es foll ein Handbuch für den Fremden, der dort hinkömmt, abgeben. — „Keine
„Eigenheit diefes Orts" (fagt der Vf. in der Vorrede) „keine befondre Befchaffenheit, nichts, wor-
„auf wir den Reifenden hätten aufmerkfam ma-
„chen follen, ift unfern Augen entgangen; denn
„wir waren diefe genaue Sorgfalt unfern geneig-
„ten Lefern fchuldig. Politifche, ftatiftifche, geo-
„graphifche Nachrichten, alles, was auf nähere,
„oder nur irgend eine entferntere Art Bezug auf
„Karlsbad hat, dürfte man hier in gedrängter
„Kürze finden." — Recht wohl! dachte der Recenfent, der Karlsbad fehr gut und fehr genau
kennt; das kann ein nützliches Werkchen feyn!
Aber er traute feinen Augen kaum, als er weiter blätterte, und in alphabetifcher Ordnung zwar
eine Menge von Rubriken, aber faft auch keine
einzige mit Gefchmack und Genauigkeit abgefaßt fand. Zuerft kommen die Namen, Schild
(Schilder) und Nummern der bürgerlichen Haus-
inhaber, 281 an der Zahl; wo aber die Häufer
ftehen; in welcher Gegend, welcher Gaffe, davon
fteht kein Wort; und wem nützt es daher, wenn
er als Fremder hinkömmt? — Dann folgen eine Menge Titel und Sachen, oft abentheuerlich
gewählt, und noch abentheuerlicher behandelt,
z. B. Bänder. Im neueften Gefchmacke von verfchiedenen Farben und mannichfaltiger Güte kann
man in allen Kaufläden und bey allen Handels-
leuten bekommen. Butter. Von den umliegenden
Dörfern bringt fie der Landmann gut und frifch
hieher. Man kann fie daher am beften aus feinen
Händen erhalten, wiewohl man fie auch bey den
Höckersweibern am Ringe kaufen kann. Han-
delsleute. Mit dem Namen diefer Leute werden alle diejenigen belegt, die Waaren zum Verkauf
bringen." — Allerliebft. Auf diefe Art könnte man
die ganzen Adelungifchen und Jacobfonifchen Wörterbücher in dies Karlsbader Lexicon einfchalten.
Doch was fagt man vollends zu folchen Artikeln:
(S. 34) Fluchtiges Waffer der Quelle. „Das Waffer hat die gute Wirkung, dafs es plötzlich in
die Adern eindringt, die Nerven erfrifcht, ftärkt,
und ihre unordentliche Bewegung in die fanftefte
Ruhe bringt." Das heifst doch die Karlsbader
Heilkräfte in kurzem analyfirt und charakterifirt.
— Kurz, das ganze Büchlein ift eine elende Fi-
nanzfpeculation; wobey wir doch nicht geläugnet
haben wollen, dafs eine Artikel, wo z. B. gewiffe Handwerker wohnen, an Ort und Stelle
nützlich feynkönnen; aufser Karlsbad aber dienet
das Werk zu weiter nichts, als zu Maculatur.

PHILOLOGIE.

Erfurt, b. Keyfer: Terminologietechnifches
Wörterbuch zur Erklärung der in Reden und

Schriften häufig vorkommenden fremden
Wörter und Redensarten in alphabetifcher
Ordnung. 1788. 228 S. gr. 8. (16 gr.)
Der Verfaffer, Hr. Secretär A. Schröter zu Magdeburg, beftimmet diefes Wörterbuch in der Vorrede für Ungelehrte, welche Schriften über wiffenfchaftliche und Kunftgegenftände lefen, und
nicht genug Sprachkenntnifs befitzen, um die
fremden Kunftwörter und andere Ausdrücke zu
verftehen. Es beftehet in gefpaltenen Columnen aus 4 bis 5000 kurzen Artikeln. Aber die
Auswahl in der Sammlung ift ohne Verhältnifs
aufs Gerathewohl gemacht. Denn viele find gar
nicht gebräuchlich, und blofs aus lateinifchen
und franzöfifchen Wörtern erft gemacht, z. B. Ac-
compliren, Accontriren, Accumuliren, Acervirt,
Acuiren, Adueriren, fchätzen, Adaugiren, fehr
vermehren, Addiciren, zufchlagen, Adimpliren;
Adnubiliren, Aduliren, Adumbriren. Dagegen
fehlt eine Menge fehr bekannter und wichtiger,
z. B. Chirurgie, cholerifch, Choral, Chronik, Chronologie, Chymie, Circumflex, Cifterne, Citadelle.
Die Erklärungen fallen oft fehr fchief und unvollftändig aus, z. B. Achates bedeutet einen treu-
en Freund und Gefährten, Attifches Salz, finn-
reiche witzige Rede, Duplic, Erweiterungsfchrift,
e. c., exempli gratia (caufa), Gothifch, altfrän-
kifch, grob, Pandeflen, die alten römifchen Gefetze, fonft digefta e genannt, die Bibel der Juriften, Bisweilen gehet diefes bis zu offenbaren
Unrichtigkeiten, z. B. Bilanz bey den Kaufleuten
ift nicht ein eigenes Buch, Glagolitifch ift nicht
die Slawonifche Sprache, fondern nur eine eigne
Art Schrift, der Regulus beym Erzfchmelzen ift
nicht, was mitten in der Maffe, fondern in der
Spitze des kegelförmigen Gefäfses bleibt. Ja es
find endlich einige der fremden Wörter felbft oft
äufserft fehlerhaft gefchrieben, z. B. Aequiraliren
(vergleichen.) Worauf hernach Aequivaliren noch
befonders folgt. Buldagin für Baldachin, Bande-
lotten für Pendeloquen, Ohrgehänge, Baridon für
Bariton, Burfole Compafs, Coedaneus, Zeitge-
noffe, divordition Ehefcheidung, Disguftiren, beleidigen, Hamardryaden, Waldnymphen. Nach
diefen Proben kann alfo das Werkchen nicht als
belehrend und zuverläffig zum Gebrauch für Un-
kundige empfohlen werden.

VERMISCHTE SCHRIFTEN.

Bern, b. Hortin: Schriften der Frau von La
Fite. Erfter Band, welcher enthält: Eugenie
und ihre Schülerinnen, oder Briefe und Gefpräche zum Gebrauche junger Leute; von
Madame de La Fite, Ueberfetzerin der Unterhaltungen, Dramen und moralifchen Erzählungen für Kinder. 1788. 304 S, in 8.
(20 gr.)
Diefe Schrift, die im Original zwey Bändchen

ausmacht, ist in der Uebersetzung in einen Band
zusammengezogen worden, ohne doch eine Abkürzung erlitten zu haben. Sie enthält Briefe,
Erzählungen, Gespräche und ein Drama: Phile-
mon und Baucis; alles moralischen Inhalts, für
junge Frauenzimmer, und nicht für Kinder. Faden und Plan hat Rec. nicht darin bemerkt; auch
in der Form springt die Schrift von Scene zu Scene. Nach Briefen kommen Gespräche; nach diesen wieder Briefe; hin und wieder ein Stück von
Handlung und Roman. Dieses macht auf den
Leser keinen angenehmen Eindruck, weil der
Wechsel zu rasch ist. Die große Simplicität der
Madame de Beaumont scheint die Verf. nicht zu
erreichen: sie hat aber Stellen, die des Plato
und des Sokrates würdig sind. Ihre Moral ist vernünftig, und der Vortrag gut. Doch zur Uebersetzung. — Sie ist treu, und läst sich gut lesen;
hin und wieder sieht man ihr die Uebersetzung
an, besonders wenn man den Ausdruck des Originals damit vergleicht. Treue scheint Rec. nicht
zuzureichen, wenn es Briefe und Gespräche betrifft, die gemeiniglich leicht sind, und leicht
seyn müssen, wenn sie gut seyn sollen. Dies gilt
noch mehr von Briefen und Gesprächen einer Dame, da das schöne Geschlecht in dem Rufe steht,
sich leichter und feiner, als das unsrige, auszudrücken. Also mußte ein Uebersetzer solcher
Werke eben diese Nettigkeit des Ausdrucks,
diese Leichtigkeit des Colorits, und diese Simplicität der Sprache zu erreichen suchen. Wir
Deutschen haben dazu, besonders wenn wir aus

dem Französischen übersetzen, wo man unsre Artikel mit dem Original so leicht vergleichen kann,
einen ganz eignen Beweggrund, uns einer gefälligen und ungezwungenen Sprache zu befleissi-
gen, da uns die Herren Franzosen der Steifheit
und Rauhigkeit beschuldigen. Dieses scheint die
Verf. nicht immer vor Augen gehabt zu haben.
Ihre Sprache ist nicht ganz rein. Die Construction S. 5. z. B. ist nicht gut - „so bin ich es meiner Mutter — und dem Verlangen schuldig, -ih-
nen zu gefallen"; welches eine schielende Periode ist; soll heißen: „ — — dem Verlangen, ihnen zu gefallen, schuldig." — Auch scheint
das Wort: Verlangen, nicht das rechte zu seyn;
Wunsch wäre wohl besser gewesen. — Die Vf.
schreibt: Der Insect; S. 30 Selbstliebe für Eigenliebe. — „Die Zeit, in der ich mich verderbte,
und krank war." (ou j'étois gourmande & puis
malade.) Wie gezwungen das Deutsche! Konnte
es nicht geradezu heißen: wo ich immer naschte,
und dann krank wurde. Das sind nun freylich
Kleinigkeiten, die der ernste Deutsche verachtet,
weil er nur auf die Sachen, die weit wichtiger sind,
sieht. Aber auch diese Kleinigkeiten geben den
Sachen Anmuth, und erhöhen den Werth derselben: sie sind so leicht! warum sollten wir nicht ein
wenig Aufmerksamkeit auf das Aeußere verwenden, wenn wir der nützlichen Vernunft dadurch
mehr Eingang verschaffen können, — zumal wenn
die Sachen uns schon vorgearbeitet sind, und wir
sie nur in einer andern Sprache auszudrücken
brauchen — ?

KLEINE SCHRIFTEN.

GOTTESGELAHRTHEIT. Helmstädt: Differtatio inaugu-
ralis de natura atque indole orationis montanae, et de nom-
nullis hujus orationis explicandae praeceptis, scripsit Dav.Jul.
Pott. 1788. 27 S. 4. Ein zwar kurzer, aber scharfsinniger
Versuch, die Bergpredigt Christi bey Matthäus in ihrer
wahren Beschaffenheit darzustellen, und daraus die Regeln abzuleiten, nach welchen sie erklärt werden muß.
Der Vf. beweiset, daß in dieser ganzen Rede kein stren-
ger Zusammenhang herrsche; daß sie so, wie Matthäus
sie aufgezeichnet hat, wahrscheinlich nicht gehalten worden sey, sondern dieser Evangelist vielmehr mancherley
denkwürdige Aussprüche Jesu, die zu einer andern Zeit
und bey ganz andern Gelegenheiten vorgetragen worden waren, in denselben gesammelt habe; daß endlich
der Inhalt derselben sich vornämlich auf die Jünger
Jesu beziehe. Hieraus fließen dann von selbst die Regeln, daß der Interpret derselben nicht einen Zusammenhang müsse erzwingen wollen, wo keiner ist; daß er
vielmehr in den übrigen Evangelisten nachzuspüren habe,
wo und bey welcher Gelegenheit Jesus die von Matthäo
gesammelten Gnomen möge vorgetragen haben; daß er
sich endlich hüten müsse, das, was nur von den damaligen Zeiten, und zunächst von den Jüngern Jesu, gilt, nicht in
Gemeinplätze zu verwandeln. Auch durch diese Schrift

hat der Verf. die Hofnung bestätigt, die er vorher schon
erweckt hatte, daß man von ihm zur Aufklärung des
N. Test. noch viel Gutes und Wichtiges erwarten darf.

OEKONOMIE. Hamburg, bey Hofmann: Ueber Leib-
renten, Wittwenkassen, und ähnliche Anstalten, und besonders über die im Jahr 1778 zu Hamburg errichtete allgemeine Versorgungs-Anstalt. Zum Unterricht für solche
Leser, denen die bisherigen Nachrichten von diesem Institute
nicht bekannt oder nicht deutlich genug sind. 1788. 55 S.
8. (2 gr.) Ueber das allgemeine der Versorgungs-An-
stalten enthält diese kleine Schrift nur wenige, aber sehr
gut geschriebene Blätter. Das übrige ist eine kurze Notiz von der Hamburgischen Anstalt, mit Verweisung auf
die vorhandenen ausführlichern Schriften. Sie kann das
Verdienst haben, dieses Institut, das vor allen andern des
Zutrauens und Beyfalls der Nation werth ist, bekannter
zu machen, und durch Verbreitung richtiger Begriffe von
dem, was solche Anstalten leisten sollen und können, nach
und nach von so manchen Winkelanstalten, die nur durch
goldene Versprechungen täuschen, abzuziehen.

ALLGEMEINE
LITERATUR-ZEITUNG

Donnerſtags, den 12ten Februar 1789.

TECHNOLOGIE.

Berlin, b. Pauli: *Schauplatz der Künſte und Handwerke*, oder vollſtändige Beſchreibung derſelben, verfertiget oder gebilliget von den Herren der Akademie der Wiſſenſchaften zu Paris, mit vielen Kupfertafeln. Sechzehnter Band. Ueberſetzt mit Anmerkungen und Original - *Abhandlungen vermehrt* von *J. S. Halle*, Prof. des Königl. Preuſs. Corps des Cadets in Berlin. Mit Kurfürſtl. Sächſ. Priv. 1788. gr. 4. (4 Rthlr. Subſcr. 3 Rthlr.)

Der Entſchluſs des Hn. Herausgebers und Verlegers, die ſchon mehrmals unterbrochene Fortſetzung dieſes für die Verbeſſerung der mechaniſchen Künſte ſo wichtigen Werkes zu unternehmen, verdienet unſtreitig den gröſsten Beyfall. Aber die Ausführung iſt, wenigſtens dieſem erſten Bande nach zu urtheilen, nicht ſo gut gerathen, als billig zu erwarten geweſen wäre. Schon äuſserlich in Abſicht des Papiers, des Druckes und der Kupfer bleibt er gegen die letzten, in Nürnberg herausgekommenen, Theile ſehr zurück. Der innere Gehalt aber verlieret dadurch noch mehr, daſs Hr. H. ſich im Zuſammenziehen und Zuſetzen gar zu geſchäftig bewieſen hat. Es ſcheinet faſt, daſs er nur darauf ausgehe, ſeine eigene, vielleicht ſonſt ſchon fertige, oder doch wenigſtens angefangene Arbeit unter der berühmten Firma der Pariſer Akademie in Curs zu ſetzen. Denn ungeachtet von ihren Beſchreibungen noch ſo groſser Vorrath unüberſetzt zurück iſt, ſo erhält der Käufer doch davon hier nicht einmal ſo viel, als von Hn. H. ſelbſt, und dieſer Tauſch kann ihn ſchwerlich befriedigen.

Die einzelnen Stücke werden auch jetzt, wie es immer geſchehen iſt, unter eigenen Titeln beſonders verkauft, und daher kommt es, daſs ſchon im vorigen Jahrgang der A. L. Z. N. 1. die Seifenſiederkunſt von Du Hamel Nr. 221a. und N. 4. die Leinmanufactur von Hrn. Halle Nr. 234 angezeigt, alſo gegenwärtig nur noch von den übrigen dreyen zu reden iſt.

2) *Der Leinwandhandel von Hrn. Garſault*
A. L. Z. *Erſter Band.* 1789.

überſetzt; a. d. Franz. d. K. Ak. d. Wiſſ. 1. Paris, von *J. S. H.*, 76 S. gr. 4. 2 K. — Nach der franzöſiſchen Innungsverfaſſung gehöret dazu die Weiſsnäherey, und Verfertigung der Wäſche, das Putzmachen und Haubenſtecken, über welches alles eine Jungfer Merlu die erforderlichen Nachrichten gegeben hat. Die ganze Kunſt wird in 9 Hauptſtücken etwas unordentlich abgehandelt, nemlich 1. von der Pariſer Elle, ihrem Verhältniſs und Eintheilung; 2. ſind die meiſten in Frankreich gangbaren Arten Leinwand, baumwollene weiſse Zeuge, (baumwollene Leinewande, wie Hr. H. überſetzt, iſt widerſprechend), und Spitzen kürzlich beſchrieben. 3. Vom Maaſsnehmen. 4. Die weibliche Gerade oder Ausſtattung an Hemden, Tüchern, Kopfzeugen, Bettvorhängen, Nachttiſch, Pudermantel, Leibchen, Manſchetten u. d. gl. 5. Erklärung der allgemeinen Kunſtwörter; und 6. verſchiedenen Arten Näheſtiche, z. B. Käppnach, Vorderſtich, Zeichnen mit Buchſtaben oder Ziffern, Annähen der Spitzen; 8. Die Lade, d. i., alles zum Wochenbett erforderliche und das Kinderzeug. 8. Andere Stücke für beide Geſchlechter, z. B. Mannshemden, Unterſtrümpfe für Kinder von Leinwand genähet, dergleichen in Deutſchland nur den Leichen in manchen Gegenden angezogen werden. 9. Das Kirchenleinen, als Altartücher, Chorhemden u. ſ. w. Da faſt alles, was hier vorkommt, bey uns in Deutſchland ganz anders beſchaffen iſt, ſo hätte, um den Unterricht praktiſch und nützlich zu machen, eine Vergleichung angeſtellet werden ſollen. Es würde dazu Hn. H. an dem Beyſtand einer geübten Nätherin nicht gefehlt haben, wenn er ſich die Mühe hätte geben wollen. Nun aber ſind die bloſsen hiſtoriſchen Nachrichten der Pariſeria ſehr kurz, trocken, und oft ſogar dunkel, wovon der Grund bisweilen wohl in der Ueberſetzung, hauptſächlich aber doch darin liegen mag, daſs die meiſten Ungelehrten, wenn man ſie über ihre Kunſt befragt, viele Nebenbeſtimmungen und Vortheile der Hand, weil ſie ihnen geläufig ſind, als bekannt vorausſetzen und übergehen, worinn denn Hr. Garſault nicht genug nachgeholfen hat.

3) *Das Schneiderhandwerk*, welches den Mannsfchneider, die Lederbeinkleider, den Schnürleibfchneider für Frauen und Kinder, die Schneiderin und die Modehändlerin in fich faffet, *vom Hrn. von Garfault* herausgegeben von *J. S. Halle*. 82 S. 10 K. — Die Künftler, welche zu diefer Abhandlung beygetragen haben, find der Mannsfchneider Bertrand, der Beutler Carlier, der Schnürleibmacher Vacquert, Frau Luc als Schneiderin, und Jgfr. Dubuquoy und Alexandre als Modehändlerinnen. Die Mannsfchneiderey, welche allein die erfte Hälfte einnimmt, beftehet aus 11 Hauptftücken: 1. Von dem franzöfifchen Kleide, mit einer Reihe Erklärongen 39 in Kupfer vorgeftellter aker Trachten feit Klodewigs-Zeiten; 2. allgemeiner Begriff, 3.' Zeuge, 4. die gemeinften Kleidungsftücke, alles fehr kurz. 5. Die Werkzeuge, 6. Nähettiche, 7. Das Maaßnehmen, 8. das Zeichnen auf dem Tifch und 9. die Verarbeitung und Zufammenfetzung von Rock, Wefte und Hofen find genauer und gründlicher befchrieben, und dann ift noch etwas von 10. dem Befatz, Veränderlichkeit der Moden, und 11. Nebenkleidungsftücken, wie Mantel, Reitrock, der geiftlichen und Gerichtskleidung gefagt. Das übrige ift ohne weitere Abtheilung blofs in fortlaufenden Paragraphen mit einigen Hauptüberfchriften abgehandelt, und zwar am umftändlichften das Schnürleibmachen, am kürzeften und mangelhafteften von Kappen, Mantillen u. d. gl. Von Hrn. Halle find nur ganz kurz einige Abweichungen in Deutfchland unter dem Text angemerkt, und am Ende hat er einen Zufatz von den neueften Berliner Kleidermoden für beide Gefchlechter gemacht, der aber bey feiner Kürze weder deutlich genug, noch einigermaaßen technologifch unterrichtet werden konnte.

5) Die *Tabaksmanufactur*, oder die vollftändige Oekonomie des Tabaksbaues nach allen feinen Zweigen, von *J. S. Halle*, Prof. des K. P. C. d. C. in B. 110 S. 5 K. — Diefes ift eine fo genannte Originalabhandlung, worin Hr. H., fo wie bey dem Lein, alle zu dem landwirthfchaftlichen Anbau gehörige Arbeiten mitgenommen hat. Ohne eigentliche Abtheilung handelt er zuerft von den verfchiedenen Namen der Pflanze und ihrer Einführung in Europa, und dann kommt unter befondern Ueberfchriften folgendes vor: 1) die *botanifche Befchreibung der verfchiedenen Arten*, nebft der Gefchichte der Ausbreitung. 2) Die Tabakspflanzungen in *verfchiedenen Ländern*, wo befonders das in Holland, Frankreich und Amerika gewöhnliche Verfahren befchrieben ift. Bis hieher ift alles faft allein und wörtlich aus der Neuen und ausführlichen *Abhandlung vom Taback* Leipzig, b. Hilfcher. 1781 entlehnt. 3)Die Fabrikenmaßige Pflege auf dem Feide, das Säen, Bedecken, Verpflanzen, Geizen, Köpfen, Blatten und Trocknen, über welches alles mehrere Nachrich-

ten und Anweifungen verglichen find. 4) *Die Gefchäfte der Tabacksfabrik*, das Spinnen, Schneiden, Anfeuchten mit allerley Brühen zur Nachahmung fremder Arten, das Carottenmachen, Reiben, Stampfen und die Verpackung in Bley. Hier ift faft die ganze *ächte Fabrikatur des Sentomers u. f. w. von J. J. Londerut* eingerückt. 5) *Der phyfifche Gebrauch des Tabacks* zum Rauchen, Kauen und Schnupfen mit einigen diätetifchen Bemerkungen. 6. *Der Tabak unter der Regalien*, ein Auszug der für und wider die Preuffifche Adminiftration erfchienenen Schriften. Zuletzt ift noch einmal etwas von den Arten des Tobaks nach der Botanik und im Handel, von den Moden verfchiedener Länder in Pfeifen und Dofen, und ein Auszug der *Anweifung vom Landtabak gute Sorten zu fabriciren* Berlin 1787 angehängt. Was kann nun dem Publikum und befonders dem Technologen mit einer fo buntfcheckigen und faft plagiarifchen Sammlung aus bekannten kleinen Schriften gedienet feyn? Die handwerksmäfige Buchmacherey wird, neben die Arbeiten der würdigen Parifer Akademiften geftellet, durch die Vergleichung defto mehr im Urtheil der Lefer verlieren, wozu auch endlich noch der pöffirlich fchöne Vortrag mitwirken muß z. B. gleich im Anfang: „In der „ganzen Botanik hat kein Gewächs fo fchnelle „Fortfchritte über die Oberfläche unferes bekannten Welttheils gemacht als der Tobak und die„fer würde fogar die Getreidearten und Gartengewächfe *überfchatten*, wenn ihn nicht die Na„tur durch den thierifchen Hunger hie und da „von den Feldern, wie *wir die Sperlinge*, zu ver„fcheuchen befchloffen hätte.“ „Vom Rauchen „heifst es, fey die Atmofphäre fchwerer als ehe„dem und Luftbälle mit Menfchen zu tragen ge„fchickt geworden. Das Schnupfen des Frauen„zimmers, das beftändige Niefen und *Trompeten* „und *Ausfchnauben* und *Abtröpfeln* würde diefes „*Staatsgefchlecht* fchänden, wenn nicht der tro„tzende Eigenfinn der Gewohnheit auch die zärt„lichfte Seele *calloes* machte, fo dafs Venus felbft „jetzt eine Tobaksdofe bey fich führen würde, „um die Grillen und *Ehefandwunfche* vom Ge„hirn abzuleiten.“

ERDBESCHREIBUNG.

Wien und *Lzpzia*, in der Kraufifchen Buchhandl.: *Skizze von Wien.* Viertes Heft: 1787. 467 - 624 S. 8. (10 gr.)

Aus den vorigen Heften ift bekannt, wie intereffant Hr. *Pezzl* auch noch fo locale Bemerkungen ausländifchen Lefern zu machen, und wie viele allgemeine Beobachtungen er einzuftreuen weife, die aller Orten beheragit zu werden verdienen. Sind auch einige feiner Behauptungen mehr auffallend, als richtig, einige Raifonne-ments

ments mehr finnreich gewendet, als gründlich:
fo lieft man doch die kleinen Rhapfodien, die bey
aller Kürze uns mit der Charakteriftik von Wien
oft beffer bekannt machen, als große Reifebefchreibungen, mit Vergnügen wegen vieler neu-
en Wendungen, die die Satire fowohl, als die
Wahrheiten der Politik und Moral, hier bekommen haben. Auch fo unerhebliche Gegenftände,
wie Stubenmädchen, Kammermädchen und dergl.
werden unter des Vf. Feder anziehend. Sehr freymüthig find feine Raifonnements, wie fo viele
Stellen, die die Klerifey angehen, beweifen. Unparteyifch und offenherzig zugleich find feine Urtheile S. 473, 560, 563 über den Zuftand der Literatur zu Wien. Hier und da möchte der gefetz-
tere Lefer zuweilen argwohnen, Vorliebe für franzöfifche Schriftfteller habe den Vf. verleitet, die
Legereté derfelben zu deutfch, Leichtfinn nachzuahmen, z. B. in der Vertheidigung der Freu-
denmädchen, oder bey folchen Wendungen, wie
S. 512, wo er eine Wiener Schrift über die Stubenmädchen, und den Berliner Streit über das
alte Gefangbuch in Parallele ftellt, und zuletzt
fagt: „Was mag wohl, beym Lichte befehen,
„weniger närrifcher feyn, fich für ein Paar Tau-
„fend junge artige Mädchen, oder, für eine Samm-
„lung alter finnlofer Kirchenlieder zu intereffi-
„ren?"

SCHOENE WISSENSCHAFTEN.

Berlin, b. Himburg: *Die große Toilette, ein Luft-
—fpiel in fünf Aufzügen. 1788. 120 S. 8. (10 gr.)*
Eine Dame, welche, als die größte Modenärr-
rinn, alle Arten von Putz, und insbefondere die
Höhe des Kopfputzes, übertreibt und ihrem Gemal ungeheure Summen Geldes verfchwendet;
Ihr Gemal, der fie von diefer Thorheit auf allerhand Art zurückzubringen fucht; ihre Tochter,
die wider Willen von ihr genöthiget wird, fich
durch überladenen Putz zu veruntalten; einige
Gecken, welche Mutter und Tochter umflattern
— dies find die vornemften Rollen eines Luft-
fpiels, das im Plan einen fehr alltäglichen Gang
geht, das aber wegen der Lebhaftigkeit des Dialogs, wegen der Bekanntfchaft des Vf. mit dem
Ton der feinern Welt, und wegen der paffenden
Darftellung von den Thorheiten unfrer Tage auf
der Bühne gefallen muß. Ein Hofreglement, das
niedera Kopfputz anbefiehlt, bringt die Dame faft
an den Rand des Grabes; aber die Nachricht, dafs
ihr Gemal Minifter geworden, ruft fie wieder ins
Leben zurück, nun ift fie die erfte, das Reglement zu vollftrecken. Folglich wird bey ihr
eine Eitelkeit durch die andre geheilt. Intereff-
fanter würde ihre Rolle feyn, wenn fie öfter, fo
wie Frau von Milbach im Schein betrügt, bey allen Fehlern ein natürlich gutes Herz an den Tag
legte. Ihr Mann fagt zwar einmal S, 102: „Das
„befte Weib, fo lange wir von den Thorheiten

„der großen Welt entfernt lebten, eine zärtliche
„Gattin, eine gute Mutter, allein der Hof, mit
„dem Reiz der Neuheit verbunden, war eine zu
„ftarke Nahrung für die weibliche Eitelkeit" —
aber durch ihre eigenen Reden und Handlungen
fieht man dies nicht beftätigt.

Leipzig, in der Dyckifchen Buchhandl.: *Liebeszunder, oder, das Mädchen und der Jüngling, ein Familien-Gemälde in drey Akten,
1788. 96 S. 8. (6 gr.)*
Dafs der Titel Luftfpiel mit der Ueberfchrift
Familien-Gemälde vertaufcht worden, ift vermuthlich in der Abficht gefchehen, dafs man den Plan
des Stücks nicht nach den Regeln eines guten
Schaufpiels beurtheilen foll. Es ift ein Stück,
wo der Zufchauer gleich in der erften Scene den
Ausgang vollkommen vorausfieht, wo eine Perfon von allen übrigen mifsverftanden wird, und
der Zufchauer gern bey jeder Scene mit drein reden, und das Mifsverftändnifs heben möchte, dennoch aber drey ganze Acte geduldig zuhören foll.
Die wenigen Perfonen des Stücks, die, kleine
Schwachheiten ausgenommen, alle, ganz gutmüthig find, die einander alles zu gefallen thun,
(fogar ein Nebenbuhler tritt dem andern gutwillig die Geliebte ab) und unter denen fich zwey
raifonnirende Damen und eine Schwätzerinn befinden, reden von ihren Angelegenheiten fo lange,
bis fie nichts mehr zu reden wiffen, oder bis fie
S. 36. fagen, dafs fie ihr Gefchwätz auf einem
andern Zimmer fortfetzen wollen. Die Urfache
des Titels erfährt man erft der letzten Seite, wo
es heifst: „Ein hübfches Mädchen im Haufe ift
„für einen kernhaften Burfchen Liebeszunder."

Berlin: *Der glückliche Tanz, oder, was ein
Mädchen nicht kann; ein Roman in zwey Büchern. 1788. 276 S. 8. (18 gr.)*
Ein junger Menfch, der bey feiner erften Ausflucht in die Welt unter Schwelger, Spieler und
Koketten geräth, und dadurch zu einem Müfsig-
gänger und Verfchwender gebildet wird, kommt
durch die Liebe zu einem tugendhaften Mädchen,
das er auf einem Ball kennen lerne, auf den Weg
der Befferung. Sein Umgang mit der fchlechten
Gefellfchaft wird mit einer unerträglichen Weitfchweifigkeit erzählt, ohne Noth eine Reife nach
Italien eingefchickt, von der Vf. nach feinem
eignen Geftändniffe nichts Merkwürdiges zu erzählen weifs, und eben fo überflüffig noch eine
Epifode von einer Stiefmutter angehängt. Durchgängig ift der Vf. ein läftiger Plauderer, das auch
um deswillen vielen Romanenlefern widrig feyn
mufs, weil er immer mit literarifchen Anfpielungen um fich wirft.

VERMISCHTE SCHRIFTEN.

Frankfurt u. Leipzig, b. Monath: *Einfälle.
— 1788. 108 S. 8. (5 gr.)*

Eine fehr bequeme Art von Autorfchaft ift es, feine erften beften *Einfälle* drucken zu laffen, und doppelter Leichtfinn, wenn die Einfälle, fo wie diefe, nicht zur Beluftigung beftimmt find, fondern ernfthafte und wichtige Gegenftände betreffen. Man findet alfo hier flüchtige Gedanken, unter denen manche fehr wahr, und gut gemeint find, denen aber Politur und Ausführung fehlt. Die Schreibart hat der Vf. ganz vernachläffigt, befonders fehlt es ihm an Feinheit, wenn er Satire anbringen will. Die Ueberfchriften feiner Einfälle find: *Vom Werth* (daß die Menfchen den Werth der Dinge insgemein nach ihrer Einbildung berechnen), *die Pantoffelherrfchaft* (Satyre auf die päpftliche Hierarchie), *Publicität* (von ihrem unläugbaren Nutzen), *Landescultur* (man muß es nicht bey Vorfchlägen bewenden laffen, fondern Verbefferungen anbefehlen), *böfe Weiber* (wie fie zu beffern) ein *Dialog*, *Landesverwelfung* (fey eine unbillige und zweckwidrige Strafe), der *Neid* (eine grofse Thorheit), *Leinwandfabriquen* (die man in Franken und Schwaben anlegen folle), *eine fchnurrige Lotterie* (Vergleichung der Lotterien mit dem Diebftahl), *Etwas vom Nafenabfchneiden* (das die Strafe des Ehebruchs in Aegypten war), *Religionsvereiniger* (ihre fruchtlofen Bemühungen), *Auslegungskunft* (Fehler bey derfelben) *phyfifche Unmöglichkeit* (fey nicht hinlänglich ein Factum zu läugnen), *politifche Kannengiefserey* (über Steuern in Reichs-

ftädten), *über die Hoffnung* (wie fie zu mäfsigen fey.)

KOPPENHAGEN und LEIPZIG, b. Kröger: *Erzählungen für jedermann.* 1788. 126 S. 8. (8 gr.)
Für jedermann hat der Vf. vermuthlich feine Erzählungen beftimmt, in fo fern jeder Lefer die darinnen enthaltene Moral nützlich feyn kann; In Anfehung des Vortrags hat er *für jedermann*, nur nicht für den Lefer von Gefchmack, gefchrieben. Denn platter und fader, als der Vf. kann man nicht erzählen. Seine Bemerkungen find faft alle von der Art, wie folgende S. 13. „So bald „nur irgendwo ein hübfches Mädchen ift, fo lau„fen fich die Herrn, alt und jung, famt und fon„ders bald die Beine weg." Zufammen find es acht Erzählungen, wovon die S. 61 und die letzte erft im zweyten Theile geendigt werden follen. Sie find überfchrieben: *Hermann* (foll zur Zufriedenheit ermuntern), *Bergers Familie* (das unglückliche Schickfal feiner Kinder), *Sophie Walter* (eine unglückliche Wayfe), *Bernhard W.* (Folgen einer gezwungenen Ehe), *Reinholds Familie* (Schickfal eines verzogenen Sohns), *Sophie* (Beyfpiel von Wohlthätigkeit und Ehrlichkeit), *Herwig und Lindenholm* (Folgen der Eitelkeit und des Stolzes), *Karl von Lindenberg*, oder, *Täufchungen der Empfindfamkeit.* Wie fich unter diefe kleinen Romane eine Befchreibung von vier in Madrit üblichen Feyerlichkeiten S. 26 verirrt hat, ift nicht wohl abzufehen.

KLEINE SCHRIFTEN.

GOTTESGELAHRTHEIT. *Halle*, in Commiffion b. Franke und Bispink: *Predigten zur Beförderung eines freyen Denkens in der Religion.* 116 S. u. VI S. Vorr. 8. 1788. (3 gr.) Ueber den homiletifchen Werth diefer Arbeit braucht uns fo weniger etwas gefagt zu werden, da fie eigentlich nicht für die Kanzel beftimmt war. Die Abficht erhellet fchon aus dem Titel. Beftimmter noch aus den Hauptfätzen: „*Von der Rechtmäfsigkeit und Nothwendigkeit, die Vernunft als den einzigen Probirftein der Religionswahrheiten zu betrachten.* 2) *Von dem Nutzen der Zweifel und Streitigkeiten über angenommene Religionslehren.* 3) *Von dem vernünftigen Verhalten bey Zweifeln und Streitigkeiten in der Religion.* 4) *Von der Schädlichkeit, fein Schickfal vorher zu wiffen.* (Wider die Wahrfagerey.) 5) *Gott thut auch jetzt noch Wunder.* Von N. 4. u. 5. find die Titelfeiten in verkehrter Ordnung, auch alle Seitenzahlen von 39 an falfch gedruckt.) — Zu einer Zeit, wo dem bald fo, bald anders geformten Aberglauben das Profelytenmachen ganz befonders glückt, kann es der Vf. (7. unterfchreibt er fich nach der Vorrede) gewifs am wenigften verdacht werden, dafs er die abel verfchrienue Vernunft und ihre wefentlichften *Rechte* laut und eifrig fpricht, und manche Wahrheiten, die noch immer, wo nicht verdächtig fcheinen, doch allzuwenig Eingang finden, zur fleifsiger Beherzigung empfiehlt. Dafs er aber die herrfchende

Lehre von den Gränzen der Vernunft fo wenig auf eine befriedigende Weife widerlegt, als annimmt; in feinem Syftems fchwankt, jetzt alles Pofitive von der Religionserkenntnifs ausfchliefst, und keiner Zeile von der Bibel eine fichere Glaubwürdigkeit zugefteht, dann aber die Wiederaufhebung des getödteten Jefu doch einräumt, Begriffe verwechfelt oder fehr willkührlich bildet, vom Sprachgebrauche fichtbar abweicht; Gründe braucht, die zu wenig oder zu viel beweifen; bey feinen Behauptungen beträchtliche Schwierigkeiten, theils fich viel zu unbedeutend denkt, theils gar überfieht; das Chimäre nennt, was fo viele denkende Chriften unter die ehrwürdigften Wahrheiten ihrer Religion rechnen, und fich überhaupt hier und da viel zu entfcheidend und ohne Schonung ausdrückt; dies find Dinge, von denen fich ein an Gründlichkeit und Befcheidenheit gewöhnter Schriftfteller doch wohl keines gerne nachfagen läfst, die aber, je mehr fie fich häufen, auch defto mehr dem Credit eines Werkes bey prüfenden Lehren fchwächen müffen. — Da Hr. T. die Erklärung niederfchreibt, dafs er aus Furcht des Märtyrerthums hiermit feine theologifche Laufbahn befchliefsen wolle, mochte er vielleicht auch nicht daran denken, dafs dies bey feinem weifen und entfchloffenen Eifer für die gute Sache eben nicht die gewöhnliche Sprache ift.

ALLGEMEINE
LITERATUR - ZEITUNG

Freytags, den 13ten Februar 1789.

GOTTESGELAHRTHEIT.

Wien, b. Hartl: *Kurze Anleitung zur chriftlichen Sittenlehre oder Moraltheologie. Verfaffet von Jofeph Lauber*, der Theol. D. u. öffentl. Lehrer (in Ollmütz). *Vierter Band.* 1787. 424 S. *Fünfter Band,* 1788. 375 S. (1 Rthlr. 16 gr.)

Wir halten dies mit dem fünften Band befchloffene Werk, ungeachtet es blofs eine *kurze* Anleitung verfpricht, für eines der vollftändigften Lehrfyfteme der chriftlichen Moral, zugleich aber auch für eines der vernünftigften und gemeinnützlichften, welches je von einem *katholifchen* Theologen ausgearbeitet und aufgeftellt ift. Der Vf. ift von mönchifcher Strenge u, Andächteley eben fo weit entfernt, als von jefuitifchem Probabilismus; er fucht eben fo fleifsig die Gründe für Recht und Pflicht in der Natur des Menfchen, und in der Befchaffenheit und Abficht der menfchlichen Verhältniffe auf, als in Auctoritätsausfprüchen der heiligen Schrift und der Kirche; und er bemüht fich angelegentlichft, die allgemeinen Vorfchriften der Sittenlehre auf die befondern Lagen und Umftände der Menfchen im wirklichen Leben, und in der gefellfchaftlichen Verbindu. g anzuwenden. Manchem wird die Art des Vortrags zu homiletifch, zu umftändlich und populär vorkommen; aber eben diefe Herablaffang des Vf. zu den wefentlichften Bedürfniffen der Volkslehrer feiner Kirche halten wir für das gröfste Verdienft feines Buchs, wenn wir es nach feiner eigenthümlichen Hauptbeftimmung betrachten.

Ulm, b. Kletts Wittwe und Franks: *Des heil. Johannes Chryfoftomus Reden über das Evangelium des heil. Johannes, aus dem Griechifchen überfetzt, und mit einigen Anmerkungen verfehen von Eulogius Schneider*, Herzogl. Würtemberg. Hofprediger. *Erfter Theil.* 1788. 376 S. u. XXXII S. Vor. 8. (20 gr.)

Den Flufs und die Gefchicklichkeit, welche die Arbeit des Hrn. Hofpredigers und feines Gehülfen, Hn. Feders, bey den Reden des Chryfoftomus über den Matthäus empfehlungswerth
A. L. Z. Erfter Band. 1789.

machten, findet man auch in der Ueberfetzung der Homilien. über den Johannes wieder. Seine Anmerkungen find theils kritifchen, theils exegetifchen, theils moralifchen Inhalts. Neues hat Rec. zwar darinnen eben nicht gefunden; allein bey dem allen find fie dennoch auch gar nicht überflüffig, fondern von denen, welchen Hr. S. vorzüglich feine Arbeit gewidmet hat, den Lehrera feiner Kirche, recht wohl zu benutzen. Hauptfächlich gilt dies von denjenigen Anmerkungen, worinn er den bisweilen dunkeln Sinn der Worte, Verbindungen und Sätze des Originals mehr aufzuklären, und die oft ganz fchiefen und zu beftimmten Urtheile und Begriffe des ehrwürdi. gen Kirchenvaters näher zu beftimmen, und zu berichtigen fucht. Denn dies ift immer einer feiner, am häufigften vorkommenden, Fehler, dafs er vom Text unrichtige Anwendungen zu machen pflegt, und durch feinen gutmeinenden Eifer fowohl, als auch durch die damaligen Zeitumftände fich zu vielen harten, bald ganz falfchen, bald nur halb wahren Urtheilen verleiten liefs. Beyfpiele davon findet man S. 273, 274, 305 u. a. m. — In der Vorrede rechtfertigt Hr. S. die Gemeinnützigkeit feines Unternehmens, und den Vorzug feiner Ueberfetzung in Vergleichung mit den ältern, gegen einige ihm gemachte Einwendungen und Zweifel. Zu dem Ende beftimmt er mit einleuchtender Sachkenntnifs, — aber, vielleicht auch hin und wieder mit einer zu ftarken Vorliebe für feinen Autor, — den innern Werth der exegetifchen Schriften Chryfoftoms, befonders deter über das N. T.; legt dann die Gründe vor, warum fie allerdings eine neue deutfche Ueberfetzung verdienten, und giebt zuletzt eine praktifche Anleitung, wie, und wozu Prediger und Landgeiftliche feine Ueberfetzung benutzen können und follten.

Ulm, b. Wohler: *Ueber den Urfprung und Werth der kirchlichen Gewohnheit, durch fymbolifche Schriften den Inhalt der chriftlichen Religion feftzufetzen, mit Anwendung auf die neueften Unionsprojecte*, von M. G. U. Brafsberger, Diak. zu Heidenheim im Würtembergifchen. 1788. 186 S. 8. (12 gr.)

Z 2

Diefe Abhandlung, welche bey dem Schnepfenthaler Erziehungsinftitut das Accefit bekommen hatte, war fchon nebft dem Abdruck der Welandifchen Preisfchrift felbft (Leipzig b. Crufius 1787) dem Publicum mitgetheilt, und ift nebft diefer zugleich in der A. L. Z. angezeigt. Hier aber erfcheint fie, aufs neue vom Vf. durchgefehen und verbeffert. Wir finden einige Stellen ausführlicher bearbeitet, als in der erften Ausgabe, vornehmlich folche, die hiftorifchen Inhalts find. Ein Freund des Verfaffers, Hr. M. Duttenhofer, Prediger in Heilbronn, eben der würdige Mann, welcher vor kurzem eine eben fo gründliche als freye Abhandlung über den Pietismus herausgab, hat hie und da diefer Schrift Anmerkungen beygefügt, auch eine Vorrede vorangefetzt, in welcher er feine Meynung über den Werth verpflichter der und bindender Glaubensvorfchriften, und einige fromme Wünfche wegen Abftellung des päpftlichen Zwangs der fymbolifchen Bücher, vornehmlich in Betreff der nach jenem harten Befehl von 1780 beynahe ganz zu Boden getretenen Denkfreyheit der Würtembergifchen Theologen, offenherzig mittheilt. Wir erfahren zugleich, dafs die vor einigen Jahren in Halle herausgekommenen Verfuche über Religion und Dogmatik Hrn. M. Braftberger zum Verfaffer haben.

OEKONOMIE.

Freyburg, beym Verf.: Neues vollftändiges Forftlehrbuch der fyftematifchen Grundfätze des Forftrechts, der Forftpolicey, und Forftökonomie, fowohl im Allgemeinen, als insbefondere über jede deurfche merkwürdige Holzpflanze, famt einer Generaltabelle darüber, und einem Anhange von ausländifchen Holzarten, auch vom Torfe und von Steinkohlen, mit einem vollftändigen Verbal-Realregifter, theoretifch und praktifch abgehandelt, von Johann Jakob Trunk, der freyen Künfte und Weltweisheit, auch beider Rechten Doctor. 1788. 8.

Im Jahr 1787 wurde zu Freyburg in Vorderöfterreich zur Beförderung der Holzcultur ein eigener Lehrftuhl der Forftwiffenfchaft errichtet, und der kaiferliche Kammergerichtsadvocat Trunk als K. K. Vorderöfterreichifcher Oberforftmeifter und Prof. der Forftwiffenfch. und Karl Banger aus Stuttgart, der das Studium der Kameralwiffenfchaften in der hohen Karlsfchule zu Stuttgart getrieben, und vor einigen Jahren abfolvirt hatte, als K. K. Vorderöfterreichifcher Forftamtsactuar angeftellt.

Da Beckmann, Gleditfch, Succow und Jung uns Anleitungen und Syfteme geliefert haben, fo fehlte nur noch ein durch Erfahrung beftätigtes Forftlehrbuch; allein das fucht man hier vergebens. Der Vf. hat ohne vorhergegangene

Unterfuchung blofs ausgefchrieben. Zwar entfchuldiget er fich in der Vorrede, dafs überhäufte Gefchäfte ihm die Zeit geraubt hätten, den gehörigen Fleifs auf fein Lehrbuch zu verwenden, aber was berechtigte ihn, invita Minerva zu fchreiben? Es liefs fich ohnehin nicht vermuthen, dafs ein Mann, der ehemals öffentlicher Lehrer der deutfchen Literatur und Gefchichte am Fürft. Bifchöfl. Gymnafium zu Worms, dann Stadtfecretär zu Mainz, und Kurmainzifcher Oberbeamter zu Amorbach im Odenwalde, nachher wirkl. Advocat beym Reichskammergerichts zu Wetzlar war, in 6 Wochen fich zum Lehrer künftiger Forftmänner bilden konnte, indem er als Juftizmann keine Gelegenheit noch Zeit hatte, fich mit dem Forftwefen weder theoretifch noch praktifch zu befaffen, dnd überdem die halbjährigen Prüfungen der Schüler dem öfterreichifchen Lehrer viele Zeit rauben. Es war alfo eine blofse Ruhmfucht, zu prangen, wenn gleich mit fremden Federn. Wir geben folgende Beweife: Hr. Tr. zog wörtlich feine Holztabelle aus dem von Zanthierfchen Forftkalender, zählt die Pinus montana Linn. zu einer befondern Species, da es nach dem Forftmeifter Wiefenhaver eine blofse Spielart vom Pinus filveftris ift, wie Löwe in feinen ökon. kam. Schriften S. 1:8 beweifet. Er empfiehlt das Ausfchneideln der jungen Dickungen, welches doch auch in Oefterreich u. Böhmen, fo wie überall, der wahre Ruin der Nadelhölzer ift, und das Wachsthum des Laubholzes eben fo wenig befördert. Den Cocus u. oftindifchen Bäume räth er an in deutfchen Forften zu nationalifiren. Endlich § 343 foll die Ceder eine Abart von der Lerche, der Sadebaum, Tamarisken und Lebensbaum von der Wacholder, § 348. die Hainbuche eine Abart von der Rothbuche. § 355. die Rofskaftanie eine Abart von der wahren Kaftanie (Fag. Caft.) feyn. Seltfam klingt es, dafs Hr. T. die Saugefäfse, Du-fflöcher, und die Knofpen Knöpfe nennt, u. dafs die Eichen und Rothbuchenfchläge Wiederausfchlag geben follen. Der Saame beftehet nach feiner Theorie, 1) aus Fleifch 2) aus dem Keim, der a) aus Holz, b) aus dem Wurzelknopf beftehet.

Als Jurift will er von den Waldungen, die den Unterthanen eigenthümlich find, und fie fteuerbar waren, nach Gutdunken des Regenten § 85. Auflagen erheben, und führt zur Rechtfertigung an, dafs folches in Frankreich eingeführt fey, als wenn Rechte und Verträge nach Willkühr aufgehoben werden könnten.

Sollte das für die Oefterreich. Staaten ein Forftlehrbuch gefchrieben werden müffen; fo wünfcht Rec., dafs dies der Gräfl. Rothenhan.ifche Forftmeifter, Hr. Ehrenberg auf der Böhmifchen Herrfchaft Rothenhaus thun möge, der durch Unterftützung feines verdienftvollen Herrn Vaffen in der Zanthierfchen Forftfchüle in Stollberg Wernigerode zu einem Mann gebildet wurde, der Böhmen Ehre macht, und deswegen beym

V4

Wälderausmeſſungs - Geſchäfte in Böhmen erſter Commiſſarius war.

LEIPZIG; b. Schwickert: *Der Vogelſteller, oder die Kunſt, allerley Arten von Vögeln, ſowohl ohne, als auch auf dem Vogelheerde, bequem und im Wege zu fangen; nebſt den dazu gehörigen Kupfern, und einer Naturgeſchichte der bekannten und neuentdeckten Vögel. von Johann Andreas Naumann.* 1789. 206 S. 8. (12 gr.)

Nach einem bekannten Sprüchworte hat das Vogelſtellen mit dem gelehrten Weſen nie in recht gutem Vernehmen geſtanden; kein Wunder, wenn das Vorurtheil nun auch wider den Vogelſteller wäre, der den Schriftſteller macht. Wie denn nun an alten Bauernregeln immer etwas Wahres iſt, ſo möchte, auf gegenwärtigen Fall angewendet, auch wohl ſo viel richtig ſeyn, daſs, wie der Gelehrte beym Vogelſteller, alſo der Vogeller beym Unterrichte dieſes Schriftſtellers, nicht viel weiter kommen wird. Am ausführlichſten ſind der Vogelheerd und die Dohnen beſchrieben; unrichtig eben nicht; doch kennt man noch manche beſſere Handgriffe und Vortheile, das kann Rec., der nicht ganz Ungeweihter in der Kunſt iſt, verſichern. Man hat auch wirklich ſchon beſſere Bücher, wiewohl perſönlicher und anſchaulicher Unterricht hier Hauptſache bleibt. Sehr unbedeutend iſt Rückſicht der Naturgeſchichte iſt die Beſchreibung der Vögel, beſonders da bloſs in hieſigen Provinzial- und Trivialbenennungen geſprochen wird, die auf keinen Ort hinweiſen, u. auf den Verlagsort wenigſtens nicht ganz paſſen.

STUTTGART, bey Metzler: *Johann Chriſt. Bernhard's Vorſchläge zu einer wirthſchaftlichen Policey der Dörfer, oder wie die Landwirthſchaft daſelbſt überhaupt, ſowohl in Abſicht auf die Policey und der Communen gemeinſchaftliche Einkünfte und Caſſen, als auch der Inwohnere beſondere Haushaltung zu verbeſſern. Ohne Jahrzahl.* 8. (8 gr.)

Obſchon der Präſident Benekendorf in ſeiner *Oeconomia forenſi* nach ſeiner einmal angenommenen Sitte ſehr weitläuftig von der Policey der Dörfer geſchrieben, ſo kömmt ſie doch der Bernhardiſchen bey weitem nicht bey. Gegenwärtige Schrift liegt zwar auſser den Gränzen der A. L. Z. indem ſie im 9ten Band der Stuttgartiſchen phyſikaliſch ökonomiſchen Auszüge ſtehet, wir zeigen ſie aber bloſs wegen ihres gehabten Einfluſses und Folgen an. In der Gegend, wo den Oekonomie-Rath Bernhard einige herrſchaftliche Güter zur Selbſtverwaltung und die Erhebung verſchiedener Cammereinkünfte und Zehnten anvertraut waren, befanden ſich einige Dörfer, die viele arme und verſchuldete Inwohner hatten, und wo auch nicht die beſte Policey war, zu deren Aufhelfung und Verbeſſerung man höheren

Orts einige Vorſchläge von ihm verlangte; dieſe giebt er, und ſetzt ſein ganzes Vertrauen auf einen Landwirthſchafts-Auſſeher, der, wenn er Wiſſenſchaft, Thätigkeit und Autorität genug, hat, unendlich viel leiſten kann. Dies hatte die gute Folgen, daſs ſeit dieſer Zeit Würtemberg zu einem ganz andern Land geworden, da nemlich, wo man die Bernhardiſche Grundſätze Wurzel faſſen lieſs, wie man aus dem Leipziger Magazin IV Stück, 1787. *von der vollkommenſten Dorfwirthſchaft* ſehen kann, welcher Auffatz wohl verdiente beſonders gedruckt und unter die Landleute vertheilet zu werden. Ferner hatten die Bernhardiſchen Vorſchläge einen wichtigen Einfluſs auf die Heſſen-Darmſtädtiſche Länder, in welcher eine Landes-Oekonomie-Deputation errichtet, und viel Gutes geſtiftet worden, wenn gleich einige Miſsbräuche mit unter gelaufen, auch noch manches zu thun übrig iſt. Langſamer hat es in den Kurſächſiſchen Ländern gewirkt, wo zwar die Stelle S. 322., daſs in vielen Ortſchaften bloſs an die breiten Straſsen-Raine und Wendplätze 4, 5 bis 10 tauſend Bäume angebracht werden könnten, einige Senſation gemacht, aber auſser einer Tabelle von Ackerbau, Wieſewachs Baumzucht und Manufakturen, ferner einigen ausgeſetzten Preiſen nichts weſentlich Groſses gethan worden. Die Bernhardiſchen Vorſchläge behalten daher ſo lange ihren ganzen Werth, bis entweder etwas beſſeres geſchrieben, oder dieſe Vorſchläge in Ausübung gebracht worden. Da nicht leicht der Fall eintreten wird, daſs der alte Bernhard doch neuere Bücher verdrängt werden ſollte, ſo empfehlen wir vorzüglich die Stellen S. 356. 372. 400. 402. 430. 446. 448.

VERMISCHTE SCHRIFTEN.

FRANKFURT u. LEIPZIG: *Gloſſarium für das achtzehnte Jahrhundert.* 1788. 158 S. 8. (8 gr.)

So wie der Titel *Gloſſarium* nur eine neue Benennung für eine uralte, und in Deutſchland nur zu oft gebrauchte Form der Satire iſt: ſo findet man hier auch unter einigen neuen guten Einfällen manche abgenutzte. Der gröſste Theil dieſer Brochüre beſteht aus einzelnen, flüchtig hingeworfenen, Ideen, daher man ſie, wie eine Epigrammenſammlung, nicht in einem Odem hintereinander leſen muſs. Meiſtens macht eine oder ein paar Zeilen einen ganzen Artikel aus. So heiſst es unter der Rubrick *Blindheit*: „Eine Haupteigenſchaft der Beichtväter und Höflinge.". Die längſten Artikel ſind: *Adel, Dichter, Hauſtafel, Jeſuitiſmus,* (wo der Vf. den Ton der Satire mit Ernſt vertauſcht,) *Illuminaten, Kuſs, Liebe, Magnetiſmus, Pabſt, Tod, Tugend, Weib* und *Welt.* Häufig ſpricht der Vf. in Bildern, und mancher Artikel iſt nur eine kleine Allegorie z. B. „*Grabgeſong* bedeutet eine ſchlimme Recenſion, welche

Z z 2

„nur Mißton für die Ohren des Zuhörers, nicht
„aber des Beerdigten iſt, es müßte dann, nach Wer-
„ther's Meynung, noch ſeine Seele über dem Sar-
„ge ſchweben." Viele Artikel enthalten gar nichts
Sinnreiches z. B. „Bauer, ein Laſtthier der Gro-
„ſſen, ein Packeſel des Staats, geplagt von Pfaf-
„ſen und Soldaten." Eben ſo ſchlecht ſind die
Artikel Augen, Kanzel, Schädelſtädte, Seelenwanderung (wo ſich der Vf. mit einem unbedeutenden Luſtſpiele von Vulpius, deſſen Schriften
überhaupt häufig angeführt werden, abgiebt) und
mehrere. Einer der leidlichſten Artikel iſt etwa fol-
„gender: Eichenwald, ein Ort, welchen ehmals bie-
„dre Männer und züchtige Weiber bewohnten, und
„welchen die Enkel zur Promenade für löſchpa-
„pierne Stutzer, entnervte Jünglinge, und hek-
„tiſche Mädchen gemacht haben, denen das Bild
„der Vernichtung im Spiegel deutlicher aus den
„blauen umringelten tiefen Augen, als aus Freund
„Heins hohlen Augenhöhlen entgegenſtrahlt." Mehrere Einfälle ſind von andern entlehnt, am meiſten von dem Verfaſſer der Lebensläufe in auffſei-
gender Linie, den ſich der Vf. des Gloſſariums
vornemlich zum Muſter gewählt zu haben ſcheint.
Der Allegaten, beſonders aus Dichtern, ſind nur
zu viele, und der Vf. paradirt ſo gern mit Beleſenheit, daſs er S. 123. gar ein (unüberſetztes)
ſpaniſches Sonnet einrückt. Einige Artikel ſprechen von ganzen Ständen, z. B. von Aerzten,
Juriſten, Juden zu allgemein; hier hätte dieſelbe
Klauſel, wie am Ende des Artikels Recenſant hinzugeſetzt werden ſollen.

KLEINE SCHRIFTEN.

OEKONOMIE. Leipzig: Quaeſtio de paſtu pecorum in
ſtabulis ſecundum analogiam diſciplinae medicae tractata.
1786. 2 Bog. 4. (2 gr.) Ebendaſ.: Die Stallfütterung nach
mediciniſchen Grundſätzen abgehandelt und aus dem lateiniſchen überſetzt von M. Fried. Leberecht Schönemann. Eine
Inaugural Diſputation, die Hr. Anton Heinrich Ludwig
Bruhm expedirender Secretär der Leipziger Ökonomiſchen Societät unter dem Vorſitze des Hn. D. u. Prof.
Platner um die mediciniſche Doctorwürde zu erlangen
auf der Univerſität zu Leipzig vertheidiget hat. – Er
handelt nach der Einleitung 1) was und wie mancherley die Stallfütterung ſey; 2) welche Thiere ſie angehe;
3) wie die Ställe gebauet werden müſſen, damit der
Aufenthalt in ſelbigem dem Vieh nicht nachtheilig werde;
4) welche Art der Wartung des Viehes in Anſehung der
Reinlichkeit und der Bewegung zu beobachten ſey, daſs
ſie geſund bleiben; 5) Wie in Anſehung der Fütterung
zu verfahren ſey, damit für die Geſundheit geſorgt werde. – Rec. hat in der ganzen Schrift, nichts reelles, nichts
neues, nichts mediciniſches gefunden; und was ſoll
man von einer Schrift weiter ſagen, die Schönemann
aus dem Lateiniſchen ins Deutſche überſetzt hat,
und Kiem in die Septemb. ſeiner phyſikal. ökonomiſchen Zeitung aufgenommen, auch beſonders hat abdrucken laſſen.

PHILOLOGIE. Stuttgart: Joh. Jac. Heinr. Naſt, de
Clypeo Homerico. 1788. 16 S. 8. Eine Einladungsſchrift
des Hn. V. zu der jährlichen Stiftungsfeyer der Akademie
ſo viel auch ſchon über das Schild des Homers geſchrie-
den worden, ſo hatten doch die mehrſten Kunſtrichter
vor Leſſing, beſonders die Franzoſen, den rechten Geſichtspunkt verfehlt, aus dem ſie die Beſchreibung des
Homers hätten anſehen ſollen. Statt ihn als Dichter zu
betrachten, betrachteten ſie ihn als Künſtler. Leſſing
in ſeinem Laocoon brachte die Kritiker zuerſt von dieſem Fehler zurück. Was der Aeſthetiker über dieſen
Gegenſtand ſagen kann, hat Leſſing erſchöpft (er Vf.
begnügt ſich daher einen Auszug aus ſeinen Bemerkungen zu liefern, und erläutert am Ende den Plan und
die Hauptidee des Dichters. Homer nemlich wollte eine
Beſchreibung des Weltheils geben. Daher werden zuerſt Sonne, Mond und Sterne abgebildet. Dann kommt
er auf die Erde, und ſchildert die damalige Lebensart
der Menſchen ſowohl in den Städten als auf dem Lande.
Bey jenem unterſcheidet er Privatleben und öffentliche
Verfaſſung, und giebt uns ein Bild des letztern ſowohl
im Frieden als im Kriege. Bey dem Landleben beſchreibt
er zuerſt die mancherley ländlichen Beſchäftigungen, dann
die ländlichen Vergnügungen ſeiner Zeit, nemlich den
Chortanz. Der Ocean umgiebt das Ganze, nach der damaligen Vorſtellungsart, dafs er die ganze Erde um-
faſst.

In ſeiner letzten Einladungsſchrift giebt uns Hr.
Prof. Schmid in Gieſsen ſein ſpecimen viceſimum ſecundum
Polemicae Horatianae. 2½ B. 4. Der Hr. Vf. geht in
dieſem Stück zu den Satiren fort, und beſchäftiget ſich
in dem gegenwärtigen mit den erſten dreyſsig Verſen der
erſten Satire. Man kennt ſeine Verfahrungsart aus den
vorigen Stücken. Einzelne neue Ideen oder geſchmack-
volle Erklärungen darf man hier ſo wenig als fortlau-
ſenden Commentar ſuchen. Es ſind bloſs Beurtheilungen einzelner Erklärungen ſeiner Vorgänger, die der
Hr. S. mit mehrerem oder mit wenigerm Grunde bald annimmt, bald verwirft.

Dresden: Theophraſti Characteres Ethici. 1788. 8.
31 S. Ein bloſser Abdruck ohne Noten und Vorrede;
nicht einmal die Ausgabe iſt angegeben, die dabey zum
Grunde gelegt iſt. Wir bätten wenigſtens erwartet,
daſs die Herausgeber die beiden in der Vaticaniſchen
Handſchrift gefundenen, und von K. Amaduzzi bekannt
gemachten, Charaktere mit aufgenommen hätte. Er
hätte doch dadurch wenigſtens ſich das Verdienſt erworben, ohne alle Mühe die erſte vollſtändige Handausgabe
dieſes Werkes zu liefern; aber von dieſer Entdeckung
ſcheint ihm nichts zu Ohren gekommen zu ſeyn. Der
Abdruck iſt übrigens ziemlich correct.

ERBAUUNGSSCHRIFTEN. Leipzig, b. Böhme: Menſchen, als Fremdlinge und Pilger hier auf Erden, eine
Lucalpredigt – von M. Elias Friedrich Pogs. 1788. Der Vf.
welcher izzt in Dresden angeſtellt iſt, hat dieſe Predigt
an ſeinem Vaterorte Fremdiswalde in Sachſen gehalten.
Sie war des Drucks nicht unwürdig, und macht den Eln-
ſichten, und dem Herzen ihres Urhebers Ehre.

ALLGEMEINE
LITERATUR - ZEITUNG

Sonnabends, den 14ten Februar 1789.

PHILOSOPHIE.

Frankfurt und Leipzig: *Prüfung der bishe-*
rigen erſten Grundſätze der vorzuglichſten
Wiſſenſchaften, auch anderer Begriffe und
Lehrſätze in ſelbigen. Erſtes Stück. 64 S.
Zweytes Stück. 1788. 158 S. 8. (8 gr.)

Im erſten Stucke (dies ſind Worte der Vorrede)
wird 1) die Allgemeinheit des Satzes des zureichenden reellen Grundes § 1 — 11 gründlich gezeigt; 2) werden die bisher (d. h., bey unſerm
Schriftſteller höchſtens bis auf Cruſius und Da-
ries) gemachten Einwürfe v. §: 12 — 21 hinlänglich beantwortet — und 4) vor Augen gelegt, daſs
dieſer Grundſatz das ächte *primo primum princi-*
pium formale ſey. Im zweyten St. wird das ächte *Materielle*, welches, wie leicht zu urtheilen,
nur die Wahrheit Gottes ſeyn kann, erforderlich
abgehandelt. Im dritten St. wird der unbekannte Vf. den ächten erſten Grundſatz aller moraliſchen Wiſſenſchaften gründlich erklären; alsdann
will derſelbe, wofern dieſe Stücke beyfällig aufgenommen werden, auf die erſten Grundſätze der
beſondern Wiſſenſchaften fortgehen.

Die Methode hat ganz und gar die äuſsere
ſchulgerechte Form der ſtrengen Demonſtration,
d. h., jeder Begriff beweiſt ſeine Worterklärung,
und es wird häufig auf vorhergehende Paragraphen verwieſen. Die Einleitung paſst alſo eben
ſo wenig zu dem Geſchmack unſrer Zeiten, als
der Inhalt zu der gegenwärtigen Lage der Philoſophie. Für manche Leſer iſt vielleicht eben dies
ein hinlänglicher Beweis von der Gründlichkeit
und Güte dieſer Philoſophie, ſo wie der Umſtand
eine bedeutende Empfehlung derſelben, daſs
nach der von uns ſehr gegründet befundenen Verſicherung des Verf., alles *mit dem evangeliſchen*
Chriſtenthum der Augsburger Confeſſion genau
übereinſtimmt.

Es war einmal eine Zeit, wo eine ſolche
Schrift ihrem Vf. Ruhm hätte erwerben können,
und dieſen hätten wir herzlich gern unſerm Unbekannten gegönt, da uns durch ſeine überall hervorleuchtende redliche Geſinnung, das Wohl der
Menſchen und der Wiſſenſchaften zu befördern,
A. L. Z. Erſter Band. 1789.

um deswillen nicht weniger achtungswerth erſcheint, weil ſeine Bemühungen wohl vergebens
ſeyn werden.

OEKONOMIE.

Bayreuth und Leipzig, b. Lübeks Erben:
Friedr. Andr. Walther vom Feld oder Acker-
bau für Gutsbeſitzer, Cameraliſten, Poli-
zeybeamte, Gerichtsverwalter, Landwirthe
Bauern, und diejenigen, die es werden wol-
len, 1788. 138 S. (8 gr.)

Der Vf. hat das Verdienſt, Benekendorfs Geſetzbuch der Natur und weitläuftige Oeconom. fo-
renſis ins Kleine gebracht, und durch eigene Ergänzungen die Weinbaues-Polizey etwas mehr
ins Licht geſetzt zu haben. Zuerſt hiſtoriſch politiſche Reflexionen über den Feldbau. Nirgends
ſo gut, ſelbſt bey Röſlig nicht, wie hier. 1) Vom
Feldbau. Die §§ Reihe aus den Berliner Beyträgen gezogen. II) Landwirthſchaftlicher Kalender. III) Rechnungsweſen. IV) Polizey. V)
Kameraliſtik. VI) Rechtskunde des Feldbaues aus
der Oecon. forenſi genommen. Es ſind Rec. wenigſtens 24 Stellen aufgefallen, in welchen er des
Vf. Meynung nicht ſeyn kann. Wegen der Anfänger, denen dieſe Blätter gewidmet ſind, wollen wir ſie aufführen:

§ 5. ſagt Hr. W., Beſtimmt man den Flugſand
zu ackern, ſo düngt man es ordentlich, ſäet im
Frühjahr bey Regenwetter Erbſen, Wicken, und
beſteckt das angeſäete Stück mit Zweigen, zur
Zeit der Blüte ſchneidet man ſie mit hohen Stop-
peln ab, ſtreut das geſchnittene über das Feld,
und läſst es durch einander wachſen und faulen.
Im Herbſt mähet man wieder, und läſst wieder
um alles den Winter über auf dem Boden liegen.
Im Frühjahr düngt man, folgt aber nur ganz
ſeicht, und itzt kann man Klee, Hülſenfrüchte ſä-
en. Wie viele Unrichtigkeiten ſind in dieſen
wenigen Zeilen? gedüngter Flugſand trägt Taback und Heidekorn, keineswegs aber Erbſen,
die man ſchneiden und faulen läſst, mit Nutzen.
2) Sind alle Landwirthe, es mag auch Fabroni u.
die römiſchen Schriftſteller ſagen, was ſie wol-

A a a

len, von dem Irrthum zurückgekommen, die heutiges Tages theure Erbfen und Wicken auf dem Felde faulen zu laffen, denn hat der Acker noch fo viele Kräfte, Erbfen zu tragen, fo hat er es auch zu andern Früchten. 3) Ift noch kein Schriftfteller aufgeftanden, der befohlen hätte, erft zu düngen, dann die Erbfen faulen zu laffen, da man ja diefe Methode ftatt des Düngers einführte. Woru im Frühjahr das drittemal gedünget? Es follte in der That fehr übel mit der Landwirthfchaft ausfehen, wenn fo wichtige koftfpielige Zubereitungen nöthig wären, um Klee und Hülfenfrüchte zu zeugen. S. 9. Wie macht man die Lehde zu Ackerfeld? Gerade fo, wie man die Kirche ums Dorf trägt, denn der Verf. lehrt folgendergeftalt: Man räumt und fchält den Boden, pflügt dann fehr tief im Nachfommer; vor Winters wird dies wiederholt. Im Frühjahr ftreut man die Rafen aus, und düngt zugleich mit Mift (aber wie, wenn man keinen hat, wenigftens nicht für das Neuland?) „Das Pflügen mufs viermal, jedesmal in die Länge und Queere gefchehen. Hr. W. fcheint in der That nicht darauf raffinirt zu haben, mit den wenigften Unkoften, und mit dem geringften Zeitaufwand Feldarbeiten zu verrichten. Die Natur felbft lehrt uns einen kürzern Weg. Im Herbft pflügt man die Lehde um, über Winter liegt fie fich ab, d. h. die Erde wird mürbe und zerfällt. Im Frühjahr fäet man Hafer, (Rec. hat dergl. im erften Umbruch wie Rohr geärndtet) und egget zu. Der Rafen dient ihm als Dünger. Im zweyten Jahr wieder Hafer oder Kartoffeln, denn weil das Feld noch nicht durchgearbeitet und mürbe geworden, würde der Rocken, wenigftens an vielen Orten, verfagen, obfchon wir Winter und Sommer-Rocken mit Vortheil und ohne Dünger gebauet haben. S. 10 ift der Schnee bey den Hucken vergeffen worden. S. 15 wird die ganze Brache anzufäen geboten: dies ift wieder nicht aus Erfahrung gefprochen, weil die Güte und Menge der Körner darunter leidet. S. 14 die Erde wird defto fruchtbarer, jemehr fie bearbeitet wird. Dies zeugen unfere Gärten; d. h., ein Gartenland braucht vier bis fünfmal mehr Arbeit, und koftet auch beynahe dreymal fo viel Dünger, als ein Getraideland. S. 27 räth er die Quecken zu verbrennen. Das würden wir nun nicht rathen, weil man die Quecken auf vierfache Art beffer benutzen kann. S. 31 Hätte er die Regeln angeben follen, wo dick und wo dünne zu fäen. S. 43 Kleeftoppeln foll man nur einmal umbrechen. So gut dies in einem Acker, fo fchädlich ift es im andern. Diefe allgemeine Vorfchriften find es, die dem fogenannten Schubartifchen Syftem fo viel gefchadet haben. S. 76 heifst es, im May fäet man die Gerfte, hingegen S. 37 Im May follte man die Gerfte nicht mehr fäen. Dies fcheinen Widerfprüche, allein nach Rec. können beide wahr feyn. In hitzigen Feldern, wärmern Klima, foll man im May keine Gerfte mehr fäen, in

Waldgegenden, kalten Boden mufs man die Gerfte erft im May fehen. S. 61 ift die graue Made, (Phalaena exclamatoria), die dem Rübfen fo vielen Schaden thut, und P. Goetze von den Infecten, die dem Getraide fchaden, nicht angeführt worden. S. 67 foll man beym Abladen die Garben zählen. Dann ifts zu fpät, auf dem Felde müffen fie gezählet werden, und wer diebifches Gefinde hat, foll auch nachher in der Scheune zählen laffen, wodurch er auf den wahren Grund kömmt. Ferner, „im April überfchlägt der Landwirth feinen Getraidevorrath, wie viel er für feine Wirthfchaft bedürfe, und was er verkaufen könne." Dann ifts wieder zu fpät. Der Landwirth lafse gleich nach der Aernte von jedem Getraide ein Mandel oder Schock zur Probe drefchen, um zu fehen, wie viel er geärntet, nach diefen Probedrufch ziehet er feinen Calcul zu einer Zeit, wo das Getraide wohlfeil, damit ers, im Fall er etwas kaufen müfste, zur wohlfeilen Zeit, um Martini, kaufen könne. Um Weihnachten ift das Getraide fchon theurer. So wären noch fehr viele Stellen zu berichtigen, die wir gerne dem Vf. bey einer neuen Auflage für fein fo brauchbares und zu academifchen Vorlefungen beftimmtes Handbuch fchriftlich mittheilten.

TECHNOLOGIE.

FRANKFURTH a. M. b. Andreä: Franz Ludwig von Cancrin, Rufs. Kaiferl. Collegienraths etc. erfte Gründe der Berg u. Salzwerkskunde, zehnter Theil, erfte Abtheilung, welche die Salzprobierkunft, die Erdbefchreibung der Salzgebirge und die Brunnenbaukunft enthält. Mit 20 Kupfertafeln. 8. 270 S. 1788. (1 Rthl. 12 gr.)

Auch unter dem Titel:

Entwurf der Salzwerkskunde. Erfter Theil. etc.

In der erften Abhandlung lehrt der Hr. Vf. nachdem er vorher weitläuftig von den äufsern und innern Kennzeichen, dem Nutzen, den Beftandtheilen etc. des Küchenfalzes gehandelt hat, die Verfertigung und den Gebrauch der Salzwagen. Er giebt davon drey Arten an, als die gemeine Kramerwage, die hydroftatifche Wage und die gemeine Spindel, oder Bierwage. Jeda aber hat das Gebrechen, dafs fie alle Beftandtheile einer Salzfole, befonders Kalkerde und Bitterlauge, zugleich mit anzeigt, und nicht das reine darinnen enthaltene Salz allein. Er thut daher den Vorfchlag, eine Salzfole erft chemifch zu unterfuchen, die Spindeln und Wagen nach ihrem wahren Gehalte einzurichten und eine auf diefe Art vorgerichtete Wage auf jeden Salzwerke zur Norm vorräthig zu halten. Die zwote Abhandlung von der Erdbefchreibung der Salzgebirge begreift weit mehr in fich, als diefe Ueberfchrift befagt

befagt. Denn es wird in derfelben auch von dem Seefalze, den verfchiedenen Arten daffelbe zu erhalten und überhaupt von der Auffuchung der Salzquellen, vom Bohren, Abteufen, von Betrieb der Stollörter nach Salzquellen und dergl. gehandelt. Auch wird ein nicht gemeiner Bergbohrer auf das genauefte befchrieben und gelehrt, wie die Bohrlöcher am füglichften und zweckmäfigften mit hölzernen und metallenen Röhrenausgefüttert, und felbft mitten in Flüffen und Nebenden WaffernSchächte abgefunkenwerden können u. f. w. Das zweyte Kapitel diefer Abhandlung enthält die Meynungen des Hn. Vf. und anderer von dem Urfprung des Steinfalzes und der Salzquellen. Sie gehen im Grunde alle darauf hinaus, dafs durch Abdünftung gefalzener Waffer Salzflötze entftanden, und das unterirdifche Waffer diefe theils auflöften, theils im Zufammenhang mit Meeren ftünden, und daher ihren Salzgehalt bekämen. Nur eine Meynung wird angeführt, dafs Waffer die Grundbeftandtheile des Salzes unaufhörlich in der Erde zufammenbrächte und vereinigte, und dafs dadurch immerfort Salz zubereitet, und durch Quellen an den Tag gebracht würde. Die dritte Abhandlung endlich, von der Brunnenbaukunft, enthält eine Anweifung, wie die Materialien, als Holz, Leimen, Steine, Letten etc. zu diefem Endzweck befchaffen feyn muffen, wie die füffen von den gefalzenem Waffern abzuhalten, wie Salzfchächte ausgezimmert und ausgemauert, und wie die Mafchinen überhaupt eingerichtet werden können. Durch das ganze Buch wird jedem Lefer die vermeintliche grofse Ordnung im Vortrage befchwerlich feyn, und mehr verwirren. Dênn jede Abhandlung zerfällt in fo viele Kapitel, Abfchnitte, Titel und andere Abtheilungen, wo immer die erften Ueberfchriften wiederholt werden, dafs man beym Lefen alle Aufmerkfamkeit nur darauf zu verwenden hat, um diefer Ordnung nachzukommen. Auch wird man durch die vielen Allegate der zuvor angeführten Sachen zu oft unterbrochen.

PHILOLOGIE.

LEIPZIG, b. Schwickert: Neues Deutfches und Franzöfifches Wörterbuch der Jugend zum Gebrauch bequem eingerichtet von Joh. Gottf. Haas. Zweyter Band L. bis Z. 1788. 1063 S. gr. 8. (2 Rthl. 12 gr.)

Da hier völlig nach eben dem Plan gearbeitet ift, welchen fich Hr. H. von Anfang entworfen hat, fo trift auch diefen Band der fchon in Abficht des erften in Nr. 119. der A. L. Z. von 1787. geäufserte Tadel. Er ift nämlich durch mancherley, das in ein Schul- und Handwörterbuch gar nicht gehöret, übermäfsig vergröffert und vertheuert. Dahin gehören viele Provincialwörter wie das plattdeutfche Labbe für Lippe, leg für

niedrig, lollen für faugen, Lümmel für Gefchlink, eben fo auch die felbft gefchmiedeten gar nicht gebräuchlichen Zufammenfetzungen, wie Unteracht, Unteradvocat, Unterbank, Unterbrauch, Unterdienftlich, Untereinftens, Unterherr, Unterlafs, Untermark, Unterpacht, ferner die eigenen Namen und fremden Wörter wie Lacedämon, Latare, Legion, Leviathan, liberal, Libyen, Lion, Lithologie, Liturgie, Livia und endlich die künftlichen und gelehrten Abtheilungen wie lachen vom griechifchen γελάω und hebräifchen עלג, Lehn und liefern von locare und רלן, los von לוז, löfchen von לא, Loth von μολύβδον. Lunge von halare und fo faft durchgängig. Uebrigens kann man im Ganzen dem Werke eine beträchtliche Vollftändigkeit, genaue Bemerkung der verfchiedenen Bedeutungen der Wörter, Reichthum an Redensarten, Richtigkeit der Ueberfetzung und alfo überhaupt Brauchbarkeit und Nutzen gar nicht abfprechen.

LITERARGESCHICHTE.

LEMGO, in der Meyerfchen Buchhandl: Verzeichnifs aller anonymifchen Schriften und Auffätze in der vierten Ausgabe des gelehrten Deutfchlands, und deren erften und zweyten Nachtrage nebft einem Verzeichniffe von Ueberfetzungen der darinn angegebenen Schriften in andere Sprachen. 1788. 174 S. 8. (8 gr.)

Der unter der Vorrede genannte Verfaffer Hr. Joh. Samuel Erfch, erzeigt durch diefe Arbeit den Liebhabern der neueften Literatur einen angenehmen Dienft. Die Einrichtung in der letzten Ausgabe des gel. T., nach welcher die anonymifchen Schriften das erftemal mit einem Sternchen bezeichnet find, brachte ihn vermuthlich auf den Gedanken am Titel diefer Schriften in eine alphabetifche Ordnung zu bringen und zu jedem den Verfaffer zu fetzen, imgleichen auch am Ende eine Anzeige von Pfeudonymis nebft ihren wahren Namen anzuhängen. Selten wird ein Auffatz aufser denen, welche im Hauptwerke felbft noch, mit keinem Zeichen verfehen find, hier vermifst werden. Doch, was noch fehlt, ift in einer folgenden Ausgabe nicht fchwer zu ergänzen. Nur wäre zu wünfchen, dafs diefes Verzeichnifs erweitert und auch auf die vorigen drey Auflagen des gelehrten Deutfchl. ausgedehnet werden könnte; fo man die feit etlichen Decennien verftorbenen Verfaffer anonymifcher Schriften nach und nach leicht vergeffen, oder mit einander verwechfeln kann. — Zuweilen find die Rubriken fo gemacht, dafs man eine Schrift eher anderswo fuchen möchte, als da, wo fie wirklich fteht. Z. B. des Grafen Revicky Bibliotheca graeca und latina, ftünde vielleicht beffer unter dem angenommenen Namen Periergus Deltophilus, wenigftens unter den

Pfeu-

Pfeudonymis, als unter Bibliotheca. Am widrig-
ften ift, dafs man manche Auffätze nach langem
Suchen endlich unter: De,. Von und dergleichen
unbedeutenden Partikeln findet. Dies mag immer eine, wiewohl jetzt feltnere, Buchhändlers
Gewohnheit feyn; in Verzeichniffen, die von befferer Art feyn follen, ift fie ganz unfchicklich.

KLEINE SCHRIFTEN.

OEKONOMIE. *Breslau*, b. Korn: *Beantwortung
wichtiger nie aufgeworfener Fragen, die Verbefferung der
Landwirthfchaft betreffend, der Schlefifchen ökonomifchen
patriotifchen Gefellfchaft zur Beurtheilung vorgelegt von*
C. Sr. 1788. 56 S. (4 gr.) Die dem Vf. nie aufgeworfe-
ne Fragen find an der Zahl acht: 1) Durch welches Mittel kann in jedem Lande der Landwirth gezwungen werden, dafs er feine Felder ganz und gehörig befäe. In
den Preufsifchen Staaten mufs jährlich um Weihnachten von jedem Dorf eine Tabelle an den Landrath ein-
gefendet werden, ob die Winterflur, der wichtigfte
Theil des Ackerbaues beftellt fey, weil es Landleute
giebt, die ihre Felder niemals ganz beffen, da 'befonders, wo fie durch den Handel mit Vieh, Garn und Holz
mehr gewinnen. Man fiehet hieraus, wie ohnmächtig
der ökonomifche Zwang ift, der Bauer überredet die
Gerichte, er wolle aufs Frühjahr den Winteracker mit
Gerfte beffen, und dabey bleibts. Auch kann dem Handel auf dem Lande kein Einhalt gefchehen, wenn gleich
ohne Landräthlichen Licenzzettel kein Landmann fich
unterftehen darf, Garn aufzukaufen, und die Gefund-
heitszettel des Viehes vom Schulz und Gerichten unterfchrieben werden müffen. 2) Wie der Winterfaat eines
ganzen Landes in frifchen Dünger gefetzt werden könne.
Der Vf. ruft mer aus: Welches von deinen Ländern
Deutfchland, kann fich rühmen, ich habe meine diesjährige
Winterfaat in frifchen Dünger!! Der Vf. mufs aber nicht
von Schlefien und Böhmen auf ganz Deutfchland fchliefsen. Anhalt Deffau z. B. fäet unfers Wiffens in frifchen
Dünger, und wenn auch dies nicht gefchähe, woher beweifet der Verf. die Nothwendigkeit der frifchen Düngers alle 3 Jahre? Sind nicht die Landwirthe vor Mifswachs gefichert, die Waizen, Gerfte, Klee, Korn, Haber, oder Waizen, Gerfte, Erbfen, Korn, Haberbauen,
und nur einmal düngen; weiter, giebt es nicht feine
thonigte und lehmigte Felder, die keinen Dung brauchen? da wo die Wäffer fetzen Schlamm auf den Feldern abfetzen, wird ebenfals nicht gedünget, oder kennt
Hr. S. den Unterfchied zwifchen den beften, mittlern
und fchlechtern Feldern nicht? Man höfst in der That
auf feltfame Gedanken, z. B. "Als ein Problem füge ich
"noch hinzu, dafs es nicht auslachenswerth wäre, wenn
"man die Tabakraucher zur Sammlung ihrer Afche auf-
"munterte." Kurz zuvor fagt er: "Hätte ich vielleicht
"einem Bauer nur einen Morgen mit weniger Koften zu
"feiner Winterfaat bedüngen helfen, fo würde ich mich
"gewifs glücklich preifen, und es zur der *edelften Hand-
"lung meines Lebens* rechnen. (!) Nur nicht der Ta-
bakafche. In diefer Manier liest man jedoch die übrigen
Fragen: dafs die Gemeinheiten völlig abgefchafft, die Jahre-
lang durch Dünger verbefferte Felder mit befferer Ge-
traideart befäet werden möchten, der Landwirth in jedem Kreife die Erzeugniffe und Ackerinftrumente des
ganzen Landes kennen lernen, die Wälder zweckmäfsig
genutzt, die Teiche gehörig befämet, das Urbarmachen
der Wiefen verhältnifsmäfsig eingefchränkt, Koften und
Abgaben erleichtert werden möchten.
Alles in zwey Bogen toll genug verknüpft. In dem
letzten halben Bogen ift die Errichtung einer Ober-, und
wer weifs, wie vieler Unterlandwirthfchafts-Infpectionen
aufgeführt, die fich der Vf. als das höchfte Gut träumt,
denn durch folche würde Vorurtheil und Aberglauben
nach und nach befiegt werden, mit der Zeit würde es
eine ausgemachte Sache feyn, was eine gute Wirthfchaft
heifse (?) der Landwirth würde durch feinen Wohlftand
Kräfte erhalten eigene Pläne (Plane) zu erfinden, und
auch diefelben felbft auszuführen, und der Handwerks-
mann würde feine Arbeiten den Fremden wohlfeiler laffen
können; die Fremden würden durch ihre Durchreifen
die Confumtion im Lande befördern, und der Kaufmann
würde (nun was wohl) Kaufmann feyn, der Gelehrte
wider körperliche Nothdurft nicht kämpfen dürfen,
Künfte und Wiffenfchaften fteigen, das Land eine einzige Fabrike genennt, die Tugend allgemein, das Lafter
feltner werden. Doch fährt der Vf. fort, dies Gemälde
beraufcht mich, und bleibt noch lange ein Traum —
eines Privatmannes. Möchte er, doch erwachen und
nicht wieder von Seifenblafen träumen!

PHILOLOGIE. *Giefsen*: *Einige Bemerkungen über den
moralifchen Charakter des Römifchen Gefchichtfchreibers
C. Salluftius Crifpus. Eine Einladungsfchrift von J.
Fr. Roos* Prof. und erften Lehrers der Academifchen
Paedagogium 2½ B. 4. Ein recht guter Beytrag zu der
Kenntnifs des zweydeutigen Charakters diefes Schriftftellers, veranlafst befonders durch die Bemerkungen
des Hn. Hofraths Wieland darüber, in den Noten zu
feiner Ueberfetzung der Satiren des Horaz S. 57 — 73.
Wieland fucht den Salluft hier von den Befchuldigungen feines zügellofen Lebens zu befreyen, die man ihm
häufig gemacht hat; und zwar befonders aus dem Grunde, weil das Zeugnifs des Scholiaften des Horaz, auf welcher jene Befchuldigungen fich ftützen, fo gut wie gar
keiner fey. Eben fo wenig folge aus einer Stelle des
Dio Caffius im 40ften Buch; wo es heifst, dafs Salluftius
aus dem Senate geftofsen fey. Dafs diefes wegen feiner
ärgerlichen Lebensart gefchehen fey; davon fagt Dio
nichts; es fcheinen vielmehr politifche Urfachen dabey
gewirkt zu haben. Allein wenn man auch von diefer
Seite den Salluft freyfprechen will, fo kann man diefes doch fchwerlich bey einer ähnlichen Befchuldigung thun,
die ihm Dio im 43ften Buche aufbürdet, in einer Stelle
die Hn. Wieland entgangen ift. Es heifst dort von ihm,
er habe als Gouverneur von Afrika auf eine unerhörte
Weife die Provinz geplündert, und fich eben der Verbrechen fchuldig gemacht, gegen die er in feinem Werke fo heftig eifert. Wenn man ihm alfo auch von dem
Vorwurfe der Zügellofigkeit in feinen Sitten rettet, fo
wird man ihn doch fchwerlich von der Habfucht befreyen
können, und feine Schriften werden ein Beweis bleiben,
dafs man fehr wahr und fehr glücklich für Tugend, ei-
fern kann, ohne fie felbft zu üben.

ALLGEMEINE
LITERATUR-ZEITUNG

Sonntags, den 15ten Februar. 1789.

BERLIN, bey Voſs u. Sohn, Decker u. Sohn:
*OEUVRES POSTHUMES de FREDERIC
II, Roi de Pruſſe.* 1788. XV Bände. 8.

Ohne Anzeige des Orts und der Verleger:
*Oeuvres poſthumes de FREDERIC le Grand,
Roi de Pruſſe.* V Bände. 8.

Es würde unnöthig, und faſt ungereimt ſeyn,
die Erſcheinung der nachgelaſſenen Werke
Friedrichs anzeigen zu wollen, da ſie nicht ſo
ſo bald abgedruckt wären, als ſie von dem ganzen leſenden Publicum in allen Ländern Europens
mit heftiger Begierde geleſen wurden. Eine Beurtheilung derſelben iſt in mancherley Rückſicht
ſchwer; die hiſtoriſchen Details erfodern die genaueſte Kritik; die eingeſtreuten Maximen, ſo ſehr
ſie zum Theil denen der gewöhnlichen Menſchen
entgegen ſeyn mögen, reifes Ueberdenken, als
Früchte theils des Genies, dem nichts widerſtand,
was es überwältigen wollte, theils der langen
Erfahrung des thatenreichſten Menſchenlebens:
Beſonders iſt nicht leicht, noch jetzt, ohne Verdacht, wenn auch nicht von Schmeicheley, dennoch
doch von verblendetem Enthuſiasmus, den König
nach Würden zu loben, oder auf der andern Seite an dem etwas tadelhaftes zu bemerken, welchen ſo viele Tauſende anbeten. Doch da es einmal im Plan der A. L. Z. iſt, vorzüglich ſolcher
epochenmachenden Werke ausführlicher zu erwähnen; ſo wollen wir ihn, den Einzigen, mit ſo
unbefangenem Blick ins Auge faſſen, wie Er vor
30 Jahren das verſchworne Europa den Inhalt
beider Sammlungen darlegen; und von jedem
Stück den erhaltenen Eindruck und die wichtigſten Bemerkungen, die es in uns hervorbrachte,
nicht ausführlich vorlegen, aber andeuten; ſine
amore vel odio, wie Er ſelbſt meiſt geſchrieben.
Wir wollen ſuchen, dem Plan eines literariſchen
Journals gemäſs, in Friederich bloſs den Schriftſteller zu betrachten, den Mann und ſeine Thaten nur, in ſo fern ſie der Gegenſtand dieſer
Werke ſind. Vielleicht überſchreitet unſere
Recenſion die Gränzen einer gewöhnlichen;
dieſes aber wollen wir uns jederzeit erlauben, ſo oft von *einem ſolchen König Zwanzig*
A. L. Z. Erſter Band. 1789.

Bände ſo höchſt merkwürdiger Schriften erſcheinen.

Um einige Ordnung zu beobachten, wollen wir
die Werke ähnlichen Inhalts zuſammen ſtellen;
zugleich aber eine tabellariſche Ueberſicht beider
Sammlungen voranſenden, die Berliniſche nennen wir *A,* die andere *B.*

I. GESCHICHTE:

1. *Hiſtoire de mon tems. A. t. I. II.*
2. — *de la guerre de ſept ans. A. t. III. IV.*
3. *Memoires depuis la paix juſqu'en* 1778. *A. t. V.*
   1 - 218.
4. *Memoires de la guerre de 1778. A. t. V,* 219 - 390,
   mit Beylagen bis S. 354.
5. *Correſpondence avec le General Fouqué. B. t. V,*
   1 - 312.
6. *Conſiderations ſur l'etat de l'Europe en 1736. A.*
   t. V, 1 - 52.
7. *Reflexions ſur Charles XII. B. t. V.* 313 - 340.

II. STAATSWISSENSCHAFT.

8. *Eſſai ſur les gouvernemens. A. t. VI.* 53 - 88.

III. PHILOSOPHIE.

9. *Examen critique du Syſteme de la Nature. A. t.*
   VI. 139 - 167.
10. *Sur l'innocence des erreurs de l'eſprit; ibid.* 189 -
    212.
11. *Penſées ſur la Religion. B. t. IV.* 185 - 320.

IV. SCHÖNE WISSENSCHAFTEN.

12. *Dialogues des Morts. A. t. VI.* 89 - 138.
13. *Avant-propos de la Henriade; ibid.* 169 - 188.
14. *Epitres à Jordan; ibid.* 219 - 329.
15. *Poeſies; A. t. VII. VIII.* 1 - 136, *B. t. IV.* 321 -
    347.
16. *le Palladion; B. t. IV.* 1 - 134.
17. *Tantale en procès; B. t. III.* 381 - 436.
18. *l'Ecole du monde; B. t. IV.* 349 - 427.

V. VERMISCHTE SCHRIFTEN.

19. *Lettres à Jordan; A. t. VIII.* 137 - 230. *Ant-*
    worten. XII. 91 - 266.
20. — *à Voltaire. A. t. VIII.* 231, *IX. X.* 198.
    B. t. II. 111 - 310.
21. — *à la Marquiſe du Châtelet; A. X.* 159 - 196.
    Antworten. XII. 167 - 312.

22. *Lett-*

Bbb

Geschichte.

I. *Histoire de mon tems;* die zwey ersten Bände der Berliner Sammlung; 288 und 331 Seit.
Inhalt. Schilderung des Zustandes von Europa im J. 1740. von S. 1-116. Der erste Schlesische Krieg, bis zu Ende des ersten Bandes. Der ganze zweyte Band enthält nach zweckmäßiger Darstellung der Begebenheiten des Zwischenraums, 1-96, den andern Krieg.

Das Gemälde von Europa 1740 ist an sich mit Wahrheit, oft unerwarteter Bestimmtheit, einer Freymüthigkeit, welche sich bisher nicht leicht ein ungekrönter Schriftsteller unter uns erlaubt, mit Feuer, Geist, und allem Glanz der Beredsamkeit entworfen. Es ist Friedrichs Erstling in der Historiographie; man sieht den Jüngling; aber welch einen? Seine Fehler selbst sind charakteristisch: er hatte einen Blick, der bey einem Gegenstand selten lang verweilte, weil er ihn schnell durchdrang und schätzte; so fort war er fein, und gieng über in die Masse von Kenntnissen, aus denen sich dann in seiner Seele ganz eigene Ideen bildeten. Daher im außerwesentlichen oft Uebereilungen, die nur ihm zu vergeben sind, welcher hier offenbar ohne vieles Nachschlagen, meist nur aus sich, nach den einmal gefaßten Begriffen, schrieb. Dem ersten König von Sardinien giebt er den Namen des zweyten, diesem den des ersten; aber ihre Macht beurtheilt er desto richtiger. Was kümmerts ihn, daß er dem letzten Medicis irrig den Namen *Cosmus* gab? und ebendenselben Kurfürsten von Mainz S. 77. *Eltz*, und an einem andern Orte *Schönborn* genannt? Er hat darum nicht weniger wahr von ihm geurtheilt. Nur von der *Schweitz* finden sich S. 80. f. neun, zum Theil politische und statistische, Irrthümer, welche in Erwägung der Wahrheit, womit er von den übrigen Staaten schreibt, auffallen: Allein da, wie wir mehrmals erinnern werden, alle seine Wissenschaft auf Anwendung im Leben gieng, und er (seine Erholungsstunden ausgenommen) nicht leicht etwas erforschte, was ihm nicht als König oder Mensch von *praktischer* Wichtigkeit war, so folgte er in Ansehung dieses Landes; welches mitten in Europa immer ganz außer dem Spiel bleibt, ohne weiters den damaligen Vorurtheilen, (die Schweitz könne hundert tausend Mann stellen, dieses Heer drey Jahre unterhalten u. s. w.); die, welche um ihn waren, hatten weder die Kenntniß, noch vielleicht die Wahrheitsliebe, sie zu berichtigen. Daß der

Stadt *Constantinopel* zwey Millionen Einwohner gegeben werden, ist S. 88. wohl Schreib - oder Druckfehler. Vielleicht wird von einigen unter die hauptsächlichen Irrthümer gezählt werden, daß er so verächtlich vom Reich geurtheilt: Es ist wahr, daß der König in Fällen, wo desselben gedacht wird, sich nicht selten bittere Satyre gestattet (S. I, 78. *Un Ministre envoyé à Ratisbone est l'equivalent d'un mâtin de basse-cour, qui aboye à la lune;* und viele solche Stellen). Aber die Gründe dieser Nichtachtung, welche bey eben dieser Stelle angeführt werden, sind nur allzu wahr.; und wie konnte ein König, bey dem alles That und in jeder That Plan war, eine Versammlung anders betrachten, von der ihm nur hin und wieder das Fragment einer Handlung vorkam, welche Zahl, Solennität; Phraseologie und so vieles hatte, worauf er nicht hielt,; das aber, was ihm am theuersten war, Zweck und System, gerade nicht! Auch ist kein Zweifel, daß die Th. II. S. 73. befindliche Anmerkung seinem Patriotismus, als König von Preußen und als Deutscher, manchmal widerlich aufgefallen seyn muß: *On s'etonne avec raison, en considerant la hauteur et le despotisme avec lesquels la Maison d'A. avoit gouverné l'Allemagne, qu'il se trouvat des esclaves assez vils pour se sonmettre au joug qu'elle leur imposoit: et cependant le grand nombre etoit dans ces sentimens.* — Hierbey müssen wir die Leser erinnern, daß dieses Gemälde Europens im J. 1746 gezeichnet, u. wenig oder gar nicht seitdem verändert worden: daher auch, z. B. von Holland und Schweden, Schilderungen, die jetzt gar nicht mehr passen. Eben so wie S. 76 vom Kurfürsten von Cöln gesagt wird, er sey nicht reicher als der von Mainz (weil er nemlich zur selbigen Zeit noch viele andere Bißthümer zugleich hatte. —) Wir eilen zur Historie selbst.

Diese tragen wir kein Bedenken, *ein klassisches, des Alterthums würdiges, Werk* zu nennen. Zwar könnte die fast durchgängig herrschende hohe Einfalt, die Würde des Tons, die Präcision des Ausdrucks und die ganze Anlage zum Beweis dieses Lobes angeführt werden. Allein der König ist in diesem Werk den Alten in weit wichtigern und ihnen eigenthümlichern Rücksichten ähnlich: Zuerst, und vornehmlich, in dem großen *public spirit*, in dem Vaterlandsgeist, wenn wir so sagen dürfen, der uns bey jenen zu Bürgern Athens und Roms anmaubert, und wie vielmehr in Deutschen, wie besonders in Preußen, wie ganz eigenthümlich in den Herzen preußischer Krieger, bey Lesung dieses Buchs, auflodern muß. Man sieht allerdings überall den König in allen Zweigen des Wirkungskreises, worinn er lebte; wie konnte dieses anders seyn? Hingegen seine Siege, das ganze Glück seiner Waffen, zumal die Rettung von den gefährlichen Folgen mancher militärischen Fehltritte — alles dieses ist nicht des großen Friedrichs, es ist das Verdienst
des

des preußischen Heers : *Une pareille armée est capable de tirer un General d'embarras; et le Roi lui avoit plus d'une obligation en ce genre;* I, 259. *Le monde ne repose pas plus sûrement sur les épaules d'Atlas, que la Prusse sur une telle armée;* II, 215. *Le Soldat Prussien est vaillant sans être cruel; on l'a vu donner des preuves d'une grandeur d'ame qu'on ne devroit pas attendre de gens de basse condition;* II, 262. *Les Prussiens ne combattent, que pour l'honneur. Le principe de leurs succès doit s'attribuer uniquement à l'ambition des officiers, comme à l'obeïssance des soldats;* II, 315. *Toutes les parties du militaire concouroient avec une même ardeur à l'affermissement de cette discipline, qui rendit autrefois les Romains vainqueurs de toutes les nations;* I, 288. — Doch nicht aufs Heer schränkt sich diese Denkungsart ein: Alle Eroberungen, Siege und Friedensarbeiten sind nicht für den König und seinen Ruhm, sondern für das Vaterland, für den preußischen Namen, unternommen worden.

Oft sagt er dieses; und eben dieses Werk ist so ganz in diesem Geist, so unterrichtend für den Geschäftsmann und Soldaten, und so wenig schmeichelhaft für ihn selbst geschrieben, dass man wohl sieht, entweder sey wirklich das Vaterland sein Hauptaugenmerk gewesen, oder er habe gefühlt, es gebe für ihn keinen größern Ruhm, und nichts sey auch politisch wichtiger für seine Macht, als wenn er über dem Vaterlande sich ganz zu vergessen scheine.

Daher Urtheile über seine eigene Thaten, so streng, wie sie nicht leicht ein anderer über den großen Mann zu fällen gewagt haben würde. Nicht genug, dass er, wie bey Sorr, II, 259. die längst gemachten Kritiken durch freyes Geständnifs bekräftiget (wie er auch bey Mollwiz die ihm oft vorgeworfene Flucht nicht verheelt, aber erklärt: *le Roi, qui croyoit rallier la Cavallerie comme on arrête une meute de chiens, fut entraîné dans leur deroute jusqu'au centre de l'armée;* I, 162.): Er bekennt aufs nachdrücklichste von dem Feldzuge des 1744ten Jahrs: *qu'aucun General ne commit plus de fautes que n'en fit le Roi dans cette campagne, qui fut son ecole dans l'art de la guerre, et M. de Traun, son précepteur;* II, 141. 143. Bisweilen spricht er entschuldigend von seinen Fehlern, so dass jene Aeußerungen gewiss nicht in dem Gefühl geschrieben sind, er habe sonst so viel gethan, dass er keiner Vergebung bedürfe: *Le Roi manquoit encore d'experience; c'etoit proprement sa premiere campagne;* I, 151. Er erhöhet auch so wenig den Glanz der Siege, dass er vielmehr den bey Mollwiz einem glücklichem Ungefähr, I, 159. die Anlage des von Hohenfriedberg der Lift, II, 214. zuschreibt; wie er denn alles überhaupt so klar, so frey und natürlich darftellt, dass das Wunderbare verschwindet, und jeder ihn so wohl begreift, dass man bald denken möchte, man würde nicht anders, als eben so auch, gehandelt haben. Was, zum Erstaunen der meisten, viele, die ihn gekannt, oft verfichert haben, dafs er nämlich von Natur nachgiebig war, und nur durch die Reflexion auf seine Berufspflicht das Gegentheil geworden, zeigt fich auch in dieser Historie mehrmals; wie II. 108: *Le Roi marqua dans ce moment trop de foiblesse; par condescendance pour ses alliés, il defere trop a leurs sentimens.* Ueberall durch dieses Werk erkennt man einen Mann, der, wie die großen Alten in patriotischer Absicht, und nicht so wohl für schnelles Lob, als für die Unsterblichkeit seines Namens, geschrieben (wie Thucydides, κτημα εις αει μαλλον η αγωνισμα εις το παραχρημα). In der That verbirgt seine Einfalt unglaublich viele — Kunst möchten wir nicht sagen, damit niemand an mühfame Ausarbeitung denke; wohl aber — Gedankenreichthum; da oft in einem Beywort etwas wichtiges verborgen liege, und überhaupt kein Wort *vergebens da ist.*

Hieraus ist leicht abzunehmen, wie lehrreich dieses Werk für den Kriegsmann sey. Der König zeichnet aufrichtig den Gang von Erfahrungen, durch deren Benutzung er der erste Feldherr seiner Zeit geworden. (*Il apprit à Mollwiz à bien garnir les flancs;* I, 250 u. f. f. wir geben von jeder Bemerkung nur eine Probe). Er zeigt bey jeder Schlacht, worinn der Ueberwundene und gemeiniglich selbst auch der Sieger gefehlt (wie I, 165. 256.): man hat oben gesehen, dass er sich nicht geschont; eben so wenig versäumte er, an den Feinden gute Anstalten zu loben: (*Le plan de M. de Neiperg etoit sage et judicieux. Le parti de M. de Königsek etoit judicieufement pris*). Ueberhaupt ist befonders interessant, wenn er, oft mit wenigen Worten, bisweilen ausführlicher, feine und fremde Generale schildert; alles ohne eine Spur von Leidenschaft, indem er nicht leicht ohne Einschränkung lobt oder tadelt, und manchmal in der Geschichte eines einigen Tages die gute und fehlerhafte Seite eines Officiers darstellt. Er zeigt, wie höchst sträflich II, 299 der alte Fürst von Dessau handelte; und aus was für einer unerlaubten Quelle dieses Betragen herkam II, 275; hierauf lobt er nicht nur seinen Sieg II, 309, fondern entschuldiget, was ihm etwa noch zur Last gelegt werden möchte, 310. Und nicht kalt ist fein Dank, wo er ihn einen verdienten Officier gab: *Un fait aussi rare, aussi glorieux (que ce que fit M. de Geßler) merite d'être ecrit en lettres d'or dans les fustes Prussiens;* II, 212. *Cette belle action* (bey Solniz) *valut à Wedel le nom de Leonidas,* II, 141. *Le Marggrave Charles donna des marques de valeur digne du fang de son grand-pere, l'Electeur F. Guill.;* II, 196. *Cet Officier* (*Fouquet*) *donna des marques de genie et de capacité pendant tout le cours de cette guerre;* II, 267. Wie herrlich erzählt er Tauenziens

xiens That, II, 243; wie schön bemerkt er Möl-
lendorfs aufblühende Gröfse; II, 246.

Er ist nicht sparsam, aus der Erzählung Regeln
und Maximen, bald im didaktischen (II, 121), bald
im sprüchwörtlichen oder sententiösen Ton, herzuleiten. Es ist hier der Ort nicht, zu beweisen,
dass man einem Geschichtschreiber, der in einer
praktischen Absicht schreibt, von dieser und von
der Sache durchdrungen ist, und welchem Herz
im Busen schlägt, das Recht solche Reflexionen zu
machen, wohl nicht nehmen kann, (weil er sichs
nicht nehmen läfst); aber hier find sie vollends
Theil der Geschichte, weil die Manier, wie Friedrich eine Sache angesehen und benutzt, so
wichtig ist, als die Begebenheit selbst. Es ist zumal merkwürdig, von diesem gelehrten Helden zu
hören, wie viel die moralischen Dispositionen sowohl des Heers als des Landes zum Glück der Feldzüge thun. Oestreich würde weder Schlefien so
leicht, noch im J. 1741 eben so schnell den gröfsten
Theil von Böhmen verloren haben, wenn seine
Regierung sich weniger verhafst gemacht hätte.
Eben um die Seele, die er seinen Preussen so wunderbar zu geben wufste, in denselben zu verewigen; darum schrieb er dieses Buch. Wer ihm in äl-
lem ähnlich seyn wollte, und vergäfse, die Liebe
und Verehrung des Volks zu erwerben, hätte, seinem Urtheil nach, wenig gethan.

Nicht minder frey u. glücklich als die Officiers
werden die Nationen, die Könige und Minister cha-
rakterisirt. Freylich wer ihn und die meisten von
denen vergleicht, welche mit ihm an der Spitze der
Völker standen; wer bedenkt, welche bittre Feinde und kalte, ungetreue Freunde er hatte, und
mit welcher Kraft er fühlte; wird nicht eben den
panegyrischen Ton erwarten. Er ist auch um so
sparsamer angebracht, da les charactères d'imbecil-
les, revêtus de la pourpre, de charlatans, couverts
de la tiare, et de ces rois subalternes, appellés mi-
nistres dont bien peu meritent un nom dans les annales, I, 89, ihm kaum der Schilderung werth schienen. Er spricht also meist wegwerfend von denselben; hingegen verehrungsvoll von Männern, die
durch sich etwas waren. Les talens distribués par
la nature sans egard aux genealogies; I, 65.

Hin und wieder sind Anekdoten eingestreut, welche, zum Theil, nur er wissen konnte, alle aber sind
der Historie würdig, weil sie Zeiten, Menschen und
vorzüglich ihn, charakterisiren, z. B., wie Berlin erschrack, da gerade am Tage des Aufbruchs nach

Schlefien eine Glocke herunter fiel, und er wieder
Muth gab (cela signifioit l'abaissement de ce qui
etoit elevé; or, la maison d'Autriche s'etoit insinil-
ment plus que celle de Brandebourg, I, 135); das Bil-
let, welches Valori aus der Weste fiel, wodurch
Frankreich genöthiget wurde, auch Glatz zu garan-
tiren; Bellisles Unmuth, als er nicht wufste, wem
er Mähren geben wollte; der König, wie er Au-
guften von Sachsen die Landkarte zeigt; der
übel belohnte Patriotismus der Chateauroux;
wie der König zu Dresden die Oper Arminius
aufführen liefs, und hundert solche Züge. Ueberhaupt ist der politische Theil dieser Geschichte zwar wenig tröstlich (les souverains jouent des
provinces et les hommes sont les jettons qui payent
II, 214), aber desto unterrichtender. Man lernt, wie
übel ein Staat, oder ein Mensch berathen ist, welcher
seine Stärke in der Treue anderer, und nicht in seinem eigenen innern Gehalte setzt. Man sieht den
König von seinen Bundsgenossen oft hintergangen.
u. (in diesem Kriege) nie wesentlich unterstützt; alles ersetzt seine ununterbrochene und allezeit systematische Thätigkeit: In den Waffen, in den Intriguen, in den Vaterforgen für Preussen, ist er immer
derselbe; und wenn er auf wohlbedachte Gründe
seinen Plan angelegt, so war (II, 221, 244, 283) weder der, auch noch so fichere u. glänzende, Anschein
eines Vortheils, noch eine Reihe von Schwierigkeiten fähig, ihn davon abzubringen. Wenn man mit
dieser Beharrlichkeit seinen, in der Historie überall
hervorleuchtenden, richtigen Blick verbindet, und
bemerkt, wie er eben so wenig in Beurtheilung anderer, als in Bestimmung feiner eigenen Plane je dem
Flug einer warmen Einbildungskraft folgte; so wird
man, bey allem Schimmer seines Witzes, doch überzeugt werden, dass Verstand und Willenskraft eigentlich die Grundzüge feines Charakters gewesen.

Was bey andern feinen Werken hin und wieder
unten vorkommen wird, mag beweisen, dass nicht
Bewunderung uns bey diesem geblendet. Nur das
ist nöthig, hier noch den allezeit rüstigen Nachah-
mern zu sagen, (car, notre public est un peu mou-
ton), dass, wenn einer aufstünde, der in eine Historie so viele Epigrammen herein bringen wollte, als hier in der vorangehenden Schilderung
find, solche ganz vorzüglich seyn müssten, oder
des Königs Beyspiel würde ihn nicht schützen:
non cuivis licet adire Corinthum.

Die Fortsetzung folgt im nächsten Stück.

ALLGEMEINE
LITERATUR - ZEITUNG

Sonntags, den 15ten Februar 1789.

Berlin: *Oeuvres posthumes de Fréderic II, Roi de Prusse*, etc. etc.

Fortsetzung der in No. 48 abgebrochnen Recension.

Es werden sich vielleicht viele wundern, daſs wir von des Königs politischer Moral geschwiegen, die freylich (Patriotismus und Königspflicht abgerechnet) in manchen Factis nicht eben so stark glänzt. Die Rechte an Schlesien mochten klar und zweydeutig seyn; man sieht genug, daſs nicht sie vorzüglich die Unternehmung bestimmt. Und in der Vorrede ist über die Haltung der Tractate ein Glaubensbekenntniſs, welches die nicht eben ängstlichen Gewissen der Mächtigen dadurch noch erleichtert, daſs ihre Politik hier öffentliche Stimme bekömmt, und ohne weiters behauptet wird. — Allein, wir halten dafür, daſs nicht leicht einer solchen Dingen beypflichten wird, welcher nicht selbst oder in Compagnie von 200,000 Mann disponiren kann. Die, welche dieses können, hören uns nicht, und haben *immer* so gehandelt; die Schwächern sollen der Freymüthigkeit Friedrichs für die Warnung danken. Was brauchen sie weitere Zeugniſs? Haben sie es doch vom Verfasser des Antimachiavell selbst gehört: Tractaten seyn gut, aber *man muſse wissen sie zu behaupten.*

An der Ausgabe dieses, wie überhaupt des historischen Theils der Werke des Königs ist zu tadeln, daſs hin und wieder einiges unterdrückt worden, das man, zum Theil wenigstens, wohl hätte abdrucken dürfen. Auch ist, z. B. etwas schwach, daſs (eine Stelle ausgenommen) immer drey Sternchen stehen, wo jedermann sieht, daſs der König den Grafen von Brühl genannt hatte. Das Papier ist gut, aber die blasse Farbe des Drucks ermüdet.

Wir unterdrücken ungern sehr viele Bemerkungen über dieses Werk: aber die kommenden Geschlechter werden es analysiren und mannichfaltig bearbeiten; sie werden es so oft als den Cäsar und Polybius anführen.

A. L. Z. Erster Band, 1789.

II. *Histoire de la guerre de sept ans;* vollendet den 17ten Dec. 1763. II Bände. 8. 358 und 428 S.

Ueberhaupt wird unter den Werken des Königs wohl keines begieriger vom gröſsten Theil des Publikums erwartet worden seyn, und keines die Erwartung mehr trügen, als diese Geschichte des gröſsten Krieges, welcher seit Hannibal und Scipio geführt worden ist.

Nach der anfänglichen Bearbeitung sollte dieses Werk dem eben recensirten an klassischem Werth und Interesse gleich gekommen seyn. Man begreift aber leicht, wie, als das Manuscript von einem Hunde des Königs vom Schreibtische ins Kamin geworfen und groſstentheils verbrannt worden, dem groſsen Verfasser zur zweyten, eben so sorgfältigen Ausarbeitung die Lust entfallen seyn mag. Er stellte eine Geschichte seines Krieges wohl her, aber mit eilender Feder, meist aus dem Gedächtniſs oder nach trocknen Tagebüchern.

Er hatte den gedoppelten Zweck, zu zeigen, 1) daſs er an dem siebenjährigen Menschenwürgen unschuldig, daſs es das Werk seiner Feinde, seinerseits aber bloſse Selbstvertheidigung war; und 2) aus unendlich mannichfaltigen Stellungen und Lagern ein System für den Krieg *dieser Lande* zu deduciren. Ohne ein zu groſses Detail, wo nach Erwägung vieler hier nicht berührter Umstände und Aeuserungen der Mächte und Minister beurtheilt werden muſste, was wohl endlich hätte geschehen, oder unterbleiben können, läſst sich hier nicht sagen, in wie fern der König jene erste Absicht erreicht habe. Auch lieſsen sich Einwendungen gegen seine Darstellung verschiedener wichtigen Thatsachen anführen. Aber das wichtige bleibt immer, daſs die Nachwelt nun den Gesichtspunkt hat, aus welchem Er seine damalige Lage betrachtet wissen wollte. Es ist, wie beym Lesen Cäsars, zumal *de bello civili*. In Ansehung der andern, militärischen Rücksicht, ist wohl mehrern schon erinnert worden, daſs er, auch wie Cäsar, was er selbst gethan, gemeiniglich mit genauer *Treue*, hin und wieder mit eben so charakteristischer *Kunst* erzählt, hingegen unvollständiger und nachläſsiger, was er durch

C ç e   Hören

Hörenfagen oder die Relationen anderer vernommen. Wir wiffen, dafs er fich bemühete, die beften Berichte einzuziehen; es ift aber ganz möglich, dafs nachdem die meifterhafte Benutzung derfelben, obgedachter Weife den Flammen zum Raub geworden, er, aus mancherley Urfachen, eben diefelben aufs neue einzuziehen, unterlaffen, und nur dem Gedächtnifs und magern Excerpten gefolgt. Ueberhaupt aber mufs weder diefes, noch das vorige Werk nach den gewöhnlichen Regeln, wie eine andere Hiftorie beurtheilt werden; zur eigentlichen Gefchichte haben, und erwarten wir andere, in ihrer Art beffere Quellen; hier fpricht aber Friedrich, und jedes Wort ift wichtig, weil es von ihm; wenn er aus einem auch nicht genau erzählten Factum eine Regel zieht, fo verdient fie darum nicht geringere Achtung; man fieht immer, dafs der Sieger folcher Kriege diefe Lehre für wahr hielt.

Taufende werden diefes Buch mit geringem Nutzen lefen; aber äufserft lehrreich werden die es finden, welche die Anftrengung der Aufmerkfamkeit nicht fcheuen, womit man, um Cäfarn zu benutzen, auf jedes Wort achten mufs; bisweilen liegt in einem Beywörtchen viel. Unfere gewöhnlichen Schriftfteller (hievon viele der beruhmteften nicht ausgenommen) haben unfer Publicum von der Kunft zu lefen ganz entwöhnt; wie wenige wiffen ein Buch zu ftudiren! welches doch bey Originalwerken, wo ein grofser Mann aus der Fülle feines Geiftes fchreibt, oder wo Gelehrfamkeit und Genie in viel fagende Worte lauter Gedanken zufammen drängen, durchaus nothwendig, und eigentlich das allein nützliche Lefen ift.

Wer fich zum Feldherrn bilden will, würde wohl thun mit diefem Buch Schlefien, Böhmen und Sachfen zu durchreifen, wie Rec. einft einen englifchen General, dem Cäfar durch ganz Gallien folgend, angetroffen hat.

Diefe Gefchichte des fiebenjährigen Kriegs warnt eben fo viel, als fie lehrt. Sie zeigt, wozu den König feine aufserordentliche Lage oft nöthigte, fie fpricht entfchuldigend von vielem, das er wagen mufste, auch wenn die Verletzung der fonft fichern Regeln ihm Siege verfchaffte. An der Wichtigkeit folcher Fingerzeige wird nur der zweifeln, welcher nicht bedenkt, mit welcher Gefahr für das Vaterland manche Officiers hätten verfucht werden können, zur Unzeit einem fo glänzenden Beyfpiel zu folgen.

Die Lagen find es meifterhaft (III, 156) bisweilen auch nachläffiger befchrieben; da verfchiedenes fehlt, oder (wie IV, 124.) erft am Ende der Befchreibung nachgeholt wird. Vortreflich die Schlachten. Zum Beyfpiel: wie meifterhaft die bey Kollin! III, 160 - 176. - (Solche grofse Augenblicke waren ihm lebendig in der Seele geblieben, daher der Darftellung nichts abgeht, obwohl er das zweytemal nicht mehr fo

con amore fchrieb). Rofsbach, ibid. 212-221, ohne Hohn, fo aber, dafs man die Urfachen und entfcheidenden Bewegungen mit äufserftem Intereffe, faft ohne Bewunderung (fo natürlich fcheint alles), aber mit der lehrreichften Genugthuung lieft; Leuthen 285-246; nirgend überhaupt findet man die Grundfätze der fchiefen Ordnung zu einer vollftändigen Theorie fo gut aus einander gefetzt, wie in diefen Büchern des Königs; der fürchterliche Tag bey Torgau, der über 33000 Menfchen Freyheit oder das Leben gekoftet, IV. 170-172. Wir führen wenige an, aber die Schlachten find alle ungemein gut erzählt. Nicht weniger die allgemeinen Pläne (III. 139, 255. IV, 59, etc.) und die aus der Erfchöpfung, felbft durch Siege, unausbleiblich folgende Abnahme des innern Werths der Truppen: wie fie fchon 1760 ein Gemengfel fächfifcher Bauern und öftreichifcher Deferteurs geworden, und wo 52 Officiers ftehen follten kaum noch 12 waren; wie vor der Schlacht bey Liegnitz der König neunzigtaufenden kaum ein Dritttheil entgegen zu fetzen hatte; und er doch hielt, bald fiegte, bald unerfchrocken ftand, und nach Niederlagen mit unbezwungenem Heldenfinn trotzte. Il ne lui reftoit que deux alliés, la valeur et la perfeverance, par le fecours desquels il pût fortir honorablement de cette funefte guerre; IV. 79. 273.

Der König fpricht, wie im erften Werk mit unrückfichtlicher Freymüthigkeit. Er tadelt (zur Warnung und Lehre), doch fich felbft fo gut als andere. Ja er unterfcheidet fehr billig, was Uebermacht oder unvorzufehende Zufälle gethan, fpricht ohne Bitterkeit felbft von Uebereilungsfehlern, wenn Muth fie begangen, und verurtheilt (ohne Declamation, in einer halben Zeile) nur die, welchen Kopf und Herz zugleich gebrach. Er verheelt nicht leicht, welchen oft entfcheidenden Antheil am Sieg feinem Seidlitz, oder Wedel, oder Ziethen zuzufchreiben gebuhrte. Man fieht nun deutlich, wegen welcher Dienfte er diefen und jenen grauen General bis an feinen Tod, mit Freundfchaft (Gnade wäre nicht das fchickliche Wort) bis zur Zärtlichkeit überhäufte. Auch erhellet von Daun feine wahre Meynung, da er hier nicht, wie in jenen Briefen an Fouquet fcherzweife fchreibt. Man fieht Laudon fich bilden. Es würde leicht feyn, diefes alles durch Citate zu documentiren, und mit Mühe enthalten wir uns vieler Anmerkungen, um fortzueilen. Eine Recenfion kann unmöglich, wir wollen nicht fagen erfchöpfen, was über diefe Bücher zu fagen ift; wir können die Titel der Betrachtungen, wozu fie veranlaffen, nicht alle anzeigen.

Das Intereffe fteigt gegen das Ende, wo die Lage des Königs Tag für Tag unhaltbarer wird, er zwar feft fteht, aber nach und nach von allen Mitteln entblöfst wird, England, oder vielmehr Bute, ihn fchändlich verläfst (ja verräth; IV. 290

f.), Colberg und Schweidnitz übergehen, die Hofnungen Theresens nicht ohne guten Grund aufs höchste gespannt find; und plötzlich *Deus ex Maschina* rettet; Friedrich einen Augenblick mit unerwarteter Kraft neu bewafnet entscheidendere Siege droht; gleich schnell wieder fich felbst überlaffen, in der Ungewifsheit künftigen Schickfals derfelbe bleibt, und endlich den Frieden ertheilt.

Diefes alles erzählt er mit eben dem Gleichmuth, mit der felfenfesten Geiftesunerfchütterhchkeit, welche er bey den Begebenheiten felbst gezeigt. Es ist endlich, als wenn er an den menfchmöglichen Reffourcen der Klugheit und Kriegskunft ermüdet, wirklich aufgegeben, und fie fich überzeugt gehalten hätte, dafs nur *un jeu du hazard, un je ne fai quoi* (nach feiner Denkungsart) alles wendet und führt, uns aber blofs der Ruhm des Ausharrens bleibt. *Quelqu'etendu que foit l'esprit humain, il ne fauroit penetrer les fines combinaifons, qu'il faudroit prevoir pour arranger les evenemens qui dependent des futurs contingens;* IV, 413. *Tels font les jeux du Hazard, qui fe riant de la vaine prudence des Mortels, relevent les efperances des uns pour l'enverfer celles des autres,* IV. 308. 410. etc.

Zuletzt macht er einige allgemeine Bemerkungen; fchätzt hieraus den erlittenen Verluft aller kriegführenden Mächte (überhaupt find 8,53000 Mann auf die Todtenlifte gekommen; von feinem Heer 180.080; Oeftreicher 140,000; Ruffen 120,000; Reichsvölker 28000; Schweden 25000; Franzofen 200.000; Engländer und Allirte 160,000), thut Meldung der allgemeinen Erfchöpfung und befonders der Verwüftung feiner eigenen Staaten, und fchliefst wie mit einem tief aus der Heldenbruft geholten Seufzer:

„*Veuille le Ciel (SLla Providence abaiffe fes regards fur les miferes humaines) que le deffin de cet Etat mette les Souverains, qui le gouverneront a l'abri des calamitèr, qu'il a fouffert dans ces tems de fubverfion et de troubles, pour qu'ils ne foyent jamais forcès de recourir aux remedes violents et funeftes dont on a été obligé de fe.fervir contre la haine ambitieufe des fouverains de l'Europe, qui vouloient anéantir la Maifon de Brandebourg, et exterminer à jamais tout ce, qui portoit le nom Pruffien.*"

III. Memoires depuis la paix de Hubertsbourg en 1763 jufqu'à la fin du partage de la Pologne en 1775.

Diefe Schrift, welche wegen ihres höchft merkwürdigen Inhalts von vielen zu rft und am befierigften gelefen worden, enthält eine Darftellung der politischen Vorfälle des angegebenen Zeit-

ramms von S. 13 bis 129; hierauf deffen, was der König zu Reftauration und Verftärkung feiner innern Macht, im Finanzwefen und beym Heer, gethan, von S. 129 bis 185; endlich die Fortfetzung der politifchen Gefchichte bis auf die Erlöfchung der bayrifchen Linie des Haufes Wittelsbach, von S. 186 bis 218. So, dafs diefe *Memoires* bis auf den 31 Dec. 1777 gehen.

So wichtig und intereffant ist, was der König von feiner innern Regierung erzählt, wo der Held als ein wahrer Vater des Vaterlandes erfcheint, und uns den Gefichtspunkt auch verfchiedener nicht gebilligter Einrichtungen auf eine wenigftens unterrichtende Weife angiebt; fo hat gleichwohl diefer Theil der Memoires nicht die vorzüglichfte Aufmerkfamkeit erregt. Wohl auch hauptfächlich deswegen, weil der Minifter, Graf von Hertzberg, über diefe Gegenftände durch feine akademifchen Vorlefungen das Publicum gröfstentheils fchon befriediget hatte.

Hingegen die Gefchichte der Theilung Polens ift in ihrer Art einzig; weil fie auf eine fo authentifche Weife mit einer fo beyfpiellofen Aufrichtigkeit gefchrieben ift. Es war Friedrichs würdig, nichts zu verheclen; er zeigt fich, wie er war, um die Urtheile unbekümmert. Er konnte es auch um fo eher thun, da er in der Vorrede der IIift. de mon Tems über die Traktaten fein, freylich nicht aufs ftrenge Recht, gewifs aber aufs leidige Herkommen gegründetes politifches Glaubensbokenntnifs abgelegt hatte, und im 2ten und 3ten Kapitel diefer *Memoires* wohl zeigt, welches die wahren, die fichern Stützen der Staaten find, für welche zu forgen weifer ift, als durch die Illufionen fpeculativer Sätze fich in den Schlummer der Sicherheit wiegen laffen.

Der König fängt an mit Verficherung einer getreuen Hiftorio: *Je n'ai jamais trompe perfonne durant ma vie; encore moins tromperai-je la pofterité.* Hierauf erzählt er, wie fofort nach dem fiebenjährigen Krieg, nach dem Tod Augufts Rufsland fich an ihn gewandt; um einen König von Polen zu machen; wie durch diefe beiden Mächte Stanislaus erhoben worden, ein Geheimnifs *connu de l'Imperatrice de Ruffie et dont la perfonne lui etoit agreable;* wie hierauf Rufsland und Preuffen, Polen mit einander zu beherrfchen, und bey feiner, ihnen, als ihm vortheilhaftern Verfaffung, dem Veto, der Schwäche des Heers, und der Partheyenentzweyung zu erhalten fuchen; wie die Confoderirten (fcheinbar mit Recht, obwohl aus Noth, mit Walten der Schwärmerey fich unterfetzt, und Frankreich (allerdings bey der Sache höchft intereffirt), weil es mit eigener Macht nicht helfen konnte, die Türken erregt. Man fieht, nach diefem, durch den anfangs zu rafchen Fortgang des ruffifchen Glücks Wien und Berlin ge-

genähert; Negociationen; den Kaiser zu Neiffe und Neuftadt, und Heinrich zu Petersburg. Endlich, die Theilung; folgendermafsen:

Oeftreich (es ift nicht eben klar warum? noch, warum eben jetzt?) bemächtiget fich des Ländchens Zips. Hierüber läfst fich Katharina vernehmen, *que fi la Cour de Vienne vouloit démembrer la Pologne, les autres voifins etoient en droit d'en faire autant.* Nun läfst Preuffen eine Erklärung begehren, *fi ces paroles de l'impératrice avoient quelque folidité?* Die Theilung wird befchloffen, zwifchen ihnen beiden. Der König, „um dem Haufe Oeftreich *feine Fraund-„fchaft zu beweifen,* räth ihm, *de f'etendre dans „cette partie de la Pologne felon fa bien-„féance,* defto ungefcheuter, da es andere auch thun werden. Fürft Kaunitz, der ein ganz anderes Project hatte, und Frankreichs Freundfchaft einzubüfsen beforgte, will nicht, ja er bietet an, Zips zurückzugeben. Der König läfst fich nicht *décourager par ces bagatelles,* und weil felbft Rufsland noch zauderte, befchleuniget er deffen Entfchliefsung. Nur Danzig will die Kaiferin ihm nicht laffen; doch *comme il etoit evident que le pof-„feffeur de la Viftule et du port affujettiroit cette ville avec le tems, on jugea qu'il ne faloit pas arrêter la negociation pour un avantage, qui n'e-toit proprement que différé.* Die Ruffen überfpannten die Foderungen zu leiftender Bundeshulfe; der König verfpricht *tous les fecours,* im Augenblick da er ficher war, *qu'il ne pouvoit plus en etre queftion.* Dem Wienerhof drohet er, bis zuletzt Kaunitz, um Frieden zu haben, einwilliget. Nun aber fodert Oeftreich zu viel. Gleichwohl giebt Friedrich nach; die Augenblicke waren zu koftbar, um genau zu meffen. Der Tractat wird gefchloffen. *Nous ne voulons pas detailler ici les droits.* Die Polen *firent les revêches; ce font des têtes fans dialeflique.* Aber fie müffen gehorchen. Die drey Höfe find übrigens nicht weniger als auf dem Fufs des Vertrauens und guter Freundfchaft; aber Erfchöpfung, Furcht und Klugheit hindern einen Bruch. Und hier endiget Friedrich, mit der Reflexion, *Il eft des hochets pour tout âge; l'amour pour les adolefcens, l'ambition pour l'âge mûr, les calculs de la politique pour les vieillards,*

Diefe Memoires bleiben immer eine Wohlthat für die Menfchheit, gleich fo wie ein gewiffes,

ehemals von Friedrich widerlegtes Buch, wo die Eroberer eben auch dargeftellt werden, *wie fie find.*

IV. Memoires de la guerre de 1778. Womit verbunden *Correfpondence de l'Empereur et de Imperatrice Reine avec le Roi au fujet de la fuc-ceffion de la Baviere;* und *pièces authentiqus de la negociation de Braunau.*

Was der König in letzten Kapitel der Memoires n. III. von den Vergröfserungsplanen des kaiferlichen Hofs erzählt, verbindet nun diefes mit jenem Werk. Er ftellt mit Einfalt ohne alle Kunft der Rede dar, wie der unerwartete Tod Maximilian Jofephs und Oeftreichs Unternehmung alle Cabineter bewegt, er aber den Federkrieg zu verlängern gefucht bis er fowohl Frankreichs als der Rufsen Gefinnung erforfcht. Nachmals unterrichtet er von feinem Plan, und von den Umftänden, welche ihn fowohl zur Veränderung deffelben als anderer militärifchen Mafsregeln genöthiget; Umftände, welche theils im 7 jährigen Krieg nicht waren, theils von der Natur diefes nie mit ganz determinirten Eifer, noch weniger mit (unnöthiger) Kühnheit und Darftellung an ihm (in gefchwächten Alter) gefuhrten Kriegs herkamen. Die Stellung der Feinde fand er zu einem Defenfivplan fehr gut; fonft ift er eher fparfam im Lob ihrer Manier, und einmal, wo er der Begebenheit von Neuftadt erwähnt (281), fpricht er davon mit Empfindlichkeit. *La pofterité pourra-t-elle croire* etc. Die Erzählung der militärifchen Bewegungen untermengt er mit Nachrichten von den kaum je unterbrochenen Friedenshandlungen. Die angehängten Actenftücke documentiren diefelben. Andere blofs erwähnt; z. B. 249. der Brief des Kaifers an Maria Therefia. „Wenn fie Frieden mache, fo komme „er nie wieder zu ihr; wolle lieber zu Achen oder „in einer andern Reichsftadt fein Leben zubrin„gen." Endlich folgt der Tefchener Frieden, vorzüglich bewirkt durch die Beylegung der zwifchen den Türken und Rufsen obfchwebenden Streitigkeiten. Verfchiedene Officiers erhalten auch in diefem Buch das erftrittene Lob; am itzre-gierenden König wird feine Wachfamkeit, feine Thätigkeit und Gefchicklichkeit guter Difpofitionen gerühmt; überhaupt geurtheilt *que les Pruf-fiens avoient l'avantage toutes les fois qu'ils pou-voient combattre en regle, et que les Imperaux remportoient pour les rufes, les furprifes et les ftratagèmes.*

(*Die Fortfetzung folgt.*)

ALLGEMEINE
LITERATUR - ZEITUNG

Sonntags, den 15ten Februar 1789.

BERLIN: *Oeuvres posthumes de Frederic II.
Roi de Prusse*, etc. etc.

Fortsetzung der in Nr. 49. abgebrochenen Recension.

V. **Lettres du Roi de Prusse et du General Fouqué.** Voran, *Vie de ce General*, von
einem Ungenannten.

Diesen Theil der königlichen Correspondenz
recensiren wir darum besonders, weil Kriegsge-
schichte so ganz ausschliessend sein Inhalt ist. Das
voranstehende Leben ist von einem Verehrer des
Generals, aber, so viel aus den Actenstücken selbst
erhellet, ohne Schmeicheley noch übertriebenes
Lob geschrieben. Die Briefe fangen vom 23 Sept.
1758. an. Die allermeisten bis auf seine Gefangennehmung (S. 213.) sind bekanntlich schon im
J. 1772 erschienen; aber sie erhalten durch das
vorhergehende und nachfolgende nun ganz neuen
Werth. Der erste enthält als Beylage des Königs *reflexions sur les changemens à faire dans
la façon de faire la guerre*, die wir immer als
eine seiner allervorzüglichsten Schriften betrachtet
haben, und worinn auf 16 Seiten mehr liegt,
als in manchem berühmten und weitläuftigen
Werk über die Kriegskunst. Man sieht hier den
ganzen scharfen Blick und Verstand, auch die
ganze Seele des Königs, aus deren Fülle sich diese
Schrift gleichsam ergiesst, von jenem Anfang an
*Qu'importe de vivre, si on ne fait que végéter!
qu'importe de voir si on ne fait que d'entasser des
evenemens dans la memoire!* etc. Auch sieht man
aus diesen Gedanken, wie es kam, dass im J. 1778
der König nicht rascher zu Werk gieng; er würde
auch in jenem grossen Krieg viel weniger aufs
Spiel gesetzt haben, wenn die Menge der Feinde
ihn nicht gezwungen hätte, wider die Regeln zu
handeln. Jeder Krieg hat seine eigene Manier.

Gleichwie überhaupt ein Auszug dieser Schriften, welche die Welt in allen Jahrhunderten lesen
wird, unnütz wäre, Betrachtungen aber zu weit
führen würden, so ist auch nicht möglich von den
übrigen Briefen anders, als im allgemeinen zu
reden. Sie sind aus der Zeit, wo der König am
unglücklichsten war. Sie zeigen aber nichts we-

A. L. Z. 1789. Erster Band.

niger als Niedergeschlagenheit, sondern eine mit
höchster Geistesgegenwart auf jedes Detail gehende Wachsamkeit; eine Seele voll Feuer; eine
gegen Männer von ächtem Verdienst unwandelbare
Freundschaft, welche die vermeynte Rangsdigni-
tät ganz vergisst, und nur den Mann sieht. Keine Geschichte macht uns den König so gegenwärtig wie diese Briefe, wo man die tägliche Arbeit
seines mit halb Europa ringenden Geistes sieht.
Sie sind auch vortreliche Muster des militärischen
Briefstils, wie die *ad Atticum* von Cicero grösstentheils vom politischen Geschäftsstil gegen Freunde. Die Briefe des Generals sind vollkommen
im Ton und Geist der Königlichen; man sieht
ganz wohl, dass er ein Mann für Friedrich war;
so ganz lebte er in seiner Pflicht. (welches gerade unter den Menschen das Seltenste ist.) Dem
Theil des Publicums, der diese Correspondenz
gleichwohl minutiös und uninteressant finden möchte, wären wir geneigt, noch die Erinnerung zu geben, dass man sich im Krieg nicht alle Tage
schlägt, und eben auch dieses die vorliegende
Sammlung schätzbar macht, weil sie dem jungen
Militär und andern Ununterrichteten einen Begrif
giebt, von den eben so wichtigen Details, welche
in Geschichtbücher nicht kommen können.

Sowohl die Lücken im Briefwechsel, als die
Geschichte des Unfalls bey Landshut sind vom
Herausgeber meist (wo nicht überall) aus Origi-
nalrapports ergänzt; und recht sehr gut.

Als der König erfuhr, was bey Landshut geschehen, sagte er den Generalen: *Fouqué est
prisonnier, mais il s'est defendu en heros;* S. 223.
Die nach dem Frieden geschriebenen Briefe, des
Königs mehr als zehen Jahre gegen den u brauchbar gewordenen Krieger, der bald nicht mehr
gehen, und endlich kein Wort mehr deutlich vor-
bringen konnte, fortgesetzten Beweise der zärt-
lichsten Sorgfalt und vertrautesten Liebe, sind
allem, was von Trajan oder Heinrich IV bekannt
ist, *wenigstens* gleich. Uns scheint dieser Theil
der Correspondenz eines der nothwendigsten Stücke zur Beurtheilung seines Gemüthes. Was er
den Gelehrten schrieb, und etwa gab, ist immer
dem Verdacht ausgesetzt, er habe (zwar durch
die löblichsten Mittel) der Nachwelt auch von

D d d   dieser

dieſer Seite in vortheilhaftem Lichte erſcheinen
wollen. Aber welche Celebrität konnte Friedrich
von einem langſam dahinſterbenden Feldherrn
hoffen, der nie Schriftſteller war, und in einer
Landſtadt ohne Akademie. ſein ſchwaches Alter
einſam, und mit aller Gottesfurcht eines wahren
Chriſten, von der Welt unbemerkt verlebte! Woraus wohl abzunehmen, daſs der König ſein Herz
gern mitgetheilt, aber durch die Erfahrung ſeiner langen Regierung immer überzeugter geworden, daſs äuſserſt wenige es verdienten.

Nach dieſen äuſserſt rührenden Briefen und
der Beſchreibung von *Fouqués* letzten Tagen folgen einige Actenſtücke des von Friedrich noch
zu Rheinsberg geſtifteten *Ordens der Ritter Ba-
yards*.

Dieſes Buch erregt ganz andere Empfindungen als die Geſchichten der Thaten des Königs;
aber letztere geben der hier gezeigten Güte ihren
Werth. Die höchſte Güte iſt bey der höchſten
Weisheit und Kraft.

VI. *Conſiderations ſur l'etat preſent du Corps
politique de l'Europe*. Geſchrieben 1736. Ein
Werk der Jugend; aber man erkennt den jungen Herkules. Dieſe Schrift iſt eine intereſſante
Darſtellung, wie derjenige ſich im Stillen gebildet, welcher nachmals den Ton unter den Mächten angab, und mehr als je ein König auf die
Menſchheit würkte. Das Geheimniſs beſtand in ſeinem genauen Studium der alten Geſchichte und in
einer ſcharfſinnigen Anwendung derſelben auf die
neueſten Begebenheiten. Die Alten verdienen, zumal wegen des, ſie charakteriſirenden, praktiſchen
Verſtandes mehr als irgend eine Klaſſe der Neuern
die Grundlage der Erziehung eines Mannes zu ſeyn;
da ſie unſere Vorurtheile nicht haben, ſo gewähren
ſie gleichen Vortheil wie Reiſen unter fremde Nationen, und (welches die Schätzbarſte) ſie ſind voll
Vaterlandsgeiſt. Der junge Friedrich, ihr Schüler, ſah in Frankreichs Politik jene macedoniſche,
und hielt ſie für weit gefährlicher als Oeſtreichs
Plan der Unterwerfung Deutſchlands, weil der
Stolz des Wiener Hofs und ſeine Uebereilungen
allemal zu rechter Zeit wider ſein Syſtem waffne.
Seine eigene Denkungsart giebt er nur im Allgemeinen zu erkennen: doch ſcheint, er hätte
damals gewünſcht, einſt als deutſcher Patriot ein
Gleichgewicht zwiſchen dieſen beiden furchtbaren
Mächten zu behaupten; das aber ſieht man klar,
daſs er ſich mit dem hohen Ideal der Königs-
pflichten ganz erfüllt hatte. Man findet auch eine
unerwartete diplomatiſche Kenntniſs der Reichsgeſetze und Friedensſchlüſſe in dieſer Schrift,
richtige und groſse Ausſichten und Grundſätze, und
eine tiefe Verachtung ſäumſeliger Fürſten.

VII. *Reflexions ſur le charactere et les talents
militaires de Charles. XII.* (Geſchrieben im J.
1760.).

Schon vor einiger Zeit war dieſe Schrift erſchienen; ihren Werth haben wenige gefühlt,
weil ſie die Excerptenſammlungen der Gelehrten
mit keinen neuen Factis bereichert. Sie verdient
aber alle Aufmerkſamkeit, als eine Probe, wie
der Geiſt Friedrichs die in der Hiſtorie hervorleuchtenden Charaktere groſser Männer bearbeitete, und wie er zur Bildung des Seinigen ſie
benutzte. Selbſt Erfahrungsſatze, die ſonſt nicht
neu ſind, bekommen in den Schriften eines groſsen Mannes gleichſam durch ſeine Unterzeichnung neue Autorität; indeſſen man darüber ſchnell
wegſehen darf, wo ſie einem armen Schriftſteller
nur den Bogen füllen müſſen.

Uns beſtätigt dieſe Abhandlung das Urtheil
Montesquieu's: *Charles n'etoit point Alexandre,
mai il eut été le meilleur Soldat d'Alexandre*. Der
König zeigt, wie viel ſein Verſtand vermochte
in jenem erſten Feldzug. da er ihn hörte; wie
aber die Leidenſchaften ſeiner feurigen Seele ihn
gegen die natürlichſten Regeln mehr und mehr
taub machten; wie er, der über alle Deſpoten
deſpotiſiren wollte, ſelbſt über die Natur ſich.
deſſen vermaſs, indem er bloſs nach der Kraft ſeines Willens ohne einige Rückſicht auf die unuber-
ſteiglichſten Hinderniſſe und unentbehrlichſten
Hülfsmittel zu Werk gieng; und, da er im Anfang
ein Scipio und ein Cäſar ſchien, am Ende weit
unter Turenne und unter Alexander dem Groſsen
war.

Es iſt mehr in dieſen zwey Bogen als in Voltaire's ganzem Buch, deſſen Reflexionen auch
zurecht gewieſen werden. Die Maximen und Bemerkungen ſind keines Anzugs fähig, aber würdig, daſs groſse Officiers dieſelben ſtudiren.

Staatswiſſenſchaft.

VIII. *Eſſai ſur les formes de gouvernement
et ſur les devoirs des ſouverains*; geſchrieben 1781.
Ein goldenes Buch, wenn je eines, von Menſchen
geſchrieben, verdient, ſo zu heiſsen.

Nach mehr als vierzig Jahren der thätigſten
Verwaltung, und einem halben Jahrhundert Betrachtung des Gangs der jetzigen und ehemaligen
Staaten, zeichnet hier der König die Pflichten des
Monarchen. Inſofern dieſe erfüllt werden, giebt
er, wie unter dieſer Vorausſetzung jeder thun
wird, vor andern Formen allerdings der Monarchie
den Vorzug. *Le gouvernement eſt le pire ou le
meilleur de tous ſelon qu'il eſt adminiſtré*; 63. Erzeigt *la ſeule maniere, qui peut rendre bon et avan-
tageux le gouvernement monarchique*; 86. In dieſer Billigkeit iſt ſein vielumfaſſender Geiſt ſichtbar, der dieſe Verfaſſung nicht ausſchlieſſend nach
dem ſchätzte, was ſie durch ihn und eine bey-
ſpielloſe Reihe groſser Vorfahren für ſeine Preuſ-

ſen.

fen geworden; fo wenig er die republikanifche nach der Verderbnifs und Schwäche beurtheilte, welche in diefem Augenblick der Charakter bey weitem der meiften Republiken ift. Wenn er fich tiefer eingelaffen hätte, fo ift wohl kein Zweifel, der grofse Mann würde entfchieden haben, dafs nach den Ländern, Völkern, Sitten und Zeiten auch die Formen verfchieden feyn müffen; dafs es aber in der Hauptfache auf den fie befeelenden Geift ankömmt, und nach dem Maafse, fowohl der Freyheit als der Sicherheit, eine Verfaffung glücklich oder das Gegentheil ift.

Es ift auf diefe wenige Bogen ein unglaublicher Reichthum von Gedanken zufammengedrängt. Gleichwie der Marfchall von Sachfen das Werk Onofanders bey fich zu tragen, und fein Brevier zu nennen pflegte; fo follte diefe Abhandlung das tägliche Manual der Könige und Fürften feyn. Von allem fagt er etwas, immer das wefentlichfte, und fichtbar das Refultat eigner Erfahrung. Wie viel ift in diefen Worten vom Krieg; *Aujourd'hui l'habileté du General confifte à faire fes troupes approcher de l'ennemi fans qu'elles foient detruites avant de commencer à l'attaquer. Pour fe procurer cet Avantage il faut qu'il faffe taire le feu de l'ennemi par la fuperiorité de celui, qu'il lui appofe;* u. f. f.; in dem, was er S. 76 ff. von der Diftribution der Auflagen (*dafs fie ja nicht auf Lebensbedürfniffe gelegt werden*) fo weislich und fo väterlich erinnert; wie er S. 78 wider die Leibeigenfchaft alles das ftärkfte fagt, ohne zu vergeffen, wie ungerecht und wie unweife feyn würde, fie auf einmal abzufchaffen; wie unwiderfprechlich er S. 80 die fo viel bearbeitete Frage der politifchen Oekonomie über die Freyheit oder Einfchränkung der Kornausfuhr in wenigen Zeilen entfcheidet; wie wohl er S. 81 ff. darthut, dafs der Fürft gar kein Recht hat über die Denkungsart feiner Bürger, hingegen aber 84 ff. für die Sitten forgen müffe. Die ganze Schrift fcheint eine Frucht weniger Stunden, und ift ein Monument feiner Gefinnungen für Jahrhunderte.

Philofophie.

IX. *Examen critique du Syftème de la Nature.* Gefchrieben 1771.

Des Königs Philofophie war, wie bey den grofsen Alten, zwar eine Frucht feines Nachdenkens und feiner Studien, doch fo dafs ihr fein thätiges Leben eine praktifche Stimmung gab. Daher vermochten Schriften, wie *le fyfteme de la Nature*, bey ihm wenig, je mehr ihre Grundfätze feinen Erfahrungen und Ideen von den Bedürfniffen der Menfchheit zuwider waren. Er zeigt hier, wie unvernünftig es ift, eine verftändige Urfache des Weltalls zu laugnen; dafs die Fatalität alle Grund-

veften der Gefellfchaft erfchüttert, und der Menfch der Freyheit, welche er fo fehr liebt, nicht abfolut, aber bis auf einen gewiffen hinlänglichen Grad geniefst; dafs die Moral der Bergpredigt, des Evangeliums überhaupt, rein und hoch, nicht verwechfelt werden darf mit der Theologie und allen Mifsbräuchen der Priefterfchaft; befonders aber die Regierungen gar nicht fo find; wie, aus Mangel an Weltkenntnifs, der Verf. des Naturfyftems fie fchildert. Er erhebt fich wider den, in der That fchlechten, Ton unferer Zeiten, die grofsen Männer der vorigen herunter zu fetzen. Endlich, da der Vf. wider die Erbreiche declamirt, führt Friedrich ihre Vertheidigung, doch fo, dafs er ihre Unvollkommenheiten nicht laugnet; nur *will er qu'on ne propofe pas des remedies pires, que les maux, et au defaut de pouvoir faire mieux qu'on fen tienne aux ufages et aux foix etablies.* Seine Gedanken über diefe Gegenftände find nicht neu; nur giebt fein Originalgenie oft neue glückliche Wendungen, und für die Wahrheit follte feine Stimme defto mehr vermögen, da bekannt ift, wie wenig er die Macht der Vorurtheile gefcheut, wie wenig er felbft refpectable Ideen, die ihm irrig fchienen, gefchont.

X. *Differtation fur l'innocence des erreurs de l'efprit.* Eigentlich überhaupt vom Pyrrhonifmus. In einem Dialogen, deffen Anlage mit den von Cicero Aehnlichkeit hat (nur dafs bey diefem der berühmte Name feiner Interlocutoren der Beredfamkeit mehr Stoff und dem Ganzen ein eigenes Intereffe giebt), wird gezeigt, erftlich dafs wir nichts wiffen; zum andern, dafs das Wiffen eben auch nicht unfere Sache zu feyn fcheint, und endlich, dafs unfer moralifcher Werth nicht hierauf beruhet. Alles diefes ift mit Geift und in einem angenehmen Vortrag unanftöfsig ausgeführt. Am wichtigften ift, zu fehen, wie tolerant er eben durch diefe Denkungsart wurde. Da der König über die Nothwendigkeit der vollkommenften Erfüllung der grofsen Pflichten feines Standes gewifs nie der Zweifelfucht Platz gab, fo war feine Gleichgültigkeit über Speculationen allerdings nicht nur unfchuldig, fondern gut. Was würde nicht gefchehen feyn, wenn er ein Dogmatiker gewefen wäre, und mit jener Kraft feines Charakters die Macht feines Zepters hätte geglaubt anwenden zu müffen, um zu feinem wahren oder falfchen Syftem alle zu bringen, über die fich feine Gewalt erftreckte! Die Könige müffen Gott nachahmen, der die Wahrheit weifs (weil er fie ift), und den Irrthum doch fo duldet, dafs er auch zur beften Religion die Welt nicht wider ihren Willen vereiniget.

XI. *Penfées fur la Religion.* Unmöglich kann diefe Schrift, wenn fie von dem König ift, fo wie wir fie hier lefen, aus feiner Feder gefloffen feyn. Einerfeits citirt er eine Menge Stellen lateinifch nach der Vulgata; er, der an proteftantifche Ueberfetzungen gewöhnt war, und nicht lateinifch verftand. Er fpricht überhaupt wie ein Katholik: *Si vous voulez que je regarde l'eglife Catholique comme la feule veritable* etc.; 263. *il y a eu des martyrs même chez les Turcs, les Calviniftes* etc. 242; von den *fieben* Sacramenten, 278, u. f. f. Er fpricht wie ein Franzofe: *les conciles ne valoient pas une de nos affemblées du Clerge*, 265, u. f. w. Auf der andern Seite findet fich vieles in feiner Manier ganz wohl paffende; doch nicht hinreichend für einen evidenten Beweis. Daher uns ungewifs bleibt, ob diefe Schrift von einem andern ift, oder ob die Grundzüge, ob der Hauptinhalt ihm zugehört, er aber, um, aus vielen guten Gründen, fich nicht als Verfaffer zu verrathen, einem franzöfifchen fchönen Geift aufgetragen, durch oberwähnte Einftreuungen das Publicum zu deroutiren.

Dem fey wie ihm wolle, fie ift voll feiner Gefinnungen, da fie alles aufs praktifche zurück führt, von der chriftlichen Religion aber fo urtheilt, wie, in einer andern Schrift, der König von der deutfchen Literatur; nämlich nach den theologifchen Ideen der Jahre 1730 u. f.

Sehr wahr und geiftreich hat ein Prediger zu Berlin geurtheilt: dafs, nachdem der König in der Kindheit vernünftig unterrichtet worden, andere Theologen in den Jahren der Entwickelung feiner Geifteskräfte *das Schiff mit fo vielem Ballaft überladen, dafs es anders nicht als finken konnte:* Wenn man dabey überlegt, welchen Eindruck auf feinen emporftrebenden Geift machen mufste, auf der einen Seite Männer ohne Genie, ohne Eleganz, ohne Namen, auf der andern Seite folche, die diefes alles (vom achten wenigftens den Glanz) im höchften Grade hatten, befchäftiget zu fehen, jene, ihn unter das Joch der Orthodoxie und einer ängftlichen Andächteley zu beugen, diefe, ihn lofzureiffen, und frey und kühn die Bahn der gröfsten Helden unter dem Zujauchzen der aufgeklärteften Menfchen durchlaufen zu machen; — was mufste der Erfolg feyn! Es kam überdem hinzu, dafs die Sterblichen immer geneigt find, fich Gott nach ihrem Bilde zu denken. Der König von Preufsen, der in feinen Staaten, der befonders dem Heer, nichts vergebens gebot, bey dem in allen möglichen Dingen *wollen* und *ausführen* einerley war, konnte fich in den Plan der Vorfehung mit der moralifchen Bildung unferes Gefchlechts nicht finden; ihm fchien fo viel unzweckmäfsig, und der ganze Gang zu langfam; ihm hätte es militärifcher zugehen müffen; im Univerfum wie zu Potsdam. Ueber diefes fehlte ihm alle Kenntnifs

todter Sprachen; fo dafs er fich fo wenig als Voltaire in die morgenländifche Darftellung zu finden wufste. Gewohnheit und herrfchender Ton thaten das übrige.

Man wird in diefer Abhandlung viel wahres antreffen, das ein Chrift, welcher feine Religion aus der Quelle kennt, und in letzterer das wefentliche von Einkleidung und Nebenfachen zu unterfcheiden weifs, ganz gern auch annimmt; vieles, das die proteftantifche Kirche lange gefagt, noch mehr das beym Fortgang der Denkungsfreyheit und ächten Bibelftudiums zur öffentlichen Meynung geworden; hinwiederum auch Einwürfe, die fich nicht fo leicht beantworten laffen; eben wie auf der andern Seite Raifonnements, welche dem König eine gute Philofophie bey ganz uneingenommenen Geift fehr wohl hätte widerlegen können.

Dafs die Formen der Religionsdarftellung nach den Zeiten verfchieden find (indeffen das Wefen bleibt), hieran wird fich nur der ftofsen, welcher das Menfchengefchlecht nur in *einer* Lage und nur einen Augenblick exiftiren laffen möchte; fo wie nur der fich ärgern wird an den fchwer zu beantwortenden Einwürfen, welcher nicht bedenkt, wie unvollkommen alle unfere Kenntnifs, zumal von fo hohen Gegenftänden ift. Und die Fehlfchlüffe des Königs können über jene tröften. Kein Syftem ift ohne Schwürigkeiten; die Vorfteher des gemeinen Wefens haben blofs zu betrachten, ob diefes oder jenes die Ruhe der Gefellfchaft nicht ftöre; der Privatmann aber wird wohl thun, dasjenige zu wählen, worinn er fürs thätige Leben die meifte Stärkung, und im übrigen am meiften Beruhigung findet. In jenem, als Regent, hat Friedrich ein Mufter gegeben; für fich hat er gewählt; wie gut und fchlecht? das richte Gott.

Ein Auszug diefer Abhandlung wäre unnütz, eine Beleuchtung derfelben zu weitläufig.

Gleichwie Caracalla vermeynte Alexander zu feyn, wenn er den Kopf auf die linke Schulter neigte, fo ift kein Zweifel, dafs auch viele die Religion verachten werden, um etwas mit Friedrich gemein zu haben. Allein das Ganze macht den Mann; unfertwegen mögen fie auch hierin den König nachahmen; fie müffen aber alsdann auch den vollen Umfang mannichfaltiger fchwerer Pflichten mit eben derfelben Wachfamkeit, Geiftesanftrengung und Selbftüberwindung, wie der grofse Friedrich, vollftrecken; oder fie haben von ihm gerade foviel als *Caracalla* vom Alexan. der gelernt.

(Die Fortfetzung folgt.)

ALLGEMEINE

LITERATUR = ZEITUNG

Sonntags, den 15ten Februar 1789.

BERLIN: *Oeuvres posthumes de Frederic II,*
Roi de Prusse, etc.

Fortsetzung der in No. 50 abgebrochenen Recension.

Schöne Wissenschaften.

XII. *Dialogues des Morts.*

Der erste zwischen Marlborough, Eugen und
Fürst Wenzel Lichtenstein, die feinste Satire, voll Wahrheit. Wer wird dem grossen
Mann nicht von Herzen beypflichten, da er mit
beissender Ironie die Modephilosophen aushöhnt,
welche zum Ruhm keinen andern Weg als Paradoxen wissen, und nun sich zum Geschäfte machen, die verehrungswürdigen Namen grosser Männer herunter zu setzen (wie unlängst *Pauw* die Spar-
taner); als wäre es nicht eine Sünde an der Menschheit, alle Begriffe umzukehren, und ihre Zierden zu tilgen; an die kein edler Jüngling ohne
Begeisterung zu denken vermag. Der König
spricht mit gleichem Recht von den Declamationen wider die Kriegskunst, deren Flor denn doch
wahrhaftig die beste Sicherheit und Schutzwehre
alles übrigen ist.

Das zweite Gespräch zwischen *Choiseul, Stru-
ensee* und *Sokrates* enthält die Gesinnungen eines
Philosophen über politische Verbrechen, wie die,
welche der König auch in seinen Geschichtbü-
chern dem dänischen und französischen Minister
beymisst.

Im dritten spricht M. *Aurel* mit einem römischen Mönch, erkennt sich nicht in seinem Rom,
und noch weniger seine Philosophie in den daselbst
jetzt herrschenden Begriffen.

Alle drey Stücke scheinen vom J. 1773 Früchte froher Augenblicke, da der König seinem Geist
ein Vergnügen erlaubte. Die Schreibart ist vortrefflich, der Ton Lucianisch.

XIII. *Avant-propos sur la Henriade.* Um 1740.

Der König spricht von Voltaire so, dass man seine tiefe Bewunderung merkt, u. nun leicht einsicht,
wie viel dieser Mann auf ihn wirken musste. Es
ist auch ganz natürlich; ausser Bayle hatte kein
grosser Schriftsteller in französischer Sprache (und
andere las er nicht) über so viele, den jungen

A. L. Z. Erster Band. 1789.

Friedrich so sehr interessirende Gegenstände, (ja
(wir wollen gerecht seyn) keiner je in irgend einer Sprache über dieselben so angenehm geschrieben. Der Enthusiasmus des Prinzen für die Gei-
stesvorzüge dieses Mannes gab ihm auch für seine Person eine Freundschaft, welche an allen seinen Schicksalen und Interessen Theil nahm.

Die Henriade wird also ungemein, und auf
Unkosten Homers und Virgils erhoben, weil der
König in jener alles fühlte, diese aber nur aus
Uebersetzungen kannte, und sich auch nicht genug in alte Zeiten und fremde Sitten zu versetzen
wusste. Er und Voltaire beurtheilen den Homer
so, wie die Bibel.

Uebrigens leuchten die schönsten moralischen
Gesinnungen hervor. Sie waren beym König im
Herzen, beym Voltaire in der Imagination und
im Gedächtniss.

XIV. *Epitres à Jordan;* welche n. XIX hät-
ten verbunden seyn sollen; allein das blinde Schicksal hatte gesprochen, dass in dem ganzen grossen
Theil dieser Sammlung, welcher die Correspondenz enthält, nichts an seiner Stelle stehen sollte. Dieser Unstern erstrecke sich nicht bis auf
die Recension! Also zugleich:

XIX. *Lettres à Jordan;* nebst den Antworten.

Die *Epitres* stehen im sechsten Theil, die *Lettres*
im achten, die *Antworten* im zwölften. Wer hat
je so etwas gesehen! Es entsteht hieraus, dass,
wer nicht wenigstens zwey Bände offen vor sich
liegen hat, manches gar nicht versteht.

In diesen wirklich vertrauten Briefen und
Versen erscheint Friedrich, wie er als Jugendfreund war, ungemein liebenswürdig, voll Munterkeit, Witz, Güte, Thätigkeit, so aber, dass
keine seiner Eigenschaften der andern, und am wenigsten eine Neigung seinen Pflichten schadet.
Die meisten Verse sind mit äusserster Nachlässig-
keit hingeworfen; und manches wird des Drucks
unwürdig scheinen, aber nur solchen, die den
Werth nicht fühlen, ihn ganz zu kennen, ihn den
wirklich Einzigen.

Man lernt hier viele seiner geheimsten Gedanken und Gefühle; man durchlebt mit ihm den ersten
Feldzug; man erfährt, was er von merkwürdigen Personen im Herzen dachte, welches von

E e e   dem

dem, was er an diefelben fchrieb, nicht felten
fehr verfchieden ift; niemand wird ohne Vergnügen fehen, wie er Freund zu feyn wufste. Manchen Stücken giebt der Augenblick Werth; in dem
er fie fchrieb (am Tage vor der Schlacht bey
Mollwitz, am Tage des Siegers bey Czaslau).
Jordan in feinen Briefen, ift ebenfalls ein geiftreicher, wohlgefinnter, zärtlicher Freund, welchem, um allezeit froh und heiter zu feyn, nur
leider die Gefundheit fehlt.

Das Gedicht vom König *Jetois né pour les*
arts, VI, 282. ift fo wohl durch Inhalt als Ausdruck fehr fchätzbar. Man glaubt Alexandern zu
hören, wo er fchreibt: *Si je n'etois pas Prince,*
je ne feroit qua philofophe; enfin, il faut, dans
ce monde, que chacun faffe fon metier; VIII, 161.
163. Und Cäfarn, wo er fagt: *Tout ce que je de-*
fire l'eft de n'être pas corrompu par les fuccès;
j'efpere que mes amis me retrouveront toujours tel
que j'ai été, quelquefois plus occupé, rempli de
foucis, inquiet, mais toujours prêt à prouver
que je les aime de tout mon coeur (179).

moins leur Roi, leur Souverain,
que frere, ami, vrai citoyen. VI, 316.

Man fieht feine Thätigkeit; *je travaille beaucoup;*
je le fais pour vivre, car rien ne reffemble tant à
la mort que l'oifiveté; VI, 311. Und die Geiftes-
ftimmung, welche feine Kräfte unterhielt: *Le*
comble de la folie dans ce monde, c'eft la trifteffe;
VI, 305. *Je travaille à l'infini, je m'amufe tant*
que je puis, et du refte je ne penfe qu'à me rejouir;
VIII, 174.

Ueber den Breslauer Frieden erklärt er fich
gegen Jordan gerade fo wie nachher gegen der
Nachwelt; VIII, 192; XII, 248; fo dafs er diefelben Grundfätze damals hatte, nicht nachmals er-
künftelte.

Wer grofse Männer nicht blofs auf der Staats-
bühne oder dem Schlachtfelde, fondern auch als
Gefellfchafter und in Stunden der Vertraulichkeit
fehen mag, dem werden diefe Briefe gefallen;
andere haben keinen Sinn dafür.

XV. Poefies.

Gleichwie mannichfaltiger Anfchein von Widerfpruch und Unordnung in der Einrichtung der Welt
wohl eher einige verleitet hat, an dem Dafeyn ihres
Urhebers zu zweifeln, gleich fo möchte diefe Sammlung der nachgelaffenen Gedichte des Königs,
da fie wie ein Kartenfpiel unter einander geworfen find, manche auf den Gedanken bringen, es
exiftire gar kein Urheber der Sammlung; der Gott
des Zufalls, von dem in diefen Werken fo viel
gefprochen wird, habe fie in aller Unregelmäfsig-
keit hervorgebracht, welche diefen Urfprung do-
camentiren könne. Da aber ein wirklicher
menfchlicher Urheber fich den Herausgebern geoffenbaret hat, um, wir wiffen nicht mehr ob 1200,
oder 2000 Thaler Belohnung zu ziehen, fo bleibt

kein Zweifel übrig an feiner Exiftenz, wohl aber,
ob er ein verftändiges Wefen fey? Denn wenn
man im fiebenden Theil S. 5 lieft, was hinter S.
307 und 293 gehört, und überhaupt die ganze
Anordnung betrachtet; fo follte man wahrhaftig
auf blindes Fatum weit eher rathen; als auf die
Hand eines vernünftigen Menfchen. Ein folcher
würde auch wohl nicht Briefe an Voltaire oder
Fragmente davon, weil Verfe darinn find, aus
der Ordnung der Corefpondenz geriffen, und in
diefes Chaos geworfen haben.

In wiefern man fagen könne, dafs ein *Ens*
rationale diefe Sammlung beforgt, mögen alfo
die Theologen und Philofophen unterfuchen; wir
gehen zum Inhalt über.

Als Gedichte find allerdings diefe Stücke von
ungleichem Werth. Man findet folche, die unter die Meifterftucke gezählt werden dürfen, welche eine grofse Seele im höchften poetifchen
Schwung hervorbringen mag; zum Beyfpiel wollen wir nur den herrlichen Brief aus d'*Argens*
nennen *Ami, le fort en eft jetté!* VII, 175. Ueberhaupt pflegen fie zu weitläuftig zu feyn, wodurch viel von der innwohnenden Kraft und Originalität verloren gehen mufs. Wir aber zu
bedenken, dafs die meiften und wichtigften im
Lager, ja in den Zeiten der äufserften Gefahr,
gefchrieben, und von dem König nicht fürs Publicum unmittelbar beftimmt waren. Es würde
viel Pedanterey verrathen, von dem Helden, im
Augenblick da er gegen halb Europa den uner-
hörten Kampf beftand, wenn er das Bedürfnifs
hatte, feine Entfchlüffe, feinen Zorn oder Schmerz
in Verfe zu ergiefsen, die Pünktlichkeit und äu-
ferfte Regelmäfsigkeit eines ruhig n fchönen Geiftes von Profeffion zu fodern. Wir wollen nicht
einmal erwähnen, dafs er in einer ausländifchen,
bisweilen äufserft eigenfinnigen Sprache dichtete,
in der fich mag ruhig kurz zu faffen denn doch nur
denen gegeben ift, welche ihrer fo ganz Meifter
find, wie Montesquieu.

Viele Gedichte find bey Gelegenheit kleiner
Zufälle (wie, als ihm die *Chudley* einen englifchen
Pflug fchickte, als die *Knefebeck* durch einen herz-
haften Sprung ihr Leben rettete), verfchiedene
ohne weitern Zufammenhang mit gröfsern Dingen (wie das an feinen Koch, und das an *Gel-*
lert), andere, wie das im Namen *Kienlongs*, wie
die auf d'*Argens* Namenstag und Bett in Augenblicken munterer, oder wie das VIII. 122 auf
die europäifchen Könige, in Augenblicken fatyri-
fcher Laune hingeworfen. Aber bey weitem die
wichtigften find aus den fiebenjährigen Krieg.

In diefen fieht man die Empfindungen des
gröfsten Mannes neuerer Zeiten in den fchwer-
ften Stunden feines Lebens, und Friedrichs des
Grofsen unbezwungenen Geift wider fein Schickfal im Kampf. Er fingt im Gefühl eines Helden
der alten Zeit von des Vaterlandes Noth, und
fein

fein Lied fchlägt fo ftréng und-fieghaft, wie das Schwerdt feine Feinde. So die grofsen vaterlän-difchen Stücke *Tel qui d'un vol hardi f'elevant dans les nues,* VII, 105; *Ainfi près du Capitole le vaillant Cincinnatus;* 115 (fchöne und freye Stollen); *Oh malheureux Germains, vos guerres inteftines,* 125; das an die Schwefter von Baireuth, als er die Schlacht bey Collin, und feine fehr geliebte Mutter verloren; 155; befonders jenes obgedachte berühmte *Ami, le fort en eft jetté,* worinn viele Verfe Sprüchwort oder Maxime werden werden, weil fie fich ohne alle Mühe ins Gedächtnifs heften; und viele andere.

Es ift intereffant für jeden, der ein vielverfuchtes Leben geführt, und welcher weifs, wie ftark die Abwechfelungen des Glücks auf die moralifche Bildung wirken, zu fehen, was der fiebenjährige Krieg bey Friedrich hervorgebracht hat. Gedemüthiget wurde bisweilen die Meynung, welche er von fich felbft, und überhaupt von menfchlicher Einficht und Klugheit haben mochte (VII. 214. 186.) von der Verderbnifs der Menfchen bekam er folche Ueberzeugung, dafs in der That fo wenig feine nachmals bofe Meynung vom Gefchlecht (VII, 336) als der grofse Enthufiasmus, womit er von ächter, fefter, erprobter Freundfchaft fpricht, (208. 223.) Verwunderung erregen darf; der Hohn, womit er gefchlagenen Feldherrn begegnet *(Partez; l'occafion eft bonne, grand General de l'Empereur* etc. 213;

Et cet homme benit, ce devot perfonnage,
Qui devore fon Dieu cinquante fois par an. etc. 262.)

Seine Ungeduld

(Plein de chagrin de fureur,
Je donne à tous les mille diables,
Let cercles et leur Empereur,
Les Ourfumanes exécrables,
Vot Françoit quoique plus aimables,
Avec leur Louis du moulin *)
Ses minifires et fa catin,
Madame et Monfieur le Dauphin,
Et la guerre et la politique; 317.)

alles diefes ift in der Natur, und andere würden eben fo gefühlt haben.

Eigenthümlicher ift ihm der unüberwindliche Muth. Er war, wie der Alten einer, gewifs, zuletzt zu fiegen, oder das Gegentheil nicht zu überleben. Jenes herrliche Stück *Ami, le fort en eft jetté,* viele die er auch in den letzten Zeiten des Kriegs gefchrieben, felbft feine Verfification der letzten Reden Catons und (In unfern Augen wenigftens eben fo vortreflichen) des Otho, beweifen genugfam feinen Entfchlufs. Und man hat ja das Gift; es find in einem engen gläfernen Tubus fünf oder fechs Pillen. Er dach-

te wie Montefquieu: Wenn Carl I und Jacob II in folchen Gefinnungen gewefen wären, fo würde weder jener einen folchen Tod, noch diefer fo ein Leben ausgeftanden haben. Es würde erbärmlich feyn, über die Moralität hievon eine Unterfuchung anftellen zu wollen. Wer die Natur des Löwen zu ändern weifs, dafs er ihn vorfpannen und leiten mag mit einer Hirtenruthe, der hätte diefen König bereden mögen, eher Schmach zu erdulden als abzutreten. Der Profeffor und Prediger haben vielleicht Recht; er aber war Friedrich.

Aeufserft merkwürdig ift auch feine unveränderliche Anhänglichkeit an gewiffe philofophifche Vorftellungen, in welchen die fo oft unerwartet entfcheidenden Wechfel des Kriegsglücks ihn nicht irre zu machen wufsten. Wohl nie war die Hand der Vorfehung offenbarer, noch ift je überzeugender bewiefen worden, wie oft die Wendung der gröfsten Schickfale beym höchften Aufwand menfchlicher Tugend und Weisheit von Umftänden abhängt, welche fich weder vorfehen noch vielweniger herbeyführen laffen, und wo uns kein anderer Ruhm bleibt, als, fie wohl zu nützen. Er aber — nie näherte er fich *in feinen Ausdrücken* hierüber uns, Anbetern der Vorfehung.

Non, vous ne croyez point que l'humaine mifere
Attire les regards du Dieu qui nous eclaire;
Et c'eft avec raifon. VII, 185.

Nicht für blinden Zufall war er;

Le hafard n'eft qu' un mot, VIII, 11.

Alles fchrieb er der Wirkung zu von einer Menge

de cet caufes fecondet,
Dont les rofforte, couvers de tenebres profondes,
Sous leur deguifement fachant nous echopper,
Par leur fauffe apparence ont l'art de nous tromper;

VII, 181, und überall. Seine Moral ift unvergleichlich; es ift wahre Philofophie des Lebens, wie wir überhaupt wenige Bücher kennen, welche zur Bildung eines grofsen Charakters diefen Werken vorzuziehen wären. Seine Denkungsart vereiniget alles Edle und Starke der ftoifchen Schule (S. das vortrefliche Stück, VII, 350) mit weifem und munterm Lebensgenufs (VII, 27. 98. VIII, 70, 77.) ohne brutale Ausfchweifungen (VII, 250.) Wenn er hingegen auf die Religion kömmt, fo ift er glücklicher in Schilderung der Unfugen des Aberglaubens und Fanatismus (VIII, 51; und in der andern Sammlung IV, 323), als in Erfindung einer glücklichen Löfung der feinem Geift vorfchwebenden metaphyfifchen Probleme. Er nimmt alsdann zwey coëxiftirende gleichmächtige Urfachen an, *que l'Univers et Dieu, font tous deux eternels* u. f. f. (VIII, 9); und beantwortet

Eee 2

*) Ludwig XV hielt fich am Tag von Fontenoy in guter Sicherheit bey einer Mühle.

wortet nicht anders als die Epiſtel an die Römer (Cap. 9. v. 14-21.) die Klagen der Menſchen.

Rien n'ayant pû gêner ſon pouvoir abſolu,
Il a pû nous former ſelon ce qu'il a voulu; VIII. 13.

Daſs er aber ſeinen mangelhaften Ideen zugethan blieb, ohne die chriſtliche Religion anzunehmen, kam davon, daſs er, wie oben bemerkt, nicht geringe Einwürfe wider dieſe hatte, ſo wie ſie ihm vorgeſtellt worden, und weil es ganz wider ſeinen Charakter war, von dem, wozu er einmal ſich bekannt hatte, abzugehen. Endlich ſtärkte ihn ſein Bewuſstſeyn der gewiſſenhafteſten Pflichterfüllung und der hohe Begrif, den er von Gottes unendlicher Güte hatte:

En ce Dieu bienfaiſant place ta confiance,
Et ſûr de ſon ſecours au jour de ton trepas,
Va, plein d'un doux eſpoir, te jetter dans ſes bras,

VII, 365. Und in ſpätern Jahren ſchrieb er an Dalembert:

S'il echappe au trépas un reſte de mon feu,
Je me refugiral dans les bras de mon Dieu; VII, 84.

Es würde zu weit führen, dieſe Arbeiten auch nach dem politiſchen Werth beurtheilen zu wollen; zu zeigen, daſs bey vielen durch Weitläuftigkeit oder ſonſt matten Stellen, doch in den meiſten herrliche Details glänzen; zu erinnern, daſs Friedrichs Muſe im Geräuſch der Waffen des 7jährigen Kriegs, und unter der Laſt von Königsſorgen, anders als eines Ramlers oder Wielands oder Voltaire's oder Pope's ihre beurtheilt werden muſs. . . .

XVI. Le Palladion; poeme grave.

Die Nachahmung der *Pucelle d'Orleans* iſt allzu ſichtbar, um nicht eine Vergleichung zu veranlaſſen. Ganze und halbe Verſe ſind aus jener geborgt. Natürlicher Weiſe darf man dieſes nicht wie andere, von Privatautoren fürs Publicum oder für den Buchladen beſtimmte, Nachahmungen betrachten; es iſt nichts weiter als ein Spiel, womit ſich der König nach trockener und ermüdender Arbeit einſame Abendſtunden aufheiterte. Es herrſcht darinn Witz und Fröhlichkeit inhöchſtem Grad, und beiſſender Spott, nicht allein auf Nationen, und nicht bloſs auf die Heiligen, ſondern ſelbſt über Gegenſtände, von welchen der König durchaus nicht hätte ſprechen ſollen, weil ſie zwar ihm nicht, aber dem gröſsten Theil der Menſchheit heilig ſind, und, ohne fürchterliche Gefahr der moraliſchen Triebfedern deren Wichtigkeit er ſo ſehr fühlte, nie aufhören werden, es zu ſeyn. Man ſieht wohl eine groſse Kenntniſs aller Blöſsen, die die Kirche gegeben; auch wird ſie ſcharf

dafür gegeiſſelt; und endlich werden alle Heiligen aus dem Himmel verjagt, und *Locke* nimmt ihre Stelle ein; vieles aber iſt, (wie überhaupt, wo er und Voltaire in ihren Werken von Religion ſprechen,) übertrieben, einſeitig, und wahres mit falſchem vermengt. Dieſes iſt um ſo ſichtbarer, da die Poeſie des Königs überhaupt etwas weitſchweifig iſt, und auf den Gedanken gemeiniglich lang verweilt.

Von dieſem Gedicht iſt übrigens der Grund hiſtoriſch, wie man aus der *Hiſtoire de mon Tems* weiſs. Hiſtoriſch iſt auch manches in den Charakterſchilderungen. Der König iſt bisweilen beſonders glucklich, wo er militäriſche Operationen beſingt; z. B. den Marſch S. 159.

Von der Versart nur ein paar Proben:

Puis des Saxons la troupe parfumée,
Gens doucereux, et qui, peur d'accident,
Juſqu'à Mon Dieu diſent tout poliment,
Le Chevalier, pincé, droit comme un cierge,
Parmi ceux-là paroît avec eclat.

Von den Holländern:

Figurez vous un peuple d'eſcargots,
Toujours glacés, animaux aquatiques,
Qui dans une heure articulent deux mots.

XVII. Tantale en procès; comédie.

Voran das Factum des Juden Hirſch gegen Voltaire, auf deſſen unerſättliche Geldſucht der König dieſes Stück gedichtet. Es wird wohl nicht nach theatraliſchem Werth geſchätzt werden dürfen; aber das der tiefe verachtungsvolle Unwillen über die Niederträchtigkeiten *du plus ladre et du plus deteſtable des hommes, de l'auteur de la Henriade,* dem groſsen Friedrich, ſeinem Bewunderer, dieſes abgedrungen, wird immer zur Charakteriſtik von beiden berühmten Männern ein wichtiges Actenſtück bleiben. Das *Factum* (von des Königs Hand) iſt zumal, auch in dem Ton und Ausdruck, ein Meiſterſtück.

Am Ende iſt eine Schilderung Voltaire's im J. 1756 von dem König entworfen, die faſt in allem richtig iſt, und ſelbſt ſeine poetiſchen und Philoſophiſchen und poetiſchen Werke viel genauer würdiget, als man es erwarten ſollte; nach dem Begrif, den die Welt von ſeinem Enthuſiasmus für Voltaire hatte. Wenn man die ſo äuſſerſt ſchmeichelhaften Briefe an Voltaire und andere Hochachtungsbeweiſe hiemit vergleicht, welche der König dieſem Mann in viel ſpätern Jahren und nach ſeinem Tod gegeben; ſo ſieht man mit Erſtaunen, wie viel bey ihm Geiſt und Geſchmack gegolten.

(Der Beſchluſs im nächſten Stücke.)

·ALLGEMEINE

LITERATUR ‑ ZEITUNG

Sonntags, den 15ten Februar 1789.

BERLIN: *Oeuvres posthumes de Frédéric II, Roi de Prusse.* etc.

Beschluss der in Nr. 51. abgebrochenen Recension.

XVIII. *L'Ecole du monde; comédie en trois actes; par M. Satyricus.* Geschrieben im J. 1742.

Den Theil ihres komischen Reizes, den der *Ecole du monde* zur Zeit und am Ort ihrer Vorstellung locale und individuelle Anspielungen gaben, hat sie nun und bey uns nicht mehr. Hingegen enthält sie Sittenzüge, die denselben eigen waren, und viele Weisheitsregeln, zumal über die Erziehung, welche besonders aus dieser Feder wichtig sind, weil sie desto mehr Eindruck machen werden. In den Schilderungen ist freylich manches überspannt, weil der König nicht genug mit den vorkommenden Klassen der Gesellschaft gelebt, um die feineren Schattirungen der Charaktere sich zu merken.

Vermischte Schriften.

XIX. Oben bey XIV.

XX. *Lettres à M. de Voltaire; et ses reponses.* Diese letztern find nur in der Baseler Ausgabe; die Herausgeber haben Briefe und Antworten aufs genaueste zusammengeordnet; die Folge ist auch nur selten unterbrochen, da in der Berliner Ausgabe aus des Königs ersten dreyßig Regierungsjahren keine Briefe an Voltaire zu finden find, (Bruchstücke ausgenommen, die am unrechten Ort, unter den Poesien, stehen); es fehlt also der ganze zweyte Theil der Ausgabe von Basel; daher auch unbillig und falsch wäre, diese als Nachdruck herunterfetzen zu wollen.

Doch kann man wohl ihr kein uneingeschränktes Lob ertheilen: verschiedene Briefe find besser in der Berlinischen (IX, 116, 120 u. s. f.); einige find letzterer eigen (wie der beym Tod Carls VI. t. IX, 126 u. a.); in der Baseler steht einer zweymal (II, 393 und III, 48); auch diese Herausgeber haben sich Auslassungen erlaubt: cha-

A. L. Z. Erster Band. 1789.

rokteristisch ist hierinn, dass zu Berlin harte Namen und Ausfalle gegen die Religion (der König und Voltaire pflegten sie immer nur *l'infame* zu nennen,) unterdrückt worden; diese Stellen haben die Baseler alle; hingegen unterdrücken sie, was über den Herzog von Würtemberg vorkömmt, (III, 275 und 277, mit der Berl. Ausg. vergl.). So schonen die Berliner keinen Reichsfürsten; alle harten Stellen über die geistlichen Stände, über den vorigen Landgrafen von Cassel, über den Herzog von Würtemberg findet man bey ihnen; hingegen unterdrucken sie die Meldung des Marschalls von Richelieu, des Abbé de l'Isle (X, 63, 13). Noch sonderbarer ist aber, dass in beiden Ausgaben die Data der Briefe so oft verschieden find; und in der Baseler ist sichtbar, dass die Schreibart correcter hat gemacht werden wollen. Uns dünkt, der eigenthümliche Schwung der Rede des Königs, und selbst fehlerhafte Eigenheiten seines Ausdrucks, wären merkwürdiger, als dass nun ein Buch mehr den ganzen Zuschnitt akademisch bestimmter Wortstellung hat. Wenigstens wissen wir nicht, warum die Baseler ihm aufdringen wollen, *le mois d'Auguste* geschrieben zu haben, da er, wie die grösste Theil von Europa, *mois d'Août* schrieb; und jene Sonderbarkeit ihn darstellt, wie er nicht war, nemlich als Neologen.

Um hierüber abzubrechen, wollen wir überhaupt gestehen, dass von beiden Ausgaben, keine noch ist, wie sie sollte; wir glauben auch nicht, eine ganz richtige zu erleben; hier unterdrückt man dieses, dort jenes; und wie, wenn sich die Herausgeber vollends zu Aristarchen der Schreibart erheben! *Aechtheit* und *Vollständigkeit*, dis find die Haupterfodernisse. Es find in des Königs Werken Stellen, die wir nicht nur nicht unterschreiben, sondern kaum aussprechen möchten: aber sie *sollen* da stehen; wie sonst ists möglich, ihn zu kennen! Wie viel weniger schicklich ist's, ihn über die Grammatik schulmeistern zu wollen?

Der Inhalt ist höchst interessant. Friedrich erscheint anfangs enthusiastisch für alles Grosse, Wahre, Gute und Schöne; ihm ist kein Lob, kei-

F f f

ne Herzensergiefsung zu warm, für den, in welchem er ein Univerſalgenie, und einen Mann von hoher Tugend verehrte. Im Uebrigen iſt nichts in der Moral, Geſchichte, Literatur, Philoſophie, und den Künſten, worüber ſein Geiſt nicht oft gedacht; wer wollte erwarten, daſs allezeit richtig? aber man ſieht ſeinen Gang und ſeinen Ernſt. Voltaire erſcheint von Anfang bis zu Ende als ein ſchöner Geiſt, voll der heftigſten Leidenſchaften. Es läſst ſich merken, daſs der König ſchon früh gelernt, wie er ſich über die moraliſche Seite ſeines Freundes (ſo nannte er ihn lang) betrogen; aber ſeine ganze Niederträchtigkeit und Boſheit lernte er im J. 1752 kennen; von dieſem Jahr an iſt, bis ins folgende Jahrzehend, ſelten ein Brief ohne bittere Vorwürfe. Voltaire antwortet ſo, daſs man wohl ſicher glauben mag, er ſey nicht ſyſtematiſch boſe, aber aus Leichtſinn, Schwäche, und jener ihm eigenen Verſatilität alles geweſen. Es iſt auch merkwürdig, zu leſen, wie er dem König manche Fehler vorwirft, welche dieſer in ſeinem geſellſchaftlichen Umgang hatte. Bey dem allen blieb dem König Voltaire durch ſeinen Witz, der unerſchöpflich war, und gemeinſchaftliche Verachtung des Chriſtenthums werth. Die Briefe der ſpätern Jahre betreffen überhaupt einen dieſer zwey Gegenſtände, deren letzterer bey Voltaire wirklich zur herrſchenden Leidenſchaft geworden war. Rec. hat ihn gekannt, und weiſs, daſs neben andern auch hauptſächlich die Eiferſucht Antheil daran hatte, womit er wie den Ruhm aller groſsen Männer in groſsen Dingen (car pour lui, il etoit grand homme dans les petites choſes, ſagte la Beaumelle), ſo auch Chriſtum betrachtete, der, „ohne etwas geſchrieben „zu haben, nach einem kurzen Leben unter den „unvortheilhafteſten Umſtänden, Stifter einer Religion geworden ſey, die er (Voltaire) nach „ſechzigjähriger Autorſchaft und ſolchen Werken „doch noch nicht aufreiben könne." Wider dieſe, beiden ſo ſchlecht bekannte, Religion ſtimmen der König und Voltaire in dieſen Briefen eifrig überein; doch daſs im Plan wider ſie das Leidenſchaftliche des Poeten, und die Menſchenkenntniſs und Klugheit Friedrichs ſich abzeit ſehr unterſcheiden. Aber der Ton jener ehemaligen vertraulichen Ergieſſungen war einmal weg; der König vermochte nicht mehr, ihn ohne Miſchung zu ehren; daſs er aber nicht aus Furcht vor ſeinen Satiren, ſondern aus Vorliebe zu dem in ihm wohnenden Guten ſeiner Fehler zu vergeſſen ſchien, ſieht man aus der Lobrede, welche der König ihm nach ſeinem Tod hielt. Hingegen die aus Voltairens Feder gefloſſene Schandſchrift füllte das Maaſs der bey Leibes Leben von ihm bekannt gewordenen Infamien.

Wir würden über der Anzeige (auch der kürzeſten) der in dieſem Briefwechſel berührten Ge-

genſtände die längſt überſchrittenen Gränzen einer Recenſion völlig vergeſſen; übergehen alſo, was über den Geſchmack, die deutſche und franzöſiſche Literatur, die politiſchen Begebenheiten, viele wichtige Männer, die Staatskunſt und Moral, und eine Menge einzelner Gegenſtände intereſſantes vorkömmt; und ſagen auch vom metaphyſiſchen Theil des Inhaltes nur ſo viel, daſs ganze Diſcuſſionen, z. B. über die Freyheit, über die Seele u. ſ. f. vorkommen. Die beiden gröſsten Männer des Jahrhunderts (der eine an Charakter, der andere an Geiſt) ſuchten im Lauf eines langen Lebens mit einander die Wahrheit, und fanden — Ungewiſsheit, über diejenigen Gegenſtände, welche die menſchliche Geſellſchaft zuſammenhalten, und von welchen nichts zu glauben die meiſten Sterblichen troſtlos und viele verrucht machen würde. Auch fand der Philoſoph die Tugend nicht (indem er nie ſich bezwingen können); und der König war die Entwickelung ſeiner groſsen und die Erhaltung ſeiner guten Eigenſchaften nicht dem Philoſophen ſchuldig, ſondern ſich ſelber und den Umſtänden, in die er durch die Vorſehung gebracht worden war.

XXI. Lettres du Roi à Madame la Marquiſe de Cadtelet, et ſes reponſes. Etwas Phyſik; der Hauptgegenſtand: Galanterie und Klatſchereyen der niedern Literatur, worein man den damaligen Kronprinzen wider alle Anſtändigkeit mit verflechten u. Partey zu nehmen vermögen wollte. Das epiſtolariſche Verdienſt iſt auch geringer, weil der Prinz der Marquiſe nicht ſo frey und natürlich, wie, zumal nachher, dem Voltaire ſchrieb.

XXII. Lettres au Marquis d'Argens, et les reponſes.

Die Briefe des Königs ſind aus den letzten Jahren ſeines groſsen Kriegs. Der Marquis d'Argens, ein vielwiſſender Mann, der Witz und Geſchmack hatte, und übrigens ein gutmüthiger Epicuräer war, unter allen franzöſiſchen Gelehrten beym König der, welcher ihn am redlichſten liebte, entfernt von Intrigue, jovialiſch, ganz ſo, wie man ſeyn muſste, um dem Weiſen von Sans-ſouci zu gefallen. Daher auch der König ihm vor allen übrigen mit ſolcher Vertraulichkeit wie ehemals dem Jordan zugethan war. Dieſe Briefe ſind ohne alle Kunſt geſchrieben, und malen die Seele Friedrichs in den gefährlichſten und unruhigſten Zeiten ſeiner Laufbahn; ſie offenbaren den ganzen Kampf ſeiner feurigen Gefühle, und der Grundſätze, die er ſich gemacht hatte. Man lernt ihn beſſer als aus dem Briefwechſel mit Voltaire kennen; oder vielmehr, von Seiten, welche er, zumal in ſelbiger Zeit, letzterm nicht

ſo

fo zeigte.' Die Briefe des Marquis find vollkommen der andern würdig.

Urtheile, Charakterzüge und Anekdoten find hier unzählige, und ohne Rückficht noch einen Gedanken an das Publicum, hingeworfen; gemeiniglich mit Witz und Naivetät ausgedrückt; wie XII, 130: *Il ne fauroit y avoir un Autrichien modefte, de même qu'il ne peut y avoir de la matiere fans etendue.* Allein wir müffen eilen.

XXIII. *Lettres à d'Alembert, et les reponfes.* Diefe Briefe gehören unter diejenigen Stücke einer in ihrer Art einzigen Sammlung, welche, wenn fie befonders erfchienen, ausführlich angezeigt und mit allgemeiner Begierde aufgenommen worden wären. Aber im Ueberflufs einer reichbefetzten Tafel mufs man fich begnügen, felbft Lieblingsgerichte blofs zu koften. Wir dürfen diefe Correfpondenz nur einigermafsen charakterifiren, auf ihren Inhalt aber uns nicht einlaffen.

Dalembert fcheint beym König die Stelle des Präfidenten von Maupertuis gewiffermafsen eingenommen zu haben: er war fein *gelehrter Rath im Fach der hohern Wiffenfchaften.* Auch fangen die Briefe von dem Todesjahre Maupertuis an, obwohl der König den Dalembert perfönlich früher gefehen hatte. Es läfst fich aus dem leicht auf den Hauptinhalt fchliefsen; doch fliefst ungemein vieles ein, was Politik, Literatur, ja faft jeden, der Menfchheit intereffanten, Gegenftand betrifft.

Man findet einen Philofophen, wie man fie zu Paris eine Zeit lang hatte; fcharffinnig, einen Mann von Geift und Gefchmack, fehr eingenommen von fich felbft, feinen Meynungen und den Intereffen feiner Eigenliebe, allerdings zu ftolz um Diftinctionen und Belohnungen zu erfchmeicheln, hingegen nach nie glücklich. weil bald wahre Unfälle (wie feine Krankheiten), bald eingebildete Uebel ihn plagten.

Ueberhaupt find beide, Voltaire's und feine, fonft im Ton fehr verfchiedene Correfpondenzen, dem König viel vortheilhafter als diefen Gelehrten. Der König hatte von der Natur fehr viel Mutterwitz, den fein thätiges Leben zu grofsem Verftand bildete. Die Philofophen folgten ihren Speculationen. Selten wurden fie von diefen fo richtig wie er geleitet. Sie waren eben darum auch weit überfpannter und entfcheidender. Z. B. die chriftliche Religion hätten fie ausgerottet wiffen mögen; der König (fo wenig er fie fonft kannte) fah ihre genaue Verbindung mit dem Wohl der Gefellfchaft, fühlte das Vortrefliche ih-

rer Moral,' unterfchied Mifsbrauch und Grundfatz, und war gegen alle Religionen und Sekten überhaupt aufs äufserfte duldfam. Seine, wenn wir fagen dürfen, praktifche, lebendige Einficht erfcheint immer mit Vortheil gegen fchlimmernden Witz und metaphyfifchen Wortkram. Hiernächft ift alles in ihm Stärke, Lebenskraft. Freudigkeit, ächt philofophifche Schätzung der Dinge; ein unerfchöpflicher Fond von Heiterkeit glänzt überall hervor. Seinen Philofophen aber fehlt alle Augenblicke — bald fchrankenlofe Prefsfreyheit, bald gehörige Achtung bey den Grofsen, bald die Macht ihre gelehrten Gegner zu vernichten.

In diefer Rückficht könnten diefe Briefe wohl gar fchädlich feyn: in den Augen vernünftiger Männer fetzen fie ein paar der berühmteften Schriftfteller herab. Doch diefes foll nur Gelehrte zu ächter Lebensweisheit fpornen. Fürften und Männer von Welt fehen übrigens genugfam, welche brennende Liebe der Wiffenfchaften in Friedrich war; wie er die Studien *allem* vorzog, fo weit feine Pflicht es zuliefs; wie hoch er gelehrten Ruhm fetzt; wie viel er diefen Männern der Wiffenfchaften wegen vergab. Dafs alfo all's tadelhafte in ihnen, und keinesweges in ihrem Stand noch in ihren Befchäftigungen lag. Ueberhaupt, wenn man bedenkt, wie felten *Dalembert* und *Voltaire*, die Ungläubigen, und wie felten (laut feinem Tagebuch) *Haller* der Orthodoxe ruhig und glücklich waren, fo fieht man wohl, dafs es hiemit nicht fowohl auf theoretifche Vorftellungen, als auf die Stimmung des Charakters ankommt, wo denn die Organifation, Lage, Lebensweife, und wie viele Zufälle! ungemein viel beytragen, ihn männlicher oder fchwächer zu machen.

Merkwürdig ift in des Königs Briefen zu vergleichen, wie verfchieden er von demfelben Geiftesprodukt an den Verfaffer oder deffen Freunde, und hingegen an andere fchrieb. Es liefsen fich hierüber viele zu feiner Charakteriftik nicht unwichtige Anmerkungen machen. Seine Denkungsart über einen Gegenftand läfst fich nur durch Vergleichung mehrerer Schriften von feiner Hand erkennen; zumal da er nicht fyftematifch arbeitete, fondern jedesmal nur die ihn eben rührende Seite einer Sache zeigte, obfchon er ganz wohl wufste, wie viele andere fie hatte.

Man findet hin und wieder Urtheile über Menfchen, worin er fich gewifs betrog, wie dergleichen Beyfpiele auch in der Gefchichte feiner Regierung nicht unerhört find. Es ift fonderbar, dafs es den gröfsten Geiftern und welche den Menfchen im allgemeinen fehr gut kennen, im Detail fehr oft mifsräth. Vielleicht faffen fie zu leicht einen lebhaften Eindruck, über den alsdann ihre feurige Einbildungskraft arbeitet, und ein nicht immer treffendes Bild hervorbringe.

Wie viel wäre bey diesen Briefen zu erinnern! wie viel zu excerpiren! *At jam tempus, equûm fumantia solvere colla!*

XXIV. *Lettres mêlées.*

An und von *Fontenelle*, in jenem Ton (die letztern) altfranzösischer Urbanität und Galanterie. An und von dem guten *Rollin*, deſſen Hiſtorien der junge Friedrich gern las. Der Greis redet in einem feinen Jahren und Grundſätzen geziemenden Ton, höflich, aber auf Tugend und Religion andringend. An und von dem *Marquis de Condorcet*, der Dalemberts Verhältniſſe zu erben ſchien. Dieſe Briefe ſind meiſt Empfehlungen einiger Profeſſoren; doch iſt einer über Dalembert, welcher ſeinem Andenken Ehre macht, und ein paar über die Lehre von den bürgerlichen Strafen. Die übrigen ſind, einer an *Algarotti*, nicht eben ſehr merkwürdig, und verſchiedene an *Grimm*, aus des Königs ganz letzter Zeit, voll von Scherz und attiſchem Salz.

XXV. *Correspondence avec M. Darget.* 45 Briefe zwiſchen 1749 und 1771; die meiſten von 1752 bis 56. Sie beurkunden einen auch ſonſt bekannten Zug, wie gütig und liebreich der König mit denen umgieng, welche ſeine Perſon umgaben. Vertrauter Scherz, ja zärtliche Freundſchaft, ſind hier der herrſchende Ton. Es iſt ſchön zu leſen, wie er Darget über den Tod ſeiner Frau tröſtet; aber ſeine Troſtſchreiben ſind überhaupt vortreflich (ſo das an Dalembert über die *l'Espinaſſe*); es leuchtet in denſelben eine groſſe Kenntniſs des menſchlichen Herzens, und eine Empfindlichkeit hervor die (nach ſo vielen Beweiſen) dem Herzen Friedrichs wohl niemand mehr abläugnen wird, obſchon der Gedanke ſeiner Königspflicht ihm nicht geſtattete, ſich derſelben immer zu überlaſſen, und obſchon der ſiebenjährige Krieg und ſo lange Erfahrung der allgemeinen Verdorbenheit ihn mehr und mehr härtete.

Bis hieher dieſe Recenſion, in der uns viele Ueberwindung gekoſtet, hundert ſich zudringende Betrachtungen der Nothwendigkeit kurz zu ſeyn, aufzuopfern.

Wo iſt nun das Land, wo das Volk und wo das Jahrhundert in der alten und neuen Geſchichte (denn alles Gedächtniſs des menſchlichen Geſchlechts darf man auflodern), das ſtolz ſeyn dürfte auf einen Weiſen, der beſſer geherrſcht, auf einen König, der beſſer geſchrieben: ja wir möchten noch hinzuſetzen; das ſtolz ſeyn dürfte — auf einen gröſsern *Mann!*

KLEINE SCHRIFTEN.

Schöne Wiſſenſchaften. *Berlin*, in der königl. pr. akad. Kunſt u Buchhandl.: *FRIEDRICH der Schutz der Freyheit*, ein Hymnus zur Feyer des ſiebzehnten Auguſts von *G. N. Fiſcher* 1788. 22 S. 8. Ein vortreffliches Gedicht, werth von allen Bewundern des groſſen Königs geleſen zu werden. Eine Stelle reicht hin, um diejenigen, die es noch nicht kennen, darauf aufmerkſam zu machen.

Und, *Friedrich*, dein Adlerauge
Blickt' in die Sonne, fürchtete ſich
Vor keinem allzuhellen Licht!
Warſt unbeſorgt zu beſtimmen
Gränz' und Stärke des Lichts!
Denn ach, ſterbliches Aug' und Erdenhorizont
Sind Gränze genug!
Dich ſchreckte kein Wahn und kein Zweifel
Und keine Meynung, und kein Irrthum nicht!
Drum Einziger, du überſchauteſt
Wie dein ererbtes Königreich
Der Menſchenwiſſenſchaft weite Geſilde!

Dich ſchreckte nicht des Beobachters Blick!
Denn du ſahſt ihm tiefer ins Herz;
Warſt nicht bang, die zu weiſe gewordenen
Würden verſchmähen dein Wort,
Oder deinen Scepter verachten?
Denn! o der Weiſere verſtand
Beſſer dein Wort, ehrte dich
Herzlicher, und arbeitete mit
In den Plan zu beglücken dein Volk.

Den ganzen Hymnus erfüllen hohe Empfindungen und Gedanken; den Dichter begeiſterte die Gröſſe und die Unſterblichkeit ſeines Helden; von dem er ſo zuverläſſig als irgend ein Prophet weiſſagen konnte:

Jahrhunderte werden verſchwinden
Jahrtauſende werden vergehen
Und immer noch wird ſein Preisgeſang
Der Stolz der Enkel ſeyn.

GESCHICHTE.

LEIPZIG, b. Crufius: *Gefchichte des Abfalls der vereinigten Niederlande von der fpanifchen Regierung.* — Herausgegeben von *Friedrich Schiller.* Erfter Band. 1788. ohne die Vorrede 548 S. 8. (1 Rthlr. 12 gr.).

In der That ein fehr vorzügliches Werk, das theils für fich felbft, wenn es geendiget wird, wie es angefangen ift, auf einen hohen Platz unter unfern hiftorifchen Producten gerechnen Anfpruch machen kann, theils als der Erftling der Arbeiten des Vf. in einem Fache, dem fich derfelbe für künftig noch mehr widmen will, dem Publicum für die Zukunft noch eine fchöne Aernte hoffen läfst. Die wichtigfte Frage kann hier nicht die feyn: in wie fern der Gefchichtfchreiber durchaus treu und genau erzählt habe? So fehr wir die Wahrheit für das erfte Erfordernifs der Gefchichte halten; fo wenig würden wir ruzeben, dafs kleine hiftorifche Verfehen bey einer längern Gefchichte deren Vorzüge in der Kunft ihrer Darftellung liegen, einen bedeutenden Vorwurf ausmachen könnten. Wir fagen dies nicht, weil wir etwa viel dergleichen bemerkt hätten. Im Gegentheil konnte bey den Quellen, die der Vf. nach S. 4 der Vorrede gewählt, und gewifs fehr forgfältig gebraucht hat, die Darftellung des Ganzen nicht anders als der Wahrheit gemäfs, ausfallen, aber wenn z. B. S. 131. die Herzoginn Maria von Burgund die *Urgrofs-tante* der Margaretha von Parma genannt wird, oder wenn es heifst: Graf Aremberg hätte *Oft-friesland* zur Statthalterfchaft erhalten, oder auch wenn S. 87 gefagt wird: Die Geiftlichkeit war *von jeher eine Stütze der königlichen Macht*" etc.; fo fieht man leicht, dafs die beiden erften Verfehen blofs Gedächtnifs-oder Schreibfehler feyn, da fie Hr S. felbft an andern Orten richtig angiebt; und dafs bey den letztern blofs die Wärme der Darftellung den Hrn. Verf. verleitet hat, einen Satz allgemein auszudrücken, der nach

den bekannten Begebenheiten des Mittelalters, in denen die Geiftlichkeit die königliche Macht einfchränkte, feine Ausnahmen hat; und wie unbedeutend ift das alles! Wir berührten es auch nur, um defto eindringender fagen zu können, dafs dies durchaus nicht die Seite fey, welche bey der Beurtheilung eines folchen Werkes ins höchfte Licht geftellt werden mufs, weil die Wahl und Stellung der Begebenheiten und die Lebhaftigkeit in der Darftellung weit wichtigere und in mancher Rückficht weit fchwerer zu befriedigende Foderungen an ein hiftorifches Kunftwerk find. Gewählt find die Begebenheiten durchaus mit feltener Kenntnifs und bewundernsw. ür diger Klugheit, nichts unbedeutendes hinein gezogen, aber keine Begebenheit von einigem Einflufs übergangen. Hr. S. hat felbft die kleinften Handlungen, (wer weifs es beffer als der Gefchichtskenner, was diefe oft für Einflufs haben) wo er nur irgend eine aufklärende oder beftimmende fand, genützt; z. B. S. 142. wird das Verhältnifs zwifchen K. Philipp und dem Prinzen von Oran. fehr glücklich durch folgende Anekdote noch mehr enthüllt! als er (Philipp) zu Vliffingen an Bord ging, und die Grofsen des Landes ihn am Ufer umgaben, vergafs er fich fo weit, den Prinzen rauh anzulaffen, und ihn öffentlich als den Urheber der flandrifchen Unruhen anzuklagen, Der Prinz antwortete mit Mäfsigung, dafs nichts gefchehen wäre, was die Staaten nicht aus eignem Antrieb und den rechtmäfsigften Bewegungsgründen gethan. *Nein*, fagte Philipp, indem er feine Hand ergriff und fie heftig fchüttelte, *nicht die Staaten*, *fondern Sie! Sie! Sie!* Der Prinz ftand verftummt und ohne des Königs Einfchiffung abzuwarten, wünfchte er ihm eine glückliche fleife und ging nach der Stadt zurück." An die Stelle jener Reden in alten Schriftftellern hat Hr. S. Verhandlungen des Staatsraths eingeflochten, die den Gang der Sachen herrlich erhellen. Die Stellung der Begebenheiten ift faft unübertreflich meifterhaft. Man fteht durch die ganze Gefchichte immer im ganzen Gefichtspunkt. Mit recht angeftrengtem Studium hat Hr. S. alle Thatfachen, die jedesmal zur Erklärung der vorliegenden Begebenheiten nöthig waren, fo gefchickt und fo

G g g   glück-

glücklich dem Lefer vorgelegt, daſs wir ihm hierinn fehr wenig Geſchichtſchreiber an die Seite zu ſtellen wiſſen; und zwar thut er dies immer auf eine ſolche Art, daſs man ſie aus dem Gange der Geſchichte, deren Eigenthümliches gerade unausgeſetztes Fortſchreiten iſt, herauskommt. Man fehe, um nur ein Beyſpiel von dieſer Behauptung, wovon eigentlich das ganze Buch Beyſpiel iſt, anzuführen, wie ſo ganz am rechten Orte er S. 82 die, zur Beurtheilung der ganzen Revolution höchſt nothwendigen, ſtatiſtiſchen Nachrichten von den Niederlanden anführt. Sie ſtehen da, als ob Philipp fie gleich nach feinem Regierungsantritt muſterte. Auch die ſehr ſchöne Einleitung; die fchon im deutſchen Merkur abgedruckt ſtand, führt den Leſer ſo tief in die ganze Scene hinein, daſs man ſogleich mit allem nöthigen bekannt wird. Freylich lieſse ſich fragen; ob vielleicht dieſer halb begeiſterte Eingang wohl mit allem Recht dem epiſchen Dichter von dem Geſchichtſchreiber abgeborgt ſey, freylich wird manchem Leſer die oft zu gedrängte Gedankenfulle dieſes Eingangs beynahe drücken, die einem gleichſam ungeheure Felsmaſſen, welche der Blick nicht auf einmal faſſen kann, Schlag auf Schlag, vorwirft, ohne zur Betrachtung von jeder einzelnen Zeit zu laſſen. Aber wenn man nicht blofs alles voll wahrer und reichhaltiger Bemerkungen findet, ſondern wenn auch gar bald das Ganze als das treueſte Reſultat einer groſsen Lectüre und die zweckmäſsigſte Vorausbelehrung für die folgende Geſchichte ſcheint; ſo weiſs man kaum, ob man noch an die vorhergedachten theoretiſchen und kritiſchen Fragen denken ſoll. — Ueber Lebhaftigkeit der Darſtellung dürfen wir wohl dem Publicum, das Hn. S. Kunſt darinn lange kennt, nichts ſagen, aber auch auf das genaueſte wahr iſt es, daſs Treue der Erzählung dabey auch nicht das mind- ſte verloren hat. Auch beſteht Hrn. S. Kunſt im Darſtellen nicht in wohlklingenden Worten; vielmehr iſt ſeine Sprache meiſtens muſterhaft und nur ſelten haben ſich falſche Bilder, faſt nie ein unedles hinein verirrt; allenfalls etwa S. 23. *prächtige Verzehrung* der ſpaniſchen Monarchie; S. 61 *die Niederlande hörten auf, ihr eigner Zweck zu ſeyn; der Mittelpunkt ihres Daſeyns ward in die Seele ihrer Regenten verlegt*; S. 203. *Eine geſchmeidige Klugheit entwarf ihm die Dinge*; S. 373. *Dieſe Schandthat konnte nur in dem ſchlammigten Schooſs* einer verworfenen Pöbelſeele empfangen werden etc. — Die eingeflochtenen Betrachtungen ſind deutliche Beweiſe von richtigen politiſchen und tiefen pſychologiſchen Beobachtungen; den Reichthum an den letztern hat Hr. S. ſchon bey vielen Gelegenheiten an den Tag gelegt; nur ein paar Beyſpiele S. 63: „Glucklicherweiſe führen die entgegengeſetzten Entwürfe der Herrſchſucht und der uneigennützigſten Menſchenliebe oft auf eins, und die bürgerliche

„Wohlfahrt, die ſich ein Marcus Aurelius zum „Ziele ſetzt, wird unter einem Ludwig und Auguſt *gelegentlich* befördert.“ „Das Gebiet eines „denkenden Deſpoten hat darum oft die lachende „Auſenſeite jenes geſegneten Landes, dem ein „Weltweiſer das Geſetzbuch ſchrieb, und dieſer „täuſchende Schein kann das Urtheil des Geſchichtſchreibers irre führen. Aber er hebe die „verführeriſche Hülle auf, ſo wird ein neuer „Anblick ihn belehren, wie wenig bey der *Macht* „des Staats das *Wohl* der Individuen zu Rathe „gezogen worden, und wie weit iſt noch der Abſtand von einem blühenden Reiche zu einem „glücklichen.“ S. 94. „Die ſüſse Trunkenheit „eines jungen Monarchen, der von der höchſten „Gewalt *überraſcht* wird, jener freudige Taumel, „der die Seele jeder ſanfteren Regung öfnet, und „dem die Menſchheit ſchon manche wohlthätige „Stiftung abgewann, war bey Philipp“ (bey ſeinem Regierungsantritt) „längſt vorbey oder niemals „geweſen.“ Hieher gehört auch das ſo wahr geſchilderte Erſtehen des Verlangens nach Gewiſſensfreyheit bey bürgerlich freyen Menſchen S. 65, und viele andere Stellen. — Um indeſſen zu zeigen, wie ganz uneingenommen wir dies Werk geleſen, bemerken wir frey, daſs es uns ein mehr glänzender als gründlicher Gedanke ſcheint, wenn von dem Gerüchte, als habe ſich *Granvella* erboten, *Oranien* und *Egmont*, falls um dieſen Preis ihre Vergebung zu hoffen wäre, auf den Knien Abbitte zu thun, S. 207 geſagt wird: „Es „iſt klein und verächtlich, das Gedächtniſs eines „auſserordentlichen Mannes zu beſudeln; aber es „iſt noch viel verächtlicher und kleiner; ſie der „Nachwelt zu überliefern.“ Eben ſo frey bemerken wir, daſs in manchen Betrachtungen dieſer Art, z. B. S. 92. u. a. beynahe eine Abſtraction der Einbildungskraft, und eine halb metaphyſiſche Sprache herrſcht, die doch wohl kaum der rechte Ausdruck hiſtoriſcher Betrachtungen iſt. Auch ſind wohl manche Betrachtungen bey aller ihrer Wahrheit und Fähigkeit, die Geſchichte aufzuklären, doch zu lang, und halten daher den Gang der Geſchichte auf. Wir wünſchten ſehr, Hr. S. hätte die ſchöne Eigenthümlichkeit einiger Alten, die Betrachtungen in die Geſchichte ſo zu verweben, daſs ſie mit ihr eins ſcheinen, welche ihm ſelbſt, wie einige obige Beyſpiele zeigen, ſehr glückt, durchaus zu beobachten geſucht. Um endlich noch ein Beyſpiel ſeiner Darſtellung zu geben, wollen wir hier die Schilderung der Bewegungen, welche die Schlacht bey Oſterwel unter den in Antwerpen eingeſchloſſenen Zuſchauern derſelben hervorbrachte, geben, die der ſeltenſten Scenen, die es je gegeben haben mag, und die daher eine *ſolche* Beſchreibung in aller Abſicht verdiente, (S. 442 bis 447) einrücken, „Ehe die Schlacht angieng, ahndete man in Antwerpen nichts von dem Angriff. Der Prinz von Oranien, welcher frühzeitig

tig

tig davon benachrichtiget worden war, hatte die Vorſicht gebraucht, die Brücke, welche die Stadt mit Oſterwel verbindet, den Tag zuvor abbrechen zu laſſen, damit, wie er vorgab, die Calviniſten der Stadt nicht verſucht werden möchten, ſich zu dem Heere des Thouloufe zu ſchlagen, wahrſcheinlicher aber, damit die Katholiken dem geuſiſchen Feldherrn nicht in den Rücken fielen, oder auch Launoy, wenn er Sieger würde, nicht in die Stadt eindränge. Aus eben dieſem Grunde wurden auf ſeinen Befehl auch die Thore verſchloſſen, und die Einwohner, welche von allen dieſen Anſtalten nichts begriffen, ſchwebten ungewiſſ zwiſchen Neugierde und Furcht, bis der Schall des Geſchützes von Oſterwel her ihnen ankündigte, was dort vorgehen mochte. Mit larmendem Gedränge rennt jetzt alles nach den Wällen und auf die Mauern, wo ſich ihnen, als der Wind den Pulvergeruch von den ſchlagenden Heeren zertheilte, das ganze Schauſpiel einer Schlacht darbietet. Beide Heere waren der Stadt ſo nahe, daſſ man ihre Fahnen unterſcheiden, und die Stimme der Ueberwinder, wie der Ueberwundenen, deutlich aus einander erkennen konnte. Schrecklicher, als ſelbſt die Schlacht, war der Anblick, den dieſe Stadt jetzt gab. Jedes von den ſchlagenden Heeren hatte ſeinen Anhang und ſeinen Feind auf den Mauern. Alles, was uuten vorgieng, erweckte hier oben Frohlocken und Entſetzen; der Ausgang des Treffens ſchien das Schickſal jedes Zuſchauers zu entſcheiden. Jede Bewegung auf dem Schlachtfeld konnte man in den Geſichtern der Antwerper abgemalt leſen; Niederlage und Triumph, das Schrecken der Unterliegenden, die Wuth der Sieger. Hier ein ſchmerzhaftes eitles Beſtreben, den Sinkenden zu halten, den Fliehenden zum Stehen zu bewegen; dort eine gleich vergebliche Begierde, ihn einzuholen, ihn aufzureiben, zu vertilgen. Bey dem lebendigſten Antheil, dieſe Unmöglichkeit ihn zu äuſſern, dieſe Ohnmacht bey der heftigſten Leidenſchaft, dieſe Entfernung und dieſe Gegenwart, es war ein fürchterlicher Zuſtand. Jetzt flehen die Geuſen, und zehntauſend glückliche Menſchen ſind gemacht; Thouloufe's letzter Zufluchtsort ſteht in Flammen, und zwanzigtauſend Bürger von Antwerpen ſterben den Feuertod mit ihm. Aber bald macht die Erſtarrung des erſten Schreckens der wüthenden Begierde zu helfen, der Rache Platz. Lautſchreyend, die Hände ringend, und mit aufgelöſtem Haar, ſtürzt die Wittwe des geſchlagenen Feldherrn durch die Haufen, um Rache, um Erbarmen zu flehen. Auſgereizt von Hermann, ihrem Apoſtel, greifen die Calviniſten zu den Waffen, entſchloſſen, ihre Brüder zu rächen, oder mit ihnen umzukommen; gedankenlos, ohne Plan, ohne Führer, durch nichts, als ihren Schmerz, ihren Wahnſinn geleitet, ſtürzen ſie dem rothen Thore zu, das zum Schlachtfeld hinausführt; aber kein Ausweg! das Thor iſt ge-

ſperrt, und die vorderſten Haufen warfen ſich auf die hinterſten zurück; Tauſend ſammeln ſich zu Tauſenden, auf der Meerbrücke wird ein ſchreckliches Gedränge. Wir ſind verrathen, wir ſind gefangen, ſchrien alle. Verderben über die Papiſten! Verderben über den, der uns verrathen hat! Ein dumpfes aufruhrverkündigendes Murmeln durchläuft den ganzen Haufen. Man fängt an zu argwohnen, daſſ alles bisherige von den Katholiken angeſtellt geweſen die Calviniſten zu verderben. Ihre Vertheidiger habe man aufgerieben, jetzt würde man über die Wehrloſen ſelbſt herfallen. Mit unglückſeliger Behendigkeit verbreitet ſich dieſer Argwohn durch ganz Antwerpen. Jetzt glaubt man über das Vergangene Licht zu haben und fürchtet etwas noch Schlimmeres im Hinterhalt, ein ſchreckliches Miſstrauen bemächtiget ſich aller Gemüther. Jede Partey fürchtet von der andern, jeder ſieht in ſeinem Nachbar ſeinen Feind, das Geheimniſſ vermehrt dieſe Furcht und dieſes Entſetzen; ein ſchrecklicher Zuſtand für eine ſo menſchenreiche Stadt, wo jeder zufällige Zuſammenlauf ſogleich zum Tumulte, jeder hingeworfene Einfall zum Gerüchte, jeder kleine Funken zur lohen Flamme wird, und durch die ſtarke Reibung ſich alle Leidenſchaften heftiger entzünden. Alles, was reformirt heiſst, kommt auf dieſes Gerücht in Bewegung. Funfzehntauſend von dieſer Sekte ſetzen ſich in Beſitz der Meerbrücke, und pflanzen ſchweres Geſchütz auf dieſelben, das gewaltſam aus dem Zeughaus genommen wird; auf einer andern Brücke geſchieht daſſelbe, ihre Menge macht ſie furchtbar, die Stadt iſt in ihren Händen; um einer eingebildeten Gefahr zu entgehen, führen ſie ganz Antwerpen an den Rand des Verderbens. Gleich beym Anfange des Tumults war der Prinz von Oranien der Meerbrücke zugeeilt, wo er ſich herzhaft durch die wüthenden Haufen ſchlug, Friede gebot und um Gehör flehte. Auf der andern Brücke verſuchte der Graf von Hoogſtraten, von dem Bürgermeiſter Strahlen begleitet, daſſelbe; weil es ihm aber ſowohl an Anſehen als an Beredſamkeit mangelte, ſo wies er den tollen Haufen, der ihm ſelbſt zu mächtig wurde, an den Prinzen, auf welchen jetzt ganz Antwerpen heranſtürmte. Das Thor, ſuchte er ihnen begreiflich zu machen, wäre aus keiner andern Urſache geſchloſſen worden, als, um den Sie, wer er auch ſey, von der Stadt abzuhalten, ſie ſonſt ein Raub der Soldaten würde geworden ſeyn. Umfonſt die raſenden Rotten hören ihn nicht, und einer der Verwegenſten darunter wagt es ſogar ſein Feuergewehr auf ihn anzuſchlagen, und ihn einen Verräther zu ſchelten. Mit tumultuariſchen Geſchrey fodern ſie ihm die Schlüſſel zum rothen Thore ab, die er ſich endlich gezwungen ſieht, in die Hand des Predjger Herrmann zu geben. Aber, ſetzte er mit glücklicher Geiſtesgegenwart hinzu, ſie ſollten zuſehen, was ſie thäten, in der Vorſtadt warteten

600 feindliche Reuter fie zu empfangen. Diefe Erfindung, welche Noth und Angft ihm eingaben, war von der Wahrheit nicht fo fehr entfernt, als er vielleicht felbft glauben mochte; denn der fiegende Feldherr hatte nicht bekommen den Tumult in Antwerpen vernommen, als er feine ganze Reuterey auffitzen liefs, um unter Vergünftigung deffelben in der Stadt einzubrechen. Ich wenigftens, fuhr der Prinz von Oranien fort, werde mich bey Zeiten in Sicherheit bringen, und Reue wird fich derjenige erfparen, der meinem Beyfpiel folgt. Diefe Worte zu ihrer Zeit gefagt, und zugleich mit frifcher That begleitet, waren von

Wirkung. Die ihm zunächft ftanden, folgten, und fo die nächften an diefen wieder, dafs endlich die Wenigen, die fchon vorausgeeilt, als fie niemand nachkommen fahen, die Luft verloren, es mit den 600 Reutern allein aufzunehmen. Alles fetzte fich nun wieder auf die Meerbrücke, wo man Wachen und Vorpoften ausftellte, und eine tumultuarifche Nacht unter den Waffen durchwachte." — Wir wüfsten kaum ein Werk zu nennen, das bey uns einen dringendern Wunfch, fchon die Fortfetzung vor uns zu haben, erregt hätte, als das gegenwärtige.

KLEINE SCHRIFTEN.

GESCHICHTE. *Leipzig*, b. Göfchen: *Eine kurze Ueberficht des politifchen Zuftandes von Grofsbrittanien zu Anfang des 1787 Jahres.* Aus dem Engl. nach der 5ten Auflage überfetzt. gr. 8. 41 S. (2 gr.) Diefe Skizze von den relativen Lagen des Königs und des Volks, des Minifteriums und der Oppofition im J 1786. verdiente wegen der brittifchen Freymüthigkeit und Eleganz, womit fie gefchrieben ift, und wodurch fie die Neugierde allgemein rege machte, vor andern auf deutfchen Boden verpflanzt zu werden. Der ungenannte Vf. verfichert: er fey über die Niederträchtigkeit weg, für irgend eine Partey zu fchreiben; man finde ihn weder auf der Terraffe zu Windfor, noch bey den Soupers in Carltonhoufe; er beuge fich weder vor der mittäglichen noch vor der aufgehenden Sonne u. f. w. Mit diefer meiftens treugebliebenen Verficherung urtheilt er von dem *Monarchen*, "Der Verluft von 13 Kolonien, beiden Floridas, — der Verluft ganzer Kriegsheere, der Aufwand von 130 Mill. Pf. St, die angehäuften Taxen, der Grad politifcher Unbedeutfamkeit, zu der das Land herabgefunken, — haben doch den König nicht um die Liebe des Volks bringen können. Seine zahlreiche Familie, feine bürgerliche Tugend, fein häuslicher guter Charakter, zogen felbft nach dem Urtheil feiner Feinde, einen Schleyer über die Fehler der Regierung. — Der Charakter und das Betragen des Prinzen von Wallis hat ganz undreifig das englifche Volk zum Vortheil des Monarchen eingenommen." Wozu noch neue hier erzählte Hülfsftützen für feinen erworbenen Popularität kommen. So wird denn das Gemälde des *Prinzen von Wallis* ziemlich in Schatten geftellt, ohne jedoch feine gute Seite unbemerkt zu laffen. — "Unangenehm im Aeufserlichen, kalt und entfernt in Manieren, ift *Pitt* gar nicht gemacht, die Liebe der Menfchen zu gewinnen; allein Genie und Talent, unabläffige Anftrengung zu Erfüllung feiner Amtspflichten, gemifchte Sprache der ftärke... und Uebereinigung — haben ihm einen leichten ... zum Herzen erworben. Ganz abgefondert und allein, wie ein Ajax, ftehet er mitten unter Heeren ihn umringender Feinde. An der Spitze der grofsen Bande, die Oppofition genannt, erfcheint *Fox*. Ob er gleich keine fo vortreffliche und glänzende Beredfamkeit, als Pitt, befitzt, fo ift fie doch vielleicht gründlicher und beftimmter. Seinem Antagoniften in allen der erhabenen Talenten gleich, ju modernen und gefchmackvollen Kenntniffen, in einer Bekanntfchaft mit Europa, Sitten, Höfen und Sprachen überlegen, fteht er blos in einem Erfordernifs ihm nach:

nemlich in der allgemein unter dem Volk verbreiteten Meynung über fein Staatsprincipium. — Weit entfernt, dafs er, wie fein mehr glücklicher Rival für das gefellfchaftliche Vergnügen gleichgültig oder über die Liebkofungen des andern Gefchlechts fich erheben folle, fchämt fich Mr. Fox nicht, mit der Theilnehmerin feiner zärtlichen Stunden, in einem Phaëton in Hyde Park, oder in der erften Reihe eines vollgepropften Schaufpielhaufes zu erfcheinen. Zur gefelligen Freude der Tafel geneigt, — von Natur grofsmüthig und wohlthätig, erftrecken fich feine politifchen Feindfchaften nicht über die Gränze einer Debatte, oder über die Wände des Haufes der Gemeinen." Hierauf geht der Vf. zur Schilderung des tödten Lord *North*, des eccentrifchen *Burke*, des *Sheridan*, einer der vornehmften Anführer der Parlaments-Debatten, über; und fchliefst mit einer freyen Beurtheilung der vornehmften Begebenheiten des J. 1786, worin feine Bemerkungen über den Hand.ungstractat mit Frankreich, den Charakter des verftorbenen Königs von Preufsen, und über das Verfahren wider Rodney und Haftings vorkommen. Jeder Lefer wird den Vf. vornehmlich über den 1788. erfolgte unerwartete Cataftrophe, über die verfchiedene Stimmung der Volksreprefentanten, und proviforifche Veränderung der Adminiftration, welche fie hervorbrachte, gern wieder hören.

Die Ueberfetzung läfst fich bis auf ein paar holprichte Stellen 6. 25 u. 30. gut lefen. Druckfehler, wie Camarthen ftatt Carmarthen, Jenkrifon ftatt Jenkinfon find doch nicht häufig.

VERMISCHTE SCHRIFTEN. *Berlin*: *Letzte Gedanken des Königs von Pr** mit eigner Hand von ihm aufgefetzt, aus dem Französifchen, 1787. 36 S. 8.* Eine kurze Anmerkung verfichert, das Manufcript des Originals fey von einem Hufaren an jemanden verkauft worden, der mehrere Kopien davon habe nehmen laffen. Aus dem Inhalt felbft läfst fich nicht mit Gewifsheit die Aechtheit oder Unächtheit diefer Schrift erkennen, indem fie etwa die Anekdote S. 13. ausgenommen, gar nichts enthält, was nicht jeder, der die Schriften und Thaten des Königs kennt, ihm hätte in den Mund legen können. Auf alle Fälle hatte etwas, das nicht zum Druck beftimmt war, füglich ungedruckt und unüberfetzt bleiben können. Die Ueberfetzung ift oft nur zu buchftäblich.

ALLGEMEINE
LITERATUR - ZEITUNG

Dienstags, den 17ten Februar 1789.

GOTTESGELAHRTHEIT.

PARMA, in der königl. Druckerey: *Variae Lectiones veteris Testamenti ex immensa MSS. editorumque todicum congerie haustae et ad Samar. Textum, ad vetustiss. versiones ad accuratiores sacrae criticae fontes ac leges examinatae opera ac studio Johannis Bern. De-Rossi*, S. T. D. et in R. Parmensi Acad. ling. Or. Prof. Vol. IV. Psalmi, Proverbia, Job, Daniel, Ezras, Nehemias, Chronica seu poralip. Appendix. 1788. 32 u. 341 S. 4. (2 Rthlr. 20 gr. Pränumerat.)

Die Liebhaber der biblischen Kritik werden sich mit Recht über die glückliche Beendigung eines Werkes freuen, das einen ungemeinen Fleiß und Beharrlichkeit erforderte. Die Einrichtung des Werkes ist schon aus den Recensionen der vorigen Theile bekannt, und wir werden eben so wenig das Lob wiederholen, was wir dem würdigen Vf. schon vorher ertheilt haben. Zuerst eine vorläufige Abhandlung von der Vortreflichkeit, dem Nutzen und Gebrauche dieser Collation. (Würde es nicht schicklicher gewesen seyn, das Urtheil über die Vortreflichkeit dem Leser zu überlassen?) Von den jüdischen Collationen wird sehr im allgemeinen gesprochen, nachher von denen, welche Christen veranstaltet haben. Das Kennicottische Werk wird sehr gelobt — *maximi haberi a nobis posterisque omnibus tum opus ipsum debet, tum summum quod in eo eluret auctoris de sacra critica bene merendi studium, labor indefessus, singularis doctrina, eruditio ac diligentia.* An den Eigenschaften, die hier Kennicott beygelegt werden, werden wohl die meisten, welche ihn näher gekannt haben, zweifeln. Der Vf. hat zu den Kenn. MSS. noch 731 hinzugefügt, welche Kenn. gar nicht gekannt hat, und zu seinen Ausgaben beynahe 900. Conferirt sind, also für dieses Werk MSS. 1346, Ausgaben 352, überhaupt also 1698 Codices. Und doch getrauen wir uns noch eine ansehnliche Anzahl von hebr. MSS. in Deutschland und Holland aufzufinden, die weder Kennicott noch De-Rossi genutzet hat. Wir würden uns aber schwerlich mit der Collation derselben befassen, noch sie andern anrathen,

A. L. Z. Erster Band. 1789.

indem auch sie so ausfallen würde, wie der Verf. von hebr. Collationen überhaupt urtheilet, daß fast alle Varianten unerheblich sind. Dem ungeachtet hält er der von ihm gemachten Auswahl von Varianten eine Lobrede. Die Lesarten, welche im N. T. ausgedrückt sind, werden aus hebr. MSS. bestätiget, als Ps. 16, 10. 51, 6., wo für ברכך, MSS. ברכיך vergl. Röm. 3, 4 lehren, Dan. 9, 27., wo der Vf. aber bey der Stelle selbst gesteht, daß der Codex von dem Verdacht einer vorsätzlichen Verfälschung nicht zu befreyen sey. Die alphabetischen Psalmen werden in Stellen, die den unrechten Anfangsbuchstaben haben, verbessert, as, 5. ואתך; 34, 6, ופניהם fängt in 2 MSS. ein neuer Vers an. Aber es fehlet doch die zweyte Hälfte sowohl dieses, als des vorhergehenden Verses. 145, 13. Der Vers, welcher mit נ anfängt, steht am Rande eines MS. Unrichtige Zahlen werden durch Handschriften berichtiget, als 2 Chron. 22, 2., wo aber nur ein einziges Kennicott. MS. citirt wird, das am Rande 22, statt 42 lieset. 2 Chron. 28. 1., wo ein MS. 25 statt 20 hat, u. 36, 9., wo wieder nur ein MS. am Rande 18, statt 8 hat. Bey der Lesart כארון Ps. 22, 18. hat der Vf. die wenigen Kenn. Zeugen mit 2 neuen, wovon die eine auch nur das Wort am Rande hat, aus seinem MSStenvorrath vermehrt. Da der Vf. sich auf die angeführten Varianten zum Beweise der Vortreflichkeit seiner Arbeit in der Vorrede bezogen hat: so glaubten wir, sie dem Leser mittheilen zu müssen. Wenn er aber selbst keine außerordentlich wichtige Lesarten hat aufstellen können, so wird man sie von uns nicht verlangen. Wir theilen indessen einige Bemerkungen aus seinem Buche mit. Ps. 9, 7. eine Variante, die sich bloß auf die Vocalen bezieht. Dergleichen findet man auch 17, 8. 9. f. — 9, 15. Da der Vf. gesteht, daß תהלתיך, die gewöhnliche Lesart, von allen Alten ausgedruckt sey, so scheint uns die Anführung der Zeugen für תהלתך überflüssig — 10, 5. יחרן MSS. des Vf. — 15, 1. Wozu die Variante באהליך. Gab es denn mehrere Unterredungszelte? — 16, 2. אמרתי Codd. mit dieser Lesart, nemlich mit einem Scheva unter חן hätten wir citirt erwartet. Daß sie da sind, hat wohl keinen Zweifel. —

Da der Vf. fonſt ſo wörtlich überſetzt; ſo wiſſen
wir nicht, warum er 17, 11. וישרגו mehr, als einmal *in greſſu noſtro* gegeben hat — 18, 14. fehlt
in vielen Kenn. u. de R. MSS. Der Vf. hätte hinzuſetzen ſollen, wegen des ὁμοιοτελευτον. — v. 46
, werden Excerpte aus ein paar alten hebräiſchen
Lexicis, die noch vor Kimchi geſchrieben ſind,
mitgetheilt. Dergleichen kommen auch ſonſt vor,
vielleicht würde eine Bekanntmachung derſelben
nützlicher ſeyn, als eine Collation bibliſcher MSS.
— Eine lange Note über כאדי 22, 17. daſs entweder כארו als die richtigere Lesart anzunehmen, oder doch eine Variante hier zuzugeben,
und das Recht, unter den beiden Lesarten zu
wählen, unbenommen ſey. — Der Vf. ſcheint
jetzt den ſpaniſchen MSS. ein Gewicht einzuräumen, das er ihnen ſonſt nicht beylegte, z. E. 22,
29, 24, 4, 38, 16. u. ſ. f. Wir führen dieſes zu
ſeiner Empfehlung an. — Die Lesart ויבקשו
für וינקשו würden wir keiner Anführung werth
gehalten haben. Der Vf. hält auch hier, ſo wie
in den meiſten Stellen, ſein eigenes Urtheil zurück. — Den an Kennicott gerügten Druckfehler 256 hätte der Verf. leicht in 255 verbeſſern
können. — 64, 7. Eine wichtige Anmerkung
über den verderbten Zuſtand der Maſora, der in
uns den Wunſch erregt, daſs das folgende Jahrhundert einen zweyten Jak. Ben Chajim haben
möge. — Bisweilen wird der Vf. es doch über-
drüſsig, die Codices namentlich anzuführen, und
er giebt nur die ganze Summe der MSS. und Editionen an, worinn die Lesart gefunden iſt, als
64, 10. 65, 11. 66, 9. Spr. 8, 16. eine merkwürdige Variante, wo ſtatt צוא viele MSS. und
Ausgaben ארץ leſen. Jene Lesart iſt auf Aucto-
rität des Hillel die gewöhnliche geworden. Sie
iſt auch von den LXX und Araber befolgt, welche von dem Vf. nicht angeführt werden. Es
wäre der Mühe werth, noch mehr eigenthümliche Lesarten des Hilleſchen Codex in den Spr.
mit der LXX zu vergleichen. Wer kann dieſes
beſſer thun als der Vf.? Wir finden wenigſtens,
auch in andern Stellen, *Codd. hiſpanici et LXX*
bey ihm zuſammen, z. E. 13, 19. 14, 2. Spr.
30, 19. wird ein lateiniſches MSS. aus der Bibliothek des Vf. citirt, das adoleſcentula lieſt. Eine
ungemein ſeltene Lesart. — Der Anhang enthält eine kleine Nachleſe von Varianten über die
ganze Bibel. Der Vf. vertheidiget 1 Moſ. 3. 15.
הוא, hic, und glaubt, daſs in der Lat. Ueberſ.
ipſe in *ipſa* corrumpirt ſey. Von ſeinen kritiſchen Einſichten konnte man dieſe Entſcheidung
mit Recht erwarten.

FREYMAUREREY.

Leipzig, b. Göſchen: *Mehr Noten als Text,*
oder *die deutſche Union der Zwey und Zwan-*
ziger, eines neuen geheimen Ordens zum

Beſten der Menſchheit. — *Aus einem Packet*
gefundener Papiere zur öffentlichen Schau ge-
ſtellt durch einen ehrlichen Buchhändler. 1789.
128 S. 8.

Je öfterer Rec. ſchon gewünſcht hatte, daſs dieſe
neue geheime Geſellſchaft, von der er ſchon ſeit
Anfang des vorigen Jahrs manches hörte, bekannt
gemacht und entlarvt würde, da man nur gar zu
bald merkt, daſs unter ihrer glänzenden Larve
eben nicht ein Engel des Lichts verborgen ſey; deſto
erfreulicher war es ihm, daſs ihre Papiere, die
man freylich mit einer ſolchen Sorgloſigkeit um-
herlaufen lieſs, daſs es kaum begreiflich war, wie
ſie nicht lange ſchon bekannt worden ſind, jetzt
mit einem Commentar erſcheinen, in dem die käl-
teſte vorurtheilfreyeſte Vernunft mit dem treffend-
ſten Witze und der heiterſten Laune Hand in
Hand geht. In der That, wir wünſchen recht
ſehr, daſs die in dieſer kleinen Schrift vorgetragenen Bemerkungen über Aufklärung, geheime
Geſellſchaften, und andere gerade zu unſern
Zeiten recht wichtige Dinge, welche durchaus
in ſo eindringenden Inſtanzen vorgetragen ſind,
von recht vielen beherziget werden mögen, und
wir hoffen ganz auf Erfüllung dieſes Wunſches,
da das Gewand, in dem ſie erſcheinen, allein ſchon
des Anſchauens ſo werth iſt. — Erſt vom Zweck
dieſer deutſchen Union. Das Aushängeſchild
trägt die ſchöne anlockende Inſchrift: *Beförde-*
rung der Aufklärung. Dazu werden S. 8. u. 9.
die Freunde der Vernunft, der Wahrheit und der
Tugend, die Männer der Nation etc. aufgerufen.
Gleich im erſten Aufruf heiſst es S. 9.: „Vernehmt
demnach, Freunde des Guten! wie eine ſolche
Verbindung möglich werden kann, ſobald ihr
wollt, d. h., ſobald ihr das Gute *allein wollt,* und
— dem *Eigenwillen,* den *Neugier* und der Selbſt-
ſucht mit Entſchloſſenheit *entſagt,* und euch an
der Freude, zur Beförderung des Wohls der
Menſchheit im Stillen *mit* zuwirken, *begnügt.“*
Mit groſsem Recht bemerkt ſchon hier der Commentator S. 13: „Die Männer der Nation ſollen alſo in dieſer, von zwey und zwanzig unbekannten Obern, zu lenkenden *heimlichen* Geſellſchaft,
keinen *eigenen Willen* haben, ſondern gehorchen,
ohne einmal die ſchändliche und ſchädliche *Neugier*
zu haben: zu fragen: „Wozu ſoll ich das thun? Wer
befiehlt mir das?“ (Hn. *Bertuchs* Erklärung über
ſeine Verbindung mit dieſer Union in Nr. 20. des
Intelligenzblatts der A. L. Z. beweiſt es, daſs der
Commentator recht hätte, und wie wenig die Directoren gemeint waren, ſich bekannt zu machen.)
Doch die Herren erklären ſich in der Folge über
ihre Mittel, aufzuklären, deutlicher; und wir wollen ſie noch an einigen Stellen hören. Nach S.
10. verlangt die Geſellſchaft *billigermaſsen,* daſs
der, der mit ihr in Correſpondenz treten will, die
Koſten derſelben, die er ſonſt ihr dadurch ver-
urſacht, trage, und *wenigſtens einen Thaler beyle-*
ge.“ Der Commentator ſagt S. 15 hiezu: „Was
da

das für ein unfinniges Gefchwätz ift! Alfo wird
wohl ein Rekrut, den ein Unterofficier bey einer
Flafche Brandwein überredet hat, Dienfte zu neh-
hen, die Auslage fur den Brandwein, für die Be-
eidigung, die Transportkoften dazu erftatten müffen, weil der Rekrut diefe Unkoften allerdings
verurfacht hat? Und fo etwas giebt man fich die
Mine, den aufgeklärten Männern der Nation zu
fagen? Ein hinter dem Pfluge weggeworbener
Bauerenkel würde dem Unterofficier, der ihm ein
folches Argument der Billigkeit vorfchwatzen
wollte, antworten: Herr, ich habe Euch ja nicht
gefucht! *Ihr hattet mich ja nur gehen laffen konnen, wenn Ihr mein nicht nöthiggehabt!"* Mit
diefem Punkte müffen wir auch wohl Nachricht
von einem Subfcriptionsplan auf ein im Namen
der Union zu fchreibendes (nun fchon erfchiene-
nes) Buch: *Ueber Aufklärung und deren Befor-
derungsmittel* (S. 73) verbinden. Die durch den
Weg der gefamten Verbindung erleichterte Sub-
fcriptionsfammlung dürfte denn da auch wohl ein
grofser Zweck des *Centrums* gewefen feyn. — Noch
bedeutender und über die hohe Aufklärung des
Centrums belehrender find folgende Stellen, S.
31: „Nächft diefem fuchen wir *Poftmeifter* und
Poftfecretäre zu gewinnen, zu *Erleichterung der
Correfpondenz* und *Verhütung zu beforgender*
Cabalen der unferer Correfpondenz nachftellenden
Gegenparthey. Aufserdem nehmen wir Menfchen
aus *allen Ständen* auf, nur *keine Fürften und Minifter;* wohl aber deren Günftlinge." S. 33.
„Indem an allen Orten Lefegefellfchaften" (die
von den dirigirenden oder um den eigentlichen
Zweck der Union wiffenden Brüdern veranlafst
werden follen,) „entftehen; fo fuchen nun die dirigirenden Bruder, jeder an feinem Orte, folgende Mittelzwecke zu bewirken: 1) das allgemeine Intelligenzblatt" (Journal der Union) „einzuführen; und *alle andere Zeitungen und Journale zu
verdrangen* — 2) einen Secretär ihrer" (Lefe)
„Gefellfchaft zu wählen, welcher die Verfchrei-
bungen der von ihnen für die Lefegefellfchaft
nach dem Zweck der Union gewählten
Bücher beforgt, und fich an feinem und den umliegenden Orten anbietet, auch andre Bücher für
alle Liebhaber zu verfchreiben. Wenn an dem
Orte ein Buchhändler ift, der für die Union gewonnen, und beeidigt werden kann; fo ift es billig, defen dazu zu nehmen, weil, wie unten erhellen wird, der *Buchhandel* nach und nach eingehen, und *in die Hande der Union* fallen wird."
— Ueber dies alles fagt der Notenmacher fo viel
treffendes, ernfthaftes u. launiges, dafs wir ihm nicht
vorgreifen mögen, u. nur einiges zur Probe ausrie-
hen. Nachdem er z. B. über die fchöne Moralität diefes Projectchens, den Buchhandel und die Journale
zu unterdrücken, geredet; heifst es S. 48:„Indeffen
laffe man fich über die fchlimmen Folgen diefes
gutgemeynten Projects nicht fchrecken, fondern lachle fo ungefähr, wie der fel. General

Stille, als er einftmals in Afchersleben von der
Parade heimkam, und ein paar Leute, die das
Pflafter vor feinem Haufe ausbeffern follten, mit
ihren Pickhauen entfetzliches Aufhebens machen
fahe, wobey der eine fagte: *De Schteen fchall'r
heruht o'r de Hackenfchteel moot breken, o'r dat
Huulft moot une fallen;* Nein! Nein! fagte der f.
Stille, da habt ihr 6 Grofchen für euren heldenn-
mäfsigen guten Willen, lafst das Haus immer ftehen, und thut nur, was billig und recht ift."
„Braver Muth" heifst es S. 36, „äufsert wohl zu-
„weilen eine kleine Prahlerey! Schreiber diefes
fah im fiebenjährigen Kriege durch einen Unterofficier einen Transport von *zehn* Rekruten durch
ein Dorf fuhren, und als er den Unterofficier
fragte, wohin der Zug gienge, antwortete diefer:
„Herr, geradesweges zur Armee, *um einmal dem
fatalen Kriege ein Ende zu machen."* Ferner
heifst es S. 52: „Die ungemeine Gemüthsbillig-
keit der Union, da der Verfaffer des Planes die
Grofsmuth äufsert, dafs die Buchhändler, wenn
man fie *gewonnen* hat, zu Collecteurs der Gefellfchaft angeftellt werden follen, könnte wirklich
im hohen Tragifchen vortrefliche Wirkung thun;
wenn z. B. der heil. Crifpin einem Lederhändler
eine einzige Haut gelaffen hätte, und ihm nun
aus heil. Grofsmuth noch erlaubte, fich als Schu-
fter zu nähren! " — Befonders aber finden fich
über den Vorfchlag, die Lectüre und Aufklärung ganz nach dem Zwecke der Union zu leiten, S. 50 u. f. eben fo richtige als launige Betrachtungen: „Wer wäre der Mann, welcher Na-
tion auf Gottes Erdboden es auch fey, der dem
erhabenen Verfaffer diefes Plans nicht gerne oder
gezwungen zugeben müffe, dafs Einheit des Glaubens und der Denkart eine bisher gänzlich unbekannte Glückfeligkeit der ganzen Welt bewirken
werde. Wer und was wird die Ruhe einer Nation
ftören können, die in keinem Stücke verfchiede-
dene Meynungen hegt? Wenn erft die ganze
deutfche Nation fich des fatalen Selbftdenkens, diefer Quelle alles Haders, völlig entwöhnt hat,
und in behaglicher Ruhe, Zufriedenheit und See-
lenapathie nachgähnen wird, wie ihr die Union
vorgähnt; wenn felbft die Berlinifchen Zions-
wächter und Demaräes und Sailer und Frank und
Semler und Claproth durch das Centrum zur Einheit gebracht find. — O! wer es doch von einer Anhöhe anhören könnte, das Lied einer ganzen Nation,
*a mezzá voce e fmorzando: Alle Fehde hat
nun ein Ende!* — Ja, ja, heiliger Schweden-
borg, dein neues Jerufalem ift fchon aus *Afrika*
nach Deutfchland gebracht, und bald wird uns die
Union eben fo aufgeklärt machen, als *Fetz* und *Marocco* und *Tunis* und *Algier* und *Tripolis!!!* Denn
was hat Euch, ihr Deutfchen, bisher an Tripoli-
tanifcher Aufklärung gehindert? Nichts anders,
als dafs jeder Schriftfteller, grofs und klein fchrieb
und drucken liefs, was ihm gut däuchte, dafs jeder Lefer vom Profeffor bis zur Putzjungfer las,
was

was jeder. wollte! Dem Unfuge wird, wie wir
fehen, aufs kräftigfte, obgleich in aller Stille, gefteuert werden, durch den höchft einfachen Ope-
rationsplan der Union, dafs - keine andere Bücher für die Lefegefellfchaften und andere Liebhaber des Lefens vorgefchlagen und verfchrieben
werden, als nach dem Zweck der Union. Was
nun eigentlich nach diefem Zwecke der Union
für Bücher gelefen werden follen; ob nach dem
Sinne der Propaganda in Rom, oder des Mufti
in Conftantinopel, oder der Brüder in Barby oder
in Mohilow, oder der Synode zu Dordrecht, oder
der philantropifch-exegetifchen Gefellfchaft, oder,
oder, oder — das mufs man mehr fo ruhig vorher erwarten. etc" Doch wir müffen mit Auszügen aufhören, und können es wohl um fo eher,
da dies Buch viele Lefer bekommen wird. Nur
über die Art der Aufklärung der Union noch ein
paar, wie uns fcheint, merkwürdige Stellen aus
dem Texte: S. 30: „Wir haben uns vereinigt,
den grofsen Zweck des erhabenen Stifters des Chriftenthums, Aufklärung der Menfchheit und De-
thronifirung des Aberglaubens und des Fanatismus, durch eine ftille Verbrüderung aller, die

Gottes Werk lieben, durchzufetzen." — Zu diefer Stelle fagt der Commentator S. 31: „Die Sprache diefes Eingangs möchte wohl manchem Lefer
den eigentlichen Stifter der Gefellfchaft zu verrathen fcheinen." Wenn wir ihn recht verftehen,
fo, macht damit die zweyte Aeufserung einen
wunderbaren Contraft: — S. 117. „Alfo diefe
— fo befchriebene Aufklärung, — nicht die des
Fragmentiften des Horus u. d. gl, — nicht die
Bahrdtifche, die alles Anfehen der Bibel zu
verdrängen fcheint, — ift der Zweck unferer Verbindung." — S. 59 bis 61 fteht eine lange Lifte
der deutfchen Union, auf der fich ehrwürdige
Namen finden. Gut, dafs es uns die fchon
oben gedachte Erklärung des Hn. L. R. Bertuck
erläutert, wie es mit der Verfertigung diefer Lifte hergegangen fey; fonft würden wir uns über
manchen Namen, wundern müffen, da die Herren
Zwey und Zwanziger die Manner der Nation, wie
fie fie anreden, in der That als unbartige Knaben
behandeln, wahrfcheinlich aus übergrofsem Vertrauen auf ihren Bart, den fie doch fo forgfältig verhüllen.

KLEINE SCHRIFTEN.

NATURGESCHICHTE. Lund, b. Lundblad: Prin-
cipia Botanices illuftrata, feu partes fructificationis, chara-
cteribus, terminis technicis, figuris illuftratae, ad fyftema
Botanices linnaeanum intelligendum, tractandum adaptatae
in ufum praelectionum. ob Engelbert Jörtin phil. Mag.
Editio altera emendatior, aucta. 1786. 32 S. und 4 S.
Vorr. und Dedic. 8. Tab. I - VI. in 4. (4 gr.) Auch
eine Anleitung zur Pflanzenkenntnifs, von der wir, ihre
Kürze ausgenommen, nichts Vorzügliches anführen können. Wir wiffen auch nicht, ob diefe neue Ausgabe wirklich verbeffert und vermehrt fey; der Vf. fagt in der
Zueignung an den Prof. Rofenblad in Lund: forma quidem novum opufculum, corpore autem et materia idem. —
Der Vf. erklärt übrigens in diefen wenigen Bogen die
Kunftausdrücke von den vegetabilifchen Befruchtungs-
theilen: Kelch, Blume, Staubgefäfs, Stempel, Frucht-
hülle, Saamen, und Blumenboden, nach Vorgang der
linnaeifchen termini botanici, fo, dafs Anfänger fich
hinreichend daraus unterrichten können, bey weiteren
Fortfchritten in der Wiffenfchaft aber befferer Bücher
nicht entübriget werden. Die beygefügten Abbildungen
ftellen bekanntere Pflanzen mit Verweifung auf die erklärten Kunftausdrücke dar. — Zeichnung und Stich
find aber gleich roh und flüchtig; fo dafs wir diefe ganze Anleitung, von allen neuern, Vermehrungen der botanifchen Sprache nichts enthaltend, blofs zu den Vorlefungen des Vf. und für jene, die eine fehr kurze und
wohlfeile Ausgabe, aus Mangel einer beffere anfchaf-
fen zu können, fuchen, beftimmt glauben. Ein Regifter über die Kunftwörter, mit beygefetzten vaterländifchen Benennungen macht den Befchlufs.

ERBAUUNGSSCHRIFTEN. Zürich, b. Orell, Füfsli u.
Comp.: Sammlung auserlefener geiftlicher Lieder und Ge-

fänge, zum Gebrauche bey der häuslichen, wie bey der öffentlichen Gottesverehrung. 1788. 12½ B. 8.

Hamburg, b. Roftock: Lieder zur Hausandacht, mit
einer Vorrede von M. Johann Otto Thiefs. 1788. 11½ B.
8. Beide Sammlungen enthalten lauter neue Lieder,
worunter wir jedoch wenige ganz neue, oder bisher noch
ungedruckte bemerkt haben. Die mehreften verdienen
die Aufnahme, und nur in einigen haben wir noch Ausdrücke gefunden, die nicht ganz verftändlich und der
Würde des Evangeliums nicht ganz angemeffen feonig
zu feyn fcheinen. Denn wir ftimmen dem Wunfch des
Hn. M. Thiefs in feiner Vorrede von Herzen bey, „dafs
fich unfere Liederdichter immer mehr des evangelifchen
Sinnes befleifsigen, dafs fie den Menfchen mehr Liebe
zu Gott, als Furcht vor ihm einflöfsen, ihn mehr zu Gott
erheben, als vor feinem Thron niederwerfen, ihn mehr
auf Gottes Gerechtigkeit, auf feine weife Güte haffen
leben, als um Gnade und Erbarmen winfeln laffen; dafs
mehr zur thätigen Befferung und zum Fleifs in guten
Werken durch Verhaltung des Glücks, was die Tugend
gewährt, ermuntern, als nur immer auf fein Sünden-
elend und auf blofse Reue zurückführen; ihm mehr beftimmte Anweifung zur treuen Uebung feiner Pflichten
geben, als blofs allgemeines Lob Gottes und Jefu in bekannten Ausdrücken und Wendungen wiederhohlen, und
endlich auch den Stof zu Lobgefängen mehr aus dem
innern Leben unfers Herrn als aus feinen äufsern Schickfalen
hernehmen möchten." Auch können wir fagen, dafs fich die
vom Hn. Thiefs felbft verfertigte, und in den zweyten
Sammlung befindliche Lieder in diefer Hinficht vortheilhaft auszeichnen. Bey dem allen fehen wir doch nicht,
wozu bey der fchon vorhandenen Menge guter Gefangbücher noch immer neue Sammlungen fchon bekannter
Lieder veranftaltet werden. Ein anderes ift es, wenn
man ganz neu verforgte brauchbare Lieder liefern
kann.

ALLGEMEINE
LITERATUR - ZEITUNG

Mittwochs, den 18ten Februar 1789.

ERDBESCHREIBUNG.

ERLANGEN, b. Palm: *Reise durch einige der mittlern und südlichen vereinigten Nordamerikanischen Staaten nach Ostflorida und den Bahamischen Inseln, unternommen in den Jahren 1783 und 1784, von Johann David Schöpf.* 1788. Erster Th. 644. Zweyter Th. 551 S. 8. (3 Rthlr. 8 gr.)

Mehrere Leser haben vielleicht mit uns schon oft die Bemerkung gemacht, warum doch von den vielen Deutschen, welche der letzte Krieg nach Nordamerika hinüberführte, sich bisher keiner gefunden, dem die Verschiedenheiten der neuen Welt vor seiner europäischen Heimath, wichtig genug schienen, um nach eigenen Beobachtungen, was entweder einzelne Provinzen oder das ganze grosse Land für jeden aufmerksamen Fremden, eigenthümliches enthielt, zu beschreiben, und dadurch die ältern englischen, jetzt grösstentheils unbrauchbaren Landesbeschreibungen von den 13 Nordamerikanischen Freystaaten vollends zu verdrängen. Aus dieser vor uns liegenden Reise aber lernt man die Schwierigkeiten kennen, die unsere Landesleute während des Krieges zu bekämpfen hatten, gehörige Bemerkungen zu machen, und diese mit erforderlicher Musse aufzusetzen, weil sie bald als Besatzungen in einzelnen Hauptstädten eingeschlossen waren, bald auf ihren Märschen unter Howe, Bourgoyne und Cornwallis nicht an Reisebeschreibungen denken konnten. Viele hatten auch nach geendigtem Kriege nicht, wie unser Vf. Gelegenheit, Muth und Eifer für die Wissenschaften, sich den Mühseligkeiten einer oft gefahrvollen, und alle Beschwerden so selten belohnenden Reise, durch zerstörte, unangebauete, und von aufmerksamen Reisenden so gut als unbesuchte Gegenden zu unterziehen. Desto verdienstlicher war der Entschluss des Hrn. D. Schöpf, der als Feldarzt mit den Anspachischen Truppen nach Amerika ging, diesen und andern abschreckenden Hindernissen zu trotzen, und desto grössern Dank ist das deutsche Publicum dem Vf. für seine mannichfaltigen Belehrungen über den

Nordamerikanischen Freystaat, schuldig. Er hat bereits vor dieser ausführlichen Reise durch den grössten Theil der Provinzen, welche Neuyork gegen Süden liegen, einzelne medicinische, physikalische und mineralogische Bemerkungen über jene Länder drucken lassen, vorzüglich aber durch das vor uns liegende Werk, die bisherige Kenntniss von Nordamerika für alle Leser, am meisten aber für den Menschenbeobachter, Politiker und Naturforscher, ungemein bereichert. Nordamerika ist von ihm in einem grössern Umfange, als von andern Europäern bereiset worden, die während des Krieges in England und Frankreich, wie Robin, Chatellux u. Smyth ihre Reisebemerkungen drucken liessen; und die entferntesten Wildnisse jenseits der Aleghanygebürge in der Nachbarschaft des Ohio haben ihn nicht abgehalten, jene bisher unerforschten an Fruchtbarkeit aber die Seeküsten weit übertreffenden Gegenden, persönlich zu untersuchen. Da Hr. S. überdem, bey dieser Reise, mit bessern Kenntnissen als seine meisten Vorgänger, ausgerüstet war, nicht durch eingeworfene Bemerkungen und Schilderungen des dortigen gesellschaftlichen Lebens bloss amüsiren wollte, so leidet diese Reise mit den neuern Bemerkungen anderer Reisenden keine Vergleichung, und wir sind versichert, dass sie lange das Hauptbuch derjenigen bleiben werde, die sich vorzüglich in den von Hr. S. besonders behandelten Materien gründlich unterrichten wollen.

Unser Vf. trat seine Reise gleich nach geendigtem Kriege von Neuyork an, und kehrte in der Mitte des J. 1784 nach Europa wieder zurück. Die Provinz Neuyork nebst Canada und den unter dem gemeinschaftlichen Namen Neuengland bisher bekannten Provinzen, lagen ausser seinem Plan, und sind daher nicht beschrieben, so wie die übrigen Provinzen des festen Landes, bis auf Georgien, welches er nicht besuchen kann. te. Von Pensylvanien und Virginien sahe er mehr, er wagte sich bis in die westlichsten Gegenden dieser Staaten, die man erst seit dem letzten Frieden, anzubauen angefangen hat. Kentucky besuchte er nicht persönlich, hat aber bey diesem neuen Staat die bessern Nachrichten vor sich gehabt, und wer Jeffersons Karten in dessen

Notes on the States of Virginia zur Hand hat, kann darinn Hn. S. Reisen durch beide Provinzen aufs deutlichste übersehen. Bey den südlicher liegenden Staaten hielt sich der Vf. der Seeküste näher, von Charlestown ging er hierauf zu Wasser nach Ostflorida, wo er in der Nachbarschaft von St. Augustin blieb, und endlich von hier nach den Bahamainseln, welche seit Catesby von keinem aufmerksamen Beobachter besucht wurden. Rec. muss sich freylich bey den nachfolgenden Belegen seines allgemeinen Urtheils, und den einzelnen mitgetheilten Bemerkungen des Vf. vorzüglich auf Erdkunde, Statistik und Staatsverfassung einschränken, und es eigentlichen Naturforschern überlassen, den Gewinn für die Naturhistorie und deren einzelne Theile, hauptsächlich die Mineralogie gehörig zu detailliren; indessen werden nachfolgende Beyspiele hoffentlich hinreichen unserer Leser Aufmerksamkeit auf diese interessante Beschreibung des grössten und besten Theils der Nordamerikan. Freystaaten zu erregen.

Am E. de Julius 1783. verliess der Vf. Neuyork; bey welcher Stadt unser Vf. so wenig, als bey der ganzen Provinz verweilt, und bloss einige Bemerkungen über Staateneiland und dessen Nachbarschaft anführt, und durchreisete zuerst Neujersey. Die dortigen Gebirge, besonders die sogenannten First Mountains sind reichlich mit Kupfererz versehen. Gehörig bearbeitet giebt es 60 bis 65 Pfund im Centner. Durch den Krieg aber, durch Holzmangel und durch die Unwissenheit der Besitzer sind die meisten in Verfall gerathen. In Princetown ist eine Universität auf englischen Fuss und hier werden 50 bis 60 junge Leute in der Philosophie und den Humanioribus unterrichtet. In Neujersey, dessen Verfassung Hr. S., wie bey allen andern Provinzen kurz und bündig aus einander setzt, wird keiner Religionspartey ein Vorzug vor der andern gestattet, indessen da bloss Protestanten zu obrigkeitlichen und andern Stellen erwählt werden, geniessen diese doch wesentliche Vorzüge. Bey Philadelphia ist vom Originalplan, einem oblongen Viereck, zwischen dem Delawar und Schuilkill, so wie man solches in wahren Grundrissen dieser Stadt gezeichnet hat, noch nicht ein Drittheil ausgeführt und es können leicht Jahrhunderte bis zur Vollendung des Ganzen verfliessen. Während des letzten Krieges haben doch einige von den Pensylvanischen Quäkern thätigen Antheil am Kriege genommen. Sie führen den Zunamen der freche senden Quäker, sind von den Versammlungen der erstern ausgeschlossen, und haben daher ihr eigenes Versammlungshaus. In Pensylvanien haben begüterte Juden ihre Stimme bey der Wahl der Assemblymitglieder, zu den Stellen selber können aber nur Christen gelangen. Die Schilderung der Deutschen in Pensylvanien, S. 149. etc. ist zwar für sie nicht sehr vortheilhaft, aber malerisch.

Ihre Sprache ist ganz mit englischen Worten vermischt, z. B. Mein Stallion (Hengst) ist über die Fehns geschumpft (Zaun gesprungen), geferbt haben statt dienen, dass solche oft in einen unerklärlichen Mischmasch ausgeartet ist. Aus der äusserlichen Bauart, besonders der Anzahl der Schornsteine kann man ziemlich wahrscheinlich auf den englischen oder deutschen Einwohner desselben schliessen. Hatte das Haus nur einen Schornstein, und diesen in der Mitte, so war es deutsch, hatte es aber zwey, an jedem Giebelende einen, so war es mit Kaminen versehen und von englischer Anlage. Die Landtaxe ist in einigen Gegenden Pensylvaniens, gegen vorige Zeiten, ausnehmend gestiegen. Hundert und sechs und vierzig Acker Landes, die vor der Independenz 6 Gulden bezahlten, mussten 1788. 40 G. rhein. erlegen. Pensylvanien hat, wie Grossbrittannien, eine Taxe auf Hagestolze. Jede unbewehrte Mannsperson über 21 Jahre, muss jährlich 12 Schil. 6 P. bezahlen. Die Taxe ist hier, wie in Maryland schon von alten Zeiten her eingeführt. Bey Betlehem dem Hauptorte der Mährischen Brüder in N. A., ward vor einigen Jahren ein starker eiserner Nagel 10 Fuss tief in der Erde und 20 Fuss vom Bette des Flusses ab, gefunden, und der Vf. schliesst aus diesem u. andern zuweilen gefundenen europäischen Kunstproducten, dass vielleicht lange vor Colon Schiffe unsers Welttheils an jene Küsten verschlagen worden. Rec. erinnert sich dabey, dass gleich bey den ersten Schiffahrten der Europäer nach Nordamerika, bey den dortigen Wilden, ebenfalls fremde Werkzeuge, und europäische Putzwerke gefunden würden, die sie nicht verfertigen konnten. So hat Jobst Ruchamer in seiner neuen Welt, Nürnberg, 1508. Kap. 126, den Brief eines Venetianers in Lissabon an seinen Bruder, vom 19ten Octob. 1501 übersetzt, worinn er ihnen von Caspor Cortoreals (Corthonat) sonst wenig bekannten Fahrt nach N. Amerika vom Jahre 1500 Nachricht giebt. Er sagt dorinn, die Portugiesen hätten von diesen gebracht ein Stück von einem gebrochenen Schwerte vergülte, welches bedünkte, es sey gemacht in welschen Landen; Ihrer Kinder eines hatte in den Ohren hangende zwey silberne Knypflein, die gedachter man ohne Zweifel in Venedig gemacht zu seyn.) Nicht ohne Rührung wird man S. 221 etc. die Grausamkeiten gegen die mährischen Indianergemeinden in Muskingum lesen, welche 1782; ohne Unterschied des Geschlechts und Alters von einem Amerikanischen Wüterich, Namens Willerumson, mit kaltem Blute niedergemetzelt wurden, ohne je am Kriege mit England Theil genommen zu haben. Der alte Streit, zwischen den Staaten Connecticut und Pensylvanien, nach welchem erster ein beträchtlich Stück Landes, die Gegend um Wyoming, in Anspruch nahm, und wirklich mit Colonisten bevölkert hatte, ist 1787 geendigt worden, und der ganze Distrikt unter

Pen-

Penſylvaniſche Hoheit, gekommen. Während der Kriegesunruhen lebten die Einwohner in völliger Anarchie, ohne Geſetze, ohne Magiſtrate, ohne Taxen und ohne Prieſter. Bey den Deutſchen in Penſylvanien will man bemerkt haben, daſs ihre Nachkommenſchaft weniger ſtark und geſund iſt, als ihre Vorfahren: und der Vf. ſetzt hinzu, daſs die körperlichen Conſtitutionen der Amerikaner von keiner auszeichnenden Stärke und Dauerhaftigkeit wären. Rindvieh wird aus den hintern Gegenden von Carolina und Virginien, über 500 engl. Meilen weit nach Philadelphia getrieben und das Stück, 500 Pfund ſchwer und 3; 4 Jahr alt für 21 Guld. rheinl. verkauft. In der Nachbarſchaft von Fort Pit findet man Steinkohlen in groſser Menge, überhaupt enthalten faſt alle Hügel an beiden Seiten des Ohio durch das ganze weſtliche Land, und alle Thäler in Gebirgen Kohlenbetten. In eben dieſem Gebirge hat man an mehrern Orten Salzquellen entdeckt, davon einige wirklich ſchon benutzt werden, hingegen zwiſchen dem atlantiſchen Meer und den Gebirgsreihen, die Nordamerika von Norden gegen Süden durchſtreichen, hat ſich noch keine Spur davon gezeigt. Keatucky, das von unſerm Vf. ebenfalls beſchrieben, und im Anhange durch einen Auszug aus Filſons preſent State of Kentucky erläutert wird, macht jetzt einen eigenen von Virginien abgeſonderten Staat aus. In dieſem Lande hat man die lange berüchtigten groſsen Zähne und Knochen gefunden, die weder Elephanten, noch irgend einer jetzt in Amerika einheimiſchen Thierart gehören können. Der Ort, wo ſie zuerſt entdeckt worden, liegt 584 engl. Meilen unter Pittsburg. Der Vf. ſahe hier einen trockenen Schenkelknochen, der 3 Fuſs 9½ Zoll Länge hatte, und 81 Pfund wog, einen Seitenzahn von 3 Fuſs Länge, und erhielt ſelber einen Zahn der 6 Pfund wog. Man hat dergleichen Zähne neuerdings an mehrern Orten gefunden, am Tarriver in Nordcarolina, in Ulſtercounty, in Neuyork etc. In der Gegend von Pittsburg wird einheimiſcher Thee aus den Blättern der Ceanotus americana verfertiget. Er ſchmeckt wie geringere Boheeſorten, und während des Krieges bereitete ein gewiſser Plummer in Penſilvanien mehr denn 1000 Pf. dieſes Thees, den er für 7 Schill. und darüber Pfundweiſe verkaufte. Auch die getrockneten Blätter der Solidago werden als Thee getrunken. Die Stadt Baltimore in Maryland, obgleich erſt 30 Jahr alt, hat ſich durch ihre vortheilhafte Lage, am oberſten Ende der Cheſeapeakbay, und ihre Nachbarſchaft mit verſchiedenen ſchiffbaren Flüſſen ſehr ſchnell emporgehoben, und darf mit Recht den reichern Städten beygeſellet werden. Der Ort hat 2000 meiſt ſteinerne Häuſer, mehr haben alle übrige maryländiſche Städte zuſammen nicht, und 12000 Einwohner. Während des Krieges war der Mehlhandel nach den ſpaniſchen Inſeln bey weiten der

einträglichſte, und wenn nur ein Schiff von ſolchen den Engländern entrann, ſo ward noch immer beträchtlich gewonnen. Natürlicher Salpeter ward während des Kriegs, an einigen Orten Penſylvaniens und Virginiens gewonnen. In letzter Provinz benutzte man auch Tobacksſtengel auf Salpeter, und erhielt aus 2 Pfunden eine Unze guter Salpetercryſtallen. Nach dem Verfalle des Papiergeldes, und bey dem allgemeinen Mangel an Scheidemünzen war es durch ganz Amerika gewöhnlich geworden, die ſpaniſchen Thaler in 2 und mehrere Stücke zu zerſchneiden, und dieſe als Scheidemünze gelten zu laſſen. Weil aber geſchickte Hände aus einem Thaler 5 Viertel oder 9; 10 Achttheile zu beſchneiden wiſſen, ſo wechſele ein Goldſchmidt in Annapolis die Münze ein, und giebt dagegen unter ſeinem Namen geprägte ganze und halbe Schillinge, die überall gelten. Die zum Delaware Staat gehörigen Lande betragen in der Länge nur 12 und in der Breite nicht über 30 engliſche Meilen. Wie der Vf. hier war, gab es zwiſchen den dortigen Truppen und den übrigen Einwohnern groſse Streitigkeiten, ob die Soldaten auch ihre Stimme zur Wahl der Volksrepräſentanten geben könnten. Erſtere behaupteten dieſes, weil jedermann in der Provinz für ſtimmfähig betrachtet wird, der 40 L. Eigenthum beweiſen kann, der Staat aber den Truppen mehr als dieſes an rückſtändigem Solde ſchuldig wäre. Dem erſten Theil ſind drey Beylagen beygefügt, welche aus Kunzens Rede von den Abſichten und der jetzigen Fortgange der deutſchen Geſellſchaft in Philadelphia zur Unterſtützung einer aus Europa ankommender Deutſchen, aus der Entſchließung des Congreſſes 1783 zehen neue Staaten weſtwärts dem Gebirge anzulegen, die aber, bis auf einige Nachrichten gehen, noch nicht zu Stande gekommen ſind, und einem Auszug aus Filtons Geſchichte von Kentucky beſtehen.

(Der Beſchluſs folgt im nächſten Stück.)

VERMISCHTE SCHRIFTEN.

Deutschland: Grillen eines Patrioten Nro keines holländiſchen. 188. 374 S. 8. (1 Rthlr.)

Die vielen Briefe, die an den Verfaſſer, gerade wie an die Verfaſſer moraliſcher Monatſchriften, S. 66, 80, 97, 183, 203, 269, 301 einlauten, ſollten faſt die Vermuthung erregen, daſs dieſe Blätter anfangs zu einer ſolchen Wochenſchrift beſtimmt geweſen, der Verleger aber vielleicht die Urtitle gehabt haben mag, ein modernes Schild zu verlangen. Innwendig indeſſen findet man alles ganz nach dem Schlag unſrer ehemaligen Wochenſchritten. Der Verf. kannegieſsert mit aller Gemächlichkeit und Nachläſſigkeit über Geldmangel, Verbeſſerung der Landwirthſchaft, Verſorgung der Mädchen, Beförderung der Nahrung durch Bauern, Theurung, allzugroſse Menge der

Ii ij 2 Ge-

Gelehrten, Ehen, Auflagen, Abkürzungen der Proceſſe, Freygebigkeit der Fürſten, Nutzen der Geſetze u. ſ. w. Die Vorſchläge, die er über dieſe Gegenſtände thut, ſind nicht neu; doppelläuſtig ſind ſeine Raiſonnemens darüber, wenn ſie mit Satire vermiſcht werden, weil der Vf. dazu gar keine Talente beſitzt.

LIEGNITZ u. LEIPZIG, b. Siegert: *Hugo Blair's Vorleſungen über Rhetorik und ſchöne Wiſſenſchaften.* Aus dem Engliſchen überſetzt, und mit einigen Anmerkungen und Zuſätzen begleitet von *K. G. Schreiter. Dritter Theil.* 1788. 346 S. gr. 8. (1 Rthl.)

In dieſem dritten Bande der, ehedem ſchon ihres Fleiſſes und Geſchmacks wegen von uns gerühmten, deutſchen Ueberſetzung, ſind eilf Vorleſungen, von der 26ſten bis zur 36ſten, enthalten, welche letztere im Original die 30ſte iſt. Denn auch hier iſt eine, nicht wohl überſetzbare, Vorleſung weggelaſſen, die eine kritiſche Prüfung einer Predigt des Biſchofs, *Dr. Atterburg* enthält. Einer der lehrreichſten Abſchnitte dieſes Bandes, und des ganzen Werks, iſt die Vorleſung über die Kanzelberedſamkeit, in deren Ausübung ſich der Vf. ſelbſt auf eine ſo ausgezeichnete Art hervorthut. Was er darüber lehrt, verräth über-

all ſeine lange und reiſe Erwägung dieſer Materie. Vor einigen Jahren ſchon hatte Hr. Hofr. *Eſchenburg* dieſe Vorleſung in den Braunſchweigiſchen Gelehrten Beyträgen überſetzt, woraus ſie in das Journal für Prediger aufgenommen wurde; und dieſe Ueberſetzung iſt auch hier beybehalten worden. Der vierte Band wird nun wohl das Werk ſelbſt vollenden, und vielleicht auch noch die verſprochenen Zuſätze des Ueberſetzers enthalten, von denen man ſich viel Gutes zu verſprechen hat.

RASTADT, b. Dorner: *Kleine Auffätze*, herausgegeben von *W. Schreiber.* S. 96. 8. ohne Anzeige des Jahrs. (6 gr.)

Unter jedem dieſer, theils poetiſcher, theils proſaiſcher, Auffätze ſteht ein Namenszeichen, und einmal der Name des Dichters *Jacobi.* Wie Hr. S. befugt geweſen ſey, alles dies herauszugeben, oder, zu welchem Zwecke er hier ſiebzehn, dem Inhalt und den Werth nach ſo ſehr verſchiedene, Auffätze zuſammengetragen hat, darüber bleibt der Leſer unbelehrt. Unter einem Auffätze ſteht: Die Fortſetzung folgt künftig. Einiges darunter erinnern wir uns, ſchon im *Magazin für Frauenzimmer* geleſen zu haben.

KLEINE SCHRIFTEN.

OEKONOMIE. *Nürnberg*, b. Endter: *Encyclopädiſcher Calender, oder kurze Auffätze für die Liebhaber der Hauspaltungs-Kunſt, der Wiſſenſchaften, und der Landleſens, auf das Jahr 1789.* Herausgegeben von *Johann Chriſtoph Heppe*, Privatlehrer der Experimental- Naturlehre, Mathematik und Oekonomie. 44 S. 4. (ohne den Kalender) (2 gr. 6 pf.) Da man zufrieden ſeyn muſs, in dem verbreitetſten Volksbuche nur etwas einigermaßen erträgliches an der Stelle des hergebrachten Unſinns zu finden, und Hr. H. unter die erſten gehört, die dieſe verdienſtlichen Gedanken ausgeführet haben, ſo hat er allen Anſpruch auf eine nachſichtige Kritik, obgleich ſeine Arbeit vom Anfange an nur mittelmäßig war, und dieſer Jahrgang den vorhandenen in aller Abſicht gleich das heißt, bey den Fortſchritten, die unterdeſſen Schriftſteller, Lehrart und Leſer gemacht haben, wirklich zurückbleibt. Beſonders müſste das medicinſche Fach in einem ſolchen Buche mit weit mehr Auswahl und Beurtheilkeit bearbeitet werden, ſonſt gewöhnt ſich der Landmann an ein Selbſtkuriren, das ihm weit verderblicher iſt als eine völlige Hülfloſigkeit.

GESCHICHTE. 1. *Leipzig*, in der Dyckiſchen Buchhandlung: *Europäiſche Regententafel auf das Jahr 1789.* 1 B. Fol. (2 gr.) — 2) Daſelbſt: *Außereuropäiſche Regententafel auf das J.* 1788. 1 B. Fol. (1 gr.) Form, Inhalt und der ſehr eingeſchränkte Gebrauch der erſten Tafel ſind bekannt ge-

nug. Uebrigens ſind die Materialveränderungen mit der nöthigen Genauigkeit angegeben. Die zweyte zum erſtenmal erſchienene Tafel muſste natürlicherweiſe einen noch engern Geſichtskreis bekommen. Die Gallerie dieſer Regenten, unter denen, wie zu erwarten, die aſiatiſchen die zahlreichſten ſind, weiſet ihre Titel, Namen, Abſtammung, Thronfolger, Länder, Reſidenzen und Religion nach. Obwohl die Richtigkeit der Angaben ſich nicht überall erwarten läſst, ſo treffen doch mehrere mit den neueſten beiden von Sprengel, Hunter, Sonnerat gegebenen Nachrichten zu.

VERMISCHTE SCHRIFTEN. *Berlin*: *Der Todtenkopf, ein Beytrag zur Geſchichte des menſchlichen Herzens vor Hn. B**** 1788. 15 S. 8. Dieſe kleine proſaiſche Erzählung hat mehr Senſation im Publikum erregt, als ſie es nach ihrem innern Werthe verdiente. Ein vollblütiger Fürſt wird durch den Kommentar bekehrt, den einer ſeiner Exminiſter über den Schädel eines königlichen Vorfahren macht. Da der Miniſter ſeine Prinzenmoral mehr ſatiriſch, als pathetiſch, vorträgt, ſo muſs man ſich wundern, daſs die Bekehrung dadurch ſo ſchnell bewirkt wird. In der That ſcheint der Vf., der nicht übel erzählt, mehr Anlage zur Satire, als zum rührenden Vortrag zu haben. Die Brochüre ward eigentlich 1787 auf Koſten des Vf. gedruckt, aber erſt von der Zeit an, da ſie in die Buchläden kam, erregte ſie das Aufſehn, das aus den öffentlichen Zeitungen bekannt iſt.

A L L G E M E I N E
L I T E R A T U R - Z E I T U N G

Donnerſtags, den 19ten Februar 1789.

ERDBESCHREIBUNG.

ERLANGEN, b. Palm: *Reiſe durch einige der mittlern und ſüdlichen vereinigten Nordamerikaniſchen Staaten etc. von Johann David Schöpf.*

Beſchluß der im vorigen Stück abgebrochenen Recenſion.

Den Anfang des zweyten Theils macht ein Schreiben des Verf. über Clima und Witterung in Nordamerika, worinn das wichtigſte über die außerordentlichen, dort gewöhnlichen ſchnellen, Abwechſelungen der Hitze und Kälte concentrirt iſt, und wodurch ſich jene Gegenden von europäiſchen unter gleichem Grade der Breite ſo himmelweit unterſchieden. Es ſtand vorher in Meuſels hiſtoriſcher Literatur. — Die Schweden in Penſylvanien haben ihre Sprache größtentheils verlernt, und die Prediger außer Philadelphia halten den Gottesdienſt in engliſcher Sprache. Von allen innländiſchen Nordamerikaniſchen Städten iſt Lancaſter die beträchtlichſte, doch hat ſie nur 900 Häuſer. Hier blühet ſeit 1787 eine deutſche hohe Schule. Funfzehn engl. Meil. davon liegt Ephrata, der Sitz der bekannten Secte der Duncards *(Dumplers)*, deren Lehrſyſtem und übrige Einrichtungen der Vf. ſehr deutlich aus einander ſetzt. Ihre Geſellſchaft iſt jetzt in Abnahme, und beſteht nur aus 200 Gliedern. Sie eſſen kein Fleiſch als zweckwidrig der büſenden Enthaltſamkeit, nur bey der Feyer der Liebesfeſte iſt Hammelfleiſch erlaubt. Nur Kranke liegen auf Betten, die übrigen auf harten Bänken, und haben einen Klotz zum Kopfkiſſen. In Maryland betragen die Taxen anderthalb Procent von allem beweglichen und unbeweglichen Vermögen. Sogar Mobilien werden mit angeſchlagen. In Virginien und Nordcarolina verhindert das veränderliche Clima das Gedeihen der Obſtbäume, daher iſt hier Cyder nicht mehr der allgemeine Trank wie in den nördlichen Provinzen. Im May 1781 lag in einigen Gegenden von Nordcarolina der Schnee Fußs tief. Die Glieder der Nordamerikaniſchen Regierungen beobachten bey ihren Staatsverſammlungen nicht den kleinſten Anſtand. In der nemlichen Kleidung, in der man auf die Jagd

A. L. Z. Erſter Band. 1789.

geht, oder ſeine Tabaksfelder bereitet, kann man im Senat oder in der Aſſembly ſitzen. Dem Staat Virginien koſtet die Landesverſammlung, die aus 175 Gliedern beſteht, täglich 525 Piaſter. Virginien wird, nach unſerm Vf., in 72 Graffſchaften getheilt. Jefferſon nennt 74 und weicht in den Namen gar ſehr von ihm ab. Kentucky iſt keine Virginiſche Graffſchaft mehr, und von denen, die den Aleghannygebirgen gegen Weſten liegen, fehlen Lincoln, Jefferſon, Fayette, auch die hier angeführte Graffſchaft London heiſst eigentlich Loudon. Nach der Conſtitution von Virginien iſt hier die Preſsfreyheit allgemein. Nichts deſto weniger war es, während des Krieges, verboten, etwas gegen die angenommene Independenz zu reden oder zu ſchreiben. An den Ufern der Illinois wohnen noch viele ehemalige franzöſiſche Coloniſten von Louiſiana mit Deutſchen untermiſcht, ohne ſich um irgend einen Oberherrn zu bekümmern. Ihr Land iſt ſehr fruchtbar und ſie ſetzen ihre Producte in Neuorleans ab. In einigen Gärten um Petersburg fand Hr. S. chineſiſche Theeſtauden, welche ſehr gut fortkommen. Keineswegs iſt die Erziehungsanſtalt für Indianerkinder in dem Collegium zu Williamsburg aufgegeben. Sie dauert noch fort, ohne indeſs in ihrer gegenwärtigen Geſtalt viel Nutzen zu ſtiften. Jamestown, die älteſte Stadt in Virginien, iſt nicht mehr vorhanden, und auf ihrer ehemaligen Stelle ſieht man nichts weiter als ein oder ein paar baufällige Häuſer. Nirgends iſt in Nordamerika die Schweinezucht ſo beträchtlich als in N. Carolina. Ohne das, was im Lande verzehrt oder eingeſalzen ausgeführt wird, werden jährlich gegen 10 - 12,000 Stück nach Virginien und Südcarolina ausgetrieben. Daher heiſſen die Nordcaroliner bey ihren Nachbarn ſpottweiſe Schweinemacher *(Porkmakers)*. In eben dieſer Provinz wird aus den Blättern der *Ilex Caſſine* ein allgemeinbeliebter Thee bereitet, den die Einwohner Yapan nennen, und der vor dem Kriege ſelbſt in England getrunken wurde. In Neucarolina rechnet man, daſs ein Neger ſeinem Herrn 180 Guld. rhein. einbringen müſſe. Es iſt hier auch ſehr gewöhnlich einzelne Neger, oder ganze Familien gegen einen gewiſſen Preis zu vermiethen. Der Vf. war in Wilmington bey einer Negerauction gegen

K k k

gegenwärtig, die S. 232 mit allen dabey vorgefallenen befondern Auftritten befchrieben ift. In
Südcarolina wird überall Reis ftatt Brod aufge-
tifcht und fo dick gekocht, dafs man ihn in Stücken fchneiden kann. Die Hauptftadt diefer Provinz, die nach Philadelphia die fchönfte von ganz
America ift, heifst jetzt *Charlefton.* Vor dem letzten Kriege find doch hier, fo wie in andern Provinzen, aus einheimifchen und europäifchen hieher
verpflanzten Reben gute Weinforten gewonnen
worden. Aber der mit Vortheil angefangene
Weinbau liegt jetzt, weil man die Einwohner
nicht mehr durch Prämien dazu aufmuntert, auch
die fpäten Nachtfröfte in der Blüthezeit dem Wein-
ftock fchädlich find. Es ift indefs kein Zweifel,
dafs mehrere Sorgfalt und Gefchicklichkeit der
Einwohner den Weinbau künftig einmal empor
bringen werden. Die Stadt Charlefton nimmt an
der Landesregierung von S. Carolina grofsen Antheil, und fchickt 30 Deputirte zur Volksver-
fammlung. Bald wird fie aber nicht mehr die
Hauptftadt oder der Sitz der Regierung feyn, indem man 140 Meilen weiter Landeinwärts eine
Stadt, Namens Columbia, angelegt hat, wo in diefem Jahre die Volksverfammlungen und Landes-
gerichte gehalten werden follen. Eine Sandbank
vor St. Auguftin, der Hauptftadt von Florida, macht
die Fahrt dahin aufserordentlich gefährlich, fonft
ift diefe Provinz fchlecht angebaut, und die ehemalige griech. Colonie bey Neufmyrna während des
Krieges aus einander gegangen. Ehe der Vf. zu den
Bahamifchen Infeln gelangt, giebt er eine fehr
deutliche und raifonnirende Befchreibung von dem
merkwürdigen Gulfftrom, der fich vom mexika-
nichen Meerbufen auf 80 Meilen von Nordamerika weit, gegen Norden bis zu den Sandbänken
von Neufoundland läuft, und der Schiffahrt zwifchen Europa und America mancherley Hinderniffe verurfacht. Diefer Strom erklärt die vom
Meer zuweilen an die Küften von Schottland und
Norwegen angefpuhlten weftindifchen Producte.
Der Boden der Bahamifchen Infeln befteht aus
einem, aus zermalmten Mufchelfchaalen, und
andern harten Producten des Meeres entftandenen, Kalkftein. In Providence, der vornehmften
diefer Infeln, wo fich der Vf. vorzüglich aufhielt,
ift kaum der achte Theil mit Erde bedeckt. Dennoch gedeihen hier Caffee, Zuckerrohr und Indigo, und könnten den Einwohnern gleiche Vortheile, wie den Weftindiern verfchaffen, wenn
fie betriebfamer und bemittelter wären. Ananas
gehen von hier in ganzen Schiffsladungen nach
Amerika und felbft nach Europa. Sie halten auf
der Reife bis 6 und mehr Wochen aus. Das Dutzend koftet im Ankauf 4-5 Schil., in London aber
das Stück von 4-8 Schil. Auch Mahagonyholz wird
ausgeführt, die Stämme find hier aber nicht fo
grofs und dick wie in Weftindien. Gelegentlich
beftimmt der Vf. die verfchiedenen Holzarten, die
unter diefem Namen im Handel vorkommen.

Weil dies Holz im Waffer lange ausdauert und weniger als anderes von Würmern angegriffen wird,
braucht man es auch zum Schiffbau, wegen feiner Schwere aber darf es nur zum untern Theil
angewandt werden. Mahagonyblöcke finken felbft
im Salzwaffer. Von vierfüfsigen Thieren find
nur der Raccoon und das amerikanifche Murmel-
thier (Woodjack) einheimifch, und die gewöhnlichen Hausthiere fehr fparfam. Das Clima ift
fehr angenehm und gemäfsigt, man hat nur 2
oder 3 heiffe Monate, und für das übrige Jahr
beftändigen Frühling. Von der Zahl, Lage und
Ausdehnung diefer Infeln hat man bey weitem
keine hinreichende Kenntnifs und Romans Karte
von jener Infelgruppe ift weder richtig noch zuverläffig. Die acht Beylagen diefes Theils betreffen vorzüglich die Errichtung der deutfchen
hohen Schule zu Lancafter und andern penfyl-
vanifchen Anftalten für den Unterricht der Jugend und die Beförderung der Wiffenfchaften.

GESCHICHTE.

HANNOVER, im Verlage der Helwingifchen
Buchhandl.: *Sammlung der Inftructionen des
Spanifchen Inquifitionsgerichts. Gefammlet
auf Befehl des Kardinal Don Antonfo Manrique, Erzbifchof zu Sevilla und Generalin-
quifitor in Spanien. Aus dem Spanifchen
überfetzt von J. D. Reufs. Nebft einem
Entwurfe der Gefchichte der Spanifchen Inquifition, von L. C. Spittler.* 1788. LXXV u.
235 S. 8.

So fehr wir wünfchten, dafs endlich einmal die
Gefchichte der Inquifition in Deutfchland, um
welche fich Limborch, Baker und Cramer kaum
bekümmert haben, von einem fleiffigen Gefchichtsforfcher bearbeitet werden möchte; fo
willkommen ift uns doch auch diefe für die Gefchichte jenes Gerichts überhaupt, und zur richtigen Kenntnifs des Urfprungs und der wahren
Verfaffung deffelben in feinem erften Vaterlande,
Spanien, überaus wichtige Schrift. Sie öfnet ganz
neue Ausfichten in diefes Feld, und kann zur ge-
neuern hiftorifch-kritifchen Unterfuchung über
eins der merkwürdigften Phänomenen in der Rö-
mifchkathol. Hierarchie Gelegenheit geben. „Man
hat, fagt Hr. Spittler, wie in vielen folchen Fällen, die empfindfame Partie zu früh genommen;
man hat den ganzen Contraft zwifchen dem Inquifitionsgericht und der Religion der Liebe mehr
oder minder rednerifch ins Helle geftellt; man
hat einzelne Beyfpiele der Verfahrungsart des Inquifitionsgerichts zur Grundlage der ganzen Gefchichte des Inquifitionsgerichts gemacht. Man
hatte, wie billig, erft nur von der Seite geftürmt,
von der man die Eroberung des Leider fo unüberwindlich fcheinenden Platzes am eheften fich verfprechen konnte. Je leichter aber diefe ganze

Par-

Parthie zu erreichen war, je fchneller wirkfam fie
zu feyn fchien, defto weniger verweilte man genug
bey der eigentlichen Einrichtung diefes abfcheulichen Inftituts, defto rafcher fchlofs man aus halb
oder ganz wahr erzählten Beyfpielen auf die eigentliche Form jener verabfcheuungswürdigen Einrichtungen defto fchneller vergafs man, dafs felbft auch
die empfindfame Parthie nur alsdenn mit eben fo
viel Würde als Stärke ausgeführt werden kön e;
wenn man erft alles gethan habe, was der ftrengfte
hiftorifch‑kritifche Forfcher fodern konnte."

Und eben der Mangel, welcher hier fo richtig an den bisherigen, diefen Gegenftand betreffenden, Schriften bemerkt wird, fuchen die beiden würdigen Gelehrten, welche an diefem Buche gemeinfchaftlichen Antheil haben, zu erfetzen.
Hr. Reufs liefert uns einen bisher überfehenen
und felbft von dem neueften Schriftfteller in diefer
Materie, Plurs, (f. Büfchings Magaz. Th. V. S.
69.) unbenutzt gelaffenen Vorrath von urkundli-
chen Excerpten, aus welchen fich die allererfte
Form der Spanifchen Inquifition, der Grundrifs
des ganzen Höllenreichs, wie Hr. Sp. fagt, die
ftatiftifchen und publiciftifchen Verhältniffe deffelben, der eigentliche Rechtsgang des Gerichts,
der tägliche Gefchäftsgang feines Perfonals und
die Hauptgrundfätze der ganzen Anftalt am beften
aufklaren, und die übrigen nicht erwähnten Umftände errathen laffen. Das hier überfetzte Original ift fchon im J. 1630 zu Madrid unter dem
Titel: Copilacion de las inftructiones del oficio de
la fanta inquificion — par mandato del Iluftriff.
y Reverendiff. Señor Don Alonfo Manrique ═
erfchienen. Aber die Inftructionen felbft find in
den Jahren 1484 bis 1561 aufgefetzt, (denn das
Datum 1591, welches 128 vorkömmt, ift ein offenbarer Druckfehler ftatt 1491) und betreffen
theils das Amt der Ketzerrichter überhaupt, theils
gewiffe einzelne Gefchäfte deffelben, Anfragen,
Zweifel, befondere Fälle. Die ausführlichften
und lehrreichften find grade die erfte und letzte.
Hr. R. hätte häufig Gelegenheit gehabt, feinen
Text durch Anmerkungen zu erläutern, und die
in den Urkunden enthaltenen Notizen für den Ge-
fchichtsliebhaber interefanter zu machen; er
glaubte aber, dafs eine hiftorifch‑kritifche Verarbeitung noch zu voreilig fey.

Indeffen giebt Hr. Sp. über die Entftehung
und Einrichtung des Spanifchen Inquifitions-
wefens einiga aller Aufmerkfamkeit würdige
Winke. Er betrachtet daffelbe, mit Plurs, gar
nicht, als einen Reft des Religionseifers, fondern als ein Werkzeug der Könige, die den Defpotismus auf den Ruin der grofsen Nationalfrey-
heiten zu gründen wünfchten, als die Erfindung eines Minifters, der diefen Weg für den ficherften
hielt, den grofsen mächtigen Clerus zu unter-
jochen, und den trotzigen Reichsadel, den vorhergehende langdauernde Zeiten der Unruhen
doppelt trotzig gemacht hatten, zu feffeln; als

Einfall eines Erzbifchofsminifters, der hier feine
geiftlichen Kenntniffe und feine weltlichen Wünfche fchlau genug zu combiniren wufste, der,
wie die meiften Geiftlichen, die bis zum Minifter-
poften auffliegen, gewaltig für Defpotismus war,
und dem Defpotifmus feines Königs eine Waffe
hier fchmiedete, wie nur ein Büfchof oder Erzbifchof thun konnte."

Es verfteht fich, dafs diefe Bemerkung nur
alsdann treffend feyn könne, wenn von der erneuerten Einrichtung des fpanifchen Ketzerge-
richts unter Ferdinand dem Katholifchen die Rede ift; und in fo fern ift fie nicht ganz neu, hier
aber fo bündig und überzeugend aus einander
gelegt und bewiefen, als zuvor von niemand.
Die Hauptgründe, auf welchen der Beweis beruhet, find folgende: 1) Das Inquifitionsgericht
war ein blofs königliches. Der König fetzte nach
Gefallen den Chef, regierte durch diefen die Gefchäfte aller Mitglieder des Collegiums, gab dem
Collegium und dem Chef Befehle, Inftructionen
u. f. w. 2) Keine Synode, kein Papft beftätigte
die Inftructionen; es hieng vom König ab, fie zu
erweitern, abzuändern, zu erklären; was der
Papft dabey that, war blofs Formalität. 3) Nicht
wie man oft gefagt hat, war die Inquifition ein
Privilegium des Dominicanerordens. Der König
konnte fetzen und wählen, wen er wollte. 4)
Alles zum Vortheil des Königs und nicht der Kirche. Alle Güter der Verurtheilten fielen dem
königlichen Fifcus zu, nichts der apoftolifchen
Kammer, nichts dem Fifcus der Bifchöfe, nichts
der Gemeinheit des Orts. (Diefer vorzüglich
entfcheidende Umftand kann durch viele Stellen
in den Inftructionen beftätigt und aufgeklärt
werden, z, E. S. 16. 24. 29. 30. 32. etc.) 5) Der
Einwurf, dafs doch der Papft ein ihm fo unver-
theilhaftes Inftitut genehmiget habe, verfchwindet, wenn man weis, wie lange fich Sixtus IV
gewunden, und dafs er nicht eher nachgegeben
hat, bis alles Widerfetzen umfonft war. — Die
weitere Ausführung diefer Gedanken und die
ganze, mit eben fo grofser Scharfficht als Eleganz
u. ternommene, Entwickelung diefer an fich fo
verworrenen Materie überlaffen und empfehlen
wir der Aufmerkfamkeit unferer Lefer; und erwarten mit Verlangen die genauern Nachrichten
von der durch den grofsen Minifter Don Campo-
manes zu Stande gebrachten Inquifitionsreform,
zu welcher Hr. Sp. uns Hoffnung macht.

SHÖNE WISSENSCHAFTEN.

GLOGAU, b. Günther: Liebe und Philofophie,
ein komifches Singfpiel in drey Akten von A.
W. v. L. 1788. 114 S. 8.
Mifsverftändniffe, welche daraus erwachfen,
dafs Mutter und Tochter Nebenbuhlerinnen find,
ohne es zu wiffen, find hier fehr matt ausgeführt, werden aber durch Spafse mit Wirthen,

(wo z. B. S. 8. die Perucke herhalten muſs) und
mit Juden unterſtützt. ' In der letzten Scene wird
noch ein Betrunkener zu Hülfe genommen. Im
Dialog kommen ſolche Redensarten vor, wie
folgende: Es hängen mir Ohnmachten zu; er
poetfirt u. ſ. w. Die Arien beurtheile man aus
folgender S. 21.

Plump: Chmmpagnier und Unger-Wein
  Mofs in der Stadt nicht beſſer ſeyn;
  Mein Pontac iſt ganz excellent
  Für jeden, der den Wein recht kennt;
  Mein Medoc und mein Malaga' —
Schuſt: Ha ha, ha ha, ha ha, ha ha!
  Da ſteht der dicke Narre da!

KLEINE SCHRIFTEN.

REICHSTAGSLITERATUR. *An die hohe Reichsverſamm-*
lung ehrerbietige Vorſtellung und Bitte der oberrheiniſchen
Reichs-Ritterſchaft, den Hochfürſtl. Speyeriſchen Recurs
betreffend. Fol. 1788. 1 B.

Unſtatthaftigkeit des von dem Herrn Fürſtbiſchof von
Speyer in Sachen der Reichsritterſchaft am obern Rhein-
ſtrome wider Se. Hochfürſtliche Gnaden zu Speyer, Re-
ferytti puncto Abgabe des zehenden Pfennings von der Mo-
biliarerlaßenſchaft des Reichsfreyherrn von Heddersdorf, an
die allgemeine Reichsverſammlung genommenen Recurſes,
Fol. 1788. 40 S. Hr. Anſelm Adolph Reichsfreyherr von
Heddersdorf, ein Mitglied der unmittelbaren Oberrhein.
Reichsritterſchaft, war Fürſtl. Speyer. geheimer Rath
und Obermarſchall, wohnte zu Bruchſal, ſtarb daſelbſt
1782 und hinterliefs ein anſehnl. Mobiliarvermögen, wozu er den jüngſten Sohn ſeines vorher verſtorbenen Bru-
ders in Mainz zum Erben einſetzte. Als die Vormünder des Erben das aus der Verlaſſenſchaft erlöste Geld
durch einen Bevollmächtigten beziehen wollten, verlangte die Fürſtl. Speyer. Hofkammer davon 12 pr. C. Abzug. Die Vormünder und hernach das Directorium der
Oberrheiniſchen Reichsritterſchaft machten gegen dieſen
Abzug vergebens Vorſtellungen. Letzteres wandte ſich
alſo als Obervormund klagend an den Reichshofrath.
Der Reichshofrath erkannte hierauf den 24 Jun. 1783.
ein Reſcriptum S. C. Fürſtl. Speyer. Seits übergab man
dagegen Exceptiones ſub et obreptionis: ſie wurden von
der Reichsritterſchaft durch einen Replikſatz beantwortet
und abgelehnt. Nun folgte am 7ten Jun. 1784 ein Reſcriptum paritorium, gegen Welches der H. Fürſtbiſchof
zu Speier am 21 October u. a. den Recurs an die allgemeine Reichsverſammlung ergriff. Zur Widerlegung der
dieſsfalligen Speier. Recursſchrift erſcheint itzt obige, ſo
betitelte *Unſtatthaftigkeit*, worinnen erſtens der Gegenſtand dieſes Rechtsſtreits und die Geſchichte deſſelben §.
3. erzählt, zuens von §. 4 — 23 die Gründe für die Ab-
zugsfreyheit einer Mobiliarverlaſſenſchaft eines in Reichs-
ſtändiſchen Dienſten ſtehenden und in ſolchen Landen
wohnenden unmittelbaren Ritterſchaftlichen Mitglieds
auseinander geſetzt, zuens die in der Speier. Landen
aufgeſtellte Gegengründe von §. 23—39 geprüft werden
und endlich hieraus ztens geſchloſſen wird: dafs die Erkenntnifs des Kaiſerl. Reichshofraths in gegenwärtigen
Falle keine gemeinſchaftl. Beſchwerde aller Reichsſtände
enthalte, und alſo der ergriffene Recurs unſtatthaft ſey,
zu deſſen Zurückweiſung die oberrhein. Reichsritterſchaft in dem oben vorangeſetzten Schreiben das Anſu-
chen an die hohe Reichsverſammlung ſtellet.

Frage: Iſt ein deutſcher Landesherr berechtigt, einen
ſtändigen publ. Nuntius mit geiſtlichen Faculteten auch
wider Willen der entſchlagenden Biſchöfe in ſeine Reichslande aufzunehmen? Wider die neulich erſchienenen unparteyiſchen Gedanken eines deutſchen Staatsrechtsgelehr-
ten, beantwortet von *Joh. Rich. Roth etc.* 8. Mainz 1788.

88 S. Die wahre Entſcheidungsnorm der vorgeſetzten
Frage ſey die deutſche Staats- und katholiſche Kirchen-
verfaſſung. Dieſe entſcheide aber weder für den Papſt,
noch für den Landesherrn, denn, da die Aufnahme
publ. Nuntien mit geiſtl. Faculteten in deutſche Staaten
ſchon an ſich nicht den Fürſten, gewiſs nicht allein, ſondern höchſtens zugleich und vorzüglich und unmittelbar
den Biſchof, auch ſelbſt den Kaiſer und das Reich, mit-
betreffe, beſonders, wenn ein Nuntius eine Art von
geiſtl. *Mitregierungs-* und *Mitrichterl.* Gewalt in einer
deutſchen Kirche, wie jener zu München, ausüben ſolle,
welches nicht nur der urſprüngl. göttlichen Regierungs-
und richterl. Gewalt der Biſchöfe, ſondern auch der ganzen deutſchen kathol. geiſtl. Gerichts- und Kirchenver-
faſſung und vollends gar eine eigenmächtige blofs landesherrliche Annahme deſſelben der ganzen deutſchen Staats-
Kirchen- und Reichsgrundrechten zuwiderlaufe, ſo
erhelle hieraus die Unrechtmäfsigkeit der päbſtl. Abſen-
dung ſolcher Nuntien nach Deutſchland und die Unbe-
fugheit deutſcher Landesherren ſelbige wider Willen
der einſchlagenden Biſchöfe und Erzbiſchöfe in ihre
deutſche Staaten aufzunehmen, wogegen alle Gründe des
Gegenbeweiſes unſtatthaft ſeyn; ob übrigens *deutſche*
Freyheit oder *römiſche Deſpotie* die Loofung des deutſchen
Reichs werden werde, müſſe die Zukunft entſcheiden. —
Als Beylage iſt das Kaiſerl. Hofdecret in Betref der
Nuntiaturen angehängt, und am Schluſſe ſind die Roſſi-
ſchen Vorleſungen über das deutſche Staatsrecht angezeigt.

Unparteyiſche Gedanken eines deutſchen Staatsrechtsge-
lehrten über die etwauge Aufhebung der Aſchaffenburger
Concordats und über die Art und Weiſe, we dabey auf
allen Fall zu Werke gegangen werden muſste? zu Beleuch-
tung des Schluſſes der Emſer Punkte. Art. XXIII. Am-
ſterd. 1789. 64 S. Die Abhandlung zerfällt in 2 Abſchnitte. Im 1ſten ſtellt der Verfaſſer die Frage auf: ob
die Nation wirklich berechtigt ſey, das Concordat einſeitig aufzuheben? welches er verneint. Im 2ten Abſchn.
unterſucht er: wie bey der Aufhebung zu Werke gegangen werden müſste? er glaubte, dieſe Aufhebung gehöre
als ein Vertrag des katholiſchen gebliebenen Reichstheils
nur für dieſen und zwar nicht nur für die Biſchöfe, ſondern auch für die weltlichen kathol. Fürſten, ja die Biſchöfe ſelbſt müſsten dabey nicht ſowohl als Biſchöffe,
ſondern vielmehr als Landesfürſten auftreten, auch ver-
binde hier die Stimmenmehrheit die Andersſtimmenden
nicht u. ſ. w.

Briefe und Abhandlungen über die jetzige Verfaſſung
des Kaiſ. und Reichskammergerichts 1788. §. III Heft 126
S. Sie ſind gegen die Octavinner, beſonders gegen die
Omptedaiſchen Betrachtungen, gerichtet, die noch nicht
alle Bedenklichkeiten der ſtimmugen Senate heben ſollen, vielmehr will der Hr. Vf. im 4ten Hefte bereits
neuentſtandene nahmhaft machen.

PHILOSOPHIE.

HALLE, b. Gebauer: *Epochen der vorzüglich-*
ſten philoſophiſchen Begriffe , nebſt den nö-
thigſten Beylagen. Erſter Theil; Epochen
der Ideen von einem Geiſt, von Gott und
der menſchlichen Seele. · Syſtem und Acht-
heit der beiden Pythagoreer, Ocellus und
Timäus, von *Chriſtoph Gottfried Bardili,*
der Weltw. Magiſter u. ſ. ſ. 1788. in 8. 198.
S. (12 gr.)

Des Vf. Abſicht iſt, eine Grundlage zu einer
raiſonirenden Geſchichte der Philoſophie zu
liefern, deren Nothwendigkeit mehrere eingeſe-
hen, die aber keiner ausgearbeitet hat. Sehr
richtig bemerkt er, daß Darſtellung, wie die Begriffe der Philoſophen ſich nach und nach aus
einander entwickelt haben, hier das Weſentlichſte
ausmacht. Im gegenwärtigen Theile leiſtet er
das nur bey den Begriffen von Geiſt, Seele, Gott,
ohne ſich auf die Beweiſe im mindeſten einzulaſſen; im nächſt folgenden ſoll aber das von Gottes Eigenſchaften, den Fähigkeiten und Kräften
unſerer Seele geſchehen. Folgende Epochen
werden hiebey angenommen: Dichtungsepoche;
Epochen des raiſonnirenden Verſtandes, Epochen des räſonnirenden Verſtandes, verbunden
mit dem Chriſtenthum; höchſte Verfeinerung des
Begriffs von einem Geiſte durch die Carteſianiſche
Philoſophie. Allerdings ſind dieſe Abtheilungen der
Sache angemeſſen, nur bey der erſten Epoche geht
der Vf. etwas zu weit rückwärts, indem er den
erſten Urſprung der vorher benannten Begriffe
auffucht. So etwas kann man dem Geſchichtſchreiber der Philoſophie nicht zumuthen, weil er die
Geſchichte des menſchlichen Verſtandes nur von
da an zu bearbeiten ſchuldig iſt, wo ſeine Aeuſſerungen philoſophiſche Form annahmen. Höchſtens iſt er verbunden, einen kleinen Schritt rückwärts in der Geſchichte der Menſchheit zu thun,
und zu zeigen, welche Volksbegriffe kurz vorher herrſchten, ehe Philoſophie entſtand. Im Ganzen verfolgt der Vf. ſeinen Gegenſtand mit Scharfſinn und hiſtoriſchem Forſchungsgeiſte, nur im einzelnen gelingt es ihm, unfers Ermeſſens, nicht über-

all; indem manche feinere Fortſchritte, und ſchärfere Beſtimmungen der Begriffe überſehen, oder
nicht genug beobachtet werden. Bey dem allen
aber bleibt dies denn doch der erſteVerſuch einer im
ſtrengen Sinne pragmatiſchen Geſchichte philoſo-
phiſcher Lehren auch an ſich wegen mancher
brauchbaren Bemerkungen immer leſenswerth.
Entſtehung des Begriffes vom Geiſte erklärt
der Vf. ſo: Luft gab den Stoff her zu Vorſtellungen unſichtbarer Weſen, unſichtbarer Kräfte, an
dieſe wurde die Vorſtellung eines menſchlichen
Weſens geknüpft; daraus der Begriff von einem
menſchlichen, empfindenden, durch unſichtbare
und mit Luft ausgerüſtete Weſen. Daher läſt
Heſiod die glücklichen Menſchen, welche noch
im goldnen Zeitalter lebten, wenn ſie geſtorben
ſind, nur mit Luft umkleidet werden, um in Dä-
mone überzugehn. Die Idee von unſerm eignen Geiſte läſt der Vf. erſt nach dieſen entſtehn.
Unſers Bedünkens muſs man ſich an ſich ſelbſt eines Geiſtes, einer Seele bewuſst ſeyn, ehe man auſer ſich Geiſter oder Seelen zu finden vermag,
und das zwar aus dem einfachen Grunde, daſs
alles Erkenntniſs bey uns ſelbſt anfängt. Wer an
ſich noch nichts gefunden hat, das ihm Seele oder
Geiſt dünkt, wird ſicher nicht darauf fallen, in andern Weſen dergleichen gewahr zu werden. Auch
merkt der Vf. ſelbſt ſehr richtig an, daſs der rohe Naturmenſch die Dinge auſer ihm ſich ähnlich macht, oder anthropomorphoſirt. Nicht ganz
richtig iſt auch, daſs Vorſtellungen von Dämonen
bloſs durch Umkleidung des menſchlichen Körpers mit Luft entſpringen. Beym Homer ſind die
abgeſchiednen Seelen nicht mit Luft umkleidet,
ſie ſind bloſse Schatten, die einen faſt unmerkba-
ren pipenden Laut von ſich geben (τριξΌυσι); hier
alſo haben ſie von ihren Beſtandtheilen das
meiſte eingebüſst, faſt nur die aufsre Form behalten. Die Umkleidung in Luft geſchieht beym
Heſiodus nur ſich unkenntlich zu machen, wie bey
den Dichtern mehrmals. Die Vorſtellung von unfrer eignen Seele ließ der Verf. ſo entſtehn: Bewegung und Aeuſserung des Lebens überhaupt
fiel dem Menſchen bey ſeiner Vergleichung mit
andern Dingen vorzüglich auf. Als nothwendige
Bedingung hiezu lernte er das Athemholen ken-

L l l   nen,

nen, daher bedeuteten ihm Seele und Odem einerley. Hier ift fichtbar ein Sprung. Ehe der
Menfch Seele und Odem für einerley halten konnte,
mufs er die Seele vom Körper unterfcheiden, wiffen, dafs er nicht blofs Körper ift; und wie er
dazu gelangt, hat uns der Vf. noch nicht belehrt.
Wir würden uns das Problem etwa fo löfen: an
fich felbft bemerkt der Menfch Bewegung, Empfindung, Selbftbewegung, alfo Leben. Er fieht,
dafs das Leben den Körper, ohne deffen gänzliche Zerftörung, ja ohne merkliche äufsere Veränderung, manchmal verläfst; daraus fchliefst er,
es müffe in ihm etwas vom Körper verfchiedenes
wohnen, wovon das alles entfpringt. Das nennt
er Seele, und weil ers nie fieht, aber mit dem Odem
in genauer Verbindung findet, denkt er fich unter dem Bilde des Hauchs, des Odems. Aufser
lich findet er Bewegung faft überall, und wo er
die fieht, vornemlich folche, die der Selbftbewegung nahe kommt, wie im Geworfenen, im Fliefsenden, denkt er fich Leben, Empfindung, Seele.
Dem Feuerrauch, den Strömen, Strudeln, dem Pfeile u. f. w. giebt er Seelen, durch die fie fich bewegen, einen Willen, eine Begierde. Diefe luft-
ähnliche Seele, gefchieden vom Körper, denkt
er durch unvermeidliche Affociation, in der Geftalt
des Körpers, welchen fie vorher bewohnte, er
kann fie ja in keiner andern fich kenntlich und
charakteriftifch vorftellen. Menfchenfeelen, oder
Geifter Verftorbner alfo haben menfchliche, Geifter
der Thiere thierifche Geftalt. Von hier aus geht
es nun hinüber zu Vorftellungen von Dämonen, das ift, geiftigen Wefen, mächtiger als die
Menfchen. Denn in Winden, mächtigen Strömen,
im Donner, Erdbeben, und ähnlichen Naturbege-
benheiten, die über menfchliche Macht erhaben
find, denkt fich der Menfch mächtige Geifter aller Art. Seine Meynung, dafs der Begriff von
Geiftern aufser vor dem von einer eignen
Seele hergegangen ift, unterftützt der Vf. durch
die Gefchichte, vermöge welcher jene Götterfyfte-
me gefunden werden, ehe eine deutliche Vorftellung von der menfchlichen Seele vorhanden ift.
Wir hätten gewünfcht, dies mit einzelnen Thatfachen belegt zu fehen, uns wenigftens find dergleichen nicht bekannt. Beym Homer ift deutliche
Vorftellung von der menfchlichen Seele nicht zu
verkennen, auch in den Nachrichten der Reifenden von rohen Völkern in America, und anderswo. In Anfehung des Entftehens und Fortbil-
dens der Idee von Gott hat uns der Vf. am wenigften befriedigt, weil er nicht gleich anfangs
beftimmte, was unter Gott oder Götter von rohen
Menfchen gemeynt, und wie dies von Dämonen
unterfchieden wird. Vornemlich hätte muffen
genau feftgefetzt werden, wie der Begriff der
Gottheit gedacht wurde, als ihn der raifo-niren-
de Verftand in Arbeit nahm, und welche Aenderung er durch diefen erfuhr. Der Vf. nimmt an,
diefer Verftand habe zuerft die allgemeine Vor-

ftellung von der Welt realifirt, diefem Ganzen Selbftftändigkeit, Leben, Denkkraft zugefchrieben, und fo fey die erfte Wirkung des Raifonnements gewefen, die Welt zu vergöttern.
Mit der Gefchichte ftimmt dies nicht ganz überein, Thales, Empedokles, Pythagoras vergötter-
ten die ganze Welt nicht. Folgendes kommt
uns wahrfcheinlicher vor: Der noch ganz rohe
Verftand, unfähig das Ganze zu überfehen, und
in allen Ereigniffen der Natur Zufammenhang
zu bemerken, nahm für jede wichtige Veränderung und Ereignifs regierende und bewirkende Geifter an, und verehrte diefe unter
dem Namen von Göttern, fie, einen Gott der
Seen, der Luft, der Ströme, des Krieges u.
f. w. Durch fortgefetzte Beobachtung und Nachdenken erkannte der raifonnirende Verftand allgemeinen Zufammenhang der Natur, und nun
gieng er bey manchen dahinaus, fich in der Welt
ein fie belebendes, allgemein bewegendes Princip unter dem Namen der Weltfeele zu denken,
und vergöttete diefe Weltfeele. Bey andern dahinaus, fich die ganze Welt als durch und durch
denkend, empfindend vorzuftellen, und vergöttete die ganze Welt. Beide Vorftellungen find,
der Gefchichte nach, wo nicht völlig, doch beynahe gleichzeitig, in den Syftemen der älteften
Eleatiker, Joniker und Pythagoreer. Den fo erweiterten Begriff von Gott berichtigte Anaxagoras dadurch, dafs er ihn ganz von der Welt fonderte,
und Gott als Weltbaumeifter betrachtete. Doch
hat er dies, glaubt der Vf., nicht zuerft gethan,
der gemeine Menfchenfinn hatte vorher fchon das
nemliche erkannt. Nach Homers Bemerkung ift
der Glaube von einer höchften gütigen Gottheit
gemeiner gewefen, als jeder andere Religions-
glaube, wie aus Nachrichten verfchiedener Reifenden erhellt. Dennoch können wir uns nicht
überreden, das zu zweifelnde fey hierdurch feftgefetzt. Eine höchfte Gottheit, einen König,
Beherrfcher der Götter, kannten die Griechen
lange vor Anaxagoras, und nahmen diefe Idee
höchft wahrfcheinlich aus den Beobachtungen,
dafs viele Herren einen Staat fchlecht regieren,
eine Armee fchlecht anführen: Daher fchon Homer fagt: ουκ αγαθον πολυκοιρανιη, εἰς κοιρανος εσω.
Demungeachtet hatten aber diefe Griechen den
Begriff von einem Weltbaumeifter noch lange nicht;
ja nicht einmal von einem allgemeinen Weltregierer. Ohne des fo mächtigen Jupiters Willen thaten manche heimlich, was ihnen gefiel, fie berück-
ten auch noch den ehrlichen Alten wie Juno durch
den Gürtel der Venus. Diefe Idee ift nicht eher
möglich, als bis fich die Menfchen den allgemeinen Zufammenhang aller Dinge in der Welt, die
Welt als ein Ganzes, etwa wie ein Thier anfangen zu denken, und daraus folgern, es müffe
auch nur eine alles ordnende und regierende Urfache vorhanden feyn. Was alfo jene Völker bey
Homer anlangt, fo erhellt von ihnen noch bey wei-

tem nicht, dafs ihr höchfter, oberfter, gütiger Gott auch zugleich allgemeiner Weltregierer und Weltbaumeifter ift. Auch entfinnen wir uns nicht diefen Glauben bey irgend einer noch-rohen Nation von einem Reifebefchreiber deutlich und beftimmt angemerkt gefunden zu haben. In Verfolge der Entwickelung des Begriffs von Gott hat der Vf. auf eins nicht genug Rückficht genommen, wie nemlich der Begriff entftanden ift, dafs Gott das vollkommenfte Wefen ift. Wir müffen hier abbrechen, um noch einiges über die angehängte Abhandlung von der Aechtheit der beiden Pythagoreifchen Schriften, des Ocellus aus Lucanien, und Timäus des Lokriers, anzumerken. Nachdem der Vf. angeführt hat, dafs die entgegengefetzte Meynung fich blofs auf das Stillfchweigen der älteften und glaubwürdigften Schriftfteller ftützt, und dafs man Plato eines Plagiats nicht befchuldigen könne, wenn er des Timäus Meynungen in feinen Timäus aufnimmt, weil es in einem Gefpräche Regel fey, die redenden Perfonen noch ihren bekannten Grundfätzen reden zu laffen; bemüht er fich die Aechtheit beider Schriften aus innern Merkmalen, hergenommen, von der Schreibart und der innern Unwahrfcheinlichkeit einer Unterfchiebung, darzuthun. Ungeachtet er diefem Satze mit vielem Scharffinn grofsen Anftrich von Annehmlichkeit giebt, können wir ihm doch noch nicht beytreten. Ariftoteles führt die Lehren des Platonifchen Timäus überall als Platos Meynungen an, eben derfelbe berichtet (Phyf. I, 6.), nach den älteften Philofophen habe die Einheit leidendes Vermögen, die zwey hingegen feyn wirkende Principien, einige fpätere haben es aber umgekehrt. Letztere find unftreitig Plato nebft feinen erften Nachfolgern in der Akademie, erftere die Pythagoräer. Der Lokrifche Timäus ift dem letztern Syfteme zugethan: follte nun Ariftoteles, der die Gefchichte mit dem theuer erkauften Pythagorifchen Buche fo gut wiffen mufste, als irgend ein fpäterer, nicht gewufst haben, entweder dafs Plato im Timäus nicht in feiner Perfon redet, oder dofs fchon Pythagoräer von ihrem ältern Syfteme abgewichen find? Sollte er in der Parallele des Platonifchen und Pythagorifchen Syftems diefen fo wefentlichen Punkt, ganz mit Stillfchweigen übergangen haben? Dazu kommt, dafs der Lokrier den Urfprung der Zeit erklärt, welches Ariftoteles dem Plato ausfchliefsend beylegt (Phyf. VIII, 1.), dafs er der Seelenwanderung abgeneigt ift, die er doch weder als Pythagoräer, noch als Platonifcher verwerfen konnte; dafs er endlich, wo Plato fich in zu tiefes Dunkel hüllt, nichts erklärt, wo hingegen die Dunkelheiten fich zerftreuen laffen, mehr Licht giebt. Von den Eintheilungen der Welt-Seele fchweigt er, hingegen wo Plato blofs zu verftehn giebt, dafs der Weltfeele materielle bewegende Kräfte beygemifcht find, da beftimmt ers ausdrücklich. Den Ocellus trifft ein ähnlicher Grund. Entfte-

hung des Feuers, der Erde, und der übrigen Elemente, erklärt diefer ausführlich, und befchreibt ihre Verwandlungen genau. Nun aber fagt Ariftoteles ausdrücklich (Met. I, 7.): Die Pythagoreer haben von Feuer, Erde und ähnlichen Körpern gar nichts gefagt, fie wären in Anfehung phyfifcher Gegenftände nur beym allgemeinen ftehen geblieben. Des Vf. Gründe laffen fich dadurch leicht beantworten, dafs ein feiner und fchlauer Sophift fo grofse Mühe nicht haben konnte Bücher zu erdichten, die ihrer Unächtheit Spuren nicht offenbar an der Stirne trugen; Beyfpiele davon find fo gar felten nicht.

SCHOENE WISSENSCHAFTEN.

Unter der Rubrik DEUTSCHLAND, wahrfcheinlich zu AUGSBURG: Thorheit fteckt an, wie der Schnupfen. Oder die Weltbauern zu Tollmannshaufen. Ein deutfches Originalftück fürs Liebhaber-Theater zu ***. 1788. 191 S. 8. (6 gl.)

Ein nichtswürdiger Candidat, der unter dem Worte Aufklärung Betrug und Lafter verbirgt, wird Subftitut zu Tollmannshaufen; will da ein Bündnifs mit dem Schulmeifter Weisbart, — der gleich dumm und hämifch ift, auch keinen andern Gott als feinen Magen kennt, — ein Weltbauernfyftem errichten; fucht aber insgeheim atheiftifche und empörerifche Sätze der Jugend und den Bauern beyzubringen; hetzt die Gemeinde wider ihren eben orthodoxen Prediger auf; befchläft Weisbarts Schuefter, und fucht das Kind ihr abzutreiben; entflieht endlich, als ein Religionsedict abgelefen wird, und Werbung in das Dorf kömmt, wo dann die Herren Weltbauern dem Militair fich widerfetzen, verwundet, geprügelt, in Stock geworfen, und zum Theil unter die Soldaten geftekt werden. — Dies ift der Inhalt gegenwärtigen Sticks, das offenbar aus diefem Auszuge fchon eine ariftophanifche Abficht, aber freylich nur äufserft felten eine ariftophanifche Laune hat. Damit man es ja nicht verkenne, dafs der Vf. auf die Herrn Weishaupt, Nikolai, Biefter, den Vf. des Weltbürgerfyftems etc. fein Gefchofs abdrücke, find fie auch fehr oft mit Namen angeführt, und nicht felten mit fehr bittern Anmerkungen befchenkt worden. Gewifs aber können alle diefe Herren bey Satiren diefer Art fehr gleichgültig feyn; denn nicht gerechnet, dafs die Uebertreibung, die hier herrfcht, jedem noch fo unfchuldigen Entwurf Thorheit und Bosheit leihen würde, fo find auch höchftens nur die erften paar Bogen mit verfchiednen, nicht ganz unebnen, Bemerkungen (vorzüglich gegen das Weltbürgerfyftem) vermifcht; da, wo der Vf. auf die Starkifche Jefuitismufsache kömmt, ift fein Spott aber, meiftens fo derb, und die ähnlichen Fälle, die er anführt, find dem Streitpunkte fo unähnlich, dafs man fchwerlich weiter lefen

. kann, ohne fich zu ärgern. Der Dialog ift hier und da leidlich; aber auch fehr oft aus der allzuniedrigen Bauernnatur hergenommen. Was die Einmifchung einer alten eckelhaften Hebamme, Liefe, eines dummen Dorfjunkers u. f. w. foll, das begreifen wir, und vielleicht auch der Verf. felbft, nicht. Dafs übrigens ein *Weltburgerfuftem* eine Chimäre ift, wo es bald nicht viel anders, als hier zu Tollmannshaufen hergehn würde, das glaubt Rec. auch; fo fehr ihm fonft perfönliche Satiren gegen verdiente Männer mifsfallen.

MÜNCHEN, b. Lindauer: *Vergeltung*, ein Schaufpiel in drey Aufzügen, von Lambrecht. 1789. . 8. 107 S. (6 gr.)

Ein Hr. Ifler, der als ein aufserordentlich reicher, aber unbeerbter, Mann aus Indien zurückkömmt, will feine Anverwandten prüfen, ob fie auch feines Vermögens würdig find. Sein Vetter, ein auch bemittelter, aber ftolzer, fühllofer, pralender Kaufmann, empfängt ihn hart, fchlägt ihm alle Unterftützung ab, und wird durch feine eitle, fpielfuchtige Frau, abgehalten, fogar ein Allmofen ihm zu geben. Die Schwefter diefes Kaufmanns aber, eine arme Wittwe, Mutter von zweyen Kindern, die fich kümmerlich nährt, und doch zufrieden lebt, nimmt ihn liebreich auf, bietet ihm ihren Tifch an, und thut faft mehr, als fie kann. Ihr fchenkt er fofort ein grofses Vermögen, und befchämt nachher noch ftärker jene nichtswürdigen Anverwandten, die durch Schmeicheln und Abbitten gern ihren Fehler gut machen möchten. — Dies ift der Plan diefes Stücks; und die Fabel ift freylich nichts weniger als *neu;* denn der Vettern, die aus Indien zurückkommen, und auf diefe oder ähnliche Art ihre Blutsfreunde prüfen, giebt es fchon fehr viele auf der Buhne. Dennoch mag es bey der Aufführung nicht ohne Wirkung bleiben; denn der Dialog ift — bis auf einige Provinzialismen, z. B., ich *flack* in Noth — ziemlich leicht; die Charaktere, zumal des Hn. *Knauf* und feiner Gemalin find durchgeführt; und manche Situation, zumal im zweyten Akt, greift ans Herz. Wählt Hr. L. künftig Intriguen, die minder abgenützt find, und feilt er an feiner Sprache,

fo kann er wenigftens ein brauchbarer dramatifcher Schriftfteller werden. — So unfäglich reich, dafs er gleich 200.000 fl. wegfchenken kann, hätte vielleicht Hr. *Ifler* auch nicht zu feyn gebraucht; aber man weifs fchon, wie es mit den reichen Leuten im Schaufpiel geht. Die Liebe des Hn. *Siburgs* ift eine Epifode, die nur einen einzigen Auftritt zu intereffiren vermag, mithin fehr entbehrlich.

WIEN, b. Hörling: *Shakfpear's und Fr. Schiller's Früchte des Geiftes von Gottfr. Brunn*, 1788. 104 S. 8. (5 gr.)

Man hat Beauties of Shakfpear, und einen Geift Shakfpears. Da dergleichen Sammlungen mehr moralifchen Nutzen haben, infofern man darinnen einzelne, auffallend gefagte Bemerkungen über Menfchen und menfchliche Handlungen findet, als dafs man daraus das Genie der Schriftfteller beurtheilen könnte, indem eine aus dem Zufammenhang, zumal in Schaufpielen, geriffne Stelle nie gehörig beurtheilt werden kann: fo follte man, dergleichen Excerpte fur fich felbft zu machen, Junglingen und Mentorn überlaffen. Der gegenwärtigen Excerptenfammlung fehlt es ganz an der nöthigen Auswahl. Die Auszüge aus den Schaufpielen des Hn. *Schiller* fangen erft S. 83. an.

SPEIER und OFFENBACH, b. Weifs u. Bredt: *Moralifche Erzählungen von Sophie la Roche, Nachlefe zur erften und zweiten Sammlung.* 1787. 101 S. 8. (6 gr.)

Diefe Nachlefe befchliefst den befondern Abdruck der, in dem ehmals von der Mad. *la Roche* herausgegebnen Journal *Pomona* befindlichen, moralifchen Erzählungen.

NEUWIED, b. Gehra: *Die Matrofen, ein Schaufpiel mit Gefang in zweyen Aufzugen.* 1787, 64 S. 8. (6 gr.)

Es ift dies nur ein einzler Abdruck derjenigen Operette; welche unter denen bereits in der A. L. Z. beurtheilten Schaufpielen des Herrn *von Buri* den zweyten Platz einnimmt.

KLEINE SCHRIFTEN.

OEKONOMIE. *Prag*, b. Diesbach: *Die zeitliche Packtungen, ein Unterricht fur die Grundobrigkeiten in Böhmen, nach welchen das allgemeine Schädliche derfelben erwiefen werde.* Von *Wirthfchafts-Infpector Johann Wenzel Redlhammer.* 1788. 76 S. 8. (3 gr.) Wenn die böhmifche Grundobrigkeiten fich über wirthfchaftliche Angelegenheiten unterrichten wollen, fo finden fie dazu in hundert Büchern beffere Gelegenheit als in diefem höchftmittelmäfsigen Producte. Kein Wort von dem Guten der Zeitpacht, das fie doch auch hat, oder von den mancherley Mitteln und Wegen, fie für die Aufnahme eines Grundftücks und den Wohlftand der Unterthanen unfchädlich zu machen! Man hat Mühe, diefe wenige Bogen voll verwirrter Begriffe und Sprache, bis zum Ende zu lefen.

ALLGEMEINE

LITERATUR - ZEITUNG

Sonnabends, den 21ten Februar 1789.

PARIS, b. de Senne: *Lettres fur l'Italie en* 1785. *et me meminiffe juvabit.* V. T. I. u. II. jeder von 320 S. 1788. 8.

Unter den vielen Reifenachrichten über das in mehr als einer Rückficht noch unerfchöpfte Italien, find diefe Briefe, welche man Hn Dupaty zufchreibt, gewifs nicht die fchlechteften. Man ftöfst hin und wieder auf neue Bemerkungen, und das Ganze ift allerdings unterrichtend. Aber dagegen mufs man auch häufig mit einem fchaal fentimentalen und langgezogenen Vortrag vorlieb nehmen, der indefs ftets einen Mann von Vernunft und Gefuhl durchfehen läfst. Die Kunftnachrichten beftehen gröfstentheils nur in allgemeinen übertriebenen Ausrufungen, und find nicht einmal mit denen des *La Lande* zu vergleichen, vielweniger mit den lehrreichen Bemerkungen unfers v. *Ramdohr.* Italiens noch weit reichere Naturproducte find faft ganz leer ausgegangen. Der Vf. geht von *Avignon* aus, wo zwar eine Nachricht von Laurens Grab und von Vauclufe vorkommt; allein die beiden Sonnets des Petrarch fehlen, welche man im Grabe der Laure fand, (So eben findet fie Rec. in der Berliner Monatsfchrift vom Nov. 1788.) Ueber Avignons Regierungsform kommen einige gute Nachrichten vor, über deffen literarifchen Zuftand nichts, da doch hier eine Univerfität ift. Die Nachrichten über die Galeerenfclaven von *Toulon* find leider eben fo wahr als fürchterlich; wann wird Frankreich; das fo fentimentale Frankreich, aufhören, in Rückficht feiner Criminalgefetze einem Lande der Knute u. der Inquifition gleich zu fehen! *Nizza.* Freylich ift in diefem herrlichen Winkel Europens, der Gewinn durch die Menge von Orangen und Citronen beträchtlich, aber das durch die Fremden hergezogene Gold übertrift jenen bey weitem, Rec. weifs, dafs in einem einzigen Winter über eine halbe Million Thaler hereingekommen ift; auch ift Nizza feit zehn Jahren faft nicht mehr kenntlich, man baut, um Fremde zu bewirthen. *Monaco;* elend, dürftig, wie die mei-

A. L. Z. Erfter Band. 1789.

ften kleinen italiänifchen Staaten, *Genua* nimmt funfzehn Briefe ein, worinn in Anfehung der Adminiftration fo wohl, als in Rückficht der Werke des Luxus viel Gutes vorkömmt, manches aber auch zu hoch angefchlagen. Z. B. die Pracht des Pallaftes des Dogen, worinn doch mehrere Zimmer äufserft alt u. unbedeutend ausfehen. Eben fo hat der Vf. die Hofpitäler, befenders das fo berühmte *Albergho de Poveri* nur nach dem Aeufsern kennen gelernt, der innere Werth ift leider ungleich geringer, das Klagen der darinn aufgenommenen fehr laut, die Koft dürftig und die Bereicherung der Vorfteher himmelfchreyend! Nichts zeigt die unbegränzte Eitelkeit der Genuefer mehr als die koftfpieligen Bildfäulen und prahlenden Innfchriften der Wohlthäter diefer Anftalten. Viel Gutes über den entfchiedenen Geldgeift der Genuefer, über den tyrannifirenden Abfeinandel des Gouvernements mit Brod und Wein; über das unbillige Behandeln der türckifchen Galeerenfclaven; über die fchlechte Verwaltung der Juftitz und der Policey, Aber Rec. wundert fich, hier nicht die drey verfchiedenen Häfen, oder vielmehr Abtheilungen des Hafens, angeführt zu finden. Ueber den literarifchen Zuftand fagt hingegen der Vf. viel zu wenig, nemlich, er zeigt feinen negativen Zuftand zu unbeftimmt, der doch allerdings verdiente genauer gerügt zu werden. Von Genua ging die Reife nach *Lucca,* das zwar freylich eine unbedeutende Rolle im europäifchen Staatskörper fpielt, allein dennoch im Ganzen eben fo unglücklich ift, obgleich auch hier das Juftiwefen dürftig ausfieht. *Pifa,* ganz von feiner ehemaligen Gröfse herabgefunken, ftatt einer Bevölkerung von 120 taufend zählt man jetzt kaum 15. Der fchöne fchiefe Thurm ift allerdings durch Einfinken des Bodens gefunken, ob gleich der Vf. noch daran zweifelt. Rec. vermifst mit Recht Erwähnung der alten merkwürdigen Frefcogemälde des *Campo Santo;* auch ift die Univerfität, welche, Pavia ausgenommen, allerdings die befte von ganz Italien ift, mit keinem Worte gedacht. *Florenz;* die Sprache des Vf. über den heutigen unfchätzbaren Beherrfcher von Tofkana dankt ihm gewifs jeder, welchem Wahrheit und Menfchenliebe heilig find, noch

M m m   aber

aber der, der mit ruhigem Bewundern die Fortschritte diefes Landes zur Glückfeligkeit, felbft
hat bemerken können; der 25 und 26 Brief verdient daher mit aller Aufmerkfamkeit gelefen zu
werden. Bey Gelegenheit des wenigen, was von
dem Hofpitale zu Pifa gefagt ift, war es Rec. äufserft befremdend; die herrlichen Anftalten des
grofsen Hofpitals Sant. Mar. novel zu Florenz
ganz übergangen zu fehen: Der Vf. hätte ihnen allein wenigftens einen ganzen Brief widmen müffen.
Hier ein Ausfall gegen das unnütze Reifen der
Engländer, den Rec. mit Traurigkeit nicht nur
fachkundig bejahen mufs, fondern an der Stelle des
Vf. noch ungleich gefchärft hätte. Man würde diefe edle Nation allerdings befchimpfen, wenn man
fie nur nach dem gröfsten Theil herumrennender
junger Nichtsthuer, welche Grofsbrittanien über
Bord wirft, beurtheiltee. Was der Vf. über die berühmte Gallerie von Florenz fagt, ift höchftens
artig. Rec. dankt es dem Grofsherzog doch fehr,
dafs die herrlichen Statüen der Niobe nicht in einer einzigen Gruppe mit einander verbunden find;
welcher Standpunkt hätte nicht Verwirrungen hervorgebracht, und wie viele Schönheiten wären
nicht dadurch verloren gegangen! Diefer Wunfch
ift zu franzöfifch, wo alles agiren, alles eine Scene ausmachen foll. Das Naturalienkabinet ift allerdings treflich, wäre aber der Aufwand auf die
herrliche, aber überhäufte Wachsarbeit nicht auf
vielerley Weife lehrreicher anzuwenden? Es ift
übrigens Schade, dafs der Vf. der empfindlichen
Waagen, die dem berühmten Fontana fo viel Ehre machen, eben fo wenig, als der Theilungsin-
ftrumente gedacht hat. Der 39fte und folgende
Brief enthalten Nachrichten von der Cathedrale,
von dem berühmten Baptifterio, von dem Pallaft
Corfini, dem Pallaft Pitti, Riccardi und von der
Akademie Florentina. Hiebey macht der Vf.
die feltfame Bemerkung, dafs die Italiäner gar
nicht im Stande wären gut zu fchreiben, noch
auch ein gutes Wörterbuch ihrer Sprache zu liefern. Dies mufs man einem Franzofen verzeihen,
der, offenbar aus Unkunde anderer Sprachen, in
den gleich darauf folgenden Zeilen unverfchämt
genug ift, zu behaupten, man könne in keinem
andern Lande der Welt, als in Frankreich, ein
gutes Buch fchreiben. Er mufs in Rückficht Italiens dann keinen Beccaria, Bertola, Filangeri,
Verri, Arco und andere kennen. Dafs Italien im
Ganzen genommen, befonders der fudliche Theil
allerdings in der Literatur fehr zurück ift, dafs die
dortigen Akademien, auch die in Florenz wirklich
gefunken find, kann wohl felbft kein billiger Italiäner läugnen; dafs es aber, wie der Vf. und Hr.
von Archenholz es dem Publicum gern einreden
möchte, Italien an Köpfen, an Männern von Kenntniffen und Geifte ganz fehle, ift Rec. wieder ein
Beweis, zu was für unbilliger Dreiftigkeit das
Reifen felbft vernünftige Männer oft verleitet.
Ueberdem mufs der Vf. wohl nie ein Studium der

Univerfitäten feines eigenen Vaterlandes gemacht
haben, fonft würde er fich bey der Dürftigkeit der
italienifchen nicht fo aufblafen dürfen; denn Rec.
könnte, wenns darauf ankäme, eine auf felbft
gemachte Unterfuchung gegründete Vergleichung
der franzöfifchen und italiänifchen darftellen, wobey die letztern nicht fo fehr verlören. 44 Brief.
Reife nach Rom; bey diefer Gelegenheit merkt
der Vf. fehr richtig den Vorzug der Staaten des
treflichen Leopolds gegen die dürftige Cultur des
Kirchenftaats an. In Rom natürlicher Weife,
eine declamirende Erzählung der Kunftfachen, ganz
gut zu lefen, nur nicht darnach zu reifen; auch
über die Religionsfcenen, freylich find die Jefuiten auch dort aufgehoben, aber nur aufgehoben,
nemlich aufbewahret. Rec. gefteht, dafs jedem
Mann von Gefühl ähnliche trübe Ideen, wie die
des Vf. bey Vergleichung des ehemaligen Fori
und heutigen Campo Vaccrino auffteigen müffen.
Nicht der grofse Wafferfall zu Tivoli, verdiente
einen eigenen Brief, aber wohl die reitzenden
Cascadellen. Der Tempel der Sybille oder Vefta,
Adrians Villa etc. Der Vf. erlebte, dafs gleich
nach dem Segen des Papftes eine damalige Feuersbrunft in Rom nachliefs! Frafcati. Ein fehr
langweiliger Brief über den Farnefifchen Hercules, der nun fchon nach Neapel gebracht ift. Die
letzten Briefe betreffen die Galanterie Roms, die
Rec. wohl wenigftens gewifs nicht gröfser ift, als
die in Paris und London, und endlich die, Quelle der Egeria.

Der zweite Theil fängt mit einer äufserft unbedeutenden Anzeige der Villa Borghefe an.
Dann eine Nachricht, dafs der Vf. mehrere der
beften franzöfifchen Auflagen in Rom gefunden
habe. Ferner eine fonderbare Einleitung zum
unbefchreiblichen Apollo von Belvedere. Die Ca-
tacomben, gewifs nicht blofs chriftliche heimlich
gemachte Gräber; aber wirklich von erftaunli-
chem Umfange; der heilige Sebaftian von Berni-
ni, im Klofter deffelben Namens, fehenswerth.
Mit Recht erftaunt der Vf. über den ungeheuren
Plan alles Grofse und Schöne zu fammeln, wovon man jetzt noch in der Villa Adriani die Spuren findet. Sodann eine weitfchweifige erdich-
tete Unterredung über den Laocoon. Das Coli-
fee. Um mehrere Talente zu zeigen, giebt uns der
Vf. zwey Elegien nach dem Propertz und Tibull,
wenigftens zwey Briefe mehr. Nachmals kommen
bis zum 56ten Brief, einige gute Ideen über die
päpftliche Regierungsform und über das heutige römifche Volk, wozu fich aber fehr fehr viel hinzu fetzen liefse! Der Vf. zeigt, wie fich hier alles auf
die Geiftlichkeit reducirt, wie alles auf öffentliche und Privatunterdrückungen hinaus läuft,
und wie leicht hier, wegen Mangel an Policey und
wegen der grofsen Summe von Schutzorten, die
vielen Morde, bey einem an fich weder zum Rau-
be, noch zum Luxus geneigten Volke, fich der
Strafe entziehen. Die fchwankende Regierung

ftets in 'den Händen; eines Greifes, die daher; entftehenden Hoffnungen baldiger Veränderungen,
baldiger neuen geltenden Männer, kann diefem
Staat nie eine ftete Regierungsform prophezeyhen;
allein die abnehmende Macht des Papftes, die
Aufklärung der benachbarten mächtigen Herren,
der täglich lichtlichere Hang derfelben, die trefflichen Länder des Kirchenftaats zu fchmälern, werden ficher in wenigen Jahren den heutigen anarchifchen Einrichtungen des letztern, einen wichtigen Stofs geben. 76 Br. Gerechtes Lob des
Kardinal *Bernis*, und dann etwas vom jetzigen
Papft, wovon Rec. glaubt, dafs deffen gutes Anfehen wohl weniger merkwürdig ift, als die Redlichkeit, mit welcher er unter der zahlreichen römifchen Geiftlichkeit feinen Glaubenscäremonien
und Glaubensartikeln aus Ueberzeugung treu zu
feyn fcheint. — Des *Taffo Monument* im St. Onu-
frius. Dann im 90ten Brief über das Schickfal
der Juden in Rom. Freylich find fie hier in noch
üblerer Lage, als in den übrigen Italien, weil man
ihnen ftets das Chriftenthum einzubläuen fucht,.
allein Rec. macht bey diefer Gelegenheit überhaupt
die Anmerkung, dafs das Schickfal diefer armen
Nation faft in allen grofsen Städten Italiens unverantwortlich graufam ift; die turkifchen Galeerenfclaven find in Genua oft nicht ungefärder
zufammen geprefst, als die Juden in dem fogenannten *Ghetto* von Turin, Venedig, Rom, Neapel u. f. w.

Intereffanter Vergleich einer heutigen Procef-
fion in Rom mit einer ehemaligen heidnifchen in
den beften Zeiten diefer Hauptftadt der Welt !
Vom 103 Br. an das unbefchreibliche *Neapel* ;
Rec. nennt mit Recht ein Land unbefchreiblich, wo
der Fufs faft ftets auf neue Monumente der Kunft
und der völlig unbekannten Vorwelt tritt, und
wo jede Veränderung des Augenpunkts neue un-
ausfprechliche Gröfse und Schönheiten der Natur
zeigt. Sehr artig begränzt der Vf. die Ausficht
gegen den Hafen durch den Vefuv und auf der
ihm entgegen gefetzten Seite mit Virgils Grab !
Capo d Monte ift freylich als Schlofs unbedeutend,
auch find die Sachen oben fonderbar tangirt, allein
fie find gewöhnlich fehr fehenswerth, u. werden von
Reifenden weniger genutzt als fie es werth find,.
Schade, dafs einige der fchönften Cameen ent-
wandt find, dennoch find fehr merkwürdige Steine da.

Paufilipps Grotte hält nicht 500 Toifen, wie
hier gefagt ift, fondern nur gegen 2,300 Fufs,
auch hatten die Römer des Gebirge nur für Fufs-
gänger weit genug durchbrochen, König Alphon-
fus der erfte foll ihr die Weite von mehr als 20
Fufs gegeben haben. Die Schwitzbäder von St.
Germain find doch äufserft durftig in Rückficht der
Bequemlichkeit eingerichtet. Der Reifende von
Beobachtungsgeift und Gefühl verliert fich in der
unglaublichen Ausficht, die fich ihm gleich nach
dem Austritt aus diefem unterirdifchen Gange

darftellt. Schade, dafs kein tüchtiger Naturalift
bis jetzt eine genugthuende Befchreibung blofs
von diefer Gegend bis ans Cap Mifeno gegeben
hat. Diefer kleine Erdfleck ift reicher als an andern Orten hundert Quadratmeilen. Unfer Vf.
läuft empfindelnd darüber weg. Was hier nicht
alles unberührt geblieben! die felbft dem Vefuv
an. Belehrung vorzuziehende *Solfatara*, der *Monte nuovo*, *M. Barbaro*, die *Aftruni*, die *Pifcia-
telli*, ganz *Puzzuoli*, nebft dem *Tempel der Serapis* etc. Denn was nachmals in dem letzten Br.
von einigen diefer Merkwürdigkeiten noch vorkommt, ift kaum der Erwähnung werth.

Der 96 Brief über *Portici*, und fein unfchätz-
bares lehrreiches Kabinet, ift für den gewöhnlichen Lefer gewifs fehr angenehm, aber traurig
ward Rec., wenn er alle die literärifchen Schätze,
die noch zum Abwickeln da liegen, fo unaufmerk-
fam, fo träumend behandelt fahe. Von mehrern
hundert Manufcripten find nur funf feit vielen
Jahren abgewickelt, und wenn dies in derfelben
Bewegung fortgeht, fo ift die Wahrfcheinlichkeit
eher ganz Neapel untergehen zu fehen viel gröfser, als noch zwanzig Rollen abgewickelt zu wiffen.
Hr. *Bartels* hat uns viel umftändlicher von des
Ant. Piaggi Abwicklungsmafchine unterrichtet.

Reife nach *Salerno*, wo die reizende Gegend
bey *la Cava* vorkommt; von dort nach *Paeftum*,
das jeder Reifender befuchen mufs, der einen
richtigen Begriff von griechifchen Tempeln haben
will. Nachher über das Mufeum zu Portici, befonders über die aus dem *Herculaneum* gezogenen Gemälde. Im 100ten Briefe eine Befchreibung eines mäfsigen Ausbruches des Vefurs.
Sodann folgen bis zum 109ten Brief Anmerkungen über die Nation felbft und über das Gouvernement. Wie gewöhnlich fchiebt der Vf.
die Unthätigkeit der Bewohner auf das erfchlaf-
fende Clima; war dies denn nicht zu der Römer Zeiten ebendaffelbe, und die Alten prie-
fen dennoch Neapel als den Sitz der literärifchen Arbeiten: Da der Verf. To über die Verwahrlofung von Sicilien klagt, fo wundert fich
Rec., dafs er nichts von dem traurigen Schickfal
der noch mehr durch die Chicane, als felbft durch
die Erdbeben zu Grunde gerichteten Calabrefen
fagt.

Im 109 Brief erhebt der Vf. den *Spagnolet*
aufserordentlich. Rec. hat doch nie grofse Achtung für diefen Mahler hegen können, fein rau-
her ungeftümer, finfterer Vortrag wird nur fehr
felten; und nur einigermafsen durch Wahrheit
wieder gut gemacht.

Der 112te Brief giebt einige Nachrichten von
Pompeji. Mit Recht bewundert der Vf., dafs fich
die Farben feiner Gemälde fo frifch erhalten haben,
aber noch mehr mufs jeder diefe aufserordentliche Ueberbleibfel Befuchende erftaunen, dafs man
noch keine gute Befchreibung davon gegeben
hat. Zuletzt folgt eine Ueberfetzung des berühm-
ten-

Mmm 2

ten Briefes des jüngern Plinius, worinn der Tod
des gelehrten Naturhistorikers erzählt wird. Der
VI. schliefst seine angenehmen Briefe mit einigen zu kurzen Nachrichten über die Gegend um
das Cap *Misene.* Er giebt getreu allen Ruinen
von Tempeln die Namen, die ihnen von den in
der Gegend von *Baya* u. *Puzzoli* sich findenden un-
wissenden Ciceronen beygelegt werden. Ungern
verliefs er, wie gewifs jeder Reisende von Gefühl,
diese bezaubernden Gegenden.

VERMISCHTE SCHRIFTEN.

BRESLAU: *Schlesische Provinzialblätter, erstes
zweites, drittes Stück.* 1788. 8.

Diese Monatsschrift, die schon seit 1785 dauert,
und von Hn. Sekr. *Streit* herausgegeben wird, erfüllt den Nutzen, den Provinzialblätter haben
können, in einem sehr vorzüglichen Grade, ist
in der Kürze zugleich Unterhaltungsbuch, Intelligenzblatt, und literarische Anzeige, behält immer das Lokalinteresse zum ersten Augenmerk,
äufsert Patriotismus und Eifer gegen Mifsbräuche
und Vorurtheile, hilft edle Gesinnungen ausbrei-
ten, und hat einen männlichen und reinen Vortrag. Das *erste* Stück von 1788 enthält: 1) Ein
Gedicht auf die Huldigung des jetzigen Königs
von Hr. *Jackmann* 2) Beleuchtung der Frage, ob-
der Grund von so vielen Mifsgeburten der Schwärmerey in manchen Systemen der Freymaurerey
liegen, von einem Laien; die Antwort ist ver-
neinend 3) Ueber den Schilderer Schlesiens in
deutschen Zuschauer; sie wird übertrieben und
ungerecht befunden, und davon Anlafs genommen, die Einwohner dieses Landes richtiger zu
charakterisiren. 4) Einige Bemerkungen über die
Musik mit Hinsicht auf ihren gegenwärtigen Zustand in Breslau, betreffend die Concerts spirituels,

die Hr. *Hiller* zu Breslau gegeben. 5) Historische
Chronik, unter dieser Rubrik werden, so wie im
Journal von und für Deutschland, interessante
Vorfälle erzählt und beurtheilt. S. 61 liest man die
Geschichte einer Geisterbeschwörung. Auch wer-
den, wie vor dem im Journal v. u. f. D. Geburten, Heirathen, und Todesfälle von Personen von
Stande angezeigt, und bey besonders merkwürdigen Personen mit ausführlichen Nachrichten begleitet. 6) Literarische Chronik von Schlesien,
oder, umständliche Anzeigen neuer Schriften, die
Schlesier zu Verfassern haben, oder in Schlesien
erschienen sind. Das *zweite* Stück enthält: 1)
Bruchstücke einer physikalischen Geographie von
Schlesien. 2) Schreiben an einen Freund über
die Vertheidigungsschrift des Hn. von *Calonne*,
besonders über das, was darinnen über die Um-
prägung der Goldmünzen gesagt wird. 3) Erster
Ritt gegen Aberglauben, Mifsbräuche u. dergl.;
viele Vorurtheile des gemeinen Mannes in Schlesien werden hier gerügt. 4) Erläuterung einer
Stelle im Aufsatz über den Schilderer Schlesiens.
5) Historische Chronik; S. 183 sind gute Armen-
anstalten beschrieben. 6). Literarische Kronick.
Das *dritte* Stück enthält: 1) Das blinde Ehepaar,
eine Erzählung von Hn. *Schummel*, die auch einzeln zu haben ist. 2) Der Triumph, eine Erzählung in Versen vom H. v. *Rahmel*. 3) Noch einige ökonomische Bemerkungen über Oberschle-
lien, gegen *Hammard's* Reisen gerichtet. 4) Versuch, die Erklärung der Zauberfahne bey der
grofsen Tarterschlacht in Schlesien durch eine
Stelle aus dem Florus zu bestätigen von *Klose*.
5) Der gute Wirth, eine prosaische Erzählung.
6) Historische Chronik, sie beginnt mit einer kurzen Uebersicht der während der jetzigen Regierung
in Handelssachen ergangnen Verordnungen. 7)
Literarische Chronik.

KLEINE SCHRIFTEN.

GESCHICHTE. *Marburg:* De fontibus, unde Tacitus,
quae de patria nostra tradidit, hauisse, deque conslio,
quod in scribendo libro de Germ. secutus esse videtur. Pro-
lusia, qua simul lectiones hibernas indicit Ludv. Volkel,
in Acad. Marb. Phil. Prof. Exiraord. 1788. 33 S. 8. Hr.
V. nimmt an, dafs Tacitus mit seinem Vater im bel-
gischen Gallien war, und in der Nähe manches von den
Teuschen erfahren konnte. Allein es ist nicht erweifs-
lich, dafs der Vater des Geschichtschreibers dorthin kam,
und in der Stelle des Plinius, woraus diese Meynung hergenommen wird, kann eben so leicht von dem Nationa-
tor Cornelius Verus Tacitus die Rede seyn. Sicherer ist
es, dafs der Geschichtschreiber von Soldaten und Han-
delsleuten, die in Deutschland gewesen waren, auch

wohl von Deutschen selbst, die sich zu Rom aufhielten,
verschiedenes hören konnte, wie der Vf. richtig bemerkt.
Die schriftlichen Quellen waren vornemlich Cäsar, Livius, Plinius, und Griechen. Tacitus nennet zwar ke-
nen von diesen aber Herkules, Ulysses und Ifis in
Deutschland sind offenbar griechische Fabeley. Die
Glaubwürdigkeit dieses Geschichtschreibers wird sehr
gut beurtheilt; sie leidet bey seinen Nachrichten von der
Religion der alten Deutschen eine starke Ausnahme. Der
Wahn, als ob Tacitus mehr eine Satire auf seine Römer
schreibend, als zuverläfsige Nachrichten von Germanien
liefern wolle, wird von dem Vf. zuletzt so gründlich
widerlegt, dafs sich zum Schutze desselben nichts erträgliches mehr sagen läfst.

LITERARGESCHICHTE.

LISBOA, na typogr. Morazziana: *Jornal enciclopedico delicato á Rainha N. S. e destinado para instrucçao geral com a noticia dos mayos descobrimentos em todas as sciencias e artes. Junho. Julho und Agosto de 1788,* jeder ohngefähr 10 Bog. 8. und *Com. lic. da R. Meza da Commiss. Geral sobre o exame e censura dos Livros.*

Der Anfang dieser periodischen Schrift liegt zwar weit ausser den Grenzen der A. L. Z.; doch wird es zur Geschichte desselben, da es gewissermafsen Epoche macht, nothwendig werden, bis dahin zurückzugehen, um den Lesern der A. L. Z. einen Begriff von den Schwierigkeiten zu machen, die eine ähnliche Unternehmung in Portugal zu überwinden hat. Nach mehreren verunglückten Unternehmungen dieser Art (von welchen Rec. der Anfang einer *Gazeta literaria*, die zu Porto herausgegeben werden sollte, und ein *Passatempo curiozo das tardas de Iverno* bekannt geworden sind) erhielt Hr. *Felix Antonio Castrioto* vor zehn oder zwölf Jahren ein ausschliefsliches Zeitungs - Privilegium, und mit demselben ein ähnliches zu Herausgabe eines encyclopädischen Journals. Dieser S. T. Castrioto, ein sehr origineller Mann, ist ein geborner Brasilianer, der sich für den einzigen noch übrigen Nachkömmling des weltberühmten *Georg Castrioto*, Fürsten von Epirus, genannt Scanderbeg hält; er reisete etwa im Jun. d. J. von Lissabon über England nach Deutschland und Rufsland; in England war seine Absicht, für eine Entdeckung über die Findung der Länge zur See, die er ohne beträchtliche Kenntnisse der Seefahrtkunde gemacht zu haben glaubt, und die in einer an ein kleines Fahrzeug befestigten Ley - tine bestehen soll, eine Belohnung zu negociiren, demnächst wollte er seine Ansprüche auf sein väterliches Erbe, dem deutschen Kaiser, oder der rufsischen Kaiserinn verkaufen. Hr. Castrioto benutzte das oberwähnte Privilegium dahin, der sehr edel denkenden, jedem im höchsten Grade wohlwollenden, und bey jedem ganz neuen Schritt äufserst vorsichtigen Königin, vorstellen zu lassen, die Herausgabe ir-

A. L. Z. Erster Band. 1789.

gend einer andern periodischen Schrift in ihrem Reiche, sey eine Verletzung des ihm verliehenen Privilegii. Das trieb er so weit, dafs er dadurch selbst die Ausführung aller Entwürfe der Akademie der Wissenschaften zu Lissabon, zu Verbreitung gemeinnütziger Kenntnisse, durch eine gelehrte Zeitung und ein gemeinnütziges Wochenblatt vereitelte, ungeachtet sein eigenes *Journal encycl.*, von welchem das erste Stück im Jul. 1779 herauskam, unmittelbar darauf dergestalt ins Stecken gerathen war, dafs der Julius 1788 das zweyte Stück ist. Kurz vor seiner Abreise von Lissabon überliefs er dieses Privilegium gegen eine ansehnliche Summe einem portugiesischen Arzt, Dr. *Manoel Joaquin Henriques de Paiva*, welcher ungefähr um eben diese Zeit wegen einiger Privatstreitigkeiten aus der Akademie heraustrat, (an deffen Stelle der dänische Leg. Pred. Muller, der auch einigen Antheil an diesem Journal hat, seit es unter D. *Paiva's* Redaction herauskömmt, aufgenommen wurde). Bey Abtretung dieses Privilegii war ausdrücklich verabredet, dafs die von Castrioto noch vorhandenen Aufsatze mit aufgenommen wurden. Diese gehen bis S. 241 im zweyten Stück, wo sich Dr. *Paiva's* Redaction mit dem Artikel *Produccoes literarias de todas as naçoes* anfangt, welcher, nebst einigen in Jorn, enthaltenen Originalnachrichten, in sofern er neue spanische und portugiesische Schriften betrifft, für Ausländer das wichtigste dieses Journals werden dürfte, weil die bisherigen Artikel desselben bey weitem dem größsten Theil nach Auszüge und Uebersetzungen aus andern deutschen, englischen und französischen Journalen, (gewöhnlich ohne Anzeige der Quellen) enthält, und der jetzige Redacteur in dem Motto, welches er den von ihm herausgegebenen Heften vorgesetzt hat: — *Nil forsan novum, sed neglecta reducit, sparsa colligit, utilia seligit, neceffaria oftendit, sic utile* — nichts anders verspricht. Auch dies Journal fühlt den Druck der *Meza Consoria*, indem die für dasselbe bestimmten Aufsätze von der Censur zu Zeiten so verunstaltet werden, dafs ihre Verfasser oder Ueberfetzer in Verlegenheit gerathen, ihre eigene Arbeit wieder zu kennen, und wahre Widersprüche in denfelben entstehen. Ein Beyspiel davon ist die Stelle S. 27

N n n

im Jul. 88. wo die hier Worte *am Mannheim* von der Cenfur eingerückt find, die fich gar nicht mit einer einzelnen, nachher folgenden, Behauptung vereinigen laſſen. *A conjectura de J.* „*E. Bode ac. a faber, que a 964a eſtrella do catalogo que fez o Prof. T. Mayer .em Man- „h è i m dos eſtr. zodiac. podia fer talvez*" etc. — — und vier Zeilen weiter: *„Por tanto foi „Gottinga o primeiro lugar em que fe determinon „exactamente a fituaçao deſta eſtrella."* Ein anderes Beyſpiel von dem willkührlichen Verfahren der Cenfur, und zugleich von den Einrichtungen der Druckereyen in Liſſabon: Eine Ueberfetzung der Nachricht von dem Mittel, den Kinderblattern vorzubeugen, welches in dem Hamburger Addr. Comt. Nachr. vom 15. Jan. 1787 ſtand, kam aus der Cenfur zurück mit der Unterfchrift: *Emendado o erro torna a Meza.* Der Ueberfetzer konnte keinen *Erro* finden, fandte desfalls die Ueberfetzung der *Meza* mit der Bitte zurück, den *Erro* anzuzeigen, worauf der ganz in Mönchſtyl umgegoſſene Auffatz, ohne übrige weſentliche Veränderung des Inhalts, wieder zurückkkam, der im Auguſt des Journals S. 19 u. ff. abgedruckt ſteht. Eine Note zu dieſem Auffatz, die eine Exegeſe einer darinn angeführten bibliſchen Stelle (Ezech. 16, 4.) enthält, muſste in der dürftigen Geſtalt, in der ſie jetzt daſteht, abgedruckt werden, weil in ganz Liſſabon keine hebräiſchen Typen aufzutreiben waren.

Das erſte Stück *Julho* 1779 enthält vier Artikel, I. *Filofofia.* Ueber Erklärung und Abtheilung dieſer Wiſſenſchaft. II. *Medicina.* Gebrauch des Guajacharzes. Bleycolic. B. Hüpfch zu Cölln Arcanum gegen die fallende Sucht. Heilkräfte der Arnica, Eine durch Abzapfen geheilte Waſſerſucht einer Nonne zu Pato. Aehnliche Heilung einer Bruſteiterung (*Empyema*). Ueber die Einimpfung der Blattern. Vertreibung einer anſteckenden Krankheit zu *Bois de Roi* bey. *Aret.* Gebrauch roher Kartoffeln als Vorbauungsmittel gegen den Scharbock der Seefahrenden. Gröſstentheils fehr. kurz und abgebrochen, beynahe wie Zeitungsartikel. III. *Hiſtoria natural.* Vertheidigung der bibl. Zeitrechnung gegen *Brydone* oder *Recupero* (aus Watfons Apolog. des Chriſt.) Analogie der Pflanzen und Thiere. Geſchichte der Entdeckung der Cochenill - Inſecten in Braſilien. [Sie nähren fich auf dem Eil. *St. Caterina* auf der Pflanze, die Linn. *Cactus Tunt,* und zu *Rio de Janeiro* auf der, die er *Cactus Opuntia* nennt, beide find von *Cactus Cocciferus* Linn. unterfchieden. Ihre Trivialnamen in, Braſil. find: *Gerumbela,* und *Gumbela.* In Portugal heiſſen beide *Figuedra da India.* Behandlung der Pflanzen und des Inſects find Entdeckungen des Hn. Caſtrioto. Die Inſecten haben ein erhabenen (nicht holen) Rücken (wie Linn. fagt) zwey Fühlhörner, fechs *rothe* Füſse, und find mit einem feinen Pflaum bedeckt. Sie gebähren lebendige Junge. Die Weibchen verwandeln ſich nicht; wohl aber die Männchen, aus denen Fliegen werden, die nur 3 bis 4 Tage leben, Sie würden alfo eine ganz eigne Ordnung machen.] Verſuche, Thiere heiſser Erdſtriche, in kältern Gegenden zu erhalten. Ankunft eines Orangutang in Ireland. Das bekannte Verzeichniſs der Dinge, die ein Gelehrenſklave zu Breſt verfchluckt hatte. Nachrichten von einigen Miſsgeburten; und von Haaren und Knochen, die man aus einer Gefchwulſt eines Mädchens zu Nancy zog. IV. *Literatura.* Ueber die portugieſiſche Rechtſchreibung. (Auch hier foll die fo fchwankende Ausſprache einzige Geſetzgeberinn der Rechtſchreibung feyn. Das wird fogar auf ausländiſche Namen angewandt, und der Vf. fchreibt *Votter, Ruſſo, Cuk, Bluto,* ſtatt *Voltaire, Rouſſeau, Cook* und *Bluteau* (ohne zu bedenken, daſs die portugieſiſche fo wenig als die engliſche Sprache weder - einfaches noch zuſammengeſetztes Buchſtabenzeichen für das franzöſiſche u hat.) Doch findet man auch noch anderweitig verſtümmelte ausländiſche Namen, z. B. *Bridoino* ſtatt *Bryden-.* Eine Schilderung von *Voltaire's* Charakter befchlieſst dies Stück; daſs ſie nicht fehr günſtig feyn werde, läſst fich aus dem *Com licenza etc.* auf dem Titel vermuthen.

Junho. 1788. Artikel und Seiten in fortlaufender Zahl mit dem vorhergehenden Stück. V, *Economia civil e ruſtica.* Vorfchläge zu Abſtellung der Betteley, Unterſtützung der Armen durch Arbeit etc. (Anlegung von Häufern, in denen Muſsige Befchäftigung finden können. Die Koſten dazu follen durch Unterzeichnung von Privatleuten zuſammengebracht werden.) VI. *Miſcellanea.* Hirtenbriefe der Bifchöfe von *Amiens* und *Vienne* wegen der neuen Ausgabe von *Voltaire's* Werken, und einige Anekdoten, gröſstentheils deutſche. VII. *Relaçoes politicas dos defferentes eſtados do mundo.* Einleitung zu einem künftigen politiſchen Artikel. VIII. *Produçoes literarios de todas as Noçoes.* *Bibliografia Portugal. Franciſci Tavares de pharmacia Libellus, acad. praelect. accommod.* Coimbr. 1786. 299 S. 8. Wird gerühmt. *Diſſertaçao fobre a fermentaçao em geral e fuas eſpecies, por Vincente Coelho da filva fcabra e Telles.* Coimbr. 1787. 55. S. 8. Nichts neues, wird aber als Ueberfetzung von *Furcroy* empfohlen. *Diſſertaçoes politicas fobre o trato das ſedas na comarca de Moncorvo pelo Dr. Joſé Ant. de S^a. Lisboa* 1787. 175 S. 8. Ganz local, wird gerühmt. *Hefpanha.* Eine fpan. Ueberf. von Lokmanns Fabeln in lat. Verf. von D. *Manoel Laſala,* und ins Spaniſche von D. *Miguel Garvia Afenfio.* Madrid 1784. 52 S. 4. und D. *Joſé Iſidoro Cabaza* über den Luxus. Madrid 1786. 4. Beide und alle folgende Anzeigen fpaniſcher Bücher find nach dem *Memorial literario de Madrid.* — *França. Montigrot* Stand der Fixſterne zu Ptolem. Zeiten, und im Jahr 1786. *Hallé* Ueber Natur und Wirkung mephitiſcher Dünſte.

M. Ke-

M. Kerallo Geſchichte d. **K. Eliſabeth** von **Engl.** *Inglaterra.* — *Mannings* neue Verbeſſ. der. pract. Heilkunde; ebenderſ. über Chirurgie. Abhandl. der mediciniſchen Soc. zu London. Ueber Erzieh. der Frauenzimmer. Lebensregeln. *Shaw* Geſchichte des Judaismus. — *Alemanha. Herbert theoria phenom. elektricor. Paul de Czempinsky Diſſ. Zoologica. Lichinie Staatiſch. u. polit. Grundſatze.* — *Suiſſa. Brunners* Fiſchergedichte. *Catalogo de Livros.* · *Portugal* 20 St. *Heſpanha* 15-Bandes dem gröſsten Theil nach Ueberſetzungen aus dem Franz., die unter dieſer Rubrik nach unter *França* und *Inglaterra* enthaltenen Bücherverzeichniſſe, ſind ſo wie die obigen Anzeigen ausländiſcher Schriften aus Journalen entlehnt. Rec. findet keins darunter, daſs ihm als neu und in Deutſchland unbekannt aufgefallen wäre. Preiſsaufgaben der Liſſabonner Akad. d. Wiſſ. für 1791; der *Acad. Roy d. Medicine* zu Paris für 1789, und der Verwaltung des Stolpiſchen Legats zu Leyden, beſchlieſsen das Stück.

Julho 1788. I, *Hiſt. nat. feſica e quimica.* D. Poira's Auszug aus *Desfontaine's* Beobacht. üb. d. Irritabilität der Geſchlechtsorgane der Pflanzen. Ueber Herſchels Planeten (a. d. Gött. Taſchenkal.). Von einem feurigen Meteor, welches den 30ſten Jun. 1785 von einem Kön. Part. Schiffe auf 6° 20' Breite geſehen wurde, (ſo unbeſtimmt als die Angabe des Orts, iſt auch die ſehr unvollſtändige Erzählung, und völlig eben ſo unbefriedigend die *par ordre* gegebene Erklärung der beiden königl. Geographen und Aſtronomen zu *L. d. Janeiro*). II. *Medicina, Cirurgia, Farmacia.* Noch ein Brief über die ſchon oben im 2ſten Heft erzählte Waſſerſüchtige Nonne zu Porto. Ueb. den Gebrauch kugelförmiger Mutterkränze bey Muttervorfällen, (a. d. Engl.) von D. Paira. III. *Economia civil e ruſtica.* Ueber Ausrottung der Betteley von *Franc. Luis. Leal.* (Der Vf. ſieht einzelnes Allmoſengeben als den Grund beynahe aller Betteleyen, eifert dagegen, und legt ſeinen Landesleuten Beyſpiele anderer Länder, in denen die Betteley ganz abgeſtellt iſt, als Muſter zur Nachahmung vor. Aufſätzen dieſer Art iſt gedeihliche Wirkung auf ihr Publikum gar ſehr zu wünſchen. (Ueber Indigo von D. Paiva, nach *le Sage.* Neue weiſse Mahlerfarbe.) Ein Niederſchlag von verkalcktem Zink) IV. *Belas letras* Ueber Portugieſ. Rechtſchreibung. [Die gröſste Verſchiedenheit derſelben fängt von 1747 an, wo ein unter dem erdichteten Namen *Pedro Barbadinho,* verſteckter Schriftſteller in ſeinen Briefen über die Methode zu ſtudieren, die Ausſprache zur einzigen Norm aller Rechtſchreibung machte. Ihm folgten der Prior *Joad Morais de Madureira,* und *Pater Bento Pereira* in ihren Schriften über die Orthographie; der Vf. fordert: man ſolle keinen Buchſtaben ſchreiben, den man nicht ſpricht. *Bluteau* nimmt auch Rückſicht auf Etymologie. Die Hauptgegenſtände der ſchwanken-

den Rechtſchreibung ſind: *l* und *f* vor *t.* (ſuſpei- to oder *ſuſpecto*) *ç* und *ſ, f* und *z*; Wegwerfung des *p* vor *t* in Wörter, die offenbar lateiniſchen Urſprungs ſind, *h* in Anfang der Wörter; die doppelten Vocalen; *f* ſtatt *ph* in griech. Wörtern; die doppelten *f, ſ,* und *t.* Fremde Namen behalten doch aber ihre eigenthümliche Orthographie, weil *portugieſiſche Rechtſchreibung* nicht Geſetz für fremde Sprachen ſeyn kann, und Verwirrung daraus entſteht. In einigen folgenden Sonetten bleibt aber doch der ungenannte Verf. dieſes Aufſatzes ſeinen eignen Regeln ſelbſt nicht treu, beſonders in Anſehung des *h,* wenn Wörter damit anfangen.] V. *Anecdotas e Miſcellanea.* Gröſstentheils von Peter dem Groſsen nach Stählin. von Hn. F. L. Leal überſetzt. VII. *Filoſofia racional e moral.* Ein abgebrochener Brief des Hn. *Elmotte* an Mlle- *Serard* über die Schluſsformen, der im folgenden Stücke beſchloſſen wird. VIII. *Bibliografia. Portugal. Florae luſitanae et Braſilienſis ſpecimen et epiſtolae ab eruditis viris Car. a Linne Ant. de Haen ad Dominicum Vandellum ſcriptae.* Coimbr. 1788. 4. Nur ſehr gemeine portug. und ſehr wenig braſilian. Pflanzen. Der auf dem Titel erwähnten Briefe ſind 22: *A verdade da religiao Chriſta.* Coimbr. 1787. 2vol. 8. von 360 und 403 S. Wird gerühmt. *Heſpanha.* Anfangsgründe der Botanik vom Dr. *Caſimir Gomes Ortega,* und D. Ant. Palau y Verdera. Madrid 1785. 2vol. 8; Dr. *James Sims* Vorleſ. über die beſten Mittel, der Arzneykunde aufzuhelfen etc. aus Span. überſetzt vom Dr. *Joaquim Serrano* Madrid 1786. *Rochefaucault,* moraliſche Maximen, Sentenzen und Reflexionen, mit de la *Hauſſaye* Anmerkungen, ins Span. überſ. v. Dr. *Luiz de Luque y Leira.* Cadix 1784. 8· Dr. *Joao Hilario Paſtor,* hiſtoriſch - juriſtiſch - politiſche Diſſert. Madrid 1785 8. maj. Die beiden erſten Bücher ſind vom D. Paiva angezeigt, die übrigen nach dem *Mem. lit. de Madrid. Italia.* Corniani Gedanken über die Vegetation. Breſle. 1787. 8. Dr. *Thom. Roracallio* Chronik der latein. Schriftſteller. Venedig, 1787. *Euler inſt. calc. diff.* Parma 1787. *França.* Pallas Reiſen überſetzt von *Guetier de la Peronie.* Paris 1787. *Couſin* Einleit. zum Studio der Aſtronomie. Paris 1787. 4. *Armſtrong* v. Kinderkrankheiten, ins Franz. überſetzt. *Aſſembleas e program. Acad.* Vertheilung der Preiſe der Liſſabonner Acad. d. W. für vermehrten Seidenbau; und eben dieſer Akad. fernere Preisaufgaben für 1791. VIII. *Relaçoes politicas.*

Agoſto. 1788. I. *Hiſt. natural.* Kurze Erklärung der Werkzeuge, die ſich auf *Meter* endigen, (aus dem Deutſchen). Nachricht von den in England vorſeyenden Verpflanzung des Brodtbaums nach Weſtindien. *Ms. de Flagueres* in Kalkerde gefundenen Auſtern. Allgemeinheit der Gewitterableiter in Amerika. Beobachtungen der Sonnenfinſterniſs den 4 Jun. 1788 zu Liſſabon und Mafra, (die daraus hergeleiteten Unterſchiede der Mittagskreife von Liffabon, Madrid und Paris, weichen nur wenig von den bekannten ab. Nachrichten von franzöf. u. engl. Verfuchen über die Zerlegung des Waffers, und deffen Wiederherftellung. *Scheele's* Bereitung des Mercur. dulc. auf dem naffen Wege. II. *Medicina, Cirurgia, e Farmacia.* Mittel zu Vertilgung der Blattern, (aus dem Deutfch.). Nachricht von einer durch D. *Paiva* geheilten periodifchen Strangurie. Ueber den Gebrauch der *faponaria officinalis* in venerifchen Krankheiten. III. *Economia civil e ruftica.* Verbefferte Einrichtung der Hofpitäler nach den Schriften der Abbé's *Moutlenos* und *Blanchard*, und der Herren *Romans*, *Rabigot*, *de la Croix*, *Duperron*, *Noel* etc. etc. *Gerards* Verbefferung des Glafes. IV. *Belas letras. Efpectaculos*, Ueber Schaufpiele der Alten und Neuern, u. theatralifche Tänze. Wiedergefundenes Werk *Adrafts* über die Mufik. V. *Anecdotas e Mifcellanea.* Anekdoten, größtentheils vom hochfel. König von Preufsen, Fried. d. Gr. VI. *Filofofia racional e Moral.* Befchlufs des im Jul. abgebroch. Briefs. VII. *Produccoes literarias de todas as Naçoes. Bibliografia. Portugal. Differt. quimica fobre a flor de Anil na qual fe moftra hum modo novo de a fazer com muita poca defpeza par Alex. Ant. das neves Portugal.* Lisboa 1788. 30 S. 8. Scheint nicht ausführbar. *Carta de Franc. Xavier do Rego Aranha em refpofta a hum Amigo que che perguntou o fue parever*

fobre a Diff. quimica — do Bacharel A. A dos Neves Portugal, a refpeito do melhor methodo de preparar a flor de Anil 1788. 35 S. 8. Widerlegung der nächftvorhergehenden Abhandlung. *Francifci Tavares* etc. *Medicamentorum. Sylloge propriae pharmacologiae exempla fiftens, in ufum Acad. praelect.* Coimbr. 1788. Wird gelobt. *Bibliotheca elementar cirurgico anatomica, ou compendio Hiftorico critico e chronologico fobre a cirurgia e anatomia em geral etc. par Manoel de La Mattos.* Porto 1788. 4. Wird als das erfte vollftändige und befriedigende Werk diefer Art in Portugall fehr gerühmt. *Manual de Epicteto traduz. do Grego em Linguagem Portugueza por D. Fr. Ant. de Souza Bifpo de Vizeu, novamente corr. e illuftr com Efcelios e annot. crit. etc. por Luiz. Ant. de Azevedo.* Lisboa. 1785. 8. Gut überfetzt. *França Sanches* über venerifche Krankheiten, herausgeg. von *Andry Golenz de Ri Savigny* über den Verfall der Wiffenfchaften. Philof. Unterf. über den Urfprung des Mitleids, *Journal d'éducation. Alemanha. J. A. Scopoli fundam. botanica praelect. publ. accomod. Baader* vom Würmftoff. *Inglaterra Cavallo* vom Magnetismus. *Chambers* Encyclopedie. *Catal de livros. Portugal, França, Inglaterra, Efcovia.* Preifsaufgaben der *Acad. des fcienca et belles lettres* zu Paris, zu Touloufe, und der *Acad de Medicine* zu Paris. VII. *Relaçoes politicas.*

KLEINE SCHRIFTEN.

Gottesgelahrtheit. *Lübeck*, b. Donatius: *Varium de capite* III. *Genefeos recte explicanda fententiarum fpecimen* I, exhibet *M. Joannes Otto Thiefs*; 1788. Der Vf. theilt die Auslegungen diefes Kapitels in 3 Klaffen, wovon die eine bey der Worterklärung ftehen bleibt, und eine wahre Gefchichte annimmt, die zweyte auf der Vorausfetzung beruhet, dafs Gefchichte von den Poeten in eine Fabel eingekleidet fey, und die dritte die ganze Begebenheit zu einer Allegorie und die Gefchichte zu moralifchen Vorfchriften macht. Gegen diefe Eintheilung wäre manches zu erinnern. Als ein Beytrag zur Gefchichte der Erklärung diefes Kapitels, welchen der Vf. bey einer andern Gelegenheit vervollftändigen will, aber nicht als Gefchichte felbft kann diefe Abhandlung angefehen werden.

Schöne Wiffenfchaften. *Prag*, in der Normal-Buchdruckerey: *Leben Bokuslaw Aloys Balbins, der Gefellchen von Königgrätz aus Böhmen. Befchrieben von Stanislaus Wydra.* L. k. Prof. der Mathematik in Prag. und herausgegeben den 29ften Wintermonat 1788. an welchen Tage Balbin vor 100 Jahren ein ruhmvolles Leben befchloffen hat. 1788. 32 S. 8. (3 gr.) Hr. W. ift ein braver gefchickter Mathematiker, aber er auch ein fehr eifriger Exjefuit, und ftreng orthodoxer kathol. Geiftlicher feyn müffe, erhellt unleugbar aus diefem kleinen Werklein. Wo nur eine Gelegenheit fich findet, die Gefellfchaft Jefu nicht nur hoch, fondern nach fternenhoch zu erheben; da thut er es redlich. Ihr, fagt er, habe Böhmen allein die Erhaltung der katholifchen

Religion (auf welche Koften verfchweigt er weiflich) zu verdanken; und wie er überhaupt im Punkt der Religion denkt, davon zeige unter andern folgende Stelle. S. 89. „Balbin befchrieb die Gnadenbilder der göttlichen „Mutter Maria zu Curau, zu Worta, auf dem heiligen „Berg und zu Albunzlau; und er liebte diefe diefe Für-„fprecherin der Sterblichen bey ihrem göttlichen Sohne „mit aller Zärtlichkeit eines Kindes. Da ihm nun die „Ehre Gottes fo fehr am Herzen lag, fo konnte er gegen „die Verehrung feiner Freunde der heiligen im Himmel „nicht gleichgültig feyn. Er war es auch nie, feine Bo-„hemia fancta ift Zeuge davon. Er rechnet unter die „glücklichften Ereignife feines Lebens die Gebeine eines „Buenatius im Gic'xin gefunden und geküfst zu haben, „der vor 35. von Huffitifchen Bauern auf eine graufame „Art ift umgebracht worden. *In feinen Religionsbegriffen könnte nie eine Revolution vorkommen, denn fie hingen nicht von dem fchwankenden Verftande fondern von der Ausfage der untrüglichen Kirche ab.* Er überliefs fich völlig Verzicht. *Wer will aber auch der Name „Philofoph fagen?* jetzt in Deutfchland ift er mit einem *Narren fynonimifch, der nach eignen Grillen handelt.*" So fpricht ein Prof. der Philofophie? O welche unendliche Kluft ruült zwifchen einem Wydra und Royko feyn? Stellen diefer Art find häufig in diefen 3 Bogen. Die meiften Anekdoten ftehn in der Bohemia docta bereits. Die, welche aus Handfchriften gezogen feyn follen, bedeuten fehr wenig.

GOTTESGELAHRTHEIT.

Würzburg, b. Sartorius: *Die Weisheit Jesu Sirachs Sohn.* Aus dem Griechischen, mit erläuternden Anmerkungen. 1786. 206 S. 8.

Rec. erwartete hier, durch den Titel dieses Büchleins einigermafsen getäufcht, den Pendant zu der von einigen proteftantifchen Gelehrten angefangenen Bearbeitung des Buchs der Weisheit zu erhalten. Allein Hr. *A. J Onymus*, fo nennt fich der Vf. unter der Dedication an den Hrn. Bifchof und Fürften von Bamberg und Wirzburg, hat bey feinem überall fichtbaren Flcifs, den er zur Berichtigung des Textes auf die Vergleichung der alten Ueberfetzungen verwendet hat, doch nicht fo wohl auf gelehrte Lefer gerechnet, als vielmehr nur hauptfächlich für Laien geforgt, denen er diefes Buch in einer beffern und verftändlichern Ueberfetzung, zu ihrer Erbauung, in die Hände geben wollte. Vielleicht entfchliefst fich Hr. O. noch, es fey nun bey einer neuen Auflage, oder in einem gelehrten Nachtrag, uns auch mit den Gründen von feinen gewählten Lesarten zu befchenken, und durch eine nähere Vergleichung der griechifchen und fyrifchen Ueberfetzung die in ihnen durchfchimmernden Spuren des verloren gegangenen hebräifchen Textes vor Augen zu legen. Da nun alfo Hr. O, bey diefer Ueberfetzung blofs die Abficht hatte, dem alten jüdifchen Weifen in deutfches Gewand umzuwerfen, wodurch man einigermafsen feine urfprüngliche fchöne Geftalt noch erkennen könne: fo glaubte er, die mit dem hebräifchen Original verloren gegangene Harmonie durch ein reimlofes und unbeftimmtes Versmaas, welches der Treue und Genauigkeit keinen Abbruch thue, erfetzen, und eben dadurch den Denkfprüchen felbft die fo nöthige Rundung und kraftvolle Kürze geben zu müffen. Aufserdem wollte fich auch Hr. O. das Verdienft machen, den griechifchen Text von vielen Zufätzen, wodurch er verunftaltet ift, zu reinigen, und zog daher verfchiedene Ausgaben mit ihren zum Grunde liegenden Handfchriften, und die freylich fehr dürftige lateinifche Ue-

berfetzung eben fo wohl, als die von der griech. oft gar fehr abweichende fyrifche und arabifche dergeftalt zu Rathe, dafs er keine Lesart gewählt zu haben verfichert, wovon er nicht jederzeit wichtige Gründe anzugeben, bereit fey. Allein eben diefe Gründe wird nun freylich jeder Liebhaber mit dem Rec. recht bald zu erfahren wünfchen, wenn er beym Gebrauch diefer Ueberfetzung bald auf Lücken, die in der Ueberfetzung des griechifchen Textes gelaffen worden find, bald auf Zufätze, die nur in der Vulgata, oder im Syrer, oder gar nur im Araber anzutreffen find, ftöfst, ohne, dafs immer entweder die Lücken, oder die Zufätze nebft ihren Quellen angegeben worden wären. Rec. fieht daher nicht ein, wie Hr. O. in der Schlufsanmerkung fagen konnte: *Die lateinifchen Zufätze gab ich im Deutfchen nicht; es ift ja nur eine Ueberfetzung aus dem Griechifchen; und was würde mit den vielerley Gedanken für ein buntes Gemeng?* Denn um nur etwas zum Beweis anzuführen, fo findet fich in diefer Ueberfetzung ein nicht bemerkter Beyfatz aus der Vulgata Kap. IV, 25. und XXIV, 19. Aus dem Araber K. III, 26. und VII, 26. aus dem Syrer Kap. III, 20. und XXIV, 18. Und Lücken in dem griechifchen Text find ohne Wink gelaffen worden K. XI, nach dem 10ten Vers, K. XV, nach dem 2ten V. K. XVIII; im erften V. Uebrigens hat Rec. die Ueberfetzung fehr treu, ja! zuweilen nur gar zu etymologifch (z. B. K. VI, 36. XXXVI, 28.) auch — viele undeutfche Wörter und Wortverbindungen abgerechnet — verftändlich und fpruchreich gefunden, fich aber fehr darüber gewundert, dafs fich darinnen unzählige Provincialifmen, unfchickliche Ausdrücke und harte Conftructionen eingefchlichen haben, von welchen allen doch die Vorrede und die Schlufsanmerkung ganz rein ift. Aus dem kirchlichen Syftem ift Hn. O. nur der einzige Ausdruck K. XVII, 20. entwifcht; doch lafst er Büfsern (μετανοειν) Wiederkehre offen. Das K. XXII ift zu überfchreiben vergeffen worden.

GESCHICHTE.

Frankfurt und Leipzig; (Mannheim, bey Schwan: *Gefchichte der Papftlichen Nuntien*
in

in *Deutschland. Sopero Aude. Erster Band.*
1788. 582 S. *Zweyter Band,* 792 S. gr. 8. (1 Rthl.)
Wenn man gleich die neuen Bewegungen in
der katholischen Kirche von Deutschland nicht eben
Ursach hätte, als Folgen einer erleuchtetern und
freyern Denkart unsers Zeitalters zu betrachten,
auch nicht eben große Wirkungen davon erwartete, so würde man sie schon darum für wichtig
und nützlich anzusehen haben, weil sie zu vielen genauern Untersuchungen über solche Gegenstände des Kirchenrechts und der Geschichte
Anlaß gegeben haben, welche gerade in die streitigen Fragen der beiden Hauptparteyen eingrei-
fen, und daher auch von beiden Theilen mit einem lebhaftern Eifer und mit inständigern Bestreben Wahrheit und Recht auf ihrer Seite zu haben, vorgenommen und abgehandelt wurden.
Auf welcher Seite dann aber am meisten Wahrheit
und Recht zu finden sey, welche Portey die schärf-
ste Prüfung der Sätze, die sie vertheidigt, vertra-
ge, welche von beiden es sey, die desto mehr
gewinnt, je tiefer und gelehrter sie in den Streit
eingeht, das ist nicht schwer zu sagen. Wenigstens haben wir bisher von Gelehrten und Staats-
männern, welche die Sache der deutschen Bischöfe und Erzbischöfe vertreten, so manche herrliche Frucht des Fleißes und der Nachforschung
über einschlagende Materien; und im Gegentheil
von den Patronen des römischen Regierungssy-
stems, weder aus Italien, noch aus unserm Vaterlande etwas erhebliches erhalten.
Die vor uns liegende Schrift verdanken wir
gleichfalls jenen in unsern Tagen enestandenen,
und noch fortwährenden hierarchischen Irrungen,
und sie ist bey weitem eins der vorzüglichsten Producte des, dadurch in Thätigkeit und Leben ver-
setzten, deutschen Patriotismus, aber von allen,
seit einigen Jahren zum Vorschein gekommenen,
fliegenden Schriften, welche von Nuncien handeln, unfehlbar die gelehrteste, so, daß es fast
Beleidigung wäre, sie mit ihnen in eine Klasse zu
setzen. In das eigentliche Kirchenstaatsrecht,
und wo Papst und Bischöfe über ihre wechselsei-
tigen Verhältnisse, über Umfang und Gränzen ihrer Rechte mit einander zu thun haben, hat der
Vf. sich zwar nicht eingelassen. Er glaubt, daß
alles, was dahin gehört, bereits von so vielen großen, erleuchteten, tapfern Männern bearbeitet
worden sey, und noch täglich so viele Materialien dazu zusammen getragen werden, daß vielmehr bey diesem Reichthum von Kenntnissen nur
noch der Plan zu dem neuen Bau selbst entworfen und an denselben Hand gelegt werden müsse,
ohne bey dem Gerüste (in welche Kategorie, wie
er sagt, selbst die berühmte Embser Punctation
zu rechnen seyn möchte), sich allzu lange zu verweilen. Indessen wird niemand, der über Rechtsfragen, die Nunciaturen betreffend, gründlich urtheilen will, die Arbeit des Vf. unbenutzt lassen
dürfen. Sie ist nichts anders, als eine vollständi-

ge, documentirte Darstellung aller in Deutschland
durch Nuncien betriebenen hierarchischen Usurpationen der Päpste.
Das Ganze ist in vier Bücher abgetheilet. Das
erste Buch geht von den ersten Zeiten der deutschen Kirche bis zum Ende des großen Interregnum.
(S. 1-237.) Am meisterhaftesten ist hier dem Vf.
die Schilderung des Zustandes der Sachen in
Deutschland kurz vor, und in der Hildebrandischen
Periode gelungen. (S. 34. ff.). Aber doch wünschten wir, daß er bey den vorhergegangenen Zeiten länger verweilt haben möchte. Die Anlage
zur Unterjochung Deutschlands war doch, wie der
Vf. selbst eingesteht, bereits durch Bonifacius gemacht; von seinem Antheil daran wird hier aber
verhältnismäßig zu wenig gesagt. Noch mehr bewundern wir die gänzliche Verschweigung des
Einflusses der Pseudoisidorischen Decretalen auf die
Verfassung des deutschen Kirchenregiments. | Viel-
leicht ist es aber nur die vortrefliche pragmatische
Art der Geschichtsbeschreibung, welche uns den
Wunsch abdringt, daß er auch noch dies und jenes
möge entwickelt und erzählt haben. Wäre er weiter
in die Zeiten vor Bonifacius in die Geschichte des Papsthums, außer allem Verhältnifs
mit Deutschland zurück gegangen, hätte er das
erste Aufkommen von Legaten, Vicarien, Apo-
krisiarien etc. die allmählichen Veränderungen
der Begriffe von solchen Gesandten; die Unter-
schiede derselben in Absicht ihrer Geschäfte,
Aufträge und Vollmachten, auch in Absicht
der Plätze, auf welchen sie wirkten, etc.,
mit Thatsachen und Zeugnissen belegt, und überhaupt das päpstliche Gesandschaftswesen ganz
aus seinem Anfange und Grunde bis auf die
Periode, von welcher er anhebt, verfolgt; einem
so tiefdringenden und scharfsehenden Forscher
würde sich hier noch manche zuvor unbemerkt
gebliebene Spur des leisen Gangs, und des unerwartet glücklichen Emporstrebens der Römischen Politik und Eroberungssucht gezeigt haben.
Indessen wollen wir gern zugeben, daß nach seinem besondern Zweck, der Vf. dies alles übergehen und seine Leser gleich auf den Schauplatz der
Handlung im Vaterlande führen durfte. Und hier
ist er nun auch um so vollständiger, daß es
schwer seyn möchte, irgend eine erhebliche, in
den Plan gehörende Begebenheit, oder auch nur
einen bemerkenswürdigen aufklärenden Umstand
zu vermissen. Aber eben so weit entfernt ist der
Vf. von jener trivialen Weitschweifigkeit, die so
leicht ermüdet, und den wichtigsten Begebenheiten das Interessante raubt. — Das zweyte Buch
geht von Kaiser Rudolph von Habsburg bis auf die
Kirchenversammlung zu Constanz; (- S. 532.) —
Das dritte, mit welchem der zweyte Band anfängt, bis zum Ende des Concilium zu Basel (S.
299.), und das vierte bis zum Anfang der Reformation (S. 598). Hier schließt der Vf. seine
Arbeit. Ungern vernimmt der Leser, der ihm
bis

bis dahin gefolgt ift, daſs er die Fortſetzung und
Vollendung dieſer Geſchichte ſpätern Zeiten überlaſſe, weil ſeine bisher geſammelten, unvollſtän-
digen und unzuſammenhängenden Materialien
kein getreues und wahres hiſtoriſches Gemälde
darſtellen, weil viele Urkunden aus Schonung
gegen die Mutter; die Kirche, nicht hervor-
gezogen werden könnten, weil die Erzählung
nur unvollkommen bleiben und mit Vorwürfen von Parteygeiſt, Leidenſchaft, Verſtümmelung, Verdrehung etc. überdeckt werden würde.

Wir kennen kein Buch, in welchem die Ge-
heimniſſe und Ränke der Römiſchen Staatskunſt,
die Verhältniſſe derſelben zur Verfaſſung des
deutſchen Reichs, die Urſachen, Anläſſe, Werkzeuge und Fortſchritte der Verwicklung ſeines
Oberhaupts, ſeiner Stände und Biſchöfe unter
einander und mit dem Stuhle zu Rom, nicht allein ſo ausführlich, ſo freymüthig und lebhaft,
ſondern auch ſo genau, unparteyiſch und docu-
mentirt aus einander geſetzt und vor Augen gelegt
würden, als eben in dieſem Buche geſchehen iſt.
Der vom Vf. bearbeitete Gegenſtand iſt gröſser
und wichtiger als es anfangs ſcheint. Geſchichte
der päpſtlichen Nuncien, wird man ſagen, iſt Geſchichte des römiſchen Hofs, und das iſt wahr;
wer kann Geſchichte der Kaiſerlichen, der Spaniſchen, der Ruſſiſchen Geſandten ſchreiben? „Allein eben ſo wahr, antwortet der Vf., iſt es auch,
daſs die päpſtlichen Geſandten darinnen von den
Geſandten aller Könige der Erden abweichen;
weil die precäre, ſchwankende, erſt auf keiner,
lange auf ungewiſſer, immer aber auf ungleich
ſchwächerer äuſserer Macht, nur auf Vorurtheil,
Glauben und Wahn geſtützte Gewalt, Autorität
und Einfluſs ihres Oberherrn, des Papſts, durch
ihre Thätigkeit, Beredſamkeit, Klugheit, Liſt und
die geſchickte Anwendung geiſtiſcher Kräfte al-
lererſt begründet, befeſtiget, ausgebreitet und
unter den miſslichſten Umſtänden erhalten, oder
auch compromittirt, blos geſtellt und entkräftet
worden. Die ganze Geſchichte des Papſtthums iſt die
Geſchichte des Gleichgewichts der geiſtlichen gegen
die weltliche Macht; Geſchichte des Kampfs in Be-
thörung, Betäubung, Unterdrückung, Unterwerfung
des menſchlichen immer nach Wahrheit und Freyheit ſich ſehnenden, ſchmachtenden, ringenden,
unter allem Druck und Hinderniſſen immer wieder
emporſtrebenden menſchlichen Geiſtes; in ſo fern
dem alſo die gegen und über den Verſtand der
Menſchen gebrauchte geiſtiſche Macht in die Hände eines geübten, verſchlagenen, mit dem Geiſt
ſeiner Zeit vertrauten, die Schwäche oder Stärke
der moraliſchen Kräfte einer Nation weislich be-
nützenden Mannes kam, je nachdem konnten
dieſe Legaten ihrem Hofe in mehr oder mindern
Grade nützen und ſchaden. Es waren Päpſte von
erwieſener Verſtandesſchwäche, deren klügere
Legaten Wunder thaten, hinwiederum andere

Päpſte von vollendeter Staatsklugheit, deren Pläne gleichwohl, durch die Hitze und Ungeſchicklich-
keit ihrer Geſanden, ſcheiterten. Im Ganzen genommen kan man immer ſagen: Der Römiſche
Hof inſpirirte nicht immer ſeine Nuncien, ſondern
dieſe ſehr oft ihn. Sie ſind, was die Jeſuiten
in ihrem durch alle Welt ausgebreiteten Orden
gegen ihren General in Rom waren; gab dieſer
Befehle, ſo gaben ihm jene durch ihre Berichte,
Plane, Gutachten etc. erſt den Stoff dazu. Man
hat keine Geſchichte der Ordensgenerale, wohl
aber der Jeſuiten; ſo kann man auch eine Geſchichte der Nuncien aufſtellen, weil ein Papſt
ohne Nuncien ſich ſo wenig, als ein Admiral ohne
Schiffe gedenken läſst."

Dies nicht blos zur Rechtfertigung des Verf.
in der Wahl der Materien, die er bearbeitet, ſondern auch zum Beweiſe der Wichtigkeit und
Reichhaltigkeit dieſer Materie. Er fügt aber noch
einen Umſtand hinzu, welcher gleichfalls einer
Nunciengeſchichte ein beſonderes Intereſſe giebt:
In dem Legaten und Nuncius ſteckt ſchon der
Kardinal und nicht ſelten ein künftiger Papſt.
(Hildebrand, z. B., würde kein ſolcher Gregor VII
geworden ſeyn, wäre er nicht zuvor als Nuncius
gebraucht worden.) Und endlich glaubt der Vf.,
daſs weniger Gefahr dabey ſey, über und wider
die Nuncien zu ſchreiben, als über und wider den
Principal; dem Papſte werde ja ſo gar in der Emb-
ſer Punctation über ſeinen allgemeinen Primat und
deſſen Unverletzbarkeit ein Reverenz über den andern gemacht; aber die Nuncien ſcheinen ein Geſchlecht zu ſeyn, das man antaſten dürfe, ohne
den Papſt zu beleidigen, ein Auswuchs an dem
geiſtlichen Körper, wie die ſogenannten Mitef-
ſer, die Kröpfe und andere Schwammgewächſe,
die man, ohne den Körper zu beſchimpfen oder
ihm zu ſchaden, abbeizen, abſchneiden und vertilgen darf.

Und dieſes ſo fruchtbare, viel umfaſſende, in
die ganze deutſche Staats- Kirchen- und Kaiſer-
geſchichte verwickelte Thema hat nun der ungenannte Verf. mit einem eben ſo weit umherſchau-
enden und durchdringenden Bemerkungsgeiſte,
mit unübertreflicher Leichtigkeit und Feinheit,
mit ganz reiner und furchtloſer Wahrheitsliebe,
die niemand ſchont, die aber auch nicht überall
den Papſt als einen böſen ſchwarzen Mann, und
Biſchöfe, Weihbiſchöfe und geiſtliche Räthe, etc.
als Männer ſchildert, die kein Waſſer getrübt haben, mit einer lebendigen Darſtellungsgabe, mit
unerſchöpflichen Witz, und oft hinreiſſender Beredſamkeit bearbeitet. In der Wahl der hiſtoriſchen Zeugen iſt die ſorgfältigſte Vorſicht beobachtet, um, ſo viel nur immer möglich war, ein-
heimiſche, gleichzeitige und katholiſche Schriftſteller zu Gewährsmännern zu ſtellen. Die Zeugniſſe ſelbſt ſind der Erzählung im lateiniſchen Originale gleich untergeſetzt, und am Ende beider
Bände findet man noch einen beträchtlichen Vor-

rath von Urkunden aus Sammlung päpstlicher Briefe, aus Concilienacten, aus Rinaldi, Goldast und
andern Collectionen. Je näher wir mit dem Buche
bekannt wurden, desto begieriger wurden wir zugleich, zu erfahren, wer doch der Mann seyn möchte, dem wir eine so instructive und unterhaltende
Lectüre, einen so schätzbaren Gewinn für die
deutsche Staats- und Kirchengeschichte zu verdanken haben.

SCHOENE WISSENSCHAFTEN.

LEIPZIG, b. Schneider: *Das Portrait, ein Lustspiel in einem Aufzuge.* 1789. 62 S. 8. (4 gr.)
Der Baron von Blumenthal verliebt sich in Amaliens Portrait, und da er ein reicher, reizender,
in allem Betracht annehmlicher Kavalier ist, so
verspricht ihm der alte Waldkirch seine Tochter
mit Freuden, und meldet ihn bey Amalien als
ihren künftigen Ehgemal. Diese scheint zufrieden, da sie aber auf alle Männer überhaupt un-
gnädig zu sprechen ist, verkleidet sie sich als ein
Kammermädchen, und hat Willens ihm in dieser
Verstellung ein so nachtheiliges Bild von seiner
zukünftigen Gemalin zu entwerfen, daß ihm die
Lust nach ihr vergehen soll. Doch das Blatt wendet sich. Denn Blumenthal erkennt Amalien so-

gleich; verbirgt zwar seine Bemerkung; beträgt
sich aber, durch ihren Kunstgriff beleidigt, so
kalt gegen sie, daß er eben dadurch ihren weiblichen Stolz reizt, und daß sie am Ende froh
ist, ihn zu ihrem Gemal zu erhalten. Dies ist
der Hauptgang gegenwärtigen Stücks; denn die
Lügen eines ungeschickten, über alle Maaßen
plumpen Bedienten machen nur einen ganz kleinen Aufenthalt, dienen nur dazu, daß das Theater nicht leer wird, und machen, daß der Vf.
statt drey Bogen viere anfüllt. Ueberhaupt ist
die ganze Arbeit äußerst geringfügig. Man sieht
zwar, daß der Vf. den Marivaux, (dem dergleichen Verkleidungs- Intriguen bekannter maaßen vorzüglich gelingen) gelesen habe, und
nachzuahmen suche; aber er thut es ganz ohne
Marivaux Geist und Feinheit. Sein Hofenwinkel
allein ist ein so tölpischer Jean Potage, daß er unmöglich Lachen, wohl aber bey jedem Worte Mißfallen erwecken muß; und der ganze Dialog ist so
kraftlos, die Verbindung der Scenen so unschicklich, die Ausführung der Situationen so mangelhaft, und jeder Charakter so flach gehalten, daß.
man nicht nur überall den Anfänger, sondern
auch den Anfänger ganz ohne innern Beruf zur
dramatischen Kunst erblickt.

KLEINE SCHRIFTEN.

SCHÖNE WISSENSCHAFTEN. *Leipzig*, b. Müller:
Jägerlieder von L. C. E. F. H. *von Wildungen*, Hess.
Regierungsrath zu Marburg 1788. 62 S. 8. (8 gr.) Diese
vier Bogen sind mit so vieler typographischen Schönheit
gedruckt, daß wenn der Inhalt der Form ganz entsprä-
che, diese Gedichte zu unsern *schöneren* gehören müßten.
Dies ist wohl nun nicht, vollständig der Fall; denn man
trifft hier und da auf Stellen, die zu sehr Nachahmung
anderer Dichter — vorzüglich der bürgerlichen Nacht-
feyer — sind; es herrscht überhaupt zu viel Aehnlichkeit
in ihnen; und nicht selten kommen auch matte Strophen,
müßige Zeilen, und falsche Reime zum Vorschein. Dennoch gestehen wir dem Vf. gern eine größtentheils leichte
Versification, singbare Metra, und manche gutgerathne
Stanze zu. Hätte er sich nicht stets zu sehr an die Jagd
als *Jagd* gehalten; nicht so oft Diana fast mit eben denselben Worten gerühmt; und moralischen Seitenblick
mit Schilderung der Natur, feinere Empfindung mit
Jagdlust, und scherzhaften Ton mit ernstem verbunden;
so hätte er freylich mehr Abwechslung bewirken, seinen Lesern sich glücklicher ins Gedächtniß prägen, kurz
das möglich machen können, was Gleim in seinen *Kriegs-*
und Weise in seinen *Amazonen* - Liedern möglich machte.
Wir wollen hier eines der kürzeren Lieder, wo man
aber alle die Fehler und die guten Eigenschaften, die
wir anzeigten, leicht entdecken kann, zur Probe hersetzen. S. 17.

Morgenlied des Jägers.

Auf, ihr Brüder, auf zum Jagen!
Auf zur frohen Arbeit! Auf!
Seht, Aurorens goldner Wagen,
Fährt am Aether schon herauf!

Schon entschlüpft des Hains Gefieder
Zwitschernd seiner kurzen Ruh,
Und gesättigt eilet wieder
Alles Wild dem Forste zu!

Auf! erhebt Dianens Ehre
Durch ein frohes Jagdgeschrey!
Holet, Jagdzeug und Gewehre
Mit Triumph und Sang herbey!

Gierig winseln schon die Hunde
Nach den edeln Wildes Schweis;
Auf! die goldne Morgenstunde
Krönt mit Glück des Weidmanns Fleiß!

Weichling, der des Jägers Wonne
Bey Aurorens Blick nicht kennt,
Schlumre, bis die Morgensonne
Dir den trägen Scheitel brennt!

Mächtige Diana, höre
Unsre Bitte: Gieb, daß bald
Von den Donnern unsrer Röhre
Schalle der erschrockene Wald.

Daß aber nicht alle Lieder gleich durch wie diese
sind; davon sey S. 40. und 41. Zeuge, wo folgende
Strophen stehen.

Schön sind Lenz und Sommer zwar;
Doch sind Herbst und *Winter* wahr,
Dreymal reizender *fürwahr*
Für Dianens Kinder. —

Dann nehm ich mit froher Hand
Meine Doppelflinte
Die ich immer an der Wand
Wohlgeladen finde.

Stellen dieser Art sind Prosa durch Reime geschränkt.
Auch das Schnepfenlied S. 23. dünkt uns nicht glücklich zu seyn. Abschrecken soll unser Urtheil aber den
Vf. nicht. Bey anhaltender Müh und sorgfältigerm Fei-
len liefert er bald vielleicht etwas besters. Denn an Talent scheint es ihm nicht zu gebrechen.

ALLGEMEINE

LITERATUR - ZEITUNG

Dienftags, den 24ten Februar 1789.

GOTTESGELAHRTHEIT.

DUBLIN, b. Marchbank: *An attempt towards an improved verfion, a metrical arrangement, and an explanation of the Prophet Ezekiel;* by *William Newcome*, D. D. Bifhop of Waterford, and Member of the Royal Irifh Academy. LXV und 194 S. 4. (3 Rthlr.)

Unter den Britten, die fich in den letzten 30 Jahren an die Erklärung des alten Teftam. gewagt haben, möchte wohl *Newcome* gleich auf *Lowth* folgen, wenn man auf Sprachgelehrfamkeit und Gefchmack fiehet. Wir ziehen ihn wenigftens einem Kennicott, Blayney und einer Menge anderer theils bekannter, theils unbekannter Namen weit vor. Sollte er auch Lowth an poetifchem Gefühle nachftehen: fo könnte er doch felbft diefem, der in der Interpretation der poetifchen und prophetifchen Bücher des A. T. fo gut eine Epoche angefangen hat, als *Kennicott* in kritifcher Behandlung des Textes, an kritifchen und philologifchen Einfichten bisweilen überlegen feyn. Wir müffen auch an ihm die Bereitwilligkeit, von andern belehrt zu werden, und die Mühe, die er angewandt hat, die Arbeiten anderer kennen zu lernen, rühmen. Er hat nicht allein den *Dathe* gelefen und benutzt, fondern fich auch Michaelis Noten und Eichhorns Einleileitung in diefes Buch von dem gelehrten und dienftfertigen Woide überfetzen laffen. Er gebrauchte auch *Seckers* Anmerkungen, die in der Bibliothek zu Lambeth verwahrt werden, eine Menge anderer Hülfsmittel, die von dem unverdroffenen Fleiße des Vf. zeugen, nicht zu gedenken. Die Vorrede giebt hiervon Nachricht, erzählt die Begebenheiten, worauf fich die Vifionen des Propheten gründen, und vertheidiget die hebräifche Sprache gegen die Vorwürfe, die man ihr gemacht hat, daß fie eine arme, dunkle und uncultivirte Sprache fey. Der Anfänger kann aus diefen Betrachtungen viel Gutes lernen. Dem Manne von Gefchmack wird vorzüglich die Bemerkung nicht entgehen, daß in zwey Zeilen, die Parallele find, die zweyte den Gedanken in der erftern bisweilen erhöhet und vergröfsert; z.

A. L. Z. Erfter Band. 1789.

E. Jef. 42, 7. 43, 16. Pf. 104, 1. etc. Die englifche Ueberfetzung des Propheten ift keine neue, fondern nur die gewöhnliche kirchliche hin und wieder umgeändert. Würden auch nicht unfere deutfchen Ueberfetzer dem gemeinen Manne, deffen Beftes fie, nach ihrem Vorgeben, zu befördern fuchen, einen gröfsern Dienft erwiefen haben, wenn fie ftatt der vielen neuen Ueberfetzungen die Lutherifche nur hin und wieder verbeffert, und mit Beybehaltung des Lutherifchen Namens auf dem Titelblatte dem gemeinen Manne eine mehr lesbare, und verftändliche Bibel in die Hande geliefert hätten? Dafs der Vf. fich wohl manchmal eine Umänderung der alten Ueberfetzung hätte erlauben können, ift eine ausgemachte Sache, z. E. 20, 21. *fpirit*, wo *Wind* zu fetzen ift. Der Vf. hat auch hier in andern Stellen, wo er diefes Wort beybehalten hat, durch keine Note die Dunkelheit aufgehellet. — Warum diefelben Worte, 24 überfetzt find, *when they floods they let down their wings* und v. 25. *when they flood and let down their wings* können wir nicht einfehen. Die alte Verfion hat zwar die Worte fo gegeben; aber follte fie fich hier vertheidigen laffen? Wir wiffen auch nicht, wie der Vf. fagen kann, dafs die Stelle deutlich werde, wenn man וחרדינה lieft. — Die Noten, warum es einem deutfchen Lefer am meiften zu thun feyn mufs, find fehr kurz abgefafst, und manchmal mit den eignen Worten der Verfaffer ausgedruckt. Wenn diefe Latein gefchrieben haben, fo entftehet daraus eine unangenehme Abwechfelung lateinifcher und englifcher Bemerkungen. Die Varianten, die *Kennicott* und *de Roffi* gefammelt haben, werden fehr häufig angeführt, mit denen die alten Ueberfetzungen zufammen gehalten werden. Dafs bey den Mferpten eine Auswahl zu beobachten fey, daran ift fo wenig gedacht, als dafs nicht bey jeder Abweichung in der Verfion eine Variante von dem Grundtexte anzunehmen fey. *Houbigants* Kritiken und Erklärungen erhalten nicht ofter Beyfall, als wir ihnen zu geben im Stande feyn würden. Nur folgende Kapitel 7. 19. 28. 31. 32. find noch metrifcher Art abgedruckt. Die übrigen erfcheinen wie fchlichte Profa. Da man hieraus fchliefsen mufs, dafs der Vf. auf obige

Kapi-

Kapitel einen befondern Fleifs verwandt habe, fo wollen wir noch einige Exempel feiner Erklärungsart daraus hernehmen. Der Vf. fängt das Gedicht an, V. 2.: *Ein Ende kömmt, das Ende kömmt*, und beruft fich auf Hebr. MSS. Wir möchten lieber fo abtheilen, und eine Gradation annehmen. *Ein Ende dem Lande Ifrael. Das Ende kömmt*, etc. — V. 5. אחר ftatt אחת wird vorgezogen, wie billig. — V. 6. die vier letzten Worte fchlägt der Vf. vor, fo zu lefen הקץ עליך הנה בא und beruft fich dabey auf MSS. *Siehe, das Ende kömmt gegen dich*. Allein הנה müfste dann voran ftehen. — V. 7. für הרים will er mit *Houbigant* הודרים *Freudengefchrey* lefen. — V. 11. Aus סהסה macht der Vf. מהיתה *nor of their concourfe*, gerade als wenn das פרצ isyouusv הסיה Jef. 14, 11. mehr Autorität für fich hatte als das nur hier vorkommende המה. Anftatt *Zufammenlauf, concourfe* fchickt fich nach der Gradation *wegen Geräufch* hier beffer. — V. 13. Die alte Verfion, fo dunkel fie auch ift, ift beybehalten. In der Note wird für חית, obgleich alle Alten diefes Wort haben, חרון aus Hebräifchen MSS. vorgefchlagen, davon einige auch nach יושב, noch נאם יהוה fetzen. Bey folchen handgreiflichen Schreibfehlern der Handfchriften pflegt fich der Vf. nur zu oft zu verweilen. — V. 16. lieft der Vf. mit einem MS. כלם תומת. *Alle follen fterben*, und überfetzt, *death confumeth them;* welches fich doch zu den vorhergehenden Worten nicht zu fchicken fcheinet. — XXVIII, 14. *I made thee as the anointed covering Cherub; Thou waft upon the holy mountain of God; Thou didft remain amidft the ftones of fire.* Zu I made thee ift diefe Note נתתיך ó *Ar. Houb. Caph final a fimilar letter to Vau precedes, tis tranfitive.* Das letzte foll wohl heiffen: את ift *nota accufativi.* Sollte את nicht *mir* heiffen können? *Ich fetzte dich, da wo der Cherub war.* Die *Seckerfche* Anmerkung verdienet Beyfall. Der Stolz des Königes von Tyrus, welcher fich mehr als ein Sterblicher zu feyn wähnte, ift fo ausgedruckt, dafs er gleich Adam im Paradiefe war, und wie die Cherubim fich an einem Platz dünkte, welchem man fich nicht nähern durfte. — Da der Vf. gleich in der Vorrede fehr ftrenge Begriffe von der Infpiration des Propheten äuffert, dergleichen man bey uns in den nicht mehr gelefenen Compendien und Einleitungen antrifft: fo wird man um defto eher eine Uebereinftimmung mit den alten Theologen auch in andern Stücken erwarten. Die Stelle 27. 24. foll die Vermuthung begünftigen, dafs Chriftus dereinft eine königliche Regierung über die bekehrten Juden führen werde. 38, 8. foll eine Weiffagung feyn, die erft nach der Wiederherftellung der bekehrten Juden in Paläftina in Erfüllung gehen wird, wenn Muhammedaner und Heiden in das Land einfallen werden. Vor dem 40ften K. ift eine lange Abhandlung von

Secker, worinn er zu beweifen fucht, dafs Ezechiels Tempel der von den Juden nach ihrer Rückkehr aus Babylon gebaute Tempel fey.

SCHÖNE KÜNSTE.

Rom: *Il Mufeo Pio - clementino defcritto da E. G. Vifconti — da Luigi e Giufeppe Mirri*. — *Tomo quarto.* 1788. 107 S. gr. fol. mit 47 Kupf. (6 Zechini.)

Anftatt des dritten Bandes ift endlich nach langer Erwartung der vierte erfchienen, welcher nichts als Basreliefs in 47 Kupferblättern enthält. Die Kupfer find den Stichen der erften zwey Bände gleich, etwas beffer oder fchlechter weil verfchiedene Zeichner und Kupferftecher daran arbeiteten. Natürlich muß man bey folchen Werken mehr auf Vorftellung als auf Kunft fehen. Irren würde man fich, wenn man von den Kupfern auf die Ausführung der Originale fchliefsen wollte. Viele Basreliefs haben im Stich gewonnen, viele verloren. Indeffen find gegenwärtige Kupfer doch viel beffer, als in den Monumenti inediti von Winkelmann.

Der Vf. wird hier auch in einem befferen Lichte erfcheinen, als in den zwey erften Bänden. Basreliefs enthalten eine reichere Erndte für Erudition, als bloße Statuen. Wer bey den Letztern keinen Sinn für Kunft hat, bey dem wird die Auslegung öfters trocken, und auch in mancher Rückficht falfch. Hingegen ift die Zahl der Basreliefs, die als Kunft vortrefflich find, fehr gering; und der Gegenwärtigen find nicht über fechs, die fich in der Ausführung über das Mittelmäßige erheben. Es find meiftens Copien auf Särgen, die gegen die Zeit des Verfalls der Kunft gemacht wurden.

Die Ordnung in der Erklärung ift folgende: a) Wo und zu welcher Zeit ein Monument gefunden. b) Wer der vorherige Befitzer war. c) ob, wie und von wem das Monument fchon erkläret worden. d) Die Größe des Stückes, feine ehmalige Beftimmung, auch zuweilen die Reftaurationen werden angegeben. e) Aus dem Stil wird die Epoche des Monuments beftimmt.

Hier ift eine kurze Ueberficht von den in diefem Band befchriebenen Monumenten.

1. Sind die zwey fchönften Candelaber, die auf uns gekommen, auf fechs Kupferblättern abgebildet. Der Vf. fieht in den fechs darauf gebildeten Gottheiten die Nachahmung des altgriechifchen Stils, den Winkelmann mit dem Hetrurifchen verwechfelte. Merkur mit der Opferfchale und dem Widder erfcheint hier als Inftitutor der Opfer. Die Schlange, die fich um die Minerva fchlingt, foll der Cuftos der Feftung von Athen nach Herodot feyn. Die Figur mit der Blume in der Hand, und mit der andern das Gewand leicht aufhebend, fonft von Winkelmann für die Venus gehalten, wird hier nach den Münzen des Claudius für die Hofnung ausgegeben.

Der

Der bekleidete Neptun, welcher im 30ften Kupfer vorkommt, ift im nämlichen Stil diefer fechs Figuren gearbeitet. Vifconti hält ihn gleichfalls für altgriechifch, doch ohne Winkelmanns Meynung, der diefen Stil für hetrurifch hält, zu widerlegen, oder feine eigene Meynung mit Beweifen auseinanderzufetzen. Indeffen treten wir aus mehr als einem Grunde der Meynung von Visconti für das Altgriechifche bey.

2) Im 9ten Blatt erfcheint das einzige Basrelief in feiner Art, den Pyrrifchen Tanz vorftollend. Der Verf. verbreitet fich fehr über diefes Sujet, aber ohne die Koribanten und Kureten nebft andern ähnlichen Vorftellungen zu unterfcheiden. Die Arbeit ift aus der beften Zeit der Römer, und wahrfcheinlich von einem Fries eines Tempels. Im 10ten Blatt ift der Streit der Giganten abgebildet, der fchon im dritten Band der Alterthümer von Cavaceppi erfchienen ift; — Im 11ten Vulkan, Juno, Ceres, fehr verftümmelt. — Im 12ten Amor von zwey Wildfchweinen gezogen. Auf dem nemlichen Kupferblatt ift eine zweyte Vorftellung merkwürdig. Ein Mann, den Merkur herbeyführt, liegt fafsfällig vor Aesculap, auf der andern Seite ftehen die drey Grazien. Die Erklärung giebt wenig befriedigendes. — Im 13ten die neun Mufen mit Apollo und Minerva, und im 14ten die neun Genien der Mufen. Beide auf Särgen, fchlecht gearbeitet. Man findet die gewöhnlichen Attribute wohl erhalten, doch mit Verfchiedenheit der Stellungen, fo dafs es fcheint, ein unwiffender Künftler habe die Attributen verwechfelt. In der Mitte der Genie ift ein junger Redner abgebildet, deffen aufgehobene Hand der Vf. nach dem Fulgentius bemerkt. Im 15ten Blatt das oft wiederholte Sujet von Luna und Endymion auf einem Sarg, vorher dem Cardinal Cafali gehörig. Die Figur, in deren Schoofs Endimion ruhet, fonft für Morpheus gehalten, wird hier für den Schlaf ausgegeben. So wird auch der weibliche Genius, der die Pferde hält, fonft für eine Oreade angefehen, hier ohne weitern Beweis für eine Hora gehalten. — Im 16ten Blatt Niobe mit 7 Söhnen und 6 Töchtern, der Amme, und dem Pädagog; Apollo und Diana zu beiden Seiten. Ein Sarg, vormal dem Card. Cafali gehörig. Copie nach einer vortrefflichen griechifchen Arbeit. Man fieht darunter eine Gruppe von zwey Jünglingen, wovon einer fchon fterbend vom andern weggezogen wird. Winkelmann hält eine ähnliche Gruppe auf einem Fragment im Palaft Rondanini für Orestes und Pylades. Diefer Sarg ift erft feit feinem Tode entdeckt worden. — Im 17ten fieht man beyfammen Phöbus, Minerva, Jupiter, Juno, Fortuna etc. Sie follen hier als Schutzgötter des römifchen Reichs erfcheinen.

Die folgenden vierzehn Basreliefs ftellen Bacchanalia vor, meiftens auf Särgen. a) Die Geburt des Bacchus aus dem Schenkel des Jupiters;

dabey find Merkur, Juno, Proferpina, Ceres, fehr gute Arbeit. Das nemliche Sujet findet fich noch einmal auf einer Patera mit den hetrurifchen Namen im Mufeo Borgiano zu Velletri. b) Bacchus mit Bacchanten, Silen, Pan, — ein Bacchant mit Schlangen in den Händen, und mehrere Reihen Schellen um den Leib. c) Bacchus mit Centauren, und Bacchanten. d) Bacchus von Centauren gezogen. e) Triumph des Bacchus, ein Elephant mit Gefangenen. f) Hochzeit des Bacchus und der Ariadne. g) Auf einer länglich viereckigten Ara ein Alter im langen Gewand von Faunen geftützt; andere folgen fpielend; ein Jüngling liegt mit der Braut auf dem Bett. Auf diefem in alten Monumenten oft wiederholten Sujet hält der Vf. die alte Figur für den Bacchus indicus, und verwirft die Meynungen des Urfinus und Bellori, wovon der erfte ihn für einen Silen, der zweyte für den Trimalchion hält: aber wer follen die zwey jungen Leute auf dem Bett feyn, wenn es nicht Bacchus und Ariadne find, deren Charakteriftik fie doch haben? — Auf der hintern Seite find zwifchen zwey Centauren zwey Genii, die mit weggewandtem Geficht einen Schmetterling über zwey brennende Fackeln halten. Der Vf. nennt fie die Genii des Todes; aber fo erklärt fich die Allegorie nicht; ift es die durch Leidenfchaft gepeinigte Seele? ift es die Reinigung derfelben? — Auf der einen fchmalen Seite der Ara ift ein Alter, der eine Ziege melket, von einem Mädchen gehalten. Die Statue der Hoffnung ftehet hinter ihnen. — Auf der andern Seite ein Bauer und Bäuerin mit einer alten und jungen Ziege, mit der Statue des Herkules Sylvanus. h) Bacchus und Herkules auf einem Wagen von Centauren gezogen. Man fieht diefelben fo auf einigen Munzen des Septimius Severus und feiner Söhne, deren Schutzgötter fie waren. i) Silen (vielmehr ein Bacchant) einzelne Figur. k) Silen von zwey Faunen geftürzt; fehr fchön erhalten; gut gruppirt. Silen hat hier ein langes Gewand, wie der Bacchus indicus, nur dafs es von den Faunen weggehoben, und in Unordnung fliegend ift. Nach diefem mufs Rec. der Meynung des Urfinus feyn, was das Basrelief No. g. betrifft. l) Bacchanal auf einem grofsen Sarg in zwey Blättern, der aber mehr die Form einer Badwanne hat; gefunden in den Fundamenten der jetzigen Sacriftey von S. Peter, mit zwey Skeletten darin. m) Bacchanal illuftrirt in Monum. Mathoiorum. n) Ein Faunenkind natürlicher Gröfse, eine Schaale trinkend, fehr fchön und weich gearbeitet. Der Vf. macht hier eine Bemerkung über das berühmte Basrelief im Palaft Giuftiniani, wo Amalthea dem jungen Jupiter aus dem Füllhorn zu trinken giebt. Er behauptet, es wäre nichts anders als ein Faunenkind, weil bisher noch niemand das Schwänzchen an der unterften Spitze des Rückgrads wahrgenommen hätte. Rec. kann aber

aber verfichern, dafs er zeither mit aller Genauigkeit es unterfucht, und fich an dem Rücken des
Kindes nicht die mindeste Spur von einem Schwänzchen findet. —

Im 32ten Blatt — Nereiden mit Tritonen auf
einem Sarg; schlechte Arbeit. Im 33ten ein Fragment, wo die lateinischen Namen bey den Figuren stehen, als: *Prometheus, Mulier, Taurus, Aſi-
nus, Mercurius, Anima, Serys, Clotho, Lacheſis,
Atropos.* —

Im 34ten Ueberfahrt des Caron über den Styx,
auf einen runden Altar. Frauensperfonen werden
ausgeschifft, eine Parce, durch die Spindel angezeigt, empfängt diefelben, hinter ihr eine Frau
mit zwey Gefäſsen, für die Venus Libitina gehalten. Im 35 und 36ten Blatt auf einem runden Altar die Denaiden und Ocnus abgebildet.
Die Mädchen tragen Waſſer in ein durchlöchert
Gefäſs; ein Efel frifst dem Ocnus die Flechte von
Stroh ab.

Die sieben folgenden Basreliefs stellen die
Geschichte des Herkules vor. Die Thaten dieses Helden sind durch so viele Monumente bekannt, dafs man die Wiederholung derselben dem
Leser erspart. Nur ist zu melden, dafs manche
Stellen, die Winkelmann als falsch oder unerklärbar übergieng, hier in ein deutliches Licht ge-

stellt sind. Die Arbeit derselben ist aus spätern
Zeiten.

Im 44ten Blatt ist der Raub der Leucippiden
abgebildet. Auch hier ist die Erklärung von Winkelmann nachgeholfen, der dieses Basrelief mehr
angezeigt als erklärt hat. Im 45sten Blatt stehen
die Lares Auguftales an einer Ara mit einer ver-
ftümmelten Infchrift.

Noch folgen zwey Blätter, wo die Sujets blofs
mit Conturen angegeben, und zu Erläuterungen
der illustrirten Monumente dienen.

Der Herausgeber hat für die Pränumeranten
die Stiche von Apollo, der schamhaften Venus,
und dem Meleager noch einmal als ein Geschenke
diesem Bande beybinden laſſen. Bis in Zeit von
einem Jahre ist der dritte Band mit Statuen versprochen.

Dieses erste Museum der Welt vermehrt sich
durch den Schutz des jetzigen Papstes noch täglich. Vor wenigen Tagen ist ein Basrelief mit 11
Figuren, beynahe in Lebensgröſse, neu aufgestellt
worden. — Es war im Palast des Herzogs von
Fiano, aber wenig gekannt. Der Papst erstand es
um einen höhen Preis. Die Köpfe sind alle im
16 Jahrhund. schon reftaurirt worden. Die Drap-
perie ist vortreflich, und ein Werk der besten
Zeit der Kaiser. Es stellt ein Opfer vor. —

KLEINE SCHRIFTEN.

Geschichte. *Berlin*, b. Kunze: *Gemälde aus dem
Leben Friedrichs des Groſsen, Königs von Preuſsen.* 1787.
4. 2½ S. mit 2. Langfolio Kupfern. (1 Rthl 8 gr.) Als
diese Buchhandlung verfprach, aus K. Friedrichs Leben
acht der wichtigsten Situationen in Kupfer stechen und
begleitet von einem erklärenden Text auf ohngefähr 30.
Bogen zu liefern, da hoften wir, das es etwas vorzügliches werden würde; denn das thatenvolle Leben dieses
Monarchens konnte wohl zu 800 interessanten Zeichnungen reichlichen Stof darbieten. Aber fast möchte unsre
Hofnung um ein grofses sinken, wenn wir von der Wahl,
die wir in diesem ersten Heft antreffen, den Maalsstab
für die übrigen nehmen wollen. Die zwey Kupfer stellen
vor: *Friedrich, um er 1740 als Meister vom Stul in einer
Maurerloge den Hammer führt;* und eben ihn, wie er zu
Rheinsberg 1735 die Sonne aufgehen sieht. — Dies letztere
würde man ohne Unterschrift gar nicht verstehen; und
das erstere in dem Leben eines solchen Königs, — zumal
da er nachmals ganz von der Maur. sich entfernte, — ist
eine solche Nebenbegebenheit, dafs sie höchstens nur wieder eine Logen-Zeichnung abgeben konnte; zumal da
sie hier (leicht zu errathender Ursachen wegen) nicht
einmal getreu dargestellt werden durfte. — Der Text
ist mehrentheils aus andern Schriften aber und von diesem groſsen Monarchen genommen, und enthält nichts,
was wir nicht längst schon wüsten; wohl aber manche
allzugekünstelte Stelle; z. B. S. 6. „Schade, dafs Frau
„von Rocoule, als eine geborne Französin, in die Seele
„des gröſsten Deutschen den Saamen eines an Gering-
„schätzung des Deutschen gränzenden Hanges zum Fran-
„zöfischen streute. Dieses *Unkraus*, das in der höchst
„schlechten Verfaſſung der deutschen Literatur, wäh-
„rend Friedrichs Bildung, und in seinem häufigen Um-

„gange mit Franzosen und Französischen, treue Pflege
„und günstige Witterung fand, griff bald um sich; und
„wurzelte endlich, weil ihn von der verbesserten deut-
„schen Literatur Unruhen, wichtigere Geschäfte und
„auch etwas Vorurtheil entfernten, so tief, dafs keine
„Mittel es auszurotten vermochten“ Diese Periode, die
ihrem Inhalt nach recht hat, und die gegen den französischen Geschmack eifert, ist doch ihrer gezwungenen
Wendung und durchgängiger Vergleichung nach, selbst
französisch. — Wenn S. 22. es heifst: „Er entschlofs
„sich schwer, und bat in ältern
„Jahren allein vor Vanloo gesessen: entweder, weil er es
„für eine Eitelkeit hielt, sich malen zu laſſen; oder,
„was mir wahrscheinlicher vorkömmt, weil er glaubte, die
„Kunst mochte ihn nicht erreichen.“ So hat der. Vf. wahrscheinlich seinem Helden ein feines Lob ertheilen wollen, und unfers Bedünkens nach seine Absicht ganz verfehlt. — Wenn ein *Künstler* sorgte: Sein Pinsel werde
K. Friedrichs Gröſse nicht erreichen; so hatte derselbe
ganz recht. — Aber wenn K. Friedrich selbst geglaubt
hätte: dafs er für die *Kunst*, (man merke, dafs der Vf.
ausdrücklich die *Kunst*, und nicht etwa der *Künstler*
sagt) ganz unerreichbar sey, so wäre dies eine der Eitelkeit
sehr nah kommende Einbildung gewesen. Auch ist es bey einem so thätigen Geiste leicht begreiflich, wenner sich nicht
einige Stunden vor dem Maler hinzusetzen Belieben hat.
Dafs übrigens 3 Bogen Text für einen Heft sehr wenig
ist, das wollen wir nicht erst rügen, weil dieser Fehler
durch Nachtragung am leichtesten gehoben werden könnte. — Ein wenig mehr Leben würde für Hn. Hofmanns
Figuren auch nicht unvortheilhaft seyn, ob wir schon im
ganzen Talent und Kenntnifs ihm nicht abläugnen.

ALLGEMEINE

LITERATUR-ZEITUNG

Mittwochs, den 25ten Februar 1789.

GOTTESGELAHRTHEIT.

Leipzig, b. Schwickert: *Chriſtliche Kirchenge-ſchichte* von *Joh. Matthias Schröckh* ord. Lehrer der Geſch. auf der Univ. Wittenberg. Zwölfter Theil. 1788. 487 S. gr. 8. (1 Rthl. 4 gr.)

Da der Hr. Vf. in dem vorhergehenden Theile den Fortgang der Manichäiſchen und Dona-tiſtiſchen Streitigkeiten erzählt hatte: ſo beſchäf-tigt er ſich in dieſem mit dem Fortgang und En-de der Ariaaniſchen im römiſchen Reiche (S. 3—100.) worauf er, gewiſs mit Zufriedenheit ſeiner Leſer, die ſich an der Beſchreibung dieſer theo-logiſchen Fehden ſatt geleſen haben, — ſehr reichhaltige Abhandlungen von *dem Leben und den Schriften des Athanaſius, Biſchofs von Alexan-drien* (S. 101—270.) *des Hilarius Biſchofs von Pictavium* (S. 271 — 368.) *und Cyrillus, Biſchofs von Jeruſalem* (S. 369 — 476.) einſchaltet, von lauter Männern, welche in den ariaaniſchen Strei-tigkeiten eine, obwohl ungleiche Rolle geſpielt haben. Dieſe Einſchaltungsmethode kann frey-lich bey der Ausführlichkeit der Erzählungen und bey der für die übrigen Leſer nützlichen Lang-ſamkeit, mit welcher die Fortſetzungen erſchei-nen, einige Leſer verwirren, und ihnen den Plan des Werks ſo aus den Augen rücken, daſs ſie Unordnung darinn anzutreten wähnen. So mag es dem Hrn. Prof. *Royko* ergangen ſeyn, gegen welchen ſich Hr. Schr., ſo abgeneigt er auch ſouſt von gelehrten Kriegen iſt, in der Vorrede ver-antwortet. Jener hat in ſeiner *Einleitung zur chriſtlichen Religions- und Kirchengeſchichte* geur-theilt, es würde für das Gedächtniſs vortheilhaf-ter ſeyn, wenn in dem Schr. Werke jede Bege-benheit an *ihrem gehörigen Poſten ſtunde*; man werde aber nicht leicht zurecht kommen, wenn man z. B. die Geſchichte der Origenianiſchen Streitigkeiten in den Lebensbeſchreibungen des Chryſoſtomus und Hieronymus aufſuchen ſoll, — und Hr. Schr. habe bloſs die Zeitfolge, aber kei-ne beſtimmte Ordnung in ſeiner Geſchichte beob-achtet. Die Art, wie ſich dieſer gegen die Vor-würfe vertheidigt, iſt ganz ſeiner würdig, und,

A. L. Z. Erſter Band. 1789.

wie wir hoffen, auch in den Augen ſeines Tad-lers befriedigend.

Doch wir kehren zu der Schrift ſelbſt zurück. Ein Auszug daraus würde uns zu weit führen; wir bemerken alſo nur diejenigen Stellen, die ſich durch Freymüthigkeit und gründliche Beurthei-lung, beſonders auszeichnen. Von der im J. 362 zu Alexandrien gehaltenen Synode wird geurtheilt, ſo vieles Lob auch die Bemühung derſelben ver-diene, die bisher ſo gewöhnlichen Wortzänke-reyen zu unterdrücken, und alles zu vereinigen, was ſich nur durch geſchickte Erklärungen be-ſonderer Redensarten einander näherte, ſo ſey es doch zu bedauern, daſs ſie der chriſtlichen und gelehrten Freyheit dadurch den ſtärkſten Ein-trag that, indem ſie das Niciniſche Symbolum zum höchſten Ziele der Unterſuchungen über dieſe Gegenſtände ſetzte; (S. 12.) auch wäre ſtatt der Verfluchung und Verdammung ſo vieler Ketze-reyen, welche die Synode forderte, und wodurch die Anhänger derſelben nur noch mehr in der Entfernung von den Katholiſchen gehalten wor-den, eine Anpreiſung der bibliſchen Einfalt und eine Warnung vor ſtarrer Anhänglichkeit an menſchliche Meynungen und Formeln, vermuth-lich beiden Theilen heilſamer geweſen. S. 71. wird *Theodoſius* M. als ein Fürſt geſchildert, der, da er eine allgemeine Duldung der verſchiedenen Religionsparteyen in ſeinem Reiche nicht einfüh-ren wollte, allen Ränken und Anfällen ausge-ſetzt war, durch welche eine über die andere, bald auf dieſem Wege, bald von einer andern Seite unterſtützt, etwas bey ihm gewinnen konn-te, und dieſes durch Aufſuchung von Spuren ſol-cher, theils fehlgeſchlagenen, theils gelungenen Verſuche und Kunſtgriffe wohl erläutert. Beſon-dere Aufmerkſamkeit verdienen die Gedanken des Hn. Schr. über die Urſachen des ſchnellen, weit ausgebreiteten und dauerhaften Beyfalls, welchen der *Arianiſmus* unter den Chriſten des römiſchen Reichs gefunden hat. Er ſucht die Haupturſach in dem Umſtand der Zeit. Die Lehr-ſätze des *Arius* wurden zu einer Zeit bekannt; da die volle Freyheit der Chriſten, ihre Religion nach Gefallen zu erklären, auszubilden und zu vertheidigen, recht ausgebrochen war; und nach

einer

einer langen Reihe verfchiedener Lehrbegriffe
über die Dreyeinigkeit, befonders über die Perfon Chrifti, nicht nur von Ketzern, fondern auch
von Katholifchen. Nun trat der gelehrte fcharffinnige, im Difputiren nicht ungeübte, beredte
und in feinem äufserlichen Betragen einnehmende Arius, als ein erklärter Gegner des Sabellia-
nifmus und anderer, zu weit von den fchriftmäfsigen Begriffen abweichender Vorftellungsarten
und, feinem Vorgeben nach, als ein Fei d von
unnöthigen Neuerungen in jener Lehre auf, der
noch dazu nicht allein unter den ältern chriftlichen
Lehrern fcheinbare Vorgänger in einzelnen Behauptungen gehabt hatte, fondern fich auch auf das
Anfehen des berühmteften und ehrwürdigften unter allen Bifchöfen zu Alexandrien, des Dionyfius,
berufen konnte, den, wenn er fich gleich auf
einer andern Seite von dem arianifchen Lehrbegriff entfernte, doch feine eifrigften Vertheidiger nicht anders retten konnten, als dafs fie ihm
entweder eine künftlichere zu feinen Gegnern
fich herablaffende Methode beylegten, oder Irrthümer bey ihm zugaben, die aber durch richtigere Stellen vergütet wurden. Die Verfolgungen
feines Bifchofs erregten ihm um fo mehr Mitleiden, weil man glaubte, er fühle die Stiche eines Mannes, dem er einen Irthum gezeigt habe,
und man wurde in diefer Meynung beftärkt, als
er fo viele Freunde unter den angefehenften Bifchöfen fand. Der Vergleich, den der Kayfer unter den beiden Streitern zu ftiften verfuchte, habe
den Arius wenigftens in keinem ungünftigen Licht
te, als feinen kirchlichen Vorgefetzten dargeftellt: Auch der richterliche Ausfpruch der Nicä-
nifchen Synode habe die Erhaltung der Arianifchen
Lehre lange fo fehr nicht gehindert, als man von
einem fo neuen und aufserordentlichen Mittel erwartet hätte. Schon drey Jahre nach jener Kir-
chenverfammlung feyen vortheilhaftere Zeiten
für jene Partey erfchienen; fie habe bald wieder
das Gleichgewicht mit der Katholifchen, nachher
aber durch mehr als einen ihr ergebenen Kaifer
von vieljähriger Regierung fogar die Oberhand
gewonnen, und fich in kurzem ftark genug gefühlt, um auch gewaltthätige Anfälle durch eine
defto mehr angefeuerte Standhaftigkeit zu erwie-
dern. Bedenke man überdies die beträchtlich
grofse Anzahl gelehrter, fpitzfindiger, fchlauer
und beredter Lehrer diefer Partey; die überlege-
ne Menge von halben Arianern, in welche fich
die Anhänger des Arius nach und nach verwan-
delten, und bey vielen katholifchen einen guten
Schein der Rechtfchaffenheit behaupteten; und
dafs endlich die Arianer überhaupt, fich fehr häufig einerley Redensarten mit den katholifchen von
dem Sohne, Gottes bedient haben, fo könne es
niemanden wundern, dafs fich der Arianifmus,
obgleich oft genug durch Gefetze, Strafen, Schriften und andere Angriffe verfolgt und beftritten,
auch in feinem Innern durch Parteyen zerrüttet,

dennoch gegen 100 Jahre im R. Reiche behauptet habe. Hierbey hätten zwey Beförderungsmittel vorzüglich gewirkt. 1) Das Philofophiren des
Arius und feiner vornehmften Anhänger (ob nach
Platonifchen Ideen oder nicht? getraut fich Hr.
Schr. nicht zu beftimmen. — Weder die Moshei-
mifche noch die Starkifche Hypothefe hat feinen
Beyfall) über den Glauben der Chriften von drey
göttlichen Perfonen überhaupt, wodurch fie diejenigen Chriften auf ihre Seite zogen, die fich auf
diefem Wege des Forfchens zum Ziele zu gelangen getrauten. — 2) Seine Herablaffung zu denjenigen Chriften, welche fich eben nicht hoch mit
ihrem Geifte emporfchwingen wollten, welchen
er Lehrfätze, die nach dem biblifchen Vortrage
etwas geheimnifsvolles an fich hatten, und über
welche fchon fo viel vor ihren Augen geftritten
worden war, ganz begreiflich machte. Die Bemühung, die erhabenften Wahrheiten der Religion für die Faffungsfähigkeit aller, oder doch
der meiften Menfchen herabzuftimmen, die faft
immer bey dem grofsen Haufen ihr Glück gemacht, habe auch dem Arius viele Anhänger erworben, der die Worte der Schrift gröftentheils
beybehalten, aber ihre Lesart nach feiner Meynung fafslicher gemacht habe. Menfchlicher
feye wenigftens die Begriffe gewefen, welche
er von der Zeugung des Sohnes Gottes, von feinem Urfprunge, von feiner eigentlichen Würde,
von dem Namen Gott, den er führt, ertheilte
und fehr viele, die fich eingebildet hätten, dafs
ihnen alles diefes nunmehr verftändlicher, als jemals vorher, geworden fey, feyen ohne es zu
merken, Anhänger des neuen Lehrbegriffs geworden. Nebenher werden auch (S. 95) Priefl-
ley's unhiftorifche Angaben abgefertiget — Ueber die Vortheile, welche Religion und Theologie von dem Sieg der Katholifchen über die Arianer erhalten haben, urtheilt Hr. Schr. fehr mäfsig. Der Lehrbegriff, den die allermeiften Chriften fchon lange für den einzigen wahren und
fchriftmäfsigen hielten, habe zwar den Sieg,
aber durch traurige Waffen — durch Gefetze,
Zwangsmittel, Strafen, Kirchenverfammlungen,
und neue Lehrvorfchriften — erftritten; die vorzüglichften Widerlegungsfchriften katholifcher
Lehrer hätten daran wenig Antheil gehabt, und
mehr dazu gedient, die Freunde jenes Lehrbegriffs darinne zu befeftigen, als die Gegner zu
überzeugen, da fie innen wegen der von ihnen
beobachteten Streitmethode genug Ausflüchte
und fcheinbare Gegengründe übrig liefsen. Sie
wirkten auch im Grunde keinen Vergleich zwifchen beiden Parteyen, wenn gleich die halben
Arianer den katholifchen Lehrbegriff bis auf ein
einziges Wort anzunehmen fchienen. Denn felbft
die durchgängige Aehnlichkeit des Sohnes Gottes mit dem Vater glaubte mancherley Erklärungen: In diefem Zwift, deffen Entfcheidung
fo fehr auf der biblifchen Auslegung beruhte,

fey

fey zwar diefer einiges Licht angezündet worden;
allein da dem einen Theil daran gelegen gewefen, dafs darauf nicht alles ankommen follte, und
der andere manche exegetifche Blöfse zeigte: fo.
feyen die Früchte diefer Art weit unter der Erwartung geblieben; habe auf der andern Seite
die Dogmatik ein Künftwort gewonnen, das den.
Begriff der Katholifchen vollkommen ausdrückte,
fo hätten hiebey noch manche Erinnerungen ftatt gefunden. Diefes Wort fey in ein allgemeines chriftliches Glaubensbekenntnifs eingerückt worden, da es.
doch niemals viele unter den Chriften geben konnte, die nur den Sinn deffelben zu faffen im Stande waren; auch habe es nicht allen Saamen zu
neuen Streitigkeiten vertilgt; und dennoch follte
durch daffelbe, nach dem Ausfpruch der Katholifchen, alle Unterfuchung über diefe Lehre auf
immer vollendet feyn. Dafs aber durch den durch
diefes Symbol nunmehr feftgefetzten Lehrbegriff
vom. dem Sohne Gottes feine Erlöfung mehr ver-
herrlichet, und die gottfeligen Empfindungen gegen ihn ungleich mehr geftärkt worden feyen,
das leide freylich nicht den geringften Zweifel.
— Wie gerecht Hr. Schr. über die Gefchichtfchreiber des Arianismus, urtheile, mag fein Urtheil über die Starkifche Gefchichte des Arianismus beweifen. Die Schreibart fcheint ihm etwas
nachläfig, manche Stellen noch einer ftrengern
Genauigkeit fähig; einige Hypothefen oder Muthmafsungen hätten vielleicht weniger zuverficht-
lich vorgetragen werden follen; auch vermifse
er darin einige Unterfuchungen, die man bey einer folchen Vollftändigkeit erwartet hätte. Aber
dennoch dürfte, wie er glaubt, diefes Werk,
wegen mancher vorzüglichen Eigenfchaften, die
übrigen Schriften diefes Gelehrten überleben. Von.
dem Athanafius und feinen Schriften ift fehr weitläufig gehandelt. Die Benennung Chrifti — κυ-
ριακός ἄνθρωπος — in einer Schrift deffelben fcheine
nicht, wie S. 148. vermuthet wird, blofs die
menfchliche Natur Chrifti anzuzeigen, fondern
eine Anfpielung auf das ὁ δεύτερος ἄνθρωπος ὁ κύ-
ριος ἐξ οὐρανοῦ 1 Cor. 15, 47. zu feyn. — Ueber die
vier Abhandlungen des Athanafius wider die Arianer wird (S. 209.) geurtheilt, fie feyen mehr.
eine aus der damaligen polemifchen Gährung erwachfene und willkührlich gezeichnete fugte
Sammlung beantworteter Einwürfe, Schriften-
klärungen, Gründe und Fragen, als etwas in feiner Art Vollftändiges, Beftimmtes und Zufam-
menhängendes über einen fo wichtigen Gegenftand. — Auch wird zugleich die einfache Bahn
bezeichnet, welche Athanafius hätte betreten follen, und die gewifs auch denen zu empfehlen ift,
welche die Lehre von der Gottheit Chrifti in unfern Zeiten befeftigen und vertheidigen wollen. —
Den nach der ftrengen Wahrheit gezeichneten Charakter des Athanafius und feiner Schriften überhaupt mufs man, weil die Aushebung davon zu
viel Raum wegnehmen würde, (S. 255 — 260.)

bey ihm felbft nachlefen, eben fo die Kritik über
die Biographien deffelben. (S. 264. ff.)

In dem Leben des Hilarius aus deffen Schriften noch weidläuftigere Auszüge, als felbft in
Röflers Bibliothek der Kirchenväter vorkommen,
zeichnet fich befonders das gründliche Urtheil über
die unehrerbietigen Schritte diefes Bifchofs gegen
den Kayfer, (S. 336. ff.) und über feine Schriften (S. 356. ff.) aus. — Bey dem Cyrillus von
Jerufalem wird angemerkt, dafs er oft an ftatt
feines Bifchofs gepredigt habe, und man könne
diefes als das ältefte bekannte Beyfpiel eines Presbyter anfehen, der in Gegenwart feines Bifchofs,
des ordentlichen Lehrers der Gemeine vor derfelben als Lehrer aufgetreten fey; diefe Gewohnheit
fey hernach immer üblicher worden, ohne dafs
immer ausnehmende Gaben dem Presbyter diefen
Vorzug verfchafft hätten; die Bifchöfe hätten nach
und nach mehr Gefallen daran gefunden, blofs
Regenten und Gefetzgeber der Kirche vorzuftellen, und endlich ihr fchönftes Vorrecht, das aber
auch viel Bildung und Anftrengung des Geiftes
erfordert, gänzlich aufgegeben. (S. 371.) So
genau auch fonft die Ueberfetzungen des Hn. Schr.
zu feyn pflegen, fo find wir doch in den Katche-
fen auf ein paar Stellen geftofsen, wo man diefe
Vollkommenheit vermiffen könnte. S. 399. wo
Cyrillus von der menfchlichen Seele redet ift ζωον
λογικον αἰθανον durch vernünftiges, unverwefsli-
ches Thier überfetzt, — v. u. lebendiges Wefen würde wohl richtiger feyn. — S. 400. ift παρθενοι, welches mit dem Part. maſc. κατορθεντες verbunden
ift, zwar durch Jungfrauen überfetzt, doch wird
dabey vermuthet, dafs die μοναζοντες (Einfame.
benue) Afceten gewefen, welche in Städten lebten, παρθενοι aber eigentliche Mönche, die fich
ganz vom Gewühl der Welt entfernt hatten. Allein das engelgleiche Leben, das den letztern
zugefchrieben wird, und alles nachfolgende läfst
vielmehr vermuthen, dafs durch diefe überhaupt
Mannsperfonen verftanden werden, die dem ehelichen Leben entfagen hatten. Vom Fleifch des
geiftigen Schaafs effen (S. 414.) war uns auch etwas auffallend. Warum nicht Hr. Röflern: vom
Fleifch des Ofterlamms im geiftigen Verftande?
Die Beurtheilung diefer Katechefen (S. 445. ff.)
und die Zeichnung des Charakters ihres Verfaffers
(S. 463. f.) find der Hand ihres Meifters würdig.
Hie und da wird auch Tillemont z. E. S. 30. 38.
44. 51. Walch (S. 66.) Starck S. 155. u. a. m.
berichtiget.

ARZNEYGELAHRTHEIT.

WIEN, b. Gräffer u. Comp.: J. J. Plenks, Anfangsgründe der gerichtlichen Arzneywiffenfchaft und Wundarzneykunft. Zwote verbefferte Auflage. 1788. 256 S. 8. (14 gr.)
Die Brauchbarkeit der Plenkifchen Schriften zu

Vor-

Vorlefungen und zum Privatnachtrag des Neuern
ift bekannt und hierauf gründet fich auch der
Werth diefer *Anfangsgründe* etc. In wie fern
diefe zweyte Auflage auch eine *verbefferte* genannt
werden kann, fieht Rec. nicht; vermuthlich bezieht fich diefer Ausdruck blofs auf die Ueberfetzung, denn der Inhalt fcheint, fo viel Rec. der
die erfte Auflage jetzt nicht bey der Hand hat,
aus dem Gedächtnifs vergleichen kann, keine
Verbefferung erhalten zu haben.

ERBAUUNGSSCHRIFTEN.

FRANKFURT am MAYN, b. Andreä: *Fefttägli-
che Gelegenheitsreden in verfchiedenen Städten Deutfchlands öffentlich vorgetragen. Mit
einer Vorrede von Hugo Eberh. Heim, D. d.
h. Schrift u. Stiftsgeiftlichen in Afchaffenburg.*
1788. 368 S. u. XVI Vorr. 8. (20 gr.)
Der Vorredner Hr, *Heim* empfiehlt zwar diefe

anonymifchen Predigten als Mufter guter Kanzel-
reden; aber mit welchem Rechte? ift unbegreiflich. Der Vf. fpricht darinn von Sachen, die
wahrer Unfinn find, und in einer Sprache, deren
fich felbft jeder nur halb aufgeklärte Katholik
fchämen mufs. Der *vermenfchte* und *eingefleifch-*
te Sohn Gottes find ihm zwey Lieblingswörter.
Der Feigenbaum, auf dem Zachäus ftieg, foll
nach dem Griechifchen ein *närrifcher* Baum heifsen, und dadurch das Kreuz Jefu zu verftehen
feyn. (S. 354.) Der grofse Portiuncula-Ablafs
foll (S. 324.) eine Erfindung der Weisheit Jefu
feyn, welcher damit die Reichthümer feiner
grofsen Barmherzigkeit, die Schätze feiner unendlichen Verdienfte, famt der *Völle* feiner
Gnaden verknüpft habe, S. 118. die Heiligen fchildert er S. 323. als unfre vielgeltende Mittler
nach Chrifto, und die belohnungswürdige Werke
der Menfchen wären im Verdienfte Jefu, gleichfam als in einem Meere verfenkt, u. d. gl. m.

KLEINE SCHRIFTEN.

REICHSTAGSLITERATUR. *Kaiferlich allergnädigftes
Commiffions Decret an eine hochlobl. allgemeine Reichsverfammlung zu Regensburg de dato Regensburg den 5ten
Dec. 1788. die aus der kammergerichtl. Suftentationskaffe
fernerweis ausgeliehene zehntaufend Stück Conventionsthaler
betreffend.* f. Regensb. Dictat. Ratis bonae die 10ma Dec. 1788.
„Magunt Von Kaiferl. Maj. wegen wird, vermittelft diefes
Decrets, der Reichskammergerichtl. Bericht, dafs das
Cammergericht von den im Suftentationsfondo vorräthigen entbehrlichen Geldern fernerweit an die von Löwi-
fche Familie 10000 Conventionsthaler mit 3½ pr. C. jährl.
verzinslich dargeliehen habe, dem verfammelten Reiche
mitgetheilt.

*Fürftbifchöflich Speierifches Schreiben an die hohe
Reichsverfammlung zu Regensburg.* Fol. ungebunden.
*Ungrund der von des regier. H. Marggraf, zu Ba.
den 11. D. d. 11 Aug. 1788. bey der hochften Reichs-
fammlung dictirten fogenannten Beleuchtung etc.* Fol. 8. 1½
B. So wie in dem Badenfchen Schreiben (f. A. L. Z.
1788. N. 262a, S. 319.) behauptet worden war, dafs in
dem Speierifchen Recurfe in Betref des Ettlinger Jefui-
terhaufes die Sache nicht ganz richtig vorgeftellt worden fey und hierauf die Nothwendigkeit einer Vertheidigung unter dem Titel: *Beleuchtung* etc. gegründet
wurde, fo wird nun in gegenwärtigen Speierifchen
Schreiben hinwiederum behauptet: „Dafs der Verfaffer
„der Badenfchen Beleuchtung mehrfache unrichtige Sätze
„eingerückt, verftümmelte Auszüge aus der urfprüngl.
„Stiftung beygebracht, auch verfchiedene ungegründete
„Folgen aus folchen, u. a. Stellen gezogen hätte, weshalb man in die Nothwendigkeit verfetzt worden wäre
„die etwa durch die Badenfche Beleuchtung entftehende
„nachtheilige Begriffe durch die anliegende Deduction zu
„benehmen und wiederholt zu befeftigen, dafs der

„Speier. Rekurs wirklich auf eine allgemeine Befchwer-
„de gegründet fey.

*Erzbifchöfl. Salzburgifches Promemoria in Betref der
Nuntiaturen.* 4. 45 S. Diefes Promemoria wurde von
der Salzburgifchen Gefandtfchaft zu Regensb. unter
fämtlichen Gefandtfchaften vertheilt. Ohne fich darinnen auf den bodenlofen Satz der Römifchen Curie:
„dafs ein fogenannter Nuntius einen unverletzlichen
„Glaubensartikel ausmache, einzulaffen, wird es viel mehr
„jener Befitzftand — hinter welchen die römifchen Cu-
„rialiften und ihre geborgte Helfer fich zu verbergen
„und — dafs Deutfchland die Feffeln der Nuntiatur tra-
„gen müffe, das unbelehrte Volk zu täufchen, be-
„müht find.“ — durch eine Gefchichte der Ambulato-
rifchen und dann der fogenannten Ständigen Nuntien beleuchtet und nach Widerlegung aller übrigen für die
Münchner Nuntiatur aufgebrachten Gründe gefchloffen:
„dafs fo geftaltete Nuntien der Majeftät des deutfchen
„Reichs widerftreben; dafs, da in der Beylage Nr. 1.
„verzeichnete Facultäten der Inbegriff aller jener Be-
„fchwerden feyn, welche von Jahrhunderten her gegen
„die päbftl. Curie geführet worden, folche müfst gedul-
„det werden können; dafs, da fo bezeichnete Nuntien
„die Verordnungen des Konftanzifchen, des Basler, und des
„Tridentinifchen Kirchenraths, welche zu Gunften der
„deutfchen Nation verfafst find, und die Concordate
„felbft kühn überfchreiten, folche der deutfchen Kir-
„chenfreyheit höchft gefährlich und nachtheilig feyn;
„und dafs es alfo, da es der römifchen Curie immer ge-
„lingen werde, einzelne Anhänger zu erwerben, die
„Nothdurft und den Umftänden angemeffen fey, ein
„fichfesgefetzt zu belieben, welches den deutfchen Bo-
„den gegen alle diefe Gefährden fichere und reinige,

ALLGEMEINE
LITERATUR - ZEITUNG

Donnerſtags, den 26ten Februar 1789.

ERDBESCHREIBUNG.

Berlin, b. Unger: *Statiſtiſch-topographiſche (topiſche) Beſchreibung der Kurmark Brandenburg.* I Theil. 1788. 387 (richtiger ohne Druckfehler 397) S. 4. (I Abtheil. 2 Rthl. Pränumerationspreis, 2 Rthlr. 12 gr. Ladenpreis.)

In der Vorrede kündigt ſich Hr. *Borgſtede,* königl. preuſſ. Kriegs-und Domainenrath bey der Kurmärkiſchen Kammer in Berlin, als Verfaſſer dieſes angehenden, höchſt nützlichen Werkes an, nachdem derſelbe vorher ungenannt, ſeine frühen Talente, in der mit Beyfall aufgenommenen Schrift: *Juriſtiſch-ökonomiſche Grundſätze von den Generalverpachtungen der Domainen,* 1785. gezeigt hatte. Sein nachheriges Dienſtverhältniſs, das ihn vor andern an den thätigen Chef der K. Kammer, Hn. *von Voſs,* und an oftere Bereiſungen der Kurmark mit demſelben, knüpfte, ſetzten ihn in Stand, den ganzen Umfang der Kammeralgeſchäfte dieſer Provinz, nicht nur aus Acten und andern ſichern Notizen, ſondern auch aus Localerfahrung kennen zu lernen, und die vornehmſten Gegenſtände an Ort und Stelle zu verificiren. Dieſer hohe Grad von Zuverläſſigkeit, verbunden mit ſeltenem Fleiſs, kameraliſtiſchen Blick, Ordnung, Beſtimmtheit und Klarheit des Vortrags iſt nun das Gepräge des vorliegenden Werks. Wenn man auch hie nicht die kritiſchen Unterſuchungen, die Vertraulichkeit mit der Geſchichte und mehrere Wiſſenſchaften, den Reichthum an Literatur, welche *Canzlers Tableau — de l'Electorat de Saxe,* auszeichnen, wahrnimmt; ſo findet man dagegen in der Arbeit des Hn. Borgſtede, auſser jener beſſern Anordnung der abzuhandelnden Gegenſtände, weniger Abſchweifungen und weniger Verweilen. So erhält denn nicht nur der Staatsbeamte des Departements einen treflichen Führer, ein ſicheres Landesinventarium bey ſeinen Geſchäften; ſondern auch der Staatsmann, der Geograph und Statiſtiker einen beträchtlich neuen Gewinn für die Staatskunde Deutſchlands. — Der Weisheit preuſſ. Publicität und ihrer Unterſtützung haben wir nunmehr, theils ſehr ausführliche Landesbeſchreibungen der Kurmark, des Königreichs Preuſſen, des Herzogthums Pommern, des Herz. Schleſien, des H. Magdeburg, der Grafſchaft Tecklenburg; theils erhebliche Materialien von dem Zuſtand der übrigen preuſſ. weſtphäliſchen und andern Provinzen, mit immer mehrern treflichen Specialkarten, zu danken; und *ſie* war es, die in Deutſchland mit ihrem Beyſpiel zuerſt auf Berichtigung der in vielen Gegenden verkannten Politik wirkte, daſs weiſe, überlegte Publicität ſelbſt über Gebrechen des Landes, nicht ſchade, vielmehr nütze. Wie kann man von dieſer Betrachtung abbrechen, ohne den Charakter der preuſſ. Staatsadminiſtration, wie wir ihn in vorliegender Beſchreibung ihres Kurlandes, von neuen beſtädiget finden, wahrhaft zu verehren und zu wünſchen, daſs nach dieſen, ſo wie Kurſachſens und Schwediſch-Pommerns ausgezeichneten Vortritten, immer mehrere Regierungen Deutſchlands die häſsliche Decke des Mittelalters, welche noch zum Theil auf ihren Ländern ruhet, wegnehmen, und Männer von Einſicht und Fleiſs ermuntern möchten, eine vollſtändige, treue Darſtellung derſelben auszuführen; je gewiſſer es iſt, daſs Deutſchland ſich vieler über ihr Intereſſe aufgeklärten Fürſten und Volksvorſteher rühmen kann, die die Cultur ihrer Beſitzungen zuſehends erhöhet haben! — Zu unſerm Verfaſſer. Der Zuſchnitt ſeiner Arbeit iſt auf zwey Theile gemacht, wovon er jedoch anjetzt, wegen vieler Amtsgeſchäfte, vorläufig nur die *erſte Abtheilung* des erſten Th. hat liefern können. In beiden Theilen verbindet der Verf. Topographie mit Statiſtik, beſchäftigt ſich im erſten Theile mit der Provinz überhaupt und im Ganzen, und wird im zweyten Theil die beſondere Beſchreibung der einzelnen Städte und des platten Landes folgen laſſen. — Die Einleitung I Abſchnitt S. 1-44. ſoll eine kurze Geſchichte oder Ueberſicht des politiſchen und innern Zuſtandes der Kurmark darſtellen. Nächſt der Beſchreibung der urſprünglichen Völkerſchaften, enthält ſie gröſstentheils Regentengeſchichte, ihre Könige und Erwerbungen. Um aber, laut der Vorrede, aus den vorhergegangenen Veränderungen den heutigen Zuſtand des Landes beurtheilen zu können, wäre doch nöthig geweſen, daſs

der

der Vf. sich mehr auf die Geschichte der Cultur, der Landesverfassung, des Kirchen - Literatur - Finanz- und Militärzustandes, etwa am Schlufs der Hauptepochen eingelassen hätte, ohne allein auf die einzelnen Abhandlungen im Werke zu verweisen. Diese sonst wohlgerathene Uebersicht würde sonach weit pragmatischer ausgefallen seyn. — II Abschnitt enthält ein Verzeichnifs, der von der Kurmark Brandenburg oder einzelner Gegenden derselben, herausgekommenen Karten, Prospecte, Grund - und Aufrisse von Städten und merkwürdigen Gebäuden. S. 45-89. Aus diesen Seitenzahlen läfst sich urtheilen, wie reichhaltig das Verzeichnifs ist. Freylich hat dasselbe zum Theil ein mikrologisches Ansehen, jedoch nur in relativer Hinsicht; denn dem Geschäftsmann des Departements oder Sammler können auch Späne nicht gleichgültig seyn. — III Abschnitt S. 90-93. handelt er von den Schriften über die Statistik und Topographie der Kurmark, mit hinlänglicher Beurtheilung der vornehmsten Schriften. S. 94. hebt sich die statistisch - Topographische (topische) Beschreibung der Kurmark an. — 1 Abschnitt: Gränzen, Eintheilung und Gröfse. S. 94 - 100. Am genauesten ist die Gränze des Beeskow - und Storkowschen Kreises mit der Niederlausitz beschrieben, weil sie hier etwas verwickelt ist. — Die gröfseste Ausdehnung der Kurmark ist von Abend gegen Morgen 36. von Mittag gegen Mitternacht 23 Meilen. Der Flächeninhalt beträgt nach den genauesten Vermessungen (des Geh. Rath von Oesfeld und des G. Sekret. Sotzmann) 447½ Quadratmeilen; mithin um 3¼ Q. M. mehr, als in der academischen Abhandlung des Hn. Grafen von Herzberg über die Bevölkerung der preufs. Staaten angegeben worden ist. Davon enthält die Altmark 76½. die Priegnitz 57½. die Mittelmark, deren Kreise nach ihrem Flächeninhalt besonders angegeben werden, 226½. die Uckermark 62, die Bees- und Storkowsche Kreis 24½ Q. M. — 2 Abschnitt: Natürliche Beschaffenheit und Cultur der Kurmark im Allgemeinen, S, 100-110. Nach Güsfelds Karte liegt die Kurmark zwischen dem 28° 20' und 32° 19'. der Länge; zwischen den 52° 2' und 53° 34' der nördlichen Breite, die Länge vom Pariser Meridian westlich gerechnet. Die Polhöhe von Berlin ist 52° 31' 30", etc. Das Land ist mehrentheils eben, ohne eigentliche Berge; es giebt aber Absätze des Erdreichs und zuweilen fortstreichende Anhöhen und Hügel. Unter den sogenannten Bergen sind die vorzüglichsten: der Dolchausche Berg in der Mitte der Altmark, auf dessen Anhöhe man den 15 Meilen entfernten Brocken, bey hellem Wetter, erblicken kann; der Müggelberg bey Köpnick, der Harlungerberg (gewöhnlicher Marienberg) bey Brandenburg, das natürliche Amphitheater von Anhöhen um Potsdam etc. — Die verschiedene Höhe und Tiefe der Oberfläche kann man aus dem Gefälle der grofsen Kanäle abnehmen. Der Finowkanal, welcher die Havel mit der Oder

verbindet, und sich beynahe auf 5⅞ Meilen erstreckt, hat 138 Fufs 9½ Zoll Gefälle, das Gefälle des Friedrich. Wilhelms - kanals, welcher von der Spree zur Oder führt, und sich etwas über 3 Meilen erstreckt, zeigt, dafs wenn man das gegenseitige abrechnet, die Spree 62 Fufs höher als die Oder liegt. — Die Kurmark hat nicht überall einerley fruchtbaren, und überhaupt nicht den besten Boden; indessen wechseln weniger ergiebige mit ändern vortreflichen Gegenden ab. Unter andern haben einige an Flüssen belegene Gegenden einen Ueberzug von der fruchtbarsten Dammerde erhalten. Dahin ist vorzüglich die Gegend des Oderbruchs zu rechnen, die beste Gegend in der Altmark ist die sogenannte Wische; in Ansehung des Havelländischen Kreises in der Mittelmark kann man annehmen, dafs derselbe ¼ guten und fruchtbaren Boden enthält. Die Uckermark hat zum Theil vortreflichen Boden, man theilt hier den Acker in sieben Klassen. — Der Vf. beschreibt hiernächst die verschiedene Beschaffenheit des Heydebodens. Um aber eine zuverlässige Uebersicht des Ganzen aus der Beschaffenheit der einzelnen Kreise zu geben, bedient er sich als einer sichern Quelle, der Specialtaxprincipien zur Abschätzung der Rittergüter in der Kur - und Neumark, die 1777 durch den Druck bekannt wurde. Hier wird nun nicht nur die individuelle Beschaffenheit des Bodens einer jeden Provinz und der Mittelmärktschen Kreife, sondern auch der Ertrag an Körnern ungemein lehrreich beschrieben, so dafs sich hieraus die sichersten Resultate über die Verschiedenheit und den Werth des Bodens ergeben. Am Ende (S. 108.) ist eine Nachweisung von dem in der Kurmark befindlichen drey-, sechs-, neun- und zwölfjährigen Lande beygefügt. Wir können daraus nur anmerken, dafs die Summe dieser verschiedenen Aecker 636,239 Morgen (Magdeb. jeder zu 180 Quadratruthen) beträgt. Unter denselben sind 391,738 M. dreyjähriges Land. — Der Abf. schliefst mit Beobachtungen über Witterung von Meteorologen. — 3 Abschnitt von den Flüssen, Kanälen, Strömen und Seen, S. 110-187. So ausführlich, sachenreich und bestimmt, wie je eine Hydrographie verfertigt worden ist. Das Verzeichnifs, welches der Vf., zur bessern Uebersicht in alphabetische Ordnung gebracht hat, theils aus Originalberichten der Land- und Steuerräthe, theils aus andern authentischen Nachrichten, als Forstvermessungen, Vermessungsregistern u. dergl. gezogen worden. — 4 Abf.: Specielle Naturgeschichte der Kurmark, S. 187-223. Zwar hat die Kurmark hierinn wenig, was ihr ausschliefsend eigen wäre, jedoch genug, was Aufmerksamkeit erregen kann und verdient. Aufser der einzigen Palmenordnung fehlt der Kurmark keine von den Hauptklassen des Gewächsreichs. Von den Pflanzen hat sie über 1200 Arten, zu welcher 103 verschiedene Gattungen von Bäumen und Sträuchern gehören. Die ganz eignen Grasarten, welche zu
der

der in der Kurmark vorzüglichen *Schaafweide* erfordert werden, finden sich auf den hohen, hüg-
lichten, trocknen Sandgegenden vortrefflich, wenn
sie anderswo in dem besten Boden nicht fortkommen. Diese Grasarten, von welchen die Schaafe die jungen, süsen Blätter vorzüglich suchen, ver-
tauschen sie nicht mit dem schönsten setten jungen
Waizen. Der Ober- und Nieder Barnimische Kreis,
der Beskow- Lebus- und Teltowsche Kreis, das
Havelland, und die Gegend um Angermünde,
zeichnen sich in dieser Absicht vorzüglich aus. —
Ein beträchtlicher Theil der Kurmark ist mit *Holz*
bewachsen. Auf den hohen sandigten Forstdistrik-
ten sind die ihnen angemessenen vortrefflichen *Kiefern (Pinus sylvestris)*. Da, wo die Vorfahren
die schönsten Kienwälder verwüstet haben, breitet sich die nützliche, schnellwachsende *Birke (betula alba)* aus. Jene üble Behandlung der Wälder
hat besonders die Vorräthe an *Eichen* sehr vermindert; obwohl die Kurmark noch nicht arm
daran ist. Der stärkere Bedarf bey zugenommener
Bevölkerung, welchem nicht immer eine gute
Forstwirthschaft zu Hülfe gekommen ist, hat nach
und nach diese Wälder helle gemacht, und die
vermehrte Hütung des zahlreichen Viehstandes
hat den Forsten die natürliche Düngung von sonst
verfaulten Vegetabilien entzogen; daher die geringere Beschaffenheit der Dammerde, und welche
die Anpflanzungen neuerer Zeiten nicht mit dem
erwarteten Erfolg belohnt hat. Von der *Maß-
büche* besitzt die Kurmark noch immer ansehnlichen nachhaltigen Schatz. — An *Mineralien* hat
die Kurmark ausser einzelnen Nestern und Spuren von Bernstein nichts besonders. Das Eisen
besteht in Sumpf- und Wiesenerz. Der Alaun wird
in einer vermischten Erde, die Gyps und sein
Marienglass enthält, angetroffen. Quellen von
Kochsalz sind unstreitig vorhanden; der Vorräthe
in den übrigen königlichen Staaten machen sie
aber entbehrlich. Der Kalk liegt in einem besondern Hauptflötz, zwischen Rüdersdorf und Tas-
dorf, die Kalkberge genannt, und ist ein Schatz
des Landes. Die bekannten Arten von Leim-,
Ziegelerde, Walkerthon, auch Bolus und Far-
benerden sind nicht selten. — Auf diese Einlei-
tug läßt der Vf. im 5ten Absch. S. 192-223 eine
Beschreibung der *Naturalien* folgen. Er hat sie
wissenschaftlich nach dem Blumenbachischen Handbuche geordnet, ihre Standörter und ökonomischen
Beziehungen, die Pflanzen ausgenommen, von
denen nur ein namentliches Verzeichniß gegeben
wird, fleißig bemerkt. In dem Verzeichniß der
Schriften von den Mineralien der Kurmark finden
wir das bekannte *Memoire sur les produits du
regne mineral*. Berlin. 1786. nicht aufgeführt.
Im 6 Abschnitte giebt der Vf. ein genaue Beschreibung sowohl von den in den Forsten befindlichen
Holzarten; als auch von der Größe und Beschaffenheit der Forsten selbst. S. 224-294. Die verschiedenen *Holzarten* werden alphabetisch, nach

derjenigen systematischen Ordnung dargestellt,
welche der kön. Geh. Forstrath *von Burgsdorf* zu
Tegel, ein grosser Kenner dieses Fachs, dem Vf.
zugestellet hat. Man ersieht hieraus, daß ausser
den beschriebenen 86 wilden Holzarten, welche
sämmtlich in der Tegelschen Baumschule, 1 Meile
von Berlin, bey einander anzutreffen sind, und
die überhaupt entweder einzeln, oder vermischt,
die Kurmärkischen Wälder ausmachen, bis auf
die einzigen Lerchenbaum; als ursprünglich einheimisch zu betrachten sind, noch viele andere,
und eigentlich fremde Hölzer forstmäßig angebauet worden sind. In der erwähnten Baumzucht
sind unter der Menge von Sorten, die sich weit
über 500 belaufen, 24 der schätzbarsten, wegen der vorhandenen Menge und des guten
Fortkommens schon als einheimisch anzusehen.
So sind mit der *Nordischen weissen Else (betula
alnus incana L.)*, die sie auf hohen trocknen Sand-
plätzen erstaunlich schnell wächst, ganze Gegenden in den Kurm. Forsten mit dem glücklichsten
Erfolge, bepflanzt worden. Den *Nordamerikanischen Kleiderbaum, Platane, (Platanus occid. L.)* hat
man, in Absicht der leichten Vermehrung und des
ihm erforderlichen Bodens, den Weiden gleich gefunden; eben so, das leichtere Holz abgerechnet,
die *Silberpappel (Populus alba L.)*, womit die Berliner Strasse bey Potsdam vor der langen Brücke
geziert ist. Beide sind kräftige und schleunige Hülfs-
Mittel wider den Holzmangel. — Fort doch, wo
sich bessere Mittel darbieten, mit den verwünsch-
ten alten hohen Weiden an den Gräben, Wegen
und Dämmen! S. 234 wird der *Flächeninhalt*
sämmtlicher *Kurmark. Forsten* auf 2,266,678 Morg.
Magdeb., oder wenn man 21.604 M. für eine Q. M.
annimmt, auf beynahe 105 Q. Meil. berechnet;
davon betragen die königl. Forsten 1,050,656 M.
Wenn man von obiger Totalsumme den Raum, welchen die Städte, Dörfer, Flüsse, Seen, Wege und
das zur Zeit wenig nutzbare Land mit den hier berechneten 889,780 M. oder 41 Q. M. von den 447
Q. M. abzieht, welche die Kurmark überhaupt enthält; so ergiebt sich, daß sich die Forsten zu den trag-
baren Aeckern und Wiesen wie 1 zu 3 verhalten. Ein sehr günstiges geräumiges Verhältniß
für die Forsten, das offenbar ein früher un-
wirthschaftlichen Gebrauch des Holzes, und auf
das Fehlerhafte des ein- und ausländischen Holz-
handels hinweiset, wenn von Klagen über Holzmangel die Rede ist. Ein so wichtiger Gegenstand
verdiente daher die vorzüglichste Aufmerksamkeit
der Staatswirthschaft, und so sind denn auch von
1777 bis 1784. also in 7 J., 135,356 Rthlr, Verbes-
serungskosten auf diese Forsten nicht nur verwandt,
sondern auch die, nach einem überspannten Etat,
zur K. Kasse fließende Summe ansehnlich herunter
gesetzt worden. Der Werth der verschiedenen
Forstlieferungen belief sich im J. 1785-1786 auf
367,571 Rthlr. Der Vf. läßt hierauf eine tabellar.
Nachweisung über die Größe und Beschaffenheit

so-

sowohl der königl. als städtischen Forsten, nach allen ihren Bestandtheilen, den Wildstand nicht ausgeschlossen, folgen, und giebt überdies von jedem Forstrevier ein ausführliches Inventarium, dafs für die Geschäfte der k. Kammer und der Oberforstmeister von grofsen Nutzen seyn mufs. Nur vermifst man hier eine gleiche Nachweisung von den Adelichen und Prinzlichen Forsten, die doch zum Theil, wie z. B. die Boizenburgische in der Uckermark die gröfsten. k. Forstreviere an Umfang und intensiven Werth übertreffen. Der 6te und letzte Abschnitt belehrt uns über den Zustand der Bevölkerung. S. 295 — 397. Voran eine kurze zweckmäfsige Geschichte der Bevölkerung unter den Regenten des Brandenburgischen Hauses, die, wie leicht zu erwarten ist, ihre glänzendste Epoche unter Friedrich II erhielt. Dieser unsterbliche König schlug zwey Wege ein, die Bevölkerung zu befördern; erstlich, eröfnete er seinen Unterthanen neben Gewissensfreyheit und Sicherheit ihres Eigenthums alle dienstsame Erwerbsquellen. Zweytens, suchte er die Bevölkerung durch Anziehung von Fremden, die in seinen Staaten Brod fanden, zu vermehren. Hier ist nur die Rede von dem, was Friedrich II unmittelbar zur Vermehrung der Volksmenge gethan hat; nicht, welchen Einflufs die Verbesserung des Ackerbaues, der Manufacturen und Fabriken auf die Bevölkerung hatten. Dahin gehören zunächst die Kolonisten - Etablissements nach S. 301. beschriebenen sehr einladenden Vergünstigungen und Hülfsgeldern. Hier ergiebt sich nun, dafs Friedrich II durch angemachte Verbesserungen in verschiedenen Städten und auf dem platten Lande, seit 1740 bis 1786, 262 Dörfer und Etablissements mit 11,618 Familien hinzugepflanzt hatte, welches der Vf. mit den detaillirten Kammerlisten belegt. Unter 21 Arten von Etablissements wurden nur allein bey dem Buden - Etablissements plan an urbar gemachten und verbesserten Aeckern, 5166 Morgen und an Kühen 2583 Stück, und - nach den jährlichen Etablissementsplans von 1776 bis 1786, 203,270 M. Aecker mit 16,266 Kühen, Hammel und Schaafe ungerechnet, gewonnen. Freylich kosteten diese Erwerbungen grofse Summen, die dem beabsichteten Nutzen nicht immer entsprachen, und dies hat leben mehrmals zu der Frage Anlafs gegeben: Was von der dauernden Güte dieses Colonisirungssystems zu halten sey? (s. die neueste in der Berliner M. Schrift 1788. Oct. S. 561. von einem praktischen Kameralisten, dem Baron von La Motte.) Auch unser Verf. kennt diese Instanzen, glaubt aber (S. 301.) dafs man nicht immer der Absicht des Königs gemäfs gehandelt habe, und dafs das Resultat dem angewandten Bemühungen, wirklicher Nutzen und so beträchtlicher Vortheil für das Land und die Bevölkerung gewesen sey, dafs dieser die kleinen Mängel unendlich überwiege. Indessen wird doch mancher wünschen, dafs es dem Vf. gefallen hätte, nur summarisch den Bestand der Etablissements zu vergleichen, die mit fremden Kolonisten besetzt, eine wirkliche Consistenz erhalten haben. Das Resultat solcher Untersuchungen ist für die Staatswirthschaft gar sehr erheblich; auch weifs man, dafs die jetzige Preufs. Regierung von dem Kolonisirungssystem in Hinsicht auf Ausländer abgegangen ist. — S. 367, wird die interessante Nachweisung von den Summen aufgestellt, die Friedrich der Grofse zur Verbesserung der Kurmark von 1740 bis 1786 verwendet hat. Sie betragen nicht weniger, denn 6,776,222 Rthl. davon den Unterthanen, während des siebenjährigen Krieges und noch mehr nachher, so geldfressend auch dieser für die k. Kassen war, an 5 Mill.

zu gut gekommen sind. In der That giebt dieser Detail einen rührenden Anblick, wie dieser Landesvater im eminentesten Verstande, von Jahr zu Jahr die hunderttausende hingegeben hat, um theils die Kriegsschäden zu vergüten, theils neue Meliorationen in allen Gegenden des Landes zu bewerkstelligen. Noch in den beiden letzten Jahren seines glorreichen Lebens wies er zur Fortsetzung der Brüchersaustrocknung, zur Herstellung alter Häuser, zu Wollmagazinen, zu Schulanstalten, zur Reaulirung der Stromschäden, über 700,000 Rthl. an, kaufte für 32,000 Rthl. spanische Schaafe. Rechnet man hierzu (S. 374.) die 9,220,000 Rthl. welche er im Zeitraum von 1740 — 86. zur Anlegung und Unterstützung der Fabriken und Manufacturen verwendet hat; ferner andere 9 Millionen zum Bau in Berlin und Potsdam, weil seit 1763 die mehresten Jahre im Durchschnitt 400,000 verbaut wurden: so mufs man die ganze blofs für die Kurmark seit 1740 verwendete Summe auf 20 Millionen anschlagen. Aus den hierauf folgenden Bevölkerungslisten (S. 376 — 397.) läfst sich nun ersehen: 1) wie der Gang der Bevölkerung seit 1720 — denn von dieser Zeit an finden sich die ersten Spuren der Volkszählung — gewesen ist, 2) welchen Einflufs Friedrichs II Bemühungen auf die Bevölkerung gehabt haben. Bekannt ist es, wie genau der grofse König über sein Menschenkapital Buch und Rechnung halten liefs. Wir müssen uns aber beschränken, davon nur folgendes auszuheben.

Vor dem 30jährigen Kriege 161 7, waren in der Kurmark	329,660 Seelen
Bey dem Ableben K. Friedrich Wilh. I. 1740.	475,991. —
Bey dem Ableben Friedrich II 1786	683,145. —
Folglich sind während der bisherigen Regierung hinzugekommen	113,146
an mehrgebornen	
Durch Colonisten und Ausländer.	155,452
	273,998.
Davon ab die während des 7jähr. Krieges mehr gestorbenen	66,844.
Zuwachs unter Friedrich II.	207,154.
mit Ausschlufs der in Reih und Gliedern stehenden Militairs.	

Mit Inbegrif des Militärstandes wären 1786 in der Kurmark 757,369 Seelen, hingegen 1737. — 755,577. wovon sich in den Städten 353,195, auf den platten Lande 402,382 befanden. Die Hauptstadt mit der Kirken-Garnison verursacht dies Mifsverhältnifs zu dem platten Lande. — Hier wird also völlige Gewifsheit über manche bisherige schwankende Bevölkerungsangabe. Mit den Kirchenlisten von 1740 — 1787, die reichen Stoff zu arithmetisch politischen Betrachtungen geben, wird der erste Theil, oder vielmehr die 1ste Abtheilung des ersten Theils geschlossen. Die dem Werke statt Titelkupfers beygefügte Karte, die erste in ihrer Art von der Arbeit des geschickten academ. Georg. Hn. Sotzmann, giebt eine sehr unterhaltende Uebersicht von der Gröfse des Landes, mit dessen Kreisen, der Anzahl der Städte und Dörfer, den Feuerstellen, der Menschenzahl, dem Viehstande, der Aussaat und Consumtion des Getreides, wie wohl ohne Durchschnit der Ertrag der Ernde Druck und Papier nehmen sich gut aus; doch sollen Pränumeranten, das in dem Verlagsaverissement versprochene bessere Papier nicht erhalten haben. Für die Correctur hat der Vf. selbst gesorgt, daher dessen Fleifs auch hier nicht zu verkennen ist. Einige fehlerhafte Namen der Oerter sollen am Ende des ersten Theils berichtiget werden.

ALLGEMEINE
LITERATUR - ZEITUNG

Freytags, den 27ten Februar 1789.

GOTTESGELAHRTHEIT.

LONDON, gedr. b. Nichols, auf Koften mehrerer
Buchhändler: *Morfels of Criticism, tending
to illuftrate fome few paffages in the holy
fcriptures upon philofophical principles and
an enlarged view of things.* 1788. 4. XIX u.
622 S.

Das Werk ift dem neuen Bifchof zu London
zugeeignet. Aber der Verf., Hr. Eduard
King, erklärt mit anftändiger Freymüthigkeit,
dafs er keineswegs die Abficht habe, dadurch feinen Erklärungen den Schein zu geben, als
hätten fie alle die Beyftimmung des Prälaten.
Dies erregt voraus eine Erwartung von eigenen
und ungewöhnlichen Meynungen; und diefe wird
auch durch den Inhalt felbft vollkommen beftätiget. Der Vf. fcheint ein Mann von fehr religiöfer Denkungsart, und von langem fteten Nachdenken zu feyn, der fich befonders mit der Naturlehre ftark befchäftiget. Für die heil. Schrift
hat er eine tiefe Ehrerbietigkeit; er betrachtet
fie als die Quelle der erhabenften Erkenntnifs in
jeder Rückficht. Aber das hebräifche kennt er
nicht. Er hält fich allein an die Alexandrinifche
Ueberfetzung. Von diefer hat er fehr hohe Begriffe, weil Chriftus felbft und die Apoftel bey ihren Anführungen der Worte Mofe und der Propheten fich beynahe durchaus derfelben bedient
haben; daher er fie kaum für eine andere, als
für eine beynahe infpirirte, halten könne: er
fcheint alfo vorauszufetzen, Chriftus felbft habe
griechifch gefprochen. Ja S.74 heifst es wirklich:
„Da die erhabenen Gedanken, welche die Ueberfetzung der LXX mit fich führt, fchon an fich
hinreichen, grofse Achtung für fie zu erregen;
fo giebt es doch noch einen andern, und noch
viel wichtigern Grund, und diefer ift, dafs der
Herr Jefus und feine Apoftel fie gewöhnlich an-
führten; — obwohl der Herr bey einer fehr
feyerlichen Gelegenheit, nemlich bey jenem
grofsen und furchterlichen Schrey am Kreutz, da
er fich in Worten, die offenbar eine Beziehung
auf Pf. 22 haben, ausdrückte, fich der Syrifch-
chaldäifchen Sprache bediente, welche das damals

übliche Hebräifche war." Aber er kennt und gebraucht diefe Ueberfetzung der LXX nicht kritifch, auch bey Daniel heifst fie immer Ueberfetzung der LXX, nur die Grabifche Ausgabe nach
dem Alexandrinifchen, und die zu Cambridge
1665 gedruckte Ausgabe nach dem Vaticanifchen
Mft. werden zufammengehalten; wo diefe beiden
Ausgaben übereinftimmen, glaubt der Vf. den
Text der LXX als ganz zuverläffig annehmen zu
dürfen. Bey dem Texte des Neuen Teft. hält er
fich an Bodyer's Ausgabe, doch mit Rückficht auf
den Text, wie ihn *Mill*, und neuerlich *Woide*
aus der alexandrinifchen Handfchrift, geliefert
hat.

Das Werk befteht aus XIV Abfchnitten, und
einem Anhang. I. Abfchnitt. *Ueber das Vater
unfer und über das Wort Himmel.* Die Ueberfetzung: der du bift *im Himmel*, wird getadelt, indem der Unterfchied zwifchen τοῖς ἐρανοῖς, und τῷ
ἐρανῷ im folgenden, nicht überfehen werden müffe. *Der Himmel fey die Sonne*; diefe fey keineswegs ein Feuerkörper, — wobey fich der Vf. auf
die neueften Entdeckungen in der Naturlehre beruft — fondern ein Ort der Seligkeit; eine Wohnung verherrlichter Wefen; das Sonnenlicht fey
weder mehr noch weniger als der Ausflufs der
Herrlichkeit von diefem Himmelskörper; und wegen feiner nahen Verbindung mit unfrer Erde fey
er zunächft *unfer Himmel*. Alle andre Fixfterne
feyen eben fo viele Wohnungen, „Infeln der Seligkeit auf dem weiten Ocean des Raums." Gott
fey nicht in *dem* Himmel allein, fondern in *allen*
Himmeln. Der Sinn des Gebets fey alfo diefer:
Unfer Vater, der du bift in den Himmeln, dein
Wille gefchehe auf Erden, wie er jetzt im Himmel vollbracht wird. II. Abfchn. *Ueber die LXX
Ueberfetzung von I. Mof.* 1. Diefes Kapitel fey
nicht allein den ficherften Grundfätzen der Philofophie gemäfs, es enthalte auch Auffchlüffe, woraus uns jene nicht wenig Licht verbreitet werde.
Der *dritte* Vers wird überfetzt: es werde, *auf
Erden*, ein Fluidum, Licht und Hitze mitzutheilen, d. i. das Elementarfluidum von Hitze oder
von Feuer, vermittelft deffen Feuer entftehen,
und Licht von der Sonne der Erde mitgetheilt
werden möge. Στερέωμα, V. 6. das überfetzt

wird: *confolidating fubftance*, fey die atmofphä-
rifche Luft, als welche, nach den neueften Entdeckungen, die dichteften Beftandtheile beynahe
jeden Körpers auf Erden ausmache, und daher
nicht fchicklicher benennt werden konnte, als
τεριωμα. V. 8., Gott nannte diefes Fluidum *Himmel*, weil durch daffelbe auf allen Seiten vor der
Oberfläche der Erde der Himmel, und der Himmel der Himmel gefehen werde. Bey dem 9
und 10 V. heifst es: Von diefem mächtigen Werk,
fowohl als von der weiterhin erfolgenden Flut,
hat der Allmächtige bis auf diefen Tag Spuren,
und, wenn ich mir den Ausdruck geftatten darf,
felbft hiftorifche Denkmünzen erhalten, die das
eigene göttliche Gepräg führen, und deren Infchriften deutlich zu lefen find, fo gut als die
Schriften der Bibel. Und von einigen diefer recht
urfpünglichen Infchriften gedenkt der Vf., wenn
es Gott gefällt ihm das Leben zu friften, einmal
eine Erklärung zu verfuchen, wozu er fchon feit
mehrern Jahren Materialien gefammelt hat. —
Das Werk des vierten Tags war nichts anders
als die Schöpfung des Monds; denn die Sonne
war fchon vor dem erften Tag vorhanden, nur
dafs fie von der Erde aus noch nicht gefehen
werden konnte, weil die Atmofphäre noch nicht
gereinigt war. III. Abfchn. *Ueber I Joh. IV. 1-
3. und über das Bekenntnifs betreffend Jef. Chr.*
Der zweyte Vers wird überfetzt: daran erkennet den Geift, der von Gott ift. Jeder Geift,
der bekennt, Jefus fey der Chrift (d. i., der ge-
falbte Herr und Meffias, der verordnete Herrfcher
über Alles, vom Himmel gefendet, die Menfchen
zu erlöfen,) der wahre Chriftus gekommen in
dem Fleifch, ift von Gott. IV. Abfch. *Dafs Johannes der Taufer fey Elias, der noch kommen
foll.* Der *Engel*, nicht der Bothe, Mal. 3, 1., der
kurz vor dem Herrn kommen follte, war nach
Marc. 1, 2. und Matth. 11, 10. Johannes der Täufer. Und eben diefer Johannes der Täufer ift nach
Matth. 11. 14. auch Elia der Thisbite, Mal. 4. 4. 5.
der noch kommen foll, Ηλιας ὁ μελλων ερχεσθαι.
Folglich, derfelbe grofse Engel, der als Elia auf
Erden wandelte, war, als Johannes, der Vorläufer
des Herrn, und wird noch einmal als Elias auf
Erden erfcheinen, um alles auf die zwote Zukunft Chrifti felbft vorzubereiten. Um dem Einwurf aus Joh. 1, 21. zu begegnen, wird behauptet, die Frage habe den Sinn gehabt: ob Johannes wirklich der ehemalige Elias fey, der in demfelben Körper vom Himmel gekommen, in welchem er aufgefahren fey? und *diefe* Frage habe
verneint werden müffen. Auch der Umftand,
dafs Elia I Kön. 17. 1. von fich fagt: fo wahr der
Herr lebet, vor dem ich ftund, *ταρεςγω*, und in
Verbindung mit *ταρεηχαι* Luc. 1, 19. ein Anzeigen angeführt, dafs Elia ein Engel gewefen.
(Aber die Stelle Jac. 5, 17. Ηλιας ανθρωπος ην
ὁμοιοπαθης ἡμιν — hat der Vf. überfehen.) V.
Abfch. *Ueber die dem Nathanael gegebene Verfiche-*

rung. Der Verf. verfteht die Worte Chrifti Joh.
1, 51. ganz buchftäblich. Da nun nicht bekannt
fey, dafs Nathanael oder Philipp nachher je einen Engel auf Erden gefehen habe: fo müffe die
Zeit noch bevorftehen, da die Engel Gottes vom
Himmel, frey und fichtbar auf die Erde kommen, und mit Menfchen Gemeinfchaft haben werden. VI. Abfch. *Ueber die zwote Zukunft des Herrn, und feine fehr merkwürdige Antwort auf die Frage feiner Jünger*, Matth. XXIV.
Die Antwort betreffe, eben fo wie die Frage,
dreyerley Gegenftände. nemlich, nach vorange-
hender allgemeiner Belehrung V. 4 — 14. *erftlich*
die Zerftörung Jerufalems V. 15 — 22. *Zweytens,*
die zwote Zukunft des Herrn V. 23 — 35. und
drittens V. 36 das Ende der Welt; mit V. 37 komme Jefus auf die Rede von der zwoten Zukunft
zurück. Der Sinn des 28 Verfes fey diefer: Wo
nur auf der Erde der verdorbene Haufe von ge-
fetzlofen gewaltthätigen Menfchen, die den Frieden und Wohlftand aller menfchlichen Gefellfchaft
ftören, feyn wird, da werden jene furchtbare und
englifche Mächte, welche Diener der göttlichen
Rache feyn follen, bey der gröfsen Zukunft des
Herrn fich verfammeln und einfinden. Vers 34
bedeute ἡ γενεα ἁυτη nicht ein einzelnes Men-
fchenalter, fondern das gefamte Menfchengefchlecht, dafs der Sinn fey: die Zukunft Jefu erfolge noch während des nemlichen Zuftandes der
Erde, und des nemlichen Menfchengefchlechts.
Von diefer Zukunft des Herrn mit all feinem
himmlifchen Heere, die bey der Annäherung zur
Erde; für jede Gegend der Erdkugel, zufolge
ihrer Umwälzung fichtbar feyn werde, fey das Ende der Welt noch weit abgelegen. Der Tag des
Gerichts werde ein prophetifcher Tag, eine fehr
lange Zeitperiode feyn, indem nicht allein Alles
nach und nach in einen vollkommnen Zuftand
gebracht, fondern auch diefer herrliche Zuftand
auf Erden noch lange erhalten werden müffe;
und wahrfcheinlich nicht von kürzerer Dauer feyn
werde, als der vorhergehende, fo unvollkomme-
ne, Zuftand von Adam an bis jetzt. Das Ende
der Erde, durch Feuer, liege alfo noch in einer
fo weiten Entfernung, „dafs felbft die Engel im
Himmel, bey allem ihren hohen Grad von Einficht, den Ausgang der Periode noch nicht beftimmen können." (Auf die Worte ὁδε ὁ ὑιος
Marc. 13. 32. nimmt der Vf. ganz keine Rückficht.) VII. Abf. *Ueber die Gleichnifsrede vom
ungerechten Haushalter.* Die Parabel fey nur für
Ungläubige beftimmt, die auf ihrem irdifchen
Sinne beharren wollten; und diefen werde angerathen, fich bey ihrem Unglauben wenigftens
durch Gutthätigkeit und Wohlwollen gegen wahre
Kinder Gottes den Vortheil auf die Zukunft zu bereiten, dafs fie von diefen in ihre aeonifche fefige
Wohnungen aufgenommen werden, d. i., nach
der Auferftehung vom erften Tod, während des
Reichs Chrifti auf Erden, von ihnen Anleitung
und

und Hülfe erhalten, auch, noch in einen Zustand
der Seligkeit zu gelangen. Hier zeigt der Verf.
nicht allein seine hohe Achtung für das Wohlwöl-
len, sondern auch die menschenfreundliche Ge-
sinnung seines eigenen Herzens, indem er mit
sichtbarem Vergnügen bey dem Gedanken verweilt, daß die Zahl derer, die durch Jesum selig werden, viel größer seyn werde, als mancher
zu erwarten gewohnt sey. S. 307 bezeugt er seine Verwunderung, daß so wenige noch daran gedacht haben, auf einen Mann, wie Sokrates, die
Worte Christi anzuwenden: selig sind die um Gerechtigkeit willen verfolgt werden, denn das Him-
melreich ist ihr. VIII. Abs. *Ueber die Vorstellung unsers Herrn von dem Gerichtstag.* Matth.
25, 31. Nach vorangeschickter Bemerkung, daß
nach sichern Anzeigen der Schrift Jesus bey seiner Ankunft zum Gericht nicht allein von Engeln,
sondern auch von vollendeten menschlichen Geistern werde begleitet seyn, findet es der Vf. unläugbar, daß, nach Christi eigener Vorstellungsart, Wohlwollen und Wohlthätigkeit gegen irgend
einen auch seiner geringsten Brüder und Diener
der Bestimmungsgrund der Seligsprechung oder
der Verdammung seyn werde. Er findet es aber
auch eben so unläugbar, daß die Schrift durchaus
wahren thätigen Glauben an Jesum, als die einige Bedingung der Seligkeit aufstelle. Dies wisse er nicht anders in Uebereinstimmung zu bringen, als auf folgende Weise: „Die unmittelbare Diener des Herrn, die er mit sich bringe zum
Gericht, erhalten ihre Rettung und Seligkeit wirklich durch das Mittel eines wahren lebendigen
Glaubens, und dieser ihre Anzahl werde verhält-
nißmäßig nur klein seyn: aber um derselben willen, die zuerst vollendet sind, und vermittelst derselben, und in Rücksicht auf die ihnen erwiesene Liebe, werden auch zahlreiche Haufen anderer, kurz, alle die wahre Redlichkeit und Güte
des Herzens bewiesen haben, endlich noch Mittel
finden, sich zu retten. IX. Abs. *Anmerkungen
über die Uebersetzung der Offenbarung Johannis,* Cap. 6, 4. und über die Reihe der in diesem
Buch beschriebenen Begebenheiten. Die Worte
λαβεῖν τὴν εἰρήνην ἐκ τῆς γῆς werden überfetzt:
den Frieden von der Erde zu erhalten, und daß
man sich die Menschen unter einander sich morden lasse.
Dies sey das entscheidende Merkmal von Ha-
drians Regierung, welcher nichts anders gethan,
als daß er die Provinzen des Reichs zu seinem
Vergnügen durchwandert, Tempel errichtet, und
Ehrenbezeugungen genossen habe, während man
die Menschen unter einander sich habe morden
lassen, indem er lange genug um die verschiedenen Unruhen und Verwirrungen sich wenig bekümmert habe. Hievon nimmt nun der Vf. Gelegenheit, das Buch weiterhin Stück vor Stück
durchzugehen, und mit der Geschichte zusam-
menzuhalten: wobey er in der Hauptsache dem
Bischof Newton folgt, aber doch hie und da et-

was eigenes hat; z. B. Mahomet heiße ein vom
Himmel auf die Erde gefallener Stern, C. 9, 1.
weil er anfangs wirklich ein frommer u. guter Mann
gewesen sey. In den Zeitraum der ersten Schaale,
C. 16, 1. 2. vom Jahr 713 bis 1042 falle auch der Anfang der Lustseuche, die nach sichern Nachrichten
um das Jahr 1162 in England längst vorhanden gewesen, und zwischen den Jahren 713 und 1000
entstanden seyn musse. Die sechste Schale bedeute das gegenwärtige Zeitalter. Der Euphrat bezeichne theils die Schranken zwischen Europa und
dem Orient, die nun durch die sehr erleichterte
Gemeinschaft zwischen beiden Weltgegenden weggeräumt werden, theils das türkische Reich, dessen
Entkräftung jene Gemeinschaft noch mehr erleichtern und befördern werde. Die Frösche, V. 13.
14. bezeichnen Irrlehrer. Der Geist aus dem
Munde des Drachen, d. i., des alten heidnischen
Roms, sey der Geist des Atheismus, der ursprünglich aus den Schriften des Epicur und Lucrez her-
komme. Ein ähnlicher Geist komme aus dem
Munde des Thiers, des neuern Roms; dahin gehören die vielen atheistischen Schriften in Frankreich und anderswo. Der falsche Prophet, entweder *the corrupt body of the Roman Clergy* (S.
452.) oder der Muhammedismus, befördern gleichfalls dergleichen Grundsätze. Die Redensart,
ποιῶν σημεῖα heiße nicht, Wunder thun, sondern,
Paniere errichten. Das Weitere überläßt der Vf.
der Aufklärung der Zukunft. Prophezeyen will
er nicht. Jedoch, aus Veranlassung der halben
Stunde, Offenbar. 8, 1. die nach der Geschichte
genau 25 Jahre betragen, glaubt er (in der Note
S. 388.) nach der Hypothese: die Zeit zwischen
der ersten und zwoten Ankunft Christi betrage
eben so viel prophetische Stunden, als die Dauer
seines Todes gewöhnlich, nemlich 38 — 39 Stunden, annehmen zu dürfen, daß die zwote Zukunft zwischen den Jahren 1900 und 2000 erfolgen werde. — X. Abs. *Ueber die Auslegung der
merkwürdigen Weißagung des h. Propheten Daniel unter dem Bilde des kleinen Horns,* und des
Ziegenbocks. Cap. 8, 9. dasjenige der 4 vorher-
genannten Hörner, woraus ein anderes starkes
(auf den Umstand, daß es nach dem hebräischen
ein kleines heißt, wird keine Rücksicht genommen.) entsprungen, bedeute das Syrische Reich;
das starke (oder kleine) Horn bedeute nicht die
römische Macht, sondern den Muhammedismus,
der eigentlich in Syrien seinen Ursprung gehabt
habe. Der 10te V. erhält (freylich immer ohne
Rücksicht auf das hebräische, oder auf die wahre
Uebersetzung der LXX.) eine neue Uebersetzung:
Und das Horn ward mächtig selbst in Ansehung
des Heers des Himmels. Und (wirklich) fiel es
(auch) auf die Erde vom Herrn des Himmels und
von: den Sternen (in Beziehung auf Offenbar. 9,
1. wo Muhammet ein Stern des Himmels heiße)
aber man trat diese Dinge mit Füßen (d. i., man
unterließ, die Sache gehörig zu prüfen.) Die

2300 Tage feyen prophetifche Tage, d. i., eben
fo viele Jahre. Zähle man fie von der völligen
Grindung der Macht des Widders, d. i., des Me-
difchbabylonifchen Reichs, durch die Einnahme
von Babylon, 538 J. vor Chrifto; fo falle das Ende auf das J. Chr. 1762, da die grofe Kaiferin Catharina II in fichern Befitz des ruffifchen Throns
erfchien. Zähle man von dem Zeitpunkt an, da
die Medifchbabylonifche Macht ihre gröfste Höhe
erreicht habe, durch die Eroberung Aegyptens,
525 vor Chrifto; fo komme man auf das Jahr Chr.
1775, in welchem die Mohommedanifche Macht
einen fo nachtheiligen Frieden habe eingehen.
müffen. Wolle man mit der Vaticanifchen Handfchrift 2400 Jahre annehmen, fo komme man auf
das Jahr Chr. 1862 oder 1875, um welche Zeit
das Mahommedanifche Reich vermuthlich ihr Ende erreicht haben, und die Wiederherftellung des
jüdifchen Volks nahe feyn werde. Wollte man
auch die Lesart 2200 Tage annehmen, welche
Hieronymus von einigen Ueberfetzungen angebe, fo komme man auf das Jahr Chr. 1675, welches nur 2 oder 3 Jahre fpäter fey, als die Geburt, und fehr wenige Jahre früher als die Thronbefteigung Peters des Grofsen, der den ruffifchen
Staat gegründet habe. XI. Abf. Ueber eine andre Weiffagung Daniels, welche durch die Ueberfetzung der LXX. grofses Licht erhält. Dan. 11,
40. ff. Der 40fte V., den der Vf. als den Anfang
einer neuen Weiffagung anfieht, wird von ihm
(aber freylich wieder ohne alle Rückficht auf das
Original) fo überfetzt: Und in der Zeit gegen
das Ende der Dinge wird ein König aus Mitternacht ftreiten mit dem König aus Mittag, und er
wird fich mit ihm vereinigen, mit Wagen, und
mit Reutern, und mit vielen Schiffen, und er wird
in das Land kommen, und es zernialmen, und
wird hindurchziehen. — Die nordliche Macht
fey die Turkifche, aus Scythien: die fudliche, die
Saracenifche, aus Arabien: diefe beide Mächte,
nach einem heftigen Kampf, endlich unter Moha-
met II im J. 1450 zu Einem grofsen Reich worden
fey. Das Land fey Paläftina; das Land Sabaim,
Griechenland u. Klein-Afien u. f. w. Die Nachrichten u. Anftrengungen von Morgen und Mitternacht
her bezeichnen deutlich die furchtbare ruffifche
Macht, welche jenem Staat den Untergang be-
reite. Der 45fte V. befchreibe den prächtigen
Sitz des türkifchen Reichs in Europa; Conftan-
ticopel heife ein heiliger Berg, weil die Stadt
auf Hügeln gebauet, und unter diefen derjenige
fey, der durch die erfte öffentliche Errichtung
des chriftlichen Gottesdienfts von Conftantin
geheiliget worden. — Hier führt der Verf.,
wiewohl mit einiger Bedenklichkeit, aus einer
fo unfichern Quelle; aus dem public advertifer
ift, einen vermeyntlichen Firman, oder Brief,
des Sultans vom 15. Dec. 1787 an den Groswe-
zir an, der die Auffchrift hat: Mein Grofswefir,
und alles eher feyn kann, als ein wirklicher Firman vom Sultan. XII. Abf. Bemerkungen über

Apoftelgefch. 5, 11 bis 14. Die Folgen von Ana-
nia und Sapphira Tod betreffend. Der Vf. verfteht den 13ten Vers fo: Aber von den übrigen (Glaubigen) wagte es keiner, fich mit ihnen
(den Apofteln) in diefe enge Verbindung von
Gemeinfchaft der Güter einzulaffen, und doch
erhob fie das Volk. Alfo, nur allein die Apoftel,
und folche, die fich mit diefen bereits vereiniget
hatten, feyen in diefer Verbindung verblieben;
von den übrigen habe es keiner gewagt, Antheil
daran zu nehmen; und nun feyen der Glaubigen
nur noch mehrere worden. XIII. Abf. Ueber den
vierten Vers des Briefs Juda. Die neue Ueberfetzung des Vf. ift diefe: denn es find heimlich
eingefchlichen etliche Menfchen, gegen die vorher gefchrieben worden, wegen diefer ihrer
Meynung. Menfchen ohne Frömmigkeit, welche
die Gnade unfers Gottes in Muthwillen verkehrten,
eine fehr verkehrte unrechte Lehre in die Stelle der
Gnade unfers Gottes fetzen,) und den einigen Herrfcher, Gott und unfern Herrn Jefus Chrift verläug-
nen. VIV. Abf. Ueber den Gebrauch des Worts ψυχή
bey den LXX. Der Vf. findet es als etwas gar
auffallendes, dafs die LXX das Wort ψυχή, das
gewöhnlich Geift, oder Leben, oder eine Urfache vom animalifchen Leben bedeute, auch von
einem todten Körper gebrauchen, als 3 Mof. 19,
28. C. 21, 1. II. 4 Mof. 9. 6 — 10. Cap. 19, 11.
Er meynt, fie müffen ψυχή als ein Wort genommen, das blofs animalifches Leben, das im Blute den Sitz habe, und von dem Lebensodem I.
Mof. 2, 7. verfchieden fey, bedeute, und dabey
geglaubt haben, der blofs animalifche Geift verlaffe den Körper nicht fogleich bey dem Todes-
ftreich, fondern bleibe noch zurück, und werde
nun, des göttlichen Lebensodems beraubt, die
Urfache, dafs der Körper unrein fey: da hingegen gefchlachtete Thiere, bey denen, zugleich
mit dem Blute, das Leben, der Geift weggieng,
rein waren. Eben diefe Bedeutung des blofs
animalifchen Lebens habe das Wort ψυχή auch I
Cor. 15. 45.

(Der Befchluft folgt im nächften Stück.)

SCHOENE WISSENSCHAFTEN.

Leipzig, b. Walther: Reifen in den Mond
von einem Bewohner des Blocksbergs, erfte
Reife vom feuerfpeyenden Berge durch einen
Theil des Kaiferthums Minipikiy, 1789. 204
S. 8. (12 gr.)

Diefer, feit Swift's Zeiten fehr abgenutzter,
Fiction bedient fich hier ein Ungenannter, um politifche Satire einzukleiden. Vornemlich kriti-
firt er neuere öfterreichifche Verordnungen, z. B.
vom Schiffziehen, von den Hazardfpielen, vom
Verbrennen ausländifcher Waaren, von der Strafe
der Stockftreiche u. f. w. Allein es fehlt ihm eben
fo fehr an Scharffinn, politifche Probleme zu löfen, als an Laune, um die Lefer gegen dasjenige einzunehmen, was ihm Tadel zu verdienen
fcheint.

GOTTESGELAHRTHEIT.

LONDON, gedr. b. Nichols, auf Kosten mehrerer Buchhändl.: *Morsels of Criticism, tending to illustrate some few passages in the holy scriptures upon philosophical principles and an enlarged view of things.* 1788. 4. XIX u. 622 S.

Beschluß der in Nr. 64. abgebrochenen Recension.

Der *Anhang* besteht aus zwey Abschnitten. Diese sind von den vorhergehenden getrennt, weil sie Resultate enthalten, die nicht eben so ganz sichern Grund, wie jene, in der Schrift haben, und daher für bloße Winke gelten sollen. I Abschn. *Ueber des Apostel Petri Versicherung, daß die Erde durch Feuer untergehn soll.* Der Vf. glaubt, nicht allein 2 Petr. 3, 7 — 10., wo er auf das Wort παρελεύσονται, sie werden vorüber gehen, vorzüglich dringt, sondern auch Offenb. 20. 11. Cap. 21. 1. 2. und schon Jes. 34. 1. f., wo ή οἰκουμένη nicht bloß die Erde, sondern auch die übrigen Planetenbewohner bedeute, nicht ganz unsichere Anzeigen zu finden, daß die Erde endlich in einen Cometen verwandelt werde, nachdem vorher, bey der Annäherung der Erde zur Sonne, in einer excentrischen Bahn, die Erlöseten in ihren verklärten Leibern, in diese werden aufgenommen worden seyn. II Absch. *Ueber die Redensarten der Schrift, die sich auf untere Oerter der Erde beziehen.* Τὰ κατώτατα τῆς γῆς, Pf. 63 10., von welcher Stelle der Vf. ausgeht, seyn ein hohler Raum im Mittelpunkt der Erde; die Erde sey, auch sichern philosophischen Grundsätzen zufolge, eine bloße Schaale, und die von Maskelyne auf dem Berge Schehallien über die Anziehung angestellte Versuche streiten nicht dagegen; eben dies sey auch die Vorstellung der Schrift von dem Bau unsrer Erde. Man kann sich nun vorstellen, wie die Ausdrücke Grube κτλ, ἄβυσσος (Luc. 8. 31.) verstanden werden. Jeder Stern sey ein Himmel, und jeder Planet habe, wie die Erde, in seinem innern holen Raum ein Gefängnifs für solche, die durch Eigensinn und Hartnäckigkeit es unmöglich machen, sie mit Sicherheit in der Freyheit zu lassen; aber doch

ein Gefängnifs, aus welchem Befreyung zu hoffen seyn möge; ja, man dürfe vermuthen, dafs auch die Cometen, die auf der Oberfläche unbewohnbar seyn, doch in dem innern Raum Bewohner haben. Der Vorwand, jeder starke und ungewöhnliche Ausdruck der Schrift sey morgenländische Hyperbel, sey ein gar bequemes Mittel, der Mühe tiefen Nachdenkens und richtiger Bestimmung des Sinns überhoben zu werden: dieser habe beynahe eben so viel beygetragen, die Welt in Unwissenheit zu erhalten, als das Verschließen der Schrift vormals gethan habe.

Der Vf. beschliefst sein Werk mit der Aeußerung, er werde doch seinem Zeitalter so viel Billigkeit und philosophischen Untersuchungsgeist zutrauen dürfen, dafs er nicht für einen Unsinnigen (a mad Man) erklärt werde. Rec. findet in sich keine Versuchung dazu. So sehr er über. zeugt ist, dafs die Erklärungsart des Vf. unsicher und mangelhaft, und seine Sprachkenntnifs sehr eingeschränkt ist; so kann er doch seine Achtung keinesweges einem Manne versagen, der bey unstreitiger Gelehrsamkeit andrer Art durchaus so viele Menschenliebe und so viele Mäßigung — Eigenschaften, die bey Auslegern seiner Gattung eben nicht die gewöhnlichen sind — an den Tag legt. Selbst diejenigen, die mit ihm in der Hauptsache nicht übereinstimmen können, werden doch in dem Werke hin und wieder etwas auch für sich sehr brauchbares finden; z. B. S. 185 von den Heuschrecken als Speise; S. 194 von den Raben, die dem Elia Brod und Fleisch brachten; und besonders S. 601 von der Möglichkeit der Erhaltung des Jonas in einem Fische.

BOSTOCK u. LEIPZIG, in der Koppenschen Buchhandl.: *Die Bibel, ein Werk der göttlichen Weisheit, von Daniel Joachim Köppen,* Pastor zu Zettemin; Zweyter Theil. 1788. 736 S. 8. (1 Rthlr. 18 gr.)

Die Absicht des Vf. ist aus dem ersten Theile schon bekannt. Er will *Spuren in der Schrift nachweisen,* die uns nöthigen, bey der Entstehung und Zusammenordnung ihrer Theile zu einem ausführlichen und zweckmäßigen Ganzen einen Einfluß

fluss Gottes anzunehmen, welcher von dem ge-
wöhnlichen und ordentlichen Gange, wie unter
den Menschen Dinge und ihre Verbindungen ent-
stehen, gar sehr verschieden ist. Die Art, wie
er den göttlichen Ursprung der Bibel aus ihr selbst
beweiset, ist, um eine kurze Uebersicht davon
zu geben, folgende. Er nimmt an, aus allen
Theilen der Schrift leuchte eine gemeinschaftli-
che Absicht, ein *zusammenhängender Plan* hervor;
vor; alles in derselben beziehe sich darauf, eine
Geschlechtsfolge von dem ersten Menschen bis
auf Jesum Christum, eine merkliche Darstellung
der unsichtbaren Kraft und Herrlichkeit Gottes,
und eine fortwährende Grundlage zur ächten Religion und Moral in der Welt zu liefern. Er
sucht daher durch eine Induction zu zeigen, dass
alle Bücher der Schrift auf diesen Endzweck hin-
arbeiten, und dadurch ein Ganzes werden, in
welchen alles zweckmäßig zusammenhänge, ein
Gebäude, das in allen seinen Theilen auf das
absichtsvollste verknüpft sey. Nach diesen Vor-
bereitungssätzen, welche bekanntlich den *ersten*
Band ausmachen, fängt der Vf. im *zweyten* an,
durch mancherley Betrachtungen darzuthun, es,
sey nicht möglich, *dass die Schrift, ohne einen ausser-*
ordentlichen Einfluss Gottes, ein solches Ganze
habe werden können. Weder die Geschlechtslinie
bis auf Christum, welche sich in der Bibel findet,
noch das, was sie von den Offenbarungen der
Herrlichkeit Gottes enthält, noch die Lehren und
Forderungen, die sie vorträgt, können, wie der
Vf. zeigt, das Werk menschlicher Erfindung seyn;
und die Umstände, die in diesem Abschnitte von
ihm erörtert werden, verdienen alle Aufmerksamkeit, sind auch nicht selten in ein neues sehr
vortheilhaftes Licht gestellt. Hier hätte nun der
Vf. sein Werk beschliessen können; denn sein Beweis, dass die Bibel das Werk einer göttlichen
Weisheit sey, war nun vollendet. Er hat indessen noch zween Abschnitte hinzugethan, welche
mit seinem Hauptgegenstand in genauer Verbindung standen. Im ersten derselben will er die Natur und Beschaffenheit des göttlichen Einflusses
beschreiben, durch welchen die Bibel entstanden
ist; und hier erklärt er denn die dogmatische Lehre von der Theopneustie sehr ausführlich. Rechnet man einige Vorstellungsarten ab, welche dem
Vf. eigenthümlich sind, und in der Sache selbst
keinen Unterschied machen; so findet sich in dieser weitläuftigen Abhandlung nichts, was nicht
schon von andern bemerkt worden wäre. Der
letzte Abschnitt endlich handelt vom Glauben gegen die Bibel; von der Freyheit der biblischen
oder protestant. Religion; von dem Ausspruch,
ausser der Kirche gebe es kein Heil; von dem
Vorschlag, aus der Bibel einen Auszug zu machen; und von der Bibel, als einer Quelle, woraus alle Secten schöpfen.

Dies ist der kurze Grundriss eines Werks, das
wirklich viel Gutes enthält, und die Aufmerk-

samkeit aller derer verdient, die über die Bibel
wollen denken lernen. Der Vf. redet von der
Vortreflichkeit der Schrift, von ihrem unaus-
sprechlichen Werthe, und von dem mannichfaltigen Segen, der sich aus dieser Quelle über das
menschliche Geschlecht ergossen hat, mit einer
Lebhaftigkeit und einem Feuer, welches seinen
Gesinnungen sehr zur Ehre gereicht, und hinlänglich beweiset, dass er innig empfand, was er
schrieb. Auch zeigt er überall so viel seinen Beobachtungsgeist, und soviel Scharfsinn und Genauigkeit in Untersuchung einzelner Umstände,
dass man selbst da, wo man nicht mit ihm einig
seyn kann, ihn doch nicht ohne Nutzen lesen,
und wenigstens einige Gesichtspunkte kennen lernen wird, aus denen man das, was er behandelt,
nicht immer zu betrachten pflegt, so sehr sie auch
ins Auge gefasst zu werden verdienen. Sehr stark
rügt der Vf. insonderheit das zweydeutige Betragen derer, welche, um die Bibel mit ihrem selbst-
erdachten System zu vereinigen, und den Schein
zu haben, als ob sie dieselbe noch ehrten, durch
die gewaltsamsten Mittel sie verdrehen, und hauptsächlich alles Uebernatürliche und Unbegreifliche
aus derselben zu entfernen suchen. Wer die Art
kennt, wie die Bibel von einigen Schriftstellern,
vornehmlich in dem letzten Jahrzehend, behandelt worden ist, der wird sich nicht wundern, dass
der Vf. zuweilen in lebhaften Unwillen ausbricht;
vieles, was er hierüber sagt, ist ein Wort zur
rechten Zeit, und wir wünschen sehr, dass man
ihn hören möge. Uebrigens zeigt er sich überall als einen strengen Vertheidiger des symbolischen Lehrbegriffs der evangelischen Kirche, weil
er ihn in der Bibel deutlich zu sehen meynt. Aber
auch hier muss man ihm das Zeugniss geben, dass
er nichts weniger als ein blinder Nachbeter ist, sondern selbst gedacht hat.

Bey allen diesen Vorzügen findet sich indessen
doch auch manches in diesem Buche, was fehlerhaft seyn dürfte, und die Beweisart selbst, welche der Verf. gebraucht hat, ist nicht geringen
Schwierigkeiten unterworfen. Da es der Raum
nicht verstattet, bey einem so weitläuftigen Werke
ins Einzelne zu gehen, und alles anzumerken, was
Berichtigung bedarf, oder die nöthige Beweiskraft
nicht hat, so müssen wir es bey einigen *allgemeinen*
Bemerkungen bewenden lassen. Dass der Verf.
viel zu *wortreich und weitschweifig* schreibt, wird
wohl jeden Leser einleuchten; viele seiner Beweise würden eine weit grössere Wirkung thun,
wenn sie gedrängter vorgetragen, und die Haupt-
begriffe näher zusammen gerückt wären. Auch
ist die zuweilen *brausende Hitze*, mit der sich
der Vf. nicht etwa blofs gegen muthwillige Verdrehungen der Bibel, sondern auch wider alle diejenigen erklärt, welche beym Urtheil über sie und
bey ihrer Auslegung nicht gerade *seine* Grundsätze befolgen, gar nicht zu billigen: und unstreitig werden solche Declamationen, welche blofs
. . . . - - erbittern

erbittern, den guten Eindruck fehr fchwächen,
den der Vf., bey mehrerer Mäfsigung durch feine Vorftellungen hätte hervorbringen können.
Der *Weg felbft* aber, welchen er beym Beweis für
den höhern Urfprung der Bibel genommen hat,
dürfte dem *unparteyifchen* Forfcher in mancher
Hinficht nicht *ficher* genug fcheinen. Wir erkennen zwar gern, dafs man in Unterfuchungen, wie
diefe ift, keine geometrifche Evidenz verlangen
darf, fondern mit einem hohen Grade von Wahrfcheinlichkeit zufrieden feyn mufs. Auch darf
man fich nicht daran ftofsen, wenn diefer hohe
Grad von Glaublichkeit nicht aus jedem *einzelnen*
Umftand entfpringt, auf welchen fich der Vf. beruft; es ift genug, wenn er nur durch alle, zufammen genommen, hervor gebracht wird. Allein der Gang, welchen der Beweis des Vf. nimmt,
hat, *überhaupt betrachtet*, manches an fich, was auch
diefe allgemeine Wirkung fehr fchwächen mufs.
Es ift *zuerft* fchon eine fehr mifsliche Sache, bey
einer Sammlung von mancherley Schriften, dergleichen die Bibel ift, einen *Plan* erweifen zu
wollen, der fich durch alle einzelne Theile verbreiten, und überall fo fichtbar feyn foll, dafs
man eingeftehn mufs, jedes Buch fey mit allen
übrigen genau verknüpft, und könne ohne Nachtheil des Ganzen, ohne dafs eine unverkennbare
Lücke entftehe, nicht fehlen. Dem Vf. ift es auch
wirklich nicht gelungen, die Unentbehrlichkeit
aller einzelnen Bücher der Bibel zur Erreichung
des von ihm angenommenen Endzwecks überzeugend darzuthun. Bey manchen Büchern, namentlich bey dem Buch Efther, beym hohen Liede, bey den Büchern der Chronik, beym Prediger Salomons, ift es fehr klar, dafs es ihm fchwer
wurde, feinem Beweis einige Kraft zu geben;
und bey andern würde fich manches mit Grund
einwenden laffen, wenn man alles genauer prüfen wollte. Das ganze Gebäude aber, welches
der Vf. aufgeführt hat, wird wankend, fo bald
hier nicht alle, in folchen Dingen mögliche, Evidenz ftatt findet. — Hierzu kommt, dafs, wenn
die Beweife des Vf. gelten follen, als entfchieden
angenommen werden mufs, er habe die Stellen,
aus welchen er fchliefst, *alle richtig verftänden*,
und feine *exegetifchen* Grundfätze feyen überhaupt die ächten und wahren. Allein hier dürfte
wohl gar viel zu erinnern feyn. Zwar beruft fich
der Vf. immer darauf, dafs man nur überall den
ungekünftelten *grammatifchen* Sinn der Worte
annehmen dürfe, um das in der Bibel zu finden,
was er in derfelben fieht. Aber hat er wohl bedacht, was dazu gehöre, einen uralten Schriftfteller *grammatifch richtig* zu verftehen? Hat er wohl
überlegt, dafs, fo bald man die Schriftfteller der
Bibel im wahren Geifte ihrer Zeiten, und mit allen
den Hülfsmitteln der Kritik und der Sprachkennt-
nifse erklärt, die der gelehrte Exeget nothwendig brauchen mufs, wenn er den wichtigen Wort-
verftand entwickeln will, aus einer Menge von

Stellen ein ganz anderer Sinn hergeleitet werden
kann, als der ift, welchen er zu feinen Beweifen
nöthig hat? Hier und da mag der Vf. dies wirklich felbft empfunden haben. Er ift daher dem
gelehrten Apparat, welchen man, den Sinn der
Schrift zu erforfchen, anwendet, eben nicht fehr
günftig, und nach dem wenigen zu urtheilen,
was er, zum Beyfpiel, vom Urfprung der Alexandrinifchen Ueberfetzung des Alt. Teft., und von
den Zufätzen und Interpolationen in der Bibel
fagt, wo er fo gar die Stelle 1 Joh. V, 7. in Schutz
zu nehmen fcheint, ift er auch felbft mit diefer
Art von Literatur eben nicht fehr bekannt. Er
wird hoffentlich nicht fagen wollen, ein Buch,
wie die Bibel, das zum Unterricht für jedermann
von Gott herrühre, und eine von menfchlichen
Büchern abweichende Einrichtung befitze. Soll
feine Art zu fchliefsen die Kraft haben, die man
mit Recht verlangen kann; fo müffen alle die
Data, von welchen er ausgeht, *erft exegetifch
verificirt werden*. Es mufs klar feyn, dafs das, was
er als den wahren Sinn einer Stelle annimmt, auch
wirklich in derfelben ftehe. Von diefer Seite fehlt
es dem Werke des Vf. durchaus; er giebt von
dem Sinn, welchen er den Stellen der Schrift beylegt, nie Rechenfchaft; und daher ift zu fürchten, dafs man ihm viele Prämiffen mit gutem Recht
wird ftreitig machen, und dadurch das Gewebe
feiner Argumentationen fehr durchlöchern können. In der That möchte hier und da ein zu hoher Grad von jener *Glaubenswilligkeit* nöthig
feyn, welche der Vf. nicht ohne Urfache fehr empfiehlt, wenn man ihm alles, was er als exegetifch
gewifs vorausfetzt, follte gelten laffen. — Was
endlich die im *fünften* Abfchnitt befindlichen Abhandlungen betrift, fo enthalten fie bey allem Guten, das der Vf. darinn fagt, doch auch viel un-
richtiges. So ift es z. B. wahr, dafs der wahre Geift
des *Proteftantismus* darinn beftehet, die Bibel allein als die Erkenntnifsquelle der geoffenbarten
Religion gelten zu laffen. Aber nicht wahr ift es,
dafs die Natur der biblifchen und proteftantifchen
Religion aufgehoben wird, fo bald man nicht alle in der Augsburgifchen Confeffion bemerkten
Unterfcheidungslehren annimmt. Denn dies kann
ja darum gefchehen, weil man fie *exegetifch nicht
zu erweifen weifs*. Ift nun das wahre Wefen des
Proteftantismus Verwerfung aller menfchlichen
Autorität in Glaubensfachen, und Halten an die
Schrift allein; fo handelt der nach dem echt prote-
ftantifch, der z. B. die Lehre von der Erbfünde,
oder eine andre, verwirft, wenn er nach feiner beften Einficht und Prüfung, keine Stelle
der Schrift finden kann, wo diefes Dogma ftünde.. Sollte dies nicht fo feyn, fo müfste die Augsburg.

burg. Confeſſion als *eine authentiſche* Erklärung der in der Schrift enthaltenen Glaubenslehren anzuſehen ſeyn, von der niemand abweichen dürfe; und da hätten auch wir neben der Schrift noch einen andern Erkenntniſsgrund der Religion, und würden der Römiſchen Kirche nicht viel vorzuwerfen haben.

PHILOLOGIE.

KÖNIGSBERG und LEIPZIG, bey Hartung: *Magazin für die bibliſch-orientaliſche Literatur und geſammte Philologie.* Erſten Theils 1ſter Abſchnitt. 1788. 78 S. 8. (5 gr.)

Der Inhalt dieſer wenigen Bogen iſt dieſer: I. *Neue Ueberſetzung des Abſchiedsgeſanges Jacobs,* 1 Moſ. XLIX. Es ſey wahrſcheinliche Vermuthung, dies Lied möge vom Geſchichtſchreiber, als die Rede eines Sterbenden, dem Jacob in den Mund gelegt, oder von irgend einem Dichter verfertiget, und vom Sammler aufgenommen ſeyn. Der 10te Vers wird überſetzt: Von Juda muſſe nie das Scepter weichen, aus ſeinem Mittel nie der Führerſtab! Ihm ſtröme Ueberfluſs — Ihm Völkeranhang zu! עַר כִּי könne zu den oft überflüſſig ſtehenden Partikeln der hebräiſchen Dichter gehören. שִׁילֹה oder שׁוּלָה wird von שׁוּל Arab. سَال *fluxit, affluxit,* abgeleitet, und vom wohlthätigen Ueberfluſs, einem Strom als Bild groſser Nachkommenſchaft, verſtanden. II. *Auszug aus Joh. Jac. Quandts Differtation von* דיו *oder der Dinte der Hebräer,* Königsberg, 1713. (Blaſii *Ugolini Theſaurus* kann noch manchen Stoff dieſer Art an die Hand geben.) III. *Vom Aufſatz, aus dem Arabiſchen des Ebn Sina.* Der Vf. verſichert, er habe den Ebn Sina ſeit einiger Zeit zu ſeiner Lieblingslectüre gemacht, (was wenige von ſich werden rühmen können). IV. *Aufklärung einiger ſchweren Stellen im zweyten Buche Moſe.* 1) 2 Moſ. I. 16. אֲבְנָיִם wird von בנה abgeleitet; davon ſey אבנה *exſtructio,* im Plural

אֲבְנָיִם eine ſeltnere Form, für בְּנָיִן, und gebe die Idee einer jeden Maſchine. 2) Kap. IV, 24-26. Dieſe Stelle wird ſo erklärt: „Unterweges traf es ſich, daſs (Moſis erſtgeborner Sohn) von Jehova tödlich überfallen wurde (in eine tödliche Krankheit, die aus Mangel der Beſchneidung kam, verfiel). Zippora (ſuchte dem Uebel abzuhelfen und) nahm (in Ermangelung des eigentlichen Inſtruments) einen ſpitzen Stein und ſchnitt die Vorhaut ihres Sohnes weg, verletzte aber ſeine Füſse, und rief daher aus: Du biſt mir ein blutiger Sohn! (ein Verwandter, deſſen Beſchneidung viel Blut koſtet). Da lieſs Gott ihn los, (die Krankheit gab ſich, beſonders) weil ſie: Du biſt ein blutiger Sohn, der (viel Blut koſtenden) Beſchneidung ſagte." V. *Neue Erklärung von Matth.* XXV, 46. Der Sinn dieſer Stelle wird ſo gefaſst: „Die Gottloſen wandern in die ewige (von Gott vorher beſtimmte, nicht erſt neu erdachte oder über die Natur ihrer Handlungen hinaus gehende, alſo unvermeidliche, Strafe und) Pein; die Frommen aber in die *ewige* (von Gott eben ſo beſtimmte und auf die Natur ihrer Handlungen ſich gründende und daher gewiſs erfolgende) Glückſeligkeit." In der Vorrede, vom 20 Febr. 1788, welche der Hr. Prof. D. Haſſe, als Herausgeber unterzeichnet hat, wird der Umfang dieſes Magazins auf folgende Weiſe abgeſteckt: Eigentlich ſoll jeder Theil 3 Abſchnitte haben. Erſtlich, Abhandlungen aus der bibliſch-orientaL Literatur, gröſstentheils eigene und neue; mitunter auch ſchon gedruckte, aber gute und ſeltene, im Auszuge. Zweytens, Abhandlungen aus der lateiniſchen und griechiſchen Literatur, philologiſch-kritiſchen Inhalts. Drittens, Recenſionen über gewiſſe Schriften, die zu eigenen Unterſuchungen Veranlaſſung geben. Zuletzt noch ein Anhang von Nachrichten etc. Weil der Abdruck zu nahe an die Meſſe kam; ſo konnte von erſten Theil nur der erſte Abſchnitt diesmal geliefert werden, dem die beiden andern gleich nach der Meſſe folgen ſollten. —

KLEINE SCHRIFTEN.

GESCHICHTE. *Altdorf,* b. Monath: *Commentatio de Methodio, Tyri quondam Epiſcopo, occaſione Profeſſionis Graecae linguae ſibi demandatae vulgata* a D. *Joanne Andr.* Sixto, Theol. Prof. Primar et Miniſt. eccl. Altorf. Antiſtite, 2 B. 4. Dem Eingange nach ſollte man eine Schutzſchrift für den *Methodius* erwarten; in der That aber liefert der Hr. Vf. eine kurze Nachricht von deſſen Leben und Schriften, worin er ihn beyläufig gegen die Beſchuldigung des Arianiſmus vertheidigt. Schwarziſche Latinität darf man in dieſem Aufſatz nicht erwarten. Zur Probe nur die Würdigung der Schriften und Lehrart dieſes Kirchenlehrers (S. 13. f.) „Argumentis

„diſputans philoſophicis, praeſertim iis, quibus mundi aeter-„nitatem diluere et originem mali demonſtrare ſtuduit; pla-„rima bene tractant acumen acumine ſuperando; Nate. „rias diſciplinae moralis expunens genus ſectatur „αυσικωτατον et revera humanae indolis modulum exce-„dens; Oratorii ſacri partes explens pretioſo et frequenter tur-„gido dictionis genere declamat; Dicta S. codicis interpre-„tans fententias tam veritate quam gravitate commendabi-„les proponit, et quod praeterea ſermonis habitum con-„cernit, ſuo utique non caret lepore u. f. w.

ALLGEMEINE
LITERATUR - ZEITUNG

Sonntags, den 1ten März 1789.

GESCHICHTE.

PALERMO, in der königlichen Druckerey: *Co-dex diplomaticus Siciliae sub Saracenorum imperio ab anno DCCCXXVII ad MLXXII, nunc primum ex MSS. Mauro-occidentalibus depromtus cura et studio Alphonsi Airoldi, Archiepiscopi Heracleensis, legationis apostolicae, et regiae Monarchiae in Sicilia Judicis. Tomus primus. — E tenebris tantis tam clarum extollere lumen.* Lucr. lib. 3. v. 1. — 1788. 48 S. fol.

Die Handschrift, die bey diesem Werk zum Grunde liegt, gehört dem Benedictiner Kloster St. Martin bey Palermo. Als vor wenigen Jahren der von Marocco nach Neapel abgeordnete Gesandte *Muhammed Madscha* auf seiner Rückreise durch einen Sturm nach Palermo getrieben worden war, besah er, neben andern Merkwürdigkeiten, auch gedachtes Kloster. Hier bekam er jene arabische Handschrift zu sehen. Er erkannte sie bald als eine wichtige Urkundensammlung zur Geschichte Siciliens unter der Herrschaft der Muhammedaner, und machte seinen damaligen Begleiter, den Hn. *Vella*, Professor der arabischen Sprache zu Palermo, auf dieselbe aufmerksam. Nun traf der Hr. Erzbischof *Airoldi* die Verfügung, dass *Vella* von dem arabischen Originale eine italiänische Uebersetzung verfertigte, welche sodann weiter in das Lateinische übergetragen wird. Der Gesandte fand nach seiner Rückkunft in sein Vaterland noch ein anders Exemplar; er überschickte auch aus der Bibliothek zu Fes die Ergänzung des Werks bis auf die Zeit der Normannen. Zudem verschaffte sich *Airoldi* eine vollständige Reihe der Silbermünzen dieses Zeitraums so wohl von den Sicilianischen Emiren, als von den gleichzeitigen Regenten in Africa. Auf seine Kosten wird nun die italiänische und lateinische Uebersetzung, jede besonders, herausgegeben, (und nach andern Nachrichten wird von der eigentlichen Ausgabe der erste Band nächstens ans Licht treten.) Was wir hier anzeigen, ist also nur vorausgeschicktes Probestück, und zwar Probe von beiden Uebersetzungen, die hier neben einander gestellt sind.

A. L. Z. 1789. *Erster Band.*

Nach einem kurzen Vorbericht, aus dem die angeführten Nachrichten genommen sind, folgt ein in Kupfer gestochenes *Specimen Characteris codicis Martiniani*, und zwar die ganze erste Seite der Handschrift. Die Schrift ist nichts weniger als die *Mauritanische*; auch ist sie nicht die eigentliche *Cufische*; sie macht eine besondere Gattung aus, Rec. möchte sie eine *karmatische* Currentschrift nennen. Gewiss ist, dass sie sich nicht gleich auf den ersten Blick weglesen lässt. Auch die Sprache selbst weicht von derjenigen mannichfaltig ab, die man in Europa aus den Schriften der östlichen Araber lernt.

Das Werk selbst fängt mit einer Vorrede an, worinn der Verfasser, *Mustapha Ben Huni*, Grossmuphti und erstes Mitglied des Staatsraths von Sicilien, die Veranlassung desselben folgendermassen angiebt. Er habe im Jahr *Muham.* 375, und im 162ten von der Niederlassung der Gläubigen in Sicilien an, von dem Grossemir *Abdullah* den Befehl erhalten, alle vorhandenen Staatsurkunden, die in einer Kiste in dem Zimmer des Staatsraths aufbewahrt wurden, zu deren Eröfnung ein Schlüssel von dem Grossemir selbst, einer von dem Grossmuphti, und noch einer von dem Grosskadi erforderlich war, zum bequemern Gebrauch derselben für den Staatsrath, in ein Copialbuch zu bringen. Das erste ist im Bericht des *Al-Eltum* vom 8ten des Monats *Schawal* im Jahr M. 213 (Christ. 827.), an den *Mulei Ibrahim*, dass er mit seinen Truppen glücklich in Sicilien gelandet habe. Das letzte ist ein Schreiben von Ebendemselben, aus Palermo, vom 20 des Monats *Edilkadan* im Jahr Moh. 214 (Chr. 828.), worinn der General den glücklichen Fortgang seiner Unternehmung berichtet, aber zugleich sehr auf Verstärkung dringt. Es heisst S. 47. *Jo prego la Grandezza sua, che mi mandi della gente, per-chè quella, che ho, non mi basta, ed io senz'altro voglio distruggere Heusimu, uomo pessimo, di cui non posso più sentire neppure il nome, non meno che quello di tutta la gente.* Dies ist in der lateinischen Uebersetzung so ausgedruckt: *Ego peto a Magnitudine tua, ut milites ad me mittas; quos enim habeo, mihi satis non sunt, in animo enim mihi est, pessimum hominem Euphimium usquequaque perdere, nomenque ejus, omniumque fuorum prorfus delere.* Auf dem letzten Blatte ift ein Brief an den Hrn. *Abbate Vella* von dem Hn. Hofrath *Tychfen* in Bützow vom 1ten Dec. 1787, beygedruckt, worinn diefer für die überfchickten Abbildungen der arabifchen Münzen dankt, und die feiner Beurtheilung vorgelegte Erklärung derfelben von Hn. Vella, einige Kleinigkeiten abgerechnet, vollkommen beftätiget. Und von diefen Münzen findet man auch hier eingerückt S. 3 und 4. Die Erftere hat, auf der einen Seite, in *karmatifcher* Schrift am Rande herum die Legende,

لا اله الا الله محمد رسول الله

und in der Mitte, 220.

مدينة بنتج قروان في سنة 220.

(überfetzt: *non eft Deus nifi Deus Mohamed Apoftolus Dei Metropolis Kairuanae anno 220.*) auf der andern Seite am Rande

ابراهيم ابن

und in der Mitte:

علمي

(oder) حلبي سبب

بنتج
قستنطين
تلسين و
اسغلي

Abrahim Filius Aalbi Dominus Koftantinae Telefini et Siciliae. Die andere kleinere ift von *Aad Elkum Kebir*, vom J. Muh. 228.

Bekanntlich hat ein Gewifler, der fich *L. de Veillaut* nennt, eine *Lettre à Monfieur De Guignes De l'Acadamie Royale des Infcriptions et belles Lettres fur la fuppofée Authenticité du Codex diplomaticus Siculus fub Imperio Saracenorum etc.* datirt *Malte* 30 *Mars* 1788 drucken laffen, und diefe *Lettre* an Gelehrte verfchiedener Gegenden verfendet. Auch Hr. Hofrath *Tychfen* in Bützow hat, wie es zu vermuthen war, fie durch die Poft erhalten. Diefer fand die Infinuationen des Franzofen, der feiner Schreibart nach kein Franzos ift, unbillig und ungegründet; er ließ feine Gegengründe in die Greifswalder gelehrte Zeitung einrucken, und überfchrieb fie auch feinem Correfpondenten, dem Fürft *Torremuzza* in Palermo. Der Fürft ließ zu Palermo Hn. *Tychfens* Schreiben in Briefformat abdrucken, und verfendete es nun ebenmäffig durch Italien, Frankreich und England etc. als eine Widerlegung der de Veillantifchen Calumnie. In der Monatsfchrift von und für Mecklenburg, 6 St. December 1788, find diefe beiden Schreiben abgedruckt, nebft einem Briefe des Fürften Torremuzza an Hn. Hofr. Tychfen, wovon der Anfang diefer ift: *Quanta cum animi voluptate litteras tuas acceperim, quas XIII Kal. Augufti fcripfifti, haud facile explicare queo; vidi enim in eis te doctiffimum Virum, et in hoc Literaturae genere legitimum Judicem Codicis noftri fidem, noftrique Vellae vindicias contra Sycophantis cujusdam gallice fcriptam Epiftolam, pro virili offumpfiffe.* — Und hiermit glauben wir

unfern Lefern die bisherigen Actenftücke ziemlich vollftändig angeführt zu haben.

PHILOLOGIE.

MELDORF und LEIPZIG, b. Boie: *Obfervationes in Proverbiorum Salomonis verfionem Alexandrinam.* Scripfit *Jo. Gottlob Jäger, A. M. et Rector fcholae Meldorpinae.* 1788. 228 S. 8.

Die Veranlaffung zu diefer wohlgeratheren Arbeit liegt in des feel. *Vogel* Ausgabe des Schultenfifchen Commentars über die Sprüche Salomonis, in welcher bekanntlich die Abweichungen der alten Ueberfetzungen und vornemlich der Alexandrinifchen, vom hebräifchen Original, nicht felten bemerkt find. Diefen guten Anfang wollte Hr. J. in Anfehung der Alexandrinifchen Ueberfetzung der Vollftändigkeit näher bringen. Was von dem Vorgänger angeführt worden ift, welches aber meiftens nur leichtere Stellen betrifft, wird hier, wenn nichts dabey zu erinnern ift, übergangen, welches zwar der Gewiffenhaftigkeit des Vf. Ehre macht, aber nun doch die Befchwerlichkeit verurfacht, dafs man jene Vogelfche Ausgabe nothwendig zur Hand haben mufs. Dabey fchränkt fich der Vf. nicht blofs darauf ein, die Abweichungen des Griechifchen vom hebräifchen Original zu bemerken, und ihrer Entftehung, fo gut es gefchehen kann, nachzufpüren: auch der griechifche Text felbft wird von ihm häufig philologifch erlautert, und noch häufiger durch meiftens fcharffinnige und glückliche Conjecturen emendirt, und dadurch mit dem hebräifchen Text in nähere Uebereinftimmung verfetzt: welches letztere ftec. als das hauptfächlichfte Verdienft diefer mühfamen Arbeit betrachtet. Die Breitingerifche Ausgabe der LXX ift zu Grund gelegt; neben ihr ift nur noch die Leusdenifche gebraucht. Freylich ift es Schade, wie der Vf. felbft freymüthig bekennt, dafs erweder die übrigen alten Ueberfetzungen, mit Ausnahme der Vulgata, noch den Beyftand der mit dem Hebräifchen verwandten Dialecte hat gebrauchen können; befonders würde die Arabifche Ueberfetzung und die Kenntnifs diefer Sprache ihm in manchen Stücken haben förderlich feyn können. Wir wollen nur einige Bemerkungen anführen. Kap. II, 19. weifs der Vf. die Entftehung der doppelten Sentenz Οὐδὲ μὴ καταλάβωσι τρίβυς εὐθείας. Ού γὰρ καταλαμβάνωνται ὑπὸ ἐνιαυτοῦ ζωῆς, für die einzelne hebräifche חיים ארחות ישיגו ולא, fich nicht recht zu erklären. Allein es ift doch wohl eine doppelte Ueberfetzung. Dem Verfaffer der Erftern mag noch vom 13ten Vers her das ישר ארחות im Sinn gefchwebt haben: Der Verfaffer der Andern dachte fich zu ישיג hinzu אתה, und verwechfelte ארח mit ארך, oder bediente fich der ihm nicht

un-

ungewohnten Freyheit, fo wie er im Gegentheil IV, 10 שנתחיים durch ἀθρο͂ίζειν ausdrückt. III. 10. hält der Vf. die Worte: ὡς ἐπὶ κύριον, für bloßen eigenmächtigen Zuſatz. Sollten ſie nicht einem andern Ueberſetzer zugehören, der חסכיה als zwey Worte חסך יה genommen haben konnte? III, 21. wird die Meynung derjenigen gebilligt, welche glauben, der Ueberſetzer habe ſtatt וילו יולד. Dies ſcheint uns noch ſehr zweifelhaft zu ſeyn. Der Ueberſetzer nahm מעיניך, ab oculis tuis, für מעיניך, fontes tui, welches hier nicht bemerkt iſt, und nun war es ganz natürlich daß er וילו mit יולד verwechſeln konnte. IV, 3. heißt es: graeca verborum diviſio, quae רך ad antecedentia vocat, ejusmodi eſt, ut facile omnibus ſeſe probatura videatur. Man iſt nicht in Abrede, daß das Wort רך ſchicklich zum erſten Glied gezogen werde. Aber iſt denn das Comma hinter dem Wort ὑγρᾶτος in der gedruckten griechiſchen Ueberſetzung von ihrem Verfaſſer ſelbſt? IV, 14. hätte das μηδὲ ἐχλύσης, welches leicht, aber ohne hinlänglichen Grund, veranlaſſen kann, zu glauben, der Ueberſetzer drücke die Lesart תקנא, ſtatt האשר, aus, wohl eine Anmerkung verdient. V, 18. vermuthet der Hr. Vf. ſtatt talə, für ברוך, möchte die richtige Lesart ſeyn ψδεῖα. Wahrſcheinlicher iſt doch der vom ſel. Vogel angebrachte Gedanke, deſſen hier nicht gedacht wird, der Ueberſetzer habe, ſtatt ברוך gelesen, (oder zu leſen geglaubt). VI, 3. läſst ſich die Ueberſetzung von זאת אסא durch ἀ ἐγὼ σοι ἐντέλλομαι beſſer aus dem Arabiſchen اسا, reden, ausſprechen, ableiten. VIII, 7. wird richtig bemerkt, die Ueberſetzung ἐβθελυγμένα δὲ ἐναντίον ἐμᾶ χείλη ψευδῆ ſetze, ſtatt שתי, voraus שטי, aber die Anmerkung: prouuntiatio haec, ut, quem Alexandrinus voluit, ſenſus exiret, requirebat לי תועבה, ut fallor, aut תועבתי, iſt nicht nothwendig. Der Ueberſetzer konnte ja ausſprechen תועבת, das ἐναντίον ἐμᾶ ſand ſich ſodann ſelbſt ein. XI, 25. geſteht auch der Vf. ſeine Verlegenheit, das griechiſche, ἀνὴρ δὲ θυμώδης ἐκ ἐυσχήμων, aus dem hebräiſchen, וסרות גם הוא יורא, abzuleiten, niſi quod θυμώδης originem videtur referre ad חרון. Hier iſt ein Verſuch. חרון nahm der Ueberſetzer reciproce oder paſſive von einem, der berauchet, und nun zornig und ſtreitſüchtig iſt; die folgenden Worte nahm er fragweiſe, und גם הוא, κυρεtε er, von ראה ab, vielleicht in Erinnerung an das hebräiſche איש סראה, vir ſpectabilis. XV, 10. glaubt der Vf. in der Sentenz, παιδεία ἀκάκυ γνωρίζεται ὑπὸ τῶν παρίοντων, ſey akaκu zugleich in ακκα, und γνωρίζεται ſey der Deutlichkeit wegen vom Ueberſetzer beygefügt. Allein die Lesart ἀκάκυ wird doch durch die arabiſche Ueber-

ſetzung beſtätigt, γνωρίζεται aber ſcheint einen Grund darin zu haben, daß der Ueberſetzer das Wort רע für רע nahm: (ein Fall, der ſehr häufig iſt, wie denn der Hr. Vf. S. 142 bey XIX, 23 ſelbſt bemerkt: vocum ער et רע inter ſe perpetua eſt ab interprete noſtro permixtio.) In welchem Falle das Wort ακακα ein Zuſatz des Ueberſetzers ſeyn würde, der מוסר active nahm. Hingegen XV, 16 glaubt er μετὰ ἀφοβίας ſey dadurch zu erklären, daß man ἀπὸ κοινᾶ ſuppliren müſſe κυρίᾳ, (wobey die arabiſche Ueberſetzung zur Beſtätigung gebrancht werden konnte, die das Griechiſche offenbar eben ſo verſtanden hat.) XVII, 9. heißt es: Ex השחר παιδείαν, quemcumque in ſenſum accipiatur, intelligere nullo modo poſſum, nec propius nomen memini, unde ducere potuerit, quam השכיל. (Die arab. Ueberſetzung drückt das Wort παιδεία gar nicht aus.) XXIX, 21. führt das δᾶλος ἔσαι natürlicher auf עכר, als auf יעבוך. Anſtatt סכן quando reddidit ἐδυνηθήσεται τῷ ἑαυτῷ credibile eſt in eo lugendi verbum aliquod, velut אין reſpexiſſe, aut vidiſſe בינן, hätte treffender geſagt werden können, der Ueberſetzer habe סכן von אן abgeleitet. XXIX, 22. רב Ex hac voce quomodo ἐξώρυξεν formari potuerit — quaerendo non aſſequor. — Etiam prioris commatis ὀρύσσει dubitari poteſt, ſue itne antiquitus παρώσει. Rec. vermuthet, der Alexandriner überſetzte יגרה ὀρύσσει, weil er an יכרה dachte (XVI, 27.) und dies veranlaſſte ihn ſodann, das Wort רב für כר zu nehmen. XXX, 9. ſupponirt τὰ μὲ ἐοχ doch nicht nothwendig פן רעה, der Ueberſetzer konnte den Ausdruck יהוה סיריות ſo genommen haben: quis ſit Jehova ut me videret? Uebrigens iſt der Vf. nur gar nicht gierig nach hebräiſchen Varianten zu haſchen, vergl. XXX, 4. 15. 17. 31. welches freylich auch eine gar miſliche Sache bey einer Ueberſetzung ſeyn muſs, deren Text noch ſo mancher kritiſchen Berichtigung bedarf, und deren Verfertiger ſich ſo viel Freyheit verſtattet hat. Unſer Vf. verfährt mit aller nur möglichen Vorſicht und Bedachtſamkeit, und es iſt nichts wertiger als Ziererey, wenn er S. 221 ſagt; ego, modeſtus homo, ſemper ab affirmandi arrogantia alieniſſimus — oder in der Vorrede: ab affirmandi enim negandique confidentia in iſtius modi rebus arbitrarius et incopte ingenio abhorreo, et doctrinae conſcientia deterreor. — Rec. wünſcht, daß es Hn. J. gefallen möchte, die Arbeit, wozu er ſo viel Geſchicklichkeit hat, noch über andere bibliſche Bücher fortzuſetzen, und nun zunächſt die griech. Ueberſ. der Pſalmen, auch in beſtändiger Rückſicht auf angehende Gelehrte, durch kurze und zweckmäſige Bemerkungen zu erläutern.

KÖNIGSBERG u. LEIPZIG, b. Hartung: Lectiones Syro-Arabico-Samaritano-Aethiopicae, congeſtae ac tabulis elementariibus ad addiſ-

cendas illas linguas necessariis instruxit D.
Joan. Godofr. Hasse, linguarum oriental. prof.
publ. ordin. 1788. 110 S. 8.

Die Absicht des Buchs ist, dass solche, die mit
der hebräischen Sprache bekannt sind, die 5 verwandte Dialekte auf einmal und zusammen, unter der Anleitung eines Lehrers, lernen können.
Rec. müsste an der Ausführbarkeit dieses Plans
zweifeln, besonders wegen der so grossen Verschiedenheit der Schriftzüge, wenn nicht Hr. Prof.
H. selbst den glücklichsten Erfolg aus eigener Erfahrung versicherte. Seine merkwürdigen Worte in der vom 20 April 1788. geschriebenen Vorrede sind S. VII. diese: *Ceterum usus me docuit,
sufficere has lectiones recte et diligenter explica-
tas primis initiis linguarum, atque iis, qui orienta-
les linguas discunt ad illustrandam hebraeam, quibus, si qua tempus supersset (superfuit autem mihi in quoque semestri) biblia polyglotta legenda
dedi, quae cupide deinde tractare vidi adolescen-
tes meos.* — Der Tabellen sind 4. Die erste zeigt
die verschiedenen Alphabete, mit einigen unter-
gesetzten Anmerkungen; die zweite das Paradigma
eines regelmässigen Verbi; die dritte die Abweichungen der andern Verborum; die vierte die
Nomina mit den Pronominibus. Die Lesestücke,
worunter auch, was man nach dem Titel nicht
zu erwarten hat, ein chaldäisches aus 1 Chron.
XII. sich befindet, sind, selbst in dem arabischen

Theile, der auch wieder eine Partie der beliebten Lokmanischen Fabeln enthält, nur solche, die
schon vorher gedruckt waren. Sollte die vom
seel. Kypke im J. 1746 beschriebene Handschrift,
welche die Psalmen nebst einigen andern Stücken
in syrischer und arabischer Sprache enthält, noch
in Königsberg vorhanden seyn, welches Rec. nicht
wissen kann; so würde es doch nicht unschicklich gewesen seyn, aus derselben entweder einige Psalmen, oder auch die 3 prophetische Stücke
Habak. III. Jes. XXVI. 9 — 19. u. Jon. II. in diese
Chrestomathie einzurücken, zumal da die arabische Version der syrischen Wort für Wort entspricht, und in dieser Rücksicht selbst den Anfängern sehr behülflich gewesen seyn müsste. Unerwartet ist es, in dem samaritanischen Theile
neben einigen Stücken aus den Büchern Mose
auch den Brief der Samaritaner zu finden, der
von Hn. Bruns 1781 einzeln und hernach im XIII
Bande des Repertor. herausgegeben worden ist.
Als ob der Brief in ebenderselben Sprache geschrieben wäre, in welcher jene Stücke abgefasst
sind! Der Anfang desselben ist hier, zum erstenmale, mit samaritanischer Schrift abgedruckt, die
grössere Hälfte aber mit hebräischer; die Ursache
davon ist mit folgenden Worten S. 97 angegeben:
*Ut convenientia literarum Samaritanarum cum
hebraicis appareat, reliquam hujus epistolae partem litteris hebraicis exprimendam curavimus.*

KLEINE SCHRIFTEN.

RECHTSGELAHRTHEIT. Ohne Druckort: *Gedanken
von den Rechten und Freuheiten der kaiserl. königlichen
österreichischen Kirche.* Vom Kanonikus Cäsar. 1787.
8. 76 S. (3 gr.) Der Hr. Kanonikus von Vorau in Steyermark sagt in seiner Vorrede, er habe viele Kinder
— er verstehe Schriften, alle wären versorgt; nur
dieser Bursche — gegenwärtige Schrift — *wäre von einer
Universität verbannet worden, ohne dass der Vater es wisse, was er angebettelt hatte; er hätte ihn daher weiter
geschickt und nun sey er auch versorgt* Auch uns ist dieser Bube unter die Augen gekommen, und wir wünschen
dem Vater Glück, dass die Gesetze der 12 Tafeln nicht
mehr gelten, sonst müsste der über allen menschlichen
Begriff ungestalte Sohn auf der Stelle erstickt, oder
ertränkt werden. Weh der Innerösterreich bey dergleichen
Geburten! versorge ja künftig die Väter solcher Kinder
geschwind ins — Irrenhause. Alle *Grundsätze* S. 51. statt
Grundsätze des Vf. bestehen kurz darin: Die Freyheit
der Kirche bestehe nach der Regel P. Felix 3. In dem, dass
man selbe nach ihren Gesetzen leben lasse, mithin nicht
nur nach dem alten Codex Dionysianus, sondern auch nach
dem Decrete *Gr*ans, den Decretalen Gregors etc.

Von diesen werden wir uns wohl schwerlich losmachen,
warum? weil auch Frankreich alle diese Rechte dem
Pabste einräumt, ja noch mehr (die französische Kirche
ist also unseren Vf. ein büchste Modell) Aus diesem flie-
sse es, dass auch die Landesfürsten meistentheils die eigen Sührer dieser Kirchenfreyheit gewesen wären z. B.
*Die Päbste wollten sich der Kirchenrechte die Bischöfe zu
investiren nicht begeben, und die Kaiser wollten es mit Gewalt erzwingen.* S. 31. (Ja wohl, Vater Cäsar, waren es
die Fürsten, und werden es zu ihrem Ruhme noch oft
seyn.) Der erste Fürst der Welt sey der Pabst. Die französische Kirche habe darum so viele Vorrechte, weil
ihre Könige den Papst am meisten verehrten. Aber auch
die österreichischen Fürsten hätten viele Verdienste um
ihn, so zum Beyspiel hätte sich Leopold 3 mit dem Bischof von Passau rühmwürdigst wider K. Heinrich 4 verbunden etc. Ergo sind sie berechtigt, die nämlichen
Gnaden vom Pabst zu begehren. Doch das Werklein ist unter
aller Kritik — soll es ja eine Censur im Staate geben, warum übt sie ihre Gewalt zur Ehre der Nation
nicht über solche Misgeburten des menschlichen Geistes
aus?

ALLGEMEINE

LITERATUR-ZEITUNG

Montags, den 2ten März 1789.

MATHEMATIK.

HALLE, b. Hemmerde u. Schwetfchke: *Gott-fried Huths*, Doct. der Weltweish. u. Mag. der freyen Künfte, *Anfangsgründe der an-gewandten Mathematik, mit Rückficht auf Ge-fchichte und Literatur.* Mit 3 Kupfertafeln. 414 S. 8. (1 Rthl.)

Die aftronomifchen Wiffenfchaften hat der Hr. Vf. aus diefem Lehrbuche, das nur zu ei-nem halbjährigen Unterrichte beftimmt ift, weg-gelaffen, weil nach dem jetzigen Zuftande der Mathematik, die mechanifchen und optifchen Wiffenfchaften allein ein halbes Jahr erfordern, wenn man fie nur etwas vollftändig und befried-gend lehren will, und Anfänger fich begnügen können wenn fie in diefer Zeit nur dasjenige recht faffen, was der Hr. Vf. im gegenwärtigen Buch abgehandelt hat. Denn alsdenn lernen fie das wichtigfte, was von nur gedachten Wiffen-fchaften, in den Käftnerifchen und Karftenfchen Anfangsgründen vorkömmt, deren Vorzüge hier mit einer zwekmäfsigen Auswahl vereinigt find. Wer weiter gehen will, findet überall die brauchbar-ften Bücher angezeigt. Den Anfang macht die *Statik fefter Körper.* Den Inhalt anzuzeigen wä-re überflüfsig, wir wollen nur einiges auszeich-nen. Für den Satz (85). dafs nemlich fich die mitt-lere Kraft x zu einer der Seitenkräfte k verhalte, wie die Diagonallinie des Parallelogramms der Kräfte, zu derjenigen Seitenlinie deffelben, wel-che der Richtung der Seitenkraft k entfpricht, bedient fich der Vf. eines Beweifes, der für An-fänger leichter und fafslicher feyn foll, als der ge-wöhnliche. Er verlängert zu diefer Abficht die Dia-gonallinie, und die erwähnte Seitenlinie des Paralle-lograms rückwärts, und nimmt auf diefen Verlänge-rungen ein paar Linien A b, A f, die in dem Verhält-niffe der Diagonallinie A B zur erwähnten Seitenlinie A F ftehen; läfst an f parallel mit A B, die mitt-lere Kraft x, und an b parallel mit A F, die Sei-tenkraft k ziehen, und fagt nun, an dem Hebel f A b müffe die Kraft x mit k im Gleichgewichte feyn, alfo x : K = A b : A f und folglich wie A B : A f feyn. Allein dabey erinnern wir, dafs der

andern Seitenkraft V gar nicht Erwähnung ge-fchehen ift, die doch auch nothwendig in Betrach-tung kommen mufs, wenn x mit K von dem He-bel f Ab im Gleichgewichte feyn foll. Denn dar-aus allein, dafs die Richtungen fx, bK mit Af, und Ab gleiche Winkel machen, und überhaupt aus dem citirten 29 und 24ften Artikel folgt gar nicht. dafs x mit k im Gleichgewichte fey: und ift denn die angenommene Proportion x : k = Ab : Af nicht in der That eben der Satz x : k = AB : AF, der erft erwiefen werden foll? Eigentlich hätte der Hr. Vf. zeigen follen, dafs wenn man Ab : Af = AB : AF macht, und nun von b nach bk die Kraft k parallel mit AF ziehen läfst, die von f mit AB parallel angebrachte Kraft *nothwendig* der zwifchen beiden äufsern Kräften v, und k ge-fuchten mittlere x gleich feyn müffe, welches aus des Hn. Vf. Schlüffen nicht zu erhellen fcheint. *Hydroftatik.* Durch die Betrachtungen des fort-gepflanzten Drucks, die der Hr. Vf., nach Karftens Art, hie und dort beybringt, wird manches in An-fehung des Wafferdrucks fehr gut erläutert, was Anfängern fonft oft paradox zu feyn fcheint. Dafs das Schwimmen beym Menfchen befchwerlich fey, rühre mit daher, dafs er dabey eine ihm un-gewöhnliche Stellung annehmen müffe. Die ei-genthümliche Schwere des Waffers will der Hr. Vf. S. 247 in unterfchiedenen Tiefen unter der Ober-fläche fehr merklich verfchieden gefunden haben. Vier Linien tief unter der Oberfläche (fchliefst er aus feinem Verfuche) verhalte fich die eigenthümli-che Schw. zu der, 32 Linien tief unter der Ober-fläche, wie 9974 : 10000. Allein aus mehreren Gründen fcheinen Verfuche von der Art, wie fie der Hr. Vf. mit Korkholz angeftellt hat, fehr be-denklich, wenigftens nicht ficher genug, um Schlüf-fe daraus zu ziehen. Indeffen erinnert fich der Rec. oft bemerkt zu haben, dafs eine gläferne Phiole, gerade fo fchwer, dafs fie fich über dem Boden eines etwas hohen mit Waffer angefüllten gläfernen Gefäfses, ohne ihn zu berühren, an einer und derfelben Stelle, oft Stunden lang fchwebend erhielt, bey ungeänderter Temperatur, nahe an der Oberfläche des Waffers immer eine Neigung zum Sinken behielt, und einige Zeit darauf, auch wirklich an die erfte Stelle herab-

fank.

fank. Die *Aerometrie*. Für die Berichtigung des
Barometerſtandes wegen der Wärme, giebt der
Hr. Vf. S. 170 eine Formel, die allen Thermo-
metern, Scalen, und Reductionstemperaturen,
anpaſst, jedoch ohne Beweis. Auch wird hier
die de Lucifche Höhenformel gegeben. Das
Gewicht einer gewiſſen Menge Luft zu finden,
ſchlägt der Vf. S. 176 auch vor, einen etwas groſſen Würfel von leichtem Holze verfertigen zu
laſſen; desgleichen einen eben-fo groſſen hohlen
von Meſſingbleche, in welchen jener genau paſst.
Man wäge beide, jeden für ſich, und merke ſich
ihre Gewichte. Man ſtelle den ſoliden in den
hohlen, und wäge ſie beide vereinigt. Sie werden nicht ſo viel wiegen, (ſagt der Vf.,) als die
Summe ihrer beiden Gewichte einzeln betrug,
weil nun der hohle ſo viel von ſeinem Gewichte
verliere, als die vorher in ihm enthaltene Luft,
die jetzt von dem ſoliden Würfel verdrängt iſt,
wog. Der Unterſchied beider Gewichte gebe
das Gewicht der Luft, die den Raum des ſoliden
Würfels ausfüllen würde. Doch erinnert der Hr.
Vf. ſehr richtig, daſs ſo einpfindliche Waagen
zu ſo einem Verſuche erfordert werden. Er hat
einen Verſuch von der Art angeſtellt, und bey
einer Barometerhöhe von 28 Zollen 2 Lin. Rheinl.
die Luft 671,5 mal leichter, als das Waſſer gefunden. *Mechanik* und *Hydraulik*. Gleichformige
Bewegung, Fall der Körper. Auch etwas von
der Bewegung der flüſſigen. Waſſerkünſte, Pump-
werke, Schöpfwerke etc. Mühlen von allerley
Gattungen u. d. gl., wobey der Vf. auch Klugels
praktiſche Mechanik in deſſen Encyklopädie, Hn.
Büſch, Mönnig u. a. benutzt, von dem Effecte
der Maſchinen ſelbſt, aber aus hinreichenden
Gründen, nur das allgemeinſte beygebracht hat.
Den Beſchluſs machen die *optiſchen Wiſſenſchaften*, Optik, Catoptrik, Dioptrik. Unferm Urtheile nach, iſt dies Handbuch zu akademiſchen Vorleſungen immer ſehr brauchbar, und empfiehlt
ſich durch ſeinen lichtvollen Vortrag, und kann
eine gute Anweiſung der Quellen, woraus man
weiter ſchöpfen kann.

BERLIN: *Anleitung zur Feldmeſskunſt* von *Schir-
mer* und *Schlicht*. 1788. 208 S. 8. 10 Kupfertafeln. (1 Rthl. 8 gr.)

Sehr richtig erinnern die Vf. in der Vorrede,
daſs, obgleich ſich, im Ganzen genommen, zur
Feldmeſskunſt wenig mehr hinzuthun laſſe, dem
praktiſchen Beobachter doch immer noch Fälle
aufſtoſsen können, wobey in Abſicht auf die
Hülfsmittel, die die Theorie im allgemeinen darbietet, oft die Wahl ſchwer ſey, und daſs deswegen die Betrachtung ſolcher Fälle den Anfängern
nützlich und lehrreich ſeyn könne. Wir vermutheten nach dieſer Aeuſserung, in dem Buche dergleichen einzelne ſeltene vorzufinden. Allein wir irren uns, und jeder Kenner wird mit
uns das Urtheil fällen müſſen, daſs in dieſem Buche wenig mehr als das gewöhnliche vorkömmt,

und ſelbſt dies oft bey weitem nicht hinlänglich
für diejenigen, die die Kunſt des Feldmeſſens
gründlich erlernen wollen. Das Buch zerfällt in
5 Abſchnitte. Im *erſten* wird von *Linien und Winkeln*, und *den Werkzeugen, ſie zu meſſen*, gehandelt. Hier der Meſstiſch, das Aſtrolabium, (aber
wie ſich aus dem Zuſammenhange ſchlieſsen läſst,
ohngefähr wie es vor 50 Jahren ausſah) und die
Bouſſole. — Die Vf. zeigen ſogleich, wie mic
dieſen Werkzeugen die Winkel beſtimmt werden, ohne im Geringſten, etwas von der *Natur*
und Beſchaffenheit dieſer Werkzeuge, oder von
ihrer Beſchreibung voraus geſchickt zu haben,
woraus denn folgt, daſs Anfänger ſchwerlich mit
dieſen Werkzeugen umgehen lernen, und das iſt
doch immer eine Haupſache, wenn das Buch eine
Anleitung zur Feldmeſskunſt ſeyn ſoll. Bey dem
Meſstiſche iſt nicht einmal der Horizontalſtellung
deſſelben gedacht. Die Meſſung der Winkel mit
dem Aſtrolabio ſey in allem Betrachte dem Gebrauch des Meſstiſches vorzuziehen, wenn man
nur die erforderliche Genauigkeit dabey beobach.
te, weil man ſich dadurch nicht nur einen deutli.
chen Begriff von der Gröſse der Winkel erwer-
be, ſondern auch die unbekannten Theile, z. E.
in Dreyecken, durch Rechnung finden könne.
Allein die Vf. zeigen weder, was zu der erforderlichen Genauigkeit gehöret, noch unter welchen Umſtänden, das Aſtrolabium dem Meſstiſche
vorzuziehen ſey; denn ſo allgemein das zu behaupten, daſs ein Winkelmeſſer den Vorzug verdiene, iſt nicht hinreichend. Jedes Werkzeug
hat ſeine eigene Beſtimmung, ſeine eigenen
Vortheile, und wenn das Aſtrolabium nicht, auſſer
den ganzen Graden, auch noch Minuten angiebt,
ſo mochte die Behauptung der Hn. Vf. ſo gar unrichtig ſeyn. Die Winkel aufzutragen, nur der
gemeine Transporteur, ein im Grunde elendes
Werkzeug, bey der gewöhnlichen geringen Gröſse. Der *zweyte* Abſch. handelt von *Meſſen der
Hohen und Weiten*. Unter andern auch trigono-
metriſche Methoden, aber nichts von den mancherley Vorſichten hiebey. Wie man eine Alhi-
dade horizontal ſtellen muſſe, davon kömmt nichts
vor. Die trigonometriſchen Auflöſungen ſind
auch nicht immer die beſten, und zuweilen könn.
te man mit ein paar Proportionen ausrichen,
wo die Vf. oft vier oder fünf anwenden. Die
Bezeichnung der Grade mit ($\overset{o}{=}$, und der Minuten
auf eine ähnliche Art, giebt den Rechnungen ein
unangenehmes Ausſehen. Es verſteht ſich von
ſelbſt, wenn von Winkeln die Rede iſt, daſs man
an keine Ruthen denkt. Der *dritte Abſchn. von
Meſſen der Flächen* (eigentlich, vom Entwerfen
der Grundſtücke, denn die Hn. Vf. drücken ſich
nicht immer beſtimmt genug aus.) Unter andern
auch, vom Gebrauche der Bouſſole hiebey, die
in ſo ferne vor einem Aſtrolabio den Vorzug ha.
be, daſs ſich die Fehler nicht häuften (wer mag
dies die Verf. gelehrt haben?) Aber darin irren

fie fich fehr, wenn fie glauben, dafs das Verfahren im 67 §. eine Probe abgebe, ob beym Aufnehmen der Winkel mit der Bouffole irgendwo ein Fehler vorgefallen. Man nehme z. E. in dem gedachten §. einige vermittelft der Bouffole gefundenen Abweichungen von der Nordlinie, z. B. bey B oder C anders als fie dafelbft angegeben find, und berechne darnach die Winkel in dem Siebenecke, fo wird die Summe immer noch 720 Grad betragen, wovon man den Grund leicht einfieht. Die wahre Probe beftehr darinne, dafs man einige Winkel der Figur mit dem Aftrolabio meffen, und die aus der Bouffole hergeleiteten damit vergleichen mufs. IV *Abfchnitt. Theilung der Felder.* Alles durch Rechnung. V *Abfchn. Von den Eigenfchaften der Charten, und den Methoden, eine gefchehene Vermeffung zu prüfen.*

ERFURT, b. Keyfer: *Johann Leonhard Spath*, Math. C. (jetzt Prof. d. Math. zu Altdorf) l. *Ueber den Bau, Effekt, und Berechnung einer Walzmafchine mit zwey und drey Wellen, welche durch die Kräfte des Waffers in Bewegung gefetzt wird.* ll. *Befchreibung des Baues und Effekts einer Polirmühle.* 39 S. 4. nebft zwey Kupfertafeln. (8 gr.)

Durch diefe zwey, der Kurfürftl. Mainz. Ak. der Wiff. im Marz 1787 vorgelegte Abhandlungen, erfetzt der gefchickte Hr. Vf. eine Lücke, die bisher in der Mafchinenlehre, in Abficht auf die Walz- und Polirmühlen, noch auszufüllen war, und zeigt auf eine fehr lehrreiche Art, wie die ftatifchen und mechanifchen Sätze von Momenten, und dem Effecte der Mafchinen, insbefondere auf obgedachte Mühle angewandt, und wie daraus die vortheilhafteften Maximen zu Erbauung folcher Werke gefchöpft werden können. Da er Gelegenheit gehabt hat, dergleichen gut gebaute Mafchinen felbft genauer zu unterfuchen, und die Abmeffungen derfelben zu erhalten, fo giebt diefs gegenwärtigen Abhandlungen einen um fo gröfsern Werth, je mehr man bisher einen Mangel an guten Befchreibungen des innern Details folcher Mafchinen verfpürte, und genaue Abmeffungen vermifste, die fowohl in der Theorie, als bey dem Baue folcher Werke, zum Grunde gelegt werden konnter. Die hier betrachtete Walzmafchine wird durch Waffer in Bewegung gefetzt, und hat 3 fich über einander bewegende Wellen, zwifchen denen Cattun, Leinewand, oder andere Korper, denen man eine gewiffe Glätte oder Steife geben will, hindurch geprefst werden. Das befchwerlichfte hiebey ift, das Reiben der Körper zwifchen gedachten Wellen, und den Widerftand überhaupt, den die Kraft zu überwältigen hat, zu beftimmen. Nach einigen Vorausfetzungen, die hier nothwendig gemacht werden müffen, zeigt der Hr. Vf. den Weg, das Verhältnifs diefes Widerftandes zur drückenden Kraft auszufinden, und leitet daraus S. 20 eine Formel her, die bey anzuftellenden Erfahrungen foll zum

Grunde gelegt werden können. Allein wir haben dabey zu erinnern, dafs in der Gleichung für *p.* X. Seite 17 die Momente von x' und y' nicht in Abficht auf die Umdrehungsaxe der Wellen O U und R T, fondern vielmehr in Abficht auf die der mittlern Welle O R genommen werden müffen, und gedachte Momente alfo *p*x'; *p*y' heifsen müfsten. Eben fo mufs man auch die Friction in den Wellzapfen von O U und R T,, auf den Umfang diefer Wellen bringen, wo fie demnach

$$\frac{\vartheta}{\lambda} \cdot \mu R \text{ und } \frac{1}{\tau} \cdot \mu \Pi^{\bullet} \text{ heifsen werden, und nun hie-}$$

von die Momente gleichfalls in Anfehung der Umdrehungsaxe der mittlern Welle in Rechnung bringen. Eigentlich müffen alfo alle Momente in der Gleichung für *p.* X. fich auf einerley Umdrehungsaxe beziehen; dann wird S. 17 eine richtigere Formel für m zum Vorfchein kommen. Der Raum erlaube es uns nicht, uns hierüber umftändlicher zu erklären, und aufserdem noch einige andere Bemerkungen beyzubringen, welche bey den Walzmafchinen erwogen werden müfsten. Indeffen wollen wir hiedurch dem Werthe diefer Abhandlungen nichts benehmen, welche immer eine rühmliche Probe von den Einfichten des Hn. Verf. an den Tag legen. Die zwote Abhandlung ift ganz praktifch, und liefert fehr vollftändig die Abmeffungen einer zu Augsburg befindlichen fehr guten Polirmühle.

TÜBINGEN, b. Heerbrandt: M. *Gottlieb Fried. Röslers*, Prof. am Gymnaf. illuftri zu Stuttgardt, *Handbuch der praktifchen Aftronomie für Anfänger und Liebhaber, zu Benutzung der vornehmften himmlifchen Erfcheinungen, ohne allzukoftbaren Inftrumentenvorrath, und zur Kenntnifs des Gebrauchs der vornehmften aftronomifchen Werkzeuge, zweyter und letzter Theil.* 133 S. mit XXIX Kupfertafeln von Taf. XIV. bis Taf. XLII.

Wir zeigen den Innhalt des zweyten Theiles diefes feinem Zwecke nach fehr nützlichen Buches, nach der fortlaufenden Zahl der Kapitel an. XIII Kap. Finfterniffe und Projectionen derfelben. Lamberts und Wafers ekliptifche Tafeln, von denen letztere den Vorzug verdienen. Aftronomifche Mafchinen, die Sonnen- und Mondfinfterniffe vorzuftellen. Hier werden aber nur Bücher angezeigt, worinn man die Befchreibungen findet, (dahin könnte man auch das von Hn. O. Adams zu London verfertigte Tellurium rechnen, von dem 1766 zu Amfterdam eine holländifche Befchreibung unter dem Titel *Befchryving en Gebruik van het Tellurium van G. Adams, te London, door H. Aeneae* etc. herausgekommen ift, und welcher Hr. v. Swinden eine französifche Ueberfetzung beygefügt hat. (Grofs fol. mit einer Kupfert.) Nun die verfchiedenen Arten von Projectionen, ftereographifche, orthographifche etc.. In die Theorie derfelben hat fich der Hr. Vf. feinem Zwecke nach nicht einlassen mögen. Daher hier nur das allgemeinste davon, mit Erwägung der Vorzüge, die jeder Projectionsart eigen sind. Nun im XIV Kapitel insbesondere von Entwerfung der Mondfinsternisse, wobey man sich entweder den Erdschatten unbeweglich gedenkt, und den Mond in seiner Bahn fortrücken läfst, oder annimmt, der Mond stehe während der Finsternifs unbeweglich, und der Erdschatten rücke fort. Letztere Entwerfungsart läfst sich mit Vortheile bey partialen Mondfinsternissen anwenden, und ist schon vom Jesuiten Nicasius gelehrt worden. Die Handgriffe werden überall sehr deutlich und umständlich auseinandergesetzt. Auch wird der Gebrauch des Erdglobus zur Erklärung der Sichtbarkeit der Mondfinsternisse gewiesen. XV Kap. Projectionen der Sonnenfinsternisse. Zeichnungen, worinn Sonnenfinsternisse entweder als eigentliche Sonnenfinsternisse vorgestellt, oder vielmehr als Erdfinsternisse betrachtet werden. T. Mayers, de la Caille's, Bodens, Lamberts, de la Grange's u. a. Entwerfungsarten, von jeder die besondere Vortheile und Handgriffe sehr detaillirt. Unseres Erachtens hätte der Hr. V. besser gethan, nur eine umständlich zu erklären, und den Raum, den die übrigen einnehmen, etwa auf einige Theorie zu verwenden, so weit sie Anfängern unentbehrlich ist, um bey den so vielen Linien in einer Projection nicht irre zu werden. Ueberdem wird mancher doch lieber eine Finsternifs berechnen, als sich mit einer Zeichnung abgeben, zumal da sich bey einer Rechnung sehr vieles abkürzen läfst, wenn man die Finsternifs nicht genauer verlangt, als sie eine Zeichnung darstellen kann. XVI Kap. Von den Planeten, nebst einem Anhange von Beobachtungen der Jupiterstrabanten, und einigen Schematismen zur Vorstellung des Planetenlaufs. Hier für jeden Planeten das merkwürdigste, in Absicht auf seine Bahn, Umlaufszeit, Gröfse u. d. gl., nach den neuesten Beobachtungen, über die Sonnenflecken, wenn sie nicht blofs Vertiefungen auf der Oberfläche sind, könnten dem Mercur beträchtliche Partialverdunkelungen der Sonne verursachen. Von Flecken auf der Venus, und von den vermeyntlichen Trabanten derselben. Man könne noch immer fragen, warum der Augenbetrug, für den Hell den Venustrabanten hält, sich

nicht öfter, und auch bey andern Planeten ereigne. Herschels neueste Beobachtungen über den Mars. Ueber Streifen und Zonen auf dem Jupiter, nach Hn. Oberamtmann Schröter. Ueber die Trabanten des Uranus. Bey den Beobachtungen der Jupiterstrabanten, über die nöthigen Bedeckungen des Objectivglases, und andere Mittel, die Trabanten deutlich zu sehen, nebst dem, was sonst dabey zu merken ist. XVII Kap. Bedeckungen der Planeten und Fixsterne vom Monde, wie sie zu beobachten, zu entwerfen, und was sich daraus folgern läfst. XVIII. Kap. Durchgänge der Venus und des Mercurs durch die Sonne, mit einem Anhange von der Sonnenparallaxe. XIX K. Von den Cometen. Der Comet 1744 hatte das Verhältnifs seiner Axe zum Durchmesser des Aequators = 2 : 3. die gröfste mögliche in unserm Sonnensystem. Was bey den Beobachtungen der Cometen überhaupt zu bemerken ist, um ihre wahren und scheinbaren Bahnen construiren zu können. XX Kap. Von Bestimmung der geographischen Längen. Gebrauch der Finsternisse und Bedeckungen hiebey. Alles sehr detaillirt und deutlich, wiewohl man die Beweise von manchen Sätzen vermisst. Auch Bestimmungen des Unterschieds der Mittagskreise durch Tafeln vom Auf- und Untergang der Sonne, vom Ritter d'Albert vorgeschlagen, aber ohne erhebliche Nutzen. Gebrauch der Distanzen des Monds von der Sonne oder von Fixsternen, um der Oerter Längen zu finden. Bestimmungen derselben durch Uhren, Taschenchronometer, durch Abweichung und Neigung der Magnetnadel, nebst anderen Vorschlägen. XXI Kap. Allerley Beobachtungen am Himmel. Ueber Menge und Entfernung der Fixsterne, Gröfse, Lichtstärke. Ueber die Milchstrafse, Nebelstern, Sternring, Planetenähnlichen Nebelflecken, Capflecken, Doppelsternen, Fixsterntrabanten veränderlichen Sternen; über den Bau der Sternenhimmels, das Fortrücken der Fixsterne, und des Sonnensystems. Parallaxe der Fixsterne; Sternbeobachtungen bey Tage, Vorstellung des gestirnten Himmels nach den Regeln der Centralprojection. Noch in einem Anhange von Mondsvulkanen, u. d. gl., aus welcher kurzen Anzeige die Leser hinlänglich ersehen werden, was sie in diesem Buche zu suchen haben.

KLEINE SCHRIFTEN.

Vermischte Schriften. *Frankfurt* u. *Leipzig:* *Hätten fie nicht besser geschwiegen?* Ein anderes Wort zu seiner Zeit über einige Reichsstädte Deutschlands. 1787. 26 S. 8. (2 gr.) Diese kleine Broschüre ist wider den Vf. des *Wortes zu seiner Zeit gered et über die Reichsstädte Deutschlands etc.* gerichtet. Sie soll darthun, dafs nicht (wie jener behauptet hatte) in der innern Verfassung der Reichsstädte die Ursache zu suchen sey, warum sie an ihrem vorigen Glanze so viel verlohren haben ? — Sondern die Schuld ihres Verfalls liege in äufsern Uebeln, die sie abzuhalten nicht vermochten: Die Fürsten wären klüger geworden; sie hätten selbst Fabriken und Manufakturen errichtet, selbst den auswärtigen Handel in ihren Ländern empor gehoben. Die Erfindung des

Pulvers habe der Macht der Reichsstädte den gröfsten Stofs gegeben: Dadurch hätten sie aufgehört, sichere Zufluchtsorter anderer Fürstengüter zu seyn; und sie selbst wären, durch abwechselnde Brandschatzungen, Belagerungen und Einnahmen, ihrer Reichthümer beraubt worden. Schade nur, dafs der Vf. seinen Gegner so verächtlich und grob behandelt, ihn bald einen *Landstreicher*, bald einen Stümper, bald einen *werthen Mann in schwarzen Rocke*, nennt, und dem Ende eingestehen mufs, dafs die Reichs-Städte in vielen Stücken nicht so aufgeklärt sind, wie andere Staaten, dafs ihre kirchliche und bürgerliche Polizey noch das Gepräge veralteter Vorurtheile trägt, weil der Magistrat nicht Autorität genug hat, heilsame Neuerungen zu machen.

ALLGEMEINE
LITERATUR - ZEITUNG

Dienſtags, den 3ten März 1789.

KRIEGSWISSENSCHAFTEN.

PARIS, b. Panckoucke: *Encyclopédie méthodi-*
que. Art militaire. Tome troiſième. 1787,
753 S. 4. (3 Rthlr. 4 gr.)

Dieſer Band beſchlieſst das Alphabet. Im Artikel *Hiſtoire militaire* vergleicht der Verf.
das Schickſal der ſchönen Künſte und hohen Wiſſenſchaften mit dem Schickſal der Kriegskunſt.
Er will bemerkt haben, daſs es Völker gegeben,
welche ohne jene, ihre Macht und ihr Glück erhalten und vermehrt hätten, daſs man aber keines finde, das ſich nicht durch die Vernachläſsigung
der letztern den gröſsten Uebeln ausgeſetzt habe.
Dies ungeachtet ſoll ein Land unter der Sonne
liegen, das der Vf. Europa nennet, in welchem
unter allen Erdenſöhnen keine mehr vernachläſsiget würden, als diejenige, die ſich dem Kriege
widmen. So weit das Land die Sonne beſchei-
ne, ſollen weder öffentliche Schulen, noch be-
ſoldete Lehrer, noch Waffenſammlungen, noch
Bibliotheken, noch Bibliothekare, noch glän-
ſende Kronen zur Aufmunterung, für diejenige zu finden ſeyn, die aus Neigung den
Kriegsſtand erwählen. Kurz, die Kriegswiſſenſchaft ſähe man daſelbſt als die gleichgültig-
ſte Sache an, laſſe ſie in einer Art von Verge-
ſenheit dahin ſchmachten, während dem die übrigen Wiſſenſchaften in allen Hauptſtädten Europens gelehrt, und unterſtützet, und an die angenehmen Künſte die Aufmunterungen verſchwen-
det würden. Daher ſey kein Wunder, daſs dieſe ſchnelle und ſichere Fortſchritte gemacht hätten, jene aber mit einer auſserordentlichen Lang-
ſamkeit zu dem wenig erhabenen Grade gelange
ſey, auf dem ſie ſtehe. Im vorigen Bande hat
der Vf. den didactiſchen Werken den Vorzug
oder wenigſtens den Rang vor der Geſchichte gegeben, nun macht er ſich einen Ruhm daraus zu
geſtehen, daſs er ſich geirrt hätte, und daſs man
das Studium der Kriegskunſt mit der Geſchichte anfangen müſse. Dieſes läſst ſich doch wohl nur unter
gewiſſen Einſchränkungen und Bedingungen behaupten, die weder hier noch in dem vorigen
Bande gehörig auseinandergeſetzt ſind.

Ein literariſches militäriſches Journal hält der
Vf. dieſer Art, für ein gutes Mittel zur Verbreitung nützlicher Kenntniſse, und liefert daher einen Entwurf, woraus ſich diejenigen belehren
können, welche ein ſolches Werk unternehmen
wollen. Die ſtarken Artikel *Marche* und *Retrai-*
te füllen mehrentheils *Feuquiere* und *Santa Cruz*,
die Artikel *Palliſades* und *Place*, wovon der letztere den Angriff und die Vertheidigung der Feſtungen enthält, ganz allein Vauban. Die Feld-
befeſtigung iſt ziemlich vernachläſsiget. Der Rec.
hoffte ſich, endlich an den Artikeln *Ouvrages en*,
Terre, Village, Maiſon erholen zu können, beſonders da man öfters darauf verwieſen wird, und
nun ſind dieſe Artikel gar weggeblieben. Die
Urſache iſt uns unbekannt. Der Art. *Syſteme* iſt,
wie wir vermuthet haben, ſehr unfruchtbar ausgefallen. Die Verf. ſind überzeugt, daſs auſser
dem Vauban niemand einige Rückſicht verdiene.
Speckle, welcher unrichtig vor den *Alghiſi da Car-*
pi geſetzt wird, erhält allein ein Lob. Von der
Marchi Manieren wird nur eine angeführt, und
von ihr ohne Grund geſagt, daſs ihre Facen keine Vertheidigung hätten; doch iſt dieſe Manier nicht eigentlich des Marchi Erfindung; mehr
Anſpruch hat er an die Vaubanſchen Orillions,
Bollwerksthürme und abgeſonderte Bollwerke;
dies wird aber mit Stillſchweigen übergangen.
Den *Thetti*, deſſen Entwürfe Speckle nachgeahmt hat, ſcheint der Vf. nicht zu kennen. Eines *Dillichs*, der ohne 53 Belagerungen geführt, u.
33 neue Feſtungen gebaut zu haben, *Lunetten* entwarf, wovon die Vaubanſchen weder mehr noch
weniger als eine Copie ſind, wird eben ſo wenig
gedacht, als des *Coehorns*, des Nebenbuhlers
von Vauban. Von den ehemaligen wichtigen Gegnern Vaubans, von einem *Rimpler* und *Landsberg*
iſt keine Rede—keine von der innern Vertheidigung, da man doch von einem ſolchen Werke
wo nicht eine Entwickelung, doch wenigſtens
eine Anzeige des Syſtems derſelben fordern kann.
Darinnen ſtimmt der Rec. gerne, jedoch unter
gewiſſen Bedingungen mit ein, wenn behauptet
wird, daſs jeder, der ein neues Syſtem, oder eine neue Idee, oder irgend ein neues Werk, was
für eins es auch ſey, vorſchlage, ohne die nö-

thigen

thigen Berechnungen der Koften und Wirkungen beyzufügen, nicht verdiene gehört zu werden. Hingegen ift ein anders Urtheil der Vaubanfchen Schule — dafs jedes neue Syftem als ein untrügliches Kennzeichen der Unwiffenheit in der Kunft anzufehen fey, gewifs nicht das Urtheil ihres Meifters. Vauban verbefferte an feinen Syftemen fo lange er lebte, und wenn er noch lebete, würde er noch daran verbeffern, oder ihnen vielleicht eine ganz andere Geftalt geben.

Der Artikel *Subfiftence* enthält einen 23 Seiten langen Auszug aus einer Handfchrift, deren Bekanntmachung fehr zu wünfchen ift. Ueber die griechifche und römifche Miliz, hat der Hr. Redacteur viele intereffante Artikel geliefert; befonders find die Artikel *Legion*, *Levée*, *Peines*, *Recompenfes* und *Tactique* mit einer ausgebreiteten Gelehrfamkeit und tiefen Sprachkenntniffen bearbeitet. In der Entwickelung der griechifchen Taktik war es dem Rec. befonders angenehm, manche Bemerkungen zu finden, auf die er gleichfalls bey feinen Unterfuchungen gekommen ift, fo wohl in Anfehung der Verbefferung der Texte, als auch in deren Erklärung. Darinn fcheint der Vf. fich geirrt zu haben, wenn er die Taktik, welche Aelian und Arrian befchreiben, auf die Zeiten des Königs Philipps fetzt, und wenn er daraus, dafs man in den Feldzügen Alexanders keine Spur davon findet, den Schlufs macht, dafs fie damals fchon große Veränderungen erlitten habe. Wäre es allein natürlicher gewefen, zu vermuthen, dafs fie in fpätern Zeiten aufgekommen feyn müffe? und in der That wurde nach der Schlacht von Arbela erft der Grund dazu gelegt. In der römifchen Taktik hat Vf. die Memoires des Hn. Le Beau zwar benutzt; aber auch verbeffert. Dem Servius fchreibt er die Phalangitifche Stellung in einer Linie zu, wagt es aber nicht die Zahl der Glieder zu beftimmen, welche fich ficher auf achte belief. Die Triarier hätten in den ältern Zeiten keinen Platz in der Schlachtordnung gehabt: nicht die dritte Linie formirt. Dies war auch des Rec. Meynung. Hingegen hat der Vf. nicht bemerkt, dafs Livius zwifchen die Phalangitifche und dreyfache Manipularftellung eine einfache Manipularftellung fetzt, dafs die Legion bey jener anfänglich nicht zehen, wie die Verbefferer des Textes fagen, fondern 15 Manipel in einer Linie gehabt; dafs es zwifchen der Manipularftellung vom Polyb und der Cohortenftellung vom Marius eine andere Cohortenftellung gegeben habe, welche den Uebergang machte. Ueberhaupt find in diefem Artikel die Zeiten nicht einigermaßen vermengt. Ueber die Fortfchritte der Griechen und Römer, in den eigentlichen Kriegsmaneuvern und im ftrategifchen Fache find keine Unterfuchungen angeftellt; hingegen hat die Strategie auch keinen Artikel erhalten.

Nach dem Artikel *Tactique moderne* follte man glauben, die heutige Taktik fey wie die heiligen Ancilia vom Himmel gefallen. Was von deren Gefchichte gefagt wird, ift folgendes: „Man „weifs, dafs Guftav es verfucht hat, die Taktik „der Alten zu erneuern, jedoch ohne Erfolg, „Friedrich dem zweyten war es aufbehalten, die „jenige zu erfinden, welche am beften mit unfern „Waffen übereinftimmt." Eigentlich hat man im 16ten Jahrhundert gar vieles von den Alten entlehnt; Guftav aber machte den Uebergang von der Oranifchen zur preuffifchen Taktik. Hier follten die Hn. Vf. die verfchiedenen Stellordnungen mittlerer u. neuerer Zeiten eben fo aus einander gefetzt u. in Zeichnungen dargelegt haben, wie die Perioden der römifchen Taktik, damit derjenige, welcher die Gefchichte ftudiren will, nachfchlagen könnte, mit welcher Stellordnung er es in jedem Zeitalter zu thun habe. Vermuthlich hat es dem Hn. Redacteur in diefem Fache an einem Mitarbeiter gefehlt. Sonft findet man viele gründliche Unterfuchungen über die ältere französifche Miliz, die aber mehrentheils nur auf Difciplin, Juftiz, Policey, Aemter, Fahnen, Gewehre und Waffen gehen. In der Erklärung des Worts *Arma* mag wohl ein Mangel in der französifchen Sprache die Vf. irre geführt haben: Diefe fcheint nemlich kein Wort für Gewehr zu haben, daher heifst bey ihnen alles *Armes*; daher wollen fie die Erklärung des Worts *arma* durch *armi* nicht gelten laffen, weil fie Degen, Dolch und Pfeil nicht einfchliefse; allein die Römer verftunden auch diefe Werkzeuge nicht unter dem Wort *arma* im eigentlichen Verftande. Was die Wörter Schutz- und Trutzwaffen in unferer Sprache anbelangt, fo haben wir vermuthlich diefen Unfinn einem Deutfchfranzofen zu verdanken. Die Griechen und Römer hatten keine Schutz- und Trutzwaffen, fondern ὅπλα und βέλη, *arma* und *tela*, und wir Deutfchen zu Luthers Zeiten, Wehr und Waffen. Auf eine ähnliche Art vermengen die Vf. das Wort *Lance*, Lanze, in feiner neuen Bedeutung genommen, mit *Lancea* und λόγχη. Jenes ift eine Art von Picke, die mit dem Contus der Alten übereinkommt, diefes waren aber leichte Wurffpiefse. Es ift wahrfcheinlich, dafs Lance von Lancea herkommt; allein diejenigen, welche diefe Benennung in neuern Zeiten eingeführt haben, wufsten eben die eigentliche Bedeutung des Worts nicht. Den Artikel der neuen Taktik füllen die *Recherches fur les principes généraux* des Herrn Redacteurs u. die Anweifung, wie das Stellen u. Richten der Kriegsvölker am leichteften zu bewerkftelligen, von einem Preuff. Stabsofficier, welche der Hr. von Holzendorf ins Französifche überfetzt hat. In Anfehung der erftern ftimmt der Rec. völlig mit der *Mademoifelle de Keralio* überein, indem diefes fchöne Werkchen feine Stelle in einem militärifchen Curfus mit vielem Anftande bekleidet, bey der andern aber hätte Soldern zu Rathe

Räthe gezogen werden follen. Nach den beygefügten Nachrichten ift der Graf von Gifor der
erfte gewefen, welcher von einer Reife nach
Preußen einige Kenntniffe von der preußifchen
Taktik nach Frankreich gebracht. Kurz nach einer Rückkunft erfchien das kleine Werkchen Tactique et manœuvre des Pruffiens, wovon der Obrift
von Keralio der Verfaffer war. Diefer habe den
Grafen von Gifor auf feinen Reifen begleitet, und
ftehe feither als Gouverneur beym Prinzen von
Parma. Um 1758 fieng der Hr. von Keralio, der
Verfaffer diefes Artikels an, in diefer Sache zu
arbeiten. Seine Recherches hätte er 1769 dem
Druck überlaffen. Diefe find alfo nicht vom erften Keralio, wie der deutfche Ueberfetzer derfelben vermuthete. Um diefe Zeit hätte fich der
Herzog von Choifeul, eine ausführliche Handfchrift
von der Preußifchen Taktik zu verfchaffen gewußt,
und nun hätte man angefangen in das Geheimnifs derfelben einzudringen.

Im Ganzen genommen fchließen diefe drey
Bände einen höchft wichtigen Schatz von militärifchen Kenntniffen in fich, wovon der eine Theil
mit grofsem Scharffinn neu entwickelt, der andere mit ausgebreiteten Einfichten gefammelt
worden. Wenn man die Schwierigkeiten, die
bey diefer riefenmäßigen Arbeit zu überwinden
waren, in Betrachtung ziehet, fo läfst fich kaum
begreifen, wie es dem Hr. Redacteur fo gut hat
gelingen können. Auch der gelehrte Hr. Hauptmann von Ceffac hat fich dabey durch feine vortreffliche Abhandlungen ein ungemeines Verdienft
erworben, wenn er die Lefer nur nicht bey der
Feldbefeftigung im Stich gelaffen hätte. Nun
fehlen aufser den Kupfern noch die Artillerie
und das Dictionaire des Antiquités, infofern diefes in das militärifche Fach einfchlägt.

GESCHICHTE.

LAIBACH: Verfuch einer Gefchichte von Krain
und den übrigen füdlichen Slaven Oeftreichs,
von Anton Luhard, K. K. Kreifschulencom-
miffär in Laibach. — Erfter Band. — 1788.
444 S. 8. (2 Rthlr.)

Das heutige Herzogthum Krain gehört, in Anfehung der Völker, die es bewohnten, und der
Begebenheiten, deren Schauplatz oder Zeuge es
war, unter die merkwürdigen Länder, und es hat
auch, feit drey Jahrhunderten, Schriftfteller gefunden, die fich mit der Befchreibung und Gefchichte deffelben, im Ganzen und theilweife, be-
fchäftigten, und von deren Werken die meiften
und wichtigften gedruckt find, einige aber noch
im Manufcripte liegen. Der Vf. giebt davon in
der Vorrede eine beurtheilende Nachricht, und
erklärt die Abficht, die er fich bey feiner Arbeit
vorgefetzt hat. „Sie foll den Gang des Menfch-
„heit in diefem kleinen Theile Europa's durch

„die Reihe unendlicher Vorfälle begleiten, ihrem
„Einfluffe auf den bürgerlichen Zuftand der Ein-
„wohner nachfpüren, auch Mordfcenen, in fo
„weit fie Anläffe wichtiger Revolutionen find,
„nicht übergehen, trockne Unterfuchungen, um
„darauf brauchbare Sätze zu gründen, nicht fcheu-
„en; fie foll die Schickfale zahlreicher Völker,
„die theils hier wohnten, theils ihren Durchzug
„hier nahmen, mit ihren Urfachen und Folgen
„an einander binden; fie foll endlich die Gefchich-
„te der Slaven Oeftreichs in Süden feyn." Wenn
auch diefe Abficht nicht auf das vollkommenfte erreicht werden follte, fo bleibt doch dem Vf. ein
gröfseres Verdienft, als er fich felbft, aus Befcheidenheit, zugeftehet. In Abficht auf die älteften
Gefchichtfchreiber, befonders die griechifchen,
bekennt er, dafs er fie nicht alle im Original, ja
nicht allemal in Ueberfetzungen haben konnte,
und dafs er in diefem Fall fich mit den Auszügen begnügte, die er in neuern fand. Indeffen
belegt er durchgehends feine Erzählung mit Anführung der ganzen Beweisftellen, die er fammlete, wie auch mit vielen römifchen Auffchriften,
die theils fchon anderwärts vorkommen, theils
aber auch von ihm zuerft bekannt gemacht werden, und die, wenn fie auch nicht an und für fich
Beweisquellen find, doch durch Vergleichung ihrer möglichen Veranlaffungen mit wirklichen Begebenheiten, von dem Vf. dazu erhoben werden.
Neuere Gefchichtfchreiber nennet er nur alsdann,
wenn die Unwahrfcheinlichkeit oder Gewifsheit
des Satzes, auf den fie ihn leiten, ganz oder zum
Theil durch fie beftimmt wird. Die Epochen,
wonach er die Eintheilungen macht, fucht er, wie
billig, nicht in der Kaifergefchichte, noch in der
Religion, fondern in dem Lande felbft. Was er
zur Entfchuldigung des Namens Krain, die noch
derfelbe eigentlich Statt fand, und des Umfangs
feiner Gefchichte anführt, ift für einen billigen
Beurtheiler nicht einmal nöthig. Diefer Band
hat 5 Abfch. itte. Der erfte unterfucht die erften
Spuren einer Bevölkerung im Lande, wobey fich
fo viel ergiebe, dafs, nebft den Venetern, die Pan-
nonier, Liburner, Iftren und Japoden, als Zweige
von den Illyrifchen Stammvolk, und die Seno-
ner, Karnier, Taurisker und Noriker, als Zweige
des Gallifchen Stammvolks, darinnen wohnten.
Der Vf. beftimmt, fo weit es fich thun läfst,
die Grenzen der Einwohner gegen einander. Der
zweyte Abfch. befchreibt den Zuftand des Landes und feiner Bewohner unter eigenen Gefetzen
(oder im Stande der Unabhängigkeit.) Hier findet fich S. 45 eine Note, die es zwar nicht unwiderfprechlich gewifs, aber doch wahrfcheinlich
macht, dafs Maria von Tyrus zu Zeit des Julius
Cäfar lebte. Bey dem Namen Save vermuthet
Hr. L., dafs in einem gallifchen Dialect der Begriff Waffer mit einem Worte ausgedrückt wurde, wovon jener Name abftammte, und er führt
Savis, die fabatifchen Pfützen in Ligurien, und

den See *Sabate* in Hetrurien als ähnliches Exempel an. Andere Etymologien, die in diesem und dem vorhergehenden Abschnitte häufig vorkommen, sind gutentheils unwahrscheinlicher; z. E. S. 59 bey *Kolapis* wird bemerkt: „κάλτις heißt „eine *Wasserwanne*, oder eine Art *schnellen Laufes*: daher καλτάζειν, das franz. *galopper*." Indessen enthält sich doch der Vf. S. 153 ff., da er von der Sprache der Einwohner handelt, mehr zu bestimmen, als sich mit Sicherheit thun läßt. Im dritten Abschnitte werden die Ereignisse des Landes und seiner Bewohner bis zu ihrer Unterjochung durch Rom erzählt. Hier äussert der Vf. S. 160 die Muthmassung, daß ein Theil des gallischen Heers, das Rom einnahm, aus jenen Galliern bestund, die an dem karnischen und norischen Gebirge wohnten. In der kurzen Erzählung von dieser Begebenheit übergeht er das, was für diese Gallier nachtheilig war, mit Stillschweigen. Der folgende Abschnitt schildert den Zustand des Landes und seiner Bewohner unter den Römern, bis auf K. August. Der Verf. nimmt schon im zweyten Jahrhundert ein grosses Illyrien an, ob sich gleich keine Stelle findet, wo diese Benennung vorkäme. Die Gründe, aus denen er schließt, sind nicht alle bündig; doch überhaupt zur Wahrscheinlichkeit hinreichend. In der Nachricht von dem Anfang des Christenthums in dortigen Gegenden zeigt Hr. L. eine musterhafte Behutsamkeit; und giebt nichts für ausgemachte Wahrheit, was sich nicht erweisen läßt, wenn gleich die Tradition an Particularitäten reicher ist. Eben so vorsichtig ist er, im Ganzen, bey seinen Nachrichten, von den Handwerken, Künsten, Kenntnissen und der Handelschaft der Einwohner. Nur sollte nicht S. 284 Aquileia geradezu als der Geburtsort des Dichters Cornelius Gallus angegeben werden. S. 296 kommt ein Verzeichniß der Heerstraßen in den Gegenden Krains vor, das aus dem Antoninischen u. Hierosolymitanischen Itinerarium und der Peutingerischen Reisetafel gezogen, und mit sorgfältigen Erläuterungen begleitet ist. Unter diesen zeichnet sich besonders dasjenige aus, was S. 307 ff. vorgetragen wird, um zu beweisen, daß das heutige *Laibach* das alte *Aemona* ist. Der letzte Abschnitt enthält die fernern Ereignisse des Landes und der Römern bis zur Anpflanzung der krainischen Slaven. Von diesem Volke überhaupt behauptet Hr. L. S. 351 folgendes, als gewiß: „Die Slaven waren ur-„sprünglich mit Griechen, Römern und Deut-„schen, ein Volk. Der Beweis ist ihre Sprache. „Sie wohnten in den ältesten Zeiten in Asien und „Europa, am Don und an der Wolga, am schwar-„zen und asovischen Meer, unter *unbekannten*

„Nationen, wo Urkunde des Erdbodens *Sarmaten* und *Scythen* hervorbrachte. Sie sind früher, „als sie für *Slaven* erkannt wurden, aus dem Nor-„den Europa's nach Süden gewandert. Als sie „Hauptwanderungen nach *Illyrien*, und wieder „nach dem Norden Europa's vornahmen, wohn-„ten sie an der Nordseite der Donau." Und S. 396 vermuthet er, daß in und um Dacien, wenigstens von K. Aurelian an, in den verlassenen Plätzen der Gothen und denen der Römer, die nach Mösien hinüber giengen, die Väter der Slaven anzutreffen waren. Diese Slaven ließen sich unter K. Constantin im J. 334 in die krainischen Gegenden, die damals zu Italien gehörten, nieder. Hr. L. vermuthet, S. 416, daß dieses Volk keinen eigenen Namen hatte, bis der während ihrer *Wanderung* gegen Norden und Süden, ihres Uebergangs aus dem nomadischen Leben in stehende Wohnsitze und ordentliche Verfassungen kam; daher sie dann in ihrer Sprache *Selovent, Sloveni*, d. i., die *Wanderer*, die sich *Ansiedelnden* heißen konnten. Der Vf. leitet diesen Namen von *Selo, Wohnsitz*, oder von *Slovo', Urlaub* oder *Abschied*, her, und verwirft die Etymologien, nach welchen *Slaven* so viel als *Ruhmvolle, Redende* oder *Genannte* bedeuten. Zuletzt findet man noch einen *Anhang römischer Inschriften und Denkmäler*, in und nächst Krain, die theils ehedem zu sehen waren, theils noch zu sehen sind, und die im Laufe der Geschichte als Beweisstellen reichlich vorkommen. Bey diesem Bande befindet sich eine grosse Karte, welche die Landschaft zwischen der Drave und dem adriatischen Meer vorstellet. Oerter und Namen, die von den Römern bekannt waren, sind von denen, die unter ihnen bekannt wurden, und gewiß oder wahrscheinlich durch die ihr Daseyn erhielten, durch Farben unterschieden. Einige heutige Namen von Orten und Gegenden haben gleichfalls eine besondere Farbe. Nebst diesem sind auch die Angaben, die gewiß oder nur wahrscheinlich oder ganz ungewiß sind, mit eignen Zeichen bemerkt. Eine kleine Karte enthält den nördlichen District über dem adriatischen Meer, nach Ptolemäischer Vorstellungsart, und eine etwas grössere zeigt den Plan von dem Commendischen Grunde zu Laibach, wo das alte Aemona gestanden hat, dessen noch sichtbare Spuren genau ausgezeichnet sind. Die Schreibart des Vf. hat nur selten Provinzialworte, wie z. E. S. 4. *Stammenvolk* oder das italianisirende, *eine ihrige Pflanzstadt*; oder Mangel an richtiger Wortverbindung, wovon selbst der Titel eine Probe giebt. Im Ganzen kann man ihr Reinigkeit und Würde nicht streitig machen.

ALLGEMEINE

LITERATUR - ZEITUNG

Mittwochs, den 4ten März 1789.

PHILOSOPHIE.

Leipzig, b. Sommer: *Philosophische Unterhaltungen, einige Wahrheiten gegen Zweifel und Ungewißheit in besseres Licht zu setzen, auf Veranlassung von Hn. Kants Kritik der reinen Vernunft,* von *Joh. Gottlieb Stoll,* 1788. 322 S. 8. (15 gr.)

Der vielversprechende *Titel* und die Worte der *Zueignung* an Se. Erlaucht, dem Hn. Grafen von Anhalt, worin der Vf. sich schmeichelt, die Wahrheiten: „es ist ein Gott, es ist ein zukünftiges Leben," durch Gründe der Vernunft unterstützt zu haben, *die mehr Gewißheit gewährten als bisher,* berechtigen den Leser, wo nicht neue Aufklärung über diese erhabnen Gegenstände, neue und evidentere Beweise oder neue Vertheidigungsgründe gegen neuerdings erregte Zweifel und Einwürfe, doch wenigstens eine, dem gegenwärtigen Zustande der Philosophie genau angepassende, Darstellung bekannter Wahrheiten und ihrer Beweisgründe in dieser Schrift zu suchen. Mit so großen Erwartungen, die der Vf. erregen wollte, macht die ganze übrige Schrift selbst einen sonderbaren Contrast, daß man, billigerweise, dem Leser das Bekenntniß seines Unvermögens verzeihen muß, irgend etwas auszudenken, was jene Erwartungen minder befriedigen könnte, als eben vorliegende Schrift. Konnte demnach Hr. St. (S. 101, 223) mit Wahrheit schreiben: „es schmeichelt mir nicht wenig, daß „Sie meine Aufsätze mit so großem Beyfall lesen, und daß Sie reellen Nutzen daraus ziehen glauben, und Sie sagen, daß Sie hin und wieder Gründe in meinen Unterhaltungen gefunden haben, die Ihnen so einleuchtend, so bezaubernd gewesen, daß Sie von den Lasten der Ungewißheit und des Zweifels, die Ihre Seele zu Boden drückten, auf einmal befreyt gefühlt hätten;" so mußte wohl sein angeführter Correspondent entweder im Philosophiren ziemlich ungeübt, u. mit den merkwürdigsten, besonders neuern, Schriften für und wider die abgehandelten Wahrheiten wenig bekannt seyn, um so leicht befriedigt zu werden, oder die Gutmüthigkeit und Gefäl-

ligkeit über die nach unserm Urtheil erlaubten Grenzen hinauszutreiben, um es zu scheinen.

Ueber Selbstdenken, Aufklärung, Menschenracen, Glauben, Aberglauben, Unglauben, Religion, Freyheit, Naturrecht, Seele, Unsterblichkeit, Tugend und dergleichen ehrwürdige Gegenstände findet man hier allerdings beynahe ein Alphabet vollgeschrieben, aber nicht mit Erklärung bestimmter Begriffe, mit wohlgeordneten und gehörig ausgeführten Beweisen, oder mit befriedigender Auflösung von Schwierigkeiten und Zweifeln, oder mit nähern Anwendungen auf Herz und Leben, sondern vielmehr mit langweiligen Declamationen, vielen, wenn gleich zum Theil ganz artigen, Geschichtchen und Anekdötchen, abgenutzten Tiraden, mit Anführung flüchtig, und wie es scheint, nur von Hörensagen, oder aus andern gleich unsichern Hülfsmitteln, aufgeraffter, halb wahr und unbestimmt gefaßter, Meynungen alter und neuer Weltweisen, mit Urtheilssprüchen über dieselben, die an oberflächlicher Seichtigkeit und an selbstgenügsamer, orakelmäßiger und geradezu absprechender Untrüglichkeit vielen ihrer Vorgänger den Rang streitig machen, endlich mit erbaulich seyn sollenden Nutzanwendungen derjenigen Art; die man aus den eine Zeitlang hin und wieder sehr beliebten *Sander'schen* Natur- und Vorschungsschriften bis zu dem größten Ueberdrusse kennt; und dieser gänzliche Mangel an systematischer Ordnung, den der Vf. (S. 81 selbst zu bemerken scheint, wird gleichwohl nicht so, wie der Vf. sich schmeichelt, durch eine *scheinbare* und *natürliche* Unordnung ersetzt, die dem Geiste besser als jene behagen soll.

Wir begnügen uns, von der mit der Seitenzahl des Buchs ziemlich parallel laufenden Anzahl der Gründe, die uns ein solches Urtheil abnöthigen, nur einige als Beyspiele anzuführen, überzeugt, andre denkende Leser der Schrift werden uns eher als Partheylichkeit für den Vf. auslegen, daß wir nicht mehrere Stellen daraus anführen, als für Einseitigkeit des Urtheils zum Nachtheil desselben. Ueber Aufklärung dieser Zeiten sind über drey Bogen (S. 16. 64) gedrängt vollgeschrieben. Thatsachen dafür und dawider in

Menge aufgestellt, und beyläufig (S. 57) die neue
und sehr angenehme Bemerkung gemacht worden, dafs „alle itztlebende europäische Fürsten
„vom Geist der Menschenliebe, der Gerechtig-
„keit, der Güte und Sanftmuth belebt werden,
„da sonst ein guter Fürst ein Phänomen gewesen
„seyn soll, das höchstens in einem Jahrhundert
„einmal gesehen wurde"; aber was eigentlich
Aufklärung seyn, wonach man ihre Fortschritte
beurtheilen solle, dies zu bestimmen, mag sich
wohl nur für verächtliche Schulweise, nicht aber
für Weltweise schicken. Aus S. 65 ff. erfahren
wir, dafs Kant und Forster (beide!) der Meynung
sind, die Mohren wären ein anderes Geschlecht
, (gab es denn keinen schwankendern Ausdruck?)
von Menschen, als wir, und die Ehe zwischen einer Schwarzen und einem Europäer eine blofse Lü-
sternheit der Vernunft, die die Natur verabscheue;
ferner, dafs dies nichts neues, auch keine unum-
stöfsliche Wahrheit, ist, und dafs Hr. St. für seine
Person das Gegentheil glaubt. Dem Weltweisen
David Hume wird S. 188 ff. durch einige Geschichten und Beyspiele sein höchst abgeschmack-
ter Irrthum besonders über die Causalität auffallend
gezeigt; jedoch wird er selbst mit der allgemeinen menschlichen Unvollkommenheit überaus gütig entschuldigt. Die Freyheit (man weifs nicht,
ob die transcendentale, oder die psychologische
oder die praktische, oder die physische Macht) wird
S. 117 gegen Helvetius, Garve und Kant, durch
angeführte Erfahrungen vertheidigt; der zuletzt
genannte Philosoph hält sie daher mit Unrecht für
ein blofses Ideal der Vernunft. Spinoza bekömmt
S. 199 ff. sein strenges Urtheil; beyläufig auch der
sel. Mendelssohn, weil er Spinoza vertheidigt,
ohne, wie es dem Vf. wahrscheinlich vorkommt,
je die Ethik und den theologisch-politischen
Tractat von Sp. gelesen zu haben, und dann noch bey-
läufiger (S. 204 ff.) wegen des Mangels an Aufrichtigkeit und Gründlichkeit in seinem Jerusalem. Die
Stoiker übertrieben die Tugend, und sind uns (d. h.
Hn. St.) lächerlich; sie schrieben sich Vorzüge vor
Gott zu, und wir nennen diefs mit Recht Unsinn.
Was endlich die Krit. d. r. V. von Hn. Kant
betrifft, so ist dieser (S. 138 ff.) kein Atheist und
Spinozist, kein Zerstörer aller menschlichen Verbindlichkeit und bürgerlichen Glückseligkeit,
noch ein stolzer Mann, der sich für untrüglich halte, und keinen Widerspruch dulden könne (das Urtheil der Leute über ihn ist übereilt und ungerecht),
sondern ein grofser, tiefdenkender und bescheidner
Philosoph, ein Mann, der dem menschlichen Geschlechte eine Wohlthat erwiesen, die zu grofs ist,
als dafs sie von allen itztlebenden mit gebühren-
dem Danke gegen Gott und ihn erkannt werden
könnte; sein Buch enthält viele wichtige und tief-
durchdachte Meynungen, doch ist Hr. St. in manchen Stücken ganz andrer Meynung, als Hr. Kant.
Er meynt z. B., nach Kants moralischen Gesetzen könne (S. 144) ein Caligula Umgangsfäh-

lichkeit als allgemeines Naturgesetz wünschen;
wir erkennen nichts a priori (S. 164 ff.), sondern
wir lernen alles in der Schule der Erfahrung
und der Körperwelt; die entgegengesetzte Meynung von angebohrnen Begriffen sey nicht neu,
und durch Erfahrung genugsam widerlegt; die
Körperwelt sey kein leerer Schein und keine Täu-
schung, sondern etwas Wirkliches u. s. w. Allen
entgegenstehenden (vermeyntlich) Kantischen
Irrthümern, ist aber Hr. St. gerne bereit, eben
die Toleranz und Verzeihung aus derselben Ursache, und weil doch niemand sie anzunehmen
gezwungen wird, angedeihen zu lassen, die er
Hume und andern zugestehr. Er ist sicher (S. 139),
sich Kants Unwillen nicht zuzuziehen: selbst wenn
er das drucken liefse, worinn er ganz von ihm
abweicht, und vollkommen überzeugt, dafs K.
das gröfste Mistrauen in sich selbst setzen würde, wenn er den Beyfall aller, ohne irgend einen Widerspruch, hätte.
Dieser Beyfall, meynen auch wir, möchte vielleicht dem verehrungswürdigen Manne in manchen Fällen beschwerlicher seyn, als der Tadel,
den er hin und wieder erfährt, und am wenigsten
möchte er wohl das auf Rechnung seiner Ehre
und Verdienste schreiben, das auf Veranlassung
seiner Vernunftkritik manche Schriften erschienen sind, die am gänzlichen Mangel alles kritischen Geistes diesen philosophischen Unterhaltungen gleichen.

ZÜLLICHAU, b. Frommans Erben: *Erste Grundsätze der Philosophie, mit Anwendung derselben auf Geschmack, Wissenschaften und
Geschichte.* Zum Behuf akademischer Vorlesungen. *Aus dem Englischen des Hn. John
Bruce* übersetzt von *Carl Gottfried Schreiter*
Lehrer der Philos. auf der Univ. zu Leipzig.
1788. 218 S. 8. (12 gr.)

Von den Erfordernissen eines akademischen
Lehrbuchs besitzt gegenwärtiges die Kürze in
hinlänglichen Maafse, wir wünschten den an
übrigen der Bestimmtheit von Begriffen, systematischer Zusammenhang von Sätzen, und der
Gründlichkeit das nemliche sagen zu können.
Subtilität und Eindringen in die verwickeltsten
Fragen der Philosophie will der Uebersetzer, vielleicht auch sein Original, nicht zu den Eigenschaften eines Lehrbuchs zählen; ihm scheints
genug, Jünglinge nur mit den Hauptgegenstän-
den der philosophischen Untersuchung bekannt zu
machen, ihnen Ergründung ihnen selbst zu überlassen. Freylich verstehen manche von den tie-
fern Untersuchungen nichts; manchen andern aber
ist doch daran gelegen, auch hievon Kenntnifs zu
erlangen. Schwiege man hievon gänzlich: so würde es auch diesen an Reiz fehlen, tiefer zu forschen, und man würde allgemein glauben machen,
dafs an solchen Fragen nichts gelegen sey, mithin Seichtigkeit, wozu ohnehin sich das Studiren
                                         mehr

mehr und mehr lenkt, befördern helfen. Je leichter man die Kenntnisse der Menschen macht, desto leichter will natürliche Trägheit sie, bis zuletzt alles Vermögen höherer Anstrengung ganz verlischt. Dass der Vf. gegenwärtigen Lehrbuchs die Sache zu schwer mache, lässt sich nicht klagen, eher, dass er sie zu leicht macht. Nach Gewohnheit seiner Landsleute ist ihm Philosophie blosse Sammlung von Erfahrungen und Beobachtungen, genaue und strenge Erklärungen werden daher nicht geachtet. Die Einleitung hat zum Zweck eine richtige Eintheilung der Philosophie in ihre besondern. Provinzen zu liefern, welches ohne vorausgeschickte Definition durchaus nicht nach wissenschaftlicher Methode möglich ist. Ohne die kann man wohl rhapsodisch auflösen, und willkührlich ordnen, aber nicht regelmäsig herleiten, noch nach Grundsätzen stellen. Darum aber bekümmert sich unser Vf. nicht, und liefert daher natürlich weder genaue Eintheilung, noch regelmäsige Unterordnung. Philosophie, sagt er, gründet sich auf Beobachtung der Natur; vermöge dessen müsste man aber entweder die gesammte menschliche Erkenntnis, auch die Geschichte, Offenbarung ausgenommen, zur Philosophie gegen allen Sprachgebrauch ziehen; oder sich bestimmter erklären. Wirklich geschieht auch ersteres von Vf. größtentheils, doch Mathematik, Arzneywissenschaft nebst den meisten Künsten schliesst er aus, ohne anzugeben warum? Darnach theilt er die Philosophie in drey Haupttheile, Logik, Physik, Ethik, deren ersterer den Weg zeigt, wie man die Gesetze der Natur beobachten und anwenden muss; der andere es mit den Gesetzen der materiellen Gegenstände, der letzte mit den Handlungen der Menschen zu thun hat. Aeußerst unbestimmt ist der Ausdruck zu thun haben, man sieht nicht, ob Physik und Ethik bloss theoretische oder praktische Wissenschaften seyn sollen, diesen schon von den Alten mit guten Gründen eingeführten Unterschied übergeht man ganz. Unsere Leser werden nicht begreifen, wo nun der Vf. mit der Physik werde hin wollen; allein das ist sein geringster Kummer. Er bringt sie in die Logik, auf folgende Weise: Der erste Theil, begreift folgende Wissenschaften: Pneumatologie, oder die Wissenschaft, welche uns mit der natürlichen Geschichte der Kräfte und Fähigkeiten des menschlichen Geistes bekannt macht. Logik, welche uns lehrt, wie wir von unsern Fähigkeiten bey Erforschung und Anwendung der Naturgesetze den besten Gebrauch machen können; Metaphysik, welche den Grund der übrigen Künste und. Wissenschaften, und die Natur der Bewegungsgründe, durch welche jene Gesetze dargethan werden, erörtert. Oben hiess es, dieser erste Theil zeige den Weg, wie die Naturgesetze beobachtet und angewandt werden müssen; wie kommt nun er zur Untersuchung der Gründe der übrigen Künste und Wis-

senschaften? Einen Beweis, dass die Metaphysik einen Theil der Logik ausmacht, darf man beym Vf. nicht suchen. Auf die nemliche Art wird durch das ganze Buch verfahren, woraus unsers Erachtens man am meisten die Kunst lernen kann, Begriffe zu verwirren, die schon längst besser auseinandergesetzt waren. Fur den Werth der Uebersetzung ist schon der Name des Uebersetzers Bürge.

HALLE, bey Franke: *Unterhaltungen für Freunde der populären Philosophie.* 1788, 510 S. in 8. (1 Rthl. 8 gr.)

Den Zweck über populäre Gegenstände populär zu schreiben, hat der Vf. gut erreicht, ungeachtet der Stil durchgängig mehr Politur, und Schmuck vertragen hätte. Etwas tief eingehendes wird man daher nicht erwarten. Die abgehandelten Gegenstände sind die Grundtriebe, die ausstammenden Triebe; die Neuerungen, die moralischen Grundsätze; die Strafen; die allgemeine Nothwendigkeit der Menschenkenntnis; sie Selbstkenntnis; die wohlthätigen Einflüße der menschlichen Einschränkung in die menschliche Glückseligkeit; das Irren des Menschen; der Genuß der Wahrheit; Toleranz und Intoleranz; das Bedürfnis des Menschen; die Abhängigkeit des Menschen; die grosse Schriftstellerey unsers Jahrhunderts und die Thorheit. Am Schluß der Vorrede nennt sich der Vf. Joh. Fried. Hildebrand, Prediger an der Moritzkirche zu Halberstadt.

NATURGESCHICHTE.

ERFURT: *Von den Bellermannischen Hölzern enthält die zweyte Lieferung nach dem bestimmten Plane:* 7) den schmahlblättrigen Oleaster, 8) Die Lenne, 9) den gemeinen Wachholder, 10) das Campecheholz, und 11) den gemeinen Masholder. Statt des 12ten Holzstückes ist eine Probe einer Abänderung des Masholders. (Acer campestre minus) beygefügt worden. Statt der zwölften Tafel aber ist eine größere hinzugekommen, auf der der Vf. die, auch im Text besonders erklärten, Theile der Fructification vorgestellt hat. Die Kupfer sind noch immer so, wie im ersten Heft.

PHILOLOGIE.

ZÜLLICHAU: *Ueber Homers Ilias.* Eine von der Teylerschen Stiftung gekrönte Preisschrift des Hn. J. de Bosch. Aus dem Holländischen übersetzt, von E. H. Mutzenbecher. 1788. 189 S. 8.

Die Preisfrage, welche in gegenwärtiger Schrift beantwortet ist, ward im Jahre 1785 aufgegeben; es ward darin „eine Anleitung für die Niederländischen Dichter, die der alten Sprache nicht „kundig sind, verlangt, wodurch sie das Schöne „und Erhabne in den Werken der alten Dichter, „und insonderheit des Homers, so kennen lernen

könn-

„können, dafs fie dadurch in den Stand gefetzt
„würden, es in ihren Werken nachzuahmen.“
Wir laffen es dahin geftellt feyn, ob diefer letzte Endzweck durch gegenwärtige oder jede andre Schrift,
ohne Bekanntichaft mit den Originalen, erreicht
werden könne; und betrachten das Werk unfers Vf. blofs als eine äfthetifche Entwicklung der
Schönheiten des Homers. Es war unmöglich, eine folche Arbeit zu unternehmen, wenn nicht
vorher der Gefichtspunkt feftgefetzt ward, aus
dem man die Gedichte Homers überhaupt anfehen mufs; hätten die frühern Kunftrichter diefes
immer gethan, fo würden nicht fo widerfprechen-
de Urtheile über den Werth oder Unwerth der
Werke unfers Dichters gefällt feyn. Unfer Verf.
befchäftigt fich hiermit in der Vorrede; man mufs
fich, erinnert er mit Recht, über dreytaufend
Jahre mit feinen Gedanken zurückfetzen können,
und bedenken, dafs man bey dem Homer Gemälde von Dingen trifft, die fonft nirgends, als in
der alten Welt, zu finden find. Hätte es dem Vf.
gefallen, diefe Sätze noch etwas weiter auszuführen, und feinen Lefer durch eine ausführlichere Schilderung des Homerifchen Zeitalters vorzubereiten, fo würde feine Schrift, zumal für
den Anfänger, noch um vieles brauchbarer geworden feyn. Aber auch fo bleibt fie allemal ein
fchätzbarer Beytrag zu der Erklärung der Dichter, und es hat uns befonders gefreut, hier manche Ideen in Umlauf gebracht zu fehen, die zwar
unter uns nicht mehr neu find, von denen wir
aber doch kaum glaubten, dafs fie fich fchon über
die Grenzen unfers deutfchen Vaterlandes verbreitet hätten. Am wenigften man vielleicht diefes von dem Lande erwarten, wo Studium der alten Literatur zwar mit dem gröfsten
Eifer, aber faft blofs als eigentlich gelehrtes Studium, getrieben ward. Doch wir eilen, unfern
Lefern von der Einrichtung der Schrift unfers Vf.
genauere Nachricht zu geben. Um die Schönheiten des Plans fowohl als der Ausführung entwickeln zu können, hat der Verf. in einem fortlaufenden Auszuge den Inhalt des Gedichts ftatt des
Textes dargelegt, und in den darunter gefetzten Noten feine eignen Bemerkungen hinzugefetzt. Der
Inhalt ift zugleich mit zweckmäfsiger Kürze und
Genauigkeit angegeben, und kann befonders dem
Anfänger die Lectüre Homers fehr erleichtern,
indem er ihn in den Stand fetzt, nie den Faden
der Gefchichte zu verlieren. Die Noten enthalten einen reichen Schatz von äfthetifchen Bemerkungen, wenn es gleich unmöglich war, eine folche Materie zu erfchöpfen. Die Charaktere des
Helden find manchesmal vortreflich entwickelt;
manche Vorftellungsarten der alten Welt in ihrem wahren Lichte dargeftellt, und dem hohen

Dichtergeifte des Jonifchen Barden wiederfährt
allenthalben die verdiente Gerechtigkeit. Nur
felten haben wir mit dem Vf. nicht ganz übereinftimmen können. Gewundert haben wir uns
z. B., wie er noch die Götter und Göttinnen des
Dichters alle für vergötterte hiftorifche Perfonen
halten kann? S. 66. Oder bey Gelegenheit der
goldnen Kette, an der Zeus die Wek hält, dem
Dichter die Idee eines allmächtigen Wefens un-
terfchiebt? Ueberhaupt dunkt uns, dafs der Vf.
den Dichter zuweilen zu fehr über fein Zeitalter
erhebt, und ihm befonders weit feinere moralifche
Begriffe zufchreibt, als er damals weder hatte,
noch haben konnte. Ein Beyfpiel davon giebt
die Note S. 42 bey der Zufammenkunft des Paris mit der Helena nach dem Gefecht mit dem
Menelaus. — Die Ueberfetzung des Hn. Paftor
Mutzenbechers lieft fich wie ein Original. Wir
haben ihr nur die Umformung aus dem Holländifchen angemerkt. Bey Stellen des Dichters ift
die Stollbergifche Ueberfetzung beybehalten.

ERBAUUNGSSCHRIFTEN.

HALLE, b. Gebauer: Auswahl religiöfer Unterhaltungen, herausgegeben von J. J. B.
Trinius, Prediger in Halle. 1788. 343 S. 8.
(18 gr.)

Diefe religiöfen Unterhaltungen waren in ihrer urfprünglichen Geftalt, Predigten. Der Vf.
benahm ihnen aber den homiletifchen Zufchnitt,
weil eine gewiffe Gleichgültigkeit gegen diefe
Art von Religionsvorträgen mit zu dem Geifte
des gegenwärtigen Zeitalters gehöre. Diefe
Gleichgültigkeit trift aber nur die vielen elenden Predigten, dahin gegen die von Spalding,
Zollikofer und andere, die ihnen gleichen, noch
immer mit dem gröfsten Beyfall gelefen werden.

Aufser des Vf. eigenen Auffätzen, finden fich
in diefer Sammlung auch Predigten anderer berühmten Kanzelredner, deren Namen er deswegen nicht hinzugefügt hat, weil einige Lefer gegen diefen oder jenen eingenommen feyn möchten. Ohne uns auf die Gültigkeit diefer Gründe
einzulaffen, getrauten wir uns wohl, aus dem innern Gehalte zu errathen, welche darunter einerley Verf. haben. Gleich die erfte Abhandlung:
was ift Religion? ift fehr feicht. Defto gründlicher und lehrreicher find die beiden folgenden:
über Religionsfpötterey, und, über die Achtung
und Befcheidenheit, die man anders Denkenden
in der Religion fchuldig ift, wie überhaupt die
meiften eignes Denken verrathen und durchweg
praktifch find, fo dafs wir dies Buch zur Privat-
Erbauung jedem empfehlen.

Druckfehler in N: 28. S. 219. v. u. Z. 18. u. ftatt mit. Z. 13. Senegar ftatt Seneka's Z. 9. Beardftrown
ftatt Beardftrown. Z. 3. wird ftatt werden. Z. 5. Da ftatt die, S. 220. Z. 3. v. u. zu beiden ftatt zu beften
Seiten. S. 221. Z. 8. v. o. des Vincente ftatt San Vincente und Z. 17. wird ftatt wird es.

ALLGEMEINE
LITERATUR - ZEITUNG

Donnerſtags, den 5ten März 1789.

ERDBESCHREIBUNG.

LAYBACH in Krain, b. Korn: *Geographie und Statiſtik Wirtembergs.* 1787. 590 S. mit dem Regiſter. 8. (1 Rthlr. 8 gr.)

Von Seiten der Geſchichte und des Staatsrechts dieſes merkwürdigen Landes iſt faſt nichts zu wünſchen übrig geblieben, nachdem *Sattler*, *Spittler* und *Breyer* dieſe Gegenſtände, in ihren bekannten Werken klaſſiſch bearbeitet haben. *Rösler* beginnt für die Naturgeſchichte des Herzogthums in Beyträgen zu ſorgen, womit er im abgewichenen Jahre den Anfang gemacht hat. In der Geographie und Statiſtik des Landes finden ſich aber noch beträchtliche Lücken und falſche Angaben, die der Vf. vorſtehender Schrift, der, wie man aus der Apoſtrophe an die Wirtemberger, ſeine Landsleute, ſieht, mit dem obengenannten Verleger einerley Perſon iſt, zu füllen und zu berichtigen verſuchen will. Dazu, ſagt er in der Vorrede, habe er ſeit einigen Jahren die merkwürdigſten Nachrichten geſammelt, ſich lange in den Hauptſtädten aufgehalten, und von dem übrigen Lande, weit über die Hälfte, und darunter die vorzüglichſten Gegenden bereiſet. Dies iſt nun eine ſehr annehmliche Legitimation; auch muſs man der Ausführung im Ganzen, gute Wahl der Hülfsmittel, wiewohl ohne ihre beſondern Angaben, Beobachtungstalent, viele Beyträge und Berichtigungen zuerkennen, alſo die Schrift für eine wirkliche Bereicherung der Wirtembergiſchen Landeskunde halten. Unterdeſſen hat der Verf. noch immer erhebliche Lücken nachgelaſſen, und, wie man wohl ſieht, ſeinen Stoff ohne hinlängliche Kameralnotizen verarbeitet.

Das Buch zerfällt in zwey Abtheilungen; davon die erſte eine allgemeine Einleitung (die natürliche und politiſche Beſchaffenheit), die andere die eigentliche Erdbeſchreibung enthält. In der Muſterung der *Karten* finden wir die Nachricht von *Rösler* beſtätiget, dafs der Herzog gegenwärtig das Land, unter Direction des Generalmajors von *Nicolai*, durch das *Corps des Guides*, in die ſpeciellſten topographiſchen Plane

und genaueſten Specialkarten nach den Oberämtern, nach einem ſolchen Maasſtab verzeichnen läfst, dafs eine Meile Weges einen Rheinl. Fufs beträgt. Es ſteht aber dahin, ob von dieſen vortreflichen Arbeiten die Reſultate dem Publicum geſchenkt werden ſollen. — *Gröſse* und *Flächeninhalt*. Hier wird die gewöhnliche Schätzung, dafs das Herzogthum 200 geographiſche Qu. M. enthalte, beſtritten, und nach den beſten Karten gezeigt, dafs für das eigentliche Wirtemberg nur 150 Q. M., mit Einſchlufs der abgeſonderten liegenden Stücke, und der Herrſchaft *Juſtingen* aber, 155 Q. M. bleiben. S. 22 werden die *Berge* des Landes, und unter ſolchen die dortigen *Alpen*, nach Wirtembergiſcher Benennung, die *Alp* und der *Schwarzwald* genau beſchrieben. Die ſchlechteſte Gegend iſt die ſo genannte rauhe *Alp*, worinn das Städtchen Münſingen liegt; die zweyte beſſere Gegend das *Hochſtraſs*, die um *Blaubeuren* liegt; der *Albuch* in der Herrſchaft *Heidenheim* iſt die beſte und einträglichſte Gegend der Alpen. Ohne die Producte des Schwarzwaldes würde Wirtemberg das nicht ſeyn, was es iſt; auch ſtehen ſeine Einwohner beſſer, als die in den fruchtbarſten Gegenden des Landes. *Flüſse*, mit Bemerkungen über den neuen Waſſerbau und ganzen *Neckar* bis *Cannſtatt*. Weil aber vom Urſprung des Neckars bis an ſeinen Fall in den Rhein keine einzige Handelsſtadt an ſeinen Ufern lieget, und nur ein Theil der Frankfurter Mefswaaren auf ihm eingeſchifft wird, ſo könne die Schiffahrt nie grofs werden. Flöſse, und Holzſchiffe gehen häufiger. *Rösler* macht Beyträgen merkt hingegen an, dafs der Neckar von Cannſtatt an ſeit 1782 ſtark beſchifft werde, und die Schiffsladung in 2-300 Centner beſtehe. Der Zuſtand des Ackerbaues wird zu allgemein abgefertigt. Reſultate aus Kameraliſten über den Betrag der Getraideausſaat und Aernte, der Conſumtion des Landes etc. wie man ſie von einigen, freylich noch wenigen, deutſchen Staaten hat, würden hier willkommen geweſen ſeyn. Auch von den *Weinen* kann Wirtemberg ſeinen Nachbarn viel überlaſſen; bey dem *Handel* heifst es, die Ausfuhr iſt anſehnlich. Mit ſolchen unbeſtimmten Angaben kommen wir in der Landes-

A a a a   kunde

kunde keinen Schritt weiter. Wie der Wirtembergifche Weinjude den Weinbauer im Bann hat, ift lefenswerth. Auch hier trift die Bemerkung zu, dafs die Orte, die viel Weinban und wenig Ackerfeld haben, fich an Dürftigkeit auszeichnen. Bekanntlich leidet das, übrigens gefegnete, Wirtemberg hauptfächlich Mangel an *Salz.* Die beiden Quellen bey Sulz reichen kaum hin, wenige Aemter mit Salz zu verforgen. Genauer weifs man aus andern fichern Nachrichten, dafs jetzt 3 Quellen benutzt werden, und im Jahr 1786 22,680 Simri Salz erfotten worden. *Viehzucht.* Die Anzahl der Pferde wird auf 40,000 Stück angegeben, und der Pferdehandel wirft dem Lande jährlich über 50,000 Fl. ab. Die anfehnlichen Stutereyen werden namentlich angezeigt. Die Anzahl alles Rindviehes beläuft fich auf 250 - 300,000 St. Diefe Angaben ftimmen mit *Breyer* und andern Notizen. Nicht fo die Anzahl der Schaafe von 500, - 600,000 St.; doch dürfte fie die wahrfcheinlichfte feyn. Die Wolle ift nur mittelmäfsig, und darf nach einem neuern Befehl, unverarbeitet ausgeführt werden. Wolle zu mittlern Tüchern, mufs ohnehin aus Böhmen genommen werden. Zur Veredlung der Schaafzucht hat man 1786, hundert Schaafe aus den kältern Gegenden Spaniens kommen laffen. Den Zuftand der Bevölkerung hat der Verf. gefchichtlich und ftatiftifch, befriedigend abgehandelt; auch theilt er in den Beylagen die Stuttgarter und Ludwigsburger Kirchenliften, erftere vom J. 1600, letztere von 1727 bis 1786, ferner das Mufter der Tabelle, mit, nach welchem die wirkliche Seelenzahl von den Oberämtern jährlich aufgenommen, und an den Regenten eingefchickt werden mufs. Die Volksmenge betrug 1786, 579,321 Seelen, im Jahr 1734 428,000; fo dafs jetzt 3,862 Menfchen auf eine Q, M. kommen. Wenige deutfche Länder kommen nach Verhältnis der Arealgröfse, diefer Bevölkerung bey, die vornemlich der grofsen Fruchtbarkeit des Landes und der frugalen Induftrie der Einwohner zuzufchreiben ift, und, trotz den mehrmaligen Auswanderungen, noch immer zugenommen hat. Von dem Belauf der Einwohner in den Städten und des platten Landes, den verfchiedenen Volksklaffen, ihren Verhältniffen und Rechten, bemerkt der Vf. nichts vollftändiges. *Religionszuftand.* Die Woldenfergemeine hat noch 8 Geiftliche; ihre Anzahl hat ziemlich abgenommen, weil viele ihre Kinder freywillig in der Evangelifchlutherifchen Religion erziehen laffen. (Büfching in feinen Wöchent. Nachr. 1782, hat den damaligen Beftand diefer Gemeine genauer nachgewiefen.) Juden dürfen fich nur in den neuerworbenen Oertern aufhalten. Ihre Anzahl foll keine 500 ausmachen. In Freudenthal haben fie eine Synagoge. Der *Manufaktur* - und *Fabrikenzuftand* ift nur fummarifch befchrieben, und mufs in der zweyten Abtheilung des Buchs mit der Geographie der Oerter, wo ihr Sitz ift,

zufammen gehalten werden, wo er ausführlich erfcheint, und manches neue beygebracht ift. Ueber die Entftehung und den gegenwärtigen Zuftand der Leinwandhandlungsgefellfchaft zu Urach, hätte noch die Nachricht im N. geogr. Mag. B. 3. S. 150 benutzt werden können. Den fchönen Landftrafsen und Chauffeen im Wirtembergifchen hat der Vf mit Recht einen befondern Paragraph gewidmet. Dagegen ift der Zuftand des Handels, befonders der Werth der Aus - und Einfuhr-Artikel ein verfchloffener Gegenftand geblieben. Von dem Verhältniffe der Münzen, des Maafses und Gewichts erfährt man bey dem Vf. kein Wort. Die folgenden §§. über *Wiffenfchaften, Künfte, Erziehungs* und *Armenanftalten, kirchliche Verfaffung* müffen wir übergehen, obwohl manches Neue, manche gute Nachlefe bey dem Statiftiker darinn zu finden ift. In dem §. 29, wo von der politifchen Verfaffung des Landes, (beftimmter von der Regierungsform und dem Verhältnifs der Landftände die Rede ift, hätte doch der erwähnte denkwürdige Erbvergleich von 1770, wenigftens in Subftanz, angegeben werden follen. In Anfehung der *Einkünfte* des Staats ift der Vf, der Meynung, dafs die gewöhnliche Schätzung derfelben auf 3 Mill. Fl. noch viel zu gering angegeben werde, fagt aber nicht, wie hoch die Erhebung der Landfchaft, die Gefälle der herrfch. Rentkammern, die des geiftlichen Guts, und die Einkünfte der Kammerfchreibereyguter hiernach angefchlagen werden müffen, deren Betrag man fonft, wiewol unficher kennt. Ueber das *Schuldenwefen* eilt der Vf. hinweg, und gedenkt blofs; der überzeugendfte Beweis von der gegenwärtigen vortreflichen Einrichtung des Finanzwefens fey diefer, dafs die weltliche Kammer, neben der Tilgung der alten und neuern Kameralfchulden, noch fo wichtige Guter und Herrfchaften, wie feit der Regierung Karls gefchehen, habe aukaufen können. Der *Kriegsftaat* wird defto ausführlicher mit Benennung der verfchiedenen Garden und Feldreyimenter, wiewohl mehr nach ihren Uniformen und Standquartieren, als durchgehends nach ihrer wahren Stärke befchrieben. Bey dem ganzen Corps ftehen 300 Oberofficiers, und der landfchaftliche Beytrag zum Militär, ift nach dem Erbvergleich jährlich 460,000 Fl.

Nach einer kurzen meift nur die Regenten betreffenden Gefchichte, geht der Vf. zur *zweyt. Abth.* feiner Schrift, zur eigentlichen Geographie des Herzogth. über. Hier werden die *Städte* und *Aemter,* der Zeitfolge nach, wie fie zum Lande gekommen, befchrieben, welche Methode aber in Anfehung der Lage viel Unbequemes mit fich führt; dann folgen die *Kammerfchreibereyguter,* die *Klöfter* und ihre *Aemter,* zuletzt die *Wirtembergifchen Antheile und Gerechtigkeiten in ausländifchen Gegenden.* Die Ausführung diefer Abtheilung ift nicht nur am vollftändigften gerathen, fondern hat auch das Verdienft, dafs fie die Anzahl der Ein-

Einwohner in den meisten Städten, selbst auch in sehr vielen Dörfern angiebt. Sonach nimmt die Beschreibung der Hauptstadt mit ihren neuen Veränderungen und manchen Berichtigungen die S. von 175 bis 234 ein, ohne etwas Ueberflüssiges einzumischen. *Stuttgart* enthält gegenwärtig (1787) 1800 Häuser und 22,000 Einwohner. *Gerken* in seinen Reisen hat also die wahre Seelenzahl richtig angegeben. *Tübingen*, wo in den Geographien der Bestand der Einwohner entweder fehlte, oder ungewiss war, zählt 700 Häuser, 6017 Einwohner, die Studenten ungerechnet. Zur Universität gehören 510 Personen. *Ludwigsburg* 6000 Einwohner. 1775, als der Hof und der gröste Theil der Besatzung die Stadt verliess, hatte sie 12,000 Einw. *Göppingen* 4,200 E. Die Stadt ist, durch Hülfe der Brandkasse, aus ihrem Schutt so schön hervorgestiegen, dass sie andere Städte des Herzogthums, die zwey Residenzen ausgenommen, weit hinter sich lässt. Hier bringt der Vf. die gute warnende Bemerkung an: Der Verlust an Möbeln in dem grofsen Brande von 1782, sey meist daher gekommen, dass die über den Thoren gestandenen hohen Thürme in Brand geriethen, und das Retten der Effecten beynahe unmöglich machten. Bey der Durchsicht der übrigen Landstädte findet Rec. noch 4 Städte, die über 3000, und 11 andere, die über 2000 Seelen enthalten: in allen 86 Städte! Das will viel sagen, und kündigt einen vorzüglichen Wohlstand an; zumal, wenn man die städtische Bevölkerung und die geringe Zahl der Städte in dem ungleich gröfsern Hera, Baiern damit vergleicht. Unerwartet war es Rec. die Graffchaft *Mömpelgard* S. 542 nur mit 6 Zeilen erwähnt zu finden, da doch andere auswärtige Besitzungen verhältnifsmäfsig ausführlich beschrieben worden sind. Soll man denn urtheilen, dafs diese Gegend vielen Wirtenbergern, so gar Wirtemb. politischen Schriftstellern noch immer eine *Terra incognita* sey, nachdem *Meusel* in seinem hist. liter. Mag. 1785, St. 2. und *Schlozers* St. Anz. H. 37. S. 73 Geschichte, Statistik und Topographie bekannt gemacht haben, und erstere Notiz bereits in Normans geogr. Handbuch aufgenommen worden ist?

Diese und einige andere Mängel abgerechnet, die freylich nicht durchgängig auf des Vf. Rechnung gebracht werden können, bleibt das Buch ein wirklicher Gewinn für die Landeskunde Wirtembergs, und ist besonders dem Geographen unentbehrlich. Der Stil des Vf. ist lebhaft; nur sollte er sich mancher declamatorischen Abschweifungen, auch der öftern im didaktischen Vortrage übel angebrachten Verbeugungen, wenn von den Grofsen des Landes die Rede ist, enthalten. Eine neue gehörig verbesserte Auflage, die das Buch sehr verdirnt, kann es der Vollkommenheit nahe bringen. Zu wünschen wäre es, dafs wir, um nur bey diesen Gegenden stehen zu bleiben, endlich einmal auch eine zusammenhangende ächte Landesbeschreibung von Baden und Zweybrücken erhielten. Schon der treflichen Regierung wegen merkwürdige Länder, die gleichwohl, unvollständige zerstreute Notizen und das Staatsrecht ausgenommen, noch immer mit dem Schleyer der Unkunde bedeckt sind!

GESCHICHTE.

Wien, b. Gräffer u. Compagnie: *Historisches Tagebuch des Krieges zwischen Rufsland und der Pforte von 1768 bis 1774; aus einem französischen noch nie gedruckten Manuscripte. Nebst umständlichen Nachrichten von der Militärverfassung der Türken und Russen.* 1788. 21½ Bog. in 8. (16 gr.)

Wahrscheinlich hat der jetzige Krieg zwischen den Ruffen und Osmannen auch den Druck dieses Buches erzeugt. Denn sonst würde es wohl, da es nichts Neues und besonderes enthält, ungedruckt geblieben seyn. Der Vorerinnerung zu Folge sind die darin mitgetheilten Nachrichten von einem Kenner des Soldatenwefens gesammlet, und an einem Hofe, der an jenem Kriege einigen Theil nahm, für ächt erklärt worden. Dies mag wohl seyn: wenigstens haben wir keine Unrichtigkeiten von Belang, aber auch keine unbekannten, ins Einzelne gehenden Nachrichten entdecken können, wie man im Tagebuch, noch in den auf den letzten 6 Bogen stehenden Nachrichten von der kriegerischen Verfassung der Türken und Russen. Von manchen Vorfällen hatten wir bereits weit genauere Beschreibungen, z. B. von dem Feldzuge des Jahres 1769, durch den Herrn von Keralio, dessen Werk auch ins Deutsche überfetzt ist; fo auch von der Belagerung und Eroberung der Festung Bender; von dem Seetreffen bey Tschesme (der Vf. fagt, *bey Libernos*, welches uns unbekannt ist) und von andern Begebenheiten mehr. Ueberdies ist die Chronologie für ein *Tagebuch* nicht streng genug beobachtet oder angegeben.

Wenn nun aber doch ja das Manuscript, worinn übrigens alles ganz ordentlich und nicht übel erzählt ist, gedruckt werden sollte; fo hätte man es lieber so, wie es war, französisch abdrucken sollen. Man würde es vermuthlich mit gröfsern Vergnügen lesen, als in der stümperhaften Ueberfetzung, die ein Ungenannter davon geliefert hat. Denn stümperhaft ist fie in allem Betracht. Nur aus den ersten Bogen einige Belege zu diesem Urtheil S. 7. u. 9. und anderwärts wird *Diäte*, der Reichstag durch *Diät* überfetzt. Die *Diät* verfammelte sich, fagt unfer Stümper. S. 8. spricht er von *Befchnarchern* der Handlungen der Könige. S. 13. pflanzt er Völker *an den* Taglustan. Wer hat wohl je etwas von einem Flusse dieses Namens gehört? S. 17. der Tartar-Khan fiel der *erfte* (zuerst), *felbst* statt *dasselbe* kommt häufig vor. So auch *etwelche* ft. *einige*; des Ge-

neralen

neralen ſtatt des *Generals; bereitet* ſt. bereit; die
Thöre, die *Gaſſen*, die *Tage*; die *Queue* der.
Kolonnen; S. 33. Der Streich *hatte* miſſalungen.
Was ſind wohl S. 39. *Zeugsleute? Durch einige.
Stunden* ſt. *einige Stunden lang*, kommt mehr-
mals vor. S. 43. den Uebergang .des Fluſſes (ſt.
über den Fluſs) beſchleunigen. S. 72. den Fluſs
überſetzen ſt. über den Fluſs ſetzen, S. 54 kommt
gar das *Hintertheil* der Armee vor: wo doch im
Franzöſiſchen gewiſs nicht *cul·d'Armée* ſtand *!*

VERMISCHTE SCHRIFTEN.

Leipzig, b. Böhme: *Oekonomiſch·phyſikaliſch-
chemiſche Abhandlungen über den ſpaniſchen
Klee aus chemiſchen Unterſuchungen des
Klees gezogen* — von *D. Carl Gottlob Röſsig*,
Profeſſor auf der hohen Schule zu Leipz.
1788. 90 S. in 8. (6 gr.)

Die Abſicht des Vf. war, die Beſtandtheile des
Klees näher zu unterſuchen, und daraus den Vortheil oder Nachtheil, überhaupt den Einfluſs zu
beſtimmen, welchen die Fütterung des Klees auf
das Vieh hat. Rec. muſs geſtehen, daſs er
gleich Anfangs Miſstrauen, gegen dieſe Schlüſſe,
aus der chemiſchen Analyſe des Klees auf die
Wirkungen deſſelben als Fütterung, fühlte, da
er aus eigener Erfahrung weiſs, wie weit wir
noch in der chemiſchen Zergliederung organiſcher
Weſen zurück ſind, und wie wenig uns die trü-
geriſchen und falſchen Zerlegungen ſolcher Kör-
perarten im Feuer die wahre Natur und Miſchung
ihrer Beſtandtheile enthüllen können. Allein
ſeiner Zweifel wurden noch mehrere, da er
fand, daſs Hr. R. ganz den Weg der trockenen
Analyſe des Klees oder der Zerſetzung deſſelben
im Feuer einſchlägt, und ſogar Producte für Educte
anſieht. Nun muſs Rec. geſtehen, daſs er die
ganze Arbeit völlig für unnütz hält, wenn aus
dieſen ſo erhaltenen Beſtandtheilen Schlüſſe auf
den Einfluſs der Fütterung des Klees gezogen
werden ſollen. Nur die unmittelbare Erfahrung allein kann uns ſolchergeſtalt in den Stand ſetzen, die
Vortheile oder Nachtheile des Klees, für mehrere Thierarten zu beſtimmen, und die Beobachtung darüber hat der Vf. keinesweges ausgelaſſen,
und wir geſtehen gern mit ihm ein, daſs die bisher angeſtellten Verſuche über die Fütterung mit
grünen Klee noch nicht die unbedingten Vortheile der Fütterung deſſelben erweiſen, und
daſs auch ſchon die allgemeine Natureinrichtun-
gen und die Analogie und Fingerzeige zu behut-
ſamern Urtheilen und Behauptungen geben. —
Der Hr. Prof. erhielt bey der chemiſchen Zerlegung aus 5 Loth mäſig abgetrockneten Klee
1 Loth 3 Qu. *ſchwer ſteigendes* Waſſer, etwas
über 3 Qu. flüchtig alkaliniſchen Geiſt mit Oehl-
theilen, und die zurückgebliebene Kohle wog 1
Loth 1½ Qu. Dieſe ließ ſich ſchwer einäſchern,
gab dabey noch ſcharfe Dämpfe u. 1 Qu. 5 Gran.

Aſche, den Gehalt derſelben an Erde beſtimmt
er aber nicht ſo, daſs man daraus auf die wahre Natur der letztern ſchlieſsen könnte. Sonſt
zog er daraus noch 7 Gran fixes Alkali. Das erhaltene Waſſer des Klees geht leicht in Fäulniſs
— (aber das läſst ſich wohl von allen Pflanzen erwarten, worin die thieriſch·vegetabiliſche Materie einen vorzüglichen Beſtandtheil ausmacht.) —
Wie viele Pflanzen gehören aber nicht dahin!
Was den Hn. Vf. ſchon ſelbſt hätte miſstrauiſch
gegen ſeine Folgerungen machen ſollen, iſt,
daſs die giftigen Pflanzen ſich bey der trockenen
Zerlegung völlig wie die heilſamen verhalten.
Die Belladonna, der Schierling, die *plantae cru-
ciformes* geben eben die Beſtandtheile, als hier
der Klee; und doch welche ein Unterſchied in
den Würkungen! Hätte Hr. R. die ſchätzbare Zergliederung des grünen Klees von Hn. *Weſtrumb*
in den chem. Annalen gekannt, — ſo würde er
gewiſs ſeine Arbeit nicht unternommen und ein-
geſehen haben, wie falſch und trügeriſch die
trockene Deſtillation der organiſchen Stoffe überhaupt zur Beſtimmung ihres wahren Gehalts, ihrer Eigenſchaften und Kräfte ſey. Wäre z.B. freyes,
flüchtiges Laugenſalz im Klee, wie Hr. R. meynt,
ſo müſste ſich dieſes im Aufguſſe derſelben gewiſs durch gegenwirkende Mittel ſogleich zeigen;
ſo aber iſt es darinn allerdings mit Pflanzenſäure
vereiniget, zum Theil auch mit Phosphorſäure,
und die Schlüſſe von den Wirkungen des flüchtigen Laugenſalzes gelten alſo ganz und gar nicht
für den Klee.) Die Hauptſätze, welche Hr. R. aus
ſeinen Unterſuchungen über den Klee ziehet,
ſind: 1) Der Klee iſt grün, allein und beſtändig
gefüttert, wenn man zu viel giebt, den Pferden
nachtheilig; 2) nur bey Arbeitspferden könnte
man, wenn man ihnen ſolchen nicht immer und
allein giebt, eine Ausnahme im Nothfall machen;
3) Bey dem Hornvieh, ſonderlich bey demjenigen, das gemolken wird, ſchadet er nichts, es
müſste ſich denn überfreſſen; und 4) Schaafen
nutzet der Klee im Ganzen genommen nichts und
gewährt bey ſeinen Wollheerden nichts weniger
als Vortheile. (Mit welchem Recht kann aber
Hr. R. aus dem ſchwer über zu deſtillirenden Waſſer und Oele im Klee auf die Nachtheile der Fütterung deſſelben bey Schaafen in Rückſicht der Wolle ſchlieſsen? Iſt das Waſſer in Pflanzen ein anderes, als das gewöhnliche elementariſche Waſſer?
Hindert nicht jedesmal ſeine Verbindung mit
minder flüchtigen Stoffen ſeine Verdünſtung? und
iſt das brenzliche nicht erſt offenbar im Feuer
erzeugt?) — Zuletzt noch vom Trocknen des
Kleeheues, und von einigen andern wenig benutzten garten Futterpflanzen für die Schaafheerden
und anderer Hausthiere, wo der Hr. Vf. leſens-
werthe Bemerkungen beybringt. Angehängt iſt
ein Verſuch über die Beſtimmung eines wahrſcheinlichen Verhältniſſes und Maasſtabs in Rückſicht
der Sömmerung bey Sömmerungsſtreitigkeiten.

MATHEMATIK.

BERLIN und LIBAU, b. Lagarde u. Friedrich:
Erleichterter Unterricht in der höhern Meß-
kunft, oder deutliche Anweifung zur Geometrie
der krummen Linien, von *Abel Bürja,* Prediger bey der franzöfifchen Friedrichftädtfchen
Gemeine in Berlin, und Profeffor der Mathematik bey der königl. Ritterakad. dafelbft.
1788. gr. 8. Erft. Band. 382 S. 24 S. Vorrede. Zweyter Band 388 S. (2 Rthlr. 12 gr.)

Der erfte Band hat 10 Hauptftücke, davon die
6 erften von den Kegelfchnitten, von ihren
Tangenten, Diametern, und Conftruction der Gleichungen des zweyten Grades, auch Auflöfung einiger geometrifchen Aufgaben vermittelft derfelben, hiernächft von krummen Linien überhaupt,
und einigen dabey vorfallenden Rechnungsarten
handeln. Bey allen diefen Lehren ift blofs die
Analyfis endlicher Gröfsen gebraucht; von da an
aber wird die Differential - und Integral - Rechnung angewandt.
Was Anfängern diefes Buch fehr fchätzbar
machen mufs, ift die vollftändige Auflöfung jeder Gleichung mit allen Zwifchenfätzen. Insgemein find diefe in unfern Lehrbüchern für die,
welche nicht im Calcul fchon geübt find, zu fehr
abgekürzt, und man findet gewöhnlich nur die
Refultate der Rechnung, befonders wenn es Fälle betrifft, die fchon anderswo ausführlicher abgehandelt find; weshalb auch die einmal erklärten
Buchftaben und Formeln immer beybehalten werden. Wenn man daher nicht von Anfang an das
Buch durchliefet, fo wird es felbft Geübtern oft
eben fo fchwer, einen Satz in einem folchen Buche zu verftehen, als vielleicht die Erfindung deffelben felbft. So vortheilhaft nun auch diefe Methode, befonders für die mündliche Anweifung,
ift, fo viel Mühe macht fie doch dem, der fich
felbft aus einem folchen Buche unterrichten will.
Sehr viele verlieren darüber alle Geduld, und
laffen die Wiffenfchaft gar liegen, und es ift dies
mit ein Hauptgrund, warum die Analyfis und höhere Geometrie noch für fo viele, die fich mit
der Mathematik abgeben, gröftentheils ein frem-

A. L. Z. 1789. Erfter Band.

des unbekanntes Feld ift. Die Bemühung, diefem Bedürfnifs abzuhelfen, war daher kein gerin-
ges Verdienft. Dies Buch kann jeder, der mit
den Elementen der reinen Mathematik wohl bekannt ift, ohne alle Schwierigkeit lefen, und daraus fo viele Kenntniffe und Fertigkeiten im Calculiren erlangen, dafs es ihm hernach nicht fchwer
werden kann, die Schriften unfrer gröfsten Mathematiker zu lefen. Denn es find nicht etwa
die erften Elemente der höhern Mathematik, die
in manchen kleinern Compendien auch vorkommen, fondern man findet hier faft alle wichtige
Lehren, die in unfern beften und neueften Handbüchern vorgetragen find, ja eine und die andre,
die in diefen fogar fehlt. Man kann in der Mitte oder am Ende des Buchs allenfalls anfangen zu
lefen, wenn man fchon etwas von der Wiffenfchaft weifs, und alles verftehen, ohne erft vorher das halbe Buch der Bezeichnungen und Buchftaben wegen durchzublättern. Das ift aber die
Methode der Franzofen, denen er hier vorzüglich
gefolgt ift. So hat er in den Kegelfchnitten fich
meiftens an *Bezout* (*Cours de Mathematiques a*
l'ufage du Corps royal de l'Artillerie) gehalten.
In der Lehre von den krummen Linien überhaupt, und ihre Vorftellungen durch algebraifche
Gleichungen ift hauptfächlich *Cramers Introdu-*
ction à l'Analyfe des lignes courbes Algebraiques
gebraucht, fo wie bey der Anwendung der Differential und Integralrechnung auf krumme Linien
des *Marquis de l'Hopital Analyfe des infinement*
petits, und Hn. *Coufin Leçons de Calcul differen-*
tiel et de Calcul integral. Doch ift er, wie überall,
wo ihm feine Vorgänger nicht deutlich und leicht
genug fchienen, alfo befonders hier fehr häufig
feinen eigenen Weg gegangen. Da der Hr. Vf.
in feinem felbft lernenden Algebraiften alle Rechnungsarten für fich ohne Verbindung mit der Geometrie demonftrativfch abgehandelt hat, fo konnte er hier die nöthigen Lehrfätze daraus ohne
Beweis anführen. Er hat fie aber in einem eigenen Hauptftück gefammlet, damit dies Buch ein
für fich beftehendes Ganze ausmache, und Käufer
nicht genöthigt werden, der Rechnungen wegen
fich jenes Buch auch anzufchaffen. Dafs er dazu
das 7te Hauptftück gewählt, rührt wohl daher,

Bbb   weil

weil er nun, wie bereits gesagt, die Differential-
und Integralrechnung in den 3 letzten Hauptstücken bey den Tangenten, den Halbmessern
der Krümmung, den Evoluten, und Findung
der merkwürdigsten Punkte, die die Gestalt der
Linie bestimmen, vermittelst der Lehre vom
Größten und Kleinsten, gebraucht. Bey dieser
letzten Untersuchung ist er vielleicht weiter gegangen als es nöthig ist. Er untersucht die vielfachen Punkte, wo mehrere Zweige einer krummen Linie sich durchschneiden, und macht dazu
eine Vorbereitung, die den Anfängern wohl etwas
zu verwickelt seyn möchte, um sie gehörig zu
gebrauchen. Rechnungsfehler, die man nicht leicht
selbst verbessern könnte, hat Rec. eben nicht gefunden; außer einen S. 193 bey der Anwendung
der Cardanschen Regel zur Auflösung einer Gleichung für die Theilung eines Kreisbogens in 3
gleiche Theile vermittelst der Hyperbel. Wenn
nämlich r den Halbmesser des gegebenen Kreises,
c den Cosinus des ganzen zu theilenden Bogens,
und q den Cosinus des Drittels desselben bedeutet: so ist $4 u^3 - 3r^2u - cr = 0$. Nach
Cardans Regel ist also

$$u = \sqrt[3]{\left(c\, r^2 + r^2 \sqrt{(c^2 - r^2)} \right)} + \sqrt[3]{\left(c\, r^2 - r^2 \sqrt{(c^2 - r^2)} \right)}$$

Unser Hr. Vf. findet

$$a = \sqrt[3]{\left(cr^2 + r^2 \sqrt{(c^2 - 4r^2)} \right)} + \sqrt[3]{\left(cr^2 - r^2 \sqrt{(c^2 - 4r^2)} \right)}.$$

also eine Größe unter dem Wurzelzeichen $\sqrt{}$
$(c^2 - 4r^2)$, die allemal unmöglich ist, weil c nie
die Größe eines Durchmessers erlangen, noch
weniger größer werden kann. Aber das ist ein
Rechnungsfehler. Die Größe unter dem Wurzelzeichen erfodert nur, daß $c = r$ werden müsse,
wenn die Wurzel nicht imaginär seyn soll, und
das ist doch möglich. Die Gleichung heißt für die-
sen Fall $u^3 - \frac{1}{4}c^2 u - \frac{1}{4}c^3 = 0$, wovon die eine Wurzel allerdings c, u. die andre — $\frac{1}{2}$c ist. Freylich ist das nicht der Fall in dem Exempel, das diese
Gleichung gab, und wird es vielleicht nie seyn,
weil man für diesen Fall wohl keine cubische
Gleichung machen wird. c ist insgemein kleiner
als r, und alsdenn giebt vielleicht die Cardans Regel allerdings
nur eine imaginaire Wurzel. Es scheint daher
diese Regel hier nicht anwendbar zu seyn. Der
Vf. geht aber noch weiter, indem er sagt: „Dieser Fall, wo Cardans Regel für eine Gleichung
des dritten Grades die Wurzel unter einer imagi-
nairen Gestalt giebt, wird von den Algebraisten
der *irreductible Fall* genannt. — Die Gleichung
muß durch trigonometrische Tafeln aufgelöset

werden." Das ist freylich der natürlichste Weg,
darauf man bey einer Gleichung, die ganz auf
trigonometrischen Linien beruhet, fallen kann.
Aber wer sieht es z. B. der Gleichung $u^3 - 3u$
$- 1 = 0$, die man für einen Bogen von 60° erhält, sogleich an, daß hier trigonometrische Linien zum Grunde liegen? Und wie kann man sagen, daß die Gründe, worauf Cardans Regel beruhet, hier nicht anwendbar wären? Es muß daher allerdings möglich seyn, bey gehöriger Behandlung der imaginären Wurzeln selbst durch
Cardans Regel auf mögliche Werthe zu kommen,
vermöge des Satzes, daß in der reinen Mathematik eine allgemein erwiesene Regel in der Anwendung keine Ausnahme verstatte. Auch hat schon
Bombells eine Methode für den Fall, der sich nicht
reduciren läßt, und noch viel gründlicher u. allgemeiner Karsten in seinen Anfangsgründen der mathem. Analysis u. höhern Geometrie, oder dem Lehr-
begr. der ges. Mathematik, 2ten Theils 2te Abtheilung §. 239, diesen Fall nach Cardans Regel,
auf mögliche Wurzeln reducirt; zwar nicht wirklich berechnet, aber doch Formeln angegeben,
welche die möglichen Wurzeln enthalten. Wenn
übrigens der Vf. behauptet, daß sich jede Gleichung des dritten Grades vermittelst der trigonometrischen Tafeln auf die S. 194 und 195 gelehrte Art auflösen lasse: so ist dies auch nicht so
ganz richtig. Es darf nemlich bey dieser Methode in der allgemeinen Formel $u^3 - pu + q = 0$,
verglichen mit $u^3 - \frac{1}{3}r^2 u - cr^2 = 0$ der

Coefficient des zweyten Glieds p keinen entgegengesetzten Werth von $\frac{1}{3}r^2$ haben, weil man
sonst eine unmögliche Größe $r = \sqrt{- (\frac{1}{3} p)}$
erhalten würde. Also nur die Gleichungen unter der
Form $u^3 = pu + q$, wo p positiv ist, lassen sich
nach den hier gegebenen Vorschriften durch trigonometrische Tafeln auflösen.

Es wäre aber gut gewesen, wenn der Verf.
diese und andere Lehrsätze den Anfängern durch
Exempel in wirklichen Zahlen erläutert hätte.
Nur eines findet man in diesem Theile von Neils
Parabel, wo er Anfängern zeigt, wie sie jede
beliebige angenommene Gleichung zwischen zwey
veränderlichen Größen x und y durch Linien
ausdrucken können, und dafür werden sie ihm
gewiß danken.

Im 2ten Bande, wo schon mehrere Exempel
auch in Zahlen vorkommen, wird im 11ten und
12ten Hauptstück sowohl für recht winklichte als
schiefwinklichte Coordinaten zuerst die Größe der
krummen Linien selbst gemessen, nachdem im ersten Theile ihre Gestalt war bestimmt worden;
hiernächst der Inhalt, so wohl der Fläche, die
sie einschliessen, als der krummen Oberfläche
und des körperlichen Raums, die durch Umdrehung um ihre Axen entstehen. Statt vielen Erklärungen der innern Möglichkeit, wie durch die
Integration des Differentials der Inhalt des Gan-

zen erhalten werden könne, womit am Ende doch nicht viel ausgerichtet. wird, hat er am Kegel und der Kugel gezeigt, daſs ihre Oberfläche und körperlicher Inhalt durch die Integration eben so gefunden werde, als in der Elementar-Geometrie mit aller Evidenz gezeigt wird.

Hierauf kommen die transcendenten Gröſsen, u. zwar zuerſt im 13. Hauptſtück die Logarithmen, u. die logarithmiſche Linie, welche letzte hier erſt als Hülfsmittel betrachtet wird, die Logarithmen jedes Syſtems und deſſen Baſis zu finden, und Exponential Gröſsen überhaupt zu berechnen. Alsdenn kommen Gleichungen für ihre Tangente, Subnormal, und Normal Linie, den Halbmeſſer der Krümmung, und zum Ueberfluſs auch für ihre Längen, Flächen, und körperlichen Inhalt. Mit eben der Deutlichkeit, als die Lehre von den Logarithmen vorgetragen iſt, erklärt er im 14ten Hauptſtück die Differencialen und Integralen der Zirkelgröſsen. Nachdem er an der Figur, die die Proportion ſelbſt angiebt, gezeigt hat, daſs der Halbmeſſer ſich zum Coſinus eines Bogens, wie das Differential eben dieſes Bogens zum Differential des dazu gehörigen Sinus verhalte: ſo leitet er aus dieſer einzigen Formel mit Zuziehung anderer bekannten Sätze aus den Elementen der Trigonometrie 16 Gleichungen für die Differential-Verhältniſſe, und eben ſo viele für die Integralen der Zirkelgröſsen her. Im 15 ten Hauptſtück kommen die Ausmeſſungen ſo wohl der einfachen, als der zugleich mit entſtehenden verkürzten oder verlängerten Cykloide, welche der Endpunkt des mit dem Kreiſe herumlaufenden Halbmeſſers nebſt 2 andern Punkten, davon der erſte auſserhalb des erzeugenden Kreiſes, der andere innerhalb deſſelben auf dieſem Halbmeſſer angenommen wird, beſchreibt. Das 16te Hauptſtück: von den krummen Linien, die um einen Pol, oder einen unverrückten Punkt beſchrieben werden. Nicht bloſs die Spiralen, Quadratrizen, Epicykloiden (ſo weit ſie eine ähnliche Behandlungsart verſtatten, und Konchoiden, ſondern auch die Kegelſchnitte erhalten hier ihre Polargleichungen. Das 17te Hauptſtück: von doppelt gekrümmten Linien, und von krummen Flächen, deren Schnitte hier betrachtet werden, auch von Partialdifferenzen wird hier ein Begriff gegeben. Das 18te Hauptſtück: von Linien, die einander berühren oder ſchneiden, gröſtentheils nach des *Marquis de l'Hopital Analyse* etc. Noch wenig bekannt, wenigſtens nicht aus unſern gewöhnlichen Handbüchern, iſt das 19te Hauptſtück: von der Variationsrechnung, und deren Anwendung auf die Geometrie. Man nimmt hier an, daſs irgend ein Umſtand das Verhältniſs der Applicaten entweder für die ganze krumme Linie, oder nur für einen Theil derſelben ändre; ſetzt zum Unterſchied der daher entſtehenden Differentialen von den gewöhnlichen das δ davor z.B. ſtatt d. x ſchreibt man δ. x, wenn die Gröſse va-

riiren ſoll. Euler in ſeiner Schrift; *Methodus inveniendi lineas curvas maximi minimiue proprietate gaudentes*, fand ſo das gröſste oder kleinſte der Integral Formeln. Hr. *de la Grange* ſetzte dieſe Unterſuchung fort in ſeinem *Eſſai d'une nouvelle Methode pour determiner les Maxima et les Minima des formules integrales indefinies*, und Hr. *Couſin* in ſeinen *Leçons de Calcul* faſste dieſe neue Rechnungsart in eine Theorie zuſammen, daraus unſer Hr. V. hier dasjenige genommen, was ſich auf die Geometrie anwenden läſt.

Hinter dieſem Bande iſt noch ein dreyfacher Anhang: 1) Beſchreibung einiger Inſtrumente, beſonders des Proportionalzirkels, nebſt deſſen mannichfaltigem Gebrauch, zweyer Winkelhaken zur Findung zwey mittleren Proportionallinien zwiſchen zwo Linien, des verjüngten Maaſsſtabes und Transporteurs, des Storchſchnabels, des elliptiſchen Zirkels. 2) Anweiſung (gar nicht aus der höheren Geometrie) unregelmäſige Linien, Flächen, und Körper zu meſſen, berechnen, und zeichnen. Beide Abſchnitte wird wohl keiner in einer höhern Meſskunſt ſuchen; ſie gehörten in des Vf. ſelbſt lernenden Geometer. 3) Wiederholung der vornehmſten Lehren der höhern Geometrie. Ein ſchätzbarer Aufſatz für den Anfänger, den er mit folgenden 2 Fragen ſchlieſst. „Iſt die höhere Geometrie wirklich nützlich und auf irgend was anzuwenden, oder iſt es nur eine leere Grübeley? Man muſs geſtehen, daſs ſie im gemeinen Leben ſelten gebraucht wird. Auch in Künſten beruhet meiſtens alles auf der geraden Linie und die Zirkel. Ihr Nutzen zeigt ſich aber hauptſächlich in der *hohern Mechanik*, wo die krummen Linien beſtimmt werden müſſen, welche die bewegten Körper beſchreiben. Und, ſoll ich meine Meinung aufrichtig geſtehen, ſo betrachte ich die höhere Geometrie hauptſächlich (?) als eine ſehr nützliche und faſt unentbehrliche Uebung im Calculiren, vorzüglich in der Differential und Integralrechnung. Ohne eine ziemliche Geläufigkeit in dieſen Rechnungen wird man nie in der angewandten Mathematik die Anfangsgründe überſchreiten; und ohne die höhere Geometrie wird man nie eine ſo bequeme Gelegenheit finden, um ſich im Calculiren zu üben. (Dieſer Uebung könnten wir aber groſsentheils entbehren, wenn nicht die Bahnen der Planeten und anderer bewegten Körper und ſelbſt ihre Geſtalt u. ſ. w. uns die Kenntniſs der höhern Geometrie nothwendig machte.) Die andere Frage, ob die Geometrie noch neue wichtige Entdeckungen hoffen läſſe? beantwortet er problematiſch. In der Vorrede iſt auch noch eine kurze Geſchichte der Wiſſenſchaft und ihrer berühmtern Erfinder, hauptſächlich aus den *Saverien*, angeführt, offenbar mit zu weniger Rückſicht auf die Verdienſte der Deutſchen, mit deren Schriften er überhaupt wohl nicht ſonderlich bekannt zu ſeyn ſcheint.

VERMISCHTE SCHRIFTEN.

ERLANGEN, b. Palm: *Urfula Ungerin, ein Ge-*
genftück von Chriftine von Wangenheim, einer
Geschichte über Bosheit und Lafter aus gerichtlichen Acten und Originalurkunden ans
Licht geftellt von *C. F. W. Freyherrn von*
Völderndorf und Waradein, Anspach-Bay-
reuthfchen Kammerherrn, Regierungsrath
und Hofgerichtsaffeffor. 1788. 116 S. 8. [6
gr.]
Der Vf. wurde durch eine Recenfion in der
A. L. Z. auf eine, angeblich zu Culmbach vor-
gefallene Gefchichte aufmerkfam gemacht, worüber der Rec. Erläuterung gewünfcht hatte;
er fand bey der Unterfuchung, dafs es ein auf-
gewärmtes, zuerft im *Gemeindebothen* abgedruck-
tes, Mährchen fey; eine Betrügerin, deren wahrer Name *Ungerin* war, hatte fich für eine aus
dem Klofter entfprungene Nonne ausgegeben,
den Namen Fräulein von Redtwitz fälfchlich angenommen, und bey einigen gutmüthigen Seelen
in der Gegend von Culmbach, durch lügenhafte
Vorfpiegelungen Eindruck gemacht, bis fie die
Landesobrigkeit entlarvte, und zwang, ihren
Roman im Zuchthaufe auszufpielen. In dem
neuen Abdrucke des Mährchens hatte man die
Fräulein von Redtwitz in ein Fräulein von Wangenheim verwandelt. Der Vf. erörtert und widerlegt diefes Alles fehr gründlich, freylich mit
etwas jurifticher Weitfchweifigkeit.

KLEINE SCHRIFTEN.

PHILOSOPHIE. *Leipzig*, Bi-leben und *Halle*, b. Dreyfig: *Ueber den erften Grundfatz der Moralphilofophie von.*
J. G. C. Kiefewetter. Nebft einer Abhandlung über die
Freyheit von dem Hn. Prof. Jakob. 1788. 112 S. 8. Hr.
K. ftudirte, zufolge der Nachricht S. 28., zu Halle, vorzüglich Philofophie ; dann reifte er Michaelis 1788. nach
Königsberg, um von Sr. Majeftät dem König von Preu-
fen gnädigft unterftützt, fein philofophifches Studium
unter dem "grofsen Kant" fortzufetzen. Vor feiner Abreife
lieferte er diefe Schrift, welche feinem bisherigen Fleifse
viele Ehre macht, und von feinen jetzigen Fähigkeiten
bey fortgefetzter zweckmäfsiger Ausbildung für die Zukunft reifere Früchte erwarten läfst. Sie befteht in einer
wohlgeordneten und mit gutgewählten Beyfpielen er-
läuterten Darftellung deffen, was Kant in feinen kritifchen Schriften über diefelbe Materie gefagt hat. "S. 29.
— 32. Einleitung : S. 33 — 38. Begriff eines Moralprin-
cips und Darftellung der möglichen Arten, zu einen
folchen zu gelangen ; S. 39 — 105. Prüfung der Principien der Moralphilofophie — wobey die Hauptftellen in-
fer Vertheidiger angeführt find; endlich S. 105 — 112.
Darftellung des formalen Princips der Moral, als den einzig wahren Urprincips" in welchem letzteren, als dem
wichtigften, Abfchnitte wir etwas mehr Ausführlichkeit,
befonders in Entwickelung der zunächft untergeordne-
ten allgemeinften Maximen, gewünfcht hätten.
In der *Abhandlung* S. 1 — 28. erklärt Hr. Prof. *Ja-*
kob das Phänomen der unaufhörlichen, jedoch immer
fruchtlofen, Angriffe der Speculation auf die Freyheit.
Willensfreyheit, d. h., Unabhängigkeit der Vernunftgefetze
von allen andern, aufser von der Vernunft felbft, ift
ein Factum, deffen wir uns zugleich mit dem Sittenge-
fetze unmittelbar bewufst werden, das wir weder weg-
vernünfteln noch erklären können, von deffen Unerklär-
barkeit fich aber doch Gründe aus der Natur unfers Erkenntnifsvermögens angeben laffen. Aus der Selbfter-
kenntnifs der Vernunft, welche den Zweck ihrer Kritik ausmacht, waren alfo Beftrebungen derfelben unvermeidlich, diefe Eigenfchaft der Seele entweder zu erklären,
oder, welches ziemlich auf Eins hinausläuft, für die gänzlich abzuftreiten. Mit Recht erinnert der Vf. gegen diejenigen, welche zwar die Unabhängigkeit der Moralität
von den Gefetzen der *finnlichen* Natur eingeftehen, dafür aber einen *intelligibeln*, keiner Zeitbedingung unterworfenen dynamifchen Zufammenhang der Dinge an-
fich felbft annehmen, dafs eine folche Behauptung fich
weder erweifen, noch auch einmal verftändlich machen
laffe, weil über fie [Erfcheinungen hinaus unferm Erkenntnifsvermögen weder Boden noch Richtfchnur der
Bearbeitung gegeben ift. Allein eben fo wenig möchte
wohl auch aus eben derfelben Urfache der Dogmatifmus
zu rechtfertigen feyn, welcher den Dingen an fich das
Verhältnifs zwifchen Grund und Folge geradezu abfpricht.
Je mehr uns übrigens die Sache, die Hr. J. vertheidigt, am Herzen liegt und je höher wir fein philofophifches Talent fchätzen ; um fo lebhafter wünfchen
wir feinen künftig herauszugebenden Schriften noch Eine
Vollkommenheit, die fie alsdann unftreitig bekommen
würden, wenn ihr Vf. Männern, die, ohne mit ihm
gleicher Ueberzeugung zu feyn, doch achtungswürdige
Verdienfte befitzen, mehr Gerechtigkeit wiederfahren zu
laffen, und feinen zuweilen hohnfprechenden Ton mehrere Würde und Milde geben wollte. — Wenn ein Nichtkenner z. B. S. 75 die Worte lieft : "Lafst uns alfo
"muthig die Behauptung des gefunden Menfchenverftan-
"des gegen die Anfälle der Schule in Schutz nehmen;
"denn wir kennen ihre ganze Rüftkammer, und wiffen,
"dafs fie bleierne Schwerdter im Hinterhalte hat, die
"wir mit unferm feften Harnifch, den die Kritik uns an-
"legt, verlachen können" — fo wird er wahrfcheinlich
darüber veranlaßt, einigen Verdacht gegen eine Sache, deren Sachwalter noch vor geendetem Streite fo feyerlich
triumphirt, als ein Vortheil gegen diejenige zu faffen, die fo demüthigende Seitenblicke von ihrem anmaf-
fenden Gegner erduldet.

SCHÖNE WISSENSCHAFTEN. *Salzburg*, in der Wai-
fenhausbuchh.: *Eine wahre Gefchichte*, aus dem Franzöfifchen überfetzt von einem Frauenzimmer. 1788. 41 S.
8. Eine unglückliche Liebe, die erft zur Verzweiflung,
und dann zu wollüftigen Ausfchweifungen verleitet, worauf am Ende, nachdem der Sturm der Leidenfchaften
ausgetobt hat, Ruhe des Gemüths folgt, macht den Inhalt diefer kleinen Erzählung aus, die es eben nicht verdient hat, überfetzt zu werden.

PHILOSOPHIE.

Leipzig, in der Müllerschen Buchhandl.: Natur und Gott nach Spinoza, von M. Karl Heydenreich. Erster Band. 1789. 224 S. 8. (16 gr.)

Der Zweck dieser Schrift ist eine ausführliche und deutliche Darstellung und eine darauf folgende Prüfung des Spinozismus. Nach einer Rechtfertigung seines Unternehmens, deren es vor wahren Philosophen nicht bedurft hätte, folgt hier S. XIX — LXXX das Leben Benedicts von Spinoza, aus einer französischen Handschrift, muthmaßlich eines gewissen, Mr. Luca, eines Zeitgenossen und Freundes von S., mit Anmerkungen von dem Herausgeber, worinn einige Anekdoten vorkommen, die man nicht in Coierus antrifft.

Das Buch selbst, ist seiner Form nach, dialogisch. Im Einleitungsgespräche (S. 1 — 74) unterreden sich zween Weltweise über die Abhängigkeit des Menschen, über Deismus, Pantheismus und Atheismus. Der eine, Xenophanes, vertheidigt die metaphysischen Begriffe des Spinoza (jedoch ohne ihn zu nennen,) gegen die entgegengesetzten dogmatischen und transscendenten Behauptungen der gewöhnlichen Theisten, von der einfachen Substanz der Seele, der Freyheit des Willens, und von dem Daseyn eines anthropomorphistischen Gottes. Der andre, Parmenides, ist ein dogmatischer Theist, Spiritualist und Vertheidiger der Freyheit, der sich ganz und gar der hergebrachten unkritischen Erklärungs- und Beweisart bedient. Jener läugnet keine Grundwahrheit der Religion, sondern besteht nur auf seinem Rechte, die unergründliche Natur des nothwendigen Allwesens unergründet zu lassen, (weicht also in soferne von Spinoza ab, der auf eine wirkliche dogmatische Einsicht und objective Erklärung von dem Daseyn und Wesen der Gottheit Ansprüche machte), und die eigenmächtigen und willkührlichen Anmaßungen des theistischen Dogmatikers abzuweisen. Der Ausgang des ganzen Streites, und die Verlegenheit, worein der Vielbehauptende von dem Wenigbehauptenden gesetzt wird, kann nur demjenigen unerwartet und sonderbar vorkommen, dem der Maaßstab kritischer Grundsätze fremd ist, wornach sich das Verhältniß der Kräfte zweyer metaphysischer Streiter dieser Art jederzeit im Voraus bestimmen läßt, sobald man nur weiß, welcher von beiden Theilen Beweise fodern, und welcher sie hingegen darbieten wird. Nur allein bey dem Versuche, den Xenophanes wagt, das wesentliche moralische Bedürfniß, nemlich Freyheit des Willens, und ein physischsittliches Allprincip vorauszusetzen, mit der objectiven Abläugnung dieser beiden Postulate zu vereinigen, kann es uns vor, als ließe der Vf. seinem Parmenides etwas zu viel Nachgiebigkeit beweisen, indem er ihn nicht auf der gegründeten Anfoderung an seinen Gegner bestehen läßt, ihm die beiden unläugbaren Data der praktischen Vernunft, nemlich das apodictisch gebietende, und sich über alle physische Gesetze, (mit denen es hier in Parallele gesetzt wird) selbst unmittelbar erhebende Sittengesetz mit der unbeschränkten Naturnothwendigkeit, und die subjectiv nothwendig mit jenem Bewußtseyn verbundene Erwartung der gewissen Glückseligkeit mit dem behaupteten Nichtseyn einer moralischen Gesetzen analog wirkenden Welturfache vernunftmäßig zu verbinden. Der Dialog wird im Ganzen gut und natürlich geleitet, so, daß der Leser in Gegenwart der Scene und in Theilnehmung an den Parteyen erhalten wird. Eben dieses können wir auch, jedoch nur mit einiger Einschränkung, von den S. 77 bis zu Ende des Buchs fortlaufenden Gesprächen über das System des Spinoza behaupten, deren Inhalt den Liebhaber metaphysischer Betrachtungen schon an sich, mithin auch in einer minder vollkomnen dialogischen Form, hinlänglich interessirt. S. 79 ff. läßt Hr. H, seinen Xen. einen ziemlich paradoxen Gedanken äussern, und vom Parmenides allzugefällig einräumen, der wohl schwerlich bey einer genauern Prüfung bestehen dürfte. X. sagt: „die „Möglichkeit einer Offenbarung kann kein ver„nünftiger Metaphysiker bestreiten.“ (Allerdings, nemlich die Möglichkeit des Begriffs; aber auch die reale, d. h., die Möglichkeit, ihn erfahrungsmäßig zu realisiren? Von dieser Seite bestritten, dürfte der dogmatische Supernaturalismus seine ver-

meynten Befitzthümer fchwerer vertheidigen
können. Diefen Standpunkt darf der Meta-
phyfiker bey Unterfuchung deffen, was möglich
ift, nie vorbeygehen, wenn es gleich beyläufig zu
bemerken, aufser Hrl. H., auch der Vf. der erften
kritifchen Metaphyfik bey §. 328. Anm. der Metaph. gethan hat —): „Was aber die Lehren be-
„trifft, welche fie vorträgt, fo können diefe aller-
„dings der Vernunfterkenntniß entgegen feyn, u.
„beide können recht haben, und wir werden im-
„mer, wenn wir auch die Confequenz der Ver-
„nunftlehre einfehen, dennoch verpflichtet feyn,
„den Ausfpruch der Offenbarung auch anzuneh-
„men, ja fogar diefem gemäfs uns in praktifchen
„Fällen zu beftimmen." Diefs wird nachher auf
die Erkenntniß folcher Gegenftände eingefchränkt,
deren wahre Natur zu erkennen unfre Kräfte
überfteigt, weil fie überfinnlicher Art find, und
wo es doch Bedürfnifs für den Menfchen feyn
foll, fich gewiffe, feiner Beftimmung angemelle-
ne, Begriffe zu bilden. Allein angenommen, der
geoffenbarte Begriff fey blofs Ergänzung der
möglichen objectiven Vernunfterkenntnifs, fo
wird entweder die Befugnifs, und zugleich die
Nothwendigkeit diefer Ergänzung durch die Vernunft felbft erkannt, oder nicht. Wäre das letztere, fo wäre kein Bedürfnifs, und überall kein
Grund vorhanden, warum die Vernunft irgend
eine von ihren, nach nur fubjectiven, Maximen
einer übervernünftigen Belehrung zu Gefallen
hintan fetzen follte, und fie handelte dann wider ihre Natur; wäre aber das Erfte, fo würde
fie fich felbft, ohne Offenbarung, beftimmen können und müffen, jene praktifch unenkbertichen
Begriffe als Regulative für das Denken und Handeln gelten zu laffen. Wenn aber ein folcher
vernunftiger Bedurfnißglaube an dasjenige, was
fie als objectiv unerkennbar erkennt, fie nicht be-
friedigte, und wenn fie deshalb aufservernünf-
tige objective Auffchlüffe fuchen wollte, fo würde fie fich das Unmögliche in eben der Betrachtung als nothwendig denken, und ihren wefentlichen Gefetzen widerfprechen. — Die Vertheidigung Leffings wegen. feines widerfprechend
fcheinenden Betragens gegen Mendelsfohn und
Jacobi in Abficht auf den Spinozismus ift dem
Vf. nicht mifslungen. Von Mendelsfohn's Darftellung und Erklärung des Spinozifchen Syftems, und von den Verfuchen diefes Weltwei-
fen, die Leibnizifche präftabilirte Harmonie aus
Spinoza herzuleiten, und die unterfcheidenden
Sätze diefes Syftems theils zu widerlegen, theils
auch ihnen durch eine neue und bequeme Wendung und Abänderung nachzuhelfen, wird hier
fehr deutlich und einleuchtend gezeigt, dafs fie
eine unzulängliche Kenntnifs von dem Geift und
Wefen diefer Philofophie verrathen. Am Schluffe (S. 212 bis z. E.) fucht der Verf. noch einige
Erinnerungen zu entkräften, welche Herder in

feinem Buche „Gott" dem S. entgegen geftellt
hat.

Wenn wir gleich, um grofse Weitläufigkeit
zu vermeiden, uhs nicht wohl in das Detail diefer Heydenreichifchen Erörterungen einlaffen
dürfen, fo müffen wir doch dem Vf. das gerechte Zeugniß ertheilen, dafs feine Schrift nicht nur
eine innige Bekanntfchaft mit allen Theilen und-
Verkettungen des dargeftellten und geretteten
Syftems, fondern auch ein allgemeines Talent verrathen, verfchiedene philofophifche Denkarten
fcharf gegen einander zu ftellen, und zu vergleichen, fich von Sprache und Wendungen feines
Schriftftellers loszureiffen, ohne den Geift feiner Philofophie unkenntlich zu machen, und
dem Ganzen eine Geftalt zu geben, die dem
Lichte, welches unfer Zeitalter der Philofophie anzündet, angemeffen ift. Begierig werden
den alle Freunde metaphyfifcher Unterfuchungen der weitern Erörterung, und noch begieriger die verfprochene kritifche Prüfung des
Spinozismus im folgenden Theile entgegenfehen,
die gewifs niemanden weniger ungelegen kommen kann, als eben denen, welche das Bedürfnifs einer kritifchen Behandlung der Philofophie
am ftärkften fühlen, und bey welchen gleichwohl
Hr. M. Heydenreich, eine ungünftige Aufnahme
zu finden, argwohnt.

LEIPZIG, b. Crufius: Verfuche zur Aufklärung
der Philofophie des älteften Alterthums, von
Friedr. Victor Lebrecht Pleffing, d. W. D. u. ord.
Prof. zu Duisburg. 1788. 470 S. 8. (1 Rthl. 6 gr.)

In diefen Verfuchen wird das Memnonium unfers Vf. fortgefetzt. Es follen fünf Bücher erfcheinen, wovon das erfte gegenwärtigen Band einnimmt. Diefer befchäftiget fich blofs mit der Platonifchen Philofophie, und nicht einmal mit der ganzen, fondern nur mit der Lehre von Gott, den Ideen,
der Weltfeele, und Materienformung. Aus den
hergehenden Schriften kennt man den Vf. als einen Mann von grofser Belefenheit, anhaltendem
Forfchungs- Geifte, und nicht gemeinen Scharffinn,
der aber nun einmal fo geftimmt ift, das meifte
anders zu fehen, als es den neueften und uneingenommenen Unterfuchern der Behauptungen
des Alterthums erfchien. Irren wir nicht; fo
hat dies folgenden Grund: Eingenommen einmal von dem theofophifchen und kabbaliftifchen
Emanations- Syftem, vielleicht auch zu früh hinge-
riffen durch Lobpreifungen des hohen Alterthums,
und der faft allgemeinen Gultigkeit deffelben bey
den vornehmften Philofophen der Vorwelt, glaubt
er es überall fuchen, und durch fehnliches Suchen, auch finden zu müffen. Demzufolge ftrengt
er feinen ganzen Scharffinn an, im Plato es
ganz ausgebildet zu entdecken, und liefert auf
die Welfe den ziot fehr überhand nehmenden
Bewunderern deffelben nicht geringe Waffen die
ihnen willkommen feyn werden; befonders
da

da sie durch Zahl und Gewicht neuerer Geschicht-
forscher beynahe zum Stillschweigen gebracht waren. Ohne einseitige Behandlung, selbst gewaltsame Deutelung des griechischen Philosophen, läst
sich natürlich das nicht bewerkstelligen, mitunter
sogar wohl nur dadurch, daß der Vf. dem Plato vor-
demonstrirt, wie er hätte denken müssen, und hin-
terher versichert, so habe er würklich gedacht.
Soviel hat indeß die Geschichte der Philosophie
durch diese Behandlung gewonnen, daß die vom
Vf. vertheidigte Seite schwerlich besser wird vertheidigt werden, und wenn sie sich nun nicht aufrecht erhält, als ganz unerhaltbar wird aufgegeben werden müssen. Ohne zu grosse Weitläuftigkeit können wir nicht alle uns befremdenden
Behauptungen des Vf. einer nähern Untersuchung
unterwerfen, und begnügen uns daher einige
charakteristische Sätze mit unsern Anmerkungen zu
begleiten. Gleich den Alexandrinern, und deren spätern Anhängern lehrt der Vf.: Plato habe
unter den Ideen Substanzen verstanden, und zwar
so, daß sie nicht zugleich Begriffe im göttlichen
Verstande, noch Urbilder und Wesen der Dinge
in der Sinnenwelt sind. Vielmehr erhalten die
Ideen ihr Daseyn vom Verstand, (νους, λογος)
der keine Eigenschaft Gottes, sondern eine von ihm
ausfliessende Wirkung, eine von ihm verschiedene Substanz, ist. Von diesem Verstande ist wiederum Wirkung und Ausfluß die göttliche Welt-
seele, wesentlich verschieden, der in der
Materie wohnenden blinden Begehrungs- und Be-
wegungskraft; so daß also es drey göttliche Wesen
oder Substanzen giebt, und Plato Vertheidiger
einer Art von göttlicher Dreyheit wird. Darin
treten wir dem Vf. bey, daß Platos Ideen Substanzen sind, In den übrigen diesem Satze beygefügten Bestimmungen können wir nicht mit ihm
gleich denken. Diese beweist er mit dem innern
Widerspruche, daß die Ideen nicht zugleich Substanzen und blosse Begriffe seyn können; allein
er selbst entkräftet den Beweis dadurch, daß er
mehrmals zugiebt, Plato sey von allen Widersprü-
chen nicht frey. Nicht minder dadurch, daß er
einräumt, jene Ideen haben bloß das allgemeine
zum Inhalt. Nun aber möchten wir wissen, wie
ohne Widerspruch etwas allgemein und doch wirkliche Substanz seyn kann. Andere Stellen, wo
Plato die Ideen als Gedanken, Modificationen des
Verstandes betrachtet (Parmenid. p. 1113, Ficin.)
sie Ueberlegungen Gottes (λογισμους Θεου, Tim. p.
1093.) nennt; und wo er den Verstand darinn
allein zur Welturfache annimmt, weil aus dem,
daß es so, besser ist, allein befriedigender
Grund der Welteinrichtung angeben läßt, wo also
Gott nach Plan handelt (Phaedo p. 72. Timaeus l. c.)
werden nicht in den Hintergrund gestellt. Am Ende kommt auch der Vf. selbst hierauf zurück, indem
er die Ideen für Producte der Denkkraft, oder
des Verstandes erklärt, die zugleich Substanzen
sind. Um aber den darinn liegenden Widerspruch

zu entfernen, erklärt er die Sache so: Plato nehm,
eine intelligible Materie an, auf sie wirkte der
Verstand durch Eindrückung seiner Formen, und
brachte so, statt bloßer Bilder, Substanzen mit-
telst des Denkens hervor. Aus Plato läßt sich
dies freylich nicht klar beweisen, und was aus,
ihm angeführt wird, dem legt selbst der Vf. nicht
viel Gewicht bey. Er nimmt daher Zuflucht zu
andern Hülfsbeweisen aus den Alexandrinern und
Aristoteles. Die erstern, als willkührliche Auslegen, die nicht selten ihre eigne Vorstellungen
unterschieben, gelten natürlich nicht. Letzterer
spricht zwar von einer intelligiblen Materie, aber
bloß als eigner, nicht als Platonischer Behauptung; und überdem ist nicht erwiesen, daß er,
darunter etwas verstand, wodurch Dingen aufser dem Verstande substantielles, Daseyn könnte,
gegeben werden. Bekanntlich werden in der
Peripatetischen Schule die Genera Materie, die spe-
cifischen Differenzen Formen der Begriffe genannt; durch diese Materie also kommt nichts,
substantielles zu Stande. So sind wir also, wo
wir vorher waren, daß Platos Ideen zugleich
Substanzen, und Wirkungen der Denkkraft, Modificationen der Denkkraft durch einen Widerspruch sind.

In Ansehung des andern Satzes, daß der Verstand eine von der höchsten Gottheit hervorge-
brachte, und von ihr verschiedene Substanz ist,
geben wir gern zu, daß Plato mehrmals sich so
ausdrückt, als ob er dies meyne, und daß der,
Vf. diesen Vortheil sehr gut benutzt hat. Es,
giebt aber andre Stellen, die sich hiermit nicht,
füglich vereinbaren lassen; z. B., der Verstand ist
Beherrscher von Himmel und Erde, (Phil. p. 381)
gleich darauf, er ordnet und regiert alles; ferner, Verstand und Weisheit nennt man mit Recht
die alles ordnende und einrichtende Ursache. (S.
382). Wie konnte Plato so reden, wenn er diesen Verstand von einer andern Ursache wieder
hervorbringen ließ? Jene andre Ursache war ja
dann die allgemeine Herrscherin im Himmel und
auf Erden. Im Phädo (S. 72) billigt Plato den
Anaxagorischen Grundsatz, daß die Welt durch,
den Verstand entstanden, ohne alle Ausnahme, wie
konnte er das, wenn er nicht mit Anaxagoras,
diesen Verstand für die allererste und oberste Ursache erkannte? Aber, sagt der Vf. mit andern,
Plato leitet ja doch den Verstand aus dem Guten,
ab, also ist ihm das Gute, oder in unsrer Sprache
zu reden, das vollkommenste Wesen oberstes
Princip, der Verstand nur dessen Wirkung. Ist ge-
wissem Sinn freylich, in so fern nemlich aus dem
Begriffe des vollkommensten Wesens Verstand,
als Eigenschaft folgt; nicht in so ferne er substantielle Wirkung von ihm ist. Bey der Unbestimmt-
heit der alten metaphysischen Sprache ist es nicht
zu verwundern, daß zwey so nah verwandte Begriffe mit einander verwechselt werden. Im Grunde ruht das ganze Emanations-System auf dieser

ter Verwechslung; denn in der Theorie der Alexandriner sowohl als späterer Vertheidiger wird immer logische Folge, logische. Ableitung der Prädicate aus dem Subjecte, oder der Geschlechter aus dem Begriffe der Gattung, für substantielle Hervorbringung, ursachliche Operation gesetzt. Diesen Sinn leiden die Platonischen Stellen ohne Ausnahme, man hat also zu beweisen, dass Plato sie im Verstande seiner neuen Ausleger der Alexandriner nahm. Wenn z. B. Plato sagt, Gott vereinte den Verstand mit der Seele, so heisst das: er vereinte sich selbst, in sofern er denkendes, verständiges Wesen ist, mit der Seele, er theilt von seinem Verstande, von dieser seiner Eigenschaft der Seele etwas mit. Wenn er sagt, die oberste Ursache habe den Verstand hervorgebracht, so heisst das: aus dem Begriffe der Ursache, als des höchsten reinsten Guten, folgt der Verstand. Wirklich giebt Plato dies sehr deutlich zu erkennen, indem er sagt: können wir das Gute nicht unter einer Idee uns vorstellen, so wollen wir es in drey, Wahrheit, Schönheit, und Ebenmaß fassen (Phileb. S. 405). Diese drey also sind ihm Eigenschaften, oder wenn man will, Bestandtheile der Ideen des Guten. Ebendaselbst thut er ferner folgenden Ausspruch: Verstand ist entweder mit der Wahrheit einerley, oder doch ihr am ähnlichsten; folglich erkennt er ihn auch für eine Eigenschaft, oder wesentlichen Bestandtheil des Guten, und wenn er von Zeugung, Hervorbringung des Verstandes durch das Gute, redete, soll damit bloß logische Herleitung des einen aus dem andern gemeynt seyn, wozu noch kommt, dass Plato in demselben Philebus den Verstand eine Art oder Gattung der allgemeinen Ursache (γενος ήτου παντων αιτιου) nennt, also ihn durch logische Herleitung der Gattungen aus dem Geschlechte davon ableitet.

VERMISCHTE SCHRIFTEN.

CLEVE, b. Koch: Der arabische Mentor, oder, die Bestimmung des Menschen, eine Orientalische wahre Geschichte, im zwölften Jahrhundert der Christen, aus dem Arabischen ins Hebräische, und aus dieser Sprache ins Deutsche übersetzt. 1788. 379 S. 8. (1 Rthl. 4 gr.)

Diesen moralischen Roman, von dem man schon eine Uebersetzung unter dem Titel: Ben Hamelock Wehanassir, oder, Gespräche zwischen einem Prinzen und einem Bußfertigen hatte; hat, laut der Dedication, Samuel Jakob Hanau neu übersetzt. Ein Ungenannter aber, der sich in der Vorrede mit B. H. bezeichnet, hat die Hanausche Arbeit in Ansehung des deutschen Ausdrucks ganz umgeschmolzen. Die Jugendgeschichte eines morgenländischen Prinzen, die in diesem Romane enthalten ist, mag immer, in so fern als sie 1176 geschrieben worden, dem Kenntnissen und dem Tugendeifer des Verfassers in jenem dunklen Zeitalter Ehre machen: aber 1789 hat die Moral eine angenehmere Einkleidung nöthig, als man hier findet, olgleich der Uebersetzer durch Auslassungen dem weitschweifigen Vortrag etwas hat zu Hülfe kommen wollen.

KLEINE SCHRIFTEN.

ARZNEYGELEHRTHEIT. Kopenhagen, b. Rothe: Pharmacopea in usum Nosocomii Fridericiani Hafniensis, edita a Frider. Ludov. Bang, Med. Doct. et Profess. in universitate hafniensi, cet. 1788. 45 S. kl. 8. (3 gr.) Der Herausgeber nennt in diesem Werkchen die Heilmittel, deren sich die am Friedrichshospitale zu Kopenhagen angestellten Aerzte und Wundärzte in ihrer öffentlichen Praxis zu bedienen pflegen, und macht seine Leser zugleich mit der Bereitungsart der von ihm verzeichneten zusammengesetzten Arzneyen, die noch keine Stelle im dänischen Apothekerbuche erhalten haben, bekannt. Wir heben von diesen letztern einige Beyspiele aus. Den auflöslichen Weinsteinrahm lehrt Hr. B. aus einem Theile Borax und drey Theilen Weinsteinkrystallen zusammensetzen; allein dieses Verhältniß der beiden Bestandtheile zu einander ist nicht das beste; denn ein Theil Borax kann nicht viel mehr als 3 Theile gereinigten Weinstein im Wasser leicht auflöslich machen, und der Herausgeber hätte dahero wenigstens 1½ Theil Borax zu 3 Theilen Weinsteinkrystallen vorschreiben sollen; überdem entsteht auch der auflösliche Weinsteinrahm nicht durch bloße Zusammenmischung dieser Ingredienzen, sondern durch Auflösung derselben im Wasser, und Eindickung dieser Auflösung bis zur Trockenheit, u. f. w. Wider die Schwämmchen wird ein Saft aus 1 Unze Rosenhonig und 1 Quentchen Borax, und wider die Gicht ein Gemisch aus 1 Lothe Bitterkleeextract, 6 Loshen Bitterkleesaftes und 1 Lothe antiscorbutischer Tinktur empfohlen. Die flüchtige Salbe läßt Hr. B. aus 3 Quentchen Kampfer, 1½ Quentchen ätzendem Salmiakgeist und 1 Lothe Olivenöl bereiten. (Wir würden, statt dieses letztern, Leinöl zu nehmen rathen, das, besonders als ein schmerzstillendes Mittel, dem Olivenöle vorgezogen zu werden verdient;) die wurmtreibenden Pillen lehrt er bloß aus stinkendem Asand, die scharfen Pillen aber aus 450 Granen Mutterhars, eben so viel Glanzruß, 240 Granen stinkendem Asand, 45 Granen Bernsteinöl und 1 Lothe antiscorbutischer Tinktur empfohlen. Die Menge Syrup verfertigen. Ueberhaupt sind die wenigsten Formeln mit so viel Einsicht abgefaßt; daß man kaum einige erhebliche Erinnerungen dagegen machen kann.

KRIEGSWISSENSCHAFTEN.

STUTTGART, in der Druckerey der hohen Karlsschule: *Reine Taktik der Infanterie, Cavallerie und Artillerie*, in zwey Theilen verfafst von *Franz Miller*, herzogl. Wirtemb. Husarenlieutenant und öffentlichen Lehrer, der Taktik auf der Karls-Hohenschule zu Stuttg. Erster Th. 1787. 619 S. mit 11 Kupf.; Zweyter Th. 1788. 507 S. u. 39 Kupfern. 8. (6 Rthlr. 12 gr.)

Der Vf. dieses den Officieren vor vielen andern mit Recht zu empfehlenden Werkes, würde demselben eine gröfsere Brauchbarkeit gegeben haben, wenn er das Ueberflüssige, das gleich zum Plan Gehörige weggelassen hätte. Z. B. den gröfsten Theil der Einleitung, einiges von der Kenntnifs der Pferde, die 5 Bogen grofse Abhandlung von den Krankheiten derselben, die Abhandlung vom Pulver, vom Geschütz und seinen Lafeten u. a. m. Der Officier ist und kann kein Pferdearzt seyn. Er kann nur einem Geschäfte vollkommen vorstehen; will er alles seyn, so ist er nichts. Und wie kann man diese Gegenstände in die reine Taktik ziehen, welche nach des Vf. Erklärung S. 3, die Stellungen und Bewegungen der Truppen entwickelt. In den Anmerkungen hätte allenfalls für die, welchen es an Vorkenntnissen fehlt, etwas zum Verständnifs des Vorgetragenen gesagt werden können, wie in Böhms Anleitung zur Kriegsbaukunst geschehen ist. Jetzt ist der Cursus der reinen Taktik des Vf. mit verschiedenen Abhandlungen, welche zum Theil selbst nicht zu den Kriegswissenschaften gerechnet werden, unterbrochen. Manche Leser werden auch dadurch, dafs der Vf. zu weit ausgeholt und sich zu sehr ins Kleine, und oft in spitzfindige Untersuchungen einläfst, der Lecture seines Werks überdrüssig werden. Diese Fehler herrschen in beiden Theilen, jedoch sind sie im zweyten häufiger; als im ersten, wovon man im ersten Abschnitt sich überführt finden wird. Hier nimmt der Vf. bey den Lehren des Marsches, aus Krugers Naturlehre die Theorie von der Bewegung der Thiere und Menschen, und erklärt die Ein-

richtung der Taschenuhren. Einige überflüssige Raisonnements sind schwer bey einem weitläuftigen Buche zu vermeiden; aber solche Anekdoten, wie S. 60 und 61 im ersten Theile, ganz unter der Würde, mit der man in ernsthaften Gesprächen redet, hätten wir nicht erwartet.

Eine nicht kleine Unbequemlichkeit bey diesem Buche ist dadurch entstanden, dafs der Vf. nicht, wie in andern guten Lehrbüchern, in *Struensees* und *Mauvillons* Werken, den Inhalt über die Paragraphen, oder auch nur über die gröfsern Abtheilungen gesetzt. Man findet hier z. B. unter der Ueberschrift: *Stellung der Infanterie*, die Einrichtung des Infanteriegewehrs, die Untersuchung desselben, die Feurung etc. Dafs in den Anmerkungen im ersten Theile, die Verschiedenheiten erzählt sind, welche sich in der Eintheilung, Rangirung etc. in verschiedenen Diensten finden, scheint uns dem Plane dieses Buchs nicht zuwider zu seyn, und wir haben oft gewünscht, dafs dies im zweyten Theile, wo es wichtiger gewesen, geschehen wäre. Auch die Meynungen der Schriftsteller, welche sich als Männer von Erfahrung und Einsicht gezeigt, hätten auf eine gleiche Weise angeführt werden können. Dies wäre besonders da erforderlich gewesen, wo der Vf. seine eigene hat, und wo die Sache noch Widerspruch leidet. Ueberhaupt scheint der Vf. zu oft seiner eigenen Meynung zu erwähnen. Hätte er berühmte Männer genannt, da wo sie eben dieser Meynung waren; so hätte dadurch mancher Leser der Gegenstand mehrerer Aufmerksamkeit gewürdigt.

Eigene Erfindungen haben wir nicht gefunden; aber mancher Gegenstand schien uns mehr ins Licht gesetzet, und manche wichtige, nicht allgemein erkannte Wahrheit mit neuen Gründen unterstützt zu seyn; wenigstens wird dies Werk von niemand ohne Interesse gelesen werden. Jedoch rathen wir nicht, ohne eigene Prüfung die Vorschriften, welche in demselben gegeben werden, zu befolgen; es scheint mehr Anlage zu mühsamen Untersuchungen, als zu durchdringenden Beurtheilungen zu verrathen. Wir haben z. B. das Gliederfeuer, welches der Vf. für das brauchbarste hält, gerade für das

D d d d 2   geführ-

gefährlichfte; es artet bald, wie die Erfahrung
lehrt, ins unregelmäßige aus: durch welches die
Patronen zur unrechten Zeit verfchoffen werden,
das Bataillon fich dem Commando-des Majors ent-
zieht, und in Unordnung kömmt. Warum befolgte der Vf. hier nicht die Vorfchriften des grofsen Friedrichs? (oder warum' fagt er nicht wenigftens etwas von denfelben?) die er doch aus
dem erften Bande der Gefchichte des bayrifchen
Erbfolgekrieges kennen konnte! Wenn man
fich anfangs, wie der Verf. will, des Batraillon-
und hernach des Peloconfeuers gegen die Cavallerie bedienen wollte: fo würde das Bataillon jedesmal in ein unregelmäßiges Feuer fallen, und
bey wiederholten Angriffen gefchlagen werden.
Wie ift es möglich beym Angriff der Cavallerie,
von einer Art zur andern über zu gehen, da die
befte Infanterie nur felten im Stande ift, eine
ohne Unordnung auszuführen!

Nichts hat uns mehr befremdet, als daß der
Vf. uns fo fparfam und oft fo unrichtig über die
taktifchen Einrichtungen der Preußifchen und
andere Armeen belehrt, die er doch blofs in der
Abficht bereifet hat, wie wir dies aus dem Aver-
tiffement feines Werks fchließen müffen. Mit
Recht hätten wir eine Nachricht von dem Preuf-
fifchen neuen Infanteriegewehr, von dem Preuff.
Cavalleriefeuer, und vielen andern wichtigen
Gegenftänden erwarten können.

Oft find fogar feine Nachrichten aus fchon bekannten falfchen genommen, wie z. B. 'die von
der Länge und Schwere der Gefchütze verfchiede-
n Artillerien, aus Scheel Memoires. Die preuff.
Kanonen find, z. B., doppelt fo fchwer und zum
Theil auch beynahe doppelt fo lang, als fie hier
angegeben. Ueberhaupt find die Nachrichten,
welche hier von verfchiedenen Armeen gegeben
find, unbedeutend, oder fchon anderswo gedruckt,
wenn man die von der Bedienung des preußifchen
Gefchützes ausnimmt; welche aber auch nicht
den wiffenfchaftlichen Unterricht diefes Gegenftandes, den man hier erwarten mufste, erfetzt.

Bey diefen Mängeln wird diefes Buch dem Officier und dem Lehrer der Taktik dennoch ein
reichhaltiges Magazin an wichtigen Wahrheiten,
welche nicht anderswo fo gefammlet und geordnet find, feyn, und in diefer und der oben erwähnten, Rückficht verdient der Vf. den Dank eines
jeden Officiers.

PHYSIK.

Leipzig, in der Müllerfchen Buchhandl.: Lorenz Crells, d. W. W. u. A. D., herzogl.
braunfchw. lüneb. Bergraths etc. — neues
chemifches Archiv. Sechfter Band, nebft einem doppelten Regifter über die drey letz-

ten Bände. 1787. 362 S. 8. (20 gr.) Sie-
benter Band. 1788. 358 S. 8. (20 gr.)

Die Unternehmen des Hn. Bergrath Crell, die
chemifchen, in den akademifchen Schriften vorhandenen Abhandlungen im Auszuge zu liefern,
nähert fich allmählich der Beendigung, und
wird eben dadurch, daß die Abhandlungen in
die neuern Zeiten eintreten, defto intereffan ter
und lehrreicher. Der Hr. Bergr. verdient für
die Beforgung diefes nützlichen Werks allen
Dank der Chemiften, die dadurch der Mühe überhoben werden, jene voluminöfen, koftbaren, und
felten in Privatbibliotheken befindlichen Werke
im benöthigten Falle zu Rathe zu ziehen. Niemand wird es dem Herausgeber verargen, daß
er auch folche Auffätze aufnahm, die jetzt längft
widerlegte Sachen enthalten. Sie gehören zur
Gefchichte der Wiffenfchaft, und find in diefer
Rückficht fchätzbar und lehrreich. Der fechfte
Band hebt mit den Schriften der kaiferl. Akademie der Naturforfcher an, und liefert das Wefentliche für den Chemiften aus dem zehnten Bande
der ältern, und dem erften und zweyten Bande
der neuern phyfich-medicinifchen Abhandlungen
für die Jahre 1751 — 1760. Der Hr. Herausgeber hat hier das Decennium nachgeholt, was im
vorhergehenden fünften Bande vergeffen war,
wie wir bey der Anzeige deffelben erinnerten.
Die chemifchen Bemerkungen aus den Abhandlungen der königl. Akademie der Wiffenfchaften
zu Paris, fangen mit 1745 an, und hören mit
1748 auf; die Auszüge aus den Schriften der
Akademie zu Stockholm gehen vom 23 — 26ften
Bande, vom J. 1761 — 1762; und aus dem
Denkfchriften der Berliner Akademie der Wiffenfchaften find die Jahre 1754 — 1759 ausgezogen. Den Befchlufs machen Auszüge aus den
ältern Schriften der kaiferl. Akademie der Wiffenfchaften zu Petersburg bis zu ihrer Beendigung, vom 10 — 14 Theile oder von 1738 —
1746. Das Regifter betrifft den vierten, fünften
und fechften Band, und dient zu grofser Bequemlichkeit und Ueberficht der mannichfaltigen Namen und Sachen.

Im fiebenten Bande nehmen die Auszüge aus
den Schriften der Parifer Akademie der Wiff.
beynahe die Hälfte ein, und gehen doch nur vom
J. 1749 — 1753. Hierauf folgen die chemifchen
Bemerkungen aus den neuen Abhandlungen der
kaiferl. Akademie der Wiffenfch. zu Petersburg
vom J. 1747 — 1749; der königl. Akademie der
Wiff. zu Stockholm vom J. 1765 — 1768; der königl. Akad. der Wiff. zu Berlin von 1760 — 1762.
und den Befchlufs macht die Auszüge aus den
philofophifchen Transactionen der königl. Gefellfchaft in London vom J. 1751 — 1752.

Die Ueberfetzung ift fließend, und fo weit
wir vergleichen konnten, treu. Die Anmerkungen find überhaupt nur fparfam, und das ift nicht
zweckwidrig. Schade ift es, daß der Hr. Heraus

ausgeber nicht mehr auf die Gleichzeitigkeit der Abhandlungen Rückficht genommen hat; — ein Fehler, der vom Anfange des Werkes, (wie wir schon bey der Anzeige der frühern Bände bemerkt haben), statt gefunden hat, und jetzt nicht mehr zu verbessern ist.

Nürnberg, b. Zeh: *Die neue kürzeste und nützlichste Scheidekunst oder Chimie, theoretisch und praktisch erkläret, nach den Eigenschaften des Alcali und Acidi eingerichtet, durch Andreas Ruff, sammt offener Warnung und Grundregeln in Betreff des Steins der Weisen.* 1788. 238 S. 8. (12 gr.)

Hr. *Ruff* ist in der Kunst, die er in der vor uns liegenden Schrift abzuhandeln, oder, wie er sich ausdrückt, theoretisch und praktisch zu erklären sich vorgenommen hat, noch so weit zurück, daß er weder eine bestimmte und zureichende Erklärung von dem Worte Chemie zu geben, noch viele Erscheinungen, deren Ursachen doch allgemein bekannt sind, richtig zu beschreiben und deutlich zu machen die Geschicklichkeit besitzt. Er sagt: „die Chimie ist eine Zerlegung der Leiber, und Scheidung der groben unnützlichen „Theile von den nützlichen, dieselbige sicherer in „kleinerer Quantität und in feinster Qualität den „Kranken annehmlich zu machen", und er versteht also unter jenem Worte nur den Theil der angewandten Scheidekunst, der eigentlich pharmaceutische Chemie heist, und der schon von vielen Schriftstellern weit besser, als von unserm Vf., abgehandelt worden ist. Er giebt hierauf, seiner Erklärung gemäß, fast bloß Anleitung zur Bereitung mancher nützlicher, aber auch verschiedener, eben nicht sehr empfehlungswürdiger, Arzneyen aus dem Quecksilber, Spießglase, Eisen, Vitriole, und andern Salzen, Metallen, Erden u. s. w., und theilt zugleich *seine* Gedanken über die Ursachen der Erscneinungen, die man bey einigen chemischen Operationen bemerkt, mit. Wir wollen hier einige von diesen Gedanken mit des Vfs eignen Worten anführen, und so u ufre Lefer mit dem Geiste dieses Werkes bekannt zu machen suchen. „Die fixen Salze „verwandeln sich," nach Hn. *Ruff* (S. 15), „wenn „die lange calcinirt werden, in einen Salpeter, „weil es einen Haufen Saucr-Theilchen von dem „Feuer und der Luft empfängt, und sich damit „vereinigt; das fixe Salz," fährt er fort, „scheinet auch noch wohl zweyerley zu seyn, als das, „fo man aus Kräutern und Pflanzen nach derselbigen Verbrennung, ihrer Asche auslauget; „oder es sind auch Dinge, die dem Alcali sehr „gleichen, der Art die meisten Sceine und Metalle sind, die nie einen Acido aufwallen, und „enerveiciren; diese alcalischen Salze, ob sie „schon im Grossen unterschieden zu seyn „scheinen, bestehen aus fixen, polirten und langen Stücklein als Meißlein oder Stuffen, wel-

chies wir aus allen derselbigen Wirkungen gewahr werden können," u. s. w. Das Wasser, „das von den Chimisten Phlegma genannt wird," hält der Verf. (S 18) für eine Materie, „die aus „Theilchen besteht, welche sehr, der Figur nach, „kleinen Schlänglein gleichen, die durch die Bewegung der subtilen Materie ohne Unterlaß als „Ale und Schlangen durch einander kriechen „und schlippern." Das Aufbrausen ist, nach S. 28, nur in Graden von der Gährung unterschieden, und das Queckfilber wird, nach S. 74, für ein Alcali gehalten, in dessen Röhrlein die Spitzen des Sauren gemächlich stecken bleiben, und einen Gift machen. „Das Queckfilber allein kann „kein Gift seyn; denn eine runde Figur, man „mag sie halten, wie man will, kann nicht verletzen; wenn sie aber voller faurer Spitzlein gelathen, gleichen sie sehr einem Igel oder Stachelschwein, welches rund umher voller Nadeln und „Stacheln gleichsam stecket, und an allen Orten „verletzet," u. s. w. Die Korallen find, nach S. 142, ein steinartiges Meergewächse, das aus unterirdischem Salze und Schwefel bestehet, der gewöhnliche Schwefel selbst aber ist, nach S. 141, aus vielen vitriolischen und einigen zackigten Theilen zusammengesetzt, und „darum brenne „es," setzt der Vf. hinzu, „so bläulich, denn der „Vitriol verhindere die Flamme, und alles, was „die Flamme verhindere, werde viel blauer brennen, zuförderst so einiger kupferichter Vitriol „dabey sey." — Die Beschreibungen, die der Vf. vom Alaun, vom Salpeter und von andern Körpern macht, sind denen, die wir so eben angeführt haben, ganz ähnlich, und sie verdienen daher so wenig, als diese, ernstlich widerlegt zu werden. — Die dem Werke angehängten Grundregeln, müssen wir bey ihrem Werthe lassen; denn wir verstehen die geheimnißvolle Sprache, in der sie abgefast sind, nicht.

NATURGESCHICHTE

Leipzig und Zittau, b. Schöps: *Magazin für die Naturgeschichte des Menschen. Er*sten Bundes erstes Stück, mit einer Kupfer. 160 S. 8. (10 gr.)

Der Naturgeschichte des Menschen ein eigenes Magazin zu widmen, war eine gute Idee, deren Ausführung, wenn der Vf. die Spreu von den Körnern abzusondern versteht, allen Dank verdienen muß.

Der erste Auffatz enthält das wirklich merkwürdige Leben des berühmten Anatomikers Beutin. Er ist hier als einer der vorzüglichsten Physiologen geschildert, und war überdem wegen seiner ungewöhnlichen Furchtsamkeit und größtentheils daher entspringenden sonderbaren Krankheit — berühmt. Diese fieng mit einer Art von Wahnsinn an, und gieng in eine, mehrere Tage

dauerrde,

Amerade, Schlaffucht über, worauf er fich, doch voller Bewufstfeyn, in den Zwifchenzeiten ermunterte; und dann wieder fortfchlief. Rec. erinnert fich eines ähnlichen aber weit länger dauernden Falls, der fich vor etwa 10 oder 12 Jahren an einem jungen Kaufbedienten zeigte. Er ward damals in dem Hamburger Correfpondenten angezeigt.

Der zweyte Auffatz handelt von der Reproduction verlorner Knochen. Es macht, wegen des fonderbaren gezierten verwirrten Styls Muhe, auf den Grund der Sache zu kommen, der denn darinn befteht, dafs bey einem Kinde von fünf Jahren durch einen nach den klattern entftandenen Beinfrafs in der Kinnlade alle Zähne verlohren gingen; die Zähne kamen nach gehobener Krankheit binnen 4 Wochen wieder, allein in fo fonderbarer Ordnung, dafs die Angenzähne zwar ihre Stelle wieder behaupteten, allein die zwey Schneidezähne ftanden nicht, wie gewöhnlich, neben den zwey vorderften, fondern ein Schneidezahn kam zuletzt in der Kinnlade nach dem Backenzahn. So war es an der rechten Seite, an der linken war die Ordnung etwas weniger verändert, und die Zähne der untern Kinnlade ftanden wie gewöhnlich. Beym nochmaligen Zahnen blieb die verkehrte Ordnung in der obern Kinnlade. Daher zieht der Vf. Einwürfe gegen die Theorie der präexiftirenden Keime. Zuletzt zeigt der Vf. einen Verfuch, den er bey einer Waffermolche anftellte, um ein neues Auge zu reproduciren. Das ausgeftochene Auge wurde dem Thiere wirklich erfetzt, aber es fahe nicht damit.

III. Auffatz; über die Träume, wo dann mit Scharffinn mehrere diefer Phänomene fehr natürlich erklärt werden.

IV. Ueber die Augen der Kakerlaken von Hn. Pr. Blumenbach, wovon fchon vieles andersweo bekannt ift. Er fucht darinn zu zeigen, dafs die rothe Farbe der Augen, nemlich der Iris und der Pupille ein Symptom einer Hautkrankheit fey. Hiezu vergleicht er die weifsen Mäufe und andere Thiere, welche mit diefer Schwäche behaftet find, und fo ergiebt fich dann allerdings der Zufammenhang der Augen mit der äufserften Oberfläche des Körpers und umgekehrt. Rec. erinnert hiebey übrigens nur, dafs erftlich die indrifchen Kakerlaken oder Albinos von den hier angeführten fehr weit abftechen; bey ihnen nämlich ift die dortige Original-Farbe gänzlich entgegengefetzt verändert, von fchwarzen oder rothbraunen Menfchen geborhen find fie widerftehend weifs, dabey äufserft fchwach, oftmals, ja gröfstentheils ihrer Sinne unfähig, ihren Leib ift gefchwollen und aufgetrieben. Diefe hier angeführten fogenannten Kakerlaken aus Savoyen, welche R. felbft

zweymal genau gefehen, hatten von allen diefen bis auf die Rothe der Augen, und eine fehr weifse Haut nichts aufserordentliches an fich, fie waren fehr munter, nichts weniger als blödfinnig, ja R. kennt hier in Deutfchland Familien, bey denen die Augen eben fo roth, die Haut eben fo weifs und das Haar eben fo blond ift, die zwar allerdings ein fchwaches Geficht haben, allein übrigens auf keine Weife mit den wahren Albinos zu vergleichen ftehen. Hr. B. zeigt übrigens im Ganzen allerdings fehr richtig die Uebereinftimmung der Haut und der Augen.

V. Abh. Ueber die Bewegung der Iris von ebendemfelben. Zuerft fchätzbare Bemerkungen über die Verfchiedenheit der Iris mehrerer Thierarten, wobey eine lehrreiche Unterfuchung des Auges des Seehundes und des Sehens der Amphibien vorkommt. Der Vf. zeigt, dafs der Augapfel der Phoke durch ftarke um ihn liegende Muskeln fich nach den dünnern oder dichteren Elemente, worin fie fehen mufs, bald verkürzen, bald verlängern könne; dafs die Hornhaut, bald flächer, bald erhabener werde, die Linfe bald mehr vorwarts, bald mehr hinterwärts rücke.

Aehnliche gleich merkwürdige Unterfuchungen über die Iris des Rochen (Raja), des Uhu, dann die Urfach der Bewegung und Veränderung der Pupille, nemlich 1) verfchiedenes Licht (foll wohl heifsen, verfchiedene Grade des Lichts) 2) verfchiedene Entfernung der Gegenftände. Erfteres hat fchon Rhufes angezeigt. Dann die Prüfung verfchiedener Theorien über die Kräfte, die die Bewegung verurfachen. Er verwirft die gewöhnlichen Meynungen hierüber und hält fich von einer eigenen Lebenskraft der Iris überzeugt. R. war es auffallend, dafs Hr. Bl. diefe Kraft, als blos von Helmont und Stahl angenommen angiebt, da doch der erfte aller Phyfiologen B. S. Albinus hierauf faft feine ganze Phyfiologie bauete.

VI. Ueber die jetzige Lieblingsmaterie der Phyfiologen über die Reproductionskraft, deren Fortfetzung fehr zu wünfchen ift, von Hn. Huhn.

VII. Ueber die Bewegung des Augenfterns vom C. B. A. Nicht unbedeutende Einwürfe gegen die obige fchätzbare Abhandlung des Hn. Blumenbach.

VIII. Brief an den Herausgeber über zwey neuere Recenfenten von Hn. Schiller. Dies ift eins der wenigen Stücke der Sammlung, welche ausgeftrichen zu werden verdienten. Es ift eine Recenfion über eine Recenfion, dabey unausfprechlich partheyifch, ungefittet und elend. Man begreift nicht, wie fich der Herausgeber überwinden konnte, fie hier abzudrucken zu laffen.

ALLGEMEINE
LITERATUR - ZEITUNG

Sonntags, den 8ten März 1789.

GOTTESGELAHRTHEIT.

SALZBURG, gedr. in der Waifenhausbuchhandl.:
*Unterfuchung der philofophifchen und kri-
tifchen Unterfuchungen über das alte Teftament und deffen Göttlichkeit, befonders über
die mofaifche Religion. London* 1785. *in Briefen an Herrn Grafen Stefan Rudolf Wallis.*
Erfter Theil. 1787. 367 S. Vorb. 8 S. Zweyter Theil. 1788. 379 S. Drit. Th. 1788. 394.
S. u. 16 S. Nachber. 8. (2 Rthlr.)

Hr. Pat. *A. Sandbüchler, Auguftiner zu Mühln*
— denn fo unterfchreibt fich der Verf. auf
dem Titel des 2 und 3ten Theils — verfichert
in dem Vorbericht, dafs diefe die heut zu Tag
fo fehr angefochtene Religion betreffende Briefe
nicht erdichtet, fondern wirklich an den auf dem
Titel genannten Hn. Grafen gefchrieben, und
von diefem zum Druck beförderet worden wären.
Im Grunde find es weitläuftige Abhandlungen,
welchen blofs hier und da eine Anrede an Se.
Excellenz vorgefetzt oder eingerückt, und eine
fonft in Briefen gewöhnliche Schlufsformel angehängt worden ift. Sie enthalten eigentlich eine
Widerlegung der auch in der A. L. Z. (1785 Sept.
N. 222. S. 329) mit verdienter Rüge angezeigten
phil. und krit. Unterfuchungen, und find mit fortlaufenden Numern in drey blofs durch befondre
Titelblätter unterfchiedene Theile vertheilt, fo
dafs die erften XIII Briefe den erften Theil, die
darauf folgenden von XIV — XXIV den zweyten
Theil, und die letzten von XXV — XXXVI den
dritten Theil ausmachen. Eine Menge Provincialismen, fprachwidrige Redensarten u. gemeine Ausdrücke mufs man der guten Ausführung halber diefem Vf. nachfehen. Der 1fte Brief enthält eine Schilderung der philof. u. krit. Unterfuchungen über das
A. T. Im 2ten wird die Göttlichkeit des A. T. gegen
die vom Gegner gemachten Einwendungen verfochten. Der 3te eignet dem Mofes die ihm beygelegten Bücher zu. Der 4te rechtfertigt die
Art, wie man von jeher die Göttlichkeit des A. T.
unterfucht habe. Der 5, 6, 7te und 8te zeigt,
dafs es unvernünftig fey, mehrere Paare von Ur-
menfchen wegen der ägyptifchen und chaldäifchen
Zeitrechnung anzunehmen, und von ihrem vie-

A. L. Z. 1789. Erfter Band.

hifchen Zuftande das Menfchenfreffen und die
Menfchenopfer herzuleiten. Der 9te handelt von
der langen Lebenszeit der Patriarchen. Der 10,
11, 12, und 13te vertheidigt die mofaifche Schöpfungsgefchichte gegen die phönicifchen, chaldäifchen und ägyptifchen Kosmogenien. Im 14 und
15ten wird die göttliche Sendung Mofis Pewie-
fen. Im 16 bis 24ften werden die vom Mofes ge-
thanen Wunderwerke vertheidigt, und als Beweife feiner göttlichen Sendung dargeftellt. (Hier
ift ein Anhang eingefchaltet, der aus 5 Abhandlungen befteht. Die 2 erfteren beantworten die Frage, wie fich die Ifraeliten in Aegypten fo erftaunlich haben vermehren können. Die 3, 4, und 5te
hat *einige* Einwürfe des Wolfenbüttelfchen Fragmentiften wider die Auferftehungsgefchichte zum
Gegenftand. Denn auf *alle* Einfälle zu antworten, wäre doch, wie Hr. S. meynt, eine überflüf-
fige Sache: *venirem poft Feftum*). Im 25, 26, 27,
u. 28ften Br. wird der vom Unterfucher nachgebe-
tete Einwurf: dafs Mofes unter dem Namen des
Jehova den ägyptifchen Phtas oder Vulkan habe
verehrt wiffen wollen, unter andern auch dadurch
widerlegt, dafs Mofes den Jehova, hauptfächlich
in feinem 5ten B., welches man ihm auf keine
Weife abfprechen könne, als den einigen wahren
Gott vorftelle, und feinen Abfcheu vor aller Viel-
götterey überall an den Tag lege. Der 29fte
rechtfertigt die dem Jehova als dem wahren Gott
vom Mofes beygelegten Eigenfchaften. Im 30ften
wird gezeigt, dafs Gott Wahrheiten offenbaren
konnte, worauf der menfchliche Verftand entweder fchon für fich felbft hätte kommen können,
oder auch fchon gekommen war. Im 31ften wird
unterfucht, ob die Hebräer von den Heiden, oder
die Heiden von den Hebräern mehr entlehnt haben möchten. Vom 32, bis zum 36ften Br. wird
von der Göttlichkeit des mofaifchen Gefetzes geredet, und gezeigt, wie vortreflich und gottes-
würdig nicht allein das Moralgefetz, fondern auch
das Criminalgefetz und das Staatsrecht nach den
dabey gehabten Abfichten erprobt worden fey.
Rec. hat alle diefe Briefe oder Abhandlungen
gröftentheils mit vieler Zufriedenheit durchge-
lefen, und den Hn. Vf., der fich felbft für einen
orthodoxen Katholiken ausgiebt, als einen gelehrten, gründlichen und aufgeklärten Theolo-

gen zu fchätzen Urfache gefunden. Freylich gilt
im Grunde eben das, was der Hr. Vf. von feinem
Gegner mit Recht fagt, dafs nemlich alle Einwürfe deffelben — einige willkührliche Hypothefen
und Auslegungen abgerechnet — fchon von mehreren vorgebracht worden wären, auch von feiner Widerlegung. - Allein Hr. S. hat doch dabey
das Verdienft, fo viele nützliche und heilfame
Wahrheiten auf eine feinem Scharffinn Ehre ma-
chende Art mit der gröfsten Deutlichkeit aufs
neue dargeftellt, und in gröfsern Umlauf gebracht
zu haben. Auch ftöfst man zwar zuweilen auf
Materien, die noch nach dem alten theologifchen
Zufchnitt bearbeitet worden find, indem der Hr.
Vf. z. B. Th. III. S. 43. die Lehre von der Dreyeinigkeit noch im 1 B. Mof. Kap. I, 3. findet, und
zwar Th. I. S. 245 die Worte אלהים רוח durch
ftarken Wind überfetzt, aber doch damit die Vorftellung des göttlichen Geiftes, die dritte Perfon
in der Gottheit, verbunden haben will, und fich
fogar dabey den Ausfall erlaubt: „Grinze der
Unglaube unfrer Zeiten auch die Zähne hierüber,
wie er wolle; er ift es (nemlich der göttliche Geift),
der die Schöpfung unfers Erdklos vollendete. Ferner läfst er S. 115 den Jehova felbft am Kreu-
ze bluten, und ihn zum Jehova um Vergebung bitten. Ja! er glaubt fogar, Th. III. S. 274.
dafs Gott dem Adam die Art, wie alles erfchaf-
fen worden fey, geoffenbaret habe, und fcheint
S. 288 nicht abgeneigt zu feyn, dem Teufel Täufchungen falfcher Wunder bey den Heiden zuzufchreiben. Allein zum Glück! find diefes nur
die einzigen Stellen, welche ein ungünftiges Vorurtheil gegen fein gutes exegetifches Gefuhl,
welches ihn fogar da, wo er fich auf die Vulgata
und auf die apokryphifchen Bücher beruft, ficher
leitet, und ihn, ohne feinen kirchlichen Lehrfä-
tzen untreu zu werden, von Fabeln entfernt, erregen könnten. Aufserdem ift er immer proteftantifchen Gelehrten als feinen Führern gefolgt,
oder hat fie wenigftens zu feinen Gelahrten.
Wenn er jedoch auch, fo wie er fich der Schriften eines Jerufalem, Lefs, Michaelis, Dathe, Rofenmüller, Hefs, Walch, Niemeyer, Süfsmilch, Hezel, Steinbart, Mendelfohn etc. bedient hat, die
neueften Winke, welche Hr. Gh. Kr. Döderlein u.
hauptfächlich Hr. Hofr. Eichhorn theils im Repertorium für Bibl. und Morgenländ. Literat. gegeben hat, zu benutzen Gelegenheit oder Luft gehabt hätte; — Denn davon findet Rec. nirgends
eine Spur, und nur von erfterem gefteht Hr. S.,
dafs er ihn noch nicht gelefen habe: - fo würde
er oft grofse Mühe haben erfparen können, und
nicht in gewöhnliche theol. Mikrologie, womit gegen Deiften nichts ausgerichtet wird, verfallen feyn.

VERMISCHTE SCHRIFTEN.

WIEN, mit von Baumeifterfchen Schriften:
Sonnenfels gefammelte Schriften. Erfter Bd.

1783. 392 S. zweyter 396 S. dritter 615 S.
vierter 1784. 563 S. fünfter 392 S. fechfter
445 S. fiebenter 1785; 231 und 131 S. achter, 1786. 420 S. neunter 312 S. zehnter
435 S. 8. (6 Rthlr, 16 gr.)

Da diefe Sammlung vor der Epoche der A. L. Z.
angefangen ift, die einzelnen Schriften felbft aber
vollends zum Theil fchon über 20 Jahr alt, und
bekannt genug find, fo erfordert die Einfchränkung des Raums nach dem Plan mehr eine allgemeine kurze Nachricht davon, als eine befondere
und umftändliche Anzeige. Von einer ältern
fchon 1765 angefangenen Sammlung unter gleicher Auffchrift ift fie keine neue Auflage, fondern ganz verfchieden. Voran ftehet Hrn. v. S.
Bildnifs in altem gutem Gefchmack mit fchickli-
chen Sinnbildern, und eine Zufchrift an fein Herz
als feinen gröfsten Wohlthäter. Diefe ift fonft
fchon wegen der durchfcheinenden Selbftgefällig-
keit getadelt worden; aufserdem aber ift zu bedauern, dafs die darinn enthaltene Nachricht von
der Lebensgefchichte des Vf. nur aus allgemeinen Winken und dunkeln Sprüchen befteht. Denn
viel angenehmer wäre gewifs dem Lefer eine
umftändlichere und deutliche Erzählung der zum
Theil fonderbaren Schickfale, feiner dürftigen
Erziehung, Kriegsdienfte als Gemeiner, des Uebergangs zu einer kleinen Bedienung, der Schriftftellerey und dem politifchen Lehramt, der widrigen Zufälle und Verfolgungen wegen feiner
Freymüthigkeit gegen die Folter, und Todesftrafen, gegen kirchliche Mifsbräuche, Pfafferey,
Mönchthum und Anfehen des Papftes, der Stan-
deserhöhung und endlich der Aufnahme in anfehnliche Landescollegien. Bey feinen unleugbar
grofsen Verdienften um die Aufklärung Oefter-
reichs, würde eine folche vollftändige Lebensbefchreibung felbft als ein eigenes Werk, oder
zum Behuf der Sammlung nicht nur die Schilderung feiner Laufbahn vollenden, fondern auch
befonders durch die Nachrichten von feiner Unterftützung durch Fürft Dietrichftein, Martini,
Petrafch, Gebler, Swieten u. a. einen wichtigen
Beytrag zur Gelehrtengefchichte abgeben.

In der Ordnung der gefammten Schriften ift weder die Zeitfolge ihrer Ausgabe noch die Gleichheit des Inhalts beobachtet. Den Anfang macht
ein Fragment des Vertrauten, einer fatyrifchen
Wochenfchrift, der erften, welche Hr. v. S. 1764.
ohne Namen anfieng, die aber wegen der Deutungen mit dem fiebenten Stück aufhören mufste.
Ihr folgte bald der Mann ohne Vorurtheil, welcher in drey Abtheilungen hier bis zu Ende des
dritten Bandes geht. Der vierte Band enthält einen Anhang dazu und Therefie und Eleonore, der
fünfte aber in der erften kleineren Hälfte das
weibliche Orakel, beide von 1767, hauptfächlich
für Frauenzimmer beftimmte Wochenblätter. Diefe alle machten zu ihrer Zeit Auffehen, und wurden

den begierig gelefen, find auch gröfstentheils
fchon befonders wieder aufgelegt. Aber felbft
jezt, da die Periode der fittlichen Wochenfchrif-
ten verlaufen ift, haben fie noch ihren Werth,
und können von vielen mit Nutzen und Vergnügen gelefen werden. Der Inhalt ift fehr mannichfaltig, kurze Schilderungen, Briefe, Gefchichten, eigentliche Abhandlungen und wenige kleine Gedichte wechfeln mit einander ab, Letztere
find ein wenig matt und bisweilen hart, das übrige aber unterfcheidet fich noch immer vor vielen
ähnlichen und neuen Modelefereyen durch Originalität für Zeit und Ort, glückliche Benutzung
ausländifcher Mufter, gute Grundfätze und gefälligen Vortrag. Der Nutzen für Wien und Oeftreich befonders ift in Abftellung vieler Mifsbräuche im gefellfchaftlichen Leben, Erziehung und
Religion, in Literatur und Schaufpielen fichtbar
grofs gewefen. Für das, was andern Gegenden
und neuern Zeiten nicht mehr fo gefallen kann,
verdient Hr. v. S. defto gelinder beurtheilet zu
werden, da er felbft fo befcheiden ift, feine frü-
heren Arbeiten mit den Werken der ägyptifchen
und hetrurifchen Kunft zu vergleichen.

Die *Briefe über die Wiener Schaubühne* nehmen das übrige des fünften und den ganzen fechften Band ein. Hr. v. S. fchrieb fie in den Jahren
1767 und 68, anfänglich unter dem Namen eines
Franzofen, weil feine öffentlichen Beurtheilungen
ihm Widerwillen und Verfpottung in eignen Pof-
fenfpielen zugezogen hatten. Sie haben damals
auch grofses Auffehen gemacht und unftreitig zur
Verbefferung des Gefchmacks in Wien fehr viel
beygetragen, fo wie vorher die Gottfchedifchen
Bemühungen in Sachfen. Viele der damals berühmten Schaufpiele find jetzt freylich mit Recht
vergeffen, fo dafs z. B. die dramaturgifche Zergliederung des fchlechten in einem *Hermann und
Tusnelde* von dem *Verfaffer des Aurelius*, oder
der *Haushaltung nach der Mode* von *Heufeld* in
öftreichifcher Mundart, langweilig und unfchmack-
haft wird. Dagegen laffen fich die Beurtheilungen über einen *Destouches* und *Schlegel*, *Voltaire* und *Shakefpear*, oder eine *Minna von Barn-
helm* immer noch mit Theilnehmung lefen, wenn
gleich jetzt marches in einem hellern Lichte erfcheinet. Befonders aber werden diefe Briefe
durch die Nachrichten von Schaufpielern und den
erften Eindruck der regelmäfsigern Stücke zu Vertreibung grober und abgefchmackter Poffenfpiele,
zur Gefchichte der deutfchen Bühne und Literatur
immer eine reiche und wichtige Urkunde bleiben.

Der fiebente Band enthält zwey wichtige politifche Abhandlungen: 1) *Ueber die Liebe des
Vaterlandes.* Diefe erfchien 1771, ift aber hier
ftark mit Zufätzen vermehrt, und macht in der
That dem philofophifchen Geifte des Vf. Ehre.
Er entwickelt den Begriff der Vaterlandsliebe,
zeiget dann, wie das Land, die Gefetze, Regie-

rungsform und Religion zu ihrer Beförderung beytrage und fchildert fie endlich befonders in Abficht des ganzen Volks, des Regenten, des Adels,
der Beamten, Soldaten, Gelehrten, Künftler und
Väter. Bey diefem allen find viele gute Bemerkungen über die fittliche Natur des Menfchen
angebracht und meiftens durch lebendige Darftellung in Begebenheiten, fonderlich aus der alten
Gefchichte und den Morgenländern, angenehm
vorgetragen. Doch aber fcheinen die Gedanken
in mancher Abficht zu einfeitig und unbeftimmt
hingeworfen zu feyn. Die ächte Vaterlandsliebe,
welche fich auf Erkenntnifs wahrer Vorzüge gründen mufs, wird nicht genug von dem eiteln blinden Nationalftolz aus Vorurtheil unterfchieden.
Z. B. die Frage *Bouhours*, ob ein Deutfcher Witz
haben könne, und die Meynung eines Chinefen,
dafs es, ungeachtet der erkannten Vorzüge des
Europäifchen Schiffbaues, Verbrechen feyn würde, ihm nachzuahmen, verdient doch gewifs nicht
als Patriotifmus Beyfall, fondern Mitleiden. Auch
ift wohl nicht genug Rückficht darauf genommen,
dafs in Deutfchland befonders die Nation in mehrere Staaten getheilt ift, welches nothwendig die
Theilnehmung mindert, und fogar den Begriff
des Vaterlandes blofs relativ und in mancher Abficht, z. B. für die Gelehrfamkeit, gedoppelt
macht. Endlich aber hat Hr. v. S. gänzlich verabfäumt, die Gränze zu zeigen, wo Vaterlandsliebe mit Weltbürgerthum u. allgemeiner Menfchenliebe fich fcheiden und zufammen fliefsen mufs.
Daher z. B. die harte Acufserung, ein Patriot
pflanze Bäume, deren Früchte feine Kinder
geniefsen, der Ehelofe aber fey ein für die
Zukunft forglofer Wilder, der den Baum fälle,
um die Früchte zu brechen. Freylich ohne Vernunft und Sittlichkeit kann er fo handeln, aber
da ift der Vater noch fchädlicher, wenn er Dumm-
köpfe, Narren und Böfewichter für die Zukunft
bildet. Der ächte Menfchenfreund und Patriot
hingegen fucht auch ohne eigenen unmittelbaren
Nutzen der Welt in den ihm nächften Theilen und
Verhältniffen nach feinen Kräften nützlich zu werden. — 2) *Ueber die Abfchaffung der Folter.*
Freymüthige Urtheile des Hn. v. S. in feinen Vorlefungen gaben Anlafs, dafs ihm auf Anftiften
widriggefinnter Anhänger des alten Herkommens
über die Folter und Lebensftrafen ein Stillfchweigen auferlegt wurde. Er rechtfertigte fich bey
der Kaiferinn *Maria Therefia* unmittelbar, und
ward nicht nur losgefprochen, fondern fie verordnete eine eigene Unterfuchung über die Nothwendigkeit der Folter. Dabey gab Hr. von S.
in der Niederöftreichifchen Regierung feine Stimme befonders in einem fchriftlichen Auffatz, welchen mit der Schutzfchrift an die Monarchin ein
damals in Wien ftudirender F. A. C. 1775 in Zürich
herausgab. Bald darauf ward die rühmliche Bemühung durch den herrlichften Erfolg bekrönet,
dafs die Kaiferin in ihren Länden die Folter

ab-

abfchaffte, und, fonderbar genug, doch die Schrift
verboten. Hernach aber ift fie frey gegeben,
auch vom Abt *Amoretti* ins Italiänifche überfetzt,
1782 mit einer Zugabe neu aufgelegt, und fo
erfcheinet fie auch hier. Von Seiten des wirklichen Nutzens ift fie daher über alles ihres gleichen und über jedes Zeitungslob erhaben. Wenn
man fie aber blofs als Buch betrachtet, und andere feitdem über den Gegenftand erfchienene
Schriften damit vergleicht, fo verliert fie in etwas. Denn bey der guten und fehr befriedigen-
den Ausführung aller erforderlichen Hauptftücke
ift doch die Form und Ordnung etwas gezwungen nach der Aufgabe der geforderten Gutach-
tens. Manche befondere Punkte find auch nur
in Beziehung der Oeftreichifchen Gerichtsordnung
und alfo für fich nicht deutlich genug aus einander gefetzt, wie das Verfahren gegen verdächti-
ge Bofewichter ohne Folter. Damals war freylich dies alles vollkommen zweckmäfsig; als aber
Hr. v. S. nachher die Schrift in Druck gab, hätte
er es doch lieber abändern, auch der Vollständigkeit wegen über die Beybehaltung der Folter in
einzelnen Fällen, z. B. um Mitfchuldige zu entdecken, umftändlichere Nachträge machen follen.
Im achten Bande giebt Hr. von S. elf feiner
Reden, welche er, unter mehrern einzeln und in
periodifchen Schriften gedruckten, der Erhaltung
am würdigften gefunden hat. Zwey davon find
Lobreden auf die Kaiferin Maria Therefia, die
übrigen von fittlichem und literarifchem Inhalt,
z. B. vom Adel, von der Befcheidenheit im Vortrag feiner Meynungen, über den Nachtheil von
Vermehrung der Univerfitäten, vom Verdienft
des Portraitmahlers u. f. w. Richtigkeit der Gedanken und eine gewiffe Feinheit des Gefchmacks
in Vermeidung des Unfchicklichen überhaupt find
darinn mit einander verbunden. Ob fie aber
nach der Abficht den Beweis, dafs auch Deutfchland Beredfamkeit habe, hinlänglich führen möchten, ift wohl noch zu bezweifeln. Denn wenn
man, der Vorrede felbft zu Folge, eine Vergleichung mit *Sulzer, Engel, Jerufalem, Spalding,*
und dergleichen Muftern anftellet, fo vermifst
man doch ihre Stärke und Lebhaftigkeit und
findet dafür bisweilen unzeitigen Witz in Gegen-
fätzen und leere Declamation. Selbft die Gefetze
der Wohlredenheit find nicht hinlänglich beobachtet, da es z. B. an genauer Sprachrichtigkeit fehlet, welches befonders an dem Stifter einer deutfchen Gefellfchaft und in Reden von derfelben ta-
delhaft auffällt. Man mufs daher hierbey faft bedauern, dafs Hr. von S. fich wider das Verhältnifs feiner Talente und feines Studiums zu viel in das
Fach der fchönen Wiffenfchaften gewagt hat. Noch
mehr aber gilt diefes von den im neunten Theil
enthaltenen *Gedichten und andern kleinen Auffatzen.* Darunter find Oden auf den Tod des Kaifers Franz, und Feldmarfchall *Daun,* auf die
Genefung der Kaiferin *Maria Therefia,* ein Rund-
gefang von der Freundfchaft, das Opfer ein Schä-

ferfpiel, Sinngedichte, einige dramaturgifche Stücke, das Gedicht Sela Hafchemefch, ein Traum
über den Patriotismus, über die Einfamkeit, über
die Ankunft des Pabftes in Wien, Satiren gegen
die Möncherey u. dergl. Die meiften davon find
längft bekannt, aber aufser dem Wohnort und
Kreis der befondern Freunde des Vf. wohl wenig
berühmt. Manche Kunftrichter haben fchon durch
harte Urtheile darüber die Empfindlichkeit des
Verfaffers gereizt, und fie haben ihm gewiffermafsen wirklich zu viel gethan. Denn man mufs
immer fein Verdienft um die Verbefferung des
Gefchmacks in Oeftreich hochfchätzen. Wenn
ihn gleich nachher andere übertroffen haben, fo
war er doch mit der erfte, welcher fich hervor-
that, den richtigen Weg zeigte, und felbft zu betreten anfing. Das follte ihm billig den Dank feiner Landsleute verfichern, und felbft die Schonung
der Kunftrichter, zumal wenn er, fo wie hier, feine
Anfprüche mit Mäfsigung und Befcheidenheit geltend zu machen fuchet.
Der zehnte Band endlich ift wieder politifchen
Inhalts und aller Aufmerkfamkeit würdig. Er enthält folgende Abhandlungen: 1) *Von der Theurung in grofsen Hauptftädten, und dem Mittel,
derfelben abzuhelfen.* Sie ift gegen St. Pierre
gerichtet, und thut der Abficht Genüge, fo weit
es nur die Natur der Sache zuläfst. Die erfte
Ausgabe davon, welche ein ungenannter St. in
Leipzig 1769 beforgte, weil die Wiener Cenfur die
Abhandlung unterdrückte, ift hier wenig verändert. 2) *Von dem Zufammenflufs,* eine von Caj.
von Langenmantel 1767 zu Wien vertheidigte
Difputation, wodurch diefe für die Staatshandlungswiffenfchaft fo wichtige Lehre fehr gut ins
Licht gefetzet wird. 3) *Betrachtungen über die
neuen Handlungsgrundfatze Englands.* Sie betreffen vornehmlich die Aus- und Einfuhre roher
Producte, die Selbftverarbeitung einheimifcher
Materialien in Rückficht auf den Landbau und die
Fabriken, den Luxus, den ökonomifchen-, und
Frachthandel. Hr. von S. gab fie fchon 1764 befonders heraus, und hat das wichtigfte davon
auch feinem Lehrbuch einverleibt. Beides hat
ohne Zweifel viel Einflufs auf die Veränderungen gehabt, welche unter der jetzigen Regierung im Oeftreichifchen zu Beförderung des Na-
tionalfleifses gemacht find. 4) *Von Mauten und
Zöllen,* befonders in vortheilhafter Lenkung des
Handels nach den vorgedachten Grundfätzen ohne Abficht auf das Einkommen der Finanzen. In
diefen beiden ift auch gewifs viel gutes und wahres enthalten. Nur möchten doch die Einfchränkungen, welche daraus folgen, oft hart feyn,
wenn man auf der einen Seite die Freyheit des
Eigenthums als Grundgefetz des Staats, und auf
der andern das Bedürfnifs der Steuer von allem
Vermögen und Gewerbe nach möglichfter Gleichheit in Betrachtung ziehet, welches aber hier weiter auszuführen der Raum verbietet.

ALLGEMEINE
LITERATUR - ZEITUNG

Montags, den 9ten März 1789.

GOTTESGELAHRTHEIT.

Oxford, b. dem Vf.: *Essays on important Subjects in two Volumes by Dan. Turner*. Vol. I. 250 S. Vol. II. 246 S. 1787. 8.

Wirklich find die Gegenftände, mit denen fich diefe Verfuche befchäftigen, fehr erheblich, befonders zu unfern Zeiten, wo der Kampf zwifchen Naturaliften und Supranaturaliften in der Religion lebhafter, und die anfcheinende Uebermacht der erftern einigen bedenklich und andern fürchterlich wird, und wo ei nicht blofs Politi', fondern Nothwendigkeit wird, einen Mittelweg zu verfuchen, auf welchen nach den Verirrungen auf beiden Seiten der aufgeklärte Chrift zurücke kommen und hingeleitet werden mufs. Mit diefer Abficht find gegenwärtige Abhandlungen, die leicht und fchön gefchrieben find, abgefafst, aus denen auch ohne eine ausdrückliche Verficherung des Vf. zu erfehen ift, dafs kein Sklav menfchlicher Meynungen und kein Feind der geoffenbarten Religion, aber doch ein von der Offenbarung abhängiger und dem Syftem nicht ungetreuer Verftand, fie ausgearbeitet hat. 1) *Ueber den Urfprung der Idee von Gott.* S. 1 — 51. Nicht ein angeborner Begriff, nicht einmal eignes Nachdenken foll die Menfchen zum Glauben an einen Weltfchöpfer haben bringen können, fondern nur Offenbarung. Den Beweis für diefe Behauptung, die *Fergufon*, *Jerufalem*, *Gruner* u. a. fchon längft vorgetragen haben, findet der Vf. in der unverkennbaren Schwäche der menfchlichen Vernunft, welche, wenn ihr diefer Begriff fo leicht und natürlich wäre, nie auf fo unfinnige und abentheuerliche Vorftellungen von Gott hätte gerathen können, und in der Gefchichte, welche uns lehrt, dafs unter den Juden, deren Bildung fich nicht weit vom rohen Zuftand der Natur entfernte, diefe Idee ftets und unverderbt vorhanden, und von einer Offenbarung abgeleitet war. (Unfer Begriff von Gott war aber ficherlich der jüdifche nicht, und kann es nicht feyn: denn er ift, nach der Gefchichte, eine Frucht der Aufklärung in der Philofophie und des Fortfchrittes in Betrachtungen

A. L. Z. 1789. Erfter Band.   —

über die unfichtbare Welt. Aber auch felbft eine unvollftändigere und finnlichere Idee von einer Gottheit, blofs als höheres und unfichtbares Wefen betrachtet, kann fchwerlich aus Offenbarung entftehen, da diefe nie Begriffe erzeugt und bildet, fondern nur veranlafst, und nie in die Seele legen kann, wenn fie nicht durch die Natur vorbereitet find. Daher fcheint Rec. weder der Begriff, *was Gott ift*, noch die Ueberzeugung, *daß er ift*, (zwey Dinge, die oft verwechfelt werden), aus Offenbarung entftehen zu können. Diefe Schwierigkeit hat der Vf. nicht berührt, noch weniger weggeräumt, und wenn wir auch die *Miltonifche* Vorftellungsart von der erften Erfcheinung des höchften Wefens, (verlorn. Parad. 7, 86. 8, 136.) *poetifch* fehr fchön finden: fo werden wir, je mehr wir die Fiction eines kühnen Dichters bewundern, defto furchtfamer feyn, feine Phantafeen über die Urwelt als Denkmale für die Gefchichte gelten zu laffen.) — II. *Ueber die mofaifche Schöpfungsgefchichte*, fo ferne fie befonders das Sonnenfyftem betrifft. Mofes, fagt er, wolle zwar nicht Philofophie, fondern nur Religion lehren: aber da er unter göttlichem Einfluß fchrieb, fo könne wenigftens zwifchen ihm und der Natur kein Widerfpruch ftatt finden. Vielmehr beftätige es die Harmonie zwifchen beiden, dafs er feine Nachrichten von Gott felbft, dem grofsen Urheber der Natur, erhalten habe. (Hiemit ift dem Supranaturaliften mehr eingeräumt und zugegeben, als nöthig ift. Wenn auch Mofes unter Infpiration fchrieb, fo ift doch die Schöpfungsgefchichte nicht von ihm gefchrieben, fondern nur als älteres Philofophem oder Mythus gefammelt und wir wagten aus der [noch nicht einleuchtenden] Harmonie der Natur und der Erzählung nichts zu folgen, als dafs der Vf. derfelben ein aufmerkfamer Beobachter der Natur und glücklich jn Speculationen gewefen.) III.) *Ueber die Natur und Nothwendigkeit der Religion.* In einer Reihe von (zwölf) Briefen, aus den beiden Grundfätzen, dafs Gott den moralifche Regent der Welt ift, und dafs die Menfchen einer moralifchen Regierung Gottes durch den moralifchen Sinn fähig find, wird die Nothwendigkeit der Religion abgeleitet, die fo wenig eine Ergän-

Ffff   dung

dung der Politik, als das Gewiſſen, wie einige
vorgeben, eine unglückliche Reizbarkeit des
Nervenſyſtems iſt. Mit Grunde tadelt er die Ent-
gegenſetzung der natürlichen und geoffenbarten
Religion. Alle wahre Religion iſt natürlich, weil
ſie der Natur des Menſchen angemeſſen iſt; und
nach einer genauen Unterſuchung würde man
auch finden, daſs alle wahre Religion aus einer
göttl. Offenbarung abzuleiten ſeye, ſo wie auch
Paulus verſichre, daſs der natürliche Menſch geiſtige Dinge, die Religionswahrheiten, zu verſtehen unfähig iſt. Wenn der Menſch im Stande
der Unſchuld, wo doch ſeine Vernunft weit grö-
ſer geweſen, ? einer Offenbarung bedurfte, wie
viel mehr jetzt im Stande des Verfalls? und welche Vernunft wäre im Stande, eine Religion zu erfinden, welche uns die Gottheit ſo, wie die chriſtliche, zeigt? oder auf die Opfer zu verfallen,
oder die Unſterblichkeitslehre zu entdecken? oder
die Verſöhnungslehre auszuderken, die ſchon vor
Chriſto bekannt geweſen? (Dieſs wird dem Naturaliſten nicht einleuchten.) — Einige Ideen über
den Glauben, ſo ferne er Wohltat grace) und
ſo fern er Pflicht duty) iſt, ſind nicht alltäglich, obwohl auch nicht entwickelt. Was wir erhalten, z.
B. Licht, Ueberzeugung, Beweggründe, iſt Wohlthat matter of grace): was von uns geſchehen
muſs, Aufmerkſamkeit auf die Wahrheit, Betrachtung, Billigung. Bildung des Herzens nach
der Ueberzeugung, iſt Pflicht; (matter of duty.)
Was der Vf. matter of grace nennt, iſt doch nicht
Glaube, ſondern nur Vorbereitung dazu, indeſſen dient es zur Beſtimmung, wie ferne der Glaube Gottes Werk ſey. IV.) Ueber die Wunder.
Vornemlich gegen Farmer. Nichts neues und
beſſeres, als gewöhnlich darüber geſagt wird.
V.) Vom Zuſtand der Seele nach dem Tod. Mehr
daſs die Seele, nach der Trennung vom
Körper, Bewuſtſeyn und Thätigkeit behält, als
eine Beſtimmung, in welchem Zuſtande ſie ſich
befinde. Ueberhaupt iſt dieſe Materie kaum mehr
ein Gegenſtand der Speculation, wenn die Fortdauer der Seele bewieſen wird. Und noch weniger, wenn man annehmen will und kann, daſs
ſie nicht ohne ihren Körper fortlebt, deſſen grö-
bere Theile nur aufgelöſet werden. VI.) Vertheidigung des doppelten Sinnes einiger Stellen in
den Propheten. Sie würde ganz anders ausfallen,
wenn der Vf. bedacht hätte, daſs nicht jede Anführung einer altteſtamentlichen Stelle im N. T. auch
Auslegung derſelben iſt; daſs intendirter Doppel-
ſinn nicht zum Charakter eines guten Schriftſtellers gehören kann, daſs auch dieſer Hypotheſe
den Typenfreunden, Allegoriſten und Deutern
ein freyes Feld für ihre, ohnehin etwas raſche,
Phantaſie geöfnet würde, und daſs ſich endlich
aus keinem Propheten dieſe unnatürliche Art zu
ſprechen beweiſen laſſe. —

LONDON, b. Robinſon: Lectures, ſuppoſed to
have been delivered by the Author of a view

of the internal evidence of the chriſtian religion, to a ſelect company of friends; de-
dicated to Ed. Gibbon. 1787. XXXI u. 200
! S. 8.

Wenn der Bigotiſmus ſchwärmt, ſo verdient
die gutherzige Einfalt mitleidige Nachſicht: aber
wenn er Satyren ſchreiben, und gute Schriftſteller verdächtig machen will, ſo verdient die bös-
herzige Schwäche Züchtigung. Der Vf. dieſer angeblichen Vorleſungen verſetzt ſich in der Dedication an Gibbon in die letzte Klaſſe, da er ihn
ſehr demüthig, und gewiſs eben ſo unerwartet,
(warum nicht ſich ſelbſt?) deſto mehr bedauert,
weil er ihn durch alles, was er ihm ſagen konnte,
doch nicht zu einen Chriſten machen würde, und
an ihm ein neues trauriges Beyſpiel findet, wie
oft Gelehrſamkeit und Philoſophie die Bekehrung
hindert. Doch tentare licet. Und in dieſer Abſicht legt er ihm und andern ſeines Gleichen, mit
herzlich guten Wünſchen und den beſten Hofnun-
nungen, dieſe ſieben Vorleſungen im Predigten-
ſtil vor, die ſchwerlich Männer, von vor geringerer Bildung und flächerer Philoſophie, von
der Kälte und Gleichgültigkeit wider das Chriſtenthum zurückbringen werden. Was will der Mann
wirken, welcher vor dem Naturaliſten, oder dem
Freund eines vernünftigen Chriſtenthums, behauptet: S. 32. „Ein wahrer Chriſt, im moraliſchen
„Sinn, iſt ſo gewiſs eine neue Creatur, daſs keine
„Thierart von der andern ſo ſehr unterſchieden
„ſeyn kann, als der wahre Schüler Jeſu von allen
„übrigen Menſchen, und vornemlich von jedem
„Namenchriſten. Wenn ein Bewohner einer ent-
„legenen Gegend unſrer Erde, wo man die Thie-
„re, die in Afrika oder Europa herumſtreifen,
„nie geſehen hat, eine genaue Beſchreibung von
„dem halbraiſonnirenden Elephanten, oder dem
„edlen Roſs gehört hätte, und man zeigte ihm
„dann das unreinliche Schwein, oder den ver-
„ſchlagenen Fuchs, oder den dummen Eſel, und
„verſicherte ihn, dies wären die Thiere, von de-
„nen er ſo viel groſses gehört hätte: wie groſs
„würde ſein Erſtaunen ſeyn? — Diejenigen, die
„dem Vergnügen fröhnen, mit irrdiſchen Sorgen
„erfullt, gierig nach Ehre, Macht und Reich-
„thum ſind, ſind dem Chriſten eben ſo unähnlich,
„als das unreinliche Schwein dem majeſtätiſchen
„Elephanten,“ u. ſ. w. S. 37. klaget beſonders
auch darüber, daſs die heutigen Prediger den
Apoſteln ſo unähnlich ſeyen. „Dieſe hätten laut
gepredigt; daſs jeder Ungläubige ewig verdammt
werden ſoll: die modernen Prediger aber, wärmer und zärtlicher, hoften aus Menſchenliebe,
daſs Deiſten und Chriſten zuletzt ſeelig werden
würden!“ — Uebrigens ſind die abgehandelten
Materien: Das Vorurtheil der Erziehung und vernünftige Ueberzeugung über Ap. Geſch. 26. 29.
Die Urſachen des Unglaubens (nichts entwickelt:

ekelt: fonſt würde der Verf. auch der frommen
Schwärmerey und des bigotten Aberglaubens haben gedenken müſſen, der dem Unglauben feinen
Proſelytiſmus weit mehr, als die Verſuche, Chriſtenthum als eine Art von Deiſmus darzuſtellen,
erleichtert.) — Nothwendigkeit einer Offenbarung,
die gewöhnlichen Beweiſe. — Chriſti Himmelfahrt. Bloſs eine Predigt; die das wunderbare,
unbegreifliche Factum nach der buchſtäblichen Erzählung des Lucas zum Grund, und alle die
Schwierigkeiten bey demſelben bequemlich auf
die Seite legt. — Bloſs Glaubwürdigkeit der geoffenbarten Religion. Wichtigkeit derſelben. Dieſe beiden Materien ſind ſorgfältig und lesbar ausgearbeitet.

VERMISCHTE SCHRIFTEN.

LEIPZIG, b. Walther: *Neue Biographien der
Selbſtmörder* von *Albrecht*, erſter Band. 1788.
190 S. 8. (12 gr.)

Den Vorwürfen zu begegnen, die die Moraliſten dieſem Werke machen könnten, erklärt ſich
der Vf. über den Endzweck deſſelben dahin, er
habe durch ſeine Erzählungen lehren wollen, welche *Kleinigkeit* oft den Grund zum Selbſtmord lege, und wie viel mögliche Gelegenheiten, Gutes zu thun, derjenige entgehe, der um deswillen die Welt verlaſſe. Wir fürchten aber, daſs die Moraliſten antworten werden: Durch die anſchauen-
de Erzählung, wodurch der Romanenſchreiber den
Leſer intereſſirt, werde jene *Kleinigkeit* wichtiger, als ſie dem kaltblütigen Philoſophen ſcheint.
Auch werden die Sittenlehrer gegen den Grundſatz des Vf., daſs der Selbſtmord am meiſten zu
entſchuldigen ſey, der mit völliger Gemüthsruhe
geſchehe, vieles einzuwenden haben. Der Vf.
verſichert, daſs er bey allen ſeinen Erzählungen
wahre Vorfälle zum Grunde gelegt habe, und
führt auch wohl zuweilen, wie S. 108., einen Gewährsmann an; aber die ganze Art des Vortrags
zeigt es, daſs er vieles hinzugedichtet hat. Von
den zehn Fällen, die er erzählt, ſind ſechs durch
Liebe veranlaſst worden. Die erſte Erzählung
endigt ſich zu gut für den Verführer. Bey der
zweyten ſchleppt der Vf. unnöthiger Weiſe noch
manches, nachdem die Kataſtrophe ſchon geſchehen iſt, nach. In der vierten will der Vf. die
traurigen Wirkungen misverſtandner neuer Er-
ziehungsmethoden zeigen, indem ſich hier ein
dreyzehnjähriger Knabe in ſeines Lehrers Frau
verliebt, und, weil er nicht erhört wird, ſich er-
ſchieſst. Lehrreich iſt die ſechſte Erzählung, indem ſie ein Beyſpiel von einer feinern Art von
Selbſtmord aufſtellt. Zu romanhaft iſt die fünfte
und die zehnte Erzählung; in der fünften tödtet
ſich ein ruſſiſcher Soldat, damit man ſein Blut als
Arzney für den kaiſerlichen Prinzen brauchen könne, und in der zehnten tödtet ein Vater und der

entführten Tochter willen ſich ſelbſt. Der Vortrag
des Hn. A. iſt bald zu platt, bald zu preciös z. B.
S. 85. : Auf einmal trübte ſich der Himmel ſeiner Seeligkeit, ein misgünſtiges Geſtirn ließ
den Stern des Leidens über ihn aufgehen.
Oefters kommen Sprachfehler vor. z. B. S. 31.
Die Laſt der ganzen Welt lag auf ſie.

BERLIN, b. Mylius: *Articles hiſtoriques et géo-
graphiques des états de la maiſon de Brandenbourg, tirés de la nouvelle Encyclopédie
de Paris.* 1787. 8 B. 8. (8 gr. Schreibpap.
10 gr.)

Daſelbſt: *Hiſtoriſche und geographiſche Artikel, die Staaten des Hauſes Brandenburg
betreffend. Aus der neuen Pariſiſchen Encyclopedie gezogen, und ins Deutſche überſetzt von Rhode 1787.* 8 B. gr. 8. (8 gr.)

Zur Entſtehung dieſer Sammlung gab Hr. Robert,
Prof. und Geographe zu Paris, Veranlaſſung. Er
bat ſich von dem Oberhofmeiſter des Königs von
Preuſsen, einige hiſtoriſche und geographiſche
Erläuterungen über die Preuſs. Staaten aus, deu
ren er ſich zur Berichtigung der dieſe Monarchie
betreffenden Artikel in der neuen Ausgabe der
Encyclopedie bedienen könnte. Der Graf v. Wartensleben, damaliger Oberhofmeiſter der Königin, Empfänger dieſes Schreibens, hielt dafür,
dieſe Aufgabe gehöre nicht in ſein Fach, und
übergab daſſelbe dem Staatsminiſter v. Herzberg.
Um den Franzöſ. Encyclopediſten Genüge zu leiſten, dictirt dieſer in Eil, und bloſs aus dem Gedächtniſſe, einem Secretär das Hauptſächlichſte,
der folgenden Artikel, und ſchickte es Hn. Robert zu. Dieſer Literator hat davon bey den
neuen Ausgabe der Encyclopedie Gebrauch gemacht, und gedachte Artikel in einer kleinen
Ausgabe beſonders abdrucken laſſen, die man in
Berlin wieder auflegte, und überſetzte. Doch iſt
zu bemerken, *daß der Hr. Graf v. Herzberg
bloß den Hauptinhalt der großen Artikel geliefert, aber keinen Antheil an den die Städte und
Neuſchatel betreffenden Artikeln hat; und daß
der Franz. Herausgeber darinn eigene Veränderungen vorgenommen, auch Zuſätze gemacht
hat.*

Wer von dem verſchiedenen innern Gehalt der
hiſtor. und geographiſchen Aufſätze in der Encyclopédie methodique unterrichtet iſt, der wird es
inſonderheit zu ſchätzen wiſſen, daſs der Entwurf
des Encyclopediſten über den Preuſsiſchen Staat
dieſe Verbeſſerungen von einem ſolchen competenten Staatsmann erhalten hat. Schon der Umſtand, daſs Robert nicht einmal die rechte, über-
allkundige Addreſſe in ſeiner literariſchen Angelegenheit kannte, erregt eben kein günſtiges Vorurtheil für ihn. In der Ausführung der Aufſätze konnte aber Hn. Robert leicht etwas ähnliches begegnen, wie es ſich mit ſeinem Collegen,

Hn. *Maſſon*, in Anſehung der polit. Darſtellung von Spanien in der Encyclopedie, wozu doch die guten Hülfsmittel ſo nahe abzulangen waren, wirklich zugetragen hatte, weswegen *Cavanilles* die begangenen Sünden des unkundigen Encyclopediſten derbe züchtigte, Dem guten Zufall haben wir es alſo zu verdanken, daß der Preußiſche Staat in der *Encyclopédie méthodique* nicht nur nicht entſtellt, ſondern dagegen ſo zweckmäſsig und nützlich beſchrieben worden, als es das alphabetiſche Fachwerk, deſſen man ſich in Frankreich ſo gern bedient, zugelaſſen hat. Manche daher entſtehende Wiederholungen bey Seite geſetzt, findet man in dieſen Artikeln eine unterrichtende Ueberſicht von der politiſchen Verfaſſung der k. preuſſiſchen Lande, theils nach ihrer Entſtehung und Erwerbung, theils nach ihrem gegenwärtigen Zuſtande. Von dem ganzen Staatskörper wird in der Mitte des Buchs, bey dem Artikel: Preußen, eine gute bündige Nachricht aus den bekannten akademiſchen Abhandlungen des Hn. Grafen v. Herzberg gegeben. Den ſtärkſten Artikel hat Neufchatel; einen weit mindern das ungleich wichtigere Schleſien, etwa in dem Verhältnuſs, wie 4 zu 1, bekommen. Von *Breslau* lernt man nur ſo viel kennen, daß ſie eine ſehr feſte Handelsſtadt ſey. Ueberhaupt iſt

mehr Rückſicht auf die hiſtoriſche als geographiſche Ausführung genommen worden. Mehrere ohne Eintrag der Kürze mögliche Präciſion wäre hin und wieder, beſonders bey den geographiſch-ſtatiſtiſchen Angaben, zu wünſchen geweſen. So möchte der Kenner ſchwerlich zugeben, daß z. B. das Königreich Preußen (S. 52 der Ueberſ.) von 2 Mill. Menſchen bewohnt ſey. Dagegen enthält das H. *Magdeburg* mit dem Militair mehr als 240,000 Einw. (S. 117.) Die Stadt *Brandenburg* (S. 23.) enthält nicht 1200, ſondern 1300 Häuſer; nicht 8000 Einw. und drüber, ſondern 9500 ohne die Garniſon eines Regiments; ſie hat der Benennung nach kein Gymnaſium, ſondern zwey Lycea, und eine Ritterſchule, nicht Reitſchule. — Ein paar wunderliche Druckfehler, nemlich S. 6. wo es heiſt: Die Burggrafen vergröſſerten ſich nach und nach durch Kauf, Heirathen und *Liebſchaften*, ſtatt Erbſchaften, u. S. 20. die Mark Brandenburg iſt ein Land von 700,000. deutſchen Quadratmeilen, ſtatt 664, oder 700, wie die Franzöſ. Ausgabe angiebt, hätten wohl vermieden werden können. Sonſt iſt die Ueberſetzung ſehr wohl gerathen, und Hr. *Rhode* hat unbemerkt noch einige Berichtigungen eingeſchoben.

KLEINE SCHRIFTEN.

Kriegswissenschaften. *Frankfurt u. Leipzig*, b. Fleiſcher: *Von der Bildung eines gemeinen Soldaten*, nebſt den von ſelbigen zu leiſtenden Pflichten. Aufgeſetzt von *G. v. Wiſſel*, Churhannöveriſchen Hauptmann. 1788. 56 S. in 8. (3 gr.) Dieſe kleine, unerhebliche Schrift iſt dem Könige von Preußen dedicirt; vermuthlich um ihr ein Anſehen von Wichtigkeit zu geben. Anwerbung, Ehre, Beſchäftigung und Religion des Soldaten, Betragen deſſelben gegen ſeine Vorgeſetzten, gegen geringere und gegen Freund und Feind, ſind die hier abgehandelten Gegenſtände. Der V. ſagt hier manches, das recht gut, oder doch recht gut gemeint iſt; aber nichts, das nicht jeder, der einige Erziehung genoſſen, wüßte. Bey der Werbung räth er z. B. auf die Moralität und phyſiſche Stärke zu ſehen, und die angewornen Subjecte leutſelig zu behandeln. Schwerlich werden ſich Leſer finden, welche ſolche allgemein anerkannte Wahrheiten hier, wo ſie verwirrt, unrichtig und trocken vorgetragen, durchzuſehen, Geduld haben. Auch planlos iſt dies Büchelchen. Nach S. 1. will der Vf. den gemeinen Soldaten, oder doch wenigſtens den Unterofficier und nicht gebildeten Officier durch daſſelbe dienen und S. 33. nimmt er Regeln aus franzöſiſchen Büchern, ohne ſie zu überſetzen. Am Ende findet man einen Verſchlag zur Einrichtung einer Schule für Soldaten Kinder. Die Gemeinen ſollen ohne Unterſchied, monatlich zur Beſtreitung der dazu nöthigen Koſten, etwas ſtehen laſſen. (!)

Schöne Wissenschaften. *Mannheim*, in der neuen Hof- und akad. Buchh.: *Der Einſiedler*, eine Alpengeſchichte, 55 S. 8. Die Abſicht dieſer vortrefflichen kleinen Allegorie, die hundert ſeichte Romane der letzten

Meſſe aufwiegt, geht dahin, folgende Wahrheiten zu lehren: Wenn ſogar die gröbern Sinnen an der Vervielfältigung des Lebens durch das Denken Theil nehmen, ſo muſs um ſo mehr der denkende Menſch ſich in der Wonne der Wiſſenſchaften vertauſendfacht fühlen. Dies entſteht aus einer gewiſſen Ordnung in der Darſtellung unſrer Gedanken, die man Methode nennt. Dieſer Geiſt der Ordnung, wenn er ſich auf das gemeine Leben erſtreckt, bildet jene praktiſche Vernunft, die man geſunden Verſtand nennt. Kommt noch dazu eine Seelenſeligkeit, die uns geſtattet, in allen Fällen nach unſern Grundſätzen zu handeln, ſo entſteht die Tugend. Viele wahre Naturgemälde, Wärme der Imagination, und Originalität des Ausdrucks zeichnen dieſe Erzählung aus.

Vermischte Schriften. *Nürnberg*, in der Biſchöfiſchen Kunſt u. Buchh.: *Abgenöthigte Ehrenrettung ſowohl gegen einen im 5ten Stück des Muſeums für Künſtler und Kunſtliebhaber 1788. eingerückten Auffſatz als gegen eine in der Allg. Lit. Zeit. 1788. Num. 243. befindliche die Mahlerakademie zu Nürnberg betreffende Nachricht*. Dem unparteyiſchen Publikum vorgelegt von dem Director der Akademie *Joh. Eberhard Ihle*. Im Monath December 1788. 24 S. 8. In dieſer Schrift vertheidigt ſich der Hr. *Ihle* gegen die Beſchuldigungen des Hn. *Möglichs*, aus deren im *Meuſelſchen* Muſeum befindlichen Aufſätze obige Nachricht in der A. L. Z. N. 243. aufgenommen worden iſt. Die Pfeile, welche aber dieſelbe treffen ſollen, treffen ſie nicht, weil ſie den Erfolg, welchen Hn. *Möglichs* Schrift bewirkte, vor geräumter Zeit N. 371. v. J. bereits erzählt hat.

GOTTESGELAHRTHEIT.

1. Ohne Anzeige des Druckorts: *Neuer Verſuch einer Anleitung zum ſicherſten Verſtand und Gebrauch der Offenbarung Johannis, vornemlich ihrer prophetiſchen Zeitbeſtimmungen.* 1788. 509 S. 8. (1 Rthlr.)

2. FLENSBURG und LEIPZIG, in der Kortenſchen Buchh,: *Die Offenbarung Johannis, oder der Sieg des Chriſtenthums über das Judenthum und Heidenthum.* 1788. 156 S. 8. (8 gr.)

Beide Bücher können bloſs als Verſuche, Ein Buch aufzuklären, neben einander geſtellt werden: denn dem Inhalt nach entfernen ſich ihre Verfaſſer ſehr weit von einander, wie es immer bey den Auslegern der Apokalypſe gewöhnlich iſt. Der erſtere der wahrſcheinlich im ſüdlichen Deutſchland lebt, in Bengels Fuſsſtapfen tritt, und ſich *J. G. P. (Pfeifer ?)* unter der Vorrede nennt, heftet ſeinen Blick vornehmlich auf die Zeitbeſtimmung, berechnet die Perioden, ganzen, halben und doppelten Zeiten (χρονους) in der Apokalypſe, und zieht aus dieſem Stoff den Faden, den kein Knoten mehr verſchlingen ſoll. Der andre, *Nicolaus Johanſen*, Pred. zu Nicolai in Flensburg, (ſo giebt er ſich unter der Vorrede ſeinen lieben Landesleuten zu erkennen) nimmt den Text als Propheten Sprache, erklärt die Bilder poetiſch, ſucht in der Geſchichte die Perſonen und Begebenheiten auf, welche zu dieſer Erklärung, die wohl auch abhängig von der Geſchichte gemacht iſt, paſſen, und ſcheint uns auf dem Wege zu ſeyn, den der Ausleger der Apokalypſe nehmen muſs, nur daſs er auf halbem Wege ſtehen bleibt. Jeden Zug im Gemälde für bedeutend hält, und durch ſein Urtheil in der Vorrede: *Vieles für Zierrathen (in den Bildern) ausgeben wollen, iſt eine Schanze, hinter welcher entweder Unwiſſenheit, oder Faulheit, oder Furchtſamkeit ſich verbergen wollen,* verräth, daſs er mit dichteriſchen und prophetiſchen Gemälden nicht ſehr bekannt iſt. Denn jede Dichtung, ſie heiſſe Parabel, Hieroglyphe oder Symbol, jedes Kunſtgemälde, es ſey hiſtoriſch, prophetiſch oder

moraliſch, muſs ſeine Verzierungen haben, die zwar nicht abſichtslos, aber doch ohne ſpecielle Bedeutung ſind, und bloſs als Theile eines ſchönen Ganzen müſſen betrachtet, beurtheilt und erklärt werden. Was der Verf. zur Vertheidigung ſeiner Meynung ſagt, daſs alle Sinnbilder in dieſem *göttlichen Buche* göttlich gewählt ſind, und eine beſtimmte Erklärung verlangen, kündigt ſein Syſtem, ſeine Deutungen und ſeine Methode, die *alles* bis auf die kleinſten Züge höchſtbedeutend findet, genugſam an. Hr. P. ſetzt alles Vertrauen auf ſeine Rechnungen und Chronologien. Hr. J. auf ſeine Kunſt, den Bildern ihre Bedeutung unterzuſchieben. Jener betrachtet die Apokalypſe als eine (wiewohl nicht vollſtändige, chronologiſche, und detaillirte) Kirchengeſchichte des neuen Teſtamentes bis aus Ende der Tage: Dieſer, ob er gleich auf dem Titel das, nach unſrer Meynung richtig gefaſste Thema des Buchs, Sturz des Judenthums und Heidenthums, nach *Herder,* angiebt, greift doch auch auf die ſpätern Perioden aus, und erweitert über jene, von ihm geſetzte, Gränzen, den Inhalt der Apokalypſe, ihren Plan, ihre Ankündigungen bis auf unſre, ja ſelbſt noch künftige Zeiten, und wird, wider alle Erwartung, Prophet. — Hr. P. hat nicht die Abſicht, alles zu erklären, ſondern macht nur Bemerkungen über Zeitmaſs, Zeitrechnung, Zeitlauf, nach dem Geiſte Bengels: Hr. J. hingegen giebt mehr vollſtändige Ueberſetzung mit kurzer Erklärung, die aber allzu ſelten, aus dem Geiſte der Propheten, aus den Stellen A. T., deren Bilder die Apokalypſe gewöhnlich borgt, Beſtätigung erhält oder Beyſtimmung findet. Hr. P. iſt ſehr polemiſch, und unterhält die Liebhaber von Rechnungen mit Widerlegung der willkührlichen Hypotheſen nach Bengels und andern Verſuchen. Z. E., daſs 1111⅓ Jahr eine halbe Zeit, 1111½ J. ein Chronus ſey, u. ſ. f. Hr. Johanſen aber ſagt bloſs ſeine Meynung, welches auch viel kürzer und für die Geduld der Leſer der Apokalypſe, die ohnehin viele Prüfungen ausſtehen muſs, das gefälligſte iſt. Wer den rechten Schlüſſel gefunden hat, darf nur damit aufſchlieſen; er hat denn nicht Urſache erſt noch zu demonſtriren, daſs der Schlüſſel andrer nicht paſfe. Nach Hn. P. find die Weiffagungen vom fiebenten Kapitel an fämmtlich noch unerfüllt, die 144,000 Verfiegelten aus Ifrael haben noch nicht gelebt, fondern ihr Eingang in die chriftliche Kirche ift noch zu erwarten Bis jetzt ift noch der Inhalt des fünften Siegels in feiner Erfüllung. Uebrigens giebt er fich viele Mühe, zu beweifen, dafs der χρονος keine beftimmte Reihe von Jahren; χαιρος hingegen eine gewiffe, aber von uns vor der Erfüllung nicht-zu-beftimmende, Zahl von Jahren einer Periode ift, und bringt (wenn wir fein Syftem kurz darftellen follen) heraus: dafs die Siegel und Trompeten auf einander folgende Begebenheiten befchreiben. Der Inhalt des fünften Siegels, von Kap. 6, 11. wird vom vierten Jahrhundert an bis jetzt erfüllt, mit welchem fich der *Chronus*, eine lange Zeit, anfängt. deffen Schlufs non-*chronus* ift. In diefen *chronus*, befonders in deffen letztes Säculum, fällt das fechfte Siegel, die Verfieglung der Ifraeliten, die eingegangene Fülle der Heiden, und das fiebente Siegel mit den fechs erften Trompeten, nebft dem erften und zweyten Weh: in den non-*chronus*, der etwan ein halbes Jahrhundert dauert, (nach Kap. 10-19), der Anfang des Tempelbaues, und die fiebente Trompete, das dritte Weh, die fieben Zornfchalen, die Erfüllung von dem Sündenmaafs Babylons, die Erfcheinung und der Untergang des Thieres aus dem Abgrund u. f. w. (Die Begebenheiten des non - Chronus machen alfo bey weiten den gröfsten Theil der Apokalypfe! Dies halbe Jahrhundert ift das fruchtbarfte an Revolutionen und die angekündigten Ereigniffe fchnell nach einander fort geftofsen! — und dies wäre die uns nahe Periode!) Auf diefen non-*chronus* folgt, das chiliaftifche Reich, und nach Verflufs diefer taufend Jahre kommt in einer neuen Periode von hundert oder mehrern Jahren der Satan wieder auf kurze Zeit los, Gog und Magog bricht aus, das Ende der Welt erfcheint. Mit jener ganzen erften Periode vom Anfang des Chriftenthums bis an den Schlufs des Chronus laufen die beiden grofsen Ereigniffe, die Verkündigung des Evangelii und die Verfolgung des römifchen Babylons der Zeitordnung nach parallel, bis das Sündenmaafs voll ift. (Betrachtungen) über diefe neuen Hypothefen laffen fich hier nicht machen: das Klügfte ift, dafs, da der Vf. keinen Maafsftab für den Chronus hat, er Vieles in der Zukunft hoffen, und aus der Apokalypfe prophezeien kann, und den Rücken immer ficher behält, wenn man ihm einmal einwenden wollte, es fehle in der Gefchichte die Erfüllung. Sie wird fchon kommen, wird er fagen: wiewohl auch fchon das Loos der Sterblichkeit ihn und fein Buch dagegen fichert.

Die Erklärung des Hn. *Johanfen* hat den Vorzug, dafs er Bilder als Bilder betrachtet, den eigentlichen Sinn auffucht, und hiernach manches beffer als andere vor ihm auslegt: nur hafcht er

bey den fymbolifchen Figuren zu fehr und zu willkührlich nach der Deutung der einzelnen Züge und Theile, wo es weit natürlicher, dem Dichtergeift gemäfser, und wirkfamer wäre, blofs das Ganze anzufchauen. Grammatifch liefse fichs wohl annehmen, dafs Kap. 4, 2-4, die Edelfteine die Eigenfchaften des *unendlichen Gottes* abbilden, der Regenbogen ein Bild des gnädigen Andenkens Gottes, die 24 Aelteften die Repräfentanten der *Chriftusverfaffung im A. Teft.* (Was heifst dies?), Blitz und Donner aufklärende und durchdringende Lehren des Chriftenthums, das fpiegelhelle Meer die Bekenner Jefu aus den Heiden und die vier Thiere die Bekenner Jefu aus dem Judenthume find: aber dichterifch wird diefe Erklärung eines Symbols von Gottes Majeftät niemand nennen. Grammatifch mögen die vier Engel (K. 7, 1.) vier Kaifer feyn können: aber poetifch find fie blofs Symbole der Regierung Gottes. — Die vier Engel (K. 14, 14.) find allerdings Sinnbilder, aber den erften für das Symbol eines feligen Todes, den zweyten für das Sinnbild des Wohlgefallens Gottes am Tode der Frommen, den dritten für Symbol eines Würgers der Barchochab feyn foll, und den vierten für Symbol des göttlichen Mifsfallens an den Juden zu halten, ift gegen den Geift und die Sprache der Propheten. Der erfte und dritte find Werkzeuge der Rache, und der zweyte und vierte erfcheinen als Bevollmächtigte Gottes, diefen Würgengeln die Erlaubnifs zur Ahndung zu ertheilen: und fie alle bezeichnen eine Scene der nahe ausbrechenden Gerichte der Vorfehung. K. 20. läfst fich der Vf. durch den Faden der Gefchichte auf die Turken leiten, deren Entftehung in das Ende der taufend Jahre des Johannis fallen foll. Im K. 19 findet er Conftantins Bekehrung, den Anfang des chriftlichen Kaiferthums (als wenn diefer für Religion und Kirche fo höchft beglückend gewefen wäre), und die Erklärung im J. 313. dafs die chriftliche Religion die *herrfchende* (leider!) im ganzen Lande feyn folle. Hiermit follen die taufend Jahre anfangen — ihr Ende wäre alfo im 14ten Jahrhundert, in welchem das türkifche Kaiferthum der Chriftenheit (nur einigen chriftlichen Staaten in Europa) höchft gefährlich zu werden anfieng. „*Vielleicht wird der Turk durch Rufslands und Oeftreichs Macht in Europa bald feinen Abfchied erhalten und fein Kaiferthum zerftöret werden.* Wenigftens wird fein Untergang V. 10, und der Untergang des heidnifchen Kaiferthums Kap. 19, 20. in Einerley Ausdrucken befchrieben.“ (S. 134.) Gog und Magog find nach feiner Hypothefe; „die Scythen, die von Magog abftammen. Man nennt fie gemeiniglich die Gothen (?) oder Celten, weil fie in Zelten wohnten (!) Im eigentlichen Verftande waren fie Bewohner der grofsen Tartarey, zu welchen man auch die Riphäer und Cimmerier zählt.“ Diefe durchftreiften Europa, und wendeten fich endlich

lich nach Norden, wo fie das gegenwärtige
Schlefswig, Holftein und Jütland einnahmen,
„und Cimbrer genennt worden: — — Die Scy-
„then haben fich wegen ihrer Raubbegierde leicht
„mit den Türken vereinigen können. — (Wie viel
gegen die Gefchichte!) — Bey K. 22. wo ihm
das neue Jerufalem (wie uns dünkt, fehr richtig)
die chriftliche Kirche ift, deren Gröfse, Würde,
und Ausbreitung gefchildert wird, vermifst Rec.
vorzüglich, wie durchs ganze Buch, die Auffuchung der Originalftellen A. Teftam., aus denen
Johannes feine Bilder entlehnt hat. — Diefe
müffen der *Clavis Apocalypfeos* feyn, ohne welchen man vergebens anklopft. — Im Ganzen
aber ift diefe Schrift mehr werth, als hundert
andere, die den Lefer der Apokalypfe in Labyrinthe führen, weil der Vf. *den Plan des Buches*
ziemlich genau überfehen hat: aber fie kommt
noch bey weitem nicht mit dem *Herderifchen Ma-
ranatha* ins Gleichgewicht.

HAMBURG, b. Harmfen: *Unterfuchung der
Vorzuge des Apoftels Petri,* angeftellt von
Matthias Butfchany, der Weltw. D. 1788.
128 S. 8. (8 gr.)
Der Vf. läfst die von den angeblichen Vorzügen
des Apoftels Petri handelnden Stellen abdrucken.
Anftatt kurzer grammatifcher Interpretation, findet man hier langweilige und gedehnte Tiraden. Beweife von Sätzen, deren Beweife niemand verlangt,
erbauliche Ermahnungen, Corollaria u. d. gl. m.
Macht fich der Vf. fertig, etwas zu erklären oder
zu beweifen, fo bittet er den Lefer erft um Erlaubnifs, und am Ende erinnert er, die Erklärung oder der Beweis fey nun zu Ende. Der
Stil endlich ift ganz poftillenmäfsig, (fehr oft
heifst Petrus der Himmelspförtner u. f. w.) wie
denn überhaupt die ganze Arbeit äufserft wenigen
Gefchmack verräth.

Mit Matth. XVI, 13 — 20. macht der Vf. den
Anfang feiner Unterfuchung. Zuerft zeigt er,
dafs Petrus mit diefen Worten: „ich will dir des
Himmelreichs Schlüffel geben,“ unmöglich zum
Himmelspförtner verordnet feyn könne, weil Marcus, welcher unter Petri Auficht gefchrieben habe, und Lucas, welcher das Evangelium Matthäi
und Marci nie gefehen habe, diefe Worte weggelaffen hätten. Hieraus zieht er den Schlufs,
dafs diefe Worte nicht vom Himmelspförtneram-
te Chrifti handeln könnten; denn fonft wären fie
viel zu wichtig, als die die übrigen Evangeliften hätten weglaffen können. So läfst fich alles, was man will, beweifen! Um die Worte zu
erklären, auf diefen Felfen etc. geht der Vf.
alle die Fälle durch, in welchen wir eigentlich
und uneigentlich von einem. Eck- oder Grundfteine zu reden pflegen, (gleichwohl ift hier doch
von keinem Grundfteine die Rede,) und fafst
den Sinn diefer Worte S. 26 fo: Petre, der be-
kenneft, dafs ich Meffias bin. Wiffe, dafs ich dir

unzählige *Nackfolger zugefellen werde, die eben
das, was du von mir bekannt haft, bekennen werden. Die Gemeine, welche aus diefen Bekennern
beftehen wird, wird fich bis an das Ende der Welt erhalten.“* Die Worte „ich will dir des Himmelreichs
Schlüffel geben“ will der Vf. von den folgenden
„alles, was du auf Erden binden wirft etc.“ ganz
getrennt wiffen. Seine Gründe find 1) weil diefe Redensart *binden* und *löfen,* für *zufchließen*
und, *auffchließen* unter den Juden ganz ungewöhnlich gewefen fey. Man müffe alfo entweder einen zureichenden Grund angeben, warum
Jefus eine fo ungewöhnliche Redensart gebraucht
habe, oder diefen Zufammenhang aufgeben. Allein dafs fich die Alten ftatt der Schlöffer gewiffer
Schnure bedienten, ift doch wohl ausgemacht, genug. Folglich hat die Redensart an fich nichts
ungereimtes. Ferner kann diefer Ausdruck unter den Juden gewöhnlich gewefen feyn, ohne
dafs er in der Bibel weiter vorzukommen braucht.
Endlich ift es zu viel gefordert, von jedem ungewöhnlichen Ausdrucke Rechenfchaft zu geben,
warum ihn Jefus wählte. 2) Weil Chriftus Petro
mehrere, und wenigftens 2 Schlüffel gegeben habe. Wenn er nun mit diefen den Himmel habe
auf- und zufchliefsen follen, fo müffe man begierig feyn, zu wiffen, ob der Himmel mehrere
Thore habe? oder, ob ein Thor mit mehrere
Schlöffern verfehen fey? oder, ob ein Schlofs
zweyer Schlüffel bedürfe, des einen zum Auf-
fchliefsen, des andern zum Zufchliefsen? — *Ohe!
jam fatis eft!*

Ohne Anzeige des Druckorts: *Dialogen über
das Mainzer Gefangbuch. Erftes Stück.* 1787.
39 S. Zweytes St. 48 S. 8. (4 gr.)
Die über die Einführung des neuen Gefangbuchs in dem Erzftifte Mainz vornemlich unter
dem gemeinen Volke entftandenen Bewegungen,
welche durch einige unwiffende Pfarrer und Mönche unterhalten wurden, find die Veranlaffung
diefer Dialogen gewefen. Der einfältige Haufe
liefs fich überreden und glaubte, dafs durch das
neue Gefangbuch die lutherifche Religion eingeführt werden follte, weil in demfelben lutherifche
Lieder ftunden, und bey der Meffe der deutfche
Gefang angeordnet ware. Die Abficht des Verf.
der Dialogen geht dahin, dem gemeinem Volke diefe Vorurtheile zu benehmen, und es zu
belehren, dafs die angeblichen ketzerifchen Lieder, z. B. Gelobet feyft du Jefus Chrift etc. Mitten wir im Leben find etc. Herr Jefu Chrift! wahr
Menfch und Gott etc. uralte achtkatholifche Lieder wären, die man lange vor Luthers Zeiten in
der katholifchen Kirche gebraucht hatte, und
dafs die deutfchen Gefänge bey der Meffe fehr
zur Beförderung wahrer Andacht dienten. Wir
irren uns wohl nicht, wenn wir glauben, dafs
der Vf. feine Abficht, wenn feine Dialogen von
Bürgern und Bauern find gelefen worden, werde
erreicht

erreicht haben. Ganz keinen Witz darf man in einer solchen Schrift für das Volk nicht erwarten;
aber das Ganze liest sich doch nicht übel, und
die Charactere der sich mit einander unterreden-
den Personen sind ganz natürlich gezeichnet. Ein
abergläubiger Gastwirth und seine noch abergläu-
bigere Frau, ein unwissender Jurist, Dr. Kloß,
und ein fauler Mönch, Pater Schlauch, contrasti-
ren mit einem Herrn Wahrmund, einem vernünftigen Bauer, und einem gelehrten Mönch, Pater Devotus sehr gut. Der Sieg fällt, wie man
leicht vermuthen kann, auf die Seite der Letztern, die das Gesangbuch vertheidigen.

VERMISCHTE SCHRIFTEN.

ERLANGEN, b. Palm: Ueber Christenthum, Auf-
klarung und Menschenwohl, vom D. Wilh.
Friedr. Hufnagel. 2ter Band. 1 und 2 St.
1788. 209 S. 8. (8 gr.)
Bloß die erste Abhandlung, Lotto bloß als Spiel
betrachtet, würde diesen Band höchst-interessant
machen, wenn nicht auch selbst die Recension von
Starcks zweyten Theile und von der Rosenmüller-
schen Schrift über Magnetismus und Somnambulismus durch viele treffliche und freymüthige Bemerkungen und die Wärme des Vortrags jeden
Beobachter unsers Zeitalters anziehen würden.
Wir können nur von der Abhandlung reden. Man
hat das Lotto sonst bloß politisch betrachtet, und
als zerstörend für den Wohlstand des Bürgers,
Landmanns, und überhaupt der ärmern Klasse
des Volkes, Gottlob! aus vielen Staaten, selbst
mit Aufopferung mancher Kammervortheile, ver-
bannt. Hier wird es auch als eine Pest für die
Moralität und die innere Glückseligkeit beschrieben: schwarz und schauerlich, aber nach der Natur, ohne Uebertreibung, bloß nach Thatsachen,
die dem scharfen Blick des Menschenbeobachters
nicht entgehen, das wohlwollende Herz des Men-
schenfreundes erschüttern, wenn sie zusam-
mengestellt werden, die Wirkung eines Gemäldes
hervorbringen, das die fürchterlichsten Scenen
nach der Natur gezeichnet hat, wie es den Geist
röstet, den Aberglauben, sonderlich den Glauben an Träume, fördert, die ganze Aufmerksamkeit an sich reißt, und noch mehr die Ruhe
und die Tugend zerrüttet; wie es die gute Erziehung, die eheliche Eintracht, die Amtstreue,
die Sorge für Kinder und Familie hindert und
verschlingt; wie es die Arbeitsamkeit und (welches meisterhaft S. 28 entwickelt wird) dadurch
allen Vortheil vom Lottogewinn hindert, weil al-

les, was mit Mühe erworben ist, nur dem Menschen wichtig, alles, was leicht gewonnen wird,
minder wichtig, folglich leichtsinniger gebraucht
ist; wie es den treuen Arbeiter kränkt und
verführt — ist mit Gründen auseinandergesetzt.
Wenn es etwas in ein Volksbuch gehört, so würde es diese Abhandlung seyn, nur daß die Sprache für ein Volksbuch zu edel ist! — Wir möchten den Patrioten — er heiße Landesherr oder
Minister — sehen, der dies lesen und beherzigen
könnte, ohne den Entschluß, sein Land gegen
diese Pest zu schützen. Die Aufhebung des Anspachischen Lotto, nach dem Vorgang einiger andern Stände des Fränkischen Kreises, auf welche
durch einen förmlichen Schluß dieses Reichskrei-
ses alle Lotto in die Kreisacht erklärt worden,
hat dem Hn. Vf. Veranlassung zu dieser Abhandlung gegeben, die, wenn sie früher erschienen
wäre, jene Aufhebung noch früher müste befördert haben. Mit ihr sind die Bemerkungen über
das aufgehobene Lotto zu Anspach, und die gemeinnützige Verwendung seines Ertrages (2 St. S.
136.) zu verbinden. Sie lehren, daß binnen
ungefähr 18 Jahren, die sämmtlichen Einlagen
in die 305 Ziehungen des Lotto 4,401,791 Fl. 57
Kr. 2 Pf. betragen, die Gewinnste und Prämies
3,119,479 Fl. 49 Kr. ausmachten und nach Abzug
der Kosten für das Lotto, ein Profit von 423,933
Fl. 23 Kr. 2 Pf. übrig blieb; wovon ein erhebli-
cher Theil ad pias causas verwendet worden, z.
B. 9,533 Fl. zum Anspachischen Gymnasio, 12000
Fl. zur Erbauung eines Hauses für Wahnsinnige in
Schwabach, 116,392 Fl. zur Erlangschen Universität, 7875 Fl. zur Schule in Neustadt an der
Aisch, 20,368 Fl. zur Beförderung der Land-
schulen u. s. m. Diese rühmliche und fürstliche
Verwendung des Profits entschädiget zum Theil
das Land gegen den in einigen Gegenden
sehr sichtbaren Ruin der Unterthanen durchs
Lotto.

FREYBERG, in der Crazischen Buchh.: Apophteg-
men, Erzählungen, und Schnurren, 1789.
176 S. 8. (8 gr.)
Diese Vademecums - Sammlung unterscheidet
sich rühmlich von gewöhnlichen Kompilationen
dieser Art dadurch, daß sie nichts Anstößiges,
sondern viel Ernsthaftes und Lehrreiches enthält. Auch hat der Sammler darauf gesehn, daß
er nicht zu viel bekannte Dinge wiederhohlt.
Viele Anekdoten sind aus der Geschichte entlehnt,
und ganz gut erzählt.

KLEINE SCHRIFTEN.

VERMISCHTE SCHRIFTEN. Hamburg, b. Matthiessen:
Lebensscenen, vielleicht aus der wirklichen Welt, nebst
einigen andern Aufsätzen, 1788. 93 S. 8. Kurze Erzählungen, possenhafte Einfälle, Briefe, Gedichte, satiri-

sche Skizzen wechseln hier ab, und es ist schwer zu entscheiden, welche unter diesen mancherley Aufsätzen die
schlechtesten sind.

ALLGEMEINE

LITERATUR-ZEITUNG

Mittwochs, den 11ten März 1789.

GOTTESGELAHRTHEIT.

StockHOLM, in der königl. Druckerey: *Sven-ſka Samfundets Pro Fide et Chriſtianiſmo Samlingar, Rorande Religion, Seder och up-ſoſtran. Förſta Bandet-Förſta Stycket.* 1788. in 8.

Man wird ſich vielleicht unter der ſchwed. Geſellſchaft *Pro fide et Chriſtianiſmo* ſo eine Geſellſchaft, wie die bey uns bekannte zur Beförderung der reinen Lehre, gedenken. Allein, wenn man nur den 3ten Artikel in dieſer nun erſcheinenden Sammlung ihrer Schriften geleſen hat, ſo wird man ſehen, daſs ihr Zweck verſchieden, ausgebreiteter, und ihre Wirkung wohlthätiger iſt. Man lieſt hier nemlich 1) einen Bericht von dieſer Geſellſchaft. Der ſichtbare Verfall des Chriſtenthums brachte einige eifrige Religionsfreunde auf die Gedanken, dieſe Geſellſchaft ſchon 1771 zu errichten. Ihre ſchon damals ins ſchwed. und deutſcher Sprache bekannt gemachte Geſetze wurden 1781 erneüert und erweitert. Sie wählt ſich jahrlich ihren Präſes und Vicepräſes, und hat den Hn. Mag. Hambraeus zu ihren Secretär angenommen. Sie theilt ſich in zwo Abtheilungen, davon die erſte die *Paſtoral-* und die andere die *Educationsabtheilung* heiſst. Zu der erſten gehöret alles, was das Predigeramt und die Beförderung des praktiſchen Chriſtenthumes anbetrifft, und jede Abth. hat noch wieder ihren beſondern Präſes. Die Schriften, welche ſie zum Druck beſtimmt, werden von 3 gleichfalls jährlich gewählten Cenſoren vorher genau durchgeſehen und geprüfet. Ihre gemeinſchaftliche und Hauptbeſchaftigung ſoll ſeyn, theils ſolche Schriften, die bey jetziger Zeit und Umſtänden zur Beförderung des Chriſtenthums, ſowohl was deſſen Kenntniſs als praktiſche Ausübung betrifft, dienlich und nöthig ſind, in ſchwed. Sprache herauszugeben, theils ſolche Einrichtungen, die damit in Verbindung ſtehen, zu befördern, u d dabey beſonders auf die Kindererziehung und deren Verbeſſerung ein aufmerkſames Auge zu richten; theils endlich eine Bibliothek von eigenen und anderer bewährten Autoren Schriften anzulegen. Die Geſellſchaft hat gar keine andere Kaſſe, als

A. L. Z. 1789. *Erſter Band.*

das, was ſie durch freywilligen Beytrag der Mitglieder zuſammenbringt. Sie hat gleichwol ſchon beynahe 30 kleinere und gröſsere theologiſche Schriften drucken, und von einigen, wie z. E., von dem gröſsern Kinderbuch, einige 1000 Exemplare umſonſt austheilen laſſen. Unter dieſen Schriften ſind auch verſchiedene von ihr veranſtaltete ſchwed. Ueberſetzungen von aſcetiſchen und andern theologiſchen Schriften eines v. Bunau, Dodridge, Vernet, Frank, Freſenius u. ſ. w. Die Geſellſch. hat gewiſſe Tage zu ihrer Zuſammenkunft feſtgeſetzt. Ihr gewähltes Siegel, ein Lamm, das auf einem mit 7 Siegeln verſiegelten Buch ruhet, kommt uns doch etwas zu apocalyptiſch vor. Sie beſteht jetzt aus 121 einländiſchen Mitgliedern, worunter auch 5 Reichsräthe und mehrere andere angeſehene Perſonen ſind, und auſ 35 auslandiſchen Mitgliedern, worunter wir auch die Namen eines Jeruſalems, Leſſ, Jacobi in Zelle, Schlegel in Hannover und in Riga, Strefow Tréſcho, Münter, Gen. Hard, Kunze und Muhlenberg in Amerika, Schinmeier, Urlſperger, Geh. Rath Guldberg, Mutzenbecher in Amſterdam, Wachſel in London u. a. m. ſinden. Auf dieſen Bericht folgt 2) ein etwas wortreicher Auszug eines Briefes an die Geſellſchaft von einem ihrer Mitglieder, um die vornehmen, gelehrten und reichen Mitglieder derſelben aufzumuntern, ſich der Sache, die ſie treiben, mit rechtem Ernſt und Eifer anzunehmen. 3) Abhandlung über den Zuſtand der Religion in der ganzen Welt, von Hrn. D. Lüdeke in Stockholm; eigentlich für diejenigen geſchrieben, welche nicht zur Klaſſe der Gelehrten, aber auch nicht der ganz unwiſſenden gehören. Es iſt weder Polemik noch Kirchengeſchichte, ſondern eine Religionscharte, die den jetzigen Zuſtand aller Religionen in der Welt deutlich darſtellen ſoll. Er theilt in Anſehung der Religion alle Menſchen in Religionsverächter u. Religionsbekenner. Zu erſtern rechnet er die Atheiſten, Pantheiſten u. ſ. w.; die Naturaliſten und Indifferentiſten; zu letztern die die Heiden, Juden, Chriſten und Muhamedaner, theils die Schwärmer. Hier bleibt er nur noch bey der heidniſchen Religion ſtehen, die er in die ſyſtematiſche und unſyſtematiſche eintheile, und zu erſterer die Perſiſchmagiſche, die Confuciusſche,

Hhhh

die Bramanifche und Dalai-Lamaifche rechnet,
und von jeder einige Nachricht giebt. (Sollte
wohl nicht noch eine adäquatere Eintheilung zu
machen feyn?) Hr. D. Lüdeke glaubt, dafs über
die Hälfte unfrer Erdkugel, ungefähr ⅔ derfelben
von Heiden bewohnt werden. 4) Wahrhafter Bericht von dem gegenwärtigen Zuftand der Evangelifchen Lutherifchen Kirche in Nordamerika, in
Auszügen aus Briefen des dortigen Paftors zu
Newyork, Hn. D. Kunze vom 28 Febr. 1785, und
eines andern Briefes aus Penfylvanien, worinn
man freylich erkennet, wie betrübt es in Anfehung dortiger Lehrer ausfieht, und wie man leider
aus Mangel an gefchickten Leuten, elende und unwiffende Menfchen den Gemeinen vorfetze. Nach
S. 59 verhalten fich die deutfchen Lutheraner zu
den dortigen Reformirten wie 3 zu 1. Nach S.
66 ff. waren auf der neuerrichteten Univerfität zu
Philadelphia nur 13 Studenten, und die Univerfität kann kaum mit einem deutfchen oder fchwed.
Gymnafium verglichen werden. Die darauf folgenden Nachrichten aus Nordcarolina und Georgien find fchon in Deutfchland, befonders erftere,
durch die ruhmwürdige Bemühung einiger Helm-
ftädtifchen Theologen die dortigen Gemeinen mit
Lehrern und Büchern zu verfehen, bekannt, daher wir fie übergehen. 5) Abdruck von einem
zu Mohilow in der kaiferl. Druckerey erfchienenen:
*Catalogus perfonarum et officiorum Societatis Je-
fu in Alba Ruffia in annum 1786 Mohilovine in
Privil. a Sua Imperatoria Majeftate Typographia
H. E. ac R. D. archiepifcopi.* Darnach beftand
der Jefuiterorden dort noch aus 174 Mitgliedern,
wovon 95 Priefter, 28 Scholaftici, und die übrigen Coadjutores waren. P. Gabr. Lenkiewicz, ift
feit 1785 *Praepofitus vicarius generalis.* Am
Schluffe ift 6) ein Auszug aus den Protokollen der
Gefellfch. mitgetheilt, woraus man fieht, was der
Gefellfch. an Büchern, Schriften und Geldern in-
und aufferhalb Schweden verehrt worden, worunter auch 1786 hundert Rthlr., u. 1787 zweyhun-
dert Rthlr. von einem Paar Ungenannten waren.
Wenn diefe Gefellfchaft fo fortfährt, befonders
für die Ausbreitung der Aufklärung, und des
Unterrichts des gemeinen Haufens zu forgen, und
alle Syftemfucht und fchwärmeindes Wefen
dabey glücklich vermeidet, fo kann fie nicht anders als Schweden vielen Nutzen ftiften, welches
wir aufrichtig wünfchen.

GESCHICHTE.

Baünn, b. Siedler: *Moraviae Hiftoria politica et ecclefaftica cum notis et animadverfio-
nibus criticis probatorum auctorum,* quam
compendio retulerunt *Adolphus Pilarz a S.
Floro et Francifcus Moravetz a S. Antonio,*
Clerici regulares e fcholis piis Cremfirii Mora-
vorum. — *Pars prima.* 1785. 8. 348 S. u.

2 B. Einleit. *Pars fecunda.* 1786. 198 S. 3
Bog. Vor. 3 Bog. Reg. — und 2 Stammtaf.
— *Pars tertia.* 1787. 597 S. 2 B. Reg. (2
Rthlr. 16 gr.)

Die Einleitung zeigt, dafs die Verfaffer diefes
Handbuches, welches auf landesherrl. Veranftaltung gefchrieben worden, die ächten Quellen der
Mährifchen Gefchichte (auch viele Handfchriften) gekannt, die Arbeit felbft aber, dafs fie diefelben auch auf eine beyfallswürdige Weife gebraucht haben. Der Ausdruck ift fimpel, der
Plan meiftens gut angelegt und ausgeführt, die
Auswahl der Sachen zweckmäfsig, auch die Erörterung vieler Thatfachen auf eine richtige Kritik gegründet, fo dafs eine Menge Fabeln und
Irrthümer ausgemuftert find, welche fonft die
Mährifche Gefchichte entftellten, und viele
fonft in Specialgefchichten fo gewöhnliche Ausfchweifungen hier wegfallen. Nur die neuere
und die kirchliche Gefchichte ift zuweilen bis zu
geringfügigen Kleinigkeiten ausgedehnt worden.
Die Gefchichte ift in 6 Perioden vertheilt. Die
erfte begreift die Gefchichte der Quaden und Mar-
comannen bis z. J. Chr. 450; die *zweyte* ift die
Slavifch-Mährifche, bis zum Untergang des
Grofsmährifchen Reiches J. Chr. 907; die *dritte*
bis zum Anfang der Markgraffchaft Mähren, J. Chr. 1182 (1197); die *vierte* bis zum
Tode des R. K. Wenzlavs 1419; die *fünfte* bis
zum Reg. Antritt Ferdinands I — J. Chr. 1526;
die *fechfte* bis z. J. Chr. 1785. Jede Periode hat
wieder zwey Abtheilungen in politifche u., kirchliche Gefchichte, welches aber einige Unbequemlichkeiten verurfacht. In der politifchen Gefch.
hat man nach der chronologifchen Ordnung die
meiften, nicht ganz kirchlichen, Sachen mitgenommen; die nicht berührten, vermuthlich aus
Grundfätzen, weggelaffen. — Der erfte Band
begreift die vier erften, der zweyte die an Begebenheiten fo reiche fünfte, und der dritte bey
weitem ftärkfte die fechfte Periode. Schon da-
aus fehen viele Lefer, dafs die Hn. Verf. fich in
ältern Zeiten auf eine beyfallswürdige Weife kurz
faffen, und in neuern defto weitläuftiger find.
Da das Werk lateinifch gefchrieben, und mit
zweckmäfsigen Allegaten verfehen ift, fo enthalten wir uns um fo mehr, Auszüge zu machen,
als gelehrte Lefer fchon wiffen werden, was fie in
einem folchen Buche zu fuchen haben, und wir verfichern können, dafs es mit merklicher Unpartheylichkeit, befonders in kirchlichen und literarifchen Sachen, gefchrieben fey, und dabey der
Vollftändigkeit eines Handbuches fich fehr nähere. Die Gefchichte ift im dritten Bande durchgehends fo weit fortgeführt, dafs fich die Statiftik
genau an diefelbe anfchliefsen kann. Einige Stücke des Buches find fchon ftatiftifch. Die Befchreibung der letzten Belagerung der Feftung
Ollmütz ift wohl zu weitläutig, defto denkens-
werther aber die Bemühung, jedem Patrioten fein

ver-

verdientes Denkmal auch hier zu stiften, als z.B. dem berühmten Karl von Zierotin, dem de Souches, dem General v. Marschall, dem v. Petrasch, als Stifter des Incogniti u. a. m. Unverholen gestehen die Vf.; daß die Vertreibung der Akatholischen unter Ferdinand II der gesammten Mährischen Cultur, besonders aber in den Wissenschaften, äußerst nachtheilig gewesen sey, und geben mehr als einmal nicht undeutlich zu verstehen, daß noch in den neuesten Zeiten (durch Exjesuiten?) der Aufklärung entgegen gearbeitet werde. Auffallend muß es jedem seyn, wenn er vollends die schriftstellerischen Producte Mährischer Gelehrten in der sechsten Periode, nur nach den angegebnen Titeln neben einander stellt, wo, wenige Werke ausgenommen, im Zeitraum seit 1624 bis zur dasigen Wiederaufhebung der Wissenschaften, und noch jetzo neben den Werken besserer Art, lauter Werke der Verfinsterung vorkommen.

Das Werk soll auch ins Deutsche übersetzt werden, wie wir aus der Vorrede zum zweyten Theile ersehen. Schon dem Rec. stieg beym Lesen des ersten Theiles der Gedanke auf, daß es den Verfassern wohl nicht an vermeyntlich patriotischem Widerspruch fehlen werde. Er ist erfolgt, und die Vf. sind dadurch zu einer Apologie genöthigt worden, welche mit eben so viel Bescheidenheit als Gründlichkeit abgefaßt ist.

Da man einmal an diese nützliche Arbeit gegangen ist, und da nicht nur aus andern neuern Schriften, sondern auch aus diesem Werke selbst ersichtlich ist, daß, ungeachtet so vieler geschichtsverderblichen Zerrüttungen des Landes dennoch ein reicher Vorrath ungedruckter wichtiger Nachrichten vorhanden sey; endlich da jetzo Denkfreyheit und guter Geschmack auch in Mähren einheimisch zu werden beginnen, so wünscht Rec., und mit ihm gewiß ein zahlreiches Publikum, daß diese zusammentreffenden glücklichen Umstände zeitigst möchten benutzt werden, um eine größere documentirte Geschichte Mährens, oder ein Corpus historiae Moravicae, mit Beziehung auf das vorliegende Werk, zu liefern. Die Vf. führen von Stredowsky, Pazelt u. a. gemachte Sammlungen, Chroniken u. d. gl. so häufig an, daß es ihnen an Materialien hiezu nicht fehlen kann. Hat man doch schon ehedem auf Sammlungen Mährischer Geschichtschreiber gedacht, und hat doch Dobner schon Proben geliefert.

GÖTTINGEN, b. Dietrich: Münsterische Geschichte. Erster Theil. Bis zum Verfall des Carolinger. 1788. 220 S. 8. (12 gr.)

Unter der Vorrede unterschreibt sich der Vf.: Friedrich Wilhelm von Raet Hildesheimischer titular adlicher Rath und außerordentlicher Prof. zu Münster.

Der erste Abschnitt giebt eine kurze Einleitung in die älteste Verfassung, und ist nicht übel bearbeitet. (nach Möser, wie alle folgenden.) Vielleicht wäre Ausländern mit einer Darstellung der neuesten Verfassung, als welche sicherlich nur wenigen bekannt ist, noch mehr gedient, und ohne Zweifel neben der ältesten zur Vergleichung sehr nützlich gewesen. Wenigstens ist Rec. der Meynung, daß eine solche Ueberficht sowohl den Leser orientire, als auch dem Schriftsteller selbst, wie eine fortgehende Controlle, diene, und ihm den sichersten Faden durch die Labyrinthe der vergangenen Zeiten darbiete. S. 20. und öfter schreibt Hr. v. R. Schöpfen statt Schöppen, und will vom Schöpfen des Urtheils die Benennung ableiten; da es doch von Schaffen zunächst herkömmt, wie wohl ungezweifelt ist. Zweyter Abschn. Römische Vorgeschichte. — Auch unser Vf. ist mit der Ableitung des Namens der Sachsen von Sachs (Messer) unzufrieden, obgleich die Saterländer noch jetzo dieses Wort gebrauchen. Sollten sie, wie er will, vom Sitzen den Namen haben, so müßten sie ja im Hochdeutschen Sassen und im Niederdeutschen Saten heißen; welches doch der Fall nicht ist. — Dritter Abschn. Fränkische Vorgeschichte. — geht bis J. 804. — Vierter Abschn. Carls Anstalten. — Er enthält, wie die folgenden viel Wahres, noch mehr Vermuthungen und einige unerweisliche Sätze, auf welche zuviel gebaut wird. — Funfter Abschn. Stiftung des Bisthums. Der Vf. geht von Osnabrück aus, und beschreibt - ganz nach Möser, also doch etwas mangelhaft, nach dem Muster dieses Stifts im allgemeinen die ersten Einrichtungen — und geht von da zum Entstehen des Ortes Münster etc. über. Er ist geneigt, auf die unwahrscheinlichste Weise von der Welt, die Sachsen, welche mit den Longobarden in Italien gewesen waren, hieher zu versetzen, da sie doch an den Harz gehören. — Der sechste Abschn. handelt von den Münsterischen Bischöfen bis zum Verfall der Karolinger — auf eine beyfallswürdige Weise und liefert gute Data zur Geschichte des Landes selbst. Der siebente Absch. Betrachtungen über die Carolingische Periode. — Hiebey hat zum §. 4. von den Streitigkeiten wegen der Zehenten der Rec. einiges zu erinnern. Eine so viel er weiß, selbst Hn. Möser entgangene klassische Stelle wirft viel Licht hierauf. Sie steht in Luitprandi vit. Rom. Pontif. p. 282. (nach Ramir. del Prado Ausgabe der Werke Luitprands Antw. 1640. Fol.) „Carolus quippe omnes decimas „in Saxonia constituerat ad regale servitium, „eas rex dare potuit, quo voluit." Der Urheber des Werkes war aber nicht der Bischof L. von Cremona, sondern ein Benedictiner aus Hersfeld, wie aus dem Buche selbst erhellet; und mit seiner Angabe stimmt die Geschichte der Zehenten in Sachsen gut überein. Er hat außerdem noch manche gute unbenutzte Nachricht zur Geschichte

der Weſtph. Stifter, welche ſelbſt ein Möſer überſehen hat.

Daſs Hr. v. R. Möſers Geſchichte oft wörtlich
ausſchreibt, ſucht er zwar in der Vorrede zu entſchuldigen; es wäre aber doch beſſer geweſen,

Möſern ſelbſt zu citiren, als ſeine Auſsgaben abzuſchreiben. Auf die Richtigkeit und Reinheit der
Schreibart bitten wir den Vf. künftig mehr Fleiſs
zu verwenden, und ſich unnöthiger Ausſchwei-
fungen zu enthalten.

KLEINE SCHRIFTEN.

GOTTESGELAHRTHEIT. *Hannover,* in der Schmid-
ſchen Buchhandl.: *Ueber das Aergerniſs an Chriſto* von
Joh. Conrad Eggers, Superintendent der Inſpection Gif-
horn. 1788. 5 B. 8. (4 gr.) Dieſe kleine Schrift iſt
dem Hn. Gen. Superint. *Jacobi* zu Celle zugeeignet und
der Vf. wünſcht zugleich dieſem verdienten Greiſe zu
der erlebten funfzigjährigen Amts-Jubelfeyer Glück. In
der Abhandlung ſelbſt zeigt er zuerſt, daſs ſchon die
Propheten von einem Aergerniſſe an Chriſto reden; z.
E. Jeſaïas, Kap 53. wobey jedoch vorausgeſetzt iſt, daſs
dieſe ganze Weiſſagung auf den Meſſias gehe. Sicherer
iſt freylich, daſs der Erlöſer ſelbſt von einem ſolchen
Aergerniſs zu Johannes und ſeinen eigenen Jüngern rede; ſo wie auch freylich wahr iſt, daſs hier ein Aergerniſs an ſeiner Niedrigkeit gemeint ſey. Aber hieraus
folgt noch nicht, daſs man ſich ſchon damals an die
Lehre von der weſentlichen Gottheit und von der Ver-
ſöhnung oder ſtellvertretenden Genugthuung Chriſti eben
ſo geſtoſsen habe, wie dies etwa ſpäterhin der Fall war,
nachdem man dieſe Lehren mehr erweitert, beſtimmt
und zu Glaubensartikeln für die Chriſten gemacht hatte.
Die Juden ſtieſsen ſich an der Niedrigkeit des Erlöſers,
weil dieſe zu ihren Begriffen von Meſſias und ſeinem
Reiche nicht ſtimmeten, und die Heiden konnten es ſich
nicht reimen, daſs der Stifter des Chriſtenthums, der
ſich für den Sohn und unmittelbaren Geſandten Gottes
erklärt hatte, ſolche widrige Schickſale erfahren muſste.
Dies iſt ganz der Lage der Sachen und den Erzählungen
der Evangeliſten und Apoſtel gemäſs. Indeſs meynt doch
unſer Vf. berechtigt zu ſeyn, hiebey die Frage aufzu-
werfen und zu beantworten, *ob dieſe Aergerniſs an der
verſöhnenden Niedrigkeit der Leiden und des Todes Chriſti
und an ſeiner höchſten Gottheit wirklich gegründet ſey* ? —
Dies iſt denn eigentlich der Hauptzweck ſeiner Schrift.
Auch kann man ſchon vorausſehen, daſs er dieſe Frage
verneinen werde. Zuvörderſt meynt er, würde Chriſtus
nicht ſelbſt ſeine Leiden und Tod bekannt gemacht, zur
Erneuerung des Andenkens an dieſelben, das heilige Abendmal eingeſetzt haben, wenn er geglaubt hätte,
daſs man ſich mit Grunde daran ärgern könne. Dies iſt
allerdings richtig; aber zu übereilt iſt ſein anderweiti-
ger Schluſs, daſs das Abendmal alſo keinen Sinn und
Zweck habe, wenn man Chriſtum zwar für einen auſſerordentlichen göttlichen Lehrer erkennt, aber das eigentlich Verſöhnende in ſeinen Leiden und Tode nicht glaubt.
Wenn der Stifter unſrer Religion aus Menſchenliebe um
des gemeinen Beſtens willen ſein Leben aufopfert, ſo
dächten wir, verdiente ers doch wohl, daſs das Andenken dieſer groſsmüthigen Liebe von ſeinen Freunden auf
dieſe ſinnlich feyerliche Art oftmals erneuert würde;
und dies um ſo mehr, da er ihnen hiezu ſeinen aus-
drücklichen Befehl hinterlaſſen hat. — Er fragt weiter,
ob nicht die Ehre der Gottheit Chriſti bey dieſer ſeiner
tiefen Niedrigkeit leide, ſetzt aber dabey als erwieſen
voraus, daſs der Erlöſer ſich ſelbſt die höchſte Gottheit
zugeeignet habe. Für diejenigen, die nicht nach
den gewöhnlichen dogmatiſchen Beſtimmungen glauben,

und ſeine Antworten daher nicht paſſend und zureichend,
obwohl manches Wahre zur Erläuterung der Geſchichte
Jeſu darin vorkommt. Vieles von dem, was er ſagt,
trifft dieſe gar nicht; und was ſie etwa treffen könnte,
iſt nicht bündig genug. Wenn z. B. S. 17. der Einwurf unterſucht wird. „Daſs Gott nicht leiden könne“
ſo finden wir die Hauptantwort „daſs hier nicht die Gottheit, ſondern *nur die Menſchheit* gelitten habe“ nicht
zureichend und überzeugend. Und wenn er ferner S.
20 aus der Gröſse der Angſt Jeſu am Oelberge folgern
will, daſs der Heiland hier für fremde Sünden müſste
gelitten haben, ſo unterſtünden wir uns nach den gewöhnlichen pſychologiſchen Erfahrungen eben daraus zu
erweiſen, daſs er nicht für fremde Verſchuldungen dieſe
Traurigkeit empfunden haben könne;

Der Vf. kommt nun weiter auf eine andere Frage,
nemlich „kann ſich Gott ſelbſt verſöhnen?“ Er antwortet hier ohne Bedenken mit ja. Statt überzeugender
aus Gottes Eigenſchaften hergenommener Grunde begnügt er ſich damit, die Sache durch Beyſpiele zu erläutern. Er ſagt, der jetzt regierende König von Preuſſen bezahle für ſeine in dem bekannten Arnoldiſchen
verurtheilte Unterthanen ſelbſt aus ſeiner Kaſſe, und das
that er um der Gerechtigkeit willen, alſo ſich ſelbſt u. ſ.
f. Wie unpaſſend iſt doch dies Beyſpiel! Könnte man
nicht vielmehr ſchlieſsen: wenn der Menſch und König,
Friedrich Wilhelm, ſo gütig und edel in dieſer Sache
handelte, und die Schuld ſeiner Unterthanen bezahlte,
wie vielmehr wird der Gott der Liebe mit ſeinen ſchwa-
chen Geſchöpfen und Unterthanen Geduld tragen, und
ihnen auch ohne eigentliche Genugthuung ihre Schulden erlaſſen? — Zwar will der Vf. im folgenden beweiſen, daſs Gott nicht ohne Opfer oder Genugthuung
begnadigen könne. Aber auch hier finden wir nur die
längſt bekannte ſeichte Antwort, daſs wir als kurzſich-
tige Menſchen die Grenzen der göttlichen Eigenſchaften
nicht kenneten, und daſs Gottes Gerechtigkeit eben ſo
groſs ſeyn müſse, als ſeine Liebe u. ſ. f. Sonderbar iſt
doch warlich, daſs chriſtliche Lehrer da nichts als Straf-
gerechtigkeit Gottes ſuchen und finden, wo die Schrift
beſtändig ſo laut Gottes Menſchenliebe verkündigt; zumal da jene Meynung, wenn ſie auch wirklich gegründet wäre, doch nicht mehr zu unſerer Beruhigung wirken kann, als der herrliche Ausſpruch Chriſti; *alſo hat
Gott die Welt geliebet* u. ſ. w.

SCHÖNE WISSENSCHAFTEN. *Wien,* b. Hörling:
*Was thut man nicht eines Mädchens wegen, ein Roman
für wieneriſche Mädchen und Verliebte nach Marmontel*
von *Muſes Ephraim Schickel.* 1788. 6) S. g. Es iſt der
Connoiſſeur von Marmontel, auf Wiener Sitten angewendet, und überhaupt nach dem deutſchen Koſtume eingerichtet. Was die bekannte ſchöne Erzählung dadurch
für deutſche Leſer an Intereſſe gewonnen hat, das hat
ſie an Eleganz verloren.

ALLGEMEINE

LITERATUR - ZEITUNG

Donnerſtags, den 12ten März 1789.

RECHTSGELAHRTHEIT.

· ALTENBURG: *Europäiſches Völkerrecht in Frie-denszeiten nach Vernunft, Verträgen und Herkommen mit Anwendung auf die deutſchen Reichsſtände*, von *Karl Gottlob Günther.* Erſter Th. 1787. 23½ Bog. 8.

Der Vf. dieſes Völkerrechts iſt ſchon als ein Schriftſteller bekannt, der eben ſo viel Fleiſs und Gelehrſamkeit, als Beſcheidenheit beſitzt. Wir müſſen ſo gar geſtehen, daſs wir gewünſcht hätten, daſs dieſe letzte Eigenſchaft nicht gar zu ſehr auf dieſe Arbeit des Vf. gewirkt hätte, indem man deutlich ſieht, daſs er theils durch die Furcht zu viel zu ſagen, theils durch die Au-torität anderer Schriftſteller, ſelbſt ſolcher, die er weit hinter ſich läſst, verleitet iſt, oft ſchwan-kende Sätze, ja ſelbſt ſolche, denen er hernach ſelbſt widerſpricht, hinzuſetzen. Wir wollen aber den Inhalt des Buchs ſelbſt ſogleich hier herſetzen, und einige von den Anmerkungen hinzufügen, die wir bey ſeiner Durchleſung ge-macht haben. Wenn dieſe mehr tadelnd als lobend ſind, ſo müſſen wir dabey bemerken, theils daſs in ſo ſtreitigen Lehren, als die ſind, welche das Völkerrecht enthält, es ſchwer halten wird, daſs zwey Gelehrte völlig überein denken, theils, daſs Tadel einzelner Stellen eines guten Buchs, wenn er nicht die Abſicht hat, den Werth des Buchs herab zu ſetzen, für Leſer und Schrift-ſteller von mehrern Nutzen iſt, als unbeſtimmtes Lob. — Einleitung, von dem Völkerrechte über-haupt, und von dem europäiſchen insbeſondere, ſeiner Eintheilung, Quellen, Verhältniſs zu an-dern Wiſſenſchaften, Geſchichte etc. Der Vf. fordert zu dem Begriffe eines Staats nothwendig *Vereinigung unter einer Oberherrſchaft.* Wir wol-len dieſes zwar nicht beſtreiten, aber er hätte durchaus erinnern müſſen, daſs dieſe Oberherr-ſchaft auch in den Händen eines jeden einzelnen Mitgliedes der Geſellſchaft ſeyn kann, da eine reine Democratie nicht nur denkbar iſt, ſondern Lycurg ſie auch realiſirte. Die weitläufige Unter-ſuchung der Schuleintheilungen des Völkerrechts iſt ietzt ſehr unnütz. Willkührliches Völkerrecht iſt in allem Betracht eine falſche Benennung, und

es verbeſſert ſie nicht, daſs Männer von Gewicht ſie gebraucht haben. *Vertragsvölkerrecht* würde wohl die beſte Benennung ſeyn; denn auch an-erkanntes Herkommen iſt ein ſtillſchweigender Vertrag. Wir ſehen nicht ein, wie der §. 23 die Ueberſchrift haben kann: Geſchichte des europäi-ſchen Völkerrechts, da nur etwas von den Hülfs-mitteln dieſer Wiſſenſchaft darinn vorkommt; die eigentliche Geſchichte des Völkerrechts geht S. 40 an. Wir hätten ſie etwas ausführlicher ge-wünſcht, ſo wie dieſes die Literatur des Völker-rechts hinlänglich iſt. Das Völkerrecht, ſagt der Vf. S. 25 iſt ein Theil der Staatswiſſenſchaft, von welcher er die Definition giebt, daſs ſie alle die-jenigen Kenntniſſe in ſich begreift, welche die mögliche und wirkliche Beſchaffenheit der Staa-ten und der davon abhangenden Beſtimmung zum Gegenſtande haben. Ohne das weitſchweifige und unbeſtimmte dieſer Definition zu erwähnen, wollen wir nur bemerken, daſs der Vf. Politik (Staatsklug-heit) und Statiſtik (Staatskunde) zu Quellen, und zu gleicher Zeit zu Theilen dieſer Wiſſenſchaft macht. Dieſe Verwirrung und mehrere Unbeſtimmt-heiten, die dieſer Paragraph enthält, würde ver-mieden ſeyn, wenn der Vf. das Völkerrecht als einen Theil der Rechtsgelehrſamkeit angeſehen und es in Verbindung mit der Politik und Sta-tiſtik (welche beide Wiſſenſchaften wohl unter den allgemeinen Begriff: Staatswiſſenſchaft be-griffen werden könnten) betrachtet hätte. *Erſtes Buch*, Beſtimmung eines freyen Volks, der heutigen ſouverainen Staaten, und ihrer allgemeinen Ver-hältniſſe. 1ſtes Kap. von den ſouverainen Staaten be-ſonders in Europa. S. 74 ſagt zwar der Vf. ganz rich-tig: der gröſſere und kleinere Umfang eines Staats kommen bey Beſtimmung der Freyheit und Unab-hängigkeit eigentlich (weder eigentlich noch unei-gentlich) nicht in Betrachtung. Aber auf der folgen-de Seite billigt er doch, blofs aus Nachgiebigkeit für Leibnitz, den Ausſpruch von Moſern, daſs die kleinen Staaten mehr eine tituläre als wahre Sou-verainität hätten, er ſollte dieſes aber nicht ge-than haben; da hier die Rede nicht war, ob die-ſe Staaten ſtark genug ſind, ihre Souverainität je-desmal geltend zu machen, ſondern ob ſie ein vollbürtiges anerkanntes Recht dazu haben. S.

198. wo dem Vf. weder Leibnitz noch Mofer im Wege ftehen, kehrt er mit der gröfsten Ui befangenheit zur Wahrheit zurück: „San Marins, fagt er, der kleinfte Staat in Europa ift, in Anfehung der Unabhängigkeitsgerechtfame dem gröfsten fouverainen Staate gleich." Bey der Erzählung der Entftehung der Souverainität der europäifchen Staaten S. 89 ftehet fehr viel müffig da. So würden wir von Portugall blofs gefagt haben: Es erhielt feine Unabhängigkeit unter Alphons, verlohr diefelbe nach Heinrichs Tode, und wurde eine Provinz von Spanien, und gewann fie wieder durch die Thronbefteigung des Herz. von Braganza. Da Böhmen ein offenbares Lehn von Deutfchland ift, fo mufste es S. 111 auch nicht einmal unter die zweifelhaften fouverainen Staaten gerechnet werden. Die Benennung halbfouveraine Staaten, S. 128 ift zu weitfchweifig und fchwankend, hat auch zu gleicher Zeit zu viel Widriges, als dafs wir uns ihrer bedienen würden. Folgende Eintheilung fcheint uns alle Arten der dafeyenden Staaten zu faffen. 1) Völlig unabhängige Staaten; 2) zweifelhaft unabhängige Staaten; 3) in Lehnsverbindung ftehende Staaten; 4) Territorial-Hoheit ausübende abhängige Staaten. Dafs Lehnsverbindung der Souverainität keinen Schaden thue; als dafs fie höchftens ihren Glanz in etwas vermindre, wie der Vf. S. 135 fagt, ift ein Satz zu dem er fich abermals von fremder Autorität, nemlich von St. Real hat verleiten laffen. Als der König von Preuffen 1756 fein *Jus armorum*, als ein Souverainitätsrecht ausübte„ aus welchem Titel bewafnete man eine Reichsarmee gegen ihn, und vertrieb ihn mit derfelben von Dresden? Weil es feine Lehnspflicht ihm nicht erlaubt hätte, gegen feinen Mitreichsfurften fein Souverainitätsrecht auszuüben. Wir führen hier gleich diefes auffallende Beyfpiel an, weil Widerlegung des Satzes aus der widerfprechenden Natur der Lehnsverbindlichkeit mit der Souverainität zwar leicht, aber hier zu weitläufig wäre. Der ganze §. 41, S. 142 ift voller Sätze, die man dem Vf. nicht leicht zugeftehen wird, wenn er auch Reals Ausfpruch für fich hat. Was heifst das: „Die Beherrfcher fouverainer Staaten werden deshalb auch *Souveraine* genannt; ob diefer Ausdruck in der perfönlichen Bedeutung gleich mehr die innere Unabhängigkeit von Reichsgrundgefetzen bezeichnet." Wenn der Vf. damit fo viel fagen will, dafs nur der Regent den Namen eines Souverains eigentlich führen follte, der gar keine Reichsgrundgefetze anerkennt, fo ift kein Souverain in Europa, vielleicht nicht in der ganzen Welt, denn es giebt eben fo wenig eine reine Defpotie, als es eine reine Demokratie giebt„ und der Sultan zu Conftantinopel hat feine Befchränkungen durch Reichsgrundgefetze. Nach diefer ftrengen Beftimmung der Worte, ift die folgende gegen allen Sprachgebrauch, ftreitende Ausdehnung deffelben wieder äufserft auffallend: „Die liegen-

ten lehn-, zinsbarer und anderer folcher abhängigen Staaten, bleiben, wie Real erinnert nichts defto weniger Souveraine, wenn fie nur für ihre Perfon nicht unter der Gerichtsbarkeit eines andern Fürften ftehen, und die öffentliche und abfolute Macht über ihre Unterthanen haben." Aber es ift ja auf keine Art gewöhnlich, dafs ein Unterthan oder Minifter eines deutfchen Fürften oder Grafen, oder eines Herzogs von Kurland fagt, mein Souverain. Und wo ift denn der Staat, der lehnbar ift, wo die Perfon des Fürften in Lehnsangelegenheiten nicht vor feinem Lehnhofe ftehen mufs, und alfo in fo ferne nicht einer Gerichtsbarkeit unterworfen ift? des Verhältniffes der deutfchen Fürften zu den Reichsgerichten nicht zu gedenken. Hat aber der Vf. dabey auf Neapolis gedacht, und alfo feinen Satz in Theil für wahr gehalten, wenn er auch in Hypothefi fonft nirgend anwendbar war, fo hätte er erwägen müffen, dafs diefe päpftliche Lehnsherrlichkeit ein Unding der mittlern Zeiten fey, von dem man jetzt keinen Satz in dem Völkerrechte mehr herleiten kann. Hätte indeffen der Papft Kraft dazu, fo fieht man bey den jetzigen Streitigkeiten mit dem neapolitanifchen Hofe, dafs es ihm an guten Willen feine lehnsherrlichen Rechte geltend zu machen nicht fehle. Was foll ferner *öffentliche Macht* heiffen? giebt es auch eine geheime Macht eines Furften? *Abfolute Macht* hat kein Lehnsträger über feine Unterthanen; denn dazu gehört auch, dafs er fie nach Abgang feiner Familie vererben könnte, wenn er wollte, welches gegen die Lehnseigenfchaft ift. *Zweyter Kap.* Von den gefellfchaftlichen Verbindungen der Nationen. Der Verf. definirt den anarchifchen Zuftand, „wo die gefellfchaftliche Vereinigung ohne gemeinfchaftliche Oberherrfchafe, blofs auf reinen Rechten beruht." Aber diefe Definition giebt mehr den Begriff einer reinen Demokratie, als einer Anarchie, die alsdenn entfteht, wenn jedermann mit Auflöfung der Gefetze, die die Gefellfchaft verbinden, feinem Willen gemäfs handelt. *Drittes Kap.* Von der urfprünglichen Gleichheit der Nationen, und dem nachher eingefuhrten Range derfelben. Ein fleiffig ausgearbeitetes Kapitel. befonders was den zweyten Theil deffelben betrift, wie denn überhaupt der Vf. viel ficherer zu Werke geht, wo es auf hiftorifche Sammlung ankommt, als wo es philofophifche Beftimmtheit bedarf. *Viertes Kap.* Von der Freyheit der Nationen ihre Handlungen nach eignen Gefallen einzurichten. Wir können aus Mangel des Raums, dem Vf. nicht mehr Schritt vor Schritt nachgehen, ohngeachtet wir hier noch manches zu erinnern hätten. *Funftes Kap.* Von der Macht der Nationen und ihrem Gleichgewicht. Wieder gut bearbeitet. Hobbes S. 333 beftrittener Grundfatz, dafs der, welcher die Kräfte zu fchaden habe, fie gewifs dazu anwenden werde, kann, wenn ihn auch die Erfahrung nicht

zu laut beſchätigte, allerdings aus der Vernunft
bewieſen werden, wenn man die Reihe der fol-
genten eines übermächtigen Staats als eine einzige fortwährende Kraft betrachtet, und es iſt
alſo zu edelmüthig gefragt: „was ſollten die übrigen für Gründe haben, ſich ihrer Vergröſserung
zu widerſetzen?“ Auch iſt der Vf. S. 359 anderer Meynung. „Nichts iſt gewöhnlicher, ſagt er
daſelbſt, als daſs ein zu übermächtiges Volk ſeine Kräfte zum Schaden und zur Unterdrückung
anderer miſsbraucht, weil es keinen Nachtheil und
Widerſtand befürchten darf. — Das gemeine Beſte und die Sicherheit einzelner Nationen erfordern
es daher ihrer Macht gewiſse Schranken zu ſetzen,
u. ſ. w. Sechſtes Kap. Allgemeine Grundſätze des
Völkerrechts. Unſerm Bedünken nach hätten dieſe Sätze das erſte Kapitel einnehmen ſollen. —
Einige untergelaufene hiſtoriſche Fehler ſind deutliche Uebereilungen, und können bey einer neuen
Ueberſicht leicht weggewiſcht werden; ſo könnte
Guſtav Adolph wohl nicht auf der Weſtphäliſchen
Friedensverſammlung die Gleichheit der europäiſchen Nationen behaupten, wie S. 276 geſagt
wird. Der Held war ſchon 10 Jahr todt als ſie
begann. Die Hierarchie hat Karls des Groſsen
Eroberungsabſichten nie beſchränken können, wie,
S. 323 ſteht. Der Papſt war damals zu ohnmächtig dazu; er verhalf, vielmehr Karln zur Erobe-
berung von Italien, und den deutſchen Biſchöfen war des Franken Ausbreitung Gewinn. —
Der zweyte Theil iſt noch zurück.

GESCHICHTE.

Wien, b. Wappler: Maximilian Schimeks politiſche Geſchichte des Königreichs Bosnien und
Rama, vom J. 867. bis 1741. Mit Kupfern.
1787. 431 S. in gr. 8.

Hr. S. iſt geſonnen, „die Europäiſchen Illyri-
„ſchen Provinzen, dieſes uralte nun von der
„Ottomanniſchen Pforte an ſich geriſſene Eigen-
„thum der Könige von Ungarn, nach ihren Ur-
„ſprunge, ihrer Veränderung, ihren Kriegen und
„ihrer jetzigen Lage, näher und ordentlicher dar-
„zuſtellen.“ Er nennt dieſes ein unbebautes bra-
ches Feld; vermuthlich in der Bedeutung, daſs
es in ſeinem ganzen Umfange von einheimiſchen
öſterreichiſchen oder ungariſchen Schriftſtellern
noch nicht bearbeitet worden iſt; denn ſonſt gedenkt er ſelbſt ſeiner Vorgänger in Anſehung
Bosniens, und geſteht, daſs darunter Hr. Gebhardi mühſam und am meiſten geſchrieben habe. Hr.
S. hat allerdings aus guten Quellen geſchöpft,
und dabey das Glück gehabt, einige ungedruckte Urkunden aus dem K. K. Hausarchiv benutzen
zu dürfen. Er hat auch zur Aufklärung der Bos-
niſchen Geſchichte, die Türkiſche, Ungariſche, Sie-
benbürgiſche und Venetianiſche oft mit einander
geſchickt verbunden. Was er erſt künftig ver-

ſpricht, eine geographiſch-topographiſche Beſchreibung des Königreichs Bosnien, mit einer
Landkarte verſehen, hätten wir gern bereits hier
geſehen, da es an einer recht genauen Beſchreibung dieſer Art fehlt, und der jetzige zum Theil
willkommener machen würde. Von dieſem Reiche alſo erläutert der Vf. zuerſt den Namen; er
findet es nicht unwahrſcheinlich, daſs derſelbe
von dem das Land durchſchneidenden Fluſse
Bosna herzuleiten ſey. Mit dem andern Namen
Rama, war eigentlich nur die heutige Landſchaft
Oberboſnien, nemlich die Herzegowina, ſamt der
Graffſchaft Chelm belegt. Sie erhielt denſelben
vermuthlich von einem gleichnahmigen Fluſſe
im heutigen türkiſchen Dalmatien. Die erſten
Bewohner von Bosnien waren Illyrier; Slaven
folgten darauf; Paczinacziten rückten im 10ten
Jahrhunderte daſelbſt ein. Jetzt beſitzen von
Oberboſnien einen Theil die Raguſaner; einen
andern die Venetianer; das meiſte längſt des
Aernapora Gebürges (Kara-Dagh-Ily) das heiſst
des Schwarzwaldes, gehört den Türken. Das eigentliche Bosnien, welches von einem türkiſchen
Beglerbegh regiert wird, hat zu Lande (auf
dem platten Lande) lauter ſlaviſche Bewohner;
in den Städten aber ſind die Anſehnlichern meiſtentheils Türken. Die Geſchichte des Landes fängt
der Vf. im neunten Jahrhunderte an. Dieſes ganze Königreich machte in den erſten Zeiten einen
Theil von Servien aus. Der König Suetmir, unter deſſen Schutze der heil. Cyrill, im J. 867. das
Volk im chriſtlichen Glauben unterwieſen hatte,
war noch ein Selbſtbeherrſcher (Deſpot) deſſelben. Budimir, der ihm auf dem Throne folgte,
und der erſte chriſtliche König in Servien und
Dalmatien war, könnte ſeine weitſchichtigen
Länder allein nicht überſehen; er theilte daher
das weſtliche Servien in Provinzen ab. Jenem
Lande, welches ſich von der Drine gegen Weſten bis an den Berg Pin ausdehnt, legte er den
Namen Bosnien bey; den übrigen ſüdöſtlichen
Theil aber nannte er Raſzien. In dieſen Provinzen, die er wieder in Banaten und Zupanien
vertheilte, beſtellte er ſeine Landpfleger, deren
die vorzüglichern Banen, die andere Zupanen
hieſsen. Die Banen hatten die oberſte Gewalt im
Lande; da ſie aber an Kräften und an der Macht
zunahmen, ſuchten ſie ſich nach und nach der
Oberherrſchaft ihrer Könige zu entledigen. Einigen war ſogar mit der Zeit der Name Ban zu gering; ſie nannten ſich alſo Woywoden; (Herzoge)
endlich wurden ſie ſogar Könige. Von dieſem
Anfange ſteigt nun der Vf. mit beſtändig fortge-
führter Reihe der Bane und Könige, bis zu dem
Ungriſchen und endlich Ottomanniſchen Beſitze
des Landes herab, welcher, nach manchen Abwechſelungen, zuletzt im Belgrader Frieden beſtätigt ward. Dies iſt alles mit vielem gelehrten
Fleiſse ſorgfältig angezogenen Quellen, und

beygemifchten Erläuterungen von mancherley
Art ausgeführt. Die von den gebrauchten, aber
nicht eingerückten, Urkunden abgedruckten Siegel von dem J. 1374. 1444. 1449. 1450. (z. B.
ein Familienfiegel Königs *Tvariko* III. eines vom
grofsen *Hunyad*, u. f. w.) klären infonderheit das
alte Servifche Bosnifche Wappen beffer auf, als
es bisher gefchehen war. Die Schreibart ift bis
auf kleinere Flecken, z. B. mühen ftatt bemühen,
rein und fliefsend.

HALBERSTADT, b. Mevius: *Beyträge zur Gefchichte des Fürftenthums Halberftadt; zweytes Heft.* 1.) Königliche Landes - Regierung.
2) Verzeichnifs merkwürdiger Männer. Gefammlet von *Joh. Heinr. Lucanus*, Regierungs - Affiftenzrath. 1788. 59 S. 8. (3 gr.)
Die auf dem Titel befindlichen Nummern geben fchon den Inhalt an. Wir fetzen nur hinzu,
dafs unter der erften Nummer einiges zur Gefch.
des Landescollegiums felbft feit dem J. 1286. bis
jetzo, nebft Angaben der dabey von Zeit zu Zeit
angeftellten Perfonen enthalten, in der zweyten
aber befonders auf Schriftfteller Rückficht genommen fey.

ERBAUUNGSSCHRIFTEN.

NÜRNBERG, b, Grattenauer: *Summarien über
die epiftolifchen Texte für das ganze Jahr,
zum Gebrauch beym öffentlichen Gottesdienft,*
von *Joh. Friedr. Stadelmann*, Pfarrer zu
Hellmizheim in Franken. *Erfter Theil.* Sonn-
und Fefttagsepifteln, Zweyter Theil. Fey-
ertagsepifteln, nebft einigen andern. 1788.
336 S. 8. (1 Rthlr.)
In den Limburgfchen Kirchen ift üblich, Vormittags nach den gewöhnlichen Epifteln kurze
Summarien derfelben zu verlefen; eine fehr löbliche Gewohnheit, da das blofse Vorlefen derfelben, ohne hinzugefügte Erklärung, von keinem
befondern Nutzen feyn kann. Eignes Bedürfnifs
war alfo die erfte Veranlaffung, dafs der Vf. dergleichen Summarien ausarbeitete, die er hernach
immer mehr ausfeilte, und jetzt feinen Amtsbrü-
dern zum eignen Gebrauch im Drucke überlie-
fert. Die Vermeidung aller polemifchen Ausfälle giebt ihnen vor der Pankrazifchen Summari-
en, und ihre zweckmäfsigere Kürze vor den Bauer-
fchen einen Vorzug. Aufserdem hat der Vf. die

beften exegetifchen Schriften dabey benutzt, bedient fich einer fehr populären Sprache, und befolgt den allernatürlichften Plan. Erft giebt er
die Verbindung an, in welcher die Epiftel im N. T.
fteht, dann erklärt er, was einer Erklärung bedarf, entweder durch Paraphrafe, oder eingefchaltete Anmerkungen, endlich macht er hiervon praktifche Anwendungen auf feine Zuhörer,
und zuletzt befchliefst er mit einem kurzen Gebete. Nur zweyerley blieb uns bey diefem nützlichen Buche zu wünfchen übrig, um es noch gemeinnütziger zu machen: einmal, dafs der Vf. in
feinen Erklärungen die allerfchwerften Ausdrücke
der Epiftel öfter ausdrücklich wiederholt, und etwan durch ein hinzugefügtes *das heifst* erklärt
hätte, weil man fich fonft nicht immer derjenigen Ausdrücke gleich erinnert, auf welche fich
die Erklärung bezieht, *und dann*, dafs der Vf. in
kurzen Noten, oder auf andre Art Winke zu an-
derweitige fpeciellern Anwendungen gegeben
hätte, damit nicht grade alle Jahre die nemlichen
Corollaria aus den Epifteln hergeleitet würden.
Die Stelle Röm. 3, 25. 26. (In der Ep. am 27
Sont. nach Trinit.) erklärt er alfo: *Diefer ift
es, den Gott zum Mittel der Verföhnung durch
den Glauben an feinen blutigen Tod verordnet
hat, um zu beweifen, dafs er den Menfchen die
Gerechtigkeit gefchenkt habe, da er langmüthig
die ehehin gefchehenen Sünden vergab, und um
zu zeigen, dafs er auch jetzt die Gerechtigkeit
mittheile, und um alfo darzuthun, dafs er allein
gerecht, und derjenige fey, der durch den Glauben an Jefum gerecht macht.* Wir billigen bey
diefer Erklärung, dafs der Vf. ιλαστηριον expiatio-
nem, oder *remedium expiationis* nennt; denn es ift
aus mehreren Gründen unwahrfcheinlich, dafs dies
Wort hier die *Bundeslade* bezeichne; (f. *Koppe*
über diefe Stelle) auch, dafs er in den Worten
προγεγονοτων und εν τω νυν καιρω Gegenfätze findet; aber darinn können wir ihm nicht wohl beyftimmen, dafs er δικαιοσυνη für *Gerechtigkeit*,
(oder deutlicher *Begnadigung*) nimmt, da der Zufammenhang für die gewöhnliche Bedeutung be-
nignitas zu fprechen fcheint; auch darin nicht,
dafs er εν αναχη τυ Θεου mit ενδειξις της δικαιοσυνη;
und nicht vielmehr mit προγεγονοτων verbindet,
welche Conftruction doch natürlicher feyn möchte. Inzwifchen kann die gegebene Erklärung
nicht ganz verworfen werden, und macht dem
Nachdenken des Vf. Ehre.

KLEINE SCHRIFTEN.

SCHÖNE WISSENSCHAFTEN. *Helmftädt*, b. Kühnlin: *Idyllen und ländliche Erzählungen aus dem Franzö-
fichen der Mlle Leuesque von Carl Reinhard*, 1788. 69 S.
8. Das vortheilhafte Urtheil der A. L. Z. von dem franzöfifchen Original, welches Hr. R. in der Vorrede anführt, war die Veranlaffung zu diefer Ueberfetzung. So

fehr Rec. jenes Urtheil unterfchreibt, fo fehr wünfcht
er auch, dafs der Ueberfetzer, der übrigens mit Empfindung überfetzt hat, feiner Profa den Numerus der Gefs-
nerifchen gegeben, und fich folcher Ausdrücke, wie *kük-
lige Luft*, die Mutter *gewährte fie*, u. f. w. enthalten hätte.
Er verfpricht, künftig einige diefer Idyllen zu verfificzen.

ALLGEMEINE
LITERATUR - ZEITUNG

Freytags, den 13ten März 1789.

RECHTSGELAHRTHEIT.

BRAUNSCHWEIG, in der Schulbuchh: *Archiv für die theoretische und praktische Rechtsgelehrsamkeit*, herausgegeben von *Theodor Hagemann* und *Christian August Günther*. *Erster Theil*. 1788. 326 S. 8. (18 gr.)

Die Hn. Herausg. (vor Kurzem noch beide Prof. zu Helmst.) haben bereits in öffentlichen Blättern ihre Absicht bekannt gemacht, ungedruckte Abhandlungen und auch kürzere Aufsätze, über einzelne Materien, sowohl aus der theoretischen als praktischen Rechtsgelehrsamkeit, ingleichen Nachrichten von dem Leben und den Schriften einzelner Rechtsgelehrten, dem Publikum mitzutheilen. Jede Leipziger Oster- und Michaelismesse wird ein Theil, wie der gegenwärtige, erscheinen. Dieser enthält meist ausführliche Abhandlungen der ersteren Gattung, in welchen Theorie und Praxis, alte und neue Facta, sehr unterhaltend mit einander abwechseln. Die Namen der Verfasser sind bey den mehresten nur mit den Anfangsbuchstaben bemerkt. Nur zwey dieser Abhandlungen sind biographischen Inhalts, nemlich: No. XI. *Biographien der Helmstädtischen Rechtslehrer*, von *I. G. P. du Roi*, (S. 232 bis 251.), wovon vor jetzt nur die Ankündigung, nebst einem Verzeichniss der sämtl. Helmst. Rechtslehrer, von Stiftung der Akad. bis auf gegenwärtige Zeiten, in chronolog. Ordnung, ingleichen eine kritische Anzeige der zur Kenntniss derselben gehörigen Schriften mitgetheilt wird. Die Biographien selbst sollen in den folgenden Theilen des Archivs fortgesetzt werden. No. VII. *Ueber das Leben und die Schriften des Andreas von Isernia*, von *Theod. Hagemann* (S. 251—262). Wir wollen von den übrigen nur die vorzüglichsten bemerken. No. 1) *Ueber allgemeine Grundsätze bey Abfassung juristischer Schriften*, (S. 2— 70) von D. C. H. v. R. Der ungenannte Vf. klagt mit Recht, dass die vorhandenen juristischen *Formularbücher* mehr für die gemeinen Geschäfte des Richters, als jene des Sachwalters brauchbar, auch grösstentheils selbst unregelmäsig und fehlerhaft abgefasst sind. Er billiget weder die ängstliche Befolgung der

ältern und neuern Formulare, noch die schöngeisterischen Neuerungen unsers Zeitalters. Die Schreibart der Rechtsgelehrten müsse jederzeit rein, deutlich, leicht und mittelmäfsig, mehr ausführlich als lakonisch, und selten rednerisch, und niemals geblümt, noch mit Figuren ausgeschmückt seyn. Die *Reinigkeit des Stils* könne jedoch nicht durch Uebersetzung aller Kunstwörter bewirkt werden, wodurch nur gar zu oft der Sinn verändert werde; besser sey es, im Nothfall denselben deutsche Endungen zu geben. Der Rechtsgelehrte müsse sich *zusammengesetzter Perioden* bedienen, wenn seine Ausarbeitung bündig und fliessend ausfallen solle. Der Grund davon liege in der Absicht juristischer Schriften, welche gemeiniglich mehrere Syllogismen enthalten; und die Erfahrung lehre, dass Gründe, die auf einander sich beziehen, eine desto gröfsere Beweiskraft erhalten, jemehr sie sowohl in *wörtlicher* als *thatlicher* Uebereinstimmung sich befinden. Daher sey keiner unter allen zusammengesetzten Perioden für die juristische Schreibart ersprieslicher, als derjenige, in welchem die Hauptidee in ihre unten- und nebenliegenden dergestalt zerfalle, dass eine an die andere angekettet wird. (Nur darf die Hauptidee nicht durch zu viele Nebenideen verdrängt werden.) Bey Erzählung der Thathandlungen könne man sich etwas kürzerer Perioden, als bey der Ausführung selbst, bedienen. Daher sey der *Attische Stil* vorzüglich der Geschichte, der *Rhodische* hingegen mehr den gelehrten Ausarbeitungen angemessen. Der Richter müsse in seinen Schriften den einmal eingeführten Stil, wenn er nicht wider die Regeln der Grammatik laufe, so viel möglich beyzubehalten suchen, und sich dabey der bündigsten Präzision befleifsigen. Dies false von den Arten von Verträgen, und auch die letzten Willensverordnungen ihren eigenthümlichen Gang hätten, und beynahe eben so wohl, als Ladungen, Ausfertigungen und Weisungen, zu den Formulararbeiten gehörten. Zuletzt werden zu zweckmäfsiger Verbesserung der Formulare, ingleichen zu Abfassung der Registraturen und Berichte, sehr nützliche Anweisungen ertheilt. No. II) S. 71— 133). *Ueber die Natur und Grenzen der richterlichen*

lichen *Willkühr*, bey *Anwendung der Strafgesetze*, nach Grundsatzen der Vernunft, der römischen, karolinischen und sachsischen peinlichen Rechte, auch in Mitbeziehung auf die bey einer neuen peinlichen Gesetzgebung deshalb zu nehmenden Maaßregeln; von J. V. H. Der Vf. nimmt an, es sey nicht möglich, durch Strafgesetze alle Modificationen der Verbrechen zu bestimmen; der Gesetzgeber könne blofs die Richtschnur zur Entscheidung der gewöhnlichsten Fälle angeben, nach deren Analogie der Richter die ungewohnlichen und seltenen beurtheilen müsse. Das *Arbitrium des Richters* sey also eine blofs subsidiarische Befugnifs nach dem *Geist des Gesetzes* zu entscheiden. Selbst dann, wann das Strafgesetz auf das vorliegende Factum völlig passe, könne doch ein physisches oder moralisches Hindernifs der Vollziehung der gesetzten Strafe im Wege stehen, und eine Verwandelung derselben erfodern. (Ist es aber nicht besser, die Verwandelungsfälle im Gesetz voraus zu bestimmen, welches an sich eine leichte Sache, und in mehreren Strafgesetzen bereits geschehen ist?) Der Verf. erstreckt das richterliche Arbitrium auch auf die Fälle: a) da eine Handlung in dem Gesetz zwar ausdrücklich für ein Verbrechen gehalten, aber die Gattung und das Maafs der Strafe nicht angegeben ist; oder b) da die Handlung nicht einmal durch ein besonderes Gesetz unter die Verbrechen gezählt werde, aber doch überhaupt die Eigenschaft einer verbrecherischen Handlung habe, und deswegen vom Richter willkuhrlich bestraft werden müsse. (Allein diese Fälle sind ja selbst unverzeihliche Mängel der Gesetzgebung. — Mängel, die man jetzt durchgehends in dem aufgeklärten Theil Europens zu verbessern bemüht ist: diese sollten nicht zu den Maafsregeln bey einer neuen peinlichen Gesetzgebung gezogen, sondern nur als Ueberreste der Sorglosigkeit unserer Väter bemerkt werden, bey welchen die richterliche Willkühr in so trauriges Nothmittel ist. Der Vf. erklärt jene Sätze auch nicht aus der Natur der Sache, sondern aus Meynungen der alten römischen Rechtsgelehrten, und aus der peinl. Halsgerichtsordnung, wo freylich der richterlichen Willkühr nur gar zu viel nachgelassen war. Am Ende scheint er jedoch zu billigen, dafs die vorfallenden Zweifel der gesetzgebenden Gewalt zur Entscheidung vorgelegt werden. Nur will er die zur Verminderung der Strafe gereichenden Umstände, ingleichen die richterlichen Cautelen beym Beweise nicht dem Volkscodex, sondern, wie in dem Entwurf des Preufs. Gesetzbuchs enthalten ist, — einer besondern Instruction des Richters einverleibt wissen. No. V) *Ob bey entstandenem Concurse der Gläubiger der bestellte Curator bonorum die vom Schuldner, bey annoch guten Umständen und während der Ehe gemachten Geschenke, wider dessen Willen zur Masse zurück, zufodern befugt sey?* (S. 165 — 189) wird ge-

gen die Leyserische Meynung, vornehmlich aus der, zwar nicht gesetzlich, jedoch durch den Gerichtsgebrauch recipirten CLXIIten Novelle behauptet. No. VI) *Ob es ein peculium profectitium gebe, woran der Mutter das Eigenthum zustehe?* (S. 190 — 198.) Nach dem *jure Codicis et Novellarum*, da die Mütter den Kindern während der Ehe gültig schenken könne, wären solche Geschenke als *peculium profectitium* zu betrachten, und die Mutter habe hierin mit dem Vater ganz gleiche Rechte. No. VII) *Etwas, uber die zur Nachtzeit ohne Lichter errichtete Testamente und deren Gültigkeit*, von *Theodor Hagemann*. (S. 198 — 206.) Der Vf. behauptet mit Recht nach der Analogie des L. 9. Cod. de testam., dafs wenigstens von dem Augenblick an Lichter im Zimmer seyn müssen, da der Testirer die Zeugen bittet, seinen letzten Willen anzuhören, oder wenn er schriftlich testirt, ihn zu unterschreiben und zu untersiegeln. Uebrigens sey es eine Grille, dafs einige, nach dem L. 10. D. de inspic. ventre gerade drey Lichter dazu erfodern. No. X) *Etwas zur Erläuterung des 112 §. des J. R. A. von Theod. Hagemann*. (S. 225 — 231) Die Commentatores haben den Grund, warum bey unablöslichen Zinsen der Maafsstab der *Summae appellabilis* nicht zu 5, sondern zu 4 vom H. angenommen wird, nicht eigends angeben können; hier wird die Vermuthung geäufsert, dafs die Vf. des R. A. zu Speyer v. J. 1570, in welchem diese Norm zuerst vorkommt, als römische Rechtsgelehrte, wahrscheinlich die Verordnung des L. 3. §. 2 D. *ad legem Falcid.*, in welchem bey *annuis legatis* auch nur *usurae trientes*, oder vier von Hundert, präsumiret werden, vor Augen gehabt hätten. No. XIII) *Etwas über den innern Werth der peinlichen Gerichtsordnung Kaiser Karl V*, von *A. S. P. Semler*. (S. 266 — 302) Der Vf. hält das Urtheil des Dr. Horix für das passendste, dafs, nach so vieler Zeit, und so vielfältigen Reichsberathschlagungen, wohl eine weit bessere peinliche Ordnung, als die gegenwärtige, zu vermuthen gewesen wäre. Das Materiale derselben sey ein verworrener Mischmasch fremder und einheimischer Rechte, dem das Gepräge gesunder Vernunft, aufgeklärter Moral, und reiner Politik ganz fehle; und das Formale sey im Ganzen sehr unvollständig, unzusammenhängend, zur Sicherstellung der Unschuld, und Untrüglichkeit des peinlichen Verfahrens bey weitem nicht hinlänglich, auch auf unsere aufgeklärte Zeiten nicht passend.

Diese Proben mögen hinreichend seyn, den Werth der Sammlung zu beurtheilen. Die Herausgeber sind erbötig, von jedem Einsender zweckmäfsige Beyträge anzunehmen, solche mögen in ausführlichen Abhandlungen, oder in kurzen Aufsätzen bestehen. Rec. bedauert nur, dafs dergleichen Schriften, welche doch vorzüglich

/ dem

dem römifchen Rechte gewidmet find, nicht, wie ehedem, in lateinifcher Sprache erfcheinen, wodurch fie zugleich dem Ausländer nützlich werden könnten.

WIRZBURG, b. Rienner: *Joh. M. Schneidt Thefaurus juris franconici, oder Handbuch theils gedruckter, theils ungedruckter Abhandlungen, Differtationen, Programmen, Gutachten, Gefetze, Urkunden etc., welche das Fränkifche, und befonders hochfürftlich Wirzburgifche geiftliche, weltliche, bürgerliche, peinliche, Lehen-, Polizey- und Kameralrecht erläutern.* I Abfchnitt. 7-9 Heft. 1787. 1751 S. II Abf. 4-8 Heft. 1788. 1563 S. 8.

Der Hr. Vf. hat in der Fortfetzung diefer nützlichen Sammlung verfchiedene ihm gegebene Winke benützt, und die vor uns liegende Theile enthalten folgende Stücke: N. 16. *Schneidt de Focagio vulgo, dem Rauchpfund,* Würzb. 1768. N. 17. *Schneidt de laudemio oder Handlohn,* eine mehr durch hiftorifche Unterfuchungen, als im praktifchen, reichhaltige Abhandlung. 18. *Vogel vom Roßhandlohn.* Ift fehr unbefriedigend. N. 19. *Schneidt de mortuario.* Eine, fo wie die beiden vorhergehenden, fchon vorher erfchienene, mit vielem gelehrten Fleiß gefchriebene Differtation. 20. *Joh. Heinr. Kleibert, de primariis communionis bonorum conjugalis effectibus fecundum ftatuta fvinfortenfia,* ift fchon 1773 zu Giefsen erfchienen. 21. *Fried. Adam Jof. Röthlin, de eo, quod circa communionem bonorum inter conjuges ex provinciali ordinatione franconica jufum eft.* Würzb. 1765. 22. *J. M. Schneidt, de jure conjugum in eorum bona tam communia, quam particularia, in fpecie de jure conjugis circa contractus ab altero conjugum initos.* Wirzb. 1774. 23. Von demfelben, *de fucceffione conjugum juxta jus romanum, germanicum et in fpecie franconicum.* Wirzb. 1774. Eine fehr brauchbare, hier mit vielen Zufätzen vermehrteAbhandlung. II Abfchn. N. 26. *Bifchof Gottfrieds Reformation des Centgerichts.* 1447. Findet fich in der Friefifchen Chronik bey Ludewig, §. 802. 27. *Kampfrecht am Wirzburgifchen Landgericht.* 1447. aus Eftors kleinen Schriften. 28. *Confirmatio reformationum Confiftoriorum ecclefiae Herbipolenfis, per legatum apoftolicum facta.* 1451, bey Lünig Spic. ecclef. 29. *Vergleich zwifchen beiden Bifchöfen Anton zu Bamberg und Johann zu Wirzburg,* u. a. m. der Münz halber. 1452. aus Hirfchens Münzarchiv. 30. *Bifchof Gottfrieds ftatuta fynodalia,* 1452. bey Lünig Spic. ecclef. 31. *Synodus dioecefana Wirzeburgenfis de* 1453. bey Lünig u. a. O. 32. *Ainigung zwifchen Brandenburg, Bamberg und Wirzburg der Münze wegen,* von 1454. in Hirfchens Münzarchiv. 33. *Ein Münzvertrag von 1457.* ebendafelbft. 34. *Bifchof Johann III von Grumbach Gnadenbrief, den er feiner Ritter-*

fchaft gegeben hat, und der runde Vertrag genannt wird. 1461. aus der Friefifchen Chronik. 35. *Verordnung über den Beyzug-* oder *Inzichtsprocefs in Franken,* 1470. fteht auch bey Kirchgeffner in trib. Nem. 36. *Reformationes Rudolf. Epifcopi Herbipolenfis,* bey Würdtwein fubf. dipl. 37. *Friedrichs III Privilegium, der Selbftrörder Verlaffenfchaft zu confifciren,* in Gropps Wirzb. Chronik. 38. *Bifchofs Lorenz Münzedict,* von 1496, noch ungedruckt. 39. *Gebotsbrief der Münz halber,* von 1496. 40. *Münzreceß v.* 1503 bey Hirfch a. a. O. 41. *Verordnung wegen dem Befeben.* 1504. 42. *Neue Reformation des Landgerichts des Herz. zu Franken.* 1512. 43. *Bifchofs Conrad III Statut wider das unordentliche Leben der Clerifey in Reinhards Chronik.* 1521. 44. *Reformation und Ordnung der Stadt Wirzburg,* 1527. In Gropps Chronik. 45. *Land- und Gerichtsordnung des Stifts Wirzburg,* 1528. bis daher noch nicht gedruckt. 46. *Conradi Epifcopi ordinatio de teftamentis Clericorum.* 1542. 47. *Bifchof Melchiors Befehl, die Panisbriefe nicht anzunehmen.* 1548. in Wehners obferv, 48. *Proceffus peractionum fynodi dioecefanae ecclefiae Herbip.* in Gropps collect. Wirceb. 49. *Wirzburgifche Policeyordnung.* 1549. Ift hier nur dem Titel nach angeführt, und fteht fchon in der Sammlung der Wirzburgifchen Mandate. Hierauf folgen bis N. 95 noch mehrere alte und neue Gefetze und Ordnungen, welche theils gedruckt, theils ungedruckt find, und in alle Theile des Rechts eingfchlagen.

Der Gebrauch diefer wichtigen Sammlung würde noch fehr erleichtert werden, wenn überall eine fyftematifche Ordnung nach den verfchiedenen Fächern des Rechts beobachtet würde.

REGENSBURG, bey Montags Erben: *Betrachtungen über die Materie der Senate des kaiferl. und Reichskammergerichts.* Erftes St. 1788. 172 S. 8. (12 gr.)

Diefe Betrachtungen haben (wie der Verfaffer, der Freyherr von Ompteda, Kurfürftl. Braunfchw. Gefandte auf dem Reichstage zu Regensburg, in dem Vorberichte erwähnt) ihren Urfprung und ihre Bekanntmachung den Privatconferenzen zu danken, in welchen die Gefandfchaften dafelbft, über die wichtigen, nunmehr endlich entfchiedenen Zweifel, zweierley Einrichtung der Senate des Reichskammergerichts, von Erftattung ihrer Gutachten, und Einholung der Inftructionen, berathfchlagten. Der fchon durch andere gelehrte Bemühungen rühmlich bekannte Vf. hat diefen Gegenftand ausführlich und gründlich behandelt. In der *Einleitung* werden die, aus der vom Reichskammergerichte gemachten provif orifchen Auslegung des Reichsfchluffes vom Jahre 1775, entftandenen Bedenklichkeiten, demnächft die Zweifel, welche bey den *Adjunctionen obgewaltet*, in hiftorifchem Zufammenhange dargeftellt, und hieraus

aus sechs verschiedene Deliberationspunkte gezogen: I) von den *Senaten in Judicialsachen*, II) von den *Senaten in Extrajudicialsachen der Stände und Unmittelbaren*, III) von den *Senaten in Extrajudicialsachen der Mittelbaren*, IV) vom *Bescheidtisch*, V) von den *Adjunctionen bey entstandener Stimmgleichheit*, VI) von den *Adjunctionen bez eingewendetem Restitutionsmittel*. Gegenwärtiges Stuck betrifft nur den· ersten Punkt, die *Judicialsenate*, deren Anordnung so vielen Streit und Schriftwechsel· veranlasst hat. Nach kurzer Vorausschickung der ältern Geschichte der Senate, und nach ausführlicher Erörterung aller Gründe, welche für die Zahl von *sechs* und von *acht* beständigen *Mitgliedern eines Judicialsenats* angeführt werden, äufsert der Verf. die Meynung: dass die Veranlassung des 20sten §phen des Reichsschlusses vom Jahr 1775, wie auch die Analogie der ältern diesfalsigen Gesetze, und die gründliche Behandlung der Sachen selbst, erfordere, dass ein Judicialsenat, wo es auf endliche Entscheidung der wichtigsten Processe ankommt, aus *acht Urtheilern* bestehe. In ganz Deutschland sey wohl nirgends ein ansehnliches Appellationsgericht, das mit weniger als mit acht Räthen besetzt seyn sollte; und bey dem Reichskammergericht komme, nächst der Wichtigkeit und Schwierigkeit der Sachen, noch dieses in Erwägung, dass das Gericht aus zweyerley Religionsverwandten bestehe und Streitigkeiten verschiedener Religionsparteyen zu entscheiden habe; dass ferner das Präsidium nicht, wie bey andern Gerichten, zur Erörterung der Sachen mitwirke, sondern alles auf die Beysitzer ankomme. Die *Beschleunigung der Justiz* müsse der sicheren und *unbefangenen Verwaltung* derselben nachstehen, und selbst die Beschleunigung, welche einige von vier Judicialsenaten, jeden zu sechs Beysitzern, erwarteten, sey, wegen mancherley dabey besorglicher Verhinderungen, bey weitem so gross nicht, als es bey den ersten Anblick scheine. Diese Beschleunigung würde besser und nachdrücklicher befördert werden durch Beschränkung der vielen Supplicationen und Restitutionsgesuche, wie auch der zu häufigen Adjunctionen; durch Abschneidung der präoccupatorischen Schriften; endlich durch Einführung einer kürzern und zweckdienlichern Referirart; (dies ist unstreitig der hauptsächste Punkt, worüber in dem Reichsschluß vom Aug. dieses Jahrs der Bericht des Reichskammergerichts erfodert worden, und welchen der Verf., durch besondere aus Erfahrungen geschöpfte Vorschläge zu erläutern, sich noch vorbehält. Das Interesse dieser schönen Abhandlung wird zwar dadurch etwas vermindert, dass die Frage, wor-

über bey Erscheinung derselben gestritten wurde, nunmehr durch den unbemerkten Reichsschluß völlig entschieden ist: Aber sie wird demungeachtet als eins der besten Hülfsmittel zur Geschichte dieses wichtigen Gesetzes dienen können, und daher einem jeden unentbehrlich bleiben, der die Verfassung des Reichskammergerichts sich gründ-lich bekannt machen will.

· NATURGESCHICHTE.

WIEN, b. Gräffer u. Compagnie: *Josephi Jacobi Plenk*, Chemiae atque Botanices Professoris, *Icones plantarum medicinalium* etc. Centur. I. Fascic. II. et III. Tab. 26—75.·

Der zweyte·Heft dieses in der bekannten Einrichtung fortgehenden Werks fängt mit dem langen Pfeffer aus der Diandrie an, und schliesst mit der Weberkarte, aus der.Tetrandrie, welche Klasse im dritten Hefte den grössten Theil ausmacht. Nur etliche Pflanzen der Pentandrie aus der Abtheilung der Asperifoliarum endigen denselben, wovon der officinelle Steinsaame die letzte ist. Rec. nimmt seine Meynung bey dieser Fortsetzung nicht zurück, da gar nicht die Rede davon war, ob das gegenwärtige Werk brauchbar, nützlich, und in einzelnen Ruckfichten schätzbar, sondern ob es unentbehrlich, höchst nothwendig und unübertreßlich sey. Dass der Vf. Erfahrung habe und Ordnung liebe, darf man nicht jetzt erst sagen; dass sich alles das besser auf dem trocknen Papiere seines Werks, als auf dem Löschbogen anderer, lesen läßt, das ist ausgemacht; aber Rec. muss es auch gestehen, dass ihm mehrere Abbildungen dieser letzten Hefte, ohne das Ideal zu erreichen, doch weit sorgsamer und sauberer bearbeitet schienen, als in dem·ersten.

VERMISCHTE SCHRIFTEN.·

ELBING, b. Hartmann, Heymann u. Compagnie: *Sammlung aller poetischen und prosaischen Aufsätze veranlaßt durch den Tod Friedrichs des Großen*. ohne Angabe der Jahreszahl. 134 S. 8.

Die Verleger rechneten wahrscheinlich darauf, dass Friedrichs des Einzigen Name schon hinreichend seyn würde, ihrem Mischmasch Käufer zu verschaffen, wenn gleich dieser Sammlung das einzige Verdienst, *Vollständigkeit*, gebräche, und dieser Fehler nicht einmal durch *Wahl* ersetzt würde.

Druckfehler. N. 24. S. 188. Z. 15. statt *Anhang* l. *Anfang.* S. 189. Z. 6. ist de auszustreichen.

ALLGEMEINE
LITERATUR - ZEITUNG

Sonnabends, den 14ten März 1789.

STAATSWISSENSCHAFTEN.

Paris, b. Barrois dem ältern: *Traité sur les Tailles et les Tribunaux, qui connoissent de cette imposition por. M. Auger*, Avocat du Roi en l'Election de Paris. *Premiere Partie, Reglemens sur les Tailles. Précédé de la Table Chronologique de ces Reglemens et d'une Introduction a l'étude des matieres de la compétence des Tribunaux du ressort de la Cour des Aides pour servir de préparation à l'examen, que doivent subir les Officiers, qui poursuivent leur réception.* Teme I. 2. 3. 2440 fortlaufende und vorher 360 S. gr. 4. 1788. (13 Rthl. 11 gr.)

Von der heilsamen Gährung, welche die Noth in dem französischen Finanzwesen hervorgebracht hat, ist seit einiger Zeit schon manches nützliche politische Werk darüber veranlasset. Dazu sollte auch das gegenwärtige nach dem ersten Anblick zu gehören scheinen, welches aber in der That von anderer Art ist. Hn. A's Absicht war nemlich über das ganze Steuerwesen einen vollständigen Unterricht zum Gebrauch in den Geschäften selbst zu geben. Er sammlete zu dem Ende die Materialien anfänglich nach dem Alphabet, fand es aber denn doch zuträglicher methodisch nach dem Zusammenhang der Sache zu verfahren, und in der Absicht enthält dieser erste Theil in drey Bänden alle über den Gegenstand ergangene Verordnungen, worauf in dem zweyten die eigentliche systematische Abhandlung mit Zurückweisung darauf folgen soll. Den Anfang macht 1. ein Verzeichniß der Verordnungen nach der Zeitfolge auf 92 S. Darauf folgt 2. bis S. 202. eine genaue Aufzählung aller im ganzen Reiche unter der Cour des Aides stehenden Kirchspiele nach Ordnung der 13 Generalitäten und ihrer Eintheilung in Electionen, Subdelegationen, Bailliagen und Prevotés mit kurzen Anmerkungen von der Zeit ihrer Einrichtung und der Anzahl und den Orten der Salzniederlagen. Dies ist freylich ein trockenes Namenregister, aber dem französischen Finanzbedienten unentbehrlich und doch auch für Auswärtige zu desto genauerer Kenntniß des Landes dienlich. 3. Die Einleitung

zur Steuerkenntniß für die, welche sich zu Bedienungen prüfen lassen wollen, ist etwas schwerfällig in Frag und Antwort abgefasset, dabey aber doch sonderlich für deutsche Leser das anziehendste, weil sie einen Vorschmack der ganzen Theorie des zweyten Theiles giebt. Sie handelt in acht ziemlich unordentlich abgetheilten Hauptstücken 1. von der Gerichtsbarkeit der Electionen 2. von der eigentlichen Steuer (Taille), der persönlichen, welche von allen ausser dem Adel und der Geistlichkeit von ihren Pachteinkünften aus Mühlen, Hammerwerken, Häusern, Ländereyen, von Renten und dem Gewerbe, u. von der Realsteuer, die von selbst benutzten Aeckern, Wiesen, Weinbergen, Gehölzen, Mühlen, Hammerwerken, Zehnten, Gefällen, Häusern und Pachthöfen gegeben wird, ferner von Ernennung der Kirchspieleinnehmer, der Befreyung von dieser Beschwerde z. B. der Justizbedienten, Advocaten, Aerzte und Wundärzte, vom Verfahren bey Verfertigung der Rollen und entstehenden Streitigkeiten, den Sentenzen, Appellationen und der Eintreibung 3. von dem Verfahren bey den Gerichtshöfen unter der Cour des Aides 4. von den Protocollen, welche von den Bedienten über Visitationen u. d. g. aufgenommen werden 5. von Nachweisung der Unrichtigkeiten 6. von den Ein- und Ausgangssteuern. Diese unterscheiden sich besonders nach der Eintheilung des Reiches in die fünf grossen Pachtungen, wie Normandie, Picardie, Champagne, Bourgogne u. s. w. nach dem Tarif von 1664. die für fremd geachteten Provinzen, wie Bretagne, Languedoc, Gascogne, Artois u. s. welche den höhern Tarif von 1667 haben, und die wirklich fremden, nemlich Lothringen, Elsass, und die drey Bissthümer. Auch wird dabey von dem Betragen der Kaufleute zur Vorsicht und dem Verfahren bey Anhaltung der Waaren, der Niederlage in den Zöllen und den Entscheidungen darüber gehandelt. 7. Von der Gabelle oder Salzsteuer. Sie ist ebenfalls nach den Provinzen sehr verschieden eingerichtet, wovon hier nur das allgemeine vom Verkauf des Salzes aus den Niederlagen, von Verfertigung der Rollen, den Befreyungen des Adels und der Geistlichkeit, den Strafen der Schleichhändler nach Verschiedenheit der Fälle u. s. w. vorkommt. 8. von

von dem peinlichen Verfahren darüber, dem Urtheil
und deſſen Vollſtreckung.

Die Sammlung der Verordnungen ſelbſt iſt aus
den Ordonnances du Louvre, der Greffe, der
Regiſtres de la Cour des Aides, dem Code des
Tailles, den Enregiſtrements de l'Election, dem
Corbin, Fontanon u. a. groſſen Werken gemacht.
Sie fängt mit einem Auszuge des Teſtaments von
König Philipp Auguſt von 1190 an, und läuft meiſtens nach der Zeitordnung bis 1786 fort, doch
ſind einige erſt während des Abdrucks aufgefun-
den, und dieſe ſind in einem Supplement, welches die Hälfte des dritten Bandes ausmacht, wieder nach den Jahren geſtellet. Die älteſten werden theils durch Ueberſetzung der alten Sprache
theils durch Anmerkungen über einzelne Wörter
derſelben erkläret, auch ſind von vielen allgemeinen Landesverordnungen nur einzelne Artikel
ganz abgedruckt, welche das Steuerweſen betreffen, und von den übrigen iſt bloſs der Inhalt
angegeben. Man kann alſo daraus eine ordentliche Geſchichte der Veränderungen des Steuerwe-
ſens ſammeln, und Hr. A. wird hoffentlich im
zweyten Theile davon ſelbſt eine deutlichere Ueberſicht geben. Nur iſt zu bedauern, daſs er ſeinen
Gegenſtand durchgängig nur von der juriſtiſchen
Seite betrachtet hat. Es bezieht ſich alles auf die
Einführung der beſondern Arten von Steuern,
die Pflichtigkeit oder Befreyung verſchiedener
Claſſen von Unterthanen, das Verfahren bey der
Einhebung, die Amtsverrichtungen der verſchiedenen Bedienten, deren Gränzen und Unterordnung und die Entſcheidung der dabey vorkommenden Streitigkeiten. Dagegen iſt das für viele angenehmſte und meiſten unterrichtende Politiſche und Hiſtoriſche gänzlich übergangen; z. B.
die Grundſätze der Anlage ſelbſt, die Tariffe, wie
der von 1664 und 67. die unſtreitig zu den wichtigſten Verordnungen gehören, die Preiſe des
Sulzes, der Ertrag der einzelnen Provinzen u. f.
w. Dieſes beſchränkt daher den Nutzen des ganzen Werkes, bey aller weitläufigen Gründlichkeit, doch faſt allein auf praktiſche Rechtsgelehrte in Frankreich, und der deutſche Staats- und
Finanzkundige wird meiſtens bey den Nachrichten
eines Beaumont, Necker, des ungenannten Au-
traſiers in Schlözers Staatsanzeigen u. d. gl. ſeine
Rechnung beſſer finden, wenn nicht auch dieſes.
vielleicht noch im zweyten Theil nachgehohlet
wird. Ueberhaupt aber iſt doch noch mehr zu
wünſchen, und von dem Uebergewicht des Bür-
gerſtandes auf dem bevorſtehenden Reichstag auch
wohl zu hoffen, daſs alle Künſteleyen und
Ungleichheiten in der bisherigen Verfaſſung ſelbſt
abgeſtellet und dadurch zugleich die Kenntniſſe
und Geſchäfte abgekürzt und vereinfältiget werden mögen.

GESCHICHTE.

Salzburg, im Verlage der Waiſenhausbuch-
handl. : *Philoſophiſche Geſchichte der Men-*
ſchen und Völker, von *Friedrich Mich. Vier-*
thaler. Erſter Band. 1787. 622 S. Zweyter
Band. 1788. 549 S. 8.

Dieſes in mancher Rückſicht intereſſante und
gute Buch ſoll die Geſchichte der bekannten
Völker der Erde, beſonders den Gang ihrer Cultur, in ſich faſſen. Von den zween Bänden, welche bis jetzt erſchienen ſind, liefert der erſte
bloſs eine allgemeine Einleitung. Der Hr Verf.
ſchickt eine kurze Geſchichte der Geographie voraus, In welcher die Verdienſte einzelner Nationen um die Erweiterung und Verbeſſerung der
Kenntniſs unſrer Erde bemerkt ſind, er giebt
eine Ueberſicht der Revolutionen, welche ſie er-
litt; ſtellt die verſchiedenen Kosmogenien gegen
einander, wie jedes Volk ſich dachte; und
geht dann nach der Beſchreibung aller groſſen Ueberſchwemmungen, von welchen die Alten reden, zu dem Einfluſs über, welche dieſe
auf den Gang des menſchlichen Geiſtes gehabt
haben. Denn jede dieſer Fluthen muſste, nach
dem Verfaſſer, das Volk, welches ſie traf, auf
den äuſserſten Grad der Apathie herunter bringen,
wenn es auch vorher eine anſehnliche Stufe der
Cultur erreicht hatte. Dann ſuchte er zu zeigen,
auf welche Art ſich eine Nation aus dem Stande
der gröſsten Wildheit, in welchem ſie gewöhnlich von einem höhern Weſen gar nichts weiſs
und glaubt, zu beſſern Begriffen emporſchwinge;
wie es durch den Glauben an die Fortdauer der
Seele nach dem Untergang des Körpers zu einiger
Religion, zur Annahme zweyer Principien, zum
Manichenopfer, zum Fetiſſendienſt, zu Myſterien
komme. Eine kurze Unterſuchung über den Gang
der politiſchen Cultur, und die Bildung der verſchiedenen Regierungsarten, ſchlieſst den Theil.

Die Bearbeitung ſelbſt zeigt groſse Beleſenheit. Man ſieht es ihr an, daſs der Hr. Vf. in
den Alten zu Hauſe iſt, daſs er ſich den Plato
unter den Griechen, den Lucretius und Ovidius
unter den Lateinern vorzüglich zu Lieblingen gewählt hat. Die Stellen, welche er aus dem erſtern überſetzt, ſind meiſtens ſehr gut gerathen.
Auch mit den Schriften der Neuern, den beſten
Reiſebeſchreibungen, den Syſtemen der Franzoſen über Kosmogenie etc. beweiſt er eine genaue
Bekanntſchaft. Nicht ſelten greift er die elenden,
oft ganz aus der Luft gegriffenen Hypotheſen der
letztern mit Scharfſinn, oft mit glücklichem Witz
an. Auch mehrere eigene Unterſuchungen geben Proben von dem Verſtand und Geſchmeidigen
Vortrag deſſelben. Aus vielen Stellen verweiſen
wir zum Beweis, auf die Unterſuchung den Hypotheſen von Plato's Atlantis, S. 185. und auf ſeine
Auseinanderſetzung von den Myſterien, S. 524.
etc., welche auch diejenigen, welche ſeiner Meynung nicht ſeyn können, mit Vergnügen leſen
werden. Der foll des Hn. *Vierthalers* iſt ſchön,
nur zuweilen zu geſucht; die Gegend, in welcher
das Buch geſchrieben wurde, verräth es äuſserſt
ſelten

feltem. Etwa in dergleichen Worten: Zotten, S.
65, ftatt Zoten, S. 296, und 297, dem Gedanke,
den Gedanke.

Mit fo vielem Vergnügen aber Rec. die Vorzüge diefes Werks anerkennt, mit eben fo vieler Freymüthigkeit wird er auch das Fehlerhafte
deffelben bemerken. Darunter gehört vorzüglich die übertriebene Weitläufigkeit. Der Hr.
Vf. fucht ein Werk zu liefern, das zwifchen Syftem und trocknem Compendium die Mitte halten
foll, und füllt zween dicke Bände, den einen
mit der Einleitung, den andern mit Aegypten.
Wenn er in gleichem Schritte fortgeht, fo können zwölf Bände noch nicht hinreichen. Dies
fällt defto mehr auf, weil er felbft in der Vorrede die Weitfchweifigkeit der bisherigen Syfteme
als die Urfache angiebt, warum fie von wenigen
gelefen werden können; und weil er das Buch zum
Leitfaden bey dem Unterricht einiger adelichen
Jünglinge beftimmt. Ohne den geringften Gedanken aufzuopfern, hätte Hr. V. wenigftens die
Hälfte des Raums erfparen können, wenn er nicht
oft fünf, und mehrere Erzählungen aus Reifebefchreibungen, die alle einerley Refultat geben,
in extenfo hätte abdrucken laffen. Die umftändliche Erzählung einer auffallenden Gewohnheit,
und die kurze Anführung ähnlicher Befchreibungen vor andern, mit Verweifung auf die Quellen, hätte nicht nur den Raum erfpart, fondern
auch dem Lefer mehrere Luft gemacht, es mit
dem Vf. auszuhalten; denn wirklich wird man
nicht felten müde immer einerley zu lefen, zumal da ein grofser Theil der Erzählungen in
Reifebefchreibungen fich befindet, die in jedermanns Händen find. — Von einzelnen Fehlern
bemerkt Rec. nur folgende wenige. Der Hr. Vf.
behauptet S. 8. kein Chrift vor Colon habe die
Rotundität der Erde angenommen. Lange vorher glaubten viele dem Ptolemäus. Das Syftem
des fogenannten Kosmas kennt er auf der andern
Seite gar nicht. S. 25 nimmt er den Kaifer An-
toninus gerade weg als den Vf. des Itinerariums
an, das wir nach feinem Namen benennen. Strabo
erzählt die Revolutionen etc. nicht als zuverläffig,
welche S. 47 aus ihm angeführt find; er führt fie
blofs als Hypothefen älterer Schriftfteller an. Aufserdem hält der Rec noch manche Ausbrüche
der erhitzten Phantafie des Vf. für zu gewagt, andere für unrichtig und ungerecht. Man urtheile
S. 228. „Vorzüglich fchlägt Muthlofigkeit in der-
„gleichen Fällen (bey grofsen Ueberfchwemmun-
„gen) den Menfchen fo gerne gänzlich darnieder ::
„eine nothwendige Folge zwar nicht des Un-
„glücks überhaupt, wohl aber eines grofsen, an-
„haltenden Unglücks. Dadurch abgefpannt mufste
„der Menfch unglaublich fchnell, unglaublich tief
„fallen, mufste hinunter finken bis zur Gränze des
„Viches — bis zum Pefferäh und Büfchmann." —
— Aus dem fchlechten Betragen des Capit. Sür-
ville auf Neufeeland macht der Vf. S. 22 der

ganzen französifchen Nation fehr harte und ungegründete Vorwürfe; und in der nemlichen Note
erhalten die Holländer kein befferes Compliment.
Schon oft ift bemerkt worden, dafs es unbillig
fey, die Fehler einzelner Perfonen ganzen Völkern auf den Hals zu wälzen.

Der zweyte Theil fafst bis S. 80 die Sitze und
Gewohnheiten der alten africanifchen Völker
längft der Nord- und Weftküfte, ohne die Kartha-
ginenfer; bis S. 531 blofs Aegypten, und bis 549
einige Bruchftücke von Aethiopien über Aegypten.
Die Nachrichten find auch hier mit Fleifs gefammelt und mit Gefchmack erzählt, neue Aufklärungen aber, die man von dem Verfaffer einer
philofophifchen Gefchichte der Menfchen und
Völker erwarten dürfte, finden fich felten: doch
auf der andern Seite eben fo wenig auffallende
Fehler wider Gefchichte und Geographie. Am
längften verweilt der Vf. bey der älteften Gefchichte Aegyptens, bey den erften 18 Dynaftien des
Manetho, bey den Einrichtungen diefes Volks in
Anfehung der Religion etc., und bey den Fortfchritten, welche es in den Künften und Wiffenfchaften gemacht hatte. Viel kürzer find einige
wichtige hiftorifche Gegenftände behandelt, welche man in einem fo ausführlichen Werke gerade
nicht gerne vermiffen wird. Z. B. die Urfachen
des wenigen Zufammenhangs der Aegyptier mit
andern Völkern, nebft dem Einflufs, welchen
diefe Zurückhaltung auf die Sitten, Handlung
und weitere Aufklärung des Volks hatte. — Die
Umfchiffung von Africa unter Nechao, welche
hier fehr kurz erzählt, und geradezu angenommen
wird, ohne die Schwierigkeiten auch nur anzuführen, die der Erzählung entgegen ftehen.
Dem ungeachtet verdient das Werk Jünglingen,
denen es zunächft gewidmet ift, als fehr brauchbar empfohlen zu werden; zumal wenn es dem
Hn. Vierthaler belieben follte in den folgenden
Bänden feine Ideen etwas mehr in das kürzere zu
drängen.

SCHOENE WISSENSCHAFTEN.

KÖLLN, b. Imhof: Bibliothek der neueften und
befften Original-Trauer-Schau- und Luftfpie-
len. Erfter Band. 1787. [88.] 8. 33. B.
Ein neues Schild zu einem Nachdruck auf
Löfchpapier, von vier isländifchen Stücken, und
der Lanaffa.

ERBAUUNGSSCHRIFTEN.

LEIPZIG, b. Göfchen: Andachtsbuch für das
weibliche Gefchlecht, vorzüglich für den aufgeklärten Theil deffelben, von F. G. Mare-
zoll. 1788. Erfter Theil. 410 S. Zweyter
Theil. 376 S. 8.
Es ift ein Verdienft um Religion und Tugend,
wenn

wenn Männer von Einsicht, Geschmack und eignem Gefühl für Wahrheit und Gottseligkeit einzelnen Klassen der Menschen Andachtsbücher in die Hände liefern. In allgemeinen Gebet- und Andachtsbüchern für alle Alter und Stände kommt theils zu vielerley vor, das sich nicht für alle, oft nur für wenige schickt, und von andern überschlagen werden muß: oder wenn letzteres nicht geschieht, anstatt der Andacht Gedankenlosigkeit wirkt, theils findet der Verständige das, was sein Herz sucht, nur kurz und oberflächlich berührt. Für manche Klassen der Christen, die Hülfsmittel der Andacht bedürfen, ist seit einigen Jahren auf eine schätzbare Art gesorgt, und in diesem Buche besonders für den aufgeklärten Theil des weiblichen Geschlechts, der diese Fürsorge bedarf und verdient. Unter dem aufgeklärten Theil desselben versteht er, laut der Vorrede. „Leserinnen, „bey denen er eine gründliche und wahre Erkenntniß der Religion voraussetzt, und diesen „festen, haltbaren Grund benutzt, um eine Sittenlehre für sie darauf zu bauen." Dadurch kommt der Vf. denen zuvor, die es tadeln würden, daß von christlichen Lehren gar nicht gehandelt wird, als wenn er diese dem weiblichen Geschlecht ganz entbehrlich hielte. Es wäre freylich mehr zu wünschen, als es sich in der That so findet, daß man bey allen durch Belesenheit, Erziehung und Umgang für aufgeklärt geltenden Damen eine gründliche und überzeugte Kenntniß der Religion voraussetzen konnte, da ein großer Theil derselben sich um dieselbe so wenig bekümmert, und — aus mancherley Ursachen — gegen Tugendlehre so sehr gleichgültig ist, daß ihnen, in Vergleichung mit Schauspielen und Romanen, ein Andachtsbuch anekelt. Daher denn ein solches, das sich ihnen beliebt machen soll, besonders gut und anziehend geschrieben seyn muß. Es werden hoffentlich viele seyn, die dies Buch mit Nutzen lesen, und dem Vf. danken, wenn es durch Prediger, Väter und verständige Freunde bekannter und in guten Häusern eingeführt wird. Der Plan ist wohl überdacht und gefaßt. Den Anfang macht eine einleitende Betrachtung über die Bestimmung und Ausbildung der weiblichen Anlagen zur Vollkommenheit, worin er von ihrem zärtern Körperbau, ihrer feinern Organisation, Reizbarkeit der Empfindungen, als den Anlagen redet, die geleitet, nicht überspannt, aber auch nicht abgestümpft, sondern veredelt, und auf würdige Gegenstände gelenkt werden müssen, von ihrer Neigung, zu gefallen, von ihrem Hange zum Vergnügen; darauf schildert er die Grundzüge des Gemäldes eines so ausgebildeten und vollkommenen weibli-

chen Charakters. Der erste Theil des Werks ist in 3 Abschnitte getheilt, deren erster 5 Uebungen im Nachdenken über die Bestimmung des weiblichen Geschlechts im Ganzen, zur häuslichen und ehelichen Verbindung, zur Pflege und ersten Bildung der Kinder, zur Geselligkeit und den Pflichten des Umgangs, und über die Größe und Wichtigkeit der weiblichen Bestimmung enthält. Der zweite Theil liefert Ermunterungen zu den vornehmsten Tugenden und Warnungen für (vor) den herrschendsten Fehlern des weiblichen Geschlechts in Morgen- und Abendandachten, in 14 Capiteln, deren jedes ein Gebet oder Selbstgespräch über eine Tugend des Morgens, und über den entgegenstehenden Fehler des Abends enthält, als Andacht und Gleichgültigkeit gegen die Religion, Arbeitsamkeit und Zerstreuungssucht u. s. w. Der dritte Abschnitt enthält 20 Betrachtungen über einige vorzügliche Hindernisse und Beförderungsmittel der weiblichen Tugend, Schmeicheley, Verstellungskunst, Vielwisserey, Hang zur Schwärmerey, Modesucht, Zeitverschwendung u. s. w. Der zweyte Theil betrachtet in fünf Abschnitten das junge Mädgen, die Jungfrau, die Gattin und Hausfrau, die Mutter, die Wittwe und Matrone, jede unter den verschiedenen Umständen ihres Lebens, und giebt jeder eine gute Anleitung zu den dahin gehörigen moralischen Gesinnungen. Man sieht, wie viel umfassend der Plan, und wie wohlgewählt die Ordnung ist. Die Schreibart ist freylich oft sehr wortreich, doch mag dies in Absicht eines Theils der Leserinnen nicht schädlich seyn. Alle Kapitel sind als Selbstgespräche oder Anreden an Gott abgefaßt. — Besonders ist das eine vorzügliche Eigenschaft dieses Buchs, daß der Vf. Thorheiten und Fehler, so wie Tugenden, nicht nur nach der Wahrheit ohne übertriebene Schilderungen beschreibt; sondern auch Mittel gegen jene und zu diesen anweiset. Dadurch unterscheidet er sich von dem faden Moralistenton vieler Wochenblätter und Romanenschreiber, auch wohl Prediger, die da glauben, alles recht schön gemacht zu haben, wenn sie auf ihr moralisches Gemälde die stärkste Tinte auftragen; und Tugenden und Laster so beschreiben, wie sie unter dem Monde fast gar nicht zu finden sind, so daß der böse und fehlerhafte Mensch sagt: „so bin „ich nicht!" und der, der gut werden wollte, von dem zu hellen Glanz des überirrdischen Heiligen geblendet wird; — dann mit leeren Exclamationen beschreibt, anstatt brauchbare Anweisungen zum Guten und wider das Böse zu geben. So nicht unser Vf., dessen Schrift Rec. viele Leserinnen wünscht.

Druckfehler. No. 31. S. 241. in der Recens. des Braunschweigischen Journals ist Zeile 18. anstatt *doch fehlt es auch an etc.* zu lesen: *doch fehlt es auch nicht an guten philos. Aufsätzen.*

KRIEGSWISSENSCHAFTEN.

Metz, b. Coilignon: *Ordonance provisoire, arretée par le Roi, concernant l'Exercice et les Manoeuvres de l'Infanterie.* Du 20 May, 1788. 342 S. 8. (1 Rthlr.)

Dieses Reglement gehört nach dem Urtheile mehrerer erfahrner und einsichtsvoller Männer, wenigstens unter die besten der bekannten. Der erste Abschnitt enthält die Rangirung, der 2te die Ausarbeitung des einzelnen Mannes, der 3te die Uebung der Pelotons, der 4te die der Divisionen, und der 5te die der Bataillonen; den Beschluss machen die Evolutionen mehrerer Bataillonen. Die Gegenstände sind also hier in der Folge, in der die Uebung der Truppen geschiehet, vorgetragen; und hierin und in der Bestimmtheit verdient dies Reglement ohne allen Zweifel Nachahmung. Die, welche Rec. gesehen, bleiben in der Ordnung und Richtigkeit des Vortrags weit hinter demselben zurück. Bey der Festsetzung der Bewegungen kömmt es hier nicht blofs auf die Ersparung des Raums und auf die Regelmäfsigkeit an, sondern zugleich auch auf Einfachheit, Uebereinstimmung und Allgemeinheit in Absicht der Ausführung. Eine Raum ersparende Bewegung kann, wenn sie künstlich ist, Aufenthalt und Verwirrung verursachen; statt dafs eine andere, welche mehr Zeit erfordert, mit guter Ordnung früh genug ausgeführt wird. Wie viele Bewegungen werden nicht hin und wieder noch geübt, die gar nicht, auch mit den besten Truppen von der Welt, vor dem Feinde ausgeführt werden können! — Kann man seine Absicht durch eine bekannte, in anderer Hinsicht unentbehrliche, Evolution erreichen, so ist diese oft einer andern einfachern und kürzern vorzuziehen, indem die gröfsere Fertigkeit in der erstern das ersetzt, was ihr in Absicht andrer Vortheile abgehet. — Wenn man freylich nach dem Ideal, das sich Rec. von einem guten Reglement entworfen hat, das Französische untersucht, so ist allerdings an ihm manches auszusetzen; indessen hat es doch grofse Vorzüge vor andern bekannten. Die Vor-

schriften zur Ausführung der Evolutionen sind, einige ausgenommen, so bestimmt und detaillirt, dafs dem Officier nichts übrig bleibt hinzuzusetzen, und es scheint, als wenn hier im Kleinen noch etwas der Geist der Nation herrschte; die oft die Kunst braucht, wo Fertigkeit und Kraft besser seyn würde. Hin und wieder findet man, wenn gleich noch etwas künstliche, dennoch merkwürdige, Hülfsmittel, die man in unsern besten taktischen Büchern vergebens suchen würde. Zum Beweis wollen wir das Avanciren mit mehrern Bataillonen ausheben. Wenn mit mehrern Bataillonen avancirt werden soll, so nimmt man das 2te vom rechten Flügel zum Directionsbataillon. In der Verlängerung des Rotts, welches gerade in der Directionslinie stehet, stellt man rückwärts a Unterofficiere, a und b, zugleich tritt ein Capitän c vors Bataillon in der Verlängerung des Directions-Rotts, und der Unterofficier a und b, der Unterofficier d neben den Fahnen im Directions-Rott bemerkt sich mehrere Puncte auf der Erde, welche sich vor den Capitain c befinden. Der Chef des Bataillons stellt sich in e, hinter die Unterofficiere a und b, und überzeucht sich, dafs alle die bisher erwähnten Puncte in einer Linie sind; ferner bemerkt er sich vorwärts im Felde einen Punkt g, diese Linie trifft. Aufs Commando: *Bataillon vorwärts,* treten 3 Unterofficiere mit der Fahne 6 Schritt vor. Unter diesen ist der Unterofficier d, welcher sich über den Cap. c neue Puncte nimmt. Noch tritt vor jeden Flügel ein Unterofficier f und g, g am rechten Flügel allignirt sich mit denen bey den Fahnen; f am linken richtet sich mit dem am rechten und den Fahnen. Aufs Commando: *Marsch,* nimmt der Adjutant den Platz des Capitäns c ein, und dieser siehet dahin, dafs das Fahnen-Peloton parallel mit den vormarschirenden Unterofficieren bleibt, dafs mit diesen das Bataillon eine Linie hält, und nicht über die vormarschirenden Flügel-Unterofficiere hervorkömmt. Dieser Cap. corrigirt die Fehler in der Quelle. Der Adjutant siehet sich oft um, damit er mit den Unterofficieren a und b in einer Linie bleibt. So wie das Bataillon vorrückt, stellt sich in der Verlänge-

M m m m   rung

rung von a und b ein 3ter Unteroffic. I, darauf
alligniret fich a wieder mit b u. i etc. Der Commandeur fiehet nach, ob die Punkte a, b u. i
immer auf den Punkt y zutreffen. Das 2te u.
3te Bataillon hat an der Fahne eine Bezeichnung;
nach diefen beiden Fahnen richten fich die übrigen und die vormarfchirenden Unteroffic. Auf
diefe Art ift alfo die grade Linie und die Direction gefichert.

Wir muffen aus Mangel des Raums verfchiedenes, was wir bey einzelnen Stellan zu bemerken gefunden haben, übergehen; fo fcheint uns
z. B. die Bogenfchwenkung (Converfion à pivot
mouvante) weder recht angewandt, noch recht
ausgeführt zu feyn, bey der Schwenkung auf der
Stelle ift ein wichtiges Hülfsmittel znr Erhaltung
einer guten Richtung vergeffen u. d. gl. m.

ERDBESCHREIBUNG.

BREMEN: *Eine befonders merkwürdige Reife
von Amfterdam nach Surinam, und von da
zurück nach Bremen in den Jahren 1783 und
1784. von Bernhard Michael Peters, einem
Irländer. Wobey die Reifen und Lebensgefchichte John Thomfons eines Engländers,
feines vertrauten Freundes und Reifegefährten
auf der See.* ErfterTheil. 1783. 214 S. 8. (12 gr.)
Wahrfcheinlich hat der gute Mann keinen Verleger für feine Schrift bekommen können, und
ift auf den unglücklichen Einfall gerathen, felbft
Verleger zu werden. Um fein Glück zu machen,
hatte er eine Reife nach Surinam gemacht, fand
aber als Apothekergefelle dafelbft fo wenig feine
Rechnung, dafs er in fein Vaterland in ziemlich
fchlechten Umftänden zurück eilte. Nun erzählt
er uns, wie es ihm auf dem Schiffe unter den
Matrofen und dort in feinem engen Wirkungs-
kreife ergangen. Höchftens kann feine Reife
dazu dienen, dafs mancher abgehalten wird, un-
bedachtfamer Weife nach Indien zu gehen. An
einem 2ten Theil diefer Reife ift wohl nicht zu
gedenken. Denn, wenn auch der Titel diesmal
manche verführt haben follte; fo würde doch diefes bey dem 2ten wegfallen. Merkwürdiges findet man nichts darinn.

VERMISCHTE SCHRIFTEN.

HALLE, b. Gebauer: D. Joh. Sal. Semler's Anmerkungen zu dem Schreiben an Se. Excell. (den
Hn. Staatsminifter) von Wöllner in Hn. D.
Erhards Amalthea erftem Stück. Num. V. 1788.
92 S. 8.
Diefe kleine fo eben herausgekommene Schrift
können wir allen Predigern in den königlich preu-
fifchen Ländern, allen, die unparteyifche Unterfuchung lieben, felbft auch den Freunden des Vf.

die durch manche feiner bisherigen oft undeutlichen Aeufserungen an feinem Charakter irre zu
werden anfiengen, mit Ueberzeugung empfehlen.
Denn obwohl der ehrwürdige Mann feiner gewöhnlichen Methode bey Streitfchriften, den Gegner Schritt vor Schritt zu verfolgen, getreu bleibt,
und dadurch fich mancher unnöthigen Weitläufigkeit ausfetzt: ob ihm gleich hie und da wieder einige unbeftimmte Behauptungen entwifchen, fo
zeugt doch im Ganzen die Schrift von eben fo
viel geläuterter Einficht in die Frage, wovon die
Rede ift, als von unbefangener Wahrheitsliebe
und rechtfchaffener Gefinnung. Nachdem er den
Vf. gelobt, dafs er das *Wefentliche des evangelifchen Lehrbegrifs in der praktifchen Anwendung
zur Tugend fetze*; auch zugegeben dafs Böfewichter oft die rechtgläubigften, Heterodoxen die tu-
gendhafteften Menfchen waren, fetzt er S. 5. hinzu:
„Diefe Hiftorie ift ganz richtig, aber eben der *Lehr-
begrif* der evangelifchen Kirche, ift alsdenn bey
den fogenannten *Rechtgläubigen* ganz abfcheulich
verfälfcht worden, wenn Glaubenseiferer daneben
Böfewichter, Wollüftlinge, Ehebrecher, Verfchwender waren, und doch in dem Namen *Rechtgläubige, Orthodoxe, Glaubenseiferer* nur den
ganzen Grund ihrer fo falfchen chriftlichen Religion finden wollten.“ S. 6. „Es ift nur theologi-
fcher und untheologifcher Pöbel, der aus Worten und wörtlichen Beftimmungen mehr macht,
als aus dem innern praktifchen Chriftenthum;
auch hier hätten Prediger folchen groben Fehlern,
der ftolzen todten Orthodoxie, die nur bürgerliche
Folgen hat, langeabhelfen follen, durch praktifchen Unterricht von der *Hauptfache aller chriftlichen* Religion, dafs nemlich jeder Chrift eine
innere eigenthümliche Religion haben mufs, und
dafs die öffentliche Religion zunächft der ganzen
Gefellfchaft, als gemeinfchaftliches bürgerliches
Band, gehört.“ S. 9. „Die Lehre heifst nicht rein,
wenn einige Formeln und Befchreibungen unverändert in Kopf und Gedächtnifs hängen, welches vielmehr fehr leicht dem Lehrer ein ganz fal-
fches Anfehn geben würde, als wenn in Zuhörer
nicht felbft Gedanken fammeln dürfe, ohne fchon
in Gefahr unreiner Lehre zu gerathen. Die
Lehre heifst rein und ift rein, um ihres Endzwecks
und Erfolgs willen, fie foll den Menfchen moralifch reinigen, ihn vielmehr von aller eigen-
barlafterhaften Unreinigkeit entfernen!“ (Ganz
recht! Und in diefem Verftande kann alfo der
Socinianifmus, der Deismus eben fo gut reine
Lehre feyn und heifsen, als der orthodox-luthe-
rifche Lehrbegriff, weil man, ohne an die Gottheit
Chrifti zu glauben, ohne fogar die Bibel für eine
göttliche Offenbarung zu halten, moralifch reiner
feyn kann, als viel hundert orthodoxe Lutheraner; gleichwie auch umgekehrt viel orthodoxe
Lutheraner ungleich moralifch reinere Menfchen
find und feyn können, als viel hundert Socini-
aner und Deiften!) S. 11. „Der würdige Lehrer
mufs

„muſs ganz entfernt ſeyn; von dem alten Pfaffen-
„geiſt der ungeiſtlichen Biſchöffe, welche frey-
„lich alle chriſtliche Partheyen, die nicht ihnen
„kirchlich unterworfen waren, unaufhörlich, ob-
„gleich immer ganz vergeblich, verdammten.
„Dieſer bloſs herrſchſüchtige Geiſt muſs von allen
„treuen Lehrern der innern praktiſchen Religion,
„heiſſen ſie reformirte, katholiſche, lutheriſche
„Lehrer, weit weg ſeyn; darf auch nie wieder-
„kommen, unter der halbheiligen Larve reiner
„Lehre.“ S. 14. „Symboliſche Bücher der Pro-
„teſtanten ſtehn nie im Widerſpruch gegen das
„Herz oder Gewiſſen eines Lehrers, oder gar
„gegen die Bibel.“ (Iſt aber das letzte nicht zuviel
geſagt, wenigſtens zu dictatoriſch geſprochen?
Können nicht die Vf. der ſymboliſchen Bücher,
bey allem guten Willen, dennoch den wahren
Sinn mancher Schriftſteller verfehlet haben! Oder
wollte der Vf. hier nur ſagen: „man kann neben
„den ſymboliſchen Büchern doch immer noch die
„Bibel anders erklären, als ſie ſelbſt in den ſym-
„boliſchen Büchern erklärt wird?)

Was der Vf. zur Rechtfertigung des preuſſiſchen Religionsedicts gegen manche Verläumdungen deſſelben beybringt, iſt meiſt ſehr treffend.
z. B. S. 19. das Edict hat es ganz allein mit der
öffentlichen Religion, die im Staat beſondre Rechte hat, oder nicht hat, für itzt zu thun. S. 23.
es ſey eine ganz unpaſſende Anſpielung auf das
Edict, wenn man ſagt: Glaube und Frömmigkeit
werden in Strafgeſetzen geboten. „Noch immer,“
ſetzt Hr. S. hinzu; „kann ich es nicht begreifen,
„daſs mehrere Verfaſſer, die über das Edict ge-
„ſchrieben haben, dieſen ganz unnützen, ganz
„barbariſchen locus communis anführen. Ich däch-
„te, man wäre von ſelbſt beſcheidner geweſen,
„einem königl. Edict nicht einen alten dummen
„Pfaffenkittel beyzulegen?“ Sehr wahr! Dies
wäre auch die offenbarſte Verdrehung der Worte des königl. Edicts. Es gebietet ja nicht einmal
äuſſere Glaubensverſicherung, äuſſere Handlungen
der Frömmigkeit, geſchweige mit angehängter ſanc-
tione poenali; es iſt weit entfernt, jemanden anzube-
fehlen, daſs er ſich zur Kirche und zum Abendmal halten ſolle, was doch ſonſt oft in Edicten
unbefohlen worden. Alle ſolche unbefugte Schrey-
er und unbedachtſame Polterer gegen obrigkeitli-
che Verordnungen verdienen in der That die
höchſte Miſsbilligung, wie nicht nur die der
Obrigkeit, (auch wenn ſie irrte) immer ſchuldi-
ge Ehrerbietung, (die ihnen ſelbſt vernünftige
Schriftſteller, die nicht Unterthanen ſind, nie ver-
ſagen, werden,) aus den Augen ſetzen, ſondern
auch weil ſie durch aufgeregte Erbitterung, Par-
theyhaſs und ähnliche Leidenſchaften ſelbſt die
ruhige und beſcheidne Unterſuchung verdächtig
machen, und offenbar das Gute mehr hindern,
als befördern! Aber das verſtehen wir nicht, was
Hr. D. Seml. S. 19. ſagt: „Wenn der Geiſt der

„chriſtlichen Religion unſerer Obrigkeit als
„Obrigkeit nicht widerſpricht, ſo iſt es ganz und
„gar unmöglich, daſs Verordnungen der Obrigkeit
„über alles Aeuſſerliche und Oeffentliche einer Reli-
„gionsgeſellſchaft dem Geiſte der chriſtlichen,
„zumal der praktiſchen, Religion widerſprechen
„können.“ Die Aufhebung des Edicts von Nantes widerſprach doch gewiſs dem Geiſte der chriſtlichen Religion. Und wenn nun z. B. eine Geſellſchaft von Deiſten um Erlaubniſs, eine gottes-
dienſtliche Verſammlung halten zu können, anhielte, ohne irgend eine andere Religionspartey
dabey zu beeinträchtigen, wäre die Obrigkeit
nicht verpflichtet ihr dies zu erlauben? Was der
Vf. weiter unten zu Ablehnung der widrigen Folgen, die man von dem Religions-Edict befürch-
tet hat, beybringt, verdient wohl erwogen zu
werden; unter andern ſagt er S. 74. „Es iſt ganz
ausgemacht, daſs der Landesherr gerade allen Parteyen ihr öffentliches Recht, ihre freye Religions-
geſellſchaft, bloſs zu dem Endzweck beſchützen
wolle, daſs eben jede Partey ſelbſt ganz unabhäng-
gig, über den Werth und Gehalt ihres Lehrbegriffs, nach eignem Gewiſſen ferner urtheilen,
nicht aber durch Vorſatz oder beſondere Geſinnung ihrer Lehrer um dieſes bisherige Recht gebracht werden ſolle.“ Wirklich iſt dis eine Abſicht, die dem Landesherrn und ſeinen Miniſtern
Ehre macht! Allgemeine Gerechtigkeit gegen die
Unterthanen, auch als Glieder gewiſſer Religionsparteyen betrachtet! Und es bleibt nur die Frage noch
übrig, ob in Sachen, die die Rechte der kirchlichen
Geſellſchaften betreffen, der Staat nicht beſſer thue,
oder gar verpflichtet ſey, die Auffoderung ſolcher
Geſellſchaften zur Beſchützung ihres Lehrbegriffs
zu erwarten, als ſie durch zuvorkommende Verordnungen in Verlegenheit zu ſetzen. So würden
denn alle Beſorgniſſe, welche über das Religionsedict entſtanden, wegfallen, ängſtliche Gemüther
beruhigt, vernünftige Unterſuchung fortgeſetzt,
aber deſpotiſcher Entſcheidung, und Proſelytenmacherey aller Secten ferner Einhalt gethan werden! So ſehr nun auch in manchen, bey Gelegenheit des Edicts herausgekommenen Schriften,
die Beſcheidenheit und Ehrerbietung, welche dem
Regenten und ſeinen Stellvertretern gebühret, ver-
nachläſſigt worden, ſo hat gewiſs der preuſſiſchen Regierung die dabey bewieſene Mäſſigung
und Kälte zur Ehre. Eine ſolche Regierung
kann ſicher allen Debatten beſcheidner Unterſu-
cher über die Nützlichkeit und Zweckmäſſigkeit
neuer, oder neuſcheinender, Verfügungen zuſehn;
das Wohl des Staats und die Würde und Kraft
der Geſetzgebung kann dabey niemals verlieren,
wohl aber oft beträchtlich gewinnen.

BERLIN, b. Maurer: Hiſtoriſch-geographiſch-
politiſcher Verſuch über die Beſitzungen des
türkiſchen Kaiſers in Europa. Aus dem
Franzöſiſchen des Herrn Chevalier du Vernois,
königl.

königl. preuſs. Kammerherrn und Oberhof-
meiſters Ihro königl. Hoheit der Prinzen
Heinrich und *Ludwig*, Söhne Sr. königl. Hoheit des Prinzen *Ferdinands* von Preuſsen.
1788. 320 S. 8. (20 gr)

Das Buch, das uns Hr. Kammerherr du Vernois
aus dem Franzöſiſchen überſetzt liefert, iſt nach
dem vorigen ruſſiſchen Kriege mit den Türken
geſchrieben. Der Vf. deſſelben hielt ſich in den
Jahren 1771 und 72 in Verſailles auf, und fand
Gelegenheit, den Briefwechſel des Freyherrn von
Tott mit dem Bureau der auswärtigen Geſchäfte
zu Geſicht zu bekommen. Er machte Auszüge
daraus, brachte die geſammleten Nachrichten nach
geendigtem Kriege in Ordnung, und verband mit
dem hiſtoriſchen Theile des Buchs eine kurze
Geographie des europäiſchen Theils, hauptſächlich nach dem Büſching, fügte aber beſonders
noch die kriegeriſchen Auftritte hinzu, die ſeit
einigen Jahrhunderten ſich in und bey den be-
ſchriebenen Orten zugetragen haben. Als Officier,
der ſelbſt mehrern Schlachten beygewohnt, und
Kriegswiſſenſchaft und politiſche Kenntniß zu
ſeiner Lieblingsbeſchäftigung gemacht, konnte
er dies alles beſſer erzählen, als ein Unkun-
diger, und eben deshalb war ſein Buch allerdings der Ueberſetzung werth. Es beſteht aus
3 Theilen: 1) Vom ottomanniſchen Reiche überhaupt, und deſſen Beſitzungen in Europa, mit Inbegriff der Krim. 2) Von der gegenwärtigen
Militärverfaſſung des türkiſchen Reichs, und hin-
terher ein allgemeines hiſtoriſches Gemälde von
der Militärverfaſſung des ruſſiſchen Reichs, und
dem ruſſiſchen Seeweſen insbeſondre. 3) Erzählung der wichtigſten Begebenheiten des Krieges
zwiſchen Rußland und der Pforte in den Jahren
1768 bis 1774, des Friedensſchluſſes zu Chiuscuie
Cainardi im Jul. gedachten Jahres, und Manifeſt
der ruſſiſch. Kaiſerin über die Bewegungsgründe,
warum ſie ſich der Krim bemächtigt von 1783.
Der Hr. Ueberſetzer hat hin und wieder einige,
nicht unnützliche, Anmerkungen gemacht. Rec.
vermiſst ſie aber bey einigen ältern Nachrichten
aus der Geſchichte, die der Vf. unrichtig geliefert hat, z. B. gleich anfangs, wo der Urſprung
der Ottomannen erzählt wird. Er leitet ſie von
den Oguziern, einem ſcythiſchen Volke, her, die
gegen das Ende des 13ten Jahrhund. ſich von
den Ufern des Donns an das ſchwarze Meer be-

gaben. Die Oguzier ſind unſtreitig die Uzen,
Ghoaz, oder Comanen, welche Diſchingiſchan
1221 aus *Balck* vertrieb, die nachher auf der
Weſtſeite des Caſpiſchen Meeres wieder erſchienen, und 1230 in die Dienſte Alaeddins, Sultans
von Iconium, traten. Man nennt ſie auch von
ihrem Hauptlande Chorismier. Sogut, ſagt er
weiter, eine kleine Stadt in Myſien, wurde der
Hauptort dieſer neuen Colonnie, die nicht mit
Gewalt fremde Wohnungen auſſuchte. Umgekehrt hatte es das Anſehen, daſs *Saladin*, der
Sultan von Aegypten, *und Beherrſcher von My-*
ſien, dieſe Horden mit Vergnügen aufnahm, weil
er ihnen ſelbſt auf ihr dringendes Anhalten den
Duzalpes, einen gerechten und wachſamen Mann,
zum Fürſten gab. Des Duzalpes Sohn war Or-
thogules: der 1289 ſtarb, und ſeine dem griechiſchen Kaiſer entriſſene Staaten ſeinem Sohn
Othman hinterlieſs. Dieſe Stelle hätte entweder
nicht überſetzt, oder doch wenigſtens berichtigt
werden müſſen. Sogut, bey den Danville Sagut,
bey dem Büſching Seguta, vor Alters Synaus,
welches Elias Habesci als den Geburtsort Oth-
manns angiebt, liegt nicht in Myſien, ſondern in
dem alten Phrygia Epictetus, unweit Eſkiſche-
her, (Dorylaeum), doch grenzte das ihnen ange-
wieſene Land in der Gegend von Ancyra an Myſien. Saladin, Sultan von Aegypten, ein Kurde,
war aber ſchon 1190 geſtorben. Er iſt mit
dem Seldſchuckidiſchen Sultan von Iconium,
Alaeddin, verwechſelt. Dieſer gab dem Ortho-
grul, oder nach dem Habeſci, Ergidrul, einem
Sohn des Soliman Schah, (nicht Duzalpes,) ein Gebiet um Ancyra, und beſtätigte deſſen Sohn Ottmann Begh, in dem Beſitz der ihm überlaſſenen,
und den Griechen entriſſenen Länder. Ottmann
behauptete ſich nach Alaeddins Niederlage und
Vertreibung von den Mogolen in dieſen ſämmtlichen Beſitzungen, und ward, nachdem ſich noch
andre Emirs ihm unterworfen, der Stifter des
Ottomanniſchen Reichs. Dies iſt wenigſtens nach
dem Deguignes die ſelbſt mit den Volksſagen
im meiſten übereinſtimmende Meynung von dem
Urſprung der Türken, die man ſonſt gewöhnlich
für Abkömmlinge der Seldſchiukidiſchen Türken
hält.

KLEINE SCHRIFTEN.

NATURGESCHICHTE. Stockholm, b. Nordſtröm: Muſeum naturalium Grilianum. Söderforsſenſe inſtitutum
anno 1783. et in Catalogo redactum anno 1788. a Pet.
Guſt. Lindroth med. Doct. et Chirurg. Prim. Legion. Upſ.
1788. 71 S. in gr. 4. Dies iſt ein bloſes Namenver-
zeichniſs ohne die geringſte weitere Beſchreibung noch
beygefügte Charaktere der in dem Grilliſchen Naturalienkabinet befindlichen Stücke, in allen von 45 Saugthie-
ren, 285 Vögeln und 567 Schnecken. Von letztern ſind
bloſs die Linneiſchen lat. Namen angeführt, von den
Säugthieren und Vögeln aber gegen einander über in vier
Columnen. 1. Der Linneiſche ſyſtematiſche Name. 2. Der
gewöhnliche Schwediſche Name. 3. Der franzöſiſche Name nach Buffon und 4. der engliſche Name nach La-
tham. Bey einigen iſt in den Noten kurz angezeigt, wo
ſie ſich, beſonders in Schweden, gewöhnlich aufhalten,
ob Linné und andere ſie ſonſt genennt haben, und wo
wem ſie beſchrieben ſind. Das ganze Verzeichniſs hat
alſo für Fremde bloſs dem Nutzen, daraus zu ſehen, welche
Stücke in dieſem Kabinet befindlich ſind, und welche
noch darin fehlen. Unter den vorhandenen ſind doch verſchiedene ſchöne und ſeltene Stücke.

ALLGEMEINE
LITERATUR - ZEITUNG

Sonntags, den 15ten März 1789.

ERDBESCHREIBUNG.

BERLIN, b. Wever: *Neue Quartalſchrift zum Unterricht und zur Unterhaltung aus den neue- ſten und beſten Reiſebeſchreibungen gezogen.* Zweytes u. drittes Stück. 1788. 176 u. 168 S. gr. 8. (20 gr.)

Die hier gelieferten Auszüge betreffen die Sit- ten des polniſchen Adels, die Krimm, die Tatarn der Krimm, den neuen Zuſtand von Tau- rien, Island, Marocco, China, die Liparischen Inſeln, die Mamlucken nach *le Vaſſeur*, de Beau- plan, Baron von Tott, Troil, Uno, Höſit, Son- erat, *Dolomieu* u. *Volney*. Zuletzt folgen Bemer- kungen über den gegenwärtigen Zuſtand der ver- einigten Niederlande aus Briefen eines Reiſenden.

NÜRNBERG, in der Felſeckeriſchen Buchhandl.: *Die Reiſenden für Länder- und Völkerkun- de.* Zweyter Band. 1788. 370 S. ohne Vorre- de. 8. (1 Rthlr.)

„Das Publicum hat den erſten Band nicht ohne allen Beyfall aufgenommen.‟ ſagen die Herausge- ber, und das mag ſeine Richtigkeit haben, daſs ſie aber dem zweyten noch mehr Unterhaltung und Werth gegeben hätten, wie ſie, meynen, können wir keinesweges finden. — Die Auszüge aus fremden Reiſebeſchreibungen, z. B. Poivre, Bartels, Schöpf; wozu dieſe? Wer ſollte nicht beſſer thun dieſe Reiſebeſchreibungen ſelbſt zu leſen? Die eigenen Nachrichten von Leipzig, von Franken, von Schwaben und Bayern und von Jena ſind, dem gröſsten Theile nach ſehr tri- vial, in einem ſchleppenden, langweiligen Tone und oft ſehr fehlerhafter Schreibart erzählt, und das Wahre und Intereſſante davon, meiſtens ſchon aus andern bekannt genug. Da indeſſen der ei- ne unſerer Reiſenden ſo billig iſt, den Jenaiſchen Wein in Schutz zu nehmen, und S. 196 zu verſi- chern: einem Werthheimer Gaumen, dürfte er freylich ein bischen *kratzen*, allein einem andern minder verwöhnten, würde er ganz baſs behagen; ſo wollen wir, wenn die Verfaſſer künftig kein beſſeres Gewächs liefern ſollten, gerne das Reci- procum beobachten, und verſichern, daſs ihre *A. L. Z. 1789. Erſter Band.*

Compilation minder verwöhnten Gaumen, als ein ganz leidlicher *Kratzer* ganz baſs behagen werde.

SCHOENE WISSENSCHAFTEN.

BERLIN u. STRALSUND, b. Lange: *La ſublime Scuola Italiana, ovvero le più eccellenti ope- re di Petrarca, Arioſto, Dante, T. Taſſo, Pulci, Taſſoni, Sannazaro, Chiabrera, Bur- chiello; — Macchiavelli, Boccaccio, Caſa, Varchi, Sperone Speroni, Lollio, Gozzi, Martinelli, Algarotti.* — *Edizione di Giu- ſeppe de' Valenti. — Poeti.* Vol. I-V. *Pro- ſatori,* Vol. I-V. 1785-1788. (Jedes Bänd- chen 20 gr.)

Hr. Lector de' *Valenti* zu Jena macht ſich durch dieſe wohlbeſorgte, correcte, ſauber gedruckte und wohlfeile Handausgabe vorzüglicher italiäni- ſcher Dichter und Proſaiſten ein dankenswerthes Verdienſt um die Liebhaber der italiäniſchen Li- teratur in Deutſchland. Man hat auch Urſache aus der bereits zu dieſer Anzahl geſtiegenen Fol- ge von Bänden, auf den Beyfall und die Unter- ſtützung zu ſchlieſſen, welchen die Unternehmung erhält, und der, nach einem ſo guten Ausfall derſel- ben noch immer zunehmen wird. Von Dichtern ſind in obigen Bänden enthalten die *Rime* und *Trionfi* von *Petrarca*, der *Orlando furioſo* des *Arioſto*, und von der *divina Commedia* des *Dante* die er- ſte Cantica, oder das Gedicht dell' *Inferno*. Von den Proſaiſten, *Macchiaveli's* drey Bücher *ſopra la Prima deca di Livio*; das Buch del *Principe*; ſeine *Iſtorie Fiorentine*, nebſt einigen kleinern Auffſätzen deſſelben; endlich das *Decameron* des *Boccaccio*; bis auf die ſechſte *Giornata*. Jedem Autor ſind kurze Nachrichten ſein Leben und Schriften betreffend, vorgeſetzt.

BERLIN, b. Maurer: *Remarques ſur les oeuvres de Boileau Deſpréaux, redigées par Mr. l'Abbé de Renaudot et M. de Valincour de l'akadémie françoiſe.* 1788. (Ladenpreis 12 gr. für die Prünumeranten 8 gr.)

Ebendaselbſt: *Oeuvres de Molière.* Tom. I - IV. 1788. 1789. (Ladenpreis 2 Rthlr. Prän. Preis 1 Rthlr. 16 gr.)

Der Verleger ſetzt dieſe Sammlung mit immer gleicher Richtigkeit und Zierlichkeit des Drucks fort. Die *Remarques* zu *Boileau* ſind den Leſern dieſes Dichters unentbehrlich. Zu den Werken des *Moliere* iſt ſeine Lebensbeſchreibung von Voltaire eine angenehme Beylage.

BERLIN, b. Himburg: *Die Rupie.* Mit eingeſtreuten aſiatiſchen und europäiſchen Anekdoten, nebſt einigen Nachrichten von dem *Leben des Verfaſſers und deſſen Betrachtungen über die Afrikaner.* 1789. 184 S. 8. (16 gr.)

Auf einen ſonſt mehrmals gebrauchten Grundfaden, nemlich den Umlauf eines Geldſtücks durch die Hände mehrerer Perſonen, hat der Verf. Hr. *Helenus Scot* in dieſer Novelle mancherley Begebenheiten aufgereihet, die ſich auch in dieſer Ueberſetzung des Hn. *Reichel* 'ganz' wohl leſen laſſen, Die auf dem Titel genannten Zugaben werden manchem angenehm ſeyn, der auch nicht alle die Schönheiten in der Novelle ſelbſt finden ſollte, welche ihr der Ueberſetzer beylegt.

VERMISCHTE SCHRIFTEN.

LEIPZIG, in der Weidmanniſchen Buchhandl.: *Beyträge zur Beruhigung und Aufklärung über diejenigen Dinge, die dem Menſchen unangenehm ſind oder ſeyn können, und zur nähern Kenntniß der leidenden Menſchheit.* Herausgegeben von *Johann Samuel Feſt,* Prediger zu Hayn u. Kreudnitz unweit Leipzig. 1788. 219 S. gr. 8. (10 gr.)

Der Plan, den ſich der würdige Vf. für dieſe Beyträge vorgezeichnet hat, iſt überaus menſchenfreundlich und wohlüberdacht. Jedes Stück ſoll aus vier Abtheilungen beſtehen. Die erſte ſoll Abhandlung über die auf dem Titel angezeigten Gegenſtände enthalten, die für Leidende, wirkliche und eingebildete, auch für diejenigen, die gern über ernſthafte Lagen des menſchlichen Lebens nachdenken wollen, intereſſant ſeyn, und zur Weisheit des Lebens in Rückſicht auf Freude und Schmerz etwas beytragen können; die zweyte Nachrichten von getröſteten Leidenden, oder glücklich geendigten traurigen Schickſalen; die dritte von Uebeln die noch nicht gehoben ſind, auch Correſpondenz für Leidende aller Art; die vierte Anzeigen und Auszüge ſolcher Bücher, die inſonderheit Leidenden Unterhaltung verſprechen. Das erſte Stück liefert bereits Proben zu jeder dieſer Abtheilungen. — Zur erſten gehört eine leſenswürdige Abhandlung über: die gewöhnlichſten Methoden ſich und andere zu beruhigen. Zur zweyten, die wirklich überaus rührende Ge-

ſchichte von den Schickſalen des Färbers *Hoppe* zu Bernſtadt in der Oberlauſitz; zur dritten eine Krankheitsgeſchichte, und Nachricht von den traurigen Schickſalen und Umſtänden eines evangeliſchen Predigers auf dem Hundsrück; zur vierten ein raiſonnirter Auszug aus Hn. *Weishaupts* Apologie des Misvergnügens. Man hat alle Urſache von dieſer Schrift nicht nur viel nützliche Belehrung zu erwarten, ſondern auch zu hoffen, daß ſie manche edle Wohlthat erwecken, und manches Kummers Linderung veranlaſſen werde.

BERLIN, in der königl. akadem. Kunſt- und Buchhandl.: *Hiſtoriſch, politiſche und kritiſche Briefe aus dem letzten Jahrzehend.* Geſammelt und herausgegeben von einem Gelehrten, der von keiner einzigen Akademie Mitglied iſt, noch von irgend einem Könige, Freyſtaat, Vezier oder Miniſter beſoldet wird. Aus dem Franzöſiſchen. *Erſter Band.* 1788. 450 S. 8. (1 Rthlr. 6 gr.)

Der gröſte Theil dieſer Briefe betrifft den bayriſchen Erbfolgekrieg, und die mit demſelben gleichzeitig laufenden Begebenheiten des franzöſiſchen Kabinets und der franzöſ. Flotte. Die Urheber der Briefe ſind nicht genannt. Von Sachen, die ſich auf Literatur beziehen, kommt wenig vor. Das Intereſſanteſte iſt, was von Voltaire's und Rouſſeau's Lebensende erzählt wird. Sonſt werden dieſe Briefe von vielen mit Vergnügen geleſen werden, nur von denen nicht immer, welche es mit der Beglaubigung erzählter Thatſachen etwas genau nehmen. Man möchte zum Beyſpiel gerne wiſſen, wie viel von den hier erzählten Verhältniſſen zwiſchen Necker und dem Marquis von Peſay wahr ſey; da man aber den Referenten nicht kennt, ſo iſt es unmöglich zu einem Urtheil darüber zu kommen.

BERLIN, b. Maurer. In dieſem Verlage ſetzt Hr. Oberconſiſtorialrath *Zöllner* ſeine *wöchentlichen Unterhaltungen über die Erde und ihre Bewohner* noch immer fort, und iſt im vor. J. bis zum neunten Bande des fünften Jahrganges fortgerückt. Das *Etwas aus der Philoſophie des Lebens* erfüllte die Erwartungen, welche ſeine Auffchrift erregt, und daß der Verf. ſeinen Leſern nicht bloß die Wahrheit ſich zu amüſiren zutraue, beweiſet der Auffatz über die ſpeculative Philoſophie.

NÜRNBERG, b. Grattenauer: *Auserleſene Briefe an ein Frauenzimmer vom Stande über verſchiedene kritiſche, wiſſenſchaftliche und kurzweilige Gegenſtände,* von *Peter Chiari.* Aus dem Italiäniſchen, mit Anmerkungen des Ueberſetzers. 1788. 507 S. 8. (1 Rthlr.)

Die Briefe ſelbſt, deren dieſer erſte Band dreyſig enthält, ſind von ſehr ungleichem Inhalte,

und die meisten dürften für Frauenzimmer, wes Standes sie auch seyn möchten, eher langweilig, als kurzweilig seyn. Der Anmerkungen des Ueberletzers sind sehr wenig, und sie erläutern meistentheils einige Anspielungen des Vf., hauptsächlich auf *Costantini*.

Prag, b. Diesbach: *Der satyrische Biedermann.* Eine Wochenschrift. *Erstes Heft.* 1788. 238 S. 8. (14 gr.)

„So oft ich einen Tanzbären sehen werde, so zieh ich meinen Hut tief vor ihm ab! Denn das arme Thier bemüht sich aufrecht zu gehen, wie der Mensch, und der Mensch bemüht sich zu kriechen wie ein Bär. In Kalabrien musste es vor einigen Jahren doch recht lustig gewesen seyn — da sind die Leute doch einmal umsonst begraben worden. Wer hätte aber geglaubt, dass erst ein Erdbeben dazu nöthig wäre. Ich freue mich auf den jüngsten Tag; denn allgemeine Revolutionen sind besser als keine!" — So hebt der satyrische Biedermann am 17ten May seine Sprüche an. Hat jemand Lust ihm weiter zuzuhören, der weiss ihn unt obiger Anzeige zu finden.

Bernburg, bey Starke und Bergmann: *Reden und Betrachtungen über Gegenstände der Natur, der Wissenschaften und Sittenlehre, zum Gebrauch junger Leute auf Schulen.* Herausgegeben von *Joh. Christ. Friedr. Krohne,* Rector der Schule zu Bernburg. Erste Samml. 1788. 246 S. 8. (12 gr.)

Es sind Schulreden, welche Hr. K. bey öffentlichen Redeübungen von ältern und jüngern Schülern hat vortragen lassen, und die er nach dem Beyspiel des Hn. Rector Willenbucher in Brandenburg in der Absicht drucken liess, um jungen Leuten eine nützliche Unterhaltung, und manchen Lehrern, welche bey öffentlichen oder besondern Redeübungen bisweilen mehr Vorträge bedürfen, als sie selbst auszuarbeiten Zeit oder Stimmung haben, eine Beyhülfe zu verschaffen. Dem ersten Fall abzuhelfen fehlt es nun wohl nicht an andern Mitteln; wo aber der zweyte eintritt, (der doch unsrer Meynung nach nicht oft eintreten sollte, da ja Uebungen der Declamation nicht neue Ausarbeitungen seyn dürfen) da können diese Reden mit Nutzen gebraucht werden, da die meisten Themata, allenfalls das zweyte ausgenommen, fasslich und den Jugendkräften angemessen, die Ausarbeitung aber zwar nicht mustermäsig, aber doch zu dem obigen Zwecke gut genug ist. Das zweyte Thema lautet also: dass verschiedene Dinge, auf ihren höchsten Grad getrieben, sich eben so verhalten, als wenn sie gar nicht vorhanden wären, oder eben solche Wirkungen äussern, als wenn ihnen die Eigenschaften von den ihnen entgegen gesetzten Dingen zukämen.

Wittenberg, b. Kühne: *Briefe der Frau Gräfin von L*** an den Hrn. Gräfen von K.* Aus dem Französ. 1788. 160 S. 8. (20. gr)

„Denjenigen Personen, denen alles werth ist, was aus dem schönen Jahrhundert Ludwig des Vierzehnten herstammt, wird die Bekanntmachug dieser Briefe vielleicht *einiges* Vergnügen machen." Gewiss der bitterste Tadel eines Recensenten könnte nicht mehr schaden, als dieses in der That *höchst bescheidne* Lob des Herausgebers. Der deutsche Ausdruck ist schleppend und steif. Z. B. S. 131. da mein Brief geschrieben war, fodere ich einen Wachsstock von ihm zuzusiegeln, *welches ich auch thue.* Der Wachsstock steht auf seinem Platze, und *ohne Zeit zu haben,* einen Schrey auszustoßen, sah ich mich angezündet, aber auf so eine Art, dass die Flammen über mein Gesicht zusammenschlugen. Meine Stieftochter *ohne* sich damit aufzuhalten, zu klingeln, oder zu schreyen, wirft sich über mich her, etc. Am Schlusse steht: Ende des ersten Theils. Vielleicht erspart sich der Verleger den Anfang und das Ende des zweyten.

Gräz, b. Henning: *Der Volksfreund aus Voigtland.* Für Menschenglück. *Erstes bis achtes Stück.* 1788. (den Jahrgang 15 gr.)

Jeden Monat kommen von dieser für den gemeinen Mann bestimmten Schrift zwey Bogen heraus. Sie ist ein zu dieser Absicht ganz gut angelegtes Allerley.

Weissenfels, b. Severin: *Wahrheit und wahrscheinliche Dichtung.* Ein unterhaltendes Wochenblatt für den Bürger und Landmann. Aufs Jahr 1788. 414 S. 4. (21 gr.)

Hat mit dem vorhergehenden einerley Absicht, aber ungleich mehr Mannigfaltigkeit.

Leipzig, b. Schwickert: *Ueber die Großmuth.* 1788. 220 S. 8. (15 gr.)

In der Einleitung untersucht der Vf. was physisch, logisch, historisch, politisch, moralisch grofs sey; erklärt die Grofsmuth, und erzählt ihre Zweige. Zu diesen rechnet er den grofsmüthigen Tod fürs Vaterland, für Nothleidende, und Hülfsbedürftige, für die Wahrheit, für Feinde: ferner, die Grofsmuth gegen Ehre und Herrschaft, und gegen die Feinde; grofsmüthige Standhaftigkeit in Schmerzen, Gefahren und Unglück, grofsmüthige Uneigennützigkeit und Freygebigkeit, Enthaltsamkeit, Rechtschaffenheit, Treue, Stolz; grofsmüthige Gerechtigkeits- u. Wahrheitsliebe, grofsmüthige Dankbarkeit, eheliche, brüderliche, kindliche Liebe. Des ersten Theils erster Abschnitt, (mehrere enthält das Buch nicht,) handelt blofs vom grofsmüthigen Tode. Der Verf. hat aus allerley Büchern historischen und philosophischen, Collectaneen gemacht, und diese durch

Betrachtungen zusammengehängt, welche nirgends verrathen, daß er sich seines Stoffes bemächtigt hätte. Man findet überall bald unnütze Abschweifungen, bald zwecklose Declamationen. Der Stil selbst ist sehr ungleichförmig; und bey vielen Stellen war dem Recensenten gerade

so zu Muthe, als ob er eine apathodaemische Curie läse. Wem indeß ein jedes moralisches Geles behagt, ohne von dem Verfasser desselben Gründlichkeit der Zergliederung und Kunst der Composition zu fodern, der wird aus diesem Büchlein manche gute Gedanken herauslesen.

KLEINE SCHRIFTEN.

VERMISCHTE SCHRIFTEN. *Leipzig*, b. Crusius: *Unterricht in der Orthographie für Frauenzimmer und Ungelehrte.* 152 S. 8. Wie viel Geschick dieser Vf. habe, Regeln abzufassen, mögen einige Beyspiele zeigen: S. 16. „Mit einem großen Buchstaben werden angefangen: Erste Regel: *alle Werke Gottes, Himmel, Erde, Luft,* desgleichen *alle Thiere in der Luft, u. s. w."* u. nun folgen noch 13 Fälle, als 11) die fünf Sinne des Menschen, 12) die Glieder des Körpers, 13) die Eingeweide. In der Anmerkung heißt es: *diejenigen Farben, bey welchen man erst die Farbe hinzudenken muß, werden mit einem kleinen Buchstaben angefangen.* Wenn in dieser Regel Verstand seyn soll, so muß man ihn gewiß erst hinzudenken. Das Verzeichniß fremder Wörter, die ins Deutsche aufgenommen seyn sollen, enthält zehn gegen eins, die noch keinem Menschen aufzunehmen, eingefallen sind, als einem Deutschfranzosen, und werden zum Theil sonderbar genug geschrieben, und erklärt z. B. statt Kommandanten, schreibt er Kotomandanten; warum nicht lieber gar, wie wir es einmal geschrieben fanden, *rothe Mandaten!* Bey Chocolade steht die Erklärung; *ein Narren, Trunk.* Wir wissen nicht, ob der Vf. damit habe sagen wollen, daß alle Feinde der Schocolade kluge Leute sind, oder ob er sich etwa einbildet, daß niemand Schokolade trinke als Er!

Frankfurt und Leipzig: Ueber Hierarchie und Preßfreyheit; oder Beantwortung der Frage: thun katholische Reichsfürsten wohl daran, wenn sie in ihren Staaten die Preßfreyheit begünstigen? 39 S. 8. (2 gr.) Hier werden die bekannten Gründe der wohlthätigen Folgen der Preßfreyheit ausgeführt; aber eine besondere Anwendung davon auf das Eigenthümliche der Staaten katholischer Reichsfürsten, welche den Titel erwarten läßt, findet sich nicht.

Zittau u. Leipzig, b. Schöps: Ehrenrettung Zittau's, wider einen verk. Reisenden. Eine Beylage zu dem 2ten u. 3ten Th. der neuen Reisebemerk. in und über Deutschl. 1788. 36 S. 8. (2 gr.) Der Bemerker mag es verantworten, daß er eine Anekdote von dem Thürmer auf dem Thurm des ausgebrannten Rathhauses erzählt hat, der nach S. 6. niemals einen Thürmer, z nicht einmal eine Wohnung für einen Thürmer gehabt hat. Wen er also in diesen und andern Punkten Zittau betreffend irre geführt hat, kann sich durch diese Bogen wieder zurechtweisen lassen. Es trifft nur allzu oft bey solchen Reisenden ein; *grand observateur, grand menteur!*

Nürnberg, in der Raspischen Buchhandl.: Neueste Modetrachten für Herren und Frauenzimmer. Erste Sammlung. 3 Bogen Text, und 24 Kupfer. 1788. (2 thle. 16 gr.) Sind fast alle schon im Journal des Luxus und der Moden da gewesen.

Berlin, in der Realschule: Die Sonne und die Knaben, oder der Betrug der Naturalisten; eine Erzählung mit Anmerkungen. 1788. 29 S. 8. (2 gr.) Der Vf. meint es herzlich gut, dies darf uns aber nicht hindern, zu bekennen, daß wie seine Verse (die Erzählung ist in Versen) für platte Reimereyen, und seine Anmerkungen für sehr trivial halten. Wir geben in der Hochachtung gegen die Wahrheit der heil. Schrift dem Vf. gewiß nichts nach; aber sie gebietet nirgends, daß man Verse

machen soll, wenn man keine machen kann; noch weniger verlangt sie daß man dem guten Willen zu lieb dem guten Geschmack verlaugnen solle. Die Erzählung beschließt also:

> Wenn Schrift uns scheint, muß man nicht spielen
> Sonst wird man gleich die Wirkung fühlen,
> Die uns zur Daseyn lästig macht
> Dann sinkt man bald in finstre Nacht
> Seyd thöricht sie von euch zu treiben
> Die Schrift wird ewig Sonne bleiben.

Bey dem ersten dieser Verse steht folgende Note: *Wer mit Gottes Wort nicht ernstlich meint, der wird nur ärger dadurch.*

Ohne Meldung des Druckorts: *Das abscheulichste und doch zugleich nützlichste Buch unter allen, die wir den Aufklärern unsers Jahrhunderts zu verdanken haben.* 1788. 72 S. 8. (4 gr.) Die so sonderbar charakterisirte Schrift, gegen welche der Vf. hier zu Felde zieht, ist der von einem Ungenannten 1788. herausgegebene: *Erweis des himmelweiten Unterschiedes der Moral von der Religion u. s. w.* So wenig wir die Sätze desselben alle unterschreiben möchten, so sehr sind wir doch überzeugt, daß diese Gegenschrift höchst entbehrlich ist, nichts von dem Tone zu sagen, den man aus dem Titel schon errathen wird.

Frankfurt und Leipzig: Lichtvolle Gedanken eines selbständigen Freundes der ächten Aufklärung, über drey vielleicht wichtige Gegenstände. I. über die Buchstaben an den Hüten der Großen. II. über die heutige Erziehung junger Geistlichen. III. über den Stift und Ordensgeistlichen in einem Parabole. 126 S. 8. (4 gr.) Man klagt insgemein, sagt der Vf. 113. und überlaut, daß so viele elende und dumme Köpfe in den Klöstern gefunden werden. Würde ich Sinnes die Mönche zu vertheidigen, so wollte ich sagen: der Mönch brauche eben als Mönch kein Staatsmann, kein Belletrist zu seyn, wenn er nur fromm ist, Der Sohn Gottes hat die Geheimnisse des Reiches Gottes eben den Kleinen, das ist den Demüthigen, den in Spitzfindigkeiten der weltlichen Künste und Wissenschaften unerfahrnen geoffenbaret. Ja die ewige Weisheit trägt ein besonderes Belieben daran mit den Einfältigen Sprache zu halten. Nun die Einfaltspinsel darf man ja doch auch nicht todtschlagen! Wohl dann für den Staat, der so noch auf die beste Art eines für ihn unschädlichen Gliedes entlarvet ist." Nach diesem herrlichen Argumente, per figuram praeteritionis angebracht, hält sich der Vf. damit, als verschichert, es sey bey dem Stiftsgeistlichen um nichts besser. Von den großen Haufen der Zöglinge der geistlichen Seminarien giebt er folgendes Gemälde (S. 85.) Da springen die Petitmäkterchen über die Gassen, wie Stutzer, wenn sie auf die Mädchensjagd ausgehen; der Huth modemäßig aufgeschnabbet, das Haar ängstig gekrauset und eingelimbet, der Mantel nachlässig und schmachtend über die Achseln, das Auge an den Fenstern, die Hände mit Zuwinkung zärtlicher Begrüßungen, den Mund auf einen zugeworfenen Kuß gespitzt! Pfui solcher Pfäffchen!" Wenn der Jesuitenfreund nicht zuweilen gar deutlich hervorsähe, so sollte man die ganze Schrift eher für Ironie als für Ernst halten.

ALLGEMEINE
LITERATUR - ZEITUNG.

Montags, den 16ten März 1789.

NATURGESCHICHTE

STOCKHOLM, aus der königl. Druckerey: *Museum Carlsonianum, in quo novas et selectas Aves, coloribus ad vivum brevique descriptione illustratas, suasu et sumtibus Generosissimi Possessoris exhibet Andr. Sparrman, M. D. et Prof. Reg. Acad. Scient. Stockh. Musei Praefect. ejusd. Acad. ut et Societ. Physiograph. Lund. Scient. ac Litt. Gothob; Hessi Homb. Membr.* Fasciculus III. 1788. 25 illum. Kupfertaf. und eben so viel Blätter Text in gr. Fol. (10 Rthlr.)

Die Einrichtung, die Abbildung der Vögel, und die kurze beygefügte Beschreibung derselben, ist eben so, wie bey den vorigen Heften. Die hier diesmal gelieferten Vögel sind: 1) *Strix arctica*, hält sich in den nördlichen schwed. Provinzen auf, und ist von Hn. Grill aus dessen Cabinet zu Söderfors mitgetheilt worden. 2) *Psittacus albifrons.* 3) *Corvus Pica.* Diese Abart ist von Brissons Pica candida sehr verschieden. Man hat viele derselben im J. 1787 in Tawasthus, um die Zeit, wenn sich diese Vögel dort gewöhnlich einfinden, gesehen. Hr. Pr. Hellenius zu Åbo hat dem Besitzer dieses Exemplar zugesandt, und er vermuthet, dass dessen rothe Augen, hässlicherer Körper, und dass er weniger Federn als sonst gehabt, eine Art Krankheit bey ihm zu erkennen geben. 4) *Gracula glauca.* 5) *Certhia ignobilis.* 6) *Certhia Bartholemica*, von Hn. Fahlberg, der sich dort eine Zeitlang aufgehalten, mitgetheilt. 7) *Certhia scarlatina*; Sie hat einige Aehnlichkeit mit der Certhia Chalybea, und ist vielleicht eine *varietas sexus.* 8) *Certhia polita.* 9) *Anas alandica*, von der Insel Aland, von Hn. D. Lindroth. 10) *Pelecanus capensis*; unterscheidet sich besonders durch den gelben Hals vom Pel. graculus, und wird in einem Meerbusen des Vorgebirges der guten Hofnung gefunden. 11) *Sterna caspica*; man findet sie an den Seeufern Südermannlands. 12) *Sterna nubilosa*, aus Finnland, von Hn. Gröndahl eingesandt. 13) *Phasianus cristatus*, soll sich auf der Insel Celebes aufhalten, und ist von der Halbinsel

A. L. Z. 1789. Erster Band.

Macao von Hn. *Maul*, dem Besitzer dieses vortreflichen Cabinets zum Geschenk gesandt worden. 14) *Tetrao Tetrix, mas*, eine aus Norrland vom Hn. Secretär Törnros eingeschickte Abart vom Birkhahn. 15) *Tetrao Tetrix, femina*, auch eine Abart des dazu gehörigen Birkhuhns, die Hr. D. u. Assess. Blom bey Hedemora gefangen, und schon in den Abhandl. der Akad. der Wiss. zu Stockh. im J. 1785 S. 231 ausführlicher beschrieben hat. 16) *Columba bantanensis.* Eine kleine Taube, die in den Palmwäldern bey Bantam, auf der Insel Java ihre melancholischen Töne erschallen lässt, von woher sie Hr. Lect. u. D. Hornstedt mitgebracht hat. Sie wird beschrieben: Col. bantanens., *cauda cuneata, orbitis denudatis carneis, pectore hypochondriisque albo nigroque undulatis.* 17) *Turdus minutus*, und 18) *Turdus australis*; letzterer aus Neuseeland. 19) *Ampelis luteus.* 20) *Loxia hypoxantha; flavicans superciliisque luteis, remigibus rectricibusque nigris margine flavescentibus;* in den Reisfeldern auf Sumatra, von Hn. D. Hornstedt gefangen. 21) *Loxia prasina, Mas, viridi – olevacea, subtus cano – flavicans, uropygio rubro, pedibus flavis;* und 22) *Loxia prasina, femina* beide aus der Insel Java, vom Hn. D. Hornstedt. 23) *Muscicapa alba*, hält sich um Stockholm auf, von Hn. D. Billing. 24) *Muscicapa javanica*, von Hn. D. Hornstedt. Und hiezu kommt noch 25), den wir oben unter No. 5 anzuzeigen übersehen haben: *Cuculus hepaticus, supra brunneo nigroque undulatus, uropygio ferrugineo, rostro, alarum apicibus, caudaque fasciis nigris, subtus albicans nigroque undulatus, pedibus flavis.*

STUTGART, b. Mezler: *Flora oder Nachrichten von merkwürdigen Blumen.* IIter Heft mit zwey gemalten Tabellen. 1788. 8. von S. 39 bis 72. (16 gr.)

Die Merkwürdigkeit, von welcher hier die Rede ist, bezieht sich bloss auf Blumisten. Im gegenwärtigen Hefte werden, wie schon im ersten, die Nelken und Aurikeln betrachtet, auch wird die Fortsetzung von beiden für das nächste Stück versprochen. Gleich im Anfang werden einige hocherhobne Nelkenvarietäten etwas heruntergesetzt, weil sie – so leicht in schlechtere ausar-

Oooo

ten. Andre verändern fich zwar auch, aber zu
ihrem Vortheil. In den Ablegern ftellen fich die
Farben zuweilen wieder her, die an dem Haupt-
ftocke zu vergehen anfingen. Hierauf folgt eine
Claffification der Nelken mit einigen Beurtheilungen derfelben, und eine Befchreibung der fchönen Arten, von denen einzelne Blätter auf der
erften Tafel abgebildet find. Das nemliche gefchieht auch bey den Aurikeln, wovon einige Beyfpiele auf der zweyten Tafel vorkommen. Alle
diefe Dinge könnten vernünftig und aufmerkfam behandelt, aufser dem Vergnügen der Abwechslung, auch dazu dienen, dem Gange der
Natur in den Ausartungen nachzufpüren, und
die Grenzen zwifchen Regel und Zufall, wenigftens fo viel als möglich, zu finden. Die Tafeln find fauber, aber blofs aus freyer Hand gemalt, und da das Laub nunmehr weggelaffen
worden, werden ftatt vier Blumen fechs auf jeder
abgebildet. Der Vortrag in diefen Heften ift
gut, und nicht blumiftifch abentheuerlich. Nur
hin und wieder kommen einige Provincialismen
und befondre Ausdrücke vor, wie ferndige Flor,
befitzende Blume u. d. gl.

Draisden und Leipzig, b. Breitkopf: *Briefe
über das Karlsbad und die Naturprodukte der
dortigen Gegend.* Mit einem (Titel) Kupfer.
1788. 112 S. 8. (12 gr.)

Unter der Dedication nennt fich der Hr. Baron
v. Racknitz als den Verfaffer diefer Briefe, die
mit vielem Beyfall aufgenommen worden find.
Der Hr. Vf. fpricht durchgehends mit der gröfsten Befcheidenheit von feiner Arbeit. Er
communicirte fie vor dem Druck mehrern fähi-
gen und berühmten Mineralogen, die durch un-
tergefetzte Noten ihren Inhalt theils vollftändiger
machten, theils auch berichtigten. Der Kürze
wegen übergehen wir hier alles, was das Mineralifche jener Gegend nicht unmittelbar angehet.
Als die Urfach der Erhitzung des dortigen Waffers wird S. 31 folgendes angegeben. Die Gebirge der Gegend enthielten viel Kiefe, (wahrfcheinlich Schwefelkiefe) welche von alkalifchen
Waffern aufgelöft würden. Bey diefer Auflöfung
vereinigen fich die Eifentheile, nebft der Vitriol-
fäure mit dem Waffer, und hieraus entftünde Fer-
mentation, und ferner Erhitzung, wobey auch
die Luftfäure in dem Karlsbader Waffer entwickelt
würde. Ferner bemerkt er, dafs aus der Verbindung des alkalifchen Waffers mit dem auf-
gelöften Schwefelkiefe das Glauberfalz entftehe, und daher zugleich auch der Eifengehalt
komme. In der Folge ftellt der Hr. Vf. felbft Zweifel wider diefe Meynung auf, und giebt S. 35 zu
erkennen, dafs auch die Urfach, die die ehemaligen Vulkane und Pfeudovulkane diefer Gegend zur Exiftenz gebracht hätte, vielleicht in
ihrem Innern noch fortwirken, und die Erhitzung

des Waffers veranlaffen könnte. Beide Meynungen liefen fich aber vereinigen, und es könnte
vielleicht eine Urfach feyn, die ehedem die vul-
kanifchen Erfcheinungen hervorbrachte, und die
gegenwärtig noch das dortige Waffer in einem
fo hohen Grade erhitzt. Wenn aber der Hr. v. R,
von der Exiftenz ehemaliger Vulkane überzeugt
ift, und hinlänglichen Grund dazu hat, fo könnte
er der fogenannten Pfeudovulkane füglich entübriget feyn. Warum follen ungezweifelte Wirkungen des Feuers durch dergleichen abfichtliche
Subtilitäten in Zweydeutigkeit erhalten werden?
Die zuletzt angeführte Meynung wird durch eingefchaltete Briefe von Hn. Schmidt u. Scheuchler,
fo wie auch in einer ausführlichen Note von Hn.
D. Titius bekräftiget. Der vierte Brief enthält
ein Verzeichnifs der Gebirgsarten um Karlsbad,
von denen der Granit die herrfchende ift. Es
wird im allgemeinen weitläuftig von demfelben
gehandelt, befonders auch von feinem hohen Alter, obwohl S. 50 auch angeführt wird, dafs einige einen Granit von neuerer Entftehung gefehen haben
wollten, der weich wie Thon gewefen, und ftu-
fenweis an Härte zugenommen hätte, woran aber
der Hr. v. R. fo wenig als Rec. zu glauben
fcheint. Nicht von diefem Granitbrey, fondern
von dem wahren Granit wird S. 52 noch angeführt, dafs die meiften Phyfiker itzt darinnen über-
einftimmten, dafs er durch Cryftallifation entftanden fey. S. 65 wird einer Steinart erwähnt, die
vom Verf. porphyrartiges Geftein oder Brand-
fchiefer, von Hn. Titius aber in der Note, Schieferthon genennt wird. Da aber nur Holzkohlen
als ein Gemengtheil deffelben angegeben worden, fo läfst fich nicht errathen, was für eine Bewandnifs es damit haben durfte. Der fünfte Br.
enthält eine Befchreibung der Karlsbader Sinter-
und Erbfenfteine, und eine fehr richtige Beurtheilung über die Entftehungsart beider. Im fechften werden die Naturprodukte des Feuers aufgeführt, worunter eine poröfe Granitfchlacke mit
calcinirten Feldfpath, derbe Schlacke, gefloffene
und derbe eifenfchüffige Schlacke, zu blaulicht-
grauem Jafpis gebrannte eifenhaltige Thonerde,
gebrannte eifenfchüffige Thonerde und Bafalt gerechnet werden. Nur der letztere wird für vulkanifch, die vorftehenden aber für Produkte eines Erdbrandes gehalten. Auf diefe Briefe folgt
zum Schlufs noch eine kurze Abhandlung über
das fogenannte verfteinerte Holz, worinnen unterfucht wird, auf welche Art daffelbe im Innern
der Erde entftehen kann. Hr. v. R. hält dafur,
dafs circulirende Flüffigkeiten ihre mineralifchen
Theile nach und nach an die Stellen der aufgelö-
ften Holztheilchen abfetzten, und endlich den
Raum ganz ausfüllten, den vorhin das wirkliche
Holz einnahm, wobey jedoch von den vegetabilifchen Beftandtheilen des Holzes nichts übrig bliebe, als etwa die Grunderde deffelben.

ERDBESCHREIBUNG.

Leipzig, b. Weygand: Des Hn. Thiery de
Menonville Reife nach Guaxaca in Neufpa-
nien. Ueberfetzt von Bibliothekar Reichard.
264 S. 8.

Das Original diefer Reifen kam durch Beförderung der ökonomifchen Gefellfchaft der Philadelphen am Cap auf S. Domingo, fchon 1787. zu
Paris (nicht zu Cap François, wie der Titel zu fagen fcheint und der Ueberfetzer ihm glaubt) bey
Delalain in 2 Octavbänden unter dem Titel Traité de la Culture du Nopal et de l'Education de
la Cochenille dans les colonies Françoifes de l'A-
mérique, precedé d'un voyage a Guaxaca heraus.
Blofs die zweyte Hälfte des erften Bandes erfcheint hier überfetzt, welche zwar nicht den er-
heblichften, aber doch den für die meiften Lefer unterhaltendften des Buchs ausmacht; doch
auch von diefem ift alles zum Tagebuche der
Schiffreife und zugleich einiges zur Naturhiftorie
der Seethiere und Fifche gehörige weggelaffen
worden. Thiery Parlaments Advokat und königl.
Botaniker wurde 1776 von den französifchen Minifterium mit Gelde (denn mehr durfte man nicht
wagen) unterftützt, nach Mexico gefandt, um einen von ihm vorgefchlagenen Plan auszuführen,
nemlich die Nopalpflanze und die auf derfelben lebende Kofchenille nach den franz. Infeln zu bringen.
Er gieng über Havana nach Veracruz. Als ihm hier
der von Statthalter erhaltene Pafs zur Reife nach der
Hauptftadt wieder genommen wurde, wagte er es
dennoch heimlich und zwar meift zu Fufse die Reife nach Guaxaca allein zu unternehmen, um die
Kultur der Pflanze und die Generation der Kofchenille an Ort und Stelle zu beobachten. Er fpielte
die Rolle eines Arztes und Botanikers, wufste
fich heimlich Nopalzweige mit den koftbaren Infecten darauf zu verfchaffen, woraus er feinem
Vorgeben nach Pflafter wider das Podagra machen
wollte. Er fammlete noch mehr Kräuter, Sämereyen und Gewächfe, worunter die Jalappa, die
Vanille, und der ächte Guatimala-Indigo, befonders wichtig waren, und brachte feine Käften
nach Vera-Cruz, von wo da, obwohl alles nicht
ohne Gefahr auf einem nach S. Francois gehenden Schiffe felbft nach S. Domingo. Er verfuchte die Fortpflanzung des Infekts, wie Raynal
verfichert mit grofsem Eifer im königl. Garten
zu Port-au Prince, allein es ift nur mit der wilden, nicht mit der Cochenille fine oder der ächten gelungen; denn Thiery ftarb fchon 1780 in
traurigen Umftänden und der Infel. Da feine Reife von Vera Cruz nach Guaxaca (hin und her 200
Lieues) nur 10 Tage gedauert hat, fo kann man
wohl wenig genaues und umftändliches erwarten.
Es ift aber um fo mehr zu bedauern, dafs Th.
nicht länger in dem uns fo unbekannten Lande
lebte, da er fich als einen hellen Kopf und guten Beobachter der Naturbefchaffenheit, des An-

baues der Produkte, der Einwohner, ihrer Sitten und der Regierung diefes merkwürdigen Landes bewährt, und das Gefehene mit Genauigkeit
aufzeichnet und angenehm befchreibt. Da er feine Reifebefchreibung nicht zum Druck fertig machte (ein Unbekannter lieferte den Philadelphen das
Manufcript der Reifebefchreibung) fo lernt man
ihn vielleicht eben dadurch noch beffer kennen.
Sie fteht im erften Bande des Buchs, wiewohl mit
zwey Lücken; (davon doch die eine mit bekannten Nachrichten ausgefüllt zu feyn fcheint) die aber
erft im zweyten Bande, da fich das Mfcpt. fand,
gehörig ergänzt wurden. Der deutfche Ueberfetzer hat die ächten Stellen am gehörigen Orte
eingerückt, und die eine wahrfcheinlich unterge-
fchobene weggelaffen.

Man findet hier von der Havana, von Veracruz,
Orifava, Guaxaca wie auch von der Stadt Cam-
peche, fo viel gute Nachrichten, als man irgend
von einem fo eilfertigen Reifenden erwarten kann.
Der Ton der Erzählung ift auch unterhaltend. Das
Naturhiftorifche ift häufig eingemifcht, allein für
den Kenner wenig befriedigend, und für andere
oft nicht verftändlich.

Die Ueberfetzung lieft fich recht gut, fcheint
aber äuferft flüchtig gemacht zu feyn. Doch fieht
man, dafs Hr. R. auch fogar nichts von fpanifchen
verfteht, dafs er uns beynahe alle Druckfehler
des Originals wieder giebt. (Man fehe fonderlich S.
77. 81. dafs er Maifons de Majorats (de Majorazgo)
S. 49. durch alte Häufer überfetzt, einer Laften-
tocompanie erwähnt, Contadorbeamten auftreten
läfst u. d. gl. Auch mit französifchen Wörtern ift
die Ueberfetzung reichlich überladen; Ranchoh
ift eine Art Cantine, es wehet eine Brife, man
trinkt Tafia, der Saal hat ein Air von Leichtigkeit, der Hafen ift eine Lieue von Goulet bis an
den Hintergrund (weiterhin ift doch das Wort
überfetzt) alles ift Entreprife u. a. m. Noch ein
paar andere Beweife der Uebereilung. S. 58. Die
Melias und Plumerias machen die ganze Lifte der
Bäume aus, S. 19. Krabben (fo heifsen doch fonft
in Deutfchland die kleinften Krebfe nur) findet
man Kopfdick in den Wäldern; wilde Cochenille
im (au) Mole S. Nicolas (alfo in einer Stadt?) Ele-
phantiafis wird durch arabifche Krätze gegeben.
Das Fort del Moro heifst nucaoifche Fort. Auch
auf undeutfche Stellen find wir geftofsen: wer
fagt Mulatterin, Mauthamt ift ja blofs provincial,
fo auch das Wort verplüft S. 235. fo Ruckenhalt
ftatt Rückhalt; er fragt; wir kamen nach A. eib
Dorf ftatt einem Dorfe. So weit wir fie erblicken
konnten, fteckten wir fchon die Flagge auf, ift
französifch-deutfch. Auch hat Hr. R. manchen
Einfall, manche kleine Anmerkung des Verfaffers,
die doch mit feiner Denkungsart bekannter machen, weggelaffen. Aber fo, und noch weit ärger gehts mit dem Ueberfetzen jetzt; wenns nur
zu Meffe kommt; wie? Daran ift nichts gelegen.

Daher denn auch viele Druckfehler, welche fast alle Weygandsche Verlagsbücher verunstalten.

ERBAUUNGSSCHRIFTEN.

Breslau, b. Meyer: Beicht- und Communionbuch, oder des Gebetbuchs für Landleute zweyter Theil von Carl Gottlieb Klein, Pfarrer zu Domslau. 1788. 139 S. 8. (4 gr.)

Es zerfällt in zwey Abschnitte: erst Andachtsübungen für diejenigen, welche zum ersten male zum heil. Abendmale gehen; dann für andere Communicanten. Der Vf. meint es wahrlich mit dem allen herzlich gut, aber wir fragen ihn selbst, ob es wohl zweckmäßig war, besonders den Confirmanden so viele Gebete und Andachtsübungen vorzuschreiben, da diese ohnehin schon meistens so ängstlich zu seyn pflegen, und ob es rathsam war dem Confirmanden eine Prüfung nach den zehn Geboten vorzulegen. Entweder nimmt man sie im Sinne Mosis, d. h. wörtlich, und dann ist eine solche Prüfung das sicherste Mittel sein Gewissen einzuschläfern; denn dazu schafft nicht viel, diese Gebote, nach ihrem wörtlichen Sinne zu erfüllen; oder man trägt, auf Kosten des Sinnes, welchen der Gesetzgeber mit diesen Worten verband, die ganze Moral in diese 10 Gebote hinein, und diesen Weg schlug der Vf. ein; aber dann muß jeder Nachdenkende das Gezwungene dieser Erklärung fühlen, und dann muß doch, besonders dem Confirmanden, manche Frage über diese oder jene Pflicht vorgelegt werden, die er weder zu erfüllen, noch zu übertreten im Stande war.

KLEINE SCHRIFTEN.

Rechtsgelahrtheit. Berlin, b. Lange: D. Emin. Frid. Hagemeister Diatribe Juris Publici & Gentium de eo quod intervenente Bello Suecico intersit, Pomeraniam Suecicam esse partem imperii romano-germanici. 1788. 70 S. 8. Hr. D. Hagemeister in Greifswald, ein Bruder des Berlinischen Schauspieldichters, hat schon in seiner im v. J. auf 9½ Bog. gedruckten Inaug. Disp. de matrimonio illustris cum nobili ente, seine gute Einsicht in eine streitige Materie des deutschen Fürstenrechts gezeigt, und der gegenwärtig ausgebrochene Schwedisch-Russische Krieg hat ihm vermuthlich Anlaß gegeben, auch hier eine, manchen Schwierigkeiten unterworfene Materie des deutschen Staatsrechts mit Einsicht und Belesenheit zu erörtern. Die so schon sehr verwickelte Materie vom Recht des Krieges der deutschen Reichsstände, wird noch verwickelter durch die Verbindung, worinn einzelne deutsche Reichsländer oft mit fremden Reichen stehen, die sowohl persönal als real seyn kann. Und da entsteht die Frage: was in Ansehung eines solchen deutschen Reichslandes Rechtens sey, wenn dessen Landesherr, der zugleich ein anderes auswärtiges Reich besitzt, mit einer andern Notion in Krieg geräth, und was in dem Fall es einem solchen deutschen Reichslande helfe, daß es ein Theil des deutschen Reichs sey? Hr. D. Hagemeister hat diese Frage besonders in Ansehung des schwedischen Pommerns und der Krone Schweden, die mit einander in einer so engen Realverbindung stehen, untersucht. Er theilt seine Abhandl. in zwey Kapitel. Im ersten beschäftiget er sich mit der Frage: Ob das Schwedische Pommern, blos wegen der Realverbindung mit Schweden, von derjenigen Macht, womit Schweden in Krieg gerathen ist, mit Recht auch feindlich angegriffen werden könne? Er entwickelt hier zuerst genauer, in welcher Verbindung Pommern und Schweden stehe, zeigt, daß Pommern noch immer ein Theil des deutschen Reichs geblieben, und nur mit allen den Rechten und Privilegien, welche die Pomm. Herzoge gehabt, an Schweden abgetreten sey, daß Schweden daher auch darüber vom Kaiser und Reich die Lehn nehmen müsse. Gesetzt nun, Schweden, wird von einer auswärtigen Macht angegriffen, so geschieht das entweder mit Recht oder Unrecht, oder es läßt sich auch nicht bestimmen, auf welcher Seite das Recht sey. Geschieht es mit Unrecht, so kann auch Pommern denn nicht anders als gleichfalls mit Unrecht angegriffen werden. Allein auch ein gerechter Krieg setzt eine entweder geschehene oder bevorstehende Verletzung voraus, und bey einer solchen Verbindung, worinn Schweden und Pommern stehen, ist es nicht genug, daß von dem verbundenen auswärtigen Reich eine andere Macht verletzt sey, wenn dies nicht auch gleichfalls von der damit verbundenen deutschen Provinz geschehen ist. Pommern kann also auch in dem Fall ob defectum nimirum justae hostilis animi causae, von einer solchen Macht nicht angegriffen werden. Die Einwürfe, daß Pommern einen Theil des Reichs Schweden ausmache, und daß man dem Feinde allenthalben Abbruch thun könne, werden widerlegt. Pommern sey nämlich keine Schwedische Provinz, sondern eine deutsche, die nach ihren eigenen Gesetzen regiert werde, in Pommern könne sich der Landesherr ohne gemeinen Rath der Landstände in keinen Krieg einmal einlassen, und es sey selbst non nisi bello praevio ordinum provincialium et ex necessitatis causa suscepta, zu einiger Hülfsleistung an Schweden verpflichtet. Dem Feinde kann man freylich allenthalben Abbruch thun, allein nicht so, daß dadurch ein drittes Land, das an dem Kriege keinen Theil nimmt, feindlich behandelt werden müßte. Pommern ist und bleibt noch immer in Verbindung mit Deutschland und diese Verbindung und Deutschland selbst würde also dabey unschuldig leiden müssen. Ueberdem hat ja Schweden noch 1720 versichert, daß dem Herzogthum Vorpommern und Fürstenthum Rügen, die kaiserl. Wahlkapitulation, welche alle deutsche Reichsprovinzen von den oneribus belli externi eximirt, zu statten kommen solle. Daher es um so weniger in dergleichen fremde Kriege mit hineingezogen werden kann. Im 2 Kap. kommt er nun auf die zwote Frage: was wenn Pommern dennoch von einer auswärtigen Macht feindlich angegriffen würde, wegen dessen Verbindung mit dem deutschen Reich Rechtens sey? Und hier sucht er aus den Kais. Wahlkapitulationen und andern Reichsconstitutionen, aus der Beschaffenheit der Lehnsverbindung besonders aus dem Westph. Frieden, und aus der von auswärtigen Mächten übernommenen Garantie desselben, zu ziehen, daß in einem solchen Fall, der Kaiser und das Reich, ja Frankreich selbst als Garant, gemeinschaftlich verbunden sey, sich Pommerus auf alle Art anzunehmen.

ALLGEMEINE
LITERATUR - ZEITUNG

Dienftags, den 17ten März 1789.

GESCHICHTE.

BRAUNSCHWEIG, auf Koften des Verf. und in Commiffion bey Hofmann in Hamburg: *An-nalen der brittifchen Gefchichte vom Jahr 1788; als eine Fortfetzung des Werks Eng-land und Italien von J. W. von Archenholz.* — Erfter Band. — Mit dem Bildnifs des Staatsminifters Pitt. 1789. 498 S.

"Es fcheint kühn die Gefchichte eines fremden Volks zu fchreiben, noch ehe diefes Volk felbft die vorgefallenen Begebenheiten in feinen Jahrbüchern geordnet hat. Wenn jedoch eine folche Unternehmung in Betreff einer jeden andern Nation übereilt wäre, fo ift fie es nicht in Anfehung der brittifchen; wegen ihrer öffentli-chen Verhandlungen aller Angelegenheiten und ih-rer unbegränzten Prefsfreyheit. Was im Senat des Reichs, was bey dem Magiftrat der Städte, was in den Tribunälen, was in den mannichfal-tigen Societäten und Clubbs gefchieht, alles neue und merkwürdige in den Wiffenfchaften und Kün-ften, in Sitten und Gebräuchen, wird in England mit vieler Genauigkeit, obgleich in fehr verfchie-denen und zerftreuten Schriften, aufgezeichnet." So der Vf. im Eingange der Vorrede. Er liefert uns, wie der Titel verfpricht, Annalen, alfo Bey-träge zur itzigen Ueberficht der neueften Bege-benheiten; eine Gefchichte ift, wie er felbft ge-fteht, erft in vielen Jahren möglich. Die Haupt-fache läuft bey einem Werke diefer Art auf die Kunft der Zufammenftellung hinaus; dafs der Vf. hierinn grofse Gefchicklichkeit befitzt, dafs er es verfteht, Lefer, die mehr durch ein wohlgemach-tes Gemälde des Ganzen angenehm unterhalten, als durch eine bis auf Kleinigkeiten genaue Zer-gliederung des Einzelnen befchäftigt feyn wollen, völlig zu befriedigen, davon hat er fonft fchon Beweife gegeben, und fo findet man ihn auch in diefem Buche wieder, das fich den ausgebrei-tetften Beyfall unferer lefenden Welt ficher ver-fprechen darf. Man hört hier in einem fimpeln und doch lebhaften Tone die Begebenheiten des Parlaments, der Regierung, der Handlung, der Induftrie, der Juftizverwaltung, der Literatur und der Sitten im abgewichenen Jahre, erzählen.

Die Gefchichte der englifchen Literatur und Kunft hatte Hr. Geheimerath *Forfter* auszuarbei-ten übernommen, auch die erfte in dem achten Abfchnitte wirklich geliefert, eine im höchften Grade anziehende Schilderung, die es äufserft bedaurenswerth machen müfste, wenn der Ab-fchnitt über die Kunft nicht, wie verfpro-chen wird, noch wirklich nachgeliefert würde. Blofs aus diefem Abfchnitte ziehen wir einiges aus, blofs um der Anzeige die Trockenheit zu benehmen; denn fonft bedürfte es gar keiner Proben bey einem Buche, deffen Manier fich fchon durch den Namen des Verfaffers hinlänglich ankündigt und empfiehlt. — Die englifche Sprache nimmt ftark an neuen Wörtern zu. Schon der Haffing-fche Procefs macht ein neues Wörterbuch nöthig. Johnfon, ungeachtet der mit Recht gegen ihn ge-machten Erinnerungen, bleibt doch im Befitz des Verdienftes, einen Schatz von Materialien zur Bildung eines eleganten und zugleich kräfti-gen Stils in die Sprache gelegt zu haben: — Der Reichthum der Nation ift der Literatur fehr beförderlich. Im vorigen Jahr gaben Robfon und Edwards 40.000 Thlr. für die Bücherfammlung des Venetianers Pinelli, und kaum war fie aus-gepackt, wurden ihnen für die Polyglottenbibel allein wieder 3.000 Pfund Sterl. geboten. — Der Buchhändler Cadell erkaufte das Verlagsrecht von Gibbons Gefchichte des Verfalls des römifchen Reichs um funfzigtaufend Thaler. Hr. *F.* geht die wichtigften literarifchen Erfcheinungen des Jahres durch, und fchliefst mit folgendem Elo-gium des ebengenannten Gibbonfchen Werks: Mit diefer Arbeit ift ein Gefchichtbuch vollendet, welches in keinem Zeitalter, und keiner Sprache übertroffen wird. Alles an diefem Werke, Schreib-art, Ausdruck, Anordnung, Wahl und Behand-lungsart der Materien, Entwicklung des Zufam-menhangs von Urfachen und Wirkungen; Scharf-blick in Ergründung geheimer Triebfedern, Prü-fungsgeift und Kritik, wie die meiftens trüben Quellen jener finftern Jahrhunderte fie heifchten; Philofophie des Lebens, der Gefetzgebung, der Regierungskunft; Gleichmuthigkeit des unpar-teyifchen Wahrheitsforfchers; Kenntnifs des menfchlichen Herzens; Unbeftechlichkeit der über Blendwerk, Heucheley und Bosheit richtenden

P p p p

.Vernunft; Wärme der Ehrfurcht für die Sittenlehre des Gekreuzigten; Billigkeit gegen fromme Gefühle und Ahndungen des innern Sinnes,
die niemand richten darf: gegen allen dogmatifchen Zwang des Herzens aber tiefe Verachtung,
und gegen hierarchifche Tyranney verdienten Unwillen und Abfcheu; — und fodann mit diefen
Kräften, eine Schilderung der Begebenheiten,
die den Lefer in das Getümmel gährender Welttheile mit fich fortreifst; ftatiftifche Darftellungen
der Reichsverfaffung in verfchiedenen Zeitaltern und der Völker, die nach und nach den
Schauplatz betraten; Malerey der Sitten, Charakteriftik der Regenten, der Staatsmänner, Helden,
Priefter und Gelehrten, mit unvermerkter Hinficht auf den erhabnen Zweck der Gefchichte:
alles, alles trägt das Gepräge der möglichften Vervollkommnung, deren das Erzeugnifs endlicher
Geifteskräfte fähig ift. Mit ruhiger Ueberzeugung darf man jetzt noch hinzufügen, dafs das
Jahr der Erfcheinung eines fo grofsen Mufters in
den Annalen der brittifchen Literatur unvergefs-
lich bleiben wird.

Der zweyte Band, welcher das Jahr 1789 enthalten foll, wird im Jahr 1790 erfcheinen. Der
Pränumerationstermin, zu 1 Rthlr. 8 gr., ift bis
zu Ende des Maymonats d. J. offen.

MAINZ, auf Koften der typographifchen Gefellfchaft: *Diplomataria Moguntina, pagos
Rheni, Mogani, Navaeque, Wetteraviae,
Haffiae, Thuringiae, Eichsfeldiae, Saxoniae
etc. illuftrantia in lucem protraxit St. A.
Wurdtwein, Epifcopus Helipolenfis, Suf-
fraganeus Wormatienfis.* 1788. 552 S. gr.
4. (2 Rthlr. 16 gr.)

Abermals eine fchöne Urkundenfammlung, mit
welcher der Hr. Weihbifchof Wurdtwein das Publicum befchenkt. Wir wollen aus diefem erften
Theil, der eigentlich aus funf *Diplomatariis* beftehet, dasjenige kürzlich auszuziehen, was uns
befonderer Aufmerkfamkeit würdig gefchienen
hat. Das erfte Diplomatarium enthält 57 Urkunden unter der Regierung des Erzbifchofs Gerhard
II zu Mainz, vom Jahr 1288 bis 1304. Gleich
die erfte Urkunde vom J. 1288 ift deswegen merkwürdig, weil der von *Kremer in actis academiae
Theodoro-Palatinae* T. I. S. 328 u. f. erwiefene
natürliche Sohn des Römifchen Königs *Rudolf I,
Albrecht von Lewenftein,* darinn vorkommt. S.
10 erhält Erzbifchof Gerhard vom Papft *Nicolaus
IV* die Erlaubnifs, ein Anlehn von 326 Mark Sil-
bers aufzunehmen. Der Grund diefer Erlaubnifs liegt in dem Eid, den ein Bifchof bey feiner
Confecration leiften mufs, und den der Hr. Weihbifchof S. 13 mit folgenden Worten anführt: *Pof-
feffiones ad menfam meam pertinentes non ven-
dam nec donabo, neque impignorabo, nec de novo infeudabo vel aliquo modo alienabo etiam cum
confenfu Capituli ecclefiae meae inconfulto*

Pontifice etc. S. 39. kommt in dem Vertrag
Königs *Adolf* mit dem Erzbifchof *Gerhard,* wegen der Judenfteuer in Anfehung der von beiden
Theilen erwählten Schiedsleute folgende befondere Stelle vor: *Wer es aber, das in dem zwene
widder zu en, addir eyner uff yne widder den andern uneyhtueren, folich Krieg und Zweytreck-
tigkeit follten mit einem worffe drger
worffel hingelegt werden, alfo, das der der
mynner Augen worffet, von finer
Macht falle und luge, was der merer Teil
der andern uffpricht.* Die Würfel vertreten alfo hier die Stelle eines Obmanns, welches fehr
felten in Urkunden vorkommt. Man findet übrigens in diefem erften Diplomatario fehr viele
Urkunden des Königs *Adolf.* Das zweyte *Diplomatarium* befteht aus 77 Urkunden, welche die ehemalige Collegiatkirche zu Jecheburg in Thüringen betreffen, vom J. 1186 bis 1471. In einigen
Urkunden diefes Diplomatarii kommt des Wort
Forenfis vor, welches einen Marktfcheffel Ge-
traids bedeutet. S. 136 wird die Malefizobrig-
keit durch *patibularis jurisdictio* in einer Urkunde vom J. 1342 ausgedruckt. S. 169 wird wohl
die Urkunde N. XCI unter das Jahr 1373 nach
unferer jetzigen Jahresrechnung zu fetzen feyn,
weil fie am Tag Stephans gegeben ift, denn ver-
mutlich hat man auch in Thüringen um felbige
Zeit das Jahr von Weihnachten angefangen. S.
242 fteht *Scherzburg* ftatt *Schwarzburg,* ob im
Original auch fo? daran ift zu zweifeln. Das
dritte Diplomatarium enthält 88 Urkunden, die
das Klofter Schmerlenbach betreffen, v. J. 1219
bis 1329. Diefes Klofter hiefs anfänglich *Hagen,*
nachher *ab Indagine* und endlich kommt es im
Jahr 1240 als *Schmerlenbach* vor, welcher Name
demfelben geblieben ift. S. 291 wäre zu wünfchen gewefen, dafs der Hr. Weihbifchof feine
Erklärung des *Salmann,* den er für denjenigen hält,
der die in das Salbuch eingefchriebene *Güter re-
fpiciret,* mit Beweifen unterftützet hätte; denn
Salmann kommt in alten Urkunden gemeiniglich
mit dem Beyworte *delegator, executor* etc. vor,
for, auctor, fponfor, Wehrbürg etc. vor, und
der Eigenthümer, der fein Eigenthum an jemand
verfchenkte oder verkaufte, übergab folches nach
der Sitte damaliger Zeiten feinem *Salmann,* der
alsdann die Schenkung oder Kauf handlung zugleich mit dem Eigenthümer feyerlich verrichtete, und Gewährfchaft leiftete, wie folches
felbft aus den Urkunden N. CLI und CLII klar
erhellet. Dies will nun freylich mit der Defini-
nition des Hn. Weihbifchofs nicht recht zufammen
paffen. Im vierten Diplomatario befinden fich 46
Urkunden, welche das zur Mainzifchen Dompro-
ftey gehörige *Archidiaconat* betreffen, und nicht
nach den Jahren, fondern nach der Lage der Ortfchaften geordnet find. S. 425 ff. verdient das
Weisthum der Pfarr *Sien* gelefen zu werden, welches die *Jura Stolae* nebft andern *Pfarrgerech-
tigkei-*

tigkeiten in fich hält. Das fünfte Diplomatarium
befteht aus vermifchten Urkunden. S. 490 ff.
findet man Gefetze der Stadt Mainz v. J. 1335
bis 1352, welche das Friedebuch genennt werden.
Hierinn ift zwar S. 513. den Rathsperfonen die Annahm der Gefchenke verboten, aber diefer Artikel wird doch durch einen darauf folgenden dahin erläutert, dafs Wildpret, ein paar Flafchen
Wein und dergleichen Eiswaaren davon ausgenommen feyn follen. In der Vorrede wird das
in de Gudenis Sylloge variorum diplomat. S. 364
befindliche Datum feria IV poft Conames durch
Communes berichtigt und zugleich die Gemein-
woche (Meynwoche, Meyntwoch, communis heb-
domada, Communes) zu erläutern gefucht, man
findet aber faft alles, was hier gefagt wird, fchon
in Haltaus Calendario medii aevi S. 131 ff. der
aber gar nicht allegirt ift. Uebrigens wird jeder Lefer diefes erften Theils noch manches andre finden,
welches er für fein Lieblingsfach benutzen kann.
Nur bitten wir den Hn. Weihbifchof, wenn anders
feine Urkundenfammlungen nicht die Hälfte ihrer
Brauchbarkeit verlieren follen, fie doch nicht
ferner wie bisher ohne Regifter heraus zu geben.

NEUSTADT an der Aifch u. LEIPZIG, b. Riedel:
Joh ann Heinrich von Falkenftein, Hochfürftl.
Brandenb. Anfp. Hofraths etc. Antiquitatum
Nordgavienfium Codex diplomaticus, oder
Probationum, worinnen nicht allein einige
zur Erläuterung der alten Nordgaus die-
nende, fondern auch vornemlich wichtige,
das Hochfürftliche Burggrafthum Nurnberg,
und die von demfelben abfproffende beide in
diefem Landesbezirke fituirte Hochfürftliche
Häufer Brandenburg Anfpach und Bayreuth
betreffende hohe Vorrechte, Freyheiten, Be-
gnadigungen, Conceffiones und dgl. mehr,
vom VIII Seculo anfangend und bis auf gegenwärtige Zeit fich extendirend, mithin fich
dann auf neun und ein halbes Seculum er-
ftreckende Urkunden und Zeugniffe enthalten, die an Orten, wo es nöthig, mit hiftorifch - genealogifch - chronologifch - geographifch - und kritifchen Anmerkungen erkläret, auch einem dreyfachen Regifter zum bequemen Gebrauch verfehen. Vierter Theil.
1788. Fol. 368 S. (3 Th. 8 gr.) Erfte Abtheilung.

Der allväterifche Titel kann fchon ftatt einer
Anzeige des Inhalts dienen, und ein Rec. hätte
nur eins und das andre etwa von der Richtigkeit,
Genauigkeit und Brauchbarkeit der hier gelieferten Urkunden zu fagen, oder, wie leider! noch
fo oft der Fall bey gedruckten Urkunden ift, zu
wünfchen. Diesmal aber ift das erftere unnöthig.
Aufserdem, dafs der gröfste Theil der in diefer
Abtheilung befindlichen Urkunden fchon, als gedruckt, angegeben wird, fo ift, feitdem Falken-

ftein feine Sammlung gemacht hat, eine Anzahl
damals noch ungedruckter Urkunden, nun im
Druck vorhanden; die Anmerkungen aber find
theils von geringer Bedeutung, und fchleppend
vorgetragen, theils blofse Verfetzung der lateinifch verfafsten Anmerkungen zum ältern Codex. dipl., welcher 1733 herauskam, und fonft
auch wohl für den IV Theil der Ant. Nordg. angefehen wurde. Sie reichen nur bis S. 175, und
betreffen meiftens genealogifche. Erörterungen
und Angriffe und Vertheidigungen gegen die
Stadt Nurnberg und deren Schriftfteller etc. Wir
wollen die Lefer mit umftändlichen Belegen diefes Urtheils nicht behelligen, indem der fel. Falkenftein weder grade auf ungedruckte Urkunden
ausgieng, fondern nur alles für die Gefchichte der
Brandenb. Furftenthümer Brauchbare zufammen-
raffte, noch für den eigentlichen Diplomatiker
fchrieb. Der Verleger des Werks hätte daher,
wenn er ein nützliches Buch liefern wollte, durch
einen fachkundigen Mann es erft prüfen, und neu
bearbeiten lafsen follen, fo wie es die jetzigen
Zeitumftände erforderten. Denn würde aber
freylich der Foliant fehr zufammen gefchmolzen
feyn. — Die erfte hier abgedruckte Urkunde ift
vom Jahr 786, die letzte von 1461. Druckfehler
haben wir in grofser Menge gefunden; z. B. Mi-
nialformul f. Initial — die Buchftaben r und s find
fehr oft verwechfelt — menfura für manfura, Pil-
leprim f. Pilegrim — proeximus — voit Candine
f. Voitlandiae. Kurz, wo der Rec. nachgefehen
hat, fand er auf jeder Seite einige Druckfehler.
Es ift Schade, dafs die Wifsbegierde des Publikums, die durch eine, nicht eben geringe, Anzahl von Abonnenten kenntlich wird, diesmal fo
fchlecht behandelt worden ift. Von der Fortfetzung, (denn es foll hier nur erfte Abtheilung
feyn) ift dem Rec. noch nichts vorgekommen.
Sie wird fehr verfchieden vom Anfang feyn müffen, wenn die Sünden der erften Abtheilung abge-
büfst werden follen! Einige Bogen Verbefferungen diefer erften Abtheilung durfen nicht ausbleiben.

LEIPZIG: Die Hiftorie von Florenz, in acht Bücher, gefchrieben von Nikolaus Machiavel,
Staatsfecretär von der Republik Florenz. Ins
Deutfche überfetzt, und mit Noten, Anekdoten und Differtationes ergänzt, von David
Wilhelm Otto, B. v. D. Erfter u. Zweyter Theil.
1788. kl. 4. Zufammen 752 S. (4 Rthl.)
Von Machiavels Werke ift es nicht nöthig, etwas zu fagen. Sein Ueberfetzer verftehet etwas
italiänifch, ift ein armfeliger Anfänger im Deutfchen, der wider die drey erftern Theile der Grammatik auf allen Seiten die gröbften Fehler
begehet, und zeigt fich in feinen Noten und Differtationes als einen ungefchickten Zufammen-
ftoppler von richtigen und unrichtigen Dingen.
Was bey diefen Umftänden der elenden Be-
fchaffen-

fchaffenheit des Buchs noch abgehen konnte, das
hat die Nachläffigkeit des Correctors reichlich erfetzt, fo, dafs man das Ganze als einen Zufammenflufs aller erdenklichen Fehler anfehen kann.
Von Sprachfchnitzern enthält fchon der Titel eine
Probe. Der Anfang des erften Buchs lautet hier fo:
„Das Volk, welches den nordlichen Theil jenfeit
„des *Reichs* und der Donau bewohnte!“. Diefe
einzige Zeile ift fchon ein Compendium verfchiedener Fehler. Uebrigens findet fich elendes
Deutfch eben fo häufig in den Noten, wie in
der Ueberfetzung, und ift mit unverkennbaren
Merkmalen der Unwiffenheit in hiftorifchen Sachen durchaus begleitet. Folgende Exempel werden hinreichend feyn, S. 5: „In dem J. 1529
„machte der Papft (Clemens VII) Frieden und Al-
„liance mit dem Kaifer, welches die Heyrath ver-
„urfachte, die zwifchen dem Alexander de Medi-
„cis, (den er zum Herzog von Tofcana erhoben,)
„und der natürlichen Tochter des Kayfers, vollzo-
„gen wurde: die Verbindung wurde beftätiget
„durch die Heyrath der Catharina de Medicis, mit
„Heinrich II, König in Frankreich. Wehrend diefer
„Begebenheiten, verflufs in England Heinrich den
„VIII feine Gemahlin Catharina von Auftria.“ S.
8: „Leonardo Arezzo war einer der gelehrte-
„ften Männer des fünfzehnten Jahrhunderts. —
„Papft Innocent VII, machte ihn zum Sekretär von
„Brief. — Er fchrieb einen Katalog von verfchie-
„denen Bücher mit Anmerkungen, von welchen
„vielem des Gesners Bibliothek, und in Barenii
„italienifchen Buchhandlung, zu finden find. Die-
„fes fehr nutzbare Werk wurde durch einen Au-

thor im J. 1737 in London herausgegeben; in
„welchem er fagt, man hat bekand gemacht, dafs
„diefer Leonardo ein Stück von Tilly, betittelt
„*de gloria*, gefunden hat. — Man fagt, dafs vor
„etlichen Jahren eine Abfchrift von feinen Brie-
„fen unter denen Manufcripten in der öffendli-
„chen Bibliothek in Oxdorf gefunden, unter wel-
„chen vierzig find, die noch nicht gedrukkt wor-
„den.“ (Der letztere Umftand ift, ohne alle Ueberlegung, aus Bayle, *Art. Aretin* genommen, wo
es heifst: *J'ai oui dire, qu'on a trouvé depuis peu*
etc. Was damals *vor kurzem* gefchehen war,
heifst das heut zu Tage noch: *vor etlichen*
Jahren?) Wir übergehen das verwirrte Zeug,
fo S. 13. u. f. von dem Werth des Florens
vorkommt, und bemerke nur noch S. 5 (a)
die Nachricht von den Cimbern. „Diefes Volk,
„(als Cluer, Velleius Paterculus, Eutropius und
„Orofcus autentifch bezeugen), kam von den
„äufserften Grenzen aus Norden, und befafs die
„Peninfula, die fich bis an den deutfchen Ocean
„erftreket. — Sie vereinigten fich mit unterfchie-
„denen vertriebenen Nacionen, und überzogen
„ganz Deutfchland, Iftria, Schwonien, das ganze
„Land der Girfoner und Schweitzer: von da fiel-
„len fie ein in Dauphiné, Langedoc und Proven-
„ce, und zuletzt in ganz Italien. Die Römer wa-
„ren verwundert über fo einen Schwarm Barba-
„ren,“ — und der Lefer ift verwundert über fo
einen Schwarm von Ungereimtheiten. Diefer
Ueberfetzer hat; fo viel an ihm war, aus dem
klaffifchen Werke Machiavels Volufianifche Annalen gemacht.

KLEINE SCHRIFTEN.

RECHTSGELAHRHEIT. *De originibus Leuterationis*
at fpeciatim Oberleuterationis Saxonicae. Differtatio quam
praefide *Jo. Ad. Th. Kindio* defendet auctor *Jo. Aug.*
Müler Dresdenfis. (Liphae 9. Aug. 1757.) 39 S. 4. Der
Urfprung der Läuterung ift nicht von der Urtheilfchel-
tung der Deutfchen abzuleiten; (denn die Scheltung
würde bey einem höhern Richter vorgenommen; die
Läuerung aber gefchieht vor dem nemlichen Gericht)
fondern von dem altdeutfchen und im mittlern Zeitalter fortgefetzten Gebrauch, zu Erfparung des grofsen
Koften Aufwands, welchen man bey Berufungen an höhere Richter ausgefetzt war, den Unterrichter bitclich
anzugeben, dafs er die durch feinen Spruch zugefügte
Befchwerde heben möge, wie fich folches aus den Vifi-
gothifchen, Salifchen u. f. w. Gefetzen erweifen läfst.
Die Oberläuterung hat nicht die römifche Supplication
zur Quelle, und ift auch nicht früher in Sachfen zur
Anwendung gebracht worden, als bis das uneingefchränk-
te Privilegium *de non appel.* gegeben ward, wo fie alsdann die Stelle der fonft an die höchfte Reichsgerichte
üblichen Berufungen zu vertreten, anfieng. Hr. Müller
hat feine gewählte Materie zweckmäßig und mit Deutlichkeit bearbeitet.

NATURGESCHICHTE. *Frankfurt am Mayn*, b. Gebhard; *Botanifche Befchreibung der Gräfer*. Nach ihren

mancherley einzelnen Beftandtheilen für Anfänger der Botanik, wie für fonftige Pflanzenliebhaber und Oeconomen zu
bequemern Handgebrauch eingerichtet von einem Pflanzen
kenner. 1788. ⅜ Bog. und 4 Kupfettafeln in 4. (8 gr.)
Dafs die Gräfer zu den zahlreichften, nutzbarften, und
merkwürdigften Gewächfen gehören, ift eben fo gewifs,
als dafs ihre Kenntnifs mangelhaft und fchwer ift. Wenn
der Vf. diefer Blätter eine deutfche Erklärung der Theile und Lebensart der Gräfer liefert, und fie mit einer
lateinifchen Terminologie und Erklärung der aus Linnes
fundamentis Agroftographiae genommenen Kupfer, die
hier nachgeftochen find, begleitet, ohne die Gattungen
fonft noch zu charakterifiren, fo kann man eigentlich den
Zweck, den er dabey erreichen wollte, nicht wohl ab-
fehen. Die Oekonomen, wie fie nun einmal find, würden
durch fehr treue Kupfer, oder noch beffer durch Originale
mit ausführlichen Befchreibungen am beften unterrichtet
werden, und anfangende Botaniker müffen doch die weit-
läufigern Werke felbft einmal durchgehen, die, diefer
Bogen ungeachtet, immer noch volle Arbeit verurfachen
können. Doch mufs man den Vf. nachfagen, dafs er eine
gutgeordnete Ueberficht des Planes, nach dem die Kenntnifs der Gräfer zu bearbeiten ift, die feinere Regeln abgerechnet, aufgeftellt habe.

ALLGEMEINE
LITERATUR - ZEITUNG

Mittwochs, den 18ten März 1789.

GOTTESGELAHRTHEIT.

PARIS, bey Buisson: *Moyse considéré comme Legislateurs et comme Moraliste, par M. de Pastoret, Conseiller de la Cour des Aides de l'Academie des Inscriptions et belles lettres, de celles de Madrid, Florence, Cortone etc. etc.* 1788. 599 S. 8.

Vom Verfasser, der auch schon über andere Gesetzgebungen geschrieben hat, erwarteten wir weit mehr als er leistet. Denn er bringt blos die jüdischen Gesetze (nicht allein diejenigen, die Moses gab, sondern auch spätere Ordnungen, sogar solche, welche in der Mischna vorkommen,) unter ihre Rubriken, ohne über ihren Ursprung, ihren Geist, ihre Absicht, ihre Localität zu urtheilen, ohne zu untersuchen, was und wie viel aus den ägyptischen Einrichtungen, oder den nomadischen Gewohnheiten genommen, oder was neu ist, was feste und was temporelle Anordnung, was ihm eigen oder mit ihm auch andern Gesetzgebungen gemein war. Untersuchungen, wie sie zum Theil in *Michaelis* mosaischem Recht, (das er freylich nicht kennet) vorkommen; Betrachtungen über einzelne mosaische Vorschriften, und den ganzen *public spirit* dieser Gesetzgebung, wie sie nach so vielen Anklagen und Spöttereyen, vornemlich *Voltaire's*, zur Vertheidigung, wo nicht der Bibel, doch eines alten ehrwürdigen Mannes, der sich nicht schämen darf, mit Lykurg oder Solon verglichen zu werden, besonders für Frankreich in unsern Zeiten nöthig waren, Aufklärungen über dunkle Verordnungen, zweydeutige Vorschriften und widersprechende Gesetze darf man gar nicht in diesem Buche suchen. In welchem *Moses* (nicht im Originaltext) die *Mischnah*, *Spencer* (der doch seltner genützt ist), *Leydeker*, und jüdische Schriftsteller, z. B. *Maimonides* die vornehmsten Quellen sind. Blos das *siebente* oder letzte Kapitel liefert einige *allgemeine* (also auch wenig bestimmte) Bemerkungen über diese Gesetzgebung. Das Problem, woher es komme, dass, da die alten Gesetze von Numa, Zaleucus u. s. längst kraftlos geworden, doch die mosaischen noch unverändert

A. L. Z. 1789. Erster Band.

lich fortdauern? löset er durch die Antwort, dass diese Gesetze im Namen der Gottheit gegeben worden, (als ob Moses der Einzige gewesen, der seine Anordnungen vom Himmel erhalten zu haben vorgegeben); die Frage, ob Moses von den Griechen etwas genommen, wird natürlich verneint, aber eben so natürlich auch der Sage der Kirchenväter widersprochen, dass die Griechen Pythagoras, Plato, Aristoteles ihre Weisheit aus Mosis Schriften geschöpft. — Kein neuer Wink! kein tieferer Blick in Mosis Geist! kein Gewinn von der ganzen altväterischen Compilation! — Von ganz anderer Einrichtung und zweckmässiger ist das folgende Werk:

EDINBURGH, b. Elliot: *The history and philosophy of Judaism: or, a critical and philosophical analysis of the Jewish religion, from which is offered a vindication of its genius, origin and authority, and of its connection with the christian, against the objections and misrepresentations of modern infidels, by Duncan Shaw, D. D. one of the ministers of Aberdeen.* 1787. 388 S. 8. (2 Rthlr.)

In den vielen, zum Theil garzen, Beschuldigungen, welche vornemlich *Hume, Tindal, Voltaire* und *Bolingbroke* wider die jüdische Religion vorgebracht, findet der Verf. um so mehr Aufforderung zu einer bescheidenen Prüfung und beherzten Vertheidigung, weil, vielleicht nach der Absicht einiger unter diesen Gegnern, jeder Stoss wider Judenthum auch mittelbar das daraus entstandene Christenthum trifft, und manche an Geist, oder an Hofnung und Muth schwache Offenbarungsfreunde im Ernste besorgen, die Niederlage der jüdischen Offenbarung würde auch die Niederlage der christlichen nach sich ziehen. Hume's Anklage (im Versuch über Aberglauben), dass Judenthum unter die abgeschmackten und unphilosophischen Arten des Aberglaubens, die man in der Welt antreffe, vorzüglich zu rechnen sey, ist gleichsam der Haupttheil, wider welchen Hr. Shaw einen Schild sucht, obgleich in den spätern Ausgaben des Humischen Buchs die Beschuldigung nur auf das heutige Judenthum (modern *Judaism*) eingeschränkt wird, deſſen Anhänger auch deſſen Apologeten ſeyn mögen. Genug der Gegner wird herbey geſchleppt, um nur den Schild machen zu können, und zu dem Ende gezeigt, daſs die Begriffe von Gott nach der jüdiſchen Religion ſo wenig unphiloſophiſch als die eigenthümlichen einzelnen Gebräuche, Beſchneidung, Opfer, Sabbath, Feſte u. d. gl. waren. Statt aller mühſamen Vertheidigung dieſer Anſtalten dürfte der Vf. nur ſeine Behauptung S. 124 ſetzen: „Uns, die wir an minder mühſamen „Gottesdienſt gewöhnt ſind, ſcheinen in der gan„zen Anſtalt unnöthiger Weiſe die Gebräuche ver„vielfältigt zu ſeyn: aber man muſs das Ganze „und ſeine Theile nicht nach unſerm Geſchmack „und unſerer Lage, ſondern nach dem Geiſte des „Volkes und des Zeitalters, für welche es ge„hört, beurtheilen.‟ Dieſer Grundſatz, von dem er auch bey den Spöttereyen oder Beſchuldigungen wider die heiligen Zeiten und Orte Gebrauch macht, darf nur gehörig ins Licht geſetzet oder angewendet werden, ſo werden viele Anklagen wider die Religion, (aber nicht wider die Geſchichte,) ſchweigen: und würden, neben demſelben, noch die hohen Begriffe von Theokratie, von Gottes Specialprotection dieſes Volks, von der wörtlichen Inſpiration aller Geſetze, etwas gemildert, (wozu der Vf. ſehr geneigt, aber noch nicht freymüthig genug, iſt); würden beſonders bey der Geſchichte dieſes Volkes die *Facta*, z. B. die Eroberung von Canaan, die Vertreibung der Cananiter, abgeſondert vom *Nationalurtheil* über Veranlaſſung, Grund und Moralität dieſer Ereigniſſe betrachtet: ſo könnte die ganze altjüdiſche Verfaſſung ſchwerlich mehr angeklagt werden, als jede andere Verfaſſung der alten Staaten. Wenn die übrigen Völker, ſie heiſſen Phönicier oder Scythen, Franken oder Römer, für ſich oder ihre Colonien Eroberungen machten, ſo müſſen ſie das Recht auf ihrer Seite haben, weil ſie die Macht haben: ſoll Iſrael nach andern Principien beurtheilt werden? — Endlich dürfte ja das ganze Judenthum unphiloſophiſch ſeyn, wenn es nur nicht *unvernünftig* iſt. Wir finden nicht viele wichtige Bemerkungen über dieſen Punkt beym Verf. Aber deſto beſſer iſt ſeine Betrachtung (2 Theil) über die Dauer der moſaiſchen Oekonomie, die dem heutigen Judenthum entgegengeſetzt iſt. Der Inhalt dieſer Geſetze ſelbſt und die Abſicht der moſaiſchen Verfaſſung, die Welt zur Aufnahme der chriſtlichen Religion vorzubereiten, (die aber nicht deutlich entwickelt iſt,) geben als Beweiſe für die temporäre Autorität Moſis. — Der dritte Theil beweiſet ſehr kurz (S. 299‒303), daſs das Evangelium die letzte Gnadenökonomie ſey, (weil ſie die beſte iſt). Auch im tauſendjährigen Reiche würde ſie nicht geändert, ſondern nur verbeſſert, oder allgemeiner verbreitet ſeyn. Er ſchlieſſet (4 Th.) mit einigen Corollarien und Betrachtun-

gen. Vorzüglich ſchön dünkt uns die erſte darunter zu ſeyn, über die verſchiednen (ſogenannten) Haushaltungen Gottes, oder die Veranſtaltungen der mannichfaltigen Mittel zur moraliſchen Glückſeligkeit der Menſchen, die immer unter einander zuſammen hängen, einander vorbereiten und befördern. „Wie tief, durchdrin„gend und unerforſchlich iſt die Weisheit, wel„che in der Entfernung von Jahrtauſenden alle „die Hinderniſſe vorherſah, welche ſich der Er„füllung ihrer Abſichten entgegen ſetzen konn„ten, ja, welche dieſe Schwierigkeiten ſo regie„ren konnte, daſs ſie wirkliche Mittel zur Beför„derung ihrer Abſichten werden muſsten. — Got„tes Macht zeigt ſich eben ſo herrlich in der Vol„lendung, als ſeine Weisheit in dem Entwurf „dieſes Plans. Mannichfaltig, und eben ſo groſs „als mannichfaltig, waren die Schwierigkeiten, „die ſich ſeinem Fortgang entgegen ſtellten: „Schwierigkeiten, die aus den Leidenſchaften „und Vorurtheilen, der Unwiſſenheit und dem „Laſter, aus dem Stolz der falſchen Philoſophie, „dem Widerſtand der Macht und der Intrigue des „Staats entſtehen; Schwierigkeiten, welche die „höchſte menſchliche Kraft für unüberwindlich „halten muſste, und welche durch die Religion „alle, alle überwunden worden.‟ — Dies ſey eine Probe von der Wärme und Schreibart des Vf. — Zuletzt widerlegt er noch *Bolingbroke's* Einwendungen wider das Judenthum, die Authenthie der moſaiſchen Schriften, und die Moral des A. Teſt., (nicht glücklicher als andere, weil er ihm *nirgends* Recht läſst; zeigt (was aus dem Vorigen nicht folgt, aber doch ſonſt richtig iſt), daſs man das A. T. ſtudiren müſſe, um das Neue zu verſtehen, und leitet aus allen ſeinen Unterſuchungen das Reſultat her, daſs ſo wohl das A. als N. Teſtament göttlichen Urſprungs ſeye. — Zu der Furcht, die in der Vorrede geäuſert wird, von Skeptikern und Ungläubigen, deren Meynungen und Behauptungen zu prüfe, übel beurtheilt zu werden, mag er Gründe haben: warum er aber auch manchen Beurtheilungen von einigen Freunden der geoffenbarten Religion zu beſorgen habe, weil er in einigen ſpeculativen Punkten von den allgemein angenommenen Meynungen abweicht, dazu haben wir keine Gründe gefunden, er müſste denn ſeine Aeuſſerungen über die Typen, die er weniger billigt, über die vermeynte Vorliebe Gottes für die Juden, die er nicht anerkennt, und über die jüdiſchen Propheten, die er nicht alle für inſpirirt hält, für einen Fels des Aergerniſſes halten.

ERLANGEN, bey Palm: *Allgemeine Sammlung liturgiſcher Formulare der evangeliſchen Kirchen,* von D. *G. F. Seiler.* Erſten Ban. des dritte Abtheilung. 1788. 100 S. 4. ohne Vorrede und Regiſter.

Enthält

Enthält 1). Gebete in den Wochenbetſtunden, 2) Buſtagsgebete, 3) vermiſchte Gebete auf beſondere Feyerlichkeiten; 4) kleinere Gebete und Fürbitten, und endlich in einem Anhange; vermiſchte liturgiſche Gebete und Aufſätze, z. B., das ſonntägliche neue Kirchengebet im Fürſtenthum Weimar, die neuen Kirchengebete in der fürſtlich Reuſſiſchen Herrſchaft u. ſ. w. Dieſe Aufſätze zeignen ſich faſt alle durch Popularität im Ausdrucke, und durch allgemeine Anwendbarkeit aus. Mit Vergnügen laſen wir in der Vorrede, daſs dieſe liturgiſche Sammlung in allen Kirchen des Anſpachiſchen Fürſtenthums eingeführt worden iſt; jedoch ſo, daſs die alte Brandenburgiſche Kirchenordnung bleibt; und alles, was daran Gutes iſt, gebraucht werden kann. Unſtreitig die leichteſte Art, liturgiſche Verbeſſerungen einzuführen. Es nimmt uns Wunder, daſs wenigſtens im Bayreuthiſchen noch nicht die nämliche Verfügung getroffen iſt. Uebrigens ſtimmen wir dem Vf. völlig bey, wenn er ſagt: „Er„habne Miniſteria, Conſiſtorien und aufgeklärte „Prediger können zur Verbeſſerung des öffentli„chen Gottesdienſtes, wie zur Vervollkommnung „der Schulen, alles, wenn ſie nur wollen, bey„tragen.‟

ERDBESCHREIBUNG.

STOCKHOLM, b. Nordſtröm: Geographie öfver Konungariket Swerige ſamt därunder horande Lander författad af E. Tuneld. — Andra Bandet, ſom innehaller Göthaland. Fjerde Delen. 1788. 194 S. 8.

Angenehm iſt es, daſs dieſe 6ſte Aufl., oder vielmehr weit ausführlichere neue Umarbeitung der Tuneldſchen Geogr. von Schweden, ungeachtet der Vf. vor einiger Zeit geſtorben iſt, doch da er das Werk vollendet hinterlaſſen hat, ununterbrochen fortgeſetzt wird. Dieſer neue Theil enthält bloſs allein Oſtgothland mit den dazu gehörigen Provinzen, Oſtgothland an ſich ſelbſt, Smoland, Oland und Gottland. Das abgerechnet, was der Verf. nach der vormals ſo ziemlich allgemeinen Meynung noch annimmt, daſs die alten Gothen aus dieſen Ländern ausgezogen ſeyn, und zwar ſchon unter einem gewiſſen König Erich, Berich, oder Borich, ungefähr 800 Jahr nach der Sündfluth, wovon man ſelbſt das erſte heut zu Tage nicht mehr glaubt, findet man ſonſt von dieſen Provinzen ſehr gute und zuverläſſige geographiſche Nachrichten. Dieſer Theil des ſchwed. Reichs hat 8 Biſchofsſtifte und 50 Städte. Das Land liegt ſüdlicher, das Klima iſt milder, es hat fruchtbare Felder und Ebenen, Fiſchreiche Seen und Ströme, und anſehnliche Waldungen, Graben und Bergwerke. Oſtgothland ſelbſt iſt 16 ſchwed. M. lang und 15 breit. Es kann jährlich noch an 50,000 Tonnen Getreide an andere ſchwediſche Provinzen verkaufen. Norköping hat etwas über 8000 Einwohner, Soderköping ungefähr 495, Linköping

2000, Smenninge 490, und Wadſtena 1600 Einwohner. Das ſchöne Kupferbergwerk bey Atvidaberg, giebt jährlich 7 bis 800 Schiffpfund Kupfer. Ullåſa, ein Gut des Reichs. Gr. v. Hopken, hat einen ſo herrlichen Boden, daſs die Ausſaat bisweilen das 30ſte Korn giebt. In dem St. Brigittenkloſter zu Wadſtena kann die H. Brigitta wohl nicht Aebtiſſin geweſen ſeyn, da es erſt nach ihrem Tode zu Stande kam. Die ganze Einrichtung mit dem dortigen Hofſpital für arme Kriegsleute iſt jetzt aufgehoben, und die dort ſonſt noch 1784 waren, bekommen ſeit der Zeit eine Penſion an Geld. Das ganze Stift Linkoping beſteht aus 22 Probſteyen, 148 Paſtoraten, 219 Kirchſpielen, und 4 Capellen. Calmar in Smoland führt an 20,000 Zw. olfter Bretter aus, muſs aber dagegen an 2600 T. Salz, Wein, geſalzene Fiſche, trockne Victualien, Getreide, Kram- und Gewürzwaaren kaufen. Taberg, nicht weit von Jönköping, iſt der einzige Berg in Schweden, der in einem Umfang von vielen 1000 Klaftern ganz aus Eiſenerz beſteht. Dieſes Erz hält weder Schwefel noch Arſenik, und giebt ein ſehr gutartiges Eiſen. Der guldiſche Kees zu Adelfors hält ½ bis 2 Loth Gold im Centner. Das Bergwerk wird jetzt nicht mehr für Rechnung einer Intereſſentſchaft, ſondern der Krone getrieben. Von 1741 an, da man zuerſt anfing, dort zu ſchmelzen, bis 1773, ſind da 12000 Ducaten gewonnen und geſchlagen. Bey dem Gymnaſium auf Wiſingsö iſt nun auch ein botaniſcher Garten angelegt. In Wexiö Stift ſind 12 Probſteyen, 18 Paſtorate, 148 Kirchſpiele und eine Capelle, und in Calmar - Stift 8 Probſteyen, 42 Paſtorate, und 52 Kirchſpiele. Nach Öland hat man jetzt viele Holſteiniſche Hengſte kommen laſſen, daher die kleinen dortigen Klepper künftig ſeltner werden dürften. Die Einwohner daſelbſt nähren ſich meiſt vom Ackerbau, der Viehzucht, Steinhauerey, Kalk- und Theerbrennen, Robben-, Strömling-, Dorſch-, und Lachsfang. Die dortigen Weibsleute verſtehen ſich beſſer, als an andern Orten, auf die Kenntniſs der Grasarten und Kräuter, und färben alles ſelbſt, was ſie gebrauchen. Auf ganz Öland ſind 4 Probſteyen, 22 Paſtorate, und 33 Kirchen. Die Inſel Gothland liegt 10 M. von dem nächſten Lande, nemlich Smoland. 1774 ward von da für 20,212 Rthl. Silbermünze Kalk ausgeführt. Im 13 und 14ten Sec. war das dortige Bier eine beträchtliche Handelswaare. Das Land hat 28 Quadratmeilen, 1098 ſogenannte Hemman, und an 27,747 Menſchen. Wisby hat vormals 12000 Einwohner gehabt, jetzt 2585 ſteuerbare Perſonen. Es war auch dort ehedeſſen in einem Benedictinerkloſter die anſehnliche Bibliothek der nordiſchen Länder, worunter viele Mſcrpte. und an 2000 alte Bücher geweſen. Biſchof Braſk in Linköping führte den Reſt davon mit ſich fort, als er aus dem Reich gieng. Es iſt dort neulich eine Marmorgrube angelegt, der Marmor ſoll der ſchönſte und bis-

bisher der einige ächte feyn, der in Norden entdeckt worden. Sonſt giebt es keine Bergwerke
daſelbſt. Das dortige Stift beſteht aus. 3.Prob-
ſteyen, 44 Paſtoraten und 94 Kirchſpielen. — Bey
hiſtoriſchen Nachrichten iſt der gute Tuneld, nach
Art der Alten, bisweilen etwas zu leichtgläubig,
und von dem Ertrage der Producte hätte er ſich
oft wohl neuere Nachrichten verſchaffen können
und ſollen; auch iſt die Volkszahl bald nach Perſonen überhaupt, bald bloſs nach ſteuerbaren Perſonen angegeben.

GESCHICHTE.

BERLIN, b. Maurer: *Geſchichte des heutigen.
Europa vom 5ten bis zum 18ten J. H. in einer
Reihe von Briefen, eines Hn. von Staude an
ſeinen Sohn, aus dem Engliſchen überſetzt;
mit Anmerkungen von Joh. Fried. Zöllner,
Funfter Th. 1788. 8. 22 Bog. (1 Rthlr.)*
Dieſes Werk iſt ſchon bekannt; es gehört zu
den Leſereyen, die Perſonen, welche ſich nicht
eigentlich mit den Wiſſenſchaften oder auch nur
nicht mit der Geſchichte beſchäftigen, Unterhaltung, und ſo viel allgemeine Kenntniſs der
merkwürdigſten Weltbegebenheiten geben, als
ſie nöthig haben. Dergleichen Bücher gehören
nicht zu den Ueberfluſsigen; der Deutſche könnte ſie ſelbſt und vielleicht beſſer ſchreiben, als der
Ausländer. Wenn er aber das freylich bequemere
Ueberſetzen vorzieht, und dadurch den Gelehrten, denen eine Original-Arbeit dieſer Art vorzüglich gelingen würde, die Gelegenheit dazu
wegnimmt, ſo iſt es gedoppelt die Pflicht eines
Ueberſetzers, auf ſeine Ueberſetzung die gröſste
Aufmerkſamkeit zu wenden, theils damit von
des Ausländers Werth nichts verlohren gehe, theils
weil ein vorzüglicher Stil man der weſentlichſten Forderungen iſt, die man bey einem ſolchen
Buch zu machen berechtigt iſt. Rec. iſt daher bey
der Beurtheilung der Ueberſetzung eines Werkes
dieſer Art ſtrenger als in andern Fällen; und nach
dieſen Grundſätzen, kann er nicht läugnen, daſs
er glaubt, Hr. Zöllner hätte mehrere Aufmerkſamkeit und eine ſchärfere Feile bey ſeiner Arbeit
anwenden müſſen. Man ſiehet wohl, daſs er
ſeines Originals vollkommen mächtig iſt, und
da, wo er Fleiſs angewandt hat, iſt er ohne Tadel.
Oft aber werden ſeine Perioden ſchleppend und
verdrehet, ſeine Wendungen undeutlich, und
ſeine Ausdrücke übel gewählt, und niedrig. Gleich
S. 4. ſteht: Allein, die Proteſtanten, *ungeachtet ſie
an eine allgemeine Kirchenverſammlung appellirt
hatten*, weigerten ſich, als rechtmäſsig anzuerkennen. S. 45. Heinrich II. wünſchte ſich
damit einen Namen zu machen, daſs er ſeine Macht
gegen eben den Feind zeigte. S. 49. Ihre (Moritz und ſeiner Alliirten) *Unverſchlockenheit* wurde täglich gröſser; wo offenbar *Kühnheit* ſtehen

muſs. Der Kayſer entfloh vor Moritz über die
Alpen; man verſteht darunter nach deutſchem
Sprachgebrauch eine Reiſe nach Italien; der Kayſer gieng aber nur von Inſpruck nach Villach. Beſonders iſt die undeutſche Einſchiebung der Zwi-
ſchen-Commata ein Fehler des Stils des Hn. Z. z.
B. S. 113. Bey Veranſtaltung der Ehe zwiſchen ihrer Nichte Marie Stuart und dem Dauphin, hatten dieſe liſtigen Prinzen, *unterdeſſen ſie von der
einen Seite den franzöſiſchen Hof verwockten, der
Schottiſchen Nation eine gänzliche Sicherheit und
Unabhangigkeit ihrer Krone zu verſprechen, von*
der andern Seite die junge Königin drey beſondere Urkunden unterſchreiben laſſen. — Man nennet keine von der chriſtlichen Kirchen eine Secte,
wenn man ſie nicht beſchimpfen will, wie doch
S. 156. die reformirte Kirche genannt iſt. Man
ſagt nicht wie S. 287. eine *zurückgeſchlagene* Belagerung; Auch iſt es nicht gewöhnlich, die engliſchen und franzöſiſchen Marquis *Markgrafen* zu
nennen, wie hier immer geſchiehet. Es iſt eine
fehlerhafte Gewohnheit die Auxiliar-Zeitwörter:
haben und ſeyn, auszulaſſen, wie Hr. Z. gerne thut.
Aber dies mag genug ſeyn, unſer Urtheil zu beſtätigen, daſs dieſe Ueberſetzung viele unangenehme Fehler hat, daſs es aber Hn. Z. leicht ſeyn
wird, ſie zu verbeſſern. Anmerkungen haben wir
auſser eine unbedeutende S. 230. nicht gefunden,
und doch hat das Buch ſo viele kleine hiſtoriſche
Irrthümer und Mängel, daſs ſie häufig nöthig wären. Um hievon auch einige Beyſpiele aus der
Mitte und am Ende dieſes Theils zu geben, ſo
hätte die ganze Geſchichte von Polen unter den
tapfern und mächtigen Jagellonen nicht auf der
149 S. mit wenigen Zeilen, die noch dazu die damaligen und die jetzigen Zeiten verwirren, abgefertigt werden ſollen. Ungarn hat in den neuern Zeiten nie vom deutſchen Reiche abgehängt,
wie S. 150. ſtelit. Daſs D. Juan bey dem berühmten Seeſiege über die Türken alles bloſs um
Ruhm zu erhalten gethan habe, iſt eine völlig.
falſche Anklage. S. 275. Nichts iſt der Wahrheit
weniger gemäſs und hätte mehr eine Rüge verdient, als das Lob des Kayſers Rudolph II. S. 277.
deſſen Unthätigkeit und Indolenz Deutſchland den
dreyſsigjährigen Krieg verdankt. Daſs Philipp II.
die franzöſiſche Krone für ſeine Tochter bey den
Hugonotten Unruhen zu erhalten ſuchte, war die
Urſache, daſs er ſich ſo tief in die franzöſiſchen
Unruhen miſchte, nicht das S. 202. angeführte.
Eine *ligue des ſelze* kennt das Buch gar nicht. Am
mehrſten haben wir uns aber über die äuſserſt
nachläſsige und ſelbſt unrichtige Beſchreibung der
Zerſtörung der groſsen Armada gewundert, da
ſonſt die Erzählung der engliſchen Begebenheiten dem Verfaſſer ſehr gelungen iſt. Groſsen Schaden ſtiftet nun freylich ein Buch dieſer Art nicht,
mit allen dieſen Fehlern, zu deren Vermeidung
denn auch mehrere Anſtrengung und gröſserer
Fleiſs gehört, als ihre Vf. anwenden wollen.

ALLGEMEINE

LITERATUR - ZEITUNG

Donnerſtags, den 19ten März 1789.

RECHTSGELAHRTHEIT.

Graͤz, b. Weingand u. Ferſtl: *Nationalkirchen-recht Oeſterreichs, oder Verbindung der Verordnungen in publico - ecclefiaſticis mit dem päpſtlichen Rechte, aus den Decretalbüchern Gregors IX.* Von *A.* Julius Cäſar, regulirten Chorherrn des Stifts Vorau, der Gottesgelahrtheit Licentiaten, und reſignirten Stadtpfarrer zu Friedberg. Erſter Band. K. K. *Verordnungen nach dem erſten Buche der Decretalen Gregors IX.* 1788. 211 S. 8. (16 gr.)

Der Vf. giebt ſeinen Büchern wohl ſchöne Titel; wer wünſchte auch nicht lange beſonders ſein Nationalkirchenrecht zu Geſicht zu bekommen! Unſtreitig iſt dieſes der ſchwerſte Theil der öſter. Geſetzgebung; und da man die Gerichtsordnung, das ſonnenklare bürgerliche und peinliche Geſetzbuch des öſter. *Tribonians* ſo mannichfaltig commentirt und erläutert hatte, ſo hätte ſicher das Kirchenrecht vor allem verdient, zu Nutz und Frommen der Lehrenden in ein Compendium gebracht zu werden. Nur hätte unſer Vf. weit davon bleiben ſollen; er hatte den wenigſten Beruf dazu. Seine Schriften ſind übertünchte Gräber mit ſchöner Aufſchrift, aber inwendig herrſcht Fäulniß und tiefe Finſterniß. Er iſt höchſt unglücklich in der Methode und in Grundſätzen. Die Methode beſteht darin, daß er die Ordnung der Decretalen Gregors IX in 5 Büchern nach dem bekannten Verſe: Judex, judicium, clerus, ſponfalia, crimen, befolgt; zu jedem Titel erklärt er kurz das päpſtliche Recht, und ſchließt ihm mit parallelen öſter. Verordnungen. Gegenwärtiger Band enthält das 1ſte Buch der Decretalen Index. Aber zudem, daß dieſe Ordnung der Decretalen ſchon in ſich ſelbſt höchſt fehlerhaft und unſyſtematiſch iſt, weswegen ſie die neuern Kanoniſten, ſelbſt in öffentlichen Vorleſungen, verließen, z. B. Riegger in ſeinem kleinern Werke, Eibel, Gmeiner, Pehem etc, ſo läßt ſich das öſter. Kirchenrecht nicht ſo voluminös, daß es ihm zu jedem Titel anpaſſende Verordnungen hätte liefern können. Daher handelt der Vf. bey dem Titel

A. L. Z. 1789. Erſter Band.

de Treuga, et pace vom öſter. Militär, und bey den letztern Titt. de arbitris, de poſtulando, de reſtitutionibus in integrum etc. von der öſter. Gerichtsordnung, von welcher er vermuthlich auch das ganze zweyte Buch hindurch wird handeln müſſen, und will's Gott! ſo bekommen wir im 5ten Buche das öſter. peinliche Geſetzbuch. Und das alles wird unter der Aufſchrift: öſt. *Nationalkirchenrecht* verkauft!! Die Grundſätze des Verſ. werden den Leſern der A. L. Z. ſchon ziemlich bekannt ſeyn. Er iſt ein alter Mann, der ſich aus der Finſterniß ſeiner Zeit herauszuarbeiten ſucht, dem aber die Kräfte dazu gänzlich mangeln; der die neuen Verordnungen gern gut fände, dazu aber entweder keine, oder gerade die allerſchlechteſten Gründe hat. So hat K. Joſeph die Toleranz einführen können, —weil er ſich darüber mit den Biſchöfen einverſtanden hat; er konnte die Exemtionen der Mönche aufheben — weil er darüber mit dem Papſte in Wien Unterredung hielt; er konnte durch ſeine Geſetze ſo viele Mißbräuche bekämpfen — weil die Biſchöfe, die es ſonſt ausſchließlich zu thun berechtigt wären, in ihrem Amte ſaumſelig waren. Ueberhaupt iſt der Kaiſer nicht befugt, *in zufällig - kirchlich - geiſtlichen Sachen* etwas einſeitig zu thun, ſondern zugleich mit den Biſchöfen, mit deren Einſtimmung er auch nur das *Placitum regium* ausüben kann. Der Papſt iſt noch immer der höchſte Geſetzgeber der Welt, daher verbindet uns das päpſtliche Recht nicht aus der freywilligen Annahme, ſondern aus ſich ſelbſt; daher iſt ihm das Recht der Diſpenſation in der ganzen Kirche weſentlich eigen. Er iſt der höchſte Richter, und dem Cardinal *Rohan* geſchieht Recht; warum hat er, *der ſtolze Biſchof,* nicht nach Rom appellirt? Hingegen verbinden uns die Geſetze des Fürſten regelmäſig nicht im Gewiſſen, und ſind, (wie die Jeſuiten ehmals behaupteten), bloße Strafgeſetze. Sie können der Kirche und Religion ſchädlich werden, die Kirche hat daher das Recht über ſie ein *Placetum eccleſiaſticum* auszuüben; und obſchon dem Akatholiken die Duldung geſtattet worden iſt, ſo ſollten demungeachtet dieſe Leute *gezwungen* werden, ein, oder *das andermal im Jahr bey einem katholiſchen*

Brrr   Ur

Unterrichte zu erfcheinen. Das Verbot des Bibellefens vertheidigt der Vf., und äufsert über deffen Aufhebung taufend Beforgniffe; denn diefe Freyheit kann der Kirche fchädlich werden, und wurde es auch oft, und *die Bauern werden den Glauben mit der Bibel fchlecht vertheidigen.* Aber giebt man denn die Bibel dem Bauer darum in die Hand, dafs er damit polemifiren foll? und wurde nicht auch die heiligfte der Religionen oft zum Schaden der Menfchheit mifsbraucht? (unfer Verf. würde fie ficher auch mifsbrauchen, wenn ihm die Flügel nicht befchnitten wären,) foll man fie darum auch verbieten? Doch, wozu Belehrung, die beym Verf. gewifs verloren ift? Nur diefen Widerfpruch müffen wir noch rügen; S. 10 fagt er: Der Landesfurft foll eine fremde Religion ohne Noth nicht dulden, *um Ruhe und Einigkeit zu erhalten,* und S. 15 wird durch die Duldung fremder Religionen *das Band der chriftlichen Liebe und Einigkeit unter den Unterthanen erhalten und befeftiget.* Das gewöhnliche Loos auch der beffern Schriftfteller, die dem Fürften eine Gewalt über unfere Meynungen einräumen. Aus diefem fieht nun jeder leicht ein, dafs zwar das öfter. Kirchenrecht noch nie fo mifshandelt worden fey, wie es ihm hier ergieng; aber auch das allgemeine zählte erft manchen P. Schmier und Pichler, eh ein Febronius fich feiner annahm.

WIEN, b. Hörling: *Vergleichung des kaiferl. konigl., und der großherzogl. Toskanifchen peinlichen Gefetzbuches.* 1788. 71 S. 8. (3 gr.)

Faft zu gleicher Zeit erfchienen diefe zwey Gefetzbücher. Jedes hat feine Vorzüge. Sie zu bemerken, und ihre Unterfchiede einzufehen, ift fowohl für den Philofophen, als den Juriften, der fich nicht blofs um den Buchftaben, fondern auch um den Geift der Gefetze bekümmert, angenehm. Der Vf. ftellt fie daher gegen einander, und zeigt, dafs z. B. Kupplerey nach dem Jofephinifchen mit öffentlicher Arbeit, nach dem Leopoldinifchen Gefetzbuche hingegen mit Pranger und Stockftreichen auf dem Efel beftraft werde u. f. f., wiegt er fich nicht einmal die Mühe nimmt, die Sphen der beiden Gefetze anzuzeigen; und die Vorzüge, die Urfachen, die Abfichten derfelben anzuzeigen, und über ihren Geift zu räfonniren, worauf es eigentlich ankam, dazu hat er keinen Beruf, und überläfst es dem Lefer. Er that zwar einestheils recht; denn er fcheint dazu weder genug Philofoph, noch Jurift zu feyn, aber dadurch wird feine Arbeit dem Lefer um fo mehr unnütz, da viele Gefetzbücher fehr klein find, und ficher jeder lieber fie felbft, als das unfruchbare Machwerk des Vf. zur Hand nehmen wird. Nur dann und wann erlaubt er fich einige kleine Anmerkungen, die man ihm aber auch gern erlaffen hätte; z. B. S. 32: nachdem er die Strafe der be-

leidigten Majeftät nach beiden Gefetzbüchern erzählt hat, giebt er dem preufsifchen Gefetzbuche einen Hieb, und fagt, nach demfelben behalte fich der König die Beftrafung diefes Verbrechens vor, wodurch er Richter und Partey zugleich wird. Der Vf. wird ficher das fchöne Gefetz der K. K. Honorius und Arcadius *Cod. ne quis imperatori maledixerit* nicht kennen, worin fie fich diefes Verbrechen auch vorbehalten aus Urfachen, die die Philofophen und Juriften immer fo fehr bewunderten, und welche die Jofephina §. 43. 44 fo fehr verkennt. Wie nun, wenn der preufsifche Monarch das Verbrechen der beleidigten Majeftät im Geifte jenes römifchen Gefetzes fich vorbehalten hätte?

VERMISCHTE SCHRIFTEN.

1. LEIPZIG, b. Sommer: *Briefe über die neuen Wächter der proteftantifchen Kirche,* von S. L. F. de Marees. 1788. 8. *Erftes Heft* 86 S. *Zweytes Heft* 150 S. *Drittes Heft* 231 S. (14 gr.)

2. BERLIN u. STETTIN, bey Nicolai: *Ueber Katholicismus, Vernunftreligion und vernünftiges Chriftenthum, in einigen nutzlichen und nöthigen Anmerkungen zu des Herrn S. de Marees Briefen über die neuen Wächter der proteftantifchen Kirche. Aufgefetzt von einem Freunde der Wahrheit.* 1788. 8. 171 S. (12 gr.)

Unter den neuen Wächtern der proteftantifchen Kirche verfteht Hr. *de Marees* die Herren *Nicolai, Bieſter* und *Gedike,* und die theologifchen Mitarbeiter an der allgemeinen deutfchen Bibliothek, von welchen er fagt, dafs fie den Herrn Paftor *Götze* in *Hamburg* in dem Poften eines Wächters der evangelifchen Kirche abgelöfet hätten; der Unterfchied beftehe nur darinnen, dafs Götze, ob er gleich bisweilen zu weit gegangen fey, gute Abfichten gehabt habe, da hingegen diefe neuen Wächter nichts geringeres zur Abficht hätten, als — das Chriftenthum ganz abzufchaffen, und den *Naturalismus* dafür einzuführen. Das laute Rufen diefer Herren über die Gefahr des *Katholicismus,* welche der proteftantifchen Kirche nach ihrem Vorgeben drohe, fey blofse Verftellung, wodurch fie nur die Proteftanten auffodern wollten, mit ihnen gemeinfchaftliche Sache wider die Katholiken zu machen, fagt er (S. 49 fo erft. H.): „der Proteftantismus diefer Herren ift nichts anders als *Freyheit der Vernunft;* weil aber Vernunft in abftracto ein blofses Gefpenft ift, auch die übrigen treuen Verehrer Chrifti und feines Evangeliums, Gott fey Dank! *ihrer Vernunft* noch nicht beraubt find; fo ift Proteftancismus *Freyheit der Natur der Hn. Nicolai* und der mit ihm verbundenen *Theologen und Philofophen,*

kraft

kraft welcher ihnen das ausschliessende Recht zu-
steht, alle unsere bisher für göttlich gehaltene Lehren für Aberglauben, Unsinn, Schwärmerey, trauriges Geschwatz, Gotteslästerungen, Menschensatzungen u. s. w. zu erklären, alle ihrem'Herrn und
Heilande und ihrem Berufe treu bleibende Lehrer, auch die exemplarisch frömmsten Männer für
Heuchler, Nachbeter, Schwärmer, intolerante Zelo-
ten, Päpste, Inquisitoren, erzdumme Orthodoxen u.
.s. w. auszuschreyen, und endlich an die Stelle des
Christenthums eine sogenannte reine Vernunftreligion einzuführen.'' Dies ist das Thema, welches Hr.
de Marées in diesen drey Heften auszuführen,
und mit Stellen aus der allgem. deutsch. Biblioth.
und aus der Berl Monatsschrift zu beweisen sucht.

Die Anmerkungen des Ungenannten, welche
sich nur über die zwey ersten Hefte erstrecken,
sind mehrentheils treffend, in einem ruhigen Ton
geschrieben, auch mit unter launig. Obgleich
Rec. nicht in allen Stücken der Meynung des Vf.
dieser Anmerkungen ist, so unterschreibt er doch
ganz das Urtheil über die Hauptsache in den Briefen des Herrn de Marées. Der Vf. dieser Anmerkungen räumt z. E. ein, (S. 70.) dass die Recensenten in der allgemeinen deutschen Bibliothek,
hin und wieder etwas zu unbestimmt, oder auch
zuweilen wohl etwas zu hitzig und beleidigend
gesprochen, und Blosen gegeben haben, wo Hr.
de M. ihnen mit Recht Vorwürfe machen konnte;
er wagt es nicht, jede ihrer Aeusserungen zu rechtfertigen, und ihre Vertheidigung über sich zu
nehmen; er glaubt aber, dass Hr. de M. sich nicht
geringerer Verirrungen schuldig gemacht habe.
Nach des Rec. Einsicht ist vollkommen wahr, was
in der Einleitung (S. 4. f.) von dem Schriftsteller-
Charakter des Hn. de M. gesagt wird: „in der
Hauptsache fehlt es ihm an deutlichen, richtigen
und bestimmten Begriffen; und daher kommt es
denn, dass er manche Sachen ganz unrecht und
verkehrt sieht, — dass er Dinge, die von einander sehr wesentlich verschieden sind, ganz unbarm-
herzig durch einander mengt, und dass bey seinem
ganzen Räsonnement denn doch am Ende nichts
herauskommt, als Vortheil für das Papstthum, und
Schade für das Christenthum! Es sind nemlich,
(wie der Vf. die Anmerkungen weiter fortführt,)
besonders zween Hauptpunkte, worinn Hr. d. Marées sich ganz erstaunlich versieht; erstlich darinn,
dass er über Männer und über Schriften, die vor
dem Wiedereindringen des Pabstthums warnen, —
mit Spott und Verachtung herfährt; zweytens
darinn, dass er Vernunft und Vernunftreligion
fast durchgängig in seinen Briefen so verdächtig
und verächtlich macht, sie so heruntersetzt, und
sie dergestalt misshandelt, als ob sie mit der evan-
gelisch christlichen Religion in gradem Widerspruche stünde. — Man kann es nicht anders, als
mit Bedauren und gerechtem Unwillen lesen, wie
sehr Hr. de M. eben durch diese seine Verunstal-
tungen der Wahrheit den wirklichen Religions-

spöttern und Christenthumsverächtern, wiewohl
aus guter Meynung und wider seinen Willen, Vor-
schub thut, und ihnen die Waffen wider uns in
die Hände giebt! denn wenn man einige seiner
Aeusserungen liest, so sollte man wirklich, im
Fall des Nichtbesserwissens, denken: die christliche Religion müsse wohl eine der allerunvernünf-
tigsten seyn, die man nur auf Gottes Erdboden
finden könne.'' So dachte Rec. von den Briefen
des Hn. de M., ehe er noch die Anmerkungen des
Ungenannten gelesen hatte.   Es würde sich der
Mühe nicht verlohnen, viele Beyspiele anzuführen.   Um aber doch nur eine Probe von der Denkungsart des Hn. de Marées und seines Gegners
zu geben, wollen wir nur folgende Stelle anführen. Hr. de M. schreibt im ersten Heft: (S 10. f.)
Nun kommen protestantische Gottesgelehrten,
greifen einen Grundartikel des Christenthums nach
dem andern an; lassen im ganzen allgemeinen
Glaubensbekenntnis, vom Schöpfer Himmels und
der Erden bis zur Auferstehung des Fleisches nichts
unangefochten.'' Antwort des Ungenannten:
Wenn Sie es nicht übel nehmen wollen, mein
lieber Hr. de Marées, so muss ich Ihnen sagen:
das ist eine derbe Lüge! (wohl etwas zu unsanft
gesprochen!) Welche protestantische Gottesge-
lehrte thun denn das? Etwa Teller oder Spalding,
oder andere Freunde der Aufklärung und Vernunftreligion? Glauben diese Männer wirklich keinen Gott mehr, und keine Auferstehung von den
Todten? Welch eine Verläumdung! Wenn sie aber
die Lehren von Gott bis auf die Lehre von der Auferstehung der Toden von manchen oft sehr groben und irrigen Vorstellungen, die sich Menschen
davon machten, pflichtmässig zu reinigen, die
Lehren selbst in ein helleres Licht zu setzen, sie
genauer zu bestimmen, und die davon gangbaren
menschlichen Vorstellungen durch richtigen Gebrauch der Bibel und Vernunft gehörig zu berichtigen und zu verbessern suchen; kann man denn
das mit dem gehässigen Ausdruck belegen: sie
lassen nichts unangefochten? — Weiter schreibt
Hr. de Marées von protestantischen Gottesgelehrten: „Ja sie ziehen sogar wider die zehn Gebote
zu Felde, ohne einen Augenblick zu bedenken,
was das für entsetzliche Folgen unter dem gemeinen Volke haben würde, wenn man es belehrte,
die Gebote Gottes, du sollst nicht ehebrechen,
du sollst nicht stehlen, gehen euch nichts an; Gott
hat sie nicht euch, sondern den dummen, nomadischen Judenvolke gegeben!'' Antwort des Ungenannten: Welch eine schreckliche Verdrehung
der Wahrheit! Welch ein fürchterliches Missver-
ständnis! Wenn man sagt: die zehn Gebote sind,
so wie das ganze Mosaische Gesetz, blofs den Juden gegeben, heifst denn das sagen: ihr dürft
nun morden, ehebrechen, stehlen, lügen und
trügen? Heifst denn das die ganze Sittenlehre
mit allen ihren Vorschriften und Verpflichtungen
aufheben? Nichts weniger als das! Nicht die Pflich-

ten an fich, die uns das Sittengefetz vorfchreibt, fondern blofs der Verpflichtungsgrund derfelben wird dadurch abgeändert und anders beftimmt. Dem Nächften Liebe zu erzeigen, und alfo nicht zu ftehlen, u. f. w. ift nicht darum Pflicht für u s, weil es das mofaifche Gefetz gebietet, fondern darum, weil es ewiges und unveränderliches, von Chrifto felbft angelegentlich eingefchärftes, Natur- gefetz ift. Nicht Mofes, fondern blofs Chriftus ift unfer Gefetzgeber etc. Hierauf führt der Vf. eine Stelle *Luthers* an, wo er mit ausdrücklichen Worten fagt: *Aus dem Text* (Ich bin der Herr, dein Gott, der dich aus Aegypten geführt hat) *haben wir klar, dafs uns auch die zehen Gebote nicht angehen; denn er hat uns ja nicht aus Aegyp- ten geführt, fondern allein die Juden.* Wir wür- den es kaum der Mühe werth gehalten haben,

von einem fo fchlechten Buche, wie die Briefe des Hn. de M. find, fo ausführlich zu reden, wann nicht der Vf. von fo vielen, die nur flüchtig zu lefen gewohnt find, für eine Stütze der Orthodo- xie gehalten würde, wofür ihn doch niemand leicht erkennen wird, der fich richtige Begriffe von Orthodoxie macht. Wir wünfchten, dafs die Liebhaber der Schriften des Hn. de M. fich die Mühe nehmen möchten; auch die Anmerkungen des ungenannten Freundes der Wahrheit zu lefen, und über den Inhalt derfelben unparteyifch nach- zudenken. Sie werden gewifs Urfache finden, ihre Urtheile in manchen Stücken zu berichtigen, und Männern, die durch die fchiefen Vorftellun- gen des Hn. Sup. des Naturalifmus verdächtig ge- macht worden find, Gerechtigkeit widerfahren zu laffen.

KLEINE SCHRIFTEN.

RECHTSGELAHRTHEIT. *Erlangen: De nobilitate co- dicillari* — argumentum juris germanici tam publici quam privati, quod — pro loco in jureconfultis obtinendo dif- ceptandum propofuit D. *Joannes Ludovicus Kluber*, P. P. O. 1788. 72 S. 4. — Wir dürfen wohl kaum unfern Le- fern erft fagen, wie die Arbeiten diefes Vf. ausfallen, wenn er fich vorfetzt, eine Materie zu erfchöpfen; und das hat Hr. K. bey der vorliegenden Gegenftand zur Abficht gehabt, fo weit dies bey einer akademifchen Schrift zu erfüllen ift. Es find alle Punkte, die fich darauf beziehen, berührt, und diejenigen, welche er nicht fchon von andern hinlänglich erörtert belaffen, ausführ- lich auseinandergefetzt. Nach allgemeiner Beftimmung des Begriffs von Briefadel und feiner Arten im *erften* Kap. trägt er im *zweyten* die Gefchichte deffelben, foweit fie bisher bekannt ift, verwebt mit vielen eignen Bemerkun- gen, und im *dritten* die dabey vorkommenden Rechte vor. Des Vf. bewährter Scharffinn und ausgebreitete Belefenheit, grofsentheils auch in ausländifchen und feltnen Werken, zeigt fich auch hier bey der gänzlichen Ent- fcheidung fehr ftreitig find. So wird wohl mancher nicht mit dem Vf. S. 6. glauben, dafs der Adel durch die Ehe verloren gehe, S. 8. dafs es keinen perfönlichen Adel gebe, S. 11. dafs *Legitimatio per fubfequens matrimonium* keinen Adel ohne Beftätigung gebe, u. f. w. Sonft find in dem jurifiifchen Theil viel neue Nachrichten auf eine fehr brauchbare Art zufammengeftellt. Den wichtigften Theil dufer klaffifchen Abhandlung aber macht immer der hiftorifche aus, der eine Menge fcharffinniger Prüfun- gen von den gewöhnlichen Behauptungen, und eine reiche Nachlefe bisher unbekannter oder unbenutzter Thatfachen enthält, und immer fchätzbar bleiben wird, gefetzt

auch, dafs manche Nachricht bey fcharfer Unterfuchung nicht als richtig oder unbeweifend erkannt werden follte. So fteht, um nur ein Beyfpiel anzuführen, von *Adolfs von Santerslevent* Erhebung zum Grafen von Schaumburg in der citirten Stelle beym Meibom (S. R. G. T. I, p. 560,) kein Wort; wenn aber auch etwas ftünde, fo fcheint es uns doch, dafs dies blofs von der Beförderung zur Grafenwürde, nicht von der Erhebung in den hohen Adel, verftanden, werden müfste.

VERMISCHTE SCHRIFTEN. Ohne Druckort: *Send- fchreiben an Hn. Schubert, Herzogl. Wirtembergifchen Theaterdirektor und Hofdichter in Stuttgart feine Vater- landschronik betreffend. Eine nöthige Beylage zu diefer Chronik. Multi funt, quibus magis opus eft Hippocrate, quam redargutore.* Erafmi Epift. 1789. 77 S. 8. In den Gegenden, wo die *Vaterlandschronik* fo eifrig gelefen wird, mufs diefes Sendfchreiben grofse Senfation machen. Der Vf., der dem Hn. *Hofdichter* ftark zu Leibe dringt, theilt feine Lection unter folgende Rubriken: *Religion* (Schub. Jammerklage über den Irrglauben und über den Verfall der chriftlichen Religion fey übertrieben und grundlos;) *Unwahrheiten; Widerfpruche und Inconfequenzen; Unwif- fenheitsfunden; verunglückte Weiffagungen; falfche Bilder und Ausdrücke;* Schubariana (das heifst: Schub. eigen- thümliche Schönheiten) — S. 63. hat der Vf. mit einer Geduld, die man bewundern mufs, aber nicht beneiden wird, eine lange Reihe Schub. „Kraftphrafen" zufam- mengetragen; wir wollen fie doch für Lefer, welche die *Vaterlandschronik* noch nicht kennen, zur Schau herftel- len: Bengels, ftinkende Mähre, Stinktrompete der Fa- ma, das Gerücht diefs Allerwelthure, die Metze Fama, das weitmaulige Gerücht fletfcht, Hunde follte man als folche Buben hetzen, der Rotz des Phlegma, Lügen wo- mit wir jetzt angefüllt werden, die dummfte die fchrift- ftellerifchen Hundstagsköpfe, glotzige Pfaffen, fich einen Wanft ziehen, Buben und Mädels fohlen. — Doch ge- nug, genug, und wahrfcheinlich mehr als genug.

Druckfehler. In No. 40. Recenf. von *Hermes für Eltern und Ehlufitge.* S. 317. Z. 28. ftatt *trocknem* lies *lockern Herzen.* Z. 31. ftatt *nichts liebt,* lies *obfchon fie liebt.* Z. 34. ftatt *fehen* lies *fuhen.* Nach Z. 40. ift einzufchieben: *In dem Kampfe ihrer veränderten Religions Ueberzeugungen mit der Liebe zu ihrem Vater, deffen Fluch fie zurück- halten will, ift viel erhabnes.*

ALLGEMEINE
LITERATUR - ZEITUNG

Freytags, den 20ten März 1789.

RECHTSGELAHRTHEIT.

DRESDEN, in der Walcherischen Buchhandl.: Ueber den Geist der böhmischen Gesetze in den verschiednen Zeitaltern. Eine Preisschrift von Adauct Voigt etc. Herausgegeben von der böhmischen Gesellschaft der Wissenschaften. 1788. 218 S. 4. (1 Rthlr.)

Die böhmische Gesellschaft der Wissenschaften setzte 1786 einen Preis auf die beste, den Gegenstand erschöpfende, Abhandlung über den Geist der Gesetzgebung in Böhmen, nach den verschiedenen Zeitaltern bis auf Ferdinand II. — Der nunmehr schon verstorbene Hr. Voigt warb um diesen Preis; und die Gesellschaft fällte das Urtheil, daß seine Arbeit zwar dem Endzweck nicht ganz Genüge gethan, aber doch den Druck gar wohl verdient habe. — In dieser kurzen Erzählung liegt zugleich, wie uns dünkt, die richtigste Kritik. Hr. V. hat seinen Gegenstand allerdings zuweilen bald zu enge und bald zu weitläuftig behandelt. In seinem Eingange hohlt er viel zu weit aus; denn wer erwartet hier viel von dem Ursprunge der Slaven, vom Werth der alten Geschichtschreiber (selbst vom Thucydides und Sallustius u. d. gl.) zu lesen? In seinem Fortgang aber verwechselt er oft Geschichte überhaupt, mit Geschichte der Gesetzgebung insbesondere, und widmet jener zuviel, dieser zu wenig. Ueberhaupt gebricht es ihm bekanntlich nicht an Kenntnissen, aber an tief eindringenden, pragmatischen Scharfsinn, an richtigem Gefühl des Wichtigen und Minderwerthen; kurz an demjenigen Geiste, durch welchen Montesquieu unsterblich ward. Dennoch sind wir auch für diese Arbeit ihm Dank schuldig; vorzüglich derjenige Theil von Lesern, der mit der böhmischen Geschichte nur im Großen bekannt ist, und der ein Volk, das man oft für barbarisch schalt, weil es allerdings zuweilen stürmisch war, hier von einer bessern Seite kennen lernt. Eben deswegen wollen wir Hn. Voigten auch, so weit es unsre Gränzen zulassen, ein wenig ins Detail verfolgen.

Er widerlegt anfangs — was auch andre schon mit Glück gethan, — daß die Slaven bey ihrer

Einwanderung nicht das rohe Volk gewesen, wozu manche, selbst einheimische, Schriftsteller sie machen wollen. Sie hatten (S. 10) auch noch vor der Einführung des Christenthums ihre Gesetze, welche, aus Mangel der Schreibkunst, freylich nicht konnten geschrieben seyn. Es waren vielmehr patriarchalische Aussprüche; wodurch der von ihnen gewählte Richter die Streitigkeiten in der Güte entschied. — Also doch wohl eigentlich nur Consuetudines et praejudicia? Wie auch die angeführten Beyspiele beweisen. — Er zertheilt sie in drey Epochen: Die erste von Anfang bis auf die Regierung Przemysl Ottokar I, die zweyte bis auf Kaiser Karl IV, die dritte bis auf Ferdinand II. — „Die vierte (sagt er ziemlich kräftig) wäre bis auf unsre Zeiten, wenn man anders noch böhmische Gesetze in dieser Epoche suchen wollte, wo keine Böhmen mehr waren."

Unterm Krok — Hr. V. gesteht aber: daß der ganze Krok noch ungewiß sey, und die Polen sich seiner so gut als die Böhmen anmassen — findet man die ersten Spuren eines Criminalrechts in Böhmen. „Ein gewisser Insasse Man erschlug im Zorn seinen Enkel, einen Sohn des Chircz. Die That kam zur Klage, die Aeltesten sprachen auf den Tod; Krok schenkte ihm das Leben, doch unter folgender Strafe: Man sollte einen Monat von Morgen bis zum Mittag, neben einen Ochsen eingespannt, den Pflug ziehen, und von Chircz, seinem Sohne, zum Ziehen angetrieben werden. Denn weil Man durch diese That, wie Krok sagte, sich der Rechte der Menschheit unwürdig gemacht habe, könne er auch einen unvernünftigen Thiere gleich geachtet werden." — Was von einer Justiz zu halten sey, wo der Sohn den Vater peitschen und treiben muß, bedarf keiner Ausführung. — Wie die Mährchen unter und nach Libussens Regierung in Kurzen anführt, sagen kann: „So sah es dazumal in der Geschichte Böhmens aus: hierinn bestund der Geist der damaligen Gesetze! begreifen wir nicht; denn zwischen Mährchen und Gesetzen ist doch wohl ein allzusichtlicher Unterschied. Oder soll Libussa kein Gesetz gegeben haben, weil die Nachwelt von ihr fabelte? — Von Przemysl sagt er S. 35, daß er sehr nützliche Gesetze gegeben, wovon fich auch einige noch in der Ueberlieferung erhalten, verweift uns auch defsfalls auf den *Stransky*. Warum ein *Allegat*, da der Vf. wohl der Gefetze felbft hätte gedenken follen? — Unter dem *Nezomysl*, einem Sohne von Przemysl follen die Frohndienfte angefangen haben, und das Lehnrecht eingeführt worden feyn. Damals hatte man fchon vier Criminalftrafen, Erftechen mit einem Dolch, Strang, Viertheilen, Verbrennen; und die Adelichen durften die erften beiden Strafen im Verurtheilungsfall an fich felbft vollziehen, um dem Henker nicht in die Hände zu gerathen. — Der fogenannte *heilige Wenzel* trieb die (*unbedachtfame*) Milde feiner Gefetze fo weit, dafs er nicht nur alle Todesftrafen, fondern auch die fchärfern Lejbeszüchtigungen völlig abfchaffte, keiner Criminalunterfuchung beywohnen wollte, auch die Gefangenen nicht felten insgefammt losliefs (S, 46.) — Sehr weife waren die Gefetze des *Brzetislaw I*, vorzüglich in Rückficht der Ehen; aber einige von ihnen waren auch von einer ausgezeichneten Strenge. So z. B. verbot er (S. 49, die öffentlichen Schenkhäufer, und wer ein folches halte, follte am Pranger geftellt, und öffentlich vom Büttel, *fo lange derfelbe Kräfte haben werde*(welcher fonderbare Maafsftab!) mit Prügeln gezüchtigt; nicht minder vor feinen Augen fein noch vorräthiges Getränke auf die Erde gegoffen werden. Auch jeder, der im Trunk fich übernommen, follte in Kerker geworfen und nicht eher entlaffen werden, bis er in die fürftliche Rentkammer 300 Nummos — eine fehr grofse Summe für damalige Zeiten! — erlegt habe. Das ganze Kapitel von S. 60-68. welches der Vf. *Einige Bemerkungen über die böhmifchen Gefetze des erften Zeitraums* betitelt, würden wir als ein Verzeichnifs der damaligen Regalien betrachten, und finden es zwar gut, doch nicht ganz, wenigftens nicht verhältnifsmäfsig, zum Endzweck des Werks paffend. — *Przemysl Ottokar I* ift der erfte Fürft, von welchem gefchriebne Gefetze fich erhalten haben, und zwar kennt man auch diefe feit kurzer Zeit erft, da man fonft das berühmte *Iglauer Bergrecht* für das ältefte gefchriebene Gefetzbuch in Mähren und Böhmen hielt. Diefe Gefetze Ottokars, der überhaupt ein grofser Fürft war, die Gebrechen in der Kirchen- und Staatsverfaffung feines Reichs treflich einfah, und zuerft die Geiftlichkeit zu einer billigen Mittragung der Landesbedürfniffe anhalten wollte. — Diefe Gefetze waren zwar viel beffer als die vorherigen, nur von einer fehr ungleichen Strenge. — Der Todfchläger, er mochte adelich oder unadelich feyn, durfte nur 200 Denare (das macht nach jetziger Münze 16 Fl. 40 Kreuzer oder ohngefähr 11 Rthl. 3 gr.) erlegen. — Der Ankläger hingegen, der feine Anklage nicht beweifen konnte, follte gefteinigt werden. — Wer auf Leib und Leben einen Zweykampf eingieng, zahlte 2 Denar (10

Kreuzer). Die Strafgebühren für den Richter durften nicht über 60 Denar (5 Fl.) fich belaufen. Zu den Feuer- und Wafferproben durften hingegen Unadeliche leicht in eigner Perfon, die Adelichen durch einen Stellvertreter, wozu fie einen unfchuldigen Unterthan zwangen, angehalten werden. (S. 74-79). Das Iglauer Bergrecht ergieng zwifchen den Jahren 1248 und 1253. von dem König *Wenzel I*, und feinem Kronprinz *Przemysl Ottokar II*, damaligen Marggrafen von Mähren, und ift auch voll merkwürdiger fonderbarer Punkte. Ungeheuer ift, die Menge von Eidfchwüren, die dadurch eingeführt wurden. Ein Beklagter konnte fich *allein* nicht losfchwören, fondern mufste mehrere Mitfchwörende haben. Er felbft befchwur feine Unfchuld; drey andere fchwuren als Zeugen derfelben, und wieder drey andere fchwuren, dafs diefe vier recht gefchworen hätten (S. 10). Im Spiel durfte niemand mehr verlieren, als er bey fich im Beutel hatte. Kegelfpiel (warum auch grade das?) war ganz verboten (S. 93.). Ein überwiefener Ehebrecher ward lebendig gefpiefst. Von der Strafe der Nothzucht aber, die in Enthauptung beftand, konnten drey beeidigte Zeugen befreyen. Ein Ehemann, der fein Weib ertappte, konnte fie und ihren Buhler umbringen; *nur mufste er es nachher felbft beym Gerichte anzeigen*. Wer eine Jungfrau entführte und eingebracht ward, mufste fich famt dem Mädchen in Gegenwart ihrer Verwandten vor Gerichte ftellen. Wandte fie fich nach gefchehener Befragung zu ihrem Entführer; fo konnte er fie ohne weitere Klage und Strafe heirathen; wandte fie fich zu ihren Verwandten, fo verlor er den Kopf. (S. 95). Menfchenraub und Verkauf war damals fehr gewöhnlich: denn wer einen Knaben oder ein Mägdlein, oder einen Freund zu fich lockte, um fie zu verkaufen, der follte lebendig gerädert werden (S. 97). Von der Anfchuldigung eines Todfchlags konnte ein Eidfchwur entledigen; aber wer in einem Walde diebifch Holz fällte, mufste für jeden Stamm 72 Denar dem Kläger und 60 dem Richter bezahlen (S. 98). Welche fonderbare Ungleichheit! Man fpürt den meiften Gefetzen Ottokars II an, dafs fie ein kriegerifcher Prinz gab, der in den vielen Feldzügen, die er gethan, vertraut mit Blutvergiefsen geworden war. -- *Wenzel II* machte ein neues Bergrecht bekannt, das auch, wie das Iglauer, eine Menge politifcher Gefetze in fich hielt, und mit weit gröfserer Weisheit und Gerechtigkeit als das Iglauer Bergrecht abgefafst war. Sonderbar ift es, dafs mit diefem jetzten der Rath und die Bergbeamten zu Iglau fo hinterhaltend und neidifch waren, dafs fie niemanden, felbft den Bergleuten zu Kuttenberg nicht, eine Abfchrift zukommen laffen wollten; ja auch als König Wenzel II es ihnen befohlen hatte, verweigerten fie den Gehorfam, denn fie wollten, dafs alle, die der Bergwerke halber, Rath und

Spruch begehrten, nach Iglau felbst kommen follten. Aber eben diefer Unfug bewog Wenzeln vorzüglich zu feinem neuen Gefetzbuch (S. 112). Ein paar Stellen aus diefem neuen Codex führt der Vf. zwar an, aber fie find viel zu unbedeutend, als dafs man den eigentlichen Geift deffelben daraus abnehmen könnte; nur glaubt er: dafs auch der Geift der Juftinaneifchen Gefetze hindurch fcheine, und dafs befonders das vierte Buch, in welchem die Gerichtsordnung fich befindet, fur die *erfte Epoche der Einwanderung römifcher Gefetze in Böhmen* gelten könne.

Bis hieher find wir mit dem Verf. Im Ganzen genommen wohl zufrieden, aber fonderbar, grade da, wo es in Böhmens Gefchichte lichter zu werden beginnt, wo er, unfers Bedünkens nach, glücklicher noch in den Sinn der Gefetzgebung hätte eindringen, und ihre Wirkung auf Nation und Staatsverfaffung fchildern können; von dem Zeitpunkt der Luxemburgifchen Könige an, befriedigt er uns weniger als vorher. Auch von ihnen liefert er uns zwar manches merkwürdige; aber er hätte fich noch mehr können liefern laffen. — Fürchterlich ift das Bild von der Zerrüttung des Reichs unterm König Johann. Er fchildert die Maafsregeln diefes herumfchwärmenden, treulofen, gewalttätigen, verfchwenderifchen Monarchen ziemlich fchwarz, doch nicht fchwärzer, als es unferm Ermeffen nach die Wahrheit erfodert. Die Verordnungen, die unter ihm ergangen, und S. 124 erwähnt werden, verdienen keinen Auszug.

Unter *Karl IV* find vier Gefetzgebungen merkwürdig: das erfte waren feine *mährifchen richterlichen Ausfpruche*, die er noch als Marggraf in Mähren gefällt hatte. Das zweyte feine böhmifche *Majeftas Carolina*, die er 1348 verkündete, die aber den Böhmen, weil fie gleichfam: fie wäre mehr dem Genie der Italiäner, als einem Volke flavifchen Urfprungs angemeffen, fo mifsfällig war, dafs die Stände ihn endlich zur völligen Aufhebung derfelben bewogen. — Sehr ftreng war in diefem Gefetzbuche mit den Ketzern umgegangen worden. Kein anderer, als ein Katholike, durfte in Böhmen fich fefshaft machen; hartnäckigte Ketzer wurden zum Feuer verdammt; wer fie in fein Haus aufnahm, verlor Haab und Gut, und ward des Landes verwiefen. Auch hatten die Dominicaner fchon ein Ketzergericht in Böhmen errichtet, und der Vorfteher deffelben hiefs *Inquifitor haereticae pravitatis*. Aber eben hieran ftiefsen fich die böhmifchen Herren am meiften (S. 153). — Von dem Lehnrecht und der güldnen Bulle Karl IV fagt der Vf. nichts, was man nicht an andern Orten weit beffer fände. — *Wlodislaw II* gilt mit Recht für den böhmifchen Juftinian; fonft in keinem Stücke mit feinem Vorfahren, dem grofsen George *Podiebrad*, zu vergleichen, machte er doch möglich, was diefer, durch innerliche Zwiftigkeiten abgehalten, nicht hatte be-

wirken können, denn durch feine Veranftaltung kamen die zwey Hauptgefetze, die noch jetzt den Grund der Gerichtshaltung in Böhmen ausmachen, das *Landrecht* und das *Stadtrecht* zu Stande. Die Art, wie man dabey verfuhr, mufs man beym Verf. felbft nachlefen (S. 182). Aber fonderbar ift die Ordnung in beiden Gefetzbüchern, denn die Gefetze ftehen unter den Buchftaben des Alphabets, öfters ohne allen Zufammenhang (S. 186.) Das Verzeichnifs der Landtäge, das der Verf. von S. 188-193. einfchiebt, ift wieder nützlich, aber auch wieder nicht eigentlich hieher gehörig. Eben fo gern hätten wir ihm die Rubriken von S. 194-200. gefchenkt, und uns dafür mehr vom innern Geift derfelben ausgebeten, der aber fehr mager ausfällt; noch ftärker ift aber diefer Wunfch beym letzten Kapitel von den Gefetzen *Ferdinand I, Max II, Rudolph II*, und *Matthias*. Abermals nehmen da die Landtagsfchlüffe zwey Drittheile des Raumes hin; und das Uebrige ift von einer Befchaffenheit, als ob der Verf. zum Schlufs hätte eilen müffen. — Vieles, wir wiederholen es, bleibt daher noch zu einer künftigen Arbeit für einen andern Schriftfteller übrig. Gleichwohl thut die Böhmifche Gefellfchaft der Wiffenfchaften, als fie dies Werk der Preffe übergab, beffer dran, als manche Akademie, wenn fie ihre Elogen und ihre Auffätze der Ewigkeit, oder vielmehr der Vergeffenheit, durch den Druck zueignet.

PHILOSOPHIE.

Wien, b. Hörling: *Des Freyherrn von Martini allgemeines Recht der Staaten.* Zweyte in vielen Stücken verbefferte Ueberfetzung. 1788. 324 S. 8. (16 gr.)

Die erfte Ueberfetzung diefes Lehrbuchs, welche bekanntlich durch den kaiferlichen Befehl veranlafst wurde, das über deutfche Lehrbücher gelefen werden follte, erfchien 1783. Die gegenwärtige unterfcheidet fich von der vorigen nicht durch ihre äufsere Form, fondern zum bequemen Gebrauch ift der Inhalt über jeden Paragraphen gefetzt, und der deutfche Ausdruck ift weit richtiger und reiner, als in der vorigen Ueberfetzung, welches von diefem Bande, der fonft in zwey verfchiedenen Theilen als der dritte und vierte zu haben war, nun aber mit fortlaufender Seitenzahl gedruckt ift, insbefondere gilt.

VERMISCHTE SCHRIFTEN.

Hamburg, b. Hoffmann: *Vollftändige Einrichtungen der neuen Hamburgifchen Armenanftalt, zum Beften diefer Anftalt herausgegeben vom Hamburgifchen Armencollegio.* Erfter Band. 1788. 48, 54 und 176 S. in 8.

Wenn

Wenn gleich die Herausgeber diefes Buches blofs in der Abficht bekannt machen, „um,"
wie fie fagen, „den fämtlichen Mitarbei-
„tern ihrer neuen Armenanftalt alle dahin gehö-
„rige Anordnungen unter einer leichtern Ueber-
„ficht in die Hände zu liefern, und den Unterftü-
„tzern Rechenfchaft von den Grundfätzen zu ge-
„ben, nach welchen ihre milden Beyträge ver-
„wandt werden follen," fo hat das Buch doch gewifs einen ausgebreiteten Nutzen. Denn da die
Hamburgifche neue Armenanftalt fich nicht blofs
aufs Almofenreichen, nicht blofs auf die gänzliche Aufhebung der Gaffenbetteley erftreckt,
fondern auch für das möglichfte Fortkommen des
Armen, für feine ganze körperliche und geiftige
Ausbildung, und dafs er dem Staat nach Möglichkeit brauchbar werde, Sorge trägt, fo kann eine
genaue Auseinanderfetzung diefer Einrichtung
auch für andre Städte nützlich feyn. Befagte Anftalt wird fchon, wie wir erfahren, mit dem beften
Erfolge ins Werk gefetzt, und der Plan ift mit
vieler Ueberlegung und fehr zweckmäfsig gemacht. Wer fich ganz genau davon unterrichten will, mufs zwey kleine Schriften des Hn. Prof.
Bufch zu Hamburg, (welcher patriotifche zum
Beften feiner Vaterftadt unverändert wirkfame
Mann grofsen Antheil an der erften Grundlage
diefer Anftalt hat, wie man aus den Hamburgifchen Zeitungen erfieht) die im Werk begriffene
Verbefferung des Armenwefens in der Stadt Hamburg betreffend, welche dafelbft fchon 1786 auf einigen Bogen gedruckt find, nicht ungelefen laffen. Sie enthalten nicht nur die Gefchichte der
Armenanftalten, fondern auch viele praktifche
Anmerkungen, Winke und Vorfchläge, und es
ift der Mühe werth zu unterfuchen, wie weit man
diefelben bey der neuen Anftalt befolgt habe.
Unfer anzuzeigendes Stück enthält 1) die Anordnung vom J. 1788 felbft; 2) ein Verzeichnifs der
zu jedem Armenquartier gehörigen Gaffen, Plätze, Twieten (Gäfschen) und Gängen. (Dies
Verzeichnifs hat gute Folgen gehabt, nämlich
dafs jetzo alle Häufer in Hamburg numerirt feyn,
und die Namen der Strafsen an den Ecken angefchlagen feyn follen, auch weifs man nun die
Häuferzahl der Stadt); 3) des grofsen Armencollegii vorläufige Nachricht an die Armenpfleger,
welche über den Gegenftand der Armenpflege
(nämlich die drey Klaffen der Armen, Hülfsbe-
dürftigen und Bettler), und die erften den Pfle-
gern obliegende Gefchäfte Unterricht giebt, welchem Frageftücke zur Abhörung der Armen und
Formulare der zu machenden Armenliften beygefügt find; des grofsen Armencollegii nähere Er-

läuterungen für die Armenpfleger. Diefe geben
eine deutliche Einficht in die ganze Verfaffung,
zeigen, was bey Ausfindigmachung der Armen
zu thun fey, wie die Unterfuchung über ihren
Zuftand anzuftellen, welche Hülfe ihnen gleich
zuzuwenden, welche Arbeiten ihnen zu verfchaffen, welche Unterftützung in Abficht der Haus-
miethe, Nahrungsmittel, Feurung, des Wochen-
geldes, der Fürforge für ihre Kinder, und für
kranke Arme, beym Begräbnifs der Ihrigen, u. f.
w. Zuletzt wird auch von den Büchern gehandelt, welche die Armenpfleger zu führen haben.
Alles in fehr guter Ordnung, deutlich und genau
beftimmt, auch mit manchen fchon aus der Erfahrung gezogenen Anmerkungen. Noch mehr
praktifche Erläuterungen wird man künftig zu gewarten haben, wenn die Anftalt 2 Jahre gedauert hat, da eine öffentliche und allgemeine Revifion des Plans von Obrigkeitswegen vorgenommen werden foll, welches eine fehr weife und
nachahmungswurdige, wiewohl in Republiken
eben nicht übliche, Anordnung ift. Der zweyte
Band wird die vollftändige Befchreibung der Spinn-
anftalten, der künftig anzulegenden Induftrie-
fchulen, der Gefundheitsanftalten, und mehrerer anderer Einrichtungen, nebft allen diefe Anftalt betreffenden Mandaten, Inftructionen und
Publicandis enthalten. Wir haben davon einige
in Quart gedruckte Bogen, z. B. Allgemeine Regeln für alle diejenigen, welche von der
neuen Anftalt unterftützt feyn wollen, und eine
Nachricht an Hamburgs wohlthätige Einwohner
über den Fortgang der neuen Armenanftalt in Händen, welche gleichfalls lefenswerth find. Wenn
gleich vieles vorkommen mufs, dafs nur auf
eine fo grofse Handelsftadt als Hamburg, auf ihre Lage und Regierungsverfaffung pafst, fo findet man doch auch fehr viel Gemeinnütziges und
Anwendbares. Wie wir hören, hat die ganze
Anftalt einen glücklichen Fortgang und zeigt fchon
ihre Wirkung fichtbar in der Aufhörung des Gaffen-
bettelns. — Da man doch diefe Betteley abzufchaffen bedacht war, fo mufs man hoffen, dafs der freylich vornehmern, aber nicht minder läftigen, Haus-
betteley der Bedienten bey Mahlzeiten und Gafte-
reyen, die den Fremden fo anftöfsig find, und der gerühmten Hofpitalität der Hamburger fo wenig Ehre
macht, auch in ihrem Reichthum übel pafst, bald
abgeholfen werden möge. London hatte feinen
patriotifchen Hanway, der dem auch dort einft
herrfchenden Unwefen bettelnder Bedienten ein
Ende machte; follte fich keiner in Hamburg
finden?

KLEINE SCHRIFTEN.

Arzneymittellehre. Leipzig, b. Hilscher: D. M.
S. Marx, Churfürftl. Cöllnifchen Hofmedicus, Gefchichte
der Eicheln, nebft Erfahrung über den diätetifchen und
medicinifchen Gebrauch derfelben. 1781. 30 S. 8. An diefem ganzen Werke des für die ausübende Heilkunde zu
früh verftorbenen Vf. ift nichts neu, als der Titel, den
die Verlagshandlung umdrucken liefs, weil fie die noch
vorrähigen Exemplarien der erften Ausgabe von den
Nachlafs der Buchhandlung der Gelehrten zu fich gekauft hatte. C

ALLGEMEINE
LITERATUR-ZEITUNG

Sonnabends, den 21ten März 1789.

RECHTSGELAHRTHEIT.

WEZLAR: *Jac. Abel, diverforum S. R. J. Sta-
tuum confiliarii attual. aul. et in fupr. Cam.
imp. judicio advocati, Difquifitio de jure et
officio fummorum imperii tribunalium circa
nfurpatoriam nuntiorum pontificiorum in canf-
fis Germaniae ecclefafticis jurisdictionem.*
1787. 170 S. 4. (9 gr.)

Bey den Bewegungen, welche in unfern Tagen
durch die päpftlichen Nuntien in dem katholifchen Deutfchland entftanden find, war es allerdings der Mühe werth, auch die Rechte und Verbindlichkeiten der höchften Reichsgerichte in Anfehung der päpftl. Ufurpationen in geiftlichen Jurisdictionsfachen zu unterfuchen. Diefer für das
deutfche Staats- und Kirchenrecht wichtige Gegenftand ift in gegenwärtiger Schrift mit Einficht
und Belefenheit abgehandelt. Der größte Theil
derfelben ift hiftorifch, und konnte in gewiffer
Rückficht nicht anders feyn. Auch war damals
die *Gefchichte der päpftl. Nuntien in Deutfchland*
(Frankf. u. Leipz. 1788. 8. II B.) noch nicht erfchienen, auf welche fonft vielleicht der Hr. Vf.
in vielen Punkten verwiefen hätte. Die Abhandl.
zerfällt in fünf Abfchnitte. I. *Urfprüngliche und
eigentliche Beftimmung der Nuntien, nebft ihrem
Verhältniffe zu der geiftl. und weltl. Macht in den
Ländern, wohin fie gefchickt wurden.* Der Papft
gebrauchte fie zu Ausübung feiner Primatsrechte,
und fchickte fie nur dann ab, wenn es die Nothdurft oder das Befte der Kirche verlangte. Ihre
Sendung mußte aber ohne Beeinträchtigung der
erzbifchöfl. und bifchöfl. Gerechtfamen und mit
Bewilligung des weltlichen Regenten, in deffen
Gebiet fie kommen follten, gefchehen. II. *Mißbräuche der Nuntien in folgenden Zeiten, infonderheit in geiftl. Jurisdictionsfachen.* Mit zuneh-
mender Macht des Papftes wuchs auch das Anfehen der Nuntien. Da der Papft geiftl. Sachen per
faltum, ja fogar in erfter Inftanz, vor feinen Rich-
terftuhl zog, fo fprach auch fein Legat in dem
Bezirk feiner Gefandfchaft in der obern, ja in der
erften Inftanz. III. *Befchwerden der deutfchen
Nation über diefe Mißbräuche — Mittel fie zu he-*

ben — *Beftimmnngen der Concordaten.* Die Appellationen nach Rom waren äußerft verderblich. Es
ging Geld aus Deutfchland, deutfche Proceffe
wurden von ausländifchen, mic den Localverhält-
niffen unbekannten, Richtern entfchieden, und es
gefchahen Eingriffe in die weltliche Gerichtsbarkeit. Man fuchte anfänglich im Einzelnen, in der
Folge im Ganzen, das Joch zu erleichtern, in der.
Coftnitzer und der Bafeler K. Verfammlung.
Nach dem Geifte der letztern follten die Mißbräuche der päpftl. Legaten bey den Wahlen deutfcher Prälaten, bey Beftätigung derfelben, und
bey Entfcheidung der Wahlftreitigkeiten, bey Berufung und Direction der Synoden, bey Beftätigung der darinn abgefaßten Schlüffe, bey Kir-
chenvifitationen, bey Provincialftatuten, und bey
Beftrafung der Bifchöfe gehoben, die Abfendun-
gen derfelben nur auf den Nothfall und auf vor-
gegangene Berathfchlagung der Cardinäle eingefchränkt, die fogenannten Grazien annulliret, die
Gerichtsbarkeit der Ordinarien wiederhergeftel-
let, die Erkenntniffe der röm. Curie in der erften
und zweyten Inftanz in der Regel gänzlich abgefchafft, und in der dritten nicht anders als *per ju-
dices in partibus datos* zugelaffen werden. Die
Bafeler Decrete wurden in den Fürftenconcorda-
ten aufgenommen, und ob man gleich nachher in
den Afchaffenburger Concordaten manches wieder fahren ließ, fo blieben doch alle darinn nicht
ausdrücklich abgeänderten Punkte gültig, und
müffen noch itzt feyn. Daher foll noch jetzt
1) kein päpftl. Legat ohne Noth, ohne reifliche
Ueberlegung mit den Cardinälen, und ohne Einwilligung des höchften deutfchen Oberhauptes
nach Deutfchland gefchickt, und dafelbft angenommen werden; 2) ein Legat hat in Deutfchland
kein Recht bey Diöcefan- oder Provincialfynoden,
bey Provincialftatuten, Vifitationen und Reforma-
tionen der Kirchen, bey Unterfuchungen, Beftra-
fungen und refp. Admonitionen eines Bifchofs
oder Metropolitanen, fobald es der Provincialfyno-
de zum Nachtheil gereichen würde, und bey geiftl.
Wahlen und Collationen, außer fo weit es dem
Papft in den Afchaff. Conc. eingeräumet ift; 3)
er hat nicht die geringfte Gerichtsbarkeit in geiftl.
Sachen; 4) er kann keine Procurationen fodern;

Tttt nad-

und. 5) das alles gilt als ein Reichsgesetz. IV. Häufige Uebertretungen der Concordaten, namentlich durch die neueren Nuntien, insonderheit im deutschen Justizwesen — Widersprüche der deutschen Nation — Kaiserl. Rescript in 12 Oct. 1785. Die öftere Hintansetzung der Conc. verursachten schon im 16 Jahrh. häufige Beschwerden der deutschen Nation. In dem Trident. Concilium. wurde festgesetzt, daß alle geistliche Sachen in der ersten Instanz vor den Ordinarius, und in der zwoten vor den Metropolitan kommen, und wenn sie rechtmäßig nach Rom gelangten, zu den päpstl. Delegaten, nur vom Ordinarius mit Einwilligung des Kapitels, oder in einer Synode designirte Personen genommen werden sollten. Allein noch zu Ausgang desselben Jahrh. gieng man päpstlicher Seits so weit, als nie zuvor. Anstatt daß man bisher nur temporäre Nuntien geschickt hatte, errichtete man nun beständige Nuntiaturen. Die Cöllner Nuntiatur maßte sich allmählich die Jurisdiction an, anfangs nur in der höchsten Appellationsinstanz, in geistl. Sachen, nachher da, wo die geistl. Officialen mit den weltlichen Richtern concurrente Jurisdiction halten, auch in weltlichen, ja sie liessen sogar bisweilen, mit Uebergehung der Metropolitaninstanz, durch Commissarien entscheiden. Dieser Umstand veranlasste schon im Jahr 1603 Bewegungen am K. Kammergericht, bis im neuesten R. Absch. §. 164 dieser Misbrauch verboten, und i. J. 1653 zuerst in die Wahlcapitulation gesetzt wurde, daß der Kaiser die Anmassungen der Nuntien oder der röm. Curie in bloß weltl. Sachen abschaffen und ernstlich verbieten solle, welches in den folgenden Capitulationen fortgesetzt worden, und in der neuesten Art. 4, §. 4. befindlich ist. In geistl. Sachen findet man lange keine Klagen; vermuthlich deswegen, weil die Nuntien hierin sich gehörig in Schranken hielten. Erst in dem Kurfürstl. Capitulatio sgeschäft bey Ferdinand IV findet man Spuren, daß die geistl. Kurfürsten sich über die päpstl. Usurpationen sowohl in geistl. als weltl. Sachen beschweren. In dem neuesten R. A. kommen die Worte vor: „Auch insgemein die Evocationes vor fremde Gerichte und ausserhalb des Reichs - keinesweges zugelassen werden sollen," welche der VF. wegen ihrer Allgemeinheit, und da schon vorher von den Evocationen in weltl. Sachen die Rede gewesen, von geistl. Sachen erkläret, welche auch nicht vor fremde Gerichte ausser dem Reich gebracht werden sollen. Nach und nach fingen die Nuntien nun, die Jurisdiction durch ihre eignen Leute, die sogenannten Auditoren, meistens Italiener, folglich der deutschen Verfassung unkundig, auszuüben, sprachen in geistl. und weltl. Sachen, nahmen wieder Appellationen per saltum an, und entschieden bald ganz in erster Instanz. Die Reichsgerichte gaben bey solchen Vorfällen ihren gerechten Unwillen zu erkennen, und trafen die erforderlichsten Vorkehrun-

gen; welches hier durch die Rensingische Sache im J. 1677 erläutert wird. Auch die R. Stände setzten ihre Klagen fort; ja die Domkapitel, namentlich das Collnische, machten es in der Capitulation ihrem Erzbischof zur Pflicht, die Metropolitanrechte gegen fremde Eingriffe zu schützen. In dem J. 1714 u. 1734 wurde der Cölln. Nuntius, vom Kaiser mit Vertreibung aus dem Reiche bedrohet, wenn er ferner die deutsche Freyheit stören würde. Bald darauf aber, im J. 1741, sahen die Kurfürsten, bey Gelegenheit der Kaiserwahl, sich genöthiget, über die Misbräuche der Nuntien zu klagen, und obgleich ihre Verhandlungen, verschiedener Umstände wegen, nicht die erwünschte Wirkung hatten, so veranlasten sie doch ohne Zweifel zwey günstige Constitutionen des P. Benedict XIV. In der bekannten Speyerschen Sache wirkten die Kurfürsten im J. 1764 ein kaiserl. Mandat S. C. de abstinendo ab illicito recursu ad Curiam Rom. habito aus, und die Sache kam an den competenten Richter zurück. Aber schon im J. 1769 beschwerten sie sich von neuem. Als endlich in unsern Tagen die neue Nuntiatur in Bayern errichtet werden sollte, so erging bekanntermafsen, auf Antrag der deutschen Erzbischöfe, theils ein kaisl. Circulare, worinn die Nuntien nur als päpstl. Abgeordnete zu politischen und solchen Gegenständen, welche unmittelbar dem Papste als Oberhaupt der Kirche zustehen, anerkannt werden, ihm aber weder Jurisdictionsausübung in geistl. Sachen, noch eine Judicatur gestattet seyn soll. V) Verhalten der höchsten R. Gerichte bey den Usurpationen der Nuntien im geistl. Justizwesen. Dieser Hauptpunkt der ganzen Schrift wird S. 154 — 168 untersucht, und auf folgende Art bestimmt: In denjenigen caussis majoribus, die in den Rechten ausdrücklich gegründet sind, und dem Papst, als Oberhaupt der Kirche, unmittelbar zustehen, kann der Papst seine Nuntien allerdings gebrauchen, und niemand wird sich hierbey widersetzen. Alle andere geistl. Sachen hingegen müssen in Deutschland, und zwar in der ersten Insta z von den Bischöfen, in der zwoten von den Metropolitanen, in der dritten durch delegirte Richter des Papsts entschieden werden. Diese nach den Baseler Decreten geformte Einrichtung macht einen Haupttheil der deutschen Concordaten aus. Die Concordaten aber lassen sich auf doppelte Weise betrachten, theils als ein Vertrag, theils als Reichsgesetz. Als Vertrag werden sie, ausser den Erzbischöfen, vom Kaiser vermöge seiner Advocatie geschützt. Es gehört dieses unter seine Reservatrechte; die R. Gerichte haben hierbey nichts zu thun, und wenn der R. Hofrath concurrirt, so ist er dann nicht als R. Gericht zu betrachten. Als Reichsgesetz hingegen betrachtet, gehört das Erkenntniß bey Uebertretungen vor die richterliche Gewalt, und da die Verletzung der Conc. nicht bloß Privatsache ist, sondern zugleich

gleich ein R. Grundgeſetz betrifft, folglich unter, kaiſerl. Jurisdiction ſtehet, ſo kommen die deshalb erhobenen Klagen vor die R. Gerichte, ſie mögen nun von der Parthey, die man vor die Nuntiatur ziehen will, oder von deren Landesherrn, oder von dem Biſchof oder Erzbiſchof, deſſen Gerichtsbarkeit dadurch leiden würde, oder endlich von dem R. Fiſcal erhoben werden. Die Implorationen, können theils wider den Gegentheil, der ſich an den Nuntius wendet, theils wider den Landesherrn, der etwa ſeine Unterthanen von den ordentlichen geiſtl. Gerichten abbringen, und vor die Nuntiatur führen will, oder derſelben ſeinen weltl. Arm leihet, theils wider den Biſchof oder Erzbiſchof, oder deſſen Official, der auf ungeziemende Proceſſe der Nunciatur Acten extradiret, Citationen, Mandate oder Sentenzen annimmt und exequiret, oder ſein eignes Urtel wegen einer nichtigen Berufung an den Nuntius nicht exequiren will, theils wider einen R. Unterthan, der ſich als Subdelegirten des Nuntius widerrechtlich gebrauchen läſt, gerichtet ſeyn. Wider den Nuntius ſelbſt muſs man beym Kaiſer, als höchſtem R. Oberhaupt auſſergerichtlich Hülfe ſuchen.

ERDBESCHREIBUNG.

LEIPZIG, b. Heinſius: *Kurzer Entwurf der alten Geographie.* 1789. 340 S. 8. (12 gr.)

Daſs es bis jetzt noch an einem brauchbaren Compendium der alten Geographie fehle, bemerkt der Hr. Vf. ſehr richtig, daſs aber ſeine Arbeit dieſem Mangel abgeholfen, wird ihm wohl niemand glauben; wenigſtens findet Rec. nichts an derſelben, das ihn berechtigen könnte, ſie zum Gebrauch junger Leute zu empfehlen, für die es eigentlich geſchrieben iſt. Neue Unterſuchungen ſoll das Buch nicht enthalten, es ſoll bloſs ein Auszug aus gröſsern Werken ſeyn. Dies macht Rec. dem Vf. nicht zum Vorwurf, auch nicht, daſs er manche Hypotheſen als erwieſene Wahrheiten anſetzt; die gedrängte Kürze, mit der er zuſchreiben ſucht, entſchuldiget es. Aber die Menge von Unrichtigkeiten, welche von bloſser Fluchtigkeit herrühren, der Mangel an Kenntniſsen bey der Auswahl des Wichtigern von dem Entbehrlichen, ſind Fehler, die ſich nicht entſchuldigen laſſen. — Aus vielem nur einiges z. B. p. 147. „Noricum blieb unter den Römern bis auf Conſtantin den Groſsen.“ p. 172. *Naſum* ſoll *Nuncy* ſeyn. p. 173. die Ubier ſollen noch zu Germania *prima* gehört haben. p. 174 giebts ein Land *Aduatici.* p. 18: „Die Alten rühmen das *Bley* der caſſiteriſchen Inſeln.“ — Ueberflüſsig iſt, daſs viele Orte vorkommen, die bloſs aus den Itinerarien bekannt ſind, folglich dem Anfänger gar nichts nutzen; mangelhaft, daſs die vorzüglichſten Merkwürdigkeiten der Orte oft ausge-

laſſen ſind, da doch der Hr. Vf. ſich vergenommen hat, ſie anzuſetzen. Z. B. Bey *Ravenna* kein Wort, daſs es der gewöhnliche Sitz der ſpätern Kaiſer und der Exarchen war. — Wenn aber das Buch alle dieſe Fehler nicht hätte, ſo wäre es doch unbrauchbar, weil es zu wenig unterrichtet. Was ſoll der Lehrling mit folgender Stelle anfangen? p. 190. „*Celtiberi* eine ſehr mächtige Nation. Ihre Städte waren *Contrebia*, das Gracchus eroberte, und *Ergavica*, beide am Gebürge Idubeda; ingleichen *Bilbilis*, des Martialis Vaterland, das ſchöne Stahlarbeiten verfertigte, und in der Nähe ſchöne Bäder hatte.“ Man lernt nichts näheres von den Celtiberern, man erfährt nicht, wo ſie lagen, noch wo die angeführten Städte lagen. Nicht zu gedenken, daſs andere, zum Theil wichtigere ausgelaſſen ſind.

GESCHICHTE.

WEISSENFELS und LEIPZIG, b. Severin: *Nachrichten von adelichen Wapen*, geſammelt von *Chriſtian Friedrich Auguſt von Meding*, Erbherrn auf Schnellenberg. Zweiter Theil 690 S. 8. mit 6 Kupfertafeln. (2 Rthl.)

Wir müſsen dieſem Theile daſſelbe Lob im ganzen Verſtande geben, was wir ſchon dem erſtern Theile (1786 n. 176.) aus wahrer Ueberzeugung zugetheilt haben. Es iſt immer noch was Seltenes, daſs ein Schriftſteller die gutmeynenden Winke anderer Liebhaber derſelben Wiſſenſchaft mit Bereitwilligkeit annimmt, und zum Vortheil ſeiner dem Publikum mitgetheilten Arbeiten zu benutzen ſucht. Der Hr. Vf. hat dieſes gethan, hat nicht allein die Erinnerungen, die ihm theils in unſerer A. L. Z. vorgelegt, theils von andern Kennern und Freunden zugeſchickt worden ſind, in dieſem Theile als Zuſätze und Verbeſserungen des erſten Theils abdrucken laſſen, ſondern auch noch mehr nach dem Gebrauch der bisher weniger genutzten Quellen, der alten Stammbücher, der Monumente in den Stiften, der aufgeſchwornen Stammbäume geſtrebt und bey ſeinen Bemühungen für die möglichſte Vollkommenheit ſeiner unternommenen Arbeit den Vortheil genoſſen, daſs ihm wichtige Nachrichten dieſer von den beiden in dieſem Fache verdienſtvollen Kennern, dem Hn. Ober Conſiſtor. Präſident von der Hagen und von dem verſtorbenen Hn. Hofrath Salver in Wirzburg mitgetheilt worden ſind. Dieſer zweyte Theil hat alſo alle die Vollkommenheiten, die der erſte Theil hat, in einem noch höheren Maaſse. Er enthält wieder die Beſchreibung 1000 adelicher Wapen, unter welchen aber doch auch einige fürſtliche und mehrere gräfliche vorkommen, und man muſs durchaus ſagen, daſs der Hr. Vf. ſowohl in dem Gebrauche der Hülfsmittel, als in der Unterſuchung, Beſchreibung und Auseinanderſetzung der Wapen mit dem möglichſten

ftehften Fleifse, und mit heraldifcher Genauigkeit
zu Werk gegangen ift, und die fehlerhaften Vorftellungen im Fürftenifchen Wapenbuch, fo wie
die Befchreibungen eines Eftors und andrer, in fehr
vielen Fällen verbeffert hat. Ein grofses Verdienft des Hn. Vf. ift, dafs er die Abweichungen
in den Wapen der verfchiedenen Linien eines
und deffelben Haufes forgfältig auseinander gefetzt, und hie und da fehr gute und brauchbare hiftorifche Nachrichten von den Familien felbft mitgetheilt hat. Wir billigen es fehr, dafs der würdige Vf. auch die Wapen fowohl der ausgeftorbe-
nen als der neuadelichen Gefchlechter in diefe
Nachrichten aufgenommen hat. Gewöhnlich find
es diefe, die bey der Verfertigung eines Stamm-
baums die mehrefte Mühe verurfachen. Der Rec.
kann zu diefem Theile nur die einzige, dem Hn.
Vf. entgangene Bemerkung liefern, dafs die eine
Linie der itztlebenden Freyherrn Eckebrecht von
Dürckheim in der Perfon des verftorbenen Kaiferl.
Geheimenraths und Herzogl. Würtembergifchen

Minifters, Carl Ludwigs, in den Reichsgräfenftand
erhoben worden ift, jedoch das einfache Ge-
fchlechtswapen, ohne alle Vermehrung oder Abänderung, die Gräfliche Krone ausgenommen, behalten hat. In der Vorrede fetzt der Hr. Vf. einige Nachrichten von der Erfindung der Schrafirung
voraus, in welcher er, ohne fich entfcheidend
zu erklären, der Meynung des Hn. Hofr. Gatterers beyzutreten fcheint. Eine wahre Verfchöne-
rung diefes zweyten Theils find die Vignetten auf
dem Titelblatt und vor der Vorrede und die 6 in
Kupfer geftochenen Wapen der Gefchlechter von
Hagen, Graf Wartensleben, von Brunn, Rezdorf,
Dorftadt und Steechow. Das Verdienft, dafs fich
der würdige Hr. Domherr mit diefen Nachrichten erworben hat, ift um defto achtungswürdiger,
da er den erwartenden Geldvortheil und allen nach
Abzug der Druck- und Verfendungskoften übrig
bleibenden Gewinn zu einem Kapital für die Unterhaltung eines Waifenknaben in Naumburg beftimmt hat.

KLEINE SCHRIFTEN.

Geschichte. Leipzig: Holländifche Denkwürdigkeiten,
oder ausführliche Gefchichte der gegenwärtigen Unruhen in
den vereinigten Niederlanden von Carl Hammerdorfer, Prof.
in Jena. 1788. erftes Stück 8. 6 Bog. Hr. Prof. Hammerdorfer hat die Abficht, durch die 8 Hefte Liefs den
ungelehrten Theile des Publikums eine vollftändige aneinander hängende Gefchichte der niederländifchen Unruhen zu liefern, und darnach mufs man nun auch diefen Anfang beurtheilen. Er rechnet zu diefem Publikum
auch grofse Theologen, und nicht kleine Rechtsgelehrte,
die nichts von der Gefchichte wüfsten, von denen man aber auch
billiger Weife nicht fodern kann, dafs ihnen nicht manches unbekannt feyn follte, das dem Hiftoriker wichtig
ift. Der Vf verfpricht Unparteylichkeit in feinen Bemerkungen; aber man kann kaum hoffen, dafs er Wort
halten werde, wenn man findet, dafs er feine Schrift
mit einer ftarken Declamation gegen republicanifche Regierungsform eröfnet, S. 25. es für humifche Portenfuchs
erklärt, wenn man die Nutzbarkeit eines allgemeinen
Statthalters für die Republik Hoffand leugnen wollte,
welches doch von vielen vorzüglichen, felbft auswärtigen, Schriftftellern gefchehen ift, S. 54. dem Volke, die
die Ausübung des einzigen Schutzes feiner Rechte, den
ottloff auch noch mancher deutfcher Staat befitzt, nemlich die Freyheit Subfidien zu bewilligen und abzufchla-
gen, verargt. Dafs bey folchen Gefinnungen die Vf Bemerkungen in einem Streit, der über Völker-Rechte
geführt wurde, unparteyifch feyn follten, kann nicht erwartet werden. Man verlangt ferner von dem Vf. eines
folchen Buchs als der Vf. hier ankündigt, keinen äufserft
mühfamen Fleifs und tief dringende Unterfuchungen;
aber man verlangt von ihm, dafs er ohne Fehler fchreibe, welche Foderung um defto billiger ift, da diejenigen,
für die diefes Buch beftimmt ift, vielleicht nur diefes
einzige lefen, und alfo nicht von Irrthümern, die
es erregt hat, zurückkommen können. Hr. H. fcheint
mit zu grofser Eile gefchrieben zu haben, als dafs er
fich für fehler bewahrt haben könnte. Wir wollen einiges angeftrichene anführen. Zu den Nebenländern von
Holland gehören nach S. 7. die Landfchaften des Gene-
ralobftatthalters im Umfang der füuf erften niederländi-

fchen Provinzen, fo wie in Drabant und Geldern. Diefes
ift theils falfch, theils unbeftimmt gefprochen. Wenn
ebend. ftehet: die Unterthonen in den fünf Provinzen haben Stände, fo ift das wohl ein Schreibfehler, aber von
böfer Art. S. 15. wird von den Nebenländern aufser
Europa, befonders aber von den Gewürz Infeln, diefer
ausfchliefsenden Quelle der holländifchen Reichthümer,
viel zu dürftig für den Zweck des Vf. gehandelt. Die
Definition der grofsen Verfammlung S. 2. ift ganz und
gar falfch. S. 32. wird gefagt, dafs das Militaire, Staabs-
officiere ausgenommen, auch andre Verbindlichkeiten
gegen die Provinz, vorinn es ftehet, u. f. w. habe. Niemand wird erftlich diefsen fehen können, dafs die für den Verbindlichkeiten dafrin beftehen, dafs das militair diefer
Provinzen noch fchwören müfs; zweytens weifs Rec. nicht,
dafs Staabofficiere davon ausgenommen find. Er hat
Pefteln und Jamjeen darüber nachgefchlagen, ohne es
finden zu können. Indeffen will er es nicht geradezu
läugnen. Der ebendaf. angeführte die Kriegsrath ift
beym Anfange der Unruhen aufgehoben. Sehr unbefriedigend ift S. 34. die Befchreibung eines Grofs-Penfion Ärs
und von dem Einfluffe deffelben in die allgemeinen Angelegenheiten der Union erhalten man kein Wort. Noch
weniger können wir die Gefchichte der Niederlande loben. Die Niederlande hatten gewifs unter Carl den Gr.
noch eine fehr wilde Geftalt. Sie wurden nicht von einem
Herzoge regiert. (S. 45.) Carl d. Gr. fchaffte die vorhandenen Länder verwaltenden Herzoge ab, und ernannte
keine zu diefer Abficht. Was kann der ununterrichtete Lefer denken, wenn er eben liefst, die Grafen wären Knechte der Könige gewefen? Wie verftehen Richt,
was die Zahl 1434 S. 47. foll. Das jüngere burgundifche
Haus erhielt Burgund 1163, und erwarb fich die übrigen
Länder allmählig. Hr. H. vermifcht doch nicht Philipp
den Guten mit Philipp dem Kühnen, K. Johanns Sohn?—
Sollten diefe Hefte fortgefetzet werden, fo wird Hr. H.
mehrere Aufmerkfamkeit darauf verwenden müffen, wenn
fein Buch nicht mit der Menge mittelmäfsiger Schriften, die Zeitläufte jedesmal hervorbringt, weggge-
worfen werden foll, und er grofse Theologen, und nicht
kleine Jurifton dadurch zu unterricht gedenkt.

ALLGEMEINE

LITERATUR - ZEITUNG

Sonntags, den 22ten März 1789.

ARZNEYGELAHRTHEIT.

BERLIN, bey Himburg: *Chriſtiani Theophili Selle, M. D. et profeſſoris charitatis noſo-comii Berol. medici et Regiae Acad. Boruſ-cae membri, medicina clinica, ſeu manuale praxeos medicae. Ex editione ultima auĉta germanica in latinum translatum cum approba-tione auĉtoris.* 1788. 622 S. 8. (1 Rthl.12 gr.)

Dieſe abermalige Auflage eines unſerer guten Handbücher der praktiſchen Arzneywiſſen-ſchaft ſcheint der Vf. deſswegen in lateiniſcher Sprache veranſtaltet zu haben, damit es auch der ausländiſche Arzt nutzen könne. Von dem Vf. ſelbſt rührt die Ueberſ., welche nach der vierten deutſchen Auflage veranſtaltet worden iſt, nicht her. Der Ueberſetzer, der von ſeiner Arbeit keine Nachricht giebt, hat ſich Mühe gegeben die edle Simplicität und Deutlichkeit im Stile des Vf. nach-zuahmen, iſt aber weder im Bau der Perioden, noch in der Auswahl der Worte ſo glücklich ge-weſen, als Rec. wünſcht, und z., es in einem ſolchen Werke nothwendig geweſen wäre. Bey der ängſtlichen Sorgfalt, mit welcher er alle deut-ſchen Worte, mit eben ſo vielen lateiniſchen aus-zudrücken geſucht hat; iſt er zuweilen ſchlep-pend, zuweilen unverſtändlich, im Ganzen aber unlateiniſch geworden. Wenn, z. B., der Verf. S. 134 von den *Petechien* ſagt: *es ſind ro-the Flecken, die ſich nicht über die Haut erheben, aber auch durch den Druck nicht verſchwinden*, ſo drückt es der Ueberſetzer aus: *illae ſunt macu-lae rubrae, quae ſupra cutem non elevantur, nec quoque autem preſſione evaneſcunt.* Sie ſind äuſſerſt ſelten und faſt niemals kritiſch: wenn ſie ins Bleyfarbne fallen: wenn ſie in dem Zeitrau-me der Fieber erſcheinen, wo man dieſe allge-meine Auflöſung noch nicht bemerkt, iſt überſetzt, *illae ſunt rariſſimae et fere nunquam cri-ticae: quodſi illae in colorem lividum cadunt: quodſi illae in ſtadio febrium cadunt, ubi ad-huc haec reſolutio univerſalis non obſervatur.* Oft hat der Ueberſetzer den wahren Sinn des Origi-nals gar nicht getroffen. Ein *aufbrechender Ab-ſceß* heiſst *abſceſſus erumpens, ſaure Schweiſſe,*

ſudores acres. Die Worte S. 120 geben nicht ganz den Sinn des Originals: *Quo minus vires deſunt, quo magis adeſt materia craſſa* (grobe M.) *quo* (muſs heiſſen eo) *minus praenunciis purpurae admodum maturis criſis ob ejusdem eruptione eſt exſpectanda, eo tutius non tantum contra praenuncia moliri licet, ſed etiam,* etc. Da dieſes nützliche Werk auch in der latein. Spra-che gewiſs mehrere Auflagen erleben wird, ſo wünſchen wir, daſs der Ueberſetzer ſeine Arbeit noch einmal fleiſsig mit dem Original vergleichen und verbeſſern möge.

BRAUNSCHWEIG, im Verlage der Schulbuchh.: *Des Herrn Joh. Andr. Murray, Ritters des Waſerordens und ordentlichen Prof der Med. zu Göttingen, — Arzneyvorrath, oder An-leitung zur praktiſchen Kenntniſs der einfa-chen, zubereiteten und gemiſchten Heilmittel.* Vierter Band. Aus dem Lateiniſchen über-ſetzt von *L. C. Seger, d. A. D.* 1788. 704 S. 8. (1 Rthlr. 8 gr.))

Denen, welche der lateiniſchen Sprache un-kundig ſind, wird die Ueberſetzung dieſes vor-trefflichen Werks nützlich ſeyn. Das Papier iſt dem Auge nicht angenehm, auf welches dieſer Band gedruckt iſt. Druckfehler haben wir we-nig angetroffen, und die Ueberſetzung ſelbſt iſt mit Fleiſs verfertiget. Bey Vergleichung meh-rerer Bogen mit dem Original hat Rec. nur eine Stelle gefunden, die beſſer hätte gegeben wer-den ſollen. S. 435 ſagt der Vf. vom Zimmet-öl: *Ex Zeylonia ad nos transfertur fere omne. Sunt tamen et in Belgio chemici, qui eo deſtillan-do occupantur, utpote quum ob immediatam cor-ticis translationem ibi plus lucri quam alibi ex-ſpeĉtari poſſit.* Dies hat Hr. S. überſetzt: Wir erhalten es faſt alle aus Zeylon. Es giebt aber doch auch Scheidekünſtler in Holland, die es ver-fertigen, weil es ſich daſelbſt, *wegen der unmit-telbaren Ankunft des Zimmets*, mit mehrerm Vor-theil als anderwärts deſtilliren läſst.

FRANKFURT, b. Gebhard: *Enchiridium medi-cum auĉtore Joanne Kämpf, M. D. quon-dam ſereniſſim. Landgr. et princip. hered.*

Uuun   Haff,

Ralf. archiatro et confil. oulic. — Editio ervndatior. 1788. 232 S. 8. (12 gr.)

Die erfte Ausgabe diefes Handbuchs, welches fich durch feine Kürze, durch die genaue Darftellung der Urfachen der Krankheiten und die richtige Auswahl guter und wirkfamer Arzneyen empfiehlt und für den ausübenden Arzt äufserft bequem ift, wenn er die verfchiedenen Urfachen und Heilungsmethoden einer Krankheit in der Kürze und gleichfam mit einem Blicke überfehen will, kam im J. 1778, in Frankf., b. Garbe heraus. Der verdienftvolle Vf. verfprach damals noch einen zweyten Theil, der von den Fiebern handeln und weit kürzer als der erftere ausfallen follte: diefer wird aber nun wahrfcheinlicher Weife nicht erfcheinen, da K. zu fruh für die ausübende Heilkunde und die zahllofe Menge von Kranken, die von ihm Hülfe erhielten, geftorben, und in diefer neuen Auflage von einem zweyten Theil, welcher folgen foll, nichts erwähnt ift. Diefe zweyte Auflage ift nicht verbeffert. Sie entfpricht Seite vor Seite der erften, und wenn wir auch einige Druckfehler in ihr nicht gefunden haben, welche in der erften in fehr grofser Menge anzutreffen find, fo haben wir in ihr auch mehrere neue gefunden, welche in der erften Ausgabe nicht zu finden find. Selbft die am Ende bey der erften Ausgabe angezeigten Druckfehler find nicht immer gehörig verbeffert. Ein Regifter, deffen Mangel den Gebrauch der erften Ausgabe unbequem machte, fehlt auch bey diefer neuen Aufl, welche für nichts mehr und weniger, als für einen blofsen neuen Abdruck der erften zu halten ift.

GESCHICHTE.

Berlin, b. Pietra: Memoires d'un Gentilhomme Suédois ecrits dans fa retraite l'année 1784. 1788. 365 S. 8.

Der Verfaffer diefer Memoires, der fchwedifche Graf von Hordt, hatte fie nicht zum Drucke beftimmt. Aber die dringenden Bitten des Verlegers, der dem Grafen vorftellte, dafs der Verlag diefes Werks ihn und feine zahlreiche Familie von ihren erlittenen Unglücksfällen wieder aufhelfen würde, bewogen ihn endlich Hn. Pietra das Manufcript zu überlaffen, mit dem Wunfche, dafs der Druck ihm vortheilhaft feyn möge. Diefe edle Abficht darf freylich den Rec. über den innern Werth des Buchs nicht verblenden: er mufs vielmehr offenherzig geftehen, dafs er nach der Kenntnifs, die er von den intereffanten Situationen, in denen fich der Graf befunden hat, im Allgemeinen hatte, wichtigere Aufklärungen über einige Begebenheiten feines Lebens erwartet habe, als er fie hier vorfand: dafs in Rückficht auf nicht fchwer zu errathende Verhältniffe vieles verfchwiegen fey, was man zu wiffen wünfchen würde, und vieles gefagt, was man zu wiffen füglich entbehren könnte; dafs endlich der Stil weder elegant noch rein von ausländifchen Wendungen fey, und dafs es der Sprache hin und wieder vielleicht gar an grammaticalifcher Correction fehle. Allein Rec. glaubt demohngeachtet behaupten zu dürfen, dafs die ungefchmückte Erzählung der Schickfale diefes, bey der Schwedifchen Revolution von 1756, berühmt gewordenen Mannes immer eine unterhaltende Lectüre gewähre. — Folgender gedrängte Auszug mag diefes Urtheil rechtfertigen. — Der Graf Hordt verfchweigt das Jahr feiner Geburt. Sein Vater war unter der antifranzöfifchen Partey (dem fogenannten Bonnets); demohngeachtet machte der Sohn feinen erften Feldzug unter Anführung des fchwedifchen Generals Buddenbrock in dem für fein Vaterland fo verderblichen Kriege von 1741 gegen die Ruffen. Ein Krieg, der, wie man weils, auf Anftiften des franzöfifchen Hofes unternommen wurde. Der Verfaffer entwickelt die Mittel, wodurch diefer Hof fich den Einflufs in feinem Vaterlande zu verfchaffen wufste, die Beftechlichkeit feiner Landesleute, und die Fehler, die von ihren Anführern begangen find. Nach gefchloffenem Frieden gieng der Graf als Volontair zur Armee der Alirten unter dem Commando des Herzogs von Cumberland in Flandern. Der Prinz von Waldeck, der die holländifchen Truppen anführte, ward fein Befchützer. Durch ihn erhielt er eine Compagnie unter den leichten Truppen, errichtete in der Folge ein Regiment, und ward Obriftlieutenant. In Amfterdam lernte der Graf den berühmten J. J. Rouffeau kennen. Er fand ihn gefellig, und fogar unterhaltend. Zu gleicher Zeit aber führt er eine Anekdote an, welche die fonderbaren Launen diefes grofsen Manues in fpätern Jahren zeigt. Der Graf Goerz führte den jungen Herzog von Sachfen-Weimar auf Reifen, und wünfchte diefem während ihres Aufenthalts in Paris, die Bekanntfchaft des Genfer Bürgers zu verfchaffen. Zuerft liefs er fich bey ihm durch den Bedienten melden, aber vergebens: hierauf gieng er felbft in feine Wohnung. Auf wiederholtes Klopfen an der Thür, ward diefe mit Vorficht halb geöfnet, und Rouffeau liefs fich im Schlafrocke fehen. Wer find Sie? Was wollen Sie? fragte er haftig. Der Graf nannte feinen Namen, und bat um die Erlaubnifs des Prinzen zu ihm zu führen, deffen Erziehung ihm anvertrauet fey. „Wie!" rief Rouffeau, „Ihnen ift feine Erziehung anvertrauet? Defto fchlimmer für Sie!" und damit flog die Thür zu. — Nach geendigtem Kriege kehrte der Graf Hordt wieder nach Schweden zurück, verheirathete fich, und bezog feine Güter, ohne jedoch die holländifchen Dienfte verlaffen zu dürfen. Nach einigen Jahren aber fetzte ihn der König von Schweden als Obrifter bey feiner Leibgarde an, und dies brachte ihn nach

Stock-

Stockholm. Hier ward er in die berühmte Verfchwörung verwickelt, die im Jahre 1756 diejenige Revolution in der Regierungsform bewirken follte, die erft unter dem jetztregierenden Könige zu Stande kam. Horde war eines ihrer Häupter, und: er entkam nur durch die Flucht dem traurigen Schickfal, deffen Opfer *Brahe* und Baron *Horn* wurden. Man fucht aber bey dem Vf. vergebens nach genauern Nachrichten über diefe intereffante Begebenheit, befonders über die Art, wie die Verfchwörung entdeckt wurde, über den Antheil, den die Königinn daran nahm. Die Urfachen, die der Vf. Behutfamkeit geboten, laffen fich leicht errathen. Aus Allem fiehet man, dafs es dem Könige an Entfchloffenheit fehlte. Graf Horde fand bey dem Fürften von *Waldeck* Schutz, der ihn felbft, nach einer vom Kaifer an ihn erlaffénen Requifition nicht ausliefern wollte. Aber der Graf, der feinen Wohlthäter in keine Verlegenheit fetzen mochte, gieng freywillig zuerft zu Voltaire nach der Schweitz, und darauf nach Kiel, wo ihm der Grofsfürft von Rufsland eine Freyftatt anbot. Im Jahre 1757 trat er in Preuffifche Dienfte, erhielt ein Freycorps, ward aber von den Ruffen gefangen, und nach Petersburg auf die Citadelle gebracht. Hier ward er fehr hart gehalten, bis er bey der Thronbefteigung Peter III. in Freyheit gefetzt wurde. Er war der erfte, durch den der hochfel. Konig von Preuffen mit dem Czar in Unterhandlung trat. Ueber das Verhältnifs des Letztern mit feiner Gemahlinn und deffen Privatleben überhaupt, einige intereffante Nachrichten. Nach dem Frieden ward das Freycorps unter dem Commando des Grafen diffolvirt: er felbft bekam den Charakter als Generalmajor und 3000 Rthlr. Penfion. Bald darauf ward er in feinem Vaterlande in Ehren und Güter wieder eingefetzt. Auf der Reife des Prinzen Heinrichs nach Petersburg war er deffen Begleiter. Hier fprach einmal die Kaiferinn mit ihm über die Revolution, die fie auf den Thron brachte. Der Vf. liefert davon eine kurze Erzählung. Nach feiner Wiederkunft ward er zum Generallieutenant und Gouverneur von Spandau ernannt. In diefem Poften durfte er fich oft bey dem Könige für folche Gefangene verwenden, die nur geringer Vergehen wegen eingekerkert waren, und es glückte ihm nicht felten, ihre Loslaffung zu erwirken. Der Graf begleitete aufs neue den Prinz Heinrich auf feiner zweyten Reife nach Petersburg, und bey diefer Gelegenheit erzählt er zwey Anekdoten, die uns des Auszeichnens werth fcheinen. „Zu der Zeit, als der Credit des Fürften *Orlows* am Petersburgerhofe zu finken anfing, und *Potemkin* in Gunft kam, begegneten fich beide Herren auf der Schlofstreppe. Der letzte wollte zur Kaiferinn gehen, der andere kam von ihr her. Was giebts Neues bey Hofe? fragte Potemkin. Nichts! antwortete Orlow kalt: als dafs ich herab, und Sie

hinaufßeigen. — Die andere dient zum Beweife des fcheuslichen Fanatismus, der damals noch in Mofkau herrfchte. Der Erzbifchof diefer Stadt, ein ehrwürdiger Greifs, liefs aus einer Kirche, die mit Bildern überladen war, einige heraus in ein Klofter bringen. Der Pöbel nimmt diefes für eine Entheiligung, und rottet fich zufammen, um fich an dem Erzbifchofe zu rächen. Der unglückliche Greis flüchtet in eine Kirche, der Pöbel verfolgt ihn, und fchleppt ihn an die Thür, in der Abficht ihn umzubringen. Der Erzbifchof fieht, man möchte ihm wenigftens vor feiner Hinrichtung den Gebrauch des Sacraments geftatten. Dies wird zugeftanden; der Pöbel fieht mit kalter Faffung der heiligen Handlung zu, reifst ihn darauf vom Altare weg, und haut ihn vor der Thüre der Kirche in Stucken. — Wir endigen diefen Auszug mit der Bemerkung, dafs der Graf durch eine zweyte Heyrath in den Befitz einer Herrfchaft gekommen ift, zu der gerade das Dorf gehört, in dem er vor einigen zwanzig Jahren von den Ruffen gefangen genommen war.

VERMISCHTE SCHRIFTEN.

Leipzig, b. Weygand: *Gefchichte der menfchlichen Narrheit, oder Lebensbefchreibungen berühmter Schwarzkünftler, Goldmacher, Teufelsbanner, Zeichen- und Liniendeuter, Schwärmer, Wahrfager, und anderer philofophifcher Unholden.* Sechfter Theil. 1788. 457 S. 8. (1 Rthlr.)

Da wir ziemlich umftändlich bereits in der Anzeige der erftern fünf Theile gewefen find, und der Verf. fich in feinen guten Eigenfchaften fowohl, d. h. in *Fleifs* und *Gründlichkeit*, als auch in den fchon gerügten Fehlern, d. h., in zuweilen *fonderbarer Wahl* und *allzu weit getriebener Strenge* ziemlich gleich verbleibt, fo wird gegenwärtiger Theil keiner weitläuftigen Unterfuchung bedürfen. — Er enthält 9 Lebensbefchreibungen, und, (was nicht ganz mit dem Titel übereinftimmt, der nur Biographien verfpricht) die *Clavicula Salomonis.* Die Thoren, welche darinnen auftreten, find: 1) *Seldt*, ein Stadtpfarrer zu Crailsheim, der 1680 fich fehr bemühte, einem achtjährigen, entweder kranken oder boshaften Mädchen den Teufel auszutreiben; auch es wirklich dahin gebracht zu haben glaubte, als ein — Spulwurm von ihr gieng. 2) *Delisle*, ein Goldmacher, der im erften Decennium diefes Jahrhunderts viel Auffehen in der Provence machte, allerdings eine goldähnliche Materie hervorbrachte, und zuletzt in der Baftille ftarb. Rec. zweifelt keinen Augenblick, dafs D. ein Betrüger war. Doch fehlen wenigftens die beftimmten Data, wie und wiefern er betrog. 3) *Andreas Alnys*, vielleicht des vorigen Sohn, und auch ein trüglicher Alchymift. Der Umftand mit dem vom *de Percal* bewirkten Procefs (S. 46), bleibt abermals im Dunkeln. 4) *Michael Sendivog*, einer der berüchtigſten Adepten, von deſſen Leben es eine Menge Legenden giebt. Der Vf. ſetzt deren drey neben einander: und die Mühe, die er in deren Vergleichung anwendet, verdient Dank und Lob. Woher er aber ganz gewiſs weiſs, daſs die 4te Geſchichte (S. 75) die *wahre* ſey, begreifen wir doch nicht recht, Der Hr. Italiäner, Poliarcho Micigno, von dem man nicht einmal weiſs, ob dies ſein wahrer oder anonymer Name ſey, konnte ja wohl eben ſo gut, als die übrigen gefabelt haben. Auch Micigno hielt Sendvogs Tinktur (S. 82.) für ächt. Daſs ſie den Metallen nur eine Goldfarbe gegeben, und man dann keine weitere Unterſuchung mit den *ſo gefarbten* Metallen angeſtellt habe; iſt des Vf. Vermuthung. Sie erklärt freylich alles; ob ſie aber *wahrſcheinlich* ſey, iſt eine andre Frage. 5) Joh. Heinr. von *Mühlenfels*, ein Betrüger, der endlich den verdienten Tod 1607 in Würtemberg an Galgen fand, nachdem er viele Fürſten um hohe Summen (S. 98.) geprellt hatte. 6.) Wilhelm *Poſtel*, der berühmte Lehrer des Chiliasmus, und der (zweifelsfrey verrückte) Herold der *Mutter Johanna*. Ein Mann, der immer ein merkwürdiges Beyſpiel bleibt; daſs Gelehrſamkeit und Wahnſinn oft ſehr verträglich in einem und ebendemſelben Kopfe wohnen können. Sein Leben iſt ohnſtreitig das beſte im ganzen Buch; doch behandelt auch ihn der Vf. zuweilen mit noch gröſsrer Strenge, als nöthig wäre. So möchte er ihn z. B. oft alle morgenländiſche Sprachkenntniſſe abſprechen, und S. 150. als Poſtel im Venetianiſchen, weil ein ihm *ähnlich geweſener Franciſkaner* einem andern Mönch umgebracht, in Verhaft kömmt, und ſeinen Wächtern entwiſcht, *will er zwar auch glauben, daſs er entwiſchen, weil ſeine Unſchuld gewiſs in jedem Gerichte ſogleich würde erkannt worden ſeyn.*" Ob das *alle* italieniſche Gerichte und *ſogleich* thun, iſt ſehr die Frage; und daher Entweichung auch keinem noch ſo Unſchuldigen zu verargen. Zu bewundern iſt es immer, daſs ein Schwärmer, wie Poſtel, der oft

in den eifrig katholiſchen Ländern ſich blicken lieſs, und wirklich einigemal in Inquiſition kam, 71. Jahr alt werden und ruhig auf den Bette ſterben konnte. 7) Chriſtoph *Kotter*, ein Prophet, der in den böhmiſchen Unruhen, K. Friedrich von der Pfalz verkündigte, daſs Gott ſeinen Gegner Ferdinand verworfen habe; auch nach der Schlacht auf dem weiſsen Berge, den Sturz des Hauſes Oeſterreich und den Fall des Pabſtes verhieſs, und wirklich ſehr gelinde davon kam, als er 1627. zu Glogau *nur* an den Pranger geſtellt wurde. 8) Mathias *Knutſen*, ein Gottesläugner, der 1674 zu Jena, durch eine Verſicherung, daſs es alda 700 ſeines Gleichen gäbe, viel Aufſehn machte, deſſen elende drey Skarteken aber die Widerlegung kaum verdienten, die einige Gottesgelehrten gegen ihn ausgehn lieſsen. 9) Chriſtina *Poniatowa*, auch eine Prophetin im dreyſsigjährigen Kriege; die ſogar die Verwegenheit hatte, an den berühmten — und zwar warlich nicht durch ſeine Gelindigkeit berühmten! — *Wallenſtein* einen Brief, den ihr Gott ſelbſt diktirt haben ſollte, zu richten; ihm darinnen einen wüthenden, blutgierigen Hund zu nennen, und dieſes Sendſchreiben von ein paar Edelfrauen begleitet, ſeiner eignen Gemalin zu überreichen. Doch that ihr Wallenſtein nichts, ſondern mit einer Gleichmuth, die ihm Ehre macht; ſagte er ſcherzend: Der Kaiſer, mein Herr, bekömmt Briefe aus Rom, Konſtantinopel, Madrit, u. ſ. w. Ich aber bekomme ſie ſogar aus dem Himmel." — Dies Glück war ſchon viel; aber ein anders war noch gröſser; dieſe Närrin nemlich, die 6 Jahre durch unglaublichen Wahnſinn verbreitete, und einmal ſogar geſtorben, und im Himmel geweſen ſeyn wollte, ward eine gute ſtille Hausfrau, und lebte noch 12. Jahr, bis an ihr Ende, vernünftig. — Der letzte Auſſatz, wo er auf 123 S. ſieben Exemplare der berühmten Clavicula Salomonis abdrucken läſst, ihre Verſchiedenheiten zeigt, und einige Anmerkungen, den Unſinn in ihr betreffend, beybringt, iſt an und vor ſich ſelbſt betrachtet, auch immer ſchätzbar, doch dünkt uns, enthält er zu vieles, was in dieſem Umfange genommen, nur für eine bloſs literariſche Bibliothek gehört.

KLEINE SCHRIFTEN.

ARZNEYGELAHRTHEIT. *Göttingen: Specimen bibliothecae criticae magnetismi ſit dicti animalis — pro gradu Doctoris ſcripſit Paulus Uſteri.* 1788. 44 S. 8. In der Zuſchrift an ſeinen Lehrer, den Herrn Canonikus Rahn, redet der Vf. von den Urſachen, warum der Magnetiſmus zu unſern Zeiten Beyfall gefunden hat, und warum er gerade von Frankreich aus verbreitet werden muſste, da er vorher in Wien keinen Eingang fand. Von der *bibliotheca critica* iſt nur ein Theil geliefert worden: Der Vf. zeigt nur die Bücher und Schriften von dem höhern Alter des Magnetiſmus, desgleichen ſolche Werke an, in denen die Erſcheinungen bey dem Magnetiſmus aus ganz natürlichen Urſachen erkläret werden.

A L L G E M E I N E

L I T E R A T U R - Z E I T U N G

Sonntags, den 22ten März 1789.

HALLE, b. Gebauer: *Philofophifches Magazin, herausgegeben von Joh. Aug. Eberhard.
Zweytes Stück.* S. 112 bis 241. (9 gr.).

Enthält 1) eine beftimmt, deutlich und gut
gefchriebene Abhandlung von Hrn. Maafs
über die tranfcendentale Aefthetik. Der vom
Rec. in der Anzeige des erften Stücks geäufserte
Wunfch, dafs zuvörderft diefer Theil der Kantifchen Philofophie erörtert werden möchte, ift alfo hier erfüllt, aber in fehr unvollkommner Maafse befriedigt. Denn es kommt nunmehro darauf
an, was diefe Abhandlung in der Hauptfache leiftet. Der Vf. erinnert zuerft gegen alle Beweife,
die Kant für feine Erklärung des Raumes und der
Zeit als fubjective Formen der finnlichen Erkenntnifs führt, überhaupt: dafs ihr Principium mit
feinem eignen Grundfatze der Metaph. in Widerfpruch ftehe, dem zufolge von Dingen an fich
felbft nichts prädicirt werden könne. (Diefer
Einwurf verfchwindet, wenn man bedenkt, dafs
Kant nicht fowohl den transfcendentalen Objecten,
Dingen an fich felbft, Raum und Zeit als Eigenfchaften abfpricht, denn wir können uns von dem
Gegenftande diefer Frage nicht einmal einen Begriff machen, fondern dafs er beweifet, wir erkennen R. und Z. nicht als Eigenfchaften der Dinge an fich felbft, aber auch nicht als Eigenfchaften des durch Erfahrung gegebnen finnlichen Ob-
jects.) Es folgen Erinnerungen gegen die einzelnen Vorftellungen und Beweife im Cap. der Krit.
der r. V., das vom Raume handelt. Eine folche
genaue Prüfung ift fehr nützlich, und für den
Philofophen, der Kants Grundfätze vortragen und
erörtern will, fehr lehrreich, denn es kommt hier
allerdings darauf an, dafs jede einzelne Wendung,
jeder Beweis untadelhaft fey, und wenn diefe Erinnerungen auch in der Sache felbft nichts zu ändern vermögen, fo zeigen fie doch, wie der Beweis noch einleuchtender und fafslicher geführt
werden müffe. Es ift hier der Ort nicht, die
Schlufsfolgen des Vf. zu prüfen, zu beftätigen
oder zu widerlegen, fondern nur den Auffatz zu
beurtheilen. Rec. mufs fich daher begnügen, zu

bemerken, dafs hier doch manche fchwache Stellen find; z. B. wird S. 129 behauptet, *eine nothwendige Vorftellung könne dennoch empirifch feyn,
der Raum, wenn er gleich eine empirifche Vorftellung wäre, müfste, um als nicht exiftent gedacht
zu werden, zugleich gedacht und nicht gedacht
werden.* Auf die Art liefse fich auch beweifen,
dafs alles mögliche wirklich, und alles zufällige
nothwendig fey. Am fchwächften aber ift gerade das, was die Hauptfache trifft. Da Kant aus
der apodiktifchen Nothwendigkeit aller mathem.
Demonftrationen folgert, dafs die Vorftellung
vom Raume in der menfchlichen Seele a priori
exiftire, fo weifs fich fein Gegner hier nicht anders zu
helfen, als durch die Ausflucht, diefe apodikti-
fche Nothwendigkeit könne auch wohl beweifen,
dafs es möglich fey, aus der Wahrnehmung etwas
apodiktifch gewiffes zu fchöpfen. Eine Aeufserung, die eine fo ungereimte Verbindung wider-
fprechender Vorftellungen enthält, dafs es ordentlich wehe thut, einen Schriftfteller, der vorher
bündig fchlofs, wenn auch gleich in feiner Stellung der Begriffe manche Verwechslung mit un-
terlief, fo gegen die erften logifchen Grundbegriffe anftofsen zu fehen. Bey der Widerlegung
von Kants Beweife, dafs der Raum eine Anfchauung, und nicht ein allgemeiner Begriff fey, ift
auf den Unterfchied des Raumes und des allgem.
Begriffes der Ausdehnung nicht gehörige Ruckficht genommen. Die folgenden Erinnerungen
gegen Kants Vorftellungen von der Zeit, find nur
gegen feinen Ausdruck gerichtet, dafs fie Form des
innern Sinnes fey. Der Vf. fagt, *Vorftellung fey vielmehr die Form des innern Sinnes.* (Vorftellung aber
liegt nicht, wie er fagt, den Gegenftänden deffelben
zum Grunde, oder ift in ihnen enthalten, fondern
die Gegenftände des innern Sinnes felbft, find
Vorftellungen.) Endlich wird Leibniz gegen
Kants Vorwurf gerechtfertigt, dafs er die Sinnlichkeit durch verworrene Vorftellung der Dinge
an fich felbft erklärt. (Die Frage ift hier eigentlich von Leibnizens Vorftellungen von der Ausdehnung, und da ift bekannt, dafs er fie durch das
ordinem coexiftentium erklärte, alfo zu einem blofsen Verftandesbegriffe machen wollte, welches
nicht ftatt findet, weil alsdenn die geometrifche

Xxxx   De-

Demonſtration. Demonſtration aus Begriffen ſeyn
müſste, welches ſie nicht iſt: die Vorſtellung
von ausgedehnten Körpern erklärte Leibnitz durch
verworrene Vorſtellung von einfachen Weſen.)

In dem folgenden Aufſatze über die logiſche
Wahrheit, oder die transcendentale Gültigkeit
der menſchlichen Erkenntniß ſetzt der Herausgeber
ſelbſt die im erſten St. angefangene Vergleichung
der Leibnitziſchen Kritik des Vernünftvermögens
mit der Kantiſchen fort. Es ſey verſtattet, Cos-
mologie und rationale Theologie zu bearbeiten,
in der unerwieſenen Vorausſetzung, daß die Objecte derſelben Realität haben, die ſich vielleicht
künftig einmal zeigen laſſe. (Aber warum nicht
mit Kant den nächſten Weg gegangen, und die
Möglichkeit einer objectiven Gültigkeit derſelben
zuerſt geprüft? Der Mathematiker, auf den ſich
der Vf. beruft, iſt ſchuldig, zuerſt die Möglichkeit ſeines Gegenſtandes zu beweiſen. Kein Ma-
thematikverſtändiger wird dem Borelli, der hier
angeführt wird, zugeben, daß er ohne einen ſolchen Beweis ein Subjectum definitum willkührlich annehmen dürfe. Die ſicherſte aller Wiſſenſchaften würde ja dadurch zu einer Träumerey
über Hirngeſpinſte.) Indeſſen macht der Vf. ſelbſt
keinen Verſuch, dieſen nothwendigen Beweis zu
führen. Zuerſt die transcendentale Gültigkeit
der Form unſrer Erkenntniß. Sie beruhet natürlicher Weiſe zunächſt auf dem Satze des zureichenden Grundes. Einem Subjecte, ſagt der Vf.
das zweyer entgegengeſetzter Prädikate fähig iſt,
würden beide zugleich zukommen können, wenn
nicht durch irgend etwas beſtimmt würde, welches von beiden Prädikaten das wahre iſt. Jenes
aber iſt gegen den Satz des Widerſpruchs und dieſes letztere, (die Nothwendigkeit eines zureichenden Grundes) beruhet alſo auf demſelben. (Dieſes iſt nicht hinlänglich. Der Satz des zur. Grundes erfodert, daß dieſes Etwas, von jenem, welches darin gegründet iſt, verſchiednes ſey, und
das iſt hier nicht bewieſen, und kann nicht bewieſen werden. Auf der Möglichkeit Synthetiſche
Sätze a priori zu beweiſen, beruhen die Anſprüche der Methaphyſik.) Es fragt ſich alſo
nur noch, ob der Satz des Widerſpruchs objective Gültigkeit habe? die hat er, ſagt der Verf.
weil die Unmöglichkeit des Widerſpruchs nicht
darin liegt, daß das Subject ein Gedanke iſt, da
ſie denn nur von Gedanken gelten würde, ſondern darin, daß es überhaupt iſt Subject iſt.
(Gölte alſo doch hur Subjecten, in ſo fern ſie gedacht werden, denn in ſo fern giebt es überhaupt
nur Subjecte der Erkenntniß. Aber noch mehr.
Der Satz des Widerſpruchs hat gar keine objective Gültigkeit, denn er lautet, ein Ding kann nicht
A, und zugleich nicht A ſeyn. Nun aber iſt dieſe Negation; nicht A, keiner andern Exiſtenz fähig, als in der Vorſtellung. — Gedacht kann es
werden, daß A, nicht A ſey: aber, in ſo fern es
nicht A iſt, iſt es an ſich ſelbſt — Nichts. Rea-

ler Widerſpruch iſt Streit; und die Möglichkeit
zweyer widerſtreitenden Eigenſchaften in einem
Subjecte iſt unleugbar, ja, es läſst ſich ohne ſolche keine Natur denken.) Zweytens, die trans-
ſcendentale Gültigkeit einer Materie der Erkenntniſs. Der Verſtand ſchauet dieſe Gegenſtände
nicht an. Darin ſind alle Partheyen einig. Aber
es behauptet die eine, daſs ſie demohnerachtet
wahre Gegenſtände ſeyen. Dieſes beweiſet Hr.
E. aus der Natur des Raumes und der Zeit, als-
der erſten Elemente der Sinnenerkenntniſs. (Schon
gegen die in dieſem Ausdrucke enthaltene Vorſtellung ſtreitet bekanntlich Kants transcendentale Aeſthetik.) Die einfachen Theile dieſer Elemente der Sinnenerkenntniſs liegen ganz auſſer-
halb der Sphäre der Sinnlichkeit, und ſind nur
dem Verſtande erkennbar. (Die Realität derſelben iſt nie erwieſen worden. Leibniz machte
R. und Z. zu bloſsen Begriffen. Hr. E. will ſie
zu Eigenſchaften machen, aber da kann er den wi-
derſprechenden Schlüſſen nicht entgehen, welche
Leibnizen dazu bewogen, ihnen alle objective
Realität abzuſprechen. Wie kann ein Continuum
aus einfachen Theilen beſtehen?) Wir ſehen der
Fortſetzung dieſer Ausführungen gegen die Kantiſche Philoſophie begierig entgegen. Es iſt ſehr
intereſſant, die Gründe für die transcendentale
Erkenntniſs, in Beziehung auf Kants entgegenſte-
hende Lehren, zu ausgeführt zu leſen. Auch wird
hoffentlich der Herausgeber ſelbſt in ſeinen eigen-
Aufſätzen, auf die Hauptfrage von der Quelle der
Evidenz ſynthetiſcher Demonſtrationen in der Mathematik ſich noch beſonders einlaſſen. Denn nach
den obigen Erinnerungen an der Aufſatz des Hrn.
Maaß nicht für eine Erfüllung dieſer Forderung
gelten. Hier folgt 3) Beytrag zur Geſchichte der
Barte. Im eilften Jahrh. war ein geſchornes; einige Jahrhunderte ſpäter ein bärtiges Kinn der
Stolz der Geiſtlichkeit. Die hierüber beygebrachten Geſchichten beweiſen, wie dieſelbe in den
geringſten Umſtänden Erhebung des heiligen Ordens geſucht.

4) Eine Rhapſodie über das Verdienſt in
Verſen.

5) Eine ſehr ausführliche Beurtheilung von
Flätts Fragen, Beyträgen, in der manche Schwächen ſeiner Ausführung gut gezeigt werden.

6) Schreiben des Herausgebers an die Herausg.
der Berl. Monatsſchrift. Wolf ſollte unter den
Weltweiſen, denen in Berlin ein Monument errichtet wird, ſeiner (hier aufgezählten) Verdienſte
wegen, mitgenannt ſeyn.

SCHÖNE WISSENSCHAFTEN.

HAMBURG, b. Hoffmann: Minona, oder die
Angelſachſen. Ein tragiſches Melodrama in
vier Akten. Die Muſik von Hn. Capellmei-
ſter J. A. P. Schulz. 1785. 190 S. 8. (14 gr.)

Der

n Der aus mannichfachen Fäden zuſammenge-
webte Plan, und die auſſerordentlichen Schönheiten mehrerer vortreflichen Scenen dieſes Schau-
ſpiels, (deſſen Anzeige durch die gänzliche Aus-
laſſung deſſelben im Allg. Verzeichniſs neuer Bücher und andre Zufälle verſpätet worden) verlangen eine ausführlichere Rechenſchaft.

Edelſtan Jarl der Angeln iſt aus der Gefangenſchaft der Pikten, durch eine vermeinte Erſcheinung (es war Minona, Schweſter des Piktec-
Königs Trenmor) befreyet worden. Er ver-
ſammelt ſich mit andern Häuptern der Nationen,
welche die von den Römern ihren Schutzherrn
verlaſsnen Britten zu Hülfe gerufen hatten, in
dem römiſchen Lager. Hier entbrennt in dem
Herzen der Aezia Septimilla, der Verlobten des
römiſchen Heerführers Aurelius Ambroſius, und
Tochter ſeines Vorgängers, die heftigſte Leidenſchaft zu dem reizenden Barbaren. Sie mögte ihn
von den Seinigen noch Rom entführen, um ihn
ganz zu beſitzen. Aber die glücklichen Bemühungen ſich in ſein Herz einzuſchleichen, werden durch einen Barden, Ryno, alten Freund des
Hauſes Edelſtans zerſtört. Er enträthſelt die wun-
dervolle Errettung aus der Gefangenſchaft, und fodert ihn auf, Minona zu befreyen, die entdeckt,
und von ihrem durch blinde Prieſterwuth beherrſch-
ten Bruder beſtimmt worden; nebſt vielen Gefangenen dem blutdürſtigen Gotte Brumo geopfert
zu werden.

Minona in einer dunkeln Höle, athmet nur
ſchwärmeriſche Liebe, und Hoffnung einer glück-
lichern Vereinigung mit dem Gegenſtande derſelben, in der Zukunft nach dem Tode. Stimmen der Oeiſter um ſie. Zürnende Stimmen
drohen dem unterjochten Brittanien den Untergang. Eine andre ſieht Errettung. Andre verſprechen ihr ein neues Leben, und höhern Glanz
in dem neuen Geſchlechte (der Angelſachſen),
welches in ihr blühen wird.

Die Römer ratſchlagen über ihre Unternehmung. Edelſtan iſt mit Mannſchaft entflohen, Minona zu retten, und befreyt ſie in dem Augenblicke, da ſie in dem Kreiſe der heiligen Steine,
dem Opfertode übergeben werden ſoll, Der, ſinn-
loſer Druiden-Weisheit blind ergebne Trenmor
wird nemlich vom Oberprieſter bewogen, die alten blutigen Opfer wiederherzuſtellen, die Fin-
gal, ſein Ahnherr, mit dem ganzen Orden der
Druiden und ihrer heiligen Lehren, zerſtört hatte. — Sieben mal Sieben, und Sieben mal Neun
Gefangne ſollen dem Brumo geſchlachtet werden. Soldaten bringen die ihnen wunderbarer
Weiſe in die Hände geführte Minona, ſie erzählen
eine weiſſagende Stimme, die ſie vernommen,
über deren ängſtigenden Inhalt der Oberdruide
Trenmor durch geſuchte Erklärungen beruhigt.
Aber indem Minona ſterben ſoll, erſcheinet ihr Be-
freyer. Nachricht, daſs Römer gelandet, ſich
aber bis auf drey zurückgelaſſne, und gefangne

zurückgezogen. Den Augenblick, da Edelſtan
dieſen drey Gefangnen die Freyheit giebt, gebraucht Auzia, die verkleidet unter ihnen war,
Minona zu erſtechen. Sie ſtirbt wird im Augenblicke von Nebenſtehenden niedergehauen. Edelſtan ſchenkt Trenmorn Leben und Freyheit. Der
König will ihn bewegen, zu dem alten Druiden-
Glauben, ſich mit ihm zu vereinigen, Edelſtan
ſtöſst den Blutaltar um, den die Erde verſchlingt.
Stimmen der Oeiſter verkünden der ſchönen Inſel die künftige Religion.

Vortreflich ſind die Scenen der Römerin mit
ihrer Sclavin. Die Griechin weiſs ſo ſchlau
der Leidenſchaft ihrer Gebieterin zu ſchmeicheln,
ſo fein ihre Anſchläge zu errathen und zu erforſchen. Bezaubernd iſt die Scene, wo die verliebte und durch die Ausbildung des vornehmen
Weibes in einem luxuriöſen Zeitalter gefährliche
Aezia ſich ſo ſchlau an die Stelle der Erſcheinung
zu ſetzen weiſs, der das Herz ihres Geliebten ergeben iſt. „Liebeſtränke ſind nicht giftiger,
„Zauberformeln nicht hinterſtelliger, als die Kün-
„ſte, die ſie ſich erlaubte,“ wie der alte Ryno von
ihr ſagt. Schön iſt der Auftritt, da dieſer den
Edelſtan aus ihren Feſſeln reiſst. Minona verloren, ſagſt du? ſpricht Edelſtan. Siehe, ſie rettete mein Leben, und wäre verloren! Alles,
was Aezia hier ſagt, iſt vortreflich. Wie ſie bald
die Worte des Barden zu ihrem Vortheile zu wenden, bald ihren Eindruck in Edelſtan auszulöſchen
ſucht, bald verſtummt, und endlich hinſinkt.

Der einfachere Ton ſchwärmeriſcher Liebe in
Selbſtgeſpräche der Minona in der Höhle, welches ſich in einem ſchönen Geſange auflöſt, iſt
eben ſo vortreflich.

Hier erſt tritt die Muſik ein. Es iſt ſehr gut gedacht, daſs nicht das ganze Stück nach der ab-
geſchmackten Weiſe der deutſchen Opern mit
Arien untermiſcht iſt, ohne daſs man fühlte,
warum bald geſungen, bald geſprochen wird.
Nur Minona ſingt am Ende in ihren Selbſtge-
ſprächs, da die Empfindung in ihr ſo hoch ge-
ſtiegen, daſs die Sprache natürlicher Weiſe in
Geſang übergehen kann. Was iſt der einſamen
Verliebten natürlicher, als Geſang? Uebrigens
iſt die Muſik nur für einige Feyerlichkeiten, und
für die wunderbaren Geiſterſcenen aufbehalten.
Ueberhaupt iſt das Wunderbare (aus Gründen,
die Beaumarchais in der Vorrede zu ſeiner Oper,
Figaro, zum Theil ſehr gut ausgeführt hat) der
wahre Gegenſtand des muſikaliſchen Drama, und
der ungewöhnlich hohe, einfache, Oſſianiſche Ton
dieſer Scenen giebt dem Componiſten Gelegenheit zu einer eindringenden Muſik eigner Art.
Der Tonkünſtler, deſſen Stücke im Charakter
der Compoſition liegt, (ſo wie der treflicher Componiſt, der, dem Titelblatte zufolge, die Muſik zu
dieſem Stücke geſetzt hat,) findet hier ſchöne
Veranlaſſungen ſeine ganze Kunſt zu zeigen. Aber

Aber mit wie vielen find diese Schönheiten untermischt, welches ihren Eindruck schwächen muss? Und wie wenig harmonirt damit der Inhalt der beiden letzten Aufzüge, gegen welche von so vielen Seiten so vieles zu erinnern ist!

Gleich anfangs sind lange Berathschlagungen der römischen Feldherrn mit den Häuptern der Angeln, Juten u. s. w., und darauf lange Berathschlagungen der Römer unter sich mit eingemischt. Die ganze Begebenheit soll nemlich ein höheres Interesse erhalten, als selbst Liebesangelegenheiten einer Minona, einer Aesia, eines Edelstan haben können. Die Stimmen der Geister deuten auf künftige Revolutionen Britanniens hin, die in diesen Begebenheiten gegründet seyn werden. Die ganze Lage der Britten, Römer und Sachsen gegen einander, sollte also – dem Zuhörer? oder dem Leser? – mitgetheilt werden. Aber alle Feinheit der Charakterschilderung der Häupter, in der Scene, wo Aurelius so lange Reden hält, die politische Lage und politische Plane zu entwickeln, ist fürs Theater wenigstens verlorne Mühe, denn es kann alles dieses da gar keine Wirkung thun. Selbst dem Leser kommt es an der Stelle sehr ungelegen. Die Begriffe von der Verfassung der alten Sächsischen Völker, die in manchen Scenen mit eingewebt sind, diese sind nur dem Gelehrten geläufig. Sie können auch nicht recht für Nationalalterthümer bey uns gelten. Es ist eine alte Bemerkung, dass Politik nicht fürs Theater ist. Langweiligeres hat aber niemand etwas dafür geschrieben, als die 3te Scene des 3ten Akts. Ein Auftritt eines dramatischen Werks, welchen man ohne die Notitia dignitatum Imperii Romani nachzusehen, nicht einmal verstehen kann!

In der letzteren Hälfte des Stücks, in welcher die Entwicklung vor sich geht, spielen Trenmor und ein Oberdruide die vornemsten Rollen. Wie kann aber die dumpfe Stupidität des dem Priester ganz ergebnen Königs interessiren? Die Maximen über Toleranz und Declamationen gegen Bigotterie auf dem französischen Theater treffen doch allgemein, wenn sie gleich einem Hindu in den Mund gelegt sind. Wird aber irgend ein Zuhörer die allgemeine Aehnlichkeit, die die Bigotterie des druidischem Aberglauben ergebenen Kö-

nigs mit dem christlichen hierarchischen System hat, fühlen? Mag man die Auslegungen, die der Druide von der heiligen Stimme des Geistes macht, im Schauspiel nur einmal anhören? Diese Scenen sind voll widriger Raisonnemens dieser Elenden, und ganz leer an Handlung. Die Feyerlichkeit endlich, auf die alles abzielt, ist ein abscheulicher Gegenstand. Ein Cannibalisches Fest wo Sieben mal Sieben, und Sieben mal Neun Gefangne geschlachtet werden sollen, und der Anfang vor den Augen des Zuschauers gemacht wird. – Das ist ein Schauspiel für Völker, die auch in der Natur so etwas für heilig zu halten fähig sind Die Stupidität des Druiden Chors ist nur ekelhaft. Und Rec. scheint es, dass auch der Componist hier in grosse Verlegenheit gerathen müsse, wie er die Musik zu dieser Feyerlichkeit setzen solle. Giebt er ihr den Charakter wahrer Erhabenheit; so verfehlt er den Endzweck des Dichters (der in einer Anmerkung sehr deutlich sagt, dass es nur der dumpfe Unsinn blinder Priesterwuth seyn soll, und dem der unerwartete Missverstand der Kunstrichter, die im Ernste das Chor Sieben und Sieben u. s. w. für erhaben genommen, sehr lächerlich vorkommen muss.) Giebt er ihr aber den dumpfen Ton des blennen Unverstandes, so wird der wahre Charakter dieser abscheulichen und ekelhaften Scene bis zum unerträglichen erhöhet.

In dem was die Geister zuletzt singen (ihr Chor am Ende des 2ten Akts ist vortrefflich,) sind schöne Verse; aber manche so schwer zu verstehn, dass der Leser, geschweige der Hörer ihren Sinn nicht fasst, und nur nach mehrmaligen Ueberdenken erräth. Freylich ist das dem Charakter der Prophezeihung gemäss, aber das Schauspiel verlangt, dass alles fasslich sey, um Eindruck zu machen. Ueber den Inhalt der letzten Prophezeihung, (ganz versteht sie Rec. noch nicht) könnte der Vf. wohl mit der Frage chikanirt werden; ob das reinere Licht, welches die Geister in der Zukunft aufsteigen sehen, etwa das Licht der Scheiterhaufen seyn möchte, welche Heinrich VIII und Maria anzündeten? Denn er will ja selbst im altbrittischen Aberglauben das System verhasst machen, welches bis auf diese, und noch später nur wieder in andrer Gestalt geherrscht hat.

KLEINE SCHRIFTEN.

Arzneygelahrtheit. Mainz: August Schütz, M. D. de methodi in morbis exspectandi praestantia quaedam differit. 40 S. 3. ohne Anzeige des Jahres. Der Hauptgedanke des Vf., den er durch sehr viele Beyspiele erläutert, ist, dass man bey der Cur der hitzigen und langwierigen Krankheiten die Hindernisse mit Sorgfalt aus dem Wege räumen müsse, die sich dem Gange der Krankheit und der Heilung entgegenstellen. Die Zahl der Druck- und Schreibfehler in diesen wenigen Bogen ist ungeheuer gross.

ALLGEMEINE
LITERATUR - ZEITUNG

Montags, den 23ten März 1789.

ARZNEYGELAHRTHEIT.

Berlin, ob. Haude und Spener: *Alberts von Haller Grundriß der Physiologie für Vorlesungen.* Nach der vierten lateinischen mit Verbesserungen und Zusätzen des Hn. Hofrath *Wrisberg* in Göttingen vermehrten Ausgabe, von neuem überfetzt und mit Anmerkungen versehen durch Hrn. Hofrath *Sömmering* in Mainz, und mit einigen Anmerkungen begleitet und beforgt von *P. P. Meckel*, Prof. in Halle. 1788. 710 S. 8. (1 Rthl. 12 gr.)

Diese neue Ausgabe der Hallerischen Physiologie hat vor allen bisher erschienenen grofse Vorzüge. Die deutsche Ueberfetzung derselben ist mit einem Fleiße abgefaßt, den man in dem Maaß nur in wenig Arbeiten dieser Art antreffen wird, und schon in in dieser Hinficht ist diese Ausgabe denen, die mit der Sprache des Originals nicht bekannt genug find, fehr zu empfehlen. Die Herausgeber haben alle Anmerkungen des Hn. Hofraths Wrisberg aufgenommen, und diese nicht felten erläutert, zuweilen auch berichtiget. Da in dem Lehrbuche des Hrn von Haller eine Art von Einleitung in die Physiologie vermiffet wurde, so hat Hr. Prof. Meckel diesen Mangel erfetzt und in der Vorrede den Begriff der Physiologie und die Eintheilung der Verrichtungen beygebracht, auch die Kräfte, durch welche diese Verrichtungen bewirket werden, kurz angegeben. Die Anmerkungen der beiden Gelehrten, welche fich mit diesem Werke beschäftiget haben, find fo zahlreich, dafs man nur auf fehr wenigen Blättern keine finden wird. Die allermeisten enthalten Berichtigungen, der in dem Texte vorgetragenen Lehrfätze aus den Entdeckungen der Zergliederer und Physiologen, welche nach Hallers Zeiten und nach der letzten Ausgabe des Hn. Hofraths Wrisberg bekannt wurden. Sehr genau find auch die Druckfehler angezeigt, welche in dem Lehrbuche, bey Bearbeitung deffelben bemerkt wurden. Von Zergliederern, die ihre Wiffenschaft mit folchem Fleiße und Scharffinne zu treiben gewohnt find, wie die Herausgeber, die felbst beide die Zergliederungskunst

: h *A. L. Z.* 1789. *Erster Band,*

de und Physiologie mit neuen Entdeckungen bereichert haben, kann man schon voraus vermuthen, dafs fie in den Anmerkungen immer wichtige und nützliche Gegenstände behandelt haben. Um nur einige Proben davon zu geben, bemerken wir, dafs die *Crawfordfche* Theorie der Wärme bey Thieren mit warmen Blute von Hn. Hofr. S. ungemein bündig und einleuchtend dargestellet worden ist: nur die zwey Thatfachen, dafs unter warmblütigen Thieren und Menschen die gröfsern gemeiniglich kälter, die kleinern aber heifser find, und dafs die kaltblütigen Thiere in der Luft nicht wärmer werden, wenn fie auch noch fo lange nicht geathmet haben, kann fich Hr. M. nicht erklären, wenn er nicht zugleich auf Nervenkraft und Reitzbarkeit, bey Entstehung der Wärme, mit rechnet. Ganz vortrefflich hat Hr. S. S. 307 u. f. die Gründe für die Meynung zufammengestellt, dafs Nervenkraft und Reitzbarkeit eine Kraft find, fo wie auch dasjenige, was eben dieser scharffinnige Zergliederer und Physiologe von dem wahren Nutzen des Laufs grofser Stämme der Schlagadern an der innern Seite des Bugs der Gelenke fagt, vortrefflich und wahr ist. Haller glaubt, dafs der Lauf durch diefen Lauf der Schlagadern nur Sicherheit abgezwecket habe: Hr. S. aber zeigt offenbar, dafs dadurch die Verengerung der Schlagadern bey Ausdehnung und Biegung der Glieder verhütet wird.

Stendal, bey Franzen u. Grofse: *Lionel Chalmer's Nachrichten über die Witterung und Krankheiten in Südcarolina.* Nebst John Linings Tabelle über die Aus- und Absonderungen des Körpers im dortigen Klima. Aus dem Englischen überfetzt. Erster Band. 1788. 211 S. und zwey gedruckte Tab. 8. (12 gr.) Wenn schon die Beobachtungen, von welchen Chalmer in diesem Werke Nachricht giebt, vor mehr als zwanzig Jahren gemacht wurden, fo verdienen fie doch in aller Hinficht noch jetzt den Werken eines *Lind*, *Hillary* und *Cleyhorn* an die Seite gefetzt zu werden, und der Arzt fowohl, als jeder Gelehrte, dem es um Länderkunde zu thun ist, wird diefes Werk mit Vergnügen lefen, und die Fortfetzung dieser Arbeit, die er

Yyyy

nem fehr guten Manne in die Hände gefallen ift,
wünfchen.

SCHOENE WISSENSCHAFTEN.

Berlin, bey Decker: *Beytrag zur deutfchen
Schaubühne von F. L. Schröder.* Zweyter Theil. 1786. 112, 150 und 140 S.
8. (16 gr.)

Hn. *Schröders* Schaufpiele find dem ganzen deutfchen Publicum durch öffentliche Vorftellungen u.
auch durch den Druck bereits feit einigen Jahren bekannt. Der Eindruck, den fie gemacht haben, und das Urtheil, welches über ihren Werth
gefällt worden, ift an verfchiedenen Orten fehr
verfchieden gewefen. Der Umftand, dafs der
Dichter felbft Schaufpieler ift, erklärt diefes. Etwas thut fchon die Rivalität mehrerer Bühnen,
deren einer alfo diefe Stücke vorzüglich angehören, und manche andere Verhältniffe zu dem
Manne, der von mehrern Seiten zugleich eine
grofse Rolle fpielt, als Director, als Schaufpieler
und als Schaufpieldichter. In der Sache felbft
aber liegt noch ein tieferer Grund, der hier entwickelt werden mufs, um das Verdienft der Stücke gehörig würdigen zu können, von denen
jetzt die Rede ift.

Schaufpiele, in denen die eigentlichen Vollkommenheiten der dramatifchen Dichtkunft erreicht
find, thun überhaupt ihre volle Wirkung nur in
der Vorftellung. Ein Stück fey noch fo vortrefflich gefchrieben, wenn das Wefentliche des Drama, die Darftellung des Menfchen felbft (μιμιϐαι
Ϟαντας τες ϗϱαττοϝτας ϗαι εϝεϱγοϝτας τις μιμημενες
wie *Ariftoteles* fagt, *Poet.* 3. 1.) der Endzweck
des Dichters gewefen, fo wird es als Kunftwerk
erft durch den Schaufpieler vollendet; der das
hinzufügt, was der Dichter dachte, was aber auffer den Mitteln feiner Kunft lag, alfo einen noch-
wendigen Theil feiner Schöpfung ausmacht, und
dennoch feinem Werke fehlt. Bey keinem
Werke der dramatifchen Dichtkunft aber ift diefer Antheil des Schaufpielers am Kunftwerke gröfser, als bey Schröd. Stücken. Der Schaufpieldichter,
nur Schriftfteller, arbeitet in fein Drama alles hinein, was aus feiner Imagination nur immer in
Worte gekleidet werden mag. Der Dichter, zugleich Schaufpieler, gewifs felbft alles auszuführen, was jener andern überlaffen mufs, vollendet fein Werk erft im Augenblicke, da er felbft
es vorftellt. Bey ihm ift der Antheil des Dichters mit dem Antheile des Schaufpielers auf das
genauefte in einander verwoben: es kommt ihm
nicht darauf an, ob etwas mehr oder weniger
vom Charakter, von der Begebenheit im Dialog
ausgeführt ift. Er felbft wird fie ja fo, wie er
fie dachte, am Abend der Vorftellung ausführ-
ren. Des Schaufpielers Kunft ift Charakter, (Em-)
pfindung, Leidenfchaft durch Anftand, Bewe-

gung, Ton, Mine und Geberde auszudrücken.
Der grofse Schaufpieler denkt alles diefes, was
im gefchriebenen Stücke nicht mit vorgezeichnet
werden kann, ganz vorzüglich, wenn er dichtet,
und daher kann es entftehn, wenn feine Ausführung der Charaktere und der Handlung, in der
Rede, die niedergefchrieben wird, nur unvollkommen ift. So kennen Schröders Schaufpiele
eigentlich nur diejenigen, die fie von ihm felbft
haben vorftellen fehen, die fein eigenes unver-
gleichliches Spiel und feine bewundernswürdige
Direction kennen, welche alle Mitfpielenden mit
feinem Geifte zu befeelen fcheint, und auch mittelmäfsige Schaufpieler fo zu ftellen weifs, dafs
fie die Wirkung thun, die dem Dichter entfpricht.
Daher wird es begreiflich, wie der *Vetter in Liffabon*, von ihm felbft aufgeführt, fo grofse Wirkung gethan, und zu den vorzüglichften bürgerlichen Tragödien gezählt, an andern Orten
aber gleichgültig aufgenommen worden, und im
Lefen wenig auffallend gefunden ift. Freylich
ift diefes Stück im Lefen nicht mit Diderots *Pere
de Famille* zu vergleichen, denn fo wie es niedergefchrieben, ift, ift es faft mehr ein Schema
für die Schaufpieler, als ein vollendetes Werk der
Dichtkunft. Die Ausführung der Charaktere
und das Gemälde der Empfindungen ift mehr jenem vorbehalten, und eine Beurtheilung des gedruckten Stücks mufs fich daher auf die Richtigkeit der Charakterzeichnung und die Anlage der
Handlung einfchränken. Beide aber find vortrefflich. Der fchwache Wagner, der einer Leidenfchaft nicht widerftehen können, und um fie zu
befriedigen, eine Unredlichkeit gegen ihren Gegenftand begangen, in der fein folgendes Unglück
gegründet ift, weil er nun der Herrfchaft eben
diefer Perfon, feiner zweyten Frau, nichts entgegen fetzen kann. Diefe, das ftolze, herrifche
Weib, das immer weiter greift, je mehr man ihr
nachgiebt, und felbft fich plötzlich unterwirft, fo
bald es nur fcheint, dafs ihr Mann im Ernfte feine Rechte geltend machen wolle (ein trefflicher
Zug: ganz in diefem weiblichen Charakter) die
eiteln unerzogenen Kinder, die auf dem Theater
nur fo viel erfcheinen, als nöthig ift, die ganze
Familie und ihre Lage vollftändig kennen zu lernen, und fo bald die Handlung tragifch wird,
faft nicht mehr erfcheinen: die unterdrückte Tochter erfter Ehe, — eine vortreffliche Zufammenfetzung. Die Handlung vollkommen moti-
virt, und die Kataftrophen, in denen ihr Fortgang beftimmt wird, äufserft frappant. Auf die
Scene in der Vater die verheimlichte Ehe feiner
älteften Tochter erfährt, wodurch alle Pläne zu
befferem Glücke vereitelt werden, und worin er
dann die heftigften Vorwürfen, aus ihren Antworten
fein ganzes Unrecht einfieht, fie um Verzeihung,
endlich fufsfällig bittet, auf diefe Scene (eine
wahrhaft höchft tragifche) läfst fich allein, was
Leffing (*Dramaturgie* 2. 68 u. f.) bey Gelegenheit

der verunglückten Behandlung einer ähnlichen sagt, vollkommen anwenden. Seine Forderungen, die ihm da zum Tadel Anlaß geben, sind hier erfüllt. Im letzten Auftrage endlich, ist wiederum die Scene, in der die Verwirrung aufs höchste steigt, und der Vater alle diejenigen, die durch verderbte Leidenschaften ihn so tief gestürzt haben, vergißt, und an der Gränze des Wahnsinns sich nur mit dem Kinde seiner Tochter beschäftigt, vortreflich ausgedacht.

So viel, um diesem Stücke Gerechtigkeit widerfahren zu lassen, von dem so schiefe Urtheile gelesen werden.

Im 2ten Theile sind enthalten:

Der Fähndrich. In diesem, wieder ein sehr fein und vortreflich ausgedachter Charakter: der alte Horrwiz, den das Bewußtseyn eines begangenen Verbrechens in eine Gemüthskrankheit gestürzt hat, ein heftiger Mann, in dem, Mißvergnügen mit sich selbst, mit den natürlich guten Anlagen, Liebe zu andern Menschen, mit einer mancher Erfahrungen wegen erkünstelten Verachtung und Mißtrauen gegen andere, in beständigen Streite sind. Seine angenommene Tochter, ein natürliches, naives, und gar nicht empfindsames Mädchen, (eine Art Charaktere in denen der Vf. besonders glücklich ist). Auch der durch Armuth und widrige Schicksale gedrückte feurige und edle Jüngling ist gar geschildert. Der ewige Frager ein ganz gutes Intermezzo. Die Geschichte im Stücke ist etwas romanenhaft. Mancher andre hätte uns wohl die persönliche Erscheinung der schwindsüchtigen, von Gram und Armuth abgezehrten Caroline nicht geschenkt, um eine heftige Wirkung nicht zu verfehlen. Aber es kommt hier etwa allein auf die Heftigkeit der erregten Empfindung an, sondern auf ihre Natur, und durch den widrigen Eindruck, den diese Erscheinung erregt haben würde, wäre der Effect der Handlung nicht erhöhet.

2) *Der Ring.* Dieses Stück ist beynahe ganz aus Farquhars *Constant Couple* genommen. Es gehört vom Plane, von den Charakteren, ja sogar dem Dialoge nur weniges dem Vf. Selbst die mehresten einzelnen witzigen Einfälle sind aus dem englischen entlehnt. Die kräftige Charakterzeichnung und fast alles komische ist beybehalten; nur ist alles viel feiner und anständiger als im englischen; und jenes ist so glücklich in deutsche Sitten und deutschen Ton übertragen, daß es einem Originale gleich gelten kann. Eine merkwürdige Erscheinung auf der deutschen Buhne. Ein sehr komisches Stück, in dem Personen vom ersten Range erscheinen, ganz im Tone der großen Welt. Die Impertinenz des Grafen Klingsberg hat allen Anstand und alle Feinheit eines Mannes von Erziehung und von Stande. So aber will er auch gespielt seyn. Diese Feinheit besteht oft nur in dem leichten überhingleitenden Tone

in dem er etwas heraussagt: nur etwas mehr schwerfälliger Ton, unverschämter Blick, eine rauhere Gebehrde, und der seine Graf, der nur Vergnügen auf seine Art sucht, wird zum ungezognen rohen Wüstling. Es ist einzig und allein Fehler des Schauspielers, wenn er dafür genommen wird: und wenn von diesem Stücke geurtheilt worden ist, daß es die Sittlichkeit beleidige, so wird die mehreste Schuld auch wohl da liegen. Die Scene, wo der Graf dem Fräulein Darring unanständige Anerbietungen (in sehr anständigen Ausdrücken) macht, ist sehr Telesamer Weise eine Bordelscene genannt worden. Sie spielt nicht in einem solchen Hause, sondern der Graf glaubt sich nur in einer Gesellschaft, für die auch jenes Wort zu hart wäre, und dies macht einen großen Unterschied. (Ein Schriftsteller, wie der Vf. dieses Stücks, wird gewiß nie solche Personen aufs Theater bringen als Wezel und vielleicht andre.) In jener Scene indessen beträgt sich Graf Klingsberg zwar nichts sehr sittlich: aber er wird bestraft, denn das schlimmste, was einem Mann wie er ist, begegnen *kann*, ist, *beschämt zu werden.*

Der Banquier, dessen gemeine Geburt, erkaufter Adel, schlechte Sitten, Stolz auf den erworbenen Reichthum, niedrige Galanterie und pöbelhafter Respect gegen höhern Stand, eine so verächtliche Composition ausmachen: der dumme und heuchlerische Bube sein Neveu, ein paar sehr gute comische Charaktere. In den weiblichen, viele Feinheiten.

Die romanhafte Geschichte in diesem Schauspiele ist eigentlich nur als ein Faden anzusehen, an dem die Situationen fortlaufen, in denen sich die Charaktere entwickeln, und die Laune des Dichters frey strömet. Im komischen Drama ist die eigentliche Handlung leicht gut genug, wenn sie dazu Gelegenheit giebt.

3) *Stille Wasser sind tief.* Nach *Rule a Wife and have a Wife* von Beaumont und Fletcher. Eine Farce. Im englischen Originale will die junge Wittwe einen Tropf heyrathen, um eine Liebschaft mit dem Fürsten zu führen. Im deutschen will sie dieser dadurch entgehen, ohne ihre Freyheit zu verlieren. Jenes ist zwar sehr unsittlich, aber doch natürlicher als dieses, die deutsche begreift man nicht recht. Eine Nebenintrigue unter einem verabschiedeten Officiere, und einer muthwilligen Kammerjungfer (in welcher Rolle eine bekannte englische Schauspielerin Miß Avington außerordentlichen Beyfall erworben) die einander in der Absicht, eine reiche Heyrath zu thun, hintergehen, macht den komischsten Theil des Stücks aus. Einige andre der lebhaftesten aber gar zu freyen Scenen sind weggeblieben: Das Stück hat aber demohnerachtet, noch immer etwas fremdes für unsre Bühne, welches wohl nicht auszulöschen war.

PHILOLOGIE.

GÖTTINGEN, b. Ruprecht: *Eratosthenis Geographicorum fragmenta. Edidit Guntherus Carl Fried. Seidel*, Phil. D. — 200 S. 8.

Die Bruchstücke des alten Geographen sind hier mit vielem Fleiss gesammelt, durch gute und brauchbare theils kritische, theils philologische, theils geographische Anmerkungen erläutert; das Leben aber und die geographischen Verdienste des Eratosthenes in einem vorausgeschickten Aufsatze beschrieben, worinn Hr. S. ihn öfters gegen Strabo in Schutz nimmt. Die Probe guter Kenntnisse in der alten Literatur, welche Hr. Seidel hiedurch ablegt, lässt mehrere brauchbare Arbeiten von ihm erwarten, wenn er gleich sein Vorhaben eine Geschichte der alten Geographie zu liefern, wie er in der Vorrede bemerkt, durch Hn. Mannerts Werk, aufzugeben bewogen, worden ist.

KLEINE SCHRIFTEN.

RECHTSGELAHRTHEIT. Leipzig: *De cessione hypothecae feudalis absque Domini directi consensu jure Saxonico invalida, Diss. quam pro summis* — proposuit Carolus Theophilus Dathe. 1787. 31 S. 4. Zwar nichts neues, aber die Materie gut geordnet. Da der einige letzte § dem Sächsischen Recht gewidmet ist; so würde die Aufschrift besser so gefasst seyn: *de cessione — jure communi valida, Saxonico invalida.* Der Vf. tritt nemlich der Meynung Iderjenigen, und wie uns dünkt, mit Recht bey, welche dafür halten, dass diese Cession, als ein blosses Allodialgeschäft zwischen dem Gläubiger und Cessionarius, ohne die Einwilligung des Lehnherrn nöthig zu haben, gültig vorgenommen werden könne. Nach Sächsischen Recht ist die Nothwendigkeit der Einholung dieses Lehnsherrlichen Consenses entschieden, c. comitit. d. d. 1 Febr. 1614. und Ord. Proc. rec. ad Tit. 46. §. 2. In dem angehängten Programm sucht Hr. Procanzler von Winkler vorzüglich zu zeigen, dass der judex deprehensionis auch ohne vorhergehende Requisition eines andern Richters die Verbindlichkeit habe, den Verbrecher gefangen nehmen zu lassen.

VERMISCHTE SCHRIFTEN. Berlin, b. Wever: *Historisch geographische Nachrichten vom türkischen Reiche für Zeitungs Leser.* Nebst einer Charte vom ganzen türkischen Reiche. 1788. gr. 2. 40 S. Die Geschichte nimmt 12 und die Geographie 16 Seiten ein; das übrige die Erklärung einiger türkischen Worte, die bey Lesung öffentlicher Blätter öfters vorkommen, dies letzte kann Zeitungs Lesern, die kein Zeitungs Lexicon oder dergleichen Hülfsmittel haben, sehr zu statten kommen; das übrige aber, besonders der historische Theil, ist etwas zu kurz gethan. Mit dieser Kürze entschuldigt Rec. einigermassen die Fehler, die hier gleich auf den beiden ersten Seiten vorkommen. Er fängt mit Mahomed an, der nach ihm im J. Christi 571 (569) geboren und im J. 631 (631) gestorben ist. Er suchte sich seines Erbtheils, das man ihm vorenthalten, wieder zu bemächtigen, und darüber ward in grosse Streitigkeiten und Kriege verwickelt. Davon wissen wir aus unsern historischen Büchern nichts; wohl aber, dass sein erworbner Reichthum ihm erst den stolzen Gedanken eingab, der Stifter einer neuen Religion zu werden. Als ihn die Obrigkeit in Mecca deshalb zur Verantwortung ziehen wollte; so flohe er im J. C. 622. (welche Jahrzahl, als der Anfang der Mohamedanischen Zeitrechnung nicht

hätte dürfen ausgelassen werden;) und seitdem erst suchte er mit dem Schwert in der Hand als Prophet und Gesetzgeber sich geltend zu machen. Von der Mitte des 7ten Jahrhunderts an ward sein gestiftetes Reich wieder sehr geschwächt. Es entstanden bis zum 10ten Jahrhundert viele neue Staaten z. B. das Kayserthum Marocco, die Republiken Algier, Tunis und Tripoli u. s. w. das ist wieder unrichtig. Vielleicht meint er die seit diesem Zeitraum bis zum 13ten Jahrhundert entstandenen Dynastien auf der Küste der Barbarey, darunter die Merinusten in Magrab oder dem jetzigen Fets und Marocco im 13ten Jahrhundert die letzten waren. Denn die Scherifs oder Kaiser von Fez und Marocco sind, wie etwas später hin die genannten Republiken, erst seit dem 16ten Jahrhundert vorhanden. In der Mitte des 13ten Jahrhunderts, sagt er ferner, eroberten die Mogolen Bagdad, und eben zu der Zeit kam aus der freyen Tatarey ein Volk, das den Namen Türken führte. Dagegen und andere erzählen uns das ganz anders. (Schon in der Mitte des 9ten Jahrhunderts waren Türken, und zwar die Thulunnden Herrn von Aegypten und Syrien bis an den Euphrat, und im 10ten Jahrhundert die Ghazneviden in Persien u. s. w. Diesen folgten im 11ten Jahrhundert die Seldschiukidischen Türken, davon man gewöhnlich die Osmannischen Türken ableitet, und zu denen sich wenigstens viele Charismier (von denen Deguignes die Ordnung ableitet) fehlungen. Der letzte Sultan von Iconium heisst hier Aladin (Alaeddin schreibt man ihn richtiger.)

Das wären ungefähr die Fehler, die man bloss auf dem ersten Blatte zu berichtigen hätte. Aber freylich so häufig kommen sie auch denn nicht weiter vor; und von der Geographie muss man sagen, dass sie mit sehr guter Auswahl geschrieben ist, wofern anders Zeitungs Lesern selbst die hiebey bewiesene Sparsamkeit in der Topographie nicht missfällt.

Die dabey befindliche Karte hat die Grösse eines halben Bogens und begreift das ganze Türkische Reich in Europa, Asia und Afrika, woraus man schon urtheilen kann, wie viel Oerter man darauf wird finden können. Der Stich und die Illumination dieser Karte ist wie auf den Kärtchen in dem Taschen-Atlas, der in eben diesem Jahre und in eben der Verlagshandlung herausgekommen ist, obgleich übrigens der Entwurf verschieden ist. Auch ist statt des Titelkupfers eine türkische Standarte oder Rossschweif, Thou oder Thoug genannt, abgebildet.

ALLGEMEINE
LITERATUR - ZEITUNG

Dienſtags, den 24ten März 1789.

RECHTSGELAHRTHEIT.

PRAG.u. WIEN, in der von Schönfeldſchen Handlung: *Neue Joſephiniſche Peinliche Gerichtsordnung.* 1788. 212 S. 8. (12 gr.)

Dieſes Geſetz, eigentlich der zweyte Theil des
von uns (A. L. Z. 1788. No. 45) angezeigten *Allgemeinen Geſetzes über Verbrechen und derben Beſtrafung*, handelt in 22 Hauptſtücken von
der Aufmerkſamkeit auf Criminalverbrechen, Entdeckung und Anhaltung der Crim.Verbrecher;
wie die eigentliche Beſchaffenheit der That vorläufig von der Obrigkeit zu erheben iſt; von dem
ſummariſchen Verhöre; von der Ablieferung an
das Cr.Gericht; von den Gefängniſſen; von dem
Cr.Verfahren überhaupt; von Verhörung des Ge-
ſtellten; von dem Beweiſe des Verbrechens durch
Geſtändniſs; durch Zeugen; aus dem Zuſammen-
treffen der Umſtände; von dem Beweiſe der Unſchuld; von dem Cr.Urtheile; von Kundmachung
und Vollziehung des Urtheils; von dem Recurſe;
von der Begnadigung; von dem Verfahren wider Flüchtige und Abweſende; von Wiederaufhebung der Unterſuchung wegen vorkommender
neuern Umſtände; von dem ſtandrechtlichen Verfahren; von der Entſchädigung nach Genugthuung; von den Vorkehrungen in Abſicht auf die
Familie und das Vermögen des Unterſuchten,
oder Verurtheilten; von den Cr.Koſten; und von
dem Zuſammenhange der Cr.Gerichte unter ſich,
und mit den Cr.Obergerichten. Wir heben einige
der bemerkenswürdigſten Sätze aus: Bey Crim.
Verbrechen ſoll von richterlichen Amts wegen
verfahren werden, daher wird der Anklagungs-
proceſs gänzlich aufgehoben. Auf die Anzeige
ohne Namen ſoll niemand verfahren werden. In welcher Stunde des Tags oder der Nacht
es ſeyn mag, daſs ein Cr.Verbrecher geſtellt wird;
hat die Obrigkeit ſogleich zum ſummariſchen
Verhör in Gegenwart zweyer Zeugen zu ſchrei-
ten. Dabey findet keine Züchtigung, Drohung
oder Verheiſung ſtatt. Antwortet der Geſtellte
gar nicht, ſo wird er nach gegebner Stunde Bedenkzeit an das Cr.Gericht abgegeben; iſt er aber
des Verbrechens geſtändig, oder ſind wider ihn
A. L. Z. 1789. Erſter Band.

zureichende (§. 52 beſtimmte) Inzichten vorhanden; ſo iſt er von der Obrigkeit längſtens binnen
24 Stunden an das Cr.Gericht abzuliefern. Die
Vorſchrift von den Gefängniſſen athmet den Geiſt
der Menſchenliebe, und trifft zugleich die be-
ſtimmteſte Vorkehr zu Abwendung des Entwei-
chens der Verbrecher. Der Cr.Richter ſoll nicht
bloſs auf dasjenige dringen, was dem Beſchuldig-
ten zur Laſt fallen, ſondern eben ſo genau und
ſorgfältig dasjenige verfolgen, was dem Unterſuchten zur gänzlichen Rechtfertigung, oder einiger Entſchuldigung gereichen kann. Längſtens
3 Tage nach der Stellung an das Cr.Gericht muſs
zum Verhör vor 2 beeidigten Amtsperſonen geſchritten werden. Bey verſtelltem Wahnſinn oder
hartnäckig verweigerter Antwort finden
finden Stockſtreiche, und dieſe bis auf 30 ſtatt.
Nach geſchloſſenem Verhör hat der Unterſuchte
noch 3 Tage Bedenkzeit, etwas zu ſeiner Rechtfertigung anzugeben. Zwey unbedenkliche Zeugen machen einen vollkommen, ein einziger einen halben Beweis. Nebſt dem Beweis des Verbrechens durch Geſtändniſs oder Zeugen, kann
eine rechtliche Ueberweiſung auch aus dem Zu-
ſammentreffen der wider den Unterſuchten zeu-
genden Umſtände (die Erfoderniſſe ſind §. 145
ff. beſtimmt) ſtatt haben, doch muſs die Strafe in der Dauer immer um einen Grad geringer ausgemeſſen werden, als bey dem auf andere
Art erwieſenen Verbrechen, auch kann die
geſetzliche Strafe nicht verſchärft werden. Der
Reinigungseid, wodurch der Angeklagte ſeine Unſchuld beſchwören wollte, ſoll nicht
ſtatt finden. Nach geendigter Unterſuchung
muſs binnen 8 Tagen, und bey wichtigeren und
weitläuftigen Unterſuchungen wenigſtens binnen
30 Tagen zum Cr.Urtheil geſchritten werden.
Die Fälle, in welchen das Urtheil vor der Bekanntmachung dem Cr.Obergericht, diejenige
aber, in welchen ſolches von dem Cr.Obergericht
der oberſten Juſtizſtelle vorzulegen iſt, ſind §. 169
u. ff., und §. 178 ff. beſtimmt. Welche Verbrecher auf die Feſtung Kufſtein in Tyrol, auf den
Spielberg bey Brünn in Mähren, auf das Schloſs-
berg nach Grätz in Steyermark und in die Zucht-
häuſer und Kaſamaten geliefert, oder zum Schiffziehen
Zzzz

ziehen nach Ungarn abgefchickt werden follen, wird §. 186 ff. feftgefetzt. Der Recurs findet gegen Urtheile der untern Cr.Gerichte, welche dem Obergerichte nicht vorgelegt worden, und gegen Urtheile des Cr.Obergerichts, wodurch das Urtheil des Untergerichts verfchärft worden, ftatt. Ein Standrecht muß binnen 24 Stunden geendigt feyn, und gegen deffen Urtheil kann weder Recurs genommen, noch Begnadigung angefucht werden. Der Ueberreft der jährlichen Einkünfte des dem Verbrecher eigenen Vermögens nach Abzug des ftandmäfsigen Unterhalts für feine Familie fällt während der Strafe dem Cr. Fond desjenigen Gerichts zu, wo der Verbrecher abgeurtheilt worden.

Wenn diefes Gefetz, das fich durch Deutlichkeit und Beftimmtheit auszeichnet, von den Unter- und Obergerichten genau befolgt wird, fo ift der öfterreichifche Criminalproceß muftermäfsig eingerichtet. Möchte nur auch die in dem erften Theil befchriebene Strafe der Anfchmiedung — vor welcher die Menfchheit zurückfchaudert — mit der den Verbrechen, worauf fie beftimmt ift, angemeffenen Todesftrafe verwechfelt werden!

GESCHICHTE.

Ohne Anzeige des Orts: Gefchichte des jetzigen europäifchen Staatstheaters; fammt einer Kritik über die darauf aufgeführten Stücke, Hauptacteurs und Zufchauer. Ein Epilog bey Ankündigung zweyer neuen Stücke, abgefungen von einem Marionettenfpieler. 1788. 3¼ Bog. (5 gr.)

Diefer Spott über die neueften Weltbegebenheiten und die Fürften und berühmten Männer, die diefelben entweder bewirkt haben, oder darinn aufgetreten find, ift nicht übel gerathen. Er locket dem Lefer häufig ein Lächeln ab, oder erregt die unwillige Empfindung von neuem, die in ihm aufftieg, als die Begebenheiten fich wirklich ereigneten. Die wichtigften von den neueren Vorfällen in Europa find hier unter dramaturgifche Titel gebracht, und von jedem Stücke ift in ein paar Worten etwa wie in einem Theaterjournale, der gute oder fchlechte Erfolg, den es auf der grofsen Schaubühne hatte, angegeben. Wir wollen einige herfetzen, um den Lefern die Manier des Verfahrens zu zeigen: „Was diefem und jenem feit 25 Jahren noch am beften behagt, find, wegen der Mufik und der Decoration die fogenannte (n) Staatsactionen, oder die Veränderungen über das grofse Thema: Ringen des Uebermuths und der Schwäche, der Fürften Macht und der Volks-Freyheit. Immer, wenn ein folches Stück gegeben wird, find die Theater gepfropft voll." Der americanifche Krieg ift S. 11

die Politik betitelt, wir fehen nicht warum. „Das Stück wollte nicht allen frommen, und das war natürlich; das Sujet brittifch, die Action deutfch, die Declamation fpanifch, die Arien franzöfifch, der Chor ruffifch, die Balette indifch, die Decoration hollindifch, und die Scenen in Amerika — dies alles zufammen mufste eine fonderbare Wirkung hervorbringen. Am bitterften und oft wirklich verwerflich find die Stellen, die den Kaifer betreffen. S. 13 an der Verfammlung der Notablen hatte man fchon bey der Ankündigung fatt, und die viel verfprechende Oper Semiramis zu Cherfon wurde gar unterdrückt." S. 15 „die Hexe zu Glarus, Lord Gordon, das Halsband, die Väter von Nurmberg, Kaglioftro, der Papft auf der Wanderfchaft, die Reifen des Propheten von Zürch nach Bremen u. s. dergl. Begebenheitsftücke und Farcen liefsen die Zeicher vervielfältigten Theater nicht ganz leer ftehen." — Ein am Ende erklärendes Regifter fetzt zu unwiffende Lefer zum voraus, ungeachtet auch hier beiffender Spott oft neue Unterhaltung giebt. z. B. S. 35: „Anftöfsige Stellen in einem Stück find alle diejenigen, woraus der Unterthan merken kann, er fey des Fürften Bruder, nicht fein Efel; fo was, fagt man, fey gegen die Verfaffung des Landes.

SCHOENE WISSENSCHAFTEN.

PRAG, b. Diesbach: Der Obrifte von Hohenthal, ein Originalluftfpiel in 5 Aufzügen. von Haller. 1788. 79 S. 8. (3 gr.)

Ein Obrift will feine Tochter nur an Herren vom Militär weggeben. Graf Ingelheim und Baron Ems verkleiden fich daher in Rittmeifter Steinheim und Lauterbach, betrügen den Vater, und erreichen fo ihren Zweck. Um diefe magere Intrigue dreht fich in dem erbärmlichften Dialogen das Originalluftfpiel. Der Obrifte fagt einmal: Mein Br.ruder, hat fo fchwerenotfche Einfälle! Die übrige Converfation ift auf die Weife von: Gehorfamer Diener, Ergebenfter Diener, und die Ehre ift auf meiner Seite. Warum find in diefer Farce die Namen Ingelheim und Bernsdorf gebraucht?

LEIPZIG, b. Dyk: Gedichte, von Auguft Friedrich Langbein. 1788. 346 S. 8. Mit 2 Kupf. (1 Rthlr. 12 gr.)

Nach dem einftimmigen Zeugniß der Buchhändler gehören Gedichtsfammlungen jetzt nicht zu den fonft gangbaren Artikeln; gleichwohl ift vielleicht feit zwölf bis fünfzehn Jahren kein Jahr daran fo fruchtbar gewefen, als das letzt verfloßne. Noch mehr, nicht folche Dichter blofs, die diefen Namen ufurpiren, fondern auch folche, die unfern Parnafs wirklich bereichern, z. B. Alxinger, Leon, Kofegarten, Halem u. a. m., haben fich diefer Mühe unterzogen, und bey ihnen verdient auch Hr. Langbein zu ftehen. Schon feit geraumer Zeit lieferte er zu den Bürgerfchen Mufen Almanachen Beyträge, die gröstentheils fchätzbar waren; noch beffer waren feine Arbeiten im Deutfch. Mufeum und in der Meifsnerifchen Quartalfchrift, für Literatur und Lectüre. Mit Vergnügen las daher der Rec., dafs er feine Gedichte auf Pränumeration herausgeben, und *wenigftens ein Viertheil neue* dazu fügen wolle. Mit Begierde fuchte er nach diefen *neuen*, und fand kaum drey oder viere: konnte felbft von diefen nur eines für vorzüglich erkennen. Dergleichen nicht gehaltene Verfprechen find freylich jezt fehr gewöhnlich, aber löblich find fie gewifs nicht; fie entkräften den Glauben an Ankündigungen, der ohnedem fo gering ift, und ein guter Dichter, (auch Hr. Bürger vergebe es uns, wenn wir hier feiner gedenken!) follte eben, weil er guter Dichter ift, zu folchen Kunftgriffen fich nie herablaffen. Doch, dies fey im Vorbeygehn gefagt, denn diefes Büchlein felbft verdient genauere Betrachtung.

Hr. Langbein hat mit noch vielen andern jungen Dichtern Leichtigkeit im Ausdruck, Richtigkeit in der Verfification, und ziemlich glückliche Wahl der Gegenftände gemein; aber er übertrifft die meiften in fcherzhafter gefälliger Laune, an ungefuchten, allverftändlichen Einfällen, und in der Gabe, feinen Gegenftand ins lächerliche zu ftellen. Eben deswegen gerathen ihm Romanzen weit beffer als das Lied, und unter den Romanzen ift wieder die komifche diejenige, wo er die meiften Stimmen für fich haben wird. Da hingegen, wo fehr glühende Imagination, und erhabner Schwung vorzügliche Wirkung thun würden, da ift er zwar hinlänglich guter Kopf, um durch mifsrathne Arbeit fich nicht fichtbare Blöfsen zu geben; aber doch auch bey weiten nicht Originaldichter genug, um etwas auszeichnendes zu liefern. Ueberhaupt ift *Erfindung* keiner feiner Vorzüge. Alle feine Balladen und Romanzen und Erzählungen find von fremdem, zum Theil fehr bekanntem, Stoff gewebt. Freylich fpricht er im Vorbericht nur der *Halfte*, und glaubt von den übrigen nur *zwey* einer *andern* Quelle zu verdanken. Doch nicht gerechnet, dafs von den Romanzen *alle* (wenn man zur Noth *Tilz Kilians Leben*, S. 110 ausnimmt, fchon profaifch erzählt im Vademecum, Boccaz, Fabliaux u. and. Orten ftehen; fo entfinnt fich auch Hr. der andern Gedichten der Rec. *das Lob des Schweigens* grofsentheils in *Pope*, *Amors Kriegswefen* im *Morhof*, den *Rangfreit der Tagszelten* in Französifchen, und fo noch mehrere an andern Orten gelefen zu haben. — Auch foll das gar nicht gefagt feyn, um Hn. Langbeins Verdienfte zu fchmälern. Der Dichter, der nicht nur fingt, fondern auch den Stoff

felbft fich fchafft, ift freylich in unfern Augen gröfser, als derjenige, der blofs fremde Gefchöpfe zuftutzt. Aber *vorzugliche Art des Vortrags* ift auch kein gewöhnliches Verdienft, und diefes hat Hr. L., wie wir fchon vorhin ihm eingeftanden, reichlich. Wir freuen uns unter andern, auch an ihm endlich doch wieder einen neuen jungen Sänger zu finden, der nicht alles in *Höltys* fchwermüthiger Manier fchildert; noch auch *Bürgers* im Original trefliche, in der Nachahmung oft ärgerliche, Manier allzufichtlich copirt. Auch das ift zu loben, dafs er nicht die Unart hat, die manche Mufenalmanachslieferanten dem Pontius Pilatus abgelernt zu haben fcheinen, und vermöge deren Sie *alles einmal gefchriebene für unverbefferlich halten*. Rec. hat manche von Hn. L. Gedichten, wie fie ehmals waren, und wie fie jetzt erfcheinen, mit einander verglichen, und er giebt ihm das Zeugnifs: dafs er mühfam geteilt habe. Freylich wohl nicht *allemal* mit Glück; aber doch meiftentheils. — Wo der Rec. fich am öfterften die *alte Lefeart* an den Rand feines Exemplars fchrieb, war — grade im erften Gedichte, in Eginhard und Emma. Zum Beweis, dafs diefes nicht blofs Kritteley fey, möge hier die lezte Strophe zwiefach ftehen. Sie lautete vordem:

> Horch! mein Lied fliezt nun zum Ende!
> Karl gab feiner Tochter Hand,
> Die jetzt fchaamroth vor ihm ftand
> Seegnend in des Jünglings Hände:
> „Gott fey euer Freund! und wende
> Solche Stunden von mir ab,
> Wie mir eure Liebe gab.''

Jetzt ift fie alfo umgefchmolzen worden. (S. 14)

> Fleuch mein Lied zum frohen Ende
> Wie ein Küechen ohne Stab
> Sah die Braut zur Erd' hinab,
> Als der Kaifer Händ' in Hände
> fügt und fp ach: „Der Rang der Stände
> Ift nur Menfchenträumerey;
> Lieb ift göttlich — bleibt ihr treu.''

Die Mühe des Dichters ift hier unverkennbar; aber die alte Simplicität war, unferm Gefühl nach, beffer; und die lezte Rede Karls mehr feinem Charakter und feiner Lage angepafst. Aufser der *Emma* dünken uns unter den Balladen die vorzüglichften — wiewohl keine ihres Platzes unwürdig ift — zu feyn, *Woldemar und Margarethe* (S. 32.) Ein Mährchen, und doch fo rührend behandelt, wie wohl wenige ganz ernfte Balladen! — *Der Liebesbrief* (S. 74.) *Die Wiege* (S. 87.) nach dem Boccaz, nur freylich nicht im Punkt der Verfification mit Lafontainens Umarbeitung zu vergleichen! Die *Abentheuer des Paftor Schmolke* (S. 100.) *Das Pfarrhündchen* (S. 122.) *Die Spankette* (S. 127.) und

das *Urtheil* (S. 58.) Da dies letztere das kürze-
ste dieser Gedichte ist, so wollen wir es unsern
Lesern als eine Probe von Hn. L. Versification und
Vortragsart hersetzen:

Ein Bube nahm sich hier und dort
Ein frisches Weib, und schlich sich fort,
   Wenn er es satt genossen.
Als er zum fünften Male that,
Erfuhr's ein ehrenfester Rath
   Und machte seine Glossen.

Man fing und bracht ihn vor Gericht;
Da brante sich noch weiss der Wicht,
   Aus diesem raren Grunde:
Dass er, soweit der Himmel blau,
Vergebens eine gute Frau
   Gesucht, bis diese Stunde.

Schön sey die Erste, wie der Mai,
Doch übler Launen voll dabey,
   Wie Frau Xantipp gewesen.
Die Zweite habe leider! nicht
Besorgt das Haus, nach Weiberpflicht,
   Romane nur gelesen.

Der Dritten Stolz und Weichlichkeit
Hab' all sein Geld für Putz verstreut,
   Und in Confect vernaschet;
Und Nummer Vier — vom ganzen Schwarm
Die Schlimste — hab' er einst im Arm
   Des Nachbars überraschet.

Als er so sein Bekenntniss that,
Da schüttelte der ganze Rath
   Die wolkichten Perücken;
Und fasst einmüthiglich den Schluss:
Die Sache sey verdammt confus,
   Man wolle sie verschicken. -

Das Urtheil kam: Weil Inquisit
Nach einer guten Frau sich müht,
   Die man nicht trift auf Erden:
So mag, damit gefangner Mann
In jener Welt sie suchen kann,
   Er stracks enthauptet werden.

Unter den lyrischen Gedichten — doch, wir glauben genug gethan zu haben, um die Neugier
zum eignen Nachlesen zu reizen. — Hier und
da stösst man auch auf Ausdrücke, die zwar sehr
kräftig klingen, aber doch nicht recht zum *guten*, noch weniger zum *feinen* Tone gehören.
Dergleichen finden sich, in den *Klatschen* S.
260; im *Zank des Plutus* S 262; im *Schwank
vom Hipperling* S. 269, und noch in einigen andern. Findet diese Sammlung eine zweyte Auflage, so wird es nicht Schade seyn, wenn diese
wegbleiben. In einigen Gedichten verkennen
wir auch Hn. L. Laune, z. B. in dem Gesang zu
Einweihung eines Tempels, (S. 174.) der bey einem recht guten Stoff viele fast prosaische Strophen hat. Die meisten Sinngedichte sind nur Zugabe; doch sind drey oder viere etwas glücklicher.

KLEINE SCHRIFTEN.

GESCHICHTE. Erfurt: *Disquisitio Historico - critica in
Bigamiam Comitis de Gleichen, cujus monumentum est in
Ecclesia S. Petri Erfordiae. Una cum systematica Theologiae Catholicae Synopsi, quam — publico eruditorum ten-
tamini submittit P. Placidus Muth, — respondente P. Jo-
sepho Heine.* 1788. 47 u. 45 S. 8. Der Vf. liefert zuerst
die gemeine Erzählung von einem Grafen v. Gleichen,
der auf einem Kreuzzuge von den Saracenen gefangen,
und durch die Tochter des Fürsten, in dessen Gewalt
er war, befreyet wurde, und sodann mit päbstlicher Dis-
pensation diese Fürstin heirathete; ungeachtet seine erste Gemalin noch lebte. Man zeigt zu Erfurt das Grabmal, wo der Graf und seine zwey Gemahlinnen beysam-
men liegen sollen. Auf die Erzählung folgt die kritische
Prüfung dieser Legende, wobey sich nun freylich Mangel
an Zeugnissen von einiger Erheblichkeit und chronologische und andere Schwierigkeiten in solcher Menge finden, dass nothwendig ein Verdammungs - Urtheil ergehen musste. Bey einem paar Nebenpuncten fährt indessen Hr. P. M. zu hastig zu. S. 9. u. a. liest man:
*Assertori adhuc dictum in Castro Gleichen vel alibi lectus
grandis, in quo simul cubasset Bigamus cum utroque uxo-
re; sed plebeia satis et obsque fundamento ulteriori haec
traditio est.* Dieses Bette wird wirklich noch jetzt aufbewahrt, und dass Sagittarius im J. 1677. es gesehen hat, das
bezeugt er selbst umständlich, also ist wohl die Nachricht
von dem angeblichen Bette des Grafen nicht so gerade hin

unter die Mährchen zu setzen. S. 12 wird behauptet, dass sich
keine frühere Nachricht, als aus dem 17ten Jahrhundert,
von der Bigamie des Grafen v. Gleichen findet. Wenn
aber in *Wolfii Lection. memorabil.*, die Sagittarius anführt, etwas davon vorkommt, so ist dieses eine Nachricht aus dem 16ten Jahrhundert, wobey noch die Frage
ist, wie alt der Zeuge seyn mochte, den Wolf vor sich
hatte. Zuletzt wird mit vieler Geschicklichkeit untersucht, wessen Grabmal dann dieses für ein Grabmal seyn möchte, in
dem man den Grafen und seine zwey gleichzeitigen Gemahlinnen zu finden glaubte. Das wahrscheinliche Resultat ist, dass Graf Siegmund I. von Gleichen mit seinen
Gemahlinnen Agnes von Querfurt und Katharina von
Schwarzburg, darinnen begraben liegt. Dieses einzige
wäre noch zu wünschen, dass sich doch eine Spur entdecken liesse, wie man gerade auf die Erdichtung eines
solchen Romans in Absicht auf den Grafen und sein Be-
gräbniss verfallen konnte. S. 44. f. werden die Un-
glücksfälle berührt, durch welche das Kloster zu St. Peter und Paul in Erfurt nach und nach seine Urkunden
und Handschriften verlor, von denen es, vermöge seines Alters, einen grossen Schatz besitzen musste. Die
auf die historische Untersuchung folgende Uebersicht der
katholischen Theologie, durch deren Vertheidigung Hr.
P. M. die theologische Doctorwürde erhielt, ist kein Gegenstand unserer Beurtheilung. Die Latinität hat übrigens dieses Schriftstellers nicht in den Alten erlernt.

ALLGEMEINE
LITERATUR - ZEITUNG

Mittwochs, den 25ten März 1789.

GESCHICHTE.

BERLIN, ohne Benennung des Verlegers: *Anmerkungen aus der alten und neuen Welt*, bey Gelegenheit der *Beschreibung des siebenjährigen Seekrieges zwischen England und den amerikanischen Staaten, in Briefen abgefasset für Leser, die darüber denken wollen.* 1786. 482 S. 8. (1 Rthlr. 4 gr.)

Der Vf., der sich St. unterschreibt, ist eben derselbe, der bereits *Briefe zur Erinnerung an merkwürdige Zeiten und rühmliche Personen, aus dem wichtigen Zeitlauf von 1740 bis 1778, Fortsetzung der Briefe etc., Betrachtungen über allgemeine Begebenheiten etc.* geliefert hat. Leser, die ein und anderes von diesen Producten kennen, werden also schon wissen, dass sie auch hier ein Etwas zu erwarten haben, für das freylich kein Titel leicht zu unbestimmt seyn kann. Nach der Zuschrift an den Grafen von Hertzberg, und einem Vorberichte, erhält vorläufig ein Mitarbeiter an der allgemeinen deutschen Bibliothek, der das Unglück gehabt eine Arbeit unsers Vf. zu recensiren, ihm selbst zu wohlverdienten Strafe, andern aber zum Abscheu, den ihm gebührenden Lohn. Nun folget bis 145 eine Geschichte des Amerikanischen Krieges. Sie ist aus bekannten öffentlichen Nachrichten, und noch dazu sehr unvollständig zusammen gestoppelt, und was den Vortrag betrifft, so kann man sich nicht leicht einen Ton, der abentheuerlicher, oder eine Sprache, die fehlerhafter wäre, denken. Sehr oft muss man nur rathen: was der Vf. eigentlich sagen will, und zuweilen ist das nicht einmal möglich. Nur einige, aber hoffentlich hinlängliche Beyspiele, dass wir dem Verf. nicht zu viel thun. S. 48, wo von dem Herzog Leopold die Rede ist. „Aber welche Seele von Gefühl, wie Leopold, „wagt nicht bey solchen Umständen ein Unter„nehmen, wider den Beruf, wenn es auf Men„schen Retten ankommt, und die Möglichkeit da„zu absehlich — nur die Bestimmung verborgen „war." S. 66. „Spanien (wollte stellen) 65 Li„nienschiffe und 111,045 Mann Soldaten, als so „viel nach einem bekannt gewordenen Verzeich-

„niss erscheinen sollten, aber gar ins kleine er„schienen sind." Nachdem der Vf. seinem Freunde gemeldet hatte, dass der Preis des Brennholzes für Berlin und Potsdam herunter gesetzt sey. „Wollte es doch möglich seyn darin fortzufah„ren zu einer merklichen Aufnahme beider Oer„ter, und wollte überhaupt ein himmlischer „Seegen sich dies Jahr über uns verbreiten; so „würde ich keinen bessern Gegenstand zur Unter„haltung mit Sie jemals wünschen, als Stoff da„zu, der das Wohl des Vaterlandes und der Mit„menschen verkündiget — und in diesen Wun„sche gehe ich vor itzt nach Amerika," d. ist. kehre ich zu der Erzählung des Amerikanischen Krieges zurück. S. 101. „Dieser nette Koup bahnte „so zu sagen nur den Weg, auf welchen noch „wichtigere Bothschaften desto erhabener einher„ziehen möchten." S. 117, wo der Vf. von einer preussischen Musterung spricht, welcher der Marquis de Fayette beywohnte. „Der König zog die „Uhr hervor, gab sein Commando, und als in 2 „Minuten der ganze Schwarm nach vollem Ga„lop, gleich einer Halsbrecherey, und dann im „Huy geschlossen, vor Augen hielte, brach Fa„yette aus" etc. etc. S. 126, wo der Vf meynt, dass Howe mit dem Sturmwinde in eine Art von Bündniss getreten wäre, findet er es nöthig die Anmerkung hinzu zu setzen: „Vermuthlich un„ter Beystimmung des Eolus, (Gott der Winde) „dem leicht Howe einige Flaschen englischen „Punsch zugebracht haben mag." S. 136. „Die „Holländer hatten zu Anfang viel Empfindungen „der Freude, über die, den Engländern wieder „abgenommene Inseln, Eustaz und Martin, deren „Einräumung nach eigener Convenienz ihnen ver„heissen wurde, zugleich auch etwas von der wie„dergekaperten Ausbeute. Die Andeutung war „zwar recht schön, aber etwas unbestimmt, und „dabey konnte man sich denn auch wohl beruhi„gen." Nächst diesem erhalten wir einen Entwurf zu einer Staatseinrichtung in den Ländern der Kolonien in Amerika. Dieser Entwurf besteht grösstentheils aus Gemeinörtern, die ohne Prüfung, Wahl, Ordnung, ohne Beziehung auf einander, ohne Rücksicht auf die Verfassung von Amerika, oder nur eines republikanischen Staates, vermuthlich aus Compendien der Politik und Finanzwiſſenſchaft zuſammen gerafft ſind, und wenn der Vf. ſich auch auf nähere Beſtimmungen einläſst, ſo hat er meiſtens das Unglück auf unweſentliche Dinge zu verfallen, deren Beſtimmung entweder von der Willkühr der Regierung, oder von ſehr veränderlichen Umſtänden abhängen. So giebt unſer Solon, unter dem Abſchnitte von der Juſtiz, auf 3 Seiten den Amerikaniſchen Staaten bloſs folgende Vorſchriften. Sie ſollen ein allgemeines Landrecht verfaſſen, dabey, wenn nicht Landesbewandniſſe Ausnahmen nöthig machen, das kanoniſche und römiſche Recht zum Grunde legen, mit Lebensſtrafen höchſt ſparſam ſeyn, den Juſtizbedienten keine Urtheil- und Sportelgebühren geſtatten, willige Schuldner nicht exequiren, die Executionsgebühren procentweiſe feſtſetzen, den Abſchoſs auf 2 von hundert beſtimmen, jedem, der dazu fähig iſt, freylaſſen, ſeine Proceſſe ſelbſt zu betreiben, und der ganzen Juſtizverfaſſung einen dirigirenden Miniſter vorſetzen. (S. 198). Jedem, der nur einige Begriffe von der Amerikaniſchen Verfaſſung hat, müſſen die Träume des Vf. lächerlich ſeyn, allein ſelbſt davon abſtrahirt, wuſste denn der Vf. auch nicht einmal im Allgemeinen weſentlichere Dinge vorzutragen. Hätte er nicht wenigſtens beſſer gethan, von dem Verhältniſſe der Juſtiz zu der Regierung und der geſetzgebenden Gewalt, von der Einrichtung des Criminalproceſſes, von den Appellationen und von ſo manchen andern Dingen zu handeln, die uns andern ſogleich einfielen, ob wir uns gleich deſswegen noch lange nicht zu Geſetzgebern von Amerika aufwerfen! Und wie kommt denn der Abſchoſs unter die Juſtizſachen? Und was mag der Vf. dabey gedacht haben, wenn er (S. 166. in Amerika ſolche weiſe ſaliſche Geſetze einführen will, „die unter gewiſ- „ſen Abänderungen, oder manchen Zuſätzen, den „dortigen Staatsbewandniſſen gemäſs, dahin zu „appliciren, daſs bey der genaueſten Ausübung „der glücklichſte Erfolg unfehlbar werde.“ Uebrigens hat der Verf. nach ſeiner Gewohnheit auch hier eine Menge Dinge eingemiſcht, die mit der Materie, von der er ſpricht, auf keine Weiſe in Verbindung ſtehen, oder in eine eigentliche Verbindung geſetzt ſind. So leſen wir hier Nachrichten von der Witterung in Berlin, von dem Tode des Herzogs Leopold von Braunſchweig, von der Krankheit des Königs von Preuſſen, von der Reiſe des Papſtes nach Wien, von den Streitigkeiten den Kaiſers mit Holland, von den Händeln des Königs von Preuſſen mit der Stadt Danzig, von den Zwiſtigkeiten über die Krim, von den Prophezeyhungen des Superintendenten Ziehen, oder wie er hier genannt wird, Präſident von Ziehe. Nach einigen Ausfällen auf den Herrn von Voltaire und den reiſenden Franzoſen, der als Reiſender und als Franzoſe ſeine Lection erhält, ſtoſsen wir nun ganz unerwartet auf eine Regierungsge-

ſchichte Friedrichs II von Preuſſen. Der Verf. geht zu derſelben über, weil er gerade an dem Geburtstage des Königs an ſeinen Freund ſchreibt. Er hat, wie es ſcheint, die Abſicht, mehr das Privatleben des Königs, als eine eigentliche Geſchichte der Regierung oder der Kriege deſſelben zu ſchreiben, zumal, da er von den letztern ſchon an einem andern Orte gehandelt hat, und hiermit wird er es vermuthlich entſchuldigen wollen, daſs er zuweilen von einer Oper viermal mehr ſagt, als von der Schlacht bey Roſsbach. Allein bey dieſem Zwecke hat ſich der Vf. auf der andern Seite, beſonders über die Kriegsbegebenheiten, ſo kurz und mangelhaft die Nachrichten auch ſind, doch wieder viel zu ſehr ausgebreitet. Und giebt er uns denn ſelbſt von einer Oper wirklich zweckmäſsige Nachrichten, wenn er den Inhalt auf ſeine Weiſe ausſieht, und die Schauſpieler nennt? Es fehlt auch hier nicht an Stellen, die folgender ähnlich ſind, wo von dem Tode des Königs die Rede iſt. „Schon den 17ten Auguſt, des Morgens „um 3 Uhr zerſchnitt die Parce. den Faden ſeines „ſo thatreichen Lebens, und endigte zu Sansſouci „die ſchönen Tage, deren Verlauf er mit ſo vie- „lem Inbegriff ausgeſchmückt hat, daſs jede Sinn- „lichkeit den Verluſt fühlen und bedauren muſs. „Dies zeigen die Ausdrücke, deren ſich die Ham- „burger Zeitung (der Correſpondent) bedien- „te.“ Allein wir haben uns ſchon viel zu lange bey einem Buche dieſer Art aufgehalten, und wollen nur noch hinzuſetzen, daſs dieſe Geſchichte Friedrichs II an keinem Fall intereſſanter iſt, als die Geſchichte des Amerikaniſchen Krieges, da der Vf., dem es in der That nicht an Freymüthigkeit fehlt, ſich in Berlin aufhält, und in gewiſſen Kameralgeſchäften, wovon hier Nachrichten vorkommen, gebraucht zu ſeyn ſcheint.

MÜNSTER und LEIPZIG: Neue Welt- und Menſchengeſchichte. Aus dem Franzöſiſchen. Alte Geſchichte, Zehnter Band, welcher die Geſchichte der Ptolemäer und Seleuciden enthält. 1788. 1 Alph: 8 Bog. 8. (1 Rthl. 4 gr.)

Bücher dieſer Art, die jetzt ſo ſehr häufig geſchrieben werden, heißen dem Studium der Geſchichte gar nichts. Es iſt auch ungemein leicht ſie entweder aus andern daſeyenden Büchern ähnlicher Art auszuſchreiben, oder ſie auch aus den Quellen ſelbſt zuſammen zu tragen, ſo bald dieſes letztere mit Flüchtigkeit oder Wahl dieſer Quellen und ohne kritiſche Prüfung derſelben geſchiehet, und es dem Schriftſteller einerley zu ſeyn dünket, ob er aus einem Xenophon oder aus einem Juſtin ſchöpfet. Ein ſolches Buch iſt das vor uns liegende; weit unter dem Werth der mehreſten Theile, der ältern engliſchen allgemeinen Welthiſtorie, des Rollins, des Millots. Da dieſes ſchon der zehnte Band iſt, ſo iſt das ein Beweis, daſs der Verleger Vortheil bey ſeinem Verkaufe findet, und daher wäre es doppelt ſeine Pflicht

Pflicht gewefen, fich nach einem Ueberfetzer umzufehen, der im Stande gewefen wäre, die Fehler des Originals zu verbeffern, wie diefes fchon
mit fo manchem ausländifchen Buche bey feiner
Verpflanzung auf unfern Boden gefchehen ift.
Wie häufig diefe Verbefferungen hätten vorgenommen werden können, wollen wir nur auf den
erften 50 oder 60 Seiten zeigen, und auch da nicht
firenge feyn. S. 6 wird gefagt, Alexander hätte
natürliche Erben feiner Staaten hinterlaffen, nemlich glückliche Krieger, die fich in feine Staaten
theilten. Diefe Ufurpatoren waren folche natürliche Erben, als jeder Strafsenräuber, der mir
meinen Beutel abnimmt, der meinige ift. Auch
fteht gleich auf der folgenden Seite: es waren natürliche Erben der Monarchie (Alexanders Familie) da. Weder die erfte grofse Rathsverfamm-
lung der Alexandrinifchen Generale, noch die
Sperrung von Babylon durch Perdiccas und Ptolemäus, noch die Abfichten der verfchiedenen
Parteyen find erwähnt und S. 12 Meleagers Tod
ganz falfch erzählt, der, nach dem hier gefagten,
unbegreiflich ift. Man erfährt nicht, wer Euri-
dice, Philipps Andaeus Gemahlin war, ihre
Mutter Cyane, Alexanders Schwefter wird gar nicht
genannt, ohngeachtet fie befonders ihre Hinrichtung war, die dem Perdiccas die mehreften Feinde gab. Kein Wort von den braven Eumenes,
den ein Schriftfteller, der fo affectirt auf die Lafter der Grofsen fchilt, doch hätte in fein Gemälde bringen follen, um demfelben Licht zu geben.
Vom Antigonus wenig und zerftreut, theils hier,
theils bey den Seleuciden. Niemand wird an diefer Erzählung erkennen, wie die Kriege zwifchen
Olympias, Philipp Aridaeus und Caffander entftanden und geführt find. Caffandern konnte es wohl
nicht einfallen, wie S. 19 gefagt wird, nach einer Univerfalmonarchie zu ftreben. Er erhielt
fich mit Mühe auf feinem Throne. Kein Wort
von feiner Vermählung mit Theffalonichen, Alexanders Schwefter, welche die Vorfehung aus dem
allgemeinen Blutbade übergefpart zu haben fchien,
damit fie von der Hand ihres eignen Sohns ihr
Leben verliere. Als Pyrrhus, König von Epirus
an Ptolemäus Hof flüchtete, dachte wohl weder
der eine noch der andere daran, dafs er ein anderer Alexander werden würde, wie nach S. 36
Ptolemäus foll voraus gefehen haben. Auch ift
er es nie geworden. S. 37 ftehet ein unerträgli-
ches Gewäfche über die Gottheit des Serapis, wobey Voffius und Huët die einzigen angeführten
Schriftfteller find. Nach S. 42 fperreten die Pha-
raonen die Häfen der mittelländifchen See, damit
fie der Aufklärung allen Zugang zum Defpotismus verwehren möchten. Es ift ärgerlich offenbare Unwahrheiten mit einer folchen Mine of-
Selbftgenügfamkeit wie über eine neue Entdeckung,
gefagt zu finden. Auch damals war noch keine grofse Aufklärung in Griechenland als Pfammetich
den Athenienfern Aegyptens Häfen öfnete, die

man ihnen bisher aus eben dem Grunde gefperrt
hatte, weswegen die Bewohner der mittelländifchen Meereskülte von Europa fie den Algierfchen
und Tunetänifchen Seeräubern fperren. Wenn
Apollonius Fahrt der Argonauten Aufklärung über
die Urwelt verbreiten follte, wie S. 52 gefagt
wird, fo hätte er diefer Begebenheit näher leben
müffen. Ptolemäus Abdankung erzählt nur Ju-
ftin; beffere Schriftfteller fagen, er habe Philadelphus zu feinem Gehülfen angenommen. Auf S.
64 u. d. f. wird ein Bacchanal des Philadelphus einen halben Bogen hindurch erzählt und dann hinzugefügt, dafs diefe Erzählung des Athenäus in
die Taufend und eine Nacht gehöre. Was foll denn
alfo der Lefer mit der noch dazu höchft widrig
vorgetragenen Befchreibung? Die Schreibart des
Buchs ift fehr gekünftelt und pretiös, und der
Ueberfetzer, dem man übrigens keine Vorwürfe
machen kann, hat diefes durch Lieblingswendun-
gen noch vermehrt. Wie affectirt ift, z. B., folgende Periode S. 1. „Nach Alexanders Tode
nahm die, durch das Genie diefes Eroberers
zufammengeprefste Welt, ihre Schnellkraft wieder an." Die gemeinften Sachen werden mit einer Art von Prunk gefagt. Z. B. S. 17. „Seine
Abficht war — denn er befafs blofs die unmenfchliche Politik der Tyrannen — das Schiff auf offener See in den Grund bohren zu laffen." Dafs
Defpotifmus den Staaten fchädlich fey, ift eine
Wahrheit der niemand zweifelt; der Vf. drückt
diefes folgendermafsen aus: „Doch Thatfachen
nicht Raifonnements müffen uns überzeugen; dafs
Defpotifmus für den Staat eben fo verderblich ift,
als für den Bürger, mag herrfchen oder dienen; eine fchreckliche Wahrheit, welche durch
die Gefchichte des ganzen Alterthums von den
Atlanten der Urwelt bis auf die Seleuciden herab
verbürgt wird."

VERMISCHTE SCHRIFTEN.

BERLIN, b. Maurer: *Etwas zur Beherzigung
meiner Mitbrüder*, von *Dallera*. 1788. 127
S. 8. (18 gr.)

Diefe wohlgefchriebene Blätter enthalten nach
der 1) Einleitung, Betrachtungen über 2) Religion, 3) Philofophie, 4) Gefetze, 5) Gefellfchaft. 6)
Tugend und Lafter, 7) Leidenfchaften, 8) Glück
und Unglück, 9) Stände des Lebens, 10) Vergnügen, 11) Ehre, 12) Politik, 13) Reichthum, 14)
der Menfch, 15) die Welt, 16) Gelehrfamkeit.
Ihr Zweck ift, wie der Vf. in der Einleitung fagt;
*das Herz die Quelle des Lebens und der menfch-
lichen Glückfeligkeit zu rühren, und es für Tugend, den einzigen Weg zur wahren Glückfeligkeit empfänglich zu machen.* Der Vf. behandelt
alfo feine Gegenftände nicht alle nach ihrem ganzen Umfange, fondern er greift jeden immer von
der intereffanteften Seite an. Bald berichtiget er

falfche Begriffe, bald giebt er Mittel an, bald
warnet er vor Abwegen, bald thut er alles zugleich. In diefer Art der Behandlung verbindet
er nun wahren philofophifchen Scharffinn, genaue Kenntnifs des menfchlichen Herzens, eigenen Beobachtungsgeift, Bekanntfchaft mit älterer
und neuerer Gefchichte, gedankenvolle Kürze und
kaltblütige Unterfuchung mit der angenehmften
Sprache. Die Abhandlung über Glück und Unglück befchliefst der Vf. alfo: „der Schmerz,"
fagt er, „darf Thränen auspreffen, aber der Muth
„mufs fie abtrocknen; man darf klagen, aber
„nicht winfeln; den Tod dem Leben vorziehen,
„aber nicht verzweifeln; man kann ohne Schaam
„arm, und in Banden frey feyn. Glücklich ift,
„wer die Urfachen der Dinge erkennet, und mit
„edlem Stolze jeder Furcht, jedem Sturme des
„Schickfals drohet!" S. 85 giebt er von dem wahren
Politiker diefe Befchreibung: „ein durchdringen-
„der Geift, richtige Beurtheilungskraft, mannich-
„faltige Kenntniffe und die Kunft fie anzuwenden;

„anfcheinende Offenherzigkeit, und doch Zurück-
„haltung; feurige Einbildungskraft, und doch
„auch kaltes Blut; Gefchicklichkeit die Menfchen
„unvermerkt auszuforfchen, Gelaffenheit und doch
„auch Zudringlichkeit; Weisheit, ohne immer wei-
„fe zu fcheinen; Zurückhaltung, oft Verftellung;
„die Kunft, Menfchen wider ihren Willen zum Be-
„ften zu lenken, wenn auch gleich ihre unbändi-
„ge Leidenfchaften fich widerfetzen, Grundfatze
„bey ihnen zu erwecken, denen fich ihr Geift wi-
„derfetzt, und fie allmählig fo daran zu gewöh-
„nen, daß fie ihnen als ihren eigenen folgen;
„Herrfchaft über die Leidenfchaften; fo dafs fie
„dadurch nie zu nachtheiligen Blöfsen verleitet
„werden." — Hie und da liefse fich manches berichtigen. So ift es, z. B., wider die Gefchichte,
wenn S. 24 behauptet wird, dafs über die Natur-
gefetze des Rechts alle Menfchen völlig einig wären. Die Gefchichte ftellt Beyfpiele von Völkern
auf, unter denen das Stehlen für ganz erlaubt
gehalten wurde.

KLEINE SCHRIFTEN.

GOTTESGELAHRTHEIT. Leipzig, b. Köhler: Etwas
über die jetzige innere Verfaſſung der Herrnhuter. 1788.
55 S. 8. Der Verf. der lange Gelegenheit gehabt hat,
diefe Gefellfchaft kennen zu lernen, fagt dennoch wenig von derfelben, was nicht fchon aus andern Schriften bekannt wäre, und nur dies wenige verdient hier
bemerkt zu werden. Ihre Aehnlichkeit mit den Jefuiten
in Anfehung des blinden Gehorfams gegen die Befehle
der Obern, des Miſſionsgeiftes, der Bemühung fich zu
bereichern und reiche und vornehme Perfonen in ihre
Gefellfchaft zu ziehen, des emfigen Trachtens nach ge-
fcheuten Köpfen, die fie zur Ausführung ihrer Plane
brauchen können — und des Beftrebens, Häfe ihrer
Partey geneigt zu machen, indem fie fich Anhänger unter Perfonen zu verfchaffen wiſſen, die am meiften um
die Fürften find — ift auch fchon von andern bemerkt
worden, aber hier beffer ins Licht gestellt. Ihre Zöglinge in den Erziehungsanftalten zu Nisky und Barby
bleiben bey ihrer eingezogenen Lebensart von andern
Schülern in der Welt- und Menfchenkenntnifs zurück,
und das Fortkommen unter andern Menfchen wird ihnen daher äufserft fchwer. Da diefe Anftalten eigentlich
nur auf bürgerliche Zöglinge eingerichtet find, und da
adelichen nicht gut hineinpaſſen; fo hat der Hr. v. Hohenthal, der auch zu der Gefellfchaft übergetreten ift,
ein luſtiut für Adeliche zu Uhuſt, drey Meilen von Bautzen an der Spree errichtet, über welches er felbft die
Auffcht führt, die Conferenz in Herrnhut, aber mit
ihm gemeinfchaftlich die Lehrftellen beſetzt. Von geheimen Sünden der Jugend follen diefe Anftalten, um fo
weniger rein feyn, da die Zöglinge keinen warnenden
Unterricht erhalten, und die auf der That betretenen
von der Schule weggefchafft werden, ohne die Urfache
ihrer Entfernung den Schülern bekannt zu machen. Die
Gebornen follen fich faft an allen ihren Gemeinorten zu den
Geitorbijen wie 1. zu 3. verhalten, welches in der That,
bey aller bey ihnen gewöhnlichen Erfchwerung der Heirathen und der Beftimmung derfelben durchs Loos doch
faft unglaublich ift. Der Zuwachs von auſſen durch
Aufnahme neuer Mitglieder kann doch fo grofs nicht
feyn, dafs er die Folgen diefes unnatürlichen Verhältniffes, die fichtbare Abnahme der Gefellfchaft und ihr
endliches Ausfterben verhindern follte.

ARZNEYGELAHRTHEIT. Leipzig: Ern. Gottl. Bofe et
Fried. Anfelm. Brauel diſſ. inaug. de veneni animalium ra-
bidorum natura ejusque medela. 1788. 44 S. 4. Der Vf.
will beweifen, dafs das Gift wüthender Thiere kauſti-
fcher Natur fey, dafs es mit dem Viperngifte, dem Ti-
cunasgifte und dem Kirfchlorber einerley Natur habe
und dafs nur diejenigen Mittel diefes Gift mit Sicherheit
bekämpfen werden, die der Aetzbarkeit entgegen find.
Aber weder diefes, noch das erftere erweifst der Vf.
aus der Erfahrung: fein ganzer Beweis, dafs das Gift
wüthender Thiere kauftifch fey, ift der, dafs alle wider
die Folgen des Biſſes folcher Thiere empfohlnen Mittel
zugleich auch Mittel wider die Aetzbarkeit find. Wenn
bey Menfchen oder bey Thieren die Hyderphobie von
fich felbft entftehen foll, fo mufs allemal eine Urfache
vorhergehen, welche die Säfte kauftifch macht. Es mufs
ihnen entweder die Phlogifton entzogen, oder ihr kau-
ftifches Principium mufs durch Verbindung mit einer
zu grofsen Menge dephlogiſtifirter Luft verftärket werden. Nun wirkt die entftandene Schärfe wie eine kauftifche, zieht das Phlogifton an fich, reitzet und erfäſ-
ret alles, was fie antrifft. So ftellt fich der Vf. die ohne
vorangegangene Biſs eines wüthenden Thieres entftandene Hydrophobie vor. So bald ein Thier von einem
wüthenden Thiere gebiſſen wird, kömmt das kauftifche
Principium in die Wunde, erreget brennende Schmer-
tzen, macht die Wunde bleyfarben und fchwarz; aber
diefe Wirkung dauert nicht lange; das Gift wird von der
Lymphe eingewickelt; nun mufs aber erft von Leidenfchaften und andern zufälligen Urfachen die Galle
entwickelt und fcharf gemacht werden und dann
mufs das eingewickelte kauftifche Gift in Bewegung fetzen. Wie wenig diefe Theorie Grund habe, fieht unfere Lefer leicht ein. Wiederhol Aderlaſſe, Brechmittel und Bäder find nach der Meynung des Vf. die beften
Mittel wider das Gift, wenn er durch das Brennen und
andere ätzende Mittel nicht zerftört werden kann. Er
traut weder dem Queckſilber, noch der Belladonna: erfteres will er nur angewendet wiſſen, wenn durch ein
wüthendes Thier der Kopf verletzt worden ift. — Das
Programm von Hn. Dr. Gehler ift überfchrieben: vitae
foetus in partu artificiali periclitantis praefidia.

ALLGEMEINE
LITERATUR - ZEITUNG

Mittwochs, den 25ten März 1789.

RECHTSGELAHRTHEIT.

FRANKFURT u. MAINZ, b. Varrentrapp und Wenner: *Joh. Heinr. Chriſtian von Selchow*, H. Heſſ. Geh. Raths und Kanzlers, *neue Rechts-fälle, enthaltend Gutachten und Entſcheidun-gen, vorzüglich aus dem deutſchen Staats-und Privatrecht. Erſter Band. 1787. 314 S. Zweyter Band. 1788. 218 S. 4. (2 Rthlr. 8 gr.)*

Der Verfaſſer verſpricht in der Vorrede zum erſten Band eine ſtrengere Auswahl der kleinern Rechtsfälle, als es bey ſeiner ſeit 1782 herausgegebenen Sammlung von Rechtsfällen ge-ſchehen iſt, und rückt auch wichtige Deductio-nen ein, wie denn der erſte Band allein zwoen Deductionen ausſchlieſſend gewidmet iſt, wovon die erſte (bis S. 134) die Vertheidigung der Ge-rechtſame des gräflichen Hauſes Lippe auf die Graffſchaft Sternberg, die zwote aber (S. 135 bis 314) eine Darlegung der wahren Beſchaffenheit der deutſchen Gutsherrlichen Zinsgerichte oder Meyerdinge (auf Veranlaſſung des Fürſtbiſchofs zu Hildesheim entworfen) enthält.

Der 2te Band faſt 33 Gutachten und Ent-ſcheidungen in ſich, und es wird in der Vorrede zu demſelben bemerkt, wie der künftige 3te Band ſich durch einige ſehr intereſſante Stücke empfeh-len, und dem 3ten Bande ein vollſtändiges Regi-ſter werde beygefügt werden.

Nach der Aeuſſerung des Vf., hat ihm keine Ausarbeitung mehr Zeit und Mühe gekoſtet, als die Ausführung der Lippiſchen Gerechtſame auf die Graffſchaft Sternberg, welche ſich über den Beweis der Lehnsbarkeit, die deutſchen Pfand-ſchaften und deren Verjährung, die Gültigkeit der Erbverbrüderungen, biſchöfliche Anwartſchaf-ten, und deren Verbindlichkeit in Hinſicht auf die Nachfolger u. ſ. w. ausbreitet. Zuerſt wird die Geſchichte des Poſſeſſoriums und Petitoriums vor-gelegt, alsdann der Uebergang auf die Lehnsan-ſprüche des Hochſtifts Paderborn auf Barrentrup etc. gemacht. Hiernächſt die Lippiſchen Gegengrün-de, und endlich der Beweis, daſs Lippe die Stern-bergiſchen Güter und Herrſchaften als wahres Ei-genthum beſitze, auch zur Erſtattung der ſeit

1640 erhobenen Früchte nicht verbunden ſey, beygebracht. Die Abſicht dieſer Deduction war, das Publikum überhaupt, insbeſondere aber den Gegentheil, Paderborn, und den Reichshofrath von der Richtigkeit der Lippiſchen Gerechtſame zu überzeugen.

Die Beſchaffenheit der deutſchen Gutsherrli-chen Zinsgerichte oder Meyerdinge betreffend, wird in der Vorrede angeführt, wie zwar ſchon in dem 4ten Bande der ältern Selchowiſchen Rechtsfälle ein Gutachten über dieſe Materie ent-halten ſey, daſs aber damals der Vf. die Zinsge-richte noch für förmliche Gerichte angeſehen ha-be, jetzt aber erweislich mache, daſs die Meyer-dinge mit allen Zins-und Bauerngerichten bloſſe Ausflüſſe der häuslichen Gerichtsbarkeit des Guts-herrn über ſeine Zinsleute ſeyen, und nicht aus der Natur einer auf Bewilligung der Landesobrig-keit beruhenden ordentlichen Gerichtsbarkeit be-urtheilt werden müſſen. Der erſte Theil dieſer Ausführung iſt den hiſtoriſchen und allgemeinen Grundſätzen, und der zweyte einer umſtändlichen Prüfung der Gerichtsbarkeit der Meyerdinge ge-widmet.

Dieſe beiden reichhaltigen Aufſätze ſind offen-bar keines Auszugs fähig, und müſſen ſelbſt ge-leſen werden. Der angewandte Fleiſs des Vf., Deutlichkeit in Darſtellung der factiſchen Um-ſtände, Hinweiſung auf ächte Quellen, aus wel-cher geſchöpft werden ſoll, zweckmäſſige Beſei-tigung der Hinderniſſe, Zweifel und Einwendun-gen, und endlich eine genaue rechtliche Ausein-anderſetzung der Punkte — ſind unverkennbar, ſo, daſs die beiden Ausführungen für einen je-den Publiciſten und Germaniſten anziehend wer-den, wenn ihm ſchon die Proceſsgeſchichten und localen Beſchaffenheiten ganz gleichgültig ſind.

In dem zweyten Bande ſind die 33 Rechts-fälle verſchiednen Gegenſtänden aus dem Le-hen-, deutſchen, und römiſchen Recht gewid-met, und es zeichnet ſich darunter beſonders die Ausführung der Rechte der Landeshoheit in Rück-ſicht auf die Güter des aufgehobnen Jeſuiteror-dens aus, zu welcher ein zwiſchen dem gräfli-chen Haus Lippe-Detmold und Paderborn, we-gen des Kloſters Falkenhagen entſtandnen — und vor dem Reichshofrath vertiffrten Rechtsftreit Gelegenheit gegeben hat. Hiebey werden als Grundfätze aufgeftellt: dafs die Güter diefes aufgehobenen Ordens erb- und Herrenlos feyen, und zwar wird diefes aus der befondern Befchaffenheit des Ordens, aus dem päpftlichen Aufhebungsbreve, aus der Erklärung des Reichshofraths und aus den angenommenen Sätzen des kaiferl. Hofs gefolgert. Weil nun nach römifchen und deutfchen Rechten dergleichen herrenlofe Güter dem Fiscus zufallen, und das Haus Lippe-Detmold unftreitig die jura fisci habe; fo könne an dem Recht diefes Haufes in Anfehung der in Frage ftehenden Güter nicht gezweifelt werden. Die Verwendung folcher Güter betreffend, fo werde der Fiscus ein unbedingter Eigenthümer derfelben, nicht wegen eines Erbgangs- oder Succeffionsrechts, (weil der Fiscus erft eintrete, wenn jenes hinwegfalle), fondern aus einem befondern und eignen Recht, weswegen auch die Gefetze fich der Ausdrücke (L. 1. et 5. C. de bon. vac. L. 20, §. 7 ff. de hered. pet.) bedienen, dafs der Fiscus die erblofen Güter occupire und vindicire, (heres fiscus non efficitur, qui in univerfum jus fuccedat, fed occupatione utitur vel vindicatione, Pufendorf Tom. 3 obf. 14.) Diejenigen Fälle, in welchen gegenfeitige Gefetze, Verträge oder Herkommen vorliegen, gehören zur Ausnahme, und wenn das Haus Lippe fich anerboten habe, die fämmtlichen Einkünfte des Klofters Falkenhagen zum Kirchen- und Schulwefen, und Beften der katholifchen Jugend anzuwenden, um fich den Reichshofräthlichen Grundfätzen zu nähern; fo fey. diefes aus Staatsklugheit, und nicht wegen einer rechtlichen Verbindlichkeit, gefchehen. Die Entfcheidungen in diefem 2ten Bande fangen mit dem Urtheil an, und alsdann werden die Entfcheidungsgründe beygefügt. Da aber der Lefer bey der blofen Darlegung eines Urtheils und der Gründe hiezu kein vollftändiges Licht über das Factum felbft enthält, und auch alsdann nicht erhalten kann, wenn fchon viele factifche Umftände in die rationes decidendi einverwebt werden, fo glaubt Rec.; dafs fich diefe fo fchöne Sekhowifche Sammlung ein noch höheres Verdienft bey dem Publicum erwerben dürfte, wenn dergleichen Entfcheidungen entweder gänzlich hinweggblieben, oder aber dem Urtheil eine kurze Gefchichte vorangefchickt würde. Eine ähnliche Bemerkung trifft die Pitterifche und Meiftepifche Rechtsfälle-Sammlung. Recenf. weifs die Schwierigkeiten wohl. Sie rühren vorzüglich daher, dafs der Facultift zur Zeit der herausgebenden Sammlung das Factum felbft nicht mehr inne hat, und aus feinen Vorbereitungsblättern zur Relation in den Facultäten nicht wohl ergänzen kann, mithin die Facultätsauffätz, fo wie er verfendet worden ift, abdrucken läfst. Allein für das Publicum mufs in Anfehung der lichten Darftellung des Factums um fo mehr geforgt wer-

den, als fonft die fcharffinnigften Entfcheidungsgründe ihren Werth entweder ganz verlieren, oder zu gewöhnlichen trivialen Argumenten herabfinken.

ARZNEYGELAHRTHEIT.

OFFENBACH, b. Weifs u. Brede: Martini Lange, M. D. Comitatus Haromzzekienfis in Transfylvania phyfici, recenfio remediorum praecipuorum Transyluanicis domefticorum. 1788. 54 S. 8.

Der Vf. liefert in der Vorrede eine kurze Gefchichte der Witterung und der Krankheiten, die er in Cronftadt, dem Orte feines Aufenthaltes, beobachtet hat; in dem Buche felbft befchreibt er die Hausmittel, welche die Einwohner in Siebenbürgen bey hitzigen, langwierigen und äufserlichen Krankheiten brauchen, in drey Abfchnitten. Die Luft ift wegen der Lage der Stadt zwifchen den Bergen fehr veränderlich und diefe, nebft den fetten, gewürzhaften Speifen, dem hitzigen Getränk, den warmen Zimmern, u. f. f., ift Urfache, dafs unter den hitzigen Krankheiten Entzündungs-, Gallen-, und Katarrhalfieber, unter den langwierigen aber Krankheiten von zurückgetretener Ausdünftung u. Ueberladung am häufigften vorkommen. Viele Hausmittel der Siebenbürgen find auch in Sachfen bekannt, und vielleicht mit den Sachfen nach Siebenbürgen gekommen. Einige minder bekannte wollen wir anführen. We.n die Siebenbürgen purgiren wollen, fo effen fie einen Salat von den Blättern und Blumen der Märzviole, welcher den Stuhlgang fehr ficher bewirkt. Ein fehr kühlendes u. bey Fiebern aller Art nützliches Getränk bereitet die Wallachen, unter dem Namen Brage, aus gemahlner Hirfe und Malz mit Waffer durch die Gährung. Den Schweis befordern die Bauern mit in warmes Salzwaffer geweichten Tüchern, in welche der ganze Körper gewickelt wird, auch die Bäder in dem Salzwaffer, welches in den verfallenen Salzgruben ftehen bleibt, werden bey der Gicht häufig und mit Nutzen gebraucht. Das Bärlappkraut fey bey der nemlichen Krankheit ein grofses und allemal helfendes Heilmittel: aber der Abfud davon mit Wein, der eigentlich gebraucht wird, errege in zu grofsen Gaben die heftigften Ausleerungen, Verzuckungen und den Tod. Die flockenblüthe wird (wie in Ungarn) wider die Wechfelfieber als ein gewiffes Mittel gebraucht. Pferdemilch, alle Morgen warm getrunken, helfe wider die Spulwürmer gewifs, desgleichen der Saft vom Schellkraut. Der gemeine Mann heile die Wafferfucht fehr glücklich mit Bärengalle, die er täglich bis zu anderthalb Quenten nimmt. Die Heilkräfte des Queckfilberfublimats find in Siebenbürgen unter dem gemeinen Volke fchon feit zwanzig Jahren bekannt gewefen.

SCHOENE

SHOENE WISSENSCHAFTEN.

Berlin, b. Heſſe: *Fröhliche Lieder bey Tiſche und Spaziergängen zu ſingen*, 1787. 48 S. 8. (4 gr.)

Eine Compilation ohne gehörige Wahl und Ordnung, denn bald findet man Lieder von *Claudius, Miller, Weiße*, u. a. längſt allbekannten, allgemein geſchätzten Dichtern; bald ſtöſst man auf die allergemeinſten Freymäurer-Lieder z. B. S. 14. die Zeiten, Brüder, ſind nicht mehr; bald hat der Samler, oder der Zuſammenſtoppler vielmehr, Poeſien, die nur für einen gewiſsen Ort beſtimmt waren, aus ihrer Verbindung geriſsen; wie z. B. S. 18. mit Jakobis Schluſsgeſang in Eliſium geſchehen iſt: bald hat er gar ältere Poeſien theils abzukürzen, theils zu verändern gewagt. Wie wenig er hierzu innern Beruf habe, mag nachſtehende Gegeneinanderhaltung eines bekannten Liedes von *Fuchs*, des ſogenannten Bauernſohns beweiſen.

Fuchs	*Veränderung*
Der Geſang	*Der Geſang*
Tröſterin im Leide,	Hebe meine Seele
Stifterin der Freude,	Süße Kraft der Kehle!
Singende Muſik!	Gütiger Geſang!
Alles ſchlug uns nieder,	Scheuche weg die Leiden,
Wären deine Lieder	Zaubre her die Freuden
Nicht noch unſer Glück.	*Wie's dir oft gelang.*
Dieſes Glück der Ohren,	Dieſer *Wunſch* der Ohren
Wird mit uns gebohren,	Wird mit uns gebohren,
Stamt. Natur, aus dir.	*Reißt uns für und für.*
Die, die vor uns waren,	Die, die vor uns waren,
Die aus ſpätern Jahren,	Die in ſpätern Jahren,
Alles ſingt, wie wir.	Alles ſingt, wie wir.
Sagt, ob wir als Knaben	Sagt, ob wir als Knaben
Nicht gelächelt haben	Nicht gelächelt haben,
Wenn ein Lied erklang?	Wenn die Muhme ſang?
Sorglos aufgeſprungen,	*Wir ſind aufgeſprungen*
Unbelehrt geſungen,	*Haben mitgeſungen,*
Wenn die Muhme ſang.	Wenn ein Lied erklang.
Glücklich iſt zu preiſen,	Glücklich iſt zu preiſen,
Wer es jungen Greiſen	Wer in frohen Weiſen
Niemals nachgethan.	Gott und Tugend ſingt.
Folgt dem klügern Franzen,	Er empfindet Freude;
Der ſein Lied vertanzen	Andere fühlen Freude,
Und verſingen kann.	*Die das Herz durchdringt.*

Es iſt wohl keine Frage: Ob nicht bey dieſer Veränderung manche Naivität, manche beſsre Stelle verwiſcht worden ſey? Aber man wird noch unwilliger, wenn man das Original um einige ſeiner beſten Strophen ganz verſtummelt ſieht. Warum, fragt man, ſind, da das Lied doch ge-

wiſs nicht zu lang war, folgende Stanzen weggeblieben?

> Liedern erſte Schmerzen
> In verliebten Herzen
> Machen Mädchen laut.
> Nur in Liedern wagen
> Wir den Schmerz zu ſagen
> Und er rührt die Braut.
>
> Daſs wir ſingen ſollen,
> Brüder, dieſes wollen
> Jugend und der Wein.
> Nach der alten Sage
> Sollen unſre Tage
> Nur ein Trillo ſeyn u. ſ. w.

Zu ſchlecht waren dieſe Verſe doch wohl für den Sammler nicht? denn er hat ja weit ſchlechtere aufgenommen. — Eben ſo leid thut es uns um das bekannte Rheinweinlied von Claudius, das hier auf 4 Strophen reducirt, und zwar grade ſeiner beſten, ſeiner humoriſtiſchen Stellen beraubt worden iſt. Kurz, dieſe ganzen drey Bogen — die viel zu theuer vier Groſchen gelten — ſind nichts, als eine Sünde mehr, zu den drey bis viertauſend Sünden, die alljährlich in Deutſchland durch Miſsbrauch der Druckerpreſſen begangen werden.

VERMISCHTE SCHRIFTEN.

München, b. Lindauer: *Beyträge zur vaterländiſchen Hiſtorie, Geographie, Statiſtik und Landwirthſchaft (Kunde oder Wiſsenſchaft) ſamt einer Ueberſicht der ſchonen Literatur.* — Herausgegeben vom (n) *Lorenz Weſtenrieder*, kurfürſtl. wirkl. freq. geiſtl. Rath, auch Büchercenſurrath. *Erſter Band.* 1788. 440 S. 8. u. 1. Bog. Vorr. u. Inh. (1 Rthlr. 4 gr.)

Dieſe Beyträge ſollen den Beyträgen vom J. 1779 etc. und dem Jahrbuche des Hn. Vf. zur Fortſetzung dienen, mit jedem halben Jahre aber ein Band erſcheinen. Wenn Hr. W. Wort hält, und mehr Facta als Raiſonnements aufſtellt, ſo muſs die Bair. Geſch. viel dabey gewinnen. Den Anfang machen Beyträge zur *Geſchichte*. N. I.) *Synodus Niuhingana ſub Taſſilone Boioariae Duce, anno DCCLXXIV celebrata* — vom P. Herm. Scholliner. — Es wird erwieſen, daſs es nicht Synod. Dingolfinguna vom J. 772. ſeyn könne, ſondern der Ort aber nachgewieſen. II.) Ueber die angebliche Zerſplitterung des Bair. Staatskörpers, nach der Achtserklärung Heinrichs des Löwen, von C. Fr. Pf. Der Vf. unterſucht die gewöhnlichen Angaben ſehr gelehrt, und bringt ſehr wichtige Zweifel dagegen vor. III.) Auszug aus der

Lebens-

*) Was ſich dort auf hier weggelaſne *ſchöne* vorhergehende Strophen bezieht.

Lebensbeschreibung des heil. Severins mit Anmerkungen, von v. K. — IV.) Von den Grafen von Rot, Stiftern der Abtey Rot am Inn — vom P. Magnus Schmid. — V.) Scholliners zweyter Nachtrag zur hist. herald. Abhandlung von den Sparren als dem eigentlichen Geschlechtswapen — von Scheyren und Wittelsbach, gegen zwey neue Gegner — (M. Einzinger von Einzing und S. W. Oetter —) Beide kommen übel weg, und so viel kann man Hrn. S. wohl zugestehn, daß seine Gegner ihre Behauptungen zu erweisen nicht vermocht haben. VI. Historische Merkwürdigkeiten, Anekdoten, Berichtigungen. Das Tagebuch des Abr. Kern von Wasserburg, welches vom J. 1392 bis 1628 geht, hat manche gute Nachricht, besonders davon, wie die Capuzinaden allmählig die Oberhand dorten bekommen haben! VII.) Hist. Schriften und Nachrichten. Allerdings ists rühmlich, daß die Münchn. Akademie die Monum. Boica so wohlfeil verkauft, da andre Akad. solche Preise machen, als ob sie wünschten, daß man ihre Comm. nicht lesen möchte; aber so ganz Unrecht hat doch mancher nicht, welcher bey den Monum. Boicis Erinnerungen macht. Denn daß man oft sehr unkritisch zu Werke gegangen sey, hat doch Hr. D. Semler gewiß erwiesen. Hier wird ein Rec. in der allg. d. Bibl. abgefertiget, welchem wir seinen Tadel zu vertheidigen überlassen müssen.

Unter der Rubrik *Landwirthschaft* steht ein Aufsatz über die Verbesserung der Landescultur in Baiern. Es ist ein freymüthiger, den Landeszustand aufklärender und auf Erfahrungen gegründeter Aufsatz, welchen aber Rec. weil er nicht Oekonom ist, nicht weiter prüfen kann. So weit ists doch in. B. gekommen, daß, ungeachtet fast gar keine Fabriken vorhanden sind, es dennoch an Händen fehlt, und manche Landesverbesserung

schon deshalb unterbleiben muß — und daß, wie vieles andre, durch die Schuld der Regierung und Geistlichkeit. — Zur *Statistik*. 1. Gedanken über die Bevölkerung der Stadt München, (vom Herausgeber) Enthält viel treffende Anmerkungen. Die eckelhafte Vergleichung S. 258 mit den Unterrocke einer Stadtmetze etc. hätte wegbleiben sollen. Das Resultat ist: München sey unter den jetzigen Umständen übervölkert, und besonders mit Bettlern, Müßiggängern, Sittenverderbern, etc. überhäuft. Es enthält die Stadt in den Ringmauern selbst 1241 und außer derselben 455 Häuser und in denselben höchstens 46 bis 48000 Seelen. — In einer Beylage wird die Summe des aus Baiern vom J. 1774 — bis 1786 incl. ausgeführten Getreides zu 2,325,312 Scheffel angegeben. — II. Ueber ein Baierisches Gesetz, die Schönschreibekunst betreffend (in Beziehung auf d. Mus. 1780.) sonst schon bekannt. Im Aufsatz zum Andenken unserer *Gelehrten* und *Künstler* — erhalten Ferdinand Sterzinger, Joh. Georg von Lori, (dessen Bildniß vor diesem Bande steht) Johann Georg Dominikus von Linbrun, Joh. Ant. v. *Wolter*, Gerhoh Steigenberger, Joh. Ant. Kollmann, als Gelehrte verdiente Ehrendenkmäler; unter den Künstlern aber Joh. Bapt. Straub und Franz Andr. Schega. — Die Beyträge zur vaterl. Kunstgeschichte sind artig, die Beyträge artistischen Inhalts zur Ergänzung des allgemeinen Künstlerlexicons vom Franz Benno von Kretz — müßten hier fehlen, sobald nicht Bair. Künstler der Gegenstand sind. — Die Untersuchungen: ob aus liederlichen Jungen brauchbare Männer werden? und: warum große Köpfe so gar oft seltsame Köpfe sind, stehen unter *schöner Literatur* und sind mehr kosmopolitisch als vaterländisch. Ein Register macht den Beschluß.

KLEINE SCHRIFTEN.

ALLGEMEINE
LITERATUR-ZEITUNG

Donnerſtags, den 26ten März 1789.

GESCHICHTE.

LONDON u. PARIS, b. Didot: *Tableau hiſtorique et militaire de la Vie et du Regne de Frédéric le Grand, Roi de Pruſſe.* Par M. le Comte de Grimoard, Colonel d'Infanterie. 1788, 341 S. 18 Kupfert. 8.

Der Herausgeber dieſer Schrift gehet dem *Tableau des Guerres de Frédéric le Grand* des Hrn. Ingenieurcapitain *Müller* gleich anfänglich ſehr mächtig zu Leibe. Erſtlich wird daran ausgeſetzt, daſs der Vf. beym Hubertsburger Frieden ſtehen geblieben, daſs er die erſten Jahre ſeines Helden, deſſen Thronbeſteigung, die Theilung von Pohlen, den Krieg von 1778, und andere merkwürdige Begebenheiten, (die doch alle nicht zur Erklärung des Tableau gehörten,) mit Stillſchweigen übergangen habe. Bey genauerer Unterſuchung des Werks aber, nehme man mit Erſtaunen wahr, daſs der Hr. M. die Partheylichkeit bis zum Uebermaaſs getrieben, daſs er ungetreue Tagebücher und namentlich die preuſſiſchen Zeitungen zu Rache gezogen, und daſs ihm auſserdem noch eine ungeheure Menge Fehler entwiſcht ſeyen. Es ſey, z. B., das Verhältniſs der kriegführenden Mächte höchſt unrichtig. Müller ſetzte daſſelbe, wie viermal hunderttauſend zu achtzigtauſend; der Vf. wie dreymal hundert u. vier und ſechzigtauſend zu einmal hundert und zwey und vierzig tauſend. Der gröſste Unterſchied rührt aber daher: Müller nahm den Zeitpunkt der Kloſter Seevenſchen Convention, und der Vf. den Zeitpunkt, wo die Alliirten wieder auf den Schauplatz des Krieges getreten ſind. Der letztere vermehrt alſo von dieſer Seite die Preuſſiſche Macht mit funfzigtauſend Mann. Ueberdieſes wird die Armee von Soubiſe und Hildburghauſen von ſechzig- auf zwey und vierzigtauſend vermindert, und den Schweden noch eine Summe von zehntauſend Mann, gröſstentheils Landmiliz, in Stettin entgegengeſetzt. Wenn es nöthig wäre, ſo könnte man auch hier Einwendungen machen. Um der Kürze willen will der Vf. nur noch folgende Anzeige machen. Das Gefecht bey Landshut iſt am 23 Jun. nicht Jul.

vorgefallen. Dann iſt von Schweidnitz, nicht wie es S. 90 heiſst, von Dresden gekommen. Eigentlich ſagt Müller über Dresden. Ehrenſchwerdt hat nicht 1760 ſondern 1761 commandirt. Die Gefechte von Corbitz, Colen (Cöln) und Strehlen ſind nur angezeigt. Von dieſen hat der Vf. die Plans und Beſchreibungen hinzugefügt. Die Feldzüge von 1760, 61 und 62 ſeyen gänzlich fehlerhaft, und die übrigen um nichts beſſer. Kurz, Müller habe keine einzige von den in der Vorrede angegebenen Bedingungen erfüllt, und überhaupt ſeines Zwecks gänzlich verfehlt. Die Plans ſeyn zwar richtiger als die Beſchreibung, aber doch fehlerhaft, indem viele Namen der Oerter weggelaſſen oder verſetzt worden. Man habe ſie alſo auf 18 Platten neu geſtochen. Eigentlich hat man ein paar weggelaſſene Namen hinzugeſetzt, und dafür das Ganze verhunzt. Felſen, ſteile Berge und ſanfte Anhöhen ſind nun im Ausdruck einander ganz gleich gemacht, ſtatt, daſs in den Müllerſchen Planen dies alles ſorgfältig unterſchieden iſt. Die Einleitung ſagt auf drey Blättern etwas von Friedrichs Vorfahren. Das Tableau ſelbſt enthält erſtlich auf 6 Blättern Friedrichs Leben, bis zu ſeinem erſten Feldzug. Die Feldzüge von 1740 bis 1745 und von 1756 bis 1760, welche hierauf folgen, ſind, trotz der vorgegebenen Fehler in Müllers Vortrag, welchen der Vf. *hachée* nennt, trotz der ihm angeſchuldigten Partheylichkeit und Unrichtigkeit, wörtlich überſetzt, hur wenige Zeilen hat der Vf. da und dorten eingeſchoben. In den Feldzügen von 1760 bis 1762 iſt etwas mehreres hinzugekommen, und einiges verſetzt, aber doch Mullers Vortrag im Ganzen beybehalten worden. Darinnen hat nun freylich Müller ſeinen Zweck wohl nicht erreicht; daſs er hier auf eine häſsliche Art geſtadelt, und unverſchämt nachgedruckt wird. Was Grimoard oben noch weiter vermiſst hat, das iſt neu hinzugeſetzt, unter andern auch der Müller-Arnoldſche Proceſs, damit man das neue Werk als ein Tableau von Friedrichs Leben betiteln konnte. Ein Deutſcher wird wenig daraus lernen.

VERMISCHTE SCHRIFTEN.

Stendal, b. Franzen und Große: *Geschichte der Meynungen älterer und neuerer Volker im Stande der Roheit und Cultur*, von Gott, Religion und Priesterthum, von *Joh. Gottlieb Lindemann. Fünfter Theil.* 1788. 396 S. 8. (18 gr.)

Dieses Theiles Inhalt ist allerdings sehr interessant. Die Einleitung handelt vom Einfluß des Klima auf Religionsideen und Gebräuche: das Werk selbst von den Zauberern und der Zauberey, vom Begriff der Seele bey alten und wilden Volkern, vom Zustande nach dem Tode, von der Sterblichkeit der Seele, von deren Unsterblichkeit, von der Seelenwanderung, von den Hochzeitsgebräuchen der Völker, und zuletzt von den Leichengebräuchen, Gräbern und Todtenfeste alter und wilder Völker. Ueber das alles ließe sich viel Lehrreiches, auch Neues sagen, wenn man unter der Oberfläche ein wenig grübe. Ursachen und Gründe sorgfältigst aufsuchte, und jeden Satz auf das strengste zu erweisen sich bemühte. Von dem allen aber ahndet unserm Verf. nichts, er schreibt ab aus Reisebeschreibungen, was er vorfindet, und wo die Erklärungen nicht gleich zu Tage liegen, kümmern sie ihn nicht; in die Sinnesart roher Völker sich zu versetzen, ist seine Sache nicht, ja selbst einmal historische Zusammenstellung der Thatsachen ist ihm angelegen. Dinge aus sehr verschiedenen Zeitaltern der Cultur mengt er unter einander, wo denn natürlich der Verstand stille stehen muss. Neues also, oder Tiefgedachtes wird man hier nichts, zur Unterhaltung in einer müßigen Stunde manches finden; vielleicht wollte auch der Verf. weiter nichts, als manchem ein Verdauungsstündchen füllen helfen. Daß auf die Religionen das Klima Einfluß hat, wird gleich anfangs behauptet, und mit zerstreuten Beyspielen belegt. Hätte der Vf. durch möglichst vollständige Induction von allen Himmelsgegenden diesen Satz bestätiget; so würde er ihn dadurch nicht nur fester gestützt, sondern auch in manchen lehrreichen und neuen Gestalten gezeigt haben. So bleibt es bey dem, was in manchen Büchern schon steht, und fast jeder weiß. Durch eine solche Induction wären denn auch manche übereilte Behauptungen weggefallen, wie z. B., daß die Feuerquellen in Persien, und vorzüglich die Naphthaquellen am Caspischen Meere, die Menschen veranlassten in diesem Feuer eine Gottheit anzubeten. Rohe Völker legen dem Feuer auch anderswo Leben und Empfindung bey, mithin liegen die Gründe des Feuerdienstes tiefer als in der Naphthaquelle; Vulkane werden bey mehr rohen Volkern als Wohnsitze großer furchtbarer Gottheiten angesehen. Jene Quellen sind nur Veranlassungen, nicht eigentliche Ursachen des Feuerdienstes. Eben daraus hätte sich auch sogleich die Unzuläs-

sigkeit folgenden Schlusses ergeben: das Klima, das nicht verstattet, daß unter allen Klimaten ein jedes Thier lebt, und gut fortkommt, befördert in Aegypten den Thierdienst. Daraus folge geradezu, daß unter allen Himmelsstrichen Thierdienst seyn muss, weil jedes Land gewisse eigenthümliche Thiere hat. Daß die vielen Fabeln der Aegypter aus der Indolenz des Klima entspringen, vermöge welcher der gern stillsitzende Aegypter sich gern etwas erzählen läßt, wird durch solche Induction gleich widerlegt. Der griechischen Fabeln sind nicht weniger, sogar der Kamtschadale hat deren eine große Anzahl.

Noch oberflächlicher als diese Bemerkungen sind die über Zauberer und Zauberey gemachten, durchgängig. Der rohe Mensch, heißt es, der zu unaufgeklärt ist, findet überall Geister und Dämonen, er erblickt überall Wirkungen, deren Ursachen er nicht einsieht, weil er die Kräfte der Dinge in der Natur zu wenig kennt. Freylich ist Unkunde der Naturkräfte Quelle alles Aberglaubens; aber dieser Grund ist zu allgemein, es musste gezeiget werden, wie dadurch gerade die Begriffe von Dämonen erzeugt werden. Natürlich hätte hiebey zuförderst müssen festgesetzt werden, welche Begriffe rohe Völker sich von diesen Geistern oder Dämonen machen, ob sie sie abgesondert von der Materie, oder ihr anklebend, inhärirend, denken. Von hier ist dann noch eine Lücke, der Uebergang vom Glauben an Zauberer und Zauberey, zu füllen. Folgendes dünkt uns hiezu bey weitem nicht hinreichend: Gesetzt, daß ein Reisender, der ein aufgeklärter Kopf ist, und mit den Kräften der Natur bekannt, sich unter einer solchen Nation von Menschen niederläßt, gesetzt, daß er durch Hülfe der Optik und Katoptrik Erscheinungen hervorbringen kann, und durch Magnetismus und Elektricität Dinge bewirkt, die diese unaufgeklärte Nation noch nicht gesehen hat, wie leicht wird er sich dann das Ansehen eines Zauberers, und eines Mannes, dem Geister zu Dienste stehen, erwerben können! Dies ist der Fall bey den meisten rohen Völkern nicht, ihre Jongleurs sind aus ihrer eignen Mitte, nicht aus einer hellern Gegend, wie gelangten die also zu solchem Ansehn?

Die Entstehung des Begriffs von einer Seele denkt sich der Vf. so: der Mensch empfand, daß er dachte, sich gewisser Dinge erinnern, und in die Zukunft sehen konnte; er betrachtete seinen Körper und fand, daß er aus groben erdichten Theilen zusammengesetzt wäre, denen er unmöglich eine Denkkraft zuschreiben konnte, und zog daher den Schluß, es müsse noch ein anderes Wesen in ihm seyn, das Entschlüsse faßte, Ueberlegung anstellte, und Erinnerungskraft besäße. Dies nannte er Seele oder Geist. Der Mensch bemerkt Wirkungen, die der Körper nicht hervorbringen kann, wo aber Wirkung ist, da ist auch Ursache, und daher schließt er aufs Daseyn der Seele. So ungefähr schließen unsere

Philo-

Philofophen. Wilde, die von Urfachen und Wirkungen, nebft deren Verhältniffen, gar keine allgemeine abgezogene Begriffe haben, die noch alles bildlich, individuell denken, fchliefsen zuverläffig nicht fo. Vielmehr erhellt aus mehrern Reifebefchreibungen, dafs der Gang des menfchlichen Geiftes etwa diefer ift: wo Bewegung ift, da ift Leben, Empfindung; das Urtheil bildet der rohe Verftand aus eigner Selbftempfindung, aus Reflexion über fich felbft. Nun fieht er ferner, dafs bey dem Tode diefe Bewegung aufhört, ohne jedoch am Aeufsern des Körpers erhebliche Veränderungen zu bemerken. Er folgert, alfo, im Körper müffe noch ein anderes Wefen wohnen, welches ihm Bewegung, Empfindung, Leben mittheile, und durch deffen unfichtbare Entfernung fich das alles verliert. Diefe Proben aus dem Buche, ohne mühfames Suchen, genommen, find hinreichend, unfer oben gefälltes Urtheil zu beftätigen.

HAMBURG, b. Hoffmann: *Campens Fragmentengeiſt. Den Freunden der Wahrheit und der gefunden Vernunft gewidmet.* 1788. 368 S. 8. (20 gr.)
Die Schrift des Hn. R. *Campe*, die eine kurze Zeit Auffehen gemacht, viele Federn befchäftigt, und auch die gegenwärtige veranlafst hat, ift bald nach ihrer Erfcheinung von einem andern Recenfenten in diefer Zeitung angezeigt und geprüft worden. Er hat die darinn gefagten Wahrheiten fo wenig verkannt, als die manchmal darin vorkommende Einfeitigkeit und unnöthige Reformationsfucht, in jenen Fragmenten, ungerügt gelaffen. (S. A. L. Z. v. J. 1787. N. 1). In eine genaue Prüfung derfelben hat fich indeffen, unfers Wiffens, keiner der Gegner des Hn. C. eingelaffen, als der Vf. des vor uns liegenden *Fragmentengeiſts*, der fich unter der Vorrede C. D. *Voß* unterfchreibt. Neben dem Verdienft der Genauigkeit im Prüfen hat fein Buch noch ein andres, das fonft *blofs* polemifchen Schriften gemeiniglich zu fehlen pflegt, und dem gegenwärtigen auch, nachdem der Streit beygelegt oder vergeffen ift, Lefer verfchaffen kann; wir meynen die Erörterung mancher intereffanten Materien, die im Wege der Unterfuchung lagen, und wovon wir unten einige nennen werden. Dabey empfiehlt es fich durch eine männliche, oft kraftvolle, Sprache, und eine deutfche Freymüthigkeit, der wir nur in einigen Stellen felbft um der Wahrheit willen einen etwas fanfteren Ton gewünfcht hätten. — "Ich liebe," heifst es S. 8. fehr gut "ich liebe wie irgend jemand die Menfchheit und mein Vaterland. Ich fühle es "lebhafter als je, indem ich jetzt die Feder er- "greife. Ich bin überzeugt, ich fchreibe nicht "um Ruhm und Vortheile; denn ich fchwimme "wider den Strom und da lohnt nur mit Ermüdung, "Gelächter oder höchftens – Bedauren. Ich "fchreibe nicht um Vortheile zu fichern, die ich "von diefem oder jenem beftrittenen Vorurtheil

"habe oder zu erwarten hätte; denn ich bin nicht "in folchen Verbindungen, dafs ich damit in Col- "lifion kommen könnte. Ich verachte nichts mehr, "als die Art von Infecten, die durch den Schmutz, "den fie hie und da heimtückifcher Weife auf die "Verdienfte vorzüglicher Männer werfen, der Welt "Beweife ihrer armfeligen Exiftenz aufdringen wol- "len. Ich kenne den Privatmann und feine Ver- "bindungen nicht, *fchätze die Verdienfte der von* "*Deutfchland geliebten Erzieher und äufsere meine* "*Meynung frey gegen den Schriftfteller.* Meine Ab- "ficht und Hoffnung dabey ift. Etwas, fey es "auch nur ein Schärflein, zur bürgerlichen Glück- "feligkeit beyzutragen; die von meinen Mitbür- "gern, die es bedürfen, aufmerkfam darauf zu "machen, dafs es auch hier zuweilen fchimmre, "ohne dafs man beym Nachfpüren allemal Gold "finde; dafs auch der langfame fchlichte Men- "fchenverftand die hüpfende Einbildungskraft "einholen, und ihr das Kleid, das fie von ihm ge- "borgt, wieder abnehmen könne." Bey unbe- fangenen Lefern, bey denen der berühmtere *Schriftfteller* nicht fchon a priori vor dem Unberühmteren Recht hat, wird diefer Zweck, der, wie das ganze Buch, von Wahrheitsliebe zeugt, gewifs nicht ganz verloren gehen. Der Vf. folgt in der Schrift felbft feinem Autor Schritt vor Schritt. Selbft die Zueignung an *Friedrich Wilhelm*, *dem Vollenden*, giebt ihm Gelegenheit zu einigen Bemerkungen, die der Erfolg in Abficht deffen, was bisher in den Preufsifchen Staaten für Duldung, Prefsfreyheit u. f. w. gefchehen ift, faft zu fehr gerechtfertigt hat. — Sehr treffend wird man das Gemälde, das S. 23 ff. von den Urfachen des Zurückkommens fo vieler Menfchen im bürgerlichen Wohlftande gegeben wird, finden. Es ift mit Wahrheit entworfen, und mit Kraft ausgeführt. — Höchft gerecht ift der Unwille, worinn der Vf., fo wie fchon vormals der Rec. der *Campifchen Fragmente* in d. Z., über die Behauptung geräth: "Da es nicht bey uns fteht, die "Menfchen wieder fimpel, frugal und bedürfnifs- "frey zu machen, fo kenne ich *keine Tugend,* die "in unfern Zeiten mehr gepredigt zu werden "verdiente, als *Sparfamkeit, Fleifs, Induftrie,* "*wohlgeordneter Erwerbungstrieb;*" — "Alfo," fagt Hr. Vofs: "nicht *Redlichkeit, Treue, Kennt- "nifs* vom moralifchen Recht und Unrecht, nicht "*Menfchenliebe und Uneigennützigkeit,* nicht Fru- "galität und Mäfsigkeit, nicht *Gottesfurcht?* — "Bedürfnifsfrey kann man freylich die Menfchen "nicht machen. Aber *warum hat man denn bis- "her fo viel von frugaler Erziehung geredet,* und "*fich diefe frugale Erziehung fo theuer bezahlen* "*laffen?*" — Auffallend wird der Widerfpruch gemacht, wenn Hr. *Campe* erft behauptet, S. 45, dafs es wider die Natur fey, Kinder in Schulen hinter die Bücher zu pflanzen, und fo viel *fitzen* zu laffen, und doch dringend empfiehlt, ftatt deffen die Kinder *hinter dem Spinnrocken,* und bey dem *Nähen* und *Stricken* der Induftrie zu Gefal-

len zu *fetzen*. Eins ift, wenn wir davon ausgehen, fo wenig als das andre, Natur. Vorzüglich
empfehlen wir die vielen treflichen Bemerkungen, über das zweyte *Fragment, die Bildung der
Landprediger,* das meift das nachfagte, was *Buhrt*
in feiner verunglückten Anweifung zum Studio
der Theologie gefagt hatte. Die Herabwürdigung
des Standes, die nicht zu billigende Bitterkeit,
womit Hr. *Campe* von gewiffen Befchäftigungen deffelben geredet hatte, wird fehr gut
ins Licht gefetzt. — In den Anmerkungen
zum dritten *Fragment* über allgemeine Duldung
kommt zwar fehr viel wahres und nicht genug
beherzigtes vor, da man Gegenftände, die Mode
find, gemeiniglich höher einfeitig anzufehen
pflegt. Doch gäbe es auch hier Stoff, über manches mit dem Vf. zu ftreiten. Indefs bleibt der
Excurfus, über das Entftehen der Reformation,
und die Fortfetzung der drey bekannten Hauptparteyen, der Beweis, dafs *nicht die Fürften*, fondern das *Volk und Männer aus dem Volke* auf eine Kirchenverbefferung gedrungen, eine Zierde
des Buchs, auch in Rückficht auf hiftorifche
Schreibart. Daffelbe müffen wir von der angehängten Prüfung der *Campifchen* Abhandlung im
Revifionswerk „*über die Schädlichkeit einer zu
frühen Ausbildung der Kinder*“ fagen, die zugleich von vielen wichtigen, und unftreitig auf
Erfahrungen gegründeten, Einfichten in die Er-
ziehungskunft zeugt. — Die warme Vertheidigung des Hn. *A. Velthufen* macht der Dankbarkeit des Vf. gegen feinen verdienten Lehrer Ehre. So fehr wir übrigens nochmals die Lefung
diefer wahrlich nicht gemeinen Streitfchrift empfehlen, fo können wir doch den Wunfch nicht
unterdrücken, dafs fie in einzelnen Stellen weniger bitter gefchrieben wäre, und fich nicht bey
manchen Kleinigkeiten verweilte, die gefuchtem
Tadel ähnlich fehen könnten, wenn gleich oft
wirklich auf *Worte* und Wortgebrauch etwas ankommt. Es ift allerdings fchwer, diefe Rolle
gegen einen abfprechenden und zuverfichtlichen
Schriftfteller, der auf einmal durch grofse Neuerungen imponiren will, zu beobachten. Aber
die Wahrheit gewinnt immer bey der kälteren
Unterfuchung, und was man im Sprechen nicht
immer in feiner Gewalt hat, foll billig der gute
Schriftfteller über fich erhalten können.

Von folgenden Büchern find Fortfetzungen
erfchienen.

BERLIN, b. Heffe: *Darftellung der neuern Weltgefchichte.* Zweyter Theil. 1788. 382 S.
8. (20 gr.)

GÖTTINGEN, b. Vandenhoek und Ruprecht: M.
G. Chr. *Raffs Abriß der allgemeinen Weltge-
fchichte für die Jugend und ihre Freunde.*
Dritter Th. 1788. 310 S. 8. (12 gr.)

NÖRDLINGEN, b. Beck: *Die Entdeckungen der
neueften Zeit in der Arzneygelahrheit.* Gefammlet und herausgegeben von *J. A. Ph.
Gefner.* Vierten Bandes erfte Abtheilung.
1788. 478 S. 8.

ERBAUUNGSSCHRIFTEN.

BRÜNN, b. Trafsler: *Gebet - und Erbauungsbuch für das reine und aufgeklarte Chriftenthum.* 1787. 176 S. 8. (12 gr.)

Für das eigentlich biblifche Chriftenthum findet man hier eben keine fonderliche Reinigkeit
und Aufklärung; denn der anonymifche Vf. redet noch von dem nöthigen Glauben an Alles,
was die heil. kriftliche (chriftliche) Kirche zu glauben anrathe etc. Aber für das katholifche Chriftenthum findet man hier wirklich Reinigkeit und
Aufklärung; denn von den vielen Kleinigkeiten
und Mönchereyen des Papfthums, von den un-
biblifchen Gebeten an die Mutter Maria, an die
Heiligenfchaar, kommt hier nichts vor. Alles
wird auf die Anbetung *Gottes* im Geift und in
der Wahrheit zurückgeführt. Befonders hat es
dem Rec. eine angenehme Erfcheinung, hier mehrere *Gellertfche* Lieder, z. B.: Dein Heil, o Chrift,
nicht zu verfcherzen etc.; Wie grofs ift des All-
mächt'gen Güte etc.; Du klagft und fühleft die
Befchwerden u. dergl. in extenfo abgedruckt zu
fehen. Dies Gebetbuch, (denn das ift es eigentlich
allein,) enthält übrigens Morgen - Abend - Mefs-
Paffions - Bufs - Beicht - Communion - und andere
Gebete. Es hat das unterfcheidende Aeufsere, dafs
es mit deutfchen Current - Schreibelettern, und
damit fo weitläufig gedruckt ift, dafs fie mit ordinären Drucklettern wohl nur den dritten Theil
ihres jetzigen Raumes würden eingenommen
haben.

KLEINE SCHRIFTEN.

ARZNEYGELAHRTHEIT. Giefsen: Fried. Lud. Carol.
Kiffel *diff. inaug de cholera,* 1788. 16 S. 4. Der Vf. giebt
ganz kurz die Theorie, und Cur der Gallenruhr. Dafs
bey diefer Krankheit das aufgelöfste Blut, welches durch
die Adern des Darmkanals durchfchwitze, gewöhnlich
ausgeleeret werde, dafs fogar die ungeheuren Ausleerungen bey diefer Krankheit gröfstentheils aus folchen
aufgelöfsten Blute beftehen, wird dem Vf. fo leicht kein
Arzt zugeben. Die Kurmethode ift der Krankheit angemeffen: nur die Opiate giebt der Vf. zu fpät, erft
wenn der Unrath wohl ausgeführt ift, da fie, um den
Reiz zu tilgen, oft früher gegeben werden müffen,
und ein fehr wirkfames Mittel, den Gebrauch lauwarmer
und erweichender Bäder, hat er nicht berührt.

Numero 96.

ALLGEMEINE
LITERATUR - ZEITUNG

Freytags, den 27ten März 1789.

RECHTSGELAHRTHEIT.

BERLIN und LEIPZIG, b. Decker: *Entwurf eines allgemeinen Gefetzbuchs für die Preußischen Staaten. Zweyter Theil, dritte Abtheilung.* (1788. 331 S. 8. (1 Rthlr.)

Mit diefem fechften Bande fchliefst der verehrungswürdige Herr Grofskanzler v. *Carmer* feinen Entwurf des allgemeinen Privatrechts, und erwartet auch hierüber mit Ausfetzung der bisherigen Preife, die unparteylichen Stimmen des Sachverftändigen Publikums, um dem fo wichtigen Werke alle Vollkommenheit und Beftändigkeit zu geben, deren bürgerliche Gefetze fähig find. Diefe dritte Abtheilung des Sachenrechts, welche ziemlich gefchwind auf die vorhergehenden gefolgt ift, enthält in fortlaufenden Titeln: 1) Die Lehre vom *gemeinfchaftlichen Eigenthum,* fowohl durch Erbfchaft, als durch Vertrag; wobey im IV Abfchnitte die Rechte und Pflichten der Bergwerksgefellfchaften befonders erörtert werden. Diefer Abfchnitt foll jedoch, wie in einer Note (S. 646) bemerkt wird, noch umgearbeitet, und verfchiedene in dem Perf. Recht Abtheil. III Tit. 4. Abfchn. 4.) enthaltene Sätze demfelben einverleibt werden, weil folche fuglicher zu den Verhältniffen der Gewerkfchaften unter einander, und gegen einen dritten zu rechnen find. 2) Das *getheilte Eigenthum* wozu die Lehn- und Erbzins-Güter gerechnet werden; 3) die *dinglichen und perfönlichen Rechte auf fremdes Eigenthum,* fowohl auf die *Subftanz* felbft, (wohin das Unterpfands-, Zurückhaltungs-, Vorkauf-, Wiederkauf-, u. Näher- Recht gehört,) als auf den *Gebrauch* und *Benutzung.* Zuletzt folgen 4 die *Gerechtigkeiten der Grundftücke gegen einander,* ingleichen die Zwangs- und Banngerechtigkeiten. Das Lehnrecht ift im XVI Titel zwar fehr bündig und fyftematifch abgehandelt, aber doch an manchen Orten gar zu kurz. Denn fo fehlt z. B. (§. 14) die Einverleibung der Lehnspertinenzien durch Verjährung; §. 40) die Eintheilung der Weiberlehne in folche, wo die Erbfolge gleich durchgehend, und folche, wo fie nur fubfidiarifch ift; (§. 65 et 94) die genaue Beftimmung der Unter-

A. L. Z. 1789. *Erfter Band.*

fchiede, in wie weit den alten oder den neuen Lehnsbriefen nachzugehen fey? (§. 68 ff.) die Entfcheidung: Ob bey der von moralifchen Perfonen in beftimmten Friften zu fuchenden Lehns. Erneuerung die vor Ablauf einer folchen Frift veränderte Perfon des Lehnträgers anzuzeigen, auch, wenn immittelft Lehndienfte vorfallen, derfelbe fogleich in Pflicht zu nehmen? Ferner, (§. 71) ob der Unmündige, deffen Vormund die Lehn genommen, noch nach erlangter Volljährigkeit zu inveftiren fey? (§. 73) die Beftimmung der Gränzen zwifchen der Lehnsmündigkeit und der bürgerlichen Volljährigkeit; (§. 74) die Strafe des die Lehn verfäumenden Vormundes; (§. 78) die Angabe der Urkunden, welche der Vafall zur Erneuerung der Lehnfchaft beyzubringen hat. Es hätte ferner (§. 196) die Lehndienfte und die dabey vorkommenden Collifionsfälle genauer erörtert, und (§. 151 ff.) die *Servitus neceffaria* unter den nothwendigen Belaftungen des Lehns erwähnt werden können. Auch ift nicht abzufehen, warum §. 102 der Unterfchied zwifchen Felonie aus *Vorfatz,* und aus *Verfehen* nur bey der Felonie der zweyten Klaffe vorkommt? ingleichen warum §. 132 ff. die gefetzliche Erlaubnifs eingefchränkter zu erklären fey, als die vom Lehnsherrn ertheilte Erlaubnifs? — Eben fo werden auch bey den übrigen Titeln verfchiedene Ergänzungen und Berichtigungen ftatt finden, die wir aber, wegen Mangel des Raums, nicht berühren, fondern denenjenigen überlaffen, welche bey diefem letzten gefetzgeberifchen Wettftreit erfcheinen werden. — Merkwürdige Abweichungen von dem röm. Rechte kommen auch hin und wieder vor, die aber alle in der Billigkeit beruhen, und wegen befferer Beftimmtheit zur Abkürzung der Proceffe gereichen. So wird (Tit. XIX. Abfchn. 3. §. 458) der Käufer in Anfehung der Erhaltungs- und Verbefferungskoften, blofs einem *unrechtfertigen Befitzer (poffeffori malae fidei)* gleich geachtet, weil das Rückforderungs-Recht gegen felbigen nur in fo fern ftatt finde, als er das vorzügliche Recht des andern gewufst habe, oder doch habe wiffen können und follen; dagegen fey er wegen Verringerungen nur in fo weit verantwortlich, als unbewegliche Pertinenz-

Ccccc ftücke.

ftücke während des Befitzes veräufsert worden.
Bey Mifswachs foll (§. 254 ff.) der Verpachter
fo viel an dem Pachtzins erlaffen, als noch fehlet,
um die Erfordernifs zur Saat für das folgende
Wirthfchafsjahr, und zur Wirthfchafsnöthdurft
bis zur nächften Aerndte zu beftreiten. — Das
künftige allgemeine Gefetzbuch wird, (wie es in
der Vorrede heifst,) das Studium des röm. Rechts
auf Akademien nicht fo ganz verdrängen. Nicht
blofs der Werth deffelben, als eines Beytrags zur
Gefchichte des menfchlichen Geiftes überhaupt
und der Rechtsgelehrfamkeit insbefondre — nicht
blofs das Bedürfnifs der Ausländer, welche Preufsifche Akademien befuchen, wird deffen Beybehaltung erfordern, — fondern felbft das praktifche Bedürfnifs des inländifchen Rechtsgelehrten
wird folches fo lange nöthig machen, als der Urfprung der Proceffe in die Zeiten zuruckgeht,
wo das röm. Recht gefetzliche Kraft hatte. Da
jedoch, nach Einführung des Nationalcodex, der
Unterricht in der Rechtsgelahrtheit eine ganz andere Richtung wird erhalten müffen, fo gefchieht
gegenwärtig dem fachverftändigen Publiko der
Antrag, ein dazu tüchtiges Lehrbuch zu entwerfen, welches theils *Naturrecht*, theils *Theorie* des
pofitiven Rechts enthalten foll. Die Ausarbeitungen werden unter den bey Wettfchriften gewöhnlichen Bedingungen bis zur Leipziger Mich.
Meffe 1790 erwartet, und für die befte und zweckmäfsigfte wird ein Preis von 500 Rthlr. in Golde
ausgefetzt.

Ohne Benennung des Verlegers und des Verfaffers: *Vorfchläge zur Verbefferung der Re-
ferirmethode am kaiferl. und Reichskammergericht, einer künftigen Legislation zur Prüfung gewidmet.* 1788. 55 S. 4. (6 gr.)

Diefe kleine, aber fehr intereffante, Schrift,
kann man als eine Vorbereitung zu den Berath-
fchlagungen anfehen, welche künftig den Reichstag befchäftigen werden, wenn der unlängft abge-
forderte Bericht des Reichskammergerichts, über
die zweckmäfsigfte Abkürzung der bisherigen Referirart, eingelaufen feyn wird. Der Vf. fchreibt
mit Recht die Mängel im Referiren, und die grofse Weitläuftigkeit der Extracte dem Mifstrauen
zu, welches aus blofs temporären Perfonalmän-
geln entftanden, und nicht eine unveränderte Confiftenz hätte erlangen follen, die dem Gang der
ganzen Mafchine nachtheilig war. Sehr richtig
ift es (1 Abfchn. S. 16 ff.), dafs die Gefetze bey
der Referirart nichts weiter vorfchreiben können,
als die äufsere Form: die Beyfitzer blofs
fchriftlich, oder auch mündlich referiren, die
Acten blofs vorlefen, oder die Relation nebft Gutachten dictiren, oder folche fchriftlich zum Protocoll geben follen? u. f. w., und dafs, wenn die
Gefetze felbft in der innern Einrichtung der Vorträge dem Gericht die Hände binden, fie ihre Abficht ficher verfehlen werden. Im II Abfchn. zeigt

der Vf. aus den ältern das R.Kammergericht betreffenden Gefetzen, wie von jeher die Abficht auf
möglichfte Kürze der Relationen und dadurch zu
bewirkende Beförderung der Rechtsfachen gegangen. Immer war auch diefes ein Hauptaugenmerk der Vifitatoren. Befonders wurde das
langweilige Verlefen der Urkunden und das
mündliche Referiren aus den Acten wiederho-
lentlich verboten, konnte aber doch nicht gänzlich abgeftellt werden. Denn noch bey der letzten Vifitation fah man fich bewogen, das R.Kam-
mergericht durch wiederholte Schlüffe auf die in
J. V. A. §. 65, 71, 72, 96, und 148 enthaltenen Verordnungen gemeffenft zu verweifen. Selbft die
Abfchaffung des weitläuftigen Actenextracts kam
damals mit in Anregung; allein die Deliberation
darüber unterblieb, weil die perfonliche Befu-
chung der Senate durch die Vifitatoren, wegen
eines Rangftreits, nicht ftatt fand. Im III Abfchn.
(S. 42 ff.) folgen die eigenen Vorfchläge des Vf.:
1) Der gegenwärtig übliche Actenextract fey
nicht in den Gefetzen gegründet, fondern vielmehr denfelben zuwider, und bürge auch für
Mängel und Weglaffungen nicht. Man follte
nichts weiter extrahiren, als was zu den Punkten,
worauf die Sache ankommt, gehöre. Um jedoch
allen Gefahren einer kürzern Referirart vorzubeugen, könnte zu jeder Sache ein Correferent ernannt werden. 2) Sollte der jedesmalige Extra-
judicialreferent auch Judicialreferent bleiben, und
die Direction des Proceffes behalten, wodurch
der Weitläuftigkeit der Advocaten und den vielen
überzähligen Schriften am beften gefteuert werden könne. 3) Sollten die Feyertage und Poftfe-
fta ganz abgeftellt, und ftatt deren (wie beym
R.Hofrath) zwey Tage in der Woche gefeyert
werden. — (Alles diefes find jedoch nur *pia vo-
ta*, die fchwerlich in Erfüllung gehen können,
fo lange nicht durch eine neue Vifitation der Weg
dazu gebahnt wird.) In der Einleitung wird
noch die Streitfrage: Ob die Judicialfenate mit
acht oder mit *fechs Beyfitzern* zu beftellen? unter Anführung der beiderfeitigen Gründe erörtert: worüber aber nunmehr, durch den Reichs-
fchlufs vom 23 Aug. vorigen Jahres, das Endurtheil gefprochen ift.

GESCHICHTE.

PARIS u. LÜTTICH, b. Pancoucke u. Plomteux:
*Encyclopédie méthodique. Hiftoire. Tome
fecond.* 1786. 4 Alphabete in gr. 4to. (3
Rthlr. 4 gr.)

Derjenige, der diefen zweyten Band (von CAT
bis GRAILLI) diefes, feiner allgemeinen Einrichtung nach, fchon bekannten Werkes hier anzeiget,
ift überhaupt kein fonderlicher Freund von wiffenfchaftlichen Wörterbüchern, weil die gründliche
Cultur der Wiffenfchaften auf alle Fälle darunter

leidet, zumal bey Vervielfältigung derselben. Das syftematifche Denken und Forfchen wird dadurch immer mehr und mehr vermindert, und an Erweiterung der Wiffenfchaften ift bey einem Volke, wo ihr Gebrauch einreifst, am Ende gar nicht mehr zu denken. Wenn vollends ein folches Werk an Begehungs - und Unterlaffungsfünden reich ift — wie gegenwärtiges, ungeachtet einer wiederholten Bearbeitung; denn es fiegt die ältere, berühmte Parifer Encyclopädie zum Grunde — fo häufen fich einer Seits Irrthümer auf Irrthümer, Fehler auf Fehler, und andrer Seits fchlägt man oft einen folchen Tröfter vergebens nach, wenn man fich Raths bey ihm erholen will.

Die geringe Bekanntfchaft der Franzofen mit der Civil-, noch mehr aber mit der Literargefchichte andrer Nationen, und die Vorliebe für ihre Landesgefchichte leuchtet auch in diefem Werke ziemlich ftark hervor. Französifche Gefchichte prädominirt überall. Diefer Urfachen wegen können Nichtfranzofen das koftbare Werk füglich entbehren. Sie werden hundertmal in Sachen ihrer Nationalgefchichten nachfchlagen, ehe fie einmal Befriedigung daraus fchöpfen können. Um dies zu beweifen, dürfen wir eben nicht ängftlich fuchen. Folgende Proben haben fich uns ohne Anftrengung dargeboten.

Wir fuchten z. B. vergebens nach folgenden Gelehrten: *Andr. Celfus*, der berühmte Aftronom, der noch dazu in Frankreich war, und eine Penfion dorther genofs, Der Orientalift *Olof Celfus*, *Eduard* und *Johann Chamberlayne*. *Samuel Chandler*, Der Schaufpieldichter *Chapman*; *Edmund Chißhull*; *Joh. Friedr. Chrift*; *Thomas Chubb*; *Sam. von Cocceji*; *Anton Cocchi*; *Court de Gebelin*, (wir haben unter dem C und G vergebens nach ihm gefucht). Der Mineraloge *Cronftedt*. Einige Gelehrte, die *Crufius* geheifsen. *Cyprian*; *Olof v. Dalin*; *Diderot* fogar! Der Jurift und Hiftoriker *Dithmar*; *Wilh. Dodd*; *Doddridge*; *Euler*, und noch viele andre;

Dagegen findet man defto mehr Leute, die aufser Frankreich niemand zu kennen verlangt.

Wie viel deutfche und andre, gut und übel berüchtigte Fürften und Staatsmänner find mit Stillfchweigen übergangen! z. B. die pfälzifchen *Friedriche*; der Gothaifche *Ernft der Fromme*, deffen Lebensgefchichte doch fogar in franzöfifcher Sprache vorhanden ift. Die Brandenburgifchen und Preufsifchen *Friedriche*, und *Friedrich Wilhelme* fehlen ganz: dagegen ift dem unbedeutenden fchwedifchen *Friedrich* ein langer Artikel, der noch dazu von Unrichtigkeiten ftrotzet, gewidmet.

Wie kahl ift nicht der unfterbliche Capitän *Cook* abgefertigt! Nicht einmal, wie oft er die Erde umfegelt habe, welches feine vorzüglichften Entdeckungen find, und in welchem Jahr er der Menfchheit entriffen wurde, ift angezeigt, fog-

dern alles mit einigen französifchen Verfen abgefertigt.

Ein Wunder, dafs der deutfche Dichter *Cronegk* einen Artikel bekommen hat! Aber freylich *il s'etoit arrété quelque tems à Paris où il avoit beaucoup vécu avec les favans et les gens de lettres!*

Es mögen nun noch einige Bemerkungen, wie fie uns unter die Augen laufen, folgen. *Coehorn*, der Vauban der Holländer, ift immer *Cohorn* gefchrieben. Schön und der Beherzigung werth ift, was unter dem Artikel *Damiens* gefagt wird, bey der Gelegenheit, dafs fogar Frauenzimmer, felbft vom Hofe, der alle Menfchlichkeit empörenden Hinrichtung jenes Unglücklichen zugefehen haben. *On dit, pour expliquer ces affreux phénomènes, qu'il y a toujours des gens, qui ne font ni de leur pays, ni de leur fiècle, mais les idées théologico-politiques, qui fermentièrent alors avec tant de fureur dans la tète de ce fou méchant, et qui heureufement ne font plus rien aujourd'hui, n'agitoient-elles pas alors plus ou moins toutes les tètes à Paris? Le fiècle eft éclairé, dit-on, je le crois, mais il met du fanatifme à tout, et le fanatifme peut toujours éteindre toute lumière. D'ailleurs f'il y a des gens, qui ne font ni de leur pays, ni de leur fiècle, il y a toujours et par-tout des gens effentiellement ennemis du bien et amis du mal etc.* — Der bekannte Nürnbergifche Mathematiker, *Joh. Fabriel Doppelmayer*, hat einen eigenen Artikel, ift aber verhunzt in *D'Oppel Maieur*. — Von dem originellen *Duval* wenig, und dies nicht ganz richtig! — Der weitläuftigfte Artikel in diefem Bande ift *Equitation* (S. 458 — 472). Als Verf. ift unterfchrieben: *M. d'Autheville, Commandant de bataillon*. Er difputirt mit feinem Landsmanne *Freret*. Ob er das Werk des *Fabricy* fur l'*Epoque de l'Equitation et de l'ufage des chars equeftres chez les Anciens* gebraucht habe, können wir nicht entfcheiden, da wir es nicht befitzen: aber genannt finden wir es nicht. — Das Urtheil über Don Quixote unter dem Artikel *Cervantes*, und die Vergleichung deffelben mit Telemaque wird der unparteyifche Kenner fchwerlich billigen. — Die Reifebefchreibung des Abbé *Chappe d'Auteroche* ift viel zu fehr gelobt. Wufste denn der Vf. nichts von dem dagegen herausgekommenen *Antidote* etc. Londres 1772. 8. ? *Charles IV*, unfer deutfcher Kaifer, ward abgefetzt *à Loeftein près de Rentz*, foll heifsen zu *Oberlahnftein*, unweit *Renfen*. Dafs ihn alle Kurfürften einftimmig abgefetzt haben, ift auch unrichtig. Es gefchah auch nicht im J. 1338, fondern 1348. Am allerwenigften wird Hr. Pelzel, der Gefchichtfchreiber diefes Kaifers und Königs von Böhmen, mit diefem Artikel zufrieden feyn. Komifch wird er den Schnitzer des Franzofen finden, vermöge deffen Karl den Plan gefafst habe, die *Donau* durch *Prag* zu leiten. — Ueber Kaifer *Karl V* ergehet ein hartes Urtheil. Unter dem Artikel von Kaiser Karl VI können wir nicht errathen, was für ein Ort Welard sey, wo die beständige Wahlcapitulation entworfen worden seyn soll. — Der schwedische König Erik XIV ist noch nach der alten Weise geschildert, ohne Kenntniß oder Rücksicht auf das doch auch schon 1777 ins Französische übersetzte Buch des Hn. Olof Celsius. — Unter dem Artikel, Fête des foux, ist aus einer alten Handschrift eine Beschreibung des Narrenfestes, wie es zu Viviers gefeyert wurde, eingerückt. Uebrigens sind viele Bogen dieses historischen Lexicons mit ausführlichen Beschreibungen alter und neuer Festins angefüllt. Das ist so recht im Geiste der Franzosen! – Der von Hn. de la Lande herrührende Artikel Francs-Maçons beschäftiget sich hauptsächlich mit der englischen und französischen Freymaurerey. — Der in Schweden unglücklich gewordene Baron von Goetz heißt hier Goetz ou Gortz. Es ist auch nicht alles, was von ihm erzählt wird, richtig. — Goldsmith ist in Golfmith umgestaltet. — Mr. et Madame Gottsched, poëtes allemands, d'un ordre distingué! O weh! o weh!

Der Nationalhochmuth der Franzosen blickt auch aus diesem Werk auf mehr als eine Art hervor. Unter andern heißt es immer: die Geschichte der Nation, statt die Geschichte der französischen Nation. Ja, wenn in dieser sogenannten methodischen Encyclopädie nicht auch von andern Nationen die Rede wäre!

BERLIN, b. Unger: Mémoire sur le Roi de Prusse Frédéric le Grand, par Msgr. le B. de LXXXX. 56 S. 8.

Da der Prinz von Ligne hier die Unterredung Friedrichs mit ihm getreu aufgezeichnet hat, so bedarf es wohl keiner weitern Anpreisung, um diese kleine Schrift in Umlauf zu bringen, welche, was das Aeussere betrifft, ein neues Meisterstück typographischer Kunst aus der Ungerschen

Presse ist, und dem unermüdeten Fortstreben des Künstlers wahre Ehre bringt. Ein Auszug ist eben so unmöglich, als unnöthig. Nur zwey Stellen, welche wir auszeichnen, S. 17: Savez-vous, sagte der König, que j'ai été bien content de l'Empereur bien au soir à Souper, — avez-vous entendu ce qu'il m'a dit de la liberté de la presse, et de la gêne des consciences? il y aura bien de la différence de lui à tous ses bons ancêtres, des ignorans, des superstitieux, des tyrans d'opinion. Der VF. selbst beschließt sein Memoire mit diesen Worten: Je ne crois plus aux tremblemens de terre, ni aux éclipses à la mort de César, et de Jésus-Christ, puis qu'on n'eu a pas éprouvé à la mort de Frédéric le Grand.

SCHOENE WISSENSCHAFTEN.

PRAG, b. von Schönfeld: Ernst und Hermione, oder, so liebt man edel. Ein Schauspiel in fünf Aufzügen, nach Herrn Lutsch bearbeitet, von Gottfried Steidele. 1788. 160 S. 8. (8 gr.)

Gedehnte Handlung in ermüdenden Reden und schlechtem Deutsch, vom Setzer des edlen von Schönfeld noch reichlich mit Druckfehlern aller Art ausgestattet. Gleich S. 3 hebt Aedon eine Arie also an:

„Dunkle Haine, lebt recht wohl,
„Affe nach zum Jetztenmale
„Herzenstrauer, doch nicht toll,
„Echo du im Wiederhalle." u. s. w.

S. 4. „Sey nicht gleich dem schwarzen Rabe
„Wie Pflicht, nach Beyspiel Handle."

„Hierauf schnappt die Musik stark ab." Auch bittet Zephire auf den Knien den Aedon, er möge sie lieben, und stolpert hernach über Leichname. — Der Verf. stolpert öfter.

KLEINE SCHRIFTEN.

ERBAUUNGSSCHRIFTEN. Buckeburg, b. Althans: Rede bey dem feyerlichen Leichenbegängniß des hochgebohrnen Grafen und Herrn, Herrn Philipp Ernst, regierenden Grafen zu Schaumburg Lippe etc. den 31. May 1787. gehalten von Just Friedrich Feurig, der heil. Schrift Doct. Consistorialrath, Superintendent der Grafschaft Schaumburg Lippe etc. 1787. 4. 24 S. (4 gr.) Hr. F. schildert seinen verewigten Landesherrn von Seiten so wohl seiner grossen Verstandsfähigkeiten, als seines edlen und religiösen Herzens und seiner radlosen Thätigkeit, Glück und Wohl um sich her zu verbreiten. Besonders rühmt er dessen durchdringenden Scharfsinn, Gedächtniß, Forschbegierde, Geistesgegenwart, seine ausgebreitete Kenntniße, besonders des deutschen Staatsrechts. Er rühmt seinen immer geschäftigen Eifer, mit dem er während einer zehnjährigen Regierung, durch Anordnungen und Beyspiel, in seinem Lande Ordnung, Tugend, Industrie und Wohlstand befördert habe, rechnet es auch mit Recht zu seinen landesväterlichen Verdiensten, daß er die Schule zu Buckeburg verbessert und ein Schulmeisterseminarium angelegt hat. Hr. F. hat eine gefällige Stellung der Sachen und eine fliessende und verfeinerte populäre Sprache größtentheils in seiner Gewalt. Zuletzt find wie gewöhnlich die Personalien des hochsel. Hn. Grafen und ein Kupferstich von dem Castrum doloris beygefügt. Die Rede wird zum Besten einer Armenanstalt verkauft.

ALLGEMEINE
LITERATUR - ZEITUNG

Sonnabends, den 28ten März 1789.

OEKONOMIE.

BERLIN, b. Kunze: *Abhandlungen über die allgemeine Stallfütterung des Viehes, und die Abschaffung oder Beybehaltung der Bräche,* wovon die königl. Akademie der Wissenschaften der ersten des Hn. Predigers *Gottfried Ludewig Graßmann* in Pommern den Preiß zuerkannt, den beiden letztern aber das Accessit ertheilet hat. Nebst einer Vorrede des königl. Staatsministers und Curators der Akademie *Grafen von Herzberg.* 1788. 8. 133 S. (8 gr.)

Bey der ersten dieser wichtigen Fragen: Ob die so vortheilhafte Stall- und Kleefutterung des Rindviehes der Schafe und Pferde mit Aufhebung der natürlichen Wiesentrift und der Weide überall eingeführet werden könne, oder nicht, wird schon vorausgesetzt, was wirklich noch im Streite ist, und erwiesen werden muß, nemlich ob ,die Stall- und Kleefütterung des Rindviehes der Schafe und Pferde so vortheilhaft sey. Auch haben die Worte *mit Aufhebung der natürlichen Wiesentrift*, und noch mehr der französische Ausdruck, *en abolissant les prés naturels*, weil sie nicht deutlich genug gefaßt waren, Mißdeutungen in der Preißschrift veranlaßt.

Die Vorrede des erleuchteten und preißwürdigen Curators der Akademie verdient vorzüglich gelesen und geprüft zu werden.

Die gewöhnlichste Wirthschaft sey seit vielen Jahrhunderten gewesen, daß man den Acker in drey Felder eingetheilet, das dritte oder Brachfeld gemeiniglich nur zur Hälfte zu den folgenden Winterfrüchten gedünget, wodurch jedes Ackerstück nur alle 6 Jahre Dünger erhalten. Dies ist allerdings der Fall im Brandenburgischen, und an allen solchen Orten, wo die Ackerzahl zu groß ist, der Wiesen und des Viehes zu wenig ist: ja wir wissen aus den *Berliner Beyträgen zur Landwirthschaft*, daß dies noch vortreffliche Wirthschaften sind, wo man alle 9 Jahre mit dem Dünger herum kömmt; indeß kennt Rec. verschiedene Länder, Dessau, Sachsen, Hessendarmstadt, Baden Baden, Baden Durlach, Würtemberg, Pfalz, wo in den meisten Wirthschaften alle drey Jahre durchaus alle Felder gedünget werden können. Um diesem Uebel abzu-

helfen, thut der Hr. Graf zu besserer Benutzung eines Gutes folgende Vorschläge. Der Acker soll, wie schon in der Oec. for. steht statt in 3 in 4 Felder getheilet werden. Das erste Feld soll Brache seyn und zur Hutung ruhen. (Wenn aber unter Hutung eine solche Brache verstanden wird, bey der sich das Vieh wirklich satt fressen kann; so heisset dies keine Brache; denn entweder wird das Feld zum Nachtheil des Getraidebaues verwildern, oder das hervorstechende Gras wird vom Pflug gleich wieder begraben, doch glauben wir auch, daß die Schafe, theils damit nichts umkomme, theils das Unkraut zu zerstören, über die Brache getrieben werden müssen. Man hat weiter zwar drey Früchte hinter einander von einem Dünger, aber dies geht nur bey den besten Feldern No. A an, bey den schlechtern werden drey Getraidearten hintereinander elende Aernten geben, und selbst bey den erstern ist der so nöthige Wechsel durch Natur und Erfahrung erprobt. Die Mecklenburger behaupten mit Recht, daß Sand oder heisse Felder und kalter Acker durchaus nicht geschickt sind in vier Schlägen zu bestehen. Ferner da, wo Dung genug ist, fällt sogar die Hauptursache weg, warum man die Felder in 4 Theile legen soll. Es kann also dies System nicht allgemein angenommen werden. Der Hr. Graf v. H. hält die Eintheilung in vier Felder vorzüglicher als die Holsteinische und Mecklenburgische Wirthschaft. Wahr ists, daß viel zu wenig Land in Holstein und Mecklenburg mit Korn bestellet wird, und auch sie fangen an zu verbessern, wie man aus den drey Theilen des Briefwechsels, die Mecklenburgische Landwirthschaft betreffend ersiehet. Allein sie ärnten von wenigen Ländereyen mehr, als man in andern deutschen Ländern von vielen gewinnet, wo man bey grossen Aussaaten kleine Aernten hat. „Bey der Koppelwirthschaft oder der „Eintheilung in 7, 11 und 13 Schläge werde zwar er-„was Arbeit erspart, und durch die lange Brache „besser Korn erzeugt, das Vieh habe auch mehrere „Hutung, es werde aber in der That doch viel zu „wenig Land mit Korn bestellt, und dadurch zwar „mehr Hutung aber desto weniger Korn und also „nicht genug für eine grosse Bevölkerung erzeugt „wovon sich auch die Folge im Holsteinischen „und Mecklenburgischen zeigt, daß diese sonst so

Eeeee   frucht-

„fruchtbare Länder gar nicht eine verhältnifsmä-
„fsige Bevölkerung und durch die Folge auch
„nicht genugfam bewohnte Städte haben."

Der dänifche Kammerherr von Buchwald zeigt
uns aber, dafs die Mecklenburger die gefchickteften Ackersleute feyen, und was die Population
betrift, fo find den politifchen Arithmetikern,
vielleicht 10 wohlgenährte Bauern lieber, als 50 arme und unfichre Anfiedler. Ueberdies müffen auch
die Landplagen, die Mecklenburg feit vielen Jahren erlitten, mit in Anfchlag gebracht werden.
Im J. 1755 kam zwar der fo viele Jahrhunderte
fo fehnlich gewünfchte landesgrundgefetzliche
Erbvergleich zu Stande, und fetzte die wahre
Wohlfarth des Landes aufeinendauerhaften Grund,
drückte aber, zugleich die fchwachen Glieder des
Mecklenburgifchen Adels gar fehr, weil er die
Unbequemlichkeit mit fich führte, dafs eine feit
vielen Jahren rückftändiggebliebene Contribution,
Jn einem kurzen Zeitraum durch ftarke Anlagen
auf die Hufen und zugleich die laufende bezahlt
werden mufste. Die Hornviehfeuche und der 1757
zugleich eingetretene fiebenjährige Krieg kam dazu. Indeffen hörte Gutsfucht, Luxus und Spiel-
fucht nicht auf, was Wunder, wenn der König
von Preufsen und fein Commiffariat glauben mufsten: Mecklenburg fey unerfchöpflich?, was Wunder, dafs vorhin unerhörte Contribution an baa-
rem Geld, nebft Lieferungen an glatter und rau-
her Fourage, Pferden, ja fogar an Menfchen noch
vervielfaltiget wurden. Sehr richtig bemerkt der
Hr. Graf, dafs es fchädlich fey alles Ackerland
jährlich zu beftellen; aber gegen die halbe Stallfütterung, die Er als einen Mittelweg zwifchen
der ganzen und dem Weidegang er gepriefen hat,
wie fie auf dem Guth Britz eingefuhrt ift,
möchten doch die Erfahrungen verfchiedener Oekonomen, die fie ebenfalls einge führet hatten,
fie aber wieder aufgegeben haben, Zweifel erregen, befonders weil auf der Brache durch alle
die Tage, die das Vieh darauf zu gehen hat, nicht
für ein Stück hinlänglich Futter ift; wozu alfo
Weide auf der Brache?

Der Hr. Graf ift der Meynung, die nothwendigen Folgen der Stallfütterung feyen günzliche
Aufhebung der gefammten Brache, und dafs alles
Land mit Korn oder Futterkräutern beftellt werden.
müffe, S. 19. auch dafs es *fchwer ja unmöglich
fey eine allgemeine und auf alle Güther und Wirthfchaften paffende Regel zu geben; dafs ift allerdings wahr, wenn man bis auf die kleinften Modificationen eingeht.* Hingegen glauben wir, dafs
das Wirthfchafts Syftem, welches in den Herzogl.
Sachfen Weimarifchen Landen feit vielen Jahren
zum grofsen Vortheile für Herren und Unterthanen realifirt worden, kleine Localveränderungen
abgerechnet, überall anwendbar fey. Hier find
die Grundlinien davon. Jede Wirthfchaft hat
dreyerley Aecker, gute, mittlere und fchlechte.
Die guten Felder dungen fich felbft d. i. fie tra-

gen foviel, als zu ihrer Wiederbedüngung nöthig
ift. Sie haben innere Kraft und brauchen entweder gar nicht, oder felten Brache zu liegen. Ihnen wird die Luzerne und der rothe Klee anvertrauet, der Wechfel von Getroidearten, Erbfen,
Wurzelgewächfen, Klee und der zu dem allen
hinzukommende animalifche und mineralifche
Dung macht dies möglich.

Die Mitteläcker liegen alle drey Jahre richtig
Brache, wo fie bedüngt werden. Da man fie nie
fo verbeffern kann, dafs fie für immer zur erften
Klaffe übergehen können, weil ihnen die innere
Güte fehlt, fo ift diefes Gefetz nothwendig. Auch
die Erfahrung beftätiget den Unterfchied zwifchen
gefömmerter Frucht und Brachkorn.

Die fchlechten find fo befchaffen, dafs fie nicht
mit Vortheil zwey Jahre hintereinander. Früchte
tragen können. Sie follten, wie in Schweden
gefchieht, ein Jahr ums andre Brache liegen. Und
hierinn liegt eigentlich der Grund, dafs unfere
deutfchen Bauern nicht bemittelter werden, weil
ihre Aecker meift in der dritten Claffe zu undankbar für die darauf gewendete Arbeit find. Doch
giebt es auch für diefe Claffe Mittel, und Wege
fie gleich den Mitteläckern 2 Jahre mit Früchten
zu beffen. Den dritten Theil der geringften Felder, die ohnehin mit Schaden und auf Unkoften
befferer Aecken gebauet werden, befäet man mit
Efperfette. Das Produkt aus dem Efperacker
braucht nicht wieder dahin, fondern kann auf die
Befferung der andern Felder verwendet werden;
diefe erlangen dadurch einen Zufchufs, der indeffen auf keiner Seite vermifst wird, indem die
Efperfette ihren Dünger braucht. Vfelmehr erlangen die an Efperfette abgetragenen Aecker
aut etliche Jahre neue Kräfte zu Fortfetzung des
Fruchtbaues, und der geringe Fruchtertrag, der
daranf vermifst wird, fo lange fie beftehen, wird
reichlich durch den Ertrag der fchlechten Felder
erfetzt, denen der Dünger zu gut kommt, welcher
bey den Efper- Feldern erfpart wird, des Saamens
und der Beftellungskoften nicht zu gedenken.

Wenn die fchlechtern Felder mit Mergel, und
fettem Teichfchlamm überfahren werden, fo werden fie, fo lange die Kraft des Düngers dauert,
den Feldern der zweyten Klaffe an Güte gleich.
Manche haben fich den Kopf zerbrochen, um
das Verhältnifs zwifchen Acker, Wiefen und Vieh
zu finden. Wir wiffen aus Erfahrung, welch
ein Unterfchied zwifchen Heu und Klee; welch
ein Unterfchied in den Jahren felbft ift. Man hat
te daher fo viel Vieh, dafs alles Futter jährlich
beynahe aufgezehrt wird. Das Landgut ift überhaupt nicht um des Viehes willen, fondern das
Vieh um des Landguts willen da. In Theil darf
alfo die Hälfte Acker die Hälfte Wiefen aber
nie mehr Gras, mehr Vieh als Getraide feyn.
Das Lokal beftimmt Verhälnniffe zwifchen natürlichen und künftlichen Wiefen, zwifchen Klee
Luzerne und Efper, zwifchen Rindvieh und Scha-

fen.

fen. Stallfütterung des Rindviehes ift überall, wo keine phyfifche Unmöglichkeit zum Grunde liegt, und fo wird es auch eine Erlauchte Akademie nicht verftanden haben, möglich. Wer deutfche Brache und Hutweiden gefehen, wo das Vieh wenig erhält, die Anzahl von Hirten berechnet, die im Getraide-jätende Weiber und Mädchen überzählt, kurz alles Gras, was dem Weide-und halben Stallvieh vorgelegt wird, calculirt; wird es im Stall oder Hof damit futtern können. Die Schafe können, müffen da, wo alles Land unterm Pflug getrieben wird, da wo fie fich faft alljährlich faul freffen, in Horden gefüttert werden, wo aber noch grofse Leeden und Hutweiden find, wäre es unräthlich, fie nicht durch Schafe benutzen zu wollen.

Der Hr. Graf fagt zwar, dafs 6 Centner Klee auf ein Schaf viel mehr werth feyn, als das Schaf felbft. Ein Einwurf, den auch der Freyherr von Stein in der Schrift, Schubart und Holzhaufen angetragen. Man mufs aber den Sommerdünger (als den beften) in Rechnung bringen, die bey der Stallfütterung fo fehr verminderte Sterblichkeit der Thiere und Gugenmufens Satz, dafs ein Weidefchaf 3 Morgen Brachacker, 100 Hordenfchafe 3. Morgen Kleeacker brauchen, erwägen. Auch das Wort: 1000 und mehr Schafe, ift für den denkenden Oekonom nicht zurückfchreckend. Von jeher ift der Totalfumme der Schafe vertheilt gewefen, jeder Knecht hätte nur einige hundert auf die Weide zu fuhren, und diefe öfters in Gefellfchafceines Beytreibers. Rec. hat felbft erfahren, dafs ein einziger Knecht im Stande war, nachdem eine Horde beym Kleefeld die andere Lagerhorde auf dem Brachfeld ftand, feine Schafe mit Efper, weifsen Klee, Spark und rothen Klee zu futtern, die Brache zu betreiben und täglich ans Waffer zu führen.

Der Hr. Graf nimmt auch an, dafs die Spanifche Wolle deshalb fo fchön fey, weil die Schafe die bekannten grofsen Reifen nach den Gebirgen thun, und dafs die Wolle vom Klee gröber und unreiner werde. So viel Mühe fich aber Kößig gegeben, dies zu beweifen, fo haben doch Weftrumb und andere Chemiker das Gegentheil gefunden.

Die gekrönte Preifsfchrift des Hn. Prediger Grafsmann zu Sinzlow und Körtenhagen in Pommern, hat uns, ob fie gleich die allgemeine Stall-und Kleefütterung einzuführen anräth, im Ganzen nicht genug gethan, fie ift zu wortreich, enthält kein feftes Syftem, und will bald in 3, 4, 6 Theile das Ackerland gelegt wiffen. In der erften Abtheilung: Ift die fo vortheilhafte Stall und Kleefütterung überall einzuführen oder nicht? hat der Vf. Schwierigkeiten gemacht, die gewifs leicht zu heben find. Die erfte ift die Verwirrung, wenn einige Abänderungen in den Theilen der Landwirthfchaft vorgenommen werden. Freylich darf ohne vorhergehenden Unterricht und Zurechtweifung

nichts gethan werden: Die Norm und der neue Gäng der landwirthfchaftlichen Arbeiten wird von denen hergenommen, die fchon einige Jahre Stallfütterung eingeführt haben, und fo zu fagen fchon im Zuge find. Rec. hat feit 4 Jahren ein folches Journal und Plan entworfen, und ift erbötig denfelben jedem, dem daran gelegen ift, mitzutheilen. Er gehet blofs auf Getraidebau, denn Schubart konnte unmöglich feine Wirthfchaft und fein Syftem als ein Mufter aufftellen, nach der alle übrigen umgewirthfchaft führte, denn er baute Krapp und Raps in anfehnlicher Menge. Die vom magern und unfruchtbaren Acker hergenommenen Gründe beweifen, dafs die Brache nicht gänzlich und gleich anfangs abgefchaft werden kann, und darinn find wir mit dem Vf. einftimmig, nur hätte er fagen follen, wie diefer magere Acker am vortheilhafteften zu benutzen wäre.

In Abficht der an Strömen und Flüffen gelegenen oder der Ueberfchwemmung ausgefetzten Wiefen und Weidetriften, haben die Freunde der Stallfütterung nie behauptet, dafs man Klee dahin bringen foll, fie bedauern nur, dafs fo herrliche Fettweiden, die dreymal könnten abgemäht und doch noch zuletzt beweidet werden, itzt das ganze Jahr einem Haufen Vieh Preis gegeben werden; weiter, dafs alle die herrlichen Wiefengründe, wie fie längft den Flüffen, z. B., der Unftrut hinlaufen, wegen der Schaftrift nur einmal dürfen gemähet werden. Mähet man doch alle Wiefen längft der Elbe und zwar vor jeder Ueberfchwemmung.

Die fchiefe Stellung der Preisfrage war allerdings Urfache, dafs der Vf. öfters mit den Schatten gefochten hat; z. B. S. 30. Es verlangt niemand, dafs man eine mit dicht und gedrungen wachfenden Gräfern verfehene Wiefe zum Kleebau umreiffen, auch nicht, dafs, wenn die Wiefenplane von den Wohnungen fehr entfernt find, man das darauf wachfende Gras grün verfüttern folle. Ewig fchade wäre es, wenn Wiefen, die ein feines, nahrhaftes und dem Vieh fehr gedeihliches Gras hervortreiben, zu Futterkräutern (S. 32.) umgebrochen würden, als den Plan der ganzen Landwirthfchaft zerftören. Die Kunft foll der Natur zu Hülfe kommen, diefe aber nicht von jener gemeiftert werden. Wir wollen nur da, wo nicht genug natürliche Wiefen find, wo die Natur ftiefmütterlich gehandelt, oder unfere Vorfahren aus Heiskrunger nach Aeckern, die Wiefen zu Aeckern gemacht, das fo nöthige Verhältnifs, die natürliche Ordnung geftöret haben, fie wieder in ihre Rechte einfetzen.

„Wie aber bey einer Weide, die zwar nicht „der Gefahr der Ueberfchwemmung oder einer zu „grofsen Näffe ausgefetzt ift, aber doch fehr wei„ches Erdreich hat, und dabey niedrig und feucht „ift? Eine grofse faft unüberfehbare Pläne müfte

„mit faſt unzähligen Gräben (der Vf. ſchreibt unrichtig *Grabens*) durchſchnitten, und ſodann Däm-
„me und Brücken hierauf angebracht werden.
„Der nun auf dieſem Lande durch die Kunſt ange-
„brachte und gedrungen ſtehende Klee erhält das
„Erdreich zu locker, und ſetzet keinen ſo feſten
„Raſen an, als die natürlichen Gräſer bewirken, ſo
„daſs dieſes Erdreich einen Wagen zur Abholung
„des grünen Futters nicht zu tragen vermag. Es
„würden jene Gräben und Dämme *ſehr viel Land*
„wegnehmen, *groſse Koſten* verurſachen, und ſo
„fern mehrere Guthsbeſitzer Antheil an dieſer Plä-
„ne haben, zu *vielen Streitigkeiten* Anlaſs geben;
„wenn jeder ſeine Gräben räumen, oder den ent-
„ferntern über ſein Land ſollte Dämme aufführen
„laſſen. Dieſe Schwierigkeiten laſſen uns einſehen,
„warum, in ſolchen Gegenden eine gänzliche Stall-
„und Kleefütterung mit völliger Aufhebung der
„Wieſentrift und Weide ſelten anzuratzen iſt.
  Wir ſehen hier gar keine Schwierigkeiten. Die
natürliche Wieſe bleibt, was ſie iſt; der vorderſte
fängt zuerſt an zu mähen u. ſ. w. Jeder macht
ſich auf ſeiner Wieſe ein Gerüſt, legt das Heu
darauf, wodurch es hinlänglich beſchwert, mit einem Dach verſehen, der Ueberſchwemmung, Regen und Witterung trotz bietet, ſo bleibt es, bis
Froſt oder Schnee eintritt, wo es auf Schlitten
oder Wagen ohne allen Schaden abgeholet, und
im Stall verfüttert wird. So ſind keine Gräben,
keine Dämme, keine Koſten nöthig. Sollte der
Vf. nicht gereiſet ſeyn, keine Reiſebeſchreibungen geleſen haben, um Getraide-und bey ſchlechte
auf dem Felde zu finden? Eben ſo verſchwinden
bey hochgelegenen dürren und magern Weidetriften die groſsen und faſt unüberſteiglichen Hinderniſſe. Der Vf. ſelbſt iſt hier auf dem rechten
Weg, nur daſs er aus Mangel feſter Grundſätze
ſich ſelbſt wider verwirrt. S. 37 ſagt er gar vortrefflich: „Man ſollte billig bey Wieſen von mittle-
„rem Ertrag den dritten Theil, und *bey ſchlechte*-
„*ren die Hälfte gegen das unter dem Pfluge ſtehen*-
„*de Ackerland gerechnet beſitzen*, aber in vielen
„ſolchen Gegenden beſitze man kaum den zehen-
„ten Theil an Wieſen, welche überdem noch ſehr
„mager ſeyn, und nicht gedüngt werden.“ Was
thut das? Iſt denn die Landwirthſchaft, die einmal tauſend Jahre hindurch obſervanzmäſsig ge-
hinkt hat, von Gottes und Rechtswegen ſchuldig,
auch die andern tauſend Jahre hindurch zu hinken?
  In der zweyten Abtheilung: daſs die Stall-u.
Kleefutterungen in den mehreſten Fällen anzura-
then, und ohne Nachtheil der übrigen Bedürfniſſe des Staats ungleich hält als die bey der Wie-
ſen- und Weidetrift genutzet werden können, hebt
er diejenigen Hinderniſſe, die in der erſten
Abtheilung gemacht, aber nicht immer glücklich
genug. Er fängt in der nämlichen Ordnung an,
betrachtet erſt die Gegenden, welche nur wenig
hoch gelegenes Ackerland haben, hingegen groſse
Plänen in niedrigen, und zuweilen der Ueberſchwem-

mung ausgeſetzten Gegenden, bringt das Beyſpiel
von den Ueberſchwemmungen des Jahrs 1785 ins
Gedächtniſs, und wünſcht Kleebau und Stallfutte-
rung, thut Vorſchläge, wenn gar kein hoch gelegenes Land bey Güthern, und wenn dergleichen in ziemlicher Menge vorhanden iſt.
Die anderen Gegenden, die der Vf. betrachtet, ſind
die an Strömen und Flüſſen, welche zwar viele
Wieſen und Weide, aber dabey nur ſehr ſandiges
und mit Grand vermiſchtes hochgelegenes Land.
und ſelbſt hohe, faſt unfruchtbare, Berge beſitzen, wo er ganz recht die Eſparſette empfiehlt.
Dann kommt er zu den niedrig liegenden
Wieſen und den hier auf groſsen Plänen befindlichen Wäldern, die zwar nicht der Gefahr der
Ueberſchwemmung ausgeſetzt ſind, aber doch,
wegen ihrer Gröſse zu viele Koſten und Umſtände erfodern würden. Wir haben ſchon geſagt,
daſs es bloſs Miſsverſtand iſt, ſie mit Futterkräutern belegen zu wollen. Wie Torf und Moor
verbeſſert wird, lehrt uns Hr. Kammerherr von
Buchwald in ſeinen ökonom. Reiſen durch Brandenburg S. 132, und die Pinneberger Bauern S.
243. Die Vf. hält alle hochgelegne fruchtbare
Aecker zu Futterkräutern geſchickt, allein wie
verhält ſichs in dürren Jahren, und wie, wo die
hochgelegenen Aecker minder fruchtbar ſind?
Wir ſind durch die Erfahrung von dem Glauben
zurückgekommen, daſs alle Felder ſolchen
Klee tragen, daſs ſichs verlohnt; der Klee liebt
tiefen und feuchten Boden, dies iſt ſein natürlich-
ſter Standort, nie wird man ihn auf dürren Feldern und Sandbergen antreffen; ſeine Natur und
ſein Zweck erfordern gleich viel Feuchtigkeit
und Kräfte. Der Vf. hält ſich eine Digreſſion,
die darinn beſtehet, wie Ländereyen durch Pächter zu verbeſſern, wenn nemlich der Pächter einen proportionirlichen Vorſchuſs an Geld bekömmt,
welchen er mit einigen von Hundert jährlich ver-
zinſet, oder die feſte Verſicherung erhält, das
Gut bis zu ewigen Zeiten gleichſam als ein Eigenthum zu beſitzen, wenn er alle 6 Jahre eine
mäſsig erhöhete Pacht von etwa 3 oder 5 P. Cent
entrichtet und jedes Jahr, das ganze Pachtquan-
tum, ſo wie den beſtimmten Theil des abzutra-
genden Vorſchuſſes genau bezahlt, ſo giengen,
120 Jahre hin, ehe der jetzo feſtſtehende Pacht
doppelt entrichtet würde, und der geſchickte
und fleiſsige Pachter hätte in dieſem Zeitraum Gelegenheit einen drey und mehrfachen Gewinn
herauszuziehen. Der ſel. Gugemus hat einen
ähnlichen herrlichen Gedanken die Güter durch
Pächter zu verbeſſern, und wir überlaſſen dieſen
nicht unreifen Gedanken. künftl. Kammern zu
näherer Beherzigung, denen um ſo mehr daran gelegen ſeyn muſs, weil, wenn auf den Kammer-
gütern keine Beyſpiele aufgeſtellet werden, der
Bauer immer bey ſeiner hergebrachten groſsvä-
terlichen Weiſe bleiben wird.

  (Der Beſchluſs im nächſten Stück.)

ALLGEMEINE

LITERATUR - ZEITUNG

Sonntags, den 29ten März 1789.

OEKONOMIE.

BERLIN, b. Kunze: *Abhandlungen über die allgemeine Stallfütterung des Viehes, und die Abschaffung oder Beybehaltung der Brache etc. etc.*

Fortsetzung der in No. 97 abgebrochnen Recension.

Der Verf. verräth nicht gemeine Einsichten, wenn er so räsonnirt: Sollte man auch, wie in England zuweilen geschehen, das entgegen gesetzte Verhältniss des Ackers auf dem Lande treffen, worauf Futterkräuter angebauet werden, und von letztern zu viel anlegen, so verlieret auch hier dennoch der Staat nichts in seinen Bedürfnissen. Wir müssen jetzt noch in Erwägung ziehen, ob der Staat mehr gewinnt, wenn in der Folge der in den besten Zustand versetzte Acker Getraide trägt, oder mit Futterkräutern belegt ist? Sind die Futterkräuter, mit der Stallfütterung verbunden, die Ursache gewesen, dass nun der Staat aus dem hiedurch verbesserten Acker und der aufgehobenen Weide mehr als doppelte Aerndten ziehet, und gedoppelte Arbeiter bey der eingeführten Stallfütterung reichlicher ernähret und vermögender gemacht hat, so hat der Staat offenbar durch die eingeführte Stall- u. Kleefütterung gewonnen, wenn auch könnte erwiesen werden, dass die Anlegung zuvieler Futterkräuter dem Getraidebau und andern dem Staate nützlichen Gewächsen nachtheilig sey, und die grössere *Vermehrung der Volkmenge hindere.* Die Sache verhielt sich mit England so, wie wir sie aus dem Munde eines Engländers, der ausgebreitete Landwirthschafts - Kenntnisse besass, selbst haben.

England führte bekanntlich Getraide aus; seit geraumer Zeit aber nicht mehr, nemlich seitdem die vielen Umzäunungen das sonst offene Land feuchter, schattiger, und unfruchtbarer machten, daher alles Korn näcklit an den Verzäunungen verschwindet, da Trockenheit u. Lockerheit die beiden Beförderer der Wirksamkeit der natürlichen Fruchtbarkeit sind.

2) Wird mehreres Gras als ehedem gebauet, weil mehrere Pferde und Schafe da sind.

3) Der sogenannte Häusler konnte, da noch Communen (gemeine Hutweiden) waren, Schafe, Ziegen, auch eine Kuh halten, durch die Theilung fiel eine zu kleine Portion auf ihn, davon er nicht mehr im Stande war, etwas Vieh zu halten, daher die Orte, wo die Communen aufgehoben wurden, von der ärmern Volksklasse verlassen sind.

4) Die kleineren Pächter wurden durch grosse verdrängt, da aber die kleinern alles Flügelvieh zogen, welches von den grössern vernachlässiget wird, so stieg dieses im Preis, und die Population verminderte sich.

Diesen Fall, setzt der Vf., und wir mit ihm, hinzu, haben wir hier noch nicht sobald als in England zu befürchten. Manches andre müssen wir hier übergehen. Wenn uns aber der Vf. die für den Landwirth sonst ganz erfreuliche Hofnung giebt, endlich die Eintheilung in gut, mittel und schlecht Land abzuschaffen, und alles Land mit den Jahren in gutes Land zu verwandeln, so müssen wir die Möglichkeit derselben auf ewig läugnen, weil die Lage, der Boden und andere Umstände ein schlecht Land nie ganz zu einem guten umschaffen lassen. Man trage den besten Boden eine halbe Elle hoch auf den schlechten, ist er deswegen für immer der beste, hat er die nemliche Lage? vielleicht ist er einem kältern Windstoss, Abschwemmungen u. d. gl. ausgesetzt, und in kurzer Zeit wird er wieder der nemliche schlechte Acker seyn. Auch können wir unmöglich zugeben, dass Klee den Acker dauerhaft verbessere, es ist nur vorübergehend, und der Acker wird in der Folge das wieder, was er war — schlecht.

In der dritten Abtheilung, welche Erfahrungen und Folgen der Stall- und Kleefütterung noch können entgegengesetzt werden, hat der Vf. verschiedenes aus dem 1 Theil wiederholet, im ganzen aber, was Häusler, Hirten und Pächter betrifft, lesenswerthe Sätze aufgestellt, die einen denkenden Mann, und einsichtigen Oekonomen voraussetzen, nur dass sie zu declamatorisch ausgefallen.

Die zweyte Schrift mit der Devise; *Distinguendo,* bezeichnet, glaubt, dass sich in den Gebirg- und Waldgegenden gar keine Stallfütterung den-

Fffff

ken

ken liefse. Allein der Vf. hätte hier auch diſtinguiren follen. Die Kühe follten im Stall oder Hof gefüttert werden. Das Göltevieh hingegen, welches hauptſächlich in der Menge in allen Gebirgs- und Waldgegenden erzogen werden follte, um es an die Landgegenden zu verkaufen, kann ausgetrieben werden. Seitdem wir aus der Crazifchen Buchhandl. die Erfahrungen aus der Feld- und Landwirthſchaft von einer Gefellfchaft forſchender Oeconomen in Gebirgsgegenden haben, welche uns die Vortheile der Stallfütterung und des Ackerbaues bewieſen, wogegen der Vf. zu wenige Beweife für feine Meynung geführt hat, find wir auch hier ganz der Stallfütterung gewogen. Die Fohlenzucht läſst ſich ebenfalls mit der Stallfütterung vereinigen. Wir haben Landgegenden geſehen, wo jeder Bauer ein, auch zwey, Fohlen hat, ſie gehen mit der Mutter aufs Feld, in die Stadt, der Bauer futtert ſie im Stall, bis die Grummeternte vorüber iſt, macht auf ſeiner Wiefe eine Verſchränkung, läſst ſie da weiden, und die ganze Wiefenfläche iſt mit Fohlen bedeckt. „Man den-„ke ſich aber eine Stuterey von 4 bis 500 Stück „Pferden, oder einen viehzuchttreibenden Meklen-„burger und Hollſteiner mit 300 Stück Rindvieh, „und denke ſich dabey die Stallfütterung.“ In dieſem Fall ſuchen wir im Local die Ausnahme von der Regel, denn wir reden von cultivirten oder beſser zu cultivirenden Ländern, ſonſt würde die Preisfrage auch der Bienen Erwähnung gethan haben. „Bey den Schafen, welche durch „Fettmachen und Melken benutzt werden, und wo „man auf die Wolle wenig oder keine Rückſicht „nimmt, ſey die Stallfütterung zweckmäſsig und „vortheilhaft; aber die feine Wolle wurde bey lan-„gem Einſperren in dem Stalle ſtocken, bey dem „Eindrängen in die Horde und Nahrung mit fetten „Futterkräutern die Wolle aus Mangel an gehöri-„ger ſteter und freyer Bewegung, und aus Man-„gel des Genuſſes eines zarten Grafes als das be-„ſten Futters für feinwollige Heerden leiden.“ Wenn der Vf. ſagt, daſs das Treiben und ſtete Bewegung in freyer Luft unter die Hauptmittel der Wollverfeinerung gehören, ſo nimmt uns Wunder, daſs man in Deutſchland nicht ſchon längſt ſuperfeine Wolle hat, denn am Herumtreiben hat es gewiſs nicht gefehlt.

Die dritte Schrift mit dem Wahlfpruch: non omnia fert tellus ſcheint einen Wirtemberger zum Verfaſſer zu haben, und Rec. muſste ſich hier irren, wenn ſie nicht den Schäfereyverwalter, Hn. Steeb zu Tubingen, nach einer ähnlichen herausgegebenen Schrift zu ſchliefsen, zum Vf. hätte. So iſt eine kleine Satire auf Schubart, und eine ganz glückliche u. gut getroffene Widerlegung des Schubartſchen Syſtems. Der Verf. hat Recht, daſs durch den beſtändigen Anbau die Felder immer mit Pflanzen bedeckt, das Erdreich, beſonders das ſchwere, nicht oft genug gerührt und licht locker genug gemacht werden kann, und am Ende

ſich das Unkraut vermehrt; wenn er aber keine trockne Sommer verlangt, daſs auch ſo viel Futter erzeugt werden kann, kein Miſswachs, Hagel und Ueberſchwemmung eintreten ſoll, ſo ſcheint er, wofern es anders nicht mehr Scherz als Ernſt iſt, nicht daran gedacht zu haben, daſs dies alles bey Brache und Hutweiden weit ſchlimmere Folgen hat.

Luſtiger noch als dies iſt, daſs ſich der Vf. in Betracht des Abſatzes der Producte Bevölkerung wünſcht, weil, wenn alles ſo wohlfeil gegeben werden müſste, nach Abgang der Unkoſten dem Landmanne nichts übrig bliebe, und daher Triſt u. Brache beſser ſey, (als wenn bey einem wohlgenährten Volk die Vermehrungszahl ſtill ſtehe). Er ſucht übrigens neue Hinderniſſe auf, die der allgemeinen Stallfütterung überhaupt im Wege ſtehen; ſie treffen aber nur das Schubartiſche Syſtem. Der Verf. hat eine ausſchweifende Einbildungskraft. Er ſieht im Geiſt Ueberfluſs und Folgen des Ueberfluſses, wohlfeile Preiſe, ſtolze Arbeiter und Müſsiggänger, wovon die Folge wäre, daſs Fabricanten und beguterte Bauern arm wurden, und die Ländereyen fielen.

MANNHEIM, in der neuen Hof- und akademiſchen Buchhandlung: Vorleſungen der kurpfalz. phyſikaliſch- okonomiſchen Geſellſchaft in Heidelberg. Von dem Winter 1786 bis 1788. Mit 11 Kupfertafeln. III Band. 1788. 644. S. (2 Rthlr.)

Enthalten 1) Beſchreibung der Orangerie und Treibhäuſer des kurfürſtl. botaniſchen Gartens in Mannheim, nebſt den bey derſelben Bau angewandten Grundſätzen, von F. C. Medicus. Nach ſeinen 18jährigen Erfahrungen räth er an, die Winterhäuſer nicht gegen Mittag zu bauen, weil heftige Sonne die Pflanzen entblättert, verſenge, zerſtöre; auch Schloſsen und Hagel Schaden thun: Im December hat er den Aufgang und den Niedergang der Sonne durch ausgeſteckte Stangen genau bezeichnen, und in die ſich zwiſchen dieſen beiden Stangen ergebenden Linien die Winterhäuſer ſtellen laſſen. Zweytens hat er ihnen alles nur möglich Licht verſchaft. Härte es doch dem Hn. M. gefallen, diejenigen Bäume mit Namen anzugeben, die bey ihm Früchte gebracht, wo man oft kaum in andern Gärten Blüthen zu ſehen bekomme! Succows Verſuche über die Brauchbarkeit verſchiedener einheimiſchen und ausländiſchen Gewächſe für Färbereyen. Jung Bemerkungen über die wichtigſten Theile der Gewerbpolizey. Erb Verſuch, die eigenthümlichen und rechtmäſsigen Gränzen der Polizey zu beſtimmen. Gatterer von dem Handelsrange der Ruſsen. Sommer Zweifel über den Bevölkerungsgrundſatz als erſten Grundſatz ſtaatswirthſchaftlicher Wiſſenſchaften. Medicus über den Urſprung und die Bildungsart der Schwämme. Klipſtein ältere und mittlere Geſchichte des Salzwerkes zu Salzhauſen

bey

bey Nidda. *Langsdorf* Fortsetzung der Geschichte des Salzwerkes zu Salzhausen. *Succow* systematische Beschreibung der vorzüglichsten in den Rheinischen Gegenden bisher entdeckten Mineralien, besonders der Quecksilbererze. *Wund* umständliche Beschreibung des kurpfälzischen Oberamts Bacharach, besonders in Rücksicht auf dessen vortreflichen Weinbau. Wir wünschten, dass Hr. *Wund* sich nicht so lange bey der Geschichte merkwürdiger Personen und der Oerter aufgehalten hätte, sondern uns mehr mit dem Wohlstand und Bedürfnissen des Oberamtes und den Producten des Landes bekannt gemacht hätte. Bacharach zählt 2 Städte, 12 Flecken und Dörfer und einige pfälzische Meyerhöfe. Im J. 1720 waren 706, 1786 hingegen 1180 Familien zu 4760 Seelen. Da diese Vermehrung für Menschen, die auser den Weinbergen eine kleine Feldgemarkung haben, sehr ansehnlich ist, so vermisst der Leser die Bemerkungen darüber sehr ungern. Das ganze Oberamt hat 4777 Morgen Waldungen, davon der Stadt allein 1240 Morgen gehören, 4246 Morgen Ackerland, wovon *Weisel* wieder 1234. zu 120 Ruthen gerechnet, allein besitzet. Der Vf. löst das Räthsel, wie sich von 2750 Morgen Ackerlandes 1180 Familien zu 4760 Seelen ernähren können, nicht glücklich genug auf: Er sagt, dass der Weinbau, wenn er auch nichts als das dürftige Auskommen giebt, doch mehr als der Ackerbau die Bevölkerung, (natürlich wegen des Weingenusses,) befördert, und dass sich nur in Weinländern die Menschen so nahe bey einander anbauen können, und doch schreibt er S. 557: das Oberamt Bacharach ist keines der glücklichsten. Die Einwohner sind der grösten Anzahl nach arme und geplagte Leute, besonders auf den Dörfern, wo der Weinbau der einzige Nahrungszweig ist, da unter 10 kaum 2 gute Weinjahre vorkommen. Das Beyspiel Frankreichs, wo ein Weinberg, eine französische Quadratmeile gross, 2604 Personen Unterhalt verschaffer, dahingegen ein eben so grosser Acker nur 1390 Menschen ernähret, beweiset für grössere Bevölkerung nichts, als vielleicht, dass Arme die meisten Kinder haben. Das Oberamt hat ferner 832 M. Wiesen, 51 Pferde, 523 Ochsen, 1019 Kühe, 388 Rinder und Kälber, 721 Schaafe und 385 Schweine. Ferner 9 Stärkefabriken, 9 Rothgerber in Bacharach, die auf der Frankfurter Messe für 6. bis 12,000 Gulden Sohlleder absetzen. Die Schatzung, ohne die 7 Rheinzölle, betrug im J. 1779 12,145 Gulden.

Auser Muscateller, Gutedel, schwarzen Trauben werden vorzüglich Riesslinge und Kleinberger angepflanzt. Der Riessling erfodert seiner Natur nach eine trefliche, guten Boden und hitzige Sonne, wenn anders seine in eine dicke Haut eingeschlossene markigte Zelle gehörig distilliren soll, der dünnhäutige wässerichte Kleinberger aber gelangt gar leicht zu seiner Reife, daher

sollen die steilen, gegen die Sonne liegenden Weinberge nur mit Riesslingen, und die flachen kühlern Weinberge nur mit Kleinbergern angepflanzt werden. Der Wein von Riesslingen ist ein geistreicher feuriger Wein, führt keine schädliche Erdtheile mit sich, befördert bey mäsigem Gebrauch den Umlauf des Blutes, und trägt sehr viel dazu bey bis ins späte Alter eines immer fröhlichen Gemüthes zu seyn. Die Anekdote vom Papst *Pius II*, zuvor Aeneas Sylvius, der alle Jahr seine Person ein Fuder davon nach Rom führen liess, bestätiget sich dadurch, dass er auch von böhmischen Weinen sich etwas kommen liess.

Da die Einwohner hitzigen Boden haben, so gebrauchen sie Stalldung von dem Rindvieh und Hr. Amtsrath *Riem* hat unstreitig unrecht, wenn er andere Düngerarten in den Weinbergen für besser hält.

FRETBERG, b. Cratz: *Belehrungen, wie Feld- und Landwirthschaft sowohl in Städten als auf dem Lande mit grossem Nutzen zu verbessern und einzurichten sind.* Zum Besten einer armen Officierswittwe. 1788. 118 S. 8.

Der Vf. gestehet selbst, dass sein Werk bekannte Sachen enthalte, und er es blos für die untere Classe der Landwirthe geschrieben habe. Er führt durch 12 Briefe die Beschreibung eines halben Hufen Guthes, so des Bauern Samuel Müller in Ditmannsdorf Eigenthum, zum Rittergute Pfafferode gehörig ist, und unter dem Kreisamte Freyberg steht, aus. Da wir seit 1787 Erfahrungen aus der Feld- und Landwirthschaft von einer Gesellschaftforschender Oekonomen aus Freyberg haben, die uns mit der Geschichte des Gebirgischen Landbaues grösserer Wirthschaften hinlänglich bekannt machen, so haben wir gegenwärtige Belehrungen den nun noch fehlenden Unterricht für blosse Bauern geliefert; allein es wird heutiges Tags von einerley Materie, z. B. vom Flachsbau in so vielen Schriften, z. B. in den vorbenannten, in den ökonomischen Briefen oder entdeckten Betrügereyen der Verwalter u. d. gl. so weitläuftig und doch immer wieder das nemliche geschrieben, dass keinem Oekonom zu verdenken ist, wenn er einen Abscheu hat, neue Bücher zu lesen, die nichts neues enthalten. Der ungenannte Vf. will beweisen, dass die Espersette schon 1718 (besser 1698) in Deutschland bekannt gewesen. Rec. der eine Geschichte des Kleebaues entworfen, versichert das nemliche vom rothen Klee, wie der wohlabgefasste immerwährende Haus und Landwirthschaftskalender von Jakob Ferdinand Felber Nürnberg bey Daniel Endter 1724 in 4. beweiset, in dem man vor 60 Jahren vom rothen Klee recht viel wusste. „Ferner der Erfurtische Rathsmeister „Reichard sage von selbigen das, was der Hr. Geh. „Rath Schubart von Kleefeld als eine neue Er-„findung angetragen; und doch werde diesem Man-„ne nicht der Werth mehr beygelegt, den sein „Nachfolger mit seiner Heftigkeit erlanget zu ha-
Fffff 2 ben

ben fcheint. Allein der Vf. follte wiffen, dafs
Reichard bey den kaltblütigen Landwirthen länger in Andenken bleiben wird, weil er wirklich
mehr geleiftet, als Schubart, der zwar als Erwe-
cker der fchlafenden und Aufmunterer der unthä-
tigen Landwirthe unverkennbare Verdienfte hat,
welche aber bereits itzt unparteyifcher, als feine
enthufiaftifchen Bewunderer thaten, gewürdigt
werden.

VERMISCHTE SCHRIFTEN.

Von folgenden Büchern find Fortfetzungen
erfchienen:

ZÜLLICHAU, b. Frommanns E.: *Materialien
für Maurer.* 2tes u. 3tes St. 1788. 202 S.
8. (8 gr.)

REVAL u. LEIPZIG, b. Kummer: *Kleine gefammelte Schriften des Hn. von Kotzebue.* M. K.
Zweyter Bd. 1788. 450 S. 8. (1 Rthlr 8 gr.)

BERLIN, b. Pauli: *Oekonomifch-technologifche
Encyklopädie von D. J. H. Krünitz.* 41 fter
Th. nebft 20 Kupfertafeln. 1787. 802 S. (3
Rthlr.) 42fter Th. nebft 15 Kupfertaf. 1788.
758 S. (2 Rthlr. 18 gr.) 43fter Th. nebft 13
Kupfertaf. 832 S. (2 Rthlr. 20 gr.) 44fter
Th. 942 S. 8. (3 Rthlr. 8 gr.)

LEIPZIG, b. Fritfch: *Obfervationum practica-
rum ad Leyferi Meditationum ad Digefta
opus.* T. II. Fafc. I. Auct. *J. E. J. Muller.*
1788. 420 S. 8. (20 gr.)

DRESDEN u. LEIPZIG, b. Breitkopf: *Einige Ne-
benarbeiten zur theologifchen Literatur und
Religion gehörig,* von *F. A. Cramer.* 3tes
St. 1788. 146 S. 8. (8 gr.)

RIGA, b. Hartknoch: *Aus den Papieren einer
Lefegefellfchaft.* 2ter Band. 1788. 300 S. 8.
(18 gr.)

BERLIN, b. Unger: *Anekdoten und Charakterzüge aus dem Leben Friedrich II,* Dreyzehnte Sammlung. 116 S. Vierzehnte Samml.
126 S. Funfzehnte Samml. 290 S. 1788. 8.
(1 Rthlr.)

LEIPZIG, b. Beer: *Johann Bernoulli's Archiv
zur neuern Gefchichte, Geographie, Natur
und Menfchenkenntniß.* M. K. Achter Th.
1788. 303 S. 8. (18 gr.)

NÜRNBERG, b. Winterfchmidt: *Die Welt im
kleinen.* Erften Bandes Dritter Theil, die
merkwürdigften Fifche und Amphibien enthaltend. 1786. 122 S. 8. (12 gr.)

WIEN, b. Edl. v. Kurbeck: *Grundfätze der
Polizey, Handlung und Finanz,* von Sonnenfels. Fünfte Aufl. 1787. 520. S. 8. (1 Rthlr.)

RIGA, b. Hartknoch: *Bibliothek der Romane.*
Funfzehnter Band. 1788. 278 S. (18 gr.)

BRAUNSCHWEIG, in d. Schulbuchhandl: *Sammlung intereffanter Reifebefchreibungen für
die Jugend,* von *J. H. Campe.* 5ter Th.
1788. 344 S. 8. — auch unter dem Titel:
Kleine Kinderbibliothek, 11ter Th. (12 gr.)

FRANKFURT a. MAIN, b. Varrentrapp u. Wenner: *Lithologifches Real- und Verballexicon,*
von *J. S. Schröter.* 8ter Band. 1788. 435
S. 8. (1 Rthlr. 4 gr.)

HAMBURG, b. Schniebes: *J. J. Rambachs Entwürfe der über die evangelifchen Texte gehaltenen Predigten.* 7ter Jahrgang. 1787.
308 S. 8. (20 gr.)

HALLE, b. Dreyfsig: *Gefchichte meiner Kinder-
und Jünglingsjahre.* 2tes Bändch. 1788. 126
S. 8. (12 gr.)

LEIPZIG, b. Büfchels W.: *Lektüre für Kinder.
Als Fortfetzung der erften Lieblingslektüre
für Kinder.* 1789. 206 S. 8. (8 gr.)

DRESDEN, b. Hilfcher: *Unterhaltungen für Anfänger in der Zeichenkunft.* IX Heft. Fol.
(8 gr.)

ERFURT, b. Kaifer: *Uhuhu,* 6tes Pakt. 1788.
142 S. 8. (7 gr.)

LEIPZIG, b. Beer: *Orbis pictus.* X — XII Heft,
XXXVII — XLVIII Tab, (1 Rthlr.)

KLEINE SCHRIFTEN.

OEKONOMIE. *Freyberg*; mit Bartelfchen Schriften:
*Befchreibung zum Riß einer zum gefundern Wachsthum der
Pflanzen fehr vortheilhaften Nelken und Aurikel Stellage
mit bequemen Obdach,* wie er der Blumift längft gewünfcht
hat, von *C. S. R.* 1788. 13 S. Text und einen Rifs.
(3 gr.) Die Vortheile. Koften oder Bedürfniffe und
Bauart eines Blumen Geftelles (denn wozu das Wort
Stellage, das weder franzöfifch noch deutfch ift?) das
man noch überdies von vorn, im Profil, und dem Dach fieht,
find kurz und deutlich befchrieben. Sie beftehen darinn,
dafs man das Geftell auf allen Seiten umgehen kann, dafs
die Töpfe nur drey Reihen hoch übereinander ftehen,
ohnerachtet es fünf Reihen enthält, das Dach keinen
Tropfen Waffer durchläfst, nicht tief auf die Pflanzen aufliegt, ohne Mühe bey Eintritt des Wint. leicht
abgenommen, in einem Augenblick ohne Anftrengung
mit einer Hand aufgezogen und heruntergelaffen werden kann, und die Blumen durch die unten an den Säulen angebrachte Wafferkäften vor Obrwürmern etc. völlig
gefichert find.

ALLGEMEINE
LITERATUR - ZEITUNG

Sonntags, den 29ten März 1789.

PHILOSOPHIE.

ULM, b. Wohler: *Erörterung, der von den Curatoren des Stolpischen Legats zu Leiden für das Jahr 1787 vorgelegten Preisaufgabe; aus der Natur Gottes zu beweisen, dafs die göttliche Präscienz unfehlbar und der Freyheit der menschlichen Handlungen nicht entgegen sey*, von *Joh. Christoph Schwab*, Prof. der Philos. in Stuttgart. 1788. 45 S. 8. (4 gr.)

Ohne den Preis zu erhalten, ward diese Auflösung von den Curatoren des Stolpischen Legats für die Beste erklärt: der Vf. ist so bescheiden zu gestehen, er habe der Aufgabe nicht vollkommen Genüge gethan. Die Selbstthätigkeit der menschlichen Seele hat er unsers Bedünkens zwar von den Einwürfen der Fatalisten befreyet, aber die Gottheit nicht von allen ihr zur Last gelegten losgemacht. Seine Betrachtungen gehen in der Hauptsache auf folgendes hinaus; Gottes Vorherwissen gründet sich wesentlich darauf, dafs er endliche Substanzen hervorgebracht, und nach einem festgesetzten Plane in ein System zusammengeordnet hat. Dis kann kein Gegner ihm ableugnen, denn bey einer Präscienz, die sich auf bloſse Kenntniſs der Natur der Dinge gründet, ist keine Schwierigkeit sie mit der Freyheit solcher Wesen zu vereinbaren. Nun hat Gott bey Hervorbringung endlicher Wesen, ihnen Kraft ertheilt durch sich selbst fortzudauern, und die Erhaltung ist demnach nicht nach der Scholastiker Meynung, fortgesetzte Schöpfung. Bey solcher fällt alle Möglichkeit der Freyheit zu retten hinweg. Da also die endlichen Geister durch eigne Kraft fortdauern, so entspringen auch ihre Handlungen aus ihrer eignen Selbstthätigkeit. Gott sieht sie alle vorher, ohne dafs dadurch dieser Selbstthätigkeit oder Freyheit etwas entzogen würde. Wie ist freylich, dafs eine solche Substanz nun in ihren einzelnen Verrichtungen selbstthätig, aus innerm Antriebe handelt; aber dafs sie jedesmahl so, nicht anders handelt, worin gründet sich das zuletzt? Theils in ihrer ursprünglichen anerschaffenen Natur; hätte sie von Anfang mehr oder minder Denkkraft, mehr oder minder Reitzborkeit gegen sinnliche Eindrücke

A. L. Z. 1789. Erster Band.

u. s. w. gehabt, sie würde anders gehandelt haben, theils auch in der Beschaffenheit der sie umgebenden Dinge, der Einrichtung des Systems, worinn sie verflochten ist; hätte sie andern Umgang, andre Bildung, andere Gelegenheiten Kenntniſse zu erlangen, gehabt, sie würde auch anders gehandelt haben. Also fällt zuletzt wieder der Hauptgrund ihrer Handlungen zurück auf den Urheber ihres Daseyns. In der Aufgabe liegt etwas unbestimmtes, das allein entscheiden kann, wenn es näher angegeben wird, ob sie auflöslich seyn, oder unbeantwortlich bleiben soll. Ob nemlich vorausgesetzt wird, dafs Gott willkührlich strafe und belohne, oder dafs alle Strafen und Belohnungen der Gottheit natürliche Folgen der Handlungen sind, durch Naturgesetze an diese geknüpft. Im ersten Falle sehen wir keinen Ausweg; mit dem andern ist das System vereinbar. Endliche selbstthätige Substanzen, von perfektibler Natur, wurden vom Urheber aller Dinge hervorgebracht, weil unendliche hervorzubringen keine Möglichkeit ist; sie würden in solche Systeme versetzt, worin ihre Kräfte sich erweitern, vervollkommen kennten. Gott bildete sie mit dem Vermögen zu fehlen, ordnete Systeme an, worinn sie wirklich fehlten und fehlen mufsten, aber er gab dem Ganzen solche Einrichtung, dafs ihre Fehler jedesmal und unfehlbar den Grund zu mehrerer Vervollkommnung enthielten. Er knüpfte durch unabänderliche Naturgesetze böse Folgen an böse Handlungen, gute an gute; um gleich weisen und liebreichen Vätern die Kinder dadurch besser zu bilden; er belohnte und strafte nicht wegen des geschehenen, denn das hatte er selbst veranstaltet, sondern um des künftigen willen, damit Besserung bewirkt würde. Von dieser Seite die Sache angesehen steht die Präscienz fest, die Selbstthätigkeit bleibt den verständigen Wesen, und die Vorhersehung kränkt die göttliche Güte, und Gerechtigkeit nicht.

ERDBESCHREIBUNG.

DRESDEN: *Entwurf einer physikalischen Erdbeschreibung; aus dem Englischen des Hrn*

G g g g g   *G.*

G. Heinr. Millar, Esqu. mit Bemerkungen übersetzt von J. G. *Geißler*. Mit 'Kupfern. 1788. (I Rthlr.)

Es ift nicht Vorurtheil, wenn Rec. behauptet, daſs ſchwerlich weder ein Engländer, noch Franzoſe, noch Italiäner ein unſern Zeiten angemeſſenes Werk über die phyſikaliſche Geographie ſchreiben wird; denn er iſt überzeugt; daſs die Summe der hiezu nöthigen Thatſachen, welche man nur durch Kenntniſs mehrerer, beſonders der nördiſchen Sprachen ſammlen kann, ſich ſelten bey einem andern als bey einem fleiſsigen Deutſchen finden laſſen. Auch dies Buch zeugt wieder für dieſen Satz. Hr. *Millar* fängt zwar gar nicht unrecht mit einer allgemeinen Ueberſicht des Weltſyſtems an; allein die folgenden Kapitel ſind denn freylich das nicht, was ſie ſeyn ſollten. Das dritte Kap. enthält eine allgemeine Ueberſicht der Oberfläche der Erde, wortreich und ſehr wenig belehrend. Viertes Kap. Ueberſicht der Theorien der Erde, nemlich bloſs der von *Burnet, Whiſton, Woodward* und *Büffon*, da für unſere neuere, an Thatſachen ſo viel reichere Zeiten, hier weit mehrere zu prüfen nöthig waren, die erſten drey aber, nebſt ihren Hauptwiderlegungen, nur angezeigt werden durften. Fünftes Kap. Von den Verſteinerungen; unausſtehlich für deutſche Leſer iſt der Beweis, daſs man aller Orten Petrefacten finde! aber ſehr befremdend ja widerſinnig iſt der Einfall, die unter den Petrefacten ſo allgemein vorkommenden Seemuſcheln nicht für Producte des Meers, ſondern des ſüſsen Waſſers anzuſehen! es ſollen nemlich die Originale davon, auf der Erde jetzt erloſchen ſeyn. Hält man nur die groſse Verſchiedenheit dieſer petrificirten Muſcheln mit der geringen Anzahl heutiger Conchylien des ſüſsen Waſſers zuſammen, ſieht man ferner auf ihre groſse Analogie mit den Seemuſcheln, weiſs man endlich, daſs die gröſste Anzahl davon wirklich ihre uns bekannten Originale im Meere haben, ſo fallen ſolche Hypotheſen von ſelbſt weg. Sechſtes Kap. über den innern Bau der Erde, wo dann aus einzelnen Thatſachen viel zu viel hergeleitet wird, offenbar aus Mangel an hinreichenden Nachrichten. Die Schichten ſollen, von oben an gerechnet ſtets nach der ſpecifiſchen Schwere fortgehen, ferner ſollen alle an Dicke, je nachdem ſie tiefer liegen, zunehmen, dies zieht der Vf. aus wenigen einzelnen Fällen! ſodann kommt er zu den Klüften, wo er ſehr unbedeutende Dinge zuſammengetragen hat, weil er *Bergmann, Trebra, Schober, Rieman, Ferber* etc. etc. gar nicht zu kennen ſcheint. Das 7te Kap. handelt von den Höhlen, deren Anzahl hier von den Hn. Ueberſ. noch vermehrt iſt. Im 8ten K. werden die Bergwerke mit wenigen Zeilen abgefertigt, ohne einmal der Richtung, der Gänge etc. zu erwähnen, dann kommen die Luftarten der Bergwerke, alles nach dem alten Syſtem, wo Schwefel- und Galmey-

durch erhitzte Mineralien alles erklärt, ohne irgend der Gasarten zu gedenken, als wenn man ſeit *Boyles* Zeit, den er faſt ganz allein zu kennen ſcheint, gar keine Fortſchritte gethan hätte; ſelbſt *Prieſtley, Blake, Cavendiſh Cavallo*, die ihm doch wohl bekannt ſeyn müſſen, nicht bloſs konnten, ſind übergangen, und der Mann ſchreibt in unſern Tagen! Auch iſt dem Ueberſetzer dieſe Unwiſſenheit zu arg geweſen, er hat ſie ſelbſt gerügt. 9tes K. von den Vulkanen und Erdbeben, wo er uns erzählt, was *Plinius, Kircher, Berkley* und endlich doch auch der einzige neuere *Büffon*, davon ſagen, und im 10ten Kap., das von dem Erdbeben insbeſondere handelt, kommt *Woodward* hinzu. S. 96-101 wird *Kirchers* Nachricht von dem Erdbeben in Calabrien 1638, eingerückt, welchem dann der Hr. Ueberſetzer noch das letzte Erdbeben, ſo eben dies Land betroffen hat, zugiebt. Das 11te K. von neuen Inſeln und Ländern. Hier eben der Mangel des Neuen, wie oben, weder *Forſter*, noch *Dalrymple* oder *Raſpe* ſind angeführt! Das 12te Kap. von den Bergen, wortreich und wenig belehrend über ihren Urſprung. Die Donau ſoll auf den Alpen entſpringen! und nun eine lange Erzählung der *Andesreiſe des Ulloa*; dann alle übrigen Berge mit wenigen Nachrichten von *Kirchern* und P. *Verdries* abgefertigt und beyläufig in einigen Zeilen doch auch bemerkt, daſs man die Höhe der Berge durchs Barometer meſſen könne. Der Ueberſetzer hat doch *Bouguers* Tafel, wie auch einen Höhenriſs der gröſsten Gebirge aus des *Rozier* Journal hinzugefügt. Einſtürze von Gebirgen, wo nicht einmal das ſo bekannte zerſtörte *Pluers* in der Schweiz recht geſchrieben iſt und dabey nach Frankreich geſetzt wird! 13 K. von dem Waſſer. Die hierinn vorgetragenen Sätze ſind oft unter aller Kritik, z. B. Waſſer ſoll durchs Feuer verbunden mit Erde ſich in Porcellan verwandeln, letzteres ſolle aber bey einem höhern Grade von Hitze wieder flüſsig werden. Dann wird die Elaſticität des Waſſers geläugnet, aber *Canton* ſoll doch die Elaſticität des Eiſens bewieſen haben; der Hr. Ueberſ. hätte doch den unwiſſenden Verf. hier etwas zurechtweiſen ſollen; nachmals werden hydroſtatiſche Geſetze u. d. gl. erzählt, wo denn natürlicher Weiſe König *Hiero* und *Archimed* mit der Krone auftreten. S. 163 das Aufſteigen des Waſſers in den Haarröhren rühre nicht von der Anziehungskraft her. 14tes Kap. vom Urſprung der Flüſſe hebt ſo an, „die Sonne ſteigt auf und geht wieder unter, ſo iſt daher alles in der ganzen Natur in voller Bewegung‟ — dann kömmt der König *Solomo, de la Hire, Halley* und *Mariotte*! Aufzählung der beträchtlichſten Flüſſe, der *Senegal* ſoll 1100 E. Meil. weit fortlaufen, wo mag dies der Vf. her haben, da er doch ſelbſt ſagt, daſs wir ihn nur 300 engl. Meilen weit hinauf ins Land kennen. 15tes Kap. vom Ocean. Hier hätten doch wenigſtens die Berechnungen, welche das Verhältniſs

des

des Meeres gegen das Land angeben, statt einiger allgemeinen Ausdrücke angezeigt werden müssen. S. 197 von der Bitterkeit und Salzigkeit und von dem Trinkbarmachen des Seewassers. Hierüber verschiedene Meynungen, wo abermals die Neuern selbst *Irwin* und *Cook* unangeführt bleiben. Das Leuchten des Meeres bloß von seiner Salzigkeit. 16 Kap. von der Ebbe und Fluth nach Neuton, doch fast bloß historisch. S. 220. Strömungen des Meers. 17tes Kap. Veränderungen, welche die See auf dem festen Lande verursacht hat. Bey dieser Gelegenheit eine lange Erzählung von *Nicolaus Pesce*, der bey Untersuchung in der Charybdis soll umgekommen seyn, und wodurch man doch nichts lernt. 18tes Kap. über die mechanischen Eigenschaften der Luft, wo sogar erzählt wird, was ein Barometer sey, auch die Windbüchse, Luftpumpe, Papins Digestor kommen in einigen Zeilen vor; von der Höhe der Atmosphäre will der Vf., wie er sagt, keine Speculationen beybringen. 19tes Kap. Naturgeschichte der Luft, sollte heißen, von den verschiedenen Luftarten und von den Dünsten. Hier sind bloß *Boyle* und *Boerhave* die Führer, wo denn auch eine Nachricht von der Londoner Pest vorkommt. 20tes Kap. von den beständigen und unbeständigen Winden. Fast bloß eine Reihe von Thatsachen. 21tes K. von den Meteoren und anderen Erscheinungen, welche aus einer Verbindung der Elemente unter einander herrühren. Die wäßrichten Meteoren gehen voran, dann werden sehr kurz die feurigen abgehandelt. Die Theorie des Gewitters, in ein paar Worten. Dann Beschreibung einiger Orkane und Typhonen. Noch folgen, S. 336, einige Betrachtungen über die Schönheit der gesammten Natur. Selbst für England, welches, unsers Wissens, keine physikalische Geographie von Bedeutung hat, ist das Buch kaum noch brauchbar, aber in Deutschland ist dies gar nicht, denn es führt oftmals gänzlich irre, und verdiente daher keine Uebersetzung. Als Nachtrag findet sich 1) *Maskelyns* Nachricht von dem 1788 zu erwartenden Kometen, 2) des sel. *Whitehursts* Untersuchungen über den eigentlichen Zustand und Erschaffung der Erde, die schon längst aus dessen, eben den Titel führenden Werke, mit Achtung bekannt sind, 3) *Campers* Bemerkungen über die Versteinerungen des Petersberges bey Mastricht nebst den Kupfern. 4) Nochmals über die Erdbeben; wo vielerley Meynungen durch einander angeführt sind, und 5) über die Vulkane und unterirrdischen Feuer; in diesen beiden Nachträgen kommen doch auch einmal neuere Meynungen und Schriftsteller vor. 6) Fernere Bemerkungen über die Vulkane, nebst Widerlegung einiger Einwürfe in Rucksicht ihrer Erscheinungen gegen die Wahrheit der Offenbarung. Es sind Einwürfe gegen die Bestimmung des Weltalters vermöge der Lavaschichten. Es ist übrigens nicht zu wünschen, daß der Uebersetzer, welcher mehr Naturkunde zeigt als der Vf., durch die Herausgabe des größern Werkes, wovon dies nur ein kleiner Theil ist, seine Zeit verderbe.

VERMISCHTE SCHRIFTEN.

STOCKHOLM, b. Lange: Kongl. *Vetenskaps Academiens Nya. Handlingar för månaderne April, Majus, Junius.* 1788. mit einem Kupfer.

Das Quartal der Abhandlungen der Schwedischen Akademie der Wissenschaften hat folgende Stücke. 1. Die Regeln, nach welchen man bisher die Parallaxwinkel berechnet, sind fast alle so beschaffen, daß man die Sache nicht geradezu anfängt, sondern sie erfordern ein doppeltes Verfahren, ja noch wohl ein Drittes dazu, wenn man die größte Genauigkeit sucht. Dies hat den Vf. dieses Aufsatzes, Hn. *de Lambre* veranlaßt, auf einem nähern Wege dazu zu kommen. Dazu wird aber erfordert den Logarithmus einer Summe oder Differenz zwoer Quantitäten zu finden, deren bloser Logarithmus nur gegeben ist. Er bringt durch diese Berechnung eine genaue nicht schwerer zu berechnende Formel, der dabey kürzer ist, als die von Hn. Lexel im astronomischen Jahrbuch, vom J. 1782 angegebene. Die Abh. ist hier noch nicht geendigt. 2. Methode das Zinn und Quecksilber aus alter Spiegelfolierung so zu scheiden, daß beide Metalle, jedes für sich ganz rein werden, von Gust. v. Engeström. Bey der gewöhnlichen Methode der Spiegelfabrikanten bleibt noch immer viel Quecksilber in dem geschiedenen Zinn zurück. Dies ist nicht allein ein Verlust für sie in Ansehung des theuern Quecksilbers und leichtern Zinnes; sondern auch die Metalarbeiter die dergleichen. Zinn kaufen, verlieren dabey, nur zum Löthen des Zinns und Bleyes kann es nützlich gebraucht werden. Soll die verlangte Scheidung gehörig vor sich gehen, so muß die alte Spiegelbelegung mit so etwas vermischt werden, das dies verhindert, daß solche nicht zusammenschmelze, theils das Zinn vor dem Verbrennen schützet, und dazu hat Hr. v. E. wohl calcinirten Kohlenstaub am dienlichsten gefunden. Der Vf. hat aus 8 Pf. Spiegelbelegung gemeiniglich 3 Pf. Quecksilber, und 4 bis 4½ Pf. Zinn erhalten. Um das Quecksilber völlig zu reinigen, bedient er sich Schwefels, und zwar ist auf jedes Pfund Quecksilber ein Loth genug. 3. Die heißen Quellen in Jamaika beschrieben von Olof Swartz. Ob es gleich in Jamaika keine Vulkane noch Zeichen dazu giebt, so finden sich doch die vier heiße i. J. 1695. entdeckte, in vielen dortigen Krankheiten heilsam befundene Quellen, und es ward daher nicht weit davon die Stadt Bath angelegt. Sie liegen mitten in einem Thal. Die Hitze ist nicht bey allen gleich. Die heißeste hat

127 Gr. Hitze. Das Waſſer behält , wenn es zwey Meil. davon nach der Stadt in wohl verſchloſſenen Gefäßen verführt wird, noch 118 Gr. Es iſt bey der Quelle ſehr klar, hat aber einen ſtarken ſchwefelhaften Geruch, den es, wenn es kalt wird, verliert. Auſſer dieſer Schwefelleberluft, findet man nach angeſtellten chemiſchen Verſuchen, auch *Cala ſalita*, Kochſalzſäure und Gips darin; allein der Schwefelleberluft hat man wohl hauptſächlich die guten Würkungen zu danken, die dies Waſſer bey Verſtopfungen der Eingeweide, Waſſerſucht, Gelbſucht, Nervenkrankheiten, Gicht, Rheumatiſinus, Steinſchmerzen, und in veneriſchen Krankheiten, wo ſogar keine Mercurialia mehr zureichend waren, zeiget. 4. Verſuche und Anmerkungen über die Probierung der Eiſenerze auf dem naſſen Wege, von Joh. Gadolin. Die ſtreitigen Meynungen, die in neuern Zeiten über das Verhältniß der Menge des aufgelöſeten Eiſens in dem durch die Blutlauge bewirkten Niederſchlage, von den Hn. Bergmann, Wiegleb und Weſtrumb, geäuſert waren, haben dem Hn. Vf. zu dieſen Verſuchen Anlaß gegeben. 100 Th. Eiſen gaben 540 Procent, wenn der Niederſchlag lange genug einer Temperatur von 17 bis 20° ausgeſetzt geweſen war. Der Verluſt des Niederſchlags beym Glühen, fiel nachdem man damit länger anhielte, verſchieden aus, doch war er immer ſchwerer, als das darinn enthaltene Eiſen, welches Hr. G. dem damit vereinigten Kohlenſtoffe zuſchreibt. Er ſuchte darauf den Eiſengehalt des Berlinerblaues durch Verpuffen mit Salpeter und Vergleichung mit andern Eiſenniederſchlägen zu erforſchen, und fand in dem von 100 Th. Eiſen, bekommenen Berlinerblau, 164 Th. Eiſen, wovon 64 Th. auf das vor-

heri in der Blutlauge befindliche Berlinerblau zu ſetzen ſeyn. Es würde alſo die Menge Berlinerblau, welche beym Niederſchlage von Vereinigung des Eiſens mit der reinen Blutlaugenmaterie entſteht, ſich zu der in der Blutlauge vorher aufgelöſten und ſich nun präcipitirenden Menge des Berlinerblaues, wie 100 zu 64 verhalten. 5. Anmerkungen über die Kenntniß Schwediſcher Gewächſe von Adam Afrelius. Zweytes Stück. Im erſten Stück hatte derſelbe verſchiedene ſchon vorher in Schweden bekannte Gewächſe angeführt, die v. Linné in der letzten Ausgabe ſeiner Flora aufzunehmen, vergeſſen hatte; hier aber beſchäftiget er ſich mit ſol-hen, die er zwar dort mit aufgeführt, allein ihrer doch hernach nicht weiter gedacht, oder ſie bloß als Abarten unter andere geordnet hat. Er zählt hier 37 dergleichen, wovon doch verſchiedene von neuern Pflanzenkundigen als beſondere Arten angegeben ſind. Dieſe nebſt dem, was er ſelbſt darüber entdeckt beſchreibt er hier ausführlich nach der Ordnung. Dergleichen ſind 1. *Plantago dubia L.* die Hr. A. mit der *Altiſſima* und *lanceolata* nur für eine Art rechnet. 2. *Fontinalis capillacea.* 3. *Hypnum fluitans*, das ſo häufig mit andern verwechſelt wird, 4. *Lichen cyandricus* oft mit *Lichen proboſcideus* verwechſelt. 5. *Conferva tomentoſa*. 6. *Conferva littoralis.* Dieſe Bemerkungen, die zu näherer Beſtimmung und Unterſcheidung vieler mit einander vermiſchten Pflanzen dienen, werden fortgeſetzt. 6. Die Sonnenfinſterniß am 4 Jun. 1788, beobachtet in Stockholm von Henr. Nicander, ſo wie 7, zu Lund von And. Lidtgren und 8. zu Åbo von I. H. Lindquiſt. Die Stellung der damaligen Sommerflecken iſt in Kupfer abgebildet.

KLEINE SCHRIFTEN.

ERBAUUNGSSCHRIFTEN. 1. *Braunſchweig*, in der Schulbuchhandl. - *Gedächtnißpredige auf den Durchl. Fürſten Ludwig Ernſt*, Herzog zu Braunſchweig u. ſ. f. am 7. Jun. 1788- gehalten und auf höchſten Befehl dem Druck übergeben von *Jacob Friedrich Feddersen*, Hof und Domprediger u. ſ. f. 4 Bogen in Folio. (4 gr.)

2. *Magdeburg*, b. Panſa: *Predigt zum Gedächtniſt des Hrn. Johann Samuel Petzke*, gehalten am 6ten Jan. 1788. von C. G. Ribbeck, erſten Prediger an gedachter Kirche. 3½ Bog. in 8. (5 gr.)

3. *Magdeburg*, b. Panſa: *Rede bey der Confirmation der Catechumenen*, gehalten von C. G. Ribbeck. Paſtor an der S. Geiſtkirche in Magdeb. 1½ Bog. 8. (1 gr.)

Hr. Feddersen redet in ſeiner Gedächtnißpr. auf die ihm eigne praktiſche und überzeugende Art von der Größe und Ruhe des Chriſten im Glück, im Leiden und im Tode über Pf. 31, 2 – 6. Wenn aber von einem Redner in dergleichen Fällen mit Recht verlangen werden kann, daß ſich ſein Ton etwas über das gewöhnliche erhebe, ſo haben wir dies hier vermißt; ſo wie auch manches weit ausdringender für den größten Theil der Zuhörer hätte vorgetragen werden können. Uebrigens war der

gute verſtorbene Fürſt des Lobes, welches ihm hier ertheilt wird , nicht unwerth.

Hr. Ribbeck übertrifft, wie uns dünkt, Hn. F. noch in verſchiedener Abſicht. Sein Vortrag iſt bündiger und er dringt tiefer in ſeine Materie ein, Auch die Schreibart hat mehr wirkliche Schönheiten , iſt zierlich und edel. In der Gedächtnißpredigt auf den ſel. Petzke handelt er den Satz ab: *das Andenken edler und guter Menſchen muß uns auch nach ihrem Tode noch theuer und werth ſeyn*. Die Ausführung deſſelben iſt gut und die Anwendung paſſend; doch für den großen Haufen zu philoſophiſch und nur für den geübtern Denker verſtändlich. Angehängt iſt noch eine Trauerrede vom zweyten Prediger derſelben Kirche, Hn. Hofmann, worin Betrachung und Geſang wechſeln; ingleichen der Lebenslauf des ſel. Mannes.

Etwas mehr Popularität hat die *Confirmationsrede*. Sie iſt überzeugend, andringend und rührend. Und da ſie zugleich die Anreden- und Gebete und alſo die liturgiſche Einrichtung dieſer Handlung enthält , ſo verdient ſie auch von dieſer Seite andern Predigern als Muſter zu Nachahmung empfohlen zu werden.

ALLGEMEINE
LITERATUR-ZEITUNG

Montags, den 30ten März 1789.

ARZNEYGELAHRTHEIT.

STRASBURG, in der akademischen Buchhandlung: *Archiv für Magnetismus und Somnambulismus.* Herausgegeben vom Hrn. Hofrath *Boeckmann,* Professor in Carlsruhe. Sechstes, siebentes u. achtes Stück. 1788. 8. (18 gr.)

Diese Stücke enthalten wieder eine Menge von Aufsätzen und Erfahrungen, die für die allgemeine Verbreitung der magnetischen Kraft in der Natur und für ihre grosse Wirksamkeit bey Heilung aller Krankheiten beweisen sollen, und nebst diesen weitläufige Auszüge aus neuern Schriften für den Magnetismus, mit Anmerkungen des Herausgebers. In dem sechsten Stücke giebt Hr. Dr. *Weber* in Heilbronn eine ausführliche Geschichte der Krankheit der Frau von *Tschiffeli,* aus welcher wenigstens so viel erhellet, dass diese durch übel angewendete Arzneyen äusserst elend gemachte Kranke ihre Genesung dem Magnetismus wenigstens nicht ganz zu verdanken haben möchte; denn gut angewendete Heilmittel und die Abwesenheit von Bern, wo es, nach Hrn. W. eignem Ausdruck, nicht wenigen Personen daran gelegen zu seyn schien, dass Fr. von Tsch. eher krank als gesund seyn möchte, überhaupt die Verhütung alles dessen, was ihr unangenehme Gemüthsbewegungen erregen konnte, hatte die günstigste Wirkung auf ihr Uebel und sie befand sich in dem Bade Eugiltein sehr wohl, bis eine neue heftige Gemüthsbewegung die Kur verdarb, und die Kranke bewog, die Hülfe der Magnetisten an mehrern Orten zu suchen. Wenn aber auch diese Geschichte als Beweis für die Wirksamkeit des Magnetismus nicht so wichtig ist, als die Magnetisten glauben; so beweist sie die Nachtheile, welche Brechmittel veranlassen, die bey Nervenkrankheiten zur Unzeit gegeben werden, desto stärker. Ein heftiges Brechmittel nach einer starken Alteration erregte alle ihre nachherjgen Zufälle, Zuckungen, Krämpfe und Blutbrechen. — *Blicke und Wünsche den animalischen Magnetismus betreffend,* von Hn. D. *Gmelin.* Der Vf. erklärte in seinem Werke über den thierischen Magnetismus seine

A. L. Z. 1789. Erster Band.

ganze Wirkung aus der Nervenelektricität. Hier erkläret er aus eben dieser Elektricität das Schlafen, das Wachen, den Schlaf mit und ohne Träumen, die Lebenskraft, die Todtenkälte und die Todesgestalt, ja er erkennet nur das Medium, vermittelst dessen er mit dem Universum in Verbindung stehet; er begreift nun den Grund seiner Anhänglichkeit an diese Welt und der dem Menschen natürlichen Todesfurcht; — er begreift wie durch gewisse Veränderungen in diesem Medium Gleichgültigkeit gegen das Leben und Ueberdruss desselben entstehen kann. Einige andere Aufsätze, die die magnetischen Kuren in Bremen und die darüber erregten Streitigkeiten betreffen, kommen noch in diesem Stücke vor.

Das siebente Stück enthält das wesentlichste aus dem Rapport des Hn. de Jussieu, eines der königl. Commissaire zur Untersuchung des thierischen Magnetismus. Hr. J. wurde im Jahre 1784 mit den Herren *Mauduit, André* und *Caille* ernannt den Rapport der genannten Aerzte zu prüfen. Er unterzeichnete den Rapport der genannten Aerzte nicht, weil er an den Magnetismus glaubte, und giebt seinen eigenen. Er hält den Magnetismus (wie das Reiben) für ein tonisches Mittel und da für nützlich, wo tonische Mittel anwendbar sind. — Ein Brief an die harmonische Gesellschaft zu Bourdeaux und etliche andere Briefe enthalten eine Menge von Kuren, die durch den Magnetismus bewirkt wurden, dann folgt das Schreiben einiger Aerzte in Karlsruhe an den Fürsten, in welchem sie sich zur gemeinschaftlichen Untersuchung des Magnetismus erbieten, und die weitläufige Vorerklärung über dieses Schreiben vom Herausgeber. Hr. D. *Engelhard* zu Blißcastel hat mit dem Magnetismus auch mancherley günstige Versuche gemacht. Cook ist nach seiner Behauptung durch die Otaheiterinnen bloss aus dem Grunde von seinem Hüftweh befreyet worden, weil sie ihn magnetisirten.

Im achten Stücke beschreibt Hr. D. *Wienhold* in Bremen die schon bekannte Geschichte einer Nervenkranken Jungfer ausführlich, die durch den Magnetismus geheilet worden seyn soll. Die Kranke wurde bald Schlafrednerin und verordnete sich die Mittel selbst, die ihr aber doch zuweilen-

Hhhhh

ten erſt vorgeſchlagen werden muſste, wenn ſie ſich darauf beſinnen ſollte. Sie verordnete ſich ſehr groſse Gaben, z. B. Ingwer und Safran, von jedem eine halbe Quente auf einmal zu nehmen, 200 Tropfen von der *mixtura ſimplex*, und eilf Grane Jalappenharz, mit Brandtewein aufgelöſt. Sie wuſste lange voraus, wenn ſie wieder würde gehen können, wenn ſie die letzte Ohnmacht bekommen würde, u. ſ. f. und alles traf genau zu, — Einige uneingenommene Beobachter haben bekanntlich einen Theil der Wahrheit dieſer Geſchichte und die Geneſung der Kranken bezweifelt und überhaupt die ganze Sache ſehr natürlich erkläret. Wider einen davon iſt ein Aufſatz des Hn. D. W. gerichtet, der zu Ende des Stückes vorkommt. Mehrere Geſchichten, welche die groſse Wirkſamkeit des Magnetiſmus bey der Waſſerſucht beweiſen ſollen, und denen von den Franzöſiſchen Magnetiſten bekannt gemachten Geſchichten dieſer Art völlig ähnlich ſind, folgen nun. Eine ausführliche Erläuterung über dieſe Geſchichten iſt wahrſcheinlich von dem Herausgeber. In dieſer erkennet er den groſsen Nutzen des Reibens bey der Waſſerſucht an, glaubt aber, man müſse nur mit bloſsen Händen, nicht mit Tüchern, reiben: die Wirkungen des eingeriebenen Oels kann er ſich nicht erklären. (Die Aerzte erklären ſie ſehr gut und ziemlich genugthuend.) Da die Aerzte zeither bey der Waſſerſucht den entblöſsten Körper zu reiben befohlen haben, bey dem magnetiſchen Reiben aber keine Entblöſung des Körpers nothwendig iſt; ſo ſieht man nach dem Vf. auch hieraus, daſs die magnetiſche Manipulation weit diſcreter iſt, als die Manipulation nach den Vorſchriften der gewöhnlichen Heilkunde. Am Ende folgen noch einige Schreiben der harmoniſchen Geſellſchaft zu Straisburg an die exegetiſch philanthropiſche Geſellſchaft zu Stockholm.

MAYNZ u. FRANKFORT, b. Winkopp u. Compagnie: *Des Hn. Tardy von Montravel Verſuch über die Theorie des magnetiſchen Somnambuliſm.* Aus dem Franzöſiſchen überſetzt von P. A. H—L. 1788. 184 S. 8. (9 gr.) Die Theorie des Schlafredens iſt nur ein kleiner Theil deſſen, was die Liebhaber des Magnetiſmus in dieſem Buche finden werden: wichtiger für ſie wird die Geſchichte einer Schlafrednerin ſeyn, die in dem Buche ausführlich beſchrieben iſt, und die auch diejenigen in Verwunderung ſetzen wird, die des Vf. Rath befolgen und mit allem Vorſatze zu glauben das Buch leſen werden. Die Kranke litt an den Folgen der unterdrückten monatlichen Reinigung, und die Aerzte hatten ihren Zuſtand für rettungslos erklärt. Mit eiterhaftem Auswurf und Auszehrungsfieber kam ſie an den magnetiſchen Zuber. Im fünften magnetiſchen Schlafe fieng ſie an zu reden und zu werden. Das erſte, was ſie dem Magnetiſeur offenbarte, war die Natur ihrer Krankheit: alle

ihre Uebel, ſagte ſie, hiengen von der Unterdrückung des Monatlichen ab. Daſs ſich der Magnetiſeur dies von der Schlafrednerin erſt muſste ſagen laſſen, iſt kein Beweis von ſeinen groſsen Einſichten, ſo wie dies, daſs er ſehr gutwillig glaubte, was ſie von der Natur ihres eiterhaften Auswurfs ſagte, den ein Wurm, Solium genannt, bewirke, wenn er aus dem Magen in die Gurgel heraufſteige und durch ſeine Biſse in dieſer Schnürung errege. Die wichtigſte Entdeckung, die zu Nutz und Frommen aller Magnetiſten ſehr ausführlich in dem Buche beſchrieben iſt, iſt die, daſs die Schlafrednerin das magnetiſche Fluidum ſelbſt geſehen hat. Der Vf. ließ einſt die Kranke in den magnetiſchen Schlaf mit völlig verſchloſsenen Augen, wobey ſie aber mit dem ſechſten Sinn alles ſah, ausgehen. Er fand ſie auf dem Spazierweg ganz entzückt vor Freuden, weil ſie das magnetiſche Fluidum, gelb von Farbe und mit glänzenden, goldfarbenen Flämmchen vermiſcht, aus der Sonne ausſtröhmen ſah: was aus der Erde, aus den Bäumen, aus dem Waſſer ausſtrömte, war nicht ſo hell, was aus dem Waſſer ſich empor hob, das aus wie ein dicker Nebel. In dem Zimmer ſcheint die Kranke das magnetiſche Fluidum erſt geſehen zu haben, nachdem ſie es im Freyen geſehen hatte. Von ihrer Geneſung finden wir keine genugthuende Nachricht: aber kein Magnetiſt wird ſie bezweifeln, weil ſie den Tag vorausſagte, wo ihr Monatliches ſich wieder finden würde, und dieſes zeigte ſich auf den 15ten May, um 8 Uhr 23 Minuten nach der Taſchenuhr des Magnetiſten, der ſeine Kranke in dieſer Hinſicht mit der vieler Angelegenheit beobachtet zu haben ſcheint. Auch von dem dicken Balge des Wurms, der nach genoſsener Hanfmilch mit Pomeranzenſchaalen ausgeleeret wurde, iſt für alle gläubige Magnetiſten befriedigende Nachricht gegeben.

Merkwürdig wird auch allen Magnetiſten die Theorie des Schlafredens ſeyn. Als nothwendige Erforderniſs ſcheint dabey der Vf. vorauszuſetzen, daſs man einen recht ernſtlichen Vorſatz haben müſse zu glauben, ſo wie man auch keine Schlafrednerin machen könne, wenn man nicht feſt an den Magnetiſmus glaube und ernſtlichen Willen habe; der Zuruf des Vf. an alle Magnetiſten iſt daher auf: *Glaubet und wollet!* Die Theorie von dem magnetiſchen Fluidum hat der Vf. von dem groſsen Meſmer entlehnt; die Theorie des Schlafredens aber iſt ihm eigen. Dieſes iſt nichts mehr und weniger, als eine Katalepſis, aber keine Katalepſis, die mit widernatürlichem Zuſtand verbunden iſt, ſondern ſich mit dem geſunden Zuſtand wohl verträgt. Die Sinnen, die ihren Sitz im Kopfe haben, ſind bey allen Schlafrednerinnen erſtorben; deſto lebendiger aber iſt der ſechſte Sinn, der im Magen ſitzt. Wenn die kranke Schlafrednerin war, ſo ſah und hörete ſie nur mit dem Magen, und zwas ſehr fein. Der Vf. gab ihr ein Pulver zu unterſuchen. Sie hielt es

an

an den Magen und fagte ihm genau die Farbe,
und Beftandtheile deffelben. Eine Trommel ließ
fich an der Thür der Kranken hören, und bey
jedem Schlage bewegte fich das Gefichte der
Magennerven fo fehr, dafs man es fehen und
fuhlen konnte. Wen diefe Thatfachen nicht
überzeugen wollen, dafs die Kranke mit dem
Magen fah und hörete, dem müffen wir fagen,
dafs die Kranke zum öftern aufs heiligfte verficherte, fie fehe und höre nur mit dem Magen.—

GESCHICHTE.

Marburg, in der neuen akadem. Buchhandl.:
C. W. Ledderhofe, Fürftl. Heffifchen Raths
etc., kleine Schriften. Zweyter Band. 1787.
336 S. ohne Titelblatt und Regifter. 8. (20
gr.)

Das dem erften Bande diefer kleinen Schrift,
deren Fortfetzung zu wünfchen ift, A. L. Z.
1787. N. 132. von einem andern Mitarbeiter ertheilte Lob, läfst fich auch dem zweyten nicht
verfagen. Er beftehet aus zwey Abhandlungen
und zwey Anhängen. Die erfte Abhandlung handelt von den adelichen Stiften Kaufungen und
Wetter in Heffen. In der Einleitung fucht Hr.
L. den Landgraf Philipp von Heffen zu vertheidigen, dafs er, wie mehrere Fürften, bey der Re-
ligionsreformation nichts weniger als Eigennutz
zur Abficht gehabt habe, wovon die (vermuthlich
auf dem Landtag zu Homberg im Jahr 1532 gefchehene) Schenkung ermeldter beiden Stifte an
die Ritterfchaft redende Beweife wären. Die beiden regierenden Fürften des Heffifchen Haufes
haben noch heutiges Tages die Oberauflicht darüber, die Unterauflicht aber einige Glieder der
Ritterfchaft. Die Einkünfte follten eigentlich in
Gemäßheit der Stiftung nur zu Ausftattung adelicher Töchter verwendet werden; nachdem fich
aber ein Ueberfchufs ergeben hat, fo erhalten
man auch dürftige Fräulein und Wittwen des Heffifchen Adels famt andern dürftigen Perfonen
ftändige und unftändige Steuern aus dem Fond.
Bey einer adelichen Braut ift erforderlich, dafs
ihr Vater ein Mitglied der Heff. Ritterfchaft fey,
dafs fie fich ftandesmäfsig verheirathe, (wohin
auch die Ehe mit einem Geheimen- oder Regierungs-Rath und mit einem Staabsofficier bürgerlichen Stands gerechnet wird), und dafs fie der
evangelifchen Religion zugethan fey. Seit dem
Jahr 1735 bekommt jede Fräulein 300 Gulden
Eheftewer. Diefe Abhandlung hat XXI Beylagen,
welche die Verfaffung diefes Infhtuts näher erläutern. Die zweyte Abhandlung befchret in einer kurzen Darftellung des Anfalls der Graffchaft
Schaumburg an Heffen Caffel durch den Weftphälifchen Frieden. Diefen Auffatz fchrieb Hr. L.
fchon im Jahr 1785. Er ift gründlich, und zeiget nicht allein den Urfprung der Heffifchen Le-

hengerechtfame über die Schaumburgifchen Aemter Rodenburg, Hagenburg und Arnsburg durch
den von den beiden Brüdern Anton und Johann,
Grafen zu Hollftein und Schaumburg, dem Landgraf Philipp dem Grofsmüthigen im J. 1518 gefchehenen Lehensauftrag, fondern auch deren Fortdauer bis zum Jahr 1640, da es nach dem Abfter-
ben Grafs Ott zu vielen Streitigkeiten kam. Es
waren fünf Competenten, welche verfchiedene
einzelne Theile der Graffchaft Schaumburg in
Anfpruch nahmen, nemlich 1) das Hochftift Minden, 2) Braunfchweig-Lüneburg, 3) Paderborn,
4) Heffen-Caffel, und 5) Elifabeth, die Mutter
des verftorbenen Grafen Otto, eine gebohrne Gräfin von der Lippe. Wie diefe Anfprüche durch
verfchiedene Vergleiche berichtigt worden find,
wäre hier zu weitläuftig anzuführen. Sie wurden im Weftphälifchen Frieden beftätigt, und
dadurch die Heffifchen Gerechtfame, fowohl in
Anfehung die völligen Eigenthums über die an
Heffen gefallene Aemter als der Lehenherrfchaft
über den gräflichen Antheil, von Reichswegen anerkannt. Zum Schlufs beweifet Hr. L. noch wider Hn. Teuthorn die Reichsallodialität der Graffchaft Schaumburg, ausgenommen den von Heffen-Caffel zu Lehn gehenden gräflich Lippifchen
Theil. Diefe Abhandlung ift gleichfalls mit XIX
Beylagen begleitet. Nun folgt der erfte Anhang,
welcher aus Urkunden der Heffifchen Gefchichte,
Erdbefchreibung, Landesverfaffung, Fundationen,
Privilegien beftehet. Er hält zwölf ihres Alterthums fowohl als wichtigen Inhalts wegen höchft-
fchätzbare Stücke in fich, die meilten das Klofter
Kaufungen betreffen, und vom Jahr 1005 bis 1174
gehen. Die zwey letzten Urkunden find ein vi-
dimirter Stiftungsbrief des Klofters Merxhaufen
vom J. 1213, und ein Schenkungsbrief Herzog
Albrecht von Braunfchweig über den Kragenhof
an das Klofter Ahnaberg, in Caffel vom J. 1317.
Die erfteren Urkunden find lauter von Originga-
lien genommene Abfchriften. Was das Jahr 1005
in der älterften Urkunde Kaifers Heinrich II anlangt, welches Hr. L. für richtiger als das J. 1019
hält, fo ift Rec. anderer Meynung; denn es wäre
doch vom Notario gar zu fehr gefehlet worden, ha
er annum regni XVII fchon in J. 1005 hätte fetzen wollen, und wo käme erft annus imperii V
her, da Heinrich erft am 6 Jun. 1002 König worden ift; Indeffen paffet das Jahr 1019 auch nicht
wohl zu diefer Urkunde, weil X Kal. Maii fchon
annus imperii VI hätte gezählt werden müffen.
Rec. hält alfo dafür, dafs die Urkunde auf alle
Fälle in das Jahr 1018 oder 1019 zu fetzen fey.
Dafs fchon im Jahr 1008 das Klofter Kaufungen
kann geftiftet gewefen feyn, thut zur Sache nichts,
und dem Inhalt diefer Urkunde gar keinen Abbruch. Ueberhaupt find mehrere unter den folgenden Urkunden in Anfehung des Datums nicht
recht zu vereinbaren, welches aber in Urkunden
felbiger Zeit nichts ungewöhnliches ift. Im zwey-

ten Anhang findet man Heffifche Refolutionen, Refcripte etc., gröftentheils ftreitige Rechtsfragen betreffend. Hierunter haben einige einen Bezug auf die Univerfität Marburg, andere betreffen die Aufhebung der Kirchenbuße in der Graffchaft Hanau und den Hessen-Caffelfchen Landen, ingleichen die Unfähigkeit eines Juden zum Befitz eines Lehnguths, bey welcher Gelegenheit Nachricht von den Burggütern oder Freyhäufern zu Schmalkalden gegeben wird.

SHOENE WISSENSCHAFTEN.

STRASBURG, in der akademifchen Buchhandl.: Gertrude, Königin von Arragonien, ein Trauerfpiel in fünf Aufzügen. Von M. 1788. 96 S. 8. (8 gr.)

Scheint eine Nachahmung, der unglücklichen Gefchichte zu feyn, die vor 16 Jahren in einem Nordifchen Königreiche fich zutrug. Sprache und Anlage der Scenen haben weder befondere Fehler, noch Vorzüge.

KLEINE SCHRIFTEN.

REICHSTAGSLITERATUR. Erörterung der kölnifchen Nuntiaturfreitigkeit nebft Vorlegung der einfchlägigen Urkunden zu mehrerer Beftärkung des kurkölnifchen Promemoria fucht einer Prüfung der unparteyifchen Gedanken über die dermaligen Nuntiaturfreitigkeiten in Deutfchland. 1788. 145 S. 8. Diefe wichtige Schrift wurde ad aedes legatarum ausgetheilt. Ihre Abficht gehet dahin, die in dem kurköllnifchen Promomoria Auszugsweife gelieferte püblliche Creditive, nach einem hin und wieder geäufferten Wunfche vollftändig zu liefern und bey diefer Gelegenheit in Rückficht der köllnifchen Nuntiatur ein und anderes näher auzuklären; auch war diefe Veranlaffung der gegenwärtigen Abhandlung, einige Grundfätze der unparteyifchen Gedanken zu widerlegen. In der Einleitung wird gegen die obenerwähnten unparteyifchen Gedanken erwiefen; dafs überhaupt kein Fürft und kein Bifchof verbunden fey, beftändige päbftliche Nuntien mit Facultäten anzunehmen, dafs aber in Deutfchland die Aufnahme beftändiger Nuntien nirgends gebothen, hingegen die Aufnahme derer mit Facultäten und Gerichtbarkeit verbothen fey. Nach einer auf diefe Einleitung folgenden Gefchichte der köllnifchen Nuntiatur werden 2 Fragen aufgeftellt: 1) ob der Kurfürft von Köln als Landesherr für feine Lande? und 2) als Erzbifchof und Bifchof in Rückficht feines ganzen Kirchfprengels den Nuntium abfchaffen könne? Erfteres wird mit den —, letzteres wird die unparteyifchen Gedanken bejahet. Schlüfslich, nach widerlegten Churpfälz und päbfl. Einwürfen, wird die wahre gefetzmäßige Abficht der deutfchen Erz- und Bifchöfe ins Licht geftellt und auf die Gefahr aufmerkfam macht, wenn der Papft oder ein einzelner deutfcher Reichstand autorifirt würde, deutfchen fürftbifchöfen beftändige Nuntien mit Facultäten aufzudringen. Beylagen werden an der Zahl 31 geliefert. Da übrigens diefe Abhandlung von der kurköllnifchen Gefandtfchaft, obengefagter maßen ausgetheilt worden, fo dürfen wir nicht ganz mit Stillfchweigen übergehen, was in dem Vorberichte derfelben über die fogenannten und von uns bereits angezeigten Reflexions fur les 73 Articles etc. geurtheilt wird. Sie werden eine abfcheuliche Schmuhfchrift betittelt; „Die man freylich ohne Nachtheil der guten „Sache mit Verachtung übergehen könnte, gegen wel- „che aber nichts deno weniger demnächftens eine Ab- „handlung erfcheinen werde, die ihre abfcheulichen „Verleumdungen, Unwahrheiten und hin und wieder „eingeftreuten aufwieglerifchen Sätze dem Publikum zur „Warnung und Verabfcheuung in völliger Blöße darftel- „len wird."

An den Verfaffer des unjuftificirlichen Betragens des H. Cäfar Zuglio etc. die nähere Berichtigung der Vergebung der Probftey zu St. Andre in Freyfingen betreffend. Mit aktenmäfsigen Beylagen. 1788. 8. 64 S. In dem unjuftificirt. Betragen war der concordatwidrigen päbft. Vergebung obengedachter Probftey erwähnt worden, hier wird diefe Vergebung infonderheit durch die Beylage N. 11. umftändlicher aufgeklärt.

Schriftwechfel zwifchen Sr. Kurf. Durchl. zu Pfalz und S. Hochf. Gnad. dem Hn. Erzbifchofe von Salzburg die Decimation der geiftl. Güther betr. 4. 1788. 15 S. Enthält in diefer Sache 1) die Salzburg. Vorftellung an S. Churf. D. zu Pfalz dd. Salzb. den 28 Jul. 1788. 2) die Churpfälz. Antwort dd. München den 30 Aug. 1788. und 3) die Salzburg. Replik dd. Salzb. den 29 Sept. 1788. Eine fehr intereffante Correfpondenz.

Beantwortung des Pro Memoria in Betreff der Nunciaturen nach dem Alterthum, Konkordaten, kaiferl. Wahlcapitulation und Herkommen. 4. Maynb. 96 S. Das Köllnifche Pro Memoria wird in 6 Abfchnitten beantwortet. Der erfte handelt von der päbftl. Macht, Nuntien zu fchicken; der 2te macht die Bedingniffe nahmbaft, welche bey Abfendung der Legaten oder Nuntien beobachtet werden müffen; nach dem 3ten wäre kein Reichsgefetz den fländigen Nunzien in Deutfchland entgegen; nach dem 4ten würde die päbfl. Gerichtbarkeit in gewiff. Streithändeln die beftehenden Reichs durch den 141en Artikel der kaif. Wahlkapitulation begünftiget; nach dem 5ten wäre der Papft nicht mehr an die Fürftenconcordate gebunden, weil fie die Fürften zuerft gebrochen. In dem 6ten wird das erwähnte P. M., in diefem Geifte, näher beleuchtet. Das Samsokora, das am Schluffe zu reichen früchten der Uneinigkeit und des Mifstrauens unter den Reichsftänden auszuftreuen verfucht wird, möffen wir mittheilen: „Es fagt, fagt der Vf., die allgemeinft „ne Befchwerde fämtlicher weltl. Reichsfürften vor augen „dafs nämlich gewiffe geiftliche Reichsfürften unter dem For- „wande pübllicher Eingriffe in die Erz- und bifchöfl. Rech- „te ihre eigene Eingriffe zum Nachtheile weltl. Territorial- „gerechtfame blofs weltl. Reichsfürften geltend machen wol- „len. Er fcheinet alfo alle Vorficht um fo nöthiger zu feyn, „weil felbft der erfte der Herren Hauptgegner zugleich ein „Reichstag das Directorium führt."

A L L G E M E I N E
L I T E R A T U R - Z E I T U N G

Dienſtags, den 31ten März 1789.

OEKONOMIE.

Breslau, b. Löwe: *J. C. C. Löwe's*, Hochgräflich von Praſchma'ſchen Oekonomie - Inſpectors der Herrſchaft Tillowitz etc., *Oekonomiſch- Cameraliſtiſche Schriften*. Erſter Theil. 1788. 206 S. 8. (16 gr.)

Dieſes Buch eines bereits vortheilhaft bekannten ökonomiſchen Schriftſtellers, enthält folgende Auffätze: *Fragment aus meinem Leben*. Innerer Beruf führte ihn von der Theologie, der er beſtimmt war, zu dem Studium der Naturwiſſenſchaften, und zu ihrer Ausübung in der Landwirthſchaft. Sonſt iſt dieſer Lebenslauf ohne beſondere Schickſale oder Merkwürdigkeiten, und wenn es dem Hn. Vf. ſo zuträglich iſt, als es den ökonomiſchen Wiſſenſchaften unſtreitig ſeyn würde, ſo wünſchen wir ihm keine allzuöftere Verrückung ſeiner Lage. *Betrachtungen über Kleebau*, *Aufhebung der Brache*, *natürliche Wieſen und Weiden*, *über Stallfütterung des Rindviehes, der Schafe und der Pferde, ein Beytrag zu der neueſten Berliner Preisſchrift über dieſe Gegenſtände*. Seit einigen Jahren ſcheint der unbedingte Eifer, womit man zu viel und zu ſchnell reformiren wollte, die etwas nachdrücklicher hätte herausgehoben werden können. Die Möglichkeit, Schafe ohne Trift zu halten, giebt Hr. L. nicht auf, und das freut uns um der wichtigen Folgen willen, da die Aufhebung der Brache und Gemeinheiten faſt ganz davon abhängt. Weniger ſind wir mit ihm einverſtanden, wenn er, um zur Aufopferung der Triftgerechtigkeiten zu bewegen, die Vortheile der Schafviehzucht ſelbſt in Schatten zu ſtellen ſucht; und das iſt

A. L. Z. 1789. *Erſter Band.*

doch wohl die Abſicht der *Berechnung des Aufwandes und Ertrags einer Schäferey in Oberſchleſien*, bey der auf 450 Schafe mehr als 200 Gulden Verluſt ausfallen. Zu wichtig iſt für unſre ganze Verfaſſung die Schafzucht; immerhin mögen die Maulbeerbäume erfrieren, aber die Erzeugung ſeiner Wolle muſs ſich Deutſchland nicht nehmen laſſen! *Verhältniſs zwiſchen Schleiſerey* (eigne Bewirthſchaftung) *und Pacht der Kühe*. Natürlich zum Vortheil der erſtern. *Berechneter Zuſtand eines Robot- oder Hofegärtners etc.* So genau man auch Einnahme, Bedürfniſs und Ausgabe dieſer europäiſchen Negern unterſucht, ſo fällt doch immer ein Deficit aus, das nur durch Betteln, Stehlen oder Darben erſetzt werden kann. Man wendet die Augen von dieſem Bilde des Elends, dem keine Stütze und kein Troſt bleibt, als die Fühlloſigkeit und der Stumpfſinn, die es begleiten. *Phyſikaliſch-ökonomiſche Bemerkungen auf einer Reiſe durch das Rieſengebirge*. *Ueber die Verwandlung der Bauerndienſte in Geldzins*. *Oekonomiſche Beſchreibung der Güter des Hn. Grafen von Seherr-Thoß in Schleſien*. Jene Reiſe, und dieſe Beſchreibung haben Rec. vorzüglich unterhalten: in den übrigen Auffätzen muſste natürlicher Weiſe gar vieles vorkommen, das man nun ſchon beynahe bis zur Sättigung geleſen hat.

München, b. Lentner: *Praktiſche Anleitung zur Forſtwirthſchaft, beſonders zur Vermeſſung, Taxirung und Eintheilung der Wälder. Ein Handbuch für junge Förſter*. Von *G. A. Däzel*, der Philoſ. Doctor, an der kurfürſtl. Pagerie zu München Prof. 1788. 474 S. 8. mit 4 Kupf.

Nützlich und ſyſtematiſch iſt gegenwärtige Anleitung, wenn gleich von *Müllenkampf* u. a. manche entlehnt worden. Sie theilt die ganze Forſtwirthſchaft in Holzzucht, Forſtpflege, Forſtnutzung. Die Umſtände, welche die Holzzucht beſtimmen, ſind Boden, Luft, Forſtrecht u. Dienſtbarkeiten, wirklicher Forſtbeſtand u. höchſt möglicher Abſatz. Die Forſtpflege theilt ſich in die Unterſuchung des Forſtzuſtandes, Forſtſchutzung, Forſtſicherung. Die Forſtnutzung begreift unter ſich die Holzfällung, Holzbereitung, Holznebennutzung und Forſthandlung.

Jung. Obgleich der Vf. das Praktifchmathemati-
fche des Forftwefens zum Augenmerk gehabt,
und die Urfachen angiebt, warum er ein zwar
noch nicht vollftändiges, doch brauchbareres Werk
geliefert, als feine praktifche Anleitung zur Taxirung der Wälder ift, fo verdient er doch allen
Dank, und zugleich Ermunterung, des v. Burg-
dorffchen Forftbuchs ungeachtet, den botanifchen
u. phyfifchenTheil eben fo abzuhandeln. Man fiehet,
dafs ihm vieles,unter andern die ökonom. Nachrichten der patriotifchen Gefellfchaft in Schlefien nicht
zu Gefichte gekommen, fonft würde er der Schlefifchen Forftcultur gedacht haben, auch fcheint
ihm bey der Saat die befondere Manipulation
nicht bekannt zu feyn, dafs man in Reihen pflügt,
und dazwifchen Rafen ftehen läfst, wodurch denn
denn der Anflug vom Grafe Schatten erhält,
welches gegen den Herbft zu Heu gemacht
wird. Dafs man dreymal pflügen, und zwar im
Herbfte tief, im Frühling flach, im Herbfte noch
flächer, und fein eggen foll, ift wohl ganz gut;
allein in den uns bekannten Forften wird blofs
einmal gepflügt, und der nemliche Endzweck erreicht, weil in Reihen gefäet wird; dann hätte
er auch der Forftfäemafchine gedenken follen,
die in einem trichterartigen Mundftücke beftehet,
der in den Säefack gebunden ift, wodurch der
Saame vom Pflanzer durch Klopfen herauszuge-
hen genöthiget wird, und zwar mit dem
Befen zudeckt. Einer fo gefchwinden, leichten
und vollftändigen Methode hätte der Vf., wenn
fie ihm anders bekannt war, gedenken follen,
befonders da er die Säung und Steckung der
Saamen nach Linien wie billig empfiehlt.

By dem Verpflanzen der jungen Eichen hätte er der Erfindung des Hannöverfchen Forftbe-
dienten, deffen verpflanzte Eichen alle gut fort-
kamen, Erwähnung thun follen. Diefer nahm
puren Kuhmift, fo wie derfelbe im Holze auf
den Melkftellen, wo das Vieh unter Mittage zubringt, in Menge zu haben ift, und von den Hirten zufammengefchlagen wird; liefs denfelben
mit nafs gemachten Leimen durchrühren, und
diefer Kütt wurde auf dem Boden, ganz fo weit
fich die Wurzeln des jung gepflanzten Eichbaums
erftreckten, herumgeftrichen. Die Wurzeln behielten darunter die benöthigte Feuchtigkeit,
und fo kamen feine gepflanzten Eichbaume fehr gut
auf.

Der Dünger, fagt der Vf., kann in Pferchmift
oder lebendigem Kalk beftehen. Rec. ift ein Beyfpiel auf dem adelichen Gute Levefte, unweit
Hannover, bekannt, wo einige Eichbäume nicht
über 80 Jahre in folcher Höhe und Stärke find,
die ohne Cultur ein Baum binnen 150 Jahren
nicht erreichen kann, blofs weil die Schafe dorthin getrieben, und ihnen durch diefen Dünger immer neue Nahrungsfäfte zugeführt wurden.

Da wir diefes Buch felbft zu Vorlefungen brauchen,
und andern empfehlen können, fo wollen wir nichts
weiter rügen, fondern nur die Ueberficht des übrigen geben. Die Unterfuchung des Forftzuftandes
beftehet in Forftvermeffung, Forfttaxirung, Forft-
befchreibung. Die Holzfällung befteht in Beftimmung der beften Zeit und Art. Die Holzbereitung
in Brennholzbereitung, Kunftbrennholzbereitung,
Werkholzbereitung. Die Holznebennutzung in
Porkenreifen, Harzreifen, Kiehnrufsbrennen, Ma-
ftung. Forfthandlung beftehet in Aufzeichnung
des Vorraths und Abfatzes, oder den Voran-
fchlag, Aufbewahrung, Verfendung, und Forft-
rechnung.

ANSPACH, in des Commerc. Commiff. Haueifen
privil. Hofbuchh.: Friedr. Ludwig Walther
kurzgefafste ökonomifche Naturgefchichte
Deutfchlands für Freunde der Naturärzte,
Cameraliften, Land- und Forftwirthe, Künftler, Kaufleute, Fabrikanten, und diejenigen,
die es werden wollen. 1787. 624 S. 8.

Der Verf. fagt, dafs er diefes Buch für junge
Leute, und befonders für Erziehungsanftalten gefchrieben habe, und doch erfcheinen auf dem
Titel Aerzte, Cameraliften und Fabrikanten. Das
Verdienft eines fleifsigen und glücklichen Compi-
lators können wir indeffen Hn. W. nicht abfprechen, obfchon die Naturgefchichte um nichts bereichert worden, wie doch aus Hedwig, Merrem,
Schneider, den Nachrichten der patriotifchen Gefellfchaft in Schlefien, den Materialien zur alten
und neuen Statiftik Böhmens leicht hätte gefchehen können. Wir ziehen daher Hn. Bechftein,
Lehrers an dem Erziehungsinftitut zu Schnepfenthal, Naturgefchichte Thüringens der Walther-
fchen vor, von der wir deswegen blofs die Ueberficht unfern Lefern mittheilen. Allgemeine
Vorftellungen des Weltalls beym Thierreich, Phyfiologie der Thiere, Verzeichnifs einiger merkwürdigen Werke über Menfchen und Thiere,
deutfche Fauna in alphabetifcher Ordnung. Beym
Pflanzenreich: Eintheilung der europ. Vegetabilien, nach ihrer Total - oder Partiatbenutzung. Einige merkwürdige Werke über die europäifche
Flora, und über die officinellen Pflanzen. Phyfiologie der Pflanzen. Deutfche alphabetifche
Flora. Beym Mineralreiche. Eintheilung derfelben in 5 Klaffen, Erdarten, Steine, Salze, Inflam-
mabilien, Metalle, Feldarten. Verzeichnifs einiger mineralogifchen Schriften. Chemifche Zerlegung der Körper. Vom Waffer, Luft, Gährung,
Elektricität, Feuer, Elementen und zuletzt Grundrifs der Naturlehre.

ERDBESCHREIBUNG.

CHAMBERY: Topographie medicale de la Ville
de Chambery et de fes environs, a laquelle
la

la Société Royale de medec. de Paris a décerné un prix d'un Jeton d'or p. M. Joh. Daquin, Dr. en Med. de la R. Univ. de Turin etc. etc. 1787. 152 S. 8.

Je weniger uns Savoyen bekannt ist, und je wichtiger dies Land der natürlichen und politischen Geographie seyn muss, desto mehr verdient der Vf. Dank für diese belehrende Arbeit. Chambery, nach einigen das alte Camberiacum, nach andern doch ungewis das alte Lemnicum, ehemals der Sitz des Landesherrn, in der Breite von 45° 36' und 23° 35' Länge, nur 12 fr. Meilen von Genf, 18 von Lyon und 43 von Turin. Die mittlere Barometerhöhe ist 27 Zoll 4 Linien, so dafs das von hohen Gebirgen umgebene Thal, worinn die Stadt liegt, dennoch ziemlich über die Meeresfläche erhoben seyn muſs. Nordwestlich fliefst neben der Stadt die Laiſe, und in gewölbten Kanälen läuft unter den Strafsen die Albane, welche besonders ihr zur Reinigung dient. Die Stadt wird aber sonst besonders durch die Quellen benachbarter Gebirge mit vorzüglich guten Trinkwaſſer versehen, und hat, da die heutiges Tages unnütz gewordenen Schutzgräben in Fruchtgärten und Promenaden verwandelt sind eine angenehme Lage. Bemittelte Einwohner leben vom Anfang des Septembers bis zum December auf ihren Landsitzen, und da die Zucht der Seidenwürmer seit mehrern Jahren sich einträglich bewiesen hat, so geht man auch vom Anfange des Mays bis zum Ende des Junius wieder aufs Land, um dieser Wartung so lange vorzustehen, bis sich die Raupen eingesponnen haben. — Die höchste Kälte, in der Vf. erlebt hat, ist 12½ Grad unter Reaumürs Null; die höchste Hitze aber 31 Grad darüber, eine erschreckliche Hitze! über 101 Grad nach Fahrenheits Maafs. Auch sagt der Vf., dafs diese grofse Hitze bey der durch die Berge eingeschlossene Lage eine solche Dauer von Wärme hervorbringe, dafs oft der Monat März noch sehr warm sey, und da der April gewöhnlich regnichte und kalte Witterung gebe, so sey deshalb die Saat oft in grofser Gefahr. Der herrschende Wind ist der aus Westen, den man dort Lyonaise oder Traverse nennt. Von dem dort sehr kalten Nordostwind der Alpen, welcher bise - noir genannt, will man bemerkt haben, dafs er gewöhnlich entweder drey oder neun Tage hinter einander weht. Die Regenzeit fällt in den April, May, und zum Theil noch in den Junius ein; nachher bringt der heiſse Sommer oft Gewitter; der Herbst ist schön, aber kalt, zuweilen im October regnicht. Ohnerachtet der anliegenden Berge und benachbarten Seen sind hier die Nebel nicht sehr häufig. Das Erdreich bekömmt von den aus den eisenhaltigen Alpen kommenden Wäffern vielen Ocker. Mehrere, selbst ziemlich hohe, Gebirge sind bebaut, ja der Vf. behauptet, zu sehr bebauet, weil dadurch das Holz, welches den herabsinkenden Schnee zurück-

halten sollte, mangelt; viele enthalten die schönsten Weiden. Es ist zu bedauern, dafs der Vf. nichts von der Natur der Gebirge selbst beybringt. Gewöhnlich pflügt man hier mit Ochsen, doch auch nicht selten mit Pferden, sogar mit Eseln. Die Viehseuche kommt selten vor, und überhaupt erkrankt nur das Vieh in morastigen Ebenen. Aufser den Gartengewächsen bauet man Weizen, Rocken und die Gerste; ferner noch in den Gebirgen Hafer, welschen Hirsen, und in einigen Cantons, doch nur sparsam, Hirse und Spelte. Das Brod wird von Weizen gebacken. Nachdem der Roggen geärntet ist, hat man die böse Gewohnheit, denselben Acker noch mit Buchweizen zu bebauen, wodurch das Erdreich sehr ausgesogen und dürftig wird. Der Mais ist nur erst seit einigen Jahren, aber mit gutem Ertrag, eingeführt. Zwey Sorten Erdäpfel sind dem Landmanne gleichfalls sehr vortheilhaft. Zum Wiesenbau säet man Lucern - Klee und S. infoin. Den besten Wein geben Montmelian, Crouct, St. Jean de la Porte, Chautagne und Monterminet. Man giefst auf die schon für den Wein ausgeprefsten Trauben, Waſſer, läfst dies einige Tage gähren, und zieht daraus einen petit vin, der hier zu Lande covent heiſst; ein sonderbares Zutreffen des Namens mit dem vom niedersächsischen dünnen Bier! Der häufig gebaute Hanf wird in Dauphinée verarbeitet, und dann wieder eingeführt. Dies ist auch der ähnliche Fall mit der Seide, die nach Lyon geht. Aufser dem Oelbaum kommen alle Fruchtbäume hier gut fort, und man bedient sich des Nufsöls häufig zum Brennen in Lampen, zu Sallat u. f. w. S. 48 — 73 ein Verzeichnifs der hiesigen Pflanzen, aber leider blofs die franz. Trivialnamen.

Die Stadt hält zwischen 13 und 14 Tausend Einwohner. Es werden mehr Mädchen als Knaben gebohren, und man hat auch hier noch die betrübte Gewohnheit, die Kinder von sich zu geben, und sie von fremden Müttern auf dem Lande grofs ziehen zu laffen; viele davon sterben. In seiner drey und zwanzigjährigen Praxis hat der Verf. nur einmal eine Epidemie von faulem Fieber gesehen, und zwey der Kinderblattern. Letztere und die Masern kommen nur periodisch alle 8 oder 9 Jahr vor. Die Inoculation ist leider noch nicht sehr im Gang. Die Influenza herrschte doch bey ihrer fast gänzlichen Allgemeinheit auch hier. Der Mensch ist hier gesund und stark gebauet, mittlerer Gröfse, und das Frauenzimmer von schöner Farbe; im Ganzen sind die blonden selten. Sie sind im 14ten Jahre mannbar, und nach dem 40sten unfruchtbar. Neugeborne Kinder leiden viel von kleinen Würmern, die sich unter der Epidermis zeigen; diese Krankheit heifst hier Malet, und man reibt die Kinder dagegen mit Oel, wornach die Thiere sterben. Es verdiente dies doch genauer bestimmt zu werden; ihr Sitz soll hauptsächlich längst dem Rucken,

Schen-

Schenkeln und Waden feyn. Ohnerachtet des ftarken Eſſens und Trinkens erreichen die Einwohner häufig felbſt das 90ſte Jahr.

Der Charakter der Nation iſt gutartig; daher Ermordungen u. ſ. w. felten.

Nur was zur Kleidung des Landmanns dient wird im Lande felbſt erzielt, alles ähnliche für höhere Stände kömmt von Lyon.

Anzeige der Preiſe und Güte der Lebensmittel, die überhaupt fehr gut find. Auch giebt der See von *Bourget* mancherley Fiſche. Von S. 90 bis 117 über die Hofpitäler der Stadt. Chambery hat drey Hofpitäler, worin der Vf. vieles mit Recht tadelt, was zu weitläuftig fiel, hier auseinander zu fetzen. Gallenfieber und ähnliche Krankheiten find dem Vf. feit 24 Jahren am meiſten vorgekommen, ebenfalls viel Wurmkrankheiten, ſelbſt bey Erwachſenen, und unter den chroniſchen Krankheiten, Lungenkrankheiten, welche mehr und mehr zunehmen. Krankheiten der Nerven find nur felten, eben wie der Scorbut. S. 134 fchreibt der Verf. die Kröpfe der Provinzen von Maurienne und Tarentaiſe dem fchlechten Trinkwaſſer zu; dies wird ihn niemand einräumen, wer Tyrol und das Walliſerthal felbſt bereifet hat. Wir wünfchten überhaupt weit mehr richtige, allgemeine Phyſik bey der Auseinanderfetzung der meiſten Gegenſtände. Die Bäder und medicinifche Elektricität find noch nicht fehr in Anwendung gebracht, und der Magnetismus, fagt der Vf. S. 140: *eſt fagement profcrit par le gouvernement; Chimère, qui a fait tant de rumeur etc.* Wollte Gott, alle Gouvernements wären fo weife! Es giebt mehrere Mineralquellen um Chambery, die Schwefelbäder von Aix, wovon der Vf. eine Analyſis hat drucken laſſen, und die eiſenhaltigen kalten Bäder vom Amphion im Chablais find die berühmteſten; aufser dieſen zählt der Verf. noch fechs andere. Im Tarantaiſchen giebt es Salzquellen, die auf Koſten der Regierung bearbeitet werden; man vermiſcht indeſs das daher erzielte Salz mit dem von Languedoc um für Savoyen hinreichend zu haben. Was der Verf. S. 143 von den Producten des Mineralreichs von Savoyen anführt, iſt leider äufserſt unbedeutend! und das Silber und Bley, fo die Berge von Servoz liefern, von keinem Betrag. Solche Werke, wie Rec. fich auf der Stelle felbſt überzeugt hat, werden bis jetzt nicht mit hinreichender Bergwerkskunde betrieben, obgleich die Entrepreneurs eine Geſellſchaft franzöſifcher Kapitaliſten grofse Koſten darauf wenden. — S. 144. ff. Wet-

ternachrichten vom Jahre 1785. Den Schluſs des Werks machen fiebenjährige Geburts-, Heiraths-und Sterbeliſten von Chambery.

ERBAUUNGSSCHRIFTEN.

St. GALLEN, b. Vonweiler: *Morgen-und Abendgebether* (te) *für chriſtliche Haushaltungen,* Probe eines gröſsern Werks dieſer Art (mit Matth. 18. 19. zum Motto) 1786. 112 S. 8. (4 gr.

Es iſt nicht nur fchon auf dem Titel des Buchs bemerkt, fondern auch in der Vorrede, deren aufmerkfame Durchlefung der für thätiges Chriſtenthum warm fcheinende Vf. zur Beurtheilung feiner Arbeit als nothwendig fordert, weiter ausgeführt, daſs dieſes Gebetbuch der Vorläufer eines gröſsern Gebetbuchs für chriſtliche Haushaltungen und eine Probe davon feyn follte. Die Vorrede enthält ein Etwas über gemeinfchaftliches häusliches Gebet, worin der Vf. zeigt, daſs durch ein folches Gebet häusliche Tugend und Glückfeligkeit befördert werde. Er tadelt an den vielen dafeyenden Gebetbüchern, theils daſs die Bethenden in der einfachen erſten Perfon eingeführet werden, da doch gemeinfchaftliche Bedürfniſse auch ein gemeinfchaftliches Gebeth in der mehrern Zahl erfordern. (Wohl nicht alle Gebetbücher haben den Fehler, und kann das der Andacht und Erbauung fchaden, wenn Einer mit dem ich in die Seele eines jeden von vielen Gegenwärtigen hineinbetet?) theils, daſs fie nur immer Morgen-und Abendgebete auf die Tage Einer Woche enthalten, da doch dergleichen für mehrere Wochen nöthig wären, um dem baldigen Auswendiglernen folcher wenigen Gebethe und damit verbundenen gedankenlofen Herbethen derſelben vorzubeugen. (Das Herlefen kann hier fo mechaniſch, als mit der Zeit das Auswendigwiſſen werden.) Er beantwortet ganz richtig einige Einwürfe wider die Gebetsformulare und dawider, daſs feine hier vorgelegten Gebete mehr Unterhaltungen mit Gott, und fich, mit feinen Bedürfniſsen und Pflichten, als eigentliche Bitten enthielten (welches gar fehr zu billigen iſt, wiewohl es Rec. hier nicht ganz fo gefunden hat.) Der hier gelieferten Gebete find vierzehn, nämlich auf jeden Wochentag Ein Morgen-und Ein Abendgebet. Sie haben meiſt das Verdienſt einer ungekünftelten, herzlichen und fachreichen Sprache, nur daſs einige etwas zu lang find.

Druckfehler. No. 31. im Jahrg. 1789. lies *Schriftſtellen* ſtatt *Schriftſteller.* No. 33. lies die ſtatt dir. No. 96. S. 767. iſt in dem Titel des *Mémoire fur le Roi de Pruſſe* anſtatt: Magr. le B. de LXXXX. zu leſen: Magr. le P. de L****. S. 768. Z. 3. ſtatt *welche* lies *wollen.* Z. 5. ſt. lies *hier.*

J E N A, gedruckt bey *Johann Michael Maucke.*

INTELLIGENZBLATT

DER

ALLGEMEINEN

LITERATUR · ZEITUNG

VOM JAHRE

1789.

Vorbericht.

Zu Folge der Ankündigung für diefes Jahr wird das Intelligenzblatt der Allg. Literatur-Zeitung künftig aus zwey Abtheilungen beftehen, davon die erfte *literarifche Nachrichten*, die zweyte *literarifche Anzeigen* enthalten wird.

Zu jenen rechnen wir alle neue Begebenheiten, die auf Literatur Beziehung haben, alfo öffentliche literarifche Anftalten, neue Veränderungen zum Beften der Gelehrfamkeit, Beförderungen, Todesfalle, Belohnungen der Gelehrten, Preisaustheilungen der Akademien und gelehrten Gefellfchaften, auch die *vorläufigen Berichte von neuen Werken der ausländifchen Literatur*, oder den literarifchen *Avant-Coureur*, eine neue Erweiterung unfers Plans von diefem Jahre an, welche die Abficht hat, durch ganz kurze Auszüge aus ausländifchen Journalen und den Berichten unfrer Correfpondenten das Dafeyn und den Inhalt ausländifcher Bücher nur erft vorläufig zu melden, bis eine genauere Recenfion in der Allg. Lit. Zeit. felbft von den wichtigften derfelben nachfolgen könne.

Die *litterarifchen Anzeigen* enthalten aufser den *Preisaufgaben* der Akademieen und gelehrten Gefellfchaften, welche *unentgeldlich* eingerückt werden, folgende Artikel, wovon aber die *Infertionsgebühren* mit *Einem Grofchen* für die gedruckte Zeile, wie bisher vergütet werden müffen.

1. Ankündigungen neuer Bücher, Mufikwerke, die auf Subfcription, Pränumeration, oder auch ohne diefe Bedingung herauskommen follen.

2. Ankündigung neu heraus zu gebender Landkarten, Kupferftiche u. d. gl.

3. Anzeigen

3. Anzeigen der neuen Verlagswerke der Buchhandlungen, oder Novitätenverzeichniſſe.

4. Herabgeſetzte Bücherpreiſe.

5. Anfragen nach ſeltnen Büchern, Kupferſtichen, Medaillen u. ſ. w.

6. Auctionen von Bibliotheken, Gemählde- Kupferſtich- Naturalienſammlungen.

7. Anzeigen von Büchern, ſo aus freyer Hand zu verkaufen.

8. Manuſcripte, die zum Verlag angeboten werden.

9. Andre vermiſchte Anzeigen und Anfragen.

Hiezu kommen noch *Vertheidigungen* der *Schriftſteller* gegen *Recenſionen* in der A. L. Z. und andern Journalen, unter der Bedingung, daſs die Inſertionsgebühren dafür entrichtet werden.

Endlich wollen wir künftig *unter gleicher Bedingung*, von allen Herausgebern und Verlegern periodiſcher Schriften eine kurze Inhaltsanzeige jedes neuerſchienenen Stücks, unter der Rubric *Neue periodiſche Schriften* aufnehmen. Es iſt unmöglich, jedes neue Monatſtück · oder Quartalſtück einer periodiſchen Schrift, ſogleich wie es erſcheint, in der A. L. Z. zu recenſiren; Verleger und Herausgeber ſind aber oft dabey ſehr intereſſirt aufs allgemeinſte und ſchnellſte bekannt gemacht zu ſehen, was jedes neue Stück ihrer periodiſchen Schrift enthalte. Nach dem von mehrern an uns geäuſerten Wunſche wollen wir alſo künftig dergleichen Inhaltsanzeigen von jedem neu erſchienenen Stück periodiſcher Schriften inſeriren, nur bitten wir die Verleger uns die Anzeige, ſo bald der letzte Bogen eines Stücks in der Correctur iſt, gleich zuzuſenden.

Jena,
den 1. Januar 1789.

Die Herausgeber d. Allg. Lit. Zeitung.

＃ . INTELLIGENZBLATT . ＃

der

ALLGEM· LITERATUR·ZEITUNG

Numero 1.

- Sonnabends den 3ten Jan. 1789.

LITERARISCHE NACHRICHTEN.

I. Vorläufige Berichte von ausländischer Literatur.

Roma, nella ſtamperia Vaticana: *Bibliografia Storica - critica dell' Architettura Civile ed Arti ſubalterne* - dall' Abb. *A. Comolli.* Vol. I. 1788. 310 P. 4. (Paoli 8.) Dieſer erſte Band enthält nichts anders als ein ſehr ſchlecht raiſonnirendes Verzeichniſs der Schriften, die über die Baukunſt, und andere Künſte aus Licht, getreten find. — Dieſer elende Catalog ſoll bis auf 13 Bände anwachſen.

Roma nella ſtamperia Cracas: *Scelta di Poeſie in Verſi Sciolti.* I. Il Tome. 1788. Wird fortgeſetzt, und enthält nebſt den italieniſchen Originalen viele Ueberſetzungen aus dem Engliſchen des *Pope*, dem Deutſchen des Geſsners u. ſ.

Romae: apud Salvionem: *Franc. Xav. Allegre Mexicani Veracrucenſis* - *Homeri Ilias latino Carmine expreſſa.* Editio Romana venuſtior, et emendatior. 1788. (4 Paoli) — ward vor 12 Jahren das erſtemal in Bologna verlegt. Ohne Griechiſchen Text und ohne Noten.

Lugano, e ſi vende a Venezia da Zatta e figli: *Preſpetto degli Affari attuali dell' Europa, oſia ſtoria delle guerra preſente tra le potenze belligeranti con aneddoti etc.* Hievon find zwey Bände erſchienen. (3 Paoli der Band.)

Venezia, da Zatta e figli: *Memorie del Sig. Carlo Goldoni ſcritte da lui medeſimo.* Tom. I. 1788. (4 1/2 Paoli.) Bey dem nemlichen iſt erſchienen der erſte Band *delle Commedie di Goldoni* in neuer vermehrter, und verbeſſerter Ausgabe. (3 1/2 Paoli, der Band) —

Venezia, preſſo Simon Occhi: *Sei Dialoghi teorico-pratici, dedicati all' Eccell. Scuato - da Lorenzo ſelva ottico pubbco ſtipendiato.* 1788. in 4. — Dieſe Dialogen handeln mit viel Ordnung, Deutlichkeit und Gelehrſamkeit von jeder Art optiſcher Inſtrumenten.

Romae apud Ant. Fulgorium: *Charta Papyracea graece ſcripta muſei Borgiani Velitris, qua ſeries ioculorum Ptolemaidis antinoiticae in uggeribus et foſſis operantium exhibetur.* edita a *Nicolao Schow.* Cum adnotatione Critica et palaeographica in textum charae. 1788. in 4. — Herr Schow

ein junger Däne, und Schüler von Heyne hat das Intereſſante dieſes ſeltenen Stück Papiers mit aller der Gelehrſamkeit auseinandergeſetzt, welcher ein ſolches Monument fähig iſt, und Herr Heyne macht Deutſchland keine geringe Ehre, daſs ſo viele ſeiner Schüler während ihrem Aufenthalte in Rom ſo überzeugende Beweiſe von ſich geben, mit welchem Vortheil ſie ſeine Vorleſungen gehört haben: ſo wie andererſeits *Monſ. Borgia,* Sekretär der Propaganda in Rom ſeinem Vaterland nicht weniger Ehre macht, da er dieſe Lehrbegierigen Fremdlinge mit ſo viel Gaſtfreyheit aufnimmt, und ihnen alle mögliche Bequemlichkeit ſich in ſeinem herzlichen Muſeo zu *Velitri* zu unterrichten zugeſteht.

II. Ehrenbezeugungen.

Se. Fürſtl. Gnaden, der itztregierende Fürſtbiſchof von Fulda haben dem Hrn. Domcapitular und Regierungspräſidenten, *Freyherrn von Bibra,* das bereits ehmals geführte Cammerpräſidium, mit Beybehaltung der zweyten Regierungspräſidentenſtelle, wieder aufgetragen, und dadurch dieſem verdienſtvollen Manne wegen der ihm durch häſsliche Kabalen vor drey Jahren widerfahrnen Kränkungen auf die rühmlichſte Weiſe Gerechtigkeit verſchafft. Auch haben ihn Se. Kurfürſtl. Gnaden, bey Gelegenheit einer Geſandſchaft, welche er an daſigen Hofe zu verrichten gehabt, zu Dero *wirkl'chen Geheimen Rathe* ernannt, und ihm das Decret darüber in den gnädigſten Ausdrücken eingehändigt.

Herr D. und Prof. *Büchner* zu Gieſſen iſt Kayſerlicher Pfalzgraf geworden. *A. B. Gieſſen, d.* 16 *Dec.* 1788.

III. Beförderungen.

Mit höchſter Bewilligung iſt auf der Prager Univerſität die Profeſſur der Oekonomie errichtet worden, welche der Herr D. *Schönbauer,* der kürzlich in die Geſellſchaft der naturforſchenden Freunde in Halle aufgenommen worden, nebſt ſeiner Profeſſur der Naturgeſchichte und Technologie zugleich verwaltet. *A. B. Prag, d.* 20 *Dec.* 1788.

Hr. M. *Hoſche* zu Dresden, iſt als Prediger an der Salomoniskirche zu Dresden angeſtellt worden.

Der Kaſſirer der ökonomiſchen Geſellſchaft, Hr. *Schipotius* zu Dresden, durch viele nützliche Verſuche auslän-

A

diſche

difche Sämereyen auf hiefigen Boden zu ziehen, inländifche durch Propf- Impf- und andere ökonomifche Handgriffe zu verbeffern bekannt, ift zum zweyten Sekretär diefer Gefellfchaft ernennt worden. Er behält feine Lectorftelle in der Naturgefchichte bey hiefiger Loge bey. *A. B. Dresden, d. 4. Dec. 1788.*

IV. Belohnung.

Der regierende Herzog von Oldenburg hat bey feiner Anwefenheit in Aurich am 14-15 Oct. dem Herrn Meyer für den von ihm erfundenen Transparentfpiegel (S. A. L. Z. 1788. No. 225.) der ihm fo fehr gefiel, dafs er für fich felbft eine folche Mafchine beftellte, zur Aufmunterung ein Douceur von 20 Louisd'or reichen laffen. *A. B. Aurich d. 17. Octbr. 1788.*

V. Todesfälle.

Am 11ten Jan. 1789. ftarb zu Jena Hr. *Johann Ernft Rofinus Wadeburg*, Profeffor der Mathematik, und Herzogl. Sächf. Weimarifcher Kammerrath, in feinem 58. Jahre.

Am 30.Nov. 1788. ftarb zu Prag Hr. *Leopold Tirfch*, der freyen Künfte und Weltweisheit Doctor, und Weltpriefter. Seit 1755 war er Jefuit, und bekleidete zwanzig Jahre an der Prager Univerfität die Lehrftelle der hebräifchen Sprache nach feiner von ihm felbft verfaßten Sprachlehre. Wegen feiner Kenntniffe in den jüdifchen Abbreviaturen, Sprüchwörtern, befonderen jüdifchen Redensarten, Gebrauchen und Ceremonien etc. wurde er im Jahre 1764 bey den K. K. Landesftellen der Hebraifchen u. Rabbinifchen Inftrumenten Translator, Cenfor u. Revifor der Hebräifchen Schriften u. Bücher. Er fchrieb aufser denen von Hrn. Meufel angeführten einige Differtationen: *De Tabernaculorum feriis prout olim Judaeis geftae funt, hodieque aguntur. — An Lingua hebraica omnium antiquiffima primaeque habenda, et unde hoc nomen fortita fit.* *A. B. aus Böhmen den 25 Dec. 1788.*

Den 14 Dec. 1788. ftarb zu Hamburg der grofse Tonkünftler, *Karl Philipp Emanuel Bach*, im 74 Jahre feines Alters.

Den 10 Dec. 1788 ftarb zu Kiel, Hr. *Wilhelm Chrift. Juftus Chryfander*, Doctor der Theologie, Königl. Dänifch. Konfiftorialrath, Profeffor Theol. primarius et linguarum orientalium defelbft, im 71 Jahre feines Alters.

VI. Oeffentliche Anftalt.

In der Reichsftadt *Nürnberg* ift der erfte Schritt zur Einführung eines zweckmäßigern und gefchmackvollern Gefangbuchs, als das bisherige leider! war, gethan, indem dafelbft vor kurzem in Druck erfchien: „Sammlung einiger neuen chriftlichen Lieder, zum Gebrauch der Lödelifchen armen Kinder-Schule, 1788. 8. 20 Bog. Diefe Sammlung, welche der fel. Diac. *Sridel* angefangen hatte, fetzte Herr Prof. *Sattler* fort, und endigte fie. Es wurden dabey die beften neuen Gefangbücher zum Grunde gelegt, und einige alte Lieder, nur nach den beften Veränderungen, aufgenommen. Es ift zu wünfchen und zu hoffen, dafs das allgemeine Nürnbergifche Gefangbuch, deffen Sammlung, wie ich höre, gegenwärtig veranftaltet wird, den Erwartungen aufgeklärter und gefchmackvoller Chriften in gleichem Grade, wie obige Lieder-fammlung, entfprechen möge. *A. B. Nürnberg d. 17. Dec. 1788.*

VII. Berichtigung.

Die Nachricht aus Neuwied No. 270. S. 415. der A. Lit. Z. 1788. worinn des Frankfurter reformirten Gefangbuchs gedacht wird, könnte leicht zu einem Mifsverftand Anlafs geben. Es ift dort von dem alten Frankf. Gefangbuch die Rede. Seit 1779, wo ich nicht irre, hat die deutfche reformirte Gemeine dafelbft ein neues Gefangbuch, welches unter die beften diefer Art gerechnet zu werden verdient; da hingegen die Lutheraner zu Frankfurt bis jetzt noch kein verbeffertes Gefangbuch haben. Da felbft die A. Deutfche Bibl. jenes neue Gefangbuch nicht kennt; fo wird es mir unnöthig fcheinen, jenem fo leicht möglichen Mifsverftand vorzubeugen. *A. B. Frankfurt, d. 24. Nov. 1788.*

LITERARISCHE ANZEIGEN.

I. Ankündigung neuer Bücher.

Im Verlage der *Weverfchen* Buchhandlung in *Berlin* find in der Michaelis-Meffe 1788 nachfolgende neue Bücher herausgekommen:

Olla Potrida, 1788. Zweytes Stük. gr. 8. Berlin 1788. 10 gr.

Enthält: 1) Gedichte. 2) Havre de Grace. (Aus dem intereffanten Journal eines Reife durch Frankreich 1735, von Frau de la Roche.) 3) Pendant aus dem Anfange des vorigen Jahrhunderts zu den ** Lügen. 4) Abentheuer den Mifsificationen des Poinfinet. 5) Beobachtung über die Wirkungen einer grofsen Wärme auf den menfchlichen Körper. 6) Aus der Schweitzergefchichte. 7) Der edle Bürger.

8) Fragmente aus meinem Leben. 9) Vom Gebrauch der Tafchenuhren. 10) Befchreibung von Leafowes, einem Landgute des Dichter Schonftons. 11) Merkwürdigkeiten aus dem Leben einiger Thiere.

Neue Quartalfchrift zum Unterricht und zur Unterhaltung aus den neueften Reifebefchreibungen gezogen, 1788. 3tes Stük. gr. 8 Berlin 1788. 10 gr.

Enthält: 1) Zuftand der Chriften im Königreiche Marocco. 2) Neuefte Nachrichten von China. 3) Befchreibung der Infel Lipari. 4) Politifche und fittliche Gefchichte der Mamlukken. 5) Bemerkungen über den gegenwärtigen Zuftand der vereinigten Niederlande.

Nachrichten, geographifch ftatiftifche, vom ganzen Türkifchen Reiche für Zeitungslefer, nebft einer grofsen illuminirten

illuminirten Landkarte vom ganzen Türkischen Reiche, und einer in Kupfer geſtochenen Abbildung einer Türkiſchen Standarte oder Roſsſchweiſs, gr. 8. Berlin 1788. 6 gr.

Von Breitenbauche, (G. Aug.) Aelteſte Geſchichte des jetzigen Tauriens und Caucaſiens, bisher Crim und Cuban genannt, zweite Abtheilung, nebſt einer Landkarte 8 Berlin 1788. 6 gr.

Albertina, Richardſons Clariſſen, nachgebildet und zu einem lehrreichen Leſebuch für deutſche Mädchen, beſtimmt. Zweiter und dritter Theil, 8. Berlin 1788. 1 Thl. 8 gr.

Der Herr von Archenholz äuſsert in ſeinem England und Italien: Clariſſe ſey das vorzüglichſte Buch, welches die Britten in dieſer Gattung aufzuweiſen hätten. Mit Recht wünſcht er, daſs eine neue Ueberſetzung, die dem jetzigen Zeitalter angemeſſen iſt, davon erſcheinen möchte. Der Verleger hat, hierdurch bewogen, dieſes Geſchäfte einem Manne aufgetragen, welcher durch mehrere Schriften aus dem Fache der angenehmen Lektüre, Lieblingsautor des leſenden Publikums geworden iſt. Dieſer, nun hat, um es für uns Deutſche brauchbar zu machen, die Intrigue auf deutſchen Grund und Boden verlegt und Berlin zur Bühne der Geſchichte genommen, und die einſichtsvolleſten Abkürzungen getroffen, wodurch das Engliſche Meiſterſtuk, dem man nicht mit Unrecht eine ermüdende Weitſchweifigkeit vorwarf, ohne allen Zweifel ſehr gewonnen hat. Der vierte fünfte und letzte Theil, wird künftige Oſtern erſcheinen.

Theodor's glücklicher Morgen, vom Verfaſſer des — Hallo's glücklicher Abend. Zweite mit Kupfern vermehrte Auflage. 8. Berlin 1789. 2 Thl. 8 gr.

Werke (ſämmliche) des Philoſophen von Sans-Souci. Sechſter Band. 8. Berlin 1788. 1 Thl. 6 gr.

Vor kurzen hat eine Geſellſchaft zu Wien durch das Organ des Herrn Walishaufer, Buchhändler daſelbſt am Kohlmarkte, in einem Proſpect bekannt machen laſſen, daſs ſie geſonnen ſey, zur Erleichterung verſchiedener Individuen in dieſer erhabnen Kayſerſtadt einen Nachdruk von Friedrichs des Einzigen Werken, die in meinem Verlage erſchienen ſind, zu veranſtalten. Da dieſe Geſellſchaft nicht aus Liebe zum Gewinnſt, wie ſie feyerlich erkläret, ſondern bloſs der allgemeinen Verbreitung wegen, ſich entſchloſſen hat, dieſen Nachdruk zu übernehmen, ſo bin ich überzeugt, daſs ihr, da ſie dadurch auf immer vor allen Gewiſſensvorwürfen ſicher geſtellt wird, die Nachricht ſehr willkommen ſeyn muſs, die ich ihr hiermit gebe, daſs ich von nun an um denſelben Preis den die Geſellſchaft im Namen des Herrn Walishaufer feſtgeſezt hat, nemlich deſſ Band um 20 gr. pränumerando zu verlaſſen geneigt bin. Das Publicum kann auf die Art ſeine Neugier ſchneller befriedigen, und darf ſie nicht erſt, wie bey der Walishauferſchen Entrepriſe auf Monatsfriſt ausſehen, überdies erhält es dieſelben correkter als jeder ſelbſt der beſt beſorgteſte Nachdruk ausfällt,

A 2

und nicht mit Provincialiſmen verunſtaltet, wozu der Proſpect ſehr viele Hofnung macht, auch gewinnt ſie an Güte des Papiers, da das, worauf der Plan gedrukt worden, viel ſchlechter iſt.

Mehrere Gründe glaube ich nicht anführen zu dürfen, um das Publikum zu bewegen, meiner rechtmäſigen Ausgabe den Vorzug, vor der Walishauferſchen einzuräumen. Da dieſer Preis mit meinem bisherigen Pränumerationspreis übereinkommt, ſo will ich noch bis nach Oſtern alle 6 Bände nebſt dem unter der Preſſe ſeyenden 7ten Band für 5 Thl. 20 gr. erlaſſen. Berlin, den 14 Juny. 1788. A. Wever.

Voltaire's ſämmtliche Schriften. 15ter Band. 8 Berlin 1788. 1 Thl. 8 gr.

— Theologiſche Schriften. Fünfter Band. 8. Berlin 1788. 1 Thl. 8 gr.

Den Pränumeranten auf die Voltairſchen ſämmtlichen Schriften dienet zur Nachricht, daſs der 15 Band in vergangener Michaelismeſſe fertig geworden iſt. Auch können die Liebhaber, die auf ſämmtliche Volgairſche Schriften vorauszahlen wollen, noch unter die Zahl der Pränumeranten aufgenommen werden, im Fall ſie die ſämmtl. 15 Bände 15 Thlr. und auf den 16ten 1 Thlr. zahlen wollen. Diejenigen, die ſich ſämmtliche Werke nicht anzuſchaffen geneigt ſind, können unter aparten Titeln bekommen: 1) Romane, Erzählungen und Dialogen, 3 Bände, 8: 4 Thlr. 2) Verſuch einer Schilderung der Sitten und des Geiſtes der Nationen, wobey die Hauptthatſachen in der Geſchichte von Karl dem Groſsen an bis zu Ludewig dem 13ten aufgeſtellet werden, 7 Bände 9 Thlr. 8 Gr. 3) Theologiſche Schriften, 5 Bände, 8. 5 Thlr. 8 Gr.

Dictionaire de deux nations par une Société de gens de Lettres augmentée de pluſieurs articles, revuë par Monſieur le Profeſſeur le Veaux. Tome 1. gr. 8. Berlin. 1789.

Der 2te Band von dieſer 3ten vermehrten Auflage wird auf Weihnachten fertig. Die Weverſche Buchhandlung hat von dieſem allgemein gut aufgenommenen Dictionaire in kurzer Zeit zwey Auflagen abgeſezt, und beſorgt die dritte. Der ſchlechte Druck und Papier, dergleichen die wegen der weiten Entfernung des Verfaſſers vom Druckort, häufig eingeſchlichene Druckfehler, — es muſste wegen des hieſigen ſtarken Papiermangels auswärts gedruckt werden — haben den Verleger bewogen, dieſe dritte Auflage unter der Aufſicht der Verfaſſer in Berlin auf ſchön weiſs Papier mit neuer Schrift drucken zu laſſen. Nur ſein innerer Werth, zumal ſeine ganz ungemeine Reichhaltigkeit, welche allen andern mit und nach ihm erſchienenen Handdictionnärs fehlt, hat den ſchnellen Vertrieb der beiden erſten Auflagen bewirkt. Die 3te Auflage wird noch mit vielen Artikeln von den Verfaſſern vermehrt, und an Druck und Papier beyde erſtere Editionen, wie ſchon geſagt, übertreffen. Aus dieſen Gründen ſieht ſich der Verleger genöthiget, den Preis dieſer Edition um 12 Gr. zu erhöhen, und 5 Thlr. ſtatt 4 Thlr. 12 Gr. ſich dafür zahlen zu laſſen. Diejenigen aber, welche hierauf

hierauf pränumeriren, bekommen dies Buch für 4 Thlr.

Bey Johann Jacob Gebauer zu Halle im Magdeburgifchen find in der leztverwichenen Michaelismeffe nachftehende neue Artikel herausgekommen, als:

Fortfetzung der *Allgemeinen Welthiftorie* durch eine Gefellfchaft von Gelehrten in Teutfchland und England ausgefertiget, 54. Theil. Verfaffet von *J. G. A. Galletti.* gr. 4. 2 Rthlr. 16 Gr.

Ebendiefelbe unter dem Titel der *Neuern Hiftorie*, 36 Th. gr. 4. 2 Rthlr. 16 Gr.

Auf den folgenden Theil, fo wohl der alten als neuen Gefchichte, kann noch mit 1 Rthlr. 18 Gr. pränumeriret werden.

Ebendiefelbe in einem vollftändigen und pragmatifchen Auszuge. *Neuefte Hiftorie* 22. Theil. Verfaffet von D. *J. F. Le Bret.* gr. 8. 1 Rthlr. 8 gr.

Deffelben 23. Theil. gr. 8. 1 Rthlr. 8 Gr.

Auf den 24 Theil kann mit 1 Rthlr. pränumeriret werden.

Eberhards, Joh. Aug. , philofophifches Magazin, 1 St. 8. 8 Gr.

Elementarwerk, neues, für die niedern Klaffen lateinifcher Schulen und Gymnafien; nach einem zufammenhangenden und auf die Lefung klaffifcher Autoren, wie auch auf die übrigen Vorerkenntniffe künftiger Studirenden gründlich vorbereitenden Plane. Herausgegeben von *D. S. Semler* und *Chrif. Gottf. Schütz.* Neunter Theil Geographifches Lehrbuch für den Zweiten Curfus. Erfter Band. Zwote verbefferte Auflage. gr. 8 16 Gr.

Fabri's, J. E. Elementargeographie, 2. Theil, oder des *Semler-Schützifchen* Elementarwerks neunten Theils erfter Band unter einem befondern Titel. gr. 8. 16 Gr.

Galetti, J. G. A., Gefchichte Deutfchlands, 2r. Band. gr. 4. 2 Rthlr. 16 Gr.

Harris, J., Hermes: oder philofophifche Unterfuchung der Sprache und allgemeinen Grammatik, überfetzt von *C. G. Ewerbeck*, und mit Anmerkungen vom Herrn Profeffor *Wolf* und dem Ueberfetzer verfehen. gr. 8. 1 Rthlr. 4 Gr.

Handbuch für Bücherfreunde und Bibliothekare von *Heinr. Wilh. Lowth.* Erften Theils zweyter Band. Von der Gelehrfamkeit überhaupt. gr. 8. 1 Rthlr. 12 Gr.

Moral in Beyfpielen. Herausgegeben von *H. B. Wagnits.* Dritter Theil. gr. 8. 16 Gr.

Beifpiele zur Erläuterung des Katechismus. Für Prediger, Schullehrer und Katecheten. Herausgegeben von *H. B. Wagnits.* Erfter Theil. gr. 8. 16 Gr. Diefes ift der dritte Theil der Moral in Beyfpielen unter einem befondern Titel.

Murnet, Thomas, der heil. Schrift und beider Rechte Doctors, Schelmenzunft aufs neue mit Erläuterungen herausgegeben. 8. 8 Gr.

Zar Vaterländifchen Geographie und Gefchichte. Erläuterung einer kleinen Handkarte, welche unter andern das Kriegstheater Friedrichs des Grofsen und den Schauplatz des gegenwartigen Oefterreichifch-Türkifchen Krieges enthält. Nebft einer Anleitung zum zweckmäfigen Gebrauch diefer Karte zum Behuf des Studiums der vaterländifchen Geographie und Gefchichte. Von *J. M. F. Schulze.* 8. 1 Rthlr. 16 Gr.

An S. K. Hoheit Prinz Ferdinand von Preufsen, von D. *J. S. Semler*, als er dreyzehn Grane Luftgold einfchickte. 4. 2 Gr.

Varro, M., Buch von der Landwirthfchaft, überfetzt und mit Anmerkungen aus der Naturgefchichte und den Alterthümern verfehen von *Gottfr. Groffe.* Mit einer Kupfertafel. 8. 1 Rthlr. 8 Gr.

Vertheidigung des Wuchers, worinn die Unzuträglichkeit der gegenwärtigen gefetzlichen Einfchränkungen der Bedingungen beim Geldverkehr bewiefen wird. In einer Reihe von Briefen an einen Freund. Nebft einem Briefe an D. Adam Smith, Efq. über die Hinderniffe, die durch obengenannte Einfchränkungen dem Fortgange der Induftrie im Wege geleget werden. Aus dem Englifchen. 8. 10 Gr.

Weftphal. D *Ernefti Chriftiani*, Oratiques duae. Altera de orthodoxia religionis Jurefconfultis recens a nonnullis exprobrata. Altera de vera Dei cognitione et reverentia rebufpublicis chriftianis neceffaria. Accedit cenfurae edicti regii hujus anni, quo in facris docendi licentia coercetur, confutatio. 8. maj. 3 Gr.

Mit dem Anfange des J. 1789. ift unfre *Allgemeine Politifche Zeitung* wieder unter Aufficht und mit thätigfter Mitwürkung des Hrn. Prof. *Fabri's* erfchienen. Wöchentlich werden 4 Stücke, *Dienftags, Mittwochs, Donnerftags, Sonnabends* ausgegeben. Die übrigen Veränderungen und Verbefferungen diefer Zeitung zeigt ein ausführliches Avertiffement, welches auf allen Poftämtern zu haben ift. *Poftäglich* erhalt man diefe Blätter durch alle Löbl. Poftämter, Zeitungs - expeditionen und IntelligenzKomtoire, fo wie auch *halbmonathlich* brofchirt durch alle Buchhandlungen, für welche die hiefige *Akademifche Buchhandlung* die Hauptfpedition hat. Ohnerachtet der vermehrten Aufwandes in Druck und Anfchaffung der Zeitungsmaterialien ift der Preis eines Jahrganges, wie bisher, 4 Rthlr. Wöchentlich werden, *Montags*, und *Freytags*, 2 *Intelligenzblätter*, unentgeldlich ausgegeben, welche, aufser den gerichtlichen, ökonomifchen, litterarifchen und andern Bekanntmachungen, auch genaue *Wetterbeobachtungen* von Jena enthalten werden.

II. Vermifchte Anzeigen.

Auf den Brief, den ich aus Altdorf, vom 7 December datirt, erhalten habe, werde ich nicht antworten, weil ich nach der Behandlung, die mich der Verfaffer deffelben hat erfahren laffen, in keiner Verbindung mit diefem Manne zu ftehen wünfche. Halle, d. 23. Dec. 1788.

D. Sprengel.

INTELLIGENZBLATT

der

ALLGEM. LITERATUR-ZEITUNG

Numero 2.

Sonnabends den 10ten Jan. 1789.

LITERARISCHE ANZEIGEN

I. Ankündigung neuer Bücher.

An das Publikum.

Es bedarf in der That eine geringe Aufmerksamkeit sich zu überzeugen, dass die bürgerlichen Wohnungen, vorzüglich in mittlern und kleinern Städten, mehrentheils alle Grade der Unbequemlichkeit haben, oft an Stärke leiden, und das Empfehlende fast gar nicht besitzen. Gewiss ist daher eine Bemühung, diesen, welche von Bau-Wesen keine hinlängliche Kenntnisse haben, Beyspiele zu liefern, durch welche sie bey der schmalesten Fronte, bis zu einer nahmhaften Länge derselben, ihren Gebäuden Bequemlichkeit, Stärke, und Schönheit verschaffen können, nichts weniger als eine unnütze Bemühung. Dieser Beschäftigung hat sich mein Freund, Hr. Vorsteher-Amts-Verweser Schmidt, in Gotha unterzogen, und durch 26 verschiedene Beyspiele gewiesen, wie man auf einer jeden Bau-Stätte regelmäßig, bequem, angenehm, und der wesentlichen Absicht entsprechend bauen könne. Die Zeichnungen sind schön, genau, mit vieler Sorgfalt entworfen, und ohne Zweifel bemüht sich der Kupferstecher dem getroffenen Abrisse gemäß, seinen Platten eine ähnliche Sauberkeit zu verschaffen. Dieser Freund sandte mir sein Werk, welches derselbe wegen der ansehnlichen Kosten der Kupfer auf Subscription herauszugeben geneigt ist, und davon das folgende Avertissement, mit mehrern redet. Er forderte darüber mein Urtheil, und fragte an, ob ich solches öffentlich anzuzeigen kein Bedenken finden würde. Ich erfülle dieses Verlangen mit desto grösserer Freude, je mehr ich überzeugt bin dass dessen Bemühung wahre Vortheile verschaffen, und denen die zu bauen gezwungen sind, sichere Anleitung geben könne, wie sie theils wesentlich vollkommene Gebäude zu errichten, theils auch dadurch die Stadt zu verschönern, endlich einen guten Anfang zu machen vermögen. Ohnerachtet der Herr Verfasser in seiner nachfolgenden Anzeige die ganze Einrichtung dieses Werks beschreibt; sey es mir erlaubt nur etwas von dem ersten Abschnitte anzuzeigen. Da der 2te Abschnitt sich mit der Beschreibung und Beurtheilung seiner Plane beschäftigt, welcher deutlich, vollständig, und so beschaffen ist, dass man einsiehet, warum derselbe so, und nicht anders verfahren müssen. Der erste Abschnitt enthält zu erst sehr gute Muthmassungen über den Ursprung der noch mehrentheils anzutreffenden äusserst schlechten Wohnungen, die freilich in den neuern Zeiten sich der Vollkommenheit nähern werden, wenn junge Maurer, und Zimmer-Leute sich dem Zeichnen widmen, und mehr einsehen lernen, wie unumgänglich nöthig es ihnen sey, ihre Gedanken durch richtige Baurisse anzuzeigen. Es lehrt der Herr Verfasser ferner die Eigenschaften vollkommner Gebäude, und die Mittel jenen Fehlern auszuweichen: Er unterrichtet die Bauende, worauf sie vor, und während des Baues vorzüglich zu sehen haben; die Wahl guter Bau-Materialien, die Beurtheilung des Bau-Platzes, und empfiehlt die nöthige Sorgfalt auf die Anlage guter abführender Wasser-Kanäle anzuwenden. Er lehrt die mannigfaltigen Arten der Baurisse, setzt seine Leser in den Stand selbige gehörig zu beurtheilen, und sie sogar selbst der Absicht gemäß zu entwerfen: Er bezeichnet die verschiedenen Theile eines Gebäudes, und deren erforderliche Bequemlichkeit; betrachtet die Höfe, die Treppen, die Zimmer als Wohnzimmer, Säle, Kammern, Gallerien, Alkoven, u. s. f. beurtheilt die gute Anlage der heimlichen Gemächer, die nicht selten rechtschaffen schwer anzubringen sind, die Dächer, und die Schlösse. Endlich betrachtet derselbe die verschiedenen Theile der Zimmer, beides in Ansehung des Bequemlichen und der Schönheit, dabey allezeit, wie zu vermuthen ist, auf die Dauer Rücksicht genommen worden.

Wenigstens sollten Magistrats-Personen in mittlern und kleinen Städten, die keine bewährte Baumeister haben, sich dieses Werk empfohlen seyn lassen, um dieses, die bauen müssen, lehrreich zu seyn, und die Verschönerung ihrer Stadt, dieses so sehr Empfehlende, allmählig zur Wirklichkeit bringen zu können: Sollte das Publikum mir Unterzeichneten einige Einsicht in Bau-Sachen zuzutrauen geneigt seyn; so wünschte ich zugleich, dass dasselbe nicht zweifeln wolle, dass ich Wahrheit sage, wenn ich behaupte, dass dieses Werk eben so nützlich, als erheblich sey, dem Staate eben so sehr zum Vortheile, als dem Herrn Verfasser zur Ehre gereichen werde.

Jena den 14 December 1788.

L. J. D. Succov.

Ich bin zwar nicht Baumeister von Profession, habe aber aus besonderer Liebhaberey für die Baukunst von jeher fast alle darüber geschriebene gute Bücher mit der grössten Begierde gelesen; Ich beobachtete jeden Bau, wel-

B

chen ich fehen konnte, machte felbft Entwürfe und ko-
pirte gute Mufter, bis ich endlich einige Fertigkeit in diefer Arbeit erlangte: dabey machte ich die Bemerkung,
dafs in den mehreften architektonifchen Lehrbüchern, der
Abfchnitt von der innerlichen Einrichtung und Eintheilung
der bürgerlichen Wohngebäude fehr kurz abgehandelt und
nur durch wenige Beifpiele erläutert wird, weil die übrigen
Theile der Baukunft dazu verhältnifsmäfsig nicht mehr
Raum übrig laffen, und dafs die in gröfsern Werken als
Mufter der Baukunft in Kupferftichen dargeftellten Gebäude fich immer nur auf Pracht-Gebäude einfchränken, welche felten ausgeführt werden, oder doch ganz nach itali-
nifchen Gefchmack eingerichtet find, welcher unferer Lan-
desfitte und Nördlichen Klima fo felten angemeffen ift:
Noch viel fichtbarer aber fand ich die Folgen davon in der
grofsen Anzahl bürgerlicher Wohngebäude, welche gleichfam eine Sammlung aller Fehler wider die Symmetrie und
Bequemlichkeit find.

Die Entfchuldigungsgründe, welche mir in freundfchaft-
lichen Gefprächen zuweilen über diefen Gegenftand vorgebracht wurden, als Gröfse und Befchaffenheit der Baufätte und dergl. wollten mir nicht zureichen, und ich be-
fchlofs daher einen Verfuch zu machen, ob es nicht möglich wäre, auf einer Baufätte von beftimmt angegebner
Gröfse, welche zwifchen drey andern Gebäuden eingefchloffen ift, und folglich nur von vorne Licht erhalten kann,
dennoch ein regelmäfsiges und bequemes Gebäude aufzuführen; dabey fetze ich folgende 17 Regeln zur Beobachtung feft.

1) Die Vorderfeite foll regelmäfsig angelegt feyn, und
nicht zu viel Fenfter und Verzierung haben.

2) Die Zimmer follen eine gefunde Höhe haben, ohne folche in unferm nördlichen Klima zu übertreiben.

3) Jede Stube foll, wenn es nicht ganz unmöglich
ift, nicht von innen, fondern von aufsen geheizt werden
können.

4) In jede Stube foll ein Eingang von einem Saal oder
andern offenen Raum angebracht feyn, damit man nicht
genöthigt ift, vorher durch andere Zimmer zu gehen.

5) Jedes Zimmer foll durch mehrere Thüren Verbindung mit andern haben, damit man nie darin eingefchloffen werden kann.

6) Allezeit mufs durch eine Thür ein ganzes Logis
verfchloffen werden können, wenn das Haus zur Wohnung mehrerer Familien eingerichtet ift.

7) Alle finftere Ecken müffen forgfältig vermieden
werden, und

8) Giebt es ja dergleichen, fo müffen folche verfteckt,
und zu Aufbewahrung allerley unentbehrlichen aber jeden
andern Platz verunzierenden Bedürfniffe und Geräthfchaf-
ten angewendet werden.

9) Die Treppen müffen fo angelegt feyn, dafs der
Auftritt fogleich bey dem Eingang in das Haus in die Au-

gen fällt, dafs fie das nöthige Licht und Breite haben, und
fich bequem fteigen laffen.

10) Thüren, Fenfter und Ofen müffen allezeit auf
einander paffen, und fonft fymmetrifch geftellt feyn, vorzüglich follen die Winkel neben den Fenftern in den Stu-
ben immer ganz gleiche Breite haben.

11) Kamine und Schornfteine follen jederzeit verfteckt
angelegt feyn.

12) Zu Verhütung des Rauchs foll jeder Kamin bis
über das Dach feinen eignen Schornftein haben, und
diefe Röhre unten enge feyn, und fich in jeder Etage um
2 Zoll erweitern.

13) Küchen- und Speifekammern follen in bürgerlichen Wohngebäuden, wo die Frau vom Haufe das Kü-
chenregiment hat, der Wohnftube fo nahe als möglich angebracht werden.

14) Die Abtritte dürfen wegen des in manchen Zeiten unvermeidlichen Geruchs weder zu nahe bey den bewohnten Theilen des Haufes noch auch zu entfernt angelegt werden.

15) Die Mifgruben werden am beften in den Seiten-
gebäuden unter einer Schoppe angebracht, weil fie auf
diefe Art den Hof nicht verunftalten, auf deffen Regelmäfsigkeit auch in Anfehung der Seitengebäude immer
Rückficht genommen werden mufs.

16) Der freyen und unverfchloffenen Plätze follen in einem Haufe fo wenig als möglich angebracht, fondern alles fo eingerichtet feyn, dafs man es auf mehr als einerley
Art benutzen kann.

17) Soll jederzeit Wind auf Wand ftehen, und nur
im äufserften Nothfall mit der gröfsten Vorficht von die-
fer Regel abgewichen werden. Alles Vorfchriften, deren
Befolgung und Verbindung untereinander, wie jedem
Kenner nicht unbewuft feyn kann, oft aufserordentlichen
Schwierigkeiten unterworfen ift.

Um meine Freunde zu überzeugen, dafs ich die Gröfse der Baufätte gleich anfangs beftimmt, und nicht nach
Erfordernifs verkleinert oder vergröfsert hätte, verfertigte ich meiftens zwey auch vier bis acht Entwürfe von einerley Gröfse, aber verfchiedner Einrichtung, und fo
entfund endlich ein ganzes von 16 bürgerlichen und adlichen Wohngebäuden, nebft einigen Gartenhäufern, in
welchen faft alle Arten der guten möglichen Anlagen von
Zimmern, Saal und Treppen enthalten find, das meinem
vorgefetzen Zweck ziemlich entfprach.

Diefes blofs zu meinem Vergnügen unternommene
Werk fand bey meinen Freunden und verfchiedenen Kennern Beyfall, und einige wünfchten, dafs ich daffelbe
durch öffentliche Bekanntmachung gemeinnütziger machen
möchte.

Da ich nun nach genauer Prüfung gefunden habe,
dafs daffelbe erftlich dienen kann, den Gefchmack der
bauluftigen Privatperfonen in Rückficht der zierlichern und
beque-

bequemen Einrichtung eines Gebäudes zu bilden, und ihnen so viel Kenntnisse beyzubringen, als sie nöthig haben, um ihren Plan vorher selbst einigermassen entwerfen und ihre Wünsche einem Bauverständigen deutlich genug erklären zu können;

Zweytens, dass es von vorzüglichen Nutzen für die Zimmerleute und Maurer in kleinern Städten seyn würde, in welchen diese in Ermangelung eines gelernten Architekten die Plane oft selbst entwerfen müssen, wozu ihnen die alten Gebäude selten ein gutes Muster liefern: und

Drittens, dass es auch den geübten Baumeistern in so ferne eine Erleichterung verschaffen könnte, indem sie nicht mehr nöthig hätten, mehrere Entwürfe vor Unternehmung eines Baues mit Mühe umsonst auszuarbeiten, weil keiner dem Willen des Baulustigen, der seine Absichten oft nicht bestimmt und deutlich genug angeben kann, angemessen ist, sondern dem Bauherrn nur unter den hier vorkommenden mancherley Anlagen eine seinen Wünschen ganz oder zum Theil entsprechende aussuchen lassen dürften, ja sogar in manchen Fällen nur nöthig hätten, die Verhältnisse der ganzen Eintheilung eines gewählten Entwurfs nach der vorliegenden Baustätte etwas zu erweitern, oder zu verkleinern, diejenigen Baumeister ohngerechnet, welchen es bey den besten practischen Kenntnissen an der Erfindungskraft fehlt, so habe ich mich entschlossen, dieses Werk dem Publikum mitzutheilen, und zwar wegen der fast 2000 Rthlr. betragende Kosten-Auslage auf Subscription.

Das ganze Werk wird 110 Folio Blatt Kupfer enthalten, und zwar hat solche Hr. Carl Dornheim in Leipzig schon seit dem Monat August in der Arbeit, so dass dieselben bey dessen bekannter Geschicklichkeit und auf Schweitzer-Papier abgezogen, gewiss niemand in seiner Erwartung täuschen werden.

Der Text wird ohngefähr 32 Bogen betragen und in Folio auf Schreib-Papier gedruckt: Er zerfällt in zwey Abschnitte. Der erste lehrt alles was ein Baulustiger vor und während eines Baues zu wissen nöthig hat; die Vorzüge und Nachtheile der verschiedenen Arten ein Gebäude einzutheilen; die bey jeden Theil erforderliche Art der Bequemlichkeit; die wohlfeilen und doch schönen Arten der Verzierungen, alles mit Anwendung auf die Zeichnungen, und beschreibt verschiedene Arten gut erfundener, aber noch nicht allgemein bekannter Thür und Fenster-Beschläge und andere ähnliche Kleinigkeiten, wovon in andern architectonischen Büchern wenig gesagt wird.

Der zweyte Abschnitt enthält die Erklärung der Kupfertafeln nebst eingeschalteten Bemerkungen über die verschiedenen vorkommenden Fälle. Bey jedem Plan sind die Hauptverhältnisse angegeben, welche beobachtet werden müssen, wenn der vorliegende Plan auf eine breitere oder schmälere Baustätte eingerichtet werden soll, ohne dass die Regelmässigkeit darunter leidet, wodurch folglich die Stufenfolge von Gebäuden entstanden ist.

der Baustätte hat Breite Fus	Tiefe Fus	enthält Schw.	Log.	der Baustätte hat Breite Fus	Tiefe Fus	enthält Schw.	Log.
21	57	3	1	54½	102	3	3
24	57	3	1	54½	102	3	3
26½	57	3	1	54½	120	3½	1
29½	57	3	1	55½	120	3½	1
32	57	3	1	56	102	3	2
36	57	3	1	56½	102	3	3
36½	57	3	1	57	102	3	2
37	57	3	3	57½	102	3	2
37½	57	3	3	58	102	2½	1
38	57	3	3	58½	102	3	3
39	57	3	3	59	102	3	2
39	57	3	1	59½	102	3	3
39	57	3	1	60	102	3	2
39	57	3	1	61	102	3	2
40	57	3	1	61½	120	3½	1
40½	57	3	1	62	102	3	3
41	57	3	3	62	120	3½	3
41½	57	3	1	62	120	3½	3
42	57	3	3	63	120	3½	1
42½	57	3	1	63½	120	3½	1
43	102	2½	2	64	120	3½	3
43½	102	3	3	64	120	3½	1
44	102	3	3	66	120	3½	3
45	102	2½	2	68	120	3½	1
45	102	3	3	71½	120	3½	3
46	102	3	3	73	120	3½	1
47	102	2½	2	79	102	3½	4
48	102	3	3	79	102	3½	1
51	102	3	3	80	102	3½	1
52½	102	2½	1	81	102	3½	1
53	102	3	2	84	102	3½	4
53	120	3½	1	84	102	3½	1
53½	102	3	3	98	164	3½	1
54	102	3	2	158	164	3½	1
54½	102	2½	1	158	164	3½	1
54½	102	2½	1	164	54	4	19
54½	102	3	1	Gartenhäuser			
54½	102	3	2	18½	35½	1	
54½	102	3	2	28	21	2	

Der Titel heisst:

Der bürgerliche Baumeister: oder Versuch eines Unterrichts für Bauliebhaber, in allen was sie vor und während eines Baues zu wissen nöthig haben, besonders in Rücksicht auf bequeme und regelmässige innerliche Einrichtung der bürgerlichen Wohngebäude, durch viele Beyspiele anschaulich gemacht, und Beweis, dass man auf jeder gegebenen Baustätte regelmässig und bequem bauen kann, vermittelst einer Stufenfolge von bürgerlichen Wohngebäuden und einigen Gartenhäusern nebst deren Erklärung etc.

Sämmtliche Plane bestehen aus 1 bis 2 Aufrissen, und den Grundrissen von jedem Stockwerk, und nur wo es besonders nöthig war, in einem Durchschnitte, und sind als mit möglichster Menage und von Holz erbauet angenommen, doch können die mehresten leicht auf eine Rei-

nerne Umfaſſungsmauer calculirt werden, und ihrer Einrichtung nach für kleine, mittlere und ſehr reiche bürgerliche Familien von Stande beſtimmt, welche letztere jedoch eben ſo, gut für angeſehene adliche Familien dienen
können: Ländliche Wohnungen und ökonomiſche Anlagen ſind, von dieſer Sammlung ihrem Urſprunge gemäſs
ausgeſchloſſen, können aber, wenn dieſes Unternehmen
Beyfall und die nöthige Unterſtützung findet, nebſt einer
Anzahl Gebäude, deren unterſte Etage für ein gewiſſes
Handwerk, das eine beſondere Bequemlichkeit erfordert,
eingerichtet. iſt, einigen Gaſthöfen und einer kleinen Folge
von kleinernen Gebäuden in der Zukunft als ein 2ter Theil
geliefert werden.

Zu Erleichterung der Ueberſicht, und um die richtige Ausrechnung nebſt der ſymetriſchen Anlage zu beweiſen, auch um dieſe für den Bau-Handwerker ſo nützliche und dennoch faſt ganz unbekannte Methode allgemeiner zu machen, ſind die Maaſse der Wände, Fenſter
und Thüren nach Fuſs und Zoll beygeſetzt, welches auch
vorzüglichen Nutzen haben wird, wenn man dieſelbe Eintheilung auf einen ähnlichen Bauplatz reduziren wollte.

Der Subſcriptionspreis iſt ein und ein halber Louis-
d'or, welcher Preis ſo billig wie möglich iſt, indem auf
dieſe Art ein mit dem gröſten Fleiſs gearbeitetes Folio-
Kupferblatt nur auf 18 pf. zu ſtehen kömmt, und der
Text umſonſt dazu geliefert wird. Nach geſchloſſener
Subſcription bleibt der Verkaufspreis 2 1/2 Louisd'or.

Das Werk kann wegen der groſsen Anzahl der Kupfer nicht eher als Michael 1789. fertig geliefert werden,
und ſo lange gilt auch die Subſcription, doch werden die
Herrn Liebhaber erſucht, ſich vor Oſtern 1789. zu melden, weil nur die bis dahin eingeſendeten Namen vorgedruckt werden können, und eine geraume Zeit erforderlich iſt, um die nöthigen Kupfer Abzüge zu fertigen.

Wer auf 1 bis 14 Exemplare Subſcription einſchickt,
und am Ende für die Bezahlung der Gelder Sorge trägt,
zieht 10 pr. Ct. für Bemühung ab, bringt er 15 Exem-
plarth unter, ſo iſt der Werth von zweyen in Natur oder
an Gelde ſeine.

Um die Correſpondenz zu erleichtern, belieben ſich
die Herren Liebhaber nach Verhältniſs ihres Wohnorts an
nachfolgende Herren zu wenden, welche die Gütigkeit
haben, Subſcription anzunehmen und das weitere zu beſorgen; auch werden allen übrigen Buchhandlungen, welche
ſich mit dieſem Geſchäfte abgeben wollen, gleiche Vortheile angeboten.

Aachen: Hr. Poſtſecretair Amya. Altenburg: Hr.
Obergeleits - Commiſſ. Bernhardi. Augsburg: Hr. May,
Lehrer am Gymnaſ. u. Hr. Buchhdl. Stage. Amſterdam:
Hr. Buchhdl. Selsſchop. Ansſpach: Herr Buchhändler
Haueiſen. Bamberg: Herr Buchhändl. Göbbardt.
Baſel: Hr. Buchhdl. Jacob Thurneiſsen. Bayreuth: Hr.
Buchh. Lübecks Rel. Bautzen: Hr. Buchhändl. Deinzer.
Bern: Hr. Buchh. v. Haller. Berlin: Hr. Buchh. Maurer
und Hr. Buchh. Heſſa. Braunſchweig. die Schulbuchh.
Bremen: Hr. Reichspoſt -Verw. Schubart, und Hr. Kauf-
mann Stopfel. Breslau: Hr. Cammerſecret. Streit. Brünn:
das Poſtamt. Bückeburg: Hr. Rect. Hermann zu Oberkirchen.
Caſſel: Hr. Paſtor Götze, und Hr. Ober - Commiſſ. Bar.

meyer. Chemnitz: Hr. Buchh. Stöſsel. Cleve: Hr. Buchh.
Hannesmann. Copenhagen: Hr. Buchh. Proft. Coburg:
Hr. Meuſel, Buchbinder. Cölln: Hrn. Buchh. Metzernichs
Rel. Danzig: Hr. Diac. Lenchrich. Darmſtadt: die Buchh.
der Invaliden - Anſtalt. Dresden: Hr. Buchh. Gerlach.
Düſseldorf: Hr. Buchh. Dänzer. Eisleben: Hr. Schloſs-
Amtmann Wege. Eiſenach: Hr. Buchh. Wittekind. Erfurt
Hr. Buchh. Kayſer. Erlangen: Hr. Buchh. Palm. Flens-
burg: Hr. Buchh. Korte. Frankfurt a. M. Hr. Buchh. Jä-
ger Frankfurt a. d. O. Hr. Kaufm. Beuche, und die
Strauſsiſche Buchh. Gera: Hr. Buchh. Rothe. Gieſsen:
Hr. Buchh. Krieger. Glogau: Hr. Günther, Buchbinder.
Göttingen: Hr. Logis - Commiſſ. Ullrich. Grätz: das Poſt-
amt. Greifswalde: Hr. Prof. Müller. Halle: Hr. Candid.
Theol. Fölkel, und Hr. Buchh. Hemmerde. Halberſtadt:
Hr. Buchh. Groſs. Hamburg: das Addreſs -Comt. und Hr.
Buchh. Herold. Hannover: Hr. Poſt -Secret. Bremer.
Harlem: Hr. Feldpred, Grobſich. Heidelberg: Hr. Buch-
händler Fühler. Heilbrunn: Hr. Buchh. Eckebrecht. Hild-
burghauſen: Hr. Buchh. Haniſch. Jena: Hr. Secret. Lenz.
Ingolſtadt: Hr. Attenkofer, acc. Buchbinder. Insbruck:
das Poſtamt. Königsberg: Hr. Buchh. Hartung. Laybach:
das Poſtamt. Lemgo: Hr. Buchh. Meyer. Leipzig: Hr.
Buchh. A. Fr. Böhm. Leyden: Hr. Buchh. Hankop.
Liegnitz: Hr. Buchh. Siegert. Lindau: das Poſtamt. Linz:
das Poſtamt. Lübeck: Hr. Buchh. Donatius. Magdeburg:
Hr. Buchh. Creutz. Mannheim: Hr. Prof. und Geh. Secret.
Klein. Marburg: Hr. Prof. Engelſchall. Mayn: Hr.
Nickhl, Buchbinder. Meiningen: Hr. Rath Walch. Minden:
Hr. Kaufm. Kuſter. Mühlhauſen: Hr. Kaufm. Stephan.
München: Hr. Buchh. Strobel. Münſter: Hr. Buchh.
Perrenon. Nördlingen: Hr. Buchh. Beck. Nordhauſen:
Hr. Buchh. Groſs. Nürnberg: Hr. Legationsr. Strobel,
und Hr. Buchh. Monath. Offenbach: H. H. Buchh. Weiſs
und Breda. Oldenburg: Hr. Strohm, Buchbinder. Oſnitz:
das Poſtamt. Paſſau: Hr. Buchhändler Nothwinkler.
Peſt: Hr. Buchh. Weingand. Petersburg: Hr. Buchh. Lo-
gan. Preſsburg: Hr. Buchh. Döll. Prag: Hr. Buchh.
Widtmann. Quedlinburg: Hr. Buchh. Reuſsner. Regens-
burg: Hr. Bibliothek. Kayſer, und Hr. Buchh. Montag.
Reval: Hr. Buchh. Illich. Riga: Hr. Hr. Stahl, Herausgeber
der Zeitungen und Hr. Buchh. Hartknoch. Roſtock: Hr.
Buchhl. Koppe. Rügen: Hr. Candid. Piper zu Lancken
Rudolſtadt: Hr. Cammer-Secret. Woerlich. Salzburg: Hrn
Buchhdl. Mayers Erben. Schwerin: Hr. Hofbucher. Bä-
renſprung. Stendal: Hr. H. H. Buchh. Franz u. Groſs. Stet-
tin: Hr. Buchhdl. Kaffka. Stuttgardt: Hr. Buchhdl. Ehr-
hardt. Straſsburg: Hr. Buchhdl. Treutel. Tübingen: Hr.
Buchhdl. Cotta. Ulm: Hr. Buchhdl. Stettin. Upſal: Hr.
Buchhdl. Schwederus. Utrecht: Hr. Buchhdl. Wild. War-
ſchau: Hr. Buchhdl. Gröll. Weimar: Hr. Hofadv. Gruner.
Wittenberg: Hr. Buchhdl. Zimmermann. Weſel: Herr
Buchhdl. Röder. Wien: Hr. Buchhdl. Hörling und Hr.
Buchhdl. Schwan. Wumar: Hr. Buchh. Bödner. Würz-
burg: Hr. Kammermuſic. Braun, u. Hr. Buchhdl. Stahel.
Zürich: Hr. Buchhdl. Orell und Comp. Züllichau: Herr
Buchhdl. Frommann.

Gotha, den 16ten Dec. 1788.

Friedrich Chriſtian Schmidt,
Vorſteher - Amts - Verweſer.

Sonnabends den 10ten Jan. 1789.

LITERARISCHE NACHRICHTEN.

J. Ehrenbezeugungen.

Die kayſ. Akademie der Wiſſenſchaften zu St. Petersburg, hat den 22 October unter die Anzahl ihrer
Correſpondenten aufgenommen: 1) Hrn. *Sebaſtian Maillard*,
Ingenieur Capitain und Prof. der Kriegsbaukunſt bey der
K. K. Akademie der Ingenieurs zu Wien. 2) Hrn. *Jacob*
Frieſs Stabs-Chirurgus zu Ufling-Weliki in der Wolog-
daiſchen Statthalterſchaft. Erſterer hatte im Jahr. 1783.
den von der Akademie über die Feuermaſchinen ausgeſetzten Preis von 100 Ducaten erhalten; und letzterer hat
ſich durch ſeine merkwürdige Beobachtungen des natürlichen Gefrierens des Queckſilbers im Winter 1786. hauptſächlich bekannt gemacht: er iſt ein Zürcher. — —
A. B. Moscwa den 1ſten Nov. a ſt. 1788.

II. Beförderungen.

Die theologiſchen Aemter, welche der jetzige Gothai-
ſche Oberconſiſtorialrath, Hr. *Löffler*, vormals hier bekleidet hat, ſind auf dieſe Art vertheilt worden: Der bisherige Inſpector und erſter Prediger in Züllichau, Hr. Conſi-
ſtorialrath, *Protzen*, hat das Inſpectorat und Paſtorat bey
der hieſigen Hauptkirche erhalten, und der Archidiako-
nus, Hr, *Fröm*, hat deſſen auſſerordentliche Profeſſur der
Theologie mit 200 Rthlr. Gehalt bekommen: ſeine ordentliche Profeſſur der Philoſophie aber iſt bis jetzt noch
nicht wieder beſetzt. Die damit verknüpft geweſenen
200 Rthlr. Beſoldung ſind zur Aufmunterung unter die
beyden Privatdocenten, den Doct. Juris *Fiſner* und den
Mag. Philoſophiae *Ral*, der ſich mit vielem Fleiſſe auf
orientaliſche Literatur legt, vertheilet worden. Auch iſt
der bisherige Privatdocent der Medicin und Philoſophie,
Hr. *D. Behrends*, zum dritten ordentlichen Profeſſor der
Medicin mit Sitz und Stimme in der mediciniſchen Facultät, mit einer fixen Beſoldung von 200 Rthlr. und der
erſte Prediger an der ſogenannten Unterkirche, Hr. *M.*
Herrmann, zum auſſerordentlichen Profeſſor der Theologie ernannt worden. *A. B. Frankfurt an d. Oder d. 30.*
Novbr. 1788.

III. Belohnung.

Der Churf. Sächſ. Hofmaſchinenmeiſter *Reuſs* ward
von Könige von Preuſſen zur Direction des Maſchinenwe-
ſens bey Aufführung der Oper Medea zu Berlin verſchrie-

ben und erhielt von König zu Bezeigung ſeiner höchſten
Zufriedenheit eine goldne Medaille. —

IV. Todesfälle.

Den 11 Dec. 1788 ſtarb zu Prag Herr *S. J. Hehier*,
der freyen Künſte, Weltweisheit und Arzneykunde Doctor, Senior der mediciniſchen Fakultät.

Den 3 Dec. J. v. J. ſtarb zu Bamberg Hr. *Johann Georg*
Ritter, Hofrath und erſter Profeſſor der Rechte in einem
Alter von 83 Jahren.

Am 15 Dec. verſtarb ebenfalls zu Prag der Abbé, *J.*
N. Bartholotti, Kaiſ. Königl. zweyter Bibliothekar an der
dortigen berühmten Univerſitäts-Bibliothek. Ein Mann,
der nach ſeinem Tode durch ein ſonderbares Teſtament
und Epitaphium faſt mehr als im ganzen Leben von ſich
reden machte. Seine auf ſich ſelbſt verfertigte Grabſchrift
iſt folgende:

> HIC IACET
> IGNORANTIAE, SUPERSTITIONIS
> ET
> INTOLERANTIAE VINDOBONENSIS
> NEC NON
> CABBALISTICI VICTIMA NATVRALISMI
> ET JESVITISMI
> BARTHOLOZZIVS
> EXPROFESSOR EXCENSOR EXPAVLINVS
> EXBIBLIOTHECARIVS ET EXHOMO.
> A. MDCCLXXXVIII. AET. LVIIII.

Er war nemlich anfangs Pauliner Mönch, und im Orden
Profeſſor der Thomiſtiſchen Philoſophie, dann der Dogmatik zu Wieneriſch Neuſtadt. 1774 nach Aufhebung
der Jeſuiten ward er öffentlicher Profeſſor der Dogmatik
zu Görz, muſte aber ſein Amt geſchwächter Geſundheit
halber niederlegen. 1779 ward er theologiſcher Cenſor
zu Wien und 1782 zweyter K. K. Bibliothekar zu Prag.
Unter verſchiedenen ſehr mittelmäſigen theologiſchen
Schriften zeichnete doch eine: *Tr. De Tolerantia cum*
theologica, tum politica receptarum in Imp. Rom. Religionum,
die ſo gerade zur Zeit des Toleranzedicts herausgab, ſich
ziemlich aus, und machte in ſeinem Wirkungskreis einiges Seyſation. Als Bibliothekar und Gelehrter war er voll
ſehr mäſigen Verdienſt. In ſeinem Teſtament vermachte
er einem Schaffner zwey Gulden, daſs er ihm einen Wach-

C   holder-

holderftrauch aufs Grab fetze, und dem ärmften älteften Priefter in Prag 2 Gulden für eine Meffe, die aber zum Dank gelefen werden folle, denn in übriger Rückficht verlaffe er fich auf Gottes Güte. Seinen Teftamentsexecutoren befahl er noch einige bittre gegen alte Gegner aufgefetzte Schriften drucken zu laffen. Andre fonderbare Puncte zu gefchweigen.

A. B. Prag d. 25 Dec. 88.

Am 31 Octb. 1789. ftarb Herr M. Carl Friedrich Meißner, Director des Königl. Pädagogii zu Ilefeld, im 64ten Jahre feines Lebens, nachdem er der Anftalt, welcher er feit 1768 als erfter Lehrer vorftand, 36 Jahre gedient hatte. Er war ein gelehrter, verdienftvoller Schulmann und ein vortreflicher practifcher Pädagoge.

V. Vermifchte Nachrichten.

Das Altarblatt der Kreutzkirche follte nach Kirfchens Todp der Aufpachfche Hofmahler, Hr. Naumann, mahlen, welchen der Rath zu Dresden ausdrücklich darzu verfchrieb. Prof. Schenau, der es ehemals nicht geringer als für 6000 rthlr. hatte mahlen wollen, hörte das kaum, fo erbot er fich es umfonft zu mahlen, und diefe Offerte nahm man an. A. B. Dresden, d. 4. Dec. 1788.

VI. Berichtigung.

Aus obigen Nachrichten mufs der Irrthum, der fich in das 272 a Stück der A. L. Z. eingefchlichen hat, nemlich, dafs der Oberlehrer im Klofter Bergen, Hr. Gurlitt, die Löfflerifchen Profeffuren erhalten habe, verbeffert werden.

LITERARISCHE ANZEIGEN.

I. Ankündigung neuer Bücher.

Avantcoureur oder Verzeichnifs der neueften Bücher, mit den Preifen, und einer kurzen Anzeige des Inhalts, nebft den interreffanteften literarifchen Nachrichten aus Paris. Vierter Jahrgang. Strasburg in der akademifchen Buchhandlung, M DCC LXXXII.

Jährlich 96 Stücke. in 8vo.

Auf feines Papier 12 Liv. in Strasburg frey bis Frankfurt 5 fl. 30 kr. in den Buchhandlungen 4 Rthlr. oder 6 Gld.

Auf graues Papier 8 Liv. in Strasburg, frey bis Frankfurt 4 fl. in den Buchhandl. 2 Rthlr. 12 gr. oder 3 fl. 45 kr.

Man unterfchreibt in der Akademifchen Buchhandlung in Strasburg.

Auf dem löbl. Reichs-Ober-Poftamt in Frankfurt am Mayn.

Auf allen löbl. Poftämtern und in allen Buchhandlungen.

Ein Zeitungsblatt, welches die Anzeige der neueften franzöfifchen Bücher enthält, mit dem Inhalte derfelben bekannt macht, und den Liebhabern die Buchhandlung fowohl, wo fie zu haben find, als die Preife, in welchen fie geliefert werden, anzeigt, das dabey nicht voluminös niedlich gedruckt und wolfeil ift, konnte nicht anders als wohl aufgenommen werden. Der Erfolg hat der Erwartung völlig entfprochen, und der Avantcoureur erhält je länger je mehr Lefer. Nur fehlte es bisher an einer gefchwinden Verbreitung deffelben, da die Preife der löbl. Poftämter zu theuer waren. Um auch hierinn den Freunden der franzöfifchen Litteratur gefällig zu feyn, hat die unterfchriebene Buchhandlung mit dem löbl. Reichs-Ober-Poftamte in Frankfurt am Mayn die Uebereinkunft getroffen, dafs Liebhaber ihre Exemplare von demfelben um 4 fl. auf graues Papier, und um 5 fl. 30 kr. auf feines Papier erhalten können, und zwar alle vierzehn Tage vier Numern. Um einen eben fo billigen Preifs erhält man fie auch von dem löbl. Poftamte in Kehl.

Perfonen, welche den Avantcoureur vierteljährig aus den Buchhandlungen erhalten, bezahlen ihn, auf feines Papier, jährlich mit 4 Rthlr. oder 6 Gld. Auf graues Papier, 2 Rthlr. 12 gr. oder 3 Gld. 45 kr.

Von den vorigen Jahrgängen find noch Exemplare in den benannten Preifen zu haben. Die beyden erftern Jahrgänge werden nicht getrennt; da fie nur 18 Monate ausmachen; fie find auch nur auf feines Papier gedruckt worden, und koften zufammen 6 Rthlr. oder 9 Gld.

Mit dem 1ten Januar den 1789ten Jahres wird bey nachftehenden Commiffionairen eine Wochenfchrift unter dem Titel:

Wochenblatt vom grünen Manne,

und zwar die 1te Stück, fo wie alle Sonnabende die folgenden erfcheinen.

Die Herausgeber verfprechen in diefem Wochblatte eine fehr belehrende und unterhaltende Lectüre für den Lehrbegierigen und denkenden Theil deutfcher Nation, befonders den des Mittelftandes, unter folgenden Rubricken:

1. Reine chriftliche Sittenlehre
2. Staaten und Völkergefchichte
3. Neuefte Erdbefchreibung
4. Naturgefchichte und Naturlehre
5. Haushaltungskunft
6. Landwirtfchaft.
7. Forftwefen als Zweig der Land- und Hauswirthfchaft, und
8. Gartenbau

für den fehr geringen Preifs á 6 Pf. pro Stück, auch da wo es nöthig feyn wird, illuminirte Kupferftiche dazu zu liefern, und wird in nachfolgenden Städten zu haben feyn:

Zu Halle bey den Kunfthändler H. F. C. Dreyfsig.

Zu Leipzig bey dem Buchhändler Hr. Köhler in der Nicolaiftrafse

Zu

Zu Magdeburg bey dem Lehrer des Reformirten Way-
fenhaufes, Hr. Appel.

Zu Breslau bey dem Buchhändler Hr. Gutfch.

Zu Berlin bey dem Buchbinder Hr. Maixdorf auf der
Stechbahn.

Zu Frankfurth a Mayn bey H. Knoop.

Auch find bey mir an vergangener Michael Meffe folgende Bücher herausgekommen und in allen Buchhandlungen zu haben.

1. Beweis, dafs die Kantifche Philofophie der Orthodoxie nicht nachtheilig fondern ihr vielmehr nützlich
fey. 8. 2 gr.

2. Gefchichte meiner Kinder- und Jünglingsjahre 2tes
Bändchen 8. — 8 gr.

3. Ueber den erften Grundfatz der Moralphilofophie,
v. J. G. C. Kiefewetter. Nebft einer Abhandlung und
Briefe vom Hr. Profeffor Jacob zu Halle. 8. 7 gr. (Der
Verfaffer, Hr. Kiefewetter, ift jetzt zu Königsberg
um unter Kant die Philofophie zu ftudiren, wozu
ihm Se. Majeftät d. K. v. Preufsen jährliche Penfion
ertheilen.

F. L. Dreyfsig.

Halle den 17ten Dec. 1788.

Die unterfchriebene Buchhandlung macht hiermit
bekannt, dafs das in ihrem Verlage heraus kommende
Braunfchweigifche Journal, philofophifchen, philologifchen
und pädagogifchen Inhalts, herausgegeben von Trapp,
Stuve, Heufinger und Campe,
wovon nunmehro der erfte Jahrgang vollendet ift, auch
im künftigen Jahre feinen ununterbrochenen Fortgang
haben wird. Denen, welchen die Exiftenz diefes gemeinnützigen Journals zu fpat bekannt wurde, um fich
des Vortheils der Subfcription zu Nutze machen zu können, follen die noch vorräthigen wenigen Exemplare des
erften Jahrganges, wenn fie fich deshalb an die unterfchriebene, oder an jede andere, ihnen nahere Buchhandlung
wenden wollen, noch jetzt zum Subfcriptionspreife d. i.
der ganze Jahrgang zu 2 Rthlr. 18 gr. überlaffen werden.

Auch wird hiermit angezeigt, dafs der Subfcriptions-
termin auf das von uns angekündigte Werk:
Väterlicher Rath für meine Tochter, ein Gegenftück zum
Theophron, der erwachfenern weiblichen Jugend gewidmet
von J. H. Campe,
dem Verlangen verfchiedener Theilnehmer gemäfs, bis
gegen das Ende des Januars verlängert werden foll. Der
Subfcriptionspreis für ein Exemplar auf feines hol-
ländifches Poftpapier mit Kupfern ift 1 Rthlr. in Golde,
auf Druckppr. 20 gr. Der nachherige Ladenpreis wird um
ein Beträchtliches höher feyn.

Die Schulbuchhandlung.

Von dem in verfchiedenen Zeitungen angekündigten
Journal: Jugendfreuden, eine Monatfchrift für Kinder von
8 bis 15 Jahren, ift das erfte Stück oder der Januar erfchienen. Der Inhalt ift folgender:

1. Einleitung. 2 Der Schlüffel. 3. Wie grofs die Erde und wie viel Menfchen fie bewohnen. 4. Der Sieg des
guten Herzens, eine Erzählung. 5. Onkel Tobi feinen
jungen Lefern zum neuen Jahre. 6. Der befchämte Grofs-
prahler. 7. Glaubhafte Erzählung eines Reifenden. 8. Das
Vertrauen auf die Vorfehung.

Schwerlich dürfte es Aeltern gereuen, wenn fie diefe Monathfchrift kaufen und ihren Kindern in die Hände
geben. Der Inhalt ift lehrreich und angenehm, der Preis
geringe, und auf das ganze Jahr, oder für 12 Monatftü-
cke Ein Thaler Sächfifch, der bey Empfang des erften
Stücks, oder wenn es beftellt wird, voraus bezahlt werden mufs; wem das Vorausbezahlen nicht anftändig ift,
giebt jährlich 6 oder 8 Grofchen mehr. Die Namen der
Jünglinge und Mädchen werden vorgedruckt, wenn die
Eltern folche leferlich gefchrieben an den Verleger Friedrich Severin in Weifsenfels franko einfchicken. Man kann
diefe nützliche Monatfchrift in allen Buchhandlungen
Deutfchlands beftellen, oder durch die löblichen Poftämter, (die aber etwas weniges für Spedition auffchlagen,)
wie jedes andere Journal monatlich richtig erhalten. Auch
ftehet jedem frey blofs das erfte Stück zu kaufen, um fich
von der Güte zu überzeugen.

Bey Joh. Phil. Haugs W. in Leipzig foll künftige Oftermeffe herauskommen:

Neues philofophifches Magazin, Erläuterungen und Anwendungen des Kantifchen Syftems gewidmet.

Die Herausgeber: Hr. Prof. Born in Leipzig u. Herr Mag.
Abicht in Erlangen haben dazu folgenden Plan gewählt. Es
follen blos Abhandlungen geliefert werden, welche das Ver-
findnifs, die Erweiterung und Anwendung der Kantifchen Philofophie zum Zwecke haben, alfo befonders die
weitere Bearbeitung der Metaphyfik und ihrer Theile,
der Theologie, der Moral, der Ethik, des Naturrechts und
der empirifchen Theile, namentlich der Pfychologie und
Telmatologie, und wie gefagt immer in Hinficht auf die
Grundfätze des Syftems. Von der philofophifchen Gefchichte und von Recenfionen werden nur folche aufgenommen, die der angezeigten Hauptabficht entfprechen.
Die Herausgeber haben die Abficht, dem Publico Gelegenheit und Beyträge zu verfchaffen, wodurch die Philofophie ihrem Zwecke fich nahen, nemlich zur Feftigkeit
kommen, und in die Gefchäfte und Gefinnungen des gemeinen Lebens immer ftärkern, fichern wohlthätigen Einflufs haben könne. Diefe Abficht zu erreichen haben fie
fich mit Männern verbunden, deren Rechtfchaffenheit,
Gelehrfamkeit und ausgezeichnete Talente dem Publico
fchon hinlänglich bekannt find. Nach diefer Einrichtung wird demnach das Magazin ruhig neben den andern
einhergehen, ohne fcheele Blick auf irgend eines an-
werfen, aber auch ohne alle Furcht.

Vierteljährig wird ein Heft von 8-10 Bogen in 8.
mit einem farbigen Umfchlage erfcheinen vier Hefte mit
fortlaufender Seitenzahl machen einen Band aus.

Leipzig. Bey Herrn Cafper Fritfch dafelbft wird eheftens die Preffe verlaffen: Gefchichte der Tanz-Giefunten

von Herrn D. und Oberhof-Prediger *Starck* zu Darmstadt,
Ein Beysiel, dafs Hr. D. Starck ohngeachtet seines bekannten Streites, seine gelehrten Arbeiten *nicht bey Seite* leget.

Leipzig den 27 Dec. 1788.

II Bücher so gesucht werden.

Es werden die 3 ersten Jahrgänge der Allg. Lit. Zeitung nebst Supplementen und Intelligenzblättern um einen billigen Preis zu kaufen gesucht. Nähere Nachricht giebt die Expedition der Allg. L. Z. (Wo sonst noch einige um den *gewöhnlichen* Preis zu haben sind.

Ein Gelehrter, von dem Hr. Prof. Schütz nähere Nachricht giebt, wünscht folgende Schriften käuflich an sich zu bringen, oder auch nur auf kurze Zeit mitgetheilt zu erhalten:

Paul. Benii Commentar. in Aristot. Rhetor. Venet. 1624. fol.

Ejusd. Poetic. Platon. Venet. 1622.

III. Bücher so zu verkaufen.

Bei dem königl. Botanico Ehrhart zu Herrenhausen bei Hannover sind für beigesetzte Preise folgende Bücher zu haben:

1. Avicennae Liber Canonis. de Medicinis cordialibus et Cantica. Basil. 1556. fol. 2 Rthlr.
2. Codicis Justiniani Libri 9. Volumen Legum parvum (in quo Libri 3 posteriores Cod. Just., Authenticae I. Novellae Constitutiones, Feudorum Libri 2, Constitutiones Frid. 2, Extravagantes duae Henrici 7, Tract. de Pace Constantiae). Institut. imperialium Libri 4. Digestum vetus infortilium. Digestum novum (Pandectarum Jur. civ. Tomi 3.) Omnia cum Commentar. Acursii, Contii et Cujacii. Venetiis, 1783. fol. max. regal. in Opus rarum 5 Dicken Franzb. et splend. 15 Rthlr.
3. Museum Calceolarianum veronense. Veronae. 1622. fol. c. fig. 8 gr.
4. Miscellanea curiosa medico-physica Acad. naturae curios. I. Ephemerides etc. Decuriae 3 et Centuriae 10. Norimb. Francof. et Lipsiae. 1670-1712. 40 c. fig. Acta physico-medica Acad. naturae curios. Vol. 1-10 Norimb. 1727-54. 40. c. fig. Nova Acta physico-medica etc. Tomus 1-4. Norimb. 1757-70. 40 c. fg. Würtbais Index Decuriae 1 et 2 Ephemerid. german. Norimb. 1695. 40 Kellner, observationum quas Decuriae 3 et Cent. 10 Ephemeridum continent. Synopsis Norimb. 1739. 40. Büchneri Acad. naturae curiof. Historia. Halae 1755. 40. maj. c. fig. Alles zusammen für. 40 Rthlr.
5. Acta Medicorum berolinensium. Decuria 1-3. Berol. 1717-31. 80 c. fig. 1 Rthlr. 8 gr.
6. Deutsche Acta Eruditorum. 1-240 Theil. Leipzig 1712-39. 80 in 20 Pergamentb.
Zuverlässige Nachrichten. 1-316 Theil. Leipzig 1740-57. in 18 Halbfranzb.
Bei jedem Theil ist ein Portrait eines Gelehrten, also 456. Zusammen 15 Rthlr.

7. Schriften der berlinischen Gesellschaft naturforschender Freunde, 1 u. 2 Theil. Berlin. 1780-81. 80 mit Kupf. 2 Rthlr. 16 gr.
8. Acta philosophica Societ. regiae in Anglia. Anno 1665-76. Amstel. 1774-81. 13. in 3 Pergamentb. 1 Rthlr. 8 gr.

IV. Preisaufgaben.

Die kaiserl. Akademie der Wissenschaften zu St. Petersburg hat für das Jahr 1790 einen Preis von 50 holl. Ducaten auf die beste Beantwortung folgender Aufgabe gesetzt: *Determiner par une suite d'expériences, quel est le rôle, que les airs factices, ou l'électricité, ou encore ces airs factices combinés avec l'électricité, jouent dans la minéralisation, et de constater par ces expériences, si le principe électrique contient un véritable phlogistique, ou non.* Die Memoires können in deutscher, russischer oder französischer Sprache geschrieben seyn, und müssen unter der Adresse an die kaif. Akad. der Wissenschaften zu St. Petersburg vor dem 1. Junius 1790 eingesandt werden. Die Akad. wird ihre Entscheidung im December eben dieses Jahres bekannt machen. *A. B. Moscwa. d. 1 Nov. d. St.* 1788.

Die Akademie der Wissenschaften zu Paris hatte im Jr 1786 einen Preis für folgende Aufgabe ausgesetzt: *De donner, pour la composition, d'un Verre de l'Espèce Flintglass un procédé; on exigen du quel on en puisse faire constamment à volonté, et en telle quantité qu'on voudra: les doses de chaux, et autres substances qui le composeront, devant être déterminés, de manière qu'il en résulte un verre pesant, et cependant exempt des défauts qu'on reproche ou Flint-glass.* Da keine einzige Abhandlung die in dem Programm der Akademie vorgeschriebenen Bedingungen erfüllt hat, so hat sie für gut befunden, die Preisaustheilung bis zu ihrer öffentlichen Sitzung nach Ostern 1791 hinauszusetzen, um den Concurrenten Zeit zu neuen Versuchen zu lassen. Die Abhandlungen werden bis auf den 1ten Jänner desselben Jahrs angenommen.

Der Preis besteht in 12000 Livr.

V. Vermischte Anzeigen.

Wenn Liebhaber der spanischen Literatur sich alte oder neue spanische Bücher kommen lassen wollen, und keine andre Gelegenheit dazu haben, so erbietet sich Unterzeichneter die Besorgung derselben zu übernehmen, und sie zu den wohlfeilsten Preisen und bald, (nur freylich nicht so schnell, als es bey französischen Büchern möglich ist,) zu liefern. Damit sie sich einigermassen darnach einrichten können, melde ich zugleich, dafs der *Real da Vellon* nach Gelegenheit der Jahreszeit, Schifffracht, Assecuranz, u. f w. mit *allen* Unkosten bis Hamburg auf höchstens 4 Ggr. in Golde zu stehen kommt; je nachdem der Cours ist, auch wohl weniger. Nur mufs man mir hier in Hamburg einen Empfänger der Bücher und baaren Bezahler anweisen. Hamburg im Dec. 1788.

Ebeling, Prof.

INTELLIGENZBLATT

der

ALLGEM. LITERATUR-ZEITUNG

Numero 4.

Mittwochs den 14ten Jan. 1789.

LITERARISCHE NACHRICHTEN.

I. Vorläufige Berichte von ausländischer Literatur.

Confiderations fur l'efprit et les moeurs. A Londres, et fe trouve à Paris, chez les Marchands de nouveautés. 8. p. 328.

Wird dem Verfaſſer der *Confiderations fur les richeſſes et le luxe* zugeſchrieben. Derſelbe Ton, und dieſelbe Behandlungsart herrſcht darinn. Es enthält Charakterſchilderungen in der Manier des La Bruyere. Männer, die Entdeckungen machten und Licht ſchuten, ſtellt er in die erſte Reihe vernünftiger Weſen dieſer Welt: z. b. Newton und Baco. Geſetzgeber und Philoſophen in die zweyte. Voltaire wird ſehr erhoben; Jean Bapiſte Rouſſeau ſehr ungerecht behandelt. Kein ſehr tiefſinniges Werk, aber voll glänzenden Witzes, feiner, und oft richtiger Bemerkungen. *Eſprit der Journaux Aout. 1788.*

Hiſtoire naturelle des quadrupedes ovipares et des ſerpens, par Mr. le Comte de la Cepède, garde du cabinet du Roi, etc. à Paris, hôtel de Thou, etc. 1788. 650 pages. 8. avec 41. planches.

Eine Fortſetzung des groſſen Büffonſchen Werks, über die Naturgeſchichte, die er ſelbſt wenig Tage vor ſeinem Tode dem Verfaſſer auftrug, welchem es nicht an Gelehrſamkeit, genauen Unterſuchungen und geſunder Philoſophie fehlt, deſſen Einbildungskraft aber oft zu lebhaft und glanz und iſt. *Eſprit des Journ. Aout. 1788.*

Lettres ſur la Grece, faiſant ſuite de celles d'Egypte par Mr. Savary. à Paris chez Onfroy, etc. 1788. 8. p. 364. mit einer Charte, und einem Kupferſtich, der den Riß des Lobyrinths zu Gnoſſus vorſtellt, nach einer Antike.

Der Tod hat den Verfaſſer verhindert, ſein Werk zu ergänzen. Nur die Inſeln Rhodus, Limnus, und Kandia, kommen darinn vor, und am Ende des Buchs, in einer Nachſchrift, drey Briefe über die Inſeln Argentaria und Melos. Neues lernt man nicht viel daraus, aber der Verf. hat ſeine eigene Manier, der Türkiſche Deſpothismus iſt mit ſtarken Farben geſchildert. Des Verf. Zweck ſcheint zu ſeyn, die Chriſten aufzumuntern, dieſe ſchönen Länder vom Türkiſchen Joch zu befreyen. *(Eſpr. des Journ. Aout. 1788.)*

Lettres de Mlle. de Tourville à Mde. la Comteſſe de Lenoncourt, à Paris chez Burroi ſaint.

Kein gewöhnlicher Roman. Nicht die Geſchichte ſelbſt, aber die darinn enthaltenen Schilderungen, Meynungen, Paradoxen verdienen bemerkt zu werden. *(Eſpr. des Journ. Aout. 1788.)*

Paris chez le Roucher: Eloge de Guillaume d'Eſtouteville Cardinal-archevêque de Rouen legat du ſaint ſiege ſous Charles VII.; par M. Raux de la Borie étudiant en loix, diſcours couronné à Rouen le 6 Mars 1788.

Die algemeine literariſche Geſellſchaft in Frankreich, die Akademie der unbefleckten Empfängniſs, hatte zweymal einen Preis auf die Lobſchrift des Eſtouteville geſetzt, und ertheilte ihn endlich unſerm jungen Verf. Zu den groſſen Verdienſten, die der Prälat ſich um Staat und Kirche erwarb, gehört beſonders, daſs er jene pragmatiſche Sanction, den ſtarken Schutz der Freiheiten der Galliceaniſchen Kirche, feſtſetzte. Ihre ſtärkſten Vortheile, und Wirkungen ſtellt der Verf. mit vieler Kenntniſs ins Licht. Styl und Gedanken laſſen viel von ihm hoffen, nur iſt er bisweilen zu trocken und zu ängſtlich genau. *(Eſpr. des Journ. Aout. 1788.)*

Eſſai ſur la Nobleſſe des Baſques, pour ſervir d'Introduction à l'hiſtoire generale de cet peuple, rédigé ſur les Memoires d'un Militaire Boſque, par un ami de la Nation. 8. 250. pag. à Paris chez Vignancourt.

Der Verf. dieſes Verſuchs unterſuchts ob Nieder-Navarra ein freies Allodium iſt, und bejaht es mit Recht. Die Abhandlung ſelbſt iſt voll gelehrter Forſchungen über den Urſprung der Biſcayer, ihrer Sitten, ihrer Gewohnheiten, ihrer Sprache. *Mercure de France No. 37. v. J. 1788.*

Opuſcules de M. Anguſte Gonde, pag. 119. petit format à Londres, et ſe rejute à Paris chez Durand neveu.

Ein junger erotiſcher Dichter, deſſen Gedichte voll Geiſt und Empfindungen ſind, hinten iſt eine proſaiſche Erzählung angehängt, Valmire, ganz artig erzählt. *(Merc. de Fr. Nro. 37.)*

Traité de la culture du Nopal, et de l'Education de la Cochenille dans les Colonies Françaiſes de l'Amerique; precedé d'un Voiage à Gouaxa, par M. Thiery de Menonville.

D

annulli, Avocat au Parlement, Botaniste de S. M. F. C. au quel on a ajouté une Preface, des Notes et des Observations relatives à la Culture de la Cochenille avec des Figures colorées à Voll. 8. Au Cap-François, chez la veuve Herbant, etc.

Neu-Spanien wie fonſt allein im Beſitz der Cochenille, man wünſchte lang ſie in den Franz. Colonien zu beſitzen, aber keiner wollte dieſen gefährlichen Diebſtahl wagen. Hr. Thiery entſchloſs ſich, ganz allein die Reiſe deshalb zu unternehmen, das Franz. Miniſterium genehmigte den Vorſchlag, und er führte ihn glücklich im J. 1776 aus. Die ganze Reiſeerzählung iſt ſehr intereſſant. Er beſchreibt zwey Arten von Cochenille, eine feine und eine wilde; der Nopal iſt die Nahrung der Cochenille; auch die von führt er zwey Arten an. Er war eben im Begriff die feinern zu ziehen, als er ſtarb. Sein Nachfolger in dem Geſchäft Lambert de la Motte verſtands nicht, und ſo gieng ſie verloren. Nur die Waid-Cochenille und der Nopal blieb der Kolonie. — Der Werth der Cochenillen die von Amerika nach Spanien jährlich gebracht werden, beträgt in Kadix 7,759,196 L. (Merc. de Fr. No. 38.)

II. Bücherverbot.

In den Monaten Auguſt und September ſind von der Wiener Hofcenſur für alle K. K. Länder verboten worden: 1.) Syſtem der bürgerlichen Geſellſchaft, oder natürliche Grundſätze der Sittenlehre und Staatskunſt Erſter Theil. 2) Raynals Aufſätze für Regenten und Unterthanen. Erſter Theil. 3) Hingeworfene Gedanken über Geſetze und Gerechtigkeit bey der Beſtrafung der Madame Baillon. 4) Beytrag zur Geſchichte der K. K. Gränzregimenter. 5) Kriegsleid der Oeſterreicher. Salzburg. 6) Ein Wort im Vertrauen über den Türkenkrieg, iſt für jedermann verboten. 7) Bare und Haſt emportirende Wahrheit für den Stamm Iſrael. 8) Neue Art zu beten, für ſolche Gattungen von Menſchen, die in den bekannten Gebetbüchern, u. ſ. w. von F. von Trenk.

Folgende Bücher dürfen in öffentlichen Blättern, Zeitungen und Büchercatalogen nicht angekündiget werden: 1) Briefwechſel einer portugieſiſchen Nonne. 2) Beytrag zur Geſchichte der Proſelytenmacherey Zweyter Theil. 3) Antifarſcron, oder die Aerzte lächeln. 4) Blumheim oder Gemälde der Zeitgenoſſen. 5) Phyſiognomiſch-phyſikaliſches Handbuch der Natur. 6) Antikatholicismus, oder vertheidigter Verwahrungsweg wider das geheime Papſthum vom Maſius. A. B. v. Lann. d. 25. Dec. 1788.

III. Vermiſchte Auszüge aus Briefen unſrer Correſpondenten.

Moskwa, d. 1. Nov. a. St. 1788. — Moskau und St. Petersburg iſt von Deutſchen überſtrömt, die ihr Vaterland verlaſſen, um hier als Pädagogen aufzutreten. Man muſs ſich doch die ſeltſamſten Vorſtellungen von dieſem Lande machen. Mit jedem deutſchen Schiff weht der Wind ein Häuflein ſogenannter Gelehrten nach St. Petersburg, die oft auf die kümmerlichſte Weiſe nach Brod ſuchen müſſen. In dieſem Umſtande liegt größtentheils die Urſache, weswegen die Ruſſen den Gelehrten für ein niedriges Geſchöpf und die Gelehrſamkeit für ein verächtliches Handwerk anſehen. Unter einer ſolchen Menge von Auswanderern giebt es freylich auch geſchickte Leute, aber der große Haufe beſteht denn doch immer aus ſüchten Köpfen und Abenteuerern, die noch dazu ihre Seichtigkeit und Unwiſſenheit oft mit einer ſolchen Dreiſtigkeit und Charlatanerie affichiren, daſs man erſtaunen muſs. So eben leſe ich in der deutſchen St. Petersburger Zeitung folgendes Avertiſſement: „Ein von E. allerhöchſt verordneten Kaif. Schuldirectorio geprüfter Lehrer kann noch einige Stunden Unterricht ertheilen; er lehrt die deutſche, franzöſiſche und italieniſche Sprache in ihrem ganzen Umfange, die ſtatiſtiſche Erdbeſchreibung, die Geſchichte, die Mythologie und alle Theile der theoretiſchen und practiſchen Philoſophie, beſonders die Phyſik und Naturgeſchichte, die Moral, wie auch das Natur- und Völkerrecht und die Politik. Wer ihn verlange etc." — Sie ſehen hieraus zugleich, was gangbare Waare iſt.

Hr. Wolke hat kürzlich bekannt gemacht: Eine Vernunftlehre Wißgeſchichte, nebſt Nachrichten I. von geſellſchaftlichen Syſtem. II. Von lehrreichen und angenehmen Unterhaltungen mit der Jugend. III. Von Erwerbmitteln der Sprach- und Sachenkunniſſe. Lieber Himmel, wann wird man endlich aufhören zu ſpielen! Dieſe Spielerey wird zum mindeſten auch ſehr theuhrer werden. Der Verf. ſpricht von einigen tauſend Rubeln, die die Ausführung der (Spiel-) Werke erfordern. Iſt das nicht arg, wie unſere Lands leute die Gutherzigkeit des reichen Publikums der Kayſerſtadt benutzen? Wie viel Groſſes, für Aufklärung und Menſchheit Erſprieſsliches, ließe ſich mit ſolchen Summen nicht ausführen!

Die freye ökonomiſche Societät in St. Petersburg hat den 28. Octob. ihr Stiftungsfeſt feyerlich begangen, und bey dieſer Gelegenheit eine Preisſchrift über die Frage: Worinn iſt eigentlich die Schädlichkeit der Branntweinbrennerey? macht dem Urtheile der dazu niedergeſetzten Committe, gekrönt. Der Verfaſſer derſelben iſt Hr. Born, D. M. u. Profeſſor in Cronſtadt. An eben dieſem Tage legte der Vicekanzler, Graf von Oſtermann, das Präſidium der Geſellſchaft nieder, nachdem er es 4 Jahre zur Zufriedenheit derſelben geführt hatte, und ſchlug zugleich, nach dem eingeführten Gebrauch, 3 neue Candidaten zu dieſer Würde vor. Die Wahl traf den Reichsgrafen von Anhalt, welcher ſie auch, als Freund und Beſchützer der Wiſſenſchaften, annahm. Graf Oſtermann, um ſeine fortdaurende Theilnehmung an einem Inſtitut zu bekräftigen, das hauptſächlich auf ſeine Veranlaſſung entſtand, unterzeichnete auf 50 Exempl. der Wochenſchrift, welche die Soc. herausgiebt. Der Geheime-Rath und Ritter v. Vietinghof ſetzte 25 Ducaten zu einer neuen Preisfrage aus.

Während der 4 Jahre, da der Graf Oſtermann den Vorſitz der Geſellſchaft hatte, iſt manche nützliche und ſchöne Erfindung vorgelegt, oder durch ſie veranlaſſt worden, vorzüglich 1) Hrn. Althens bequemer Laſtwagen für den Landmann. 2) Hrn. Apoth. Lowitz Erfindung den Kornbrandwein, das ihm anhängende Brennlich riechende und ſchmeckende auf eine leichte geſchwinde Art zu benehmen. 3) Deſſelben Erfindung das

das gemeine Hanföl klar und weiſs zu machen. 4) Deſſelben Erfindung den Honig dergeſtalt in Syrup oder Zucker zu verwandeln, daſs ſein eigenthümlicher Geſchmack
nicht mehr zu merken iſt. 5) Hrn. _Amort_ Erfindung,
Hüte aus Pappe zu verfertigen und mit ſeiner Schwärze
zu färben. Mehrere treffliche Verſuche, z. B. des Hrn.
Akademikus und Prof. _Georgi_, das ſchwediſche Steinpa-
pier nachzumachen, welches ihm mit dem beſten Erfolge
geglückt iſt, übergehe ich hier, um nicht zu weitläufig
zu werden. Sie erſehen hieraus, daſs _Löchſtenn_ das erſte

Erforderniſs und das gröſste Verdienſt der Bemühungen
unſerer ökonom. Geſellſch. iſt, und in dieſer Rückſicht
verdient ſie immer den Dank des hieſigen Publikums und
die Aufmerkſamkeit der Regierung. Die neue Preisfrage,
welche für das künftige Jahr beſtimmt iſt, beſteht in folgender Aufgabe: _die Verhältniſſe und die Einrichtung der
Stubenöfen für das hieſige (S. Petersburgiſche) Klima,
zu gröſstmöglichſter Erſparung des Holzes, zu beſtimmen._
Der Preis iſt eine goldene Medaille von 25 Ducaten.

LITERARISCHE ANZEIGEN.

I. Ankündigung neuer Bücher.

Von dem Auszug ſämmtlicher Werke Swedenborgs,
der unter dem Titel, Abrégé des ouvrages d'Emanuel Swedenborg, kürzlich zu Stockholm herausgekommen, wird
von Endesgeſetzter Verlagshandlung eine deutſche Ueberſetzung veranſtaltet, welche bereits unter der Preſſe. Desgleichen erſcheint in demſelben Verlag, zur bevorſtehenden Oſtermeſſe eine freye Verdeutſchung der Avantures
comiques et plaiſantes d'Antoine Warniſh. 2 Bände, 8.

Paul Gotthelf Kummerſche
Buchhandlung in Leipzig.

Von den Oeuvres poſthumes de Frederic II. Roi de
Pruſſe haben die Herren Verleger eine Ausgabe in klein
8. auf Schreibpapier veranſtaltet, wovon bis jetzt T. I-V.
heraus ſind, und noch ſo nachfolgen. Dieſe 5 Theile koſten 2 Rthlr. 16 gr. im Ldor à 5 Rthlr., und ſind in der
Kayſerſchen Buchhandlung zu Erfurt zu haben, wo auch in
ungefähr 14 Tagen die _deutſche Ausgabe_ um _eben den Preis_
zu haben ſeyn wird, und ſich Liebhaber hinwenden können.

In unterzeichneter Buchhandlung ſind folgende ganz
neue Schriften zu haben:

Briefe der Frau Gräfin von L. an den Herrn Grafen
von R** 2 Thle. Wittenb. 20 gr.

Das abſcheulichſte und doch zugleich nürzlichſte Buch
das wir den Aufklärern unſers Jahrhunderts zu verdanken haben 8. 4 gr.

Unglück krönte ihre Liebe, ein Roman 8 Wittenb.
14 gr.

Weber D. M. Was hat man von dem Edict des Königs von Preuſsen die Rel. Vf. d. pr. Staaten betreffend
zu halten? 8. Wittenb. 2 gr.

Der Catalog von den in letzter Meſſe neuangeſchaften
Büchern wird gratis ausgegeben.

Da deutſche Buchhandlungen bisher ſo wenig Rückſicht auf Anſchaffung ausländiſcher Werke genommen haben, ſo wird gewiſs die Nachricht, daſs Endesbenannte
Handlung mit allen möglichen franzöſiſchen Werken zu
billigen Preiſen aufwarten kann vielen nicht unangenehm
ſeyn. Man wird zwar für jetzt hier kein Lager franzöſi-

ſcher Geiſtesprodukte errichten, aber demohngeachtet alle
Commiſſiones dieſer Art mit möglichſter Geſchwindigkeit
beſorgen, auch Buchhandlungen, welche Beſtellungen franzöſiſcher Bücher einſenden wollen, aufs billigſte bedienen.
Wittenberg den 1 Dec. 1788.

Kühneſche Buchhandlung.

Theophraſts Characktere gehören mit zu den ſchätzbar-
ſten Ueberbleibſeln des Alterthums, ihr Werth iſt längſt
entſchieden, ſie ſollten daher jungen Freunden der alten
Litteratur mehr empfohlen, und von ihnen weit mehr
geleſen werden, als es bis jetzt geſchehen iſt. Ich kündige daher eine Handausgabe der Theophraſtiſchen Charactere an, die zur Oſtermeſſe 1789 ganz gewiſs erſcheinen
wird, bey der ich beſonders mein Augenmerk darauf
richten werde, ſie ohne allen kritiſchen Prunk und ſo
korrekt als möglich zu liefern. Die ſonſt ſo ſchätzbare
Fiſcherſche Ausgabe iſt für Jünglinge auf Schulen viel zu
theuer, und wegen ihrer kritiſchen Bearbeitung nicht ſo
brauchbar. Denn lange kritiſche Noten, und wenn ſie
Heinſius und Heyne gearbeitet hätten, helfen, wie Herr
Degen ſehr richtig anmerkt, Jünglingen wenig. Dieſen muſs man mehr auf eigentliche Sach und Sprach-
kenntniſse und richtige Faſſung des Schriftſtellers ſehen. Ich werde mich daher nur auf ſolche Anmerkungen einſchränken, welche zur deutlichen Einſicht der
Wortverhältnis und der Eigenheiten der griechiſchen Sprache beytragen können. Auch wird ein griechiſch-Deut-
ſches Wortregiſter dazu kommen, welches ungleich voll-
ſtändiger ſeyn wird, als das der Herren Neide und Bremer.

Bayreuth d. 4 Nov. 1788.

J. Fr. L. Menzel.

Unterzeichnete Buchhandlung hat den Verlag übernommen, und wird es an nichts fehlen laſſen, was dieſe
Ausgabe auch äuſserlich durch guten Druck und Papier empfehlen kann, und auch den Preis wird man ſo
wohlfeil als möglich machen.

J. A. Lübecks Erben
Buchhandl. in Bayreuth.

Die Unternehmer des im September dieſes Jahres
angekündigten hiſtoriſch-juriſtiſchen Magazins, finden

für beſſer dieſe Wochenſchrift nach ihrer verbeſſerten Einrichtung unter dem Titel

Staatswiſſenſchaftliche Zeitung

mit dem May 1789. herauszugeben; der Innhalt derſelben wird dieſe Abänderung rechtfertigen. Uebrigens bleiben Zweck und Preis.

Saalfeld, im December 1788.
Die Expedition der Staatswiſſen-
ſchaftl. Zeitung.

Herr Prof. *Haußleutner* in Stuttgart arbeitet an einer teutſchen Ueberſetzung von Toderini letteratura Turcheſca, und wird ſie entweder vollſtändig oder in einem Auszug, mit Berichtigungen aus den neueſten und andern von Toderini nicht benutzten Werken, herausgeben.

Die Gebauerſche Buchhandlung in Halle wird eine vollſtändige Geſchichte der ſiebenjährigen Verwirrungen und der neuen Revolution in den vereinigten Niederlanden, die der Herr Superintendent Jacobi in Crannichfeld ausarbeitet, von der künftigen Leipziger Oſtermeſſe an in zwei Theilen herausgeben.

Halle, den 22ſten Dec. 1788.

II. Ankündigung neuer Landkarten.

Auch vom Herzogthum Magdeburg wird in kurzen eine gute aus 2 großen Bogen beſtehende von Jaeck geſtochene Karte erſcheinen. Der Verfaſſer hiervon iſt der Calenderpächter Herr Hofrath v. Oesfeld zu Berlin, der ſich durch die Herausgabe einer Topographie in guv von dieſem Lande und der Grafſchaft Mannsfeld verdient gemacht hat. Sie iſt aus eben der großen Topographiſchen Karte des Miniſter v Schulenburg Kehnert, deren im 288 Stück dieſer Litteratur Zeitung, Seite 279 gedacht worden, gezogen, und iſt eigentlich zur Topographie des Herzogthums Magdeburg in 4te beſtimmt. Die Karte hat mit der Altmärkſchen von Sotzmann und Treuerſchen von Halberſtadt einerley Maasſtab. Es wäre zu wünſchen, daß nun auf die übrigen Marken, nemlich die Priegnitz und Uckermark, jede auf ein beſonders Blatt, vorzüglich aber die Neumark, wovon man noch gar nichts brauchbares hat, auf 3 Blatt, und die Mittelmark auf 2 oder 4 Blatt nach eben dem Maasſtab und der Praeciſion als die vorhin gedachten Karten gezeichnet ſind, herausgegeben würden.

Von der Mittelmark hat erwähnter Herr v. Oesfeld zwar ſchon die zu den Kalendern beſtimmte 6 Kreiſe, als den Glien und Löwenbergſchen, Ober und Niederbarnimſchen, Havelländiſchen, Ruppinſchen und Lebuſchen, Kreis, jeden auf ein beſonders großes Quarto Blätchen herausgegeben, und will auch künftige Jahr die noch 3 fehlenden, von Zanchesſchen, Teltowſchen, Storck- und Beskowſchen- folgen laſſen, da dieſe ſämmtliche Käſtchen aber nur nach einem Maasſtab der

halb ſo klein, als der von oben gedachten 3 Karten, angefertiget ſind, mithin die Situation und Schrift ſehr klein und gedrängt ausfällt; ſo würde es angenehm ſeyn, wenn von allen dieſen 3 Kreiſen eine beſondere Carte der ganzen Mittelmark nach obigen Maasſtab erſchiene.

III. Auction.

Da verſchiedene Münzfreunde ein Verlangen geäußert, daß das Madaiſche Thaler-Cabinet, nicht hinter einander, ſondern Theilweiſe veräußert werden möchte; ſo iſt ſolchen hirunter ein Genüge geſchehen, und die Veräußerung deſſelben vor das Jahr 1788 den 10ten Oct. mit No: 3799. pag. 271. des gedruckten Verzeichniſſes beſchloſſen worden.

Man hält es daher für Pflicht einem geneigten Publico hierdurch nicht allein dieſes bekannt zu machen, ſondern auch zugleich Meldung zu thun, daß mit dem 10ten März 1789. von neuen dieſe Veräußerung wiederum in Hamburg durch den Makler Hr. Pierre Texier fortgeſetzt, und mit No. 3800 dieſe Fortſetzung bis zur gänzlichen Beendigung vorgenommen werden ſolle. Das darüber gedruckte Verzeichniß iſt bey gedachten Hr. Texier in Hamburg, in der Wayſenhausbuchhandlung in Halle, im Intelligenz-Comtoir in Leipzig, und auch in allen berühmten Buchhandlungen für einen ſehr billigen Preis annoch zu bekommen, und die Aufträge von entfernten Orten übernimmt auch dieſesmal Hr. Texier in Hamburg, wenn ihm ſolche poſtfrey eingeſandt werden. Die Bezahlung geſchieht bekanntermaßen in groben Hamburger Courent. Aus dem Vorbericht des Verzeichniſſes iſt zu erſehen, daß der ſauber geſchriebene und aus 60. Bänden beſtehende Catalogus dieſes Thaler-Cabinets, in welchem die Münzen nach den Originalien richtig gezeichnet ſind, im Ganzen verkauft werden ſolle, wenn ſich die Liebhaber noch vor Ende der Auction bey Hn. Texier in Hamburg, oder bey den Madaiſchen Erben in Halle zu melden belieben. Ein gleiches gilt auch nicht nur von dem in 3ten Nachtrage erwähnten ſauber geſchriebenen und mit den Münzen nach den Originalien richtig gezeichneten, aus 17 Bänden beſtehenden, Catalogo des Ducaten- und Goldgülden-Cabinets, ſondern auch von dem im 4ten Nachtrage aufgeführten Mineralien-Cabinet. Das Groſchen-Cabinet hingegen iſt nicht mehr zu haben, indem ſolches von Sr. Churfürſtl. Durchl. zu Sachſen im Ganzen Ihrer anſehnl. Münzſamlung einverleibet worden.

IV. Vermiſchte Anzeigen.

Man findet für nöthig, öffentlich bekannt zu machen, daß die deutſche Ueberſetzung von Calliſens principiis ſyſtem. Chirurg. hodiernae, neuer Ausgabe von 1788 nicht von dem Herrn Verfaſſer ſelbſt, ſondern von dem Herrn Doct. und Prof. Carl Gottlieb Kühn in Leipzig herrühre

INTELLIGENZBLATT
der
ALLGEM. LITERATUR-ZEITUNG
Numero 5.

Sonnabends den 17ten Jan. 1789.

LITERARISCHE NACHRICHTEN.

I. Preisaustheilungen.

In der November-Sitzung der Königl. Societät der Wissenschaften zu Göttingen ward die Entscheidung über die ökonomische Aufgabe bekannt gemacht. Die Preisfrage war:

Welches find die fcherften, und nach der jetzigen Verfaffung der deutfchen Staaten die leichteften und wohlfeilften Mittel, die Heerftrafsen wider Räubereyen und andere Gewaltthätigkeiten zu fichern?

Von fünf Auffätzen, die über diefe Frage eingefchickt wurden, ift der mit dem Wahlfpruche: *Interefs reipublicae cognofci malos,* von der Königl. Societät der Preis einmüthig zuerkannt worden. Nach Entfiegelung des Zettels fand man den Namen des Verf., *Woldemar Friedrich, Graf von Schmettow,* des Churpfalz-Löwenordens Ritter etc. Der Auffatz mit dem Spruche: *Qui non vetat peccare, cum poffit, jubet,* hat das Acceffit erhalten.

Die Akademie der Wiffenfchaften und fchönen Künfte in Lyon hat den 16 Aug. ihre öffentliche Verfammlung gehalten. Hr. D. *Amoreux,* der Sohn, hat den Preis über die naturhiftorifche Frage erhalten: der phyfifche und artiftifche Preis find nicht ausgetheilt worden.

II. Ehrenbezeugungen.

Die königl. Societät der Wiffenfchaften in Göttingen hat Hrn. *E. B. Hebenftreit,* D. und Prof. der Heilkunde in Leipzig, Hrn. *J. H. Schröder,* Oberamtmann zu Lielienthal, Hrn. *J. G. Schneider,* Prof. der Redekunde zu Frankfurt an der Oder, Hrn. *J. Uphagen,* Senior des Gerichts der Rechtenftadt in Danzig, und Hrn. *J. F. Weftrumb,* Rathsapotheker in Hameln, zu Correfpondenten angenommen.

Unter Theater-Direktor, Hr. *Schubart,* hat von dem Markgrafen zu Baden Schöpflin's Hiftoriam Zaringo-Badenfem zum Gefchenk erhalten. *A. B. Stuttgart am 23. Dec. 1788.*

Die Philofophifche Fakultät zu Stuttgart hat ihrem ehemaligen gelehrten Mitbürger, Hrn. Prof. *Pfaff* zu Helmftädt die Magifterwürde ertheilt, und demfelben das hiezu ausgefertigte Diplom überfandt. *A. B. Stuttgart, am 20. Dec. 1788.*

In Hannover wird gegenwärtig Leibnizen ein Monument errichtet, wozu das Publikum vermittelft einer von denen Herren Kriegsrath von Reden, Commerzienrath Ramberg, Patje und Höpfner, und Geh. Canzleyfekretär Brandes, veranftalteten Subfcription, die fich nur auf die Churhannöverifchen Lande erftreckt, gegen 4000 Rthlr. zufammengebracht hat. Es wird daffelbe in einer Säulenlaube beftehen, welche auf 12 Säulen ruhet, 40 Fuß hoch feyn und 33 Fuß im Durchmeffer halten wird. Die Höhe der Säulen ift 22 Fuß. Sie wird auf einer Anhöhe am Ende eines freyen Platzes, in der Nahe desjenigen Gebäudes ftehen, welches das Königliche Archiv und Bibliothek enthält, und in dem Leibniz den größten Theil feiner Arbeiten vollbracht hat. In ihr wird die von dem durch feine Porträts berühmten Bildhauer Hewetfon zu Rom nach einem Originalgemälde in Marmor verfertigte Büfte Leibnizens aufgeftellt werden. Der Grund des Gebäudes ift bereits gelegt und das Ganze wird fpäteftens 1790 fertig. *A. B. Hannover am 30 Dec. 1788.*

III. Todesfälle.

Der Reichsvicekanzler, Fürft von Colloredo, ftarb zu Wien den 1. Nov. v. J. Er wurde 1706 zu Prag geboren und vollendete feine Studien zu Mailand, Wien und Salzburg, wurde 1727 K. K. Kämmerer und vermählte fich in diefem Jahre mit der Tochter des Minifters Grafen von Starnberg; ward 1728 Hofrath bey der Böhmifchen Hofkanzley, 1734 Mitgefandter beym Reichstage u. 1735 wirklicher geh. Rath, verrichtete zwifchen 1734 u. 36 wichtige Aufträge bey den Vorderkreifen des Reichs, wurde 1737 unter Karl VI. Reichsvicekanzler, legte diefe Würde 1742 unter Karl VII. nieder, erhielt fie aber 1745 wieder unter Franz I. wurde 1744 Ritter des goldenen Vliefses, und brachte als öfterreichifcher Minifter in eben dem Jahre zu Füßen den Traktat mit Bayern zu Stande, wohnte 1764 als Konferenzminifter der Wahl Jofephs II. zum Römifchen König in Frankfurt bey; wurde in dem nemlichen Jahre in den Reichsfürftenftand erhoben, und erhielt zugleich das Großkreuz vom Stephansorden, auch bald darauf die böhmifche Fürftendiplom; und 1765 das Indigenat von Ungarn. Seitdem hat er fich feinen Gefchäften als Reichsvicekanzler und Konferenzminifter fo lange mit unermüdeter Sorgfalt gewidmet, bis der Tod ihn davon entfernte, welches den Wiſſenſchaften, ja ſelbſt der Landwirthſchaft, wie aus Schubarts Briefwechſel 4ten Heft erhellet, und der Unterſtützung der Gelehrten, obwohl im 82ten Jahre, noch immer viel zu früh geſchah. *A. B. Wien, d. 20. Dec. 1788.*

Den 14. Dec. ſtarb zu Ingolſtadt, Hr. *J. J. Prugger*, b. R. Doct., kurfürſtl. wirkl. Hofrath, öffentl. ordentl. Profeſſor des bairiſchen Staats- und Privatrechts, Univerſitätsarchivar und des Ingolſtädiſchen kurfürſtl. Rathscollegiums Rath u. Director, im 75 Jahre ſeines Alters.

LITERARISCHE ANZEIGEN.

1. Ankündigung neuer Bücher.

Die Hartungſche Buchhandlung in Königsberg hat in der Leipziger Mich. Meſſe folgende neue Bücher:

Von Baczko Geſchichte der Stadt Königsberg und Beſchreibung aller daſelbſt befindl. Merkwürdigkeiten 3tes Heft gr. 8. 6 gr.

Borowsky Lud. Ernſt, Prediger zu Königsberg. Neue Preußiſche Kirchen- und Schulen-Regiſtratur, oder kurzer Auszug Königl. Edicte und Verordnungen, welche in Kirchen- und Schulſachen in dem Königreich Preußen publicirt worden; nebſt einigen zur Kirchengeſchichte Preußens gehörigen Aufſätzen 4. 1r Theil Schreibpapier 1 Rthlr. 6 gr.

Haſſe. D. Lectiones - Syro - Arabico - Samaritano - Aethiopicae, c. Tab. Elem. gr. 8. Lips. 1 Rthlr.

Deſſelben Magazin für die Bibliſche Orientaliſche Litteratur und geſammte Philologie 2tes Stück gr. 8. 5 gr.

Hennings Predigten über verſchiedene Texte der heil. Schrift 5ter und letzter Theil, nebſt Generalregiſter über das ganze Werk 8. 16 gr.

Monatſchrift, Preußiſche, herausgegeb. von Prof. Wald und Rector Keber in Memel. Oktob. Nov. Dec. 788. Wird künftiges Jahr fortgeſetzt. Der Jahrgang koſtet 3 Rthlr. (In Commiſſion.)

Metzgers D. Bibliothek für Phyſiker. 1r Band 3tes Stück 8. 8 gr.

Schulz D. Joh. Eſit, Elementa Theologiae Popularis Theoreticae in Uſum Auditorum Tabulis comprehenſa Pars I. 8. 6 gr.

Hagen D. Car. G. Diſquiſitio Aquae Thurenenſis in Pruſſia 4. 5 gr.

Werners vermiſchte Gedichte, mit 1 Vign. gr. 8. 10 gr.

In der Oſtermeſſe 88. waren neue Bücher: *Möller*, der Menſch, unverächter und ſeine 3 Töchter, ein Roman von Hrn. v. Baczko h. 2 Theilen, 16 gr. Deſſelben Verſuch einer Geſchichte und Beſchreibung der Stadt Königsberg und aller daſelbſt befindlichen Merkwürdigkeiten, 1. und 2tes Heft. 12 gr. Böttigers Beytrag zur Bildung der Schullehrer auf dem Lande, mit Tabellen 6 gr. Grundriß eines vernunftmäßigen Religionsunterrichts für gut erzogene Jünglinge. 9 gr. Erinnerungsbuch für Chriſten, denen ihr Glaube und ihre Seeligkeit am Herzen liegt, von Riedel, in 2 Theilen. 16 gr. Geſchichte der Märtyrer, oder hiſtoriſche Nachricht von den Verfolgungen der Wiedertäufer oder Mennoniſten, 12 gr. Doct. Haſſe Magazin für die Bibliſche Orientaliſche Literatur, und geſammte Philologie, 1s St. 5 gr. D. Metzgers Bibliothek für Phyſiker, 1ſter Band. 1. und 2tes Stück, 16 gr. D) Schulz- *Theologia populari-*

oder Entwurf der gemeinnützigſten Erkenntniſslehren des Chriſtenthums, 2 Theile, 5 Rthlr. 16 gr. Schulz (Verf. der Erläuter. über Kants Critik) Verſuch einer genauen Theorie des Unendlichen, mit K. 1 Rthlr. Walds Geſchichte des Chriſtenthums, 16 gr. Die Zeitgenoſſinnen, oder Abentheuer der berühmteſten Frauenzimmer, vom Verfaſſer des Neuen Abeillard, XIter Theil. 20 gr.

Auch hat obige Buchhandlung auf dem Kanter-Wagner- und Dengelſchen Bücherlager in Leipzig folgende Verlagsartikel an ſich gekauft: Schauplatz der Künſte und Handwerker, oder vollſtändige Beſchreibung derſelben, a. d. Franz. von einer Geſellſchaft von Gelehrten überſetzt, mit 349 Kupf. 13 Bde. 45 Rthlr. Allgemeine Abhandlung von den Fiſchereyen und Geſchichte der Fiſche, 3 Bände, complet mit 78 Kupf. anjetzt nur 6 Rthlr. Neueſtes Theater der Deutſchen, 1. 2. 3. 4ter Theil, jeder Theil 20 gr. De Roux Beobachtungen über die Bluſſfüſſe der Wöchnerinnen und über die Mittel ſie zu ſtillen, gr. 8. 784. 20 gr. Metzgers vermiſchte mediciniſche Schriften, 3 Bände, 784. 2 Rthlr. Deſſelben Entwurf einer Medic in rarilis 784. 5 gr. Der geiſtliche Abentheuer, oder Geſchichte des Baron von M. etc. in Briefen an Hrn. D. Dieſter von Prof. Krauſe. 784. 10 gr. Kunkels von Löwenſterns vollſtändiges Laboratorium chymicum, 1 Rthlr. 12 gr. Youngs politiſche Arithmetik, a. d. Engl. 16 gr. Dubrens richtiges Plus, Minus und Pari, oder eine kurzgefaßte und vollſtändige Arithmetik gr. 8. 758. 1 Rthlr. D Bocks ausführlicher Grundriß einer Vertheidigung der chriſtl. Religion, wider die Feinde und Spötter derſelben, 2 Th. jetzt à 1 Rthlr. 8 gr. D. Arnolds ausführliche Kirchengeſchichte des Königreichs Preußen. gr. 8. anjetzt 1 Rthlr. Der Jüngling, eine Wochenſchrift von Cramer, Rabener und Ebert. 2Bände, 1 Rthlr. 12 gr. Neue religiöſe Nebenſtunden von Trelcho, 1r Band. 784. 16 gr. Walliſii Grammatica linguae anglicanae. 8 gr. Das Recht der Aſſecuranzen und Bodmereyen, ſyſtematiſch abgehandelt. 6 gr. Stark Sylloge Commentationum et Obſerv. philologico - eriticayum, 8 gr. Der Frau Gottſchedin ſämmtliche Briefe. 3 Theile, jetzt für 1 Rthlr. 10 gr. Warners vollſtändige Beſchreibung der Gicht 776. 16 gr. Kurella Entwurf der alten und neuen Bienenzucht in Preußen 771. 3 gr. Reichards Königl. Capellidirek.) Clavier- und Singſtücke, 784. 16 gr. Kant der einzige mögliche Beweis vom Daſeyn Gottes 8. 10 gr.

Und vom Georgiſchen Verlag in Leipzig "Terentius e Zeunii &. 3 Rthlr. Virgilius Burmanni à 3 Rthlr. Heſiodi Opera Loesneri à 3 Rthlr. Macrobius c. n. Zeunii et Gronovii. 2 Rthlr. Maximi Tyrii Diſſertationes cura Marklandi et Reiske annot. 2 Rthlr. ingl. Ricii. Diſter-

Differationes Homericae cura Bornii à 1 Rthlr. 8 gr. zu
bekommen.

Unter der Preffe zur Oftermeffe 1789. ift:
Böucher Doct. von den Krankheiten der Knochen
2ter Band m. K. gr. 8.
Böttiger J. G. 25 Statiftifche Tabellen in grofs Folio
dergleichen es bisher noch nicht gab.
Schultz, Erläuterungen über Kants Critik der reinen
Vernunft; nach der Ausgabe von 1787. in 2 Theilen
gr. 8.
D. Metzgers Phyfiologie in Aphorismen, ein Lefebuch.
8.
Deffelben Bibliothek für Phyfiker 1 Band 4tes Stück.
D. Haffe Magazin für die Bibl. Orient. Literatur und
gefammte Philologie 3tes und 4tes Stück, womit der
Erfte Band gefchloffen ift.
v. Baczko Befchreibung von Königsberg 4tes Heft
gr. 8.

Wir hoffen den Freunden Biblifcher Lektüre keinen
unangenehmen Dienft zu erweifen, wenn wir ihnen von
denjenigen Schriften, welche der würdige Herr Diacon
Heff feit den Jahren 1768 - 788. über die ganze Bibel herausgegeben, eine vollftändige Nachricht mittheilen. Die
erftern Schriften diefes Verfaffers nemlich deffen Verfuch
über den Plan der göttlichen Anftalten und Offenbarung, als
eine vollftändige Anleitung zu allen feinen nachherigen
Schriften über die Bibel, und deffen Lebensgefchichte Jefu,
wie auch: Ueber die Lehren, Thaten und Schickfale unfers
Herrn; ein Anhang zu derfelben, nebft der Gefchichte und
Schriften der Apoftel Jefu, als der Schriften des Neuen
Teftaments, find fchon nach den davon gemachten mehrerer Auflagen viel zu allgemein zu ihrem Vortheile bekannt, als dafs es nöthig feyn dürfte das Publicum darauf aufmerkfam zu machen; nein, Theologen, fo wohl
als andere Freunde von dergleichen Lektüre wiffen die
Behandlungsart und den Werth jener Werke zur Genüge. — Die Abficht des Hrn. Heff gieng dahin, auch das
ganze alte Teftament nach der angefangenen Methode zu
bearbeiten, und kündigte deshalb im Jahre 1775. feine
Gefchichte der Ifraeliten vor den Zeiten Jefu auf Pranumera-
tion an. Diefes Verfprechen hat er nun ganz erfüllt,
und es ift nicht unwarfcheinlich, dafs diejenigen, bei
welchen die vorhergegangne Heffifchen Schriften über das
N. T. und die zurorgenannte Einleitung: Ueber den
Plan der Göttlichen Veranftaltungen etc. Beifall gefunden,
auch Neigung haben werden, die Lektüre der Schriften
des alten Teftaments nach dem nemlichen Plane, damit
zu verbinden. Der Verfaffer fchrieb nicht blos für Theologen, fondern er fuchte auch allen denen, welche fo
wohl über den Zufammenhang des A. T. mit dem Neuen,
als über den Plan, welche die Vorfehung bei der Erziehung des Menfchengefchlechts befolgte, über die lokalen
Vorftellungen der älteften Zeiten von der Gottheit, über
die Tugend und Untugend jener Zeiten, über den Geift
Mofes und feiner Gefetzgebung, über den Werth und
das Paffende feiner Gefetze, und feines Gottesdienftes für
die damaligen Zeiten, über den Geift der Jüdifchen Regenten) über die Veränderung ihrer Staatsverfaffung,

über die verfchiedenen Epoken des Reichs unter den Königen; über ihre Propheten und deren Schriften, über
den Vorfall ihres Landes, und deffen Umfturz durch die
Babylonifche Gefangenfchaft u. f. w. — allen denen, die
über diefe und ähnliche Dinge gründliche und deutliche
Belehrung wünfchen, fuchte er feine Gefchichte der Ifraeliten fo nutzbar und lehrreich, als möglich, zu machen.
Sie zerfällt der Ordnung nach in folgende Unterabthei-
lungen.

1) Gefchichte der Patriarchen. 2 Bände. 8. 2. Alphab. 10
1/2 Bogen, nebft einer Karte vom Lande Kanaan und
umliegenden Ländern.
Hierinn ift kein einziger Umftand in dem Leben der Patriarchen, welcher von Bedeutung ift und mit der haupt-
gefchichte in Verbindung fiehet übergangen worden, fo
dafs mitten im Detail der Lefer immer auf den Plan der
Göttlichen Regierung im Großen aufmerkfam erhalten
wird.
2) Gefchichte Mofes 2 Bände. 8. 2 Alphab. 11 1/2 Bogen, nebft 1 Karte welche die Züge der Ifraeliten
in der Wüfte, folgl. einen Theil Arabiens und der
angrenzenden Gegenden enthält.
Diefe zwey Bände gehören wegen der Erklärungen fo
mancher unzweckmäßig fcheinenden Gefetze, und wegen
des Gefichtpunktes, aus welchem der Verf. das Ganze
angefehen hat, unter die intereffanteften.
3) Gefchichte Jofua und der Heerführer. 2 Bände 8. 1
Alphab. 22 Bogen, nebft 1 Karte vom gelobten Lande
in XII. Stämme abgetheilt.
Hier fängt eine neue intereffante Epoke an, nemlich die
Einrichtung der jüdifchen Republik in Paleftina.
4) Gefchichte Davids und Salomons. 2 Bände. 8. 20 1/2
Bogen, nebft 1 Karte vom Königreiche Ifrael und
den neueroberten Ländern unter den Königen Saul,
David und Salomo.
Diefe zwey wichtigen Männer im jüdifchen Lande konnte
der Verf. nicht kürzer behandeln, da er nicht blos mit
ihrem Karakter, ihren Schickfalen und ihrer Regierung,
fondern auch, was eben fo wichtig ift, mit ihren Schriften,
den Pfalmen und den Büchern Salomonis zu thun hatte.
5) Gefchichte der Könige Juda und Ifraels 2 Bände. 8.
2 Alph. 18 Bogen, nebft 1 Karte der beiden Königreiche Juda und Ifrael nach Salomons Tode.
Da die Zeit der Propheten in diefe Epoke größtentheils
fallt, fo ift das nöthige hierbey mit abgehandelt worden,
befonders was den Jefajes und Jeremias betrift.
6) Gefchichte der Regenten. 2 Bände. 8. 2 Alphab. 20
Bogen, nebft 1 Karte von Juda oder dem fudlichen
Theile von Paleftina.
Die Quellen, woraus hierbei der Verf. vorzüglich fchöpfen
und fchöpfen konnte, find, außer den Büchern der
Makkabäer — vorzüglich das erfte Buch — die Schriften
des jüdifchen Gefchichtfchreibers Jofephus.
Das ganze Werk von beinahe 16 Alphabeten, und
wovon jede diefer Abtheilungen mit einer ungemein richtigen Karte zur Geographifchen Kenntnifs des Lefers verfehen ift, koftet vollftändig 11 Rthlr 7 gr.
Zürich. im Dezember. 1788.
Orell, Geßner, Füßli
und Komp.

E 2   Der

Der ungetheilte Beyfall, und über alle Erwartung häufige Zuſpruch, womit unſer von der Kaiſerl. Königl. Nied Oeſt. Landesregierung gnädigſt bewilligte *Wienerbothe* ſeit ſeiner erſten Erſcheinung in der k. k. Hauptſtadt, in den Provinzen, und ſelbſt im Auslande aufgenommen wurde, macht es uns zur Pflicht, unſern gütigen Gönnern hiemit öffentlich zu danken. Aufgemuntert durch Ihre huldreiche Unterſtützung werden wir nicht nur allein fortfahren, unſer *Tagblatt*, wie bisher, durch *Mannigfaltigkeit* und *Auswahl der Artikel* beſonders durch die *früheſte Lieferung der Kriegsnachrichten* auszuzeichnen, ſondern wir finden uns nunmehr auch in den Stand geſetzt, durch Beiſchaffung faſt aller auswärtigen Zeitungen und Journale daſſelbe ungleich unterhaltender und intereſſanter zu machen. Unſer einziges Beſtreben ſoll dahin gehen, die Neugierde der Leſer in Kriegszeiten vor allen andern zu befriedigen, zu Friedenszeiten hingegen ſie mit unſerem Kern der Zeitungen und Journale zu unterhalten.

Da bey dem bereits herannahenden Jahreswechſel ſich wahrſcheinlich noch mehrere Liebhaber des *Wienerbothens* finden mögen, ſo halten Unterzeichnete für zuträglich, den Plan ihres Zeitungsauszuges noch einmal zu wiederholen. Sie verſprechen daher vor allen

Kriegsvorfälle,

Dieſe wird man aus all denjenigen Zeitungen, wo nicht früher als alle übrigen, doch gewiß gleichzeitig liefern, die den dermaligen beyden Kriegstheatern am nächſten ſind, und ſich ſeither durch ihre verläßliche Korreſpondent und gute Schreibart empfohlen haben; diejenigen Kriegsnachrichten hingegen, die mit den zur Wienerzeitung beygelegten ſogenannten Extrablättern in einer fremden Zeitung übereinſtimmen, wird man unter der Aufſchrift Zur *Kriegsgeſchichte* mit beſondern Lettern drucken, damit der Leſer die achten von den nicht allzeit richtigen Nachrichten unterſcheiden möge. Nebſtdem ſollen die öfters vorkommenden Benennungen verſchiedener Gegenſtände, z. B. Türkiſche Militärchargen, Kunſtwörter der Taktik u. d. gl., die manchem Leſer unbekannt ſeyn dürften, mittels Einklammerung verſtändlich gemacht, oder, wenn es erforderlich, durch Noten erklärt werden.

Politiſche und vermiſchte Nachrichten,

Da dieſe Rubrik ein weites Feld hat, ſo wird man hievon nur das wichtigſte wählen, dies vorausgeſetzt, kann man leicht erſehen, daß, wenn wir uns nicht des nämlichen Fehlers unſerer Herren Kollegen, die ihr Blatt mit einer und der nämlichen Nachricht aus mehreren Zeitungen bis zum Eckel wiederholen, ſchuldig machen wollen, wir manchmal Raum haben werden, anderen ungleich beſſern Artikeln denſelben einzuräumen. Es ſollen daher, je nachdem es der Platz geſtatten wird, *wechſelweis*, ſo in unſer Blatt aufgenommen werden:

Mode - Neuigkeiten,

Hierunter verſtehn wir alles, was Frankreich, England, Italien, und ſelbſt Teutſchland nur Anziehendes für Putz, Meublement, Equipagen etc. durch Journale, Avertiſſements, oder ſogenannte Toilettenblätter bekannt machen werden.

Oekonomie,

Oder neue Verſuche und Erfahrungen ſowohl über feld- und landwirthſchaftliche als mediziniſche Gegenſtände (Hausmittel), theils aus gegenwärtigen Zeitungen und Intelligenzblättern, theils aus Wochen- Monat- oder ſonſtigen ökonomiſchen Schriften ausgezogen.

Entdeckungen und Erfindungen,

Die für den Künſtler, Fabrikanten, Handels- und Gewerksmann intereſſant ſeyn können, wird man aus allen bekannten periodiſchen Schriften, wie auch neuen technologiſchen und encyklopädiſchen Werken mittheilen.

Litteratur,

Unter dieſer Rubrik erſcheinen ganz kurze Recenſionen, Anzeigen von öffentlichen Anſtalten für Künſte und Wiſſenſchaften, Preisaufgaben und Arbeiten der Akademien, Beförderungen und Todesfälle gelehrter und berühmter Männer aus den beſten gelehrten Zeitungen und Journalen Deutſchlands.

Verordnungen und Normalien,

Welche die geſammten Länderſtellen und ſonſtigen Behörden durch öffentliche Blätter bekannt machen, wollen wir zum Beſten des Publikums durch unſern *Wienerbothen* noch mehr zu verbreiten ſuchen.

Getraidepreis und Brodgewicht,

Wie ſolcher in allen k. k. Erblanden von Zeit zu Zeit beſtimmt, und durch den Druck bekannt wird, ſoll auch bey uns ſein Plätzchen finden.

Eine tägliche Spektakelanzeige ſoll jedesmal unſer Blatt beſchließen.

Alle Tage (Sonn- und Feyertage nicht ausgenommen) erſcheinen auf reinem Papier mit neuen Lettern gedruckt ein Oktavbogen. Auswärtige Liebhaber, die ſich denſelben zu halten gedenken, bezahlen *für das einviertende halbe Jahr* 4 fl. voraus, und werden ſich diesfalls unmittelbar an das k. k. Oberſthofpoſtamt in Wien, bey welchem bereits die Maaſregel getroffen worden, daß ſie in den entlegenſten Provinzen, und bis an alle Gränze der k. k. Erblande *wöchentlich* zwey Lieferungen *poſt frey* erhalten können. Sollten wider Vermuthen ein oder anderer unſerer Herren Gönner nicht immer richtig, und zur Zeit befriediget werden, ſo erſuchen wir ſie, eine diesfällige Anzeige *an die k. k. Oberſthofpoſtamts-Zeitungsexpedition in Wien* zu überſenden, die keinen Anſtand nehmen wird, die Irrung baldmöglichſt beyzulegen.

Wien im Dezember 1788.

Thadd. E. v. Schmidbauer,
k. k. priv. Buchdrucker,
und Kompagnie.

LITERARISCHE NACHRICHTEN.

I. Vorläufige Berichte von ausländischer Literatur.

An Apology to the Publick for a continued Intrusion on their Notice; with an Appeal to the free and independent Proprietors of Barack Stock; demonstrating that it is highly proper for them to examine in to the State of their Affairs. By Will. Pickett, Esq. 8.

Daſs durch geheime Commiſſionen ſich Miſsbräuche im Staatskörper einſchleichen, iſt bekannt, aber daſs deswegen alle Geſchäfte derſelben allgemein bekannt ſeyn ſollten, wie der Verf. behauptet, iſt ein zu allgemein ausgedehnter Satz. (*Gentlem. Magas. Octob.* 1788.)

Authentic Anecdotes of Ge. Lukins, the Yatton Demoniac; with a View of the Controversy and a full Refutation of the Imposture. By Samuel Norman, Member of the Corporation of Surgeons in London, and Surgeon at Yatton. Briſtol. 8.
Hr. N. verdient allen Dank des Publikums, daſs er dieſe lächerliche Sache aufgedeckt, nur ſollte er nicht die ganze Kirche wegen der Thorheiten eines oder zwey ihrer Mitglieder verſpotten. (*Ibid.*)

A Sketch of the Life and Paintings of Th. Gainsborough, Esq. By Phil. Thicknesse.
Verſchiedne neue Fakta aus dem Leben dieſes berühmten Künſtlers ſind hier zuſammengetragen. (*ibid.*)

Dr. Crawfords Treatise on Animal Heat and Combustion. The second edition.
Nach einer langen neunjährigen Unterbrechung ſchenkt der würdige Verf. dem Publikum dieſe neue Ausgabe, die mit vielen Zuſätzen bis zu einem Octavband von 500 Seiten angewachſen iſt. Seine ganze Theorie iſt durch eine Menge neuer Experimente ſo verändert, daſs kaum eine Spur der ältern Ausgabe geblieben iſt. (*ibid.*)

A particular Examination of Mr. Harris's scriptural Researches on the Licitness of the Slave Trade. By Henry Dannett, M. A. Minister of St. Joints. Liverpool. 8.
Der Verf. giebt ſich groſse Mühe, zu beweiſen, daſs den Iſraeliten der Sklavenhandel unter ſich verboten war, ſagt aber nichts oder wenig von dem Sklavenhandel der abgöttiſchen Nationen um ſie herum. Roveny hat in wenig Seiten den Harris ſo gut widerlegt, als unſer Verf. in 152. Eine authentiſche Geſchichte vom Urſprung und Fortgang des Sklavenhandels wird das zweckmäſsigſte Werk über die ganze Sache ſeyn. (*ibid.*)

Curious Particulars and genuine Particulars respecting the late Lord Chesterfield, and D. Hume, Esq. with a Parallel between these celebrated Personages, and an impartial Character of Lord Chesterfield. To which is added A short vindication of the Christian Cause and Character occasioned by a recent Reflection thrown upon them by the Author of the Apology for the Life and Writings of David Hume. By a Friend to Religious and Civil Liberty. 8.
Wir geſtehn gern, daſs wir nicht den Nutzen oder die Abſicht des Werks einſehn. Lord Cheſterf. Rede gegen die Licenſiny Act, und ſeine ironiſche Bitte um eine Penſion, ſind angehängt; aber wie wir glauben, nicht zum erſtenmal gedruckt. (*ibid.*)

Vindiciae Priestleianae: or, An Address to the Students of Oxford and Cambridge; occasioned by a Letter to Dr. Priestley, ascribed to Dr. Horne, cet. By Theoph. Lindsay, Cambridge. 8.
Der Verf. ſucht Prieſtleys theol. und metaphyſ. Schriften zu vertheidigen, und glaubt, ein andrer könne manche Umſtände und gewiſſe Dinge zu P. Vertheidigung beſſer ſagen, als er ſelbſt. (*ibid.*)

II. Beförderungen.

Da Hr. Prediger Riem ſeine Stelle mit einem Gehalt von 1000 Gulden, nach dem Conventionsfuſs gerechnet, freywillig niedergelegt, ſo iſt Hr. Candidat Gilles an die Stelle deſſelben zum Prediger des groſsen Friedrichs-Waiſenhauſes in Berlin ernannt worden. *A. B. Berlin, d.* 5. Dec. 1788.

Hr. Uſteri, der würdige Stifter der Töchterſchule und eifrigſte Beförderer aller guten Anſtalten bey der Realſchule, iſt im Dec. v. J. einmüthig an die Stelle des verſtorbenen Greiſen, Hrn. Ulrich, zum Prof. Theologiae und Canonicus des Stifts zum groſsen Münſter erwählet worden. Ein Mann, von deſſen Genie, Gelehrſamkeit, unparteyiſchen Prüfungsgeiſt und Wahrheitsſinn ſich die Züricheriſche Kirche vieles zur Beförderung der Aufklärung

F rung

rung im theologiſchen Fache verſprechen darf. *A. B.*
Zürich d. 20. Dec. 1788.

Se. Königl. Maj. von Preuſſen haben allerhöchſt ſelbſt
dem Hrn. Geheimen Forſtrath *v. Burgsdorff* mit einer Ge-
haltsverbeſſerung von 300 Rthlr das öffentliche Lehramt
für die Forſtwiſſenſchaft in Dero Staaten übertragen. Zur
Bezeugung allerhöchſt Dero Gnade und Wohlwollens auch
deſſen älteſten Sohn von 14 Jahren zum Jagdpagen mit
vortheilhaften Ausſichten angenommen, und einen ſehr anſehnlichen Gehalt zu deſſen Erziehung beſtimmt. Der Hr.
Geh. Rath v. Burgsdorf hat die Königl. 4 Jagdjunker in
der praktiſchen Forſtwiſſenſchaft zu unterweiſen, und wöchentlich eine Vorleſung in Berlin zu halten. Der älteſte dieſer Jagdjunker, der Herr Lieutn. v. *Maſſow*, hat
bereits die Survivance auf den Altmarkſchen Oberforſtmei-
ſterpoſten erhalten, wodurch Se. Majeſtät die nähere Beſtimmung dieſer Zöglinge entſcheiden. *A. B. Berlin am 25
Dec.* 1788.

Herr von *Wangenheim*, Mitglied der Geſellſchaft Na-
turforſchender Freunde in Berlin, Verfaſſer der vortreflichen Beytrage zur Forſtwiſſenſchaft und der Beſchreibung
der Nordamerikan. Baume, welcher im vorigen Jahre als
Forſtmeiſter in Pr. Litthauen angenommen worden, haben Se. Maj. zum Oberforſtmeiſter dieſer wichtigen Provinz ernannt, und ſeinen Aufenthalt in Gumbinnen beſtimmt. *A. B. Berlin am 30 Dec.* 1788.

Hr. *Claudius* in Wandsbeck iſt als erſter Reviſor bey
der Speciesbank in Kopenhagen mit einem Gehalt von
400 Rthlr. angeſtellt worden.

III. Belohnung.

Der Biſchof von Wirzburg hat den 25. Nov. v. J.
dem Hrn. D. u. Prof. *Reſchirt* eine im Collegiatſtifte Neu-
münſter leergewordene Präbende zur Belohnung ſeiner
bisherigen Verdienſte gnädigſt conferirt.

IV. Todesfälle.

Am 25ſten Dec. 1788. ſtarb in dem Darmſtädtiſchen
Ort Biſchofsheim am Mayn der Pfarrer, Herr *Joh. Wolfg.
Konr. Link*, geboren zu Pirmaſens 1751. Vor 1778 war
er ein Paar Jahre auſſerordentlicher Profeſſor der Philoſophie. Unter ſeinen von *Menſel* verzeichneten Schriften ſind diejenigen die vorzüglichſte, die ſich auf die
orientaliſche Literatur beziehen, worinnen er keine gemeinen Kenntniſſe beſaſs, wie er denn noch vor einigen
Jahren den Antrag bekam, Lehrer der morgenländiſchen
Sprachen zu Maynz zu werden. *A. B. Gieſſen d. 30 Dec.*
1788.

Am 18. Dec. ſtarb zu Göttingen Hr. Hofr. und Prof.
Meiſter, in ſeinem 65 Jahre.

Zu Altona ſtarb am 31. Dec. v. J. an einem Faulfie-
ber, Hr. *J. F. Fedderſen*, Königl. Dan. Konſiſtorialrath,
Probſt zu Altona und Pinneberg, in einem Alter von 52
Jahren.

Den 30 Dec. 1788. ſtarb zu Leipzig Hr. D. u. Prof. *Pe-
nold*, Prof. Org. Ariſtot. plötzlich am Schlagfluſſe.

Hr. *Damours*, Dechant der Adrokaten beym Königl.
Rath, Ehrenſekretär des Königs, iſt den 16 Nov. v. J. zu
Paris geſtorben. Man hält ihn für den Verfaſſer der
Briefe der *Ninon de Lenclos*, und der zweymal aufgelegten
Schrift: Von Einfluſs des Frauenzimmers auf die Erzie-
hung der Mannsperſonen.

Chevalier *Bartoli* aus Venedig, Antiquarius des Königs von Sardinien, Mitglied der Akademie der Inſcriptio-
nen und Belles-Leures, iſt zu Paris geſtorben.

Hr. *Roſſet*, Rath bey der Steuerkammer in Montpellier, Verfaſſer des Gedichtes über den Ackerbau, iſt zu
Paris geſtorben.

Den 19 Dec. ſtarb auf dem Herzogl. Braunſchw. Luſt-
ſchloſs zu Salzdalum, Hr. *Nicolaus Chriſtian Eberlein*, Herzogl. Gallerie-Inſpektor im 67ten Jahre ſeines Alters.
Er war ein guter Maler und Verfaſſer des Verzeichniſſes
der Bildergallerie zu Salzdalum, welches 1776 zu Braunſchweig herauskam. Die durch ihn erledigte Stelle erhält der berühmte Landſchafts- und Viehmaler Hr. Prof.
Weitſch. Braunſchweig d. 23 Dec. 1788.

V. Oeffentliche Anſtalt.

Seit kurzem iſt nach dem Beiſpiel mehrerer andern
groſſen Städte auch zu Frankfurt am Mayn eine öffentliche ſehr wohl eingerichtete Leſegeſellſchaft entſtanden.
Der Buchhandler Herr Joh. Fr. Eſslinger, dem gewiſs
jeder Freund der Wiſſenſchaften dafür danken wird, entwarf den Plan darzu, welcher in der Stadt herumgeſchickt
wurde, und in weniger Zeit fanden ſich gegen 180
Perſonen, die daran Theil zu nehmen wünſchten. In
der Wohnung des Hrn. Eſslingers am groſſen Kornmark-
te ſind 3 Zimmer, das Mittelzimmer zum Sprechen, die
beiden Seitenzimmer aber zum Leſen beſtimmt, welche
ſeit den 1 Nov. 1788. täglich von 9 Uhr des Morgens bis
Abends 9 Uhr geöffnet ſind, damit die Mitglieder ſich
je nachdem ihre Geſchäfte es erlauben, darinnen ver-
ſammlen können. Hier finden ſie auf kleinen Tiſchen gegen 100 verſchiedene Deutſche, franzöſiſche, Italieniſche
und engliſche, politiſche und gelehrte Zeitungen und
Journale aller Art, die nach den jedesmaligen Bedürfniſ-
ſen der Geſellſchaft noch immer durch neue vermehrt,
und jede, wann ſie geleſen ſind, zum ferneren Gebrauch
der Geſellſchaft in einem beſondern Zimmer aufbewahret
werden. Schreibzeug nebſt allem Zubehör trifft man ebenfalls in den Zimmern an. Auch liegen noch überdiefs
auf einem beſondern Tiſche im Sprachzimmer eine Menge von den neueſten Landſchafts- franzöſiſchen und engliſchen
Büchern aus allen Fächern, die alle 8 Tage mit andern
verwechſelt werden. Zu noch mehrerer Bequemlichkeit
der Mitglieder iſt ein beſonderer Aufwärter dabei angeſtellt. Fremde können, wenn ſie von einem Mitgliede eingeführt werden, oder nur die Bekanntſchaft des Hrn.
Eſslingers gemacht haben, während der Zeit ihres Aufenthaltes allhier, welches doch nicht über ein halbes
Jahr ſeyn darf, unentgeldlich daran Antheil nehmen.
Vielleicht wird manchem dieſe Nachricht ſehr angenehm
ſeyn. — *A. B. Frankfurt am Mayn. d. 23 Dec.* 88.

VI. Neue.

VI. Neue Erfindungen.

Ein Gelehrter in Paris foll ein Amalgama erfunden haben, womit man die Kiffen der elektrifchen Mafchinen bedecken, und dadurch die Elektricität mehr als verdoppeln kann. Es befteht in einem fchwarzen Pulver, und ift bey Hrn. Bienvenu zu Paris in der Rohan'sftraße No. 18. zu haben.

Ein Bürger aus der Reichsftadt Dünkelsbühl, Namens Driefftein, erbot fich fchon vor 2 Jahren durch das Journal von und für Deutfchland feine Entdeckung gegen einen Preis von 100 Dukaten zu offenbaren, vermöge deren jede Feuersbrunft zu hemmen fey, wenn man nur zwifchen das brennende und das daran ftehende Haus

kommen könne. Diefe Entdeckung wurde von der Akademie zu Petersburg geprüft, und der Erfinder hat bereits die bedingten 100 Dukaten zur Belohnung affignirt erhalten. A. B. Stuttgart d. 23 Dec. 1788.

VII. Vermifchte Nachrichten.

Das von dem Königl. Preuff. Geheim. Forftrath, Hr. v. Burgsdorff, in letzterer Michaelismeffe herausgegebne Forfthandbuch haben Se. Churfürftl. Durchl. von Pfalz-Bayern an Dero fammtl. Bayerifche, auch an viele Pfälzer Forftbeamten unentgeldlich austheilen laffen, fich daraus zu belehren, und die Gründe reiner Forftwiffenfchaft zu fammlen. A. B. Berlin am 25 Dec. 1788.

LITERARISCHE ANZEIGEN.

I. Ankündigung neuer Bücher.

Um die Zahl der Gönner meiner *Gefchichte der Erfindung*, oder, der theoretifchen und praktifchen Gefchichte der drei Reiche, ihrer Erfindung, ihres Gebrauchs, und ihres Nutzens oder Schadens kennen zu lernen, die Auflage derfelben genauer zu beftimmen, und einen Calcul machen zu können, fchlage ich auf den vierten Band eine Subfcription von zwey Gulden vor. Diefes Werk ift eine Art Encyclopädie, aber nicht alphabetifch, fondern nach Eintheilung der Naturreiche. Daher theilte ich zuerft das Mineralreich in Klaffen ab, befchrieb die Gefchichte eines jeden einzelnen Produkts, die Bearbeitung deffelben aus feinem rohen Stoff, der Zeit feiner Erfindung, feines Gebrauchs, feines Nutzens und Schadens für die menfchliche Gefellfchaft; wie daher Handwerke, Künfte und Manufakturen entftanden find.

Der erfte Band enthält die Gefchichte der Metalle, von den Handwerken und Manufakturen, fo daraus entftanden, der Halbmetalle, der Steine, der Verfteinerungen, der Erd- und Schwefelarten. Der zweite Band handelt von den Salzarten, von einigen Handwerken, die in Stein und Erde arbeiten, z. E. der Maurer, Steinhauer, Töpfer, von den daraus entftehenden Künften, der Bildhauerkunft, und einen Theil der bürgerlichen Baukunft. Der dritte Band enthält den übrigen Theil der bürgerlichen Baukunft, die Kriegs-Schiffbau-und Gartenkunft. Der vierte Band wird die Mahler-und Münz-Kunft, den Groß-und Klein Uhrmacher enthalten. Auch find z. E. in dem dritten Band unter dem Artikel, Klofter, ihre verfchiedenen Arten, der zmählige Entftehung und Gefchichte, ihr Nutzen und Schaden abgehandelt. Am Ende des vierten Bandes foll ein alphabetifches Regifter über die vier erften Bände angehängt, und foll bey jedem Band fortgefahren werden. Nach dem Wink gütiger und günftiger Rezenfenten, in der Jenaer-Literatur-Zeitung und den Göttinger und Hallifchen Anzeigen, foll das gefündete fo viel möglich gebeffert, und ftets nach obigen Plan fortgefahren werden. Das ganze Werk wird fich höchftens auf zwölf Bände einfchränken, und auf jede Leipziger Meffe ein Band erfcheinen. Die Namen der Herren Subfcribenten werden vorgedruckt. Da fo zu

fagen jeder Band für fich ein Ganzes ausmacht, fo kann man auch einzelne Bände unter einem befondern Titel haben; wie z. E. den dritten, Gefchichte der Bau-und Gartenkunft; den vierten, Gefchichte der Mahler und Münzkünfte.

Die drei erften Bände zufammen koften fechs Gulden. Fünf Theile zufammen, machen die Gefchichte des Mineralreichs aus. Die Subfcriptionen bitte ich an den Landfchreiber Johann Heinrich von Orell in Zürch poftfrei zu fenden.

Zürch den 1 Decbr. 1788.

Der Verfaffer.

Neue Verlagsbücher der Hoffmannfchen Buchhandlung in Weimar:

Acten, Urkunden und Nachrichten zur neueften Kirchengefchichte, eine Fortfetzung der Act. hift. eccl. nofiri temp. 1ten Band. 16 bis 56 St. 8. 15 gr.

Adelheid von Raffenberg, ein Trauerfp. in 5 Aufz. 8. 5 gr.

Forüs, Alb., eine minealogifche Reifen durch Calabrien und Apulien; a. d. Ital. (von Friedrich Schulz, durchgefehen von Hrn. Hofrath von Born.) 8. 8 gr.

Schriften, kleine profaifche, vom Verfaffer der Moritz. (Friedrich Schulz.) 8. 1r Theil. 10 gr. 2r Th. 14 gr.

Steuerwald, J. H., Predigt am achten. Dank- und Bettage in den vereinigten Niederlanden, zu Herzogenbufch gehalten. gr. 8. 5 gr.

Strack von dem Milchfchorf der Kinder und einem fpecifiken Mittel darwider, a. d. Lat. mit Anmerk. von F. W. Waitz. 8. 3 gr.

Tafchenbuch für Scheidekünftler und Apotheker auf das Jahr 1789. 10s Jahr. 12. 12 gr.

London, by Dilly in the Poultry; and J. Philips, George yard, Lombard Street.

Memoirs of the medical Society of London. Vol. I. 1788. Sie enthalten fünf und dreyffig Originalfchriften. I. Von dem Character des Aesculaps von Dr. Letfom; II. Von einem kalten Brande, von Hrn. Luttrell. III. Von der Urfiehe und Heilung des Tetanus, von Doct. Rufch. IV. Vom

Herz-

Herzklopfen, von Doct. Lettfom. V. Bemerkungen über die Taubheit, von Doct. Jamet Sims. VI. Von einer Verhaltung des Herns, Von Hn. Norris. VII. Einige Bemerkungen über die Würkungen der Quaſſia, von Doct. Lettfom. VIII. Vom innern Waſſerkopf von Hn. Hoper. IX. vom innern Waſſerkopf von Doct. Lettfom. X. Von einer ungewöhnlichen Abblatterung der Hirnſchale von Hn. Cullum. XI. von einer ſonderbaren Erweiterung des Herzens; von Hn. Ogie. XII. von einer krankhaften Gröſſe der Vorſteherdrüſe, von Doct. Fothergill. XIII. Eine auſſerordentliche Entbindung. von Hn. Show. XIV. von der Branchecele, von Hn. Lane. XV. Von einem Rheumatismus, von Hrn. Sherfon. XVI. Glückliche Cur eines Blafenfteins; von Hrn. Harrifon. XVII. von einer Wäſſerfucht des Eyerſtochs und Bauchwaſſerfucht, von Hrn. French. XVIII. von einer Bruſtbräune von Hn. Hooper. XIX. Fälle von der Waſſerſcheu von Hn. Johnfone. XX. allgemeine Bemerkungen und Regeln in Anſehung einiger Fälle in der Wundarzneykunſt; von Hrn. Wethen. XXI. von einem Kopfweh mit ungewöhnlichen Zufällen von Hn. Henry. XXII. von einer Bruſtbräune, von Doct. Edward Johnfone. XXIII. von der Wirkſamkeit des Büfenkrauts in gewiſſen Fällen von Wahnſinn, von Doct. Fothergill. XXIV. von einer Verbrennung; von Hn. Ladwell. XXV. von einem jungen Frauenzimmer, welches ein Meſſer verſchluckte, von Hn. Wheeler. XXVI. von einem Krampfhaften Uebel der Augen von Hn. Say. XXVII. von einer Krankheit nach der Verletzung von Zähnen; von Doct. Lettfom. XXVIII. merkwürdige Würkung der Spaniſchen Fliegen in einer Lähmung von Doct. Vaughen. XXIX. von einer Verletzung der Hand von Thomas Pole. XXX. von einem Gallenſtein. von Doct. Lettfom. XXXI. von einer Bruſtbräune von Doct. Johnfone. XXXII. von dem Scharlachfieber mit der Bräune im Jahr 1786; von Doct. Sims. XXXIII. Geſchichte eines kalten Brandes am Hodenſacke; von Doct. Hubbard. XXXIV. von einer groſſen Abblätterung des Schienbeins, von Hrn. Whately. XXXV. Andenken an Jacob Barbeu Duboury, von Doct. Lettfom. Der zweyte Band iſt noch unter der Preſſe. Von dieſem ſehr intereſſanten Werke wird bald eine deutſche Ueberſetzung bey den Unterzeichneten erſcheinen.

Stendal den 18 Oct. 1788.

Franzen und Groſſe.

Die griechiſche Ueberſetzung einiger Bücher des alten Teſtamentes auf der Sankt Markusbibliothek zu Venedig iſt bisher nur dem Publikum aus den poetiſchen Schriften und dem Büchlein Ruth nach der Ausgabe des Herrn von Villoifon Straßburg 1784 bekannt geworden. Gegenwärtig kann ich den Freunden der bibliſchen Exegeſe die angenehme Nachricht ertheilen, daß ich auch den Pentateuch aus den Händen dieſes berühmten Gelehrten in ſeiner eigenen Kopie beſiße und mich mit der Herausgabe deſſelben beſchäftige. Noch bin ich nicht im Stande, den Plan dieſer Arbeit und ihre Erſcheinung genau zu beſtimmen; aber zur Pflicht darf ich mir es machen, den kritiſchen Werth dieſer Ueberſetzung zu prüfen, und das Reſultat meiner Unterſuchung in einer eigenen Abhandlung dem Publikum nächſtens vorzulegen. Erlangen am 1 Dec. 1788.

C. F. Ammon.
der W. W. Magiſter.

Von der Dactyliothek des Herrn Löhrs in Mainz, die in und auſſer Deutſchland den verdienten Beyfall gefunden, iſt der 4te und 5te Band fertig worden. Ein Band von einfärbigen Paſten koſtet Drey Ducaten: werden aber die Paſten in zwölf und mehrerley Farbenmiſchungen verlangt, wird für den Band Vier Ducaten bezahlt. Liebhaber in hieſigen Gegenden können ſich an den Stiftsprediger Weber in Weimar wenden.

II. Auctionen.

Den 26ten Jan. 1789 wird in Gießen eine anſehnliche Bücherverſteigerung gehalten, von mehr als 1500 Bänden der beſten Bücher aus allen Theilen der Wiſſenſchaften. Den Catalog kann man auf daſigen Poſtamt haben.

Den 16ten Febr. 1789. und die folgenden Tage wird in Altdorf der gröſte Theil von den Büchern des ſeel. Hn. Prof. Nagel durch Verſteigerung weggegeben. Sie beſtehen groſſentheils aus ſchönen und ſeltnen Ausgaben von griechiſchen und Latein. Autoren. Wer ſonſt nicht Gelegenheit hat den Katalogus dieſer Bibliothek zu erhalten, wird ihn in der Expedition der Allg. Litter. Zeitung, oder auch bey M. Mannert in Nürnberg bekommen können. Für Liebhaber der orientaliſchen Litteratur (welche aber auch in der Hauptſammlung manches gute finden,) wird nächſtens noch ein beſonderes Verzeichniß von blos rabbiniſchen Büchern enthalten. Zur Probe ſeze ich folgende zwey Bücher an:

Platonis operum Tomi III. gr. et lat. apud Henr. Stephanum. 1578. gr. Fol.

Affemanni biblioth. oriental. etc. Tomi IV. Romae. 1619. Fol.

III. Bücher ſo zu verkaufen.

In Gießen beſitzt der Buchhändler Krieger junior viele einzelne Theile der Fabriſchen alten Staatskanzley vom 1 bis 80ten, theils einzeln, theils doppelt und zwar gebunden. Er iſt erbötig, ſolche entweder einzeln oder ſo Theile im Ganzen billig zu verkaufen. Auch bietet er einen Tauſch gegen die ihm fehlende, um dieſs Werk zu completiren, an, und wann dies nicht geſchehen kann, ſo iſt er erbötig, den 81 bis 115ten Theil nebſt den Regiſter zu kaufen, wann ſie jemand ihm billig verlaſſen wird. Lünigs vollſtändiges Reichsarchiv in 24 Bänden hat er auch gebunden zu verkaufen.

INTELLIGENZBLATT

der

ALLGEM. LITERATUR-ZEITUNG

Numero 7.

Sonnabends den 17ten Jan. 1789.

LITERARISCHE NACHRICHTEN.

I. Preisaustheilungen.

Auf die im 2ten und dritten Bande des Helvetischen Magazins für die Naturkunde aufgegebenen Preisfrage: Was ist der Basalt? ist er vulkanisch oder nicht vulkanisch? sind 6 Abhandlungen eingelaufen, worunter die erste mit dem Motto: *Opinionum commenta dies delet, judicia naturae confirmat.* Cicero. von der Naturforschenden Gesellschaft in Bern den Preis, die zweyte aber mit dem Motto: *Quae praesenti opuscula desunt, suppleat aetas.* Quintilian. das Accessit erhalten.

Die erstere stimmte mit sehr geschickten und überredenden Gründen für die *Nichtvulkanität* des Basalts und hatte Hrn. *Johann Friedrich Wilhelm Widenmann* Herzogl. Wurtembergischen Ober-Bergamts Secretär in Stuttgart zum Verfasser.

Die zweyte war für die Vulkanität des Basalts, und hatte ebenfalls einige sehr gute Gründe für sich um diese Behauptung zu unterstützen, welche Gründe aber sich in der erstern Abhandlung sattsam widerlegt befanden. Sie hatte den Hrn. BergSecretär *Voigt* in Weimar zum Verfasser.

Beyde werden in dem vierten Bande gedachten Magazins neben einander erscheinen, und die Gründe dieses Urtheils beygefügt enthalten. *A. B. Bern den 2 Jan. 89.*

II. Kunstsachen.

Bey dem Schwarzkunstarbeiter und Kunstverleger in Augsburg *Johann Simon Megges* ist das wohlgetroffene Bildniss des *Erasmus von Rotterdam*, nach Holbein, in der sogenannten Schwarzkunst. oder auf englische Art, in Realfolio, das Stück für 36 Kr. holland. Papier, unlängst erschienen. Für eben diesen geringen Preis, (in London würde das Blatt eine 1/2 Guinee kosten) hat eben dieser brave Künstler die. Portraite *Luthers*, *Melanchtons*, *Wicleffs*, *Huß*, und *Hieronymus von Prag*, nach vortrefflichen Originalen, in eben diesem Formate, und Preisen, mit dem Schabeisen, recht gut bearbeitet. Den Anlass zu dieser Porträtfolge in grossem Formate gab dem Künstler das, in der Evang. St. *Ulrichskirche* in Augsburg aufgestellte, Original von dem jüngern *Fischer*, nach Lucas Cranach verbessert; ein pastoser Kopf, der dem Künstler von seinem ehemaligen Lehrer als ein Meisterwerk des Isaac Fisches mit Nachdruck empfohlen worden; alles ist in dem von *Gottlieb Heiss* in Augsburg einem der grös-

ten Schwarzkünstler, die gewesen sind, erfundenen *Werkgrund* des Schabeisens bearbeitet. *Zwingli* und *Oecolampad* werden nächstens nachfolgen.

Eben dieser berühmte Kunstverleger ist Willens, die von dem verstorbenen Kaiserl. Hofkupferstecher *Pfeffel* an sich gebrachte Physica sacra. oder Naturgeschichte der Bibel, des bekannten *Scheuchzer*, mit der im J. 1733 bey Peter Schenk u. Mortier in Amsterdam herausgekommenen französischen Ueberfetzung, in VIII. Bände in Folio, mit 750 Kupferblatten, die ohne Abgang einer Delicatesse des Grabstichels, noch eine Auflage halten, auf eine Pränumeration, den Band 10 Gulden, und also das ganze Werk 80. Gulden, in halbjährigen Lieferungen wieder aufzulegen. Zu diesem Ende ist im October des vorigen Jahres eine Nachricht in französischer und deutscher Sprache vom Künstler ausgegeben worden, worinn die Bedingnisse der Pränumeration angegeben sind. *A. B. Augsburg den 3 Jan. 789.*

III. Bücherverbote.

Folgende Bücher sind in den oesterreichischen Staaten verboten worden:

Spinoza's philosophische Schriften, oder — über die heilige Schrift, Judenthum, Recht der höchsten Gewalt in geistlichen Dingen. Aus dem lateinischen 1r Band. Gera 787.

Hyperboreische Briefe, gesammelt von Wekherlin. 1 Bündchen. 788. *A. B. Wien den 25 Dec. 88.*

Die hiesige Censur versagte das Imprimatur der Schrift des Herrn Doctor Würzer über das Religionsedict vom 9ten Julius. Hr. Würzer liess sie mit einer Zueignung an den König ins Ausland drucken, dem sie mit einem Privatschreiben zuschickte. Er wurde durch das Kammergericht zur sechswöchentlichen Gefängnissstrafe verdammt, doch soll die Zeit, die er schon im Arrest auf der Hausvogtey gesessen, mit gerechnet werden. *A. B. Berlin den 29 Dec. 1788.*

IV. Vermischte Nachrichten.

Hr. M. *Paulus* ist von seiner gelehrten Reise durch Deutschland und Engelland wieder zurückgekommen. Zu Bestreitung der Reisekosten erhielt er von dem zu Kirchheim privatisirenden *Freyherrn von Palm* eine Summe von

von mehr als 1200 Thalern. Der edlen Freygebigkeit diefes vortreflichen Cavaliers verdanken noch mehrere junge
Gelehrte Würtembergs die Ausbildung und Erweiterung
ihrer Kenntniße durch Reiſen. Hr. von Palm iſt nicht
nur Beförderer der Wiſſenſchaften im edelſten Sinne des
Worts, ſondern zugleich auch ein vorzüglicher Kenner
derſelben, und beſitzt eine auserleſene Bibliothek im Fach
der Geſchichte und alten Litteratur. *A. B. Stuttgart den*
20 Dec. 88.

Man hat, wir wiſſen nicht warum, den Geheimen
Sekretär Hrn. Sotzmann mit Briefen wegen des Buſching-
ſchen Atlas beſchwert, welche zum Theil unfrankirt waren. Hr. Sotzmann ſo wenig als wir können einſehen,
was zu dieſem Miſsverſtandniſſe Anlaſs gegeben, da wir
in dieſem blatt, und in andern Zeitungen bekannt gemacht haben, daſs man ſich an unſere Handlung wenden
müſſe, welche allein die Pränumeration annimmt, und die
Exemplare vertheilt, da ſie die Unternehmung lediglich
für ihre Rechnung und Koſten gemacht hat. Wer ſich
bey uns nicht unmittelbar oder durch Buchhandlungen
gemeldet hat, bezahlt nach Neujahr für jedes Heft 1 Rthl.
8 gr. Da Hr. Sotzmann zu viele Geſchäfte hat, als daſs
er ſich in ihn nicht intereſſirende Correſpondenzen einlaſſen könnte, ſo haben wir dieſes, und daſs man ſich lediglich mit ſeinen Beſtellungen an uns zu wenden habe,
hierdurch bekannt machen wollen. *Berlin den 5ten Dec.*
1788.

Königl. Preuſs. Akademiſche Kunſt- und
Buchhandlung.

Der Hr. Bergrath Cramer hat es bey dem Anſpacher
Landesherrn dahin zu bringen gewuſst, daſs ein gewiſſer
Fond zu einer bergamsBibliothek geſtiftet, und ein ziem-
licher Vorrath brauchbarer Bücher angeſchaft worden; zu-

gleich hat der Hr. Bergrath den Auftrag erhalten, ein
beſtändiges Mineralien-Cabinet zu unterhalten, allein
ſolches will den erwünſchten Fortgang nicht haben, weil
die armen Bergarbeiter keine ſonderliche Vergütung erhalten, und daher die gewonnenen Stufen ihrem catholi-
ſchen Geiſtlichen lieber bringen. *A. B. Hachenburg den*
19 Dec. 788.

Schweizeriſche Aerzte haben einen Entwurf zu einer
correſpondirenden Geſellſchaft drucken laſſen, und zwar
zur Beförderung der Arzneykunde in ihrem Vaterlande.
Sie theilen einander zweifelhafte Fälle zur Beurtheilung
mit, und ſtehen in allem, was practiſche Heilkunde betrifft, in genaueſter Verbindung. In der Hauptſtadt des
Canton Zurich iſt das beſtändige Secretariat, und beſtehet
aus daſigen vier Aerzten D. u. Canz. *Rahn.* D. *Römer,*
D. *Schinz,* D. *Uſteri* und dem StadtWundarzt H. *Opera.*
Meyer. Die engere Commiſſion iſt auf zwanzig Mitglieder
feſtgeſetzt. Sobald eine hinlängliche Anzahl von Aufſätzen vorhanden, wird eine Schrift unter dem Titel:
Muſeum der Heilkunde von einer Geſellſchaft Schweizeri-
ſcher Aerzte und Wundärzte herausgegeben. Die Rubriken ſind folgende:

1. Meteorologiſche Tabellen in mediciniſcher Rückſicht.
2. Authentiſche Geburts- und Sterbeliſten.
3. Beſchreibung epidemiſcher Conſtitutionen.
4. Aufſätze und Abhandl über practiſche Arzneykunde.
5. Beobachtungen über einzelne Fälle epidemiſcher, en-
demiſcher oder ſporadiſcher Krankheiten.
6. Neue gründliche Beſchreibungen Schweiz. Bäder und
Geſundbrunnen.
7. Recenſionen auswärtiger Schriften.
8. Anzeigen mediciniſcher Anſtalten, Anekdoten, Biographien.

LITERARISCHE ANZEIGEN.

I. Ankündigungen neuer Bücher.

Halle, bey Joh. Chriſt. Handel ſind an der Mich. M.
nachſtehende neue bücher fertig geworden, und in den
vornehmſten Buchhandlungen aller Orten zu haben:
Auswahl einiger mahleriſchen Gegenden in und um
der Stadt Halle im Saalkreiſe. 1ter Heft Blatt 1–4.
Koſtet bunt illuminirt 2 Rthlr.
braun oder ſchwarz getuſcht 1 Rthlr. 4 gr.
enthält:

1) Den Marktplatz von der Seite des Rathhauſes gegen den rothen Thurm und die Marktkirche, 1 Fuſs
3 Zoll breit 10 Z. hoch.
2) Derſelbe von der Seite des Rolands oder Schoppen-
ſtuhls gegen die Wage und das Rathhaus, als Com-
pagnon dieſelbe Breite und Höhe.
3) Die Ruinen des alten Bergſchloſſes Giebichenſtein aufm
Felſen, nebſt denen dabey liegenden Bergen; die
Saale im Vordergrunde; 9 Z. breit, 5 Zoll hoch.

4) Ein Proſpect vom Steinwerder gegen einen Theil
der Stadt Halle, zwiſchen den Felſen und der vor-
beyflieſſenden Saale bey Giebichenſtein. Dieſelbe Höhe
und Breite.
Geiſt, Ad. Fr. Skizzen aus dem Charakter und Handlungen Joſephs II. etc. 10te Sammlung 8. Schreibpap.
(Wird fortgeſetzt) 14 gr.
Kunſt, die, in 3 Stunden ein Mahler zu werden, und
die Werke der berühmteſten Meiſter in Farben zu ſetzen, ohne die Zeichnungskunſt erlernt zu haben; 8.
4 gr.
Lehmann, M. C. D. Fr. Beyträge zur Unterſuchung
der Alterthümer aus einigen bey Weſslleben vorgefun-
denen heidniſchen Ueberbleibſeln, 8. Mit Kupfern.
10 gr.
Literariſche Nachrichten, neue für Aerzte, Wundärzte und Naturforſcher aufs Jahr 1787. gr. 8. 4 Rthlr.
(Wird als eine Quartalſchrift aufs Jahr 1788. fortgeſetzt, und künftig jedesmal zu Ende des halben
Jahrs

53

Jahrs geliefert. Der Preiss für den ganzen Jahrgang beyde Bände complet ist 2 Rthlr. 12 gr.)

Meibert, Fr. über das Studium der Mathematik für Juri-
sten, Cameralisten und Oekonomen auf Universitäten.
gr. 8. 10 gr.

Παλαιφατυ περι των απιςων. Paläphatus von den unglaublichen Begebenheiten; mit einem griechisch deutschen Wortregister vermehrt, von Joh. Dan. Büchling
gr. 8. 6 gr.

Suetlage, Leonh. progr. de methodo jus docendi. med.
8. 2 gr.

Ueber das Eigenthumrecht der Böhmischen Obrigkeiten
auf die Gründe ihrer Unterthanen, und über die Gerechtigkeit der hieraus entstehenden Frohn- oder Robotschuldigkeit. 8. 2. gr.

Wolf, Geo. Fr. Vermischte Klavier- und Singstücke von
verschiedener Art. Erste Sammlung. 10 gr.

Zepernick, D. Chr. Fr. Miscellaneen zum Lehnrecht,
2r Band. gr. 8. 1 Rthlr, 6 gr.

Auch werden in J. C. Hendels Noten-Officin folgende
Werke erscheinen:

1) Hr. Chr. Al. G. Blumenthal giebt 12 Lieder und
1 Wechselgesang fürs Clavier heraus. Pränumeration
bis Mitte Jan. 89. ist 8 gr. Franco Halle.

2) Hr. C. F. G. Schwenke, (aus Hamburg) giebt eben
daselbst 3 Sonaten furs Clavier heraus. Pränum. bis
Ende Febr. 1789. ist 16 gr. Fr. Halle.

Allen Freunden der Militär-Wissenschaft wird nachstehendes Werk angekündiget:

Genealogisch-chronologische Sammlung, sämmlicher Churfürstl. Brandenburgischer und Königl. Preufs. hohen
Generalität, und übrigen Herren Stabs-Officiers, so
jemals bey dieser Armee in Kriegsdiensten gestanden
haben, bis auf gegenwärtige Zeiten 1789, nach alphabetischer Ordnung zusammengetragen.

Dies Buch ist nebst Zuziehung verschiedener in diesem
Fache kenntnissvollen Männer Fleiss und Rath, wie
auch mit Sammlung und Vergleichung der nöthigsten
Armee Nachrichten, und Ranglisten von denen ältesten
Zeiten hergesammelt, verglichen und in eine genealogisch-chronologische Sammlung nach alphabetischer Ordnung gebracht worden. Der Leser findet also jeden
Staabs-Officier sowohl nach den ehemaligen Churbran-
denburgischen a's nunmehrigen königl. preufs. Truppen
soweit nur Armeenachrichten aufzufinden gewesen, nach
seinen Geschlechtsnahmen und alphabet. Ordnung von
der Zeit seines ersten Dienstjahres bey der Armee aufgeführt, so wie auch alle folgende Avancemens-Jahre
nach Datum und Jahrzahl bis dahin, wo derselbe die
Armee verlassen, es sey durch l'ension, Dimission
oder durch den Tod. — Wo möglich sind auch noch
kl. Nachrichten bey des einen oder andern Nahmen
beygefügt, die dem Verf interessant schienen jeder
Buchstabe durchs Alphabet enthält 1) Die Gen. Feld-
schälle, 2) Die Gen. L. 3) Die Gen. Maj. 4) Obristen.
5) Obr. L. 6) Majors von der Inf. Eben in dieser

Ordnung folgt die Cavalerie. Zur Bequemlichkeit des
Auffuchens zuletzt ein Register.

Der Pränumerations-Preis auf dies Buch ist 1 Rthl.
und der Termin bis Ende Januarii 1789. Zur Ost. Messe 89.
erscheint das Werk.

Joh. Friedr. Stiebritz,   Joh. Christ. Hendel
Lieutnant u. Verfasser.   Buchhändler in Halle.

Im Jahr 1786 habe ich auf meine Kosten des Herrn
Tilemann Dothus Wiarda altfriesisches Wörterbuch drucken
lassen, und den Verkauf in meiner Provinz selbst besorgt,
ohne dasselbe durch den Buchhandel im Auslande bekannt
zu machen. Da mir nun seit einigen Monaten dieser-
halb von sehr vielen Orten her Bestellungen eingegangen
sind und man sich beklagt, dass dies Wörterbuch in den
Buchläden nirgends zu haben sey, so habe ich mich entschlossen, dem Hrn. Buchhändler Siegfried Lebrecht Crusius in Leipzig eine Anzahl Exemplare in Commission zu
geben, von dem nun jede Buchhandlung ihren Bedarf zu
verschreiben die Güte haben wird. Der Preis ist 2 Rthlr.
4 gr. Uebrigens enthalte ich mich aller Anpreisung dieses meines Verlagsbuches, sondern verweise nur auf die
Recensionen, die in mehrern gelehrten Zeitungen bekannt
gemacht sind.

Von Conrad Bernhard Meyers Beschreibung des Trans-
parentspiegels, eines neuen, sehr einfachen und nützlichen
Instruments für Zeichner, Kupferstecher, Botaniker und
verschiedne Professionisten, mit einer Kupfertafel, ist so
eben die zweyte verbesserte Auflage erschienen, die um
3 gr. bey obgenannten Herrn Crusius in Leipzig gleich-
fals zu haben ist.

Aurich, den 10ten Dec. 1788.

A. F. Winter.

Bey den Gebrüdern Mäntler in Stuttgart sind folgende neue Bücher erschienen, welche zu jeder Zeit bey dem
Buchhändler E. M. Gräff in Leipzig zu finden sind:

E. F. Hübners vermischte Gedichte, mit Claviermelo-
dien von Abeille. 1te Sammlung. 8. 1 Thlr.

Das türkische Reich, nach seiner Geschichte, Religions-
und Staatsverfassung, Macht, Einkünften, Sitten und
Gebräuche; 1stes Bändchen, welche- zugleich ein erklärendes Verzeichnis der gewöhnlichen türkischen
Benennungen im Civil- und Militärstande enthält. 8.,
12 gr.

Franz von der Trenk, Pandurenobrist; dargestellt von
einem Unpartheyischen, 2 Bändchen. (1s Bändch.
mit einer Vorrede und Familiengeschichte von Schubart. 2s Bändch, mit einer Heyrathsgeschichte für
Menschentöchter von Ebendemselben.) 8. 20 gr.

Ueber die Vereinigung der christlichen Religionspar-
theyen, von einem altchristlichen Wahrheitsforscher.
Mit einer Vorrede herausgegeben von Schubart. 8. 6 gr.

Da

Da ich meinem Werke *von den Gesundbrunnen* den höchstmöglichen Grad der Vollständigkeit zu ertheilen gesonnen bin, so ersuche ich alle Aerzte und Chymiken in- und außerhalb Deutschland, meine Absicht durch hierher gehörige Beyträge (sie mögen die Analysis unbekannter oder nicht sorgfältig genug geprüfter Mineralwasser, oder Beschreibungen, welche nicht bekannt genug oder vergriffen worden sind, oder bestimmte Erfahrungen über die Wirkungen der Wasser zum Gegenstand haben) gütigst zu unterstützen; wofür ich mich nicht allein zum Ersatz aller Kosten, sondern noch insbesondere zu einem anständigen Honorarium verbindlich mache.

Beyläufig sey es erinnert, daß der Subscriptionstermin dieses Werks bis zur Ostermesse 1789 verlängert worden ist.

Halle im November, 1788.

D. August Gottlob Weber,
Professor auf der Friedrichsuniversität.

Fast zu gleicher Zeit mit mir, im vorigen September, kündigte die akademische Buchhandlung zu Straßburg auch eine Deutsche Uebersetzung von des Hr. Ritters von Bourgoing, ehemaligen Königl. Franz. Legationsrath zu Madrid und nunmehrigen K. Franz. Gesandten zu Hamburg vor kurzem erschienenen vortreflichen Nouveau Voyage en Espagne, ou tableau actuel de cette Monarchie etc. mit Charten und Kupfern in 3 Octav Bänden, von dem Hr. Hofrath und Bibliothekar Kayser zu Regensburg bearbeitet, ohne daß wir etwas von unserer Rivalität bey dieser Unternehmung wußten, an. Da dieselbe, nun, auf mein Ersuchen die Gefälligkeit hatte darauf freywillig Verzicht zu thun, und mir die Uebersetzung des Hr. Hofr. Kayser zu überlassen, welcher dieselbe nunmehr unter Mitwürkung des Hr. Legat. Raths Bertuch zu Weimar liefern wird, so habe ich das Publicum hierdurch blos benachrichtigen wollen, daß obgedachte Concurrenz nunmehr aufgehoben ist, und dieß interessante Werk zu künftiger Oster - Messe allein in meinem Verlage, mit Churfürstl. Sächs. gnäd. Privilegio erscheinen wird. Die Charten, Plans, und Kupfer werden bereits von guter Meister-Hand nachgestochen, und ich werde dafür sorgen, daß auch das Aeußere dem inneren Werthe dieses Werks entspreche.

Jena den 23 Dechr. 1788.

Joh. Michael Maucke.

Von der Sammlung der inn - und ausländischen Holzarten nebst deren Abbildung und Beschreibung ist die

dritte und vierte Lieferung erschienen, die zusammen folgende 12 enthalten: Morus tinctoria, Prunus avium-Crataegus torminalis, Prunus armeniaca, Rosa canina, Aesculus hippocastanum, Sambucus nigra, Laurus Sassafras, Prunus domestica, Pyrus malus silvestris, Betula alba, Pinus cembra, und können für den Subscriptionspreis (das Dutzend 1 holländ. Ducaten) bey uns abgeholt werden. Andern Liebhabern soll es dabey noch freystehen, auch die wenigen vorräthigen Exemplare von den beiden ersten Lieferungen, gleichfalls zusammen 1 Dutzend für 1 Duc. erhalten zu können, wenn sie den Betrag Franco an uns hieher nach Erfurt schicken. Die fünfte und sechste Lieferung, oder das dritte Dutzend, erscheinen gewiß zur Ostermesse, darunter sind unter andern Schwidenia (mahagoni) Caesapinia Sapan, Taxus baccata, Siringa etc.

Ferdinand Bellermann
et Comp.

II. Ankündigungen neuer Musikwerke.

Ich habe vor einiger Zeit eine kleine Cantate: Die Grazien vom Herrn von Gerstenberg, in Musik gesetzt. Der Beyfall, mit welchem meine Oper: Orpheus von dem Publikum aufgenommen ist, giebt mir den Muth, dieses kleine Stück, im Clavier - Auszuge anzukündigen. Ich habe mein möglichstes gethan, die Musik dem Text angemessen zu machen, und empfehle sie besonders der Unterstützung aller deutschen Töchter der Grazien und Musen. Auf künftige Ostern erscheint das Werk beym Hr. Rellstab in Berlin. Die ganze Pränumeration darauf ist 12 gr. und auf 10 Exempl. wird das 11te frey gegeben. Die Namen der Pränumeranten werden vorgedruckt. Sollte jemand zugleich die Stimmen dazu besitzen wollen, um das Stück in Concerten aufführen zu können; so bin ich erbötig, solche sauber geschrieben, für 2 Rthlr. zu überlassen. Zugleich ersuche alle geehrte Buchhandlungen um gütige Uebernehmung der Pränumeration. Insonderheit wird solche in Berlin bey Herrn Cammer - Musikus Bachman und Hr. Rellstab, in Königsberg bey Hr. Oeconom Mempel, in Stettin bey Hr. Musikdirecu. Wolf, in Breslau bey Hr. Buchhändler Leuckart, in Dresden bey Hr. Buchhändler Walther, in Franckfurth an der Oder bey Hr. Kantor Kargas, in Petersburg beym Hr. Cammer - Musikus Bachmann, in Weimar beym Hr. Capellmeister Wolf etc. gegen die bey meiner Oper Orpheus gemachte Bedingungen angenommen, und erwarte die freye Einsendung der Nahmen und Gelder spätestens gegen Ende des Monaths März.

Potsdam im Dec. 88.

Friedrich Benda
Königl. Preuß. Cammer - Musikus

LITERARISCHE NACHRICHTEN.

I. Vorläufige Berichte von ausländischer Literatur.

Lunario per i Contadini della Toscana per l'anno bifestile 1788. etc. Firenze in 16. di pp. 158. con una Tavola, che da il disegno di un nuovo frontispo.

Dies ist der zweyte Almanach für Landleute, den Hr. D. Tarlini herausgiebt. Er ist mit vielem Fleiss zusammengetragen, und enthält: einen Kalender von dem, was täglich in Holzungen zu thun ist, und allgemeine Nachrichten dess. Inhalts; eine Abhandlung über die Bereitung, Erhaltung und Verbesserung des Oels; Zusammenstellung der Erfahrungen in der Landwirthschaft, die der Herausgeber im J. 1787 gemacht.

Mit dem falschen Druckort Amsterdam 1788. in 8. *Satire di Quinto Settano con aggiunte e note. S. 353.*

Kamen zuerst in Italien unter dem angegebnen Druckort Zürch 1760 heraus. Die jetzige Ausgabe enthält noch ein kurzes Leben des Verf. und einige Noten, die sich auf Mythologien und Anspielungen beziehn.

Livorno, presso Carlo Giorgi: *Elementi di Lingua Toscana ad uso delle pubbliche Scuole del Regio Convitto di S. Leopoldo di Livorno. 1788. in 12. 122 S.*

An Büchern dieser Art fehlt es nicht, aber keines hat die gehörige Kürze. Das gegenwärtige lässt weder in der Methode, noch in der Kürze was zu wünschen übrig. Einige Bemerkungen über die neue Orthographie machen den zweyten Theil aus, und am Ende sind Regeln über den italiänischen Versbau angehängt.

Napoli: *Nuovo Giornale Letterario d'Italia per l'anno 1788.*

Ein neues Journal, das wöchentlich Bogenweise herauskommen, und verschiedne Artikel enthalten soll, z. E. neue Bücher, litterarische Neuigkeiten, neue Entdeckungen, akademische Fragen, Todesfälle der Gelehrten, Buchhändlernachrichten, Nachrichten von nützlichen Instituten u. s. w.

Opere del Sig. Abbate Pietro Metastasio, con Dissertazioni. Firenze 1788. nella Stamp. della Rosa. in 8.

Diese Ausgabe, wovon schon vier Bände erschienen, ist nach der von Nizza gemacht, gut geordnet und correct abgedruckt. Die Abhandlungen berühren viel interessante Materien, die zur musikalischen Oper gehören.

Osservazioni botaniche, con un saggio d'appendice alla Flora Pedemontana, del Medico Lodov. Bellardi indirizzate al Sig. Co. Felice S. Martino, sopra alcune piante nominate nella topografia Medica di Ciamberi, e nella sua difesa. Torino 1788. presso Francesco Suato. in 8. pp. 64.

Enthält manche interessante, sonst noch nicht bekannte Zusätze zur berühmten Flora Pedemontana.

Firenze, presso Giuseppe Molini: *Orlando Furioso di Lodovico Ariosto, nuova edizione corretta e ricoretta. Parigi 1788. a spese di Gio. Cl. Molini.*

Unter den vielen Ausgaben des Ariost verdienet diese wegen ihrer Correctheit einen ausgezeichneten Platz. Sie kommt ganz mit der Ausgabe 1543 überein, die bey Lebzeiten des Dichters herauskam. Das Gedicht selbst begreift die ersten vier Bändchen, der fünfte Band enthält: 1) Einen Epilog vom Inhalt des Orlando inamorato von Meltro Maria Bojardo. 2) Erklärungen der schwerern Stellen, u. s. w. 3) Nachahmungen alterer Griechen und Römer; 4) Anspielungen. 5) Bemerkungen von Horazio Toscanella über die wahre Geschichte, die Ariost bearbeitete. 6) Historische Untersuchungen. u. s. w.

Elementi di Fisica Matematica; dedicati all Altezze Reali di Ferdinando, Giuseppe, cet. Archiduchi d'Austria, Principi di Toscana etc. da Stanislao Canoroi e Gaetano del Ricco delle Scuole Pie. Firenze 1788. nella Stamp. di Pietro Allegrini. in 8. 526 Seiten. XXVI der Vorrede, und 6 angehängten Kupfertafeln.

Erst besorgten beide Verf. in Florenz einen Abdruck der logarithmischen Tafeln von Gardiner, und zwey Ausgaben der Vorlesungen über die Elementarmathematik von Abt Maria. Darauf erschien dies Buch, was gewissermassen eine Anwendung der genannten Vorlesungen auf einen physikmathematischen Cursus ist. Es soll nur zur Vorbereitung der höhern Physik dienen, und enthält die Mechanik, Hydromechanik, Optik, und Astronomie. Alles ist mit Kürze und Klarheit vorgetragen.

Parmae, ex regio typographeo: *Aurelii Prudentii Clementis V. C. Opera omnia nunc primum cum Codd. Vaticanis collata, praefatione, variantibus lectionibus, notis,*

H

notis ac rerum verborumque locupletiſſimo indice auſta et
illuſtrata! Voll. II. in 4.

Iſt eine Bodonianiſche Ausgabe, was ſchon für die
Zierlichkeit des Drucks ein gutes Vorurtheil, giebt. Der
gelehrte Abt Teoli trug viel dazu bey, daß ſie die cor-
recteſte und vollſtändigſte Ausgabe von allen ward,
die ſeit der erſten von 1672 erſchienen ſind. Sie iſt dem
Ritter Azara, bevollm. Miniſter S. kathol. Maj. beym H.
Stuhl, gewidmet. Alsdann folgt eine ſehr gelehrte Vorrede in ſechs Abſchnitte getheilt. Der Text ſelbſt iſt vom
Herausgeber mit zwölf und mehr Codd. im Vatikan verglichen worden. Die Noten ſind ſtücklich angebracht, u. ſ. w.

‒ *Sämtlich aus den Novelle letterarie di Firenze.*

II. Oeffentliche Anſtalten.

Um der in Prag beſtehenden Agriculturalgeſellſchaft in
ihren Arbeiten eine beſtimmte Richtung zu geben, und
den Umfang ihres Wirkungskreiſes zu erweitern, hat der
Kaiſer dieſelbe zu einer *ökonomiſch patriotiſchen Geſellſchaft*
erhoben, und ihr das Recht ertheilt in allen ihren ſowohl
öffentlichen, als Privathandlungen ſich eines eignen Siegels mit der Umſchrift: *K. K. ökonomiſch - patriotiſche Ge-*
ſellſchaft im Königreiche Böhmen zu gebrauchen. Um ſie
aber auch zu den Vortheilen, welche dieſe Geſellſchaft
zu verſchaffen fähig iſt, vorzubereiten, und dieſelben in
der Anwendung deſto weiter zu erſtrecken, iſt
es zuträglich gefunden, an der Univerſität zu Prag
ein ökonomiſches Lehramt zu errichten, und ſolches mit
der Geſellſchaft in Verbindung zu bringen. Die Vorleſungen dieſes neuen Lehramts, wozu der Eintritt unent-
geltlich offen ſteht, haben mit dem 1ten Jänner 1789.
den Anfang genommen. Nach dieſer jedermann angebote-
nen Gelegenheit, ſich in ökonomiſchen Kenntniſſen die
nothwendige Vorbereitung zu verſchaffen, wird durch das
eben erſchienene Patent vom 1ten Octob. verordnet: daß
nach Verlauf des erſten Lehrcurſes der ökonomiſchen Vorleſungen im Königreiche Böhmen bey der Landwirthſchaft
kein Beamter neu angeſtellet werde, der nicht durch Zeugniſſe darthun kann, daß er über die zu ſeinem Amte erforderlichen Kenntniſſe geprüfet worden iſt. Die Prüfung
ſoll von dem Lehrer der ökonomiſchen Wiſſenſchaften
in Gegenwart zweyer wirklicher Mitglieder der ökonomiſch patriotiſchen Geſellſchaft geſchehen. Sowohl diejenigen, welche mit einem Zeugniſſe von dem Lehrer der
ökonomiſchen Wiſſenſchaften verſehen ſind, und erſt in
Wirthſchaftsämter eintreten, als alle in Böhmen bereits
angeſtellte Wirthſchafts-Beamte, wenn letzte noch nicht
bey der bisherigen Ackerbaugeſellſchaft die Immatricula-
tion erhalten haben, ſind verpflichtet von nun an ſich bey
der ökonomiſch patriotiſchen Geſellſchaft einſchreiben
(immatriculiren) zu laſſen. Vom 1 May des Jahrs 1789
angefangen, ſoll demnach ohne einen ſolchen Immatriculationsſchein, kein Beamter in Wirthſchaftsdienſten behalten,
oder aufgenommen werden.

In der weitern Fortſetzung ſchreibt das Patent vor,
wie der Immatriculationsſchein zu erheben iſt, welche Taxe
dafür entrichtet wird, und was ſonſt darauf Beziehung
hat, wobey eben diejenigen Grundſätze vorgeſchrieben ſind,
die in Anſehung der K. K. Antheils von Schleſien beſtehen. Die angehängten Grundſätze, nach welchen die

60

Prager ökonomiſch patriotiſche Geſellſchaft beſtehen, und
geleitet werden ſoll, lauten alſo:

1 Zum Protector beſtellen Se Maj. den Oberſten Burggrafen als Landeschef.

2 Zum Präſes hat das Gubernium jedesmahl einen
anſehnlichen Staatsbeamten, der Kenntniſſe von der Landwirthſchaft beſitzet, zu wählen. In Abweſenheit deſſelben oder in Verhinderungsfällen hat der älteſte Beyſitzer
das Präſidium zu führen.

3 Nebſt dem ſoll die Geſellſchaft aus zwanzig wirklichen und zwey und dreyſſig correſpondirenden Mitgliedern
beſtehen. Der Protomedicus und die auf der hohen Schule zu Prag angeſtellten öffentlichen Lehrer der Naturkunde, der Vieharzney, der Krauterkunde, der Mechanik,
der Technologie, der politiſchen Wiſſenſchaften; wie auch
der Kameraladminiſtrator, und neu anzuſtellende Lehrer der Landwirthſchaft gehören immer als wirkliche Mitglieder zu dieſer Geſellſchaft, und ſind zu derſelben Aufnahme mitzuwirken und zu arbeiten von Amtswegen verbunden. Die übrigen wirklichen Mitglieder ſind aus Gü-
terbeſitzern, wie auch aus Landes-Inſpectoren oder Wirthſchafts-Beamten, welche gute theoretiſche und praktiſche
Kenntniſſe von der Landwirthſchaft beſitzen, und wenigſtens 12 Jahre bey derſelben angeſtellt waren, von der
Geſellſchaft ſelbſt zu wählen, und dem Gubernium zu
beſtätigen. Bey dieſer Wahl muß ſtets darauf geſehen
werden, daß unter den wirklichen Mitgliedern wenigſtens zwey des Forſtweſens wohl kundig ſind.

4. Zu correſpondirenden Mitgliedern ſind in jedem
Kreiſe zwey in der Landwirthſchaft erfahrne Männer von
der Geſellſchaft ſelbſt zu wählen, ohne die Beſtätigung
des Guberniums einzuholen. Auch können Ausländer zu
correſpondirenden Mitgliedern angenommen werden. Uebrigens iſt allen geſchickten Wirthſchafts-Beamten geſtattet, mit der ökonomiſchpatriotiſchen Geſellſchaft über Gegenſtände der Landwirthſchaft in Briefwechſel zu treten.

5 Die Geſellſchaft hat des Jahrs wenigſtens zwölf ordentliche Sitzungen, das iſt am erſten Montage jeden Monats eine, wenn es aber die Umſtände erfordern, auch noch
auſſerordentliche Sitzungen zu halten. Wenn die correſpondirenden Mitglieder gelegentlich ſich zu Prag befinden,
ſollen dieſelbe zu den Sitzungen den Zutritt haben und
geladen werden.

6. Die Beſchäftigung der Geſellſchaft ſoll zwar allein
auf die Verbeſſerung und Aufnahme der böhmiſchen Landwirthſchaft in allen ihren Zweigen und Abtheilungen ab-
zielen, doch bleibt derſelben unbenommen, auch mit andern in- und ausländiſchen Geſellſchaften ſich in Briefwechſel zu ſetzen.

7 Die wirklichen ſowohl als die correſpondirenden
Mitglieder haben von Zeit zu Zeit über Gegenſtände des
Acker und Weinbaues, über Cultur der Wälder, über die
Vieh- Pferd- und Bienenzucht und über Mechanik, Hydraulik u. d. gl. Vorſchläge, welche auf wahrgenommen
Gebrechen, auf Thatſachen und Erfahrungen, auch mit be-
hen, und der eigentliche Zweck der Geſellſchaft ſind, zu liefern, und ihre gemachten Bemerkungen mitzutheilen, die
nach gehöriger Prüfung wichtig, zweckmäſſig und gemeinnützig erkannten Abhandlungen und Belehrungen ſollen

auf

auf Koften der Gefellfchaft in Druck erfcheinen, in öffentlichen Blättern ang kündigt, und der nach Abfchlag der Auslagen ausfallende reine Gewinn zur Hälfte dem Verfaffer zugetheilt werden. Nebft dem ift zu trachten, dafs eine

ökonomifche Monatfchrift oder Wenigftens ein ökonomifcher Almanach von dem wefentlichen nutzbaren Inhalt, wozu jedermann Beyträge poftfrey liefern kann, von der Gefellfchaft geliefert werden. *A. B. Prag d. 5. Jan. 1789.*

LITERARISCHE ANZEIGEN.

I. Auctionen.

Zu *Nürnberg* wird den 16 Febr. und die folgenden Tage d. J. eine anfehnliche, über 7000 Bände ftarke Bibliothek öffentlich verfteigert; von dem gedruckten Verzeichniffe find einige Exemplare in der Expedition des Intelligenz-Blattes der A. L. Z. gratis zu haben. Aufträge übernehmen, außer Endesunterzeichneten, Hr. Procurator *Oberländer*, Hr. Auctionator und Buchhändler *Zehe*, Hr. Buchhändler *Grattenauer*, und Hr. Buchhändler und Buchdrucker *Stirner*. Obige Bibliothek enthält eine beträchtliche Sammlung von *Reifebefchreibungen*, welche ungefähr neunhundert Stücke enthält, und die man im Ganzen verkaufen zu können wünfcht. Sollte fich ein Liebhaber dazu finden, fo kann man fich auch dieferwegen an Endesunterzeichneten wenden. Gefchiehet folches aber nicht, fo wird auch diefe Sammlung einzeln verfteigert. Die Briefe erbittet fich, fo weit es thunlich ift, frankirt. Nürnberg den 1 Dec. 1788.

Joh. Ferdinand Roth,
Diakon. an der St. Jakobskirche.

Zur Probe wollen wir hier aus dem Katalog einige Numern auszeichnen.

Nro.   Folio.

1. Ptolomaei, Cl. Geograph. Enarratt. L. VIII. Dil. Pirckheymhero interpr. Annotatt. Jo. de Regio Monte in errores commiffos a Jac. Angtlo. Argent. Joh. Grieninger. 525. m. Holzfchn. Ldrb.
6-16. Zeilleri, M. Topographien m. K. Frf. 644. f.
20-23. Anhang zu dem Zeiller.
16-19. Merians Topographien mit K. ib. 646. f.
39. die geferlikeiten - des Helds und Ritters Teurdannckhs m. F. Agsbg. H. Schönfp. 519. Sl. Clauf.
42. Remonftrantium Epp. Ecclef. et Theol. Anft. 684. Frab.
84-92. Hirfch, J. C. Teutfches Reichs Münz-Archiv. Nbg. 756-68. 9 Th. 9 B.
111-114. Bel, M. Notitia Hungariae Nouae. m. K. u. Mapp. Vienn. 735-42. 4 Th 4 B.
162-177. Abelini, M. J. P. Theatrum Europaeum m.K. d. M. Merian. Frf. 662. XIX Th. XVI. B. Prg.
181-139. v. Khevenhüllers Annales Ferdinandei. m. K. Lpz. 721-12 Th. 6 B. mit 2 Bänden Portr. Prg.
239. Rxners Thurnierbuch, in Verlegung Hier. Rodlers Fürftl. Secret. zu Siegern, 530. M. Schr. viele Holzfchn. find gemalt. Ldr. K. E.
240. Id. liber ap. eund. 532. — 2) Fierrabras Eeyn fchöne kurzweilige Hiftorie von eym mächtigen Riefen etc. m. Holzfchn. f. L et a.
241. Id. liber Fr. b. M. 566.
287-292. v. Murr. C. G. Alterthümer der Stadt Herculanum. m. K. Agsbg. 777-82. 6 Th. 6 B.

Q u a r t o.

326. Biblia cum concordantiis V. et. N. Teft. etc. ib. Holzfchn. per M. Jac. Sacon Lugd. impreffa expenfis Ant. Koberger. de Nuremb. MDXIII. Cal. III Sept. Sl. Clauf.
334. Bambergifches altes Miffale de a. 1499. voranfteht der Kalender; am Ende: Anne-incarnationis dominice MCCCCXCIX. quarto vo. Kal. Junii — in ciuitate Babenbergen, p. Magiftrum Johannem Pfeyl praefatae ciuitatis incolam. Sl. Clauf.
340-43. Lambecii, P., Comment. de Aug. Biblioch. Caef. Vindob. ed. A. Fr. Kollar. Vind. 766-82. m.K. 8 Th. 4 B.
345-56. Deutfche Encyclopädie oder allgemeines Real-Wörterbuch aller Künfte und Wiffenfchaften. Frf. a.M. 778. T. I-XII. A-Goly.
416. Spectaculorum in fufceptione Philippi A. 1549. Antverpiae aeditorum — p. Corn. Scrib. Grapheum. Am Ende fteht: Excuf. Antverpiae pro Petro Aloffenn, Impreffore Jurato, Typis Aeg. Difthemii A. 550. c. fgg. — 2) Guill. du Choul fur la Caftrametation. Lyon 555. m. Holzfchn. Ldr.
514-22. v. Meiern, J. G. Acta Pacis Weftphalicae et pacis Executionis. Hanov. 734. f. nebft J. L. Walchers Univerfal-Regifter. 9 Th. 9 B.
608-61c. v. Schanroth, E. C. W. Sammlung aller Concluforum des Corp. Euangel. Rgsbg. 751. 3 Th. 3 B.
611-613. Oertel, C. G. vollft. Corpus Gravam. Evang. ib. 771. VII Abth. 3 D.
774. 24 Original-Holafchnitte von L. Kranach de A. 1806. Pdb.

Q u a r t o.

116-162. Allg. Welthiftorie a. d. Engl. m. Anmerk. u. K. von S. J. Baumgarten Hall 744-779. 41 Th. 41 B. nebft Erläuterungsfchriften und Zufätzen von Baumgarten und Semler ib. 747-67. 6 Th. 6 B. Prg.
163-175. Daniel, P. D. Gefchichte von Frankreich a. d. Frz. m. K. Nbg. 756-65. 16 Th. 13 B.
176-179. Giannoni, P., Gefchichte von Neapel a. d. Ital. von O. C. v. Lohenfchiuld. Ulm 758-70. 4 Th. 4 B.
180-85. Hume, D., Gefchichte von Crosbritannien. a. d. Engl. Brfsl. Lpz. 762. f. nebft Regifter über fämmtl. 6 Bande.
187-198. v. Ferreras, J. Hiftorie von Spanien a. d. Frz. mit Zufätzen von S. J. Baumgarten u. P. E. Bertram. Hall. 754. f. 12 Th. 12 B.
199-206. Gefchichte der vereinigten Niederlaande, a. d. Holl. m. Karten. Lpz. 766. f. 8 Th. 8 B.
277-89. Sattler, E. F. Gefchichte von Würtemberg. m. K. Ulm 769. f. 13 Th. 13 B.
519-531. Monumenta Boica ed. ab. Acad. Scient Elect. Monach. 763. f. 13 Th. 13 B.

H 2

63

534-544. Köhler, J. B. Münzb luftigungen. Nbg. 729. f.
22. Th. 11 R. Ldr.

636. Paffio Chrifti ab A. Durer effigiata c. carminibus
Fr. B. Chelulowni. Ldg. R. E.

827-36. Abh. der baierifchen Akademie der Wiffenfch;
München. 763. f. 10 Th. 10 R.

1573-1594. Leipziger Intelligenz-Blatt von den J.
1763-84. 22. Jahrg. 22 Th. Pd.

2048-89. Autographa Lutheri et Coaevorum, welche
nach den Jahren geordnet find, und einzeln in einem
Poppendeckelbande jahrweife liegen.

Octavo.

199. Dat niewe Teftament — ouergefet enn gheprent
in goede p'atch Duytfche. — Is gheprent tot Delft.
Cornelis Heyrick a Letterfnyder. — En is voleynde
den negenden Dach in Nouember 524. Ldr. Clauf.
NB. der Einband fchadhaft.

314-322. Delices de l' Italie, de la Suiffe, de l' Efpag-
ne et Portugal, de la Grand' Britagne et de l' Irlan-
de, a. Fgr. Leid. 709. f. 21 Th. 9 Frzb.

551-57. Hardions heil. und weltliche Gefchichte. a. d.
Frz. Altenb. 76c. f. 14 Th. 7 fl.

571-76. Boffuet, J. B. Gefchichte der Welt, a. d. Frz.
von J. A. Cramer. Schafh. 775. 4 Th. 6 B.

578-80. Dow. A. Gefchichte von Hindoftan. a. d. Engl.
Lpz. 772. f. 3 Th. 3 B.

584-94. Gefchichte der Akademie der fchönen Wiffenfchaften zu Paris, von J. C. Gottfched, Lpz. 749. f.
11 Th. 11 B.

711-17. Bachiene, W. A. Befchreib. von Palaeftina,
a. d. Holl. von G. A. M. Cleve. Lpz. 766. f. 7 Th.
7 B.

930-48. Häberlin, D, F. D. Neuefte deutfche R. Gefchichte. Hall. 774. f. 19. B.

1205-8. de Rogatis, P. B. Gefchichte von Spanien
a. d. Ital. Agsbg. 728. f. 8 Th. 4 Fr. 4 Frzb.

1209-13. Müllers Samml. ruffifcher Gefch. Offenb.
777. f. 5 Th. 5 B.

1214-16. Cardonne Gefch. von Africa und Spanien
unter der Araber Herrfchaft; a. d. Frz. von C. G.
von Murr. Nbg. 768. f. 3 Th. 3 B.

1219-23. v. Condillac Gefchichte, a. d. Frz. von J. E.
v. Zabuesnig. Agsbg. 778. f. 5 Th. 5 B.

1441-4. Robertfons, D. W. Gefchichte Karls V. a. d.
Engl. Brfchw. 770. f. 3 Th. 3 B.

1849-52. Chriftiani, V. E. Gefchichte Schleswigs und
Holfteins. Flensb. 775. f. 4 Th. 4 B.

1488-96. Linné, C. Naturfyftem von P. L. St. Müller.
m. K. Nbg. 773. f. mit Supplement und Regifterb.
7 Th. 9 B.

1497-1509. Ejusd. Pflanzenfyftem. m. K. ib. 777. f.
13 Th. 13 B. NB. Es fehlt der 4te Band.

1540-6. Schauplatz der Natur. a. d. Frz. m. K. Nbg.
746. f. 8 Th. 8 Prgb.

Diefa Sammlung von Reifebefchreibungen enthält
unter andern folgende Stücke:

No.   Folio.

4-8. Dappers Befchr. von Syrien, Palaeftina, Mefopo-
tamien, Afrika; der Verrichtungen der Niederl.
oftind. Gefellfch. in Sina etc. m K. 5 Prgbande.

14. Kirsheri, O., China illuftrata. Amft. 667. m. K.

15. Ludolphi, I., Hiftoria Aethiopica. c. Fgg. Frcf.
631. Ld.

27. Taverniers Reifen in die Türkey, Perfien und Indien. m, K. Genf. 681.

Quarto.

2. Anfons Reife um die Welt m. K. Lpz. 749.

28-9 Keyslers, J. G. Reifen Hannov. 751. m. K. Prg.

30. 1. Lbendiefelben. m. K. ib. 776 Prg.

34. 36. Lepechins Tagebuch der Reife durch ruf. Provinzen. m. K. Altenb. 774. f. III Th. II B.

49. Niebuhrs Befchr. von Arabien, m. K. Koppenh. 774.

49. 50. Eiusd. Reifebefchr. nach Arabien m. K. ib. 774.
II Th. 2 B.

51. 3. Pocuks Befchr. der Morgenländer m. K. Erl.
751. f. 3 Th. 3 B.

63. Sonnerats Reife nach Oftindien und China. m. K.
Zürich. 783

73-95. Allg. Hift. der Reifen zu Waffer und zu Lande.
m. K. Lpz. 747. f. 21 Th. 21 B. Prg.

96-111. Neue Samml merkw. Reifegefchichten m. K.
Frf. 748. f. 16 Th. 16 Pgb.

Octavo.

24-9. Bernoulli, J. Reifen durch Brdbg.; Pommern
etc. Lpz. 779. f. 6 Th. 6 B.

30-45. Eiusd. Sammlung kleiner Reifebefchr. m. K.
Berl. 781. f. 16 Th. 16 B. br.

77-81. Brukner, E. D. Merkwürdigkeiten der Landfchaft Bafel m. K. Bafel 748. f. 23 St. 5 B.

215-20. Labats P. Reife nach Weftindien. m. K. Nbg.
784. f. 6 Th. 6 B.

221-8. Reifen nach Spanien und Welfchl. m. K. Frf.
Lpz. 758. f. 7 Th. 8 B.

274. Nordens Reife durch Egypten und Nubien. Ersl.
779. a Th. 1 B.

278. 9. Nugent Reife durch Meklenburg. m. K. Berl.
781. f. 2 Th. 2 B.

285. Pages Reifen um die Welt m. K. ib. 786.

301, 2. Paufanias Reifebefchr. von Griechenland. a. d.
Gr. Berl. 766. 2 Th. 2 B.

309. 14. Raynals Gefch. der Befitzungen der Europ.
in beeden Indien. a. d. Frz. Kempt. 783. f. 6 Th.
6 B.

428-452. Sammlung der beften und neueften Reifebefchreibungen. Berl. 765. f. m. K 25 Th. 25. B.
Hfrzb.

453-60. Neue Sammlung von Reifbefchreibungen
Hamb. 780. f. 8 Th. 8 B.

467-72. Allg. Hift. aller Reifen zu Waffer und Land
Bafel 747. f. 12 Th. 6 B.

65   66

INTELLIGENZBLATT
der
ALLGEM· LITERATUR-ZEITUNG·
Numero 9.

Sonnabends den 24ten Jan. 1789.

LITERARISCHE NACHRICHTEN.

I. Ehrenbezeugungen.

Hr. Geh. Hofrath *Delius*, zu Erlangen, ist zum Präsidenten der kaiserl. Akademie der Naturforscher erwählet worden.

Die Churfürstl. deutsche Gesellschaft zu Mannheim hat Hn. Prof. *Trendelenburg*, unter ihre auswärtigen Mitglieder aufgenommen.

II. Beförderungen.

Der Königl. Dänische Legationssecretär, in Berlin, Hr. Hauptmann *Andreas Christoph von Rüdinger*, ist zum Dänischen Charge d'Affaires und geh. Legationsrathe mit Etatsraths - Range beym Königl. Preuß. Hofe ernannt worden.

Der bisherige Hofrath, Hr. *Carl Ludw. v. Oetfeld*, in Berlin, ist zum Königl. Preuß. Geh. Rath ernannt worden. *A. B. Berlin am 23. Dec. 1788.*

An dem Gymnasio Egydiano zu Nürnberg ist Herr M. *Karl Mannert*, bisheriger Lehrer der dritten Klasse der Sebalder-Schule, als Lehrer der funften Klasse angestellt worden. Er setzt zugleich die Privatstunden fort, welche er schon vorher den Gymnasiasten zur Erlernung der französischen Sprache gegeben hat. Auch wurde vor kurzem Hrn. *Mayer*, einem dasigen Hausinformator, oberherrlich aufgetragen, in Privatstunden die mathematischen Wissenschaften zu lehren. *A. B. Nürnberg den 26 Dec. 788.*

III. Belohnungen.

Se. königl. Majestät von Preußen haben dem Hn. D. *Semler* zu Halle in Betracht seiner allgemein anerkannten großen Verdienste eine jährliche Gehaltszulage von *vierhundert Reichsthalern* ertheilet. *A.B. Halle am 5 Jan. 1789.*

IV. Todesfälle.

Den 13 Dec. v. J. starb zu Cleve, Hr. *Friedr. Wilh. Ernst von Gaudt*, königl. preuß. Generallieutenant, Chef eines Infanterieregiments, Kommissair - Inspecteur der in Westphalen liegenden Preuß. Truppen, Commendant von Wesel, und Ritter des Ordens pour le Mérite, der sich im militairischen Fache mit großem Ruhm als Schriftsteller bekannt gemacht hat, in einem Alter von 63 Jahren.

Vor kurzem starb zu Georgenthal im Gothaischen, Hr. *Carl August Gentebrück*, Herz. Sachs. Gothaisch. Rath und Amtmann daselbst, der sich um die Schafzucht verdient gemacht.

Am 11 Dec. starb Hr. M. *Fried. Karl Fulda*, Pfarrer zu Ensingen im Wurtembergischen im 64 Jahr seines Alters. Er war bekanntlich einer der scharfsinnigsten Sprach - und Geschicht - Forscher Deutschlands, und verband mit großer Gelehrsamkeit einen sehr edlen und liebenswürdigen Karakter. Seine tiefen Einsichten in die deutsche Sprache und in die Geschichte überhaupt verdienen destomehr Bewunderung, da er dieses Studium erst in spätern Jahren, und in einer Lage zu betreiben anfieng, die ihm den Gebrauch der nöthigen Hülfsmittel auf mit Mühe verstattete. Durch anhaltendes Denken gewöhnte er sich an eine solche Kürze des Ausdrucks sowohl in seinen Briefen als in andern schriftlichen Arbeiten, daß er öfters dadurch dunkel wurde. Es scheint überhaupt, daß die natürliche Trockenheit seiner Lieblingsbeschäftigung auch seiner Schreibart eine gewisse Trockenheit und Härte mitgetheilt habe, die er jedoch durch Nachdruck und Gedankenfülle reichlich zu vergüten wuste. Im gesellschaftlichen Umgang hingegen machte seine heitere Laune mit dem ernsthaften und ermüdeten Gang seiner anstrengenden Geistes - Arbeiten den angenehmsten Kontrast. Der verdienstvolle Mann hinterläßt unter seinen Papieren zum Beweis seiner unermüdeten Thätigkeit noch zwey wichtige zum Druck fertige Werke, nemlich eine Ausgabe der Evangelien des Ulphilas als des ältesten Dokumentes deutscher Sprache mit einer lateinischen Interlinear - Version, nebst einem daraus gezogenen Glossar und Grammatik, und dann ein vollständiges Dictionarium über die alte sowohl als neuere lebende Sprache der Deutschen, aus welchem auch die erst neuerlich von ihm herausgegebene Idiotikensammlung gezogen ist. *A. B. Stuttgart am 26 Dec. 1788.*

V. Vermischte Nachrichten.

In der Mitte des Jahrs 1785 verbande sich in der Stadt Hachenburg auf dem Westerwald eine Gesellschaft von 27 Personen verschiedenen Standes, und errichtete eine Lesegesellschaft, welche bis auf diese Stunde blüht.

Es wurden bey der Entstehung Gesetze entworfen, deren
Hauptinhalt der war, und bis jetzt geblieben ist, daß
3) zwischen Mitgliedern und Mitlesern ein Unterschied gemacht wurde. Erstre sind die Eigenthümer, jedes
Mitglied hat eine Stimme, und nach der Mehrheit der
Stimmen wird entschieden, welche Bücher angeschafft,
und was sonst regulirt werden soll. Denen Mitgliedern
muß auch der zeitige Gesellschafts-Sekretär Rechnung
ablegen. Die Mitleser haben kein Eigenthums und Stimm-
Recht, können aber alle Bücher in der Gesellschaft so
gut lesen, wie die Mitglieder. 2) alle Quartal so wohl von
den Mitgliedern, als zeitigen Mitlesern ein Beytrag von
1 fl. 12 x. Conventions Münze entrichtet 3) die Bücher
geschont 4) keine Freunden geliehen, 5) zeitig zurückgegeben, und 6) die verlorne oder verdorbene bezahlt
werden sollen. Es würde zu weitläufig werden, noch
mehrere Gesetze anzuführen. Bey Anschaffung der Bücher hat man sich hauptsächlich nach dem Urtheil der
vortrefichen Allgemeinen Literatur-Zeitung gerichtet.
Die Bibliothek besteht jetzt aus 160 Werken, und ohngefehr aus 800 Bänden, woraus man also abnehmen kann,
daß niemals Mangel an Lectüre entsteht. Freilich muß
wegen dem sehr verschiedenen Geschmack der Interessenten hauptsächlich auf gemeinnützige und leichte Lectüre Rücksicht genommen werden, welches denn die Ursache ist, daß

Geschichten, Reisebeschreibungen, Romanen, Comödien, Tragödien
außer denen Journalen den Haupt-Gegenstand der Bibliothek ausmachen. Von Journalen und periodischen Schriften
haben wir: Die Allgemeine Literatur-Zeitung — Literatur
und Völkerkunde — Berliner-Monatschrift — das graue
Ungeheuer — Wekhrlins Chronologen — Zöllners wöchentliche Unterhaltungen — das Deutsche Museum und
Merkur — die allerneueste Mannigfaltigkeiten — Meisners
ältere Literatur und neuere Lectüre — Fabri und Ham-
merdörfers Monatschrift — die übrigen Journale und
Monatschriften werden von hiesigen Privat-Personen gehalten, und auch ausgeliehen, weswegen solche nicht gekauft werden. Durch Zufall und unrichtige Rezensionen
ist es gekommen, daß wir ungefähr 10 bis 12 schlechte
Werke haben, und damit angeführt worden sind. Alle
übrige sind aber desto besser, und entschädigen uns ganz.
Die Gesellschaft hat an Mitlesern so zugenommen, daß in
der ganzen hiesigen Gegend welche anzutreffen sind, und
jetzt aus 50 Personen im Umfang besteht. Für den rauhen
Westerwald ist es alles mögliche, da in manchen grossen Städten, wo sogar Akademien blühen, keine solche Lesegesellschaften anzutreffen sind Für die Richtigkeit dieser
Nachricht burgt der zeitige Commissions-Sekretär Kä-
ster

A. B. Hachenburg 19 Dec. 1788.

LITERARISCHE ANZEIGEN.

I. Ankündigungen neuer Bücher.

Bey Friedrich Severin in Weissenfels sind folgende
neue Bücher herausgekommen, und in den Buchhandlungen zu haben:

Almanach für Prediger, die lesen forschen und denken,
aufs Jahr 1789. 12 gr.
(Von diesem Almanach sind nun 4 Jahrgänge heraus-
er wird jährlich fortgesetzt.)

Auch ein Wort bey Gelegenheit des Türkenkrieges, von
einem patriotischen Invaliden-Offizier an seine Landsleute. 8. 4 gr.

Berthalon de St. Lazare, Anwendung und Würksamkeit
der Elektrizität zur Erhaltung und Wiederherstellung
der Gesundheit des menschlichen Körpers. Aus dem
Französischen, mit neuen Erfahrungen bereichert und
beytaiget von D. C. G. Kühn, Prof. in Leipzig. gr.
8. Zwey Bände. Mit Kupfertafeln. Mit Churfl. Sächl.
gnädigstem Privilegio. Auf Schreibpapier 3 Rthlr.
Auf Druckp. 2 Rthlr. 12 gr.
(Der Herr D. Kühn wird die zu spät eingelaufenen, von
bewährten Männern erprobten neuen Erfahrungen
sammeln, und auf mein Ersuchen einen dritten Band,
der auch besonders verkauft werden wird, liefern.)

Briefe eines aufmerksamen Beobachters über England.
Aus dem Französischen von Karl Hammerdörfer, Pro-
fessor in Jena zwey Theile. gr. 8. 1787. Mit Churfl.
Sächf. gnädigstem Privilegio. Auf Schreibpapier 1 Rthlr.
Auf Druckpapier 20 gr.

Die Männer der Republik; ein Lustspiel in zwey Aufzügen, von C. A. Vulpius 8. 4 gr.

Försters, M. J. C., Lehrbuch der christlichen Religion, nach Anleitung des Katochismus Lutheri;
Zweite durchaus verbesserte und vermehrte wohlfeilere Auflage. 8. 1788. Mit Churfl. Sächf. gnädigstem Privilegio. 9 gr.
(Die Fragen dazu sind auf 7 Bogen besonders gedruckt,
kosten 4 gr.)

Dessen: Zur Familien-Erbauung. Eine Anzahl von Predigten über häusliche Angelegenheiten. 8. Auf Schreibpapier 15 gr. Auf Druckpapier 12 gr.

Geschichten und Romane, kleine Schriften, von verschiedenen Verfassern: Zwey Bände. 8. 1 Rthlr.
8 gr.

Junker Anton; ein komischer Roman in acht Gesängen
8. mit neuen Titelkupfer. 12 gr.

Natur, Lieb und Abentheuer, eine trollige Geschichte,
8. Abdera, auf Kosten der jungen Wittwe des Verfassers: (in Commission.) 16 gr.

Origenes Backel; eine komische Geschichte. Mit einem
Titelkupfer von Penzel. 8. 18 gr.

Praktische Rechenkunst für den Rechnungsführer, Oekonom und Landmann, etc. 10 gr.

Sie konnte nicht übers Herz bringen; ein Schauspiel
in fünf Aufzügen, von C. A. Vulpius. 8. 10 gr.

Wahrheit und wahrscheinliche Dichtung; ein unterhaltendes Wochenblatt für den Bürger und Landsmann,
aufs Jahr 1788. mit einem Kupfer, brochirt, 4to
Wilhelm Löwenthal; ein Roman 8. 13 gr.

Bey der Menge von politiſchen Zeitungen und Journalen, die wir aufweiſen können, iſt dennoch nicht für
das eigentliche Bedürfniſs des gröſſern Theils des Publicums geſorgt, deſſen vorzügliche Lecture in ſolchen Blättern oft ganz allein beſteht. In allen wird eine Menge
hiſtoriſcher, geographiſcher, ſtatiſtiſcher und anderer Kenntniſſe vorausgeſetzt, die oft nicht jeder Gelehrte, geſchweige andere Stände haben können, und ohne welche doch
viele Weltbegebenheiten unverſtändlich bleiben müſſen,
und überhaupt das Leſen ohne Nutzen iſt. Dieſem Bedürfniſs einigermaſen abzuhelfen, kündigen wir eine neue
periodiſche Schrift an unter dem Titel:

Kronik der vornehmſten Weltbegebenheiten.

Jährlich erſcheinen 12 Stücke oder Numern in einem farbigen Umſchlage geheftet, und machen 2 Bände. Jede
Numer enthält, nach Maasgabe der Wichtigkeit der
Materien, auf 3 bis 5 Bogen in Octav alle wichtigen Ereigniſſe unpartheyiſch und zuſammenhängend erzählt. Es
iſt hinlänglich dafür geſorgt, daſs die Neugierde der Leſer ſtets bald befriedigt werden kann. Wo es die Umſtände erfordern, bey Vorfällen, Worten etc. ſollen erklärende und belehrende Anmerkungen dem weniger un-
terrichteten Leſer zu Hülfe kommen, um ſich von allem
eine richtigere Vorſtellung machen zu können. Vermöge
dieſer Einrichtung wird es zugleich eine *nützliche Lectüre für die erwachſenere Jugend.*

Mit Ende des Februar erſcheint die erſte Nummer.
Wir beſtimmen den Preis eines Bandes oder von 6 Numern nicht höher als 18 gr. Conventionsmünze oder den
Louisd'or 5 Rthlr. Pränumeration, welche bey Empfang
des zweyten Stücks bezahlt wird. Niemand verbindet ſich
durch die Abnahme des erſten Stücks auf die folgenden;
wem Inhalt und Behandlung nicht gefällt, bezahlt das
erſte Stück mit 4 gr. und ſagt die Subſcription ſogleich
auf, geſchieht das nicht, ſo macht man ſich wenigſtens
zu einem Bande verbindlich. Der nachherige Preis eines
Bandes iſt 1 Rthlr. Wir hoffen auf dieſe Weiſe der Klage über das Ungewiſſe der Vorausbezahlung auszuweichen.

Liebhaber unſerer Kronik können ſich in allen Buchhandlungen, auf den Poſtämtern, Zeitungs- und Adreſs-
Komtoiren melden, um ſie ſogleich zu erhalten, und die
Verlagshandlung einigermaſen in den Stand zu ſetzen
die Auflage zu beſtimmen.
Die Anzahl der Liebhaber wird entſcheiden; ob wir zuweilen eine Landkarte, Plan etc. liefern können.

Herausgeber und Verleger können ſich vor der Hand
nicht nennen, erſuchen aber hiermit alle Expeditionen,
die ſich mit periodiſchen Schriften befaſſen, um die beſte
Bekanntmachung. In Wien, Berlin, Leipzig, Hamburg
und andern Städten werden wir unſere Niederlage haben,
und die Kaiſerl. Reichspoſtämter in Bremen und Weimar,
das Königl. Preuſs. Gränzpoſtamt in Halle und die Churfürſtl. Sächſ. Zeitungs-Expedition in Leipzig werden wir
um den Hauptdebit erſuchen.

Geſchrieben im Januar 1789.

In der Richteriſchen Buchhandlung in Celle im Lü-
neburgiſchen erſcheint nächſte Michaelmeſſe 1789 unter
folgendem Titel:
Heilſame Wahrheiten aus den Sonn- und Feſttagsevan-
gelien, Paſſions- und Buſstexten, zur Beförderung
der häuslichen Andacht und zum Vorleſen beym öffentlichen Gottesdienſte in Abweſenheit des Predigers.
Das Ganze enthält 4 Theile in med. 8. und jeder Theil
1 1/2 Alphab. Auf den erſten Theil wird in allen Buchhandlungen 1 Rthlr. in Louisdor zu 5 Rthlr. Vorſchuſs
angenommen, wo auch die nähere Anzeige einzuſehen.

Bey Joh. Georg Fleiſcher in Frankfurt am M. erſcheint eine deutſche Ueberſetzung mit *Churſächſiſcher
Freyheit* von folgendem wichtigen Werke:
Deſcription des Gîtes de Minéral, des Forges et des Sa-
lines des Pyrénées, ſuivie d'obſervations ſur le fer
maze et ſur les mines des Sards en Poitou par Mr.
le Baron de Dietrich,
welches 1786 zu Paris in 2 Theilen auf 560 Seiten in gr.
4. mit Planen herausgekommen iſt. Im Jänner 1789.

Von dem ſo eben in Paris erſchienenen Buche: *Voyage du jeune Anacharſis en Grèce dans le milieu du quatriè-
me Siècle avant l'Ère vulgaire par Mr. l'Abbé Barthélemy
7 Vol. gr. 8. avec nombre de Cartes, Plans, vues et médailles
etc.* werden die erſten Bände der von uns ſchon längſt
verſprochenen und mit Churfürſtl. Sächſiſchen Privilegio
verſehenen deutſchen Ueberſetzung in künftiger Oſter-
Meſſe 1789. gewiſs erſcheinen. Ein hieſiger rühmlich
bekannter Gelehrter iſt der Ueberſetzer dieſes vortrefflichen
Werks eines der gelehrteſten Männer Frankreichs, welches im Original mit der ihm würdigen typographiſchen
Schönheit gedruckt worden, und worauf bey der Ueberſetzung von den Verlegern vorzüglich Rückſicht genommen werden wird.

Lagarde und Friedrich
in Berlin.

II. Auctionen.

Den 2ten März 1789 wird zu Speier eine anſehnliche, aus beynahe 3000 Bänden (worunter auch Manuſcripten ſind) beſtehende Bücherſammlung zur öffentlichen Verſteigerung ausgeſetzt, und die darauf folgende
Tage ununterbrochen damit fortgefahren werden. Sie
handelt von allen wiſſenſchaftlichen Gegenſtänden, und ein
groſer Theil davon gehört unter die ſeltenen und ſeltenſten Werke, deren Daſeyn man den erſten und fürnehm-
ſten Druckereyen zu verdanken hat. — Noch iſt zu bemerken, und im Katalog vergeſſen worden, daſs das mit
No. 460. unter den Folianten angezeigte ſehr wohl gehaltene Buch: *D. Thomæ prima pars ſecundæ etc.* auf Per-

I 2   gamen-

gament, gedruckt, und mit sehr vielen schön gemalten und vergoldeten Anfangsbuchstaben versehen sey, welches dem Buche einen ganz andern Werth zusichert. , Auch ist *Fosboni Hessi de tuenda bona valetudine libellus etc. Francof. apud har,ed. Chl. Egen.* 1564; eine nach Johann Vogts Zeugniss seltenes Buch aus Versehen ausgelassen worden. Liebhaber und Kenner, welche einen gedruckten Katalog verlangen, belieben sich entweder nach Mannheim, an den Herrn Postsekretär *Becke*, oder nach Speyer an den Domvikar *Baumann* zu wenden, worin sie sogleich erfahren werden, welche Herren Aufträge von Auswärtigen anzunehmen sich erbieten. Auf den mehresten Kaiserl. Reichspostämtern und Buchhandlungen in Deutschland werden Katalogen zur Einsicht zu bekommen seyn.

———

Eine Gemmensammlung, bestehend in 525 Stücken meistentheils geschnittener Steine, darunter viele von beträchtlicher Grösse anzutreffen sind, soll entweder an einen Liebhaber im Ganzen verkauft, oder so ferne sich kein annehmlicher Käufer der ganzen Sammlung binnen jetzt und Ostern d. J. finden würde, auf den 11 May 1789 und folgende Tage, als der Zahlwoche künftiger Leipziger Jubilate Messe im Creisamte zu Leipzig nach einzelnen Stücken verauktionirt werden. Kennern und Liebhabern wird in der Expedition der A. L. Z. ein von dem Hrn. Rector Martini zu Leipzig gefertigter erklärender und beurtheilender Katalogus dieser Gemmensammlung mitgetheilt werden, dessen Vorbericht über die Sache mehreres Licht verbreiten und zugleich anzeigen wird, dass Hr. Steuereinnehmer Ferber dasigen Orts nicht nur die Beaugenscheinigung der Sammlung zu verschaffen, sondern auch Aufträge auswärtiger Liebhaber der Auction gegen Anweisung des erforderlichen Vorschusses anzunehmen erbötig ist.

III. Preisaufgaben.

Die königl. Gesellschaft der Inschriften und schönen Wissenschaften hat aufs neue einen Preis auf folgende Frage gesetzt: *Quelles ont été les differentes Peuplades des Barbares transportées par les Empereurs Romains sur les frontières de l'Empire; en quel tems; pourquoi et comment se sont faites ces emigrations, et quelle a été l'influence de ces Peuplades sur les loix, les moeurs, le langage des contrées ou elles, se sont établies?* Die Gesellschaft wünscht, dass sich die Verfasser blos auf die Völker einschränken mögen, die sich auf den Granzen der Provinzen des Reichs festgesetzt haben, von August bis ins 6te Jahrhundert. Der Preis, welcher in einer goldnen Medaille von 400 Liv. besteht, soll verdoppelt werden. Die Abhandlungen müssen postfrey an den beständigen Sekretär der Akademie vor dem ersten December 1789 eingeschickt werden.

———

Der Abt Raynal hat, um einen Theil des Vermögens, welches er seinen Talenten verdankt, zum Vortheil der Wissenschaften zu verwenden, die Akademie gebeten, die Aufrichtung einer beständigen Rente von 1200 Liv. anzunehmen, welche demjenigen jährlich zu Theil werden soll, der die beste Beantwortung auf irgend eine von der Akademie aufgegebene Frage ertheilen wird. Sie setzt also diesen Preis, den sie zum erstenmal auf Martini 1790 zuerkennen wird, auf folgende Frage: *Quels etoient les faits et les precautions, que prenoient les Grecs et les Romains pour la police et la salubrité des villes; et d'examiner, si on peut tirer quelqu'avantage des lumières, qu'ils nous ont laissez sur cette partie de l'administration?* Der Preis ist eine goldene Medaille 1200 Liv. am Werthe. Die Abhandlungen müssen an den beständigen Sekretär der Akademie vor dem 1ten Jul. 1790 eingeschickt werden.

———

Nachstehendes Avertissement gehört zwar eigentlich nicht für ein literarisches Intelligenzblatt, indessen haben wir dem so dringenden als billigen Ersuchen des Hn. Einsenders *in diesem Falle* nicht widerstehen können durch die Aufnahme desselben, eine Ausnahme von der Regel zu machen.

Unterschriebener ersucht mit ganz ergebenster Zuversicht auf Menschenliebe und Güte, alle Herrn Inspectores und Amtsbrüder in den Preuß. Staaten und den benachbarten Ländern, und vorzüglich in der Mittel und Neumark und incorporirten Creisen, in Ihren Kirchenbüchern gütigst nachzuschlagen, besonders in den Jahren von 1620. bis 1730.

wo ein Christian Gottfried Hollstein gebohren getraut und gestorben sey, wer dessen Vater und Großvater gewesen und wo diese gelebt und gestorben sind.

Auch ersuche zugleich alle Herrn Inspectores diese angelegentliche Bitte in Ihren Inspectionen circuliren zu lassen. Ich verspreche demjenigen, der mir diese zur Hebung einer Erbschaft entsprechende und hinlängliche Nachrichten mittheilet, eine Prämie von Ein hundert Thalern.

Carl Hollstein,
Prediger zu Iden in der Altmark durch Hasselberg:

INTELLIGENZBLATT
der
ALLGEM· LITERATUR-ZEITUNG
Numero 10.

Sonnabends den 24ten Jan. 1789.

LITERARISCHE NACHRICHTEN.

I. Vorläufige Berichte von ausländischer Literatur.

à Paris, chez l'Auteur: *Les Fastes du Commerce*, *Poème en XII Chants par M. T. Rousseau*. Prix 3 liv. 12 f.

Mehr eine Geschichte der Handlung in Versen, als ein Gedicht, und gehört daher mehr für Kaufleute, als für Gelehrte. (*Merc. de Fr.* N. 38.)

à Stockholm et se trouve à Paris chez Prault: *Les Adieux du Duc de Bourgogne et de l'Abbé de Fénélon, son Précepteur, sur les différentes sortes de Gouvernemens*, 1 Vol. in 8. de 332 pag.

Ein merkwürdiges politisches Werk, die Frucht verschiedener Unterredungen, die der Verf. mit einer hohen Standesperson hatte, die ihm 1772 auftrug, sie aufzuschreiben, und sehr zur Vollendung antrieb. Die Arbeit ward wenig Monate vor einer grossen und unerwarteten Revolution fertig. Dies ist klar auch dem Titel.
(*Merc. de Fr.* No. 38.)

Géométrie souterraine, Elémentaire, Théorique & Pratique, où l'on traite des plans, on teints minéraux, & de leur disposition dans le sein de la terre; de la Trigonométrie appliquée à la Connoissance des filons, & à la conduite des travaux de mines, & à la confection de leurs plans, & profils; avec figures & des Tables, &c. par Mr. Duhamel, de l'Acad. Roy. des Sciences de Paris, &c. in 4. Prix 15 l. br. à Paris chez Montard.

Der Titel des Werks zeigt seinen Nutzen an, und die durch 35jährige Erfahrung bewährten Einsichten des Verf. sind eine starke Empfehlung beym Publikum.
(*M. d. Fr.* N. 38.)

Des Etats Généraux & autres Assemblées Nationales. T. I. II. III. IV. V. VI. chez Buisson à Paris.

In zwölf Bänden soll dies Werk alles enthalten, was die vorzüglichsten Schriftsteller über den Ursprung, die Natur, die Verfassungsart u. s. w. des Etats Généraux gesagt haben. — In den ersten Bänden findet man die gröfste Genauigkeit. Alle Monate sollen zwey Bände erscheinen. (*Avert. de Fr.* N. 39. 42. 43.)

Annales du Théâtre Italien depuis son origine jusqu'à ce jour par M. d'Origny, Censeur en la Cour des Monnoies &c. 3 Voll. 8. à Paris chez la veuve Duchesne.

Hr. Origny hat in diesem Buche alles zusammengetragen, was zerstreut über die Gesch. des Ital. Theaters in Paris vorhanden war. Es geht bis Ostern 1787.
(*Merc. de Fr.* N. 39.)

Essais en vers, par l'Auteur des Contes Orientaux au profit des Cultivateurs maltraités par l'orage du 13 Juillet dernier. 25 pag. Prix 24 sous. à Paris chez Demonville.

Die Verfasserinn, Mad. Monnet, ist schon durch ihre orientalischen Erzählungen in Prose bekannt. Auch diese Gedichte sind ein Beweis ihres Talents.
(*M. de Fr.* N. 39.)

La Germination ou Nouveau principe de Physique par un Médecin. à Londres et se trouve à Paris chez Meguignon l'ainé.

Weitläufige Auszüge dieses wichtigen Werks stehn im N. 39. des Merc. de Fr.

Oeuvres complettes de J. J. Rousseau, nouv. édition en 32 ou 34 Voll., mise par ordre de Matières enrichie d'un grand nombre de Pièces & de Notes de l'Auteur, qui n'avoient pas encore été publiées, et ornée de 90 Figures dessignées & gravées par les plus habiles Artistes. à Paris chez Poinçot.

Nur die beiden ersten Voll. dieser Werke sind erschienen. Druck und Kupferstiche entsprechen der Erwartung; Merian, und der verstorbene le Tourneur haben Noten beygefügt. Von dem ersten ist auch eine Einleitung Eloge de Rousseau, und vom letztern eine sehr interessante Reise nach Ermenonville. Dem Titel nach muss künftig noch manches Ungedruckte von Rousseau vorkommen.
(*Mer. de Fr.* N. 40.)

Fables de la Fontaine &c. in 4. à Paris chez Didot l'ainé. prix 48 l. br. en coton.

Eine neue Ausgabe auf Befehl des Königs zum Unterricht des Dauphin. Sie verdient alles Lob, ist sehr schön und sehr correct. Man hat die ersten Ausgaben des La Fontaine nachgesehn, und verschiedene Verse, die in nachherigen Ausgaben weggeblieben waren, wieder aufgenommen. (*M. de Fr.* N. 40.)

La Femme & ses voeux, 2 Vol. in 12. à Amsterdam, et se trouve à Paris chez Poinçot.

Der erste Theil handelt von Frauenzimmern, und enthält viel feine Bemerkungen und philosophische Ideen.

K

Der zweyte Theil ist die Geschichte eines Religiosen, der sich zu Gelübden verleiten ließ, die das Unglück seines Lebens machen. (*Mer. de Fr.* N. 41.)

II. Beförderungen.

Herr Hofr. Oelse in Helmstädt hat einen ansehnlichen Ruf nach Rostock verbeten, und ist vom Herzog von Braunschweig zum Geheimen Justitzrath mit Gehaltsvermehrung ernannt worden. *A. B. Helmstädt d.* 30. Dec. 1738.

Hr. M. *Spohn*, Catechet zu St. Petri in Leipzig, ist zu Michaelis als immerwährender Prorector und Professor der Philosophie nach Dortmund abgegangen. *A. B. Leipzig d.* 31 Dec. 1738.

VII. Vermischte Nachrichten.

Vor kurzer Zeit sind die Naturhistoriker, *Don Risi*, D. *Dubou* und D. *Galoes* zu Cadix wieder von Peru angekommen, und haben viele Schätze aus dem Pflanzenreiche und unter andern 70 regeirende Stauden und die Zeichnungen von 2000 großentheils unbekannten Pflanzen mitgebracht.

In dem ehemaligen Franziskaner-Kloster zu Laibach, welches zu einem Schulhause bis auf die innere Einrichtung bereits hergestellt worden, und in dem künftigen Frühjahr vermuthlich bezogen werden wird, fand man in einem schwarzen Marmor folgende Grabschrift, die einen Beytrag zur Geschichte der Mönchsmoral abgeben kann:

        Ego
    Thomas Sylvester Neff
Saepe vino me delectavi
Sed certe dulce plus amavi
Jucunde me ex natura gessi
Sicque risum multis expressi
In simplicitate vixi
et beatos omnes dixi;
Sed quamvis parum sapui
forsan sic coelum rapui
Ideo vivas in aeternum
qui dedisti dulce falernum
Et ne intermittas pro me care
Dicere unum Pater et Ave.
    MDCLXVII.

    Prag den 20 Dec. 1788.

Die A. L. Zeitung erzählte, ich weis nicht in welchem Stücke, den Streit zweyer hiesigen Prediger der Herrn Bartels und Breithaupt über die Verfuchung Christi. Darüber wurde Hr. Breithaupt veranlaßt Etwas über *die Verfuchung Jefu in der Wüste* herauszugeben. Hr. Bartels beantwortete dies mit *Einer Collegialischen Zuschrift an Hn. Superintendent Breithaupt, mit nochmaliger Bitte um Collegialische Eintracht*. Aber der Hr. College befürchtete durch sein Stillschweigen dem Teufel etwas von seinen Rechten zu vergeben und schrieb: *Collegialische Antwort auf eine collegialische Zuschrift*, die noch immer Replik, Duplik, etc. etc. veranlassen könnte, wenn das Publikum, dieser Teufeley, nunmehro herzlich müde, nicht zu Hrn. Pastor Bartels das Zutrauen hätte, daß er nicht weiter darüber schreiben werde. *Braunschweig den* 23 Dec. 788.

Olmütz d. 17 Dec. 1788. Auf allen K. K. Universitäten und Schulen sind die Weinachtsferien abgeschafft worden; dergestalt, daß selbst den Vorabend und dritten Feyertag (welcher hier abgeordnet ist) Vorlesungen gegeben werden müssen. So geringfügig dieses scheint, so ist es doch eine neue Beschwerde für die akademischen Beamten in kaiserlichen Staaten, die nun seit 5 Jahren wenigstens zehn bis zwölf Verstärkungen ihrer Arbeit und dafür Verminderungen bisheriger Vortheile erlitten haben. — Man hat ihnen die Arrha auferlegt, vermöge welcher alle, selbst diejenigen, die keine Weiber haben, noch als Geistliche haben dürfen, 5 bis 10 pro Cent lebenslänglich von ihrer Besoldung abgeben müssen. Man hat sie, was ein Beyspiel ohne Beyspiele ist, der Kriegssteuer für ihre Perfon mit 7, 10, ja 12 pro Cent unterworfen. Man hat ihnen die Osterferien genommen. Sie müssen zwey Monate im Jahr, täglich zu sechs bis sieben Stunden und mancher Professor zu vier bis fünfhundert Studenten prüfen. Sie müssen wöchentlich acht, neun, zehn und mehrere Stunden öffentlich lesen; Sie haben zehn Monate im Jahr nicht drey Tage hintereinander festbestimmte Ruhe. Und für alles dieses haben die Lehrer in den Schulen Lyceen und philosophischen Facultäten Besoldungen, die äußerst selten über 400 Rthlr. fast niemals 600 Rthlr. betragen. — Es ist unbegreiflich, wie man unter solchen Umständen eine wahre Verbesserung des Studien-Wesens hoffen kann. — Bey den Concursen, die zur Besetzung der Professuren ausgeschrieben werden, findet oft nichts als der Name eines Concurses statt, und heulich erhielten wir hier einen Professor ohne Concurs, da derselbe schon ausgeschrieben, und die Kandidaten in Furcht und Erwartung der Dinge waren.

LITERARISCHE ANZEIGEN.

I. Ankündigungen neuer Bücher.

Mein, in verschiedenen Zeitungsblättern, unterm 30sten May v. J. angezeigtes Choralbuch wird in 14 Tagen die Presse verlassen. Bis Ende Februar wird es noch nur den Pränumerationspreis von 1 Rthlr. 6 gr. Sächl. verkauft hernach kostet es 1 Laubthaler. Bey Bearbeitung diefes Choralbuchs bin ich folgendermafen zu Werke gegangen:

I) Habe ich es durchgängig 4stimmig auf 2 Notensystemen gesetzt, und bisweilen die zetheilte Begleitung (d. i.) Wenn die linke Hand eine oder mehrere Mittelstimmen nimmt, der engern vorgezogen,

a) weil der Ausdruck dadurch oft kräftiger wird.

b) weil diese Choräle sowohl zur Uebung eines Singechors in den Schulen, als auch vor Stadtmusiker auf Infrumente brauchbar seyn soll.

c) weil sie angehenden Schülern, welche den reinen Satz studieren wollen, sehr nützlich sind, in Ansehung der Verdoppelungen der Consonanzen und Behandlung der Dissonanzen.

II) habe ich angezeigt, wie man, bey ebendemselben Bafs und der nemlichen Melodie, verschiedene Harmonien, anbringen könne.

III) habe ich es mit einem Liederregister zum Hefsischen Gesangb. und noch besonders mit einem Melodienregister versehen, wobey dem letztern der Anfang der alten Lieder angezeigt ist, nebst dem Ausdruck der Melodie. Dadurch wird es für alle Gesangbücher brauchbar, und jeder kann eine zweckmäsige Melodie wählen.

IV. zeige ich im Vorbericht, wie die ungeübtern den Choral einigermafsen zweckmäsig spielen können, wobey noch einige vielleicht nicht unnütze Erinnerungen, die beym Kirchengesange zu beobachten, gegeben worden sind.

V. Findet sich für Anfänger die Fingersetzung zu allen Dur- und Molltönen.

VI. Habe ich eine kurze Anleitung zum Generalbafs beygefügt, woraus ein jeder so viel lernen kann, einen Choral 4stimmig regelmäsig zu spielen. Diese ist auch einzeln für 6 gr. zu bekommen.

VII. Folgt noch ein Choral mit Anmerkungen begleitet. Bey dem Herrn Cantor Georgi zu Cassel, bey Hn. Krieger in Marburg, bey Hrn. Grimm in Halle und Hr. Cant. Biesmann in Frankf. am Mayn ist das Choralb. zu haben.

Durch die Aufforderung meines Freundes Hrn. Häslers zu Erfurt und anderer Liebhaber, habe ich mich entschlossen einige Trios, Choral- und andere Vor- und Nachspiele, auf Subscription herauszugeben. Von jetzt bis Johannis wird subscribirt. Werden sich so viele Subscrib. finden, als zu Bestreitung der Druckkosten erforderlich ist, so werde ich es bekannt machen. Das Exempl. kostet 12 gr. nachher 18. Ich ersuche alle lobl. Buchhandlungen und meine Freunde Subscript. anzunehmen, und erbitte mich in ähnlichen Fällen zu dienen. Auf 9 Exempl. ist das 10te frey.

Schmalkalden den 1sten Jan. 1789.

J. G. Vierling.

Die von der Fleischerischen Buchhandlung zu Frankfurt angekündigte Ausgabe der Flora rossica des Herrn Collegienrath Pallas, wird blos in einem unveränderten Abdruck des Textes in grofs Octav, mit Weglassung aller Abbildungen bestehen, von welchen die Sammlung den ersten Heft in der bevorstehenden Ostermesse zu liefern gesonnen ist. Ohnerachtet die Handlung entschlossen war, auch die Abbildungen unter einer möglichen Abkürzung zu liefern, so zeigte doch nachher die Einsicht des Originals, dafs dies Unternehmen mit zu vielen Kosten verbunden seyn würde, und konnte ich daher, so sehr auch vielleicht die Copien der Tafeln unter den Händen unsrer hiesigen Künstler gewonnen haben möchten, doch nicht zu dem grofsen Aufwand rathen, zumal da das Original jetzt käuflich in Petersburg zu erhalten ist, auch dem nur noch der erste Heft erschienen, und die Zeit der Fortsetzung und Beendigung ungewifs bleibt. Die Abkürzung der Tafeln würde übrigens immer ein bedenkliches Unternehmen geblieben seyn, da nach dem Plane des Originals zu 600 Tafeln erscheinen sollen, welche durch Weglassung einiger zu bekannten Abbildungen, so wie auch durch Vereinigung mehrerer Figuren auf eine Platte, doch kaum auf 300 Tafeln zu vermindern seyn möchten. Da sich aber sowohl öffentliche als ansehnliche Privatbibliotheken ohnehin das käufliche Original anschaffen werden, wo ein jeder die Tafeln zu benutzen Gelegenheit findet, so habe ich statt jenes kostbaren und gewagten Unternehmens, der Handlung den unveränderten Abdruk des Textes angerathen, welcher auch so wie ein neuer Heft des Originals erscheint, von ihr besorgt werden wird.

Heidelberg den 6ten December 1788.

D. Suckow,
Hofrath und öffentl. ord. Professor der Churpfälz. Staatswirthschafts-Hohenschule.

Im Crusiussischen Verlage zu Leipzig wird nächstens eine deutsche Uebersetzung der im Jahre 1788 zu London erschienenen und in der Jenaischen allgemeinen Literatur-Zeitung vom Jahre 1788 N. 277. sehr vortheilhaft recensirten neuesten Ausgabe der Pharmacopoea Collegii Regalis medicorum Londinensium mit Zusätzen und Vermehrungen des deutschen Herausgebers bereichert herauskommen.

Die Professoren Fiebig und Nau von Mainz, geben, mit nächster Messe in der Varrentrappischen Buchhandlung eine Bibliothek für die gesammte Naturgeschichte heraus; vier Hefte, jedes zu zehen Bogen, machen einen Band aus; das Jahr hindurch werden so viele Hefte erscheinen, als die gröfsere oder geringere Anzahl naturhistorischer Schriften Materialien zur Bearbeitung liefern wird.

In künftiger Leipziger Ostermesse erscheint im Verlag der Gebauerschen Buchhandlung zu Halle eine privilegirte deutsche Uebersetzung von dem Werke:

Eclaircissemens historiques sur les Causes de la Revocation de l'Edit de Nantes et sur l'Etat des Protestans en France depuis le commencement du Regne de Louis XIV jusqu'à nos jours. Tirés des differens Archives du Gouvernement. II Parties. 1788. 8. unter dem Titel: Historische Aufklärungen über die Ursachen der Widerrufung des Edicts von Nantes.

Da meine *praktisch-ökonomisch Encyclopädie* nunmehr mit dem *dritten oder letzten Bande* im Abdrucke befindlich ist, so beliebem sich die *alten und neuen Pränumeranten* und *Subscribenten* zwischen hier und Ostern in der Verlagshandlung zu Leipzig, die Iohann Gottfried Müllersche Buchhandlung genannt; oder im *Leipziger und Dresdner*, so wie auch *Breslauer Intelligenz-Comtoir*; zu *Breslau* annoch bey Hrn. *Commercecretär Sweiz*; und zu Berlin in der *Buchhandlung der Akademie der Künste und mechanischen Wissenschaften*; endlich wem es gefällig ist, bey mir, *schriftlich* zu melden, woran solche ihre Exemplare auf Schreibpapier im Preise der *Druckpapiernen*, das Alphabet zu 18 gr. erhalten; nach dieser Zeit sind die auf Schreibpapier entweder nur zu 1 Rthlr. das Alphabet, oder wohl gar nicht mehr zu haben, wenn die bestellte Zahl abgeliefert ist; maassen nicht viel mehrere auf Schreibpapier abgedruckt werden. Die Druckpapiernen bleiben alsdann *in allen Buchhandlungen Deutschlands* im festgesetzten Preisse zu 18 gr. das Alphabet.

Dresden den 6ten Iänner 1789.

Der Commissionsrath
Riem
beständiger Secretär der ökonomischen Gesellschaft.

Die nach Dißow in London verfertigte grosse Vögel-Arten, welche auf Papier statt illuminirt mit natürlichen Federn bedeckt, und wöchentlich 1 Stück, theils halb, theils ganze Bögen starcke Vögel in der H. Brunnerischen Kunstwaren Handlung am Köpfleinsberg ausgegeben werden, können die Hrn. Liebhaber die Proben davon einsehen, und die, so sich dergl. sammlen wollen, inscribiren. Diese in Teutschland noch so wenig bekannte, und von seltner Art gesehene Vögel Sammlung besteht, aus 12erley Arten, jede Art zu 6 Stück, worunter RaubVögel, FalckenVögel Eulengeschlechte, WürgerGeschlechte, Specht Arten, die 16 PapageyArten, selte Raben, verschiedene Arten Schwimm und SumpfVögel, Hüner und Tauben theils nach dem Wuchs, theils nach dem Gefieder ausgeartete Vögel. Die besondersten Arten davon sind aus Borrowsky, Brison, Büffon, Ebert, Frisch, Leske, Linné und Penant. Niemand wird sie besser in England und Frankreich gesehen haben. Das Stück 1 Bogen starck kostet 1 fl. 12 kr. 1/2 Bogen stark 36 kr. 1 Bogen stark in Glas und Rahm 1 fl. 45 kr. 1/2 Bogen in Glas und Rahm 66 kr. Wann zuweilen ganz grosse Vögel auf fein grossen Regal-Bögen erscheinen, als z E. der grosse Kormoran, Penguin, Flaminger, Strauß, Casuar, Dronte, africanischer TroppelHahn und dergl. davon kostet das Stück 1 fl. 48 kr. und in Glas und Rahm 2 fl. 30 kr. Indem solche theils nach der mühsamen Arbeit, theils nach Glas und Rahm kostspieliger sind, als erstere Sorte. Man wird bey jedesmaliger Ablieferung eines jeden Stücks anzeigen, von welcher Art Grösse das nachfolgende herauskommt. Den 5 Jan. bevorstehenden Jahrs wird das erste Stück die Brasilianische Geyer aus Buffon 187 1 Bogen stark etc. 1 fl. 12 kr. ausgegeben, sodann geht

die erstere Art der RaubVögel fort. 2tens der Heydücken-Adler nach Edward. 3tens der Malthefer Geyer aus Buffon 427 4tens der grauweise Geyer St. Martin nach Buffon 450. 5tens der Meer Adler nach Penant. 6tens der FischAdler nach Linné p 64. Freunde der Natur-Geschichte, so diese Werke besitzen, werden einen wichtigen Unterschied zwischen der Illuminir und NaturKunst finden. Die Ausgabe an die hiesigen Herren Subscribenten geschiehet alle Montag. Bezahlt wird bey jeder Lieferung, oder wenn sie abgelanget werden. Wer die ganze Sammlung in Glas und Rahm haben will, wird die Güte haben, es bey der Subscription anzuzeigen, oder wer ein ordentl. Ragement von 11 Stück einerley Geschlecht-Arten haben wil, kann entweder Zeichnung davon einsehen oder sich solches senden lassen. Dieses Ragement wird sodann einfach oder in Glas und Rahm aneinander geliefert; erstere Art kostet 10 fl. 12 kr. und letztere 15 fl. 6 kr. Wer noch später als im Monat Januar subscribirt, erhält zwar die Fortsetzung, die erst abgehenden aber werden nach den Schluss des ganzen Werks nachgeliefert; dann man wird sich nur auf eine gewisse Anzahl der Herren Subscribenten einschränken. Die ersten erhalten sodann den Vorzug nach ihren No. wie sie solche in der Ordnung des SubscriptionsScheins empfangen. Ist der Numerus vollständig, so wird denen mehrern Hrn. Liebhabern weitere Anzeige gemachet werden. Denen auswärtigen Hrn. Subscribenten kostet jedes Stück ganz 1/2 Bogen stark 6 kr. und in Glas und Rahm 12 kr. wegen der sichern Verpackung mehr. Hingegen wird weder dem Vogel noch Glas und Rahm, durch Postleute, fahrende oder gehende Bothen, Schaden zugefüget. Briefe und Gelder wie gewöhnlich franco, mit der Addresse:

An die H. M. Brunnerische Kunstwaaren-Handlung, am Köpfleinsberg in Nürnberg.

Gedachte Handlung führet auch noch verschiedene Physikalische und magnetische Belustigungs Stücke, in gleichem mechanische optisch und chinesische Stücke, besonders verschiedene sehr angenehme Pädagogische Spiele. Ein gedrucktes Verzeichnis, wovon alle Monate ein neues herauskommt, giebt davon die mehreste Belehrung, es nimt Kunst und Naturproducte in Commission; und troguirt andere Waaren dagegen. Nimt auch viele gebrauchte Waaren zu Reparirung an. Es können danoro Tausch und Kauflustige, sich an gedachte Handlung selbst wenden.

Il y a à rendre à Quedlinbourg, une quantité de deux cent et vingt pieces des oiseaux, posés au naturel, et conservés dans des caisses de carton, ornées avec petites peintures, quelles couvrent des verres de miroir, et des chassis dorées. Pour empecher la pourriture et les tignes on a fort bien fourni ces oiseaux, avec fortifantes remedes. Il approuve cela l'experience de vingt ans. On trouve la catalogue, et une parfaite notice dans le Journal *von und für Deutschland*.

Les commissions recevront le Syndic de la ville de Quedlinbourg, Voigt, et la veuve Engelmann à Quedlinbourg.

Wir finden aus Veranlassung dieser Seite nöthig zu erinnern, dass wir bey allen *eingesendeten* Artikeln des Intelligenzblattes den Stil völlig so lassen, wie er ist; und jeden in seiner Sprache, sie mag deutsch oder französisch seyn oder seyn sollen, reden lassen.

Der Herausgeber der A. L. Z.

… INTELLIGENZBLATT …

der

ALLGEM. LITERATUR-ZEITUNG

Numero 11.

Sonnabends den 24ten Jan. 1789.

LITERARISCHE ANZEIGEN.

I. Ankündigungen neuer Bücher.

Am 27ſten Dec. v. J. erhielt ich einen anonymiſchen Brief aus Gotha, worinn zwey Blätter gedruckter Verſe unter dem Titel:

> Neujahrsgeſchenk an Herrn P. E. in J.

mir überſendet wurden, und zwar, wie es in dem Briefe hieſs, zur beliebigen Recenſion in der Allg. Lit. Zeitung. Ich hatte kaum die erſten Verſe geleſen, welche alſo lauten:

> Ich war im Geiſt ſchon Erbe der Unſterblichkeit
> Und wand den Lorbeer mir ums Haar,
> Als du mich aus der ſüßen Träumerey
> Aufbellteſt, kleiner böſer Dachs!

ſo glaubte ich mich ſchon zurecht zu finden. Ganz gewiſs, dacht ich, hat einmal wieder einem elenden Verſemann von Lorbeern ums Haar geträumt, und die A. L. Z. hat ihm zugerufen, er ſolle doch nur an den Kopf greifen, es waren ja nur Haſenpappeln! Nun hatte ich zwar das ganze Jahr hindurch etwa einen und andern Poeten, aber keinen einzigen Dichterling recenſirt; doch iſt es mir nichts Neues, daſs ein loſer Knappe bey der erſten beſten Recenſion, von der er glaubt, daſs ich ſie gemacht haben könnte, mir, in der Meynung ſeinen Recenſenten zu haſchen, auf den Leib rennt, und mich durch dieſen Misgriff ſeines Blinde-Kuh-Spiels in die luſtigſte Laune von der Welt verſetzt. Ich trug alſo dies neue Denkmal eines äuſſerlichen Dichters dahin, wo mehrere ihres gleichen liegen, als ich zu meinem Erſtaunen erfuhr, daſs Hr. Diak. S. in Gotha damit hauſiren gegangen, und ein ganzes Pack Exemplare hieher zur Vertheilung geſandt habe, welches aber zum Unglück auf der Strand gerathen, und von hoher Obrigkeit in Beſchlag genommen worden war. — Wer aus den Wolken fiel, war ich! Die Gedichte dieſes Mannes waren im Jahrg. 1787. der A. L. Z. nicht von mir, ſondern von einem andern Mitarbeiter ſehr glimpflich beurtheilt worden; hingegen hatten im vorigen Jahre ſeine Predigten einem andern Recenſenten nicht gefallen wollen. Ich war an dem Einen ſo unſchuldig als an dem andern; und traute daher jenen Nachrichten immer noch nicht, bis ich ganz zuverläſſig erfuhr, daſs der beſagte Herr Diaconus

jenen Brief an mich in eigner Perſon auf die Poſt getragen, und ſich überhaupt in viele Koſten geſteckt, um ſich in Gotha, Jena, und ſo viel an ihm lag, auch andrer Orten, lächerlich zu machen. Nun wird mir zwar ſehr begreiflich, wie ein Mann von ſo beengtem Geiſte eine ſo nervenſchwache und engbrüſtige Definition eines großen Geiſtes hat erzeugen können, als die Recenſion ſeiner Predigten rügte; aber das iſt und bleibt mir unbegreiflich, wie der Hr. Diakonus, von dem ich weder Verſe noch Proſa jemals irgendwo kritiſiret hatte, mich für den Dachs anſehn konnte, der ihn aus dem ſüßen Traume von dichteriſcher Unſterblichkeit aufbellte; es müſste denn ſeyn, daſs dem ſel. Nicolai zu Folge, der furor poeticus wirklich eine Leibeskrankheit wäre; in welchem Falle ich denn freylich dieſem Manne ſehr Unrecht gethan hatte, zuweilen darüber zu lachen, daſs er in ſeiner mediciniſchen Pathologie unter andern Arten der Tollheit auch de furore poetico handelte. Was nun den Herrn Diaconus betrifft, ſo kann ich zwar ſeinem Verlangen ſein Neujahrsgeſchenk in der A. L. Z. zu recenſiren nicht fügen; da ich aber ſehe, daſs ihm darum zu thun iſt, ſeine groteskekomiſche Rolle auf einem größern Theater, als blos in Gotha und Jena zu ſpielen, ſo bin ich geſonnen, dieſes und alle folgende Gedichte dieſer Art, mit denen er mich bedrohet, cum conjecturis criticis et notis variorum auf Subſcription drucken zu laſſen; vorausgeſetzt, daſs er den Text, wie bey dem erſten, zuvor auf eigne Koſten drucken läſst; denn aus Manuſcripten edire ich nichts. Ich habe zu dem erſten bereits artige Beyträge in Handen, wovon folgende Erläuterung, die mir von unbekannter Hand zugekommen, eine Probe ſeyn mag:

> Erläuterung einer Stelle in dem Neujahrsgeſchenk
> an Herrn P. E. in J.
>
> v. 40.
>
> Gewartert, von Verzweiflung ſchnürſt
> Du dann wie Buval dir die Läſterkehle zu.

Die Anecdote, worauf der Dichter ſich bezieht, erzählt Plinius in ſeiner Hiſtoria naturali. L. XXXVI 5. Sie verbreitet ein vorzügliches Licht über dieſes ganze Gedicht.

In insula Chio Anthermus et Bupalus, clarissimi sculptores, fuere. Hipponactis poeta aetate, quem certum est LX Olympiade fuisse. Hipponacti tam notabilis foeditas vultus erat, quam insignis animi malitia. Quamobrem imaginum ejus Bupalus et Anthermus sculptores fratres proposuere ridentium oculis. Quod Hipponax indignatus amaritudinem carminum destrinxit in tantum, ut credantur aliquibus ad laqueos eos compulisse. Quod falsum est. Hipponacti enim poema, quamvis mera aerago nimii tamen infulsum sit, quam ut eos tum graviter officere potuisset. Complura etiam in finitimis insulis simulacra postea fecere sunt in Delo, quibus subjecerunt carmen. Non vitibus tantum censeri Chium, sed et Bupali operibus. Hipponactis autem nomen non tam suorum carminum merito, quam artificis, quem laedere voluit, celebritate, posteritati traditum fuisse credimus.

Schade nur, daß ich nicht eben so leicht, als sich Herr Diac. S. zum zweyten Hipponax gemacht hat, ein zweyter Bupalus werden kann. Bossiren kann ich ihn also freylich nicht; dafür will ich ihn ediren. Ich kündige also hiermit an:

Hipponax des Zweyten
oder
Hrn. Diac. S. in G.
allerneueste Versuche im Hekelgedichten. Erster Bändchen.

Auf der Insel Chius lebten gleichzeit mit dem Dichter Hipponax, also um die 60. Olympiade, die beyden Bildhauer Anthermus und Bupalus. Hipponax war ein Mann von ungemein häßlichen Gesicht, und sein Charakter strafte seine Physionomie nicht Lügen. Dieß veranlaßte die beyden Brüder, Bupalus und Anthermus, ihn zu bossiren, um dem Publikum etwas zu lachen zu geben. Hipponax ertrug dieß nicht gleichgültig. Er griff sie in einem Gedicht so bitter an, daß, wie man gemeiniglich erzählt, sie sich beyde erhingen. Indeß ist dieß eine offenbare Unwahrheit. Denn so boshaft auch die Verse des Hipponax waren, so waren sie doch viel zu abgeschmackt, um eine so starke Wirkung hervorzubringen. Auch haben beyde Künstler in der Folge noch eine Menge Statuen verfertiget, die man auf den benachbarten Inseln findet, vornehmlich zu Delos. Man setzte eine Aufschrift des Inhalts darunter, daß Chius, nicht bloß seines Weins, sondern noch weit mehr wegen der Werke des Bupals berühmt sey. Es ist auch sehr wahrscheinlich, daß der Dichter Hipponax, mehr durch diesen berühmten Künstler, dem er wehe zu thun gedachte, als durch sein eignes Verdienst auf die Nachwelt gekommen ist.

Ich weiß keinen bessern Namen für diese neue Gattung, als das holländische Wort Hekelgedichte, wie es nemlich in einem deutschen Ohre klingt. Denn Satire ist das Neujahrsgeschenk nicht, dazu ist es viel zu schaal; ein Pasquill kann es auch nicht heißen. Denn ob es wohl albern genug ist, daß man einen Antrag, den Hrn. Diaconus dieserwegen zu bewegen höhern Orts allenfalls anhören möchte, so ist es doch so plump und verwegen nicht, daß ich mit einer Actione injuriarum gegen ihn deshalb durchkommen könnte. Denn zur Zeit hat der Herr Verfasser noch das Herz nicht, mir die Ehre abzuschneiden, er droht mir nur, wenn ich so fortfuhr, ihn in seinen Träumen zu stören, daß er dafür meiner Frau, der es doch Tugend und Verstand selbst einräumt, pro futuro die Ehre abschneiden, und mich dadurch zwingen wolle, mich aufzuhenken. Dieses ist nun ein so origineler Einfall, daß wenn er deren, wie ich nicht zweifle, mehrere in petto hat, ich mir eine reichliche Anzahl Subscribenten auf meine Ausgabe seiner Hekelgedichte zum voraus verspreche, ungeachtet ich mir kein Privilegium dazu lösen, auch die Nachdrucker, anstatt sie abzuschrecken, vielmehr ermuntern werde. Ich bin übrigens meiner häuslichen Glückseligkeit in allem Betrachte so gewiß, daß mir niemand als Freund Hein mit seiner Sense etwas davon abschneiden kann; und wenn mich auch Hr. S. in drey Sprachen einen Hahnrey schelten wollte, so kann ich dabey weiter nichts arges denken, als daß der Staarmatz des Rabnerschen Küsters, den er dem Hrn. Lieutenant in seiner Supplic um einen Schuldienst anbot, urdid quo foto, in einen Diaconus verwandelt worden sey. Sollte übrigens Hr. S. finden, daß er bey dergleichen Ausfällen mehr der leidende Theil sey, und ihm wenigstens aus diesem Grunde sein Spiel zuwider werden, so bedaure ich nur, wenn ich, je nachdem er's treibt, ihm keine andre Restaurationem in integrum gewähren kann, als jener Ehrenmann erhielt, der einem Gentleman im Schauspielhause die diamantnen Knöpfe von seinem Rocke abzuschneiden anfieng. Der Gentleman zog, da er's merkte, geschwind sein Messer und schnitt ihm ein Ohr ab. Halt! schrie der Verwundete, das sind Ihre Knöpfe! — Gut, sagte der Gentleman, da hat Er auch Sein Ohr!

C. G. Schütz.

Die Artillerie ist nach der jetzigen Art der Kriege ein wichtiger Theil von denselben, von dem Jahr 1757 an, ist derselben Gebrauch merklich gestiegen, die kriegführenden Mächte haben solche vermehret, auf dazu angelegten Schulen wird dieselbe wissenschaftlich gelehret, und gleichwohl fehlet es noch an einem Buche von der Art, wie es zur Erlernung dieser Wissenschaft erfordert wird; ich habe einen Versuch gemacht, die Anfangsgründe der Artilleriewissenschaft in der Forme eines dergleichen Lehrbuches vorzutragen; die ganze Abhandlung besteht in drey Theilen, wo

in den I. Theil das Geschütz, die Munizion, und das Schießen und Werfen,

in den II. Theil der Gebrauch des Geschützes im Felde, und

in

in den III. Theil der Gebrauch deſſelben bey und in Belagerungen, abgehandelt wird.

Der I Theil begreift blos die Theorie von der Abſicht in ſich, die man mit dem Geſchütze zuerreichen ſuchet, ingleichen wie daſelbe zu Erreichung der Abſicht beſchaffen ſeyn muſs, und wie alsdenn die Abſichten am beſten damit erreicht werden.

In den II. Theil wird bey dem Gebrauch des Geſchützes im Felde die Theorie des I. Theils mit der Ausübung verbunden, und erwieſen, worauf bey derſelben vorzüglich zu ſehen iſt.

Eben ſo wird ſolches im III. Theil bey dem Gebrauch des Geſchützes bey und in Belagerungen beobachtet.

Weil bey der Artillerie die Hauptabſicht iſt, mittelſt der Geſchütze Körper in einer weiten Entfernung nach einem gewiſſen Gegenſtand frey zu bewegen, ſo ſind in dem I. Theil die Regeln der freyen Bewegung der Körper dergeſtalt beygebracht, wie ſie zu der Wiſſenſchaft der Artillerie erfordert werden.

Da auch mit den frey bewegten Körpern Gegenſtände zu überwinden geſucht werden, die einen Widerſtand leiſten, mithin ſolche Kräfte dazu erfordert werden, die den Widerſtand überwinden können, ſo wird in dem II. Theil gezeigt, wie die Geſchwindigkeiten der Kugeln, durch welche die Kräfte entſtehen, gefunden werden, und wie dieſe Geſchwindigkeiten auf den verſchiedenen Weiten, des Widerſtandes der Luft halber abnehmen, wobey zugleich die Gröſse der Kraft, oder das Gewichte beſtimmt wird, das aus der Geſchwindigkeit der Bewegung und der Schwere der Kugel entſtehet, wie den auch die Maſchine beſchrieben iſt, durch welche die Entſtehung der Kraft, der bewegten Körper, mittelſt der Verſuche beſtimmt worden iſt.

Auſſer dieſem ſind noch verſchiedene zum Gebrauch des Geſchützes erforderliche Kenntniſſe mit beygebracht, wie z. B. die Gründe, auf welchen die Stellung der Truppen und des Geſchützes beruhet, die Kräfte der Räder, die zur Fortbringung der Artillerie gehören, die Kräfte, die die Menſchen bey ihrer Bewegung auf der Ebene und Bergauf anzuwenden haben, um daraus die Geſchwindigkeit des Anmarſches und die Zeit des Beſchieſens zu beurtheilen, u. d. m. damit ein Artilleriſt in jedem Falle weiſs, wie er ſein Geſchütze recht gebrauchen ſoll.

Der I. Theil dieſer Anfangsgründe, welcher gegen 24 Bogen auf groſs 8. und in 70 Figuren auf 7 Kupferplatten beſtehen wird, ſoll bevorſtehende Oſtermeſſe des 1789ſten Jahres herausgegeben werden.

Der Preiſs zum freyen Verkauf iſt bey dieſem Theile 1 Rthlr. — und auf Pränumeration wird ſolcher für 20 gl. — verlaſſen.

Zu 10 Exemplaren, ſo mit einander genommen werden, wird eines frey gegeben.

Briefe und Gelder werden an mich nach Dresden Poſtfrey, der Louisd'or zu 5 Rthlr. eingeſendet, und da-

ſelbſt geſchiehet auch die Ablieferung, jedoch auf Koſten der Empfänger.

Dresden, den 20 Decbr. 1783.

Carl Fridrich Luther,
Churfl. Sächſ. Artilleriehauptmann, Oberfeuerwerksmeiſter und Lehrer bey der Artillerieſchule.

Auszüge aus den beſten franzöſiſchen Schriftſtellern zum Gebrauch für Schulen und Erziehungsanſtalten. Herausgegeben unter Aufſicht des Herrn Abt Reſewitz von Herrn Carl Heinrich Schmidt, Lehrer in Kloſter Bergen, 8. Leipzig, bey G. J. Göſchen.

Der Herr Abt Reſewitz ſagt in der Vorrede zu dieſer Sammlung: „Man hat franzöſiſche Bücher genug zu ähnlichen Zwecken, aber zum Leſen für die Jugend ſind ſie bald zu ſchwer, bald nach ihrem Inhalt zu bedenklich, vornehmlich auch wenn einige Jahre hinter einander Franzöſiſch geleſen, und um Ermüdung zu vermeiden mit mancherley Schriftſtellern abgewechſelt werden ſoll, für den jugendlichen Unterricht zu köſtbar. Ich habe es daher ſchon lange gewünſcht, daſs ein Auszug der beſten klaſſiſchen Schriftſteller dieſer Nation gemacht, nach den verſchiedenen Gattungen des Styls und der Materien geſammelt und in einer ſolchen Stufenfolge geordnet würde, daſs die Jugend vom lichtern zum ſchwerern darin fortſchreiten könnte, und das Ganze ſo viel in ſich begriffe, als zur vollſtändigen Anweiſung in dieſer Sprache erforderlich ſeyn, und die Jugend zugleich mit dem Styl, Geiſt guter franzöſiſcher Schriftſteller bekannt machen könnte. Dieſe Arbeit hat Herr Schmidt übernommen, und meines Bedünkens hat er durch die ſorgfältige und bedächtſam angeſtellte Auswahl der Stücke, ſo wie durch die Anordnung gezeigt, daſs er derſelben gewachſen ſey.

Plan.

1) Die ausgehobene Stücke ſind, da Reinigkeit der Sprache ein Hauptendzweck der Sammlung iſt, alle aus klaſſiſchen Werken der Franzoſen genommen.

2) Ein jedes dieſer Stücke wird für ſich ein Ganzes ausmachen.

3) Weder Inhalt noch einzelne Ausdrücke müſſen gegen die moraliſche Reinigkeit und dabey den Kräften der Leſer angemeſſen ſeyn.

4) Die Stücke werden ſich durch den Inhalt oder durch Ausdruck und Einkleidung auszeichnen, damit die Aufmerkſamkeit des Leſers geweckt und feſtgehalten werde.

5) Es muſs Mannigfaltigkeit unter den gewählten Stücken herrſchen, und ſowohl auf Verſchiedenheit des Inhalts, als der äuſſern Form, in welche derſelbe eingekleidet iſt, geſehen werden.

6) Muſs Ordnung unter den verſchiedenen Stücken herrſchen, ſo, daſs leicht einzuſehen iſt, warum das eine auf das andre folgt. Um dieſer Ordnung willen iſt.

Der Inhalt des erſten Bandes:

Briefe, Erzählungen und Geſchichte; vornehmlich Geſchichte, weil mit dem Vortheil, welcher

aus der Erlernung der Sprache fliefst, fich noch ein anderer eben fo wichtiger verbinden läfst, nehmlich die
Bekanntfchaft mit den wichtigften Ereigniffen und Veränderungen, welche auf unfrer Erde durch Menfchen find
bewirkt worden. Doch find aus den wichtigen Begebenheiten nur die wichtigften ausgehoben worden, damit
Aufmerkfamkeit und Intereffe in gleichem Grade befördert würde.

a) Briefe von Friedrich II., der Pompadour, Ninon
de l' Enclos, Sevigné, und der Babet.

b) Erzählungen aus Rouffeau und andern Schriftftellern.

c) Gefchichte. Auszug aus den Mémoires pour fervir
a l' hiftoire de Brandenbourg, aus Voltaire, Raynal,
Vertot und aus den Oeuvres pofthumes du Roi Fréderic II, die Gefchichte des fiebenjahrigen Krieges.

Der erfte Band diefes Werks, welches eine kleine
Handbibliothek der beften Schriften der Franzofen für die
Jugend ausmachen wird, erfcheint fchon auf Oftern 1789.

Um die Anfchaffung deffelben der Jugend zu erleichtern, biete ich den Liebhabern, welche darauf bis zur
Oftermeffe 1789. pränumeriren, das Alphabeth zu 12
Gr. Sächfifch, den Louisd'or à 5 Rthlr. an; diefer angekündigte erfte Band wird ungefähr 1 Alphabet ftark. Der
zweyte Band, philofophifchen und moralifchen Inhalts,
und der dritte Band, welcher Poefien enthalten wird,
werden ungefähr eben fo ftark, und follen dem erften Band
bald folgen.

Georg Joachim Göfchen,
Buchhandler in Leipzig.

Mit dem Anfange diefes neuen Jahres 1789. find die
beiden erften Stücke von der theologifchen Litteratur-Zeitung, oder den Annalen der neueften theologifchen Litteratur und Kirchen-Gefchichte mit noch 3 Bogen un-
entgeldlicher Beylagen, unter der Direction des Herrn
Profeffor Haffencamps zu Rinteln in der Graffchaft Schaumburg herausgekommen. Sie enthalten unter andern
äufferft intereffante, bisher noch unausgegebene Nachrichten und Anekdoten von dem Königl. Preufs. Religions-
Edicte, auch ift darinnen der Anfang gemachet worden,
alle bisher für und gegen daffelbe herausgekommene
Schriften unpartheyifch zu recenfiren und zweckmäfig
zu excerpiren.

Noch findet man in der Beylage eine vortrefliche Lebensbefchreibung des feligen Canzler Cramers zu Kiel,
die gewifs den Beyfall aller Kenner erhalten wird.

Da die Zahl der Intereffenten fo anfehnlich geworden
ift, fo laffen die Unternehmer, anftatt der verfprochenen
52 Bogen, ohne alle Erhöhung des ohnedem fchon äufferft
niedrigen Preifes von 2 Rthlr. Conventionsmünze, nun
für ihre Herren Subfcribenten jährlich fogar 70 Bogen abdrucken. Alle andere aber bezahlen für den Jahrgang
3 Rthlr. es fey denn, dafs fich noch fo viele Intereffenten
fanden, um eine neue Auflage machen zu können, wel-

che aber auf das längfte in künftiger Jubilate-Meffe herauskommen müfste. Die Theilnehmer hätten fich alfo
bald zu melden. Es kann diefes bey allen löbl. Poftämtern und Buchhandlungen befonders der Haugifchen in
Leipzig und der Eichenbergifcheit in Frankfurt, auch
bey den fchon bekannten Herren Collecteurs und bey
dem Herausgeber felbft gefchehen. Im letztern Fall aber
find die Briefe bis an die Fürftl. Heffen-Caffel. Grenz-
poften portofrey einzufenden.

Die Unternehmer der Annalen
der theol Litteratur.

II. Bücher fo zu verkaufen.

Von dem fo berühmten und in der Allgemeinen Literatur-Zeitung oft erwehnten Werke:

Jardins Anglo-Chinois

ift herausgekommen der XVIII und XIX Cahier contenant la Defcription du Bagno Jardin Anglo-François-
Chinois à Steinfort prés de Münfter en Weftphalia.

Dedié

à S. E. Ill. M. le Comte Louis du St. Empire Regnant
de Bentheim Steinfurt. etc. Chevalier de L'Ordre Royale
de L'Elephant et de L'Ordre Palatin du Lion d'or etc. etc.
par fon

tres humble et tres obéiffant
Serviteur.

à Paris.

Le Rouge Ingenieur
Geographe du Roi.

Diefe zwey Bände welche ein vollftändiges Werk
ausmachen, beftehen mit der Befchreibung und dem gefchmackvollen Titelblatt in 51 Kupferplatten, wobey nur
ein Grundrifs ift, der wegen feiner Gröfse wohl für 2 Platten gelten kann.

Die übrigen Kupferftiche find alle Aufriffe in dem
herrlichen Gefchmacke, welche als ein fchätzbarer Beytrag zur fchönen Gartenkunft allen Freunden derfelben
willkommen feyn werden. Diefes ganze Werk koftet bey
mir Unterzeichneten nebft Porto von Paris in allen nur
drey Holl. Ducaten. Wird felbiges aber nach den natürlichen Farben fauber illuminirt verlangt, fo ift der Preis
doppelt.

Burg Steinfurt den 1ften Jenner 1789.

Reck
Unter Auffeher des Herrfchaftlichen
Kunft-und Naturalien Cabinets.

III. Vermifchte Anzeigen.

Es haben fich aus einem gewiffen Misgefchick in das
dem 23 Intelligenzblatte der A. L. Z. vor. Jahr. S. 456.
einverleibte Druckfehlerverzeichnifs in Betreff des Auffatzes Ueber Belletriftifche Schriftftellerey etc. folgende neue
Druckfehler eingefchlichen: S. 9. Z. 7. anftatt: mit
wahrhaften lies mit nahrhaften etc. S. 16. Z. 3. anftatt
entgegengeftreitet lies entgegenftreitet.

Mittwochs den 28ten Jan. 1789.

LITERARISCHE NACHRICHTEN.

I. Vorläufige Berichte von ausländischer Literatur.

Observations on the Subject of the fourth Eclogue, the Allegory in the Third Georgic, and the primary Design of the Aeneid of Virgil with incidental Remarks on some Coins of the Jews. By Samuel Henley, F. S. A. Rector of Rendlesham, Suffolk. 8. 2 S. 6 d. Boards. Johnson. 1788.

Es ist bekannt, was ältere und neuere Theologen in der vierten Ekloge alles gefunden haben, Prophezeihungen auf die heilige Jungfrau, auf den Messias, u. s. w. Die Bemerkungen des Hrn. Hanley wurden durch die 21 Vorlesungen des Bisch. Lowth über die Poesie der Hebräer veranlasst, die der Verf. widerlegt. Er hält dafür, dass der Dichter dem Octavius die künftige Grösse seines Sohnes vorhersagen wollte, und sich desfalls an den Pollio wandte, der ihn zuerst empfohlen; auch meynt er, man könne die Bekanntschaft des R. Dichters mit hebräischen Schriftstellern nicht abläugnen. — Die Stelle v. 8 - 12. Libr. III. Georg. hält er für den Theil einer Allegorie, womit Virgil die Aeneide anfangen wollte, und die Aeneide selbst habe den Zweck gehabt die Römer mit der Unterjochung unterm Augustus auszusöhnen, der vom Jupiter abstamme, und der so lange versprochene Universalmonarch sey.

Monthly Review. Octob. 1788.

A Tour in England and Scotland in 1788. By an English Gentleman. 8. 7 S, 6 d. Boards. Robinson 1788.

Auch diese Reise dient sehr dazu, Schottland mehr kennen zu lernen. Oft erlaubt sich der Verf. Digressionen, die ihn von seinem Zweck abführen. (*Ibid.*)

Tables of the apparent Places of the Comet of 1661, whose Return is expected in the year 1789. To which is added a new Method of using the Reticule Rhomboid. By Sir Henry Englefield, Bart. F. R. S. und F. A. S. 4. 2 S. 6 d. Elmsley 1788.

Der Verf. hat den Ort des Kometen von seiner Ankunft bis zum Perihelium, vom 25 Aug. 1788. bis 12 Aug. 1789 in funfzehn verschiedenen Berechnungen (supposi-tions?) angegeben. (*ebendas.*)

A short and plain Exposition of the Old Testament, with devotional and practical Reflections for the Use of Families. By the Rev. Tol. Orton S. T. P. Published from the Author's MSS. by Robert Gentleman. Vol. I. 8. 6 S. Boards. 1788.

Ist für den grossen Haufen nicht unterrichteter Christen ein recht nützliches Familienbuch. (*ebendas.*)

Military Antiquities respecting a History of the English Army, from the Conquest to the present Time. By Francis Grose, Esq. F. A. C. 4. 2 Voll. 4 L. 4 S. Boards. Hooper. 1788.

Im ersten Theile sind alle Veränderungen, die das Kriegswesen in dieser langen Zeit erlitten, durchgegangen, erst von der Armee überhaupt, nachher auch von besondern Corps, dann kommt Geschichte des Schiesgewehrs, der Officiers, der Besoldungen. (Vom zweyten Theil wird das folgende Stück handeln.) (*ebendas.*)

Winter Evenings: or Lucubrations on Life and Letters. 12. 3 Voll. 9 S. Boards. Dilly. 1788.

Der Verf. scheint ein gelehrter Mann zu seyn, aber keinen Geschmack zu haben. Ganze Seiten sind mit scholastischen Gedanken, Versuchen über Wortkritik, und so vieler Dinge, die den Prudentius, Apollinaris, Pelegrinus, u. s. w. betäten, angefüllt, dass man das Buch unwillig aus der Hand legt. (*ebendas.*)

Sermons on various Subjects. By the late Rev. Th. Leland DD. 3 Voll. 8, 15 S. Boards. Dublin, Printed. London. Longmann. 1888.

Scharfsinn, richtige Vorstellungen vom menschlichen Leben, und richtige Bemerckungen darüber, mit kraftvollen Ausdruck und Würde des Vortrags u. s. w. zeichnen diese Predigten aus. Einige handeln von den Gründen der geoffenbarten Religion, einige wenige, durch besondere Vorfälle veranlasst, waren schon ehemals gedruckt; die übrigen handeln moralische Sätze sehr nützlich ab.

An Essay on the Depravity of the Nation with a view to the Promotion of Sunday Schools etc. By the Rev. Joh. Berington. 8. 1 S. Robinson 1788.

Der Verf. ist ein sehr warmer Lobredner der Sonntagsschulen und hält sie für das beste Mittel, den Strom der heutigen Sittenlosigkeit zu hemmen, die er vielleicht mit zu schwarzen Farben schildert. (*Ebendas.*)

M.

Poetry

The Choice. 4. 1 S. 6 d. Creech, Edinburgh 1788.
Ein Gedicht in drei Gefängen, das allen Beyfall verdient.

Adrefs to Loch Lomond, a Poem. 4. 1 S. 6 d. Dilly 1788.
Loch Lomond ist ein See mit frischem Waffer in Schottland, den der Dichter in treuen natürlichen Gemälden schildert. Das Gedicht selbst wird durch häufige Anspielungen auf vorige Begebenheiten und charakteristische Sitten alter und neuer Zeiten sehr interessant.

Miltons Paradise-Loß, illustrated with Text, of scripture. By John. Gillies D. D. one of the Ministers in Glasgow. 11. 3 S. 6 d. bound Rivingtons etc. 1788.
Der Herausgeber sagt in der Vorrede, seine Absicht bey dieser Ausgabe sey blos, zu zeigen, dass das verlorne Paradies seine gröfsten Verdienste der heil. Schrift verdanke. Auffer den Stellen, die der Bischof Newton schon dazu beygebracht hatte, hat er noch andre beygefügt. Sie stehn immer am Rande, und vielen ist vielleicht das verlorne Paradies in dieser Gestalt recht willkommen.

II. Ehrenbezeugungen.

Das Denkmal, welches dem Pabste Clemens XIV. (Ganganelli) in Rom errichtet worden, ist ein Meisterstück, welches Griechen und Römern Ehre machen würde. Der Bildhauer Canova ist erst 27 Jahre alt. Volpato, ein geschickter Kupferstecher in Rom, ist beschäftiget es auf eine würdige Art in Kupfer zu stechen.

III. Beförderungen.

Hr. James Beattie ist an den verstorbenen Morgan Stelle Profeffor der Philosophie am Mar hall - College zu Aberdeen geworden. Gentlemans Magazine. 1788. Nov.

IV. Todesfälle.

Den 26 October starb John Baude, Mitglied des Oriel Collegiums zu Oxford, Mitglied der Gesellschaft der Alterthümer und Pfarrer zu Idmiston bey Salisbury, ein sehr gelehrter und vieler Sprachen kundiger Mann, gerade 63 Jahr alt. Man hat von ihm unter andern eine schöne und correcte Ausgabe des Don Quixotte in 4 Quartbänden; ein Commentar aber hat der gröfsten Erwartung davon nicht entsprochen.

Den 1sten Novemb. starb zu Pimlico, Hr. Schröter, vielleicht der gröfste Spieler des Pianoforte unter den jetztlebenden Künstlern. Bey den gröfsten Fertigkeit gab er sich doch derselben auf Kosten des Geschmacks und Gefühls Preis. Gentlemans Magazine 1788. Nov.

V. Oeffentliche Anstalten.

Zu Mexico in Südamerika ist eine Akademie der schönen Künste gestiftet worden. Die Director und Präsident derselben ist Herr Soluas, der durch seine schönen Kupfer zum Don Quixotte und durch andere Werke, als ein sehr geschickter Künstler bekannt ist.

VI. Vermischte Nachrichten.

In Stuttgart erscheinen gegenwärtig 4 Zeitungen: 1) Schubarts Vaterlands-Chronik, wöchentlich zweymal. 2) Die Cottasche Hofzeitung wöchentlich dreymal, nebst zwey Intelligenz-Blättern. 3) Der Schwäbische Merkur in Verbindung mit der schw. Chronik von Elben, ebenfalls wöchentlich dreymal, und endlich 4) ein sogenanntes moralisch-satyrisch-politisches Wochenblatt unter dem Titel der Beobachter wöchentlich in einem Bogen samt Beylage. Zwey dieser Zeitungen, die Vaterlands-Chronik und der Schw. Merkur werden in der akademischen Druckerey gedruckt, und die Verfasser derselben geniessen Censurfreyheit. Der Herausgeber des Beobachters, (dies Blatt wird bey Mäuler gedruckt) ist der seit einem halben Jahr in Stuttgart privatisirende Lic. Ehemann von Strasburg nebst seiner Gattin, die sich bereits als eine gute Schriftstellerin bekannt hat. Sie ist die Verfasserin der Philosophie eines Weibes, der Briefe Ninas, der Geschichte Amaliens, und mehrerer freylich mit verschiedenem Beyfall aufgenommenen Schriften. Dass der Werth dieser Zeitungen ungleich seyn werde, läfst sich leicht denken, doch hat jede ihr eigenes Verdienst. Von dem vorzüglichen Werth der Vaterlands-Chronik zeigt der Beyfall, womit dies Blatt durch einen grossen Theil von Deutschland gelesen wird. Ungeachtet sie in den Pfalz-Baierschen Landen neuerlich verboten worden, so ist der Absatz dennoch sehr beträchtlich. Es enthält eine gedrängte Darstellung der neuesten und merkwürdigsten Begebenheiten in der politischen, sittlichen und literarischen Welt, vornemlich in Beziehung auf Deutschland. Die mit der Erzählung verwebte Reflexionen und Urtheile des V. sind überall freymüthig, grofsentheils richtig und treffend. Seine Sprache ist stark und kräftig, bisweilen hoch, und verräth durch den bilderreichen Schmuck, womit sie öfters überladen ist, einen Dichter von sehr fruchtbarer und feuriger Einbildungskraft. Die häufig eingestreute Verse und Gedichte, deren Inhalt zuweilen aus dem Stoff der erzählten Vorfälle herfliesst, geben diesem Blatt Reiz und Anmuth, und wissen den Leser sehr geschickt in den Strom seiner Empfindungen hineinzuziehen. Durchaus herrscht Gefühl fürs Edle, Schöne, und Grosse, und, wenn man einen gewissen Hang des V. für fromme Schwarmerey und Mystik annimmt, so verdient wenigstens sein patriotischer Sinn, und sein warmes Religions-Gefühl innige Hochschätzung. Die Cottasche politische Zeitung besitzt Vorzüge anderer Art, und man darf sie ohne Bedenken unter die besten deutschen Zeitungen rechnen. Sie hat durch ihren gegenwärtigen Redacteur Hn. D. Cotta eine ganz verbesserte Einrichtung erhalten, und verdient deswegen auch auffer den Grenzen Würtembergs und Schwabens bekannter zu seyn. Die Eigenschaften einer guten Zeitung, Wahrheit, Neuheit und Wichtigkeit der erzählten Begebenheiten, und Richtigkeit und Unpartheylichkeit in Erzählung derselben, kommen dieser Zeitung in einem vorzüglichen Grade zu. Die Nachrichten sind nicht blofs von andern Zeitungen ohne Wahl und Prüfung geborgt, sondern zum Theil aus eigner Correspondenz geschöpft. Vorzüglich unterscheidet sie sich dadurch dass sie nicht blos politische Nachrichten liefert, sondern auch auf andere wichtige Erscheinungen unsers Zeitalters Rücksicht

Rückficht himmt. So findet man öfters Nachrichten und Urtheile über *Toleranz*, kirchliche Orthodoxie, geheime Gesellschaften u. f. w. welche zu Aufklärung und Berichtigung der Begriffe des gemeinen Mannes, der sonst nichts als eine Zeitung liest, vieles beytragen können. In diesem Stücke so wie überhaupt in Rückficht auf eignes Urtheil steht der *Schwäb. Merkur* der Cott. Zeitung weit nach, ob man ihm gleich das reguläre Verdienst einräumen muß, durch seine Concurrenz jene verbefferte Einrichtung der Cottalschen Zeitung veranlaßt zu haben. desto reeller ist im Gegentheil das Verdienst der *schwäbischen Chronik* wenigstens für Schwaben. Man kann dies Blatt als ein allgemeines Intelligenzblatt für Schwaben ansehen, in welchem die neuesten Veränderungen und Ereignisse dieses Kreises angezeigt werden. Todesfälle, Beförderungen und Amts-Veränderungen, neue Landes-Verordnungen, Verbefferungen der Industrie und Landes-

Cultur, Neue schwäbische Schriften, Veränderungen der Markt-Preise find die Gegenstände, von denen in diesen nützlichen Blatt Nachricht gegeben wird. Auch der *Beobachter* empfiehlt fich, wie es scheint, durch seine Mittelmäßigkeit, und verfchaft einer zahlreichen Klaffe von Lesern eine unterhaltende Lectüre. Auffer politischen Nachrichten, wechseln Erzählungen, Briefe, Dialogen und Anekdoten, die aus fremden, besonders englischen Zeitungen entlehnt find, mit einander ab. Die Auffätze der Madame *Ehrmann* zeichnen fich durch Menschenkenntniffe, Beobachtungs-Geist und Lebhaftigkeit der Darstellung vortheilhaft aus, und es läßt fich vermuthen, daß dieses Wochenblatt bey dem Bestreben des Herausgebers, demselben immer gröffere Vollkommenheit und Intereffe zu geben, in Zukunft noch mehrere Leser anlocken wird. *A. B. Stuttgart d.* 10 Jan. 1789.

LITERARISCHE ANZEIGEN.

I. Ankündigungen neuer Bücher.

So angenehm und nützlich das Studium der Geschichte überhaupt ist, so ist es die Vaterlandsgeschichte besonders, nicht allein für den Gelehrten, sondern für einen jeden, dem es nicht gleichgültig ist, ob fich von den ganz Unwiffenden im Volke durch Kenntniffe, die einen jeden Sachfen so nahe angehen, auszeichne, oder nicht.

Da nun bei der Geschichte überhaupt sehr viel darauf ankommt, daß man ihren Zusammenhang richtig einfehe, und alles in Gedanken an feinen Ort und in die Zeit zu fetzen wiffe, wo und wenn es geschehen ist, so habe ich mich entschloffen die
Sächfische Geschichte in Tabellen
herauszugeben. Die vorzüglichsten gedruckten Quellen sowohl, als des verstorbenen Hofrath Böhmens Vorlesungen find dabei benutzt worden. Das Publikum entscheide, ob es dieses Unternehmen billigt oder nicht, und die Anzahl von mehrern oder wenigern Pränumeranten nehme ich als bejahende oder verneinende Entscheidung an. Die Vorausbezahlung ist 8 Groschen, bleibt bis zum 15 März offen, und zur Oftermeffe werden die Exemplare abgeliefert. Die Pränumeranten, deren Namen auch vorgedruckt werden, erhalten ihre Exemplare auf Schreibpapier. Pränumeration nehmen an: in Dresden das privil. Adres-Comtoir, und Herr Expediteur Richter im Hofpostamt: und in Leipzig das privil Intelligenz-Comtoir. Auswärtige belieben fich an gedachten Herrn Expediteur Richter postfrei zu wenden. Sammler erhalten nebst dem wärmsten Dank, den sie als Patrioten, die die Vaterlandsgeschichte allgemeiner machen helfen, verdienen, das achte Exemplar.

Dresden, im Jenner 1789.

Der Verfaffer.

Herr. Paftor Beyer in Schwerborn, der fich durch das Handbuch über den Katechismus Lutheri, dann wieder durch 2 Bände Predigten zur Aufklärung der Volksreligi-

on und durch zwo Abhandlungen über die Strafen der Verdammten und, deren Dauer ruhmlich bekannt gemacht hat, wird in Verbindung mit mehrern angesehnen gelehrten Männern eine periodifche Schrift herausgeben, die den Titel führt „*allgemeines Magazin für Prediger nach den Bedürfniffen unferer Zeit*", wovon in der Oftermeffe diefes Jahres das erfte Stück erfcheinen wird. Diefe periodifche Schrift soll nicht blos ein Magazin von Predigten oder Predigtentwürfen feyn: wie das homiletifche Magazin und das Magazin für Prediger, welches leztere auch wegen des ganz eigenen Syftems der Verfaffer nur zum Theil brauchbar ist, fondern es soll eine Vorrathskammer werden, in welcher der Prediger bei allen Fällen und Verrichtungen feines Amts nachfuchen, und für fein jedesmaliges Bedürfniß etwas brauchbares finden kann, das zugleich unfern Zeiten angemeffen ist. Der Verlag davon hat die Cruußifche Handlung in Leipzig übernommen, die fowohl als auch alle übrige Buchhandlungen Deutschlands den aus acht Stücken bestehenden Jahrgang für 2 Rthlr. verkauft, wenn man fich für diefe periodifche Schrift bis zu Oftern diefes Jahres unterzeichnet. Der Verkaufspreis dürfte nachher 2 Rthlr. 12 gr. feyn. Eine ausführliche Bekanntmachung, die den ganzen Plan in fich faßt, den das allgemeine Magazin für Prediger bezweckt, wird von allen Buchhandlungen gratis vertheilt.

Plan der Monatfchrift für unfere Zeitalter.

— — ἀδύτα δ'ἐν
Με τεῖς ἀγαθοῖς φαμᾶτι. Pind. Pyth. β. 175.

1) Aus Gründen der Philofophie und Gefchichte die neuern Angriffe auf die chriftliche Religion, befonders des Deismus und Naturalismus nach ihren Quellen, Wichtigkeit und Unwichtigkeit zu beurtheilen, und befonders zu entwickeln, in wiefern ihm, durch eine von allen Menfchenfatzungen gereinigte Lehrform begegnet werden könne.

2) Den Urfachen des einreiffenden Naturalismus, fowohl, als des mannigfaltigen Aberglaubens, und der da-

her entspringenden Thorheiten nachzuspüren, und die
lextern zu bestreiten,

-3) Den Grund oder Ungrund des Kryptojesuitis-
mus, und der geheimen gefährlichen Gesellschaften aufzudecken.

4) Die mannigfaltigen Fehler und Mängel der neuern
praktischen Arzneykunde zu reinigen, deren Einfluß auf
die Moralität sichtbar ist.

5) Den physischen und moralischen Fehlern der Erziehung, der Schulen und Universitäten nachzuspüren,
die üblen Folgen derselben aufzudecken, und Vorschläge
zu ihrer Verbesserung anzugeben.

6) Kraftgenies und literarische Despoten in puris na-
turalibus der Welt zur Schau stellen, und zu zeigen, daß
ein reissender Mangel an gründlichen Kenntnissen und Gelehrsamkeit die einzige Ursache ihres Anhanges sind um
zu erwecken Lust zu erwecken.

7) Einreissende Thorheiten aller Art, Laster und Tugenden in ihrer wahren Gestalt darzustellen.

8) Anonymisch müssen die Aufsätze seyn, weil man
so freyer reden, und unbekannt leicht mehr wirken kann.

9) Alle Personalität soll auf das strengste vermieden werden. Gegen Schriftsteller als Schriftsteller schreiben, kann aber wohl nicht als Personalität angesehn werden.

10) Alle Formen und Einkleidungen sind gleichgültig: Scherz und Ernst, sanfte Widerlegung und beis-
sende Satyre, Poesien und Prose, philosophische Darstellung und Epigramme müssen einander abwechseln, damit kalte Weisheit und spottende Laune sich unzertrüt-
zen mögen, und da, wo gute Worte nichts ausrichten
können, die Geissel des Witzes zu viel schärfer treffe.

Von dieser Monatschrift erscheint zu Ende eines jeden
Monats ein Stück. Sie fängt mit dem Jahre 1789 an im
Verlage des Buchhändlers

Georg Joachim Göschen
in Leipzig.

Der Buchhändler David Siegert zu Liegnitz besorget
eine deutsche Uebersetzung mit kurfächsischem Privilegio
von dem interessanten Roman: Lolette et Jaufan, ou les
aventures de deux Enfant abandonnés dans une isle deserte,
4 Vol, wovon die ersten 2 Theile zu Ostern erscheinen.

Folgende so eben erst herausgekommenen Bücher,
sind in allen bekannten Buchhandlungen Deutschlands zu
haben:

Gedanken über die Religion, von Friedrich dem Zweiten
König von Preußen. Aus dem Französischen. 1789. 204
S. 8. weiss Drukp. 12 gr. Schreibp. 16 gr. Damit
das Publikum nur vorläufig das wichtigen Schrift
bekannt wird, folgt hier der Inhalt. K. 1. Ob es
uns erlaubt sey, unsere Religion zu prüfen. K. 2.
Daß eine solche Prüfung nothwendig sey. K. 3. Von
den Beweisgründen, welche eine wahre Religion haben muß, und von den erforderlichen Bedingungen
dieser Beweisgründe. K. 4. Von den Wundern. K.

5. Von den Weissagungen und den Propheten. K. 6.
Von den Märtyrern. K. 7. Von der heiligen Schrift.
K. 8. Von Jesus Christus. K. 9. Von der Kirche
und den Concilien. K. 10. Von den Kirchenvätern.
K. 11. Von den Sakramenten. K. 12. Von der Frey-
einigkeit. K. 13. Von der Erbsünde. K. 14. Von
der Vorstellung, die wir von Gott haben müssen,
und daß er den Menschen keinen besondern Dienst
offenbart hat, wonach er verehrt seyn will. K. 15.
Daß die Religion für die bürgerliche Gesellschaft nicht
nothwendig sey, daß sie blos dahin gehe, sie zu zerstören, und daß sie weniger Menschen, als man denkt
in den gehörigen Schranken hält. K. 16. Von dem
Dasein eines obersten Wesens, und von dem Verhäl-
ten, das ein ehrlicher Mann in seinem Leben beobachten muß.

Das Evangelium der Kindheit Jesu. Aus dem Arabischen. Jerusalem, 1738. 62 S. 8. Ladenp. auf Drukp.
4 gr. auf Schreibp. 5 gr.

V. Herabgesetzte Bücherpreise.

Folgende Bücher sind von ihrem Besitzer im Preise
heruntergesetzt, und in E. M. Grösts Buchhandlung in
Leipzig zu erhalten, als:

Wahrhafte Begebenheiten einiger Brüder Freymäurer,
die sich durch ein falsches Licht blenden liessen, und
endlich zur wahren Erkenntniß gelangten; sonst 6 gr. jetzt
2 gr. Historisch - kritisch - moralisch - und politische Beyträge zur Beförderung der deutschen Litteratur, der
schönen Wissenschaften, Kenntnisse, Künste und Sitten;
sonst 9 gr. jetzt 4 gr. H. G. Hests 100 auserlesene prä-
saische Cabale in dreyerley Sprachen, nemlich deutsch,
italiänisch und französisch, mit angehängter Moral, zum
Besten der Jugend beyderley Geschlechts; sonst 12 gr.
jetzt 6 gr. J. Lenfants Geschichte des Hussitenkrieg
und des Conciliums zu Basel; aus dem Französ. übers.
4 Theile, mit Johann Huß, Hieronymus von Prag,
Joh. Zisfka und Pabst Felix V Bildnissen; sonst 4 Rthlr.
jetzt 1 Rthlr. 12 gr. jeder Theil apart. 12 gr. Magazin
nutzlicher und angenehmer Lektüre aus verschiedenen Fächern für denkende Leser aus allen Ständen; von H. G.
Hoff 4 Theile mit Kupf. sonst 2 Rthlr. jetzt 20 gr. jedet
Theil apart 6 gr. Der Blumentopf, oder Lektüre für
mehr als eine Art Leser, sonst 12 gr. jetzt 6 gr. Mancherley brauchbare und angenehme zur Geistes - Erho-
lung aus verschiedenen Fächern der Litteratur und schönen Wissenschaften; sonst 12 gr. jetzt 6 gr. (NB. Diese
beyden Schriften sind die 3te und 4te Theil des Magazins
nützlicher und angenehmer Lektüre, unter besondern Titeln.) Die Verirrungen des menschlichen Verstandes oder
die Thorheiten des Poichenst. Eine komische Geschichte
aus dem Französ. übers. sonst 6 gr. jetzt 3 gr. Der Nor-
mannische Spion, oder merkwürdige Begebenheiten des
vorgeblichen Baron von Maubert ehemaligen kapuziner,
Ritter, Schriftsteller u. s. w. sonst 5 gr. jetzt 2 gr.

INTELLIGENZBLATT

der

ALLGEM. LITERATUR-ZEITUNG

Numero 13.

Sonnabends den 31ten Jan. 1789.

LITERARISCHE NACHRICHTEN.

I. Vorläufige Berichte von ausländischer Literatur.

Orazione Accademica full'istoria Militare Pisana del Dott. Gio. Batista Fannzi. Pisa 1788 per Ranieri Prosperi. in 4 gr. S. 119.

Pisa's wunderbare Schicksale, die es aus einem mächtigen Freystaate zur unterjochten Stadt seiner Nachbarinn machten, sind merkwürdig genug, in einer getreuen Erzählung gelesen zu werden. Der Verf. hat die chronologische Methode gewählt, Gelehrsamkeit und Wahrheit zeichnen das Werk aus, Druck und Form sind schön. Die Geschichte fängt vom 6 Jahrhundert an, und geht bis 1406, wo Pisa zuerst unter die Gewalt der Florentiner kam.

Napoli, presso Giuseppe Maria Porcelli: Del Codice Economico, Politico, e Legale delle Poste di Saverio Mattei; parte che riguarda la direzione della Posta di Napoli in Roma. 1788. in 8. S. 210.

Der Adv. Mattei entwarf für den König den Tarif, und das Reglement der Posten; und alles ward gebilligt. — In Neapel wurden die Posten zuerst 1580 eingeführt. —

Firenze, presso Giuf. Tofani e Comp.: Instituzioni dell' Arte oratoria esposte in forma di Dizionario, e corredate di esempj presi dai Classici Toscani. Tomo primo. 1788. S. 278. (ausser Dedication an den Herzog von Parma und Vorrede.)

Der Verf. Abt Domenico Michelacci hat diese Art der Behandlung zuerst angewandt, und glücklich ausgeführt.

Ferrara per gli eredi di Giuf. Rinaldi, si trova in Firenze. presso il Carlieri: Lo studio dell'Uomo ne suoi rapporti con Dio, e con li suoi simili, compendiosamente proposto nella storia dell' Universo dall'Abb. Giuseppe Matini Ferranti. Vol 1. 1788. in 8. S 310.

Der Verf. folgt dem Bossuet. Sein Plan besteht in einem Compendium der Universalgeschichte, worin viele interessante Thatsachen abgehandelt sind, die er zum Beweis der bestrittenen Religion anführt. Dieser erste Band ist in vier Bücher unter folgenden Titeln abgetheilt: 1 Buch 1 Epoche, Schöpfung der Welt. Abhandlungen darüber; II Buch. Noah als die Sündfluth, Abhandlungen über die

Natur des Menschen, III Buch III Epoche: Berufung Abrahams, Abhandlung über die Möglichkeit der Offenbarung; IV Buch. IV Epoche, Moses als das geschriebene Gesetz, Abhandlung über die Nothwendigkeit der Offenbarung. — Das Werk ist gut ausgeführt, voll Gelehrsamkeit, gründlichen Bemerkungen, und feiner Kritik.

Storia ragionata dei Turchi, e degl' Imperatori di Constantinopoli, di Germania, e di Russia, e d'altre Potenze Christiane; dal Ab. Francesco Becottini. Venezia. 1788 per Francesco Pittori, e Francesco Sanfoui. Vol. 2. in 8. jedes ungefähr von 300 S.

Diese Geschichte, von der die gegenwärtigen beiden Bände den ersten Theil ausmachen, wird noch zwey andere enthalten. In den ersten Bänden ist die Geschichte bis zu Ende des vorigen Jahrhunderts fortgeführt. — Das Werk dient sehr dazu das Interesse der verschiedenen ansehnlichen Europäischen Mächte bey gegenwärtigen Umständen kennen zu lernen.

Florentiae typis Petri Allegrini: Novae eruditorum deliciae seu veterum anecdoton opusculorum collectanea: Franciscus Fontani Bibl. Riccard. Praef. collegit, illustravit, edidit. 1788. 8. 319 S. und XCVI S. Vorrede.

Vorhergehn aus ein Zueignungsbriefe an den Bischof von Pistoja, die Vorrede, und zwey Abhandlungen des Herausgebers, eine über die Geschichte des Basler Conciliums, und eine über die wahre Idee eines Schisms. Die Opuscula selbst sind aus der Laurenzianischen, eins aus der Riccardinischen Bibliothek und alle betreffen die Frage der Rechtmäßigkeit des obengenannten Conciliums. 1) Tractatus Universitatis Cracoviensis; 2) Litterae duae Felicis Papae V. ad regem Franciae et ad imperatorem Fridericum Ducem Austriae; 3) Consilium studii Viennensis; 4) Errores ex litteris Eugenii IV. deprompti; 5) Compendium cuiusdam tractatus; 6) Justificationes Concilii Basileensis; 7) Summa capita eorum consiliorum, quae Universitates dedere; 8) Tractatus quod sacrum generale Concilium Basileense non sit translatum vel dissolutum.

Paduae apud Jos. Bapt. Perada et fil.: Vetustiora Latinorum Scriptorum Chronica ad M. S. Cod. emendata, et cum castigatioribus editionibus collata, notisque illu-

strata

strata in unum corpus collecta, praemisso Eusebii Chro-
hico a D. Hieronymo e graeco versa, et multis aucta t
collegit D. Thomas Roncaluus, Monachus Cassinensis.
1788. Vol. 1. 2. in 4.

Die Sammlung ist in zwey Theile getheilt. Der *erste*
enthält die Chronik des Eusebius mit der Fortsetzung des
Hr. Girolamo u. f. w; der *zweyte* das Chronikon von
Idazius mit den Fastis Consularibus, und den andern beiden von Cuspinian, aus der Wiener Bibliothek, und Cas-
siodor; ferner zwey Katalogen von Röm Kaisern, eine
kleine Chronik, die Ruinart ans Licht gestellt u. f. w.
Zuletzt ein Verzeichnifs der Consulen von Anf. bis 703
p. C, wo fie nicht weniger chronologisch angemerkt wurden. — Interessante Noten sind beygefügt.

Sämtlich aus den Novelle letterarie di Firenze.

II. Vermischte Nachrichten.

Durch die Hrn. Superintendenten ist auf allerhöchsten
Befehl aller Orten bekannt gemacht worden, dafs unsere
Hrn. Geistlichen sich in gewisse Fraternitäten vereinigen,
und keiner aufser einer solchen Bruderschaft leben soll.
2) Wo solche Fraternitäten bereits existiren, da sollen
fie auch in Zukunft bleiben, als z. B. in unsern XIII
Städten, wo wir schon vor uralten Zeiten Fraternitatem
XXIV Regalium hatten; aber fie müssen doch verbessert,
und nach der neuern weiter unten zu beschreibenden Art
eingerichtet werden; Wo noch keine sind, da sollen solche errichtet werden, als: im Zipser Comitat werden
eine neue Fraternität ausmachen die Hrn. Geistlichen in
Topporcz, Botzdorf, Grofs-Schlagendorf, Grofs-Lom-
nicz, Einsiedel, Stoos, Schmolniz, Schwedler, Wagen-

drüsel, und Krompach. In andern Comitäten auch auf
diese Art. 3) Jede dieser Brüderschaften soll ihren Senior
Confenior, Notarium, und einen Ober-Inspector ex statu
politico haben, dessen Schuldigkeit darinn bestehen soll,
nicht nur auf die Geistliche, auf ihre Lehre und Leben
aufmerksam zu seyn, sondern auch darauf zu sehen, dafs
alles in guter Ordnung erhalten werde, und niemand
etwas als eigner Authorität unternehme. Einige äufserliche Gebrauche oder Ceremonien, die noch
an manchen Orten üblich sind, als die Sacra antelucana,
Conciones nocturnae in vigiliis Nativ. et Resurr. Wie fie
in dem Circulati bekannt werden) ferner die Theatrales
passiones, et Lamentationum decantationes, accensio Can-
delarum in Coena und dergl. sollen die Seniores und Inspectores nach und nach abschaffen, und darauf sehen,
damit an deren Stelle nicht andere Mifsbräuche bey den
Kirchen und Gemeinen einschleichen, dem Superintendenten mufs von allen Nachricht gegeben werden, damit er
genau wissen möge, was für Leute er unter feiner Aufsicht
habe, und wie ihr Lebenswandel beschaffen ist. 4) Den
Senior sollen die Geistlichen aus ihren Mittel durch Mehrheit der Stimmen wählen, dabey aber auch auf Alter
Verdienste etc. Rückficht nehmen. 5) Von den Pflichten
des Seniors, und 6) von den Pflichten der Geistlichen.
Dies ist durch die Hrn. Superintendenten bekannt gemacht
worden. Nach dem neuern Befehl soll weder ein Geist-
cher noch ein Schullehrer eher angestellt werden, der
nicht dargethan hat, dafs er die NormalMethode vollkommen inne habe, worüber er durch den Superintendenten, oder dem Inspector und Senior, wenn es Schullehrer sind, darüber examiniret wird. *Ipso am 19 Nov.*
788.

LITERARISCHE ANZEIGEN.

I. Ankündigungen neuer Bücher.

Unterzeichnete Verlagshandlung gedenkt künftige
Ostermesse unter der Aufsicht des Hrn. Doctor und Professor
Ludewig einen *delectum opusculorum ad scientiam naturalem*
spectantium herauszugeben, in welchen fie die ausgesuchte-
sten und vorzüglichsten akademischen Schriften der deutschen, schwedischen, englischen und französischen Univerfitäten die in dieses Fach einschlagen, aufnehmen wird.
Alle Jahre foll ein Band zu anderthalb Alphabeth in Octav mit Kupfern erscheinen. Es sollen bey dieser Auswahl die ältern guten kleinen naturhistorische Abhandlungen nicht vernachläfsiget werden; die Sammlung auch in
jedem Bande nach einem etwaigen Plane geordnet seyn,
und für alle Theile der gesammten Naturgeschichte so
wohl als auch der besondern vornehmlich für Monogra-
phen, Systematik, Charakteristik. Terminologie. Nomenclatur, Litteratur und die Zoophysiologie, Phytophysiologie
und chemische Mineralogie gesorgt werden; auch sollen
die Kupfer von guten Künstlern gearbeitet werden. Wer
von den auswärtigen Gelehrten den Herausgeber mit der-

gleichen Schriften zum Einrücken beehren will, wird fie
gefälligst an unsere Handlung zu übermachen ersucht.
Leipzig den 2. Jan. 1789.
Die Crusiusische Buchhandlung.

Der häufige Absatz und die öftere Nachfrage nach der
Fortsetzung selbst von Männern, die die Kräuterkunde nicht
blos als Liebhaber ey treiben, sondern die schon öffentlich
ihre grofse Kenntnisse in dem nemlichen Fach erprobet
haben, haben mich ermuntert ein Supplementum plantarum selectarum zu liefern, deren fürtreffliche und sehr genaue Gemälde der berühmte Ehret verfertiget, der sel.
Geheimde Rath Trew aus feiner Sammlung mitgetheilet bis zur 72sten Kupferplatte, und sodann Herr Profes-
for Vogel erläutert hat, von meinem sel. Vater aber, und
nach ihm von mir in Kupfer gestochen, und mit Farben
nach dem Leben bemahlt worden sind. Ich habe eben
daher als Verleger dieses Werks Herrn Professor Vogel ersucht, der mir ohne dies durch eine eigene Ermunterung
auf dem halben Weg begegnet ist, mir von den noch übrigen

gen Ehrełifchen Gemälden welche auszulefen, um fie in
Kupfer geftochen und gehörig bemahlt, auch von eben
gedachten Herrn Profeffor auf die vorige ihm Ehre brin-
gende Weife erläutert, dem Publikum übergeben zu können. Wenn ich alfo hiedurch blos den Wunfch grofser
Kenner und wahrer Liebhaber der Kräuterkunde, auch
Freunden von guten Pflanzenabbildungen, erfülle, im Voraus verfpreche weder Mühe noch Koften zu fparen, und
von Sciten des Herrn Profeffor *Vogels* ebenfalls verfichern
darf, dafs felbiger die Pflichten eines botanifchen Erläu-
terers mit aller Treue erfüllen wird; fo darf ich um fo gewiffer auf den lauten Beyfall des Krauterkundigen Publikums und aller Freunde fchöner und getreuer Abbildungen feltner Pflanzen, und auf einen den grofsen Koften
und der darauf zu wendenden vielen Mühe angemeffenen
Erfatz durch reichliche Abnahme rechnen. Format, überhaupt die ganze Einrichtung bleibt, wie jeder ohne dies
vermuthen wird, unverändert. Die erfte Lieferung wird
folgende Pflanzen nach fehr guten Abbildungen enthalten :

101. Cornus Amomum; 102. Prunus virginiana; 103.
Sifyrinchium palmifolium; 104. Cercis canadenfis; 105.
Rhamnus colubrinus; 106. Bauhinia divaricata; 107. An-
dromeda mariana und Orobus anguftifolius italicus, flore
vario Tourn.; 108. Hydrangea arborefcens; 109. Rauvel-
fia nitida. 110. Eine Ruellia (Upudali?) die noch unbe-
bannt zu feyn fcheint.

Liebhaber, welche an diefem gegenwärtigen Werk
Antheil zu nehmen gedenken, belieben mir gefälligft eine
baldige Anzeige davon zu machen, damit ich bey diefem
Anfang meine Auflage darnach richten kann. Der billige Preis bleibt wie bey den vorigen Ausgaben unverändert,
jeder Ausgabe zu 10 Tabellen mit fortlaufendem Text,
die Tabellen auf fchon hollandifch Papier à fl. 4. und auf
ordinaire Papier à fl. 3. 15 kr.

Herr Profeffor Vogel wünfcht noch zu erfahren, ob
er den ganzen Reft Ehretfcher Pflanzengemälde, die der
fel. G. H. Trew gefammlet hat, welcher nach Abzug der
wenigen fchon in andern Werken eingerückten, der Copien, und der aller gemeinften auf hundert fich erftrecken könnte, liefern foll?

Augsburg den 1 Dec. 1788.

Joh. Elias Haid.

Im Verlage der Joh. Gottfried Müllerifchen Buchhandlung, in Leipzig, erfcheint nächftkünftige Oftermeffe
der erfte Band meiner mineralogifchen und bergmännifchen Abhandlungen. Ob ich gleich noch nicht ganz beftimmt bin, welche von meinen vorráthigen Auffätzen ich
für denfelben wählen werde; fo ift doch gewifs, dafs eine mineralogifche Befchreibung des Ehrenberges, eine
mineralogifche Reife in das Meiningifche Oberland, eine
Befchreibung der Torflechereyen bey Frofa und Schädele-
ben, und unter einer eigenen Rubrik kurze Auffätze,
Auszüge aus Briefen u. f. w. hineinkommen.

Der Ehrenberg ift einer der merkwürdigften, die man
kennt. Es wechfeln in demfelben fieben verfchiedene
Grundgebirgsarten achtzehnmal miteinander ab, gehen theils
in einander über, theils ftehen fie gleich abgefchnitten ne-
beneinander, und faft jede derfelben hat auf Gängen und

Trümmern ihre eigenen Produkte. Um diefes alles fo
anfchaulich als möglich darzuftellen, habe ich diefen Berg-
aufnehmen, und eine petrographifche Charte davon fertigen
laffen; mich auch entfchloffen, eine Anzahl Suitenfamm-
lungen davon zufammenzubringen, die mit diefer Oftermeffe fowohl in der Verlagshandlung in Leipzig, als
auch bey den Herrn Doct. Müller Sen. in Frankfurth am
Mayn und bey uns felbft für einen halben Louisd'or zu
haben feyn werden, achtzehen Stück Gang und Gebürgs-
Arten enthalten, die fich faft durchgehends von den gemeinen unterfcheiden. Bey diefer Gelegenheit habe ich
zugleich auch mit anzeigen wollen, dafs meine fchon
bekannten Cabinets von Gebirgsarten nach wie vor an
den angezeigten Orten, und unter den bekannten Bedingungen zu haben find.

Joh. Carl Wilh. Voigt,
Berg-Secretarius in Weimar.

Das Journal des Luxus und der Moden vom Monat
Jänner ift erfchienen, und enthält folgende Artikel:
I. Der Kalender an das neugebohrne Jahr 1789. II. Ue-
ber die neueften Verfuche einer fehr alten und ernfthaften
Sefens moderne und gefällige Oberkleider anzulegen. III.
Anakreon im Tanz-Reihen. Ein Fafchings-Gefchenk.
IV. Mode-Neuigkeiten. 1. Aus Italien. 2. Aus Frank-
reich. 3. Aus Teutfchland: V. Neuefter Gefchmack in
Nippes. VI. Ameublement. 1. Ein mechanifcher Kran-
ken-Sopha. 2. Berichtigung des Artikels: Stuhl à la Tri-
nett im Oct. 1788. diefes Journals und Vertheidigung des
Hrn. Ober Confiftoral-Raths Silberfchlag zu Berlin dagegen. VII. Erklärung der Kupfertafeln welche liefern.
Taf. 1 Eine junge Dame en Caraco Chemife, oder neuefte
Franzöfifche Bal-Kleidung. Taf. 2. Eine Dame in neueften vollen Anzuge en Robé à Feftou. Taf. 3. Einen mechanifchen Kranken-Sopha.

Der Herzogl. S. Hildburghaufifche Geheime Rath
Schulm zu Frankfurth am Mayn gedenket ein *Repertorium*
der neueften Litteratur herauszugeben, wovon die Allg.
Lit. Zeit. der Leitfaden feyn foll. Er wird darum in eben
der Ordnung wie die neuefte Geiftes-Producte in der
A. L. Z. recenfirt worden find, nach vorausgefetztem Titel einer jeden Schrift (dem auch wenn es ein ausländi-
fches Product ift, jedesmal eine deutfche Ueberfetzung
deffelben beygefügt werden wird) alle andere gelehrte
und politifche Zeitungen und kritifche Werke anzeigen
wo, über diefelbe Schrift ein Urtheil gefällt worden ift.
Die Urtheile werden nur kürzlich und fo berührt werden,
dafs der Lefer überhaupt abnehmen kann, was er finden
werde, wenn er fich die Mühe geben wollte, die Quelle
felbft aufzufuchen. Monatlich werden 3-4 Bogen von
eben der Gröfse und mit eben den lateinifchen Schriften
wie die A. L. Z. ans Licht treten, fo dafs diefes *Repertorium* als ein Anhang jener gröfsern Anftalt zu betrachten feyn wird. Der Preis diefer Blätter wird möglichft
billig feyn, und fo viel man vorläufig berechnen kann,
einfchliefslich der Ueberfendungskoften, nicht viel über
3 fl. anfteigen.

Ein

Eine umſtändlichere Anzeige wird nächſtens ſowohl
in dem Intelligenzblatte der A. L. Z. als auch auf beſondern Blättern erſcheinen.

Frankf. a. M. den 6ten Jenner 1789.

*)

Da wir in unſerer deutſchen Sprache noch wenige
gute und brauchbare Schriften über die Thierarzneykunſt
haben, ſo hat die *Raſpiſche Buchhandlung in Nürnberg*
eine Ueberſetzung veranſtaltet, von dem *Dictionaire rai-
ſonné d'Hippiatrique, Cavalerie, Manege et Marechalerie
par Mr. de la Foſſe, 4 Volumes. gr. 8. Paris.* Dieſe Ueberſetzung wird von zwey der Wiſſenſchaft kundigen berühmten Männern mit Anmerkungen begleitet werden,
und die erſten 2 Theile ſollen in einem Band wo nicht
eher, doch bis zur Michaelismeſſe 1789 fertig erſcheinen, und die andern 2 Theile auch in einem Band in
nachſtfolgender Oſtermeſſe. Da die Schriften dieſes groſſen, und faſt einzigen Thierarztes in Frankreich, der durch
ſeine Schriften ſich berühmt gemacht, gewiß mit dem
gröſten Beyfall aufgenommen worden, ſo iſt auch nicht
zu zweifeln, daß, da dieſe Wiſſenſchaft jetzo ſehr in Aufnahme kommt, eine deutſche Ueberſetzung dem Publikum angenehm ſeyn wird.

II. Bücher ſo zu verkaufen.

Wer Luſt hat Krünizens ökonomiſche Encyklopädie
zu kaufen, ſo weit ſelbige jetzo heraus iſt, nehmlich 43
Theile in halben Frz. Band, die Kupfer zum bequemen
herausſchlagen auf feines Papier geheftet, und das ganze
noch ſo unverſehrt, als neu, kann ſelbige nebſt der Pra-
numerationsſchein auf den 44 Theil vor 16 Louisd'or von
mir erhalten. Abgerechnet alle übrige Vortheile, und daß
dieſs ſchon weit unter dem Ladenpreis iſt, ſo profitirt der
Käufer auch 21 1/2 Gulden an dem Bande. Annaburg im
Jenner 1789.

Dr. H. E. Jüſtl.

III. Vermiſchte Anzeigen.

*Erinnerungen über eine Ankündigung in dem Intelligenzblatt
der A. L. Z. No. 39. S. 497.*

Eine, vielleicht wirklich vorhandene, vielleicht nur
nur vorgebliche Geſellſchaft von Gelehrten in der Lombardey hat von Paris aus bekannt gemacht, daß ſie Willens ſey, eine neue Ausgabe von Struv's hiſt. Bibliothek
zu beſorgen. Warum? *weil die Ausgabe von Hrn. Meuſel ſo
langſam von ſtatten geht, und deswegen häufige Klagen geführt
werden.* Dagegen hat man zu erinnern: 1) Hr. Meuſel

liefert keine neue Ausgabe, ſondern ein ganz neues Werk
wozu Struv und Buder nur die Veranlaſſung gaben; blos
deswegen ſetzte er auch ihre Namen mit auf den Titel;
2) eine ſolche Arbeit kann ihrer Natur nach nicht anders,
als langſam von ſtatten gehen, wenn ſie anders gewiſſen-
haft ausgeführt werden ſoll. 3) hat Hr. M. noch nirgends
Klagen, geſchweige häufige Klagen über dieſe Langſam-
keit führen gehört: vielmehr hat man ſeine Bedachtſamkeit gerühmt und ſich gefreut, daß er ſich nicht übereil-
let. 4) fragt ſich's noch: ob es langſam arbeiten heiße,
wenn er alle Jahre, bisweilen auch alle halbe Jahre einen
Theil liefert? Eine Geſellſchaft kann freylich mehr leiſten,
auch ein Mann, der weiter keine Geſchäfte hat. Man
muß aber erſt erwarten, ob es die Herren Langobarden
beſſer machen werden, zumahl in den Thiaten, wo M.
ihnen nicht vorgearbeitet hat. Denn daß ſie deſſen Arbeit
oder, wie ſie ſich ſehr unrichtig ausdrücken, Zuſätze benutzen wollen, ſagen ſie gerade heraus. Es wird alſo
auch Hrn. M. erlaubt ſeyn, dereinſt ihre Zuſätze, wofern
ſie tauglich ſind, *quovis modo* in Contribution zu ſetzen.
Wer alſo deſſen Werk ſich anſchaffet oder noch anſchaffen
will, bedarf der Langobardiſchen Arbeit nicht, indem
er durch Hn. M. alles, was darin brauchbar ſeyn ſollte,
treulich erhalten wird. Daß die Herren recht geflſſentlich
darauf ausgehen, die Meuſeliſche Bibl. hiſt. zu verdrängen,
ſiehet man aus ihrer ganzen Ankündigung, unter andern
aus der Verſicherung, daß ihre Ausgabe weit wohlfeiler
werden ſoll. Noch kann man nicht wohl begreifen, wie
ſie dies anfangen wollen, wie ſie einen Theil von 1 Alph.
und 2 - 4 Bogen wohlfeiler verkaufen können, als die Verlagshandlung der Meuſelſchen Bibl. hiſt. Es müſſte denn
ſeyn, daß das ganze Unternehmen auf einen *elenden* Nachdruck hinausliefe, und daß man die von Hrn. M. noch
nicht bearbeiteten Theile aus den nächſten den beſten
Hülfsmitteln zuſammen ſtoppeln wollte. Aus obiger
Aeuſſerung, die Zuſätze des Hrn. M. zu benutzen, ſcheint
es faſt, als wenn ſie deſſen Werk noch gar nicht recht
kennten: noch mehr aber aus der unbegreiflichen Verſicherung, Hr. M. ſey in dem hiſt. Theile, welcher Italien
betrift, nicht ſo reichhaltig und genau, als in den übrigen. Denn jeder, der deſſen Bibl. hiſt. beſitzt, weiß
daß in den bisher gedruckten 6 Theilen noch gar nichts
von Italien vorkommt. Die Geſchichtſchreiber über das
alte Italien, beſonders über den Römiſchen Staat, wird
man erſt in dem Theil, der jetzt unter der Preſſe iſt,
finden, und diejenigen über die neuen ital. Staaten (wozu er einen anſehnlichen Apparat beſitzt,) werden noch
ſpäter folgen. Iſt alſo Unwiſſenheit oder plumpe und
boshafte Verläumdung, daß ſich die Hrn. Langobarden
ſo ausdrücken?

---

*) Ohne die Liebhaber im mindeſten von dieſem *Repertorium*, das Hr. Geh. Rath *Schulin* zu unternehmen willens iſt,
abzuhalten zu wollen, müſſen wir nur bemerken, daß wir eigentlich von einem ähnlichen Plane ſchon zurückgekommen
ſind, und ihn deshalb aufgegeben haben, weil er ſich für ein einzelnes laufendes Jahr nach unſrer gemachten Erfahrung nicht bequem genug für die Leſer ausführen läſst. Dahingegen wird das vorlängſt angekündigte Quin-
quennial - Regiſter oder General - Repertorium gewiß von unſrer Seite nicht ausbleiben; nur wird es das erſtemal ſich über 6 Jahre, nemlich von 1785-1790, incluſive erſtrecken, und wir können zum voraus verſprechen,
daß es eins der brauchbarſten Handbücher zur Ueberſicht der geſammten neueſten Literatur werden wird.
Die Herausgeber der A. L. Z.

Druckfehler: Intelligenzblatt Nro. 12. S. 91. Zeile 5. v. u. ſtatt Süd - Amerika, lies ſpaniſchen Amerika.

Monatsregister
vom
Januar 1789.

INTELLIGENZBLATT

der

ALLGEM. LITERATUR-ZEITUNG

Numero 14.

Mittwochs den 4ten Febr. 1789.

LITERARISCHE NACHRICHTEN.

I. Vorläufige Berichte, von ausländischer Literatur.

Recherches fur les influences Solaires & Lunaires, pour prouver le Magnetisme universel. &c. avec Pl. & Fig. par Mr. Robert de Lo-Looz, Chevalier de St. Louis Colonel au service de Saxe, décédé le 16 Avril 1786 à Paris. Deux Vol. in 8. a Londres et se trouve à Paris chez Couturier.

Der Verf. erwartet durch seine Paradoxen Auffehn zu erregen. Im 1 Theile vertheidigt er die Schöpfungs-geschichte des Moses, der zweyte Theil ist den Beweisen des allgemeinen Magnetismus gewidmet, und zugleich den Unterfuchungen, die das Seewefen betreffen. Er verweifet alle Philofophen auf Mofes, und erklärt fich für einen Schüler Mesmers, doch müffe man beym Magnetifiren vorfichtig feyn. *(M. de F. N. 42.)*

Nouvelles inftructives, Bibliographiques, Hiftoriques, et Critiques de Medecine, Chirurgie, Pharmacie, ou Recueil vai. formé de tout ce, qu'il importe d'apprendre pour être au Courts des connoiffances, & à l'abri des erreurs relatives à l'art de guérir par M. Retz, Médécin ordinaire du Roi, 16. à Paris, chez Meguignon l'ainé.

Bis jetzt find vier Theile diefes nützlichen Werks er-fchienen. Jährlich wird einer herauskommen. Den Zweck zeigt der Titel an. Entdeckungen in der Heilkunde wer-den angeführt und ftrenge beurtheilt.

(M. de Fr. N. 42.)

Clara & Emmeline, par Miff H—— Auteur de Lovife ou la Chaumiere; 2 Voll. 12. prix 2 L. 8 f. br. et 3 L. fr. de port par la pofte. A Paris chez Buiffon.

Die Handlung des Romans ift nicht verwickelt, nur fünf Perfonen befchäftigen die Aufmerkfamkeit des Le-fers bis zu Ende. Doch intereffirt er, und rührt oft.

(M. d. F. N. 42.)

Memoire fur le Tangeage des Navires por Mr. Beftry, de l'Acad. des Sciences d'Amiens, Ingenieur Hydraulique de Mgr. le Comte d'Artois. 80 p. à Paris chez Barrois l'ainé.

Die Akad. der Wiffenfch. giebt der Methode des Ver-faffers vor den bisher üblichen den Preis.

(Merc. de Fr. No. 42.)

Les Délices de la Religion, &c. par Mr. l'Abbé Lamourette. à Paris chez Merigot jeune. 12. Prix relié 2 L 10 f.

Das Werk ift feines Verf. würdig, der fchon durch andre Schriften rühmlich bekannt ift.

(Merc. de Fr. N. 42.)

Le Jardin Anglois, par feu M. Le Tourneur, et precédé d'une Notice fur fa vie & fur fes Ouvrages avec fon Por-trait, d'après Nature, par M. Fajou; 2 Voll. 8. Prix 7 L. 4 f. br. à Paris chez Leroy.

Der Name des Hrn. le Tourneur giebt ein fehr gün-ftiges Vorurtheil für diefe Sammlung.

(Merc. de Fr. N. 42.)

Lettre à la Chambre du Commerce de Normandie, fur le Mé-moire qu'elle a publié relativement au Traité de Commerce avec l'Angleterre. à Rouen et fe trouve à Paris chez Montard.

Ein vortrefliches Werk über die Vortheile und Nach-theile des bekannten Commerztractats, voll Scharffinn, Unpartheylichkeit und Mafsigung. *(M. de Fr. N. 43.)*

Un peu de tout; Recueil de Vers par M. L. B. de B..... de plufieurs Academies. 8. 130 pag. orné d'une Gravu.-re. à Paris chez Bailly.

Dem Titel gemäß Bouquets, Lieder, Fabeln, Oden, Madrigale, u. f. w. *(M. de Fr. No. 43.)*

Ecole hiftorique et morale du Soldat, & de l'Officier, à l'u-fage des Troupes de France & les Ecoles militaires avec des Portraits. 3 Vol. in 12. Prix 9 L. reliés à Paris chez Nyon l'ainé.

Der Verf. Hr. Berenger, hat die Moral in lauter Hi-ftorifchen Beyfpielen vorgetragen, die er biswellen auch in reizvollen Gedichten erzählt. Sie find zum Theil aus Frankreichs großen Familien felbft genommen, und theils aus Werken der erften Franz. Schriftfteller, eines Marmontel, de la Harpe, u. f. w. gefchöpft.

(Merc. de Fr. No. 43.)

Architecture pratique de Mr. Bullet, Architecte du Roi, &c. a Paris chez Dauphine.

Dies nützliche Werk hat durch die Zufätze und Ver-beferungen diefer neuen Auflage viel gewonnen.

(M. de Fr. N. 43.)

Galerie Historique Universelle, par Mr. de Pujol. Prix 3 Liv. à Paris chez Merigot le jeune.

Diese dreyzehnte Lieferung enthält Caligula, Heinrich Goltz, Ninon Lenclos, Philipp II. König von Macedonien, Pope, den Grafen von Sachsen, Jean Senac, und Ulrich Zwingel. — Jeden Monat erscheint ein Band dieser Sammlung.

Memoires de Sully cet. Nouvelle edition, grand 8. 6 Vol. brochés en carton et étiquetés 30 Liv. à Paris chez J. Fr. Bastien.

Diese Ausgabe ist durch die Anmerkungen vollständiger, wie die vorigen. Statt der Kupfertafel, die sonst vor jedem Bande war, ist nun Eine allgemeine.

Neue Auflagen von Montagne, von Rabelais, von Scarron, von Brandome, von Montesquieu sind bey Bastien erschienen. (*M. de Fr. N. 43.*)

Lettres sur l'Italie, en 1785. 2 Voll. in 8. à Paris chez Desenne.

Vom nunmehr verstorbenen Präsident du Pati. Er ist wie ein Mann voll Empfindung zu den Meisterstücken der Künste, und den Schönheiten der Natur gereist. (*M. de Fr. N. 44.*)

Eloge de Louis XII, Roi de France, surnommé le Père du Peuple. Discours qui a remporté le Prix d'Eloquence, au jugement de l'Acad. Françoise 1788. par M. le Abbé Noël, Prof. en l'Université de Paris. à Paris chez Demoille.

Der Verf. hat Ludwig XII unter dem richtigen Gesichtspunkt, nicht als grosser Helden und Staatsmann, sondern als guten König mit philos. Blick betrachtet. (*M. de Fr. N. 44.*)

Oeuvres de Marquis de Villette. in 8. à Edinbourg et se trouve à Paris chez Clousier.

Eine neue, durchgesehne, und sehr vermehrte Ausgabe. (*M. de Fr. N. 44.*)

LITERARISCHE ANZEIGEN.

I. Ankündigungen neuer Bücher.

Der gütige Beifall, mit welchem das teutsche und ausländische Publikum, meine, seit acht Jahren, in der Geschichte, in dem Staatsrechte, in der Dichtkunst und in den schönen Wissenschaften, herausgegebenen Schriften, aufgenommen hat, und besonders das Vergnügen und die schmeichelhafte Zuneigung, womit das junge lesende Publikum und das schöne Geschlecht meine Briefe, und die akademische Liebe, oder Röschens und Fritzchens Geschichte beehrt hat, dass die erste Auflage beider Bücher, von 2000 Exemplaren, fast in einem Jahre ganz vergriffen worden sind: — macht mir die süsse Hoffnung, man werde, mit gleicher Gütigkeit und Vergnügen eine Sammlung meiner Lieder aufnehmen, welche ich unfehlbar zu Ostern 1789 (und zur Verhütung des Nachdrucks) auf Subscription und Selbstverlag, unter diesem Titel herausgeben werde: *Freundschaftliche, zärtliche, scherzhafte und komische Lieder und Romanzen, zur edlen und süssen Unterhaltung beiderlei Geschlechts beym Clavier etc.* — 11 bis 16 Bogen Folio. Sie sind sämtlich (bis auf zwey Lieder, die aus meinem, 1782 zu Stettin herausgekommenen Gedichten, genommen sind) noch nie gedruckt; und nicht, wie viele andere, aus Musenalmanachen und Dichterwerken zusammengeschleppte Lieder Sammlungen längst bekannt oder gar verältert. Meine Lieder sind keine, aus Noth unreif hingeworfene Produkte, brodsuchender Armuth oder Reimereien eines eitlen, autorsüchtigen Jünglings: sondern Früchte froher Erholungsstunden, der Freundschaft, Liebe, Freude, fröhlicher Laune, dem Scherze oder auch den Leiden zärtlicher Seelen gewidmet. Oft sind die Gemälde aus den Begebenheiten meiner besten Freundinnen und Freunde oder aus Land- und Stadt-Leben oder aus der Menschheit überhaupt. Die komischen Gedichte sind in unsers-Illmauer, Aeneiden-Stil, und hoffentlich ein gutes Lachmittel zur Erschütterung des Zwergfells. Kurz, ich hoffe, sie werden dem Mädchen und Jüngling, der Dame und den Mann von verschiedenen Alter und Geschmack, Gefühl und Laune, vergnügen: doch habe ich besonders für den edlern Theil unserer Nation gearbeitet. — Ich habe mich bemüht, den Inhalt derselben eben so mannigfaltig, interessant, rührend und unterhaltend für das Herz und den Geist, — als die Versarten, den Ausdruck und die Form des poetischen Stils, fliessend, angemessen und wohlklingend vor's Ohr zu machen. — Auch mit der Composition glaube ich, werden meine Interessenten ihre zufrieden seyn können: sie ist leicht, melodienreich, voll Feuer und Ausdruck, dem Texte genau angemessen, und von guten Meisterhänden. — Druck und Papier sollen sehr korrekt und sauber werden. — Der Subscriptions-Preis ist 2 Mark 8 Schilling Hamburger Courant oder 1 Thaler, den Friedrichd'or zu 5 Thaler gerechnet. — Vor- und Zu-Namen, Stand und Ort derer respektiven Subscribenten werden vorgedruckt; und ersuchet man deshalb, sie baldigst und spätestens vor dem 1sten März einzusenden. Nach Verlauf der Subscriptionszeit ist der Laden- und Mess Preis 3 Mark oder 1 Thaler und 4 Groschen. Die Herren Collecteurs erhalten das zehnte, die Herren Buchhändler aber das achte Exemplar frei. — Man kann in allen Buchhandlungen Teutschlands subscribieren. Besonders nehmen Subscription an, das Addreß-Comtoir und der Buchhandler Matthiessen auf der Neuenburg, und der Verfasser selbst in Hamburg; Hr. Schulze, Schriftsteller, in der kleinen Mühlenstraße in Altona; Die Schulbuchhandlung in Braunschweig; das Intelligenz-Comtoir in Leipzig; die neue akademische Buchhandlung in Berlin, und die Litterarische Gesellschaft-Buchhandlung in Kempten. — An diese können auch sämtliche respective teutsche Buchhandlungen, so wie an den Verfasser und Herausgeber selbst, die Namen der Subscribenten einsenden. Meine Addresse ist: Hamburg, am Saud-Thore, No. 54.

Joh. Traugott Plant,
Rechtsgelehrter und Schriftsteller.

II. Na

II. Naturalien und Kunstsachen, so zu verkaufen.

Die Erben des verst. M. und Rector Ballenstedt zu Schöningen im Herzogthum Braunschweig bieten den Liebhabern eine Sammlung von Naturalien, Artefactis und Curiosis an, welche um billigen Preis im Ganzen soll verlassen werden. Das Ganze besteht aus 2 Sammlungen, wovon jede für sich allein besteht, und von der andern getrennt werden kann; aus Naturalien und Kunstsachen.

I. Die Naturalien-Sammlung ist in 2 Schränken mit 24 Schiebladen befindlich. Der erste Schrank enthält ohngefähr folgende Sachen im allgemeinen angegeben: 1ste Schieblade: Alabasterarten, Stinkstein, Tropfstein aus der Baumanns-Höhle, Tophstein, Marienglas, Asbest u. s. w. 2te Sch. Corallia Liliensteine, Stern-Juden-Schraubsteine, Fungiten etc. etc.

3te Sch. welche durchgeschnitten ist; ganze und halbedelsteine, worunter ein Carneol und grüner Jaspis als Petschafte in Gold gefasst, ferner ein rother Jaspis aus Surinam, Carneol aus Brasilien, Isländischer Cristall, oder Doppelstein, ein Speckstein aus China, Lava vom Vesuv, ein Stocknopf von Bernstein, unpolirt, ein wegen seiner Grösse vorzügliches Cabinetstück u. s. w.

Die 4te ausländische Marmorarten aus Afrika, Griechenland, Italien etc. etc. Ferner von Altdorf, Wanzleben bey Magdeburg, Salzdahlen, auch eine Dose von Sondershausischem Marmor mit Dendriten, vorzügl. schön ein Geschenk des Fürsten von Sondersh. Durchl. an den Besitzer.

Die 5te Eichsfedter Dendriten von grosser Schönheit, nebst Fischen in Stein und in Mansfeldischen Schiefer, Lithobiblia, Marmorarten von Eichsfeld u. s. w. Roggensteine geschliffen.

Die 6te allerley Erdarten und Farben, die ersten gestempelt und roh.

Die 7te Muschelmarmor von Twieslingen bey Schöningen, sehr schön, mit mancherley Figuren, fast wie der Salzdahlensche, von dem ehemal. Besitzer selbst entdeckt.

Die 8te Alle Arten von Fossilien, die sich bey dem oberwähnten Dorfe Twieslingen finden, als Muscheln, Corallen, versteinert Holz, Fischzähne, Kröten-Adlersteine etc. etc.

Die 9te Glossopetrae aus den Steinbrüchen bey Schöningen, nebst andern dasigen Producten als Tropfstein in der Gestalt von Blumenkohl aus dem so genannten Dryppoloche, Tophstein, Lithobiblien u. s. w.

Die 10te Cornua Ammonis aus verschiedenen Gegenden, worunter 2 schöne Stücke aus England, desgleichen ein Obeslebisches, verschiedene von Coburg durchschnitten und polirt, Goslarsche etc. etc.

Die 11te, Cornua Amm. und andere Muscheln von Schöningen zum Theil mit vielem Fleiss ausgearbeitet, wovon unter andern schönen Stücken ein in matrice liegendes Cornu mit feinem nucleus und Concamerationen von inwendig zu sehen von dem ehemal. Besitzer sehr geschickt wurde. Auch sind einige geschliffen und wegen der Crustilation durchsichtig.

Die 12te, versteinerte Muscheln aus verschiedenen Gegenden, worunter Obslebische Gryphiten, 2 Orthocera-

thiten von Siargsed, geschliffen und polirt, calcinirte Muscheln von Jerrheim bey Schöningen etc. etc.

Die 13te, Versteinertes Holz, Steinkohlen, Vestungsachat von Walkenr.ed etc. etc. Besonders schön sind darunter 4 und mehrere grosse Stücke Coburgsches Holz mit Aesten und Adern, angeschliffen und polirt schwarz und braun.

Der 2te Schrank.

1ste und 2te Schieblade enthält allerley Holzarten aus Amerika, Ost-und Westindien in Plantagen- und Bücherformat, worunter ein Stück von einem Zweige eines sehr seltenen Baums aus dem Kayserlichen Garten zu Ispahan, ohne Namen, sehr schön.

Die 3te und 4te, Conchylien, worunter eine Notenmuschel in Silber gefasst, so ehemals zur Schnupftabacks-Dose gedient.

Die 5te grosse Conchylien nebst 2 Schildkröten, davon die eine aus Ostindien, schön gezeichnet.

Die 6te, Blankenburgische Marmor-Platten von allen Sorten mit Corallen.

Die 7te, Erzstufen und Mineralien.

Die 8te, Kröten, oder Knopfsteine und andere Sachen in Feuerstein. Es zeichnen sich darunter besonders, einige von den erstern wegen ihrer Grösse und Schönheit aus, davon der eine blos in Matrice von Feuerstein liegt, wie auch ein Pectinit nebst andern geschliffenen Feuersteinarten.

Die 9te, Fossilien aus verschiedenen Gegenden, Lüneburg-und Malthesische Glossopetern, Alpsteine, Orthoocerathiten, Turbiniten etc. etc.

Die 10te und 11te, Mineralien und Farben.

Ausserdem gehören dazu noch eine Anzahl grosser Stücke, die nicht in die Schiebladen hineinpassen, als Ammonshörner zum Theil von der Grösse eines Vorderkutschenrades von Wolfenbüttel, Ohrsleben, nebst andern Versteinerungen von Holzarten, Corallien, Tropfsteinen, Nautilitern etc. etc.

Die Sachen in den Schränken sind alle in 4eckigten Kartenkästen, nebst dabey liegenden Zetteln mit der Beschreibung.

II. Eine Sammlung von Kunstsachen, Alterthümern und Curiosis aus dem Thier- und Pflanzenreich; in 3 Schiebladen.

Die 1ste enthält vorzüglich Urnen von verschiedener Grösse und Form, nebst einer Menge von sogenannten Donnerkeilen, oder Streitäxten der alten Deutschen, von der Länge eines Zolls bis zu einem Fuss, von allerley Steinarten polirt und unpolirt, mit und ohne Loch. Desgl. 2 kleine heidnische Götzenbilder von Thon und Bley, nebst Stücken von metallenen Dolchen unsrer alten Vorfahren, wie auch Pfeile u. s. w.

Die 2te, 2 grosse Perlmutterschalen, eine schwedische Kupferplatte, oder 2 Rthlr.-Stück mit dem Stempel, Brakteaten, oder Blechmünzen, einige Cocosnüsse, ein Straufseney, Gemsenhörner, Rose von Jericho, ein Magnet eingefasst, Stacheln vom Stachelschwein, Seepferd, Seemaus, Echinus, Seekrebse der Eremit genannt, Wallfischleder etc. etc.

Die 3te, eine Hühnerey-Schale, worin fast alle häusliche Instrumente in kleinen von Bley hängen, ein Leib von Holz, woran ein Schäfer das Leiden, Auferstehung und Himmelfarth. J. C. sehr gut geschnitzt hat, ein Crucifix von Holz, so klein, dass man es in eine Federspule stecken kann, ein Floh an einer goldenen Kette liegend auf Sammt in einer blechernen Dose; ein geschriebener Calender in einer Elsenbeinernen Capsel, der ehemals im Ringe getragen worden, eine Kutsche mit 6 Pferden und Figuren darina von Elfenbein, in einer dergl. Capsel einen Zoll lang; eine ovalrunde Dose von Holz, die nur durch einen Kunstgriff geöfnet werden kann, ein lederner Beutel, der auf eine versteckte Art geöfnet wird; ein Kirschkern worauf 24 Köpfe, auf jeder Seite 12 geschnitten sind, inwendig ein Spiel Kegel.

Ferner eine Suppenschale von Zinn, woran der Baron von Trenk in seinem Gefängniß zu Magdeburg mit einem Nagel das Paradies gravirt; Desgl. ein Heft Gedichte von demselben im Gefängniß geschrieben; ein Würfel von der Würfelwiese bey Baaden, womit die alten Römer gewürfelt haben sollen. 3. Microskopis und ein prisma; 2 Tafeln ächten chinesischen Tusch mit Drachen und Schriftzügen, einige Kupferplatten und Formen zu Holzschnitten; Landcharten auf Seidenzeug und Linnen gedruckt u. f. w. nebst vielen andern Curiosi.

III. Ferner bieten die Ballenstedtischen Erben den Liebhabern eine Sammlung von Kupferstichen und Holzschnitten, wie auch von Leichenpredigten an. Die ersten bestehn aus einigen 40 Banden und (uneingebundonen. Die vornehmsten darunter sind folgende:

1 Band im größten Format, worinn größtentheils grose Stücke von den berühmtesten Meistern, als Pietro, Monaco, Testa und andern Italienern, ferner von Sandrart, Vischer, Valk, Donker u. f. w. aufgeklebt.

4 Bände imperial Fol. nach der Zeitfolge geordnet von Martin Schöngauer an, bis auf unsere Zeit, aufgeklebt. Der erste Band enthält z. B. 6 St. von Mart. Schön. 2 von Israel von Mecheln, 2 von Lucas Krug, 1 von Luc. Kranach, 80, von Alb. Dürer, worunter die vorzüglichsten die Melancholie, ein Schild mit einem Todenkopf, das Schweißtuch der h. Veronica mit dem Gesicht Christi etc. etc. 11 Stück von Lucas von Leiden, 20 von Aldegraf u. f. w.

15 Imper. Fol. Bände mit Portraits von Gelehrten und andern berühmten Mannern, nach den Sterbejahren geordnet, bis auf unsere Zeiten, aufgeklebt, mehrere auf einer Seite.

1 Band royal Fol. Gelehrte nach alphabet Ordnung, von denen man das Sterbejahr nicht gewust.

1 Band roy. Fol. Portraits Fürstl. Graßl. und anderer vornehmen Personen.

1 Band in eben dem Form. Portr. von Damen.

1 Band in Fol. mit Mahlern, Bildhauern, Virtuosen u. f. w.

1 B. in Fol. Braunschw. und Hannov. Gelehrte und berühmte Leute.

5 Stück Quer Fol. Bände mit historischen Stücken Landschaften, Bataillen, Belagerungen, Prospekten, Lustschlössern etc. etc.

2 Bande in eben dem Format mit Prospekten von Städten.

1 Band Jagdstücke von Ridinger, Joh. Stradanus u. a. m. in 4 Format.

1 B. mit aller'ey scherzhaften Stücken und Satyren.

1 B. Geograph. und topograph. Schauplatz von Afrika und Ostindien von Joh. Wolfg. Heydt. Nürnberg 1744. Querformat.

1 B. klein Fol. m. Portraits von Unstudierten, Kaufleuten u. f. w.

3 B. in Querf. mit Landschaften von Merian, Perelle Le Clerck, Bloemart etc. etc.

1 B. Judische Ceremonien Nürnb. bey Monath. Querf.

1 B. in 4to Labyrinth de Versailles par Jo. Ulr. Kraus, mit Franz. und Deutsch. Text.

1 B. in 4to Deorum Dearumque capita ex museo Abr. Ortelii Antwerp. 1573. per Phil. Gallaeum.

1 Convol. worin der erste Theil von Gever Conchylienwerk, unter dem Titel, der aber fehlt, monathliche Belustigungen im Reiche der Natur. Hamburg 1753 in med. 4. nebst der teutschen und franz. Beschreibung und 32 Kupfertafeln, sehr schön illuminirt.

2 Convol. im grosen Format mit alten, sehr seltenen Holzschnitten von Alb. Dürer etc. etc.

Item verschiedene grose Prospecte von Städten, Brücken u. f. w. aufgerollt und in Convoluten.

Varia und Zugaben zu oberwehnten Samlungen.

Eine starke Samlung von Leichenpredigten auf Fürstl. Gräßl. Adeliche und Bürgerl. Personen.

Die Fürstl. L. P. bestehen aus 61 Bänden und Convoluten in Folio, und aus 15 Banden und Convol. in 4to; wovon jedes Conv, zu und mehrere Stücke enthält.

Die Adeliche L. P. betragen 32 Bande und Convolute in fol. und eben so viele in 4to, nach Alphabetischer Ordnung gesammelt, wovon jedes Convol. 15-30 Piecen enthält.

Die Bürgerl. L. P. bestehen a: 38 Convol. in fol. und 109 in 4to; jedes Conv. zu 20 und mehrern Stucken, nach Alphabet. Ordnung.

IV. Sind noch einige ächte Röm. Münzen, sowohl in Silber als Erz vorhanden; wie auch ein Herbar. viv. von sehr vielen auslandischen und beynahe von allen bekannten Pflanzen Deutschlands; imgleichen eine sogenannte Materia medica von beynahe allen Arzneien, Materialien und besonders von allen chemischen Producten in kleinen Gläsern enthalten.

Die Liebhaber ein oder andrer Sammlung, wollen sich mit ihren Postfreyen Aufträgen entweder gerade an die verw. Frau Rect. Ballenstedt, oder an den Hr. Dr. Dehne in Schoningen, bey Helmstadt, wenden, und von da eine nähere Anzeige erwarten.

III. Vermischte Anzeigen.

Da nunmehr die Ausspielung des Musaeußischen Gartens zu Weimar, auf die sechste Classe der 36sten Hannoverischen Lotterie, deren Ziehung am 30sten Marz dieses Jahrs ihren Anfang nimmt, festgesetzt worden; So wird solches zur Nachricht sämmtlichen Interessenten hiermit bekant gemacht. *Weimar den 13 Jan. 789.*

INTELLIGENZBLATT
der
ALLGEM·LITERATUR-ZEITUNG
Numero 15.

Mittwochs den 4ten Febr. 1789.

LITERARISCHE NACHRICHTEN.

I. Preisaustheilungen.

Die patriotische Gesellschaft zu Valence im Dauphiné hat den 26 August v. J. ihre öffentliche Versammlung gehalten. Sie hatte folgende Preisfrage ausgesetzt: *Quels sont les moyens locaux, les plus sûrets & les moins dispendieux, de faire cesser le fléau de la mendicité à Valence, sans que les pauvres, tant citoyens qu'étrangers, soient moins secourus?*

Der Preis von 300 Liv. ist dem Hrn. *Achard de Germane*, Advocat beym Parlamente, zuerkannt worden. Auf dieses Jahr giebt sie die historische Lobrede auf den Hrn. von Vaucanson auf, den berühmten Mechaniker, der zu Grenoble im J. 1709 gebeoren, und im J. 1782 gestorben ist.

II. Vermischte Nachrichten.

Schon seit mehrern Jahren suchten geheime Ordensgesellschaften in Schwaben festen Fuß zu fassen. Man gab ihnen nehmlich allerley empfehlende Gestalten, die sich theils auf den bekannten biedern Nationalcharakter der Schwaben, theils auf gewisse in Schwaben vorzüglich im Schwang gebende Schwärmereyen bezogen. Dahin gehört vornehmlich die Rosenkreuzerey, die seit Valentin Andreä's Zeiten in dieser Provinz immer im stillen fortgepflanzt wurde. Es ist merkwürdig, daß die meisten dieser geheimen Verbindungen sich von Heilbron aus verbreiteten, einer Stadt, in welcher wegen des Zusammenflusses vieler reichen Particuliers und adelichen Familien sehr viel Luxus herrschen soll. So hatte z. B. der vor etlichen Jahren errichtete sogenannte *Bund der Rechtschaffenheit*, an dessen Spitze der Prinz G. von H. stand, in dieser Stadt seinen Sitz. Dieser Bund suchte sich auch in Wirtembergischen auszubreiten, allein durch die weisen und aufgeklärten Vorkehrungen des reg. Herzogs wurde diesem bald gesteuert. In eben dieser Stadt bildete sich erst vor wenigen Jahren eine sogenannte *Toleranz-Gesellschaft*, deren Haupt ein gewisser *Wais von Mengen* (vermuthlich ein erdichteter Name) seyn sollte. Allein die Sache wurde dem H. Magistrat bald verdächtig, der deswegen die Gesellschafts Versammlungen verbot. Auf gleiche Weise suchte ein Heilbronnischer Gelehrter, von dem eine neuerlich herausgekommene Schrift unter dem Titel: *Authentische Geschichte des Bruder Gortian* nähere Nachricht giebt, vor einigen Jahren die Rosenkreuzerey in Schwaben wieder emporzubringen, so wie der kürzlich in Verhaft gekommene Großling zuerst einen Rosenorden (vermuthlich eine Anspielung auf Rosenkreuzerey und noch neuerlich einen *Harmonie-Orden* für Damen, der wohl mit der Straßbürger magnetischen Societé harmonique einige Analogie haben sollte, in Schwaben zu errichten suchte. Auch die magnetischen Kuren, die sogar bis ins nördliche Deutschland sich verbreiteten, haben außer den *Badischen Landen* in Schwaben wenig Eingang gefunden. In Stuttgart fand der Magnetismus bey einigen Personen von Adel gleichfalls Beyfall, allein auch dieser hörte auf.

A. B. aus Schwaben d. 23 Dec. 88.

III. Berichtigung.

Der in Nr. 245 b v. J. der A. L. Z. angegebene Umstand, daß bey Großlings Verhaftnehmung unter seinen Papieren falsche Wechsel und eine lateinische Schrift zur Aufwiegelung der Ungarn gefunden worden, hat sich nicht bestätigt. Aber an den König von Preußen fand sich allerdings ein sehr beleidigender Brief, und außer diesem eine Anzahl *Harmonie-Ordens-Diplome*, wovon einige mit den Namen der neuaufzunehmenden Mitglieder ergänzt und gesiegelt waren. Das Diplom selbst lautete so:

Augusta, Gräfin von Staff, verwittwete Herzogin von Newcastle, Großfrau der Harmonie, nimmt dich — — — zu — — Freundin der Harmonie auf, damit du nach dem Maße deiner Mitwirkung an den *Verdiensten* derselben Theil nimmst. Bestrebe dich, daß du es *verdienest*, — — — zu werden: jedes Mitglied der Harmonie, dem du diesen Bundbrief vorweisest, ist verpflichtet, dir alle freundschaftliche Dienste zu erweisen; doch mußt auch du gegen jedes Mitglied der Harmonie die gegenseitigen Pflichten der Freundschaft erfüllen, und damit dieser Bundbrief seine vollkommene Kraft und Wirkung erhält, ihn von der National-Mutter der deutschen Zunge, der Land- und Local-Mutter gleich jetzt unterschrieben, von der Local-Mutter aber, die dir am nächsten liegt, jährlich bestätigen lassen. Der Herr des Weltalls segne dich mit Vernunft, Wahrheit und Weisheit. Gegeben unter dem Großsiegel, den . Jun. 1788.

Gegen dieses Diplom mußte das aufzunehmende Mitglied mit seiner Namens Unterschrift eine folgende schriftliche Versicherung ausstellen: „Ich verspreche vor Gott, und nehme ihn zum Zeugen, daß ich all mein

Leben als ein treues eifriges Mitglied der *Harmonie* ollen ihren *Gefetzen gehorc'eu*, und zur Erreichung ihrer erhabenen Endzwecke aus allen Kräften mitwirken will: verfpreche allen Mitgliedern der Harmonie ewige Freundfchaft, und ihren Vorgefetzten nebft Freundfchaft und Liebe auch *Unterwrfigke.r.*" Zur Empfehlung diefes *weiblichen Ordens*, den Grofling in *Schwaben* ftiften wollte, fchrieb er fein Buch: die *Harmonie*, oder *Grundfätze zur Bildung des weiblichen Gefchlechts aus dem Englifchen überfetzt vom Reichsgraf Carl von F.*, das zu Reutlingen erfchien, und in welchem er den von *ihm felbft* einige Jahre zuvor geftifteten *Rofen-Orden* ein *ännes Luftgebäude* nannte. Man fieht leicht, was Grofling bey Bekanntmachung diefer Schrift für eine Abficht hätte. Er wollte dadurch feinem neuen Inftitut defto mehr Anhänger verfchaffen, und das Publikum überreden, dafs der Zweck des Harmonie-Ordens kein anderer fey, als Verbreitung einer höhern Cultur unter dem weiblichen Gefchlecht. Allein Groflings verdächtiger Charakter berechtiget allerdings zu der gegründeten Vermuthung, dafs er unter diefem vorgefpiegelten guten Endzweck ganz andere Abfichten zu erreichen gefucht habe. Die Zeit wird vielleicht fo wohl über die Gefchichte feiner Orden, als über die noch unbekannten Urfachen feiner Verhaftnehmung mehr Licht verbreiten. Was übrigens die Grofling'fche Schrift anbelangt, fo machte diefelbe bey ihrer Erfcheinung in Schwaben vieles Auffehen, und das Publikum ermangelte nicht, die Worte *vom Reichsgraf von F.* auf den Herrn Grafen Carl von *Fugger* zu deuten. Dies nun veranlafste den Herrn Grafen über feine Verhältniffe mit Grofling eine öffentliche Erklärung an das Publikum zu thun, und die-

felbe in mehrere fchwäbifche Blätter einrücken zu laffen. In diefer Erklärung fagt der Herr Graf, er habe an dem Rofen-Inftitut, welches Grofling unter dem verkappten Namen eines Frauenzimmers errichtet hätte, aus Gefälligkeit gegen mehrere Damen, welche Mitglieder diefer Verbindung gewefen, vor einigen Jahren Theil genommen, und fich der diefes Inftitut betreffenden Gefchäfte um fo williger unterzogen, da er daffelbe blofs als eine gefellfchaftliche Verbindung kenne, mittelft welcher fich mehrere Menfchenfreunde vereinigten, ihr Scherflein zum allgemeinen Wohl gemeinfchaftlich, aber ohne öffentliche Prahlerey, beyzutragen. Dies hätte ihn mit Grofling in Briefwechfel gefetzt, den er auch um fo williger fortgefetzt hätte, als er den durch G. erhaltenen Addreffen den glücklichen Betrieb einiger Gefchäfte in Holland und Niederdeutfchland verdanke. In Rückficht diefer Verbindlichkeit habe er auch G. nach feiner Flucht aus Berlin auf feiner *Kommenthurey Hemmendorf* Aufenthalt gegeben, bis er diefen feinen Umftänden angemeffenen Ort würde ausfindig gemacht haben. Seit G. Abzug (er zog von Hemmendorf auf das *Gräflich Attenkfche Gut. Harrlingen*,) habe er fich um feine Angelegenheiten nicht weiter bekümmert, und er verfichere auf Ehre, dafs er an dem Buch, die Harmonie, welches Grofling in Reutlingen drucken liefs, und worüber derfelbe unter feinem Namen und ohne fein Wiffen mit dem Buchdrucker Grözinger einen Vertrag fchlofs, nicht den geringften Antheil habe, und folches ohne feinen Willen und Zuthun zum Druck befördert worden fey.

A. B. aus Schwaben am 30 *Dec.* 1788.

LITERARISCHE ANZEIGEN.

1. Ankündigungen neuer Bücher.

Das römifche Carnaval.

Wir kündigen hierdurch den Literatur- und Kunftliebhabern ein kleines intereffantes Werk über das *Römifche Carnaval* an, das vielleicht jetzt noch das erfte und einzige in feiner Art über diefen berühmten Zweig des neuern Luxus feyn, und ihnen in verfchiedener Rückficht angenehm werden möchte. Ein Paar Worte über feine Entftehung werden zugleich einen Fingerzeig darauf geben, was man fich davon zu verfprechen habe.

Ein Mann, den Teutfchland unter feine feinften Kunftkenner, fo wie unter feine erften Lieblings-Schriftfteller zählt, und den wir blofs durch feine in den letzten Stücken des *T. Merkur* von 1788 befindlichen vortrefflichen *Auszüge aus einem Reife-Journale* zu bezeichnen nöthig haben, um den Lefer, der auch eben kein Oedipus wäre, über die *Meifter-Hand* nicht falfch rathen zu laffen, hielt fich bekanntlich in den letzten Paar Jahren, und bis zur Mitte des vorigen Sommers in Italien und größtentheils zu Rom auf. Er hatte die Gütigkeit, uns verfchiedene intereffante Beyträge für das *Journal des Lux. u. d. Moden,* dort zu fammeln, und unter andern auch eine Befchreibung des *Römifchen Carnavals* für daffelbe zu verfprechen; weil eben dies Volksfeft nirgends in der Welt fo mannich-

faltig, raffinirt, fonderbar und amüfant für den beobachtenden Zufchauer ift, als in Rom, wo es fogar Form und Gefchmack der Antiken mit zu Hülfe nimmt, um feine Luftbarkeiten defto piquanter zu machen.

Der Verfaffer liefs durch einen gefchickten Künftler die fchönften und intereffanteften Gruppen zeichnen, und fing an feine Bemerkungen anzureihen, aber unvermerkt wuchfen fie zu *zwanzig Blättern*, davon keins entbehrlich fchien, und letztere zu einer *Abhandlung* an, die zwar ihren durch ihre Ausführlichkeit befchränkt gewonnen hatte, nummehr aber für den engen Raum unfers Journals viel zu grofs worden war. Der Herr Verfaffer gab uns daher die Erlaubnis, fie als ein feparates Werk und zwar nach unferm Wunfche, mit möglichfter Typographifcher Schönheit zu liefern. Diefs ift alfo befchloffen, der Anfang zur Ausgabe bereits gemacht, und wir hoffen es, dem Subfcribenten in der nächften Leipziger Jubilate-Meffe zu liefern. Die Einrichtung davon ift folgende:

1) Der Text wird zwifchen 4 bis 5 Bogen ftark, und fowohl *Deutfch* als auch *Franzöfifch* abgedruckt, fo dafs der Liebhaber wählen kann, jedoch ausdrücklich beftimmt, ob er ein *Teutfches* oder *Franzöfifches* Exemplar will.

2) Der

2) Der Text wird in *Groß Quarto* auf das schönste *Schweizer Papier*, bey Hr. Unger zu Berlin, mit *Didotschen Lettern*, welche Hr. Unger dermalen allein in Teutschland besizt, mit all diesem Künstler eignem wahren guten Geschmacke gedruckt, und soll hoffentlich ein Muster typographischer Schönheit werden.

3) Die Subscribenten, welche sich bis zur *Ostermesse* melden, erhalten ihre Exemplare auf *geglättetem Atlaspapier* (*Papier satiné*), dazu Hr. Unger dermalen auch noch allein in Deutschland die in Frankreich erfundene Maschine besizt. Diese soll der Vorzug seyn, den wir den bis *Ostern bestellten* Exemplarien der *Subscribenten* geben können.

4) Das Werk bekommt *zwanzig Blatt* auf stark holländ. Papier gedruckte Figuren und Gruppen, davon bloß die Umrisse leicht radirt sind, und das übrige völlig im Geschmacke *colorirter Handzeichnungen* ausgeführt ist; eine Manier, welche bekanntlich den Geist des Zeichners am treuesten erhält, und dem wahren Kunstkenner am meisten gefällt. Ausserdem bekommt der Titel noch eine grosse *Vignette*, welche jetzt zu Rom von einem guten Künstler gestochen wird.

5) Das Werk wird in einem farbigen Umschlage geheftet, geliefert, um Defecte zu vermeiden, und es säuberer zu erhalten.

6) Der *Preis* ist vor und nach Schlusse der Subscription ein alter *Louisd'or* oder *Fünf Rthlr.* Sächf. Courant. Wir hoffen, daß Kenner diesen Preis in Vergleichung mit dem von andern ähnlichen Kunstwerken, die uns England, Frankreich und Italien liefert, gewiß billig finden werden.

7) Die *Ettingersche Buchhandlung zu Gotha* hat für sämtliche Herren Buchhändler, und das hiesige *Kais. Reichs Post-Amt* für alle Postämter die *Haupt-Commission* davon; man kann also bei allen *Buchhandlungen und Postämtern*, die das *Journal des L. und der Moden* liefern, auch dieses Werk bestellen; doch gilt auch hier die Bedingung, daß ohne *baare Zahlung*, kein Exemplar an die Käufer ausgehändigt werden kann.

8) Will ein oder der andere Liebhaber sich die Mühe geben, und bis zur Ostermesse *fünf Subscribenten* sammeln und uns einsenden, so erhält er das *fünfte Exemplar* frey und bezahlt nur *vier* davon. Unter 5 Exemplaren aber können wir diese Provision nicht akkordiren.

Weimar den 2 Januar 1789.

G. M. Kraus.   F. J. Bertuch.
H. S. W. Rath u. Direktor der   H. S. Weim. Legat. Rath.
Fürstl. freyen Zeichenschule.

Hr. Prof. Hufeland zu Jena nimmt hierauf Subscription an.

In der Johann Gottfried Müllerischen Buchhandlung in Leipzig sind folgende Werke unter der Presse, und werden bis zur Jubilatemesse 1789 fertig.

Bergmanni. opuscula physica et chemica. Volumen sextum ac ultimum, mit einem vollständigen Register über alle sechs Bände. gr. 8.

Scheele opuscula physica et chemica. Volumen secundum) mit einem vollständigen Register über beide Bände, gr. 8.

Die Verlagshandlung wird fortfahren, die Werke „der besten Chemiker" auf ähnliche Art in lateinischer Sprache herauszugeben. Wirklich ist von „Herrn *Westrumb's* physisch-chemischen Abhandlungen die Uebersetzung so weit gediehen, daß der erste Band derselben, bald nach der Ostermesse 1789, „in gleichem Format und Druck wie *Bergmanns* und „*Scheele's* Schriften, gedruckt werden kann und wird. *Crawford's* Theorie der Wärme, und über das Verbrennen und Athemholen etc., aus dem englischen mit Anmerkungen versehen von Herrn Bergrath *Crell.* gr. 8. zweite Auflage.

„Bekanntlich hat Herr *Crawford* seine Theorie in „Ansehung der Wärme, des Verbrennens und Athem-„holens, die er im Jahre 1783. dem Publicum vorleg-„te, in dieser neuen Auflage sehr verändert, und fast „ganz zurückgenommen. Hiezu haben ihm neue Er-„fahrungen und Versuche vermocht, die dem Physiker „höchst interessant seyn werden. Dieses Werk ist da-„her nichts weniger als eine neue *Auflage*, sondern „vielmehr als eine ganz neue Theorie anzusehen, die „über diese Materie ein neues Licht verbreitet, und „welches durch die auf Erfahrung gegründeten An-„merkungen des Herrn Bergraths *Crell* dem Physiker „zum nützlicher werden muß.

Westrumb, J. F. physikalisch-chemische Abhandlungen, dritten Bandes, erste Abtheilung. 8.

Desselben, chemische Beschreibung des Pyrmonter Brunnens. gr. 8.

„Für die, welche des Herrn *Eustrath Marcards* „Beschreibung von Pyrmont besitzen, hat die Verlags-„handlung einen Abdruck dieser *Westrumbschen* che-„mischen Beschreibung, in gleichem Format, Druck „und Papier der *Marcardschen* veranstaltet. Um aber „nicht der so unrühmlichen Nachrede beschuldigt zu „seyn, als wenn einerley Sache unter zweierley Ti-„teln verkauft würde, so wird dem Publicum gebüh-„rend angezeigt, daß eben diese Beschreibung sich „auch im dritten Bande der *Westrumbschen* physika-„lisch-chemischen Abhandlungen befindet."

Deodat de' Dolomieu Reisen nach den Liparischen Inseln, zweiter Band. 8. mit 4 Charten, übersetzt vom Herrn Geh. Archiv. Heß in Gotha, und mit Anmerkungen versehen vom Herrn Bergsekretär *Voigt* in Weimar.

Ebendesselben, Beschreibung des Erdbebens in Calabrien.

Museum Leskeanum. Vol. II. Regnum vegetabile et minerale, cura D. Hedwigii et Karsten, cum tabulis coloratis. 8. maj.

„Mit diesem Bande ist die systematische Beschreibung des Leskeschen Kabinets vollständig.

D. Jo. Hedwigii, stirpes cryptogamicae. Tomus II, Fasciculus III und IV. cum Tabulis coloratis XXI — XL. Folio.

Eben dasselbe Werk mit teutschem Text, nebst Titel und Vorrede zum zweyten Bande.

Rothii (D. A. G.) Tentamen Florae germanicae. Volumen secundum. 8. maj.

Voigt, mineralogische Reisen, erster Band, 8, mit einer illuminirten Charte des Ehrenberges.

Riem's, Johann, Kurf. Sachs. Kommissionsrath und Sekretär der Leipziger oekonom. Gesellschaft, monathliche praktisch-oekonomische Encyclopädie, dritter und vierter Band. 8.

„Mit diesen zwei Bänden ist Herrn Riems oekono-
„mische Encyclopädie geschlossen. Wer sich vor Ablauf
„des Februars, 1789. directe an die Verlagshand-
„lung oder den Verfasser wendet, erhält sein Ex-
„emplar auf Schreibepapier, um den Preiss derer
„auf Druckpapier. Jedes Alphabet der Letztern ko-
„stet 18 Groschen.

Heydenreich's (K. H.) Natur und Gott nach Spinoza; zweiter Band. 8.

Auch erscheinen zur Ostermesse die Fortsetz. vom Hindenburgischen Magazin für die Mathematik, vom Magazin zur Naturkunde, und von Merrems System der Ornithologie; letzteres sowohl in lateinischer als deutscher Sprache.

III. Preisaufgaben.

Die Königl. Akademie der Wissenschaften zu Lissabon hat für das Jahr 1791. folgende Preisaufgaben bekannt gemacht:

I. Das leichteste und wohlfeilste Mittel anzugeben, aus dem Bog- oder gemeinen Salze (in Portugall) den alkalischen Grundstoff dergestalt auszuziehen, dafs derselbe frey von allem Acido, den Fabriken und dem Handel des Königreichs nützlich werden könne.

II. Wenn der horizontale Durchschnitt eines Schiffs im Wasserspiegel, und sein senkrechter Durchschnitt durch das Hauptspant gegeben sind, unter allen zusammenhängenden oder nichtzusammenhängenden Flächen, welche durch die gegebenen Stücke bestimmt werden, diejenige zu finden, welche das Schiff den geringsten Widerstand im Wasser finden läfst, wenn es durch die Wirkung des Windes auf die Segel fortgetrieben wird; und umgekehrt, wenn Gestalt und Ausmessungen eines Schiffes gegeben sind, den Winkel zu bestimmen, unter welchem die Ebene, welche den Durchschnitt des Schiffes im Wasserspiegel bestimmt, gegen die Ebene des Hauptspants geneigt seyn müsse, damit das Schiff sich mit der gröfsten Geschwindigkeit bewege.

Die Akademie wird derjenigen Abhandlung den Vorzug geben, deren Verfasser nach Auflösung der obigen Aufgaben, diese Auflösungen am nützlichsten auf Bau und Regierung der Schiffe anwende.

III. Wie war die Einrichtung der portugiesischen Armee in Europa, in Rücksicht auf Anzahl und verschiedenen Arten der Truppen, die Bewafnung jeder Art dieser Truppen, die Vertheilung der verschiedenen Corps, die Einrichtung des Commando, und die Art, wie sie im Kriege dienten, von Anfang der Monarchie bis zur Invasion König Philip II beschaffen?

Der Preis für die beste Auflösung jeder dieser Aufgaben ist eine goldene Denkmünze von 30 000 Rees. Die Auflösungen, vorstehender und der nächstfolgenden Aufgabe, müssen Ende Januar 1791 mit den gewöhnlichen Formalitäten, von Devisen und versiegelten Nahmen der Verfasser an den Secretär der Akademie eingesendet werden.

Ausser diesen dreyen setzt die Akademie noch einmal ihrer ehemaligen Erklärung zufolge einen Preis von 96,000 Rees, auf eine vollkommnere Auflösung folgender Aufgabe, ungeachtet ihr Preis schon einmal unter den Verfassern der über sie eingelaufenen Beantwortungen vertheilt worden ist:

IV. Welches sind die anwendbarsten Mittel, die man statt des animalischen Düngers an solchen Oertern gebrauchen kann, wo es schwurig ist diesen anzuschaffen, wobey besonders durch wiederholte und glaubwürdig angestellte Versuche dargethan werden mufs, ob das Umgraben des Landes, und dessen wiederholte Aussetzung an die Einwürckung der Atmosphäre ein hinreichendes Mittel sey, dasselbe zu befruchten.

Ferner hat die Akademie am 11ten Jul. d. J. folgende Preisaufgaben bekannt gemacht, für deren befriedigende Auflösungen die Preise ebenfalls am 4ten Juli 1791 ausgetheilt werden sollen. Die Preisschriften zu Auflösung dieser Aufgaben können bis Ende April 1791 eingesandt werden:

I. Sezt die Verfasserin der am 13ten Mai d. J. gekrönten Tragödie einen Preis von einer Denkmünze von 50,000 Rees auf

Das wirksamste in der Kenntnifs der Natur des Uebels gegründete Mittel gegen den Rost, welcher die Oelbäume beschädiget, (ferrugem que dominisona: elicrieat) das zugleich ohne schwere Kosten und übermäßige Sorgfalt anwendbar ist.

II. Ein ungenannter Patriot, der unentdeckt bleiben will, sezt einen ähnlichen Preis auf die beste Beantwortung folgender Frage:

Durch welche Mittel oder Arten der Cultur können solche Sandgegenden des Königreichs Portugal benuzt werden, die vorher im Unstande es nicht erlauben, sie durch Vermischung mit andern Erdarten zu verbessern.

Eben dieser Patriot sezt

Noch vier Preise, jeden von 14,000 Rees und eine silberne Denkmünze für vier Landleute der Flecken Ribatejo, Almada, Sezimbra und Azeitao, welche in den Brüchen (terras hamidas dot charrecor) und sandigen Gegenden die gröfste Anzahl Kastanienbäume hundert gepflanzt haben, so dafs sie im Herbst 1790 gepflanzt und angegangen sind.

A. B. Lissabon d. 11. Oktbr. 1788.

Die Akademie zu Angers hat als Preisfrage die historische Lobrede Carls von Cosse, ersten dieses Namens, der unter dem Namen des Marschalls von Brissac bekannt, und im Jahr 1563 gestorben ist, aufgegeben.

INTELLIGENZBLATT

der

ALLGEM· LITERATUR-ZEITUNG

Numero 16.

Mittwochs den 4ten Febr. 1789.

LITERARISCHE NACHRICHTEN.

I. Vorläufige Berichte von ausländischer Literatur.

Blançay, Roman en II Parties; par Mr. Gorjy, Auteur du nouveau Voiage Sentimental. à Paris chez Guillot.

Schon einmal hatte der Verf. in einer glücklichen Nachahmung des Sterne bewiesen, wie sehr kleine Umstände eine Stellung, eine Bewegung, ein physiognomischer Zug, einen Gegenstand beleben können. Eben diese natürliche Einfalt, die es macht, daſs man das Ganze mehr für wahre Geschichte als Roman hält, interessirt auch hier. (*M. de Fr. N. 45.*)

Le Mal-Adroit, ou Lettres du Comte de Gauthemont. à Londres et se trouve à Paris chez de May. 2 Parties in 12.

Der Held dieses Romans ist ein sehr guter Mann, der aber auſserordentlich linkisch ist, und dem man daher sein Geld, was er im Dienst in Indien erworben, allenthalben abzunehmen bemüht ist. Endlich hat er doch noch den Verstand, den Hof zu verlassen, und sich auf eins seiner Güter zu begeben. (*Journ. de Paris. N. 215.*)

Reflexions sur l'esclavage des Négres par M. Schwartz, Past. du St. Evangile à Bienne, Membre de la Société Economique de B. Nouv. edit. revue et corrigée. à Neufchatel, et se trouve à Paris chez Froullé.

Der Verf. zeigt erst die Ungerechtigkeit der Sklaverey der Negern in Rücksicht auf ihre Herren, wie weder Nothwendigkeit, auf Gewalt gegründet, ein Recht geben, noch selbst ein freyer Contract Sklaverey rechtmäſsig machen kann, untersucht alsdenn, wie es mit dem Anbau der Zuckerinsel nach Aufhebung der Sklaverey werden wird, und beschlieſst endlich sein Werk mit Widerlegung der Gründe, die man dafür angegeben hat. (*Journ. de Paris No. 232.*)

Eloge philosophique de l'Impertinence, ouvrage posthume de M. de Bractiole etc. à Abdere, et se trouve à Paris chez Maradan. 8. 244 pag. Prix 3 liv.

Gänzlicher Mangel der Aufmerksamkeit, freywillige Unwissenheit, äuſserste und unaufhörliche Unruhe, Schwäche der Fibern, ewige Zerstreuungen, zerstückte Leserey, Werke, die man liest, Herrschaft der Weiber, Wuth reicher zu scheinen, als man ist, und Langeweile, sind nach unserm Verf. die Ursachen der Impertinenz. Seine Satire ist oft treffend, und sehr bitter. (*Journ. de Paris. N. 236.*)

Eloge de M. le Comte de Vergennes lu le 11 Fevr. 1788. dant la Seance publique de la Société Royale de Médéc. par M. Vicq d'Azyr, Secret. perpet. de la Societé.

Enthält eine Geschichte des Grafen, seine Verdienste, und Negotiationen, und ist keines Auszugs fähig. (*J. de P. N. 238.*)

Mémoires sur les Hopitaux de Paris, par M. Tenon, Prof. Royal de Pathologie etc. à Paris chez Royez.

In 48 Hospitälern in Paris leben 35.341 Menschen, die Hülfe brauchen, und deren Zustand noch vieler Verbesserungen bedarf. Kommen diese zu Stande, so hat unser Verf. durch seine Untersuchungen, Einsichten und Eifer gewiſs viel beygetragen.

(*J. de P. N. 241.*)

Traité d'Anatomie et de Physiologie. in fol. par M. Vicq d'Azyr. Nouv. Livraison contenant le N. IV. des Planches anatomiques avec des explications très detaillées.

Diese Kupfer machen die Folge von der Anatomie des menschlichen Gehirns aus, von seiner Basis betrachtet, und beschlieſsen sie. (*J. de P. N. 246.*)

Recherches sur les Maladies Vénériennes chroniques sans signes évident, par M. Carrere &c. à Paris chez Cuchet.

Der Verf. erwirbt sich durch Aufklärung dieser Krankheiten, wodurch er den Charletans entgegenarbeitet, ein wichtiges Verdienst um die Menschheit.

(*J. de P. N. 248.*)

Bibliothéque des Enfans. à Paris chez Prevost. 2 Parties 200 pag. petit format.

Der Verf., Hr. Berquin, hat schon mehrere Bücher für Kinder geschrieben. Diese zwey Bände enthalten ein paar artige und unterrichtende Erzählungen.

(*J. de P. N. 252.*)

Abrégé chronologique d'Edits, Déclarations, Reglemens, Arrêts et Lettres Patentes des Rois de France de la troisieme Race, concernant le fait de noblesse, précédé d'un Discours sur l'origine de la noblesse, ses differens

Q

bet efpéces, fet droite, et prérogatives, la manière d'en dreffer les preuves et les caufes de fa décadence. à Paris chez Royez.

Der Verf., Hr. Chorin, fagt im Avertiſſement S. 6. Z. 2. : „Jeder Edelmann wird in diefem Werke fehn, wie „er feinen Adel, von welcher Gattung auch fein Urfprung. „fey, beweifen mufs, wie feine Vorfahren ihn erworben „haben, wie er ihn verlieren und wieder bekommen kann, „wenn er oder feine Vorfahren ihm Abbruch gethan u. „f. w. Natürlich alfo ein fehr wichtiges Werk für den Adel. _ (*J. de P. N. 253.*)

Confiderations fur la Guerre aktuelle des Turcs par M. Volney, publiées par M. Pryſſonel etc. à Amſterdam, et fe trouve à Paris. 8. 331. pag.

Hr. v. Volney behauptet, die Türken könnten nicht mehr als zwey Feldzüge gegen Oeſterr. und Rufsland aushalten, ift aber nur in Syrien und Egypten gewefen, ohne Arabifch und Türkifch zu wiſſen, nie nach der Hauptſtadt gekommen, hat felbſt die vornehmſten Orte der Prov. nicht gefehen. Hr. v. P. hingegen hat lang unter den Türken gelebt, als Conful ihre Sitten, u. f. w. ſtudieren

müffen. Er folgt unterm Verf. Schritt vor Schritt, und widerlegt ihn allenthalben. (*J. d. P. N. 259.*)

Sur le Compte rendu au Roy en 1781. Nouveaux Eclairciſſemens par M. Necker. à Paris 1788.

Diefes Werk ift durch den Namen des Verf., feinen Gegenſtand, und alle Umſtände, äuſſerſt wichtig, (aber keines kurzen Auszugs fähig.) (*J. d. P. N. 264.*)

Théatre des Grecs par le P. Brumoy. Nouv. édition, enrichie de très belles gravures, et augmentée de la Traduction entiere des pièces grecques, dont il n'exiſte que des extraits dans toutes les éditions précédentes, et de comparaiſons, d'obſervations, et de remarques nouvelles par M. Prévôt, de l'Acad. Royal des Scienc. et belles Lettres à Berlin. à Paris chez Cuſac. T. x. xj.

Die neun erſten Theile begreifen die Trauerſpiele des Aefchylus, Sophokles, und Euripides, diefe beiden enthalten den Cyklopen, fatyrifches Drama von Eurip, und vier Luftfpiele des Ariftophanes, Agamemnon, Ritter, Wolken, u. Wefpen. Ueberfetzungen, Anzeige, Vorrede, und Commentarien find nach demf. Plan.

(*J. d. P. N. 268.*)

LITERARISCHE ANZEIGEN.

I. Ankündigungen neuer Bücher.

Bei Chr. Heinr. Cuno's Erben in Jena ift zu haben: Ueber Kirche und Kirchengewalt in Anfehung des öffentlichen Religionsbegriffe; nach Grundfätzen des natürlichen und proteſtantifchen Kirchenrechts. Vom Hofrath Schnaubert 8. 1789. 9 gr.

Philofophifche Blicke auf Wiſſenſchaften und Menfchenleben für reifende Jünglinge, herausgegeben von Heinzelmann und Voſs. Lehrern am K. Paedagogio zu Halle. 1ten B. 1. St. 8vo. 12 1/4 Bog. (9 gr.)

Inhalt. 1.) Ueber den wahren Begrif der Gelehrfamkeit, von Hrn. D. Nöſſelt. 2.) Woron hangt im Allgemeinen und befondern die Entwicklung des menfchlichen Geiftes ab. 3) Handel und Wandel. 4) Romifcher Luxus. 5) Ueber A. H. Frankens Leben und Verdienfte von Hrn. Prof. Niemeyer. 6) Etwas über Toleranz und ihre Schranken. 7) Ueber deutfche und italiänifche Singkunft. 8) Chorgefang aus der Hekuba des Euripides. 9) Das Gericht, ein Dialog. 10) Ueber Horazens 28te Ode des erften Buchs. 11) Aus einem Briefe. 12) Ein Beytrag zur Gefchichte der Räthfel. Einige Bemerkungen über junge Dichter und ihre Verführungen, von Hrn. Mtfch.

Man kann diefe Schrift, wovon bey unten bemerkten Verlegern jährlich 4 Stücke erfcheinen werden, in allen Buchhandlungen haben.

Hemmerde und Schwetfchke, Buchhandler in Halle.

Die nach Diffow in London verfertigte groffe Vögel Arten, welche auf Papier ſtatt illuminirt mit natürlichen Federn bedeckt, und wöchentlich 1 Stück, theils halb, theils ganze Bögen ſtarke Vögel in der H. Brunnerifchen Kunftwaaren Handlung am Köpfleinsberg ausgegeben werden, können die Hrn. Liebhaber die Proben davon einfehen, und die, fo fich dergl. fammlen wollen, infcribiren. Diefe in Teutfchland noch fo wenig bekannte, und von feltner Art gefehene Vögel Sammlung beſteht aus 12erley Arten, jede Art zu 6 Stück, worunter RaubVögel, FalckenVögel, Eulengefchlechte, WürgerGefchlechte, Specht Arten, die 16 PapageyArten, feltne Raben, verfchiedene Arten Schwimm und SumpfVögel, Huner und Tauben theils nach dem Wuchs, theils nach dem Gefieder ausgeartete Vögel. Die befonderften Arten davon find aus Borrowsky, Brifon, Buffon, Ebert, Frifch, Leske, Linné und Penant. Niemand wird fie beſſer in England und Frankreich gefehen haben. Das Stück 1 Bogen ſtarck koftet 1 fl. 12 kr. 1/2 Bogen ſtark 36 kr. 1 Bogen ſtark in Glas und Rahm 1 fl. 45 kr. 1/2 Bogen in Glas und Rahm 56 kr. Wann zuweilen auch ganz groſſe Vögel auf fein groffen Regal Bögen erfcheinen, als 2 E. der groſſe Kormoran, Penguin, Flamingor, Strauſs, Cafuar, Drome, africanifcher TropteHahn und dergl., davon koftet das Stück 1 fl. 48 kr. und in Glas und Rahm 2 fl. 30 kr., indem folche theils nach der mühfamen Arbeit, theils nach Glas und Rahm koftfpieliger find, als erftere Sorte. Man wird bey jedesmaliger Ablagung eines jeden Stücks anzeigen, von welcher Art Groffe das nachfolgende, herauskommt. Den 5 Jan. bevorftehenden Jahrs wird das erfte Stück den Brafilianifche Geyer aus Buffon 187 1 Bogen ſtark etc. 1 fl. 12 kr. ausgegeben, fodann geht die erftere Art der RaubVögel fort. 2tens der HeyduckenAdler nach Edward. 3tens der Malthefer Geyer aus Buffon 427. 4tens der grauweiſs Geyer St. Martin nach Buffon.

fon 459. 5tens der Meer-Adler nach Pennⁿt. 6tens der Fiſch-Adler nach Linné p 64. Freunde der Natur-Geſchichte, ſo dieſe Werke beſitzen, werden einen wichtigen Unterſchied zwiſchen der Illuminir- und NaturKunſt finden. Die Ausgabe an die hieſigen Herren-Subſcribenten geſchiehet alle Montag. Bezahlt wird bey jeder Lieferung, oder wenn ſie abgelanget werden. Wer die ganze Sammlung in Glas und Rahm haben will, wird die Güte haben, es bey der Subſcription anzuzeigen, oder wer ein ordentl. Ragement von 11 Stück einerley Geſchlecht Arten haben will, kann entweder Zeichnung davon einſehen oder ſich ſolches ſenden laſſen. Dieſes Ragement wird ſodann einfach, oder in Glas und Rahm miteinander geliefert; erſtere Art koſtet 10 fl. 11 kr. und letztere 15 fl. 6 kr. Wer noch ſpäter als im Monat Januar ſubſcribirt, erhält zwar die Fortſetzung, die erſt abgehenden aber werden nach den Schluſs des ganzen Werks nachgeliefert; dann man wird ſich nur auf eine gewiſſe Anzahl der Herren Subſcribenten einſchränken. Die erſten erhalten ſodann den Vorzug nach ihren No. wie ſie ſolche in der Ordnung des SubſcriptionsScheins empfangen. Iſt der Numerus vollſtändig, ſo wird denen mehrern Hrn. Liebhabern weitere Anzeige gemacht werden. Denen auswärtigen Hrn. Subſcribenten koſtet jedes Stück ganz 1/2 oder RegalBogen ſtark 6 kr. und in Glas und Rahm 12 kr. wegen der ſichern Verpackung mehr. Hingegen wird weder dem Vogel noch Glas und Rahm, durch Fuhrleute, fahrende oder gehende Bothen, Schaden zugefüget. Briefe und Gelder wie gewöhnlich franco, mit der Addreſſe:

An die H. M. Brunneriſche Kunſtwaaren-Handlung, am Köpfleinsberg in Nürnberg.

Gedachte Handlung führet auch noch verſchiedene Phyſicaliſch und magnetiſche Beluſtigungs Stücke, in gleichen mechaniſch optiſch und chemiſch Stücke, beſonders verſchiedene ſehr angenehme Padagogiſche Spiele. Ein gedrucktes Verzeichniſs, wovon alle Monathe ein neues herauskommt, giebt davon die mehreſte Belehrung, ſie nimmt Kunſt und Naturproducte in Commiſſion; und erguirt andere Waaren dagegen. Nimt auch viele gebrauchte Waaren zu Reparirung an. Es können dahero Tauſch und Kaufluſtige, ſich an gedachte Handlung ſelbſt wenden.

II. Preisaufgaben.

Von der naturforſchenden Geſellſchaft in Bern ſind folgende Preisfragen auf das laufende Jahr ausgeſetzt:

1) Eine theoretiſche, als

Die Summe von 30 Rthlr. Suchſiſch auf die beſte Abhandlung: Wie man Foſſilien auf dem naſſen Wege unterſuchen ſolle, um den wahren Inhalt derſelben zu erfahren.

Den wahren Mineralogen wird unnöthig ſeyn zu ſagen, daſs hier die gemengten Foſſilien nicht in Betracht kommen, ſondern daſs nur die gemiſchten Foſſilien der Gegenſtand der Chymiſchen Zerlegung ſeyn können.

Man wünſchte durch dieſe Preisfrage hauptſachlich ein reines ausgeführtes Syſtem der Chymiſchen Analytik in Rückſicht der gemiſchten Foſſilien zu erhalten.

2) Eine Praktiſche.

Die Summe von 25 Rthlr. Suchſ. auf die beſte Eintheilung aller bekannten Eiſenwerze nach ihren chymiſchen Inhalt, verbunden mit der äuſſern Beſchreibung derſelben.

Die Abhandlungen müſſen alle vor dem Erſten Julius 1790. an den Herausgeber des Helvetiſchen Magazin (Dr. Höpfner in Bern) eingeſendet werden.

Die nächſtfolgende Preisfrage auf den Erſten Januar 1790. wird zum Gegenſtand haben:

Die beſte Zerlegung, Eintheilung, und Beſchreibung aller bekannten Thonerden, und zwar ſowohl in Mineralogiſcher Sinn als auch in ihrer Anwendung in der Technologie.

Die Königl. Akademie zu La Rochelle hat einen Preis von 600 Liv. auf die Beantwortung folgender Frage ausgeſetzt:

Quels ſont les moyens d'employer pour donner plus d'activité au commerce de ſels d'Aunis et de Saintonge?

Die Akademie wünſcht, daſs man den Unterſchied zwiſchen dieſem Salz und dem ſpaniſchen und portugieſiſchen angebe, die Wirkung deſſelben, ſo wohl bey den Fiſchen als bey dem Fleiſche, zeige, die chemiſche Zergliederung der Salze beybringe, und ihren gröſsern oder geringern Grad berechne. Endlich wünſchte auch die Akademie, daſs man ihr die wohlfeilſten und beſten Mittel anzeige, das Salz zu rafiniren. Auf den Bericht, den der Hr. General Conroleur dem Könige von der Nutzbarkeit dieſer Preisfrage für das Königreich abgeſtattet hat, haben Se. Majeſtät befohlen, zu den 600 Livres, welche den Preis ausmachen, noch eine gleiche Summe zuzulegen, ſo daſs der Preis von 1200 Livres iſt.

Die Akademie der Wiſſenſchaften und ſchönen Künſte in Lyon giebt für 1789 folgende Preisfrage auf:

Trouver le moyen de rendre le cuir imputréſcible à l'eau, ſans altérer ſa force, ni ſa ſoupleſſe, et ſans en augmenter ſenſiblement le prix.

Die Abhandlungen müſſen poſtfrey an Hrn. de la Tourette, beſtändigen Sekretär der Akademie, addreſſiret werden.

Die artiſtiſche Preisfrage auf 1789 iſt:

Fixer ſur les matières végétales ou animales, ou ſur leurs tiſſus, en nuances également vives et variées la couleur que les Lichens, et ſpécialement celle que produit l'orſeille, c'eſt-à-dire, tendre les matières végétales ou animales, ou bien leurs tiſſus de manière que leurs couleurs, qui en réſulteront, notamment celles que donne l'orſeille, puiſſent être réputées de bon teint.

Die Abhandlungen müſſen von Muſtern begleitet ſeyn, damit man die Farben unterſuchen und beurtheilen können.

Der mathematiſche Preis für 1790 wird der beſten Abhandlung über folgende Frage zuerkannt:

Le Syſtème de l'applatiſſement de la terre vers ſes poles, eſt-il fondé ſur des idées purement hypothétiques, ou peut-il être démontré rigoureuſement?

Um den naturhiſtoriſchen Preis im J. 1790 zu erhalten, wird gefodert:

Q 2

Rassembler les nations acquises sur la famille naturelle des plantes distinguées, par Roy et par Linné, sous le nom de Stellatae.

En déterminer rigoureusement les genres qui se trouvent en Europe, en examinant si ceux, qui ont été établis par les botanistes modernes, sont naturels ou artificiels.

Décrire avec précision toutes les espèces européennes, dans les termes techniques adoptés par les modernes, suivant la méthode de Linné.

Décrire plus particulièrement les espèces, qui n' auroient pas été reconnues ou suffisamment déterminées.

Distinguer exactement les variétés essentielles notamment dans le genre de Caillelait (galium).

Enfin joindre aux descriptions les synonymes des meilleurs auteurs, l' indication des figures qu'ils ont publiées, et, s'il est possible, communiquer en échantillons desséchés, les espèces ou variétés, sur lesquelles porteroient des observations nouvelles.

Die Nacheiferungsgesellschaft zu *Bourg en Bresse* hat den 19 Sept. eine öffentliche Sitzung gehalten, und auf das Jahr 1790 die Frage zur Beantwortung vorgelegt:
Quels sont les moyens d' améliorer et d' augmenter en Bresse la culture des prés?

III. Antikritik.

Mein Handbuch der Forstwissenschaft ist in der Allg. Lit. Zeit. N. 262b. auf eine so harte feindselige Art beurtheilt worden, dass mir ein gänzliches Stillschweigen, welches sonst immer das beste Betragen gegen solche unglimpfliche Urtheile ist, sehr nachtheilig werden konnte. Jenes Handbuch entstund, als ich auf Verlangen einiger jungen Freunde, die sich der Staatswirthschaft widmen, Privatvorlesungen über die Forstwissenschaft eröffnete, wozu ich meine Feierstunden anwandte, und die ich aus blosser persönlicher Freundschaft ohne Rücksicht auf irgend eine Belohnung, hielt. Gleich anfangs sah ich mich also nach einem schiklichen Lehrbuche um, welches zugleich die vornehmsten Regeln und Lehrsätze der Rechtskunde und Polizey, in so fern sie auf die F. W. Bezug haben, enthielt, und die ich auf Verlangen mit vortragen sollte. Ich fand aber keines nach diesem Plane. Hatte ich nun ein oder das andere Forsthandbuch zu Grunde gelegt, und den juristischen Theil besonders abgehandelt, so würde ich den Cursus unmöglich haben vollenden können. Ich entwarf also eigne kurze Paragraphen, wobey ich mich immer an praktische Gewährsmänner hielt. Diese meine Veranlassung trug ich auch in der Vorrede mit folgenden Worten vor:

„Ob wir nun gleich eine Menge vortreflicher Lehrbücher darüber haben; so war mir doch keines zu „meinem Zweck hinreichend, da ich nur immer den „Geist und das wesentliche ihrer Belehrungen zu „Vorlesungen zu Grund legen durfte, um für die „übrigen Wissenschaften — — Zeit zu behalten."

Nun tritt Rec. auf und sagt: Es wäre zu bedauren, dass keines dieser Bücher hinlänglich gewesen wäre, mir Geist und Belehrung zu verschaffen. Hier hat Rec. sicherlich im Affect seiner Rolle das Banditen-Messer statt der kritischen Feile erwischt: Denn solche Verdrehungen erlaubt sich kein ehrlicher Mann. Ueberhaupt findet er vom Titel bis zu Ende nichts gutes, und erklärt die ganze Schrift für jedermann unnütz. Dazu gehört in der That viel, und so sehr ich weiss, dass sie ihre Fehler hat; so sehr wundert es mich, dass Rec. selbst dasjenige nicht gut daran findet, was doch andre Kunstrichter gut fanden; aber vermuthlich gehört er unter jene Menschen, die mit zugedruckten Augen das Gesicht gegen die Sterne kehrten, und zur Antwort gaben: wir könnten wohl sehen, wenn wir wollten. Ich bin weit entfernt, alle einzelne Zeilen seiner Rec. zu mustern, aber nur noch einige Anmerkungen bitte ich mir zu erlauben.

Taxus zählte ich unter Nadelholz. Dies fällt ihm sehr auf; „der gehöre nicht dazu." Wie kann Rec. ohne Schamröthe dieses lesen? Gehe er doch zu Benekendorf, Bekmann, Suckow u. a., wenn er der Natur sein Auge nicht öfnen will, und höre er von diesen Männern, dass der T. allerdings eine Nadelholzart ist: denn er hat wirkliche Nadeln, auch Harz, obgleich nicht häufig. Oft glaubt er, um nur seine Galle ergiessen zu können, am Worten, so z. B. fällt ihm auf, dass ich fürtreflich, ausgezackt, etc. schrieb. Diess ist wahre Pedanterie, und letztere sind überdiess gangbare Forst- Termini, die ich weder abschaffen kann noch will. Allein der Rec. zeigt sich ganz als Fremdling in der Forstwissenschaft und doch sollte man eine Sache zuvor selbst verstehen, ehe man darüber kunstrichtern wollte. Wachholder, sagt Rec., ist ja kein Strauch, sondern ein Baum. Hätte ich nun gesetzt: der W. ist ein Baum, so hatte er ganz gewiss seinen obigen Satz umgewendet. Weiss denn Rec. das triviale Sprichwort nicht: *a potiori fit denominatio?* Wenn das W. Strauch in einer nahrhaften lockern Erde unterhalten wird, kann er durch gute Pflege zu einem ordentl. Baum werden. Bey dem Wort Kelch fragt er: welchen Begriff kann sich der V. davon machen? einen sehr guten, denn die Ausdrücke: Kelch, Scheide, Fuss sind in der Forstsprache eines, das hätte doch der Rec. einer Forst-Schrift wissen sollen: Man sagt z. B., drey Nadeln kommen aus einem Kelch, aus einer Scheide oder sie stehen auf einem Fuss. Einmahl sagt er auch, ich hate einen Machtspruch, wie viel Lafsreiser auf einem Morgen stehen bleiben müsten. Hier sind abermahls meine eigenen Worte:

Auf einem Morgen — können füglich stehen bleiben. Wo ist nun hier der entfernteste Gedanke an einen Machtspruch? Und ist es nun nicht weit schlechter als ein Mann von unredlichem Charakter, der sich Unwahrheiten erlaubt, vor dem Publikum stehen zu müssen, als seinen Gegenstand unter seiner Würde zu behandeln? Pfuy Schande!

Giessen d. 12 Dec. 1788.

                     Walther.

INTELLIGENZBLATT

der

ALLGEM. LITERATUR-ZEITUNG

Numero 17.

Sonnabends den 7ten Febr. 1789.

LITERARISCHE NACHRICHTEN.

I. Vorläufige Berichte von ausländischer Literatur.

An Abstract of the Orders and Regulations of the Court of Directors of the East India Company, and of other Documents relating to the Pains and Penalties the Commanders and Officers of Ships in the Company's Service are liable to, for Breach of Orders, illicit Trade etc. etc.

Die Ostindische Gesellschaft hat das Werk für diejenigen, zu deren Unterricht es geschrieben worden, sehr nützlich erklärt, und dies ist Empfehlung genug.

LONDON, b. Gainsborough: *The Generation of Animal Heat investigated, with an Introduction, in which is an Attempt to point out and ascertain the elementary Principles, and fundamental Laws of Nature; and apply them to the Explanation of some of the most Interesting Operations and stirking Appearances, of Chemistry. By E. Peart. M. D. §. 2 S. 6 d. Boards. 1788.*

Der Verf. glaubt, die sonstigen Chemisten hätten ein grosses Principium der Natur, Elasticität und Flüssigkeit, übersehn, nimmt also den Aether als das erste Grundprincip der Natur an; das Phlogiston, als den Grund der Festheit (Fixity and Solidity) hält er für das Zweyte, den Acidum fürs dritte, und die Erde für das vierte. — Alles beruht auf diesen Theorien so sehr, dass man das Werk nicht beurtheilen kann, bis er sie ganz entwickelt hat.

LONDON, b. Johnson: *Thought on the Cancer of the Breast. By Ge. Bell surgeon, at Redditch. §. 1 S. 1788.* Der Verf. empfiehlt Baden, oder häufiges Waschen des Krebsschadens als ein Palliativ, und hat dazu einen eigenen Apparatus erfunden, den er beschreibt und in Kupfer dazu stechen lassen. Das Buch verdient Aufmerksamkeit.

A Letter to the Right. Hon. Lord. Rodney K. B. on the St. Eustathius Prizemoney. By a Navy Officer, §. 1 S. 6 d. 1788. Dient sehr, den tapfern Rodney wegen der Eustathiusplünderung zu entschuldigen, und deckt ein Gewebe von Betrügereyen auf. (*Monthly Review, Oct. 1788.*)

The Use of the Ge-Organon and Improved Anelemma; or Substitutes for the Terrestrial and Celestial Globe. Invented by B. Donne, Teacher of the Mathematics and Natural Philosophy at Bristol. Price of the Ge-Organon in Sheats 6 £. 6 d. but if fitted up with moveable Hour Circles etc. 10 £. of the Analemma 3 £. 6 d. and of this Pamphlet 1 £. Published by the Author. Ein neues Instrument, was statt der Globen dienen soll. Es besteht aus Landcharten auf zwey Bogen Royalpapier, jeder enthält eine orthographische Projection der Hemisphäre nach der Ebne des Aequators, also die Pole in der Mitte, die Meridiane wie Radii des Pols oder des Centrums und die Parallele der Breite als concentrische Cirkel. Aufser diesen beiden Hauptcharten sind an den Ecken der Bogen zwey kleinere Charten von der östlichen und westlichen Hälfte der Zona torrida, viel andre Anhänge, u. f. w. — Oft sind sie genauer wie die Globen, und lassen sich besser forttragen. (*The Critical Review, Oct. 1788.*)

The History of the Reign of Peter the Cruel, King of Castile and Leon. By John Talbot Dillon, Esq. B. S. R. E. 2 Volls. 8. 10 £. in boards. Richardson. Der Verf. vertheidigt die Rechtmäfsigkeit des Beynamens des Graufamen, den man dem König gab, wegzuräumen, schreibt seine Strenge den allgemeinen Sitten der Zeit zu, und zeigt bey einzelnen Vorfällen, welche wichtige Bewegungsgründe der König zu seinem gewalthätigen Handlungen bestimmten. — Er hat die besten Quellen benutzt, seine historische Treue verdient den Beyfall der Kritik. (*Critical Review, Oct. 1788.*)

LONDON, b. Cadell: *A Treatise on Medical and Pharmaceutical Chymistry, and the Materia Medica. By Donald Monro M. D. 3 Volls. 8. 18 £ in Boards.* Bey Gelegenheit einiger Vorlesungen, die der Verf. ums Jahr 1760. hielt, compilirte er dies System. Ein Werk zu der Zeit verfertigt mufs natürlich jetzt unvollkommen u. kurz seyn. Es hätte also umgearbeitet werden sollen, aber statt dessen nahm der Verf. einiges aus den Dijon. Chimischen Vorlesungen, einiges aus Bergmanns Werken, und trug es sehr unsystematisch zusammen. Viel wichtige Principien sind ausgelassen, viele unvollständig angeführt, und die Observationen so weitläuftig erzählt, dafs es unmöglich zu einem chemischen Elementarbuch dienen kann. (*Ebendas.*)

LITE-

LITERARISCHE ANZEIGEN.

Allen Liebhabern der vaterländischen Geschichte hat es nothwendig äusserst unangenehm fallen müssen, die Hä-berlinische Reichshistorie durch den Tod ihres würdigen Verfassers, und zwar eben zu der Zeit, wo sie durch die Annäherung gegen den dreissigjährigen Krieg, am wichtigsten zu werden anfangt, unterbrochen zu sehen. Vielleicht wird es daher denenselben nicht unangenehm seyn, zu wissen, dass der Herr Regierungs-Rath Baron von Senkenberg, der schon dem sel. geh. Justiz-Rath Häberlin durch Mittheilung mancher schätzbaren Manuscripte öfters bey sothanem Werke behülflich gewesen, nunmehr selbst die Fortsetzung dieser Geschichte bis auf die neuesten Zeiten übernommen hat. Der erste Theil, zu welchem der sel. Häberlin noch 's 6 Bogen ausgearbeitet hinterlassen hat, soll G. G im künftigen, 1790sten Jahre erscheinen, und bis auf das Jahr 1600 die Geschichte fortführen. Sodann hat der neue Herr Verfasser sich zum Besten der sämtlichen bisherigen Käufer dieses Werks dahin verstanden, der gar zu grossen Weitläuftigkeit des bisherigen Plans Grenzen zu setzen, und zu dem Ende die Geschichte weiterhin nach Jahrzehenden auszuarbeiten, also dass ungefähr in jedem Bande, wo es nicht die äusserste Wichtigkeit der Materien verhindert, Zehen Jahre abgehandelt werden sollen. Da solchergestalt jeder Käufer ohngefähr den Ueberschlag machen kann, anstatt einer, wie bisher der Fall war, ins gränzenlose gehenden Art Ausgabe, nunmehr etwa noch für Zwanzig Bände kein Geld aufwenden zu müssen; so hoffet Endesunterschriebener Verleger um so mehr, dass von den bisherigen Herrn Pranumeranten nicht nur keiner zurücktreten, sondern auch, bey immer zunehmendem Interesse der Begebenheiten sich noch neue dergleichen in grösser Anzahl finden werden. Der Pränumerations-Preis ist wie sonst, und alle Jahr soll, ganz unvorhergesehne Zufälle ausgenommen, ein Band erscheinen. Halle d. 23ten Jan. 1789.

Johann Jakob Gebauer.

Die Allgemeine Handlungszeitung, welche 1786 in Leipzig in der Schwickertschen Buchhandlung ihren Anfang nahm und bis jetzt mit steigendem Beifalle fortgesetzt wurde, geht nun mit diesem (1789) Jahr ununterbrochen in den Verlag der Beerschen Handlung daselbst fort. Alle Wochen erscheint ein Bogen in gr. 8. Durch Unterstützung der Herrn Correspondenten in verschiedenen Ländern, liefert sie alles, was nur immer den Handel und den Nahrungsstand interessiren kann, mit der möglichsten Geschwindigkeit.

Der Preis für das ganze Jahr ist 2 Rthlr. Monatlich kann man sie in allen Buchhandlungen haben, wem aber an wöchentlicher Erhaltung gelegen ist, der beliebe sich an das ihm nächste Postamt zu wenden.

Beyträge wird man gern annehmen, und davon zweckmäßigen Gebrauch machen, indessen erbittet man sich alles Franco und nichts anonym, unter dieser Addresse: An die Beersche Buchhandlung in Leipzig, für die Handlungszeitung.

Verzeichnis einiger grösserer und kostbarerer Werke, auf welche man, nebst vielen andern dieser Art aus Frankreich und Teutschland in der akademischen Buchhandlung in Strassburg Bestellungen annimmt.

Dictionnaire critique de la langue françoise, par M. l'Abbé Feraud. 3 Vol. 4to. 30 Liv.

Man hält es für das beste französische Wörterbuch, selbst das von der Akademie nicht ausgeschlossen.

Traité de Rumant et de ses usages. Par Mr. le Comte de Buffon. 4to avec huit grandes Cartes magnétiques.

Vie du Cap. Cook. par Kippis, pour servir de suite à ses voyages. 4to fig et 8vo.

Alle Reisen des Kapitains Cook machen in 4to. mit vortreflichen Kupfern mehrere Bande aus. Die letzte Reise allein kostet 110 Liv. mit dem Atlas, und den Kupfern. Cooks Leben, von Kippis, macht den Schluss des ganzen Werks.

Table chronologique des Diplomes, chartes, titres et autres imprimés, concernant l'histoire de France. Par M. de Bréquigny. fol.

Von diesem wichtigen Werke für die französische und auch für die deutsche Geschichte älterer Zeiten, sind bereits drey Folio-Bände gedruckt; der vierte ist unter der Presse, und wird nächstens erwartet.

Petite Bibliothèque des théatres.

Enthält alle Stücke, welche noch gespielt werden, mit der Geschichte derselben, und der Lebensbeschreibung der Schriftsteller. Man hat auch ihre Bildnisse beygefügt. Es sind vier Jahrgänge erschienen, jeder besteht aus 14 Bänden, gr. 18. sehr niedlich gedruckt, und kostet 36 L.

Dictionnaire de Jurisprudence et des Arrêts, par Brillon. Nouv. ed. par Prost de Royer et Riolz, in 4to.

Bis jetzt sind 7 Bände in 4to gedruckt, wovon jeder 12 Liv. kostet. Ein Hauptwerk für die Jurisprudenz überhaupt, für das Naturrecht und die Philosophie der Gesetze, so wie für die französische Jurisprudenz insbesondere.

Dictionnaire Encyclopédique, ou Encyclopédie méthodique. Von dieser neuen ganz umgearbeiteten, und über die Hälfte vermehrten Ausgabe der Encyclopädie sind ungefähr 30 Bände gedruckt, jeder Band kostet nach schon längst geschlossener Subscription, 12 Liv. und der Band Kupfer 36 L.

Histoire de France, par MM. Velly et Vilaret. continuée par M. Garnier, 30 Vol. in 12 à 3 Liv. le Vol. oder 15 Bände in 4to.

Ohnstreitig die beste und vollständigste französische Geschichte.

Faits memorables des Empereurs de la Chine, tirés du Cabinet de M. Bertin, Ministre, en 24 estampes in 4to. avec le texte.

Von diesem schönen Werke ist die vierte und letzte Lieferung erschienen. Der Preis des ganzen Werks ist 12 Liv. auf ord. Papier; 18 Liv. auf Pergamentpapier; 48 Liv. auf holländisch Papier, gemahlt à l'aquarelle. Sie sind von Helmann gestochen, und können als eine Folge der Batailles de la Chine angesehen werden. Man findet sie bey Hrn. Ponce.

Les ports de mer en Espagne et en Portugal. Première livraison, 12 Liv.

Man kennt die Sammlung der französischen Seehäven von *Cochin* und *Le Bas.* Der Beyfall, mit dem sie aufgenommen worden, hat den Hrn. *Allix* vermocht, eine ähnliche Sammlung der spanischen und portugiesischen Seehaven herauszugeben, nach den Gemählden des Hrn. *Norl.*

Collection des grands prix, que l' Academie royale d'Architecture propose et couronne tous les ans, gravis simplement au trait, et imprimes fur papier propre à ètre lavé.

Von dieser Sammlung, die einzige in ihrer Art für Bauverständige, ist nun die achte Lieferung erschienen. Zusammen sind es nun neun Hefte. Jedes Heft kostet auf grossem holländischen Papier 4 Liv.; auf kleinem Papier 3 Liv. und auf 4 Liv.

Monumens du Costume physique, et moral de la fin du dix-huitieme siecle. Un volume grand in Folio, avec 26 planches dessinées et gravées par M. *Moreau* le jeune, dessinateur du Cabinet de Sa Majesté Très Chrétienne, et par d'autres célebres artistes. 1789.

'Charakteristische Schilderungen' und 'Skizzen', von geübten Beobachtern nach Art des *Theophrast* und *La Bruyere*; mit Kupfern von *Moreau*, müssen ein Werk geben, das Jahrhunderte durch merkwürdig bleibt. Die grosse Kunst des jüngern *Moreau*, in der Zeichnung charakteristischer Situationen, ist bekannt. Hier wird er etwas vorzügliches liefern. Es werden 26 Kupfer mit dem dazu gehörigen Texte geliefert, welche einen Folio-Band ausmachen, der die Subscribenten 12 Laubthaler, oder 72 Liv. kosten wird.

Collection de Diplomes, chartres, rouleaux, lettres, voyaux, controuls, actes et autres titres; et monumens originaux historiques et généalogiques, la plupart retirés de leurs secours, depuis St. Louis jusqu'à nos jours; avec des remarques fur le droit public, les usages, dignités, qualifications et distinctions personnelles ou héréditaires dans les differentes classes de l'Etat et fur la jurisprudence des Tribunaux Par M. Fabre, Avocat au Parlement.

Dieses wichtige Werk wird aus vier Bänden bestehen, gros 8. jeder von 500 Seiten, und wird 24 Liv. kosten. Sobald sich 600 Subscribenten gemeldet haben werden, kommt es heraus. Man bezahlt nichts zum voraus.

Collection des meilleurs ouvrages françois, composés par des femmes dediée aux femmes françoises, par Mademoiselle de Keralio, Jeder Band, gr. 8. 4 Liv. 10 Sols.

Dieses Werk, ein Denkmal zur Ehre des weiblichen Geschlechtes errichtet, wird etwa dreyssig Bände in gros 8. betragen, wovon gegen die Hälfte schon gedruckt ist. Voran geht eine Literaturgeschichte der französischen Frauenzimmer, worauf die Briefe der Heloïse, der Christine von Pisan, der Margaretha von Navarra, der Sevigne u. a. folgen.

Der Rechtsgelehrte als Mensch etc. hat nun die Presse verlassen, ist 53 Bogen und 9 Tabellen stark, und kann gegen 8 gr. Nachschuss von den Herrn Pränumeranten abgeholt werden. Der ordentliche Preis dieser Schrift

ist nunmehr 1 Rthlr. 23 gr. und ist für jetzt bey mir, als Selbstverleger, allein zu haben. Auch werden diejenigen, welche mich bisher mit Briefen gütigst beehrt haben, und sonst noch beehren wollen, gehorsamst ersucht, sich auf den Aufschriften zugleich meines ganzen Vornamens zu bedienen.

Dresden am 29 Januar 1789.

Advokat Friedrich August Fritzsche.

Mit Anfang des 1789sten Jahres kömmt im *Ungerschen* Verlage zu Berlin wöchentlich ein halber Bogen in gr. 8. unter dem Titel: *Theater-Zeitung für Deutschland* heraus, die nicht allein Nachrichten von allen deutschen Schaubühnen, sondern auch von den Theatern des Auslands liefern wird. Vier Stücke davon sind bereits erschienen; sie geben Nachrichten von den Theatern zu Berlin, Bonn, München, Frankfurt am Mayn, Braunschweig, Schwerin, Dresden, Wien, Cassel, Riga, Schwerin, Regensburg, Hannover, Paris, London, Rom. Monatlich wird dieses neue Journal beschirt franco Leipzig versandt werden, von wo sämmtliche Buchhandlungen ihre Bestellungen machen können. Wöchentliche Liebhaber belieben sich an die Postämter ihres Orts zu wenden. Der Jahrgang dieser Zeitung kostet 2 Rthlr.

Das bekannte medical Journal von Simmons enthält so viele für Litteratur und praktische Arzneywissenschaft interessante Beiträge, dass man sich wundern kann, die jährlichen vier Hefte, so davon erscheinen, nicht in einer für Deutschland angepassten Uebersetzung geliefert zu sehen. Endes benannte Handlung hat sich entschlossen, die vier Hefte jedes Jahres in einen Band mit Weglassung der für Deutschland überflüssigen Artikel zu liefern; und vom Wohlgefallen eines Publikums soll die Fortsetzung abhängen.

Andraeische Buchhandlung in Frankfurt am Mayn.

Die privilegirte *Gothaische politische Zeitung,* welche schon seit vielen Jahren von den Freunden politischer Neuigkeiten mit Vergnügen gelesen worden ist, sucht ihren guten Ruf nicht nur sorgfältig zu erhalten, sondern sie zeichnet sich vorzüglich seit einigen Jahren durch viele eigenthümliche Correspondenz ganz besonders unter den politischen Zeitungen aus. Wir haben mit Vergnügen bemerkt, dass sie jetzt aus Frankreich, England, Wien u. a. O. die wichtigsten Nachrichten sehr schnell liefert, und oft mehrern ähnlichen Blättern zur Quelle dient. Der Redacteur sorgt zugleich für Mannichfaltigkeit der Artikel in jedem Stücke, und einer Schreibart, gegen welche die politischen Zeitungen oft so auffallend sündigen. Es erscheinen wöchentlich 8 Stücke, jedes von 1/2 Bogen in 4. nebst öfterem Beylagen. Der Jahrgang kostet bey dem Kayserl. Reichs-Postamt zu Gotha 2 Rthlr. in Golde.

Die Expedition dieser politischen Zeitung ist erbötig, Bekanntmachungen von auswärtigen Gerichten, Handlungen etc. etc. gegen billige Gebühren in die Zeitung einrücken zu lassen.

II. Vermiſchte Anzeigen.

Zur Herausgabe der ſämmtlichen Werke des Hieronymus Balbi, eines Venetianers, der Profeſſor der ſchönen Wiſſenſchaften und Aſtronomie 1485 in Paris, unter
Ladislaus k. Prinzenerzieher 1514, Probſt in Preſsburg.
Canonicus von Waizen, k. Sekretär, und Privatſekretär
der Biſchoffs von Fünfkirchen Georg Szakamar, Profeſſor
des Jurisprudenz 1499 in Prag, und 1497 in Wien, k.
hungariſcher Abgeſandter 1515. bey K. Maximilian, und
1521 bey dem Reichstage in Worms, bey der Vermählung des Königs in Pohlen 1518 in Cracau, zweymal
kaiſerlicher Geſandter 1522 und 1529 in Rom, und bey
der Krönung Karls V 1520 zu Aachen, und 1530 in Bologna, dann Biſchoff in Gurk 1519 war, und endlich in
Venedig elend geſtorben ſeyn ſoll, ohne daſs man das
Jahr ſeines Todes beſtimmen kann, hat man bereits folgende Schriften geſammelt:

J. Schriften, die der Herausgeber bereits beſitzt.

1. Hier. Balbi V. J. Doctoris, nec non Poetae, atque Ora-
toris inſignis Opuſculum Epigrammaton. Viennae 1494.
4to.

2. Fauſtus Andrelinus de Fuga Balbi ab Urbe Pariſia.
1508. 4to.

3. Julius dialogus Feſtivus. Lutetiae Pariſiorum, 1611.
4to.

4. Oratio habita in Imperiali Conventu Wormatienſi die
3tia Aprilis 1521. per inclyti Regis Hungariae, et
Bohemiae Oratores, ſine loco, et anno. 4to. 2. Editiones.

5. Oratio habita ab Eloquentiſſimo viro Hieronymo Bal-
bo Praeſule Gurcenſi una cum illuſtri Petro a Corduba
coram Hadriano VI. Pont. Max. 2 editiones.

6. Hier. Balbi Epiſc. Gurc. ad Clementem VII. de civili et bellica fortitudine liber. 2. Editiones.

7. Hier. Balbi Epiſc. Gurc. de Rebus Turcicis. liber. 2.
Editiones.

8. Hier. Balbi Epiſc. ad Carolum V de Coronatione liber.
6 Editiones.

Der Herausgeber hat noch Balbis Werke zu ergänzen geſucht aus Haſſenſteins Lobkowitz Schriften, aus
den Delitiis CC Italorum Poetarum Collectore Ranutjo
Ghero 1708. Floribus Epigrammatum per Leodegarium
a Quercu. Lutetiae Pariſiorum 1555. Carminibus illuſtrium
Poetarum Italorum. Florentiae 1719. aus Trays Annalibus,
und Bels Notitia Hungariae. In Bel kommen 5 Briefe von
und an Balbi vor, mit der Erinnerung, Bel habe eine
groſse Anzahl von Balbis Briefen beſeſſen; vermuthlich
kamen ſie mit Bels übrigen Handſchriften in die Bibliothek der Kardinal Primas von Hungarn, wo ſich auch
jenes befinden mag, was Balbi nach Reichards Bartholi-
nus Zeugniſs (Odeporicon, id eſt, Itinerarium D. Mat-
thaei S. Angeli Cardinalis Gurcenſis Coadjutoris Salzbur-
genſis etc. per Ricardum Bartholinum Peruſinum) von
der Geſchichte Hungarns ſchrieb,

Balbus item Phoebi quondam, nunc rite ſacerdos,
Et Jovis interpres veri, qui grandia facta

Hunniaci ſcripſit regni; totque edidit olim,
Quod ſua non potis eſt unquam evaneſcere fama.

Iſthuanfi nennt Balbi Epiſcopum Tergeſtinum nomi-
natum; einige machen ihn zum Probſten zu Weiſſenburg
in Siebenbürgen (Praepoſitus Albenſis in Tranſylvania)
vermög einer handſchriftlichen Nachricht vom Gurker Kapitel war Balbi Praepoſitus Stobnicenſis. Iſt dieſe Prob-
ſtey in Hungarn? oder iſt es das polniſche Stubnicza?
war dieſes bloſs ein Ehrentitel, oder waren damit Einkünfte verbunden? warum verlieſs Balbi ſein Biſchum?
und wann ſtarb er? Lauter Fragen, die der Herausgeber
ungeachtet aller Mühe, ſich ſelbſt zu beantworten, nicht im
Stande war, ſo wie er auch folgende Schriften von Balbi
noch nicht auffinden konnte.

II. Schriften Balbi, die dem Herausgeber noch fehlen.

1. Rhetoris glorioſi Liber per modum Dialogi exaratus.
Pariſiis, 1494. 4to.

2. Anti-Balbica, vel Recriminatio Tardiviana, ſive
Guilielmi Tardivi Anitienſis in Balbum imo Accelinum
Defenſio, Pariſus. 1495. 4to.

3. Oratio habita coram Clemente VII. de Confoederati-
one nuper inita, pacisque univerſali, atque expeditio-
ne adverſus Turcas ſuſcipienda. 4to ſine loco, et anno,
circa 1529. 1532.

4. Champerii. Camperii. ſive Campeghie. Monarchia
Gallorum. Lugduni, 1547. Folio. propter in fine
adjectam, Apologiam in Hier. Balbum, Gurcenſem Epiſcopum.

5. Carmina. ſelecta Poetarum Italorum. Veronae 1732.
12mo.

6. Balbi Epigrammata. Editio princeps a Viennenſi
1494 diverſa ſine loco et anno. Hievon wünſchte der
Herausgeber eine ſo mehr Abſchriften zu machen, als
er von der k. Bibliothek in Paris, von der Benedictiner Bibliothek in Beſançon, von der Stadtbibliothek
in Leyden und Venedig, und von der Domkapitel-
bibliothek in Trient von folgenden Manuſcripten Balbi Copien zu erhalten die ſicherſte Hoffnung hat.

Balbi bisher noch ungedruckte Schriften.

1. Hier. Balbi Epiſc. Gurc. ad ampliſſimum L. P.
(Laurent. Pucci) Card. Sanctorum quatuor de die
ejus natalitio Carmen.

2. L. Annaei Senecae Tragoediae cum quibusdam Scholiis recentibus, et Verſibus Hier. Balbi, in primis,
et poſtremis foliis.

3. De Virtutibus Libri III. ad Clementem VII. Pont.
Max.

4. De Providentia et de Fortuna Libri IV.

5. Epiſtola di Roma a Giulio II. Pont. Maſs. con la ri-
poſta del Pontefice a Roma il tuto in Rime.

Wien den 12 Dezember 1788.

Joſeph Edler von Retzer,
K. K. Hofſekretair und
Büchercenſor.

Die Bibliothekare und Literatur Freunde, die über
dieſe Anfragen Auskunft geben wollen, werden erſucht
ſich an die Expedition der A. L. Z. zu wenden.

LITERARISCHE NACHRICHTEN.

I. Vorläufige Berichte von ausländischer Literatur.

Pavia delle stampe del R. I. monaſt. di S. Salvadore: Biblioteca ſfica d'Europa del Sigre. L. Brugnatelli. M. D. T. I-IV. 1788. 8. 167 S. Preis 40 kr.

Iſt Crell in Helmſtädt dedicirt. Enthält 9 Artikel und einige litterär. Neuigkeiten, zum Theil aus fremden Journalen, zum Theil hier zum erſtenmal gedruckt, wie z. B. die intereſſante Fortſetzung der Briefe über die elektriſche Meteorologie von Volta an Lichtenberg, eine Abhandlung von Hrn. Fabroni, ein Memoire von Hrn. Galetti, ein Brief vom Hrn. de la Medicin an Hrn. Brugnatelli.

Londra (aber in Italien gedruckt): Il Socrate di Vittorio Altieri, tragedia una. 1788. 12.

Iſt in Anſehung des Stils und der Manier eine Parodie der Tragödien des Gr. Altieri, und hat in Italien viel Lärm gemacht. Es iſt traurig, daſs ein Mann, der ſo viel für Italiens Trauerſpiel gethan wie Altieri, ſo dafür gelohnt wird.

Roma preſſo i Lazzarini 1788. 8. 1. Seconda Memoria ſulla cultura e gli uſi economici del Polygonum tartaricum preſentata a S. E. Mſgre. Fabr. Roſſo da Müſſ. Moreſchini. Dott. in Filoſofia etc.

Hr. Moreſchini machte durch Verſuche im Kirchenſtaat zuerſt die Vortheile bekannt, die aus dem Anbau des polygonum tartaricum gezogen können. Dieſe zweyte Memoire giebt das Reſultat dieſes zweymal im Jahr geſäeten Korns an, und die Bemerkungen über die Fortſchritte und Abwechslungen ſeiner Vegetation, ſind mit meteorologiſchen Obſervationen erläutert, die Art des Erdbodens zu beſtimmen, die ihm zuträglich iſt, oder nicht. Der Nutzen der Pflanze erſtreckt ſich auch auf Heilkunde und andere Wiſſenſchaften und Künſte.

Ticini ex Typogr. R. I. monaſt. S. Salvatoris: De animi affectu in Theologicis diſciplinis, quam — Antonius Moſſi, Prof. Theol. dogmat. habuit XII Kal. Dec. 1788. 8. 46 S.

Enthält nicht blos gründliche Sachen, ſondern iſt auch ſierlich und rührend geſchrieben. Der Verf. zeigt, was für eine Beſchaffenheit das Herz eines Künſtlers haben muſs, der in der Theologie Unterricht geben will. Die Rede hat viel Beyfall gefunden.

Napoli, preſſo Gaëtano Raimondi: Oſſervazioni ſtoriche naturali, e politiche intorno la Valachia e la Moldavia. Nil admirari. 1788. mit einer geograph. Charte. 8. S. 328. Preis 1 fl. 20 kr.

Der Verf. hat ſich in dieſen Ländern einige Jahre aufgehalten. Er ſcheint unparteyiſch zu ſchreiben, und ſeine Bemerkungen ſind ſehr ſcharfſinnig. Die gegenwärtige Lage dieſer Provinzen macht das Buch noch wichtiger, und es verbreitet viel Licht über ihre Verhältniſſe zur Pforte. Der Titel zeigt die abgehandelten Gegenſtände deutlich genug, ſein Lieblingsgegenſtand ſcheint indeſſen die Politik.

Modena: Les Morlaques, par Mad. la C. di R. in 8.

Ein treffliches Buch für Einbildungskraft und Gefühl, würdig der Verfaſſerin der pieces morales et ſentimentales. Man hatte ſonſt von den Morlacken eine ganz andre Idea, als die uns jetzt die Gräfin von Roſenberg davon giebt. Man ſieht liebenswürdige Einfalt mit groſsen Eigenſchaften verbunden. Schöne Beſchreibungen, ein ſanfter gutmüthiger Ton, ein friſches Colorit, das auch über die Gegenſtände geworfen iſt, die deſſen nicht fähig zu ſeyn ſcheinen, eine oft pathetiſch ans Herz greifende Schreibart ſind das Charakteriſtiſche dieſer Schrift einer Dame, die in England geboren, an einem Deutſchen verheirathet iſt, und ſeit ihrer Kindheit in Italien lebt.

Perugia, nella Stamp. Badueliana: Lettere Pittoriche Peregine o ſia Ragguaglio di alcune memorie Iſtoriche riſguardanti le arti del diſegno in Perugia, al Sgre. Orſini, pittore e architetto. 1788. 8.

Sollen von Hrn. Mariotti ſeyn, der ſchon ſonſt verſchiednes geſchrieben hat. Die Briefe ſind wegen ihres Details, und wegen der Beziehungen, die ſie auf die Geſchichte der ſchönen Künſte in Italien haben, intereſſant. Es ſind ihrer 9. Einige enthalten Bemerkungen über die Geſchichte der Künſte in Perugia, andre geben verſchiedne Werke, in den ſchönen Künſten von Pedro Peruſio, Raphaels Lehrer an, und unterſuchen ſie.

Turin: Il Cantico de Cantici adattato al guſto della Italiana Poeſia e della Muſica, e corredato di note e di oſſervazioni critiche letterale da Eraſio Leone di Ca-

...le di Monserrato Pastore Arcado, ed Academico Im-
mobile. 1788. 8.

Die Ueberfetzung ift in dramatifchen Verfen für Muſik eingerichtet. Der Verf. hat den Metaſtaſio nachzuahmen, und den buchftäblichen Sinn zu treffen gefucht.

II. Preisaustheilungen.

Unter den Schaumünzen, welche die Gefellfchaft des Ackerbaues in Paris ausgetheilt hat, find einige aus Urfachen gegeben worden, welche auch aufferhalb Frankreich intereffiren. z. B. dem Hrn. Céré Auffeher des königlichen Gartens auf der Infel Frankreich, weil er mit fo vieler Gefchicklichkeit und Beharrlichkeit den Bau des Nägeleinbaums, des Zimmetbaums und des Muscatenbaums in den franzöfifchen Kolonien eingeführt hat. Dem Hrn. Cen de Cely Bifchof von Apt, welcher der erfte gewefen, der in Frankreich im Freyen den Gouyavie-Baum und den Infchlittbaum gebauet hat. Dem Hrn. Baron de la Four d'Aignas, welcher in Provence die Hammel mit Superfeiner Wolle eingeführt, und mehrere nützliche Bäume gepflanzt hat. Dem Hrn. Pfarrer Flobert zu Bleran-

count bey Collions, welcher, da er gefehen, aals dat Getraide den Tag nach der Verhagelung vom 13 Jul. von 4 liv. 10 f. auf 10 Liv. geftiegen ift, feinen Kornboden aufgethan, und jedermann Getraide in dem alten Preife hat geben laffen.

Den 11 Dec. hat die Academie Françoife eine öffentliche Sitzung gehalten, in welcher Hr. Vicq d'Azyr den erledigten Stuhl des Grafen von Buffon erhalten hat.

III. Ehrenbezeugungen.

Hr. Abbé Fontana, zu Florenz, ift von dem Kaifer in den Adelftand erhoben und mit einer reichbrilliantirten Dofe befchenkt worden.

IV. Todesfälle.

Den 2 Jan. ftarb zu Nürnberg Hr. Chrift. Friedr. Carl Kleemann, Miniaturmahler, Kunfthändler und Mitglied der Berlinifch. Gefellfchafts naturforfchender Freunde, in einem Alter von 53 Jahren an einem Lungenbrande. Als Eidam des feel. Röfel von Rofenhof, fetzte er deffen Frofch- und Infectenwerke fort.

LITERARISCHE ANZEIGEN.

I. Ankündigungen neuer Bücher.

Diejenigen hohen Gönner und Freunde von mir, die fich aus Güte, Menfchenfreundlichkeit und edlem Eifer ein nützliches Unternehmen befördern zu helfen, auf mein fchriftliches Bitten haben willig finden laffen, nicht allein die Herauskunft des Codicis Boerneriani von der Churfürftl. Bibliothek zu Dresden in ihren Gegenden bekannt zu machen, fondern auch Pränumeration und Subfcription hierauf anzunehmen, werden hierdurch ganz gehorfamft von mir erfucht, ihre erhaltenen Liebhaber und Subfcribenten auf befagten alten Codex, da mit dem Abdruck deffelben nunmehro mit nächftem der Anfang gemacht werden muß, bey mir gütigft einzufenden. Da die hohen und vornehmen Namen fämmtlicher Unterftützer diefes Werkes demfelben vorgedruckt werden, fo erbitte ich mir die Namen und Caractere derfelben deutlich und leferlich gefchrieben.

Aus Meißen den 23 Jan. 1789.

Carl Friedrich Wilh. Erbftein
Buchhändler.

In eben diefer Buchhandlung kommt auf Pränumeration ein neues chriftliches Tagebuch oder Brodachtungen auf jeden Tag im Jahre über die Religion als die wahre Glückfeligkeits-Lehre vom Hrn. Pastor M. Waldau ält. Hofpital-Prediger in Nürnberg, heraus. Die Pränumeration des ganzen Jahrganges ift ein Rthlr. fächf. Geld. Pränumeration hierauf nimmt in Jena die löbl. Expedition der Allgem. Literatur-Zeitung bis zu Ende des Jahres 1789. an. Ein mehreres befagt hiervon ein weitläuftigeres gedrucktes Avertifement.

Meißen den 23ften Jan. 1789.

Erbfteinifche Buchhandlung.

Betrachtungen auf jeden Tag im Jahre über die chriftliche Religion, als die wahre Glückfeligkeitslehre vom Hrn. Mag. G. E. Waldau, Hofpit. Pred. in Nürnberg.

Bin ich gefonnen in Hrn Erbfteins zu Meißen Verlag herauszugeben, und dabei ein neues chriftliches Tagebuch zu liefern, da die Exemplarien desjenigen, welches ich 1781 zu Nürnberg edirte, völlig vergriffen find. In demfelben waren die wichtigften Glaubens- und Sittenlehren unferer Religion in ihrer fyftematifchen Ordnung vorgetragen; in diefer aber, welches ich hiermit ankündige, follen fie nach einem andern Plane vorgeftellt werden. Meine Bemühung wird dahin gehen, die Wahrheiten und Pflichten der chriftlichen Religion unter den Geftichtspunkt zu bringen, aus welchem fie fich jeder unbefangene denkende Menfch am ftärkften empfehlen muß; als eine von Gott gefandten Führerin zur wahren Glückfeligkeit hier und jenfeits des Grabes. Zween vortreffliche Männer unfers Zeitalters die H. H. Conſiſt. Räthe Dietrich und Trapp, jener zu Berlin, diefer zu Glückftadt, find in ihren, nur aus wenigen Bogen beftehenden Lehrbüchern für die Jugend von eben diefem Gedanken ausgegangen, welchem ich nachgehen und folgenden Plan ausführen werde. Nach einer Einleitung über Glückfeligkeit überhaupt und durch Religion, werden folgende Hauptftücke vorgetragen: I. Von Gott, als dem Urquelle aller menfchlichen Glückfeligkeit. II. Von Gottes Gefetz als dem Weg zur Glückfeligkeit. III. Von Jefu Chrifto, als dem Wiederherfteller unferer durch die Sünde verlohrnen Glückfeligkeit. IV. Von der Bekehrung, als dem Weg, und von dem heiligen Geifte, als dem Führer zu demfelben, feinen Wirkungen und den Gnadenmitteln. V. Von der Glückfeligkeit felbft, zu der diejenigen hier und dort gelangen, welche als Chriften

Chriſten denken und handeln. XI. Von der Gewißheit und Zuverläſſigkeit der chriſtlichen Lehre von der Glückſeligkeit.

Hierbey ſollen die Beweisſtellen aus der heiligen Schrift mit *eingeſchalteten kurzen Erläuterungen* oder *Umſchreibungen* angeführet; uneigentliche und dunklere Redensarten mit eigentlichen und verſtändlichen verwechſelt, und die Religionslehren ſo deutlich und praktiſch als möglich vorgetragen werden, daß der chriſtliche Leſer ſie verſtehen und auf ſein Herz und ſeinen Wandel richtig anwenden kann.

G. E. Waldau,
vörd. Hoſpit. Prediger zu Nürnberg.

Ich als Verleger dieſer Betrachtungen auf jeden Tag im Jahre über die chriſtliche Religion, als die wahre Glückſeligkeitslehre, habe nichts weiter obigem zur Empfehlung derſelben hinzuzuthun. Der Name des Herrn Verfaſers und der laute Beyfall des Publikums, mit welcher daſſelbe die vorhergehenden, vortreflichen Erbauungsſchriften dieſes vortreflichen Mannes und warmen Beters, aufgenommen hat, bürgt für dieſe. Ferner der häufige Abgang ſeines im Jahr 1781 herausgegebenen und nunmehro ſchon vergriffenen *chriſtlichen Tagebuchs oder Betrachtungen über die chriſtlichen Glaubens- und Sittenlehren u. ſ. w.* ſo ſchon in den Händen der mehreſten Bürger und Landleute ſind, und zu ihrer Erbauung geworden, wird auch kräftig für dieſe neuen Betrachtungen und Tagebuch etc. ſprechen, und das zweytemal im Monat Juund empfehlen, und über dieſes eine gute und nützliche Sache lobt, und hat Empfehlung in ſich ſelbſt. Doch dieſes bin ich noch ſchuldig zu ſagen, der Vortrag dieſer Betrachtungen iſt ganz in dem populairen, auch dem geringſten Manne verſtändlichem Tone, aber auch dabey angenehm, erbauend, unterrichtend für den geübtern und aufgeklärten Leſer, und der Hr. Verfaſer reiſt den frommen Leſer, durch ſeinen anziehenden warmen Vortrag, mit ſich fort, wohin er ihn haben will, nemlich: er lernet ihm die Religion, worinnen er die wahre Glückſeligkeit findet, kennen, und macht ſie ihm liebenswürdig. — Um aber dieſe ſo nützliche Buch, ſoviel als möglich, gemeinnützig zu machen, und ſie in die Hände des Bürgers und Landmannes liefern zu können, ſo wähle ich hierzu den Weg der Pränumeration. — Der ganze Jahrgang, welcher aus 12 Monatsſtücken in ordinär Octav beſtehen wird, koſtet 1 Rthlr. (Sächſ. Geld) Pränumeration, nachher wird er ungleich theuerer in Ladenpreiß zu ſtehen kommen. Um aber dem weniger bemittelten Liebhaber zu Anſchaffung dieſes ſo nützlichen Erbauungsbuches, dem 1 Rthl. auf einmal zu viel Ausgabe macht, bin ich bereit, deſſen Pränumeration zu 2 Terminen, als: zu Anfang und dem zweytemal im Monat Junius des 1789 Jahres, jedemal 12 Gr. anzunehmen, und wem dieſes noch zu viel iſt, kann vierteljährig bey deſſen Hrn Collecteur mit 6 Gr. vorausbezahlen; Leichterer und gemächlicher kann ich dem Liebhaber die Anſchaffung dieſes Erbauungsbuchs nicht machen, und es ihm in die Hände liefern. Nahe Liebhaber erhalten daſſelbe durch ihre Herren Collecteurs Stückweiſe jeden Monat, ſo, daß alle 12 Stück mit dem Schluß des Jahrganges ein Ganzes ausmachen. Entferntere Liebhaber aber können es nicht anders als vierteljährig durch ihre Hrn Collecteurs erhal-

ten. Der Termin der Vorausbezahlung, ſtehet von jetzo bis zur Oſtermeſſe 1789. offen. Da aber dieſes Jahr faſt zu Ende und alſo unmöglich iſt, das 1te Stück auf dem Januar zu Anfange deſſelben zu erhalten; ſo bitte ich die ſämtlichen Hrn Pränumeranten, mit der Ablieferung deſſelben, bis zum Monat Februar in Geduld zu ſtehen. Hernach werde ich die Einrichtung treffen, daß zu Anfange jeden Monats jedes Stück fertig ſeyn, und an die Herren Liebhaber abgeliefert werden ſoll. Von hieraus erhalten es die Hrn Pränumeranten bis Leipzig und Dresden Franco. Dahingegen erbitte ich mir alle Briefe und Gelder Poſtfrey. Auſſer allen Buchhandlungen, Addreſſ- und Intelligenzcomtoirs in Deutſchland, nehmen hierauf Pränumeration an: in Dresden, die Breitkopfiſche Buchhandlung, das Addreskomtoir und Hr. Cand. M. Lipſius; in Hamburg das K K. Addreskomtoir; in Leipzig, die Churfürſtl. Sächſ. Zeitungsexpedition, das Intelligenzkomtoir, die Breitkopfiſche Buchhandlung, wie auch Hr. Buchhändler Sommer; in Nürnberg der Hofſpitol. Prediger M. Waldau und die Buchhandlungen daſelbſt.

Welcher auch ſonſtige mir bekannte oder unbekannte Freund und Gönner ſich dem Geſchäfte des Sammelns von Pränumeranten aus Gefälligkeit menſchenfreundlich unterziehet, erhält auſſer meinem verbindlichen Dank, auf 10 untergebrachte Exemplarien, das 11te frey. Iſt die Anzahl aber größer, ſo erhält der gütige Sammler auch, eine angemeſſene ſtärkere Proviſion. Die Namen der ſämtlichen Pränumeranten werden, in alphabetiſcher Ordnung, dem Werke beim Schluſſe deſſelben, vorgedruckt.

Meiſſen, den 16ten December 1788.

Karl Friedrich Wilhelm Erbſtein
Buchhändler.

Die in mehrern politiſchen Zeitungen von Berlin aus erwähnte Schrift des Doct. Würtzers: *Bemerkungen über das preußiſche Religionsedict vom 9ten Jullii 1788.* weshalb eine fiſcaliſche Unterſuchung gegen ihn verfügt ward, iſt in E. M. Gräffs Buchhandlung in Leipzig, und in allen Buchhandlungen Deutſchlands zu haben.

II. Bücher ſo geſucht werden.

1. Moſers, (Johann Jacob) altes Staatsrecht, 47. 48. 49. und ſoſter Theil. 4to.

— — Regiſter dazu. 4to.

2. Georgi Bücher-Lexicon, 2tes Supplement, apart fol,

3. Weruheri Obſervationes, Vol. 9. 10. in 4to.

Die Beſitzer, ſo ſolche abgeben wollen, belieben ſich an die Hrn. Herausgeber der Jenaer Literatur-Zeitung zu addreſſiren.

III. Antikritik.

Es hat dem Hrn. Hofr. und Prof. Starke in Jena gefallen, zwey Fragmente aus Briefen von mir in dem zweyten Stück ſeines Archivs für Geburtshülfe einzurücken, wovon das eine S. 173. unter meinem Namen, das andres aber anderwärts anonymiſch zu leſen iſt. Ein ſo groſſer Freund und Verehrer der Publicität ich auch immer

bin, fo finde ich doch die öffentliche Bekanntmachung von
vertraulichen Privatbriefen, ohne des Verfaffers ausdrück-
licher Erlaubniß, allerdings indifcret. gefetzt auch, daß
folche in der beften Abficht gefchieht.

Gegen diefes Fragment nun ift der Hr. Rec. in der
A. L. Zeit. No. 239 b 1788 gewaltig zu Felde gezogen,
befonders weil ich von meiner dort geäufferten Meynung,
das Wegnehmen der Nachgeburt betreffend, nicht hinlängliche Gründe angegeben hätte. Diefe waren aber gewiß
fehr überflüffig, zumahl in einem vertrauten Briefe, der
nichts weniger als zum Druck, fondern blos für einen
Freund beftimmt war, dem ich fie nicht vorzukauen brauchte. Und bey Mauriceau, bey Smellie, bey Baudelocque,
bey Murfinna, u. f. w. findet man ja Gründe für meine
Behauptung, die durch Aepli und den ungenannten Rec.
noch lange nicht widerlegt find, auch, da fie auf der Natur der Sache felbft beruhen, wohl fchwerlich widerlegt
werden können, am allerwenigften durch theoretifches
Räfonnement und Declamationen.

Wenn der Fötus nicht um der Placenta willen, fondern diefe um jenes willen da ift, und das möchte wohl
keinem Zweifel unterworfen feyn; fo ift doch wahrhaftig
nicht abzufehen, was eine Placenta im Utero zu thun habe, nachdem der Foetus heraus ift. Auch wünfchte ich
die Kennzeichen zu erfahren, woraus man ficher abnehmen kann, daß der Mutterkuchen ohnfehlbar blos durch
die Naturkräfte zum Vorfchein kommen werde. Diefe
giebts nun aber fchlechterdings nicht. Auch wird wohl
kein Vernünftiger behaupten, daß die Geburt des Mutter-
kuchens mit der Geburt des Kindes im Verhältniß ftehe,
und man alfo aus der leichten oder fchweren, langfamen
oder fchnellen Geburt auf die bald oder fpät zu erfolgende
Nachgeburt fchliefsen könne. Diefes ift alfo Urfache, warum man fie nach den Regeln der Kunft, das heifst mit
Vorficht wegnimmt.

Alle die fich mit der Geburtshülfe praktifch abgeben,
werden nicht läugnen können, daß man fehr oft auch
nach den leichteften und in der Rückficht glücklichen
Geburten zu Kindbetterinnen berufen werde, um die
Nachgeburt wegzunehmen, die durch das Zurückbleiben,
die armen Mütter nicht blos ängftiget, fondern, was wohl
die Hauptfache ift, gefährliche Zufälle verurfachet, als z.
B. fchmerzhafte ja unausftehliche Nachwehen, Krämpfe,
Ohnmachten, Verhaltung der Geburtsreinigung, gefpann-
ten und aufgetriebenen Unterleib, u. f. w. kurz alle Sym-
ptomata, die ein fremder reitzender Körper, der die nunmehr erforderliche Zufammenziehung der Gebärmutter
verhindert, bewirken kann; Und endlich woraus erkennet denn der Geburtshelfer, daß der Mutterkuchen incar-
ceriret fey? oder foll diefen die bloffe fich felbft überlaf-
fene Natur ausftoffen??

Kurz (mit Uebergehung aller Gründe, die bey den
angeführten Autoren nachgelefen werden können,) man
fieht das Schwankende und Unbeftimmte der Meynung des
Hrn. Rec. leicht ein, fobald man nur unbefangen darüber
nachdenken will. Aber nächft dem giebt Hr. Rec. auch
noch andere Bloffen, die nicht ganz mit Stillfchweigen zu
übergehen find. Er fagt: den Hebammen im Lande feines
Fürften fey es ausdrücklich unterfagt, die Nachgeburt je-

mals wegzunehmen, und doch fläfst die Natur fie immer
fo richtig und zuverläffig aus, daß ihm kaum ein paar Fälle bekannt find, wo üble Zufälle von Zurückhaltung der
Nachgeburt entftanden find. Hierauf antworte ich: 1)
Nicht alle Gefetze der Fürften find weife, zweckmäffig,
und anwendbar, zu gefchweigen, daß in diefem Falle locale Umftände oder die Befchaffenheit der Hebammen felbft
Anlaß zu dergleichen Gefetz gegeben haben kann. 2)
Möchte es überzeugender feyn, den Nutzen oder Schaden
einer Anordnung vielmehr aus der Natur der Sache felbft
zu folgern, als hinter die Autorität eines Gefetzes fich zu
verftecken, welches, wenn es anders fo allgemein und beftimmt befolgt wird, als Hr. Rec. zu glauben fcheint, fehr
fklavifch ift, und unausbleiblich fchlimme Folgen nach
fich ziehen muß; 3) Was einer Hebamme mit gutem
Recht verboten feyn kann, das darf und kann deswegen
dem Geburtshelfer noch lange nicht verboten werden. In
meinen Gegenden, und foviel ich weiß, in ganz Deutfchland, ift der Gebrauch aller Inftrumenten den Hebammen
weislich verboten; darf deswegen der Geburtshelfer fich
auch keiner Inftrumente bedienen? Von der Hebamme
auf den Geburtshelfer zu fchliefsen, welch eine Logik!!
4) Muß der Hr. Rec. bey allem dem doch felbft eingeftehen, daß folche Fälle obwohl felten zu ereignen pflegen, wo
die Zurückhaltung der Nachgeburt üble Zufälle verurfacht hat. Und wie viel Unglück mögen wohl die Hebammen nach obigem Gefetz veranlaffet haben, das dem Hrn.
Rec. gar nicht einmal bekannt worden ift. Diefe Fälle
nun kann ich bey meiner Methode durchaus nicht bemerken. Ich erzeige daher gar fehr an der behaupteten Seltenheit unglücklicher Fälle von zurückgelaffener Nachgeburt. Sollte Hr. Rec. etwan auch noch Verficherung vom
Gegentheil bezweifeln, fo können auf fein Verlangen und
auf feine Koften bey hiefigem, und benachbarten Aemtern
fowohl die Mütter felbft, als auch die Studiofi, die ich
wechfelweife mit zum accouchiren nehme, fo wie die dabey gegenwärtig gewefenen Hebammen endlich abgehört,
auch ad protocollum vernommen werden, die ich feit eini-
chen Jahren accouchirt auch fogleich von der Nachgeburt
entbunden habe, auf welche Art man in einer fo wichtigen, die ganze Menfchheit interreffirenden Sache am beften
hinter die reine Wahrheit kommen kann, und da wird
fich ergeben, ift der vorigen Perfonen die Nachgeburt
alfogleich nach der Geburt ohne alle üble Zufälle weggenommen worden, die alle auch heut noch vollkommen
wohlauf find. Und das ift doch wohl kein Ohngefähr?

Doch hier ift der Ort nicht um weitläufiger von diefer Materie zu reden, noch weniger fie ganz zu erfchöpfen,
es bleibt mir nicht einmal Platz genug, um nur die Recenfion gänzlich zu widerlegen, wo man, auffer den angeführten und die inadequate Sätze finden kann. Unfterblichen Dank verdienen Murfinna und Stark (f. deffen
Archiv 4. Stück. S. 1. folg.) die die Rechte der Naturge-
fetze gegen Aepli und treue Anhänger mit fo viel Nachdruck und Einficht verfochten haben! Opiniorum commenta delet dies, naturae judicia confirmat. Cic.

Hofmann,
Prof. der Arzneykunft zu Altdorf.

INTELLIGENZBLATT
der
ALLGEM. LITERATUR-ZEITUNG
Numero 19.

Mittwochs den 11ten Febr. 1789.

LITERARISCHE ANZEIGEN.

I. Ankündigungen neuer Bücher.

Noch vor Anfange der Ostermesse 1789. wird in unterzeichneter Handlung das erste Stück eines neuen periodischen Werkes erscheinen, welches den Titel führt: *Beyträge zur Verbesserung des öffentlichen Gottesdienstes in der katholischen Kirche.* Jedes Stück, deren drey einen Band ausmachen sollen, wird folgende Abschnitte enthalten: I) Eigene Aufsätze über wichtige Gegenstände des äussern Gottesdienstes in der katholischen Kirche. II) Beurtheilungen von katholischen Schriften, welche in die Sphäre einschlagen. III) Nachrichten und Verordnungen über kirchliche Einrichtungen, welche in den deutschen Erz- und Bisthümern im verflossenen Jahre gemacht worden sind, und in der Zukunft noch werden veranstaltet werden. Ueberzeugt von der Wichtigkeit solch eines Werkes, welches eine Lücke in der Litteratur des katholischen Deutschlands ausfüllen wird, welchem also gewiß schon lange jeder Freund und Beförderer wahrer Gottesverehrung mit heisser Sehnsucht entgegen gesehen hat, wird sich solches um so mehr empfehlen, da wie die gegründete Hoffnung haben, daß nicht nur die Katholiken, sondern auch Protestanten hier ihre Rechnung finden werden, wenn ihnen daran gelegen ist, sich in dem Religionssysteme ihrer katholischen Glaubensbrüder mehr zu orientiren und den stufenweisen Fortgang der Aufklärung auch in dieser Kirche näher kennen zu lernen. Da die Herausgeber zwey Männer, die sich zum System der katholischen Kirche bekennen, welches sie schon seit mehreren Jahren gründlich und unpartheyisch studiert haben, — nur nach Muse und Laune arbeiten, so läßt sich auch nicht bestimmen, wie viel Stücke im Jahre, in Frankfurt am Mayn und wann ein jedes erscheinen werde.

Andräische Buchhandlung.

In Commission der Waltherischen Buchhandlung in Leipzig erscheint auf Ostern 1789. ein

Handbuch der philosoph. Litteratur.

Ich habe mit der grösten Sorgfalt und Genauigkeit die vorzüglichsten und besten Schriften in jedem Fache angegeben. War es mir möglich, so habe ich nicht ein Buch angegeben, welches ich nicht gelesen, oder flüchtig durchblättert hätte. Denn alle philosoph. Schriften anzuführen, wäre mir leichter geworden, als grade nur die besten zu nehmen. Wo es nöthig war, und ich es vermochte, habe ich jederzeit den Inhalt eines Buchs zu bestimmen gesucht. Bey den meisten Büchern habe ich auch den Ladenpreis angegeben. Uebrigens habe ich noch die Zeitungen und Journale angegeben, worinn diese Bücher beurtheilt und ihr Inhalt angezeigt worden. Der Herr Prof. Eberhard in Halle hat mir die Gefälligkeit und Freundschaft erzeugt, das Manuscript durchzulesen und mir seine Meynungen darüber mitzutheilen. Er wird auch das Werk mit einer Vorrede begleiten. Von Hrn. M. Abichts in Erlangen Unternehmen hab ich nur zu spät Nachricht erhalten, als daß ich von dem Meinigen ablassen könnte. Ich habe es daher auch für nöthig gehalten, diese Nachricht so geschwind, als möglich bekannt zu machen.

Leipzig den 27 Jan. 1789.

Rothe.

Geschichte von Miß Lony und der schöne Bund. Mit Kupfern.

Unter diesem Titel gedenke ich künftige Ostern einige Erzählungen in der Ettingerschen Verlage herauszugeben. Die Pflicht der Bescheidenheit verbietet mir, diese Inhalt und Charakter mich weitläufig zu erklären. Ich bemerke daher blofs, daß wie immer, so auch diesmal nicht Unterhaltung allein, sondern zunächst Bildung des Verstandes und Herzens mein Zweck war, und daß ich hoffen darf, diese edle Absicht, wenn auch nicht überall auf das vollkommenste erreicht, doch wenigstens nicht gänzlich verfehlt zu haben. Mehr als eine Ursache, welche von edlen Menschen gut gefunden worden, bestimmte mich, für jetzt den Weg der Unterzeichnung zu wählen. Ich ersuche deshalb alle meine Freunde und Freundinnen die kleine Mühe des Sammelns auf sich zu nehmen, mit der Versicherung, daß sie sich hierdurch keine Undankbare verpflichten. Das Ganze wird ohngefahr 16 Bogen in grofs Octav auf fein Schreibpapier gedruckt, betragen, und mit zwey von Herrn Professor Langer zu Dusseldorf gezeichneten, und von Herrn Thelot gestochenen Kupfern geziert werden. Der Subscriptionstermin steht bis Ostern offen. Der Preis, der aber nach Verfliessung dieser Zeit wie gewöhnlich steigt, ist 16 gl. Sächsisch. oder 1 fl. 12 kr. Reichsgeld.

Offenbach, den 16ten Januar 1789,

Sophie, Wittwe von la Roche.

T

Die

Die nach Diſſow in London verfertigte große Vögel Arten, welche auf Papier ſtatt illuminirt mit natürlichen Federn bedeckt, und wöchentlich 1 Stück, theils halb, theils ganze Bögen ſtarke Vögel in der H. Brunneriſchen Kunſtwaaren Handlung am Köpfleinsberg ausgegeben werden; können die Hrn. Liebhaber die Proben daron einſehen, und die, ſo ſich dergl. ſammlen wollen, inſcribiren. Dieſe in Teutſchland noch ſo wenig bekannte, und von ſelbner Art geſehene Vögel Sammlung beſteht aus 12erley Arten, jede Art zu 6 Stück, worunter RaubVögel, Falckenvögel, Eulengeſchlechte, WürgerGeſchlechte, Specht Arten, die 16 Papagey-Arten, ſchöne Raben, verſchiedene Arten Schwimm und SumpfVögel, Hüner und Tauben theils nach dem Wuchs, theils nach dem Gefieder ausgeartete Vögel. Die beſonderſten Arten darou find aus Borrowsky, Briſon, Buffon, Ebert, Friſch, Leske, Linné und Pennant. Niemand wird ſie beſſer in England und Frankreich geſehen haben. Das Stück 1 Bogen ſtark koſtet 1 fl. 12 kr. 1/2 Bogen ſtark 36 kr. 1 Bogen ſtark in Glas und Rahm 1 fl. 45 kr. 1/2 Bogen in Glas und Rahm 56 kr. Wann zuweilen ganz große Vögel auf feinl großen Regal-Bögen erſcheinen, als z. E. der große Kormoran, Penguin, Flamingor, Strauß, Caſuar, Dronte, africaniſcher TroppeHahn und dergl. davon koſtet das Stück 1 fl. 48 kr. und in Glas und Rahm 2 fl. 30 kr. indem ſolche theils nach der mühſamen Arbeit, theils nach Glas und Rahm koſtſpieliger find, als erſtere Sorte. Man wird bey jedesmaliger Ablangung eines jeden Stücks anzeigen, von welcher Art Größe das nachfolgende herauskommt. Den 5 Jan. bevorſtehenden Jahrs, wird das erſte Stück der Braſilianiſche Geyer aus Buffon 187 1 Bogen ſtark etc. 1 fl. 12 kr. ausgegeben, ſodann geht die erſtere Art der RaubVögel fort. 2tens der Heyducken-Adler nach Edward. 3tens der Maltheſer Geyer aus Buffon 427. 4tens der grauweiſe Geyer St. Martin nach Buffon 459. 5tens der Meer Adler nach Penant. 6tens der FiſchAdler nach Linné p 64. Freunde der Natur-Geſchichte, ſo dieſe Werke beſitzen, werden einen wichtigen Unterſchied zwiſchen der Illuminir- und NaturKunſt finden. Die Ausgabe an die beyden Herren Subſcribenten geſchiehet alle Montag. Bezahlt wird bey jeder Lieferung, oder wenn ſie abgelanget werden. Wer die ganze Sammlung in Glas und Rahm haben will, wird die Güte haben, es bey der Subſcription anzuzeigen, oder wer ein ordentl. Ragement von 11 Stück einerley Geſchlechts-Arten haben will, kann entweder Zeichnung davon einſehen oder ſolches ſenden laſſen. Dieſes Ragement wird ſodann einfach oder in Glas und Rahm miteinander geliefert; erſtere Art koſtet 10 fl. 12 kr. und letztere 15 fl. 6 kr. Wer noch ſpäter als im Monat Januar ſubſcribirt, erhält zwar die Fortſetzung, die erſt abgehenden aber werden nach den Schluß des ganzen Werks nachgeliefert; dann man wird ſich nur auf eine gewiſſe Anzahl der Herren Subſcribenten einſchränken. Die erſten erhalten ſodann den Vorzug nach ihren No. wie ſie ſolche in der Ordnung des Subſcriptionsſcheins empfangen. Iſt der Numerus vollſtandig, ſo wird denen mehrern Hrn. Liebhabern weitere Anzeige gemachet werden. Denen auswärtigen Hrn. Subſcribenten koſtet jedes Stück ganz 1/2 oder RegalBogen ſtark 6 kr. und in Glas und Rahm 12 kr. wegen der

ſichern Verpackung mehr. Hingegen wird weder dem Vogel noch Glas und Rahm, durch Fuhrleute, fahrende oder gehende Bothen, Schaden zugefüget. Briefe und Gelder wie gewöhnlich franco, mit der Addreſſe:

An die H. M. Brunneriſche Kunſtwaaren-Handlung am Köpfleinsberg in Nürnberg.

Gedachte Handlung führet auch noch verſchiedene Phyſicaliſch und magnetiſche Beluſtigungs Stücke, ingleichen mechaniſch optiſch und chemiſche Stücke, beſonders verſchiedene ſehr angenehme Pädagogiſche Spiele. Ein gedrucktes Verzeichniſs, wovon alle Monate ein neues herauskommt, giebt davon die mehreſte Belehrung, ſie nimmt Kunſt und Naturproducte in Commiſſion: und troguirt andere Waaren dagegen. Nimmt auch viele gebrauchte Waaren zu Reparirung an. Es können dahero Teutſch und Kaufluſtige, ſich an gedachte Handlung ſelbſt wenden.

II. Vermiſchte Anzeigen.

Meine Herrn Gegner erklärten im Auguſt der Berl. Monathſchr., daſs ſie, *wenn nichts neues in der Sache vorfiele, gerne ſchweigen würden.* Mir konnte es zwar ſehr gleichgültig ſeyn, ob ſie ferner reden oder ſchweigen würden. Bey ihrem Schweigen hätte ich wohl meine Zeit beſſer anwenden können; allein bey ihrem Nichtſchweigen konnte ich doch auch nichts verlieren, weil dadurch meine gute Sache in ein immer helleres Licht geſetzt werden muſte. Der Kontraſt fällt aber doch ſehr in die Augen, daſs ſie jener Erklärung ohngeachtet bey jeder Gelegenheit und Ungelegenheit fortfahren, in ihrer Monats-ſchrift mich zu necken und förmlich auf mich zu ſchimpfen, ſie, die über jeden gegen die gebrauchten derben, der Wahrheit entſprechenden Ausdruck, hoch aufzufahren gewohnt ſind. Beſonders in ihrem Octoberſtück auf Anlaſs der Anzeige des Hrn. *Weikard* ſchimpfen ſie mich einen *ſeltſamen Ober-Hofprediger*, ja ſogar den *Schlechteſten*, und legen mir *Verdammungs*- oder *Verketzerungs- Sucht* bey; da doch Hr. *Weikard* ſeinen Aufſatz nicht auf meine Veranlaſſung geſchrieben und es unmöglich für anſtändig gehalten werden kann, bey Gelegenheit daſs aufs neue ein Gelehrter auftritt und die verbreitete Lieblingschimäre erklärt; zugleich auf andere, die ſich vormals ſchon dagegen geäußert hatten, von neuem zu ſchimpfen. Meine Vertheidigungsſchrift nennen ſie — weil ſie das nicht oft genug widerholen können —*ein dicklaibiges*, und als wenn das nicht ſchon genug wäre, noch dabey ein *korpulentes Ungeheuer*, und bedenken nicht, welche Schwäche ſie dadurch verrathen, wenn ſie das Publikum zu überreden ſich ſo möglich bemühen, meine *gegen* ſie gerichtete Schrift nicht zu leſen; bedenken nicht, daſs das Publikum ihre Abſicht merkt, und ſchon mehrere Schriftſteller, z. B. der Verf. der Schrift: *Meine ohnmaasgebliche Meynung über Starcks Tonſur, ſeiner Gegner Scheermeſſer etc. etc.* und der Verf. von: *Nicolai, Gedicke und Biester in gefälligen Portionen dem Publikum vorgeſetzt,* ſie ihnen aufgedeckt haben; bedenken nicht, daſs, wenn ſie das *Monſtrum horrendum* immer im Munde führen, dem ſich unterrichtenden Publikum das andere Virgilianiſche Ungeheuer, — *ſibi parvique tenax*

neuen (S. *Arnold. IV.* 281. seqq.) — gar leicht beyfallen, und nicht nach dem Wohlgefallen der Herrn angewendet werden möchte.

Bewiesen haben sie nichts, was ihre Beschuldigungen nur einigermaßen aufrecht erhalten könnte, wie jeder finden wird, der sich durch ihren so wenig, als durch meinen Vortrag allein leiten, und es sich nicht verdrießen läßt, ihre Anklagen gegen meine Vertheidigung zu halten. Da ich das Uebel, woraus alle Beschuldigungen gegen mich hervorgewachsen sind, bey der Wurzel gefaßt, so finden sie selbst, daß sie mit den positiven Anklagen von heimlichem Katholicismus und Jesuitismus nicht auslangen können. Ihr ganzes Bemühen beschränkt sich also noch darauf, aus einzelnen verunstalteten Handlungen meines Lebens doch wenigstens einen Verdacht zu erzwingen, dies ohne Unterlaß und immer neu aufgefrischt zu wiederholen und mich dadurch in einem dumpfen, verworrenen bösen Gerüchte zu ersticken. Von der Moralität dieses Benehmens sage ich weiter nichts, sondern lasse das Publikum selbst urtheilen.

Aber auch damit hat man nicht genug. Man sucht mich meinen Zeitgenossen als einen Mann verhaßt zu machen, der gegen vernünftige Aufklärung losarbeite, und ein erklärter Feind aller Preßfreyheit sey. Diese mancherley Absichten, die ein Mann, der den ganzen Streit sich bekannt gemacht, nicht leicht übersehen wird, haben mich bewogen, ehemals ein Wort zum Publikum zu reden, und das ist in einer Schrift geschehen, die den Titel führt: *Apologismos an das bessere Publikum.* Ich darf mir schmeicheln, daß unpartheyische Wahrheitliebende Männer die kleine Mühe übernehmen werden, diese mit nächstem nun die Presse verlassende Schrift, nicht, wie vielleicht meine Gegner wiederholt anrathen möchten, wegzuwerfen, sondern sie zu lesen. Denn ob sie gleich die hauptsächlichsten und wesentlichsten Stücke der ganzen Fehde enthält, so beträgt sie doch nur etwa 6; 8 Bogen, ist also wenigstens kein dickleibiges korpulentes Ungeheuer, dessen äußere Form schon abschreckend wäre, und ich darf glauben, daß die ganze Sache darinn zu einer Klarheit gebracht ist, die nur meinen aufgebrachten Gegnern unangenehm seyn möchte. Will der aufmerksame Leser die verschiedenen Angriffe, die auf mich gethan sind, dagegen prüfen, so ist ihm auch dies durch die Allegata erleichtert, wodurch er mir einen Gefallen erzeigt, um den ich ihn hiedurch noch besonders inständigst ersuche. —

Und nun noch ein Wort zu meinen aufgebrachten Herrn Gegnern. — Wenigstens mit eben dem Rechte, womit sie mich ehemals so dringend zur Verantwortung auffoderten, habe ich ihnen in meiner *Beleuchtung der letzten Anstrengung des Hrn. Kessler zu Sprengstofen* S. 173. S. 209. ff. ein kleines Register solcher Puncte vorgelegt, worüber sie mir und dem Publikum eine umständliche Verantwortung schuldig sind, die um so mehr von ihnen erwartet wird, als die meisten Puncte von der entschiedensten Wichtigkeit sind. Sie haben nun seit länger denn vier Monaten mit keiner Sylbe darauf geantwortet; allein ich kann sie des gerechten Anspruchs nicht entlassen, und lege ihnen hier nochmals diese Puncte vor:

1) Hat *Thomas Akatholikus* oder Herr Dr. *Blißer* zu beweisen, daß das Toleranzedict des Kaisers nur bis

Neujahr 1783. gedauert! (S. *Berl. Mschr.* Febr. 1783. verglichen mit meinem Buche *über Kryptokatholicismus* etc. etc. Th. I. S. 75; 83.)

2) Hat er zu beweisen und genau anzugeben, wo und in welche protestantische Länder sich Katholicismus von der gröbsten Art eingeschlichen, und welches die im Reich, am Rhein und in Schwaben herumwandelnden Missionäre sind, die wir in Holland und am Nordpol suchen sollen? (S. *Berl. Mschr.* Jan. 1785. S. 59. ff. vergl. mit meinem Buche Th. I. S. 250. ff.)

3) Hat sich Hr. Dr. B. wegen des von ihm in seinem und seiner Gehülfen Nahmen abgelegten Glaubensbekenntnisses, das er selbst den reinen Deismus nennt, zu rechtfertigen und zu erklären, wie damit ihr vorgeblicher Eifer für protestantisches Christenthum bestehen könne? (S. *Mschr.* April 1785. S. 335. 341. und mein Buch Th. I. S. 180.)

4) Hat er uns die vielen in protestantischen Ländern errichteten katholischen Seminarien anzuzeigen, und ihre Existenz zu beweisen, indem auch das eine, das zu Schwerin existiren sollte, nicht existirt! (April 1785. S. 360. 361. vergl. mit meinem Nachtrage etc. S. 78. ff. und daselbst die Beylagen S. 3. und Th. I. meines Buchs. S. 394.)

5) Hat er sich wegen des sonderbaren Spielwerks zu rechtfertigen, da er die vorgegebene gegenwärtige Neigung etc. mit Beyspielen aus dem vorigen und der vorigen Jahrhundert zu beweisen sucht! (April 1785. S. 328. vergl. mit meinem B. Th. I. S. 192. ff. 202. 208.)

6) Hat er uns die protestantischen Fürsten zu nennen, die nicht nur zum Katholicism geneigt gemacht, sondern nach seiner Behauptung jetzt wirklich, wie auch ganze protestantische Staaten, zum Katholicism übergegangen seyn sollten! (Jul. 1785. S. 73. Dechr. 1785. S. 548. vergl. mit meinem Buche Th. I. S. 257. ff.

7) Hat er zu beweisen, daß das Christenthum zu Julians Zeiten eine fanatische Sekte gewesen, die grobe Laster gelehrt! (Jul. 1785. S. 75. vergl. mit meinem Buche Th. I. S. 209. 271. ff.)

8) Hat er sich über die aus alten Tröstern hervorgeholten und auf unsre Zeiten applicirten Nachrichten von u sichtbaren Jesuiten zu rechtfertigen und anzugeben, welche es sind, und wo sie sind? (April 1785. S. 346. vergl. mit meinem Buche Th. I. S. 386. 402. Th. II. 3te Abth. S. 17. ff.)

9) Hat er sich wegen der Erdichtung zu rechtfertigen, daß die ächtevangelische Gesellsch. der reinen Lehre eine Jesuitergesellschaft sey! (April 1786. S. 324. ff. vergl. mit meinem Buche Th. II. S. 38. ff.

10) Haben die Herrn zu beweisen, daß die Rosenkreuzer von Jesuiten regiert werden, 300000 Ducaten aus der preuß. Staaten gestohlen, und nach Rom geschickt, und sich wirklich die ihnen aufgebürdeten häßlichen Dinge zu Schulden kommen lassen. (Aug. 85. S. 450. ff. Jun. 1786. S. 564. ff. verglichen mit meinem Buche Th. II. S. 71. ff.)

11) Haben sie zu beweisen, daß es nicht alberne Zeichendeuterey ist, wenn sie in die Bücher des Erreurs

T 2

und

daß fo in alle Bücher Jefuitismus hineinzuhaba-
liren wiſſen! (*Auguſt* 1785. S. 114. verglichen, mit
meinem Buche Th. II. 1ſte Abth. S. 137. ff.)

12) Haben ſie ſich zu rechtfertigen, wie ſie das Tem-
pelherrnſyſtem haben für eine Jeſuitererfindung ausgeben, dadurch Fürſten und große Herrn verdächtig
machen, und doch ſich mit dem Dornritter wider mich
verbinden können, der doch auf ſolche Weiſe auch
ein Jeſuiterwerkzeug ſeyn muſſe? (*Auguſt der* Mſchr.
1785 vergl. mit meinem Buche Th. II. S. 208. ff.)

13) Hat Hr. Dr. B. ſich zu rechtfertigen, wie er den
Or. der wohlthätigen Ritter, der unter Autorität des
Herz. *Ferdinand* v. Braunſchweig und des Pr. *Carl*
von Heſſen eingeführt worden, hat des Katholicism.
und Jeſuitism. beſchuldigen können? (*April* 1785.
S. 384. ff. *Auguſt*, 1785. S. 159. vergl. mit meinem
Buche Th. II. 1ſte Abth. S. 142. ff. 154–157.)

14) Haben ſich die Herren wegen des Romans von dem
protestantiſchen Disconus zu rechtfertigen, denſelben
und alle damit verbundene Perſonen zu nennen, und
alſo deſſen wirkliche Exiſtenz zu beweiſen, oder zu
geſtehen, daß ſie das Publikum angeführt? (*Jan.*
1785. S. 67. 69. vergl. mit meinem Buche Th. II. 2te
Abth. S. 291. ff.)

15) Haben ſie die wirkliche Exiſtenz des *Monſ. Miſa
du Renis* darzuthun, indem ſie doch geſagt, daß ſie
nähere Bekanntſchaft mit ihm gemacht, oder zu bekennen, daß ſie abermals dem Publikum eine Naſe
gedreht! (*Aug.* 1785 S. 160. vergl. mit meinem Buche
Th. II. in der Vorrede.)

16) Haben ſie ſich über die Verſtümmelung der Dreykorn-
ſchen Replik zu rechtfertigen. (*S. Januar* 1787. verglichen mit meinem *Nachtrage etc.* S. 179. ff.

17) Hat ſich Hr. Dr. *Bieſter* wegen der Verfälſchung
des Briefs zu rechtfertigen, den ein Freund von mir
ihm geſchrieben hatte! (*Decbr.* 1785. S. 569. vergl.
mit dem 2ten Theile meines Buchs, 2te Abtheilung,
Seite 121. ff.)

18) Haben ſich die Herrn wegen den Verfälſchungen
und Verdrehungen zu rechtfertigen, die ſie in den
Korreſpondenz der Kleriker mit dem Baron *Hund*
vorgenommen, desgleichen wegen der Verfälſchung
der *Schröpferſchen* Briefe, die ſie jetzt für Varianten
(!!) ausgeben wollen! (Jul. 1786. S. 50. ff. 73. ff.
vergl. mit meinem B. Th. II. Abth. 2. S. 201. ff. 317. ff.)
Auch Herr *Nikolai* ſcheint es ignoriren zu wollen,
daß ich ihm in meiner *Beleuchtung etc.* S. 209. ff. einige
Puncte zur Beantwortung vorgelegt habe. Da eine und
meiner Gegner Behauptung etc. zuſammen ein gar ſeltenes
Ganze ausmachen; ſo wird es niemand auffallen, und ſehr
an ſeinem Orte ſeyn, wenn ich ihm zumuthe, neben ſeine
Freunde hinzuſtehen, und jene Puncte wiederholt ſich vor-
zählen zu laſſen:

1) Hat ſich alſo Hr. *Nikolai* zu rechtfertigen, wegen
ſeiner Unrichtigkeiten und Widerſprüche in Anſehung
der *Wiener Aufklärung*! (Anhang zum 7ten B. ſeiner *Reiſen*. S. 117. ff. vergl. mit meinem Buche *über
Kryptokatholicismus etc.* Th. I. S. 62. note)

2) Hat er uns die wirkliche Exiſtenz des Schweriniſchen
Jeſuiter-Seminariums zu beweiſen! (*Anh.* zum 7ten

B. d. *Reiſen*, S. 450. vergl. mit meinem *Nachtrage*
etc. Seite 82. ff. und Beylagen S. 2.)

3) Hat er uns zu ſagen, welches die proteſtantiſchen
Fürſten ſind, die vor unſern Augen dem Katholicism
immer geneigter gemacht werden? (*Reiſen* etc. B. V.
Seite 174. verglichen mit meinem Buche Th. I. S. 219.)

4) Hat er ſich zu rechtfertigen, ob er ſein ganzes Vorgeben von den maskirten Jeſuiten nicht aus dem *Lu-
cius* und *Cambilhon* entlehnt und auf unſere Zeiten
angewendet hat? (S. mein Buch *über Kryptokatholi-
cism.* etc. Th. I. S. 383. ff.)

5) Hat er ſich zu erklären, wie er dazu kommt, den
Kelly, Dee, Maier und *Typotius* zu Jeſuiten zu ma-
chen, die es weder geweſen, noch ſeyn können?
(Ebendaſ. S. 461. ff.)

6) Hat er zu beweiſen, daß die *Philolethen* Jeſuiten und
Jeſuiterfreunde ſind, und ſich wegen ſeiner Beſchuldi-
gung in Anſehung ihrer zu rechtfertigen. (Ebendaſ.
S. 470. ff.)

7) Hat er zu beweiſen, daß der Brief des P. *Brewer*
ein Jeſuitiſcher Zirkelbrief und nicht wohl gar ſeine
eigne Compilation aus dem Journal des Hrn. v. *Murr*
iſt? (Ebend. S. 487. u. im *Nachtr.* etc. S. 76. ff.)

8) Hat er darzuthun, daß das J. S. der Herrn vom
neuen Domkapitel zu Linz ein Jeſuiterzeichen und
nicht der Nahme des Kaiſers ſey! (S. mein Buch. Th.
I. S. 496.)

9) Hat er ſich zu rechtfertigen wegen ſeiner Verketzerung des Hrn. Superint. *Schulz* in Gieſſen als doch
der Grund zu derſelben ſeinem eignen Geſtändniſſe
nach ein Druckfehler iſt! (Ebendaſ. S. 512.)

10) Hat er von ſeiner Verketzerung des *Meſſet* Rechenſchaft abzulegen; da deſſen Bücher das Gegentheil von
dem enthalten, was er ihm beymiſet. (Ebend. S.
564.)

11) Hat er ſich wegen der Verläumdungen wider Hrn.
Dr. *Urlſperger* und die Geſellſchaft der reinen Lehre
zu rechtfertigen! (*Reiſen* etc. B. VIII. Seite 92. 93.
vergl. mit meinem Buche, Th. II. S. 308. ff.)

12) Hat er ſich wegen ſeiner Verketzerung des Hrn.
Dreykorn zu vertheidigen, beſonders wegen der klei-
nen Unwahrheit, als hätte derſelbe die Meſſe des Hrn.
Sailers in Dillingen mit Anmerkungen herausgegeben.
(S. *Reiſen* etc. B. VII. Seite 96, und in den Zuſätzen,
S. XXXVII. meiner Reiſen u. Th. II. S. 348. ff.
und im *Nachtrage* etc. S. 164. ff.)

Dieſe beiden Regiſter enthalten nur einige, die auf-
fallendſten Sachen betreffende Punkte. Ob meine Herrn
Gegner nun noch mit der Ausrede ſich behelfen werden,
daß unbekannte Anonymen dieſe Dinge eingeſandt, oder
— daß man die unbefangenen Einſender in dieſen gefährlichen Zeiten nicht compromitiren dürfe? —
faſt ſollte ich ihnen das ſelbſt nicht mehr zutrauen. Aber
wenn ſie auch nun auf dieſe wiederholte Aufforderung
gar nicht antworten — ob denn die Acten nicht vor
beſchloſſen anzunehmen ſeyen und das Publikum darüber
ſprechen könne? — Das überlaſſe ich deſſen Unparteylichkeit.

Darmſtadt, den 28 Januar 1789.

Dr. **Starke**.

LITERARISCHE NACHRICHTEN.

I. Vorläufige Berichte von ausländischer Literatur.

Traité d'Education Civile, Morale et Religieuse, à l'usage des Eleves du Collège Royal de la Flèche, par un Prêtre de la Doctrine Chretienne. Nouv. Edition. 1 Vol. 12. 300 pag.

Der Verf. hat sein Werk in 3 Theile getheilt. Im ersten betrachtet er den Menschen und seine verschiedenen moralischen Kräfte von der Kindheit bis zum Tode, im zweyten, in der Gesellschaft mit seinen Pflichten gegen sich, seine Feinde, seine Mitbürger, und alle seine Gleichen; im dritten im Verhältniß gegen Gott. Ein kurzer Catechismus der Moral dient zur Einleitung.
(*Journ. de Paris. N.* 274.)

Oeuvres du Lucien, traduit du Grec, d'après une copie verifiée et revue sur six Manuscrits de la Bibliothèque du Roi, avec des Notes historiques et litteraires, et des remarques critiques sur le texte de cet Auteur. A Paris chez Jean François Bastien. 5 Vol. grand in 8. de l' a 600 pag. chacun, avec le Portrait de Lucien. br. en carton et étiquétés 36 liv. les mêmes in 4. 72 liv.

Die ersten fünf Theile sind erschienen, und enthalten die ganze Uebersetzung. Der sechste wird nachkommen, und litterarische und kritische Bemerkungen über die verschiedenen Lesarten des Originals enthalten.
(*J. de P. N.* 274.)

Memoires de M. le Duc de St. Simon, ou l'observateur veridique sur le règne de Louis XIV. et sur les premières époques des règnes suivans. a Londres, et se trouve à Paris chez Buisson, 3 Voll. in 8.

Lang erwartete man diese Memoiren; es gab auch aus den 11 Foliobänden des Originals manche Kopien. Diese 3 Bände enthalten also nur einen Auszug. Man hielt ihren Verf. für satirisch, in den gedruckten Werken spricht er aber mit vieler Mäßigung. Man findet hier viel interessante Anekdoten.
(*J. de P. N.* 276.)

Oeuvres complettes de Gilbert. A Paris chez Lejay. 8. 250 pag.

Gilbert hatte Talent zur Dichtkunst, starb aber jung.

Er war fast immer im Unglück, und arbeitete schwer. Episteln, Oden, Satiren stehn in dieser Sammlung, auch zwey versificirte Gesänge vom Tod Abels.
(*J. de P. N.* 280.)

Contes, Fables et Sentences tirés des different Auteurs Arabes et Perfans, avec une Analyse du Poème de Ferdoussy sur les Rois de Perse, par le Traducteur des Instituts politiques et militaires de Tamerlan. à Paris chez Royez. 1 Vol. petit format d'environ 200 pag.

Macht den siebenten Band der kleinen Bibliotheque de Contes aus, wird aber auch unter obigen Titel besonders verkauft. Vorn steht eine Abhandlung über die verschiednen Arten der Literatur, die die Perser und Araber bearbeitet haben.
(*J. de P. N.* 281.)

Nouvel Abrégé Chronologique de l'Histoire de France, contenant les évènemens de notre histoire depuis Clovis jusqu'à Louis XIV. etc. par le Président Hénault; continué depuis la mort de Louis XIV. jusqu'à la paix de 1783. par Etienne Nicolas des Odoards-Fantin, Vicaire Général d'Embrun. 4 und 5 parties. jede mehr als 300 S.

Der Verf. verwechselt oft den Styl eines chronologischen Auszugs, mit dem einer ausführlichen Erzählung, und geht bey mancher unwichtigern Begebenheit zu sehr ins Detail. Unterdessen ist das Buch doch nützlich, und verdient beym Hénault seinen Platz.
(*Journ. de Paris No.* 289.)

Loix et Constitutions des Colonies Françoises de l'Amerique sous le vent, suivies 1) *d'un Tableau raisonné des différentes parties de l'Administration actuelle de ces Colonies* 2) *d'Observations générales sur le climat, la population etc. de la partie françoise de St. Domingo* 3) *d'une Description physique politique et topographique — de cette même partie, le tout terminé par l'Histoire de cette isle et de ses dependances depuis leur découverte jusqu'à nos jours. Par M. Moreau de St. Mery etc.* T. I-V.

Der sechste Band ist auch schon unter der Presse. Der Verf. kommt so eben von einer neuen Reise, die er auf Befehl der Regierung dahin gemacht, wieder zurück, und hat Materialien zu einem Supplementband mitgebracht, der ebenfalls unter der Presse ist. Alle Landcharten, Plane,

Plane, und Perspektive, in allen 40, sollen auch bald geliefert werden.   (Journ. de Paris. N. 290.)

Oeuvres complettes d'Homère, Traduction nouvelle par M. Bitaubé, de l'Acad. Royale de Berlin, etc. 12 Voll. in 18. De l'Imprimerie de Didot l'ainé et chez Varin. Eine bekannte Uebersetzung, die nun auch aufser der Iliade die Odyffee enthält.   (J. de P. N. 299.)

Géographie, Ancienne et Moderne, Historique, Physique, Civile et Politique des quatre parties du Monde — par M. l'Abbé Grenet, Prof. en l'Université de Paris etc. 1. u. 2 Vol. Prix 2 L. 10 f. br. chacun etc. chez l'Auteur etc. à Paris.

Dies Werk foll fechs Bände in 12 enthalten. Im erften find zwey kleine Abhandlungen über den Globus, eine für Kinder, die andre für gebildete Perfonen, und verfchiedne Provinzen von Frankreich; im *zweyten* das übrige von Frankreich, die öfterreichifchen und vereinigten Niederlande, die Schweitz, England, Schottland, und Irrland. Frankreich ift äufserft genau befchrieben, und die Schweiz fehr mahlerifch.   (J. de P. N. 305.)

Abus et dangers de la Contrainte par Corps, par M. du Clofel d'Arnery, Ecuyer. à Paris chez l'Auteur etc. de 86 pag.

Der Verf. billigt die in den neuen Gefängniffen vorgenommene Reform, wo man den Schulden halber Gefangenen, von dem, der wegen Verbrechen fitzt, abgefondert, hält aber nur für eine Palliativkur, wünfcht, dafs Bürger und Edelleute wegen Wechfelfoderungen unter 200 L. u. f. w. gar nicht gefangen gefetzt würden. — Das ganze Werk verräth einen gelehrten und menfchenfreundlichen Rechtsgelehrten.   (J. de P. N. 313.)

Poème fur l'Education. Par M. de la Fargue de l'Acad. Royale des Sciences — de Bordeaux. à Paris chez Guillot. in 8. de 135 pag.

Der Plan ift fimpel und natürlich. Im erften Gefang Pflicht der Aeltern, im zweyten Pflicht der Lehrer, im dritten Pflicht der Zöglinge, im vierten Vortheile der Erziehung für Aeltern, Lehrer, Zöglinge und Gefellfchaft. Es kommen vortrefliche Grundfatze und Lehren darinn vor, aus der Gefchichte find fchöne Beyfpiele beygebracht, die Verfification ift oft matt, woran wohl die Trockenheit der Sache Schuld ift.   (J. de P. N. 314.)

LITERARISCHE ANZEIGEN.

Von Oftern 1789. an, wird bey uns ein *allgemeines Magazin für die bürgerliche Baukunft* herauskommen, welches Hr. Mag. Huth in Halle beforgt, und an welchem, auffer ihm, mehrere der gefchickteften Bauverftändigen in Deutfchland arbeiten werden. Den Inhalt deffelben werden ausmachen: ausführliche Abhandlungen über wichtige Gegenftände irgend eines Theils der bürgerlichen Baukunft, welche bisher, entweder nach unrichtigen Grundfätzen, oder noch in unvollkommen, behandelt worden; kernhafte Auszüge, theils aus gröffern und koftbarern Werken der Baukunft, und den Abhandlungen der Akademien, theils aus Reifebefchreibungen, die fich mit über Werke der Baukunft verbreiten, theils aus Baubüchern in fremdzn Sprachen gefchrieben, überfetzt und mit Anmerkungen und Zufätzen begleitet; gelegentlich gemachte Bemerkungen bey Lefung älterer und neuerer Baufchriften und bey Befichtigung merkwürdiger Gebäude alter und neuer Zeit; Nachrichten von jetzt unternommenen merkwürdigen Bauten; von dabey getroffenen Veranftaltungen und gebrauchten Mitteln zur Abhelfung fich ereigneter Schwierigkeiten und Hinderniffe u. f. w.; Nachrichten von guten Bau-Ordnungen und dabey von Zeit zu Zeit vorgenommenen Verbeferungen an verfchiedenen Orten; Nachrichten von neuen Erfindungen, Vorfchlägen in Baufachen; von Preiffen der Baumaterialien und des Arbeitslohns, von der mit jeder Meffe herausgekommenen Schriften in Bauwefen, nebft kurzen Recenfionen; fo wie auch Anzeige häufig herauskommender Schriften. Von diefem Magazin wird mit jeder Meffe ein Theil von 24 Bogen mit den nötbigen Kupfern erfcheinen, deffen Preis noch nicht 1 Rthlr. betragen foll; 1 Theile werden 1 Band ausmachen, welcher mit einem Inhalts-Regifter begleitet werden foll. Da fich das Magazin fowohl über das Oekonomifche und Technifche als über die Philofophie und Aefthetik der Baukunft verbreiten wird, fo werden fowohl Baumeifter und Architecten von Profeffion, als auch Oekonomen, Cameraliften, und Liebhaber der Baukunft, felbft Handwerks-Leute im Bauwefen, in demfelben Nahrung für ihre Wifsbegierde finden. Auch foll das Magazin, nach des Herausgebers Abficht, keine blofse Zeitfchrift, fondern eine wahre Sammlung ftets und immer brauchbarer Kenntniffe in Baufachen werden. Es wird daffelbe nach Oftern 1789. in allen den vornehmften Buchhandlungen Deutfchlands angetroffen werden, bey denen man es vor der Meffe beftellen kann, damit fie fich hinlänglich mit Exemplaren verfehen. Nachrichten und brauchbare Beyträge, wenn fie frühzeitig genug und pofitiv, an den Herausgeber oder an die Verlags-Handlung eingefandt werden, follen in das Magazin aufgenommen werden. Letztere müffen aber nur Streitfchriften feyn, und nie Angriffe auf Perfonen enthalten, aber wohl fcharfe Kritik der Werke, Gedanken und Grundfätze.

Hofmannifche Buchhandlung.
in Weimar.

Endesunterzeichneter macht hiermit bekannt, dafs von Oeuvres de Voltaire T. 51. 56. 57. und 58. bereits bey ihm fertig liegen, T. 59. und 60. aber nächften Monat Febr. die Preffe verlaffen und alfo im März diefe letzten Sechs Bände nebft 2 Portraits abgeliefert werden können.

Er

257

Er fchmeichelt fich, dafs die Litteratur-Befchützer und Freunde, die diefe kollbare Unternehmung durch Subfcription und Pränumeration befordert haben, mit der Erfüllung feiner Verbindlichkeiten vollkommen zufrieden zu feyn, Urfache haben, und ergreift diefe Gelegenheit mit Vergnügen, ihnen für ihre thätige Unterftützung-den fchuldigen Dank nochmals öffentlich abzuftatten. Zugleich hat er die Ehre, das Publicum zu benachrichtigen, dafs er fich in den Stand gefetzt fieht, zu jener Ausgabe noch einige Supplementbände zu liefern, in dénen die Folge des *Voltairifchen Briefwechfels* gröftentheils aus den letztern Lebensjahren des berühmten Mannes enthalten ift. In der Vorausfetzung, dafs den Verehrern feines Namens diefer in jedem Betrachte fehr intereffante Nachtrag nicht unwillkommen feyn wird, bietet man denfelben hierdurch in 9 Bänden gegen Vorausbezahlung von 7 Rthlr. 16 gl. in Louisd'or à 5 Rthlr. an. Der Termin der Subfcription bleibt bis zum Ende des Monat April d. J. offen, die Ablieferung fämmtlicher 9 Bände aber foll in der nächften Michaels-Meffe erfolgen. Da man fich mit der Auflage, deren typographifchen Einrichtung übrigens mit den 60 Bänden der Oeuvres complettes etc. vollkommen übereinftimmen foll, lediglich nach der Zahl der Subfcribenten, die fich bis Ende des Monat April finden wird, zu richten gefonnen ift, und der Anfang des Drucks nicht länger als bis dahin verfchoben werden kann: fo haben es diejenigen, die den Zeitpunct der Beftellung und Pränumeration verfäumen, fich felbft zuzufchreiben, wenn fie nach Erfcheinung des Wercks nicht mit Exemplaren verfehen werden können. Die Subfcribenten-Lifte wird mit dem 69ften Bande des ganzen Werks oder dem 9ten Supplement-Band ausgegeben.

Gotha den 26. Jenner 1789.

Carl Wilhelm Ettinger.

Aufgemuntert von mehrern praktifchen Stadt und Landwirthen, die zugleich Mitarbeiter feyn werden, bin ich Willens eine *allgemeine, unterentjchprakifche Stadt- und Landwirtfchaftskunde* herauszugeben. Da ich die Einrichtung diefer Zeitfchrift in einem befondern Plane, der gratis ausgegeben wird, weitläuftig bekannt gemacht habe, fo will ich mich hier auf denfelben beziehen und die Gegenftände nur kurz anführen, die nach und nach bearbeitet werden follen. Zu unferm Plane gehören demnach 1) der ökonomifche Zuftand aller ältern und neuern Völker; 2) jeder neue oder noch nicht algemein bekannte Verfuch, der in Rückficht auf Acker und Wiefenbau, auf Düngung, u. f. w. auf Handelspflanzen, auf Wein und Hopfenbau, Viehzucht, Bier und Brandwein urbar u. f. w. gemacht wird 3) die Einrichtungen des ftädtifchen Hauswefens; 4) die Mittheilung ausländifcher und aus theuren Wercken gezogener Stadt und Landwirthfchaft. Auffätze, 5) die Bekanntmachung der Preisaufgaben und der herausgekommenen ökonom. Schriften ohne jedoch ein Urtheil darüber zu fällen. 6) ökonom Nachrichten des Auslandes z. B. Frankreich etc. 7) endlich beym Jahrfchlufe eine allgem. darftellende Erzählung der Witterung des ganzen Jahres 11 b der Fruchtbarkeit derfelben. Prakifche Lemerkungen und eigne Erfahrungen von Hausvätern und

258

Hausmüttern werden uns vorzüglich fchätzbar feyn. Wir wenden uns zunächft an Sie und bitten nochmals uns Ihre Beyträge entweder unter der Addreffe: *An die Hongfere Buchhandlung in Leipzig*, oder: an den unterzeichneten *Herausgeber nach Jena* gütigft zukommen zu laffen.

Jena den 3 Febr. 1789.

F. G. Leonhardi, d. Weltweisheit Doctor.

Von der obenangezeigten Zeitfchrift erfcheint nächfte Jub. Meffe 1789 das 1 Stück von 19. Bg. in 8 auf gutem weifsen Papier. Alle 2 Monate folgt 1 Stück und 3 machen einen Band. Vor der Hand ift der Preis jedes Stücks 8 gr. Wer darauf bis Ende May bey mir oder zu allen andern Buchhandlungen, Addrefs-und Zeitungsexpeditionen, die ich gehorfamft um Bekanntmachung diefer Nachricht erfuche, fubfcribirt oder pränumerirt, erhält den Band oder drey Stück für 18 gr. Conventions-Münze.

Leipzig den 3 Febr. 1789.

Joh. Phil. Haugs, Wittwe.

II. Auctionen.

Den 29ten. März d. J. wird die Bibliothek etc. des verftorbenen Königl. Preufs. Leibarztes, Herrn D. Bohlius zu Königsberg in Preuffen öffentlich veräuffert werden. Zu den feltenen Büchern gehören einige Original-Ausgaben älterer Aerzte, Anatomiker und Phyfiker. Z. B. des Hier. Fabritii ab Aqua pendente; Vidi Vidii; M. Malpighii; Gabr. Fallopii; G. Valnenders Isbr. de Diemersbroeck; J. Riolani; J. Ph. Ingraffiae; Abuldai Khazae; J. M. Lancifii; B. Ramazzini; D. Gulielmini; C. Dauhini; J. Redi; R. Boyle; R. Morton; J. Deake; Reyn. de Graafs; A. Hales etc. Unter den Werken des H. Boerhave, deffen letzter Schüler der Verftorbene war, kommen im Catalogo vor: S. 8. Nro. 19-28. deffen Vorlefungen über die aphorismos inftitutionum medicarum in 10 Quartbänden und ib. Nro. 29. deffen Collegium de methodo difcendi artem medicam, beide in Mfcpt. imgl. S. 115. Nro. 133 et 34 die Leidener durch die eigenhändige Unterfchrift des Verfaffers allein für ächt erkannte Ausgabe feiner Chemie v. J. 1732 in 2 Quartbänden. Fr. Ruyfchii opera omnia anatomico-medico-chirurgica, Amft. 721 befinden fich S. 12. Nro. 93-95. und die Parifer-Ausgabe der Memoires der dafigen Königl. Akademie von den Jahren 1699-1731 in 35 Quartbänden, S. 17. Nro. 167-201.

Unter den Naturalien im Weingeift find: S. 44. N. 1. Lemur tardigradus; N. 2. Dafypus novemcinctus; N. 4. rana pipa; N. 5. rana paradoxa; N. 7. Draco volans, mas et femina; N. 9. Lacerta Iguana; N. 13. Chamaeleon — Foetus — ; N. 14. crotalus; N. 16. coluber candidus.

Von den anatomifchen Präparaten in Weingeift find S. 45. N. 2. der eingefpritzte Theil der Hirnrinde und N. 3. das eingefpritzte ganz fo fein, daß mater eines achtmonathlichen Foetus vollkommen gerathen, und man fieht, an den Enden der Gefaffe des erftern einen grofsen Theil der Hirnfubftanz felbft breyartig im Weingeifte fchwimmen.

Bey den Inftrumenten kommt S. 48. eine noch neue Frofch-Mafchine von Mefsing mit dem Microfcop vor.

Herr

159

Herr Leibmedicus und Hofrath D. Metzger, Hr. Professor D. Elsner und Hr. Prof. D. Hagen nehmen auswärtige Aufträge bey hinlänglich versicherter Zahlung an. In der Expedition der A. L. Z. sind einige Exemplare des Catalogi unentgeldlich zu bekommen.

II. Vermischte Anzeigen.

So eben erhalte ich als eine literarische Neuigkeit eine Broschüre unter dem Titel: —

Mehr Noten als Text; oder die deutsche Union *der zwey und zwanziger, eines neuen geheimen Ordens zum Besten der Menschheit; aus einem Packet gefundener Papiere zur öffentlichen Schau gestellt, durch einen ehrlichen Buchhändler.* Leipzig bey G. J. Göschen. 1789.

worinn ein ungenannter rechtschaffener Mann und Freund der Menschheit, dessen Meisterhand sich durch einige Züge verräth und nicht leicht zu verkennen ist, einer gewissen Gesellschaft die sich die XXIIer nennt, und darauf ausgeht einen neuen geheimen Orden, unter dem Titel die *deutsche Union,* zu stiften, die Maske abzieht, und sie durch Bekanntmachung ihrer bisher edirten geheimen Papiere, in ihrer wahren Gestalt dem Publiko zeigt. Mit äusserstem Befremden finde ich aber unter der Rubrik No. IV. *Liste der deutschen Union,* auch unter *Weimar* mich selbst folgender Gestalt — *Bertuch, Kabinetssekr.* — und *Archivar* — in der Musterrolle mit einrangirt und aufgeführt. So wenig ich auch sonst, wenn ich blos auf die grosse Anzahl respectabler Namen sähe, mit denen ich da in Reihe und Gliedern stehe, Bedenken tragen würde, in ihrer Gesellschaft vor der Welt zu erscheinen, so sehr muss ich doch diese Ehre in Rücksicht auf die Herrn XXIIr, die mir sie, wie wahrscheinlich mehreren meiner Freunde, die ich auf der Liste finde, wider allen Fug und Recht anthun, hierdurch verbitten. Es ist mir zwar sehr erklärlich, wie ich dazu komme, auf der Werbe-Liste (denn mehr ist gedachtes Verzeichniss, wie auch die falsche Angabe meines Amts und Titels als Archivar zeigt gewiss nicht) dieses neuen sonderbaren Frey-Corps mit zu figuriren, indem ich schon seit den 24 Dec. 1787. und bis zum 25 Dec. 1788. mit dieser geheimen Gesellschaft in einer ihrer Seits anonymen Briefwechsel stand, worin sie sich zu wiederholtenmalen um meinen Beytritt bewarb. Ich muss bekennen ihr Aushängeschild No. I. *An die Freunde der Vernunft, der Wahrheit und der Tugend,* welches sie mir zuerst aufschickten, täuschte mich anfangs und machte mich, da ich noch nicht streng untersuchte, beynahe glauben, dass was Gutes an der Sache seyn könne, und man den Anklopfer nicht geradezu und ehe man ihn näher kenne von der Thür wegweisen müsse. Allein so wie ich den Plan No. III. und *Eydes-Formel* No. II. die ich unterzeichnen sollte, erhielt, verschwand sogleich jene Illusion, die ich mir gemacht hatte, und ich sahe, dass es wohl der Mühe werth sey, diess Corps *mysticum,* das meinen Beytritt

verlangte, ein wenig genauer kennen zu lernen. Ich verlangte daher durchaus 1) die Stifter und Directoren, und 2) den No. 3. versprochnen detaillirten Operations-Plan der Gesellschaft zu kennen, damit ich wisse wem? und zu was? ich mich verbindlich machen solle, ehe ich eine Erklärung von mir geben könne. Man versprach mir beydes, wusste aber diese meine unerlässliche Foderung immer mit Versicherungen, allerhand Zufertigungen und Nebendingen bis zum 1 Dec. v. J. wo man mich zum letztenmale für das Interesse dieser Gesellschaft zu gewinnen versuchte, hinzuhalten, ohne sie zu erfüllen, und ich blieb folglich auch mit diesen unbekannten Obern, die sich mir nicht näher entdecken wollten, immer an der ersten Gränzlinie stehen, ohne einen Schritt in ihrem Zauber-Kreis hineinzuthun, und ohne ihren Mysterien weder als ihr Verbündeter noch sonstiger Theilnehmer auf irgend eine Art anzuhören. Diess ist die schlichte strenge Wahrheit, die ich, im Fall mir ein Herr XXIIer hierüber zu widersprechen für gut befinden sollte, sogleich durch öffentlichen Druck meiner ganzen Correspondenz mit dieser geheimen Gesellschaft zu beweisen bereit bin; denn zum Glück habe ich, (wie ich bey allen meinen Geschäften von irgend einigem Belang zu thun pflege) von allen meinen Briefen Abschriften behalten, und meine Acten über die deutsche Union befinden sich daher in ganz guten Stande.

Ich muss also daher öffentlich und feyerlich dagegen protestiren, *dass mein Nahme mit Rechte auf der Liste der Verbündeten der Zwey und Zwanziger stehe,* und halte den für meinen unbekannten Beleidiger, der ihn so widerrechtlich, als wahrscheinlich mehrere, und ohne mein Wissen und Willen auf das Original dieser Liste gesetzt hat. Diess finde ich nöthig sogleich für mich öffentlich zu erklären; und überlasse es den übrigen respectablen Männern, deren Nahmen hier vielleicht eben so gemissbraucht worden sind, als der meinige, was sie für sich thun wollen.

Weimar den 4 Febr. 1789.

F. J. Bertuch.
H. S. W. Legationsrath.

Da ich über meine Briefe über die Antinomie der Vernunft mehrere Urtheile competenter Richter gehört habe, die von dem sehr verschieden sind, welches in der allg. L. Z. (Nr. 20) über dieselben gefällt wird; so glaube ich die dem Hrn. Rec. schuldige Hochachtung nicht aus den Augen zu setzen; wenn ich meine jeden Wahrheitsfreund ersuche, sich durch das Urtheil desselben nicht bestimmen zu lassen, ohne entweder meine kleine Schrift selbst, oder besonders das gelesen zu haben, was darüber, in dem 3ten und 4ten Stück des philos. Magazins vom Hrn. Prof. Eberhard, wird gesagt werden.

J. G. E. Maass.

INTELLIGENZBLATT

der

ALLGEM. LITERATUR-ZEITUNG

Numero 21.

Sonnabends den 14ten Febr. 1789.

LITERARISCHE NACHRICHTEN.

I. Vorläufige Berichte von ausländischer Literatur.

An Essay on the Causes of the Variety of Complexion and Figure in the Human Species. By the rev. Sam. Stanh. Smith. D. D. 8. 3 s. Elliot.

Der Verf. sucht zu beweisen, daß das Menschenge-schlecht von einem Paar abstammt, nimmt auf einem Blick alle Varietäten vor, und nachdem er bewiesen, daß einige von ihnen die Wirkungen von Hitze- oder Kälte, oder verschiednen Sitten sind, glaubt er auch bewiesen zu haben, daß es mit allen dieselbe Beschaffenheit habe. Seine Ausdrücke sind oft unbestimmt, dem ganzen Werk fehlt Gründlichkeit.
(*Critical Review. Oct.* 1788.)

Practical Dissertations on Nervous Complaints, and other Diseases incident to the Human Body. By Mr. Neale. 8. 1 s. 6 d. Faulder.
Bloß praktische, erklärende und nützliche Abhand-lungen.

An Extraordinary Case of Lacerated Vagina. By Will. Goldson. 8. 2 s. 6 d. Murray.
Eine kleine treffliche Schrift, die einen besondern Fall erläutert. Scharfsinnige Anmerkungen hat der Verf. hin-zugefügt, und zeigt viel Kenntniß.

Critical Introduction to the study of Fevers. Read at the College of Physicians, for the Gulstonian Lectures. By Francis Riollay, M. D. 8. 2 S. Cadell.
Enthält eine Geschichte der Lehre vom Fieber, vom Hippokrates an. Der Verf. glaubt, daß kein Fieber wesent-lich sey, und daß, wenn ein Fieber uns symptomatisch scheine, dies nur eine Wahrscheinlichkeit ausmache. Vor-rede und Einleitung sind lateinisch.

An Inquiry into the Moral and Religious Character of the Times. A sermon preached at Basingstoke the 7th of July 1788 by John Duncan. D. D. 8. 1 S. Cadell.
D. Duncan ist keiner von denen, die über schlechte Zei-ten klagen. Er lobt den freyen Geist der Duldung, die Sonntagsschulen, die Reform peinlicher Gesetze, und die Versuche den Zustand der Afrikanischen Sklaven erträgli-cher zu machen.

The History of Limerick, Ecclesiastical, Civil and Military, from the earliest Records to the year 1787. *Illustrated by fifteen Engravings. By J. Ferrar* 8. 6 S. Boards. Lane.
Hr. Ferrar ist einer der Geschichtschr. deren anhalten-der Fleiß manches ans Licht bringt, und ihm zum Bey-fall des Publikums berechtigt. Das Werk ist in 6 Theile getheilt. Der erste und zweite beschreibt den alten und gegenwärtigen Zustand der Stadt, und giebt Nachricht von den merkwürdigsten Vorfällen; der dritte und vierte beschreibt Kirchen und Stiftungen, und andre Gebäude; der fünfte giebt Nachricht von Magistratspersonen, u. s. w. der sechste von der Bürgerschaft, u. s. w.

Observations on the Treatment of the Negroes in the Island of Jamaica. By Hector M. Neill. 8. 1 S.—Robinsons.
Hr. M. Neill vertheidigt die allgemeine Behandlung der Neger in Jamaika, und behauptet sie wären natürlich trä-ge, und alles, was man thäte, sie zum Fleiße auzuhalten, schiene ihnen Unterdrückung. Er geht alsdenn die Mittel durch, welche ihren zu starken Anwachs in Jamaika ver-hindern könne.

Recollection of some Particulars in the Life of the late Will-iam Shenstone, Esq. In a series of letters from an inti-mate Friend of his to — Esq. F. R. S. 8. 2 S. 6 d. Dodsley.
Diese biographische Anekdoten sind in der Absicht ge-schrieben, um einige Nachrichten, die Johnson in seinen Lebensbeschreibungen der Dichter vom verstorbenen Shen-stone mittheilt, zu verbessern. Der Verf. scheint mit dem-letzten genau bekannt gewesen zu seyn, und mit Treue zu erzählen, das Buch ist daher recht interessant.

Remarkable Occurrences in the Life of Jonas Hanway, Esq. By John Pugh. 8. 4 S. Payne.
Eine zweyte Auflage, auf besserm Papier gedruckt, die einige neue Thatsachen enthält, welche auf den Ursprung und Fortgang der menschenfreundlichen Einrichtungen von Hanway Einfluß haben. Auch nicht minder erhebli-che Anekdoten über den Charakter des Mannes kommen vor.
(*Sämtlich aus dem Monthly Catalogue.*)

Poems, consisting chiefly of Original Pieces. By the Rev. John Whitehouse, of St. James Coll. Cambridge 8. Bestehen aus Elegien, Oden, Sonnetten, und Inschrif-

X   ten,

een. Einige find voll dichterischen Geiftes, aber die mehr-
ften fo trivial, matt, und uncorrect, dafs der ganze
Band eher unterm Mittelmafsigen als drüber fteht.
(*Gentlem. Magaz. Nov. 1788.*)

*Sonnets and Odes by Henry Francis Cary, Author of 'an irre-
gular Ode to General Elliot.'* 4.
Der Sonnetten find 28, der Oden zwey. Der Dichter
verdient alle Ermunterung, und ift erft 16 Jahr alt.
(*Gentlem. Magaz. Nov. 1788.*)

The Garland; a Collection of Poems. 4.
Verfchiedene diefer Gedichte haben im Gentlem.
Magaz. einzeln geftanden, der befcheidene Verf. hat fich
auch hier nicht genennt.
(*Gentlem. Magaz. Nov. 1788.*)

*Occafional ftanzas, written at the Requeft of the Revolution
fociety, and recited on their Anniverfary, Nov. 4. 1788.
To which is added Queen Maria to King William, turing
his Campaign in Ireland; 1690. a Poetical Epiftle. By
Will. Hayley, Efqr.* 4.
Der Verf. führt den Satz aus, dafs der Menfch nicht
blofs eine natürliche Liebe zum Ruhm, fondern auch
den Wunfch hat, die Verdienfte feiner Vorfahren im Andenken zu erhalten. Dann fährt er fort die edlen Manner zu loben, die die Freyheit Englands befeftigten. Der
Brief der Königinn Maria ift aus der Sammlung ihrer
Briefe im Anhang zu Dalrymples Memoirs of Great Britain genommen, und die poetifche Epiftel, die der Verf.
daraus gemacht, hat er aufaugs unterdrückt, und nur
hier abdrucken laffen, die Charaktere zu fchildern.
(*Gentlem. Magaz. Nov. 1788.*)

*An Hiftorical Effay on the Drefs of the ancient and modern
Irifh; addreffed to the Right Honorable the Earl of Charle-
mont. To which is fubjoined a Memoir on the Armour
and Weapons of the Irifh. By Jof. C. Walker Member
of the Royal Irifh Academy etc. Dublin.* 4.
Die fchmeichelhafte Aufnahme, die ein noch mehr
Verfuch über diefe Sache bey einer Vorlefung vor der
Königl. Akademie zu Dublin fand, bewog den Verf. feinen Gegenftand tiefer zu unterfuchen. Er ward von verfchiedenen angefehenen und gelehrten Männern unterftützt.

Die Anzeige des Buchs im Gentlem. Magaz. Nov.
1788 ift ausführlich und keines kurzen Auszugs fähig.

*The Duties of a Regimental Surgeon confidered with
obfervations on his general Qualifications. By R. Hamilton, M. D. 2 Vols. 8. 10 f. 6 d. in Boards. Johu-
fon.*
Ob es gleich nicht an Abhandlungen über Krankheiten
fehlte die bey einer Armee vorzukommen pflegen, fo haben wir doch noch kein Werk gehabt, (in England) was
alle Pflichten eines Regimentschirurgus fo vollftändig ab-
handelte. Die beiden Bände enthalten viel merkwürdige
und wichtige Thatfachen u. f. w. nur eine Regiments-
apotheke ift vergeffen. Im Ganzen find diefe Bände fehr
nützlich, obgleich oft langweilig, und im Ganzen weitfchweifig gefchrieben, fie wimmeln von Druckfehlern,
u. f. w. (*Critical Review. Nov. 1788.*)

*A Comparative view of the Mortality of the Human Spe-
cies, at all Ages; and of the Difeafes and Cafualties
by which they are deftroyed or annoyed. By Will.
Black, M. D. 8. 6 f. Dilly.*
Des Verf. Plan ift unvollftändig, weil er äufserliche
Unfälle nicht in Betrachtung gezogen hat, er rühmt fich
aber auch fein Werk in vier Monaten umgearbeitet zu haben. Hätte er mehr dan it zugebracht, fo würde es
wahrfcheinlich nur um den fechzehnten Theil fo ftark geworden feyn. (*Critical Review. Nov. 1788.*)

*Memoir of a Map of the Countries comprehended between
the Black Sea and the Cafpian; with an Account of
the Caucafian Notions and vocabularies of their Lan-
guages. 4. 5. f. Edwards.*
Der Verf. befchreibt zuerft die allgemeine Gefchichte
diefer Gegend, und ihre alte Eintheilungen, und kommt
dann auf die nördlichen Nationen, die Guldenftadt befchrieb, den die Kaiferinn von Rufsland abfchickte, dies
meift vergefene Land zu unterfuchen. Seine Nachrichten von Georgien und Imirete find merkwürdig, und
fchliefsen mit kurzen Beyfpielen der verfchiedenen Kau-
kafifchen Dialekte. Auch von der Krimm kommt etwas
vor. Die Landcharte giebt die Lage mancher Oerter anders, wie gewöhnlich, an, ob mit Recht oder Unrecht,
beruht wohl auf der Genauigkeit Rufsifcher Bemerkungen.
(*Critical Review. Nov. 1788.*)

LITERARISCHE ANZEIGEN.

I. Ankündigungen neuer Bücher.

Unter dem angeblichen Druckort *Frankfurt* und *Leipzig* 1788. hat man mir
*Heinr. Sanders Erbauungsbuch zur Beförderung wahrer Gott-
feligkeit*
nachgedruckt: ich habe desfalb eine neue vor oge-
dachtem Nachdruck fich merklich auszeichnende Auflage
gemacht (der Nachdruck ift klein Octav, äufserft fchlecht
Papier, und unfauber gedruckt) meine achte Edition ift
grofs Octav, weifs Papier und mit der Vignette von Kos-

mäsler, wo Paulus im Gefängnifs an Ketten liegt und be-
tet) und den Verkaufpreis auf 12 Grofchen herabgefetzt
in Hoffnung, dafs diefer wohlfeile Preis mehr als alles
ohnehin vergebliche Klagen, jenem fchmutzigen Nachdrucke entgegen feyn foll.

Gleichermafsen foll auch von dato an die zweite Auflage der mit allgemeinem Beyfall aufgenommenen *Neuen
Morgen- und Abend Andachten*; fämtliche 4 Bände in gr.
8. um 2 Rthlr. erlaffen werden. Ein Preis, den für beynahe 100 Bogen im gröfsten Octavo mit 2 Kupfern von
Chodo-

Chodowiecki, wohl jeder Sachkundige sehr wohlfeil finden wird.

Dieses Buch enthält auf jeden Tag im Jahr Eine Morgen- und eine Abend Andacht, deren zweckmäsige Erbauung bereits von den mehresten Kritikern bestens beurtheilt, und als ein nützliches Haus-Andachtsbuch für alle Stände empfohlen worden. Beyde Bücher sind in allen Buchhandlungen zu haben: welches hiedurch allen denen bekannt mache, die sich zu diesem angetretnen Jahr ein solches anschaffen wollen.

Leipzig, den 2 Jan. 1789.

Friedrich Gotthold Jacobäer.

Von dem Journal: Jugendfreuden, eine Monatschrift für Kinder von 8 bis 15 Jahren, ist das 2te Stück oder der Februar erschienen. Der Inhalt ist folgender:
1) Der Sieg des guten Herzens. (Beschluss) 2) Ueber den Ursprung des Menschen. 3) Der reiche Vater an seinen Sohn. 4) Das hätt' ich nicht gedacht! 5) Brüderliche Uneinigkeit.

Man wird finden, daß dieses 2te Stück dem ersten an Güte nichts nachgiebt, sondern es vielmehr übertrifft. Es ist, wie das erste Stück, in allen Buchhandlungen Deutschlands zu haben; und an Orten wo keine Buchhandlungen sind, wird man es auf den löblichen Postämtern bekommen können, oder man wendet sich franko an den Verleger Friedrich Severin in Weisenfels.

Die Joh. Christ. Gebhardsche Buchhandlung in Frankf. am Mayn hat von einem Werke unter dem Titel: Dr. C. W. Nose Briefe über das Siebengebürge, und die benachbarten zum Theil vulkanischen Gegenden beyder Ufer des Niederrheins den Verlag übernommen. Der erste Theil davon, etliche und dreysig Bogen stark in gröstem Quartformat, mit sechs Kupfertafeln und zwey Vignetten, wird zu nächstbevorstehender Ostermesse sicherer erscheinen, als manches in dem Leipz. Messverzeichnisse angekündigte Buch. Daß diese Gattung des eingeschaften Kits (Man sehe A. L. Zeit Nr. 195 a S. 703.) nach Wunsch gesucht werden möge, hofft die Handlung, da er in Holländischer Nachbarschaft gefertigt ist: aber anpreisen darf sie nicht, weil eines Verkäufers Lob wenigstens sehr zweydeutig ist.

Frankfurth am Mayn, im Jenner 1789.

Bey Friedrich Gotthold Jacobäer in Leipzig sind im Jahr 1788 folgende neue Bücher herausgekommen:
von Volney über den gegenwärtigen Türkenkrieg: nebst einer interessanten Schrift des französischen Gesandten bey der Pforte, und einem Auszug aus Peysonels Prüfung der Volneyschen Behauptungen, a. d. Franz. 8. 16 gr.

Pössel, D. E. L. Geschichte der Teutschen für alle Stände, 1r Band gr. 8. 1 Rthlr.

Dessen wissenschaftl. Magazin für Aufklärung 3r Band in 6 Stücken, gr. 8. brochirt 2 Rthlr.

von Günderode, des Frhrn. sämmtliche Werke, aus dem teutschen Staats- und Privatrechte, der Geschichte

und Münzwissenschaft, mit neuen Abhandlungen und vielen Zusatzen herausgegeben von Dr. Pössel, 2 Bände, gr. 8. 3 Rthlr.

Mönch Hermäon — vom Verfasser von Sophiens Reise. 2 Theile 8. 2 Rthlr.

Für Eltern und Ehlustige, — eine Geschichte von Ebendemselben. 2 Theile 8 2 Rthlr.

Aspasia, eine Geschichte aus dem Engl. frey übersetzt 3 Theile 8. 2 Rthlr.

Leben eines Lüderlichen, ein moralisch-satyrisches Gemälde, nach Chodowiecky und Hoyarth, mit saubern Titelkupfer 3r Theil 8vo. Schrbp. à 1 Rthlr. 8 gr. Druckpap. à 1 Rthlr. (alle 3 Theile complet auf Schreibpapier kosten 3 Rthlr. 8 gr. und auf Druckp. 2 Rthlr. 12 gr.

Trauergeschichten 3r Theil 8. à 16 gr. (alle drey Theile compl. 2 Rthlr. 4 gr.

Grüllen eines Patrioten. NB. Keines Holländischen 8. 1 Rthlr.

Sanders, H. Erbauungsbuch zur Beförderung wahrer Gottseligkeit, 4te Auflage gr. 8 12 gr.

Weilers, J. D. G. erbauliche Belehrungen für Bibelfreunde. 1. 2s Bändchen gr. 8. 1 Rthlr.

Nichts von Ohngefähr. 4r Theil n. Aufl. 8. 8 gr.

Noruma, nicht Exjesuit, über das Ganze der Maurerey (Einzige ächte und mit einer illum. Titelvignette gezierte Ausgabe) 2 Theile. 8. 1 Rthlr.

Abgenöthigte Fortsetzung des Anti-Saint Nicaise als Beleuchtung des Kryptokatholicismus von Dr. Stark, insofern Er die strikte Observanz, meine verehrungswürdigen Obern und mich angreift, von Kessler von Sprengseysen. 8. 20 gr.

Bemerkungen über St. Nicaise und Anti-St. Nicaise nebst einem Anhang einiger Freymaurerreden die hierauf Bezug haben, vom Verf. des Ganzen über die Maurerey. 8. 12 gr.

Baldingers, Dr. neues Magazin für Aerzte 10r Band 1-4s Stück gr. 8. brochirt 1 Rthlr. 4 gr.

Schaden und Mißbrauch der Klystiere; ein Gegenstück zu des Hrn. Leibarzt Kämpfs Abhandlung einer neuen Methode, besonders die Hypochondrie damit zu heilen. gr. 8. 6 gr.

Römer, J. J. über den Nutzen und Gebrauch der Eldechsen in Krebsschaden, der Lustseuche und verschiedenen Hautkrankheiten. gr. 8. 10 gr.

Arnolds, Th. Beobachtungen über die Natur, Arten, Ursachen und Verhütung des Wahnsinns und der Tollheit, 2r Band. gr. 8. à 1 Rthlr. (beyde Bände compl. 1 Rthlr. 14 gr.)

Gesenius, D. Wilh. über das epidemische fäulichte Galleufieber in dem Jahren 1785. u. 786. gr. 8. 8 gr.

II. Bücher so zu verkaufen.

Es sind bey mir folgende neue Bücher um beygesetzte Preise zu verkaufen:

1) H. S. Albini Dissertationes anatomicae cum figuris Ioannis Ladmiral Amstelodami 1736. Fol. in halben Franzbande 10 Rthlr.

X 2
— 2) A.

2) A. J. Röfels Infecten-Beluſtigungen 4 Theile und
1 Theil Beytrage mit K. in 4. in ganzen Franzbande
Nürnberg 1746. 30 Rthlr.

3) J. D. Köhlers hiſtoriſche Münzbeluſtigungen 10 Theile
in 4. in ganzen Franzbande mit K. Nürnberg 1737.
10 Rthlr.

4) Pragmatiſche Geſchichte der vornehmſten Mönchsorden 10 Bde. in 8. Leipzig 1774-83. in Pappe
5 Rthlr.

5) Midai Thaler-Cabinet 3 Theile und ein Theil Fortſetzung 1765-1768. Königsberg 8r mit K. 5 Rthl.

6) C. H. Günthers, Leben und Thaten Friedrich des
erſten Königs in Preuſſen Breslau 1750. 4. mit K.
2 Rthlr. 12 gr.
Halberſtadt den 18 Dec. 1788.
Groſs, Buchhändler.

Bey dem Buchhändler F. A. Julicher in Lingen, wie
auch bey Herrn Buchhändler Heinſius in Leipzig ſind
folgende gut gebundene Werke für die beygeſetzten Preiſe zu haben:

Oeuvres de Mr. Thomas 4 Tomes 8. 2 Rthlr.
Inſtitutiones politiques par Mr. de Bielfeld 8. 1 Rthlr.
20 gr.
Paſtorales et Poëmes de Mr. Gesner 8. 20 gr.
Lettres ſur l'emprunt et l'impot par L. de Sauſſure 8.
20 gr.
M. Maſſillon Sermons Synodeaux 3 Tomes 8. 1 Rthlr.
12 gr.
— Careme 4 Tomes 8. 2 Rthlr.
— petit Careme 8. 12 gr.
— Oraiſons funebres 8. 12 gr.
— Sermons panegyriques 8. 12 gr.
— Avent 8. 12 gr.
— Myſteres 8. 12 gr.
— Penſées 8. 12 gr.
la Palingeneſie philoſ. par Mr. Bonnet 8. 1 Rthlr. 6 gr.
Tilloſton ſermons ſur div. matieres 6 Vol. 8. 3 Rthlr.
— ſur la Repentance 8. 12 gr.
le Deſſin de l'Amerique 8. 12 gr.
Luthers ſämmtliche deutſche Schriften und Werke
21 Theile Fol. 15 Rthlr.
Dictionaire univerſel Tom: I-XIV. A-Cur. 4. 14 Rthlr.
Smedani de ſtatu religionis et reipublicae fol. 1 Rthlr.
12 gr.
Dictionnaire hiſtorique et Critique par Bayle 4 Partes
Fol. 15 Rthlr.
Projet d'une nouv. verſion Fr. de la Bible par C. le
Cene fol. 1 Rthlr. 16 gr.
Ovidii Metamorphoſes illud. Pontani fol. 1 Rthlr. 12 gr.
Paracelſi opera vermehrt durch Briscomm fol. Stras-
burg 1618. 2 Rthlr.
Agricola Vermehrung aller Baume, Stauden- und Blu-
mengewächſe 2 Theile fol. 1 Rthlr. 12 gr.
Atlas major par Fr. de Witt, von 123 Karten, 10 Rthlr.
Apologia oder Verantwortung der chriſtl. Concordien-
Buches fol. Dresden 1584. 1 Rthlr.

Baumgarten, Auszug der Kirchengeſchichte 3 Theile 8.
Halle 16 gr.
Deſſen Sammlung einiger Bedenken 4 Theile 8. Halle
16 gr.
Deſſen theologiſche Gutachten, 8. 2 Theile 12 gr.
Der Teutſche Merkur 1ter bis 12ter Jahrgang 12 Rthlr.

III. Vermiſchte Anzeigen.

Ueber diejenige Theorie, wovon ich einen leichten
Umriſs bereits zu Oſtern des vorigen Jahres unterm Titel: *Neue Theorie der anziehenden Kraften des Ethers, der
Wärme und des Lichte* etc. im Varrentrappiſchen Verlag
zu Frankfurth am Mayn herausgegeben habe, habe ich
nach der Hand weiter nachgedacht, mehrere Naturer-
ſcheinungen damit verglichen, die Meynung anderer darüber gehöret, kurz alles gethan, was man *die Wahrheit
zu finden* thun kann, und das Reſultat iſt meine feſte
Ueberzeugung, daſs ohne jene Theorie und beſonders
ohne die Theorie des Ethers, wozu ich den erſten Grund
gelegt habe, in der theoretiſchen Naturlehre (worunter
ich die Phyſik mit ſamt der Chemie verſtehe) ſchlechterdings nicht weiter vorgeſchritten werden, und daſs nichts
der allgemeinen Annahme des Weſentlichen meiner Theorie im Wege ſtehen könne, als — *Miſsverſtändniſs oder
Vorurtheil.*

Da aber dieſe Ueberzeugung ihre wohlthätigen Folgen auf die Naturlehre nicht verbreiten kann, ſo lange ſie nur bey mir und bey wenigen Freunden exiſtirt,
ſo werde ich ſolche durch meinen bereits angekündigten
Umriſs einer neuen Naturlehre allgemeiner zu machen
ſuchen.

Um aber in dieſem meine Theorie gegen alle Zweifel beveſtigen zu können, ſo fodere ich alle diejenigen,
welchen die Aufklärung der Naturwiſſenſchaft am Herzen liegt, und welche ſie zu befördern fähig ſind, hiermit
angelegentlichſt auf, meine Theorie *mit Verſtand* zu prüfen, und mir ihre Anſtände entweder öffentlich - oder
durch Briefe bekannt zu machen, wobey ich mir jedoch
alle ſchiefe Reflexionen auf Nebendinge verbitte. Gieſſen am 21ten Jenner 1789.

Georg Friedrich Werner.

Nach verſchiedenen, theils aus Thüringen, theils aus
andern Gegenden eingegangnen Briefen werde ich für einen Mitarbeiter des Künſtig, und zwar mit dem Monat
May d. J, anfangenden, unter der Direction des Herzogl.
S. Coburg-Saalfeldiſchen Herrn Comiſſions-Sekretärs, Theo-
dors Kretſchmanns zu Saalfeld erſcheinen ſollenden Hiſto-
riſchen-juriſtiſchen Magazins, gehalten. Da ich aber an
jener periodiſchen Schrift auf keine Art einigen Antheil
habe: ſo erkläre ich ſolches hierdurch öffentlich.
Coburg am 4ten Febr. 1789.
Chriſtian Heinrich Ludwig Wilhelm Spiller
von Mitterberg.
Herzogl. S. Coburg-Saalfeldiſcher Cammerjunker
und wirkl. Regierungs-Beſitzer.

BERICHTIGUNG. Die letzte Periode in der Anzeige vom Todesfall des berühmten Tonkünſtler Schuſter (im Int.
Bl. N 11. S. 91. Z. 9. v. u.) iſt ſo zu verändern: ob er gleich die gröſste Fertigkeit beſaſs, ſo überließ er ſich doch
derſelben nie auf Koſten des Geſchmacks und des Gefühls.

169

INTELLIGENZBLATT

der

ALLGEM. LITERATUR-ZEITUNG

Numero 22.

Sonnabends den 14ten Febr. 1789.

170

LITERARISCHE NACHRICHTEN.

I. Vorläufige Berichte von ausländischer Literatur.

Sentiment de Henri IV. sur la question de l'indissolubilité du Parlement; avec des reflexions historiques sur cette matiere importante. 1788. 8. 1 l. 4 f.

Der Verf. beweist, daß auch Heinrich seinem Parlament mit Caslation drohte, und behauptet, daß der König nur Gott, aber nicht seinem Volk einen Eid leiste!!!

Histoire de Madem. de Firval, ou le triomphe du sentiment; par M. Tournon de l'acad. d'Arras. Paris chez Lesclapart. 2 Vol. 1788. 3 liv.

Soll eine wahre Geschichte seyn.

Oeuvres complettes de Mad. Grafigny. Londres. 1788. 4 Vol.

Mit dem Bildniß der Verf. und ihrer Lebensgeschichte. Ist die erste Ausgabe ihrer Werke. Enthält die Lettres d'une Peruvienne, lettres d'Aza, Cenie ein Lustspiel, die Tochter des Aristides, ein Lustspiel, und nouvelle espagnole.

Mouse considéré comme legislateur et comme Moraliste, par M. de Pastoret, conseiller de la Cour des aides etc. Paris chez Buisson. 1788. gr. 8. 600 pag. Prix 5 l. 4 f.

Erst kommt eine Einleitung, dann handelt der Verf. von der bürgerlichen Staatsverfassung der Hebräer unter Mose und nach dessen Tod, von den Religionsgesetzen, bürgerlichen, peinlichen und moralischen Gesetzen, zuletzt eine Uebersetzung über die mosaische Gesetzgebung. — Ist schon zum zweitenmal aufgelegt.

Les Helviennes, ou lettres provinciales, philosophiques. Nouv. Edit. T. IV. et V. Amsterd. et Paris. 1788. 2 Vol. 12. prix 6 liv.

Der Verf. beschließt hiermit das Werk, worinn die so genannten Philosophen meisterhaft persiflirt sind. Schon die ersten Theile sind mit vielem Beyfall aufgenommen.

Les numéros parlants, ouvrage utile et necessaire aux voyageurs à Paris. Par M. D. Paris, de l'imprimerie de la verité. 1788. 12. prix 1 l. 4 f.

Kann für Reisende, die nach Paris kommen, sehr nützlich werden.

Nouvelle méthode de pratiquer l'operation césarienne et pareille de cette operation et de la section de la symphise des os pubis; par Mr. Lauverjat, membre du coll. de l'acad. royale de Chirurgie etc. Paris, chez Me-guignon l'ainé. gr. 8. 4 Liv.

Eine mit vieler Erfahrung und Gründlichkeit abgefaßte kurze Schrift.

Observations générales sur les causes des maladies du blé, et sur l'inefficacité des moyens employés jusqu'à present pour l'en garantir. Par l'hermite de Ste. Marguerite. Londres et Paris Musier 1788. gr. 8. prix 1 Liv.

Der Verf. findet die Ursache des schwarzen Getraides nicht in der Zubereitung des Saamens u. s. w. sondern in der Witterung, und in der Lage, und hat viel Versuche deshalb angestellt.

Petit traité de gnomonique, ou l'art d'effacer les cadrans solaires; par M. Poloncean C. R. prieur cure de Luci, près Chartres, avec figures gravées par l'auteur. Paris chez Lesclapart. 1788. gr. 8. prix 2 Liv.

Ein gründliches Buch, was besonders Handwerkern sehr nützlich werden kann.

L'Usure démasquée, etc. Ouvrage polemique moral par le R. P. Hyacinthe de Gasquet, Capucin de Lorgues etc. Paris, chez Moriu. 1788. 2 Vol. 12. prix 6 liv.

Dem ausführlichen Titel nach soll es die Widerlegung der Irrthümer enthalten, die in einigen neuern Werken besonders in einem Brief an den Erzbischof von Lyon vorkommen, und den Lehren der katholischen Kirche entgegenstehn.

Considérations sur les affaires présentes; par M. Londres, et à Paris chez Barrois l'ainé. 1788. gr. 8. 2 liv.

Ueber Parlament, Cour plenière, deficit, Etats généraux, am Ende ein Précis et rapprochement des evenemens et des grands objets d'administration sous les règnes de Louis XIV et de Louis XVI.

II. Todesfälle.

Den 5 Jan. starb zu Berlin der Kön. Pr. G. R., erster Leib- und General-Feld-Stabs-Medicus, Director der Kais. Akademie Nat. Cur., des H. R. R. Edler, Hr. D. Christ. Andr. Cothenius, im 81 Jahr seines Alters.

Y.

Den 22 Jan. ſtarb zu Erfurt Hr. *G. H. Werner*, Kurf. Mainz. Forſtgebmeter, Fürſtl. Schwarzburg. Sondershäuſiſcher Hofmedailleur, der Kaiſ. Franciſchen Akademie der Künſte zu Augsburg u. der K. K. Hof- Zeichnungs- Akademie zu Wien Mitglied, in einem Alter von 66 Jahren.

Unſre Stadt hat einen ihrer beſchäfftigteſten und verdienteſten practiſchen Aerzte verloren — den kurfürſtl. Cölln. Hofmedicus u. Arzt der hieſigen jüdiſchen Gemeinde, *Marx Jacob. Marx.* Sein Aufenthalt in Holland und England, wo er mit Fothergill viel Verbindung hatte, trug viel zu ſeiner Bildung bey, die ihm um ſo mehr zum Verdienſt angerechnet werden kann, da ſie in eine Zeit fällt, in der ſeine Nation noch keinen Schwung durch Mendelsſohn und andere vortrefliche Männer erhalten hatte, und er in einer Stadt geboren und erzogen wurde, die Geiſtesentwicklung wohl nicht befördern konnte — in

Bonn. Anfänglich war er practiſcher Arzt zu Deſſau. Seine Schriften beweiſen, daſs ihm Erweiterung ſeiner Kunſt am Herzen lag, die er durch Beobachtungen am Krankenbett und ausgebreitete Gelehrſamkeit nach der er ſtrebte, mitbewirken wollte. Seine letzte Schrift zur Vertheidigung des frühen Begrabens der Juden hat ihm viele kränkende Verunglimpfung zugezogen. Bald beſchuldigte man ihn religiöſer Vorurtheile, bald religiöſer Heucheley. Nur wenige ließen ihm Gerechtigkeit widerfahren, ſchrieben die auffallenden Behauptungen, mit denen er eine allgemein anerkannte verderbliche Sitte ſeines Volkes vertheidigen wollte, der Unbeſonnenheit zu über einen Gegenſtand entſcheiden zu wollen, der außer dem practiſchen Kreis lag, der nur der ſeinige war, und der Verlegenheit, in die er kommen muſste, da ein Herz ſein Gegner wurde, die ihn zwang, ſich ſelbſt zu täuſchen *A. B. Hannover*, den 1ten Febr. 1789.

LITERARISCHE ANZEIGEN.

I. Ankündigungen neuer Bücher.

Unterzeichnete Handlung veranſtaltet, von des Hrn. Prof. und Bibliothekar P. J. Bruns zu Helmſtädt, geographiſchen Handbuch in Hinſicht auf Induſtrie und Handlung, eine neue vermehrte und verbeſſerte Auflage gr 8, nebſt einer Karte von Europa von Hrn. Güſſefeld neu entworfen, worauf die Schiffbaren Flüſſe und commercirende Städte angegeben ſind, als die erſte Edition für Deutſchlands Kaufleute. Die vorige Auflage war bekannt. für Amerika beſtimmt, und reichte nicht zu, das übrige deutſche commercirende Publikum zu befriedigen, weshalb der Hr. Verf. durch das Urtheil bewährter Kenner ermuntert wurde dieſer neuen Ausgabe, die nur möglichſte Vollkommenheit zu geben, und ſie mit Zuſätzen und einem Anhang von den vornehmſten Maßen, Gewichten und Münzen zu vermehren. Der Plan, nach welchem der Verf. dieſe neue Geographie bearbeitet hat, iſt eben derſelbe, wornach er die alte Geographie von Aſien und Afrika, zu dem d' Anvilliſchen Handbuche verfertigt hat. So wie er bei der Alten, bei einem jeden Lande, allgemeine Anmerk. hinzugefügt; ſo hat er auch bey dieſer neuen, Betrachtungen über Induſtrie und Commerz im allgemeinen angeſtellt, wodurch das Studium um die Wahrheit der Handlungswiſſenſchaft gewinnen ſoll. Da nun jener Plan bey der Geogr. der Alten und die Geſchichte eines jeden Landes, beſondern Beifall gefunden, ſo hat man Lehrer auf die Uebereinſtimmung hiermit aufmerkſam machen wollen. Der Hr. Verf. wurde in dem Hauſe eines angeſehenen Kaufmanns in Lübeck erzogen, und ſammelte ſich theils auf Reiſen, theils durch Umgang, während ſeines langen Aufenthalts unter den erſten commercirenden Nation, mit Kaufleuten ſchon lange vorher viele Kenntniſse, ob er gleich ſpät, über zum Commerz gehörige Gegenſtände zu ſchreiben angefangen hat.

Auf dieſes Handbuch wird in allen Buchhandl. Deutſchlands Beſtellung angenommen, wer ſich aber bis Oſtern bey uns und in der Gleditſchſchen Buchhandl. in Leipzig dazu

meldet, bekommt die Karte ohnentgeldlich, und das Handbuch in einem ſehr billigen Preiſe.

Nürnberg im Febr. 1789

Chr. Weigel et Schneider.

II. Vermiſchte Anzeigen.

Vertheidigung der Wahrheit.

Wenn Herr Dr. Berger in Graudenz in No. 30. des vorjährigen Int. Bl. der Meinung iſt, daſs er aus dem daſelbſt angeführten, nur zu wahrſcheinlichen Gründen ſich in der A. L. Z. ſchwerlich jemals eine unpartheyiſche Beurtheilung verſprechen dürfe, ſo mag er ſich, wohl nicht geirrt haben, und die Recenſion in No. 274. v. J. beſtätigt ſeine Vermuthung. Da Hr. Dr. B. vom Intelligenz- Blatt gänzlich Abſchied genommen hat, und ſeine eigne Vertheidigung daher nicht zu erwarten iſt, es aber doch einem jeden gutdenkenden und wahrheitliebenden Manne empfindlich ſeyn muſs, die Ehre eines unſchuldigen Mannes ungeahndet niedertreten, die Wahrheit unterdrücken, und das Publicum hintergehn zu ſehn, ſo rechne ich mir es zur Pflicht, aus Achtung für die Wahrheit, das Publicum, und den Hr. D. B., den kleinen Aufwand nicht zu achten, und dieſen Aufſatz ins Int Bl. einrücken zu laſſen, um dem Publikum von des Hrn. D. B. Theorie der Erdbeben und Vulkane, die uns in ſo wichtige und große Erkenntniſse führt, eine gründlichere und richtigere Nachricht zu ertheilen, als ſie die Rec. no 274. giebt.

Nachdem der Vf. durch unläugbare Erfahrungen die Schwäche der bisherigen Theorien erwieſen hat, ſo trägt er von 4.92 ſeine Meynung vor, deren weſentliches auf folgende erfahrungsmäßigſätze kann reducirt werden: Wenn die Orte nun, in welchen Erdbeben ſind, Vulkane haben, ſo lehrt die Erfahrung, daſs die Erdbeben oftmals entweder gänzlich aufhören, oder doch ſehr gemäßigt werden, wenn die Lava aus den Vulkanen, und beſon-

besonders wenn sie in Menge ausfließt. Ein gleiches bemerkt man im thierischen Körper, wo der tobende und erhebende Puls bey heftigen Fiebern und Entzündungen allmälig nachläßt, wenn das erhitzte Blut in gehöriger Menge ausfließen kann. Der Verf. vermuthet demnach, daß die, irgendwo angehäufte und in ihrem Lauf aufgehaltne etc. Lava die *nächste* Ursache der Erdbeben, und daß, wegen der höchstähnlichen Würkungen, zwischen ihr und dem Blut im thierischen Körper eine augenscheinliche Analogie sey, die von andern Erfahrungen, z. B. daß die Lava aus den Vulkanen als eine Fontäne in fürchterliche Höhen (10,000 Fus über den schon hohen Vulkan) gestiegen ist, noch mehr bestätigt wird. Doch spritzt das Blut verhältnismäßig weit, weit stärker. — *b.* die Lava erfordert, sowohl wegen ihrer Strengflüßigkeit, da sie ein Stein, und noch dazu ein Eisenstein ist, als wegen ihrer ungeheuren Menge, indem ihre Ströhme bis 6-7 ital. Meilen Breite, und an manchen Orten 50 Fuß Tiefe gehabt haben, ein fürchterliches Feuer, und einen sehr hohen Grad desselben zum schmelzen. *c.* diesen hohen Grad des Feuers kann der ungleich schwächere Grad der *feuchten* Hitze von entzündeten Kiesen etc. nicht geben, und also auch nicht die Lava schmelzen (sehr natürlich eben so wenig als man durch kochend Wasser Steine und Eisen schmelzen kann); Blitze aber haben nie so fürchterlich große Steinmassen, haben noch nie Einen Kubik-Fus-Stein, vielweniger Steinklumpen und Felsgebürge von Millionen Kubik-Füßen geschmolzen. *d.* Diese Lavaströme können also weder aus der Entzündungs-Theorie, noch aus der Electricität erklärt werden. *e.* Nur ein lebendiges und *trokenes* Feuer in der Erde ist im Stande die Lava zu schmelzen und im Flusse zu erhalten. *f.* Dieses Feuer der Alten ist aber in der Erde unerweislich, und hat die schwersten Gründe wider sich. *g.* Es ist daher wahrscheinlich, ja nothwendig, daß die Lava sich in der Erde in einem *schon flüßigen* Zustande befinde, in dem sie aber *h.* nicht bleiben könnte, wenn sie nicht verschlossen wäre und bewegt würde, d. h. wenn ihre Hitze nicht durch eben das große Meisterstück erhalten würde, durch welches im thierischen Körper die Wärme von der Geburt an bis an den Tod, in den kältesten Ländern und Meeren, ohne Kleidung und ohne innerliches und äusserliches Feuer im großen Wallfisch, wie im kleinen Heringe, im großen weißen Bare wie in kleinen Hermeline etc. erhalten wird, nähmlich *das Reiben,* d. h. wenn diese flüßige Lava nicht in der Erde *circulirte.* *i.* Lava und Basalt, brennende oder ausgebrante Vulcane, hat man, so wie Erdbeben, in allen Ländern der Erde. *k.* Diese flüssige Steinmasse, die Lava, ist also unter der ganzen Erdfläche vertheilt gewesen, und — ist es aus Gründen noch. Der Verf. schließt also: *l.* daß eine *Circulation von warmender Lava in der Erde* sey, wie im thierischen Körper eine Circulation von warmendem Blut, daß diese Lava vom Anfang des Entstehens und der Bildung der Erde und der Planeten etc. flüßig gewesen, daß so wie das Blut in den so verschiedenen thierischen Körpern von ihrer ersten Bildung an flußig war, und daß sie sich selbst, so wie dieses durch die Circulation flüßig erhalte, ohne daß ein besondres äusserliches oder innerliches Feuer bei-

des flüßig erhalte, noch dazu nöthig sey. *m.* Die Analogie, und eine nothwendige, die Lava *bewegende* erste Kraft, laßen ein großes Lavabehältnis in der Erde, gleichsam ein Erdherz vermuthen. *n.* Aus dieser wichtigen, und den höchsten Grad der Wahrscheinlichkeit habenden Entdeckung, der Circulation eines Erdbluts in der Erde, erklären sich dann die schwersten Phänomene in der Natur, innerliche Wärme der Erde, Vulcane, Berge, Erdbeben, Ausdünstung, Wachsthum auf und in der Erde; Stürme, Hitze, Ausschläge, Fieber, Ausdünstung, Wachsthum, Respiration etc. zu erklären, eben so leicht, als schwer, ja unmöglich alle diese Würkungen ohne Circulation zu erklären seyn müßten.

Dis ist der Ideengang des Verf, den jeder im Buche nachlesen kann, das wesentliche desselben, in welchem, wie ich glaube, kein verständiger Leser etwas abgeschmacktes etc. finden wird. Von diesem Ideengange aber findet sich in der Rec. *auch nicht die kleinste Spur* (man lese sie nach) sondern der Recensent trägt ein solches Galimathias — ob vorsätzlich oder weil er es nicht besser machen konnte? — vor, das seinem Verstande auf keine Weise zur Ehre gereicht. Mit gleicher Gründlichkeit und Ordnung handelt der Verf. auch die andern vielen und wichtigen Materien ab, welche das Buch enthält, wie der Leser aus dieser Probe von selbst vermuthen wird, wohin auch die oft so sehr unterschiedene, und bisher nach Zeit, Ort, und Stärke oft ganz unerklärbare Winterkälte und Sommerwärme gehört.

Unter dem Artikel *Blut* in D. Walchs philos. Lexicon steht folgende Reflexion: „Diejenigen, welche neue Wahrheiten entdecken, oder, die lange Zeit gleichsam vergrabene Wahrheiten wieder hervorbringen, haben mehrentheils *schlechten* Lohn für ihre Mühe zu gewarten. Die Vorurtheile und die Irrthümer, die so lange Zeit in Possession gewesen, auszurotten, ist etwas schweres, und wenn man gleich von der Wahrheit überzeugt wird, so sucht doch ein neidisches Gemüth dem Erfinder die Ehre seiner Entdeckung auf alle Weise disputirlich zu machen." Zum Beyspiele wird der berühmte *Harvey* angeführt, und gemeldet, daß derselbe, da er im vorigen Jahrhunderte die Circulation des Bluts erfand, fast in ganz Europa wegen dieser kleinen Entdeckung verspottet etc. wurde. Jetzt würde man denjenigen ohne Verschonen ins Narrenregister setzen, der diese Circulation im thierischen Körper (die wahrlich weder mehrere noch stärkere Beweise für sich hat, als die vom Verf. vorgetragne Circulation in der Erde) leugnen wollte. Wir dürfen uns daher nicht wundern, wenn es dem Verf, welcher ohne dem schon durch seine Behauptung der Trinität die ganze Menge der neuen Religions-Reformatoren und ihre Anhänger wider sich erweckt hat, und der nicht einige, sondern viele neue Wahrheiten entdeckt, viele gleichsam vergrabene Wahrheiten wieder hervorgebracht, hat; der nicht wenige, sondern viele und festgewurzelte Vorurtheile und Irrthümer bestreitet, ein noch härtres Loos trift, und daß jeder Schildknappe gegen ihn die Lanze aufhebt. Aber die Wahrheit wird auch hier siegen, und schon

schon fehlt es nicht an Männern, die den Verf. und die Früchte seines Fleißes und Nachdenkens schätzen.

Wenn ein Recensent wesentliche Sätze, oder die stärksten Beweise etc. ausläßt, und Sätze, wenn auch unverändert, doch ohne Ordnung und Zusammenhang hinstellt, das ist eben soviel, als einem literarischen Producte, und sonach dem Verstande des Verfassers, Nase und Ohren abschneiden, ein aus seinem natürlichen Orte gelösetes Glied an einen unschicklichen Ort wieder ansetzen, den Arm an den Kopf etc. und dieses Monstrum dann als das wahrhafte Conterfey vom Verstande des Vf. dem Publicum vor Augen stellen. In dieser ehrenvollen Kunst zeigt sich der Rec. als Meister: dies Verdienst muß man ihm einräumen, aber von der Kunst zu extrahiren und zu referiren, die er als Rec. vorzüglich verstehn sollte, versteht er — nichts. Ein Beyspiel hiervon: Der Verf. sagt 6, 33. etc. Die Wärme der Erde kann nicht von den Sonnenstrahlen kommen, weil, wie die Eiskeller beweisen, die Sonnenwärme nur wenige Fuß tief in die Erde dringt, es aber doch in ansehnlichen Tiefen der Erde sehr warm, ja heiß ist. (Sogar im Winter. Mr. de Mairan berechnet, daß in der Breite von Paris, am kürzesten Tage, die Erdwärme 393mahl größer ist als die Sonnenwärme.) Der Verf. sagt ferner, es sey ohnmöglich, daß die Sonnenstrahlen an sich fühlbar warm seyn könnten (Ein Satz, den der Verfasser schon vor 12 Jahren behauptete, und den jetzt mehrere und große Gelehrte ebenfalls annehmen) weil und wenn sie noch so glühend aus der Sonne kämen, sie ihr Feuer in den Höhen über der Erde (und auf einer Reise von etliche und zwanzig Millionen deutschen Meilen) gänzlich verliehren müßten. Schon in einer Höhe von ½ Meile haben die Sonnenstrahlen selbst unter der Linie, das Vermögen nicht mehr den Schnee zu schmelzen. — Den Erdmessern auf der Spitze des Pichincha unter der Linie (0°. 15′ S B.) hoch 14784′ erfroren 1736. im August die Glieder, und die Lippen sprangen ihnen von Kälte auf. Ihre Speisen mußten, die auf Kohlfeuern essen, sollten sie nicht in der Hütte gefrieren. So auch mit dem Trinkwasser. Eben das bestätigen neuere Erfahrungen. Hr. v. Saussure bestieg den Mont blanc an einem sehr heißen Tage, den 3 August 1787. Seine Breite ist 45°, 50′ 11″ und seine Höhe 13500 par. Fuß. Das Barometer auf 16 Zoll ⁱⁱ⁸ lin. das Thermometer Mittag um 12 Uhr im Sonnenschein 1, 3. und im Schatten 2, 3 unter dem Gefrierpunct. Alle mitgenommene Lebensmittel waren gefroren. Zu Genf stand das Therm. (Reaumur) zu eben dieser Zeit 23, 6. (also nach Fahrenh. 81¾) eine Hitze die der Hitze unter der Linie auf der See nahe beykommt. Den 28 Aug. 1787 fand Herr Bourrit die Kälte in Eisthal Montanvert nach 3 Uhr Mittag, bey 18 Zoll. 5 lin. barometerhöhe (= 10763′ nach Hr. Winkel) 7½ Grad unter Null. Die Kälte war fast unerträglich: nicht allein daß ihre Haare etc. Eiszapfen bekamen, so waren ihre Kleider, und selbst ihre Schuhriemen mit Eis bedeckt. Da nun die Kälte stufenweise wächst, welche unbegreifliche Kälte

schließt der Verf. mit Recht, muß in einer Höhe von etlichen Meilen seyn? (und welche in einer Höhe von etlichen Millionen Meilen!) Der Verf. untersucht dann im folgenden, woher doch aber die fühlbare Wärme der Sonnenstrahlen komme, und sagt auf der sechsten Seite seine Meynung hievon und von den Sonnenstrahlen, nämlich daß der Sonnenstrahl wahrscheinlich ein von Licht eingeschlossenes Feuer, ein Gefäß (man denke an die Haarröhrchen) sey, dessen Continens kältendes Licht, und das Contentum erwärmendes Feuer sey, welches vom ausdampfenden Erdfeuer eben so entwickelt etc. werde, wie das im Holz verborgne unsühlbare, und von keiner Kälte vernichtende Feuer, oder Phlogiston, durch die Flamme entwickelt wird. Gewiß die eigene wahrscheinliche mit der Natur ganz analogische Erklärung von der Wärme der Sonnenstrahlen, indem die durchs Reiben ganz unwahrscheinlich ist, da die doch viel gröbre Luft und das Wasser selbst, keine Wärme durch Reiben hervorbringe, vielweniger also das unendlich feinere und flüssigere Licht. Der Verf. erklärt sich über seine Meynung vom Sonnenstrahl weitläuftiger. Nun höre man wie der Rec. die Sätze verbindet, und den Verf. reden läßt: „Von den Sonnenstrahlen hängt die Wärme der Erde nichts ab; denn jeder Sonnenstrahl ist gleichsam ein Gefäß dessen Continens kältendes Licht, und das Contentum erwärmendes Feuer ist." Unwürdig, sehr unwürdig und verächtlich gehandelt! Den Ausdruck Erdwärmegen zeichnet der Rec. durch Anführung der Stelle 7, 36 aus, um den Leser von der Gewißheit dieser absurden Meynung des Vf. zu überzeugen, wahrscheinlich in der Erwartung, daß die Leser seiner Rec. bey diesem metaphorischen Ausdruck an ein Paar fleischerne Lungen denken werden! Immer aber wird es dem Vf. zur Ehre und seiner Theorie zur Empfehlung gereichen, daß er aus ihr die Nothwendigkeit einer Respiration der Erde, und aus dieser die Nothwendigkeit und das Daseyn eines furchterlichen Luftvulcans am Pole mit voller Gewißheit, ao. 1776 behauptet, der von dem englischen Schifscapitän Wyatt ao. 1786. im 90° N. B. mit allen seinen Schrecken wirklich entdeckt wurde. — Und die Entdeckung des Hr. Rec.? Wann werden manche Recensenten doch einsehen lernen, daß sie durch ihre Anfälle auf verdientere Männer, sich selbst, und weil man sie hinter ihrer Anonymie nicht kennt, noch mehr das Institut verunehren, dessen unwürdige Mitglieder sie sind.

Noch anzumerken, daß es dem Rec. beliebt, den Preis des Buchs, welcher in 4 vor mir liegenden Meßcatalogen (den bekanntlich haben alle Meßcatalogen Deutschlands einerley Bücherpreis) mit 14 gr. angesetzt ist, um 4 gr. zu erhöhn, und ihn 18 gr. anzusetzen; vermuthlich um auch durch diesen unschuldigen Kunstgriff zur Empfehlung des Verf. (aber gewöhnlich macht den Preis der Verleger) und seines Buchs etwas beyzutragen.[*]

Dresden, den 1 Febr. 1789.

Philalethes.

INTELLIGENZBLATT
der
ALLGEM. LITERATUR-ZEITUNG
Numero 23.

Mittwochs den 18ten Febr. 1789.

LITERARISCHE NACHRICHTEN.

I. Vorläufige Berichte von ausländischer Literatur.

Experiments and Observations to investigate by Chemical Analysis, the Medicinal Properties of the Mineral Waters of Spa and Aix la Chapelle, in Germany; and of the Waters and Boue Baths near St. Amand in French Flanders. By John-Ash. M. D. klein 8. 6 f. in Boards. Robson and Clarke.

Der Verf. scheint mit seinem Gegenstand gut bekannt zu seyn, und seine Einleitung über die Natur der verschiednen Imprägnationen des Wassers enthält viel gründliche Chemie und scharfsinnige Philosophie. Er glaubt auch, keine künstliche Imprägnation könne ein Wasser so kräftig machen, als die Natur. — Das Buch scheint übrigens in Eile geschrieben zu seyn, die Sprache ist oft unzierlich, und die Meynung des Verf. dunkel ausgedruckt. Auch kommt manches vor, was nicht her gehört und sehr unwichtig ist. (*Critical Review. Nov.* 1788.)

Variety: a Collection of Essays, written in the Year. 1787. 8. 3 f. 6 d. Cadell. 1788.

Unter diesen Versuchen sind einige vortrefflich. Aber dem moralischen und religiösen wird ein kritischer Leser viel Oberflächliches und Mangel an Scharfsinn verwerfen. Diese Ungleichheiten lassen daher vermuthen, dass sie nicht von einem Verf. sind. (*M. R. Nov.* 1788.)

A Series of Letters. Addressed to Sir William Forduce, M. D. F. R. S. 2 Vols. 8. 12 f. in Boards. Payne and Son.

Hn. Lusignan, der die Geschichte Ali Beys schrieb, ward in vielen Stücken von Volney widersprochen. Dagegen behauptet er in diesem Buche, Volney habe die Sachen falsch vorgestellt, und Länder beschrieben, die er nie gesehen hätte. seine Reisen wären in London selbst geschrieben, u. s. w. — Die Sache ist schwer ins Licht zu setzen, Hr. Lusignan spricht von dem, was er selbst erfahren, Volney scheint aber auch gute Nachrichten gehabt zu haben. — Nachdem unser Verf. den Volney widerlegt, kommen seine Briefe an Fordyce, die den grössten Theil des 1 und 2 Bandes ausmachen. Er ist, auf

seiner Rückreise über Constantinopel, Adrianopel, Pest, Wien, Regensburg, Würzburg, Köln und Brüssel gereist. Seine Nachrichten sind alltäglich, seine neuen Bemerkungen unerheblich. Er lobt selten, und scheint mit seinem Schicksal unzufrieden. (*Critical Review. Nov.* 1788.)

Observations on the Brunonian Practice of Physic. By George Mossmann. M. D. 8. 1 f. 6 d. Law.

Der Verf. scheint ein Schüler des verstorbenen unglücklichen D. Brown zu seyn. Er nimmt viel ungewisse Thatsachen und vorgebliche Theorien an, verführt auch nicht ganz wie Brown, zeigt aber da, wo er von ihm abgeht, nicht viel Scharfsinn. (*Critic. Review. Nov.* 1788.)

An Essay on the Epidemic Diseases of Lying in Womens, of the years 1787 and 1788. By John Clarke. 4. 2 f. 6 d: Johnson.

Der Verf. verdient den Dank des Publikums für die eigne Manier, womit er die Krankheit behandelt hat, wenn er gleich nicht immer glücklich war. (*Critic. Rev. Nov.* 1788.)

The Twin Sisters; or the Effects of Education. 3 Vols. 7 f. 6 d. sewed. Hookham.

Wird nicht fortgesetzt, und lässt sich also nicht bestimmt beurtheilen. Der Verf. scheint kein gemeiner Kopf. Seine Bemerkungen sind oft neu, und seine Sprache rein. (*Critic. Rev. Nov.* 1788.)

The Ramble of Philo and his Man Sturdy. 2 Vols. 12. 6 f. Lane.

Die Charaktere sind unwichtig, die Begebenheiten unerheblich, und nur wenige Zuge aus dem Leben genommen.

The Pupil of Adversity; an Oriental Tale. 2 Vols 12. 5 f. Lane.

Eine allegorische Erzählung mit einigen politischen Bemerkungen, die sich auf die gegenwärtigen Zeitumstände anwenden lassen. Die Allegorie der Inseln der Verwandlungen ist am besten ausgeführt. Das Ganze ist nicht sehr interessant.

(*Critic. Review. Nov.* 1788.)

A Disser-

A Differtation on Virgil's Defcription of the ancient Roman Plough. By A. T. Des Carrieres. 8. 1 f. Gardner.

Man fahd auf der umgekehrten Seite einer alten Mün-ze ein Inftrument, das dem Pfluge glich. Bis dahin machte es für dem Landbauer grofse Schwierigkeit, die alten Befchreibungen zu verftehen. Unfer Verf. ift ein wenig zu ftrenge gegen feine Vorgänger. Ohne Kupfer läßt fich nicht gut, hier nähere Nachricht von der Sache geben. (Critical Review Nov. 1788.)

An Epitome of the history of Europe, from the Reign of Charlemagne, to the Beginning, of the Reign of George III. By Sir William O' Dogherty. 8. 6 f. in Boards. Vookhom.

Enthält blos eine Reihe chronologifcher Thatfachen, und mag ganz nützlich feyn. An Genauigkeit fehlts nicht. (Critical Review Nov. 1788.)

An Account of the Hunting Excurfions of Afoph ol Dowlah. By Will. Blane Esq. 8. 1 f. Stockdate.

Eine fehr merkwürdige Jagd, die der Nabob von Oude in einem Gefolge von 20000 Menfchen, mit aller Afiati-fchen Pracht, in einem Bezirk von 4-600 Meilen hält. (Critical Review Nov. 1788.)

A True and Faithful Account of the Ifland of veritas. 8. f f. Stalker.

Ein politifcher Roman. Der Verf. nimmt an, dafs die polit. Verfaffung fich der Englifchen nähert, die er alfo- der Vollkommenheit nahe haben mufs, fonft ift fein Hauptzweck Religion, feine Menfchen find philofo-phifche Unitarier, u. f. w. (Critic. Review. Nov. 1788.)

A Comprehenfive Grammar of the English Language for the Ufe of Youth. By T. Rothwell. 8. 3 f. Cadell.

Mag bey der Erziehung gute Dienfte leiften, verdient aber keine befondere kritifche Anzeige. (Critic. Review Nov. 1788.)

Grofse Military Antiquities. Vol. the fecond

Vom erften Theil f. Intelligenzblatt N. 12. Der zweyte Theil diefes Werks fängt mit dem Artikel der Kleidung an, handelt denn von der Art, wie Militair-juftiz ausgeübt worden, und jetzt ausgeübt wird, vom Chelfen college, von militairifchen Stra-fen, militairifcher Mufik, von der Artillerie, von me-chanifchen Erfindungen, wo fich unfer Verf, zuerft beym Griechifchen Feuer aufhält, von Erfindung des Schiefs-pulvers, der Kanonen, der Fortification, und zuletzt von Gefangenen. (Monthly Review Nov. 1788.)

Humanity or the Rights of Nature. a Poem in five Books. By the Author of Sympathy 4, 5 f. fewed. Cadell. 1788.

Dies Gedicht von Hrn. Pralt foll eigentlich nur die Grundlage eines gröffern Werks feyn, was den Titel Society oder a Profpect of Mankind führen wird. Dort erft follte die unmenfchliche Behandlung der Negern vorkom-men, aber bekannte Zeitumftande liefsen ihm feinen Plan verändern. Als Freund der Menfchheit verdient er alle Achtung, aber nicht alles Lob als Dichter. Seine Sprache ift oft nicht grammatikalifch richtig, einige Ver-fe haben Stärke und Rythmos, andere find fchleppend und matt. In der Wahl der Wörter ift er nicht genau und aufmerkfam, genug. Mehr Correctheit in der Metapher. u. f. w. kann ihn zum fchatzbaren Dichter machen. (M. R. Nov. 1788.)

LITERARISCHE ANZEIGEN.

I. Vermifchte Anzeigen.

Antwort

auf Hrn. Bergfekretär Voigts im Intel. Bl. der allg. Liter. Zeitung Jahrgang 1788. No. 60. eingerückte fogenannte Berichtigung *) meiner in No. 57. deffel-ben Int. Bl. eingerückt gewefenen neuen Entdeckung.

Ich mufs gleich anfänglich meine Verwunderung dar-über äufsern, dafs Hr. V. feine gegen den an oben be-merktem Orte aus meiner Beobachtung gezogenen Schlufs gerichteten Einwendungen Berichtigung betitelt. Das et-was grofs klingende und viel fagende Wort Berichtigung, fo Hr. V. meiner Ueberfchrift, neue Entdeckung, unmittel-bar vorfetzt, erregt bey den Lefern ganz nothwendig den Begriff von einem von mir in diefer Entdeckung oder Beobachtung begangenem Irrthume, und von ihm mir

darüber ertheilten Zurechtweifung. So angenehm mir nun auch eine wirkliche Zurechtweifung von Hrn. V. (als meinem ehemaligen Schüler und jetzigen guten Freund.) feyn, und fo dankbar ich folche, als einen neuen Ge-winn an Wahrheit, erkennen würde: fo wenig ift es doch diesmahl der Fall, da Hr. V. in bemeldetem feinem Auffatze auch nichts, ein Jota gegen die von mir erzählte Beobachtung, fondern blofs Einwendungen (in welcher Maafse gegründet, wird man fogleich horen,) gegen mei-nen daraus gezogenen Schlufs vorbringt. Ich laffe fonft jeden gern in einem fo hohen Tone fprechen, als er will, wenn meiner Sache dadurch nur nicht Unrecht gefchiehet, und folche verfelk wird, dann aber, und wie es hier wirklich der Fall ift, wird man mir es hoffentlich auch nicht verargen, wenn ich fo etwas rüge. Nun zur Haupt-Sache.

Hr.

*) Diefe Rubrik ift nicht von Hrn. Voigt, fondern durch einen Irrthum in der Expedition der A. L. Z. ftatt Er-klärung, Bemerkung oder dergleichen darüber gefetzt worden.
Herausgeber der A. L. Z.

Hr. V. verfichert gleich zu Anfange feiner fogenannten Berichtigung vorläufig: daß meine erzählte Beobachtung auch nicht einen Einzigen von den grofsen Theile unferer für die Vulkanität des Bafaltes fo fehr eingenommenen Mineralogen etwas von ihrer Ueberzeugung, daß der Scheibenberger Bafalt wirkliche Lava fey, benehmen werde. Nun! das ift doch wahrhaftig in die Seele aller diefer Herren viel verfichert. Um dies zu können, muß Hr. V., da er doch hierzu von diefen Herrn gewifs nicht individualiter und unanimiter bevollmächtiget feyn wird, entweder von der völligen Evidenz feines Satzes gründlich überzeugt feyn; oder allen diefen Gelehrten einen ziemlichen Grad wiffenfchaftliche Schwärmerey beymeffen, welche letztere allerdings eine fo hartnäckige Anhänglichkeit an Meynungen, Vorurtheile und Irrthümer veranlaßt, als es fonft die religiöfe nur immer thut. Wie aber jener Satz, von der Vulkanität des Bafaltes, wohl keineswegs noch zu fo einer Evidenz gediehen ift, und höchfwahrfcheinlich felbft von Hrn. V., (für fo billig und einfehend halte ich denfelben denn doch,) nicht dafür ausgegeben wird, fo ift obige Verficherung Hrn. v. nach meinem Bedünken, wahre Beleidigung für alle die fchätzbaren und zum Theil fehr würdigen Männer, in deren Seele Hr. V. folche vorläufig unbefugter Weife thut. Ich glaube vielmehr, der unbefangene und einfichtsvolle Theil diefer Hrn. wird in diefem gelehrten Streite erft alles dahin gehörige lefen, fehen und zufammenhalten, dann urtheilen, und hierauf dasjenige willig als Wahrheit ergreifen, was als folche erprobt feyn wird.

Was hat aber Hr. V. für Gründe gegen meine Beobachtung und den von mir daraus gezogenen Schluß? — — — Um feine Meynung vorzutragen, (denn er bringt blofser Meynung, keinen Grund vor) zwängt er zuerft meine ganze von mir fo fchon kurz aber doch auf einer Seite vorgetragene Beobachtung, zu fchlechtem Vortheile der Sache, in die wenigen Worte zufammen; „Ich habe unter dem fäulenförmigen Bafalte des Scheibenberger Hügels, Sand-Thon- und Wakken-Schichten „angetroffen, die fich in einander verfließen." Er wendet hierauf gegen die Beobachtung nicht das geringfte, gegen den daraus gezogenen Schluß aber folgendes, mit nachftehenden feinen eigenen Worten ein: „Dafs fich an dem „Scheibenberger Hügel fandige und thonichte Schichten „in einander verlaufen, ift ein Fall, der ziemlich allgemein ift; dafs fich aber auch die Wakke in den Bafalt „verläuft, fcheint ein Beweis zu feyn, dafs die Wakke mit dem Bafalt zugleich flüfsig gewefen, und dahin ergoffen worden ift." Und unmittelbar vor diefer Stelle fagt er von der Entftehung des Scheibenberger Bafalts im Gegenfatze von meiner Meynung: „Ich glaube vielmehr, dafs diefer Bafalt als ein durch das Feuer flüfig „gemachter Körper über diefelben hinftrömte." Woraus fich alfo ergiebt, dafs Hr. V. auch bey der Wakke eine feurige Flüfsigkeit behauptet. Wer fieht aber nicht, dafs Hr. V. hier zwar von den Uebergängen des Sandes in Thon, und der Wakke in Bafalt, redet, aber das an jenem Berge fich fo offenbar und deutlich zeigenden und von mir ausdrücklich angegebenen Uebergänge des Thon in Wakke (vermuthlich gefliffentlich) gar nicht erwähnt; und folchergeftalt das wichtigfte Glied aus der Kette meiner Beobachtungen reiß. Dies müßte er aber auch nothwendig thun, wenn er anders, wie es auch gefchehen ift, dem Bafalte und der Wakke eine von der des Thones und Sandes verfchiedene, Entftehung beylegen wollte. Wiegerad und philofophifch aber ein folches Verfahren ift, kann jeder leicht urtheilen.

Inzwifchen mag die Wakke Hrn. V. doch nicht recht im Kram taugen: denn er fagt gleich nach oben angeführter Stelle, mit nachftehenden Worten: „Ich kenne das „Foßil, welches Hr. W. unter Wakke verftehet, zwar nur „aus Herrn Karftens Preisfchrift (im Mag. f. d. Naturk. „Helv. B. III. S. 242)." Diefe Worte fcheinen zwar eigentlich anzudeuten zu follen: dafs vor mir und Hrn. K. kein Schriftfteller diefer Wakke Erwähnung gethan hätte, und ich und Hr. K. hier mit einem neuen noch wenig erwiefenen Dinge und Namen, das felbft Hr. V. nicht kennte, aufgetreten wären. Doch ich will auf das gelindefte davon urtheilen, ich will blos glauben, dafs es ein von Hr. V. aus grofser Befcheidenheit fo freywillig als offenherzig abgelegtes Bekenntnifs feiner völligen Unbekanntfchaft mit demjenigen Foßil, was man im fächfifchen und böhmifchen Erzgebirge, vielleicht feit Jahrhunderten, Wakke nennt, was die berühmteften mineralogifchen Schriftfteller, die von diefem Gebirge gefchrieben haben, unter diefem Namen aufführen, und deutlich genug befchreiben, feyn foll. Dann ift es aber warlich zu verwundern, dafs Hr. V. mit diefem Foßile nicht bei feiner Bereifung des Erzgebirges zu Annaberg und Wiefenthal, vielleicht auch zu Joachimsthal und a. O. wo es überall mächtige und fehr ausgezeichnete Gänge ausmacht, und viele Grubenbaue darauf verführt find, bekannt geworden ift. — oder fich bei Lefung Hrn. Ferbers Mineralgefchichte von Böhmen und Hrn. Charpentiers mineralogifchen Geographie von Kur-Sachfen, welche beide fehr ausführlich von der Wakke und den Wakken-Gängen reden, damit bekannt gemacht hat.

Doch was zeige ich Hrn. V. erft, wie er mit der Wakke hätte bekannt werden können? So eben finde ich ja in feiner von ihm felbft angeführten mineralogifchen Reife von Welmar über den Thüringer Wald u. f. w. (Leipzig 1787. 3.), dafs er mit der Wakke ziemlich genau bekannt ift, folche felbft an Ort und Stelle gefehen, Hrn. Charpentier darüber nachgelefen, und fogar noch neuerlich ein einige Stükke von der Joachimsthaler Wakke erhalten hat. Er giebt in den angezeigten Schrifte (Seite 36. 37. und 42.) eine ziemlich ausführliche Nachricht von diefer Wakke, wünfcht fich noch einmal nach Ober-Wiefenthal hin, um fie nun noch einmal betrachten zu können, und empfiehlt fogar einem jedem, der dahin kommen follte, fehr nachdrücklich, ihr Vorkommen genau zu unterfuchen und zu beobachten, als eine Sache, die einem guten und unpartheifchen Beobachter ungemein viel Auffchlufs geben würde. Diefes macht nun freilich mit Hrn. V. obiger Verficherung, die Wakke thäe den Hrn. K. Preisfchrift er kennen feinen gewaltigen Kontraft. Aber man bedenke! dafs Hr. V. bei der Herausgabe feiner eben erwähnten Reife noch, damit hielt, die Wakke militire für die Vulkanität des Bafaltes. Nun aber da fie als Zeuge wider die Vulkanität des Bafaltes auftritt, fagt er: ich kenne fie nicht.

Wie wird es erst Hrn. V. gefallen, wenn ich ihm jetzt fage: daß fich in der von ihm angeführten, nicht auf Gängen, fondern in Strichen oder Buern brechenden Joachimsthaler Wakke in einer Teufe von 150 Lr. vom Tage nieder wahre Bäume mit Aeften, Wurzeln und felbft Blättern befinden? Diefe hat man fchon vor 230. Jahren, mitten in dem Joachimsthaler Gebirge, mit dem Barbara Stolle in der dortigen ohngefehr 30. Lr. mächtigen fo genannten Buern-Wokke überfahren, und find noch ftehbar. Es ift dies das zu Joachimsthal fogenannte Sündfluth-Holz. Matheſius in feiner Joachimsthalifchen Kronik thut deffen fchon Erwähnung. Hr. Ferber in feiner Mineralgefchichte von Böhmen handelt fehr ausführlich davon, und ich habe Holz, Zweige und Blätter in der Grube felbft mit eignen Augen fehr aufmerkfam gefehen. Wahres noch brennbares Holz und Blätter in einem Foffile, das, nach Hrn. V. Meynung, flüffige Lava gewefen feyn foll! — Dies paßt nach meinem Bedünken nicht zufammen, und entweder müffen fich die vielen berühmten Männer, fo diefes Holz und Blätter gefehen, geirrt und ihre Augen fie betrogen haben, oder Hrn. V. Satz, daß die Wakke feurig flüffig, d. i. eine Lava, gewefen fey, ift falfch.

Hr. V. erzählt hierauf, (zum Theil für mich etwas unverftändlich,) wie die Natur wohl gewirkt und verfahren haben könnte, wenn fie den Bafalt der bekannten Erzgebirgifchen Bafaltberge nach feiner Meynung vulkanifch erzeugt hätte; jedoch ohne die geringfte Beobachtung dafür anzuführen. Und endlich glaubt, er feiner Behauptung gegen mich, durch einen am Ende angehangen feitenlangen Auszug aus Dolomieu memoires fur les iles Ponces etc. folgends das volle Gewicht zugeben; welcher aber nichts anders als eine, nicht mit den geringften Gründen unterftützte, Deklamation darüber enthält, daß die Bafaltberge ein über ganze weit erftrekte Gegenden und Gebirge weggeftrömtes, und verbreitetes Lavalager feyn; welches durch die nachher entftandenen Thäler, in folche einzelne Berge, und Kuppen abgetheilt worden wäre.

Hr. V. redet, gleich vor den eben erwähnten Auszuge, noch von Bafalt und Lava, die er in Sand-Kalk und Thonfchichten angetroffen hätte, und von dem auf dem Meiffner in Heffen über bituminöfem Holze liegenden Bafalte. Dies find aber Fakta, die gegen und nicht gegen feine Meynung fprechen. Wegen Eingefchränktheit des Platzes muß ich anftehen, hier ein mehreres darüber zu fagen, es foll aber an einem andern am Schluffe diefer meiner Antwort zu bemerkenden Orte gefchehen.

Aus alle diefem nun wird man zur Gnüge erfehen, daß Hr. V. meiner Beobachtung und der von mir daraus gezogenen Schlußfolge mit nichts weiter entgegen tritt, als: erftens, mit dem (aufer feiner Meynung auch nicht mit den geringften Gründen verfehenen) Machtfpruche, daß Bafalt und Wakke Lava fei, zweitens, mit (wahrfcheinlich gefliffentlicher) Uebergehung des vorzüglichften Stükke meiner Beobachtung, nämlich des vollkommenen Uebergangs der Thonlagen in die Wakkenlager; drittens, mit einer vorgeblichen Unbekanntfchaft mit der Wakke, die (wahrfcheinlich genug) die Exiftenz der Wakke verdächtig machen follte; und viertens mit einer angeführten bloße Deklamation enthaltenden Stelle mit einem neuern franzöfifchen Schriftfteller (Hr. Dolomieux), der, eben fo wie

Hr. V. ohne irgend einen weiter dafür anzuführenden Grund, vorgiebt, der Bafalt fei eine über die Flächen der Gebirge weggeftrömte Lava. Nun dies alles mögen wohl in Hn. V. Gedanken Argumente feyn, mit denen er fich hören laffen zu können glaubt; bei mir aber find es keine. Und alles, was er hier wider meine Beobachtung und Satz gefagt hat, halte ich für fo viel als nichts gefagt.

Um endlich noch das Charakteriftifche von Hrn. V. Benehmen gegen mich ganz vollftändig aufzuftellen, darf ich die Stelle in deffelben fo betitelten Berichtigung nicht unbemerkt laffen, wo er fagt: „Uebrigens ift auch „die Entdekung nicht ohne neu, denn fchon in meiner Reife von Weimar u. f. w. habe ich S. 38. angezeigt, daß „fich ein Lavaftrohm über Sandftein ergoffen, und die „Oberfläche deffelben etwas verändert habe." Hier möchte Hr. V. mich alfo lieber gar einer ungebührlichen Anmaßung einer fchon von ihm gemachten Entdekung zeihen. Ich denke aber, feine Beobachtung und meine find gar fehr von einander verfchieden. Hr. V. fand einen Lavaftrohm, über Sandfteingebirge gefloffen, und die Oberfläche des letztern von erftern verändert oder verbrannt. Ich hingegen fand auf einem Gneisberge ein feine Kuppe ausmachendes aus mehrern Schichten beftehendes Lager, das oben aus Bafalt, dann aus Wakke, hierauf aus Thon, tiefer aus Sand, und endlich aus Grus beftand, die alle, wie fich eins dem andern in der Lage näherte, auch fo in ihren Wefen einander nach und nach näher kamen, und folglich unmerklich in einander übergiengen. Ich fand in felbigen einen unläugbaren Beweis von einerley Hin- und Herkunft der genannten Materien, und von der naffen Entftehung derfelben. Hr. V. hingegen glaubt an der bemerkten Stelle Spuren von Wirkung des Feuers bemerkt zu haben. Diefe beiden Bemerkungen find meines Erachtens ziemlich fo weit verfchieden, als Feuer und Waffer. Wie kann alfo Hr. V. von meiner Beobachtung fagen, fie wäre eben nichts neu.

Ganz zum Schluffe fagt Hr. V. noch: „Indeffen werde ich bey andern Gelegenheiten nichts verabfäumen, „die Vulkanität des Bafalts mit allen Gründen zu vertheidigen, die ich, und andere darüber gefammelt haben." Nun da will ich nur wünfchen, daß es wenigftens mit mehr Beftimmtheit und Gründlichkeit gefchieht, als in feiner fehr unrichtig fo genannten Berichtigung, und daß nicht etwa auch dann Meinungen, Machtfprüche und dergleichen die Stelle wahrer Gründe vertreten follen. Ich an meinem Theile werde ebenfalls bemüht feyn, die Wahrheit in diefer Sache ausfindig machen zu helfen, und mich freuen fie zu finden, es fey auf meiner oder Hrn. V. Seite. Eine weitere Ausführung diefer meiner Antwort wird man, da folche hier der Platz nicht geftattet, in dem nächften Stücke des bergmännifchen Journals finden.

Es thut mir übrigens leid, daß ich genöthiget gewefen bin, in diefer meiner Antwort einem Manne, den ich fonft fchätze und liebe, einige Wahrheiten ganz unumwunden unter die Augen zu ftellen, die ihm nicht ganz gleichgültig feyn dürften.

Freyberg, den 19ten December, 1788.

Werner.

LITERARISCHE NACHRICHTEN.

I. Vorläufige Berichte von ausländischer Literatur.

Florenz: *La Guerra di Topi e di Ranocchi, poema eroi-comico di Andrea del Sarto.* 1788. 8.

Eine Ueberfetzung des bekannten Gedichts vom Homer, die unter allen Italiänifchen den erften Platz verdient. Der Verf. ift der fo berühmte Maler, dies bemerkt man auch bey der Ueberfetzung. Sie war eigentlich für eine Gefellfchaft von Freunden beftimmt, es kommen daher auch einige Epifoden darinnen vor.

Pavia, bey Galeazzi: *Joo. Pet. Frank,* M. D. S. C. et R. M. à Conf. Gubern. Facult. med. per Infubr. Auftr. Praefid. et Clinici Profi publ. etc. *Oratio academica de fignis morborum ex corporis fitu partiamque pofitione petendis* habita die 24 Maji 1788. 8. S. 48.

Die Studenten der Medicin auf der Univerfität zu Pavia haben um den Druck diefer Rede gebeten, um fie defto beffer benutzen zu können. Sie enthält viel treffliche Sachen. Gelehrfamkeit, Gründlichkeit und Scharffinn zeigen fich bey den Theorien und Bemerkungen.

Ebendafelbft: *Baffiani Carminati,* Ph. et Med. D. Prof. Publ. etc. *Opufcula Therapeutica.* Vol. 1. 1788. 8. S. 317. Preis 1 fl.

Diefer erfte Band enthält fechs Opufcula: 1) De Saponis acidi facultatibus. 2) De Zinci et Bifmuthi in Medic. ufu. 3) De Sacchari et Salis marini in animalibus effectibus. 4) De Lacertarum et viperarum variis in morbis ufu. 5) De viribus Valerianae Cabricae et officinalis inter fe comparatis. 6) De opii viribus et ufu ad Syphilidem curandam. Man befchuldigt den Verf. bey Erzählung feiner eignen Obfervationen und Verfuchen nicht aufrichtig zu feyn.

Firenze: *Confronto iftorico de nuovi cogli antichi regolamenti rapporto alla Polizia della Chiefa nella Stato per trattenimento de Parochi di campagna a S. A. R. Pietro Leop. Archiduc. d'Auftria, Gran-Duca di Tofcana.* Edizione corretta e accrefciuta. S. 360. 1788. 8. Preis 1 fl. 20 kr.

Ift zum Unterricht der Pfarrer beftimmt. Der Verf. hat fie in Kenntnifs ihrer Rechte und Pflichten fehr un-

wiffend gefunden, und geglaubt, es fehle an einem Buch zu ihrem Unterricht. Sein Zweck ift auch hauptfächlich, fie über die Rechtmäfsigkeit und Wichtigkeit der Neuerungen, die man einführt, zu belehren. Das Werk ift in 3 Theile getheilt, der erfte betrifft die Pfarrer, der zweyte die Canonici, Priefter, Religiofen beiderley Gefchlechts, und der dritte die andächtigen Gefellfchaften und andre Verfammlungen der Chriften.

Roma: *Iftoria degli ultimi quattre fecoli della chiefa di Occidente al regnante Sommo Pontifce Pio VI, defcritta da F. Filippo Angelico, Precetti dell'ordine di Predicatori,* T. I. contenente la ftoria del grande Scifma. 1788. 4.

Enthält die Gefchichte der chriftlichen Welt von 1378 bis 1404. In der Vorrede ift eine Schilderung der Schriften, die von der Manier, Gefchichte zu fchreiben, gehandelt haben.

Parma, in der königl. Druckerey: *Offervazioni di Ennio Quirino Vifconti fu due Mufaici antichi ftoriati.* 1788. 4.

Der Verf. ift wegen feiner tiefen Kenntnifs des Griechifchen und feiner fchönen Erläuterung des Pio-Clementinifchen Mufeums berühmt. Hier giebt er eine Erläuterung zweyer Mufaiken, die die Pyromantie betreffen. Man fand beide im vorigen Jahr in der Campagna di Roma. Seine Erklärungen find fehr fcharffinnig, die Ausgabe ift prächtig, wie alles, was von Hn. Bodoni kömmt.

Padua, bey Penada: *L'Iliada d'Omero tradotta ed illuftrata dal Abb. Melch. Cefarotti.* Tomo III. 1788. 8. S. 536.

Die Italiäner find bekanntlich über den Werth diefer Ueberfetzung fehr verfchiedner Meynung. Man wirft dem Ueberfetzer vor, dafs er den Homer zu fehr modernifirt. Das Verdienft einer lebhaften und fliefsenden Verfification kann kein Unpartheyifcher ablaugnen. Sein Werk ift wie eine Homerifche Bibliochek anzufehn, voller Bemerkungen, worunter viele von Cefarotti felbft find. Diefer Band enthält einen Auszug der Differtation über den allegorifchen Geift der Alten vom Grafen Sebelin, und Bemerkungen über diefe Differtation; eine Abhandlung des Abt Terraffon über Homers Allegorien; eine poetifche

A 2 Ueberf.

Ueberf. des V Gefangs, und eine buchftäbliche Ueberfetzung deffelben; eine poetifche und buchftäbliche Ueberf.
des VI Gef.; abweichende Lesarten aus einem Codex von
Hn. de Villoifon; Verfe, die durch ihren ausdrucksvollen
Mechanismus merkwürdig find. Die buchftäblichen Ueberfetz. enthalten viele Noten des Ueberfetzers und andrer.

II. Preisaustheilungen.

Die K. K. Akademie der Wiffenfchaften zu Brüffel
hat in ihrer letzten öffentlichen Sitzung den auf die ausgefetzten Preisaufgaben eingelaufenen beften Abhandlungen die Preife zuerkannt, und zwar erftens für eine
Schrift über die Mittel, welche die Arzneykunft und Polizey anwenden kann, um den gewöhnlichen Irrthümern
zu früher Beerdigung vorzubeugen. Es find darüber 16
Abhandlungen eingegangen, davon eine von dem Hr. Fre-
vinaire, Medicus in Brüffel, eine andere von dem Hn.
Medicus Wauters zu Wetteren mit goldenen Denkmünzen belohnt wurden, und eine dritte von dem Hr. Medicus Stapaerts zu Antwerpen, das Acceffit erhielt.

Ueber die Aufgabe: Neue Manufactur- und Han-
delsgegenftände anzuzeigen, welche in den verfchiedenen
Provinzen der öfterreichifchen Niederlanden eingeführet
werden könnten, ohne den bereits beftehenden Manufacturen Abbruch zu thun, hat den erften Preis erhalten
Hr. Coppens, Medicus in Gent. Mit dem Acceffit, und
anderen Schaumünzen wurden ausgezeichnet Hr. Lam-
mens, Handelsmann zu Gent, dann Hr. Friedrich Edler
von Entersfeld fürfil. paffauifcher Hofrath in Wien, Beyfitzer der Patriotifchen Gefellfchaft, auch Mitglied der
K. K. Gefellfchaften des Ackerbaues, der Künfte, und
Wiffenfchaften zu Gratz, Klagenfurt, Laybach, Görz,
Gradiska, und St. Petersburg.

Ueber das Niederländifche Münzwefen der 14 und 15
Jahrhunderts wurde die Abhandlung des Canonicus, und
Archivdirectoris der Abtey Tongerloo, Hn. Heylens, ge-
krönt.

Weil auf die Frage: Wie die Maykäfer auf die leichtefte,
und wohlfeilfte Art zu vertilgen wären, niemand genug gethan hat, fo wird diefelbe für das Jahr 1789 nochmals
ihrer Wichtigkeit halber wiederholet, auch eine Belohnung von 50 Dukaten darauf gefetzt.

Andere 25 Dukaten find demjenigen beftimmt, welcher die befte Abhandlung von Karl von Frankreich, Herzogen von Lothringen, li fern wird. Die Akademie verlangt,
dafs die Verfaffer fich bemühen, auch die Wohlthaten zu
beftimmen, welche Karl noch von der Freygebigkeit Otto des Kaifers erhielt, nachdem er ihm die Inveftitur in
das Herzogthum gab, wie auch genau die Epoche feines
Todes zu entfcheiden, welchen einige auf das Jahr 991,
oder 992, andere gar auf 1001. fetzen. Die Mitwerber
follen fich befleifsigen, keiner anderer, als gleichzeiti-
ger Schriftfteller, oder folcher, die gleich nach dem Tode
diefes Fürften fchrieben, fich zu bedienen. Die Abhandlungen müffen leferlich in lateinifcher, französifcher, oder
flammändifcher Sprache gefchrieben, dem Hrn. Abt Mann,
beständigen Secretar der Akademie vor dem 16 Junius
1789. überfendet werden.

A. B. Brüffel den 6 December 1788.

III. Ehrenbezeugungen.

Die Königl. Akademie der Wiffenfchaften in Berlin
hat den Hrn. Grofskanzler und Etatsminifter von Carmer
Excell. zu ihrem Ehrenmitgliede, und den Hrn. Prediger
Burja, Profeffor bey der Berlinifchen Academie militaire, zu
ihrem ordentlichen Mitgliede in der mathematifchen Claffe
einmüthig erwählet.

IV. Beförderungen.

Hr. Doctor von Battifti, durch feine Inauguraldiffera-
tion über die Frauenzimmerkrankheiten bekannt, gewe-
fener Primarius im allgemeinen Krankenhaufe in Wien,
der heuer hieher als Vicedirector befördert wurde, ift
nun auch Protomedicus in Mayland geworden. A. B.
Mayland den 6 Octobr. 1788.

Hr. M. J. H. Meifsner ift zum aufserordentl. Profeffor der Philofophie auf der Akademie zu Leipzig ernannt
worden.

Hr. Val. Aug. Heinze, bisheriger aufserordentl. Profeffor zu Kiel, ift zum ordentl. Profeffor der Philofophie
auf dortiger Univerfität ernannt worden.

Hr. M. Brizmann ift zum Profeffor der Mathematik
und Experimentalphyfik auf der Univerfitat Greifswalde
ernannt worden.

Noch im vorigen Jahre wurde beym Tribunal zu Wis-
mar Hr. D. F. Ph. Breitfprecher, der vom Kaifer in den
Adelftand unter den Namen von Breitenftern erhoben ift,
zum Vicepräfidenten erhoben, und der Herzogl. Braunfchw. Juftrarath, Hr. G. A. von Wolfradt, zum Affeffor
des Tribunals ernannt.

Hr. Rath Lehner in Anfpach ift zum Kammeraffeffor
dafelbft ernannt worden.

Der bisherige churmärkifche Kammeraffeffor, Hr.
Borgftede, ift zum Kriegs- und Domainenrath bey befag-
ter Kammer ernannt worden.

Hr. M. Schuler ift an Hrn. Prediger Niemeyers Stelle
zum Mitglied der afcetifchen Gefellfchaft in Zürich aufgenommen worden.

Hr. D. Zwilein zu Brückenau ift von der Kurfürftl.
Mainzifchen Academie nützlicher Wiffenfchaften zum Mitglied aufgenommen worden. A. B. Fulda am 30 Jan.
1789.

V. Todesfälle.

Am 30 Dec. v. J. verftarb zu Florenz in einem Alter
von 86 Jahren der berühmte Landfchaftsmaler, Francefco
Zuccarelli. Er war von Pitigliano bey Siena gebürtig,
legte fich auf die Kunft unter Anleitung des Giovan-
maria Morandi und Pietro Nelli, machte hierauf Reifen
durch Deutfchland, Holland, Frankreich und England,
und feine fchätzbare Werke zieren die Sammlungen von
Europa und verewigen feinen Ruhm. A. B. Florenz am
6 Junner 1789.

Am

Am 14 Jänner 1789 ſtarb zu Wien, Hr. *Johann Prem-*
ſteckner, Exjeſuit, der Gottesgelahrheit Baccal., K. K.
Profeſſor der Redekunſt am Annaiſchen Gymnaſium daſelbſt. Seine Vaterſtadt verliert an ihm einen, verdienſtvollen Lehrer, einen gründlichen Gelehrten, der in der
Geſchichte und der lateiniſchen ſowohl, als griechiſchen

190

Sprache ungemeine Stärke beſaß, und einen Schriftſteller, der durch ſeine vortrefliche lateiniſche Oden auch
auſer dem Vaterlande ſich rühmlich bekannt gemacht,
und den der nunmehrige Cardinal Durini in einer Ode
beſungen hat. *A. B. Wien, d. 30 Jan. 1789.*

LITERARISCHE ANZEIGEN.

Von dem neuen militairiſchen Journal wird das 3te
Stück in der Mitte von Monat Februar und das 4te im
April fertig.

Der Inhalt dieſer periodiſchen Schrift beſtehet in Folgenden: 1. In Relationen von verſchiedenen Schlachten
und andern verſchiedenen Vorfallen des Krieges, welche
beſonders den letzten Flanderſchen (von 1741 bis 1748]
und dem 7jährigen Krieg betreffen. Sie ſind von Augenzeugen, den verſtorbenen Feldmarſchall von Spörken,
General von Zastrow, Prinz von Waldek und einigen
noch lebenden Perſonen, die wir nicht nennen dürfen,
aufgeſetzt, und mit Planen und Bemerkungen begleitet.
2. Vorzüglich werden in dieſem Journal Nachrichten von
verſchiedenen Armeen gegeben, welche theils an Orte
und Stelle geſammlet, theils aber auch Officiere aus verſchiedenen Dienſten zu Verf. haben. Dieſe Nachrichten
werden, in Rückſicht des Beſtandes der Armeen etc. auch
dem Statiſtiker in mehr als einer Hinſicht angenehm ſeyn.
3. Ein anderer Hauptzweck dieſes Journals iſt, wichtige ungedruckte Aufſätze über die Kriegeskunſt zu liefern, wie
im 1ten und 2ten Stück durch das *Neue Syſtem der Tac-*
tik des verſtorbenen regierenden Grafen von Schaumburg, Portugieſiſchen Feldmarſchall, geſchehen iſt 4. Noch
werden Auszüge, aus in fremder Sprache geſchriebenen
theuren Büchern, und Recenſionen von militariſchen Büchern, theils eigene, theils Auszüge aus anderen kritiſchen
Journalen, ins beſondere der allg. deutſch. Bibliothek und
allg. lit. Zeit., geliefert; ſo daſs in den Kriegswiſſen-
ſchaften nichts vorgehen kann, das man nicht durch unſer Journal erführe. Vierteljährig erſcheint von dieſem
Journal 1 Stück von etwa 10 Bogen und einigen Kupfern;
jedes koſtet bey dem H. Poſtſecretär Trübenſee in Berlin,
der Zeitungsexpedition in Leipzig, der Reichsoberpoſt-
amts Zeitungsexpedition in Frankfurt am M. und den
H. Lieutenant Brandorf in Rendsburg 1/2 Rthlr. Auch
kann man dies Journal in den vornehmſten Buchhandlungen, zwiſchen den obbenannten Oertern zu eben dem
Preiſe, in Wien in der Hörlingſchen Buchhandlung aber
für einen etwas erhöheten haben.

Im Verlag der Neuen Hof und akademiſchen Buchhandlung zu Mannheim ſind bereits fertig, und werden
zur Jubilatemeſſe 1789 abgeliefert :

1) *Meron*, oder Verſuch in Geſprächen, die vornehmſten Punkte aus der Kritik der praktiſchen Vernunft
des Herrn Profeſſor Kant zu erläutern, von S. W.
Dr. Snell. 8.

2) *J. P. Kling*, vermiſchte Schriften, meiſt phyſikali-
ſchen und ökonomiſchen Innhalts: z. B. Gedanken
über den Nahrungsſaft der Pflanzen, den Nuzen des
Mergels etc., Beitrag zur Naturgeſchichte des Weins,
Beobachtungen über die Auspreſſung und die Eigenſchaften des Buchelöls, aus dem Franz. von Carliet;
Verfeinerung des Nußöls von ihm ſelbſt; eben ſo
Beitrag zur Naturgeſchichte des Pfälziſchen Torfes
etc. 8.

3) *Vorleſungen* der Churfürſtl. phyſikaliſch ökonomiſchen Geſellſchaft zu Heidelberg. 4n Bandes 1r Theil,
enthält Gatterers Abhandlung von dem Handelsrange
der Ruſſen. 2te und lezte Abtheilung. Medicus kurzer Umriſs einer ſyſtematiſchen Beſchreibung der
mannichfaltigen Umhüllungen der Saamen; über zweyer-
erley Arten Körner in gleichen Weiten zu ſetzen
von Herrn Hofrath Käſtner in Göttingen, gr. 8. Sac-
kows Geſchichte der Churpfälz. Staatswirthſchafts
Hohen Schule in Anſehung ihrer öfentlichen Sammlungen.

4) *Medicus* philoſophiſche Botanik, 1r Abſchnitt von
den mannichfaltigen Saamen Umhüllungen zum Gebrauch Akademiſcher Vorleſungen. gr. 8.

5) *Deſcription* de ce qu'il y a d'intereſſant et de curi-
eux dans la Reſidence de Mannheim et les villes principales du Palatinat, — nouvelle Edition rev. cor-
rig. et augm. 8.

II. Auctionen.

Da verſchiedene Münzfreunde ein Verlangen geäuſert,
daſs das Madaiſche Thaler-Cabinet, nicht hinter einander, ſondern Theilweiſe, veräuſert werden möchte, ſo
iſt ſolchen hierunter ein Genüge geſchehen, und die Veräuſerung deſſelben vor das Jahr 1788. den 10ten Oct. mit
No: 3799. pag. 271. des gedruckten Verzeichniſes beſchloſſen worden.

Man hält es daher für Pflicht einem geneigten Publico hierdurch nicht allein dieſes bekannt zu machen, ſondern auch zugleich Meldung zu thun, daſs mit dem 16ten
März von neuem dieſe Veräuſerung wiederum in
Hamburg durch den Makler Hr. Pierre Texier fortgeſetzt,
und mit No. 8800 dieſe Fortſetzung bis zur gänzlichen
Beendigung vorgenommen werden ſoll. Das darüber gedruckte Verzeichniſs iſt bey gedachten Hn. Texier in
Hamburg, in der Waiſenhausbuchhandlung in Halle, im
Intelligenz-Comtoir in Leipzig, und auch in allen berühmten Buchhandlungen für einen ſehr billigen Preis
annoch

annoch zu bekommen, und die Aufträge von entfernten Orten übernimmt auch diesesmal Hr. Texier in Hamburg, wenn ihm solche postfrey eingesandt werden. Die Bezahlung geschiehet bekanntermassen in groben Hamburger Current. Aus dem Vorbericht des Verzeichnisses ist zu ersehen, dass der sauber geschriebene und aus 60 Bänden bestehende Catalogus dieses Thaler-Cabinets, in welchem die Münzen nach den Originalen richtig gezeichnet sind, im Ganzen verkauft werden solle, wenn sich die Liebhaber noch vor Ende der Auction bey Hrn. Texier in Hamburg, oder bey den Madaischen Erben in Halle zu melden belieben. Ein gleiches gilt auch nicht nur von dem im 3ten Nachtrage erwähnten sauber geschriebenen und mit den Münzen nach den Originalen richtig gezeichneten, aus 17 Bänden bestehenden Catalogo des Ducaten- und Goldgülden-Cabinets, sondern auch von dem im 4ten Nachtrage aufgeführten Mineralien-Cabinet. Das Groschen-Cabinet hingegen ist nicht mehr zu haben, indem solches von Sr. Churfürstl. Durchl. zu Sachsen, im Ganzen Ihrer ansehnl. Münzsamlung einverleibet worden.

III. Vermischte Anzeigen.

Anhang zu der Antikritik d. Hn. Pr. Hofmann.

Mit grossem Befremden lass ich die Einleitung in die Antikritik des Hn. Pr. Hofmanns aus Altdorf gegen eine Recension der A. L. Z., die mich auch nichts weiter angeht, da es bekannt und schon hundertmal gesagt worden ist, dass Recensenten derselben ihre eigene, oder unter ihrer Aufsicht erschienenen Sachen nicht recensiren können. Kaum konnte ich mich aber überreden, dass es der artige, frohliche und gesittete Hofmann sey, den ich vor einigen Jahren persönlich kennen lernte, der im Anfang seiner Antikr. so viel von Induscretion sprechen könne, und am Ende Hrn. Mursinna und mir wohl den unsterblichen Dank giebt, dass wir auch seiner Meynung sind. Aber sein Nahme sagts! — Da ich mit der grossen, mititern und kleinen Welt ziemlich viel zu thun habe, so habe ich auch ziemlich klüglich verschwiegen, und gegen meines Gleichen sehr discret handeln gelernt. In wie fern ichs gegen Hrn. Hofmann nicht gethan habe, mögen die aus-drücklichen Worte seines Briefs entscheiden, so wie sie auch schon im 2ten St. d. Archivs S. 173. abgedruckt sind, und die ich aus Schonung für ihn und andere grosse Männer nicht so aus dem noch in Händen habenden Original wieder-hohlen will, wovon ich manchen Ausdruck dort noch ausgestrichen habe: „Nach Ihrer Vorrede bin ich auch aufgefor-„dert Ihnen manchmal etwas aus dem Sinn (gremio) mitte-„bri Foeminarum Francomicarum ut appellitur, und das soll da-„sta occusione auch wirklich geschehen.“ — Und nun fährt Hr. Hofmann fort von der Nachgeburt, die man wohl aus dem gremia, aber nicht aus dem sinn, holen muss, zu erzählen, und darüber zu raisonniren, wie im Archiv wei-ter zu ersehen ist. —

D. Stark,
Herausg. d. A. für d. Geburtsh.

Geognostische Bemerkung.

Nichts scheinet jetzt die Gebirgskundigen mehr zu beschäftigen, als die Theorie über die Entstehung des Basaltes, und wie es mir vorkommt, so hat das Publikum sich jetzt grade viel davon zu versprechen. Die Wahrheit gewinnt stets durch Streitigkeiten, sie müssten denn ohne Gründe geführet werden, welches vielleicht in kirchlichen Dingen zuweilen der Fall, in der Naturgeschichte aber kaum zu befürchten ist. — Dieses vorausgesetzt dürfte es dem Publikum wahrscheinlich nicht unangenehm seyn, von mehreren Personen, welche Gelegenheit gehabt haben, sich durch den Augenschein über die Natur des Basaltes zu belehren, zu erfahren, wie das Resultat ihrer Beobachtungen beschaffen, und ob ihre Ueberzeugungen von der einen oder der andern Theorie stets dieselbe geblieben sey, oder nicht. Einen sehr merkwürdigen Aufsatz hierüber lieferte Hr. Werner Nr. 57. des Intelligenz-blattes im vorigen Jahre, und auf die Bemerkung (das Wort Berichtigung*) ist wahrscheinlich nur ein Schreib- oder Druckfehler) Nr. 60 desselben von Hn. B. S. Voigt, folgte eine sehr schätzbare erläuternde Antwort von jenem Mineralogen, welche auch im Bergmännischen Journale (Monat December S. 871 und folg.) vermehrt abgedruckt ist. Von Hn. Werner war es indessen schon vorher bekannt, dass er überliegende Gründe gegen die Vulkanität des Basaltes habe, deren Bekanntmachung nur noch nicht erfolget war. Daher leite ich es, wenn keine Beobachtung vielleicht nicht die grosse Sensazion überall gemacht hat, welche sie wohl verdienet. — Man erlaube mir hier öffentlich zu erzählen, wie es mir gegangen ist, als ich im vorigen Frühlinge nach Hessen reiste, war ich keiner Partey völlig zugethan; ich hatte viel über den Basalt gelesen, aber wenig davon gesehen; daher bemühete ich mich eine völlige Unpartheilichkeit zu beobachten, bis eigene Beobachtungen mich etwas gewissers lehren würden. Ganz gelang es mir nicht, denn ich hatte zu viel für die Vulkanität gelesen, und Hr. Voigt in Weimar, dessen freundschaftlichen Umgang ich daselbst genoss, zeigte mir einige sehr auffallende Stücke, welche mir das Gewicht, das in der Schaale der Vulkanisten lag, um ein ansehnliches zu vermehren schienen. In dieser Denkungsart befand ich mich, da ich das Vogelsgebirge, die Gegend um Frankfurt am Mayn und mehrere Hessische Basaltberge untersuchte, so es mir als höchstwahrscheinlich vorstellte, noch die kleineren Zweifel, welche in mir etwa für die Neptunisten aufstiegen, völlig zu vertilgen, und mich mit völliger Ueberzeugung an die Reihe der Männer zu schliessen, deren Heerführer De Luc und Homström sind — — und siehe meine Verwunderung stieg auf das höchste, als die Natur mich zwang zu gestehen, dass alles, was ich mir hin darüber gedacht hatte, unfehlbar. Träume gewesen seyn müssten, dass ich nichts von dem sah, was ich zu sehen hoffte, und vielmehr alles für die Erzeugung des Basaltes durch Woge redete.

Halle 1789.

G. Karsten.

---

*) Wir haben bereits bey der zweyten Erklärung des Hn. Werner bemerkt, dass diese Rubrik nicht von Hn. Voigt herrühre.

LITERARISCHE NACHRICHTEN.

I. Vorläufige Berichte von ausländischer Literatur.

Nouvelle théorie astronomique, pour servir à la determination des Longitudes; ouvrage mis au jour par James Rutledge B°. Londres et à Paris 1788. 4. Prix 11 l. 10 f.

Den Hauptgrund dieser neuen Theorien hat Fyot entdeckt.

Fragmens de politique et de littérature, suivis d'un voyage à Berlin, en 1784. Offerts comme·terrenues à met amis le 1 Janv. 1788. par *M. J. H. Mandrillon, des académ. de Harlem, de Bresse, de Philadelphie.* Paris et se trouve à Bruxelles. 1788. gr. 8. 6 liv.

Hr. Mandrillon hat hier seine kleinen zerstreuten Aufsätze gesammlet. Sie enthalten: Calendrier perpetuel. Néerologie ancienne et moderne, oder Verzeichniß merkwürdiger Männer aus alter und neuer Geschichte· Bemerkungen über die amerikanische Revolution, Handelsbemerkungen über Holland, Crise de l'Amerique, Briefe an die holl. Politiker über die Folgen der Unabhängigkeit, Sitten der Holländer, Bemerkungen über die Ursachen der Erdbeben u. s. w.

Memoire sur les fièvres intermittentes, par M. Durand, Docteur en Médecine, de l'univ. de Montpellier etc. Paris, chez Th. Barrois. 1788. gr. 8. 1 l. 10 f.

Der Verf. hält die Chinarinde·für das einzige Mittel, die Krankheit aus dem Grunde zu heilen, und hat viel brauchbares zusammengetragen.

Théorie générale de l'administration politique des finances; dédiée à Monsieur, frere du Roi, par M. Grouber de Groubenthal, noble de l'Empire. à Paris chez Visse. 1789. 2 Voll. gr. 8. 8 Liv.

Enthält: 1) Observations politiques sur les finances, die der Verf. 1775 zuerst herausgab. 2) Théorie générale de l'administration politique des finances. 3) Mémoire sur l'impot territorial unique. 4) Plan de liberation de la dette nationale. 5) Examen politique du compte rendu de M. Necker. 6) Mémoire sur la suppression des saisies réelles, directions et consignations. — Ein sehr wichtiges Werk! —

La balance naturelle, ou essai sur une loi universelle, appliquée aux sciences, arts et m.tiers et aux moindres détails de la vie commune. Par M. de la Salle, ci devant officier de vaisseau. à Londres·1788. 2 Vol. gr. 8.

Der Verf. will beweisen, daß es in der Welt nur eine Bewegung gebe, die durch Umstände der Zeit, des Orts u. s. w. verändert wird.

Théâtre du monde, où par des exemples tirés des auteurs anciens et modernes les vertus et.les vices sont mis en opposition. Par M. Richer. Ouvrage dedié à la Reine, et orné de très belles gravures d'après les dessins de M. M. Moreau le jeune et·Maridier. Paris chez Deser de Maisonneuve. 1788. 4 Vol. gr. 8. prix 20 L.

Recht interessante und gut gewählte Erzählungen. Nur die beiden letztern Theile des Werks sind neu. — Die Kupfer sind schön.

Essai sur le Phlogistique etc. traduit de l'Anglois de Mr. Kirwan avec des notes de Mssrs. de Morveau, Lavoisier, de la Place, Monge, Berthold et de Fourcroy. 8. Paris, 1788.

Zu diesem bekannten klassischen, auch von Crell bey Nicolai·1785 ins·Deutsche übersetzten·Werk haben die berühmten Akademiker, die auf dem Titel genannt sind, einsichtsvolle Anmerkungen geliefert, und lösen eine Menge Einwürfe, die man gegen die Theorie pneumatique gemacht, auf. Diese Anmerkungen müssen einen jeden interessiren, dem die Wahrheit lieb ist, und weil sie sich dem Werk des Hrn. Kirwan sehr nähern, hat man hier alles das Wichtigste zusammen, was über beide Theorien geschrieben ist. —

Observations sur l'histoire de France, par l'Abbé de Mably, Nouv. edit. continuée·jusqu'au Regne de Louis XIV, et précédée de l'Eloge de l'Auteur par l'Abbé Brizard. 12. Vol. VI. Kehl, 1788.

Dies Werk, welches ohnehin sehr wichtig ist wegen des Lichts, das es auf die Geschichte von Frankreich wirft, ist be sonders jetzt durch Auseinandersetzung der Rechte des Königs, des Adels, der Geistlichkeit, und der Parlamenter. Allenthalben erkennt man die Freymüthigkeit des Verf.

Paris, à l'impr. de Monsieur: *La chasse au fusil, ouvrage divisé en deux parties etc.* In 8. über 600 S. 1788. br. 7 l. 4 s.

Ist für die Liebhaber der Jagd wichtig. Der Verf. *Magen* de Marolles ist schon durch einen Essai sur la chasse au fusil, der 1781 erschien, bekannt. Seine jetzige vollständige Abhandlung ist ein Beweis von Kenntnissen, die sich nur durch eine lange Erfahrung erwerben lassen. Man findet genaue Beschreibungen mehrerer auch wenig bekannter Jagden darinn, und viel interessante Bemerkungen, auch für solche Leser, die nicht Liebhaber der Jagd sind.

à Paris chez Cuchet: *Memoire sur les isles Poncet et Catalogue raisonné des produits de l'Etna, du mois de Juillet 1787*, par M. le Commandeur Diodat de Dolomieux, Correspondent de l'acad. roy. des sciences etc. 1788. 530 S. 8. mit versch. Karten. Preis br. 5 Liv. gebunden 6 L.

Dolomieux hat schon eine Beschreibung der Liparischen Inseln herausgegeben. Die Poucischen Inseln besuchte Hamilton 1785 als Naturforscher zuerst, schlechte Witterung war ihm aber sehr entgegen. Dies bewog unsern Verf. dahin zu reisen. Er sammelte viele Steine und vulkanische Materien, die er in gegenwärtigem Werke beschreibt.

(*L'Esprit des Journ. Sept. 1788.*)

II. Beförderungen.

Noch kann das ganze Personale der künftigen Akademie zu Rostock nicht authentisch bekannt gemacht werden. Auser dem Herrn Abt *Vollhusen* ist von auswärts noch kein anderer Professor hieberufen worden, als der Herr Hofmedicus *Vogel* in Ratzeburg, zum zweyten Professor der Arzneygelahrtheit mit 800 Rthlr. Besoldung und Hofraths Charakter. Erster Prof. der Heilkunde bleibt der Hofrath *Schuarschmidt*, bisheriger Prof. derselben in *Butzow*, wogegen Hr. Prof. *Graumann* sich zur Parthei der zurückbleibenden geschlagen hat. Zum zweyten Prof. der Theologie ist ein eben so liebenswürdiger als gelehrter einheimischer junger Geistlicher, Hr. Pastor *Martini*, bisheriger ausserordentlicher Lehrer der Gottesgelahrtheit und der Geschichte an der Domschule zu Schwerin, ernannt, von dessen Aufklärung und Charakter sich die Universität und das Consistorium, wovon er auch Mitglied werden wird, sehr viel gutes zu versprechen hat. Die übrigen Bützowschen Gelehrten, welche der Akademie nach Rostock folgen werden, sind bereits öffentlich bekannt gemacht.
A. B. a. d. Mecklenburgischen am 15 Jenner 1789.

Hrn. Rath und Bibliothekar *Walch* ist nebst der Aufsicht über die Bibl. des Münz- und Naturalien-Cabinets von dem Herzog zu Meiningen die Aufsicht und Anordnung seiner sehr beträchtlichen Kupferstichsammlungen anvertrauet worden. *A. B. Meiningen am 15. Januar 1789.*

Zu Duisburg wurde noch im Anfang des v. J. Hr. D. *Cunn Joc. Curtanjen* zum ausserordentlichen Prof. der Arzneywissenschaft ernannt.

Hr. M. *Friedr. Vict. Lebr. Plessing* trat als ordentlicher Prof. der Philosophie seine Stelle am 8 Sept v. J. an. *A. B. Duisburg am 18 Jänner 1789.*

III. Belohnungen.

Der Herr Mag. *Rasche* hat eine neue Belohnung und Aufmunterung zur Fortsetzung seines nummarischen Lexicons durch das Geschenk aller Doubletten von griechischen und andern Münzen erhalten, welches ihm der Cardinal bischof und Beichtvater der Königinn von Neapolis sowohl in einem eignen schmeichelhaften Schreiben, als durch einen Brief des Herrn Haufs, Institutor des Königlichen Erbprinzen, aus seiner Münzsammlung versichert hat, und nächstens zuschicken wird.

IV. Vermischte Auszüge aus Briefen unsrer Correspondenten.

Rom den 20 Januar 1789. Herr Alexander Trippel aus Schafhausen wird in wenig Tagen das Monument, welches er für den russischen Commendanten von Moskau Herrn Grafen *Czernichew* auf Unkosten der Witwe desselben verfertiget, zur öffentlichen Schau in Rom ausstellen. Es besteht aus zwey Figuren etwas über Lebensgröße — der Regierung und der Traurigkeit —, aus einem Basrelief mit Figuren, und einem andern mit antiken Armaturen, alles aus weissem Marmor von Carrara. Der Sarg und andere Architektonische Verzierungen von verschiedenem colorirten Marmor sind nach der Zeichnung des nemlichen Meisters in St. Petersburg verfertiget, wo das Monument wird errichtet werden. Es ist nicht nur das schönste, was in diesem Jahrhundert gemacht wurde, sondern auch was den Stil angeht, übertrifft es die besten Bildhauereyen des 16ten Jahrhunderts. So darf sich Russland rühmen, das beste moderne Monument zu besitzen, und die Schweiz, den ersten Bildhauer unserer Zeiten hervorgebracht zu haben.

Von der Hand des nemlichen Künstlers sieht man sehr ähnlich in Marmor die Büste des Hrn. von Göthe. Das Brustbild von Friedrich II. ist auch bereits in Marmor fertig. Beide sind für den kaiserlichen General Fürsten von Waldeck. Der Künstler modelliert jetzt die Büste von Hrn. Herder, und wird sie nebst einer Replique der Buste des Hrn. v. Göthe für den regierenden Herzog von Sachsen-Weimar in Marmor hauen.

Hr. F. W. Gmelin aus der Marggraffschaft Baden-Durlach hat in Neapel zwey Blätter nach Philipp Hakert sehr vortreflich gestochen. Das erste ist eine Aussicht von Baja, das andere von Puzuolo, beide von Monte nuovo genommen. Das Stück kostet einen römischen Scudo.

Herr Morelli, ein Franzose, hat ein Bad der Diana bey Mondlicht nach dem berühmten schottischen Landschaftmahler *Moore* in Rom gestochen. Er arbeitet jetzt am Pendant, welcher die Jagd der Diana am frühen Morgen vorstellet, das bis künftigen Julius 1789 fertig seyn wird. Das Stück kostet zwey römische Scudi. Der erste Stich ist vortreflich.

Camillo.

Camillo Guccearini, und Lorenzo Faini in Rom haben angefangen in Miniatur herauszugeben, die wenig bekannten Gemälde, welche die Schüler Raphaels, unter der Aufsicht des Meisters in einem Portico der Villa Brunati auf dem palatinischen Berge gemalt haben. Es machten 18 Stücke aus, alle aus der Fabel genommen mit Arabesken. Das ganze Werk kostet 67 Zechinj Romani.

V. Berichtigung.

Berichtigung der im Intelligenzblatte der allgem. Lit. Zeit. 1789 Nr. 1. S. 4. befindlichen Berichtigung.

„Seit 1779, wo ich nicht irre, hat die deutsche reformir- „te Gemeine daselbst (zu Frankfurt) ein neues Gesang- „buch, welches unter die besten dieser Art gerechnet zu „werden, verdient; da hingegen die Lutheraner zu Frank- „furt bis jetzt noch kein verbessertes Gesangbuch haben, „Da selbst die A. Deutsche Bibl. jenes neue Gesangbuch „nicht kennet: so wird es u. s. w.“ — Nicht erst seit 1779, sondern früher, bereits seit dem J. 1772 hat die deut- sche reformirte Gemeinde zu Frankfurt ein neues verbesser- tes Gesangbuch. Die Allg. deutsch. Bibliotheck kennt die- ses neue Gesangbuch gar wohl; denn sie ist in dem (1773 herausgekommenen) 2ten Bande derselben S. 516-521 recensirt. Allerdings haben die Lutheraner zu Frankfurt bis jetzt noch kein verbessertes Gesangbuch; — denn ein solches bey ihren Gemeinen daselbst einzuführen, ist (wie jeder, der die Lage der Umstände in dieser Stadt, wie in ähnlichen Städten, kennet, eingestehen wird) mit mehr Schwierigkeiten verbunden, als bey der dortigen deut- schen reformirten Gemeinde; aber bald werden sie ein solches haben. Es ist gegenwärtig noch unter der Presse,

und würde diese schon verlassen haben, wäre nicht ein gewisser Buchdrucker so sehr säumig gewesen. Indeß wird selbiges gegen Ostern ausgegeben werden. — A. B. aus dem Darmstädtischen, vom 26 Jan. 1789.

Zur Bestätigung der, am Schlusse der Rec. des *Course of Lectures on the figurative Language of the holy scripture* etc. delivered in the parish Church of Nayland in Suffolk in the year 1786 by William Jones, M. A. F. R. S. (A. L. Z. 1788. nro. 306. S. 827) geäußerten Vermuthung:

Allerdings heißt der Verf. des Buches, *Postcof Asia- ticae Commentar. Libr. VI* auch William Jones, wie der eben erwähnte Schriftsteller; und ist gleichermaßen M. A. so wie F. R. S.; er ist aber dabey, was dieser nicht ist, — *Barrister at Law*, und hat bereits 1783 auf dem Ti- tel der von ihm herausgegebenen Sammlung, *The Moalla- kat, or seven Arabian poems, which were suspended on the Tem- ple of Mekka* (London, bey Elmsley, in 4to) seinem Na- men das Praedicat Esq. (Esquire) beygefügt. Daß die in der parish Church of Nayland in Suffolk im J. 1786 ge- haltenen *Lectures on the figurative Language of the holy scripture* aus seiner Feder herrühren sollten, läßt sich auch aus dem Grunde nicht annehmen, weil er schon im J. 1783 England verlassen hat, und als Königlicher Richter (Royal Judge) nach *Fort William in Bengalen* abgereiset ist, wo er zur Errichtung der gelehrten Gesellschaft zu Calcutta 1784 vieles beygetragen, sich auch noch im ver- flossenen Jahre da befunden hat; wenigstens haben die am meisten gelesenen öffentlichen Blätter von seiner Rück- kehr nach Europa noch nichts erwähnet. A. B. a. Frank- furt a. M. vom 30 Jan. 1789.

LITERARISCHE ANZEIGEN.

I. Ankündigungen neuer Bücher.

Bey C. Weigel und Schneider in Nürnberg sind in verwichener Mich. M. folgende neue Bücher erschienen: 1) Abbildung des Türk. Hofs, neue verb. Aufl. mit 77 Kupf. 4. Rthlr. 16 gr. 2) Cooks, Cap. dritte und letz- te Reise 1r Band 2te und verbesserte Aufl. mit vielen Kupf. und Karten gr. 8. Rthlr. 1. 12 gr. beide Bände complet kosten Rthlr. 3. 12 gr. 3) Mentelle, Anfangsgründe der Weltbeschreibung oder der Astro- nomie 2te und letzte Abtheil. 2: d. Franz. des Hr. D. Kordenbusch gr. 12 gr. 4) Kleines Schulbuch, für An- fänger im lesen und denken, für Land und Stadt- kinder, nebst einer kurzen Anleitung zum Nachden- ken. 10 Bogen 2) Bilderbuch historisches Deutsch und Französisch für Kinder mit Kupf. 8. 6 gr. 6) Voit, J. P. Unterhaltungen für junge Leute aus der Naturgeschichte etc. 1r Theil, neue vermehrte Aufl. mit 50 Kupf. Rthlr. 1. 8 gr. illum. Rthlr. 2. 8 gr. 7) dessen zweyter Theil, oder Beschreibung der Künste und Handwerke mit 50 Kupf. 8 2 Rthlr. il-

lum. Rthlr. 3 7) dessen Schule der Vergnügens für kleine Kinder mit 36 Kupf. 8. 20 gr. auf Druckp. und illum. Rthlr. 1. 16 gr. 8) Contes moraux par Mr. Marmontel, IV Tomes avec Belisaire 8. Rthlr. 2. 16 gr. 9) Karte von Ungarn, Pohlen, Rußland und der Türckey, nach den neuesten Karten entworfen von Uz, Lieut. 8 gr. 10) Karte von Pohlen nach der Theilung in Oestreich. Ruß. und Preuß. Pohlen, 4 Blätter Rthlr. 1. 8 gr.

Bücher welche künftig herauskommen.

1) Malerische Reise am Niederrhein 3s Heft mit 6 Pro- spekten, nebst Zusätzen und Verbesserungen zum 2ten Heft. gr. 4. Der Verf. hält die Liebhaber durch die lan- ge Verzögerung völlig schadlos, indem er die Ge- schichte der fürstl. Häuser aus Urkunden erzählt. Es ist also der Text beym dritten Heft keine Nebensache mehr geblieben, noch weniger eine Buchhändler Spe- culation gewesen, (Berl.Bibl. 81. B. 1s St.) vielmehr dem freyen Antrieb des Zeichners und des Verf. der ersten Hefts zuzuschreiben, wie aus dem Vorbericht

zum erſten Heft deutlich zu erſehen. Die Genealogie des hochfürſtl. Wiediſchen Hauſes, das noch nirgends auch nicht in dem beliebten hiſtor-geneal. Calender des Hrn. Profl. Sprengel verzeichnet iſt, wird den Leſern dieſer maler. Reiſe gewiß nicht unangenehm ſeyn.

3) Erläuterungen der Heraldik, als ein Commentar über Gatterers Abriß dieſer Wiſſenſchaft, mit 24. Kupfertafeln Fol. worauf beynahe ſoviel hundert Wappen, als Kupfert. abgebildet ſind.

3) Geographiſches Handbuch in Hinſicht auf Induſtrie und Handlung von P. J. Bruns Prof. und Bibl. zu Helmſtädt, 8. nebſt einer Karte.

4) Reiſe von dem berühmten Savary in die Inſeln des griechiſchen Archipels, a. d. Franz. gr. 8.

5) Beſchreibung der ſechs Himmelskarten des P. Ign. Pardies, Math. nebſt deſſen Leben, von D. G. F. Kordenbuſch, mit 6. Bogen Himmels Karten illum. und ſchwarz, worauf die Geſtirne genau und deutlich abgebildet. Fol

Obgenannte Artikel erſcheinen zur Jub. M. bey Weigel und Schneider in Nürnberg.

Das Fragment in dem 88ſten St. des Hannöverſchen Magazins, 1788: An ſeine abweſende Kinder bey dem Kranken-Bette einer todtkranken Mutter — iſt von dem Publiko mit ſo gütigen Beyfall aufgenommen, und der Verfaſſer ſelbſt perſönlich ſo oft und freundſchaftlich zur Erfüllung ſeines Verſprechens aufgefordert worden, dafs er es für Pflicht hält, die Herausgabe ſeiner Schrift hierdurch näher und ſicherer anzukündigen.

Dies Buch: Für Familien, welchen religiöſes Gefühl, vorzüglich im häuslichen Leben, viel werth iſt, — welches mein verewigter und mir zu früh entriſner Freund Fedderſen mit einer geiſtvollen Einleitung würde begleitet haben, wird eine Sammlung von Briefen, Dialogen, Erzählungen, vermiſchten Aufſätzen, kleinen Gedichten — — enthalten, die ſich gröſtentheils auf Confirmations-Handlungen, Trennungen von den Seinigen durch den Tod oder durch Reiſen, Eheverbindungen, Einweihung durch die Taufe, Erziehung, häusliche Verhältniſſe gegen Bediente, Umgang mit Gott in den Verſuchungs-Stunden, fröhliche und trübe Tage, Freuden der öffentlichen Gottesverehrung, ſchlafloſe Nächte, häusliche Lektüre und Eingezogenheit — beziehen werden.

Wem die Freuden und Leiden des häuslichen Lebens keine Babiolen ſind, wer ſich beſonders des in allen Aufſätzen herrſchenden Religions-Gefühls nicht ſchamt, der wird hier vielleicht manches finden, womit er ſich in ſtillen Stunden ſtärken, belehren, aufheitern, tröſten und ermuntern kann.

Die Gönner und Freunde des V. werden erſucht dies Blatt ihren Bekannten und Freunden vorzuzeigen, und da die Nahmen der ſämmtlichen Subſcribenten alphabetiſch vorgedruckt werden, dieſelben poſtfrey und leſerlich aufs ſpäteſte gegen Johannis d. J. gütigſt einzuſenden. Die Abdrücke ſind allein für Subſcribenten.

Da man durchaus die Bogenzahl nicht angeben, auch nicht beſtimmen kann, ob ſich eine hinlangliche Anzahl Subſcribenten finden werde; ſo kann man theils nicht genau die Zeit der Herausgabe, ſo wenig wie den Preis dieſer Schrift beſtimmen. Man wird ſich aber ſorgfältig huten, die Gefälligkeit ſeiner Freunde zu mißbrauchen, und wünſcht nichts mehr, als dafs bey der Einlieferung dieſes Buchs den Unterſchriebenen einige zwanzig Groſchen nicht gereuen mögen. Der Preis alſo ſowohl, als auch der Ort, wo nach vollendeten Abdrucke, die Exemplarien im Empfang gegen Auszahlung genommen werden können, wird in der Allg. Liter. Zeitung und den Hamburgiſchen Zeitungen bekannt gemacht werden. Auf zehn Exemplaria haben die Sammler das elfte frey.

Der Verf. deſſelben iſt V. C. Moller, Paſtor an der Joh. Kirche in Lüneburg, deſſen Unterricht vom wahren und falſchen Chriſtenthum, auch in der vierten Auflage, vom lehrenden und lernenden Publiko, ſo wie einige Predigten und andre Kleinigkeiten, nicht ohne ſchmeichelhaften Beyfall ſind aufgenommen worden. Die Expedition der All. Lit. Zeit. nimmt Subſcription an.

Lüneburg im Januar. 1789.

In der Ettingeriſchen Buchhandlung zu Gotha wird in der bevorſtehender Oſtermeſſe folgendes Werk erſcheinen: Neapel und Sicilien. Ein Auszug aus dem groſſen und koſtbaren Werke der Voyage pittoresque de Naples et Sicilé des Hrn. St. Non. Mit Kupfern und Charten, gr. 8.

II. Bücher ſo zu verkaufen.

Bei C. Weigel und Schneider in Nürnberg ſind folgende gebundene Bücher um beygeſetzte Preiſe zu haben:

M. Luthers ſämtl. Schriften von J. G. Walch, Halle 1739. 4. 24 Fäb. 12 Rthlr.

J. D. Kohlers hiſtor. Münzbeluſtigungen Nürnb. 1729 - 51. in 22 Theilen und 2. Banden Reg. 1764 St. und E. 14 Bände 20 Rthlr.

Merians Topographie complet mit Kupf. Fol. Hans Sachs ſämtl. Gedichte 5 Bände Fol. in billigen Preiſen.

Hiſtoria et Commentationes Academiæ Electoralis Scientiarum et elegantiorum literarum Theodoro Palatinae. Volumen V. Hiſtoricum. Mannheimii, typis Acad. MDCCLXXXIII. 4. c. f. (1 Rthlr. 16 gr.) Nähere Nachricht giebt die Expedition der A. L. Z.

III. Vermiſchte Anzeigen.

Die Bücher-Auction, die den 16ten Febr. in Gotha hat ſeyn ſollen, wird erſt den 16 März angehen.

Der 15 Bogen ſtarke Catalogus davon iſt in der Expedit. der Allg. Lit. Zeit. zu Jena und in der Ettingerſchen Buchhandlung in Gotha umſonſt zu bekommen.

INTELLIGENZBLATT
der
ALLGEM. LITERATUR-ZEITUNG
Numero 26.

Sonnabends den 21ten Febr. 1789.

LITERARISCHE NACHRICHTEN.

I. Vorläufige Berichte von ausländischer Literatur.

Turin, bey Joh. Mich. Briolo: *Ricerche sopra il quesito proposto della R. Academia, dalle science eon. suo programma di 4 Genn.* 1788. *quali sieno i mezzi di provedere al sostentamento degli operj soliti impiegarsi altovemento delle sete nè siloto qual ora questa classe di uomini così utili al Piemonte vidotta agli estremi della digenza per inmcanza di lavoro cagionata de scarsezza di seta — del March. Nicolao Incisa della Rocchetta. Dissertazione che più di tutte si accopò al favorevole giudizio, come ha pronunciato l'Academia nel adunanque de 19 Giugno 1788.* 8.

Piemonts Seidenhandel ist bekanntlich ziemlich beträchtlich, und die Seide kann nur verarbeitet ausgeführt werden. Nach gewöhnlicher Einrichtung sind 15000 Menschen damit beschäftigt. Gebrichts nun an diesem Produkt, so sind alle diese Menschen ausser Brodt. Man hat gewünscht diesem Unglück abzuhelfen — Gegenwärtige Abhandlung ist in zwey Theile getheilt. Im ersten beweist der Verf., dass diese Classe Menschen dem Staat sehr nützlich ist; im zweyten zeigt er Mittel gegen jenen Unfall vor, unter andern, dass man während der Arbeit für jede Spinnerey ein Livre de Piemont bezahle, diese Summen auf Zinsen lege, und einige Jahre Nutzen daraus ziehe. Sein Project, das er weitläufig ausführt, verdient gewiss alle Unterstützung des Hofs.

Siena in Pappini's Druckerey: *De Respiratione theses etc. accudit mathem. exercitatio de Calculo infinitesimali,* 1788. 4. S. 55.

Wird als Muster von Genauigkeit und Zierlichkeit gerühmt.

Vercelli della Tipografia patria: *Logica elementare cioe primi principj dell' arte di ragionare.* 1788. in 8. 166. S. Preis 35 kr.

Ist für junge Leute bestimmt und enthält daher keine grosse Mannigfaltigkeit von Grundsatzen, noch das Detail der Wissenschaft, sondern die allgemeinsten Fundamental-Regeln und ersten Anfangsgründe, und verdient unter solchen Büchern einen vorzüglichen Platz. Der Verf. will nächstens einen vollständigen Cursus der Elementar-Philosophie herausgeben.

Venedig: *Teatro del Conte Aleffandro Tepoli,* T. V. 1788. Enthält ein Trauerspiel, zwey Lustspiele, ein rührendes Drama, lauter Stücke, die die in den vorigen 4 Bänden weit übertreffen. Der Verf. scheint immer mehr Leichtigkeit, Energie, und Delicatesse im Ausdruck und im Sentiment zu erlangen.

Pavia nella stamperia de S. Salvatore: *Principj fondamentali del calcolo differentiale ed integrale appogioti alla dottrina de limiti.* 8. S. 195. mit Tabellen, Preis 1 fl. 10 kr.

Ist die Uebersetzung eines deutschen Werks von einem Preussischen Offizier. Der Italiänische Uebersetzer hat Verbesserungen, Einschränkungen Zusätze, von solcher Beträchtlichkeit dazu gemacht, dass man es fast für ein neues Werk halten kann.

Nizza: *Dizionario Universele ragionato della Giurisprudenza mercantile del Sigr. Domenico Albero Azuni, Giudice Legale nell' Excellentissimo magistrato del Consolato e del mare sedente in Nizza.* 4 Vol. 4. Preis 5 fl.

Dieser Band schliesst das Werk. Der Verfasser hat nicht blos gesammlet sondern, auch viele Artikel mit seinen Anmerkungen bereichert, welche Beweise seiner Kenntnisse in diesen Materien und seiner nicht gemeinen Manier, die Sachen zu beurtheilen abgeben.

Verona per Dionigi Romançini: *La Batracomiomachia di Omera volgarizzata da Antonio Lavagnoli,* si aggiungono *due Elegie di Callimaco volgarizzate dan altro traduttore.* 1788. 8. Preis 20 kr.

Diese Ausgabe verdanken wir dem P. Cesari, Uebersetzer einiger Oden des Horaz. Hr. Lavagnoli hat dem kleinen Gedicht des Homer alles das angenehme gegeben, dessen eine Uebersetzung nur fähig seyn kann. Die Elegien von Callimachus, welche Cesari übersetzt, lesen sich wie ein Original.

Napoli: *Precetti di Eloquenza Italiana dettati a giovani della R. Acad. milit. da Audrea Coinago Tenente sia professore della medesima.* 1788. 8. Preis 30 kr.

Sehr deutlich geschrieben. Das Werk ist in 2 Theile getheilt. Im zweyten Theil behandelt der Verf. verschiedene Gegenstände, die besonders Militair-Personen nützlich sind.

Nizza.

Nizza, bey der typographifchen Societät: *Lettere dal Abb. Pietro Metaſtaſio.* 5 Vol. 1737 e 1788. Pr. 3 fl.

Es ſind nicht die intereſſanteſten Briefe von Metaſtaſio, welche ſich noch immer in den Händen des R. Mariniez in Wien befinden, der ſie vollſtändig herausgeben wird, ſie haben aber doch wegen des Namens ihres Verf. guten Abgang gefunden.

Siena, dai Jorety Pappiani Carti: *Lettera del Sigr. Bartolomeo Borghi al Sigr. Avoc. Lodovico Coltellini di Cortom ſopra la carta geografica publicata da Antonio Zatta e figli col titolo: Parte dell' Imperio Ottomanno che confine cogli ſtati Auſtriaco e Veneto.* 1788.

Riposta del Sigr. Bartolomeo Borghi alla lettera di Niccenio Leotypo Paſtogone, intitolata: — *Chi .va l3? Geografia.*

Diefe beiden Briefe haben einen litterariſchen Streit zum Gegenſtand, der durch die Unternehmung des Buchdruckers Pappini einen neuen Atlas zu veranſtalten, veranlaſt ward. Denn auch Zatta in Venedig gab einen heraus, und darüber ward er eiferſüchtig. Verſchiedne Schriften wurden geweckſelt. Dies ſind zwei der beſten. Hr. Borghi ſteht an der Spitze der Unternehmer zu Siena, Pappini hat einen Prospectus drucken laſſen, um das

Publikum zu befriedigen. Der Preis der Charten iſt ſehr mäſig, und die Proben, die er davon herausgegeben hat, haben ihm den Beyfall der Kenner verſchaft.

Milano nella ſtamperia di S. Ambroſio Maggiore: *Nuovo, metodo* in cui ſi inſegna *la maniera di dirigerſi con tutta facilità nell imparare le Conjugazioni e verbi irregolari della lingua Tedeſca compilato da S. S. Picoli.* 4. Preis 12.kr.

Die Sorgfalt des Verf. den Italiänern eine leichte Manier zu zeigen, wie ſie die gröſsten Schwierigkeiten zu überſteigen haben, welche gewöhnlich vom Erlernen der deutſchen Sprache abſchrecken, iſt lobenswerth.

Nizza, preſſo la Società Tipografica: *Panegirico di Plinio a Trajano nuovamente trovato e tradotto da Vittorio Altieri du Aſti.* 1788. 8. 69 S. 20 kr.

Der Verf. iſt derſelbe, der das tragiſche Theater herausgegeben hat. Es iſt nicht der ſchon bekannte Panegyricus des Plinius, ſondern ein andrer, den man erſt kürzlich will gefunden haben. Es iſt intereſſant zu ſehn, wie ein neuer Schriftſteller den Plinius zum Trajan reden läſst. Alles läuft darauf hinaus, daſs er den Trajan überreden will, Rom ſeine alte Freyheit zu ſchenken.

LITERARISCHE ANZEIGEN.

I. Vermiſchte Anzeigen.

Etwas zur Erläuterung der Starckſchen Suche in Bezug auf den Aufenthalt deſſelben in Curl ud.

Nachſtehende beyden Briefe ſind intereſſant genug, um dem Publikum nichts vorenthalten zu werden. Um ſelbſt den Schein aller Partheyiſchkeit zu vermeiden, enthält ſich der Einſender aller Bemerkungen und Folgerungen, die ohnehin jedem ſogleich beyfallen werden.

No. I.

(an des Herrn *Peter Ernſt von der Oſten* genannt *Sacken*, Hochwohlgebohrnen, Erbherra auf Syrten und *Riddeldorf*.)

Hochwohlgebohrner

Hochzuehrender Herr.

Es kann die lebhafte Fehde Ew. Hochwohlgeb. nicht unbekannt ſeyn, welche Hr. *Nicolai* und die Monathsſchriftſteller in Berlin an einer, und der dermalige Oberhofprediger in Darmſtadt, Hr. Dr. *Stark* an der andern Seite mit einander vor dem Publikum führen. Sie erinnern ſich daher ohne Zweifel, daſs die *Frau von der Recke*, welche in dieſem Streit ſo anſehnliche Rolle übernommen, in ihrem Ernſt jedem Anonym berechtigt hat, ſich bey Leuten, die Herrn Stark in Curland gekannt, nach demſelben zu erkundigen. Um ſo viel mehr glaube ich, daſs ein Mann, der Ew. Hochwohlgeb. hier in der Unterſchrift ſich bekannt zu machen die Ehre hat, zu ei-

ner ſolchen Erkundigung berechtigt ſeyn könne, und in dieſer Hinſicht, die Freyheit, die er ſich nimmt, Entſchuldigung verdiene.

Lange hab ich hin und her gedacht, an wen ich mich in Kurland wenden ſollte, endlich bat man mich an Ew. Hochwohlgeb. gewieſen, als denjenigen Mann von Gewicht und Einſicht, von welchem der Herr Dr. Starck am langden und genaueſten gekannt zu ſeyn die Ehre haben ſoll. Es hat zwar, ich darf es nicht verhelen, der Umſtand einiges Bedenken bey mir erregt, daſs man mir zugleich meldete, als wenn die ehemalige Freundſchaft ſeit des letztern Anweſenheit in Deutſchland unterbrochen worden wäre. Ew. Hochwohlgeb. ſind mir aber auch als ein Kavalier von Ehre und ein rechtſchaffener Mann geſchildert worden, der weder aus Freundſchaft die Wahrheit zu verheelen, noch wegen erkalteter Freundſchaft eine Unwahrheit zu ſagen fähig wäre.

In dem feſten Vertrauen alſo, auf dieſem Wege endlich zu einer ganz unverdächtigen Wahrheit zu gelangen, bitte ich gehorſamſt mich zu benachrichtigen:

1. Ob Ew. Hochwohlgeb. am Hrn. Dr. Starck je eine Neigung zum Katholicism, und Jeſuitismus oder eine Connexion mit Jeſuiten und katholiſchen Geiſtlichen wahrgenommen?

2. Ob ſie eine Tonſur an ihm geſehen?

3. Ob Ihnen nicht bekannt, daſs er die Geſpenſtergeſchichten, deren die *Frau von der Recke* gedenkt, als ſolche erzählt hat, von welchen er ſelbſt Augenzeuge geweſen?

4. Ob

4. Ob Sie je einen Hang zur Schwärmerey an ihm wahrgenommen?

5. Ob er je Geister citirt oder durch Räuchern herbeyrufen wollen. Magie getrieben und gelehret hat, fie mag fchwarz oder weifs feyn?

Eine authentifche Nachricht diefer Fragen aus der Feder eines ehrlichen Mannes, der den Herrn Dr. Stark fowohl als Freund, als wie Maurer, lange, und unter allen Kurlandern am genaueften kennen foll, wird mir äufferft angenehm feyn. Ich verhele es nicht, Hrn. Dr. Starck Schriften haben eine Achtung für ihn bey mir erweckt, und es ift mir unbegreiflich, wie ein aufgeklarter und gelehrter Mann fo denken und handeln kann als ihm zur Laft gelegt wird. Aber es wäre doch auch die traurige Erfahrung für die Menfchheit, wenn ein ganz unfchuldiger Mann fo beyfpiellos verläumdet und verfolgt werden könnte, wenn an allem dem was Starcks Gegner noch in Kurland verfteckt zu feyn vorgeben, nichts — gar nichts feyn felke! Sie, verehrungswürdiger Mann, Starcks ehemaliger vertrauefter Freund können diefen Knoten löfen, deffen ganze Enswickelung mich intereffirt, weil fie die Menfchheit intereffirt.

Von Ew. Hochwoblgeb. edlen Denkungsart und Wahrheitsliebe habe ich foviel rühmliches gehört, dafs ich der gütigen Erfullung meiner Bitte, zuverlässig entgegen fehe, und es ift Wahrheit, wenn ich verfichere dafs ich mit der vollkommenften Hochachtung beharre

Ew. Hochwohlgebohren

d. 14 Dec. 1788. gehorf. Diener
V. — —

No. 2.

Hochwohlgebohrner Herr
Infonders Höchftzuehrender Herr — —! ?

Ew. Hochwohlgeb. Zufchrift und Auffoderungen an mich habe ich erhalten, und ich wüufche aufrichtig dem günftigen Vorurtheile, dafs Sie von mir gefaßt haben, mich gemäs zu bezeigen. Mir find allerdings die Streitigkeiten bekannt, die Hr. Dr Starck mit Herrn Nicolai und den Monaths Schriftftellern zu Berlin vor dem Publikum führet, woran leider fo viele gelehrte Männer Theil genommen und mit verwickelt worden find. (Mir, der ich mein Vaterland liebe, ift es um defto fchmerzhafter gewefen, zu fehen dafs diefer Streit endlich folche Wendung genommen, dafs auch Curlander in denfelben verwickelt werden mufsen. Aus dem Grunde elfo, ich geftehe es Ew. Hochwohlgeb. offenherzig, habe ich lange angeftanden, genau unterfucht, und redliche Männer zu Rathe gezogen, ob ich Ihre an mich gelehrte Fragen beantworten, oder felbige ganzlich von mir weifen folle. Ich habe auch, da mir Ruhe und Stille über alles geht, weder directe noch indirecte Antheil an diefen Streitigkeiten genommen; allein ich würde höchft unrecht zu handeln glauben, wenn ich die offenen geraden Fragen eines biedern Mannes, nicht eben fo offen und geradezu beantworten würde: einem Manne, der meine Rechtfchaffenheit, meine Ehre und Wahrheitsliebe auffordert. Ich werde alfo ihre Fragen nach den Eigenfchaften, die Sie mir zutrauen, fo often beantworten, wie ich fie vor dem Angeficht des beantworten würde, der die Wahr-

heit felber ift. Von allen bekannten und Freunden des Hrn. Dr. Starks kennt ihn niemand fo lang und genau als ich. Hier in Curland hat er aufser dem Hrn. Baron von Rönne, dem Reichsgrofen von Keiferling; meinen Vetter; einem Herrn von Sacken und mir keine vertrautere Freunde. Was ich ihnen alfo über fein Sujet fchreiben werde, können Sie fo betrachten, dafs es aus der allerzuverläfigften Quelle herfliefst. Es ift wahr feit feiner Abreife nach Deutfchland ift unfere Freundfchaft unterbrochen. Aber wäre Herr Dr. St. noch fo fehr mein Freund, fo würde ich mich dadurch nicht bewegen lafen, eine ihm vortheilhafte Unwahrheit zu fagen, und wäre er mein Feind, fo follte mich dies nicht abhalten feinen Verdienften Gerechtigkeit widerfahren zu lafen. Ew. Hochwohlgeb. fragen mich: 1, ob ich je an Hrn. Dr. St. eine Neigung zum Kotholicism, und Jefuitism, wahrgenommen, oder eine Conexion mit katholifchen Geiftlichen und Jefuiten? Nie in meinem Leben. Ich kenne den Mann genau, bin fchon in Königsberg fein innigfter Freund, und er ift der Beichtvater meiner Frau und meiner verftorbenen Schwiegereltern gewefen, und ich habe mich oft genug über die Religion mit ihm unterredet, auch den Unterredungen anderer mit ihm darüber beygewohnt, aber ich habe nie die geringfte Neigung zum Katholicism, und Jefuitim an ihm verfpürt: Vielmehr hat er mir und andern jederzeit die Lehre unferer lutherifchen Kirche eingeprägt. Eben fo wenig habe ich je das mindefte bemerkt, dafs er mit Jefuiten und katholifchen Geiftlichen in einiger Conexion geftanden, welches mir unmöglich hätte entgehen können, da ich fogar von aller feiner Correfpondenz unterrichtet zu werden Gelegenheit gehabt. Nie ift wohl eine Erdichtung unwahrfcheinlicher, unnatürlicher und ungegründeter als die je gewefen. Ich habe noch jetzt einige hundert Bogen Briefe und Schriften von feiner eigenen Hand, die er zu feiner Zeit gefchrieben, da er gewis nicht vermuthen konnte, te, dafs man ihn wegen feiner Religionsneyulungen in Anfpruch nehmen würde. Ich habe diefe Schriften, da die Streitigkeiten mit ihm entftanden, nochmals mit einem critifchen Auge durchfucht, allein ich bezeige vor Gott, dafs ich auch nicht eine Spur von heimlichen Katholicismus, oder Verbindung mit römifchkatholifchen Geiftlichen in felbigen gefunden. Sie fragen mich: 2, ob ich ja eine Tonfur an ihm wahrgenommen? Nie in meinem Leben. Ich bin faft täglich in Königsberg bey ihm gewefen: er hat in Curland auf meinen Gutern fich wohnhaft aufgehalten: ich bin in Unpäßlichkeiten bey ihm gewefen, er hat fich in meiner Gegenwart aus und angekleidet; und ich kann als ehrlicher Mann bezeugen, dafs diefe Befchuldigung eine der entfetzlichften Unwahrheiten ift, und dies kann erforderlichen Falls durch viele Zeugen bewiefen werden, felbft durch einen hiefigen Arzt, der ihm eine Wäße am Kopfe curirte. Was 3, die Gefpenftergefchichten betrift, fo gebe ich Ihnen die Verficherung, dafs Hr. Dr. St. fie fo erzält hat, als wenn er fie von andern gehört, diefe und andere Gefchichten hat er dem Hrn. Gr. von Keiferling, Hrn. Bär. von Rönne und noch andern Männern in eben der Art erzält. Dies wahrhafte Zeugnis werden und können diefe Männer ihm nicht verfagen. Nie in meinem Leben weifs ich mich zu

erinnern,

erinnern, daß er Gespenstergeschichten erzählt, von welchen er Augenzeuge gewesen, ja sogar die Geschichte, die sich eigentlich in *Lankeschm* zugetragen haben solle, wo Hr. Dr. *Starck* nie gewesen, hat ihm mein Vetter, Hr. *Carl von Sacken* als eine Geschichte erzählt, die er auch von andern gehört und dieser bekannte rechtschaffene Mann wird kein Bedenken tragen dies öffentlich zu bezeugen. Sie fragen mich: 4., ob ich je einen Hang zur Schwärmerey an ihm wahrgenommen? Da man in unsern Tagen so manches Schwärmerey nennt, was keine ist, so stehe ich in Zweifel, ob ich mich bestimmt genug erklären werde. So viel ist aber gewiß, daß ich nach der genauen Kenntnis, die ich von Hrn. Dr. *Starck* habe, einen Mann an ihm gefunden, der zwar kein Ungläubiger und Freydenker, sondern ein ächter protestantischer Theologe ist, der an die Geheimnisse unserer christlichen Religion glaubt: aber er ist zugleich ein kalter verständiger Wahrheitsforscher, der oft über den Fanatismus und die Menschensatzungen der römischen Kirche geeifert, für den Geist der Religion aber stets tiefe Ehrfurcht geäußert hat, welches man aber leider in jetzigen Zeiten für Schwärmerey hält. Ihre 5te und letzte Frage ist endlich, ob Hr. Dr. St. je Geister citirt, oder durch Räuchern herbeygerufen, und Magie getrieben und gelehrt habe, sie moge schwarz oder weiß seyn? Da er, wie ich eben gesagt habe zu keiner Schwärmerey geneigt ist, oder es müßte seit kurzem eine wunderbare gänzliche Veränderung vorgegangen seyn: so ware dies schon eine hinreichende Beantwortung jener Frage. Falls Ihnen aber diese nicht gülgen sollte, so versichere ich Sie als ein Mann von Ehre und Wahrheitsliebe, daß Hr. Dr St. nie Geister Citationen gebilligt, vielweniger, daß er Magie, schwarze od. weiße jemanden gelehrt, sie getrieben, und Geister citirt oder herbeygeräuchert haben sollte: Vielmehr hat er dergleichen Sachen jederzeit gemißbilligt, z. E. die Proceduren des Schröpfers, den er immer gewiß verachtet hat. Als Menschenkenner werden Sie überzeugt seyn, daß fast in jedem Menschen der Hang zum Wunderbaren liegt, und es ist oft in unsern freundschaftlichen Cirkel über diese Materie gesprochen worden, allein Hr. Dr. St. hat als redlicher Mann und Christ, wenn es auch möglich ware, daß solche kr. ste in der Natur lagen, ihren Gebrauch widerrathen und als höchststräflich verworfen. Dies kann ich durch das Zeugnis vieler bekannter redlichen Männer beweisen. So sehr es mich befremdet und mir, ich gestehe es, äußerst wehe gethan hat, daß man diesen Mann so wider alle Wahrheit mißhandelt hat, so wundert es mich sehr, daß es jetzt so keck, lich seine Freunde und Bekannten nahmentlich aufgerufen für ihn zu zeugen. Es sind ja genug Männer vom Stande und Ansehen, die ihn kennen in Mecklenburg und Preußen. Ich glaube, daß wahre Discretion niemanden zu compromittiren daran die Ursache gewesen. Sollte man mich wegen dieses Zeugnisses den Vorwurf, daß ich einem angesehenen Mann es gebe, der mich so feyerlich dazu aufgefordert, auch verketzern? So bin ich darüber hinaus. Sollte man vielleicht gar glauben, denn was glaubt und schreibt man nicht in jetziger Zeit, daß ich auch ein

heimlicher Jesuite sey, so kann ich erforderlichen Falls das Attestat meines jetzigen Beichtraters, eines in der gelehrten Welt bekannten Mannes, des Hrn. Pastor *Beckers* aufzeigen, daß ich mich zur Lutherischen Kirche bekenne, und meine Unterthanen zur Befolgung der protestantischen Lehre anhalte. Ich kann nicht unangereizt lassen, daß mein Vertrauen in meinen ersten Jünglingsjahren zu Hrn. Dr. *Starcks* entscheidenden Klugheit in theologischen Sachen stets groß gewesen, und ich mir oft in zweifelhaften Fällen Belehrung von ihm ausgebeten. Wie leicht ware es ihm gewesen bey diesem Vertrauen, und bey noch ungelauterten Begriffen aus mir zu machen was er nur gewollt? Allein ich bezeuge vor Gott, daß er mich oft mit Thränen im Auge gebeten, nie von der reinen Lehre unserer Lutherischen Kirche abzuweichen, fleißig das Neue Testament zu lesen, wobey ich mehr und mehr Aufklärung, Ruhe und feste Wahrheit finden würde, und ich werde ihm diesen redlichen Rath bis in mein Grab verdanken. Und diese redliche Dankbarkeit soll mich fest bestimmen, ihm, wenn ich jemals wegen eines Zeugnisses von ihm aufgefordert werden sollte, es nie zu versagen. Ich habe bey Beantwortung Ihrer Fragen mich vor Gott genau geprüft, damit auch nicht die entfernteste Unwahrheit mitunterlaufen möchte. Ich stehe vor dem Angesichte des Curlandischen Publici, die mich als ehrlicher Mann kennen. Ich habe Männer von Ansehen und Rechtschaffenheit, die meinem Zeugnisse beystimmen müssen, wenn sie aufgefordert werden sollten, und ich glaube nunmehro Ew. Hochwohlgeb. Verlangen zur Gnüge erfüllt zu haben. Indeßen es ist aufrichtig, daß es mich ganz ausnehmend schmerzt, daß eine in allem Betracht unserer würdigsten Frauen, die *Frau Cammerherrin von der Recke* unglücklicher Weise in diese fast ganz Deutschland verhaßte Streitigkeiten hineingezogen ist. Denn die wahrhafte Güte ihres Herzens ist so ausnehmend groß, daß wenn sie wüßte, daß alle die Beschuldigungen, die dem Hrn. Dr. *Starck* gemacht sind, auf so falschen Gründen beruhen, sie nicht einen Augenblick anstehen würde selbige zurückzunehmen. Allein ihre edle Gutmüthigkeit ist auf die entsetzlichste Art gemißbraucht worden, worüber hier fast alle ihre Freunde und Verehrer äußerst bekümmert sind. Wollte Gott! ich trete ein edler teutscher Mann auf, der vom ganzen Publico geliebt und geehrt wird, und legte beyden Partheyen ein ewiges Stillschweigen auf. Ich hoffe gewis, daß Ehrfurcht für einen solchen Mann, Ehrfurcht für den Frieden, höher als alle Vernunft, und Ehrfurcht für die Menschheit, die Gottes Bild an sich trägt, die Gemüther beruhigen und sie zum gänzlichen Stillschweigen bewegen würde.

Ich habe die Ehre mit vorzüglicher Hochachtung zu seyn

Ew. Hochwohlgebohrnen

Frauenburg
den 15ten Jan. 1789.

gehorsamster Diener

Peter Ernst von der Osten
genannt Sacken.

___

LITERARISCHE NACHRICHTEN.

I. Vorläufige Berichte von ausländischer Literatur.

Milano nella Stamperia di S. Ambrosio Maggiore: *La Religione. Poëma.* 1788. 8. S. 296. Preis 1 fl.

Oft eine ziemlich freye Ueberfetzung des Gedichts von Racine in Sette Rime. Der Ueberf. Mozzoni hat bey der Verfaet viel Schwierigkeit zu überftehn gehabt, und eine fchöne Vorrede hinzugefügt, worinnen er eine richtige Idee vom Gedicht felbft giebt.

Lucca, preffo Dominico Marefcandoli: — *Odi e Profe del Dottore Francefco Francefchi, Profeffore di Dogmatica in Lucca etc.* 1788. 8. 227 S. Preis 50 kr.

Der Verf. machte fich in feiner Jugend durch ein Trauerfpiel vortheilhaft bekannt. Hernach gab er eine Apologie des Metaftafio heraus, die man für. das Befte, was über diefen Dichter gefchrieben worden, hält. Hr. Arteaga, der den Metaftafio bitter angegriffen, war mit diefer Widerlegungsfchrift, fo edel fie auch war, nicht zufrieden, und antwortete noch bitrer. Sich zu vertheidigen fchrieb der Verf. diefe profaifchen Auffätze. Sie find, den fchönen Ausdruck und die feinen Bemerkungen ungerechnet, für die Litterargefchichte und Metaftafio's Leben fehr intereffant. — Der Oden find zwölf, über verfchiedne Gegenftände, eine ift ein Lobgedicht der deutfchen Dichtkunft, die Elegie auf den Tod des berühmten Franzofen Maria Zanotti ift eine der glücklichften. Nicht Stärke der Gedanken, aber Feinheit des Wendungen und ein angenehmes Kolorit machen ihre Vorzüge aus. Eine wohlgefchriebne Abhandlung über die Italianifche Ode geht vorher.

Pefaro bey Sarelli: *Epicrifi fopra alcuni errori e vani giudizj del volgo del Dottor Franc. Paolo Badinelli, Socio dell Academia di Congetturati di Modena etc.* 1788. 8.

Badinelli ift fchon durch verfchiedne mehrmals gedruckte anatomifche Obfervationen bekannt. Diefe Schrift ift die Apologie der Behandlung eines kranken Kindes, welche misglückte, mit vieler Gelehrfamkeit gefchrieben. Das Kind bekam im verwichnen Frühjahr das Fieber, man gab ihm Guinquina, die Blattern fchlugen dann, es kriegte Convulfionen, und verfchiedne gefährliche Symptomen

zeigten fich. Am eilften Tag ftarb das Kind. Der Verf. beklagt fich, dafs die Aeltern das Kind nicht fo behandelt, wie er vorgefchrieben u. f. w.

Roma nella Stamperia Salomoniana: *Memorie iftoriche degli uomini illuftri della città d'Aviano raccolte dall'Abb. Franc. Ant. Vitale, Patrizio di detta città, giureconfulto, etc.* 1788. 4.

Der Verf. giebt in der Vorrede Nachricht von der Stadt Avannum, und giebt dann in alphabetifcher Ordnung einen Auszug von den berühmten Männern, die diefe Stadt hervorgebracht hat. Ueberall zeigt er viel Gelehrfamkeit.

Faenza: *Comimandi chi può, abbidifca chi deve, o fia differtazione della forza obligatoria della difciplina ecclefiaftica.* 1788.

Man befchuldigt den Verf., dafs er wenig Gründe angiebt, und alle, die nicht feiner Meinung find, hart behandelt.

Concordato del 4to 1780. tra la Santità del Sommo Pontef. Pio VI. e S. A. R. il Sereu. Pietro Leopoldo I. Gran-Duca di Tofcana etc. intorno alla bonificazione delle Chiane nei Territorj di Città delle Piere e di chiuff. Firenze 1788. per Gaet Cambiagi Stamp. Gran-Duc. in Rel. 40 S. mit acht Kupfertafeln.

Diefe Tafeln geben viel Licht über die Hydrographie, und dienen zur Berichigung der geograph. Charte der Gränzen beyder Staaten. Von Tofcana ward hierzu der berühmte D. Pietro Ferroni gebraucht, die Tafeln machen ihm und dem Künftler viel Ehre.

(Gaz. di Firenz. N. 46. v. J. 1788.)

Saggio di Poëfie Campeftri del Cav. Pindemonte Parma 1788. *della R. Stamp. in 16. S. 103.*

Der Verf. ift ein bekannter Italiänifcher Dichter, feine Verfe find im Gefchmack des Zeitalters angenehm, aber traurig und pathetifch, auf dem Lande, und in kränklichen Umftänden verfertigt.

(G. d. F. N. 47.)

Dell' Instruzione de Processi criminali. Discorso del Comte Pietro Natricio Grisogono, Avvocato Criminale ornato. Mantova 1788. per l'Erede di Alberto Pazzoni 8. S. 71.

Der Verf. ist einer von denen, die sich mit Vernunftgründen für die leidende Menschheit interessiren. Er giebt die Mängel der Criminaljurisprudenz an, schlägt Mittel vor, die Praxis in ein besseres System zu bringen, und trägt einen Entwurf alles dessen, was bey Criminal-Processen geschehen muss, vor. Seine Schreibart ist schön, oft beredt. *(G. d. F. N. 47.)*

Delle Radice di Calaguala, Memoria di Domenico Luigi Gelmetti, D. in Medec. Mantova 1788. nella Stamp. di Giuf. Braglia. S. 24.

Die Wirkungen welche diese Wurzel in verschiedenen Krankheiten äusserten, trieben den Verf. an seine Versuche nebst seinen Bemerkungen, und einer genauen Beschreibung dieser Amerikanischen Pflanze dem Publikum bekannt zu machen.

J Salmi volgarizzati sul Testo Ebreo con annotazioni de un Monaco Maurino, fatti Italiani da Cum. Varisco C. R. S. Milano 1788. pei touhi dell Imp, Monast. de S. Ambr. Maggiore. 12. S. 350.

Einer genauen Uebersetzung ist der Text der Vulgata beygefügt, die Varianten stehen in den Noten, wenn der Verf. eine andere Lesart des S. Girolamo, aus dem Chaldäischen und Syrischen annimmt, zeigt er es sorgfältig an. *(G. d. F. N. 47.)*

Breve Istoria del Dominio temporale della Sede Apostolica nelle due Sicilie, descritta in tre libri. Roma 1788. 4. p. 518.

Das erste Buch handelt vom Ursprung und Ansprüchen der Herrschaft des h. Stuhls auf beyde Sicilien; das zweyte enthält die Anerkennungshandlungen welche die Regenten von Sicilien dem h. Stuhl darüber geleistet; das dritte die Vertheidigung der Urkunden von Kaif. Heinrich I. gegen die Erinnerungen eines ungenannten Autors einer sogenannten Untersuchung. *(G. d. F. N. 47.)*

Dizionario storico delle vite di tutti i Monarchi Ottomanni fino al regnante Gran Signore Acmet IV (Abdul Hamid) e delle più riguardevoli cose appartenenti a quella Monarchia. Venezia 1788. per Fr. Pitteri e Franc. Sansoni. Vol. 2. in 8. Jeder Band ungefahr 260 Seiten stark.

Nicht blofs die Leben der Sultane, sondern auch die Sitten und Gewohnheiten der Nation find hier von jeder Seite betrachtet. In der Vorrede giebt der Verf. eine allgemeine Idee von der ganzen Türkey. Alsdenn folgen die Notizen, die zur Bequemlichkeit des Lesers in Alphabetische Ordnung gebracht sind. *(G. d. F. N. 48.)*

Della coltivazione del Maiz, Memoria che riportò il premio dell'Accessit della Publ. Acad. Agraria di Vicenza nel di 2. Oct. 1786; del P. Gaetano Harasti di Buda,

Religiofo di S. Francesco etc. Vicenza 1788. nella Stamp. Turra. 8. S. 112. mit einem Kupferstich.

Jaron und andre angesehene Schriftsteller hatten vom Maiz gehandelt, aber eine vollständige Abhandlung darüber fehlte Italien noch. Unser Verf. hat ihn in seinen verschiednen Abarten unterfucht, die Art ihn zu pflanzen, und ihn zu erndten, angegeben, und mit einem Wort alles betrachtet, was nur darauf Bezug haben kann.
(G. d. F. N. 49.)

Nuova Compilazione di Storia della Chiesa che con brevità e fultezza contiene I foggetti pin curiofi ed importanti, ed indirizzata a commun vantaggio de' Fedeli, e particolarmente di tutti gli Ecclefiaftici, con un Appendice di Difcorfi, offia offervazioni. Venezia 1788. per P. Piotto. in 8. ed. in 4.

Ermüdet weder durch Weitläufigkeit, noch läfst es durch zu trockne Kürze ohne hinlänglichen Unterricht. Die wichtigsten und nothwendigsten Begebenheiten der Kirchengeschichte find darinn erzählt. Die Manier sowohl, als eine glückliche Verbindung des Angenehmen mit dem Nützlichen, machen es zu einem nützlichen Handbuch für alle, die dies Studium interessirt. — Der Verf. ist Andr. Bianchini, der sich schon durch mehrere Schriften bekannt gemacht hat. *(G. d. F. N. 50.)*

Del morbo nero, o fia del fuffo gaftrico fanguigno perfettamente curato. Differtazione medico pratica del Dott. Luigi Loli di Fojano, Medico Fifico e condotto nella città di Volterra etc. Siena 1788. nella Stamp. di Alefándro Mucci. 8. S. 48.

Enthält die Krankheit eines Kamaldulenser Mönchs in Volterra, die der D. Loli glücklich heilte. Wenig Aerzte schreiben so klar, und nach dem Ausgang der Krankheit zu urtheilen, ist der Verf. auch einer der richtigen Denker in seiner Kunst. *(G. d. F. N. 51.)*

II. Beförderungen.

Die Akademie der Künste zu Berlin nahm bey einer aufserordentlichen Seffion, in welcher des Herrn Herzogs v. Sachfen Weimar Durchl. als Ehrenmitglied eingeführt wurden, ferner die Herren gch. Rath v. Göthe, Hofrath Wieland u. Rath Kraus in Weimar zu Ehrenmitgliedern derfelben auf. *A. B. Berlin den 14 Febr. 1788.*

III. Todesfälle.

Den 27 Nov. verwichenen Jahrs starb in einem hohen Alter Herr *Thomas Harmer,* zu Wattisfield, in der Graffchaft Suffolk, wo er über 54 Jahr Prediger bey einer Gemeinde von Diffenters gewesen ist. Seine obfervation on divers paffages of Scripture erschienen zuerst 1765 in 1 Band, sie wurden 1777 wieder aufgelegt in 2 Bänden, zu welchen 1787 noch Zween andre hinzukamen. Er ist auch der Verfaffer der Notes on Salomon's fong, die zuerst 1765, und darauf wieder 1775 herauskamen. *Gentlem. Magaz. Decemb. pag 1127.*

An 3ten Februar starb zu Berlin Hr. Nicolaus von Beguelin, Director der philofophischen Claffe der Akademie

mie der Wiſſenſchaften, Mitglied des groſsen Raths zu Biel, Erb- und Gerichts-Herr auf Lichterfelde, Gieſensdorf etc. in einem Alter von 74 Jahren an einer gänzlichen Entkräftung — Dieſer allgemein verehrte Mann, dieſer ſtille und aufgeklärte Denker, dieſer wahre praktiſche Weltweiſe, läſst den Ruhm, das edle und königliche Herz unſers Monarchen *), zu allen ſanften und menſchlichen Tugenden gebildet zu haben, als ein ehrenvolles und bleibendes Denkmal hinter ſich. Was er im bürgerlichen Leben, im Umgange, und in allen ſeinen zum Theil ſehr wichtigen Verhältniſſen war, wiſsen alle die ihn kannten und die in ſeinem ganz adellofen Wandel alle Forderungen, die nur die Philoſophie an den Menſchen wagen darf, erfüllt ſahen. Ob er gleich auch als gelehrter nie ohne gebührendes Lob genannt wird, ſo iſt er doch von dieſer Seite lange nicht ſo bekannt, als er es hätte werden können, wenn er nach lautem Beyfall hätte ringen wollen. Er hat in ſeinem langen Leben, von dem er keinen Tag verſchwendete, mehr gedacht, als Tauſende, welche die Welt mit ihren Schriften überſchwemmen, und weit mehr geſchrieben als er nach ſeiner beſcheidnen, aber unerſchütterlichen Ueberzeugung von der Ungewiſsheit der meiſten menſchlichen Erkenntniſse, ſeinen Zeitgenoſsen vorlegen mochte. Daher kömmt es, daſs er faſt blos über mathematiſche und meteorologiſche nur ſelten aber über metaphyſiſche und moraliſche Gegenſtände, denen er doch, ſo wie allem, was ernſthafte Wiſſenſchaft zu heiſsen verdient, einen anſehnlichen Theil ſeiner Zeit und der Kräfte ſeines ſcharfſinnigen Geiſtes widmete, ſeine Gedanken öffentlich vortrug: daher kommt es, daſs ſein Nahme nur in den wenigen ſchätzbaren Abhandlungen, die man in den Jahrbüchern der Berliner Akademie von ihm findet, lebt. Aber unvergeſslicher lebt dieſer Nahme in der nie erkaltenden Verehrung aller, denen das Glück gönnte, in der Nähe dieſes ſeltnen Mannes zu ſeyn, in dem Andenken ſeines Königes und

*) Bey dem er an 20 Jahre die Stelle eines Gouverneurs bekleidet hat.

ſeines Freundes, der Ihm die Thränen, die er verdiente, aus vollem Herzen geweint hat, und in jeder ſchönen That, die ſeine Regierung ſchmückt, und die Menſchheit beſeliget. A. B. Berlin d. 12. Febr. 1789.

IV. Vermiſchte Nachrichten.

St. Petersburg am $\frac{22\text{ten Dec. 1788.}}{3\text{ten Jan. 1789.}}$ Der Graf Anhalt iſt als Chef des hieſigen Landcadettencorps noch immer unermüdet, alles zu thun, was dieſe Anſtalt der Vollkommenheit näher bringen kann, die er ihr zu geben bemüht iſt. Es iſt eine ſeiner Einrichtungen, daſs ſich die Cadetten der vier höchſten Alter, alle Sonn- und Feſttage im ſogenannten Recreationsſaal verſammeln müſsen, um hier in den Frühſtunden vor der Kirche theils ſich zu vergnügen, theils zweckmäſsig unterhalten zu werden. In einer ſolchen Verſammlung hielt Hr. Warſf, Kaiſerlicher Rath und Lehrer der Geographie und Geſchichte beym Cadettencorps, am Nahmenstage der Kaiſerin eine Rede, die die Entwickelung der Vortheile, welche Peter der Groſse, und ſeine jetzige groſse Nachfolgerin, dem Ruſſiſchen Kaiſerreiche geſtiftet, zum Gegenſtande hatte. Die Rede wurde gedruckt; der Graf ſelbſt ſorgte für die Ueberreichung, und unſere erhabene Monarchin überſandte dafür dem Verfaſser die groſse goldene auf die Errichtung des Monuments für Peter den Erſten geprägte Medaille, die er unter der Verſicherung des Wohlgefallens und der Gnade der Kaiſerin aus Sr. Erlaucht Händen erhielt.

Der Verfaſser des berichtigten Buncle heiſst Thomas Amory. Er lebte noch den 19 Nov. 1788 in einem Alter von 97 Jahren. Gentlem. Magaz. Decemb. S. 1062.

LITERARISCHE ANZEIGEN.

1. Ankündigungen neuer Bücher.

Das Journal des Luxus und der Moden vom Monat Februar iſt erſchienen, und enthält folgende Artikel: I. Ueber den Luxus des Liqueur-Trinkens. II. Theater-Ueberſicht des heutigen Zuſtandes des Teutſchen Schaubühnen-Weſens. III. Empfehlung eines wichtigen und ganz unfehlbaren Schönheits-Mittels. IV. Auflöſung der Algebraiſchen Räthſel im Jänner des J. d. M. V. Mode-Neuigkeiten 1. Aus Deutſchland. 2. Aus Frankreich. VI. Ameublement. Eine engl. Tiſchleiter für Zimmer-Bibliotheken. VII. Erklärung der Kupfertafeln, welche diesmal liefern: Taf. 4. Fig. 1. Eine weibliche Büſte in einer Winter-Garnitur. Fig. 2. und 3. Zwey Winter-Hüthe. Taf. 5. Eine junge Dame in einer Robe à l'Anglaiſe von neuer Form. Taf. 6. Eine engliſche Tiſchleiter für Zimmer-Bibliotheken.

In dem Verlage der Kön. Preuſs. Akad. Kunſt- und Buch-Handlung zu Berlin, wird nächſtens eine Ueberſetzung der Oeuvres badines du Comte de Caylus erſcheinen, die von einem der berühmteſten Ueberſetzer Deutſchlands bearbeitet wird. — Auch hat die Preſse verlaſsen t.

1) Ramlers allegoriſche Perſonen zum Gebrauche der bildenden Künſte. 4. 1 Rthlr. 18 Gr.

2) Einzig möglicher Zweck Jeſu aus dem Grundſatze der Religion entwickelt. 8. 12 gr.

II. Preisaufgaben.

Der Graf de Mouſſin-Pußchkin hat durch die Petersburger Akademie in einem Expoſé von 2 Quartblättern aufgegeben: Déterminer par une ſuite d' experiences, quel eſt le rôle, que les airs fudiſes, ou l' electricité, ou encore

ces

*es nirt fassices combinés avec l' electricité , jonent dans la mi-
nevalisation , et de constatet par ces experiences, si le principe
electrique contient un veritable phlogistique ou non ? Der Preis
ist 50 holl. Ducaten , und der Termin bis zum Jun. 1790.*

III. Vermischte Anzeigen.

So viel ich für nützliche Gesellschaften Achtung und
Ehrfurcht habe , so weit bin ich entfernt , mich in unnütze und lieblose Mitwirkungen solcher einzulassen , die
eine ganze Gesellschaft, thätiger Bürger , nemlich die Buchhändler abschlachten wollen. Noch viel weniger habe
ich mich jemals entschließen können in Gesellschaften
zu treten , wo bloss unbekannte Obere herrschen und
wo Selbsteinsicht , Ueberzeugung Durchschauung der Absichten mir abgeschnitten , oder die Binde vor die Augen
gezogen wurde. Wie hätte ich mich also bewegen lassen
können in die Gesellschaft oder in die *deutsche*
Union der zwey und zwanziger zu treten, auf
deren Liste von Mitverbündeten *ganz ohne mein Vorwissen*
und Einwilligung mein Nahme, zwar unter vielen andern angesehenen Männern, gefunden wird? — Folglich muss ich
hier öffentlich declariren, dass mir die vielleicht honorable Gesellschaft der XXIIger, weder bekannt ist
noch sie irgend einige Ansprüche an mich als ihren
mitverbündeten oder gar vereideten Bruder jemals gehabt
hat und haben wird.
Jena am 15 Febr. 1789.

D. Stark,
Herzogl. Sächs. Weim. Hofrath u. Leibarzt.

Der Herr Ober - Rechnungsrath Canzler citirt in seinem
Tableau historique de l'Electorat de Saxe pag. 339. in der
Anmerkung f. Carl Friedrich Zimmermanns Obersächsische
Bergakademie mit der ganz falschen Zusätze „Cet Auteur
est le l'ère de notre/savant Mineralogiste Charpentier. Diese im Vorbeygehen gemachte Anmerkung war in dem
Werke selbst von mir beym Durchlesen übersehen worden,
bis ich sie in der Revision der Allgem. deutsch. Bibliothek
im ersten Stücke des 81 Bandes p. 54. ausgehoben fand.
Ich habe zwar ein ähnliches ungegründetes Vorgeben,
welches vor mehrern Jahren in einer sogenannten witzigen Schrift ausgestreuet war (wo man es nicht gesucht
hätte) ungerügt gelassen , in der Erwartung es würde mit
dem Buche selbst vergessen werden; allein da eine solche
Nachricht in ein Werk von Wichtigkeit und Dauer ist
aufgenommen, und durch ein so allgemein gelesenes Journal weiter verbreitet worden, so hielt ich mir in mehr als
einer Rücksicht schuldig, dieser durchaus irrigen Behauptung hiermit öffentlich zu widersprechen.

Denn ganz falsch ist es, dass gedachter Zimmermann
mein Vater sey. Dieser war vielmehr Herr Johann Ernst
Charpentier, weiland würklicher, zuletzt in Pension ste-
hender Hauptmann unter den Churfächsischen Truppen,
dessen Name in der Armee bey Personen von höchsten
Range noch in Andenken ist, und den in den letzten Jah-

ren seines Lebens, die er bey mir in Freyberg zugebracht
hat, denn er ist erst am 12 Febr. 1781 in einem Alter von
beynahe 77 Jahren allhier gestorben, eine Menge hiesiger
Einwohner als meinen Vater gekannt haben.

Aber eben so falsch ist es, dass er je den Namen
Zimmermann gefuhret hätte. In dem Königl. ihm aus-
gefertigten Bestallungspatent als Souslieutenant bey dem
ehemaligen Prinz Gothaischen Infanterie Regimente, d. d.
Zeithayn den 30 May 1730, welches ich noch in Original von
ihm besitze, heißt er Johann Ernst von Charpentier. Sein
Vater war Johann Charpentier, Hauptmann in Diensten der
Stadt Danzig, der Großvater, Toussaint Charpentier, aus
guten adlichen Geschlechte in der Normandie, welcher bereits in dem Jahre 1630 sein Vaterland verlassen, und in
Begleitung des ehemaligen Königl. Schwedischen Gesandt-
ens, Bengt Oxenstierna, mehrere Länder Europens durch-
reiset hat, und von welchem, nachdem er sich durch diese
Verbindung zuerst in Liefland , dann aber in Finnland
etablirt hatte , noch ein Descondente der Freyherr Claes
Robert Charpentier, Königl. Schwedischer General-Lieute-
nant und Commandeur des Schwerdordens, im Jahr 1782
zu Stockholm in einem Alter von 76 Jahren und einigen
Monaten verstorben ist. Dieses ist meine wahre Genealogie,
wornach auch Ihro Kaiserl. Maj. in allerhöchsten Gnaden
geruhet haben, mich in dem Jahre 1784. in den Adel des
deutschen Reichs aufzunehmen.
Freyberg, am 10 Febr. 1789.

von Charpentier,
Churfürstl. wirklicher Bergrath und Beysitzer
des Oberberg- und Oberhütten-Amts.

Ich habe im Monat Januar d. J. eine unvollendete
philosophische Abhandlung von einem Ungenannten erhalten, deren Anfang viel Gutes verspricht. Da ich mich
über ihren Inhalt gern mit dem Verf. unterhalten möchte; so ersuche ich denselben, mir, es sey schriftlich
oder durch den Weg dieses Intelligenz-Blattes, wofern
es ihm gefällt, das Incognito zu behalten, eine Addresse
zukommen zu lassen, unter welcher er meine Briefe erhalten kann. Halle d. 16. Febr. 1789.

Jo. Aug. Eberhard.

Da der Termin zur Pränumeration des Sotzmanni-
schen Atlasses zu Büschings Geographie mit dem 1 Jan.
d. J. zu Ende gegangen ist, und sich verschiedene gemeldet haben, welche denselben zu besitzen wünschen; so
haben wir einen weitern Termin bis den 1 May d. J. fest-
setzt, wo man gegen die Pränumeration von Einem Thaler
auf jedes Heft sich denselben verschaffen kann. In unserer Handlung wird die fernere Pränumeration angenommen, und kann man zugleich die ersten fertigen Karten
des ersten Hefts, welches zur Oster-Messe herauskömmt,
in Augenschein nehmen. Der nachherige Ladenpreis ist
1 Rthlr. 8 Gr.

Königl. Preuss. Akadem. Kunst-
und Buchhandlung.

217   218

INTELLIGENZBLATT
der
ALLGEM: LITERATUR-ZEITUNG
Numero 28.

Mittwochs den 25ten Febr. 1789.

LITERARISCHE NACHRICHTEN.

I. Vorläufige Berichte von ausländischer Literatur.

The Solicitudes of Absence. A Genuine Tale. 12. 3 s. sewed. Forster etc. 1788.

In diesem Briefwechsel des Verf. Hrn. Stanwick mit seiner Frau während ihrer nothwendigen Trennungen, sind die Briefe der letztern voll von beweisen ihrer treflichen Fähigkeiten, ihrer exemplarischen Tugend, und ehlichen Treue. Die Briefe sind oft mit Versen untermischt, und die Musen sind dem Dichter nicht unhold. Oft hat er sich in Addressen ans Parlament für die Seeleute, Schiffswundärzte und ihren Wittwen verwandt, und leider ist er selbst nicht glücklich. Seine Geschichte ist eine sehr melancholische Erzählung.   (M. R. Nov. 1788.)

The Poetry of the World. Crown 8. 2 Vols. 7 s. sewed. Bell 1788.

Die typographische Zierde dieses Werks verdient alles Lob. Horazens Maxime: *ut pictura poesis* erit ist hier buchstäblich bey jedem Gedicht ausgeführt, und der Buchhandler scheint ehrgeizig genug, der Baskerville unserer Zeit seyn zu wollen. Manche der Gedichte verdienen auch wirklich diese Zierde. Wer unter den Namen Della Crusca, Anna Matilda, Arley, Benedict, der Barde, und Edwin versteckt sey, ist uns nicht bekannt. Doch soll Della Crusca Hr. Merry, Arley Hr. Andrews, und der Barde Hr. Berkley seyn.   (M. R. Nov. 1788.)

Picturesque Antiquities of Scotland. Etched by Adam de Cardonnel. 8. 2 Vols. 18 s. Boards. Edwards 1788.

Die Herausgabe der Numismata Scotiae vom Verf. fand so viel Beyfall, dass er dadurch Muth bekam, die Ueberbleibsel der alten Caledonischen Herrlichkeit, welche jetzt meistens in Ruinen liegen, zu sammeln. Der erste Band enthält die Religiösen Gebäude, und beschreibt die verschiedenen Arten der Mönche mit ihren Einrichtungen in Schottland; der zweyte die Ruinen von Befestigungen nebst einer Vorrede über die alte Befestigungsart, einem Auszug aus C. Grose Vorrede zu s. Engl. Alterth.   (M. R. Nov. 1788.)

Entick's New Spelling Dictionary, comprehending a copious, and accented vocabulary of the English Language; revised, corrected, and enlarged throughout by Will. Crakelt. M. A.

Rector of Nursted and Ifield in Kennt. 4. 4 s. Bound. Dilly 1788.

Diese neue Ausgabe soll viel Verbesserungen und Zusätze bekommen haben; Papier und Lettern sind sehr schön.   (M. R. Nov. 1788.)

Elements of Algebra, to which is prefixed a choice Collection of Arithmetical Questions, with their Solutions, including some new Improvements; worthy the Attention of Mathematicians etc. By John Mole. 8. 5 s. Boards Robinson 1788.

Die allgemeinen Regeln sind mit vieler Klarheit festgesetzt, und die Grundsätze, worauf sie beruhen, sehr deutlich demonstrirt. — Der Verf. geht nicht zu den höhern Theilen der Wissenschaft, als z. E. der geometrischen Construction der Gleichungen, und der Anwendung der Algebra auf Geometrie. Neues enthält das Buch nichts.   (M. R. Nov. 1788.)

An History of Fungusses growing about Halifax. With Figures copied from the Plants, when newly gathered and in a State of Perfection, and with a particular Description of each Species in all its Stages; the whole being a plain Recital of Facts the Result of more than 20 Years Observation. By James Bolton, Member of the Nat. Hist. Society at Edinburgh. 4. Vol. I. and II. 2 l. 2 s. each Coloured, or 18 s. plain. Boards. White. 1788.

In der Einleitung zeigt Hr. Bolton die allgemeinen Charaktere der Schwamme mit Kupfern erläutert, zu den Generibus von Linné hat er noch ein neues Sphaeria hinzugethan. — Nach der Beschreibung der generum erklärt er die verschiedenen Theile der Schwamme, und die technischen Wörter. Jede Pflanze ist weitläuftig beschrieben, die beiden Bände enthalten 105, 86 gehören zum genus Agaricus, 14 zum Boletus, 3 zum Hydnum, und zwey zu Phallus. Die noch übrigen wird der dritte Band enthalten.   (M. R. Nov. 1788.)

The Medical Reform, containing a Plan for the Establishment of a Medical Court of Judicature to correct Abuses of the Profession of Physic in all its Branches; and a Medical College to give full instruction to Youth intended for Surgeons for the Navy or Army, Without Expence to the Nation of Oppression to Individuals. Being a Letter to the Right Honourable W. Pitt Esq. 8. 2 s. 6 d. Deighton 1788.

Ee   Der

Der Verf. dieſer Schrift ſpricht ſehr übertrieben von den Misbräuchen der Heilkunde, beſonders über die Apotheker, führt die Geſetze der meiſten Europäiſchen Reiche, welche mediciniſche Praxis betreffen, an, und empfiehlt einen neuen Plan dazu in England.

(M. R. Nov. 1788.)

Obſervations on the Pharmacopœia. Collegii Reg. Medic. Londin. 1788. *annexed to the Obſervations on the Specim. n Alterans, pointing out many ſtriking Defects etc. etc.* 8. 6 d. Robinſons 1788.

Der Verf. iſt ein ſtrenger Richter, und gründlicher Chemiſte, er zeigt denen, welche die Aufſicht über die Compilation und Ausgaben des Pharmacopœa hatten, manche chemiſche Fehler.

(M. R. Nov. 1788.)

Continuation of Yorik's Sentimental Journey. 12. 2 ſ. 6 d. ſewed. Symonds 1788.

Sterne hat nur ein weiſſes Blatt in ſeinem ganzen Buch, dies Buch iſt aber ein weiſſes Blatt von Anfang bis zu Ende.

(M. R. Nov. 1788.)

Royal Recollections on a Tour to Cheltenham etc. in 1788. 8. 2 ſ. 6 d. Ridgway.

Dieſe Satire würde unterhalten, wenn ihr Gegenſtand etwas weniger reſpectable wäre, als der Charakter eines würdigen Prinzen, deſſen Tugenden dann noch geſchätzt ſeyn werden, wenn die Witzeleyen des Zeitalters längſt vergeſſen ſind.

(M. R. Nov. 1788.)

An authentic Detail of Particulars relative to the late Dutchefs of Kingſton. 8. 3 ſ. 6 d. ſewed. Kearſley 1788.

Scheint von einem Mann zu ſeyn, dem das Leben und die Begebenheiten der Kingſton ſehr bekannt waren. Die Begebenheiten ſelbſt hat er als ein guter Beobachter und Entwickler menſchlicher Charaktere erzahlt. Er ſchreibt angenehm und ſeine Biographie ließ ſich gut.

(M. R. Nov. 1788.)

A practical Eſſay on the Death of Jeſus Chriſt. By Will. M. Gill D.D. one of the Miniſters of Ayr. 8. 6 ſ. Boards, Edinburgh, printed, and ſold by Robinſons. London.

Der erſte Theil dieſes Verſuchs erwägt die Geſchichte von Chriſti Leiden und Tod, wie die die Evangeliſten erzählen, der zweyte zeigt die Wirkungen und Folgen davon. — Er vermeidet die Namen aller Secten, und kennt nur den Namen Chriſt. Sein Buch kann daher Perſonen von verſchiedener Meynung nützlich ſeyn.

(M. R. Nov. 1788.)

La Philoſophie du Sentiment, ou les Loiſirs d'un homme ſenſible. Broch. 8. 126 S. à Paris chez Defer de Maiſonneuve.

Enthält fünf ziemlich kurze Erzählungen in Proſa. Die erſte iſt die angenehmſte, es iſt wenig Einbildungskraft darinn.

(Merc. de Fr. Nov. 46.)

Manuel des Goutteux et des Rheumotiſmes etc. par M. Gachet, Maître en Chirurgie. Nouv. edition, revue,

corrigée et augmentée. à Paris chez M. Gachet fils. 12. br. 2 liv. 10 ſ. rel. 3 liv.

Iſt die zweyte Auflage eines ſchon hinlänglich bekannten Werkes, und eines Mannes, der in dem Fach ſich viel Erfahrungen geſammlet.

(M. de Fr. N. 46.)

Memoires ſur les Etats généraux etc. 8. 128 pag. à Lauſanne et ſe trouve à Paris etc.

Iſt eins der beſten Werke über dieſe Materie.

(M. de Fr. N. 47.)

Eſſai ſur l'hiſtoire Chronologique de plus de 80 Peuples de l'Antiquité, compoſé pour l'education de Monſeigneur le Dauphin, par M. de Laborde etc. à Paris chez Didot. Prix 15 liv.

Iſt mit vieler Præciſion geſchrieben, und kann jungen Leuten ſtatt vieler anderer dunkler Bücher dienen.

(M. de Fr. N. 47.)

Détails authentiques, relatifs à la tenue des Etats Généreux en 1614 — tiré du Merc. François et de l'Imprigue du Cabinet. à Londres, et ſe trouve à Paris chez Knapen et fils.

Muß als Zeitſchrift nothwendig die Nation ſehr intereſſiren.

(Merc. de Fr. No. 48.)

Voyage en Turquie et en Egypte, fait de l'année 1784 à Paris chez Royez. 150 pag.

Von einem Grafen P — Enthält 20 Briefe, und 5 oder 6 orientaliſche Erzählungen. Der Leſer wird von Polens Gränzen nach Conſtantinopel und Cairo geführt, und es fehlt nicht an feinen philoſophiſchen Bemerkungen. Das Ganze iſt ein ſchönes Supplement zum Volney und Tott.

(Merc. de Fr. No. 48.)

Le Muſeum de Florence, ou Collection des Pierres gravées Statues, Medailles et Peintures, qui ſe trouvent à Florence — avec des explications françoiſes, par M. Mulot. Tome I. in 4. à Paris chez M. David.

Weil das Muſeum Florentinum von Gori u. a. für viele Liebhaber zu koſtbar iſt, ſo kam der Verleger auf die Idee, es mit weniger Pracht, und in kleinerem Format wohlfeiler zu liefern. Bey Mulot kam er an dem rechten Mann. Gori iſt überſetzt, jedoch manches weggelaſſen, manches hinzugekommen, und überall mit Kritik verſehen. — Der erſte Band enthält 96 Kupfer, ſowohl Steine, als Büſten, und iſt in 4 Klaſſen eingetheilt.

(Merc. de Fr. N. 48.)

Repertoire Univerſel Portatif d'Auguſtin Rouillé, contenant des Extraits raiſonnés de tous les meilleurs Ouvrages connus dans tous les genres: except la Metaphyſique etc. — à Paris chez Knapen et fils. 8. 2 Vollr. jeder mehr als 500 S. Prix 10 liv. 4 ſ. br. et 12 liv. relié.

Iſt eine Art Dictionaire, wo der Verf. aus faſt allen Wiſſenſchaften allerley zuſammengetragen, und, wie er ſagt, mit Wörtern karg umzugehn ſich bemüht hat. Er ſcheint unpartheyiſch zu ſeyn. (M. de Fr. N. 48.)

Bagatelles Litteraires, par L. B. de Bilderbeck. 8. à Lauſanne chez Jean Mourer.

Ent-

Enthalten Bemerkungen über den Gang und die Fortschritte des Geschmacks in Deutschland, einige dramatische Versuche, die nicht weit her sind, und Erzählungen,
die sich ganz artig lesen lassen. (M. de Fr. N. 48.)

Collection des Memoires de l'histoire de France. Tome
XLIV. à Paris, rue et hôtel Serpente.
Enthält die Folge der Memoires des Michel Castelan.
(Merc. de Fr. N. 48.)

Bibliotheque Universelle des Dames. Ebendaselbst.
Die beiden neuesten Bände sind der 11 der Melanges,
der von lateinischen Dichtern und ihren verschiednen
Nachahmungen handelt; und der 17 der Romane.
(M. de Fr. N. 48.)

Souvenirs d'un homme du Monde etc. 2 Voll. 12. à Leip-
fic chez Veltheim et à Paris chez Maradon.
Man findet in diesen beiden Bänden viel Neues und
Merkwürdiges, was für Sammlungen dieser Art immer
etwas seltnes ist. (Merc. de Fr. N. 48.)

Manuel du Pharmacien etc. par M. Demachy, Censeur
Royal etc. 2 Vol. in 8. Prix 8 liv. br. 10 liv. relié.
9 liv. francs de port par la Poste.
Lang erwartete man dies Werk, und es entspricht seiner Erwartung. (Merc. de Fr. N. 49.)

Réponse à MM. les Officiers du Corps Royal du Génie.
Auteurs d'un Memoire sur la Fortification perpendicu-
laire; par M. le Marquis de Montalembert etc. 1 Vol.
in 8. mit Kupfern. à Paris chez Didot fils ainé.
Dies Werk enthält eine sehr detaillirte Abhandlung
der Befestigungsmethode der Franz. Ingenieurs, und bezeugen, die der Verf. ihr vorgezogen haben will. Alles,
was in den 5 Bänden der Fortifioxion gegen dies neue
System gesagt worden, wird hier widerlegt.
(Merc. de Fr. No. 49.)

Itineraire complet de la France, ou Tableau general de
toutes les Pontes et Chemins de trouvele de ce Royau-
me etc. 2 Voll. 6. prix 18 liv. br. avec la Carte. à
Paris chez Lonette.
Der Titel des Werks zeigt schon seine Materie an,
und beweist dessen Nützlichkeit. (M. d. F. N. 49.)

Des Etats Généraux et autres Assemblées nationales etc.
Hievon sind der 7. 8. 9. und 10 Band erschienen.
(Merc. de Fr. N. 50.)

Galerie du Palais Royal etc. à Paris chez J. Couché.
11 Sammlung.
Verdient dieselben Lobsprüche, wie die vorhergehenden.
(Merc. de Fr. N. 50.)

Oeuvres complettes de M. Marmontel etc. édition revue
et corrigée par l'Auteur. 13. 14. 15. 16. et 17 Band.
à Paris chez Née de la Rochelle.
Der 13 und 14 Band enthalten die Uebersetzung des
Lukan, und der 14 endigt mit einem Gedicht über die
Musik, was hier zuerst im Druck erscheint; der 15 und
16 die dramatischen Werke, und der 17 die Melanges,
worinn man eine Skizze einer Eloge auf d'Alembert, einen
rührenden Brief über die Nachtmahlsfeyer Ludwig XVI.
und andre schöne moralische und poetische Sachen findet.
Die Sammlung ist damit geschlossen. (M. d. Fr. N. 51.)

II. Ehrenbezeugungen.

Hr. E. F. Freyherr von und zu Mannsbach ist zum
Kurfürstl. Sächs. dienstleistenden Amtshauptmann im Neu-
städtischen Kreise ernannt worden.

III. Belohnung.

Hr. D. Eschke, ein Schwiegersohn des Hrn. Director
Heinike in Leipzig, hat von dem Könige in Preußen zur
Anlegung eines Instituts in Berlin für Taubstumme, Stammelnde, oder mit andern Sprachgebrechen behaftete Personen, eine jährliche Pension bewilligt erhalten.

IV. Todesfälle.

Den 16 Dec. v. J. starb zu Ingolstadt Hr. D. J. J.
Frugger, Kurbairischer wirkl. Hofrath, ordentl. Professor
des Bayrischen Staats und Privatrechts, Senior der Juri-
stenfacultät, Universitäts-Archivar und des kurfürstl.
Rathscollegiums daselbst Director, in 71 jahre seines
Alters.

Den 7 Jan. starb im Haag, Hr. Peter Lyonet, Secretair
der geheimen Ziffern der Generalstaaten, Mitglied der
kön. Gesellschaft der Wissenschaften zu London, der Akademie zu Rouen, Berlin und Petersburg, der kais. Akademie der Naturforscher, der Gesellschaft der Wissenschaften zu Harlem und vieler andern gelehrten Gesellschaften, in einem Alter von 82 Jahren.

Am 12 October des vor. J. wurde dem evangelischen
Gymnasium in Augsburg, Hr. Friedr. Wilh. Burry, einer
seiner brauchbarsten Lehrer von 33 Jahren, ledigen Standes, zu Uffenheim im Anspachischen, durch eine tiefge-
wurzelte Schlafheit der Eingeweide und ein abzehrendes
Fieber unvermuthet entrissen. Dahin hatte sich derselbe
5 Tage vor seinem Ende bringen lassen, um sich daselbst
der medicinischen Hülfe des H. HRs. Berohold mit
besserm Erfolg, als zu Hause bedienen zu können; allein
vergebens; Hr. Burry starb schon am dritten Tage nach
seiner Ankunft daselbst. Er geb. im J. 1787. zu Augsburg
in zwey wöchentlichen Blättern Englische Zeitung, aus
den besten Nationalschriften dieser Art zusammengezogen
heraus, deren Dauer aber durch die von Archenholtische
Zeitung, die kurz darauf anfieng, und noch fortgesetzt
wird, nur auf einen einzelnen jahrgang beschränkt wurde.
Eine auserlesene Büchersammlung, die Hr. Burry zurück-
gelassen

gelaſſen hat, wird zu Augsburg im künftigen Monat März mit einem beträchtlichen Anhang von Kupferſtichen öffentlich verſteigert werden. Das Verzeichniſs davon iſt unter der Preſſe. Die letzte vom Hrn. Burry am Augsburg.

Gymnaſium bekleidete Stelle, hat nun Hr. Herele, ein geborner Augsburger, eingenommen. *A. B. Augsburg d. 31 Jan. 1789.*

LITERARISCHE ANZEIGEN.

I. Ankündigungen neuer Bücher.

Unter dem Titel: *Miſsbrauch, Aberglaube und falſcher Wahn* erſcheint in der künftigen Leipziger Oſtermeſſe in Verlag der Beckmanniſchen Buchhandlung zu Gera eine von Hrn. Doctor Hauenſchild in Weimar verfaſste und für den gemeinen Bürger und Landmann vorzüglich beſtimmte Schrift, die, wie man ſich mit Recht ſchmeicheln kann, dieſer Klaſſe von Menſchen, durch das Noth- und Hülfsbüchlein noch nicht entbehrlich gemacht ſeyn dürfte. Es ſind zwar, ſie in die Hände der groſsen Menge zu bringen, nicht die Vorkehrungen wie bey dem Noth- und Hülfsbüchlein getroffen worden; um aber ihre Verbreitung, ſo viel es ſich jetzt noch thun laſſen will, zu befördern, ſo erbietet ſich obige Handlung den Ladenpreis ſo niedrig als möglich zu ſtellen, um Guthsbeſitzern, Landgeiſtlichen und andern Perſonen, die ſich die angenehme Pflicht aufliegen wollen, ihre in Rückſicht deutlicher und richtiger Erkenntniſs nützlicher und unentbehrlicher Wahrheiten irre geführten ärmern Brüder auf einen lichtern Pfad zu leiten, das Exemplar um den 4ten Theil wohlfeiler zu laſſen als der Ladenpreis ſeyn wird, wenn ſie ſich in der künftigen Oſtermeſse deshalb an die Verlagshandlung ſelbſt wenden wollen, die ihr Gewölbe in Leipzig auf dem Neuenneumarkt in der hohen Lilie hat. Der Ladenpreis ſoll noch vor der Meſſe in der A. L. Z. und andern Zeitungen bekannt gemacht werden.

Von folgenden beiden Werken, deren das zweyte ſich durch reellen Nutzen, das erſtere aber als angenehme unterrichtende Lectüre empfiehlt, habe ich eine Ueberſetzung unternommen, und werden ſie gegen Michael 1789 erſcheinen:

Voyages intereſſantes dans differentes Colonies françaises, Eſpagnoles etc. conten. des obſervat. important. avec des anecdotes ſingulieres, qui n'avoient jamais été publics. Paris 1788.

Nouveaux principes d'hydraulique, appliqués a tous les objets d'utilité, et particulierement aux rivieres; etc. Par Mr. Bernhard, Paris 1787.

Pirna d. 13 Febr. 1789.

J. G. Hoyer.

M. Bardili, Repetent im theologiſchen Stifte zu Tübingen, arbeitet an einer neuen Ausgabe von

Petri Pomponatii Mantuani Tractatu de Immortalitate animae.

Dieſe Schrift, welche für die Geſchichte des Lehrſatzes von der Unſterblichkeit der Seele um ſo wichtiger iſt, weil der Verfaſſer ſeine Meynung immer mit den Meynungen älterer Philoſophen vergleicht und ſie zum Theil daraus ableitet, hat ſich nicht nur ſelten gemacht, ſondern wurde auch von ihrer Entſtehung an meiſtens unbillig beurtheilt.

Der Herausgeber erhielt ſchon bey ſeinem Aufenthalte in Genf und dann noch mehr in Mantua manche Beyträge zur Literargeſchichte des Buchs, welche er ſeiner Ausgabe beydrucken zu laſſen gedenkt. In der Einleitung wird er zeigen, wie viel ſich aus den Italieniſchen Philoſophen nach den Zeiten der Scholaſtiker für die Geſchichte der Philoſophie noch ſchöpfen lieſse. Sie ſtehen zwiſchen zwo Epochen, in der Mitte, und zeigen die ſtufenweiſe Uebergang von der Finſterniſs zum Licht durch Einführung einer, zwar verrufenen, aber gewiſs meiſtens noch ziemlich beſcheidenen, Skepſis. Ohne genauere Kenntniſs von ihnen laſst ſich alſo in der neuern Geſchichte der Philoſophie der Plan nicht durchſetzen, welchen der Herausgeber in ſeinen Epochen der vorzüglichſten philoſophiſchen Begriffe bey den ältern befolgt hat, oder es laſst ſich überhaupt nichts Zuſammenhangendes darüber ſagen. Manchen von dieſen Philoſophen war dabey die Griechiſche Sprache eben ſo geläufig als ihre Mutterſprache, und die Schriften eines Plato und Ariſtoteles ſo bekannt, als izt einem Theologen ſeine Bibel. Sie ſind daher auch die zuverläſsigſten Prompuarien in Abſicht auf die philoſophiſchen Begriffe der Griechen.

Die Abhandlung des Pomponatius ſelbſt betreffend, ſo iſt ſie in einem dunkeln Style geſchrieben, und der Herausgeber wird daher, in einer kurzen Darſtellung ſeiner ganzen gedrangten Schlusfolge, die nöthigſten Erläuterungen beyfügen. Man findet darinn aus Geſchichte und Philoſophie Beweiſe für —, und noch mehrere wider die Unſterblichkeit. — am Ende entſcheidet der Glaube.

III. Vermiſchte Anzeigen.

Der von Hrn. Meyer in Aurich erfundene, dem Kupferſtecher, Zeichner und manchem andern Künſtler nützliche Transparent-Spiegel, wie auch nach dem verjüngten Maaſsſtab richtig abgetheilte Modelle von allerhand Mühlen und mechaniſchen Werken werden zu den billigſten Preiſen aufs ſauberſte verfertigt von dem Schreinermeiſter Joh. Georg Triebel zu Sonneberg bey Coburg.

INTELLIGENZBLATT

der

ALLGEM. LITERATUR-ZEITUNG

Numero 29.

Sonnabends den 28ten Febr. 1789.

LITERARISCHE NACHRICHTEN.

I. Ehrenbezeugungen.

Die Akademie der bildenden Künfte und mechanifchen Wiffenfchaften zu Berlin hat unter dem 21 Nov. 1788 befchloffen, zwey unferer vorzüglichften vaterländifchen Künftler, Hrn. *Jacob Schmutzer*, Direktor der K. K. Kupferftecherfchule bey der hiefigen Akademie der bildenden Künfte, und Hrn. *Anton Maulperfch*, Hiftorienmaler, und Rath der näml. K. K. Akademie, zu Mitgliedern zu ernennen, und hat ihnen die Diplome zugefertigt. *A. B. Wien den 15 Febr.*

II. Beförderungen.

An die Stelle des als Appellationsrath von Leipzig nach Drehden gegangenen Affeffor Kinds, der zugleich Syndicus der hiefigen Akademie war, ift durch die freye Wahl der vier Nationen am vergangenen 14 Febr. Herr D. *Chriftian Gottlieb Bahrds*, hiefiger Confiftorial-Advocat und berühmter Practicus zum Syndico der Univerfität erwählt worden. *A. B. Leipzig d. 17 Febr. 1789.*

Die durch den Tod des Hrn. D. Hebenftreits bisher erledigt gewefene, aufferordentliche Profeffur der Antiquitatum Juris hat der junge Hr. D. *Chr. Gottlieb Haubold* erhalten. *A. B. Leipzig d. 17 Febr. 1789.*

Herr Prof. *Gren* hat einen Ruf als Profeffor der Medicin mit 500 Rthlr. Gehalt, und Stadtphyficus in Roftock erhalten.

Der Feldprediger des Reg. v. Thadden, Hr. *Trinius*, wird Landprediger zu Kroiffigk im Saalkreife; an deffen Stelle Herr *Lafontaine* kommt, der neulich Scenen herausgegeben hat.

Herr Infpector *Senf* zu Halle ift Confiftorialrath geworden.

Des regierenden Herrn Fürften von *Thurn* und *Taxis* Hochfl. Durchl. haben den Freyherrn *Karl von Eberftein*, welcher Höchftdero beide Durchl. Prinzen auf Ihren Reifen begleitete — auch dem gelehrten Publiko durch feine Diff. *de qualitate religionis votorum in Comitiis* (Heidelb. 1784. 4.) und feine Abh. *von der Religionseigenfchaft fowohl der Viril- als Curialftimmen auf teutfchen Reichstagen etc.* (Manh. 1784. 8.) rühmlichft bekannt ift — noch im vorigen Jahre nach einer älteren Zuficherung als wirklichen Hof- und Regierungsrathspräfidenten anzuftellen, ingleichen den bisherigen Inftructor der beiden Durchl. Prinzen, Hrn. *Ignaz Otto*, zum Hof- und Regierungsrath zu ernennen geruhet. *A. B. Regensburg den 10 Febr. 89.*

Hr. *Stuve* ift zum Profeffor der Philofophie am Carolinum ernannt worden. *A. B. Braunfchweig d. 13 Febr. 1789.*

III. Todesfälle.

Diefer Tage haben wir einen berühmten Mann verloren, Hrn. *Gualandris*, Profeffor der Naturgefchichte und Botanik an der königl. Schule zu Mantua. Er war in der Blüthe feines Lebens, und feines Genies, und hatte in feinem Fach bereits verfchiednes gefchrieben, man konnte aber von feiner Thätigkeit und feinen Talenten noch viel wichtigere Werke hoffen. Sein letztes Werk waren Dialogen über die Landwirthfchaft, womit er fich mit glücklichem Erfolg viel befchäftigte. Das Gouvernement in Mailand hatte ihm landwirthfchaftliche Projecte aufgetragen. Er war aus dem Venetianifchen, und hatte zu Padua ftudirt. — *Mantua den 10 Decemb. 1788.*

Zu Siena ift Herr *Coluri*, Profeffor der practifchen Arzneykunft geftorben, 63 Jahr alt. Sein Elogium wird nächftens erfcheinen. Er ift Verf. verfchiedner fchätzbaren Schriften, unter andern, über die Inoculation, und verfchiedner Memoires in den Werken der königl. Akad. der Wiffenfch. zu Siena. Er befaß große Kenntniffe, feine und liebenswürdige Sitten. Herr *Mofcagni*, Verf. eines berühmten anatomifchen Werks, das kürzlich herausgekommen; ift fein Schüler.

Den 22 Jenner ftarb zu Berlin in feinem 48 Lebensjahre an einem hitzigen Bruftfieber, Hr. *Friedrich Reclam*, dritter Prediger der dortigen franzöfifchen Gemeinde am Friedrichswerder.

Ff

IV. Oef-

IV. Oeffentliche Anstalten.

Das Ober-Schul-Collegium hat durch ein Rescript d. d. Berlin d. 23 Dec. 1788 mit der Prüfung der Candidaten der Akademie eine Aenderung getroffen. Weil das bisher übliche Examen derselben durch den Decan der philof. Facultät, wegen ihrer zu grofsen Menge, nicht mit der erforderlichen Genauigkeit geschehen konnte, so soll ein jeder von der Schule, die er frequentirt, ein Vierteljahr vor dem Abgange geprüft werden, und ein Zeugnifs der Reife oder Unreife erhalten, das bey der Inscription auf der Universität producirt, da ad Acta gelegt, und in ihr künftiges academisches Zeugnifs resumirt werden soll. Die Prüfung soll theils mündlich, theils durch schriftliche Ausarbeitungen geschehen. Bey der mündlichen Prüfung, die durch den Rector geschieht, find nicht nur die Patronen und Ephoren, nebst sämtlichen Lehrern der Schule zugegen, sondern auch ein Deputatus des Provincial-Schul-Collegiums, der beym Examen das Protocoll zu führen, und dem Provinc. Schul-Collegio nebst einer tabellarischen Ueberficht einzureichen hat, welches von allen gelehrten Schulen feines Sprengels dem O. Schul-Coll. eine General-Tabelle liefert. Die schriftliche Prüfung geht vor der mündlichen her, zu der der Deputatus mit Zuziehung des Rectors einige nicht schwere oder weitläuftige Fragen und Aufgaben bestimmt, die in der Schule in einem Vor- oder Nachmittage, ohne alle fremde Beyhülfe, ausgearbeitet werden, und Deputato in Originali unverändert zugeschickt werden müfsen. Das mündliche Examen hat alte und neuere Sprachen, sonderlich die Mutterfprache, und wiffenschaftliche Kenntnifse, sonderlich historifche, zum Gegenstande. Nach Maasgabe der schriftlichen und mündlichen Prüfung vereinigen fich Deputatus, Patronen, Infpectoren und Lehrer, ob Examinato das Zeugnifs der Reife oder Unreife zur Academie zu geben ist? Im Zeugnifse müfsen enthalten feyn; 1. Name und Alter des Examinati. 2. Anzeige, wie lange er die Schule frequentirt, und wie lange er in Prima gefeffen? 3. Ein Urtheil über bisherige Aufführung. 4. Ein Urtheil über bisherigen Fleifs. 5. Ein auf die schriftlichen Prüfungsarbeiten und das mündliche Examen fich gründendes Urtheil über die erlangten oder nicht erlangten Kenntnifse. — Der Zweck diefer Einrichtung ist, dem Eilen unreifer Jünglinge auf die Universitäten Einhalt zu thun, die Aeltern von der wahren Fähigkeit oder Untüchtigkeit ihrer Söhne zur Academie zu unterrichten, und den Jünglingen eine starke Ermunterung zu geben, in Zeiten auf Erwerbung der Kenntnifse ernftlich zu denken, um derentwillen fie Schulen befuchen. Es foll zwar die bürgerliche Freyheit in fo ferp nicht befchränkt werden, dafs es Vätern und Vormündern nicht ferner frey ftehe, auch unreife und unwiffende Jünglinge auf die Univerfität zu fchicken; aber es foll doch actenmäfsig zeugen, wie jeder Jüngling die Univerfität bezogen, es wird Aeltern und Vormündern zugetraut, dafs fie von felbft das Beste ihrer Söhne und Mündel bedenken werden, und wer nicht ein Zeugnifs der Reife erhalten hat, foll kein Stipendium oder andres Beneficium auf der Unherfität fuchen können. Die Rectoren endlich und die Lehrer, die der Vorfchrift nicht genau nachkommen, oder einem fchlecht vorbereiteten Jünglinge durchzuhelfen fuchen, follen mit einer beträchtlichen Geldftrafe angefehen werden.

LITERARISCHE ANZEIGEN.

I. Ankündigungen neuer Bücher.

Eine deutfche Ueberfetzung der Memoirs of the medical Society of London, wovon der Innhalt vor kurzem im Intelligenzblatt N. 6. diefer Zeitung von Hn. Franz und Grofs in Stendal angezeigt worden und künftig bey ihm zum Vorfchein kommen foll; ift von unterzeichneter Handlung längft beforgt und von einem berühmten Arzte (mit Kupfern) veranstaltet worden, auch bereits völlig in Druck beendigt und wo nicht in allen, doch in den meiften Buchhandlungen um 18 gr. zu haben.

Von Rigby of the production of animal heat ist ebenfalls eine deutfche Ueberfetzung unter der Preffe und dürfte wohl zu bevorftehender Oftermeffe ins Publikum kommen.

Zu jener Zeit find auch folgende Artikel zu erhalten.

Chirurgifche Arzneymittellehre, der erften Claffe erfte Abtheilung von den Blut ausleerenden Mitteln.

Sammlung auserlefener Abhandlungen, ein Lefebuch zum Zeitvertreib mit Gewinn.

Des Herrn Doctor Martin Walls praktifche Beobachtungen über den Gebrauch des Mohnfafts in Nervenfiebern und im Synochus, aus dem Englifchen von Hrn. Doktor Adrian Jilel.

Medicinifche Commentarien von einer Gefellfchaft der Aerzte zu Edinburgh, des 7ten Theils 1e Heft und 8ten Band 1r.

Tafchenbuch für deutfche Wundärzte auf die Jahre 1786 bis 1788 mit Kupfern.

Phyfiognomifche Reifen, voran ein phyfiognomifches Tagebuch. 4 Bande neue wohlfeilere Ausgabe 2 Rthlr. 12 gr.

Abentheuer des Herrn von Berg; Ein Roman.
In Commiffion.

Altenburgifche Schulgefchichte vom Herrn Profeffor Chrift. Heinr. Lorenz.

Ueber den Charakter der Medea.

Altenburg d. 21 Febr. 1789.

Richterfche Buchhandlung.

Tuchfeld und Comp. zu Hildesheim haben die Subfcriptionszeit auf Coppens Religionskunde bis zu Anfang des März verlängert. Am 26 Jenner 1789.

II.

II. Vermischte Anzeigen.

Freye Gedanken über die Erfindung einer gelben Farbe aus dem Scheidwasser allein.

Schon seit mehr als einem Jahre wird in verschiedenen gelehrten Anzeigen von einer gelben Farbe auf Seide und Wolle, aus dem blosen Scheid-Waſſer, ohne eine andere gelbfärbende Materie hervorgebracht, als einer neuen und wichtigen Erfindung viel Weſens und Rühmens gemacht: Ich habe das Ding inzwiſchen ſo gelten laſſen, wohlwiſſend, daß in der ganzen Farberey davon gewiſs kein Gebrauch, ja von Fabrikanten und Färbern nicht der geringſte Verſuch darauf werde gemacht werden; Allein da es das Anſehen hat, als wenn dieſe ſogenannte neue Erfindung, wenigſtens in gelehrten Blättern, Journalen, Taſchenbüchern etc. etc. eben ſo wie vormahls der irrige Lehrſatz, daß die blaue Farbe des Berliner-Blauen aus Eiſen-Theilen in dem Ochſenblut befindlich, herrühre, ſich noch weiter verbreiten, und zuletzt, wenigſtens unter gelehrten Chymiſten als eine wichtige Entdeckung angenommen, auch noch mehrere eben ſo irrige als unnütze Grund-Sätze darauf gebauet werden dürfen, ſo wird mir erlaubt ſeyn, ein Wort darauf zu ſagen, weil doch dieſes Fach der Wiſſenſchaften eben ſo würdig iſt, daß es gründlich unterſucht wird, als manche andere Gegenſtande der gelehrten Wiſſenſchaften, worüber in unſern Tagen ſo vieles dafür und dawider geſchrieben wird.

Ich laſſe den Herrn Gelehrten alle ihre Erfindungen und gelehrten Abhandlungen über Gegenſtande. in allen möglichen gelehrten Fächern herzlich gern für dasjenige gelten, wofür ſie es ſelbſt angeſehen haben möchten; aber weil ſie ſo eiferſüchtig darauf ſind, wenn ihnen Ungelehrte, nach ihrer Meynung, etwas widerſprechen, und weil ſie den gemeinen Farbern, und Fabrikanten ſo gern an ſeine Hupe verweiſen, gleichwohl ihm ſo viel Eingriffe in ſeine eigene Kunſt hun, ſo muſs man ſie zurecht weiſen, und ihnen ſagen, daß es meiſt auch beſſer wäre, wenn ſie ihre Bemühungen in der Chymie nur auf ſolche Sachen verwendeten, die man unter wirkliche gelehrte Wiſſenſchaften rechnet, und die Farberey dafür ganz unberührt lieſsen. Denn wenn ich je zuweilen nur 6 Zeilen über neue Erfindungen in der Farberey von gelehrter Hand antreffe, und voll Hoffnung, mich daraus zu belehren, ſie begierigſt leſe, ſo muſs ich frey geſtehen, daß ſie meiſt nichts als leere Worte, ohne allen Nutzen und Gebrauch enthalten. Es iſt nicht Willen und Abſicht, jemand zu beleidigen, wenn ich dieſes ſage, ſondern gerechter Unwillen darüber, daß man etwas Gutes erwartet, und ſich ſo getäuſchet findet. Wahrhaftig wenn Fabrikanten und Färber in ihrem Fach etwas Gutes von gelehrten Chymiſten lernen ſollen, ſo müſſen dieſe letztern zuvor Jahre lang die Farbereyen der erſtern leibhaftig beſuchen, und ſich belehren laſſen, oder alles, was ſie ohne dieſe Vorkenntniſs durch ihre eigene gelehrte Verſuche erfunden zu haben glauben, und davon ſchreiben; iſt entweder irrig und falſch, oder unnütz und unbrauchbar in der Anwendung.

Eben dieſes iſt der Fall bey jener gelben Farbe aus dem Scheidwaſſer. Ich halte nicht einen einzigen gemei-

nen Färber unter tauſenden für ſo unerfahren, daß er nicht wiſſen ſollte, was die bloſe Dämpfe des Scheid-Waſſers für eine Würkung haben, obſchon wenige wiſſen werden, was der Grund davon ſey, ſo wiſſen ſie doch, und alle Materialiſten-Jungen wiſſen es, daß alle Stöpſel, womit die Kolben oder Flaſchen verwahret werden, ſie ſeyn gemacht, von was man will, und über ſo wie alle Papiere, Blaſen, und was immer darüber gebunden wird, nicht nur gelb, ſondern auch roth ſich färben; ſie wiſſen aber auch eben ſo gut, daß alles, wo dieſe Dämpfe gleichſam in trockner Geſtalt hinkommen, davon zerfreſſen und zerſtöhrt wird. Alles dieſes bey Seite geſetzt, und angenommen, daß das Scheid-Waſſer, Vitriol-Oehl und alle andere ſaure Geiſter oder Salze, ſich bey thieriſchen Producten weniger ſchädlich erweiſen, als bey der Baumwolle und dem Leinen, ſo ſcheinet mir der Erfinder jener gelben Farbe, wüſte nicht einmal, worinn der Grund ſeiner gelben Farbe liege, ob in dem Scheid-Waſſer oder in der Seide und Wolle, die er damit färbt? Ob das Scheid-Waſſer ſelbſt den Grundſtoff der gelben Farbe enthalte, und welcher von den Beſtand-Theilen des Scheidwaſſers es ſey, oder ob es nur das Mittel iſt, durch gewiſſe Behandlung aus Wolle und Seide die ſchon darinn liegende gelbfärbende Materie zu entwickeln?

Iſt denn die gelbe Farbe ſo rar, daß man ſie auf ſo ſeltſame Weiſe, und auf ſo gefährlichen Wegen ſuchen muſs? Oder wird ſie dadurch ſo viel beſſer, ſchöner, wohlfeiler? Keines von alle dieſem. Hat man denn bey den Färbereyen nicht ſchon lange gelbfärbende Materien genug kennen lernen, und iſt nicht das ganze Pflanzen-Reich voll davon, unter welchen ſo viele die ſchönſte, glänzendſte gelbe Farben auf die unſchädlichſte Weiſe geben? Und welche gelbe Farben ſind wohl die wohlfeilſten, und halbbarſten auf alle Fabrik-Producte ohne Ausnahme? Diejenigen welche nur mit ſauren Geiſtern und Salzen hergeſtellt werden, oder die mit dem Alcali? Dieſes können mir freylich Fabrikanten und Färber beſſer beantworten, als die gelehrteſte Chymiſten. Alle Verſuche und Arbeiten dieſer Herren ſind nie einfach genug, ſondern immer zu viel gekünſtelt, als daſs der Färber davon nützlichen Gebrauch machen könnte, wenn er nicht durch eigene beſſere Verſuche und Erfahrung ſie zuvor einfacher, anwendbarer und wohlfeiler zu ſeinem Gebrauch einzurichten weiſs.

Darum wollte ich hiermit eben keinem Färber dem Gebrauch jener gelben Farbe abrathen, weil ich wohl verſichert bin, daß ſie keiner gebrauchen wird; Denn als ich erſt kürzlich noch einem Färber bey einer Woll-Fabrik dieſe gelbe Farbe aus dem Scheidwaſſer empfehlen wollte, ſo ſagte er mir ganz kurz: So lange wir Gilbgras, Wau, gelb Holz etc. etc. etc. genug haben, wollen wir keine gelbe Farbe aus dem Scheid-Waſſer machen, und dieſe Farbe ihrem Erfinder ſelbſt überlaſſen.

Von gleichem Schlag und um kein Haar beſſer ſind auch folgende vermeyntliche neue Entdeckungen in der Färberey. Nemlich

1) Scharlachroth aus der Coccenülle nur mit Scheidwaſſer ohne Zinn zu färben.

Daß zu allem Hochfeuerrothen eine Säure erfordert werde, ist in der Färberey allgemein bekannt, und die Würkung des Scheidwassers dabey kennt man auch noch ganz genau, so wie den Grund davon, welcher nur in der flüchtigen Salpeter-Säure, oder wenn man es anders sagen will, in der mit dem flüchtigen Alcali verbundenen Schwefel-Saure des Salpeters, liegt. Man weiß auch daß man sogar das schon schwarz gefärbte, dadurch noch feuerroth machen kann ohne Coccenille. Wenn aber die Farber zum Scharlachrothen aus der Coccenille, statt des blossen Scheidwassers, die Zinn-Auflösung gebrauchen, so wissen sie auch warum, und werden also jenes nie statt dieser dazu nehmen; denn wo von Entwicklung einer Farbe die Rede ist, da will man nicht bloß wissen, welche Mittel dazu dienen, sondern auch welches darunter sich am wirksamsten erweise, welches der Farbe die größte Schönheit und Glanz sowohl als die mehreste Festigkeit gebe. Hellot und Pörrner als Gelehrte haben darüber viel geschrieben, und mit allen Säuren Versuche genug auf das Scharlachrothe der Coccenille gemacht, aber nicht für gut befunden, uns das blosse Scheid-Wasser, sondern eine gut gemachte Zinn-Auflösung anzupreisen. Von meinen eignen unzähligen Versuchen, die ich auf Scharlachroth mit Coccenille, GummiLacc und Kermes gemacht habe, will ich gar nichts sagen; Nur möchte ich gerne noch fragen: Ob wohl der erste Erfinder der Scharlach-Farbe, die Zinn-Auflösung, oder das blosse Scheid-Wasser zu erst werde gebraucht haben? Wahrscheinlich ist die Erfindung des Scheidwassers älter als die der Zinn-Auflösung, mithin muß auch der Gebrauch des ersten älter als der Zinn-Solution seyn, und ich ziehe den Schluß daraus, daß letztere besser zum Scharlachrothen befunden worden als ersteres.

Daß ich kein bloßer Anhänger und Vertheidiger alter verjahrter Meinungen und hervorgebrachter Gewohnheiten sey, dieses kann man daraus erkennen, weil ich die bey der Scharlach-Färberey gebräuchlichen zinnernen Kessel schon längst, und zwar mit gutem Grunde verworfen habe, auch seit dem ihre Unnützlichkeit, ja wohl gar Schädlichkeit noch besser habe kennen lernen. Denn es ist nicht einerley wie das Zinn bey dieser Farbe gebraucht wird, sonst hätten auch diejenigen ein schönes Scharlachroth farben können, welche an statt der Zinn-Auflösung kleine Stücke Zinn in den Farb-Kessel legten, worinn sie ihr Roth farben wollten.

2) Diejenige neuere Versuche, welche mit verschiedenen Pflanzen auf gelbe Farben, und besonders mit dem Grapp auf ein dauerhaftes Roth für Leinen und Baumwollen angestellt worden sind.

Allen diesen Versuchen können wir ungelehrte Färber und Fabrikanten unsern Beyfall nicht geben. a) weil sie meist auf die unschicklichste und zweckwidrigste Weise angestellt worden sind, wobey jeder gemeine Färber schon voraus hätte bestimmen können, daß man nichts gutes

darmit ausrichten, und nichts schönes hervorbringen werde. b) weil auch das Gute, welches jene gelehrte Herren bey ihren Versuchen entdeckt haben, uns schon längst bekannt war, und c) weil wir ohne diese seichte Anweisungen durch unsere eigene, schicklichere, zweckmäßigere Versuche, und durch die daraus gezogene Erfahrung sowohl in gelben als rothen Farben mehr zu leisten im Stande sind, als wir aus jenen gelehrten Versuchen lernen könnten.

3) Vermittelst zwey besonderer Solutionen alle Farben herzustellen, wie sich dessen ein gewisser chymischer Scharlatan rühmte, und wovon auch so viel Geschrey in gelehrten Anzeigen gemacht worden ist.

Solche Dinge sind der erfinderischen Köpfe gelehrter Chymisten und Alchymisten sehr würdig, aber ein praktischer Färber würde sich derselben als einer unnützen Arbeit schämen, und seine dazu verwendete Zeit für verlohren schätzen, obschon mancher Färber und Fabrikant die Stufen-Folge der Farben, wie sie auseinander entspringen, in einander übergehen, und sich am andern Ende wieder aneinander anschließen, eben so gut kennet, als jene Gelehrte Herren. Haben etwa in ältern Zeiten die Chymisten durch ihre Versuche und Erfindungen den Färbern vorgearbeitet, und diese sich von jenem belehren lassen müssen, so ist dieses in unsern heutigen Tagen der Fall gar nicht mehr, und man findet Laboratorien bey Fabrikanten und Farbern, worin nach besserm und richtigern Grundsätzen auf Verbesserung der Farben gearbeitet wird, als bey den gelehrtesten Chymisten. Die bis auf den höchsten Grad der Vollkommenheit gebrachte Farben bey Seiden-Woll-und insbesondere bey Zitz-Fabriken geben Beweise hievon.

Wenn also jene gelehrte Herren für ihre eingebildete Neue Erfindungen von uns gemeinen Färbern und Fabrikanten einen Dank erwarten, so ist uns sehr Leid, daß wir ihren Erwartungen nicht entsprechen können, und wir müssen Ihnen sagen; daß, uns nicht immer alles so ganz neu, so unbekannt, und um desswillen so sehr willkommen, so wichtig und werth sey, was aus gelehrter Hand kommt, und daß wir nicht eben so gar unvermögend seyn, solches zu prüfen, als sie sich einbilden, oder so begierigt darnach haschen und uns dessen bedienen, als die Eigenliebe mancher gelehrten, solches zu glauben.

Weitläuftiger will ich mich vor diesemal darüber nicht auslassen, will mir aber vorbehalten, bey jeder Gelegenheit dergleichen gelehrte Versuche und Erfindungen in dem Fach der Färberey künftig zu rügen, wozu ich, vermöge meiner eigenen Erfahrung hierinn, eben so vielen Beruf zu haben überzeugt bin, als immer der gelehrteste Chymiste. Bis übrigens erbötig; jedem der sich so weit herablassen, und mir wider etwas hierauf sagen will, gebührend darauf zu antworten.

                                                                    d.

Monatsregifter

vom
Februar 1789.

I. Verzeichniß der im Februar der A. L. Z. 1789. recenfirten Schriften.

Anm. die erste Ziffer zeigt die Nummer, die zweyte die Seite an.

II. Im Februar des Intelligenzblatts.

231   234
INTELLIGENZBLATT
der
ALLGEM· LITERATUR-ZEITUNG
Numero 30.

Mittwochs den 4ten März 1789.

LITERARISCHE NACHRICHTEN.

I. Vorläufige Berichte von ausländifcher Literatur.

Caftelnuovo di Garfagnana, per Giuf. Simoni e Comp. *Libri profetici e fapienziali recati in verfi Tofcani. da varj Autori. Volume terzo — Parafrafi poetica del Co. Bartolommeo Cafaregi ful Libro dei Proverbj di Salomone etc.* 1788. in 8. 287 S.

Die erfte Ausgabe erfchien 1751 von Gori, des Verf. Freund, diefe zweyte hat Verbefferungen. (*Gaz. di Firenz. N. 51. v. J.* 1788.)

Brefcia, per P. Vefcovi: *Ragglonamento ful'origine, antichità, e pregi del Monachifmo in genere, e fpezialmente dell'ordine Cajuefe:* 1788. 8. 176 S.

Der Verf. ift Giamb. Chiaramonti in Brefcia, der feinen Sohn zum Benediktinermönch in Padua beftimmte, und ihm eine richtige Idee vom Mönchswefen beybringen wollte. Auf wenigen Seiten hat er die Mönchsgefchichte der erften Zeiten zufammengebracht, und im zweyten Theil hat er in aller Kürze das Leben berühmter Benediktiner im Venetianifchen, die zum Theil noch leben, zufammengedrängt. Eine Schrift, die für Zeitumftände pafst, und mit vieler Gelehrfamkeit gefchrieben ift. (*G. d. F. N.* 51.)

Firenze, nella Stamperia della Rofa: *Iftoria del Principato di Piombino e. Offervazioni intorno ai Diritti della Corona di Tufcana fopra i Caftelli di Valle e Montione.* T. I. 1788. 8. 174 S.

Nach dem Plan des Verf. u. Hrn. Abt Cefaretti, foll das Werk zwey Theile ausmachen. Diefer erfte enthält die Gefchichte der verfchiednen Schlöffer in Piombino bis 1445 bis zum Tode der Donna Paola Colonna, Wittwe von Gherardo Appiano. Der zweyte von da bis jetzt. Die Gefchichte ift, wie der Verf. felbft fagt, unfruchtbar an Bemerkungen; in einer kurzen und genauen Schreibart u. f. w. Sie enthält manche noch ungedruckte Documente, und ift ein fchatzbarer Beytrag zur grofsen Sammlung Italianifcher Hiftoriker und Annaliften. (*G. d. F. N.* 52.)

Brefcia, per P. Vefcovi: *Degli errori di Guglielmo Tommafo Reynald Autore della ftoria filofofica e politica*

degli Statiimenti e del Commercio degli Europei nelle due Indie confutati da Andrea Marini. T. I. 1788. 8. 167 S.

Belefenheit und ein gewiffes Räfonnement zieren dies Werk. Wem aber Raynal gefällt der wird es abgefchmackt finden, und wem er nicht gefällt, der wird weder den einen noch den andern lefen. (*G. d. F. N.* 52.)

Romae, ex typogr. Joa. Zempel: *Petri Orlandi Romani, Philof. ac. Medic. D. de variolarum refellenda inoculatione, Differt.* 1788. in 8.

Ein Gegner der Inokulation, der mit Erfahrungen, Bemerkungen und Anfehn dagegen ficht. (*G. d. F. N.* 1. v. J. 1789.)

Torino, nella Stamp. R.: *Del vario modo di curare l'infezione venerea, e fpecialmente del ufo vario del Mercurio. Sturia generale e ragionata di Pierantonio Perenotti di Cigliano etc.* 1788. in 12. 261 S.

Das Syftem, die Siphilis mit Mercurialfalben zu heilen, ift mit dem glücklichften Erfolg ausgeführt. Der Verf. zeigt an, wie dies Syftem befchaffen feyn müffe, wenn und unter welchen Umftänden die Salben angewandt werden müffen. Alles ift mit eignen Erfahrungen und Bemerkungen beftärkt. (*G. d. F. N.* 1.)

II. Vermifchte Nachrichten.

Der Erzherzog Grofsherzog läfst noch immerfort alle Kunft- und andere Denkmäler des Alterthums, welche fich in feiner Villa Medici bey Rom befinden, nach Florenz in das dort errichtete Mufeum überführen. Ein gleiches thut der König von Neapel mit den Kunftwerken der Villa Borghefe. Da Rom hiedurch Reize verliert, die bisher immer fo viele Fremde und derfelben Reichthümer dahin gelockt haben, und gewiffermafsen an Florenz und Neapel Nebenbuhlerinnen auch von Seiten der Alterthümer erhält, fo fehen es die Einwohner von Rom nicht gerne, dafs jene Villen ihre Koftbarkeiten verlieren, und tröften fich nur einigermafsen mit der Sorgfalt, durch welche der Pabft befliefsen fich, fein Mufeum Pio-Clementinum täglich mehr zu verherrlichen und durch neu entdeckte Stücke zu bereichern.
A. B. Florenz d. 27 Dec. 1788.

Mit der von Cruallo jüngsthin zu Cadix angekommenen Fregatte Dragon sind Don Hyppolyt Ruiz, Don Joseph Cadon und D. Ipidora Galvez nach Europa zurück gekommen. Diese gelehrten Männer waren im J. 1777 mit botanischen Aufträgen vom Könige nach Peru abgegangen. Seit dieser Zeit durchreiseten sie diese weitläuftigen Länder, untersuchten mit Aufmerksamkeit derselben Erzeugnisse in den drey Naturreichen, und unterhielten stets einen Briefwechsel mit dem ersten Professor der Kräuterkunde zu Madrid. Während der Zeit ihrer Reise haben sie dem Minister von Indien eine Menge natürlicher Seltenheiten, besonders aus dem Pflanzenreiche mit Zeichnungen und ihren Beschreibungen zugesendet. Sie hatten einen großen Vorrath davon zu Macora niedergelegt, wo derselbe im Kriege ein Raub der Flammen ward. Sie haben aber keine Mühe gespart, diese sowohl, als die durch Verunglückung des Schifs St. Pedro d'Alcantara verloren gegangenen Seltenheiten zu ersetzen. Sie haben viele Kräuterbücher, ausgemalte Zeichnungen, Beschreibungen von mehr als 2000 Pflanzen, unter welchen mehrere neue, und 23 Kisten mit mehr als 70 in der Erde stehenden Gesträuche, mitgebracht, welche letzteren sehr gut erhalten, und so beschaffen sind, daß sie mit gutem Anscheine umgepflanzt werden können.

A. B. Cadix am 13 Dec. 1788.

Der Katholische Gottesdienst hat auch in Marburg seinen Anfang genommen. *A. B. Marburg d. 16 Jän. 89.*

Die durch Hrn. D. Petzolds Tod erledigte philosophische Professur; so wie die durch Hrn. D. Bosens Tod erledigte medicinische sind noch nicht ersetzt. *A. B. Leipzig d. 17 Febr. 1789.*

Der Hof zu Neapel hat vor beynah zwey Jahren den Professor Meisa nach den vornehmsten Universitäten von Italien geschickt, um den Plan zu einem Observatorium zu entwerfen. Eben kommt dieser junge Mann von seiner Reise zurück, und läßt uns viel hoffen. *A. B. Neapel.*

Die Römische Anthologie enthält einen sehr interessanten Brief unter dem Titel: *Lettere su di varie malattie*

cutanee de bestiami da curarsi con la terra Zolforea della Mandriana scritta dal Sgr. Dottor Felice Maria Donarelli al Sigr. Dr. P. Orlandi. 1788. Hr. Orlandi hatte 1786 ein memoire sulle malattie de bestiami herausgegeben, und verdiente, daß man ihm die Zweifel vorlegte, die dabey entstanden, und andre Bemerkungen über Gegenstände, welche er so glücklich bearbeitet hatte. Hr. Donarelli unterscheidet mit großer Praction die verschiedenen Krankheiten, welche oft die nemlichen Symptome haben, giebt die Mittel dawider an, und geht mit vielem Scharfsinn alles, was man bis jetzt dagegen vorgeschlagen und entdeckt hat, durch, und sein Brief verdient von allen, denen Landwirthschaft und Viehárzneykunde wichtig ist, gelesen zu werden.

Hr. Brofari ist von Wien in Pavia angekommen, wo er des verstorbnen Scopoli Stelle, als Prof. der Chemie und Botanik erhalten. — Man erwartet daselbst täglich Hrn. Spallanzani von seiner Reise nach Sicilien und Neapel zurück, und er, hatte schon 33 Kisten, die mit verschiednen, besonders vulkanischen Producten angefüllt waren, dahin geschickt. *A. B. aus Pavia.*

III. Berichtigung.

Im 96 Stück der *Tübingischen gelehrten Anzeigen* v. J. 1788 ist bey Gelegenheit der Recension von *Humards Compendium der deutschen Alterthümer* behauptet: es würden auf keiner deutschen Universität über deutsche Alterthümer Vorlesungen gehalten. Wir müssen gestehen, daß uns diese Behauptung in Verwunderung gesetzt hat; denn sie hätte doch wohl ohne die zuverläßigste Gewißheit nicht vorgebracht werden sollen. Auf jeden Fall ist die Universität zu Jena ganz davon auszunehmen, wie dies liest Hr. Professor und Bibliothekar *Müller* seit mehr als 20 Jahren nicht nur so oft dies Collegium, in dem Lectionsverzeichnis angekündigt wird, nemlich einen Sommer um den andern regelmäßig darüber, sondern diese Vorlesungen werden auch von den hiesigen Studirenden immer in einer überaus großen Anzahl nicht selten von mehreren hunderten, besucht.

Die Herausgeber der A. L. Z.

LITERARISCHE ANZEIGEN.

I. Ankündigungen neuer Kupferstiche.

Die letzte Lebensscene des als Dichter und als Held unvergeßlichen Preuß. Majors von Kleist, welche jedes fühlende Herz, vorzüglich jedes Preußs. Unterthans rühren muß, ist öfters von unsers D. Chodowiecki Meisterhand gezeichnet worden. Einmal, im Kleinen, für den militärischen Kalender des Jahres 1787. Hernach viel größer und ausgeführter, für die diesjährige Ausstellung der Königl. Kunstakademie. Und seitdem hat er an dieser letzten Zeichnung noch einige Aenderungen und Verbesserungen angebracht, so daß sie eine seiner vollendetsten Arbeiten geworden ist. Dieses Blatt habe ich in punktierter Ma-

nier gestochen; und es sey mir aus so viel von meiner Arbeit zu sagen erlaubt: daß sie zu Herrn Chodowiecki's Zufriedenheit ausgefallen ist.

Die Scene ist zur Nachtzeit, nach dem schrecklich blutigen Tage bey Kunersdorf. Unter den Verwundeten war Kleist auf dem Schlachtfelde liegen geblieben. Am Abend hatten räuberische Kosacken, die nach Beute herumschwärmten, den Schwerverwundeten gefunden, hatten ihn nackend ausgezogen, und ihn an einen Sumpf geworfen. Hier war der Edle liegen geblieben und ruhig und sanft eingeschlummert. — In der Nacht fanden ihn hier einige russische Husaren, zogen ihn aus. Troschke, legten ihm bey

bey ihren Wachtfeuer auf etwas Stroh mit dem Kopf an
den Fuß einer abgeworfenen Eiche gelehnt; bedeckten
den Sterbenden mit einem Mantel, setzten ihm einen Hut
auf, und stellten ihm Brod und Waſſer hin. Einer der
Huſaren reichte ihm ein Achtgroſchenſtück hin; Kleiſt
verbat dies Geſchenk; aber der Huſar warf es mit edlem
Unwillen auf den Mantel des Verwundeten, und ritt mit
ſeinen Gefährten davon. — Dies iſt der Gegenſtand dieſes Kupferſtiches, welches die Unterſchrift führt:

Major von Kleiſt.

auf dem Schlachtfelde bey Kunersdorf,
den 12. Auguſt 1759.

Gezeichnet, Verfertigt
von Daniel Chodowiecki. von Friedr. Berger. 1789.

Das Blatt iſt 1 Fuß 7 Zoll hoch, und 1 Fuß 10 Zoll
breit. Es wird, wie die Liebhaber es verlangen, ſchwarz
oder braunroth abgedruckt, und zu dem mäſigen Preiſe
von einem Dukaten oder 3 Rthl. Brandenb. Courant verkauft; welcher Preis aber nicht länger als bis zu Ende
Februars dieſes Jahres Statt hat, da es künftig 4 Rthl.
koſten wird. Wer 12 Exemplare nimmt, erhält das 13te
unentgeldlich. Liebhaber können ſich bey Herrn Chodowiecki, welcher Theil an dem Verkaufe nimmt, oder bey
mir melden. Auswärtige haben die Güte, ihre Briefe u.
Geld zu frankiren, und 8 gr. für Emballage beyzulegen.
Berlin, den 27 Novbr. 1788.

Friedrich Berger.

II. Auctionen.

Des ſel. Hrn. Prof. Nagels zu Altdorf ganz rabiniſche
mit keiner lateiniſchen Ueberſetzung verſehene Bücher
werden daſelbſt den 18 März 1789 verſteigert. Das Verzeichniß davon iſt in der Expedition der A. L. Z. zu haben. Man kann auch ein Aufgebot auf das Ganze thun.

III. Bücher ſo geſucht werden.

Von folgenden Schriften D. Luthers in 4to werden
die erſten Ausgaben geſucht; und wird, wer ſolche einzeln, oder zuſammen beſitzt, und zu verkaufen geſonnen
iſt, gebeten, dieſerhalb mit dem Landrath v. Alvensleben
zu Eichen-Barleben, bey Magdeburg in Unterhandlung
zu treten.
Vom Jahr 1518. 1. Ein Sermon von dem Ablaß.
Witteb. 2) Eine Freyheit des Sermons Päbſtl. Ablaß
und Gnade belangend. 3. Auslegung deutſch, des Vater
Unſer. Lpz. 4. Auslegung des CIX et CX Pſalms. Augsb.
5. Sermo de Poenitentia. 6. Acta apud D. Legat. apoſtol.
Cajetanum Auguſtae. 7. Reſolutiones diſputationum de
indulgent. virtute. Lpſ. 8. Reſolutio Lutheriana ſuper
propoſitione ſua XIII de poteſt. Papae. 9. Sermo de virtute excommunicationis. Lipſ.
Vom Jahr 1519. 1. Ein Sermon gepredigt zu Leipzig
am Tage Petr. u. Pauli. Lpz. 11. Ad Leonem X. Pont.
Max. Reſolutiones. 12. Contra malign. Joh. Eccii judicium
defenſio. 13 Ein Sermon vom Gebet und Proceſſion in
der Creutzwoche. Witb. 14. Ein Sermon von dem Sacram. der Buſſe. 15. Eine gute tröſtliche Predigt von
dem würdigen Bereit. zu dem hochw. Sacram. 16. Die

X Gebote Gottes mit einer kurzen Auslegung. 17. Ein
Sermon von der Bereitung zum Sterben. Witb. 18. Unterricht auf etliche Artikel. 19. Diſputatio Eccii et Lutheri. 20. Diſputat. adv. criminat. Eccii. 21. Von der
chriſtlichen Hoffnung. 22. In epiſt. Pauli ad Galatas com-
mentarius. 23. Ad Eccium epiſt. ſuper expurgatione Ec-
ciana. Witb.
Vom Jahr 1520. 24. Mancherley Büchlein und Tra-
ctätlein. 25. Conſitendi Ratio. Lipſ. et Witb. 26. Eine
kurze Form der zehn Gebote. Nürnb. 27. Eine ſehr gute
Predigt von zweyerley Gerechtigkeit. Lpz. 28. Von den
neuen Eckiſchen Bullen und Lügen. Witb. 29. Warum
des Pabſts und ſeiner Jünger Bücher von D. M. L. verbrannt ſeyn. ib. 30. Epitome reſponſionis Sylveſtri ad M.
Luth. ibid. 31. Sermon von der Empfahung des Fron-
leichnams Jeſ. Chr. Zwickau. 32. Nützliche Erklärung
der X Gebote. Baſel. 33. Ad ſchedulam inhibitionis, Reſponſio. 34. Grund und Urſach aller Artikel. Witb.
35. Condemnatio doctrinalis M. Lutheri, et reſponſio.
ibid. 36. Ein tröſtlich Büchlein in aller Widerwärtigkeit.
Lpz. 37. Concluſiones ſexteim de Fide et Cerimoniis. 38.
Wie man recht einen Menſchen taufen ſoll. 39. Sendbrief an den Pabſt Leo X. Witb. 40. Ein heilſames Büchlein von der Beicht. Lpz. 41. Ad Dialogum Sylveſtri prie
ratis reſponſio. Witb. 42. Inſign. Theol. Luth. Caroli.
Melanchth. concluſiones. 43. Explanatio Dominicae pra-
tionis. Lpſ. 44. Ein Sermon von dem weltlichen Recht
und Schwerdt.
Vom Jahr 1521. 45. Rationis Latomianae confutatio.
Witb. 46. Ad librum Ambroſii Cath. reſponſio. 47. Eine
nützliche frucht, Unterweiſung, was da ſey der Glaube.
Zürch. 48. Der XXXVI Pſalm Davids. Witb. 49. Auf
das überchriſtliche Buch Bocus Emſers Antwort. ibid.
50. Auß des Boeks zu Leipzig Antwort. ibid. 51. Ein
Sendbrief nach ſeinem Abſchied von Worms. 52. Ein
Unterricht für die Beichtkinder. Witb. 53. Ad caeſ.
Maj. interrogata reſponſium, 54. Das Magnificat, ver-
deutſcht. 55. Drey Büchlein etc. von dem deutſchen
Adel, der Meſ. und Pabſtthum. 56. Eine treue Vermah-
nung zu allen Chriſten, ſich zu hüten vor Aufruhr. 57.
Iudicium de Votis. 58. Chriſtianiſſimi Wittebergenſis
Gymnaſii paradoxa. 59. Acta et res geſtae in comitiis
principum Wormatiae. 60. Ein nützlich Sermon von dem
Reich Chriſti und Herodis.

IV. Bücher ſo zu verkaufen.

Folgende ſehr ſeltene Bücher ſind in Commiſſion in
der Wappleriſchen Buchhandlung in Wien gegen baare
Bezahlung zu haben:
1. Adr. Vlacq. Arithmetica Logarithmica, ſive logarithmorum chiliades centum, pro numeris naturali ſerie
creſcentibus ab 1 ad 100 000; una cum canone triangulorum ſeu tabula artificialium ſinuum, tangentium
et ſecantium ad radium 10 000 000 000, et ad ſingula
ſcrupula prima quadrantis Goudae excudebat Petrus,
Rammaſenius A. 1628; in Folio für 25 Kayſerl. Dukaten.
2. Adr. Vlacq. Trigonometria artificialis, ſive magnus
canon triangulorum logarithmicus ad radium
10 000 000 000.

10 000 000 000, et ad dena scrupula secunda quadrantis; cui accedunt Henr. Briggii chiliades logarithmorum viginti pro num. nat. serie crescente ab 1 ad 20 000. Goudae excudebat Petrus Rammasenius A. 1633; in Folio fur 15 Kayserl. Dukaten.

3. H. Joach. Rhaetici. Magnus Canon doctrinae triangulorum ad decades secundorum scrupulorum et ad partes (radii) 10 000 000 000. Recens emendatus a Barth. Ditisco Achlita est brevis commonefactio de fabrica et usu hujus Canonis; quae est summa doctrinae et quasi nucleus totius operis palatini. Neostadii Typ. Nic. Schrammii A. 1607; in Folio fur 10 Kaiserl. Dukaten.

4. Henr. Briggii et Henr. Gellibrandi, Trigonometria britannica, (Continens canonem sinuum, tangentium et secantium, una cum logarithmis sinuum et tangentium ad gradus et ad graduum centesimas, et ad minuta et secunda centesimis respondentia, ejusdemque canonis usum et applicationem) Goudae excudebat Petr. Rammasenius A. 1633. in Folio fur 6 Kayserl. Dukaten.

Nro. 1. ist so selten, dass ein Liebhaber dieses Werk durch mehrere Jahre in verschiedenen Ländern gegen Anbiethung 100 Rthlr. vergebens gesucht hat, bis er es endlich in der Bücher-Auction des verstorbenen Hn. Abbt C. Scherffer erhielt. In No. 1. und 2. sind die Logarithmen durchaus mit 10 decimalziffern und der Charakteristik angesetzt. In No. 3. sind die natürlichen Sinus, Tangenten und Secanten nebst ihren Differenzen für den Halbmesser 10 000 000 00 durchaus richtig berechnet, wo sonst in dem eigentlichen opere palatino de triangulis die Tangenten und Secanten nach bey 90 in den letzten Ziffern durchaus fehlerhaft sind. In No. 4. sind die natürlichen Sinus für den Halbmesser 1 000 000 000 und ihre Logarithmen mit 14 decimalziffern, die natürlichen Secanten und Tangenten aber fur den Halbmesser 10 000 000 000 und die Logarithmen der letzteren mit 10 decimalziffern berechnet; auch sind allenthalben die Differenzen angesetzt.

V. Vermischte Anzeigen.

Wenn wir annehmen dürfen, dass der grösseste Theil der Leser der Allgemeinen Litteratur-Zeitung, nicht nur die Recensionen der darin angezeigten Schriften mit Aufmerksamkeit lieset, sondern auch wohl auf Format, Anzahl der Seiten und Preis achtet; (denn ohne einigen Zweck werden sie doch wohl nicht mit angezeigt?) so kann uns die Anzeige von *Hierokles Schnurren, nebst einem Anhange neuer muss heissen: neuerer,* wie es deutlich auf dem Titel steht) *Schnurren für lustige Leser,* (siehe A.L.Z. No. 21. den 21 Jan. 1787.) nicht gleichgültig seyn, Was für einen Begriff muss das Publikum sich von einer Buchhandlung machen, die für 56 Seiten kl. 8. fader Vademecumsstücke 6 gr. nimmt? Eine ärgere Plusmacherin hätt'

es doch wohl nicht gefunden! Wir wissen nicht, wem wir die Schuld geben sollen, dass in der Anzeige, statt 3 gr. 6 gr. steht; entweder der Verfertiger derselben, oder der Korrektor verdient sie. Der ganze Gegenstand, den es hier betrifft, ist so unbedeutend, dass es kaum der Mühe werth ist, ein Wort darüber zu sagen; allein wer zugiebt, dass es uns, auch nur von einigen Lesern, ein schiefes Urtheil zuziehen könne, wird unsre Rechtfertigung wohl nicht tadeln.

Wir zeigen bey dieser Gelegenheit noch an, dass wir der Expedition der Allg. Litt. Zeit. das griechische Original dieser Schnurren, mit einem griechisch-deutschen Wortregister für Anfänger und einer deutschen Uebersetzung, (6 gr.) gesandt hatten. Warum bey der Anzeige nichts vom Original und seinem Wortregister gesagt ward, und die Uebersetzung und der Anhang derselben nur ein Gegenstand des Tadels seyn musste — begreifen wir nicht.

Leipzig den 18ten Febr. 1789.
Gräffsche Buchhandlung.

VI. Antikritik.

Der Recensent der *Uebersicht der politischen Lage und des Handelszustandes von St Domingo,* in No. 208. b. der Allgem. Litter. Zeitung von 1788, scheint dies für kein besonders Produkt Raynals, sondern nur für eine nicht eben ausserordentliche Kompilation zu halten. Dass ich selbst dazu Gelegenheit gegeben habe, weil ich in der Vorrede nicht den Titul des Franz. Originals: Essai sur l'Administration de St Domingue par G. T. Raynal Paris, 1785 mit angezeigt habe, thut mir leid, weil ich dadurch jenem Argwohn hätte vorbeugen, und einer weiteren Erklärung entübrigt seyn können. Nicht S. 100 sondern S. 88 hören die Auszüge aus der histoire philosophique auf, und geht die eigentliche Uebersetzung an; auch sind zwar einige — selbst viele — Anmerkungen, bey weiten aber *nicht alle* aus Hrn. Engelbrechts Werke genommen, denn ich benuzte auch mir lange vorher gemachte Excerpte aus andern Nachrichten. Ob ganze Abschnitte im Werke selbst aus Hrn. Engelbrecht abgeschrieben sind, urtheile man nach Vergleichung des Originals mit meiner Uebersetzung. Dass Recens. gar nichts vom Werth oder Unwerth meiner Arbeit in Absicht der Sprache erwähnt, mir auch nicht den entferntesten Fingerzeig darüber giebt, ob ich gleich in der Vorrede darauf hindeutete, befremdet mich am meisten; und bringt mich fast auf die Vermuthung, dass habe Freund S— in W. gethan, mit dem ich einst glückliche Tage in Dresden verlebte, manche frohe Stunde im Schöner Grunde, der aber wegen einer Uebereilung meiner Seits mich nun schon auf 4 Briefe keiner Antwort würdigte, da er mir doch gewiss immer lieb und theuer bleiben wird. Pirna d. 13 Febr. 1789.

J. G. Hoyer.

INTELLIGENZBLATT

der

ALLGEM. LITERATUR-ZEITUNG

Numero 31.

Mittwochs den 4ten März 1789.

LITERARISCHE NACHRICHTEN.

I. Ehrenbezeugungen.

Den 3 Jan. diefes Jahrs feyerte der Magiftrat zu Lüneburg das funfzigjährige Amts-Jubiläum des Cämmerey-Sekretärs, Herrn *Georg Ludewig Cruckenberg*. A. B. Lüneburg den 8 Jan. 1789.

II. Beförderungen.

Der bisherige Amtsrath *Riem*, Herausgeber der ehemaligen ökonomifchen Zeitung, ift zum Churf. Sächsf. Commiffionsrath ernannt worden. *A. B.* Dresden d. 20 Jan. 1789.

Hr. D. *Gottlieb Wernsdorf* zu Wittenberg, Protonotarius der Univerfität, wurde im Herbft 1788 von dem Kurfürften zu Sachfen zum Profeffore Iuris feudalis extraord. ernannt. Diefes Amt trat er am. 23 December mit einer Rede an, zu welcher er mit einer Schrift von 1 Bogen: *de uetate libelli, qui iure beneficiaria tradit, et uius auctor plura nque veteris Auctoris de Beneficiis nomina inferitur*, eingeladen hat. Mit vieler hiftorifcher Kenntnifs und Belefenheit macht er es darinne wahrfcheinlich, dafs der gedachte Schriftfteller nach *Gregor l'II*. u. wohl gar erft nach K. *Friedrich I.* gelebt haben möchte. *A. B.* Wittenberg d. 17 Febr. 1789.

In Giefsen ift Hr. R. R. *Crome* zum Univerfitäts-Deputato bey dem dafigen Fürftl. Policey-Collegio ernannt worden. *A. B.* Giefsen d: d. 20 Jänner 1789.

Zu *Buchsweiler* (in den Hanau-Lichtenbergifchen Landen des Herrn Landgrafen von Heffen-Darmftadt) ift Herr *Heyler*, bisheriger Rector zu Grünftadt, Profeffor und vierter Lehrer des dafigen Gymnafiums geworden. Durch ihn, und durch Männer, wie *Seybold* und *Schweighäufer*, kommt diefes Gymnafium fehr empor. *A. B.* Giefsen d. 29 Jänner 1789.

III. Todesfälle.

In Herrnhuth in der Oberlaufitz ftarb am 28ften Januar diefes Jahres in einem Alter von einigen und 60 Jahren der auch in der gelehrten Welt durch verfchiedene gefchätzte Schriften rühmlich bekannte *Baron* von

Schackmann, als der letzte feiner Familie. Sein Vater, Land verliert an ihm einen feiner vortrefflichften Männer, der, ohne zwar jemals ein öffentliches Amt bekleidet zu haben, doch mit zu feinen, rechtfchaffenften und aufgeklärteften Patrioten gehörte, und auf mannichfaltige Weife zum Beften feiner Mitmenfchen wirkte. Er hatte in *Jena* den Grund zu den Wiffenfchaften gelegt, und hatte alsdann auf mannichfaltigen Reifen und im Umgange mit vielen grofsen Männern jeder Art und jedes Standes, mit welchen er auch grofstentheils einen Briefwechfel unterhielt, jenen feinen Ton und jene einnehmende Manieren erlangt, die ihn zu einem der angenehmften Männer feiner Zeit machten. Aufser feiner vertrauten Bekanntfchaft mit der Phyfik, der Naturgefchichte, war er auch ein, fehr grofser Kenner des Alterthums, und voll Enthufiasmus und Feuer für die Künfte; er war felbft ein fehr angenehmer Maler und Zeichner, ein gefchickter Radirer und Kupferftecher, und feinen Verdienften um die Münzkunde hat er durch den Catalogue raifonné feines eigenen vortrefflichen Kabinets, das des Herzogs von Gotha Durchlaucht erft im vergangenen Jahre an fich gebracht hat, ein fehr rühmliches Denkmal gefetzt. Er hatte die herrliche Lage feines Gutes *Königftuin* in der Oberlaufitz, deffen intereffantes Gebirge er, felbft in feinen *Beobachtungen* den Naturforfchern genauer bekannt gemacht hat, durch feinen feinen Gefchmack, der fich lange Zeit an den fchönften Gegenden Deutfchlands, Englands, Frankreichs und der Schweiz genährt hatte, zu den vortrefflichften Anlagen benutzt, und ein angenehmes Landhaus, das er felbft nach den richtigften Grundfätzen eines einfach fchönen Styles gebaut hatte, vollendete die Schönheit des Ganzen. Es bleibt immer fehr zu bedauern, dafs er an der Ausführung feines Lieblingswunfches, an dem er geraume Zeit arbeite, te, felbft nach Aegypten zu reifen, und die Pyramiden durch genauere Unterfuchungen noch bekannter zu machen, durch allerley Umftände verhindert worden ift; gewifs würde die Alterthumskunde durch feine Bemerkungen gar fehr bereichert worden feyn. *A. B.* Halle d. 18 Febr. 1789.

IV. Oeffentliche Anftalten.

In Sachfen follen nach einem Modell des gefchickten Kunft- und Mafchinenmeifters *Mende* zu Freyberg alle

Flüffe

Flüsse unter einander verbunden und schiffbar gemacht werden. Es ist dazu eine Summe von 3 Millionen bestimmt.

Der um die Friedrichstädter Real- und Armenschule so rühmlich verdiente Oberconsist. Rath *Rudler* hat abermals auf dem Sande vor Neustadt eine *Industrial- und Armenschule*, wo Kinder abwechselnd 3 Stunden arbeiten für ihren Gewinnst, und 3 Stunden unentgeldlichen Unterricht erhalten, unter Aufsicht und Beystand der lobl. Policeycommission aufzurichten das Glück gehabt. *A. B. Dresden am 1 Febr.* 1789.

V. Vermischte Nachrichten.

Der durch einige historische Meisnische Schriften bekannte Pfarrer zu Boritz, M. *Urfinus*, hat zu einer deut-

schen Uebersetzung des Bischof D[Bl]umars, (die er mit dem lat. Text zugleich will abdrucken lassen) das Exemplar der Churf. Bibliothek zu Dresden, welches viel Zusätze und handschriftliche Noten besitzt, verglichen, und die alte Geschichte dürfte dadurch manche Aufklärung gewinnen. *A. B.* Dresden am 1 Febr. 1789.

VI. Berichtigung.

Das in Nro. 310b der *A. L. Z.* 1788. angezeigte Buch *Subiroth sopim* oder *Spinoza* II. ist nicht, wie der Herausgeber desselben anzeigt, das berichtigte Buch *de tribus Impostoribus* (über dessen Existenz so viel gestritten) sondern die Uebersetzung eines im Mscpte hin und wider befindlichen *Esprit de Spinoza*, wie aus der Einleitung zu Hn. Mag. Heidenreichs Natur und Gott nach Spinoza, Leipzig 1789. p. LXXX. zu ersehen.

LITERARISCHE ANZEIGEN.

I. Ankündigungen neuer Bücher.

Welcher Bergmann und welcher Bergrechtsgelehrte kennt nicht *Hertwigs Bergbuch*, und welcher von ihnen wird nicht sagen können, dass es ihm ohngeachtet der vielen Unvollständigkeit, und der so grossen Fehler, die sich vorzüglich in Ansehung des wissenschaftlichen der Bergbaukunde darinnen finden, in mancherley Hinsicht nützliche Dienste geleistet hat? — Aber dieses Buch, das für den Bergmann sowohl als für den Bergrechtsgelehrten, ingleichen für den Gewerken und sogar für den blossen Dilettanten der Bergbaukunde so schätzbar war, das Buch, in welchem jeder derselben so oft, ohne grosse Mühe sich Raths erholen konnte, welches zweymal in starker Anzahl aufgelegt ward, ist seit langer Zeit gänzlich vergriffen, und selbst als höchst selten zu haben. Eine neue vermehrte und verbesserte Auflage desselben, war daher schon längst der Wunsch vieler Personen, und diesen Wunsch zu erfüllen habe ich Endesgesetzter mich entschlossen, da ich mich zufällig in einer Lage befinde, wo mir dieses etwas leichter als verschiedenen andern Personen werden kann.

Verbindung mit Männern, von welchen jeder in einem besondern Theile der Bergbaukunde vorzügliche Kenntniss besitzt, und darinnen dem bergmännischen Publico schon schätzbare Beyträge geliefert hat, macht mir es weniger schwer, von diesem Buche eine durchgängig umgearbeitete und gewiss sehr vermehrte und verbesserte Auflage zu liefern, als wenn ich oder eine andere ungleich geschicktere Person, diese Beobachtung allein übernehmen wollte; denn wer ist in der Mineralogie, dieses Wort im weitesten Verstande genommen, in allen Arten des Hüttenwesens, in der practischen Bergbaukunde, im Maschinen-Poch-und Waschwesen, und in der Bergrechts- und Verfassungskenntniss gleich stark, und so stark, dass er ein gutes und vollständiges Realwörterbuch selbst zu schreiben, oder ein vor 50 Jahren erschienenes, für unsere Zeiten, in welchen die Bergbauwissenschaften so

überaus grosse Fortschritte gemacht haben, dem Wunsche und den Bedürfnissen unsers jetzigen bergmännischen Publicums gemäs, umzuarbeiten vermag? — Gewiss es dürften sich wohl nur wenige Personen finden, bey welchen diese Kenntnisse in solchem Maase vereint anzutreffen wären und würde dieses auch, wo ist Zeit herzunehmen, diese grosse Arbeit zu vollenden? — Aber bey der jetzt von mir angekündigten Herausgabe dieses Buchs, bearbeitet eine Person alle Artickel der Mineralogie, eine andere die Gegenstände des Bergbaues und des Bergmaschinenwesens, eine dritte das Amalgamations- und Schmelzwesen der Silber- Kupfer- und Bleyerze, eine vierte das Saigerhüttenwesen, eine fünfte das Eisenhüttenwesen, und die Alaun- Vitriol- und Schwefelfabricatur etc. eine sechste die Probierkunst und endlich noch eine siebende die Gegenstände der bergbauenden Verfassung und des Bergrechts. In solcher Maase läst sich also wohl hoffen, dass ein sehr vollständiges Werk und gleichsam eine Encyclopädie der gesammten Bergbaukunde, nach dem Muster des vom Herrn Professor Leonhardi herausgegebenen chemischen Wörterbuchs von Macquer, zu Stande kommen, und solchergestalt der allgemeine Wunsch, welcher mit dem, durch den sonst verdienten Oberbergamtsverwalter Schinke verbesserten Bergwerks-Lexicon des Minerophili auch im mindesten nicht befriedigt ward, wahrscheinlich erfüllt werden kann. Man wird bey Bearbeitung aller Artikel durchgängig die neuesten Schriften zum Grunde legen, ohne die ältern schätzbaren zu übergehen, überall wo es nöthig ist, sie selbst anführen, und vorzüglich die Verschiedenheit der Benennungen einer Sache in den verschiedenen Bergwerksstaaten, jedesmal möglichstermasen mit bemerken. Einen grossen Nutzen wird dieses unter andern auch für den Mineralogen und Geognosten haben, der in diesem Buche nunmehr ein vollständiges und ausführliches Verzeichniss aller bekannten Fossilien und der ihnen so verschiedenen beygelegten Namen finden wird, wodurch vielleicht künftig den bisher so häufig gewesenen Missverständnissen vorgebeugt, und die längst gewünschte Allge-

245

Allgemeinheit einer richtigen Terminologie in der Oryctognofie und Geognofie am erften erzeugt werden kann.

Aber diefe Sache erfodert wie alle Unternehmungen folcher Art einen beträchtlichen Verlag, der mit 3000. Thalern nicht zu beftreiten ift. Die Crazifche Buchhandlung in Freyberg will ihn zwar gern übernehmen, wünfcht aber doch wie billig, dagegen gefichert zu feyn, und das kann nur durch den Weg der Subfcription gefchehen. Ich kündige alfo diefes Werk unter dem Titel: „Hertwigs ganz neu umgearbeitetes Bergbuch" in einem bequemern als jetzigen Formate, nämlich in 2 Bänden gros Royaloctav, jeden Band von ohngefähr vier Alphabet, und jedes Alphabet zu höchftens 16 Grofchen auf Subfcription hiermit an, und bitte jeden Beförderer der Bergwerkswiffenfchaften diefes Unternehmen durch Bekanntmachung und Subfcribentenfammeln beftmöglichft zu unterftützen.

Die Erfcheinung des erften Bandes, dem der zweyte in einem viertel Jahr darauf höchftens folgen foll, hängt von dem gefchwinden Eingange einer ftarken Anzahl Subfcribenten ab, für die ich den Termin bis zu Johanni diefes Jahres feftfetze, um fodenn die Zeit der Herausgabe genau beftimmen zu können. Ift zeitiger als zu Johanni die nöthige Anzahl der Subfcribenten beyfammen; fo wird eher mit dem Druck angefangen, und folchergeftalt um fo mehr die Herausgabe befchleuniget. Ich bitte daher die Herren Collecteurs, die das eilfte Exemplar für zehen colligirte Subfcribenten frey erhalten, fchon in der Oftermeffe ihr Subfcribentenverzeichnis an die Crazifche Buchhandlung einzufenden, um diefe in den Stand zu fetzen, hiernach wegen Anfang des Drucks die nöthigen Maasregaln ergreifen zu können, wobey ihnen jedoch immer noch unbenommen bleibt, bis Johanni ihre Collactionen fortzufetzen, und dann den Nachtrag ihrer gefammelten Subfcribenten, welche alle dem Werke vorgedruckt werden, annoch zu diefem Termine einzufchicken.

Die Bezahlung des Subfcriptionspreifes erfolgt zur Hälfte bey Empfang des erften Bandes, und mit der andern Hälfte bey Empfang des zweyten Bandes.

Der Ladenpreis aber kann für die Nichtfubfcribenten unter einen Thaler für das Alphabet auf keinen Fall gefezt werden.

Briefe und Gelder werden poftfrey an die Crazifche Buchhandlung in Freyberg gefendet, und Subfcription haben auffer den Buchhandlungen jedes Orts und dem Zeitungs- und Intelligenzcomtoir in Leipzig, folgende Herren anzunehmen die Gewogenheit, nämlich in Johann Georgenftadt Herr Bergamtsaffeffor Aurich, in Eybenftock Herr Hammerinfpector Lefig, in Marienburg Herr Zehendner Helbig, in Annaberg Herr Schichtmeifter Brunner, in Eisleben Herr Hüttenfchreiber Kirchhof, in Schneeberg Herr Bergamtsregiftrator Beyer, in Altenberg Herr Bergmeifter Tittelmann, in Weimar Herr Bergfecretair Voigt, in Dresden Herr Advocat Müller, in Halle H. Bergkad. Karft.u, in Breitenbach im Schwarzburgifchen Herr Paftor M. Ebermeüng, in München Herr Bergrath und Profeffor Flurl, in Leipzig Herr Candidat Bazhinm, in Bern in der Schweiz Herr D. Höpfner, in Riga Herr Bernhardi, in Petersburg Herr Oberbergmeifter Ilmonn, in Schemnitz Herr Bergrath Haidinger, in Jofchimsthal Herr Bergmei-

fter Pittner, in Stuttgard Herr Expeditionsrath Widenmann, in Wolfach im Fürftenbergifchen Herr Bergrath Stül, in Wetter im Klermärkifchen Herr Obereinfahrer von Köhn. In Freyberg nimmt die Crazifche Buchhandlung Subfcription an.

Freyberg im Jänner 1789.

Alexander Wilhelm Köhler,
Secretär bey dem Churfürftl. Sächf. Oberbergamte zu Freyberg und Lehrer der Bergrechte bey der Bergacademie ebendafelbft.

Dafs mit dem Jahre 1787. die Neue Leipziger gelehrte Zeitungen, die älteften, welche Deutfchland aufzuweifen hat, zu erfcheinen aufgehört haben, ift bekannt. Ueber die Urfachen diefes unangenehmen Phänomens uns auszubreiten, würde für die gegenwärtige Ankündigung zweckwidrig feyn. Die Nutzbarkeit einer gelehrten Zeitung in einer Stadt, welche fich rühmen kann, zu den vorzüglichften Hauptfitzen des Buchhandels zu gehören, auf einer Univerfität, und in einem Lande, deffen litterarifcher Einfluß auf das Ganze anerkannt ift, beweifen wollen, würde Mißtrauen in die Einfichten des Publikums verrathen: zumal da wir von verfchiedenen Gelehrten hiezu aufgefordert worden find.

Die unterzeichnete Buchhandlung, welche fchon ehemals die hiefigen gelehrten Zeitungen ausgegeben hat, macht daher ohne weitere Umfchweife bekannt, dafs diefe Zeitungen nächftens in ihrem Verlage wieder erfcheinen werden; dafs eine Gefellfchaft hiefiger Gelehrten, die durch ihre eignen wichtigen Arbeiten fich fchon längft zu competenten Richtern fremder qualificirt haben, die Recenfionen verfertigen, und andere auswärtige Correfpondenten Beyträge liefern werden, und dafs die Redaction und Beforgung des Ganzen Herr Profeffor Beck übernommen hat. Das Publikum darf erwarten, dafs die von diefer Gefellfchaft ausgearbeiteten Zeitungen die ehemaligen Vorzüge der Unpartheylichkeit, Genauigkeit Wichtigkeit und Zweckmäfigkeit der Recenfionen wieder erhalten werden. Hinderniffe, deren Aufzählung zu unnützlichen werden würde, haben uns abgehalten, mit dem Jahre felbft anzufangen, allein alle fehlende Stücke werden in den erften Monaten nachgeholt werden, und künftigen zweyten Mürz erfcheint das erfte Stück, unter dem Titel:

Neue Leipziger gelehrte Anzeigen oder Nachrichten von neuen Büchern und kleinen Schriften befonders der Churfächfifchen Univerfitäten, Schulez, u. f. w.

Wöchentlich werden zwey halbe Bogen, Montags und Freytags, in grofs Octav Format, ausgegeben, allein fo lange bis die fehlenden Stücke der zwey erften Monate nachgeholt find, wird auch Mittwochs noch ein Stück von einem halben Bogen gegeben. Dazu kommen noch befondere Beylagen, welche kurze Ankündigungen oder Inhaltsanzeigen erfcheinender oder erfchienener in- und ausländifcher Bücher enthalten; wenn am Ende des Jahres noch wichtige Werke anzuzeigen übrig find, fo werden Supplemente, und künftig, fobald es uns der Beyfall des Publikums geftattet, drey halbe Bogen wöchentlich gelie-

furt

fert werden. Uebrigens wird am Ende jedes Jahres mit der Vorrede zugleich eine Uebersicht der gesammten Litteratur des Jahres, vom Redacteur ausgearbeitet, wie ehemals, gegeben. Ueber die innere Einrichtung bemerken wir nur folgendes:

1) Eine vorzügliche Absicht ist, die Bekanntmachung der sämmtlichen, größern und kleinern, Produkte sächsischer Gelehrten, besonders von den beyde Universitäten, deren sämmtliche Akademische Schriften angezeigt werden sollen, und von den Schulen. Man wird bey jenen vom Jahre 1788. den Anfang machen. Bey der Anzeige der Schriften hiesiger Universitätslehrer, wird man sich alles Lobes und Tadels, wie billig, enthalten. Das Publikum wird also in diesen Zeitungen vollständige Annalen der sächsischen Litteratur finden. Wir schließen Werke und Leistungen sächsischer Künstler nicht aus.

2) Von den vornehmsten Schriften jeder Messe soll keine unangezeigt bleiben; auch die wichtigsten Abhandlungen aller Zeitschriften sollen, ausgezeichnet werden, welches fast keine Zeitung thut; bey jedem Stücke werden sich kurze Anzeigen der ausländischen Litteratur befinden, und wichtige ausländische Werke sollen recensirt werden.

3) Die Recensionen sollen und können nicht weitläufige Auszüge oder Abhandlungen seyn, sondern in gedrangten Auszug das Wichtige eines Buchs darstellen und in lehrreicher Kürze beurtheilen. Ihre Länge wird sich nach der (nicht körperlichen, sondern geistigen) Beschaffenheit eines jeden Buchs richten; Titel aber und Inhalt desselben wird so genau angegeben werden, als jeder Litterator es wünschen muß.

4) Keine Recension wird durch Partheylichkeit, Harte, oder durch einen unanständigen Ton mißfallen, alle werden sich durch Würde, Güte, und Billigkeit empfehlen. Daher denn auch keine namenlose oder auf andere Art eingesandte Recensionen angenommen werden.

5) Sollen auch litterarische Nachrichten, mit kleinerer Schrift gedruckt (denn man wird den kaum möglichst zu benutzen suchen) gegeben werden, wozu der Redacteur von ausländischen Correspondenten manche seltne Beytrage erhält.

Die Handlung wird dafür sorgen, daß die vorzüglichsten deutschen und ausländischen Werke angezeigt werden können, und daß das äussere eben so sehr als das innere den Wünschen einsichtsvoller Leser entspricht.

Der Preis wird für die, welche sie hier in der Müllerschen Buchhandlung kaufen zwey und einen halben Thaler, G. M. auswärts und postfrey durch Sachsen drey Thaler seyn. Sämmtliche Postämter nehmen darauf die Bestellungen an, und richten sich mit billigen Preisen nach der Entfernung vom Verlagsorte. Die hiesige churfürstliche Zeitungsexpedition hat die Hauptversendung derselben, wie ehemals übernommen.

Exemplare auf schön holländisch Schreibpapier müssen ausdrücklich bestellt werden. Der Preis derselben ist für den Jahrgang nur um 12 gr. erhöhet. Buchhandlungen erhalten einen billigen Rabatt.

Was aber die Beylagen betrifft, so wird man sich für die blos gelehrten Avertissement, deren Aufnahme verlangt wird, eine billige Vergütung von einen Groschen für jede Zeile gern gefallen lassen.

Noch fügen der Redacteur und die Handlung zwey Bitten bey:

1) Daß es den Rectoren und übrigen Lehrern der sächsischen Schulen, andern sächsischen oder auswärtigen Gelehrten, deren kleine Schriften gar nicht durch den Buchhandel in Umlauf kommen, gefallen möge, sie zur Bekanntmachung an Herrn Professor Beck, oder an die Handlung, gelegentlich zu schicken. Der erstere hat schon bisher verschiedene solche Schriften zu erhalten das Vergnügen gehabt.

2) Daß, wenn Buchhändler, vornehmlich Sächsische oder hiesige, ihre Verlagsbücher gern früher angezeigt zu sehen wünschen, sie dieselben unter Bedingungen, welche sie selbst bestimmen können, einzusenden die Güte haben.

Da die Ausgabe der ersten Stücke so nahe bevorsteht, so fügen wir nichts weiter bey: und hoffen die Erwartung des Publikums nicht bloß zu befriedigen.

Leipzig, am 11ten Febr. 1789.

J. G. Müllersche Buchhandlung.

II. Vermischte Anzeigen.

Hr. Hirsching sagt in dem vor kurzen erschienenen 4ten Bande seiner Nachrichten von sehenswürdigen Gemählde- und Kupferstich-Sammlungen S. 423.

„daß ich beinahe die größte Kupferstichsammlung in Bayreuth besasse; nur sey es Schade, daß ich sie nicht leicht jemand zeige und sie geheimer, als Plino das Hollenreich, bewache."

Nun ist mir zwar Hn. Hirschings Meynung von mir, in welcher er sich, so wie in gar vielen andern seiner Nachrichten irrt, sehr gleichgültig. Allein der Wunsch, Erwartungen nicht zu erregen, welche ich im vorkommenden Falle nicht befriedigen könnte, und die auffallende Unrichtigkeit der Sache, welche mich aus Gründen interessirt, die dem Publikum gleichgültig seyn können, bewegen mich, hier öffentlich zu versichern, daß ich meine im Grunde sehr unbedeutende, höchstens 300 Blätter starke Kupferstichsammlung, größtentheils aus der ältern französischen Schule, dem Kenner, der es während seines Aufenthalts dahier, der Mühe werth halt, mit wahrem Vergnügen zeige, und daß ich sie bloß, aus nothwendiger Eintheilung meiner Zeit, vor dem Neugierigen und dem geschmacklosen Halbkenner bewahre.

Uebrigens scheint mir der Ton, in welchem Hr. Hirsching spricht, nicht bloß dem jungen Schriftsteller, dessen glückliche Fortschritte von der Unterstützung und den Beyträgen Anderer abhangen, sondern auch jeden feinfühlenden Manne unanständig und sein Witz so traurig, wie das dunkele Reich, von welchem er ihn entlehnt hat. Ich werde daher, wenn es ihm belieben sollte, hierüber noch weiter etwas zu sagen, kein Wort mehr verlieren.

Bayreuth im Febr. 1789.

Wucherer.

LITERARISCHE NACHRICHTEN.

I. Vorläufige Berichte von ausländischer Literatur.

Madrid, bey Sancha: *Difcurfo fobre la arquitectura naval antigua y moderna — dixo D. Cypr. l'imercotl, Presbitero. 8. 1788.*

Der Verf. ift Director der Seecadetten Akademie zu Ferrol, und hielt diefe Rede beym Anfange der öffentlichen Uebungen in der Mathematik, Analyfis, Mechanik und Aftronomie, die zu Ferrol im Februar 1787 angeftellt wurden.

Bizuboa *Jofeph* ift unter dem Titel: *El triumfo de la innocencia oprimida ó Jofeph enalzado* von Pedro Lejeune ins Spanifche überfetzt worden. Koftet in Romans Buchladen zu Madrid 12 Rs.

Hiftoria de la infigne Orden del Toyfon de Oro — efcrita per D. Julion. de Pinedo y Salazar. 3 Bände. Jeder koftet 44 Rs.

Der V. ift Mitglied des K. Raths und Sekretär, auch bey der Ordenskanzley angeftellt, und Mitglied der hiftorifchen Akademie. Der erfte Band enthält die Gefchichte der Stiftung des Ordens, die Infignien und Ordenskleidungen, ein vollftändiges Verzeichnifs der fämtlichen Mitglieder vom Anfange bis jetzt, nebft den Lebensbefchreibungen und Genealogien derfelben. Der zweyte Band erweift des K. von Spanien Recht zu dem Meifterthum des Ordens, nebft den Rechten der Ordensglieder. Der dritte enthält die fämtlichen Conftitutionen des Ordens mit allen Zufätzen, päbftlichen Bullen u. f. w.

Principios militares en que fe explican las operaciones de la guerra fubterránea — por D. Raym. Sanz. Madr. 1788. 8.

Der Verf. ift fpanifcher Feldmarfchall und Oberfter bey der Artillerie. Er handelt in feinem Werke von Minen und Contreminen, und hat es für die Eleven des K. Corps der Artillerie gefchrieben.

Diefes Jahr ift auch in der königlichen Druckerey zu Madrid ein Kirchenalmanach heraus gekommen, woraus man den ganzen fpanifchen Kirchenftaat und den Zuftand fowohl der regulären als irreguláren Geiftlichkeit kennen lernt. Er begreift auch die hohe Geiftlichkeit anderer katholifchen Länder. Der Titel ift: *Guia del Eftado eclefiaftico.* 12. koftet 6 Rs.

Addifons Cato ift von *Bernardo Maria de Calzada,* Kapitän von der Cavallerie, in Profa überfetzt und zu Madrid gedruckt worden. Preis 4 Rs.

Von eben demfelben ift eine Ueberfetzung des *Fils naturel* von *Diderot* in Verfen erfchienen: *El Hijo natural ó pruebas de la virtud.* 8. bey Gomez. 4 Rs.

Die zweyte Ausgabe von *Fourcroy* Elements d'Hiftoire naturelle et de Chymie wird auch ins Spanifche überfetzt und kommt in der Königl. Druckerey auf Subfcription heraus. Drey Quartanten koften fo 60 Rs., nachher 72 Rs.

II. Todesfälle.

Den 10ten diefes ftarb zu Regensburg, Herr *Fulgentius Mayr,* ein Mitglied des Augustinerordens in der Bayrifchen Provinz. Zwar wird man feinen Namen weder in den Verzeichniffen Deutfchlands gelehrter Schriftfteller, noch in den Annalen klöfterlicher Literatur aufgezeichnet, noch in den Kreutzzangen fein Bildnifs an die Kette abgemahlter Thatenvoller Ordensmänner gereihet finden: dennoch aber wird fein Gedächtnifs, befonders in denen, die ihn näher kannten, unvertilgbar feyn. Als Priefter betrachtet, blieb er den Grundfatzen feiner Kirche getreu, und erfüllte die ihm vorgefchriebenen Ordenspflichten mit einer Strenge, die nur die Abnahme körperlicher Kräfte unterbrechen konnte. Die Tugend der Wohlthätigkeit, die fich vorzüglich bey dem Priefterftande durch Lehre und thätiges Beyfpiel äufern mufs, übte er, ohne Zwang und heuchlerifches Gepräng, gegen Hülfsbedürftige nach feinem Kraften aus. Man fah ihn felbft leiden, wenn den Leidenden zu unterftützen fein Vermögen nicht hinreichte, und es würde dem Manne von fo einem vortrefflichen Herzen unmöglich geworden feyn, jemals die Stelle ftrenger Inquifitoren bekleiden zu können. Tiefe Einfichten in das Scientififche, befonders in die Bayrifche und Pfälzifche Landesgefchichte, Aufklärung und damit verbundene Duldung, und eine auf vieljahrige Erfahrung gegründete Welt- und Menfchenkenntnifs haben den Umgang mit ihm lehrreich und unterhaltend gemacht. Ehemals bekleidete er in dem Bücher-Cenfur-Collegio zu München ein eine Stelle, schrieb die Münchner politische Zeitung oder hatte doch Antheil daran, war der dasigen Akademie Mitglied, auch General-Definitor bey dem Provinzialorden; seit einigen Jahren aber hielt er sich, — wie man sagte wegen jenes gehabten Antheils an obbenannter politischer Zeitung, in dem hiesigen Augustinerkloster auf, wo sein Wirkungskreis beschränkter ward. Den Gebrauch seiner Zeit maß er sehr weislich ab; ein beträchtlicher Theil derselben war den geistlichen Functionen, dem Studium der ältern und neuern Literatur, und dem mit inländischen Gelehrten gepflogenen Briefwechsel gewidmet; die übrige Zeit schenkte er seinen Freunden, deren er unter den angesehensten Protestanten viele zählte. Er war bescheiden, mäßig, im Umgang offen und heiter, und blieb sich, auch als 79jähriger Greis, bis zum Tage seiner Vollendung gleich. Wie ausgezeichnet er da noch von seinen Freunden geschätzt und geliebt wurde, konnte man bey seiner Erdbestattung, (die gleich 24 Stunden nach seinem Tode erfolgte,) wahrnehmen. Verschiedene evangelische

Personen, hohen und mittlern Standes begleiteten die Leiche dieses würdigen Greises, und fanden sich auch noch am Tage des Trauergottesdienstes mit theilnehmender Empfindung ein. *A. B. Regensburg d. 28. Febr. 1789.*

III. Vermischte Nachrichten.

Hr. Prof. *Aßmann*, der bereits im Frühling des Jahrs 1786. eine Reise auf das Riesengebürge angestellt hatte, um Beobachtungen von mancherley Art daselbst vorzunehmen, und seitdem zur Unterstützung seiner mineralogischen und andern Nachforschungen, von dem Kurfürsten von Sachsen eine jährliche Pension von 100 Rthlr. erhalten hat, wiederholte dieselbe Reise im J. 1788. zu einer günstigern Jahrszeit in Julius, August und September, und daher auch mit glücklicherm und ausgebreiteterm Erfolge. Er hat von diesem vor kurzem in einer Einladungsschrift, *de itinere per montes Sudetos facto*, auf 24 Quartseiten einige Nachricht gegeben, welche nach der umständlichen Reisebeschreibung begierig machen können. *A. B. Wittenberg d. 17 Febr. 1789.*

LITERARISCHE ANZEIGEN.

I. Ankündigungen neuer Bücher.

Nachricht von einer herauszugebenden Schrift, welche den Titel führen wird: Theorie des Magnetismus und des daraus herzuleitenden Inclinations- und Declinations-Systems der Erdkugel.

Könnte der Seefahrer, wenn anhaltende trübe Witterung seine Aussicht nach dem bestirnten Himmel auf einige Tage verhüllet, sich auf die Magnetnadeln verlassen; so würde er demohngeachtet im Stande seyn, Ort und Bahn seines Schiffes mit Gewißheit zu bestimmen.

Halley war der erste, der eine weite Seereise unternahm, das System der Declination ausfündig zu machen, aber die sogenannten Halleyschen Linien sind noch lange kein die ganze Erdkugel umspannendes System. Nachher bemerkte man, daß das „Declinations-System, wenn es auch entdeckt werden sollte, ohne das Inclinations-System an und für sich selbst nicht hinreichend sey, alle Länge und Breite des Standorts eines See-Schiffes auf dem Oceane erforderlich zu bestecken. Man fing an auch die Inclinations-Nadel zu Hülfe zu nehmen. Was haben sich ein Anson, de la Caille, Ecleberg, Niebuhr, Cook, Corteret, Wallis und mehrere berühmte Namen nicht für Mühe gegeben, die gemachte Wahrnehmungen in ihren Reisebeschreibungen der Welt mitzutheilen, aus welchem man zwar so viel siehet, es sey für beide Magnetnadeln ein System vorhanden, aber welches? und nach was für Grundsätzen richtet es sich? Bevor man letztere nun zuverlässig entziefern wird, arbeitet man aus der Sammlung der Wahrnehmungen an einer systematischen Ordnung vergebens, zumal da viele aus Schuld der Werkzeuge nicht gar zu richtig gerathen sind. Diejenige Inclinationsnadel, deren sich Abbe de la Caille auf seiner Reise nach dem Vorgebürge der guten Hoffnung bediente, hatte eine Mißweisung von 3 Graden und wie viele Observationen unter den Po-

len und auf der großen Südsee ist man noch schuldig geblieben.

Dieses bewog den unten genannten Verfasser, die erste Quelle des Magnetismus und die von dem allerweisesten Schöpfer dieser Kraft vorgeschriebenen Wirkungsgesetze aufzuspüren und in einen systematischen Zusammenhang zu bringen. Anfangs schob man die besonderen Observationen zurück, und wählte nur diejenigen wenigen, an deren Richtigkeit und Genauigkeit kein Zweifel übrig war, um beiden Systemen die rechte Stellung in Ansehung der Erde zu ertheilen. Da aber nachmals die übrigen hin und wieder in den Reisebeschreibungen aufgesuchten Wahrnehmungen mit den gemachten Entwürfen zutrafen; so blieb wohl kein Zweifel übrig, daß nicht auch diese Theorie ihre innere Richtigkeit haben sollte. Diese wird in drey Abschnitten vorgetragen.

1. Abschnitt handelt von der Dynamik, das ist solcher, in welche die Eigenschaften der Materie oder Körper keinen Einfluß haben.

2. Von dem Magnetismus überhaupt, wobey die Phänomene des Magnets nach der Theorie des ersteren Abschnittes gründlich erklärt werden.

3. Von dem Inclinations- und Declinations-Systeme insbesondere, wie sich solches auf der Oberfläche des Erdplaneten zeiget.

Den Beschluß macht eine Abhandlung von der bis zur Vollkommenheit verbesserten Inclinations-Nadel. Die ganze Abhandlung wird von eilf sauber gestochenen Kupfertafeln begleitet, worunter sich vier illuminirte befinden. Sie ist in lateinischer Sprache abgefasset worden, nicht nur deswegen, weil man glaubte, durch die allgemeine Gelehrten-Sprache den verschiedenen schreibenden Nationen gefällig zu werden, sondern auch, weil im ersten Abschnitte viele technologische Worter und Theile, so arteit vorkommen, so in dieser Sprache Engländern genau

bestimm-

beftimmten Begriff und gleichfam ihr Gepräge erhalten haben, die fich nicht wohl mit Vermeidung der Zweydeutigkeit in andere Sprachen übertragen laffen. Sollten indeffen mehrere Liebhaber wünfchen, das Werk in franzöfifcher Sprache zu lefen: fo kann es auch zugleich in diefer geliefert werden.

Da nun nach gefchehener Vorlefung in der Königl. Akademie bereits viele Gelehrte gewünfcht, dafs diefes befonders der Seefahrt nützliche Werk allgemein bekannt gemacht werde; fo wählt der Verfaffer den Weg der Subfcription, und fo bald 500 fich hiezu willig finden werden, fo foll fogleich mit dem Druck und Abftechung der Kupfertafeln der Anfang gemacht und ein complettes Exemplar mit einem holländifchen Dukaten aus der Paulifchen Buchhandlung in Berlin verabfolget werden. Diefenjgen aber, die 10 Subfcribenten fammeln, bekommen das eilfte ohnentgeldlich. Findet fich eine gröfsere Anzahl Subfcribenten; fo foll noch eine Anweifung hinzu gethan werden, wie man fich bey Verfertigung und Prüfung vollkommnerer Declinations- und Inclinations-Nadeln aus damafcirten Stahle zu verhalten habe, und bey welchem Mechanikus diefelben zu haben feyn werden. Auch wird man alsdenn den Preis zu vermindern fuchen.

Alle Beftellungen werden in der Paulifchen Buchhandlung in Berlin angenommen.

Berlin, den 25 Octobr. 1788.
J. E. Silberfchlag,
Königl. Preufs. Oberconfiftorial- und Geheimer Oberbau-Rath.

Die fo gemeinnützige Gefellfchaft naturforfchender Freunde zu Berlin hat den Wunfch geäufsert, dafs fich doch ein Mineraloge und ein Verleger zufammen finden möchten, welche die in den grofsen akademifchen Werken, periodifchen und andern Schriften zerftreuten, und in die Mineralogie, Metallurgie, Oryktologie und Geognofie einfchlagenden Auffätze zufammenfammelten, und in unfrer Mutterfprache herausgäben, wodurch ein Magazin für die Mineralogie, wie dergleichen ähnliche Werke und Archive für die Infektologie, Botanik, Chemie u. a. m. find, entftehen würde.

Unterzeichnete Buchhandlung hat fich alfo mit dem Herrn Profeffor Vingften in Erfurt, einem durch mehrere gut aufgenommene Schriften bekannten Mineralogen und Chemiften, dahin verbunden, ein folches Magazin für die Mineralogie nächftens herauszugeben, und foll hievon der erfte Theil in Quartformat, mit den nöthig gefundenen Kupfern verfehen, zur Leipziger Michaelismeffe 1789 gewifs erfcheinen, und demfelben in jeder Meffe nach dem Beyfall des Publikums ein oder mehrere Theile nachfolgen. Halle, den 23 Febr. 1789.
Gebauerfche Buchhandlung.

II. Bücher fo zu verkaufen.

1. Biblia: das ift: die ganze heilige Schrift, Deudfch auffs New zugericht. D. Mart. Luth. Gedruckt zu Wittemberg, durch Hans Lufft. 1541. 2 Bände in fol. in Schwed. gut condit. 6 Rthlr.

2. Fabri thefaur. erud. fchol. edit Gefneri. 1735. 2 Pig. Bände. 4 Rthlr.

3. Die allgemeine Welthiftorie im Auszug von Häberlin, 1-12 Band. 13. 14 Band von Gebhardi, der 15 Band von Tozen, und Häberleins neuefte teutfche Reichsgefchichte, 1. u. 2 Band. Alle 17 Bände in Halbfranz. fehr gut condition. zufammen 18 Rthlr.

III. Vermifchte Anzeigen.

Nachricht an das Publikum, den Traßlerifchen Nachdruck der Encyklopädie des Herrn D. Krünitz betreffend.

Als ich vor einigen Jahren in Erfahrung brachte, dafs der Buchdrucker Traßler in Brünn mir des Herrn D. Krünitz ökonomifch-technologifche Encyklopädie nachdrucken wollte, fo warnte ich das Publikum vor folchen Nachdruck, weil zu befürchten wäre, dafs ein, zumahl befchleunigter und übereilter, Nachdruck vieler Bände wenig correct gerathen dürfte, und dafs diefes infonderheit die bey den Recepten wider Menfchen- und Viehkrankheiten vorkommenden medicinifchen Gewicht-Zeichen treffen könnte, welche letztere Fehler bey der Verfertigung und dem Gebrauche der Arzneyen von unausbleiblich fchädlichen Folgen find. Leider ift diefe meine Vermuthung und Beforgnifs nur zu fehr eingetroffen. Es ift der fechfte Band diefes Nachdruckes in meinen Händen. Ich habe denfelben durchfehen laffen, und es find blofs in der erften Hälfte diefes Bandes folgende 48 Druck-Fehler vorgefunden worden; der faft unzähligen kleinern Fehler in verkehrten Buchftaben, unrechten Unterfcheidungs-Zeichen, falfcher Orthographie und öfterreichifchen Provinzialismen, die fich in dem Originale doch nicht befinden, nicht zu gedenken.

S. 2. erbärmlich, an ftatt erbärmlich.
— 5. H. C. an ftatt colchiet.
cholchid, an ftatt colchiet.
— 8. anhält, an ftatt aufhält.
— 14. fchwarzen, an ftatt Schwärzett.
— 18. Unköften, an ftatt Unkoften.
— 35. 3 Unzen, an ftatt 4 Unzen.
— 51. nicht anders, an ftatt nichts anders.
— 53. bedeutet, an ftatt bedeutet.
— 57. und 59. Intereffen, an ftatt Intereffen.
— 59. Confication, an ftatt Confifcation.
Verein gefall, an ftatt Vermeinungsfall.
— 75. lang fey, an ftatt lang feyn.
— 82. Bernftern, in der alphab. Ordnung der Art. an ftatt Börnftein.
— 84. Gerarde, an ftatt Gerade.
— 102. druckten, an ftatt gedruckten.
— 110 Bohnen ftatt Bohlen.
— 112. jede Same an ftatt jeder Same.
— 136. Schmiikwohnen, an ftatt Schminkbohnen.
— 133. hervon, an ftatt hiervon.
— 134. Puhli, an ftatt Paulini.
— 138. wenn fie grofs, an ftatt wenn fie fo grofs.
— 138. genommen worden, an ftatt genommen werden.
— 140 gefotroten, an ftatt gebroten.
— 143. Schramen, an ftatt Schrammen.
— 149. beßäng an ftatt beftändig.

S. 150.

S. 150. *Fig.* 307. an ſtatt 297.
— 156. *Maquis*, an ſtatt Marquis.
— 177. *conards*, für canards.
— 185. *Walbäume*, für Waldblume.
— 187. *Lrpent*, für Arpent.
— 199. *Bondie*, für Bondir.
— 201. *Baetilia*, für Paetilia.
— 206. *Gueune*, für Guienne.
    Manusmuntu, für Manusmützen.
— 216. *Paret*, an ſtatt Parcs.
— 250. *Arquis*, an ſtatt Argues.
— 258. *Turtue*, an ſtatt Tortue.
— 261. *Rinde*, für Ringe.
— 266. *Bouilier*, für Bouillir.
— 298. *Rogout*, für Ragout.
    Thurriegel, für Thurriegel.
— 303. *Terre en dutre*, für Terre en guéret.
    und darauf, für : um darauf.
— 336. *Cepar.* ʒiij an ſtatt ʒij.
— 338. *Popptiglos und Bingelkraut*, an ſtatt Pappel - Glas-
    und Bingelkraut.
— 357. *ranchnre*, an ſtatt Branchure.
Auf der 2ten Kupfertafel, ſteht bey Fig. 294. S. 103.
    an ſtatt 106.

Hierunter finden ſich Beyſpiele von falſchen Gewicht-
Zeichen, Seite 30, in dem Recepte für die Blutſtaupe bey
Pferden; und Seite 336, in dem Recepte für die Braune
beym Hornvieh. Einen vorzüglichen Werth ertheilen
der Encyclopädie die darinn vorkommenden mediciniſchen
Artikel. Herr D. *Krünitz* hat aus vierzigjähriger Erfahrung, die in ſeiner mediciniſchen Praxis bewährt befundene Cur - Methode der Krankheiten der Menſchen, ohne
ein Geheimniſs daraus zu machen, als Patriot und Menſchenfreund, inſonderheit zum Nutzen der Landleute,
und anderer, die einen geſchickten Arzt zu conſuliren
nicht Gelegenheit haben, getreu bekannt gemacht; und
was die Vieh-Krankheiten betrifft, diejenigen Heilungs-
Mittel, die er in allen über die Vieharzneykunſt geſchriebenen Werken antrift, und die er nach ſorgfältiger Prüfung und reifer Beurtheilung als die ſicherſten und wirkſamſten erkennt, angezeigt. Nicht nur der Herr Verf.,
ſondern auch ich, haben Briefe in Händen, darinn man
den glücklichen und erwünſchten Gebrauch der nach ſeiner Anweiſung und Vorſchrift bey Menſchen und Vieh
angewandten Mittel in verſchiedenen wichtigen Krankheiten und Zufällen bezeugt, und mit den verdienteſten
Lobſprüchen belegt, welche Briefe wir, wenn Verfaſſer
und Verleger ruhmſüchtig und eitel wären, dem Publicum
im Druck vorlegen würden. Durch dergleichen Druck-
Fehler nun wird alſo der Haupt-Nutzen ſolcher mediciniſchen Artikel vereitelt, der Ruhm des Verfaſſers und
ſeiner Arbeit geſchwächt, und, was das traurigſte iſt,
Schaden bey Menſchen und Vieh angerichtet. Ich überlaſſe es alſo einem jeden, zu beurtheilen, ob es vortheilhaft ſey, um weniger Thaler willen, die man etwa bey
dem ſo mangel- und fehlerhaften Nachdrucke erſparet,
dieſen dem Originale gleich zu ſchätzen, oder gar vorzu-

ziehen. Freylich kann der Nachdrucker ſein Werk etwas wohlfeiler geben; denn er hat bey einem ſo gemeinnützigen und allgemein geſchätzten Werke nichts zu ris-
quiren, und darf dem Verfaſſer kein Honorarium bezahlen. Allein, ich habe, bey dem Verlage dieſes Werkes,
vom Anfange an bis jetzt, die gröſte Uneigennützigkeit
beobachtet, ob ich gleich bey der, nach und nach dem
Hrn. Verfaſſer freywillig und nach Würden zuerkannten,
Erhöhung ſeines Honorarium, (wie der Herr Verf. in der
Vorrede zur zweyten Auflage des erſten Bandes der Encyclopädie, S. XXXIX. ſelbſt bezeugt,) mehrere Koſten
gehabt habe, und verhältnismäſsig auch den Preis des
Werkes billig hätte erhöhen, und mich nach dem jetzigen Preiſe anderer Verleger und Buchhändler richten
können. Man bezahlt den Bogen geringer und weitläuftig gedruckter Schriften, die geſtern geleſen ſind, und
heute wieder vergeſſen werden, den Bogen, ordinär Format, meiſtentheils mit 1 Gr. Von der in Median - Format
gedruckten, ihren Werth und Nutzen auf viele Jahr-
zehende behaltenden, Encyklopädie, bekommen die Pränumeranten den Text eines jeden, aus 50 und mehr Bogen
beſtehenden Bandes, welcher aus lauter Cicero geſetzt
und gedruckt, über 70 Bogen, in Median - Octav, betragen
würde, an ſtatt eines dafür noch immer billigen Preiſes
von drithalb Thalern, für 1 Rthlr. 4 gr., und jedes
Octav-Kupfer für 8 Pfennige; wozu noch kommt, daſs
ich, jenes ungerechten und unnützen Nachdrucks wegen,
mich erbiete, allen neu antretenden Liebhabern dieſes
Werk um den Pränumerations - Preis zu erlaſſen. Die bis
jetzt heraus gekommenen 44 Bände betragen, nach ordi-
närem Preiſe, 128 Rthlr. 1 gr.; ich bin aber, dieſelben
noch um den Pränumerations - Preis, welcher nur 83 Rthl.
9 gr. beträgt, zu verlaſſen erböthig.

Berlin, den 19 Dec. 1788.

Joachim Paul,
Buchhändler.

Auf des Hrn. Inſpector Werners im Nro. 23. d. Int.
Bl. gegen mich eingerückt geweſenen Auffatz werde ich,
wo möglich, noch in dem erſten Theil meiner mineralogi-
ſchen und bergmänniſchen Abhandlungen, der gegenwärtig unter der Preſſe iſt, antworten.

Voigt.

Aus einer mir nicht ganz gleichgültigen Verwechſe-
lung meines Nahmens ſind mir mehrere Briefe zugeſchickt
worden, die an die ſogenannte *deutſche Union* gerichtet
waren. Ich glaube daher dieſem Miſsverſtandniſs vorbeugen, und öffentlich ſagen zu müſſen, daſs ich mit der
gedachten Geſellſchaft nie in der geringſten Verbindung
geſtanden; daher ich denn auch alle dergleichen Zuſchrif-
ten verbitten muſs.

Bartels.
Königl. Preuſs. Amtsrath und Beamter zu
Giebichenſtein.

INTELLIGENZBLATT

der

ALLGEM. LITERATUR-ZEITUNG.

Numero 33.

Mittwochs den 11ten März 1789.

LITERARISCHE NACHRICHTEN.

I. Vorläufige Berichte von ausländischer Literatur.

à Berlin ou à Londres, et se trouve à Paris, chez Néo, de la Rochelle: *Le voeu d'un Agriculteur, ou Essai sur quelques moyens de remedier aux ravages de la gréle par M. Sonnini de Manoncourt* etc. 33 pag. prix 20 f.

Eine Schrift, die unter gegenwärtigen Umständen sehr gelesen zu werden verdient. (*M. de F. N.* 51.)

à Paris, chez Didot l'ainé: *Memoires pour servir à l'Histoire Naturelle de la Provence par M. Bernard.* 2 Vol. in 12. prix reliés 6.

Die Provence ist wegen ihrer Producte sehr merkwürdig. Hr. Bernard will sie in einzelnen Memoires durchgehen. Die in gegenwärtigen enthaltene sind sehr interessant, und machen auf die Fortsetzung begierig.
(*M. de Fr.* 51.)

Le bon Jardinier, Almanach pour 1789, Nouv. Edition par M. de Grace. Prix 1 liv. 10 f.

Dieser Almanach hat vielen Beyfall gefunden.
(*Merc. de Fr. N.* 52.)

Bibliothèque des Dames.

Dieser Band enthält den ersten Theil de la *Femme considerée au Physique et au Moral, par M. Roussel.*
(*M. de Fr. N.* 52.)

à Paris, chez Mequignon l'ainé: *Clovis-Le-Grand, premier Roi Chretien, Fondateur de la Monarchie Françoise* etc. par M. Viallon, in 12. de 565 pag. prix 3 liv. br. et 3 liv. 12 f. relié.

Dies Werk wirft viel Licht auf den Ursprung der französischen Monarchie. Der Verf. hat eine Menge Recherchen gemacht, die seinen Vorgängern entgangen sind. Kein Buch zeigt die Lage Clodwigs vor seiner Gelangung zum Thron, und seine Beweggründe zu seinen verschiedenen Unternehmungen so deutlich, wie dies. Clodwig befafs die Kunst sich bey Bischöfen beliebt zu machen, und liefs jeder Nation ihre Gesetze und Gewohnheiten u. s. w., daher bekamen seine Eroberungen Festigkeit.
(*Journ. de Par. N.* 338. v. J. 1789.)

Leçons de Geographie, faisant partie, du cours d'etudes elementaires de N. l'abbé Gauttier, destiné à instruire les enfans etc. 2 Partie. *Je de la Geographie de la France.* Prix 1 liv. 4 fols.

Der Titel sagt schon genug. Der Verf. hält den spielenden Unterricht für die Kinder sehr nützlich.
(*J. de P. N.* 343.)

à Paris, chez Barrois: *Forme générale et particulere de la convocation et de la tenue des Assemblées nationales, ou Etats Généraux de France, justifié par pieces authentiques.* 2 Vol. in 8.

Der erste Band ist erschienen und enthält die Form der Zusammenberufung. Der zweyte wird die Haltung der Reichsverfammlung selbst beschreiben. Der Verf. ist bis zur Epoche des Reichstags zu Orleans im J. 1560 zurückgegangen, und hat überall aus den besten Quellen geschöpft.
(*J. de P. N.* 346.)

Vues generales sur l'etat de l'Agriculture dans la Sologne et sur les moyens de l'ameliorer par Mr. Huet de Froberville.

Die Provinzialversammlung von Orleans verlangte von der Akademie Aufklärungen, über Handel u. s. w., besonders übt den Zustand des Ackerbaues in dieser Provinz. Es ward fünf Mitgliedern der Akademie aufgetragen worunter sich Hr. v. F. befindet. Dieser Theil von Orleans ist unfruchtbar und ungebaut; der Verf. zeigt, dafs es meist an den Umständen liegt, und zeigt die Mittel, ihn zu verbessern.
(*J. de P. N.* 350.)

à Paris, chez Cuchet: *Essai sur l'Histoire naturelle des Roches de Trapp* etc. *par M. Faujas de St. Fond.*

Der Zweck des Werks ist, die Varietäten des Trapp, und eine systematische Ordnung seiner Abarten zu liefern, um ihn nicht weiter mit Vulkanen u. s. w. zu verwechseln.
(*J. de P. N.* 350.)

à Paris, chez Knapen: *Fables nouvelles par M. Richard Martelli.* 1 Vol. in 12. Prix 1 liv. 4 fols.

Sind die Frucht der Nebenstunden eines Schauspielers zu Bordeaux, der auch Talent und Geschmack in der Dichtkunst hat. Es sind 54 Fabeln, leicht und natürlich erzahlt, voll guter Moral.
(*J. d. P. N.* 354.)

K k   II. Be-

II. Beförderungen.

Hr. *Göttling*, der bekannte Chemiker, und Hr. Rath *Schiller*, der sich seither in Weimar aufgehalten, find zu aufserordentlichen-Profefforen der Philofophie auf der Univerfität zu Jena ernannt worden.

Herrn Profeffor *Moritz* in Berlin ift nach feiner Zurückkunft von Rom die Profeffur der Theorie der fchönen Künfte und dahin gehörigen Wiffenfchaften bey der dortigen Akademie der bildenden Künfte übertragen und zugleich ift derfelbe zum ordentlichen Mitgliede gedachter Akademie ernannt worden.

Herr Juftizrath *Tetens* ift zum zweyten Affeffor im Finanzcollegium und zum zweyten Director in der Finanzcaffedirection in Kiel ernannt worden.

Hr. Geh. Rath u. Profeffor *Mayer* in Berlin, ift zum Königl. wirkl. Leibmedicus, zum Mitgliede des Ober-Collegii Medici und des Ober-Collegii Sanitatis und zum erften Commiffarius der königl. Hofapotheke, an die Stelle des verftorbenen Geh. Raths Cothenius ernannt worden.

Hr. M. *Schellenberg*, von dem wir eine Sammlung der Bruchftücke des Antimachus haben, geht als Prediger bey der Lutherifchen Gemeinde nach Neuwied an die Stelle des Kirchenrath *Engel*. *A. B. Neuwied d. 4. Febr. 1789.*

III. Vermifchte Nachrichten.

Der Hauptpfarrer in *Bonn*, ein Jefuit, liefs cum approbatione reverendiffimi ordinavit ein neues Gefang- und Gebetbuch neulich drucken, worin er den h. Remigius als einen befondern Patron gegen die Seuche der Freygeifterey auftellt und zu fchwärmerifcher Andächteley u. fanatifchem Bigotismus ermahnt. *A. B. eines Reifenden im Januar 1789.*

IV. Berichtigung.

In Hr. Gerhards Abhandlung über die Umwandlung etc. einer Erd und Steinart in die andre. Berlin 1788 bey Vieweg, einer aller Aufmerkfamkeit würdigen Abhandlung, find fo viele Druckfehler, die oft fehr den Verftand entftellen. Ich bemerke nur wenige unter taufenden: S. 23. Z. 7. etc. foll es heiffen: „Man betrachte zu. „förderft die fchönen Schörl- und Afchenzieher Kriftallen „aus den *Zillerthal* in Tyrol. Diefe liegen in *Lavet* oder „Schneideftein" etc. Anmerkung: Die grofsen fchwarzen prismatifchen Schörlkriftalle, die oft 7-8 Zoll lang und dick find, find an der Oberfläche fehr glänzend und durchkreutzen den Schneideftein nach allen Richtungen, fie find keine Afchenzieher, und viel weicher und brüchiger als diefe. Eine kleine Art davon ift fehr fchön; die Kriftallen liegen ftrahlförmig aus einem Mittelpunkt an dem fie fich zufpitzen. Die ächte Turmaline find viel härter und matter als diefe. Die kleinere Kriftalle liegen auch im Schneideftein oder auch im Glimmer zerftreut. Die grofsen aber an der Oberfläche. Ich befitze von diefen ein Stück voller Knäufle von 6 Zoll länge und 1 Zoll Dicke. *A. B. aus Schwaben d. 28 Febr. 1789.*

LITERARISCHE ANZEIGEN.

I. Ankündigungen neuer Bücher.

In meinem Verlage erfcheint zukünftige Oftermeffe 1789. *Praktifche Anweifung zur Kenntnifs der Hauptverfchiedenen und Mundarten der deutfchen Sprache, von den älteften Zeiten bis ins vierzehnte Jahrhundert; in einer Folge von Probeftücken aus dem Gothifchen altfränkifchen oder Oberdeutfchen, Niederdeutfchen, und Angelfächfifchen, mit Sprache erklärenden Ueberfetzungen und Anmerkungen.* Als Text enthält diefes Werk folgende in verfchiedener Hinficht merkwürdige Urkunden: 1) *Katechismus aus dem neunten Jahrhundert.* 2) *Ermahnung an die Chriftenvolk (aus den Zeiten Carls des Grofsen)* 3) *Die Entfagung vom Teufel nebft dem Glaubensbekenntnifs (ebenfalls aus jenem Zeitalter)* 4) *Vaterunfer und Glaube von Nokker Balbulus (aus den Zeiten Kayfer Arnulphs)* 5) *Anfgang des Vaterunfer und Glaubens.* 6) *Niederdeutfche Umfchreibung des apoftolifchen Glaubensbekenntniffes.* 7) *altes allemannifches Glaubensbekenntnifs. (aus dem Anfang des achten Jahrhunderts)* 8) *Die Bicht der alten Kirche. (aus dem neunten Jahrhundert)* 9) *altes allemannifches Vaterunfer und Glaube*

(aus dem Anfange des achten Jahrhunderts. 1) *Angelfächfifche zehn Gebote, V. U. n. Glaube.* 11) *hochdeutfch fächfifcher Gefänge an den Kolon u. Oder Vaterunfergefänge, (Beyde aus den Zeiten Carls des G.)* 12) *Gothifches Fragment aus dem Ulfila (aus Luc. 2. 1-26.)* Den meiften diefer Stücke ift in gefpaltenen Columnen eine doppelte Ueberfetzung beygefügt, nemlich eine etymologifche und eine Verftandsüberfetzung; einigen aber auch nur die erftere. Hinter jedem Stück find die einzelnen Wörter nach ihrer Abftammung, Verwandfchaft und Bedeutung, mit Hinficht auf andere ältere und neuere Sprachen, forgfältig erklärt, und am Ende befindet fich ein alphabetifches Regifter aller erklärten Ausdrücke, fo dafs das Buch zugleich die Stelle eines Unmöglichfthums vertritt. Da die Bekanntfchaft mit der ältern Geftalt und den verfchiedenen Schickfalen und Abänderungen unferer Mutterfprache jedem Liebhaber der Wiffenfchaften wichtig feyn mufs und felbft zur Bereicherung unferer heutigen Sprache beytragen kann; da überdem manches wichtige und intereffante Aktenftück blofs aus Mangel eben diefer Kenntnifse in Archiven und Bibliotheken vermodert und dem

Pub-li-

Publicum vorenthalten bleibt; andre zu diesen Kenntniſſen führende Werke aber theils zu ſelten theils zu koſtbar ſind: ſo glaubte man, durch Bekanntmachung dieſes kleinen Werks, welches im Druck nicht viel über ein Alphabet betragen dürfte, keine unwichtige Lücke in der deutſchen Litteratur auszufüllen.

Leipzig im Februar 1789.

Siegfried Leberecht Cruſius.

Nachricht an das Publikum wegen der Ueberſetzung des Dü: *hamelſchen Werks vom Schiffbau.*

Im December v. J. kündigte ich die in meinem Verlage herauszugebende Fortſetzung der deutſchen Ueberſetzung der groſen *Deſcription des arts et des metiers* an. Der Beyfall, mit welchem das Publicum die ſeitdem erſchienenen, vom Herrn Profeſſor *Halle* bearbeiteten Bände aufgenommen hat, fodert mich auf, zur möglichſten Vollkommenheit und völligen Brauchbarkeit dieſes Werks für Deutſchland, ferner alles aufzubieten, was ich vermag. In dieſer Abſicht bin ich, mit Zuſtimmung des Herrn Profeſſor *Halle*, (welcher die Bearbeitung des Werks der Hauptſache nach auch ferner fortſetzt,) wegen der Künſte und Handwerker, welche das Seeweſen insbeſondere betreffen, als: Schiffbau, Reepſchlägerey, Maſtenſchneiden, Segelmachen etc. etc. mit einem deutſchen Seeofficier übereingekommen, ſie dergeſtalt zu bearbeiten, daſs ſie für Deutſchland gemeinnützig werden. Bekanntlich enthalten die zum franzöſiſchen Original gehörigen, dieſen Künſten und Handwerken beſtimmten Theile, Beſchreibungen derſelben, bloſs ſo wie ſie in den königl. franzöſiſchen Kriegshäfen ausgeübt und getrieben werden; beynahe ohne alle andere Rückſicht als bloſs auf die königl. franzöſiſche Kriegs-Flotte, mit Ausſchlieſſung aller andern Seemächte, und vorzüglich deſſen, was für Deutſchland bey der gegenwärtig beynahe allgemeinen Aufmerkſamkeit auf Seehandlung am nützlichſten ſeyn möchte, auf die kaufmänniſche Seefahrt. Dieſe Lücken wird die deutſche Ueberſetzung der zum Seeweſen gehörigen Theile des Schauplatzes der Künſte und Handwerker, zu ergänzen ſuchen, ſo weit die neueſten dies Fach betreffenden Schriften anderer Nationen, die franzöſiſchen nicht ausgeſchloſſen, darüber Auskunft geben, und die durch Erfahrung geſammelten Kenntniſſe des Ueberſetzers zureichen. Um aber dadurch die Folge des ganzen Werkes nicht zu unterbrechen, wird dies durch Einſchaltungen und Zuſätze dergeſtalt geſchehen, daſs immer die Abhandlung des franzöſiſchen Verfaſſers, ein für ſich beſtehendes Ganzes, und gleichſam die Grundlage bleibt. Uebrigens werde ich bey dieſen Theilen die Einrichtung treffen, daſs die Beſchreibung jedes einzelnen Handwerks oder Kunſt, ohne Rückſicht auf die Folge des ganzen Werks, als ein eigenes Buch für ſich wird beſtehen, und gebraucht werden können. Durch dieſe Einrichtung ſchmeichele ich mir, dem deutſchen Publikum auch in dieſem, noch ſo wenig für daſſelbe bearbeiteten Felde, ein Werk vorzulegen, das an Vollſtändigkeit und Brauchbarkeit, dem was einzelne Nationen an Schriften dieſer beſondern Art beſitzen, wo nicht vorgezogen zu werden verdient, doch gewiſs nicht nachſtehen wird.

Der erſte Band dieſer beſondern Abtheilung, der für ſich ohngefähr 2 Bände betragen wird (der 19te des ganzen Werkes) in welchem der Schiffbau nach *Du Hamel de Monceau* (mit Ergänzungen nach *Chapmann, Vial du Clairbois, D. George Snau, und Stalkart*) enthalten iſt, wird, wenn Geſchäfte und Geſundheit des Ueberſetzers es erlauben, zur Michaelis-Meſſe 1789. fertig werden; und dieſem die übrigen dieſem Fach ausſchlieſslich zugehörigen Handwerke folgen. Damit aber die Fortſetzung des ganzen Werks durch dieſe Verzögerung nicht aufgehalten werde, ſo werden in den nächſten Meſſen vorher noch der 20ſte Band u. fgg. erſcheinen.

Sollten die zum Schiffbau unumgänglich erforderlichen Kupfer etwas im Preiſe dieſes Bandes verändern, ſo hoffe ich durch die Preiſe meiner bisherigen Verlags-Bücher, eine Ueberzeugung im Publikum begründet zu haben, daſs es durch meine Forderungen nicht überſetzt werden kann. Die Bedingungen für die Subſcribenten bleiben übrigens für dieſen Band in Rückſicht des Preiſes für 50 Bogen Text 1 Rthlr. 4 gr. und jedes 4to Kupfer 1 Gr. Die nicht voraus ſubſcribiren, bezahlen für 50 Bogen Text 1 Rthlr. 20 gr. und für jedes 4to Kupfer 1 gr. 6 Pf. Diejenigen ſo Subſcribenten ſammeln, bekommen auf das 11te Exemplar für ihre Bemühung frey.

Berlin den 1 Jan. 1789.

Joachim Pauli,
Buchhändler.

Seitdem die Pandecten auf deutſchen Univerſitäten über Compendien geleſen werden, haben junge Leute ſtets gewünſcht, daſs ſie einen faſslichen Commentar darüber bey der Hand haben möchten, der ihnen das mühſame und weitläuftige Studium derſelben zu erleichtern im Stande wäre. Die angeſehenſten Rechtslehrer von Anton Faber bis auf Leyſern ſahen die Nothwendigkeit eines ſolchen Hülfsbuches gar wohl ein. Sie legten daher von Zeit zu Zeit Hand ans Werk, wurden aber in Erläuterung der Pandecten ſo weitläuftig, daſs viele dieſe Ende ihrer Arbeit nicht erlebten, oder daſs wenigſtens ihre Commentare zu groſsen Folianten anwuchſen, die zwar den Gelehrten immer unſchätzbar bleiben, aber dem jungen Verehrer der Themis nun nicht mehr ſo fürchterlich ſind, auch wohl von den wenigſten des hohen Preiſes wegen angeſchaft werden können. Obiger Wunſch iſt alſo bis dato noch nicht befriedigt worden. Deswegen hat ſich Herr Doctor J. A. Bauriedel, der ſeit mehrern Jahren privatiſſime die Pandecten mit jungen Leuten repetirte, auf Zureden vieler Freunde entſchloſſen, ſeine bisher mündlich mitgetheilte faſsliche Erläuterungen über das ganze Privatrecht nochmals auszuſeilen, und ſie nun dem Publiko unter dem Titel:

Commentar über die Hellfeldſchen Pandecten

vorzulegen. Des Verfaſſers Hauptaugenmerk gieng dahin: überall die Begriffe zu berichtigen, die ſchweren und dunklen Geſetze aufzuklären, durch Beyſpiele und Rechtsfälle ihre Anwendung zu zeigen, und die wichtigſten Controverſen in möglichſter Kürze mit Gründen und Gegengründen darzuſtellen. Ueberdies ſind durchgängig die erheblichſten Schriftſteller angeführt, die über einzelne Mate-

Materiem besonders commentirt haben. Der Verfasser hofft, man wird die angewandte Mühe bey seinen so wichtigen Unternehmen nicht verkennen.

Das ganze Werk zerfällt nach der bisherigen Einrichtung des Compendii in 2 Theile in gr. 8., und wird gegen 4 Alphabete betragen. Bis zur nächsten Ostermesse erscheint der erste Theil zuverlässig, so wie der zweyte auf Michaelis. Unterzeichnete Verlagshandlung wird es bey diesem so nützlichen Werk weder an Accuratesse noch an typographischer Schönheit ermangeln lassen, und besorgt auch eine Anzahl Exemplare auf Schreibpapier mit breitem Rand. Der Preis kann noch nicht genau bestimmt werden, wird aber so billig als möglich seyn. Bayreuth, d. 10 Febr. 1789.

Joh. And. Lübecks Erben
Hofbuchhandlung.

In meinem Verlag erscheint künftige Ostermesse Gmelins fortgesetzte Untersuchungen über den thierischen Magnetismus. Dies Werk ist zwar eigentlich eine Fortsetzung der bey Heerbrandt herausgekommenen Abhandlung des nemlichen Verf. über diesen Gegenstand; doch kann es von jedem, ohne die vorhergehende Abhandlung gelesen zu haben, wohl verstanden werden: nur demjenigen, welcher dem Gang der Untersuchung nachspüren will, müssen die erstern Abhandl. eben so interessant seyn. Der Verf. sucht den Gesichtspunkt über die streitige Frage festzusetzen, untersucht durch Erfahrungen und Versuche, ob bey dem sogenannten thierischen Magnetismus eine eigne bisher verkannte, Naturkraft wirke? Das Resultat seiner Untersuchung führt ihn auf eine eigne dabey wirkende Kraft; er bestimmt dieselbe in Absicht ihrer Eigenschaften und Gesetze, nach welchen sie wirkt; er vergleicht die Erscheinungen des thierischen Magnetismus mit denen, welche die sich selbst überlassene Natur zu allen Zeiten darbot; zeigt, dass auch bey dieser das nemliche Agens zum Grund liege; weist auf die bisherigen Lücken in unsern Naturkenntnissen hin, welche ohne Entdeckung dieses wirksamen Agens immer fühlbar bleiben müssen; prüft die Gründe der Gegner, und zeigt mit eben der Wahrheitsliebe das Uebertriebene in den Erzählungen der Magnetisten. Das vorzüglichste dieses Werks bestehet aber darinnen, dass der Verf. nicht nur die Uebereinstimmung der durch Magnetismus bewirkten Erscheinungen mit der ganzen Natur, sondern auch die Wichtigkeit derselben in Enthüllung vieler psychologischen, physiologischen und arzneykundigen Probleme ins Licht setzt, so dass es eher Beytrage zur Erkenntnis der Kräfte der menschlichen Natur als Untersuchungen über den thierischen Magnetismus genennt zu werden verdient.
Tübingen im Febr. 89.

Buchhändl. Cotta.

London. Hr. James Tassie, dessen Pasten und Abdrücke geschnittener Steine auch schon in Deutschland rühmlich bekannt sind, kündigt unterm 22sten December vorigen Jahrs einen beschreibenden Katalog seiner Sammlung an, der von Herrn Raspe verfertigt ist. Die Sammlung besteht

---

aus mehr als 15,000 Stücken, und übertrifft also schon von dieser Seite die von Cousion Deua, Mlle. Filon und Lippert zu Rom, Paris und Dresden gelieferten ähnlichen Sammlungen, die nicht über dreytausend Gemmen enthielten. Man findet in ihr Abdrücke von fast allen grossen Originalsammlungen; und sie ist nach einem sehr vielbedeutenden Plane gemacht, mit gehöriger Rücksicht auf die besten Werke des Alterthums, ohne Vorbeylassung dessen, was während des Mittelalters und von neuern Künsten geliefert ist; so, dass sie zur Uebersicht des Ursprungs, und Fortganges der höchsten Vollkommenheit, des Verfalls, der Wiederherstellung und des gegenwärtigen Zustandes der Kunst dienen wird. Die Beschreibung selbst ist sehr sorgfältig und scientifisch gemacht. Es wird darinn zuerst die Farbe und Steinart der Originale bemerkt; sodann werden ihre vormaligen oder jetzigen Besitzer, ihre bisherigen Beschreibungen oder Abbildungen, ihr Inhalt und ihre Inschriften angezeigt, zuweilen auch kurze Urtheile über beyde, und den Werth ihrer Ausführung, beygefügt. Sie ist in englischer und französischer Sprache abgefasst; auch mit verschiednen Registern der Kabinete, der Meister, der Inschriften und der Subjekte, begleitet. Endlich werden diesem Verzeichnisse auch noch 58 Kupfertafeln beygefügt, worauf die Abbildungen einiger hundert merkwürdiger, grösstentheils noch nicht bekannter, Gemmen befindlich sind. Das ganze Werk wird ohngefähr hundert Bögen betragen, und mit sauberer Schrift, auf feinem Schreibpapier, in gross Quart abgedruckt werden. Der Preis wird höchstens anderthalb Guineen seyn. Man bezahlt jedoch nicht eher, als bey der Ablieferung, die schon im berorstehenden Sommer geschehen wird. Die Unterzeichnung wird bey Hrn. Tassie, No. 20. Leicester Fields, und bey Hrn. Murray, N. 32. Fleet-Street, angenommen.

II. Preisaufgaben.

Zum Behuf des an der Universität zu Prag neu zu errichtenden Lehrstuhls der ökonomischen Wissenschaften hat das böhmische Gubernium für denjenigen der die beste Ausarbeitung eines zweckmässigen Vorlesebuchs liefern wird, einen Preis von 24 Dukaten aus dem Fond der k. k. ökonomisch patriotischen Gesellschaft ausgesetzt. Die Auflage, wird aber daraus zu ziehender Gewinn bleibt dem Verfasser insbesondere eigen. Die Zeit zur Einsendung ist bis Ende Septembers 1789 bestimmt.
A. B. Prag d. 1ten Jan. 1789.

III. Vermischte Anzeigen.

Fast alles, was letzthin der Hr. Legationsr. Bertuch in Ansehung der deutschen Union erklärt hat, gilt auch von mir. Ich bin zwar dazu eingeladen worden; nahm aber keinen Theil daran, weil ich mir es längst zum unverbrüchlichen Gesetz gemacht habe, keinem geheimen Institut beyzutreten, wenn dessen Absichten auch noch so lobenswürdig seyn mögen; am allerwenigsten aber dann, wenn die Stifter oder Obern unbekannt sind.

J. G. Meusel.

INTELLIGENZBLATT
der
ALLGEM· LITERATUR-ZEITUNG.
Numero 34.

Mittwochs den 11ten März 1789.

LITERARISCHE NACHRICHTEN.

1. Vermischte Auszüge aus Briefen unsrer Correspondenten.

Lüneburg den 28 Jan. 1789.

— Außer der Ritterakademie, wovon ich Ihnen schon Nachricht gegeben habe, sind hier noch zwey grosse Schulen, auf welchen künftige Akademisch-Studirende unterrichtet werden: die Johannis-Schule, die von der Stadt; und die Michaelis-Schule, die vom Kloster Michaelis abhängig ist. Auf beiden geht es noch immer nach dem alten Schlendrian. Man hat schon längst an eine nöthige Reformation gedacht, aber es ist bis jetzt noch immer bey dem Alten geblieben, und wird wahrscheinlich noch lange dabey bleiben. Die Frequenz ist auch nicht mehr mit der zu den Zeiten einer Stockhausen, Conrad Arnold Schmidt, und Heinze zu vergleichen, ob wir gleich recht gute Schulmänner haben. Die Rectoren, Crome und Niclas, sind durch Schriften bekannt. Unbekannt ist der Conrector Wagner am Johanneum, den ich aber bey aller seiner Unbekanntheit unter die grössten Schulmänner rechne. Mit den Winkelschulen sieht es hier sehr elend aus. — Von unserm öffentlichen Gottesdienst möchte ich Ihnen lieber gar nichts sagen, wenn Sie es nicht ausdrücklich verlangt hätten. Der Knaul wird noch immer auf dieselbe Manier abgewickelt, als vor hundert Jahren, das heißt, man glaubt sich zu versündigen, wenn man an Verbesserungen dächte, und dem Vorschlage irgend eines verständigen Geistlichen Gehör gäbe. Bey Taufen muß, nach einer Convention, die das hiesige geistliche Ministerium unter sich hat, noch zweymal exorcisirt werden, obgleich dieses scheußliche Ueberbleibsel aus den Zeiten der Hierarchie durchs ganze Land vom Consistorium verboten ist. Sie wundern sich und fragen, warum man in Lüneburg allein den Teufel austreibe? Antwort: Deswegen, um durch diese Teufelsbannerey zu beweisen, daß das Consistorium in Hannover kein ius circa sacra in Lüneburg habe. Freylich sind einige Geistliche wirklich so klug, und exorciiren dennoch nicht, aber dafür werden sie auch als Widerspenstige angesehen, die sich in die löbliche, hergebrachte Ordnung der Vorfahren, die es doch besser verstanden, nicht fügen wollen. Ueberhaupt sind die Formulare beym öffentlichen Gottesdienst noch sehr schlecht. — Lüneburg

erwarb sich schon 1767 das Verdienst, ein neues Gesangbuch einzuführen, in welches auch wirklich einige gute Lieder aus Gellert und andern aufgenommen sind. Aber neben einem guten, nicht selten durch Veränderung schlecht gemachten Liede, stehen zwanzig ganz schlechte, daß also das ganze Gesangbuch nach 22 Jahren gar nichts mehr werth ist, und jeder Freund des vernünftigen Gottesdienstes mit Recht ein besseres wünschen kann. Daran ist aber gar nicht zu denken. Daß die durch Ebelings Tod 1783 erledigte Superintendentur noch nicht wieder besetzt ist, wird Ihnen bekannt seyn. — Es existirt hier seit vielen Jahren eine sehr gut eingerichtete Lesegesellschaft, wovon der Bürgermeister Oldekop Direktor ist. Sie ist ansehnlich. Die sogenannten Brodwissenschaften sind, wie billig, ausgeschlossen. Uebrigens wird alles, wenn das bis zu mir gekommen sind, zerrissnen und zerlumpten Kleide kenne. — Dem Emporkommen der Lemkischen Buchhandlung hat bisher ausser mehrern Ursachen die Nähe von Hamburg, Zelle und Hannover und die Postfreyheit der Dieterichschen Buchhandlung in Göttingen durch die gesammten Churhannoverischen Lande geschadet. — Die Druckerey der ehemaligen Gebrüder von Stern, die vor hundert und mehrern Jahren durch ganz Deutschland berühmt war, existirt auch noch, ob sie gleich ihre Celebrität verloren hat. Sie führt noch ihre alte Firma, obgleich der Mannsstamm in dieser Linie durch den Tod des vor einigen Jahren verstorbenen Bürgermeisters von Stern erloschen ist. — Die hiesige Papiermühle liefert recht gutes Papier, und würde noch besseres liefern, wenn das Wasser besser wäre. Der Absatz ist nicht so groß als er seyn könnte, wenn man mehr über das Verbot der Lumpenexportation gehalten würde. — Die hiesigen Bibliotheken hat Hirsching beschrieben. Er hat die Rathsbibliothek, die des Raths Gebhardi, des Syndikus Roscher, und des Rector Niclas genennt. Sein Korrespondent hat vergessen, der Bibliothek des Doctor Kraut zu erwähnen, welche groß und vollständig ist, und sich besonders durch schöne Ausgaben der Alten auszeichnet.

I. Ankündigungen neuer Bücher.

Da seit geraumer Zeit sich die pädagogische Litteratur sehr vermehrt hat, und täglich immer mehr zunimmt, so hat man schon lange gewünscht, daß Jemand eine *Litteratur der Pädagogik* schreiben möchte. Denn es ist unmöglich, daß ein Lehrer und Erzieher sich alle Schriften anschaffen und lesen kann. Er muß oft nur aus ökonomischen Gründen die *Besten* und *Nöthigsten* wählen. Wer vermag alles zu lesen? Wer ist im Stande allemal die guten und brauchbaren Bücher von den schlechten und unnützen zu unterscheiden, ohne bey seiner Wahl Gefahr zu laufen? Sonderlich ist dies der Fall bey den Schriften *für Kinder* und *die Jugend*. An solchen fehlt es nicht. Daher wünschte der Hr. R. *Campe* schon vor einigen Jahren ein Verzeichniß derselben. Und noch neuerlich hat der Hr. O. C. R. *Gedike* (in der Anmerk. zur *Rudolphischen* Uebers. des *Lockischen* Handbuchs der Erziehung. S. 463.) diesen Wunsch wiederholet. Daß ein solches Werk wirklich fehlt, habe ich schon längst selbst bemerket, und aus Erfahrung gesehen. Daher habe ich mich diesem mühsamen Geschäfte unterzogen, seit langer Zeit daran gearbeitet, und nun vollendet. Künftige Ostermesse erscheint also meine *Litteratur der Pädagogik*. Ich habe darinn noch mehr zu leisten mich bemühet. Nicht nur die *besten* und *nöthigsten Kinderschriften* und *Jugendbücher* findet man darinn, sondern auch überhaupt eine *vollständige Litteratur der Pädagogik*. Ich habe den Inhalt der Bücher angegeben, auch hie und da ein Urtheil beygefügt. Den Preis eines jeden Buches habe ich angezeigt. Mit der größten Sorgfalt und Genauigkeit habe ich den Grund zu einem Werke zu legen mich bemühet, das freylich jetzt immer noch Mängel und Fehler haben wird und muß, nach und nach aber seiner Vollkommenheit immer näher kommen soll. Jahrtag ich 1787. erscheint für seinen Versuche, sondern überlasse es dem Urtheile andrer. Diese mögen entscheiden, in wiefern ich meinen Endzweck erreicht, und dem Wunsche andrer Pädagogen entsprochen. Leipzig den 25 Febr. 1789.

Rothe.

Der erste Theil des im letztern Leipziger OM. Verzeichniß angekündigten botanischen Werks des Hrn. D. *Gärtner de fructibus et seminibus plantarum* 3 Alph. in gr. 4 mit 79 Kupf. wird, verschiedener Hindernisse wegen, erst in einigen Monathen fertig. Er enthält, außer einer allgemeinen Einleitung in die Kenntniß der Früchte und ihrer wesentlichen Theile, die Beschreibungen der ersten fünf Centurien von *generibus fructuum*, nebst ihren genauesten und vollständigsten Abbildungen aus dem innersten Keim des Saamens. Es ist noch kein Werk von dieser Art vorhanden, und gegenwärtiges erhält dadurch einen besondern Werth und Vollständigkeit, daß der Hr. Verfasser durch seinen Aufenthalt in England, Rußland etc. und durch seine Bekanntschaft mit Jos. Banks, von Royer, Thunberg und andern, in den Stand gesetzt worden, es mit den seltensten ausländischen Früchten zu bereichern. Schon

durch die bloße Zusammenstellung so vieler verschiedenen Früchte wird ein neues Licht über diese, so wesentlichen Theile der Pflanzen verbreitet, und da überdies noch ihr innrer Bau aufs genaueste untersucht wurde, so konnte mancher Fehler verbessert werden, die Tournefort, Linné und Adanson nicht haben vermeiden können. Man darf sich daher die beste Aufnahme von diesem Werk versprechen, von welchem ich diesen ersten Theil den Liebhabern von jetzt bis zur Ostermesse 1789 für 3 Dukaten erlassen kann. Nach Verfluß dieser Zeit wird er etwas über 4 Dukaten zu stehen kommen. Wem. Tübingen zu entfernt ist, der beliebe sich desfalls an die ihm nächstgelegene Buchhandlung zu wenden.

Das schon längst erwartete Pandekten-Compendium des Herrn Prof. Hofackers ist wirklich unter der Presse und wird der 4te Theil auf Michaelis erscheinen. Zu eben dieser Zeit wird auch *Galvanus de Usufructu* die Presse verlassen, ich ersuche daher die Herren Subscribenten, mir das Geld dafür gefälligst einzusenden.

Der 2te Registerband von *Gerhardi Loci theolog.* wird Ende Octobers fertig, und damit dieses Werk beschlossen. Tübingen den 1 Mart. 1789.

Cottaische
Buchhandlung.

Im Hendelschen Verlage ist das 1ste Quartal als die Fortsetzung der neuen Litter. Nachrichten für Aerzte, Wundärzte und Naturforscher aufs Jahr 1788. fertig geworden, und wird versprochenermaßen für den wohlfeilern Preis, das Quartal zu 15 gr. bezahlt, der ganze Jahrgang, alle 4 Quartale complet also für 2 Rthlr. 12 gr. ans Porto geht auf Rechnung der Empfänger. (Zur Ost. Messe folgt das 2te Quartal.) Zugleich werden die Herrn Restanten für den Jahrgang 1787. ersucht ihre Gelder deshalb einzusenden, weil sie die weitere Ueberfendung für ihre Interessenten hindern. Halle d. 1ten Mart. 1789.

Joh. Christ. Hendel.

Philologisches Magazin.

Unter diesem Titel bin ich gesonnen, in Verbindung mit einigen Gelehrten eine neue Zeitschrift herauszugeben. Der Plan ist dieser:

Erstlich liefern wir eigne Aufsätze. Diese beziehen sich bloß und allein auf die *Philologie.* Lebensbeschreibungen berühmter Männer des Alterthums, historische und literarische Nachrichten, Bemerkungen und Erörterungen über diese oder jene Stelle, alte Geographie u. s. w. sollen zu Gegenständen für Aufsätze dieses Magazins dienen. Wir sind daher mit Beyträgen beehren zu machen wir uns nicht zum Ertrag der Kosten, sondern auch einen anständigen Honorariums verbindlich.

Zweytens, sollen gute einzelne, zum Theil seltene, in- und ausländische Abhandlungen in einer reinen deutschen, mit Anmerkungen und Zusätzen versehenen Ueberfetzung hier eingerückt werden; z. B. *Taylor* über Orpheus Leben und Theologie, S. *Heinig* über Virgils 4ten Ecloge

Ecloge; _J. Maupertuis Beweiß_, daß Troja nicht durch
die Griechen eingenommen worden ist. Oft find vortrefliche Abhandlungen weniger bekannt, als fie verdienten,
auch zu fehr zerstreut — oder in Werken befindlich, die
nicht Jeder fich anzuschaffen im Stande ist. Nicht felten
tritt auch der Fall ein, daß nicht alle die Sprache verstehen, in der diese oder jene Abhandlung ist. Auf den
Werth und die Güte einer jeden Schrift wird vorzüglich
gefehen.

Drittens werden Recensionen und Nachrichten von
den neuesten Büchern die humanistische Litteratur betreffend, eingerückt. Die kleinen Schriften, als _Disput.
Program._ u. a. follen angezeigt werden, wenn fie uns nur
zugefendet werden. Denn folche find felten in den Buchläden zu haben, und werden daher nicht fehr bekannt.
Wir erfuchen alfo diejenigen, fowohl die Herren Verfaffer,
als auch die Herren Buchhändler, welche ihre Schriften
wollen bekannt gemacht haben, uns folche fo neu als
möglich zuzuschicken. Wir erbieten uns, die Schriften
gehörig zu bezahlen, in fo fern wir fie ganz neu, und
möglichst geschwinde erhalten.

Unfre einzige Abficht hierbey ist, daß wir eine möglichst vollständige Ueberficht der neuesten humanistischen
Litteratur liefern wollen. Man findet zwar in allen gelehrten Zeitungen Nachrichten und Recensionen von humanistischen Büchern und Schriften. Allein, welcher
Schulmann, welcher Philologe, welcher junge Freund
der humanistischen Wissenschaften hat Zeit, Gelegenheit
oder Vermögen genug, alles zu lefen und fich anzuschaffen? Und wenn er nun auch alle gelehrten Zeitungen
liefet, fo erlangt er immer noch nicht zureichende Kenntniffe von allen in fein Fach einschlagenden Büchern.
Wir werden auch dafur forgen, alle humanistische Schriften der Ausländer anzeigen zu können. Aus dem was
hier gefagt ist, kann ein Jeder leicht einfehen, daß diefes Unternehmen große Kosten verursachet. Um nun keinen Schaden — denn Interesse waltet hier nicht im geringsten ob, fondern Gemeinnützigkeit — dabey zu haben,
fo fehen wir uns genöthigt, den Weg der Pränumeration
und Subscription — welcher feit einiger Zeit fehr gebraucht worden ist, und das Publikum leider! mißtrauisch
gemacht hat — vorzuschlagen. Das philologische Magazin foll heftweife zu zwölf Bogen und noch drüber in
Oktav erscheinen, ohne daß wir uns an eine festgesetzte
Zeit binden. Wir verlangen auf jedes Heft nebst einer
Beylage nur 8 gr. in Conventionsmünze vorauszubezahlen.
In der Beylage werden Nachrichten und Ankündigungen
neuer philologischer Bücher, Aufträge, Bekanntmachungen von Auctionen u. f. w. gegen die Inferatsgebühren,
(für die gedruckte Zeile 6 pf.) eingerückt. Sammler
erhalten auf 10 Exemplare das 11te frey. Um das nützliche Unternehmen allgemein zu machen, und den Liebhabern das herausgekommene Stück bald liefern zu können, bitte ich die Namen der refp. Interessenten bis Ende
April unter der Addreffe: An den Herausgeber des philologischen Magazins in die Schwickertsche Buchhandlung
in Leipzig, einzufenden. Hier in Leipzig nimmt gedachte Buchhandlung Bestellungen an, und man kann auch
dafelbst pränumeriren. Uebrigens gefuche ich jedem, die-

fe Nachricht bekannt zu machen. Man kann fich auch
an alle löbliche Zeitungsexpeditionen wenden.

Leipzig, den 12 Febr. 1789.

Nachdem viele Jugendfreunde, befonders würdige
Schul- und Privatlehrer, das kleine Journal, das feit dem
Neujahre monatlich in meinem Verlag unter dem Titel:
_Jugendfreuden, eine Monatfchrift für Kinder von 8 bis
15 Jahren_
herauskömmt, geprüft und der Empfehlung würdig befunden haben, fo ist dadurch die Auflage bis auf wenig Exemplare geschmolzen, und ich werde veranlaßt die erstenStücke
nochmals zu drucken. Es würde mir lieb feyn, wenn diejenigen, die fich diefe Monatfchrift noch anzuschaffen willens
wären, fich binnen jetzt und fpätestens der Ostermeffe melde-
ten und auf den ganzen Jahrgang von 12 Heften mit 1 rthl.
Sächf. pränumerirten, weil ich die zweyte Auflage darnach
einrichten will. Einzelne Liebhaber wenden fich an dieBuch-
handlungen oder Post-Aemter ihres Orts, wer aber eine
Parthie verlangt, directe an mich. Auf 10 gebe ich das
11te und auf 20 drey Exemplare frey. Weiffenfels im
März 1789.

Friedrich Severin.

II. Bücher fo zu verkaufen.

Es find die 14 Theile der Litteratur Briefe, nebst dem
Fragmenten Bande, und die dadurch veranlaßte Bibliothek der fchönen Wiffenfchaften in 12 Bänden, nebst der
Neuen Bibliothek der fchonen Wiff. in 36 1/2 Bänden,
auch dazu gehörige Register, in halben Pergament Einband, complett, doch ohne die Portraits, für 6 Louis d'or
zu verkaufen. Die Exped. der Allg. L. Z. giebt nähere
Nachricht. Da das ganze Werk, ohne die Fragmente und
Register, im Laden 52 Rthlr. 20 gr. koftet, und vielleicht
fo vollständig nicht einmal mehr zufammen zu bringen ist,
fo wird der bestimmte Preis jedem Kenner fehr billig an-
gefetzt feyn.

III. Vermifchte Anzeigen.

Auf den niedrigen Angriff, den fich die Herren Voß
und Decker, in öffentlichen Blättern gegen mich erlaube-
ten, hielt ich es meiner unwürdig, zu antworten. Zu
meiner Vertheidigung lege ich einem aufgeklärten Publikum, das die Verdienste eines Werkes, und guten Sitten
zu fchätzen weiß, meine nun fertig gewordene Ausgabe
vor, und überlaffe feinem Urtheile zu entscheiden, wer
Recht hat. Zu meiner Sammlung nahm ich die Beyhülfe
gelehrter Männer, ließ den äußerst wichtigen Briefwechfel Friedrichs des Zweyten ordnen; stellte Antworten neben den darauf beziehenden Briefen; wies jedem feinen chronologischen Platz an, und ließ mir nicht beyfallen, Briefe, die dreyßig Jahre früher gefchrieben waren hinten an fpätere, wie es die Berliner Verleger. thaten, zu fetzen. Ich erkaufte aus dem Portefeuille des Hn.
Darget gewefenen Königl. Preußifchen Secretär für eine
beträchtliche Summe Manufcripte, die ich meiner Ausgabe einverleibte, übertrug aus den Werken von Voltaire

alle Antworten diefes berühmten Schriftftellers und feinen ganzen Briefwechfel von 1740 bis 1770, mit dem Könige, wovon nicht die mindefte Spur in der Berliner Sammlung zu finden ift, und fchadete gerade dadurch meinem eige- nen Verkaufe der Werke von Voltaire, die mancher Lieb- haber nur deswegen fich anfchaffte, weil an wichtige Nachrichten von Friedrich dem Zweiten in der neuen Ausgabe fand, die keiner ältern noch eingerückt worden find. Ich that mehr: um dem Publikum für einen billi- gen Preis auch eine vollftändige Ausgabe der Werke die- fes erhabenen Verfaffers zu verfchaffen, nahm ich Rück- ficht in der Anordnung auf die bereits vor dem Tode des Königs bekannten Schriften, und verfprach fie dem Publi- kum mit wahrfcheinlich mehrern noch nie bekannten Zufätzen, in einer zweckmäßigen Folge zur Ausgabe der Oeuvres pofthumes. — Und alle diefe Vortheile trug ich redlich und bieder den Herren Voß und Decker vor einem Jahre an, wollte für ihre Rechnung allen Nachdruck in der Schweiz hemmen — und Sie, auf eine Art, die ihres Ausfalles gegen mich würdig ift, trachteten mich hinter- liftig um Manufcripte zu bringen, deren Befitz ich Ihnen zutrauungsvoll eröffnet hatte; kündigten bey deren erftem Erfcheinen, auf der Leipziger Meffe einen Nachdruck un- ter wahrheitswidrigen Vorwande an; und enden damit, denjenigen öffentlich an der Ehre angreifen zu wollen, gegen den fie fich felbften bewußt find, im Geheim jede Pflicht von Ehre auf die Seite gefetzt zu haben. Dies ift meine Antwort, und meine Ausgabe fey meine Verthei- digung.

Der Preis ift für die Liebhaber der Oeuvres pofthumes complet in 12 Theilen gr. 8. 9 Rthlr. 16 gr. Diefelben auf klein Papier 8. 7 Rthlr. 12 gr.

Bafel den 12ten Hornung 1789.

J. J. Thurneifen,
Buchdrucker auf dem Leonhards-
Graben.

Verfchiedene Meynungen, befonders des hiefigen Publi- cum's, über die fogenannten Mitglieder der Deutfchen Union, nöthigen mir folgende aufrichtige und wahrhafte Erklärung ab. — Schon 1787 habe ich die Einladung zu diefer Gefellfchaft geradezu ausgefchlagen, und die- fes trotz der hinzureifenden Aufmunterung eines Freun- des und Gönners, welche die Sache bis auf den Grund geprüft haben wollten. Dennoch erhalte ich im Januar 1789 von Leipzig aus eine Aufforderung, die jedoch mit der erftern in keinem Zufammenhange zu ftehen fchien. Die Verficherung, „daß dadurch jedem eine ruhi- gere Lage verfchaft werden könne" hatte bey mir die ganz natürliche Folge, daß ich den Fleiß zu haffen wünfch- te. Ich erhielt ihn und wurde — wie fchon bey dem, mir zum Theil fchon bekannten Plane eben fo natürlich war — in dem alten Entfchluße nur noch mehr beveftiget, mich an die allgemeine und unvergängliche Verbindung zu halten, an der fonft und fonders Aller gehört, was es mit den 21, 30, 40, 50 und mit allen übrigen Menfchen gleich redlich und gut meynt! (Allg. Heilkunde 11 Th. S. 103.) So viel denn zur Nachricht, die fich der fonderbarften Ur- theile hierüber fchuldig machen, und denen ich demnach fchlüßlich den heilfamen Rath geben will: fich fleißig nach

alten Obern umzufehen, die ganz andere Dinge ge- fangen nehmen, als einen harten Reichsvater.

Halle den 20 Februar 1789.

Prof. Juncker.

Die öffentliche Erklärung des Herrn L. R. Bertuch's über das eigentliche Verhältnis, in welchem diefer wür- dige Mann mit der D. U. geftanden, nöthiget den übrigen Männern ein gleiches Geftändnis ab, wenn ihr Stillfchwei- gen nicht zweydeutig fcheinen foll. Obgleich niemand, der die heimlichen und öffentlichen Bedrückungen des Sektengeiftes unferer Zeiten kennt, ihnen zumuthen wird, in einer Angelegenheit Parthey zu machen, welche nur jedes einzelnen aufrichten Beytrag erfordert, um das Publikum in den Stand zu fetzen, über die ihm vor- gelegten Data richtig zu urtheilen.

Unter 5 Theilen von Deutfchlands Schriftftellern, ward auch mir vor länger als einem Jahre die bekannte, ge- druckte, Einladung der Gefellfchaft zugefchickt, deren Außenfeite mich fo wenig eine Geheime Gefellfchaft ahnden, als einen Widerfpruch ihrer Zwecke mit meinen frühern Pflichten und Ueberzeugungen wahrnehmen ließ. Nicht jener, oder die Schrift über Aufklärung! oder die Aeußerungen ihrer Mitglieder von dem Dafeyn einer fol- chen Gefellfchaft in Schriften! oder die Vertheilung gedruck- ter Plane müßten die Vermuthung einer im Verborgenen wirkenden Gefellfchaft begründen? — Nicht diefer, oder es müßte jenen Schriftfteller, das Recht zugeftanden wer- den, die Früchte feines Fleißes zu genießen? oder es müßte etwas Anderes, als moralifcher Pedanterie feyn einen edlen, großen und gemeinnützigen Zweck fat. we- niger edel, groß und gemeinnützig darum zu erklären, weil der Erreichung deffelben der Privatvortheil feiner Intereffenten untergeordnet ift? oder alle Arten bürger- licher Verbindung müffen aufgehoben werden, weil nicht leicht der Staatsbürger den Beweis der Arglofigkeit feiner Abfichten nachdrücklich genug führen kann? — Hierzu kam, daß mir die Ausführung des projektirten Plans — wegen der Art, mit welcher man zu Werke ging, zwar eben nicht nahe — aber in Hinficht auf eine Combination von Kräften, deren Mangel die Deffauer Gelehrtenbuch- handlung allein fcheinen ließ, auch nicht innerlich un- möglich, folglich jene Verbindung unter ihren Schweftern wenigftens nicht die thörichtefte fchien.

Diefe Betrachtungen — warlich nicht zur Apologie der Gefellfchaft hieher zielt — denn ich verfichere nur einmal meine Abneigung vor allen Partheywefen — follen nur meine und meiner Freunde Bonhommie entfchuldigen, wenn wir von Anfange hinter eine Tonfur, noch irgend eine fchöne Kunft hinter der Tapete vermutheten, die auch glücklichere Seher nicht entdeckt haben. Uebrigens befremdet es mich um fo mehr, noch i. J. 1789. meinen Nahmen in einer Lifte und in einem Plane der D. U. ge- druckt zu lefen, da ich fchon früh i. J. 1788. wegen der über den Stifter der Gefellfchaft entftandenen Meynungen die ich meiner Lage nicht convenient glaubte, die Ausführung meines Nahmens fowohl, als die Anfprüche auf meine Mitwirkung dringendft verbeten habe.

Halle im Februar 1789.

Prof. Weber

INTELLIGENZBLATT
der
ALLGEM. LITERATUR-ZEITUNG
Numero 35.

Sonnabends den 14ten März 1789.

LITERARISCHE NACHRICHTEN.

I. Vorläufige Berichte von ausländischer Literatur.

Von Ueberfetzungen, welche in den letzten beiden Jahren in Spanien erfchienen find, find noch folgende zu merken:

Die Buffonfche Naturhiftorie fährt der bekannte D. Clavigo fort zu überfetzen, und hat fchon VI Bände (den letzten 1788) in 4 geliefert.

Des vorigen Königs von Preuffen Schrift fur la Litterature de l'Allemagne ift nun auch den Spaniern in ihrer Sprache mitgetheilt, und zugleich alle die Vorurtheile und falfchen Vorftellungen, wovon fie voll ift.

Johann Lopez, Kön. Geograph, hat das 3te Buch des Strabo, welches von Spanien handelt, aus dem *Lateinifchen* überfetzt, herausgegeben. Ein Octavband 1788. Der griechifche Text ift beygefugt, auch alle Noten von Cafaubon, viele vom Ueberfetzer, der auch drey Karren vom alten Spanien hinzugethan hat, worinn er die alte und neue Geographie vergleicht.

Theophrafts Charaktere find griechifch und fpanifch von D. Iguano Lopez de Ayola herausgegeben. Er hat eine Ueberfetzung von Duclos Betrachtungen über die Sitten diefes Jahrhunderts angehängt. 1787. 8 bey Copin.

Sigaud de la Fond Elementa de Phyfique hat der Ingenieur D. Tadeo Lopez unter dem Titel *Elementos de Fifica teórica y experimental* überfetzt, wovon bisher vier Theile heraus find. 1787 u. 88.

Des Abt *Fleury Kirchenhiftorie* fieng der Presbyter D. Domingo Ugena an zu überfetzen, und gab den Difcours preliminaire heraus, es wurde aber der Verkauf anfangs verboten, doch bald wieder frey gegeben.

Muratorĩs Moralphilofophie und *Oliveis* Penfées de Ciceron find gleichfalls ins Spanifche neuerlich überfetzt worden. D. *Bernardo Maria de Culzadu*, ein Capitain bey der Cavallerie, hat La Fontaine's Fabeln in caftilianifche Verfe gebracht, und 1788 in zwey Quartanten in der königlichen Druckerey herausgegeben.

Guiberts Eloge de Frederic II. hat man nun auch im Spanifchen, der Ueberfetzer nennt fich mit den Anfangsbuchftaben F. A. de E. (de Efcartin) In der k. Druckerey 1788. 8.

Der kön. Advocat D. *Jayme Rubio* hat eine Ueberfetzung von *Filangieri* Wiffenfchaft der Gefetzgebung geliefert, wovon 1787 und 88 vier Bände herausgekommen find; es follen ihrer fieben werden.

D. *Ignacio Garcia Malo* hat eine Ueberfetzung der Iliade in Hendekafyllaben in drey Bänden in gr. 8. fchön gedruckt ans Licht geftellet. Sie kam auf Subfcription 1788 heraus. Jeder Band koftet 60 Rs.

Auch ift *Heliodort* Roman nach Fernando de Mena Ueberfetzung zum zweytenmale gedruckt worden. Man hat noch zwey andre, die aber nicht fo gut feyn follen.

Seit dem September 1787 kommt auch in Madrid ein *Efpiritu de los majores Diaros literarios que fe publican en Europa* heraus, monatlich auf 12-13 Bogen, alle Woche erfcheinen zwey Stücke. Die Herausgeber miethen nicht nur Auszüge aus englifchen, franzöfifchen, italienifchen und deutfchen Journalen, fondern haben auch Correfpondenten in London und Paris, welche ihnen daher gelehrte Neuigkeiten melden.

Das *Memorial literario*, eine in Deutfchland fchon bekannte fpanifche Monatsfchrift, geht auch ununterbrochen fort. Es enthält nach dem neuerlich erweiterten Plan alle Königl. Verordnungen, Befchreibungen von Provinzen und Stadten, welche zum Theil die Regierung mittheilt, meteorologifche Beobachtungen, Nachrichten von den Arbeiten der Akademien, patriotifchen Gefellfchaften etc. Bücheranzeigen, Kunftwerke, neue Erfindungen, Theaterftücke, auch allerley Abhandlungen, Gedichte u. f w. worunter doch manche lefenswerth, obgleich keine vortreflich find. Jetzt erfcheinen fchon monathlich zwey Hefte.

II. Beförderungen.

Auf der Altdorfer Univerfität hat die philofophifche Facultät durch den Tod des fel. Nagels u. die darauf gefchehene Vertheilung feiner Aemter folgende Veranderungen erlitten:

erlitten: Hr. Prof. *Will* ist Primarius mit Zulage; Hr. Prof. *Jäger* erhielt mit Zulage die Profeſſur der Beredſamkeit und das Amt, die öffentlichen Programmen zu ſchreiben. Der bisherige auſſerordentliche Lehrer, Hr. *Schwarz*, ist der dritte ordentliche Lehrer dem Range nach geworden. Dem bisherigen auſſerordentl. Lehrer, Hrn. *König* wurde eine ordentliche philoſophiſche Profeſſur u. die vierte Stelle mit Beſoldung ertheilt, die fünfte ordentliche Stelle in der Facultät bekam Hr. *Spüth*, Lehrer der Mathematik und Phyſik mit Beſoldung, und für die ſechste wurde Hr. *M. Bauer* aus Nürnberg als ordentlicher Lehrer der morgenländiſchen Sprachen mit Gehalt berufen. Hr. D. und Prof. *Siebenkees* erhielt die Aufſicht über die zwey daſigen Bibliotheken.

Hr. *S. G. Geyſer*, D. und Prof. der Theologie zu Kiel ist zum königl. Kirchenrath mit dem Range eines Etatsraths erhoben worden.

Hr. *M. R. F. Lütkmann* in Stockholm ist Hofprediger mit Sitz und Stimme im Hofconſiſtorium geworden.

III. Vermiſchte Nachrichten.

Herr *Ernſt Adolph Eſchke*, Doctor der Rechte etc., hat mit Königlicher Special Erlaubniſs, und der Approbation des hieſigen Königlichen Ober - Schul - Col. legiums ein Inſtitut für Taub - und ſtarre Stumme, Stotterude oder Stammelnde und alle mit Sprachgebrechen behaftete Perſonen in Berlin angelegt; erhält von Sr. Majeſtät dem König von Preußen eine jährliche Penſion, und

unterrichtet nach der Methode ſeines Schwiegervaters Hrn. *Heinike's*, an den ſich dergleichen Unglückliche, auch Ausländer einzig und allein zu wenden haben. Er wohnt auf der Friedrichsſtraſſe an der Leipziger Straſſenecke. in des Kaufmanns Hrn. Grauds Hauſe 2 Treppen hoch vorne heraus.

A. B. Berlin am 22 Febr. 1789.

Das Erziehungs - Inſtitut zu Schnepfenthal, drey Stunden von Gotha gewinnt unter der Direction des Hrn Prof. Salzmann immer mehr an Lehrer und Lernenden. Erſtere ſind denkende junge Männer und nicht zu verachtende Schriftſteller Lenz, Bechſtein, Mayer aus Straßburg, Reinhard, Schmidt etc. Letztere, worunter einer aus England, 3 aus Harre de Grace, Frankfurt am Mayn, Quedlinburg, Hannover, entſprechen der Erwartung faſtſam. Die Sonntagliche Gottesverehrung ist ſowohl durch Gorbauer a's andere zahlreich. Auch das weibliche Inſtitut wird blühender werden. — *A. Br einer Reiſenden d. 5 März 1789.*

Hr. Marcheſi, einer der gröſsten Sänger, ist von Mayland vor einigen Wochen nach London abgereiſt. Im künftigen Jahr erwartet man ihn zu Turin. Seit ſeinem Rufe nach verſchiedenen auswärtigen Höfen hat er ſich bemüht, in ſeinem Vaterland den Geſchmack an lyriſchen Dramen mit Ballets verbunden auszubreiten. Bis jetzt hat es aber noch nicht gelingen wollen, die alte Italiäniſche Gewohnheit, Vocalmuſik und Tanz von einander zu trennen, zu verbannen.

LITERARISCHE ANZEIGEN.

I. Ankündigungen neuer Bücher.

Verzeichniſs der Verlagsbücher, die in der Königl. Preußiſchen Akademiſchen Kunſt - und Buchhandlung in Berlin zu haben ſind:

Anekdoten — die intereſſanteſten, und Züge aus der Geſchichte alter und neuer Zeit. Ein Leſebuch für die Jugend zum Vergnügen und Unterricht. Nach dem Franzöſiſchen des Herrn *Filaſſier*. Mit Anmerkungen und Zuſätzen des Herausgebers. 1tes Bändchen 8. 18 gr.

Berliniſche allgemeine Anzeigen, literariſchen Inhalts. Erſten Jahrgangs 1, 2, und 3tes Quartal. 8. der Jahrgang 2 Rthlr.

Berliniſches Journal für Aufklärung; herausgegeben von *Fiſcher* (Rector zu Halberſtadt) und *A. Riem*. 8. erſtes bis 6tes Stück à 6 gr.

Briefe — hiſtoriſche - politiſche und kritiſche, aus dem letzten Jahrzehend. Herausgegeben von einem Gelehrten, der von keiner einzigen Akademie Mitglied iſt, noch von irgend einer Könige, Freiſtaat, Vezier oder Miniſter beſoldet wird. Aus dem Franzöſiſchen, 1ter Band. 8. 1 Rthlr. 6 gr.

Friedrich II. Königs von Preußen — Auszug aus der Kirchengeſchichte des Kardinals von Fleury. Aus dem Franzöſiſchen (nach einem Manuſcript) überſetzt. Erſter Band. gr. 8. 18 gr.

(Es iſt dieſes Werk in demſelbigen Format, und auf ſchönes Papier gedruckt, wie die nachgelaſsenen Werke des Königs, und kann als ein Pendant derſelben angeſehen werden.)

Friedrich — der Schutz der Freyheit. Ein Hymnus zur Feyer des 17ten Auguſt 1788. von Herrn Rektor Fiſcher zu Halberſtadt. gr. 8. auf geglätetes Schweizer-Papier, mit Didotſchen Lettern gedruckt und brochirt. 4 gr.

Gleim — der kleine König 8. eegl. Schweizerpapier mit Didotſchem Druck 1788. — brochirt 3 gr.

Monatſchrift — der Akademie der Künſte und mechaniſchen Wiſſenſchaften zu Berlin. Herausgegeben von *A. Riem*. Erſter Band mit 23 Kupf. gr. 4. auf gegl. Schweizerpapier. 1788. 4 Rthlr. 12 gr. auf engl. Druckp. 3 Rthlr. 12 gr.

Derſelbe 2ten Bandes 1. 2. 3. 4. und 5tes Stück m. K. *Rammler* — C. W. Allegorie — mit 31 Kupfern von *Bernhard Rode*, 4. geglätetes Schwz. Papier. 2 Rthlr. 8 gr. Auf engl. Druckp. 1788. 1 Rthlr. 16 gr.

Ueber

277

Ueber *Aufklärung* — ob sie dem Staate, der Religion, oder überhaupt gefährlich sey und seyn könne? — Ein Wort zur Beherzigung für Regenten, Staatsmänner und Priester. Erstes Fragment, vierte Auflage 8. 1789. 5 gr.

Ueber *Aufklärung* — was hat der Staat zu erwarten, was die Wissenschaften, wo man sie unterdrückt? — Wie formt sich der Volkscharakter, und was für Einflüsse hat die Religion, wenn man sie um Jahrhunderte zurückrückt, und an die symbolischen Bücher schmiedet. Zweytes Fragment, dritte durchaus veränderte Auflage 8. 1788. 5 gr.

Einzig möglicher Zweck Jesu, aus dem Grundgesetze der Religion entwickelt. 8. 12 gr.

Kupferstiche.

Das Portrait des Etatsministers, Herrn Freyherrn von *Hennte*, gestochen in punktirter Manier von *Daniel Berger*. 8 gr.

Das Portrait des Etatsministers, Herrn Freyherrn von *Gandi*; und

dessen Fr. Gemahlin, gestochen in punktirter Manier von D. *Berger*. 8 gr.

Die bildenden Künste von D. *Berger* nach *Frisch* 4 gr. (Auch sind bey uns die sämtlichen Kunstwerke, der berlinischen Akademischen Künstler, bestehend in Gipsabgüssen oder Kupferstichen zu haben.)

Das Portrait *Friedr.* II. von Berger nach *Frisch*. 12 gr.

Bey dem Buchhändler *Wohler* in Ulm wird binnen wenigen Tagen fertig: *Beyträge zur Verbesserung der katholischen Liturgie in Deutschland*. 1stes Heft, 26 bis 28 Bogen in 8. Der Verfasser, ein bekannter katholischer Theolog, der schon im Jahr 1787 eine kleine Schrift über diesen Gegenstand herausgegeben hat, sucht in diesem *ersten* Hefte (hauptsächlich gegen die Mainzer Monarschriftsteller) noch ferner zu beweisen: 1) dass die Uebersetzung der Liturgie in die Muttersprache erlaubt, und der erste und nöthigste Schritt zu deren Verbesserung sey, 2) dass die Regenten zu dieser Verbesserung vorzüglich berechtiget und verpflichtet seyn. Die ganze Ausführung ist der Prüfung denkender Köpfe würdig.

Verzeichnis der Verlagsbücher, welche in der Universitätsbuchhandlung in Mainz zu haben sind:

Blauburger, Andr., de formula reformationis eccles. ab Imp. Carolo V. A. 1548. natibus eccles. oblata etc. commentatio juris eccles. 8. 8 gr.

Dorsch, A. J., Wie soll man Philosophie auf Akademien studieren gr. 8. 2 gr.

Hooks, J. J. Abhandlung von Versteinungen, Beschreibungen, Verzeichnungen und Beziehungen der Gränzen zum Gebrauch der Beamten und Geometer nach angewandten rechtl. und mathemat. Grundsätzen 8. 5 gr.

Hofmanns, C. L., Bestätigung der Nothwendigkeit, einem jeden Kranken in einem Hospitale sein eigenes Zimmer zu geben. gr. 8. 10 gr.

Nau, B. S. — Anleitung zur deutschen Landwirthschaft gr. 8. 20 gr.

Vorbereitung zur Vernunftwissenschaft. 1r B. gr. 8. 20 gr.

Unter der Presse ist:

Bahms, N. J., Versuch eines Insektenkalenders für Sammler und Oeconomen 1r Th. gr. 8.

Briefe über Italien, von Hrn. du Paty aus dem Franz. übers. von Hrn. Georg Forster 8.

Husseys, Garret, Untersuchung über die Ursache und Heilart der Fieber a. d. Engl. gr. 8.

Köhlers, P. G., Anleitung zur praktischen Bildung künftiger in dem Mainzer hohen Erzstifte anzustellenden Seelsorger gr. 8.

Müllers, J. V., Gesundheitslehre für Leser aus allen Ständen. gr. 8.

Seit dem Anfange des Jahres 1789. erscheint die *allgemeine politische Zeitung* in Jena, wieder unter Aufsicht des Herrn Prof. Fabri mit mehreren wichtigen Hauptveränderungen. Für den bisherigen Preis werden statt der bisher wöchentlich erschienenen drey Zeitungsstücke, 4 geliefert und ausser diesen noch 2 Intelligenzblätter. Letztere enthalten ausser ihrem gewöhnlichen Inhalte genaue *Witterungsbeobachtungen von Jena, Anekdoten, ökonomische Nachrichten* u. d. gl. Mehrere Nachricht hievon macht ein Avertissement bekannt, welches, auf allen Postämtern und in allen Zeitungsexpeditionen unentgeldlich ausgetheilt wird. Mit jedem Quartale kann man Bestellungen darauf machen.

Bey dem Buchhändler P. G. Kummer in Leipzig erscheinen kommende Ostermesse von folgenden Werken deutsche Uebersetzungen, mit Churfürstl. Sächs. Privilegiis.

1) A Journey through the Crimea to Constantinople by Lady Elisabeth Craven, in the year 1786 Hiervon besorgt Herr Prof. Sprengel in Halle die Uebersetzung.

2) einige Berichten omtrent Groot-Britannien en Jerlant d.

3) Abrégé des Ouvrages d'Emanuel Swedenborg, contenant la doctrine de la nouvelle Jerusalem celeste, précédé d'un discours où l'on examine la vie de l'auteur, le genre de ses écrits, et leur rapport au temps présent e.c. etc.

Bey Wilhelm Gottlob Sommer zu Leipzig sind nachstehende Werke des seel. D. Reiske in Commission zu finden:

Oratores Graeci 12 Bände 30 Thaler.

Lysiae Orationes 2 Bände 5 Thaler.

Dionis Chrysostomi Orationes 2 Bände 4 Thaler.

Conjecturae in Jobum 12 gr.

Reiskens Lebensbeschreibung 1 Thaler 16 gr. und

Für deutsche Schoven, aus dem Griechischen übersetzt von Ernestine Christine Reiske. 16 gr.

Berlin

Berlin, Bey dem Buchhändler Friedr. Maurer find ausländifche Bücher für billige Preife zu haben, bey welchem
auch Beftellungen auf alle ausländifche Werke gemacht
werden können.

II. Bücher fo zu verkaufen.

Folio.

1. H. Khunrath amphitheatrum fapientiae alternae Chr.
Cabbalifticum. Magd. 608. 7 Rthlr. 12 gr.
2—4. Platonis Opp. ed. Serrani 1579. Tomi III. 26 Rthl.
5—8. P. Bayle dict. hift. et crit. T. IV. Basle 738. 14 Rthl.
9. Walther Lex. diplomaticum. Goett. 748. 9 Rthlr.
10. Herbelot bibl. Orientale. Maftr. 776. 8 Rthlr.
11. Les reveries ou Mem. fur l'art de la guerre de Maurice C. de Saxe, par Bonneville. c. f. 757. 4 Rthlr.
12. Edm. Castelli Lex. heptaglottum. Lond. 686. 8 Rthlr.
12 gr.
13. Hippocratis Opp. gr. lat. ed. Foefii. Frf. 695. 5 Rthlr.
14. Note overo Memorie del Museo di Lud. Mafquarto.
c. f. Pad. 656. 3 Rthlr.
15 Schlüters Berg- und Hüttenbau. m. K. Büchw. 738.
6 Rthlr. 12 gr,
16—18. Galeni Opp. gr. T. V. Bafil. 538. 3 B. 9 Rthlr.
19. Golii Lex. Arab. L. B. 654. 15 Rthlr.
20, 21. La Sainte Bible p. Sam. des Marets. Amft. 669.
7 Rthlr.
22, john Guillim's Difplay of Heraldry, b. John Logan.
ed, S. Lond. 679. c. f. 4 Rthlr.

Quarto.

1. R. Zadok Salomonis Sacerdos Magus Tab. Va Rabellina
f. Magia divino-Mofaica, fpirituum Cabbaliftico-coacti-
va, revelata divinitus, qua Adam, Euoch, Noah etc. fpi-
ritus bonos et malos ad omnem obedientiam coercta-
runt in Vaticano ad Mandatum Julii 2. P. M. Rom.
M. D. X.
2. Originale Magicum des kleinen Habermanns der Hoel-
len und aller 4 Elemente vierfacher Geifterzwang nebft
der Clavicula Salomonis etc. Rom. M. D. X.
3—16. Memoires pour fervir a l'hift. du XVIII Siecle p.
M. Lamberty. T. XIV. Haye. 724—42. 17 Rthlr.
17—20. Edwards nat, hift. of Birds coloured after Life.
Lond. 743—751. 45 Rthlr.
21, 22. Nouveau Diction. Espagnol, Francois et Latin etc.
par M. de Sejournant T. II. Par 775. 6 Rthlr.
23. la Banque rendue facile aux principales nations de
l'Europe p. Girandeau. Lyon. 769. 3 Rthlr.
24. Rei agrariae auctores cur. Goef. et Rigalt. c. f. Amft.
674. 4 Rthlr.
25. Traité des Tournois, Jouftes, Carroufels etc. Lyon.
696 2 Rthlr. 6 gr.
26. G. Leske Reife durch Sachfen, m. K. Lpz. 795. 4 Rth.
27. 28 De la diftribution des maifons de plaifance et de
la decoration des edifices p. Blondel. Par. 737. 6 Rthlr.
12 gr.

29—42. Comment. Acad. Sc. Petropolit. Tomi XIV. Pe-
trop 724—52. 23 Rthlr.
43. Horapollinis hieroglyph. gr. lat. ed. de Pauw. Traj.
727. 3 Rthlr. 12 gr.
44. O' Flaherty Ogygia f. rer. hibern. chronologia. Lond.
685. 1 Rthlr. 16 gr.
45. Thefaurus graecae poefeos. f. Lex. gr. profod. c. auct.
T. Morell. Eton. 762. 7 Rthlr.

Octavo.

1—5. L'Inquifition francoise, ou l'hift. de la Baftille p.
Renneville. Amft. 724. c f. 2 Rthlr. 8 gr.
6. 7. R. Kennicot diff. Oxford. 3 Rthlr.
8—11. Sermons par P. Cofte. Dresd. 755. 3 Rthlr. 12 gr.
12. Ej. Principes et Maximes de la Morale. Hal. 733. 16 gr.
13—17. Les Comedies de Plaute par Geudeville. T. X.
Leid. 719. 5 B. 4. Rthlr. 8 gr.
18. 19. Dictionnaire de Ciroyen. T. II. Parif. 1 Rthl. 12 gr.
20—22. Lettere di M. Aretino, Par. 639. 3 B. 3 Rthlr.
12 gr. (dedicatio L. II. calamo adfcripta eft.)
23. 24. Ciceronis epp. ad Attic. e rec. Graevii. Amft. 684.
3 Rthlr. 16 gr.
25—30. Hift. de l'admirable Don Quichotte. T. VI. c. f.
Amft. et Leipz. 768. 4 Rthlr. 12 gr.
31—38. Hift. des philofophes anciens p. M. Saverien. T.
V. 3 Rthlr. 12 gr.
37—39. W. H. Bougeant Hift. des 30jähr. Kriegs. 4 Th.
3 Rthlr.
40—57. Hift. du peuple de Dieu par Berruyer. Tomes
XVIII. 7 Rthlr. 12 gr.

Nota. In Num. 51. des Intell. Blatts der A L. Z.
vor. J. S. 76. muß es heißen: N. 1—38. Allgem.
Weltgefch. von Guthrie — 36 Th.

Liebhaber wenden fich an Hrn. Secretair A. C. Thiele in
Leipzig.

III. Vermifchte Anzeigen.

Ich dachte, daß es Ihnen nicht unangenehm feyn könne, wenn ich einen kleinen Platz für diefe Zeilen erbitte
die durch die Allg. Lit. Zeit. veranlaßt worden. Ein an-
gefehener Mann fchreibt aus Lemberg in Galizien an mich,
daß er in der A. L. Z. des vorigen Jahres meine Anzeige
von einem Rofenkreuzerifchen MSCt. in Harlem gefunden.
Er will daher gerne wiffen, ob es noch und wie theuer
es zu verkaufen feye? Ich kann keinen gewiffern Weg
finden, als durch die A. L. Z. und ich mochte gern dem
Befitzer in Harlem die Hand geben; ja nicht es zu
theuer anzufchlagen; weil ich fonft diefem angefehenes
Gönner (aus guten Gründen) abrathen wurde; denn ich
habe die Abfchrift des Inhalts in Händen, aus dem kann
ich es beurtheilen, wenn ich gleich kein Rofenkreuzer bin.
Halle den 3 März 1788.

D. Semler.

LITERARISCHE NACHRICHTEN.

I. Vermiſchte Auszüge aus Briefen unſrer Correſpondenten.

Moskau d. 28 Dec. a. St. 1788.

Sie haben in dem 155ſten St. Ihrer Litteratur-Zeitung einen Aufſatz einrücken laſſen, welcher nach der Unterſchrift von einem in Moskwa ſich aufhaltenden Correſpondenten herzurühren ſcheint. Da derſelbe aber etwas unvollſtändig iſt, ſo bin ich ſo frey, Ihnen einige Berichtigungen und Ergänzungen deſſelben mitzutheilen. Ueber die Nachrichten von den Druckereyen in Riga, Reval etc. kann ich nicht urtheilen, da ich mit dieſen Gegenden in keiner groſen Verbindung ſtehe. Was unſer Moskwa aber anlangt; ſo wundert es mich ſehr, daſs der Hr. V. dieſes Aufſatzes der doch in M. zu wohnen ſcheint, bloſs den curieuſen Calender und nicht Sachkundige zu Rathe gezogen hat, welche ihn beſſer würden unterrichtet haben. — Unſere Stadt hat für die gemeine Schrift, oder wie ſie im Ruſſiſchen nennen, bürgerliche Schrift, nicht eine, ſondern 7 Druckereyen. Die erſte iſt nämlich die Univerſitäts-Druckerey, welche bisher an Hn. v. Nowikow verpachtet geweſen, im May aber, wo ſein Contract zu Ende, an einen andern verpachtet werden wird. Dieſe Buchdruckerey hat allein das Recht die Moskowiſchen Zeitungen und die damit verbundenen Intelligenz-Blätter drucken zu laſſen, welche, ſeitdem ſie der betriebſame Nowikow herausgiebt, zwar von beträchtlichen Erträge geweſen, aber auch wegen der beſondern Sorgfalt, welche der Verleger für die Gute derſelben getragen hat, nicht geringe Koſten und Aufwand erfordert. Da dieſe Zeitung ganz nach den ausländiſchen eingerichtet iſt, die darinn enthaltenen Nachrichten faſt eben ſo früh und nur einen Tag ſpäter als die in den ausländiſchen Zeitungen mitgetheilet werden, und eine mit derſelben zugleich unentgeldlich ausgetheilte Beylage unter dem Titel: Jugendliche Unterhaltungen (oder Lectüre detskoi tschtenie) dieſe Zeitung für manche Leſer noch intereſſanter macht, ſo konnte es nicht anders ſeyn, daſs dieſe Zeitung ohngleich mehr Abgang gefunden hat, als die Petersburgiſche. In dieſer Druckerey ſind und werden auch noch jetzt verſchiedene wichtige Werke gedruckt, wohin beſonders das Werk des Hn. Etatsrath v. Tſchulkow über den Ruſſiſchen Handel, das alles enthält, was ſich über dieſe Materie nur ſagen läſst, und, daher auch bis zu 20 Quartbänden angeſtiegen iſt, die Thaten und das Leben Peters des Groſen gehören, welches Hr. Golikow, ein reicher und ſich bloſs mit Litteratur beſchäftigender Particulier, der ehemals ein anſehnlicher Kaufmann geweſen iſt, herausgiebt und welches auch wohl auf 16 Bände anlaufen möchte, in welchen ſehr ſchätzbare Materialien für den Geſchichtſchreiber enthalten ſind. Verſchiedener anderer Werke wie auch in dem Gymnaſio und der Univerſität nöthigen Lehrbücher will ich nicht gedenken — In der Senats-Druckerey werden auſſer Ukaſen auch andere Nachrichten als von geſchloſſenen Contracten, verfallenen oder zu verkaufenden Gütern mitgetheilt, welche wöchentlich ausgegeben werden. Dieſe Druckerey hat Hr. Zwetuſchkin, ſo wie die der Polizey, Hr. Hippius, ein deutſcher, gepachtet. In der letzten aus 2 Preſſen beſtehenden werden auſſer den Publikationen auch noch andere Sachen gedruckt. Beſonders läſst der Buchhändler Hr. Ponomarew hier viel auf ſeine Koſten drucken. — Er hat auch ſelbſt einige Preſſen und verſchiedene gute Ueberſetzungen drucken laſſen. Die Theater-Druckerey des Hn. Maddox, Inhabers des Theaters, welcher ſie wieder an ſeinen Buchhalter überlaſſen, iſt von keiner groſſen Bedeutung und druckt auſſer Ruſſiſchen Comödien, Affiches, Logen- und Entré-Bülets nichts, es ſey denn, daſs jemand auf ſeine Koſten daſelbſt etwas wollte drucken laſſen, wie der Hr. Stückjunker Widgowski mit ſeinem Compendio der reinen Mathematik und Trigonometrie gethan hat. Die Druckerey des Hn. Architecten und Hofraths Koſakows will bis jetzt noch weniger ſagen. Ungleich wichtiger iſt die Druckerey der Typographiſchen Geſellſchaft, welche in vielem Betrachte groſes Lob verdient. Dieſe Geſellſchaft beſtehet aus einigen ſehr anſehnlichen und zugleich gelehrten Männern, welche ein beträchtliches Capital zuſammengeſchoſſen, und eine aus 23 Preſſen beſtehende Druckerey errichtet haben. Sie haben eine eigene Schriftgieſerey eigene Kupferſtecher, verſchiedene deutſche Drucker und Setzer. Die ruſſiſchen Typen ſind ſehr gut, obgleich nicht völlig ſo ſchön, wie die Petersburgiſchen, dahingegen geben die deutſchen und franzöſiſchen denſelben nichts nach, weil ſie meiſtens aus der Breitkopfiſcher Gieſerey verſchrieben ſind. Dieſe Geſellſchaft unterhält auſſerdem eine beträchtliche Anzahl Ueberſetzer, um durch ſie die beſten Schriften der Ausländer ins Ruſſiſche überſetzen

zu

zu laſſen, und eine Anzahl junger Leute auf Ihre Koſten bey der Univerſität, von welchen ſie mit der Zeit die fähigſten auf ausländiſchen Univerſitäen ſtudieren läſst, wie den jetzt 2 zu Leyden und einer davon in Paris die Medicin ſtudieren. Kurz dieſe Geſellſchaft thut alles, was nur in ihren Kräften ſtehet, um Litteratur zu verbreiten, und ſucht zu dem Behuf auch die beſten Schulbücher der Deutſchen zu überſetzen. So ſind bereits viele von Campens Werken, Jacobis Tabellen, Walchs Genealogiſches Handbuch und viele andere, auf die ich mich nicht gleich beſinne, überſetzt, und noch mehr werden überſetzt werden, wenn die Geſellſchaft, wie zu hoffen und zu wünſchen, Ihre Conſiſtenz behält, welche jedoch leider! ſchon einige harte Stöſse erhalten hat. Alle dieſe Druckereyen ſtehen unter 3 Cenſoren, davon einer allein für die Univerſität beſtimmt iſt, die andern hängen von dem ſtrengen Cenſorat des Hn. Polizeymeiſters und eines Geiſtlichen ab. Auſser dieſen Druckereyen giebt es noch eine in Jaroslaw, wo auch verſchiedene Werke gedruckt ſind. In Charkow iſt gleichfalls eine, von der mir aber noch nichts weiter als die in derſelben gedruckten Intelligenzblätter zu Geſichte gekommen ſind. Hier haben Sie eine kleine obgleich nicht ganz vollſtändige Ergänzung des eingerückten Artikels. Helles Licht verbreitet indeſſen alles dies noch nicht über den Zuſtand unſrer Litteratur, welcher ein anderes Detail verlangt. Iſt Ihnen dieſer Artikel nicht zuwider geweſen, und würde Ihnen eine etwa detaillirtere Beſchreibung von dem Zuſtande unſerer Litteratur nicht zuwider ſeyn, ſo belieben Sie mir Ihre Meynung durch Ihre Zeitung, welche ich ſelbſt halte, wiſſen zu laſſen. Ich bin wegen meiner groſsen Bekanntſchaft unter den Ruſſen, und wegen meiner Kenntniſs der Ruſsiſchen Sprache, ohne Stolz zu ſagen, mehr als irgend ein andrer im Stande, dies zu thun.

Regensburg am 15 *Febr.* 1789

Der Einſender des wiſſenſchaftlichen Gemäldes von Regensburg (L. A. L. Z. N. 246. v. J.) hat entweder manches nicht gekannt oder überſehen. Bey der Stadtbibliothek verdient die groſse Landchartenſammlung und eine anſehnliche Diſputationsſammlung, welche letztere freylich den *Dietrichſchen* bey weitem nicht beykömmt, bemerkt zu werden. Die Landchartenſammlung iſt ein Vermächtniſs eines gewiſſen Herrn *Joſche*, Hausgerichtsaſſeſſors und die Diſputationsſammlung ein Geſchenk des noch lebenden verdienſtvollen Hrn. Stadtkämmerers *Wild.* Eine überaus anſehnliche Collection von Curioſis und Ratisbonenſibus d. h. Schriften Geräuſcheſten u. ſ. w. die aus Regensburg ſtammen, beſitzt Herr Senator *Häberle.* Dagegen hat Regensburg ſeit kürzem zwey ſeiner Zierden, die *Pfeifferſche* und Baron *Schwarzenauiſche* Münzſammlungen verloren. Jene, von der im Jahr 1773 ein ſchöner Catalog erſchienen war, iſt kürzlich um 1600 Gulden verkauft, dieſe aber einzeln verſteigert worden — Hr. Joh. Val. Friedrich hat kürlich ein gedrucktes Verzeichniſs ſeiner Leihbibliothek herausgegeben. Es enthält 32 Journale und Zeitſchriften, ungefähr hundert Reiſebeſchreibungen und Länderkunden, 1064. Romane, hiſtoriſche, moraliſche, poetiſche etc. Schriften und 386 theatraliſche Werke und Schauſpiele. Auſserdem macht es

noch 453 ausländiſche Werke und Piecen und einen Nachtrag von noch 64 deutſchen Werken und Brochüren nahm. — Aus der Nachbarſchaft iſt von dem ungefähr ¼ Stunden nahgelegenen Kloſter-Prieſling bemerkenswerth, daſs es bey ſeiner nicht ſehr beträchtlichen Bibliothek eine Kupferſtichſammlung beſitzt die auf 12000 Blätter meiſtens von alten Meiſtern ausgegeben wird.

Augsburg 10. *Febr.* 1789. — Mit Anfang dieſes Jahrs wurden in den Augsburgiſchen evangeliſchen Schulen zwey neu verfertigte Religonslehrbücher ausgetheilt: das eine in Fragen und Antworten, für kleinere Kinder, mit der Ueberſchrift: *Catechetiſcher Unterricht in der chriſtlichen Glauben- und Sittenlehre* 116 Seit. 8, das andre für gröſsere Lehrlinge, mit der Ueberſchrift: *Chriſtliche Glaubens- und Sittenlehre zum Unterricht der Jugend.* 184 Seit. 8. nach Aphorismen eingetheilt. Der ungenannte Verfaſſer bey der Bücher iſt ein evangel. Prediger in Augsburg, Hr. Diakon. *Ludwig Friedrich Krauſs,* dem dieſe Arbeit von dem dortigen Predigtamte aufgetragen wurde. Der Zweck derſelben war die bey der Jugend, nach verſchiedenen Stufen, zu bewirkende Harmonie der Lehrart durch viele Lehrer. Den erſten Anlaſs dazu gab das evangel. Gymnaſium, welches ſein voriges Lehrbuch, betitelt: Hortulus Biblicus, der entſchiedenen Unbrauchbarkeit wegen, zur Seite gelegt hatte. Die ſchädliche Vielerleiheit der Lehrbücher, in einer Wiſſenſchaft, iſt wenigſtens gehoben. *Elias Tobias Lotter,* Buchhändler zu Augsburg, hat den Verlag dieſer zwey Bücher erhalten. Für, die Unmündigen iſt durch ein in 16. Form. auf 67 S. gedrucktes Büchlein, mit dem Titel: *Unterricht in Chriſtenthum für die erſten Anfänger durch bibliſche Stellen und Liederverſe*, geſorgt worden. Der ungenannte Verfaſſer deſſelben iſt Hr. *Herkel*, Diakon. an der St. Jacobsgemeinde in Augsburg. Die bibliſchen Sprüche ſind nach der Glaubenslehre geordnet, und einzelne Verſe, aus guten Liedern, gleichen Innhalts, darunter geſetzt. Dieſe Veränderungen rücken nun einer zu hoffende Verbeſſerung, mit einer zu bewirkende Vollſtändigkeit, des alten Geſangbuches, deſto mehr ſich zu Augsburg noch betrift, näher. Nur ein Beyſpiel dieſer nothwendigen Verbeſſerung aus einem Liede über die ewige Verdammniſs: „Du wirſt vor Stank vergehen, wann du dein Aas wirſt ſehen: dein Mund wird lauter Gall und Höllenwehrmuth ſchmecken, der Teufels Speichel lecken; ja freſſen Koth im finſtern Stall — Es wird die Glut dich brennen: die Teufel werden trennen dein Adern, Fleiſch und Bein: ſo werden dich zerreiſsen, ſie werden dich zerſchmeiſsen, und ewig deine Henker ſeyn.„

— Endlich iſt auch in dem evangel. Augsburg ein von vielen Bürgern gewünſchter *Anfang* mit Aufhebung der bisher noch daſelbſt gewöhnlich geweſenen *Privatbeichte* gemacht worden. Am 23 Nov. des vor. J. wurde deswegen von allen daſigen Kanzeln, eine mit obrigkeitlicher Einwilligung abgefaſte *Intimation* öffentlich abgeleſen, worinn allen, die vor der Privatbeichte abzuſtehen Verlangen tragen, die Freyheit ertheilt wurde; bey jedem vorhabenden Genuſe des Abendmahls, ſich Tags zuvor, zur beſtimmten Zeit, vor ihren Seelſorger in der Kirche, zu einer kurzen Vorbereitungsrede, ohne eine ſtille hergeſagte gefagte allgemeine Beichtformel, wie ehemahls, fich zu verfammeln: denen aber, welche die ehemahlige Beichtliste fortzufetzen Verlangen haben, bleibt der zweyte Tag vor der Communion zur einzelnen Herfagung der Beichtformeln eingeräumt. Diefe mit beyderfeitiger Gewiffensfreyheit übereinftimmende Fügfamkeit macht Obrigkeit und Predigtamt dafelbft Ehre.

— Bey *Eberhard Klett, Witbe und Frank* in Augsburg ift mit dem J. 1789. ein literarifches Wochenblatt, mit wöchentlichen Nachrichten von neuen Büchern und Schriften, auch Anzeigen von Werken, die künftig herauskommen follen, angefangen worden. Wöchentlich wird ein halber Bogen geliefert. Der Jahrgang koftet 45 Kreuzer. Die Liebhaber werden entweder durch die Verlagshandlung, oder durch die nächften Poftämter befriedigt.

LITERARISCHE ANZEIGEN.

I. Ankündigungen neuer Bücher.

Ankündigung einer deutfchen vom Verfaffer felbft veranftalteten Ueberfetzung des tableau de l'empire othoman bey R. Gräffer u. Comp. in Wien.

Das Osmanifche Reich ift durch feine Entftehung, feine plötzliche ungeheure Ausdehnung, feine Dauer, feine fonderbare, von dem ganzen übrigen Europa äuferft abftechende Verfaffung in Politik, Religion, Sitten, Gefetzen eine gleich auffallende Erfcheinung für den Staatsmann und Philofophen. Es ift befonders in unfern gegenwärtigen Tagen ein Gegenftand der allgemeinen Aufmerkfamkeit geworden; und diefe Theilnahme an dem kritifchfcheinenden Schickfal diefes merkwürdigen Staats macht das Publikum nach allen jenen Schriften lüftern, welche einiges Licht darüber verbreiten. Allein es ift eine allgemein gegründete Klage, dafs keines der bisher erfchienenen Werke unfrer Wifsbegierde vollkommen Genüge leifte. Die Schwierigkeiten, welche jedem Europäer entgegen ftehen, vollftändige und befriedigende Kenntniffe von dem wahren Zuftande des Osmanifchen Reichs zu fammeln, find Urfache, dafs alle bisher in diefem Fache erfchienenen Schriften ohne Ausnahme mangelhaft und unzuverläffig ausfielen.

Nach fo vielen misglückten Verfuchen über diefen Gegenftand erfcheint endlich ein Mann, der durch einen auferordentlich günftigen Zufammenflufs von Umftänden in den Stand gefetzt wurde, feine Kenntniffe in der Staatenkunde mit einem Werke zu bereichern, welches alles leiftet, was man in diefer Art fordern kann. Herr *Muradgea d'Ohffon* in Konftantinopel geboren und erzogen, mit der Sprache des Landes von Jugend auf bekannt, als Dollmetfcher des Schwedifchen Hofes zu Gefchäften aller Art, und mit allen wichtigen Perfonen der Pforte gebraucht, kam auf den Entfchlufs, diefe unerwartet günftigen Umftände zu benutzen, und dem gelehrten Europa ein Werk zu liefern, welches alles enthalten foll, was man über das Osmanifche Reich zu wiffen wünfchen kann. Er arbeitete drey und zwanzig Jahre an diefer Schrift, fammelte alles aus den Urkunden des Landes, und aus dem Munde der wichtigften Staatsperfonen felbft, und erfchöpfte feinen Gegenftand fo vollkommen, dafs ihm nichts mehr zu forfchen übrig blieb.

Gegenwärtig, da er in völliger Mufse in Paris lebt, hat er bereits angefangen, das Refultat feiner Arbeit bekannt zu machen. Sein Werk führt den Titel: *Vollftändige Schilderung des Osmanifchen Reichs in zwey Abfchnitten, wovon eine die gefetzliche Verfaffung der Muhamedaner, die andere die Gefchichte des Osmanifchen Reichs enthält.*) Von H. v. M*** d'Ohffon, Ritter des Wafa-Ordens, Sekretair S. M. des Königs von Schweden, ehmaligen Dollmetfch und Gefchäftsträger deffelben am Hofe zu Konftantinopel.* Der erfte Theil in grofs Folio, gedruckt und mit 37 fehr fchönen Kupferftichen verziert, ift im vorigen Jahre in Paris erfchienen. Da es aber Nationalfache ift, ein Buch von fo hohem Preife zu kaufen, fo hat der Verfaffer auch eine gewöhnliche Auflage in 8vo mit einigen wenigen Kupferftichen veranftaltet, von welcher 2 Bände einen Band in Folio ausmachen. Von diefen find in voriger Leipziger Herbftmeffe bereits zwey Ueberfetzungen erfchienen, eine von Hn. P. Beck, welcher das franzöfifche Original um vieles abgekürzt, und eigene Anmerkungen beygefügt hat: die zweyte in Anfpach.

Herr Muradgea d'Ohffon, welcher fein Werk unabgekürzt, und gleichfam unter feiner Aufficht verdeutfcht haben will, hat fich nun entfchloffen eine vollftändige deutfche Ueberfetzung davon durch einen berühmten deutfchen Schriftfteller auf feine eigene Koften beforgen zu laffen, wozu er die Originalkupfer giebt, welche fich bey der kleineren franzöfifchen Ausgabe befinden. Endesunterzeichnete Buchhandlung hat den Verlag diefes Werks in Commiffion übernommen, und wird die beiden erften Bände zur Leipziger Oftermeffe liefern. Um aber dem Publikum die folgenden Bände frühzeitiger zu verfchaffen, wird künftig die deutfche Ueberfetzung ftets in gleicher Zeit mit dem franzöfifchen Originale oder höchftens einen Monat fpäter erfcheinen, wozu die Anftalten von dem Verfaffer felbft bereits getroffen find. Die Anzahl der Bände kann noch nicht genau beftimmt werden. Vermuthlich werden derfelben 10 bis 12, jeder enthält ungefähr 25 bis 30 Bogen, und 3 oder 4 Kupferftiche. Der Preis eines jeden wird ungefähr 2 Rthlr. feyn.

Wien d. 26 Febr. 1789.

Rudolph Gräffer und Compagnie.

Journal

---

*) Tableau general de l'Empire Othoman, divifé en deux parties, dont l'une comprend la legislation Mahometane; l'autre l'hiftoire de l'empire othoman.

Journal von und für Deutschland: Sechster Jahrgang
Erstes Stück.

Diefer Jahrgang ift vom Herausgeber dem neuen Fürft-
bifchoff von Fulda, deffen Bildnifs demfelben vorgefetzt
ift, dedicirt. In der Vorrede wird der Plan des Journals
aufs neue dargelegt: Der Inhalt diefes erften Stucks ift:
I. Topographie der Heffifchen, Haupt- und Refidenzftadt
Caffel. II. Römifchkatholifcher Gottesdienft in Marburg.
III. *M. Kinderlings* berichtigende Anmerkungen über die
Nachricht von dem Klofter Bergen, in 1 B. der Reifenden
für Länder- und Völkerkunde. IV. Gegründete Klagen
über die rechtmafsigen Verleger der hinterlaffenen Werke
Friedrichs des Einzigen. V. Ueber Schriften für die Ju-
gend. VI. Rüge einer Gefchichte in Albrechts Biographien
der Selbftmörder, VII. *Weikard* Etwas vom Capitain-
Pacha und feiner Flotte auf dem schwarzen Meere. VIII.
E. *Klenk* von den in Uffenheim errichteten Blitzableitern.
IX. Beytrag zur Wegpolizey in einigen Gegenden Deutfch-
lands, in dem Schreiben eines Reifenden an den Herrn
Stadtammann zu Erfurt, eine in feinem Gebiete erlittene
Gewaltthätigkeit betr. X. *Hirfchings* Beytrag von Idio-
tismen aus dem Fürftenth. Hohenlohe. XI. Preisfragen,
XII. Auszüge aus Briefen, unter welchen fich befindet:
Ein Beytrag zu den höchfttraurigen Folgen der Sucht, im
Lotto zu spielen, und Nachricht von Hrn. A. G. Wezel
zu Bayreuth und deffen merkwürdigen neuen Mafchine.
XIII. Reichscammergericht. Erkenntniffe, XIV. Verord-
nungen, Edicte. XV, Nachtrag zu N. IX. XVI. Anfragen.

Man verlangt von dem unftudirten Schullehrer offenbar zu viel, wenn man ihm anfinnt, dafs er die in
dem Katechismus angegebenen biblifchen Sprüche richtig
erklären, die Lehren ausheben, auf allen Seiten ins Licht
ftellen, und zur Bildung des Herzens anwenden folle. Wie
kann er den Bibelerklärer machen; da er nicht einmal
mit den Eigenheiten der Ueberfetzung Luthers, gefchwei;
ge denn mit den Grundfprachen, mit der Auslegungs-
Kunft und den Alterthümern bekannt ift und felbft
die klaffifchen Sprüche, die dem Gelehrten fehr deutlich
fcheinen, müffen dem unftudirten Schulmann aus dem
angegebenen Grunde fchwer und dunkel feyn, weil er gar
nicht zum Bibelerklärer ift zubereitet worden.

Ein Buch, das ihm die ganze Bahn vorzeichnet, die
er zu gehen hat, um Kindern richtige Religionskenntniffe und Begriffe aus der Bibel beyzubringen, das ihn
zum gründlichen Bibelerklärer macht, das er nur braucht
in die Hand zu nehmen, um aus den Hauptfprüchen die
reine Chriftuslehre zu katechifiren, ins Licht zu ftellen,
und feinen Schülern ans Herz zu legen — ift fowohl
wünfchenswerth als Bedürfnifs.

Der Herr Paftor *Werner* in Noeda im Churfächf. bey
Erfurt ift gefonnen ein folches katechetifches Werk unter
dem Titel:
*Biblifche Katechetik für unftudirte Schullehrer in der Stadt
und auf dem Lande*

im Verlage der Keyferfchen Buchhandlung zu Erfurt herauszugeben. Die Liebhaber können durch eine gedruckte Nachricht, welche in der Expedition der A. L. Zeitung
gratis ausgegeben wird, nähere Auskunft erlangen; und
die beygefügte Probe einer biblifchen Katechifation fetzt
fie in den Stand darüber zu urtheilen.

Endesbenannter ift gefonnen, eine auf Erfahrung gegründete Abhandlung: über die ficherfte Vertilgungsart
der fo allgemein fchädlich gewordenen Wickelraupe ohne Verletzung des Baums, auf Pränumeration herauszugeben. Er glaubt, den Oekonomen durch Bekanntmachung feines Mittels einen nicht unwichtigen Dienft zu
erweifen, und rechnet daher vorzüglich auf ihre Unterftützung. Jeden, der die Mühe des Colligirens über fich
nimmt, offerirt er den gewöhnlichen Rabat. Der Pränumerationspreis für ein Exemplar ift 8 gr. — Berlin d.
1ten März, 1789.

                              Feige,
                         Referendarius.

II. Vermifchte Anzeigen.

Ich erfuche hiermit den mir unbekannten Hrn. Recenfenten meiner Abhandlung vom Feldbau mir feine Belehrungen über diefen Gegenstand, wozu mir derfelbe die
angenehme Hofnung macht, fchriftlich mitzutheilen, von
welchen ich mit warmem Dank den beften Gebrauch machen werde.

Gieffen d. 24 Febr. 1789.
                              Walther,
                         Lehrer der Landwirthfch. und
                              Naturgefchichte.

So eben erfehen wir aus einer Anzeige unfers gelehrten Freundes des Hn. Prof. *Heeren* in Göttingen, was für
ein lächerlicher Irthum dem Recenf. von Hn. Prof. *Arne-
manns commentatio de fphilis* in A. L. Z. Nro. 27. d. J.
begegnet ift. Er giebt nemlich dem Verf. Schuld, als behaupte er: zum *Auswafchen des Mundes bey Kindern fey felbft
Urin mit kaltem Waffer fehr nützlich;* da doch Hr. *Arnemann*
gefchrieben hatte: *Or infantum eluendum eft faepiffime; quin
etiam lotio cum aqua frigida faepius repetita egregie conducit.*
Spaßhaft genug, dafs der Recenfent ftatt *lotio, lotium* zu
lefen glaubte. Hr. Prof. *Heeren* hat alle Urfache fich darüber luftig zu machen; wer indefs am meiften über diefen
Verftofs lachen wird, ift der Recenfent in der A. L. Z.
felbft, der in der Reihe der erften practifchen Aerzte unfrer
Zeit fteht, und deffen Kenntniffe, und eigne deutfche
und lateinifche mit verdientem Beyfall aufgenommene
Schriften, ihn über den Verdacht weit hinwegfetzen,
dafs er *lotio* das *Wafchen*, und *lotium* der Urin, aus Unkunde der lateinifchen Sprache mit einander verwechfelt
habe.

Jena d. 10 März 1789.
                         Die Herausgeber der
                         Allg. Lit. Zeitung.

289   290

INTELLIGENZBLATT
der
ALLGEM. LITERATUR-ZEITUNG
Numero 37.

Mittwochs den 18ten März 1789.

LITERARISCHE NACHRICHTEN.

I. Vorläufige Berichte von ausländischer Literatur.

Memoirs of the Life and Reign of Frederick the Third (the second) King of Prussia. By Joseph Towers, L. L. D. 8. 13 Vols. 12 f. boards Dilly 1788.

Der Verf. hat in diesen Bänden sich sehr ins Detail der Lebensumstände Friedrichs eingelassen, und erzählt im Ganzen genommen treu genug. Er läßt seinen militärischen Talenten alle Gerechtigkeit wiederfahren, denkt ihn sich aber nach dem sonst allgemeinen Vorurtheil zu sehr als Eroberer, u. s. w.

(*Monthly Review Dec. 1788.*)

A Description of all the Bursae Mucosae of the Human Body: their Structure explained, und compared with that of the capsular Ligaments of the Joints, and of those Sacs, which line the Cavities of the Thorax and Abdomen: with Remarks on the Accidents and Diseases which affect those several Saci, and on the Operations necessary for their Cure. Illustrated with Tables. By Alex. Monro, M. D. Prof. of Physic, Anatomy, and Surgery, at Edinburgh; and Member of the Royal College etc. etc. 12 f. Boards. Elliot. 1788.

Da die Bursae Mucosae Organe sind, welche eine merkwürdige Structur haben, so muß eine vollkommene Kenntniß von ihnen dem practischen Arzt sehr nützlich seyn. So viel unser Verf. noch bis jetzt bemerkt hat, findet man sie nur an den äußersten Theilen des Körpers, in allem sind ihrer 140. — Das Buch entspricht ganz der Erwartung des Titels, und dem Namen seines berühmten Verf.

(*M. R. Dec. 1788.*)

Custumale Roffense, from the Original Manuscript in the Archives of the Dean and Chapter of Rochester: to which are added Memorials of that Cathedral Church, and some Account of the Remains of Churches, Chapels, Chantries etc. By John Thorpe, Esq. M. A. F. S. A. Folio. 2 L. 12 f. 6 d. Boards Nichols 1788.

Ist aus einem alten Manuscript eines Mönchs und Priors zu Rochester uma Jahr 1320 genommen, und enthält viel Alterthümer in Kent, besonders in Rochester. Hn. Thorpes Geschicklichkeit in diesem Fach ist bekannt. 65 Kupfer sind beygefügt.

(*M. R. Dec. 1788.*)

The Athenaid. A Poem, by the Author of Leonidas, 12. 3 Vols. 9 f. sewed. Cadell. 1788.

Dies Gedicht ist als eine Fortsetzung des Leonidas anzusehn, und erst nach des Verf. Tode von seiner Tochter, der Miss Hillsay, herausgegeben. Der Tod hinderte den Dichter, die letzte Hand dran zu legen, doch ist er seiner nicht unwürdig. Derselbe kühne Geist der Freyheit, wie im Leonidas, die nemlichen zärtlichen und edlen Empfindungen, dieselbe Kürze der Perioden, die so oft der Melodie des Verses schädlich ist, findet man auch hier. Im Ganzen ist es mehr rührend als erhaben.

(*M. R. Dec. 1788.*)

Sermons, on different Subjects, left for Publication by John Taylor, L. L. D. late Prebendary of Westminster etc. Published by the Rev. Sam. Hayes, A. M. Usher of Westminster School. 8. 5 S. Boards. Cadell 1788.

Obgleich diese Predigten unter andern Namen erscheinen, hält man sie doch allgemein für ein Product des verstorbenen Johnson. Verschiedne Gegenstände der Moral sind hier so behandelt, daß sie auch J. Nutzen machen. Nur bisweilen neigt er sich etwas zum Aberglauben. (*M. R. Dec. 1788.*)

A Tour in 1787, from London to the Western Highlands of Scotland: Including Excursions to the Lakes of Westmorland and Cumberland; with minute Descriptions of the principal Seats, Castles, Ruins etc. throughout the Tour. 12. 3 f. 6 d. Davis etc. 1788.

Der Verf. reiste zum Vergnügen, gab also auf angenehme Gegenstände der Natur und Kunst acht, und die warme Bewunderung, womit er davon spricht, beweiset, daß er mehr Vergnügen von seiner Reise hatte, als vielleicht seine Leser. Seine Beschreibung merkwürdiger Plätze ist zu oberflächlich, als daß sie die Neugier seiner Leser befriedigen könnte. (*M. R. Dec. 1788.*)

A Plain, Easy, and Familiar Guide to the Knowledge of Astronomy, including so much of the Laws of Matter and Motion as is necessary to explain the Solar System etc. By J. Preston. Small. 12. 1 f. 6 d. board. Rew. 1788.

O 2   Eine

291

Eine kurze Anzeige des Sonnen Systems nebst dem neulich von Herschel entdeckten Planeten, die für junge Leute recht brauchbar ist. (*M. R. Dec.* 1788.)

II. Ehrenbezeugungen.

Der Herr Generalsuperintendent *Herder* in Weimar ist zum Ehrenmitglied der Akademie der Künste zu Berlin ernannt worden. *A. B. Berlin d.* 10. *Mart.* 1789.

Se. Durchl. der Herzog von Sachsen-Weimar und Eisenach haben dem Hn. Prof. *Schütz* zu Jena den Hof-Raths-Character mit einer jährlichen Besoldungszulage ertheilet.

III. Vermischte Nachrichten.

Die hiesige Akademie ist nicht die Herausgeberin des *neuen Russischen Atlasses*, sondern ein besonders dazu errichtetes *geographisches Departement*, welches unter der Direction des General Majors *von Soimonof* steht. Dieses Department hat seine ihm untergebenen Ingenieurs, welche die noch nöthigen Messungen vornehmen; seine Zeichner, zween Geographen als Verfertiger der herauszugebenen Karten, zwey Secretaire, und viele Kupferstecher. Die Gouverneurs der Provinzen sind angewiesen ihm alle verlangten Nachrichten, Plane, Messungen u. s. w. die in ihren Händen sind, mitzutheilen. Die Karten von den Statthalterschaften werden nur mit russischer Schrift gestochen; das Department ist aber nicht abgeneigt einem vorzüglichen auswärtigen Kupferstecher, der die Ausgabe auf seine Kosten übernehmen will, dieselben ins französische übersetzt und mit lateinischer Schrift sauber gezeichnet zu liefern, unter der Bedingung, dass er sie bald und in einem schönen richtigen Stiche stechen mache. Die bisher fertig gewordnen Karten sind folgende: 1) Die Statthalterschaften Saratow. 2) Mohilow. 3) Nowgorod Sewerskoy. 4) Polozk. 5) Kursk. 6) Woronesch. 7) Kaluga. 8) Smolensk. 9) Kiew. 10) Moskwa. 11) Tscharnigow. 12) Charkow. Ferner auch eine vorzügliche *Carte des Découvertes faites par les Russes* (seit 1728.) *et par le Capitaine Jaques Cook dans la mer du Sud* wobey ein Nebenkärtchen des *Isles Kichtok et Asonak et des autres adjointes decouvertes par le Pilote de la Marine imperiale Ismailof* befindlich ist.

Dasselbe Blatt ist auch russisch heraus und schon 1787 gestochen worden. Alex. Wilbrecht ist der Geograph der die bisher fertigen Carten zusammengesetzt gezeichnet hat. Sie sind sehr von denen, welche die Akademie bisher lieferte, verschieden, auch mit ihrer russischen Generalcharte vom russischen Reiche wird man sie oft gar nicht übereintreffend finden. Der Stich ist auch viel schöner als er in den ältern Karten war. Der ganze Atlas welcher schon 1785 angefangen worden (von dem Jahre ist die erste Charte von Saratow) soll über zwey Jahre völlig fertig seyn, welches aber vielleicht durch den jetzigen Krieg hinausgeschoben werden mögte. *A. B. S. Petersburg, im Dec.* 1788.

England verdankt es Hrn. Holkroft sich durch seinen aufmerksamen Gebrauch der voluminösen Werke, welche in Frankreich erscheinen, im Besitz alles dessen, was durch

292

Verdienst, als Neuheit sich auszeichnet, zu sehn. Ein ernsthaftes Studium der deutschen Sprache ist ein fernerer Beweis seines anhaltenden Fleißes, und wir zweifeln daher nicht, daß er die deutsche Litteratur mit gleichem Geschmak und Auswahl benutzen werde.

Man erwartet nächstens von Miss *Williams* ein Gedicht *über die Sklaverey.* — Auch *Murphy's Life of Foote* wird bald erscheinen. — (*British Mercury Vol.* 7. *N.* 47.)

Gibbon soll den Gedanken eine Gesch. von England zu schreiben, ganz aufgegeben haben. — Robertson wird wenn die Amerikanische Constitution erst ihre Festigkeit erhalten, die Geschichte von Nordamerika, von deren Umarbeitung ihn der König abgehalten, mit allen den Verbesserungen, die ihm ein so langer Aufschub verschaft, herausgeben. —

Cumberland schreibt nicht mehr für die Bühne — Sheridan wird ihn ersetzen. —

D. Pirsley ist mit einer Antwort auf Medan's Briefe beschäftigt — Man hat eine Sammlung der Bücher des Smellot zu erwarten.

(*British Merc. Vol.* 7. *N.* 49.)

Miss Piozzi hat ihre Reise geendigt; und ist jetzt mit einem dramatischen Werk satyrischer Art beschäftigt. —

Malone hat seine Ausgabe von Shakespear, den Lear und Hamlet, ausgenommen, beschlossen. Zu seiner Zeit mehr davon. —

Der thierische Magnetismus verliert immer mehr Anhänger selbst unter denen, die es sonst sehr waren. Bald werden wir ihn nun aufm Covent-Garden Theatre sehn. —

Im Druck ist Rels New Pantheon etc. —

W. Mason A. M. hat e. Secular-Ode zum Andenken der Revolution von 1688 herausgegeben. (*ibid. N.* 50.)

Herschel hat jetzt seinen Apparatus zu Observationen über den Kometen vollständig. —

IV. Berichtigung.

Im Dec. der A. L. Z. v. J. S. 850. wird der Uebersetzung die Schrift von *drey Erzbetrügern* unter dem Titel: *Spinosa II.* recensirt. Das Original dieser Uebers. ist nicht das alte berüchtigte Buch de trib. Impost. welches man dem Kayser Friedrich II. zuschreibt, in lateinischer Sprache abgefasset ist, und den Anfang hat: *Deum esse, eumque colendum esse multi disputant, antequam et quid sit Deus etc.* sondern das Original dieser Uebersetzung ist eine ganz verschiedene in französischer Sprache abgefaßte Schrift, welche in einer Handschrift bisher vorhanden gewesen, unter den Titel: *La Vie et L'Esprit de Spinoza*, deren Verfasser Lucas heißt, und ein Arzt im Haag gewesen ist. Der erste Theil la *Vie de B. de S.* ist zuerst in den Novell litt. tom 10 abgedruckt; hernach sind viele Stellen in Coleri Lebensbeschreibung des Spinoza eingerückt, und die also verfälsch-

in Lebensbeschreibung der Refutation des Erreurs de Spinoza a Bruxelles 1731. beygefüget worden. Der 2te Theil oder L'Esprit de S. erscheinet jetzo in der deutschen Uebersetzung. Die beygefügte historische Abhandl. ist Aymons reponse a la Dissert. de Mr. de la Monaye sur le pretendu livre de T. S. die auf dem Titel angebracht-

ten hebräisch scheinenden Worte sind bloße Erdichtungen des Uebersetzers, daher es ein vergeblicher Versuch ist, die Worte zu erklären, wie man in den neuesten Rezensions-Begebenheiten versuchet hat. (A. B. Neu-Strelitz 26 Febr. 789.

L'ITERARISCHE ANZEIGEN.

I. Ankündigungen neuer Bücher.

Das Journal des Luxus und der Moden vom Monat März ist erschienen, und enthält folgende Artikel: I. Nächtliche Hexen-Redouten. II. Etwas von den rothen Haaren. III. Einige Bruchstücke aus Merciers neuen Gemälde von Paris. IV. Mode-Neuigkeiten. 1. Aus Deutschland. 2. Aus Frankreich. V. Theater. Nachricht von der neuen in Berlin aufgeführten Italienischen Oper des Herrn Kapellmeister Nauman. Medea in Colchis. VI. Ameublement. Ein freystehender Englischer Schreib-Tisch mit einem Secretaire. VII. Erklärung der Kupfertafeln, welche diesmal liefern. Taf. 7. Zwey weibl. Büsten Fig. 1. eine junge Engländerin, in neuester Engl. Negligée-Tracht. Fig. 2. Eine junge Dame in vollem Anzuge von neuesten Geschmack. Taf. 8. Eine Pariser Dame in einer neuen Robe à la Turque à Demi-Negligé. Taf. 9. Ein freystehender engl. Schreib-Tisch mit einem Secretaire.

Im Verlage der J. G. Müllerschen Buchhandlung zu Leipzig sind vom 2ten März an: Neue Leipziger gelehrte Anzeigen, oder Nachrichten von neuen Büchern und kleinen Schriften, besonders der churfächsischen Universitäten, Schulen, u. s. w. ausgearbeitet von einer nahmhaften Gesellschaft Leipziger Gelehrten, und unter Redaction des Herrn Prof. Beck, für das Jahr 1789 erschienen. Wöchentlich werden zwey halbe Bogen, in gr. 8 enge gedruckt, mit lateinischen Lettern, Montags und Freytags, so lange aber bis die zwey fehlenden Monate nachgeholt sind, drey halbe Bogen ausgegeben. Dazu kommen noch Beylagen, und am Schlusse des Jahres die etwan nöthigen Supplemente. Man wird in diesen Zeitungen zugleich vollständige Annalen der Sächsischen Litteratur erhalten. — Der Preis ist in der Verlagshandlung 2 Rthlr. 12 gr. Conv. Münze, postfrey durch Sachsen 3 Rthlr. Die Hauptversendung hat, wie vormals, die Churfürstl. Sächsische Zeitungsexpedition in Leipzig übernommen. Ein umständlicheres Avertissement ist in der Expedition der Allg. Lit. Zeit. zu Jena gratis zu haben.

II. Vermischte Anzeigen.

In Num. 38 der diesjährigen Allg. Litteraturzeit. wird ein unrechtmäßiger Nachdruck der ersten Abtheilung des aus dem Englischen übersetzten Kinderbuchs: Geschichte Sandfords und Mertons, statt der rechtmäßigen Ausgabe, welche bey uns in 2 Bändchen erschienen ist, angezeigt und es wird dabey gesagt: daß der Uebersetzer dieses

Buchs der Hr. R. Campe sey. Allein dieser ist (laut Titel und Vorrede) nur der Herausgeber, nicht der Uebersetzer des Werkchens. Letztern zu nennen, hatten wir nicht die Erlaubnis.

Die Braunschweig. Schulbuchhandlung.

III. Antikritik.

Es ist sonst wider meine Grundsätze, mit Recensenten meiner Schriften vor den Augen des Publikums zu streiten. Eben deswegen habe ich gegen die Recension meiner Kirchengeschichte des 18 Jahrh. in der A. L. Z. 1788. n. 190. nichts eingewendet. Denn obgleich der Vf. jener Recension, der ein sehr würdiger Mann seyn muß, mir einige Winke und Erinnerungen gab, die ich für sehr gegründet hielt, und wofür ich ihm in der Stille danke: so hatte er doch auch einiges getadelt, wobey mir eine Rechtfertigung leicht möglich gewesen wäre. Allein warum hatte ich das Publikum zum Zuschauer eines Streits machen sollen, an welchem ihm gar nichts und mir selbst wenig gelegen war? Aber wenn ein Recensent durch, glaubwürdige Zeugnisse zu erweisende Thatsachen mit einem Federstrich vernichten, und durch den zuversichtlichen und wegwerfenden Ton, den er sich erlaubt, seinem Machtspruch ein Ansehen geben will — dann halte ich's für Pflicht, nicht zu schweigen, sondern die so frech angegriffene historische Wahrheit gegen Recensenten-Unfug zu vertheidigen.

Ein Recensent dieser Art (Tros Rutulusve fuat — ich halte mich an den Mann, und bekümmere mich nicht um Namen und Titel) ist in den Tübing. gel. Anz. 1788. n. 65. S. 513. auf den Kampfplatz getreten, und hat gegen das, was ich S. 104. der Kirchengesch. des 18ten Jahrh. Band II. Abth. I. von der durch die theologische Facult. zu Tübingen veranlaßten Confiscation des 3ten Theils des Conzischen Usus philos. Wolf. in Theol. nur im Vorbeygehen, doch mit Anführung meiner Quelle, nemlich der Büschingischen Beyträge zu der Lebensgesch. denkw. Personen, Th. I. S. 189. gesagt hatte, folgendes eingewendet. „Vors (fürs) erste kann keine theologische Facultät confisciren — (Im rechtlichen Verstande freylich nicht — aber confisciren lassen im moralischen Verstande und ein Werk so unterdrücken, daß es der Wirkung nach eben so viel ist, als ob dasselbe im eigentlichen Verstande confiscirt wäre — das kann sie doch?) „Wo sind die Exemplarien, „die sie zusammenbringen konnte? Waren sie denn gedruckt? Nichts weniger. (Aus der verschraubten Art, mit welcher diese Fragen hineingeworfen sind, sollte man fast glauben, der Recensent habe wirklich etwas von der

streiti-

streitigen Sache gewust, aber mit Fleiß einen Vorhang
vor die Geschichte ziehen wollen, damit das Publikum
nicht wissen sollte, woran es sey, und durch den Vorhang
nicht hindurchblicken; dabey aber den Hrn. Oberconfisto-
rialrath *Büsching*, und mich hintendrein für falsche Anek-
dotenkrämer ansehen möchte.) 3. „War nach den Büchern der Facultät gar nie von diesem 3ten Theil in der
„Facultät — (aber auch in dem Academischen Senat
nicht? Hierüber frage der Recensent seine Augen und sein
Gewissen!) die Rede. Hr. Büsching war von der ganzen Sache sehr übel belehrt, und verdient daher nicht,
„daß man ihm eine ganz *falsche Anekdote* nachschreibe.“
So weit unser historischer Dictator.

Nun bitte ich dagegen meine Leser um die Geduld,
das Zeugniß eines Mannes an zu hören, auf welches sich
Hr. D. *Büsching* in seinen Beyträgen beruft — *Joh. Ulr.*
Steinhofer, der damals als die Sache vorgieng, Prof. phil.
extraord. zu T. war, und 1757. als Klosterprof. und Prediger zu *Maulbronn* starb. Dieser schrieb von Tübingen
an den Propst *Reinbeck* zu Berlin in einem Briefe vom 1.
Juli 1737, worinn er diesen bat, sich bey dem K. v. Preussen für ihn wegen Uebertragung einer Profess. extraord.
Philof. mit einem geringen Salario auf einer Preussischen
Universität zu verwenden, folgendermaßen. „Nachdeme
„ich allhier in T. bereits anderthalb Jahr als Prof. philof.
„extraord. stehe, und mir diese Station theils wegen der ge-
„ringen Anzahl der Studiosorum, die sich in allen Facul-
„täten zusammengenommen, kaum auf 100 erstrecken,
„theils wegen mancherley Verdrüßlichkeiten, so mir von
„denen Professoribus ordin. bey allen meinen redlichen
„Absichten gemacht werden, nicht sonderlich mehr anste-
„het; so habe mich mit Gott entschlossen, bey ereignender
„Gelegenheit andere Dienste anzunehmen, und mich nicht
„zu weigern, demjenigen Ruf, welchen etwa auswärtige
„Fürsten durch Beförderung rechtschaffener Männer an
„mich sollen ergehen lassen, willigst zu folgen. Darinnen
„stärkte mich die ziemlich-erträgene Unbilligkeit, da man
„hiesiger Seits so sehr empfunden, daß ich Ew. Hochw.
„wahrhaftig und gründlich-geschriebene Betrachtungen
„der Augsb. Conf. wider die unbescheidene Einwürfe
„des Autoris Anonymi der zufälligen Gedanken in dem
„hiesigen wöchentlichen Journal nach meiner Einsicht und
„Gewissen öffentlich vertheidiget, und Ew. Hochw. mehr
„als bekannte große Verdienste gerühmt habe — — wel-
„che Hitze sich nun wieder regt, nachdem unser Prof. Eloq.
„ord. *Canz* den dritten Theil seines sogenannten *Usus philof.*
„*Wolff.* in *Theol.* wider ihren Willen ediret, darüber beson-
„ders die Theologische Facultät so erbittert, daß man alle Ex-
„emplaria, so man zu haben, confisciret hat. Mich sucht man
„wegen ermeldter Recension der A. C. als wäre ich glei-
„ches Sinnes, mit einzuflechten, und da Hr. *Canz* als Se-
„nator und Prof. ord. sich nicht viel darum zu beküm-
„mern hat, dürfte man mir am meisten suchen weho-
„zu thun.“ So weit *Steinhofer.*

Da mein Recensent in einem Tone sprach, in dem sonst
nur die zu sprechen pflegen, welche die Sache der un-
zweifelhaften Wahrheit vertheidigen; so vermuthete ich
anfangs, daß hier ein Mißverstand mit unterlaufe, daß
wirklich nie ein eigentlich sogenannter 3ter Theil des

296

Canzischen Usus existirt, und daß vielleicht Steinhofer unter diesem 3ten Theil den auch in meisten Gegenden seltenen *Consensum Philof.* Wolf. cum Theol. verstanden habe, welcher unter dem Druckort: Frkf. und Leipz. in der
That aber zu Tüb. im Bergerischen Verlage 1737. herausgekommen war, und daß vielleicht eben jene sogenannte
Confiscation die Ursache dieser Seltenheit sey. Allein ich
erfuhr bald hernach, daß meine Vermuthung ungegründet sey, und daß dieser 3te Theil des Usus wirklich existirt habe, den mein Recensent, vielleicht von einem falschen Esprit de Corps dazu verleitet, zu einem Unding
machen wollte. Männer, welche Canzens eigene Erzählung über diese traurige Geschichte gehört haben, versichern, Canz habe das Buch wirklich in den Druck gegeben; ehe es aber divulgirt worden, habe eine darin enthaltene Stelle, die Lehre von der Trinität betreffend, die
Aufmerksamkeit der theologischen Facultät zu T. erregt.
Cunz habe nemlich diese Lehre auf eine von den gewöhnlichen Formeln abweichende Art, fast wie *Reusch* in seiner
Introd. in Theol. p. 795. sqq. durch tres Actus *in Deo* zu
erklären versucht. Ungeachtet er nun die Meynung gar
nicht gehabt, drey Personen in der Gottheit zu läugnen,
indem er Actus von Actio unterschieden, und unter jenem ein existens, und kein accidens verstanden, so sey
dennoch seine Lehrart für so arstößig und irrig angesehen
worden, daß die theol. Facult. (wahrscheinlich auf be-
sonderu Betrieb des Canzl. *Pfaffen*) die Sache bey dem
Akademischen Senat klagbar angebracht, und auf Unterdrückung des gemeldeten Buchs gedrungen habe. Diese
sey auch wirklich unter dem Rectorat des D. *Mögling* geschehen, und, von dem Rector durch öffentlichen Anschlag
bekannt gemacht worden, und das unterdrückte Buch sey
auch nachher niemals im Publikum erschienen. Hingegen,
habe Cunz den wesentlichen Innhalt desselben, so weit er
den Theologen nicht anstößig war, in den nachher erschienenen Consensus übergetragen. Dieser Consensus sey
auch ganz unangefochten geblieben, und habe selbst von
dem seel. Bengel ausgezeichneten Beyfall erhalten. So
weit gehen meine Nachrichten. Aus denselben lassen sich
nun die so recht im Tone der Febroniusischen Retracta-
tion angestimmten Worte des Epilogus erklären, womit
sich obgedachter Consensus schließet: „Heic vero faciem
„ipsius Dei et Ecclesiae testor: ut, quaecunque et literarum
„luterarum auctoritati, et Ecclesiae Evangelicae libris sym-
„bolicis contrariatur, indicta esse velim. Hinc et ea,
„quae de S. S. Trinitate scripsi, non aliter accepta volo,
„quam quatenus cum scriptura, et libris istis symbolicis,
„conciliari possunt.“ u. s. w.

Mehr will ich nicht sagen. Das Publikum mag nun
urtheilen, ob ich eine falsche Anekdote nacherzählt, oder
ob nicht vielmehr mein Recensent eine durch glaubwürdige Zeugnisse erhärtete Thatsache — vielleicht mit einer
Mental-Reservation — allzuzuversichtlich weggeläugnet,
und sich dadurch an der Geschichte und dem Publikum,
dem er Sand in die Augen streuen wollte, gröblich ver-
sündiget habe.

Heilbronn d. 1. März 1789.

J. R. **Schlegel**,
Gymn. Rect.

INTELLIGENZBLATT
der
ALLGEM. LITERATUR-ZEITUNG
Numero 38.

Mittwochs den 18ten März 1789.

LITERARISCHE NACHRICHTEN.

I. Vermischte Auszüge aus Briefen unsrer Correspondenten.

Von der Insel Rügen den 20 Dec. 1789.

Man hat schon oft die Bemerkung gemacht, daß da, wo viele Anstalten zur Ausbreitung der Gelehrsamkeit und Beförderung der Aufklärung gemacht sind, die Früchte derselben doch nicht in der Nähe anzutreffen sind. Auf mancher Akademie findet man höchst mittelmäßige Prediger und ich habe unter vielen Landpredigern in Gegenden um berühmte deutsche Universitäten nicht so geschickte und wirklich aufgeklärte Männer gefunden wie auf dieser Insel an der nördlichsten Spitze von Deutschland. Die meisten unter den hiesigen Predigern (auf der ganzen Insel so klein sie auch ist wohnen 30) sind geschickte und erbauliche Kanzelredner, die mit ihren Zeiten fortdenken, denen der Zustand der neuesten Litteratur gar nicht unbekannt ist, und die dabey sehr umgänglich und gesellig sind, so daß sie sich weder aus affectirter Frömmigkeit noch aus Mangel an Welt und Menschenkenntnis und ausgebildetem Sitten der menschlichen Gesellschaft entziehen. Ich könnte Ihnen verschiedene als Mitarbeiter an gelehrten Zeitungen und Journalen namentlich der A. d. Bibl. nennen; wenn ich nicht dadurch ihre Bescheidenheit zu verletzen fürchtete. Wer kennt nicht einen *Pistorius* als einen der scharfsinnigsten Weltweisen, der hier als Prediger und Gesellschafter besonders durch seinen Umgang mit jungen Kandidaten unserer Insel eben so nützlich wird, als er es dem Publiko schon längst durch seine Schriften gewesen ist. Hier ist der Landprediger so wie der hier allgemein geliebte ehemalige Schwedische Gesandtschaftsprediger am Wiener Hofe Herr Pastor *Susemihl* zu Patzig. Sie werden mich nach den Ursachen der größern und allgemeinen Aufklärung auf unserer Insel fragen. Nach meinem Urtheile sind es folgende: 1) Die Prediger sind hier größtentheils sehr wohlhabend. Die mehresten Predigerstellen tragen hier zwischen 4 bis 800 Thlr. und verschiedene über 1000 Thlr. ein, daher die Prediger ihre Bibliotheken vermehren und ihren Kindern eine bessere Erziehung geben können. 2) Unsere jungen Gelehrten benutzen nicht nur den Unterricht bey einigen verdienten Männern auf der Greifswaldischen Akademie, sondern besuchen fast alle auswärtige Akademien. Der zahlreiche Adel giebt seinen Kindern Privatererziehung und da auch dieser (einige Ausnahmen abgerechnet) viel größere Fortschritte in der Aufklärung als in andern Gegenden Deutschlands gemacht, so schätzt er die Gelehrsamkeit, und giebt den Lehrern seiner Kinder nicht nur einen ansehnlicheren Gehalt, sondern weiß sie auch so zu schätzen, daß ihnen ihr Geschäfte angenehm und ehrenvoll erscheint. In der That bey diesem Stande etwas seltenes! so wie man es auch in unserm benachbarten Meklenburg nur höchst selten findet. Auf dieser Insel sind gewöhnlich zwischen 25 bis 30 Privatlehrer bey den Adelichen und Predigern, unter denen man verschiedene Ausländer, Preußen, Meklenburger, Sachsen, Braunschweiger etc. zählt. Aus diesen nimmt man die künftigen Prediger, und da es ihnen nicht an Gelegenheit gefehlt hat sich Gelehrsamkeit und Menschenkenntnis zu sammlen, so können sie als Prediger sehr nützlich werden. 3) Seit 12 bis 15 Jahren sind hier verschiedene und zum Theil vortreffliche Lesegesellschaften errichtet, worin man die Bücher nicht ohne Prüfung wählt, sondern wo einem der Mitglieder die Auswahl und Direction anvertrauet ist, der nach dem Zweck der Gesellschaft verschiedene Bücher vorschlägt, und jedem Mitgliede die Wahl überläßt, das einen Beytrag für sich kauft, und ihn nach vollendeten Kreisgange zurück erhält. Um den Nutzen dieser Lesegesellschaften noch zu erhöhen ist für eine jede Classe von Lesern eine besondere Gesellschaft errichtet, so einigen Jahren zählk man hier 5 nehmlich 1 für Prediger und Kandidaten 2 für Adeliche und 1 für die Jugend. Eine 6te die für Frauenzimmer eingerichtet war, und nur immer 6 Monat im Jahr dauerte, gieng ein, da der Stifter derselben unsre Insel verließ. Diese Lesegesellschaften haben viel gutes gestift. tet, unvermerkt eine Menge von Ideen in Umlauf gebracht, den gesellschaftlichen Versammlungen mehr Stof zu Unterhaltungen gegeben, und den Trieb zur Erweiterung der Kenntnisse genährt. So werden, daß ich ein Beyspiel anführe, mehrere Exemplare von der A. L. Z. tels der Berl. Monatsschrift von der A. d. Bibl. auf dieser Insel angeschaft und von manchen wichtigen Schriften z. B Revisionswerk über 30 Exempl. verkauft. Wäre auf Rügen eine gute Ritterschule, wo mehrere geschickte Männer ihre Kräfte zur Erziehung der adelichen Jugend vereinigen, und nähmen sich die Volksschulen, — die hier in eine schlechten Verfassung sind, da die Lehrer in keinem Seminario gebildet werden. — in einem bessern Zustande, so

könnte

könnte man mit dem Zustande der Aufklärung völlig zufrieden seyn. Vielleicht dürfen wir von einer einsichtsvollen Obrigkeit besonders von Sr. Durchlaucht unserm Fürsten von Hessenstein und der Landesregierung die Erfüllung dieses Wunsches hoffen.

LITERARISCHE ANZEIGEN.

I. Ankündigungen neuer Bücher.

Ohngeachtet der überaus großen Menge von Almanachs und Taschenkalendern mancherley Art, wovon nur ein geringer Theil zweckmäßig ist, fehlt doch noch eine Gattung ganz, die gewiß vielen Personen sehr angenehm seyn würde. Es ist dieses ein bergmännischer Kalender, und zwar ein solcher, der sowohl dem Bergmann von Metier als auch den Gewerken und Dilettanten Nutzen und Unterhaltung gewährt.

Zwar gab im Jahre 1772 Herr M. Wagner Oberpfarrer in Marienberg, einer Bergstadt in Sachsen, einen Bergkalender zum Besten des Waisenhauses daselbst heraus, und continuirte damit bis zum Jahre 1781. aber der Mangel an gehöriger Unterstützung mit guten Beyträgen, und der dadurch erfolgte Mangel an Debit, nöthigte ihn dann aufzuhören, und wir haben nun seit der Zeit bey allem Ueberflusse an Kalendern doch keinen Bergwerkskalender da es freylich nicht ganz leicht ist, ihn so zu liefern, daß er allgemein brauchbar wird.

Da indessen bey Endesgesetzter Buchhandlung von Einheimischen sowohl als von Ausländern, immer nach Bergkalendern gefragt und wiederholt der Wunsch geäußert worden ist, daß sich doch jemand mit Wiederherausgebung eines Bergkalenders beschäftigen möchte: so hat man sich endlich zu einem Versuche für künftiges Jahr entschlossen, und eine beym Chursächsischen Bergbaue angestellte Person die Einrichtung und Fertigung eines solchen Bergkalenders übernommen.

Druck, Papier und Format soll wie bey dem vom Herrn Hauptmann von Archenholz bey Hrn. Haude und Spener für jetziges Jahr herausgegebenen historischen Kalender, das äußere desselben so geschmackvoll als möglich und die innre Einrichtung folgende seyn:

1) soll die allgemeine Eintheilung der Zeit beym Bergbaue angegeben werden, sodann
2) die besondern Epochen der sächsischen Bergwerksgeschichte, hierauf
3) der Kalender folgen, bey welchen alle, die beym Sächs. Bergbaue zu gewissen Expeditionen festgesetzten Termine, als Sessionstage der Bergämter, Zehendentag, Lohntag, Anschnitt, Besichtigung der Bergmaterialien, Retardat, Ausbeut- und Verlagsschluß, Aus-beut und Verlagsausrechnung, Lohnreglement, Stollnbefahrung, Zubußausteilung, Erzlieferung, Erzklassification, Einsendung der jährlichen Conspekte und andrer Hauptberichte an das Oberbergamt, Receptionsanfang bey der Bergakademie etc. zu den dazu bestimmten Tagen und Wochen bemerkt werden.
4) Werden diesem Kalender außer dem von einem berühmten Meister gestochnen Titelkupfer, welches das Bild eines um den Bergbau sich verdient gemachten Mannes enthält, 12 Monatskupfer beygefügt, wo-

von 6, verschiedene in der Folge für Nichtbergleute erklärte Gegenstände der Bergbaukunde, enthalten, und 6 nach der Natur gemahlte Kupfer verschiedene Beamten und Officianten in ihrer Staatsuniform vorstellen. Nach dem Kalender folgen außer der Genealogie des jetzigen Churhauses Sachsen

5) Tabellen, welche die Bestimmung aller beym Bergbaue vorkommenden Maße und zwar
   a) Längen- und Tiefenmaße, als Fahrten, Lachter, Gezeugstrecken, Fundgruben, Maßen, auf Gängen und Gevierdtfeld etc. in Sachsen, nach Fuß und Ellen,
   b) Gefäß- und Förderungsmaße beym Bergbaue und Hüttenwesen, als Hunt, Kübel, Tonne, Korb Kohlen, Gefäße etc. nach körperlichen Inhalt,
   c) Zählmaß als Fuhren Erz, Wagesen, Garnitur Bleche, Schock etc.
   d) Gewichtmaß nach Centner, Mark, Pfund, Loth und Quentchen etc. in der bey den Fossilien überhaupt, und den Metallen insbesondere angenommenen Verschiedenheit,
   e) Geldmaß als Ausbeutthaler, Lohngelder, Neuschock, Gülden, Quatember, Verschreib- und Fristgelder, Zehenden und andre Gebührnisse etc. enthalten. Sodann kommt
6) ein Verzeichniß des sämmtlichen beym Chursächsischen Bergbaue angestellten Personals; hierauf
7) Erklärung der gemahlten Kupfer.
8) für solche Personen die noch keine Kenntniß vom Bergbaue haben, eine faßliche Erzählung wie der Bergbau betrieben wird, mit einem Worte, eine kurze Lehre von der ganzen Bergbaukunde. Weil aber bey aller Kürze dieser letztere Gegenstand des Bergkalenders doch ein viel umfassend ist, so wird in dem ersten Jahre nur ein Theil der Bergbaukunde und zwar die Geburgslehre, überhaupt, und die Lehre von den besondern Lagerstädten der Fossilien, der Gänge, Flötze, Stock- und Seifenwerke und ein Theil vom Grubenbau vorgetragen werden können, die übrigen aber in künftigen Jahrgängen folgen.

Die bey dem Kalender selbst bemerkten sächsischen Bergwerkstermine, und das Verzeichniß des Chursächsischen Bergpersonalis ausgenommen, ist ohnstreitig ein jeder der übrigen Gegenstände dem Ausländer so interessant als dem Inländer, und sollten diese beyden Dinge vielleicht erstrem angenehm seyn. Uebrigens findet auch derjenige, welcher keine Kenntniß vom Bergbaue hat, so wie besonders der Gewerke gewiß vieles in diesem Kalender, das ihn interessirt, und das er zu wissen ist nicht gewünscht hat. Aber weil sich Endesgenannte Buchhandlung wegen der übrigen bibliothischen Verlags etten so mehr seiner Sätzen muß, da ein Kalender, wenn er auch noch

no-h

noch so zwekmäßig iſt, nach Verfluſs eines halben, Jahres ſelten noch gekauft wird, und folglich die Handlung
keine weitere Hoffnung behält, aus den übrig gebliebenen Exemplaren den Reſt ihrer Verlagskoſten noch zu bekommen; ſo iſt daher nöthig, daſs Liebhaber eines ſolchen
Kalenders auf die Exemplare, die ſie nehmen wollen, ſubſcribiren. Der Termin, bis zu welchem dies geſchehen
kann, iſt bis mit Anfang Junius d. J. und der gewiſs geringe Preis, um welchen Subſcribenten dieſen Kalender
erhalten, iſt 18 gl. den Louisd'or zu 5 Rthlr. ſächſiſch
gerechnet. Kommt zu dieſer Zeit, wie man nicht zweifelt, die nöthige Anzahl Subſcribenten zuſammen; ſo erſcheint der Kalender in der Michaelismeſſe d. J. gewiſs,
aber aus nur gedachtem Grunde werden keine Exemplarien mehr als die Subſcribierten gedruckt, und auſſer dieſen ſind folglich ſodann keine weiter zu bekommen. Wer
die Güte hat dieſe Unternehmung durch Subſcribenten-
ſammeln zu unterſtützen, erhält allemal das 11te Exemplar frey.

Für diejenigen Orte, in welche keine ausländiſche
Kalender eingeführt werden dürfen, wird man denſelben
unter dem Titel: Bergmänniſches Taſchenbuch mit Weglaſſung
des Kalenders liefern, nur muſs bey jeder Beſtellung beſtimmt werden, ob Kalender oder Taſchenbuch verlangt
wird.

Alle Buchhandlungen Deutſchlands nehmen Subſcription an, und auſſer dieſem und dem Zeitungs- und In-
telligenzcomptoir in Leipzig und Dresden, noch folgende
Perſonen, nämlich: in Johanngeorgenſtadt Herr Bergamts-
aſſeſſor Aurich, in Eibenſtock Herr Hammerinſpector Lößig,
in Marienberg Herr Zehendner Helbig, in Aunaberg Herr
Schichtmeiſter Brauner, in Frißberg Herr Hüttenſchreiber
Kirchhof, in Schneeberg Herr Bergamtsregiſtrator Beyer,
in Altenberg Herr Bergmeiſter Teichelmann, in Weimar
Herr Bergſekretär Voigt, in Dresden Herr Advocat Müller,
in Halle Herr Bergkadet Kaſten, in Breitenbach im
Schwarzburgiſchen Herr Paſtor M. Emmerling, in München
Herr Bergrath Flurl, in Leipzig Herr Kandidat Burſtun,
in Bern Herr D. Höpfner, in Riga Herr Bernhardi, in
Petersburg Herr Oberbergmeiſter Illmann, und Herr Oberbergmeiſter Renovanz, in Schemnitz Herr Bergrath Hof-
dinger, in Joachimsthal Herr Bergmeiſter Pürtner, in Stuttgart Herr Expeditionsrath Wiedmann, in Wolfach im
Fürſtenbergiſchen Herr Bergrath Selb, in Wetter im Klev-
märkiſchen Herr Obereinfahrer v. Kölln.

Bey allen dieſen Collecteurs iſt auch ein illuminirtes
Probekupfer zu ſehen.

Briefe und Gelder werden poſtfrey an die Craziſche
Buchhandlung in Freyberg, eingeſandet, die Kalender
aber nicht weiter als bis Leipzig frey geſendet. Die Sub-
ſcribenten-Verzeichniſſe erbitte man ſich mit Anfang
Jun. d. J. Freyberg, im Monat Februar. 1789.

Craziſche Buchhandlung.

III. Vermiſchte Anzeigen.

In achten Stück der neuen wöchentlichen Nachrichten
des Hn. D. Cunzlers in Göttingen d. J. ſteht bey Gelegenheit der Anzeige meines Verſuchs einer Berichtigung der
Urſprungs der Pfalzgraͤſchaft am Rhein (S. T. Merkur
d. J. Jan.) folgende Stelle:

„Auch in der Aufſtellung der Sätze des Verf. zur Auf-
„klärung der ganzen Geſchichtsfolge S. 3c. u. ff. kom-
„men Stellen vor, die nicht ſo geradezu ſich ausdrin-
„gen laſſen, ſondern Beweiſe fodern, welche oft ſehr
„ſchwer und wohl gar nicht zu führen ſeyn dürften.
„Kenner werden leicht aus den folgenden Worten des
„Verf. ſehen, worauf ich ziele. Iſt dem Herzogth.
„Rheinfranken, heiſt es, war urſprünglich kein Pfalz-
„graf; der Teutſche König ſelbſt war wahrer höchſter
„Herzog der Franken; der unter ihm ſtehende höchſte
„Magiſtrat der rheiniſch. Franken hieſs zwar Herzog,
„war aber, wenigſtens ſo lange der König lebte, einge-
„ſchränkter als die andern groſſen Völkerherzoge, und
„hatte deswegen keinen Landpfalzgrafen zur Seite, deſ-
„ſen Amtsverrichtungen er, als Stellvertreter des Kö-
„nigs, und da er vermöge ſeines Amtes und Ranges
„zugleich Groſspfalzgraf war, ſelbſt verrichtete. Die
„Herzoge der Franken, wurden aber den andern bald
„an Macht gleich, und den Königen nun um deſto ge-
„fährlicher. Daher behielten Kaiſ. Heinr. III und IV
„das angefallene Herzogthum Rheinfranken für ſich und
„gaben es nicht mehr an andere. Allein weil man
„bald fühlte, daſs irgend ein höchſter Aufſeher und
„oberſter Richter in dieſen Landen ſeyn müſſe, ſo ward
„nun ein Pfalzgraf für dieſelben ernannt. — Dies al-
„les ſteht ſo da, ohne den allermindeſten Beweis, grade
„als wenn es allgemein ausgemacht und richtig ſey.
„Allein daran fehlt wahrlich noch viel.“

Schon meine Einleitungsperiode zu dieſer Stelle:
„Wie wäre es, wenn man folgende Sätze zur Erklärung der ganzen Geſchichtsfolge annähme?“ zeigt an, daſs
dieſe Darſtellung im ganzen bloſs meine Hypotheſe, und ich halte dafür, daſs es in der Geſchichte,
wie bi jeder andern Wiſſenſchaft, welche Erfahrung vor-
ausſetzt, erlaubt, ja, um ſie zu einem Ganzen zu machen,
nothwendig ſey, Hypotheſen zu machen, wenn

1) eine Lücke auszufüllen iſt, die die Verbindung zu
einem Ganzen hindert, oder wenn eine Begebenheit
zu erklären iſt, die in die Darſtellung des Ganzen
Einfluſs hat; und

2) kein einziges ſtrenge zu beweiſendes Factum dā iſt,
das zur Ausfüllung dieſer Lücke dient;

und daſs dieſe Hypotheſe alle Erfoderniſſe einer Hypotheſe erfülle, wenn

1) ihr kein andres zuverläſſiges Factum entgegenſteht,
und ſie

2) zur Verbindung des Ganzen, und Erklärung deſſen,
was ſie erklären ſoll, tauglich iſt.

Mir ſcheint es, daſs die von mir aufgeſtellte Hypotheſe
dieſe Erfoderniſſe erfüllt habe. Es hängt indeſſen natürlich von eines jeden Prüfung und Ueberzeugung ab,
ob er ſie annehmen könne und wolle. — Allein Hr. C.
behauptet, daſs nicht etwa bloſs die Darſtellung im ganzen, ſondern alle, oder doch die meiſten in der ge. 3 ten
Stelle enthaltenen Facta bloſse Hypotheſe wären. Denn
er ſagt, „es fehle noch viel daran, daſs alles dies allgemein ausgemacht und richtig ſey.“ — Bey dieſer Behauptung hört mein Intereſſe ganz auf, und es tritt das Intereſſe der Wiſſenſchaft ein; denn ich bin nun froylich der
Meynung, daſs das meiſte davon ausgemacht und einzig

sey, und also zu den rechtmäßigen Besitzungen dieser Wissenschaft gehöre. Um darüber mich genauer zu erklären, muß ich die gedachte Stelle zergliedern. Mir scheinen überhaupt folgende Sätze darinn zu liegen:

1) Im Herzogthum Rheinfranken war ursprünglich kein Pfalzgraf.
2) Der deutsche König selbst war wahrer höchster Herzog der Franken.
3) Es gab noch einen besondern Magistrat der Franken, der Herzog hieß;
4) dieser stand unter dem Könige.
5) Er war eingeschränkter als die andern großen Völkerherzoge, wenigstens so lange der König lebte.
6) Er hatte keine Landpfalzgrafen zur Seite.
7) Er war Stellvertreter des Königs.
8) Er war Großpfalzgraf.
9) Er verrichtete wegen der beiden letzten Ursachen die Amtsverrichtungen des Landpfalzgrafen.
10) Die Herzoge von Franken wurden in der Folge den andern an Macht gleich.
11) Sie wurden nun den Königen (wegen ihrer besondern Lage) noch gefährlicher, als die andern.
12) Heinrich III und IV behielten das angefallene Herzogthum Rheinfranken für sich und vergaben es nicht mehr.
13) Es wurde aber ein Pfalzgraf für diese Lande ernannt.
14) Dies geschah deswegen, weil man fühlte, daß doch ein höchster Aufseher und Richter hier nöthig war.

Von diesen Sätzen habe ich eigentlich keinen einzigen zuerst vorgetragen; denn das eigenthümliche meiner Hypothese liegt noch nicht in dieser Stelle, sondern kommt erst nachher. Ich halte aber die meisten, nämlich N. 1. 2. 3. 4. 6. 7. 10. 12. 13. für ausgemacht und richtig, oder, mit andern Worten, für Sätze, welche von andern Geschichtsforschern völlig bewiesen seyn; mehrere; z. B. N. 5. 8. 11. 14. für höchst wahrscheinlich, wofür auch andere Geschichtsforscher die Gründe vorgetragen haben; und den einzigen N 9. für eine Hypothese, die aber alle Erfordernisse für sich hat. Daß dies meistens nicht Sätze sind, die unter den gangbaren und gewöhnlich angenommenen cursiren, weiß ich wohl; aber unter diesen dürfte es wohl noch etwas zu verbessern seyn, wie ich freylich täglich mehr lerne und überzeugt werde, und meine Abhandlung ist euch, wie der Augenschein lehrt, nicht für gewöhnliche Liebhaber der Geschichte, sondern für Kenner und Forscher geschrieben, bey denen ich vorausssetzen durfte, daß sie mit den wichtigsten Untersuchungen bekannt seyn.

Da indessen Hr. C. die Richtigkeit dieser Sätze leugnet, und diese auf die fernere Bearbeitung der deutschen Geschichte überhaupt sehr großen Einfluß haben dürften; so frage ich hiemit an:

1) Ob er die von mir als ausgemacht und richtig angegebnen Sätze als solche anerkennt? — In diesem Falle wäre dann schon sein Urtheil, wie die Aufzählung beweist, sehr einzuschränken. — — Wenn aber nicht, von welchen ER das Gegentheil beweisen wollte? damit die entgegenstehenden Beweise großer Geschichtsforscher dagegen verglichen werden können. — Oder

endlich von welchen ER meyne, daß bisher noch kein Beweis geführt sey? Wo ich mich denn gern erbiete, nicht den Beweis zu führen, denn das ist nicht nöthig; sondern ihm bloß die Schriften zu nennen, wo dieser geführt sey.

2) Welchen von der zweyten Klasse er an Wahrscheinlichkeit fehle? was der Wahrscheinlichkeit entgegenstehe? oder ob die Gründe dafür etwa bisher nicht vorgelegt seyn?

3) Was der zuletztgedachten Hypothese an den nöthigen Erfordernissen abgehe? oder was ihr entgegenstehe?

Auch wünschte ich zu erfahren, was für „Daten der Wahrscheinlichkeit“ das seyn, „aus denen,“ wie Hr. C. vorher sagt, „es sich ergebe, daß es schon früher Pfalzgrafen am Rhein als Gottfried von Calwe gab.“ Die Entdeckung dürfte (wenn nicht Ludwig von Staufen, den ich auch als einen wahrscheinlichen Rheinpfalzgrafen genannt habe, oder Heinrich von Lach, von dem doch Hr. C. gesteht, daß ich die Beweise für ihn sehr gut entkräftet habe, gemeynt ist,) ebenfalls von großem Belang für die ältere deutsche Geschichte seyn.

Ich glaube, durch diese Anfrage Hr. C. selbst den größten Dienst zu leisten, weil ER dadurch Gelegenheit erhält, seine Befugniß, über solche Untersuchungen so absprechend zu urtheilen, vor dem Publicum, das vielleicht schon nach Beweisen derselben umhersah, zu documentiren.

Jena, d. 9 März. 1789.

Hufeland, Prof.

In einer mir so eben zugekommenen Schrift: Mehr Noten als Text, oder die Deutsche Union der Zwey und zwanziger, einer neuen geheimen Ordens zum Besten der Menschheit. Leipzig bey Göschen 1789. finde ich Seite 59 eine Liste der Deutschen Union; und in dieser zu meinem nicht geringen Befremden: Aachen v. Dohm, Reg. Rath.

Obgleich Aachen keineswegs mein gewöhnlicher ordentlicher Wohnort, und der meinem Namen beygesetzte Amtscharacter nicht der meinige ist; so kann ich doch nicht wohl zweifeln, daß der Urheber dieser Liste, so wenig ich ihm auch bekannt zu seyn scheine, Niemand anders als mich gemeynt habe, auch die meisten Leser derselben keinen andern als mich für das hier aufgeführte Glied dieser Union nehmen dürften. Da mir aber sehr daran gelegen ist, nicht für ein solches Glied genommen zu werden, so habe ich hiedurch öffentlich erklären wollen, daß ich niemals weder directe noch indirecte dieser sogenannten Deutschen Union beygetreten sey, auch Niemand in der Welt einen Anlaß gegeben habe, mich in einer Liste dieser Mitglieder aufzuführen.

Sollte diese Erklärung irgend woher widersprochen werden, so liegen die im Original aufbewahrte zwey Briefe der XXII. an mich, und eine genaue Copie meiner darauf ertheilten Antworten zur öffentlichen Bekanntmachung bereit. Aachen den 4ten März 1789.

Christian Wilh. von Dohm,
Königl. Preuß. Geh. Kreis-Directorial-Rath und bevollmächtigter Minister am Churcöllnischen Hofe in im Niederrheinisch Westphäl. Kreise.

INTELLIGENZBLATT

der

ALLGEM·LITERATUR-ZEITUNG

Numero 39.

Sonnabends den 21ten März 1789.

LITERARISCHE NACHRICHTEN.

I. Vorläufige Berichte von ausländischer Literatur.

Prag, bey von Schönfeld: *Nowy Kolendar Tolerancy pro weſſkeren Narod czesky Katolickeho y Ewangelickeho nabozenſtaj. Na ruk 1789. od M. W. Kramer-yusa.* 1789. 8. 4 Bogen, 12 gr.

Das ist: Toleranz-Kalender für die Böhmen katholischer u. protestantischer Religion. Enthält 1) den ordentlichen katholischen und protestantischen Kalender neben einander auf zwey Spalten. 2) Kleine Erzählungen und Fabeln. 3) Das Toleranz-Patent vom J. 1781. 4) Die Kriegsbegebenheiten des Feldzugs vom 1788 J. 5) Die K. K. Verordnungen für Böhmen seit 1786 im Auszuge etc.

Prag, bey v. Schönfeld. *Patentnj Rucžnj Knjžka pro Mirſtiana y ſedlaka. to geſt: Naležity Wytach wſſech eyſurskych kral. patentu a marizenj, ktera od roku 1780 az do roku 1783 prjſla.* Wezeſſina vwedeno procy *M. W. Krameryusa.* Prwnj Djl. 1789. 8. 238 Seiten. Enthält 1018 seit dem J. 1780 bis 1783 herausgegebene k. k. Hofdecrets im Auszuge, böhmisch für den Bürger und Bauer verfaßt von H. Kramerius.

Prag, bey Schönfeld. *Nowj czeſſti Spiewowe pro krajne Pohlawj ženſke.* 1788. 8. 16 Seit. Es sind Lieder für das schöne Geschlecht.

Laidomku ziwot a geho czinowe z czirtym geho Wyobrazenym przelozeny od M. W. Krameryusa. 1789. 8. 3 Bogen (10 Xr.) Ist eine Lebensbeschreibung des G. Feldmarschall Laudon nebst seinem Portraite, geschrieben von H. Kramerius böhmisch.

Wien, bey Kurzbek: *Zoo otaʃ l nevaljao ſin ill roditelji utſite varchu deʃu poznavati edna narovvutſitelna veſela igra za deʃu u tretiri djeiſtvia.* ſplsana Franz. Xav. Starch a prevedena z nemeʃkog ot Emanuila Jancovitsa. 1789. 7 Bogen 8. (49 Xr.) D. i. der böse Vater und der schalkhafte Sohn, ein Lustspiel aus dem Deutschen des Fr. Xav. Starch ins Illyrische übersetzt von Emanuel Jankowitz.

Wien bey Kurzbek: *Opiranje zivota i herolʃreſſile dich Cei. rž Kraljvorskage Feld-marſchala Barone ot Laudon prewadano z nemeʃkog ot Email. Jankovitsa.* 1788. 8. 1 Bogen (7 Xr.) D. i. Lebensgeschichte des K. K. Feldmarſchals Beran von Laudon aus dem Deutschen übersetzt ins Illyrische.

II. Todesfälle.

Den 26 Nov. vor. Jahrs starb zu *Feversham* in Kent im 78 Jahr seines Alters *Edw. Jacob*, Esq. F. A. S; seit mehreren Jahren war er Stadtwundarzt, und mehr als einmal Mayor daselbst. Ein treflicher Alterthumsforscher und Naturkündiger; besonders bekannt durch seine *„Hiſtory of Feversham* 1774. 8. seine *„Plantae Fevershamenſes et Foſſila Shepeluna* 1777. 12. und einige Abhandlungen in den *Philoſophical Transactions* und der *Archaeologia, Gentlemans Magazine.* 1788. December.

Den 28 Dec. v. J. starb zu London, Hr. *Logan*, Prediger zu *Leith*, als Dichter und Verfasser der mit Eleganz und Ordnung geschriebenen *Elements of Hiſtory*, und der mit größtem Beyfall aufgenommenen *Lectures on Hiſtory* bekannt. Sein neuestes Werk war: *A Review of the principal charges against Warren Haſtings, Esq.* — *Gentlemans Magazine* 1788. Suppl.

III. Vermischte Nachrichten.

Auf Subscription ist eine vollständige Ausgabe der Werke von Goldoni unter dem Titel angekündigt: *Opere teatrali del Sigr. Avocato Carlo Goldoni venexiano che ſi stampano per aſſociazione da Antonio Zatta e figli librai stampatori Veneti coi rami alluſive.* Jeder Band wird 260 S. enthalten, und 4½ R. Paoli kosten.

In Venedig arbeitet man an einer Ausgabe der Werke des Grafen Algarotti, die richtiger und vollständiger seyn wird, als die zwey bisherigen zu Livorno und Kremona. Einsichtsvolle Männer arbeiten schon seit einiger Zeit an der Auswahl seiner Manuscripte. Es sind darunter viel interessante Briefe an den verst. König v. Preußen, die Marggräfinn von Bareuth, Voltaire, und andre große Männer, auch viele die schönen Künste betreffende Artikel.

LITERARISCHE ANZEIGEN.

I. Verzeichniſs

der öffentlichen Vorleſungen, welche von Oſtern 1789 bis dahin 1790 in der Herzoglichen Hohen Carlſchule zu Stuttgart gehalten werden.

Religion.

In den *erſten Religionskenntniſſen* wird Hr. *Bernhard* den jüngern Zuhörern nach Anleitung des *Seileriſchen Katechiſmus* und kleinen bibliſchen Erbauungsbuchs Unterricht geben.

Herr Akademieprediger Profeſſor *Schmid* wird denſelben in einem katechetiſchen Unterricht die Hauptgrundſätze der evangeliſchen Glaubenslehre faſslich zu machen ſuchen.

Herr Profeſſor und Hofkaplan *Müller* erklärt den *hiſtoriſchen Inhalt, der heiligen Schriften des alten und neuen Teſtaments*, und wird auch die *Geſchichte des Anfangs und des Fortgangs der Chriſtlichen Religion* nach ſeinem eigenen Entwurf vortragen.

Herr Profeſſor *Cleſs* wird die *Evangeliſche Glaubenslehre* in einem freyen, ſchrifmäſsigen Vortrage, und *die chriſtliche Sittenlehre* nach *Titmanns* Lehrbuche erläutern.

Juridiſche Vorleſungen.

A.) In dem Sommerhalbjahr.

Die *Encyklopädie* und *Methodologie der Rechtsgelehrtheit* lehrt Herr Profeſſor D. *Danz* nach *Gildemeiſter*;

Das *Recht der Natur* Herr Prof. D. *Baz* nach *Höpfners*;

Die *Geſchichte der in Teutſchland geltenden Rechte* trägt Herr Profeſſor D. *Danz* nach den *Selchowiſchen Lehrbuch* vor.

Die *Alterthümer des romiſchen Rechts*, ebenfalls nach *Selchow*, erklärt Herr Hofjunker *von Marſchall*;

Die *Pandekten* Herr Regierungsrath D. *Elſaſſer* nach *Heſsfeld*;

Das *kanoniſche Recht* Herr Hofjunker *von Marſchall* nach G. L. *Böhmer*, und

Das *Teutſche Staatsrecht* Herr Regierungsrath D. *Reuſs* nach *Pütter*.

Ueber das *Territorialſtaatsrecht* wird Herr D. *Cotta* nach *Schnauberts* Anfangsgründen des Staatsrechts der geſammten Reichslande mit Rückſicht auf das beſondere Staatsrecht des Vaterlandes oder des einſtigen Beſtimmungsorts ſeiner Zuhörer, Vorleſungen halten.

Das *Privat- Fürſtenrecht* nach *Pütter* oder Montesquicu Esprit des Loix erklärt Herr Regierungs-Sekretär *Lempp*.

Ueber das *Europäiſche Völkerrecht* wird Herr Regierungrath *von Normann* nach *Martens* prinis lineis juris gent. europ. pract. Vorleſungen halten.

Eine Einleitung in den *gemeinen Prozeſs* mit praktiſchen Uebungen verbunden giebt Herr Profeſſor D *Danz* nach *Knorr*;

Die *Theorie des Proceſſes der höchſten Reichsgerichte*, mit durcharbeitungen verbunden trägt ebenderſelbe nach *Pütter* Nova epitome proceſſus imperii vor.

B.) In dem Winterhalbjahr.

Die *Reichsgeſchichte* wird Herr Hofjunker *von Marſchall* nach *Pütter's* gröſserem Lehrbuche vortragen.

Das *Kriegsrecht* lieſt ebenderſelbe nach eigenen Heften den militär. Zuhörern.

Das *natürliche Staatsrecht* erklärt Herr D. *Cotta* nach *Scheidemantel*;

Die *Inſtitutionen des Romiſchen Rechts* Herr Profeſſor D. *Baz* nach *Hofaker*;

Die Vorleſungen über die *Pandekten* wird Herr Regierungsrath D. *Elſaſſer* nach *Heſsfeld* fortſetzen.

Das *Teutſche Privatrecht* wird Herr Profeſſor D. *Danz* nach dem *Selchowſchen* Lehrbuche vortragen;

Das *Lehnrecht* ebenderſelbe nach *Böhmer*, und

Das *Peinliche Recht* Herr Regierungsrath *von Normann* nach *Koch*.

Das *Wirtembergiſche Privat- Recht* erklärt ebenderſelbe, und wird *das Herzogliche Landrecht* ſelbſt zum Grund legen.

Den *Ganth- Prozeſs* wird Herr Regierungs-Sekretarius *Lempp* erlautern.

Eine Einleitung in die *Staatspraxis* mit Ausarbeitungen verbunden nach einem eigenen Plan, oder Vorleſungen über das *Territorialſtaatsrecht*, oder über das *Wirtembergiſche Staatsrecht* nach *Breyer* giebt Herr Regierungsrath D. *Reuſs*.

Arzneygelehrtheit.

A.) In dem Sommerhalbjahr.

Herr Hofrath *Kerner* giebt Anleitung zur *Pflanzenkenntniſs*, ſowol in theoretiſchen Vorleſungen nach *Jacquin*, als auch praktiſch im botaniſchen Garten und auf Spaziergängen.

Die *Oſteologie* lehrt Herr Profektor D. *Morſtatt* nach eigenem Plan.

Die *Geſchichte der Arzneywiſſenſchaft* Herr Hofmedikus D *Plieninger* nach *Blumenbach*.

Herr Leibchirurgus Profeſſor *Klein* vollendet ſeine Vorleſungen über die *Wundarzneywiſſenſchaft* nach *Calliſen*, in Verbindung mit chirurgiſchen Operationen an Leichnamen, und trägt die theoretiſche *Anatomie* nach *Leber* vor.

Herr Hof- und Stadt-Chirurgus *Roſsnagel* führt fort zur *Entbindungskunſt* in hiezu bey dem hieſigen Krankenhäuſern auserſehenen Geburtsimmern praktiſche Anleitung zu geben.

Ueber die *allgemeine Semiotik* wird Herr Leibmedikus D. *Conſbruch* nach eigenem Plan Vorleſungen halten.

Die *Mineralogie* trägt Herr Leibmedikus D. *Reuſs* nach *Gmelin* vor.

Die *gerichtliche Arzneywiſſenſchaft* lehrt Herr Leibmedikus D. *Jäger* nach *Ludwig*.

Beede Hofmedici und Stadtphyſici, Herr D. *Reuſs* und Herr D. *Plieninger* werden ihre *praktiſch-pathologiſchen* Unterweiſungen in den öffentlichen Krankenhäuſern fortſetzen.

B.) In dem Winterhalbjahr.

Ueber die *Naturgeſchichte* lieſt Herr Hofrath *Kerner*

und wird feine Zuhörer öfters in das Herzogliche Naturalien - Kabinet führen.

Die *Medicinische Encyklopädie und Methodologie* trägt Herr Hofmedikus D. *Plieninger* nach *Selle* vor.

Herr Leibchirurgus *Klein* hält *praktisch - anatomische* Vorlefungen an Leichnamen, wobey zugleich die Zuhörer fowohl unter feiner, als auch des Herrn Profektor D. *Morstatt* Anleitung zum Selbftpräpariren angeführet werden.

Ueber die *allgemeine Therapie* lieft Herr Leibmedikus D. *Consbruch* nach eigenem Entwurf.

Ueber die *Chemie* giebt Herr Leibmedikus D. *Reuß* Vorlefungen nach *Erxleben*.

Herr Leibmedikus D. *Jäger* wird den Anfang bey dem Vortrag der praktifchen *Arzneywiffenfchaft* mit der Lehre von den *Fiebern* nach *Ludwig* machen.

Beyde Hofmedici und Stadtphyfici, Herr D. *Reuß* und Herr D. *Plieninger* fahren fort in ihren *praktifch - pathologifchen* Unterweifungen vor dem Krankenbette.

Herr Hof- und Stadt - Chirurgus *Roßnagel* fetzt feine *praktifche Anleitung zur Entbindungskunft* fort.

Militairifche Wiffenfchaften.

A.) In dem Sommerhalbjahr.

Die *Conftruction der geometrifchen Figuren* lehrt als eine Vorbereitung zur Geometrie Herr *Böbel;*

Die *Arithmetik und Buchftabenrechnung* Herr Lieutenant *Duttenhofer* nach *Hahn;*

Stereometrie, Trigonometrie und höhere Geometrie Herr Hauptmann *Miller* nach *Unterberger;*

Das *Aufnehmen und Nivelliren mit Inftrumenten* lehrt Herr Lieutenant *Duttenhofer* nach *Unterberger;* ingleichem

Das *Aufnahmen nach dem Augenmaas und das Profiliren der Berge* nach *Tielke;* ferner

Den *militairifchen Gebrauch des Perfpektiv - Micrometers* nach *Schürnhorft.*

Bürgerliche Baukunft Herr Kabinetsdeffinateur *Abriot;* *Artillerie* Herr Rittmeifter und Flügeladjutant *von Miller* nach *Struenfee*, mit Zufatzen aus den neueften Schriften.

Reine Taktik, ebenderfelbe nach eigenen Heften;

Kriegsbaukunft, Angrif und Vertheidigung der Feftungen Herr Lieutenant *Hahn* nach *Struenfee;*

Gefchichte der Kriegskunft Herr Hauptmann *Röfch* nach eigenen Heften, wobey die lezten Feldzüge des Marfchall *Turenne* ausführlich erklärt werden.

Im *Situationsplanzeichnen* giebt Herr Lieutenant *Duttenhofer*, in den *Artilleriezeichnungen* Herr Rittmeifter und Flügeladjutant *von Miller*, im *Feftungszeichnen* Herr Lieutenant *Hahn* Unterricht.

B.) In dem Winterhalbjahr.

Die *Algebra und Planimetria* lehrt Herr Lieutenant *Duttenhofer* nach *Hahn;*

Die *angewandte Mathematik* Herr Hauptmann *Miller* nach *Belidor;*

Die *mathematifche Geographie* insbefondere Herr Profeffor *Moß* nach feinem eigenen Plan;

Die *reine Taktik und Caftrametation* Herr Rittmeifter und Flügeladjutant *von Miller* nach feinem eigenen Werk;

Angewandte Taktik und Strategie Herr Hauptmann *Röfch*, nach *Jenney* in Abficht auf den Kleinen, und nach *Hauvillon* und eigenen Heften in Abficht auf den größten Krieg.

Ueber den *Dienft* und *militairifche Schreibart* wird Herr Intendant, Oberfter und Generaladjutant *von Seeger* nach feinem eigenen Entwurf Vorlefungen halten.

Im *Situationsplanzeichnen* giebt Herr Hauptmann *Miller*, in den *taktifchen Zeichnungen* Herr Rittmeifter und Flügeladjutant *von Miller*, im *Feldbefeftigungszeichnen* Herr Lieutenant *Hahn*, in der *Perfpektiv* Herr Hauptmann *Röfch* Unterricht.

Oekonomifche Wiffenfchaften.

A.) In dem Sommerhalbjahr.

Herr Hofrath *Kerner* lehrt die *Botanik* nach *Jacquin*, und wird fowohl im botanifchen Garten als auch auf Spaziergängen zur praktifchen *Pflanzenkenntniß* Anleitung geben.

Herr *Hartmann* erklärt die *ökonomifche Encyklopädia und Methodologie* nach *Lamprecht.*

Herr Rentkammer - Sekretär *Pfeiffer* trägt die *Landwirthfchaft* nach *Bekmann* und eigenen Auffatzen vor, und führet feine Zuhörer öfters auf das Feld, um ihnen die landwirthfchaftlichen Gegenftände anfchaulich zu machen.

Die *Mafchinenlehre* und die *Wafferbaukunft* erklärt Herr Lieutenant *Duttenhofer*. Erftere nach *Karften* mit Anwendung auf wirkliche Mafchinen.

Die *Staatshandlungswiffenfchaft* trägt Herr Profeffor *Schmid* nach *Sonnenfels* vor.

Die *Forft - und Jagdwiffenfchaft* lehrt Herr Hofrath *Stahl* nach feinem eigenen Plan.

Herr Kirchenraths - Expeditionsrath *Weiffer* trägt die *Kameralrechnungswiffenfchaft* nach dem *Jung'fchen* Lehrbuche, desgleichen

Die *Amtspraxis der Rechnungsbeamten* nach eigenem Plan vor.

Herr Handelsmann *Ritter* wird die *theoretifche* und *praktifche Handlungswiffenfchaft* nach eigenen Heften lehren.

Die *Handlungserdbefchreibung* erklärt Herr Profeffor *Franz* nach feinem Lehrbuche.

B.) In dem Winterhalbjahr.

Herr Hofrath *Kerner* lehrt die *Naturgefchichte* nach *Blumenbach*, und wird dabey die in dem Herzoglichen Kabinete befindliche Körper felbft vorzeigen und erklären.

Herr *Hartmann* lehrt die *Hauswirthfchaft* nach eigenen Heften;

Herr Rentkammer - Sekretär *Pfeiffer* erklärt die *Technologie* nach *Bekmann* und eigenen Auffatzen, und wird mit feinen Zuhörern öfters die Werkftätte der Profeffioniften und Handwerker befuchen.

Herr Expeditionsrath *Weiffer* trägt die *Polizeywiffenfchaft* nach *Sonnenfels*, und

Die *Kanzleypraxis* nach *Elfäffer* vor.

Die *Finanzwiffenfchaft* lehrt Herr Profeffor *Schmid* nach *Sonnenfeld;*

Die

Die *Bergwerks* - und *Münzwissenschaft* Herr Hofrath *Stahl* nach eigenen Heften;

Die *theoretische* und *praktische Handlungwissenschaft* Herr Handelsmann *Ritter* nach eigener Methode;

Die *Handlungserdbeschreibung* wird Herr Professor *Franz* nach seinem Lehrbuche fortsetzen.

Philosophische Wissenschaften.

A.) In dem Sommerhalbjahr.

Weltweisheit.

Um den Uebergang von der Philologie zur Philosophie zu machen, wird Herr Professor *Abel* seinen Zuhörern einige der philosophischen Schriften, des *Cicero* erklären.

Ebenderselbe lehrt die *Moral*, und die *Geschichte der Religion*, nach eigenen Heften.

Herr Hofrath *Schwab* wird die *Metaphysik* nach eigenen Heften und

Herr Professor *Schmid* den jüngern Zuhörern die *Grundsätze der Tugendlehre* nach einem dem zarten Alter angemessenen Plan vortragen.

Mathematik.

Die *Anfangsgründe der Arithmetik*, lehren Herr *Reithmann* und Herr *Böbel*; Letzterer auch die *Anfangs-gründe der Geometrie*.

Die ganze *Arithmetik, theoretisch und praktisch*, lehrt Herr Lieutenant *Duttenhofer* nach seiner eigenen Anleitung, und Herr Professor *Kaußler* erklärt die *theoretische Arithmetik* nach eigenen Grundsätzen.

Herr Lieutenant *Duttenhofer* lehrt *theoretische Geometrie, Trigonometrie* und *praktische Geometrie*, letztere wöchentlich einen halben Tag auf dem Felde, wo die Aufnahme allgemeiner und specieller Landkarten, und ganz detaillirter Plane, das Nivelliren und Höhenmessen, auch mit dem Barometer durch hinreichende Beyspiele mit neueren Instrumenten ausgeführt, wird.

Die *Analysis* und *Algebra* wird Herr Professor *Moll* fortsetzen;

Ebenderselbe wird auch besondere Vorlesungen über die *mathematische Geographie* halten.

Die *Theorie der Naturlehre* nach Erxleben mit einem vollständigen Cursus der *Experimentalphysik* verbunden wird Herr Professor und Bibliothekar *Kapp* lt, und

Die Lehre von der *Elektrizität* besonders, mit Versuchen begleitet, Herr Professor *Groß* vortragen.

Geschichte und damit verbundene Wissenschaften.

In der *politischen Erdbeschreibung* ertheilen den ersten Unterricht Herr Magister *Schloterbek*, Herr *Kellenbach* und Herr Magister *Hübner*.

Herr Professor *Haußleutner* wird fortfahren, die Erdbeschreibung von *Europa* und einigen *asiatischen Reichen* nach Pfennig vorzutragen.

Die ganze *politische Erdbeschreibung* lehrt Herr Professor *Goriz* nach Pfennig, und die *Erdbeschreibung* für die *militairische Abtheilungen* nach ihrem besondern Bedürfnisse, vortragen.

Herr Professor *Elbe* wird ein *Collegium novellaticum* lesen.

Das *Leben der berühmtesten Männer der alten und neu-*

en Zeiten erzählen die Herrn Professoren *Drük* und la *Motte* in historischen Vorbereitungsstunden.

Die *alte Geschichte* lehrt Herr Professor *Drük* nach dem Römer'schen Handbuch;

Die *neuere allgemeine Geschichte von dem 16ten Jahrhundert an bis auf den Westphälischen Frieden*;

Die *Geschichte des achtzehnden Jahrhunderts*, und

Die *Statistik* lehrt Herr Hofrath Professor *Schott*; die erstere nach eigenen Heften, und die letztere nach dem Römer'schen Handbuch.

Den Ausländern wird Herr Prof. *Ströhlin Statistische Lektionen* in französischer Sprache geben.

Die *Wappenkunde* lehrt Herr Hofrath, Professor *Vischer* nach Gutterer.

Philologie, Alterthümer und schöne Wissenschaften.

Die *Anfangsgründe der lateinischen Sprache* lehren Herr Magister *Schlotterbek*, Herr Magister *Hübner* und Herr Magister *Gauß*, durch Erklärung der Haußleutner'schen *Chrestomathie* und durch Zuziehung der Scheller'schen Lehrbücher.

Eben dieser Lehrbücher bedienen sich auch Herr Kellenbach, Herr Magister *Nadelen* und Herr Professor Haußleutner bey ihrem lateinischen Unterricht.

Den *Sueton* und *Virgils Aeneide* erklärt Herr Professor *Franz*;

Den *Florus* und den *Eutropius* Herr Professor *Drük*;

Den *Tacitus* und *Horazens Briefe*, Herr Professor *Noß*, welcher seine Zuhörer zugleich in *lateinischen Kompositionen* übt.

Die *Römischen Alterthümer* wird ebenderselbe nach *Nieuport* lehren.

Die *Anfangsgründe der griechischen Sprache* lehren Herr Magister *Gauß* und Herr Magister *Nadelen* durch Erklärung der *Geßner'schen* und *Gedike'schen Chrestomathie*.

Herr Professor *Noß* wird *Xenophons Denkwürdigkeiten des Sokrates*, erklären.

Zur Bildung des Verstandes und des Herzens, auch um die *Kunst*, richtig zu lesen, beyzubringen, erklärt Herr Professor *la Motte* einer der jüngern, Abhandlungen *Suizers Vorübungen* zur Erweckung der Aufmerksamkeit.

Die *schönen Wissenschaften* trägt Herr Professor *Abel* nach *Adelung* Lehrbuch über den *deutschen Styl* vor, und übt seine Zuhörer zugleich in Verfertigung teutscher Aufsätze, worin ihm von allen Lehrern, welche wöchentlich eine Stunde hiezu aussetzen, vorgearbeitet wird.

Lebende Sprachen.

Den ersten Unterricht in der *französischen Sprache* nach *Pepliers Grammatik* und Herrn Professor *de la Veaux Metxodenbuch* ertheilen Herr Mad... Herr Professor *Stockdorps* und Herr Professor *Kaußler*.

Herr Professor *la Motte* theilt seinen Unterricht in der *französischen Sprache* so ein, daß in bestimmten Stunden nur gesprochen wird, wozu Tausstücken Züge aus der Geschichte zur Unterhaltung gewählt werden; in andern werden *Uebungen im französischen Style* gehalten. Den Schriftsteller, welchen er erklären wird, kann er erst nennen, wenn er die Fertigkeit der neuen Zuhörer geprüft haben wird. Allen drey Arten fügt er practischen Unterricht in der Sprachlehre bey.

Herr

313

Herr Hofrath *Schwab* wird feinen Zuhörern aus einem befonders hiezu gewählten Werke der Gräfin *von Genlit* die Conftructionen und Perioden deutfch vorfagen, fie diefelbe mündlich in's franzöfifche überfetzen, und wenn die Conftruction im Reinen ift, folche durch mehrere feiner Zuhörer aus dem Gedächtniß nachfagen, und fodann erft fchreiben laffen.

Herr Hofrath Profeffor *Bur* wird feinen Zuhörern Mufter aus den beften franzöfifchen Dichtern und Profaikten vorlegen,

Alle werden auch Uebungen in fchriftlichen Auffätzen und im Reden mit ihren Vorlefungen verbinden.

Herr Profeffor *de la Veaux* hat bey feinen Vorlefungen nach Maasgab der Kenntniffe feiner Zuhörer folgende Methode gewählt:

1) wird er eine hinlängliche Anweifung zum *franzöfifchen Styl* geben, 2) feine Zuhörer auserlefene Stücke aus dem franzöfifchen ins deutfche überfetzen, 3) eine reine Ueberfetzung der nemlichen Stücke felbft diciren, und dabey diejenige Regeln, welche er in feinem Unterricht über den Styl gegeben, in Anwendung bringen, zugleich aber auch den verfchiedenen Geift einer jeden Sprache zeigen; 4) wird er einmal in jeder Woche einen Brief von einem berühmten Schriftfteller lefen laffen, und hernach feinen Zuhörern felbft ohngefähr über denfelben Inhalt einen zu verfertigen geben. Hierauf wird er die Auffätze berichtigen, und das Original felbft, welches dabey zum Mufter gedient, diktiren.

Die Anfangsgründe der *italiänifchen Sprache* erklärt Herr Profeffor *Procopio* noch Veneri-Sprachlehre, und wird auch diejenigen, welche fchon hinlängliche Stärke befitzen, den *Metaftafio, Taffo, Telemaco* und *Guldoni* überfetzen laffen.

In der *englifchen Sprache* geben Herr Rentkammerfekretarius *Pfeiffet* und Herr Lieutenant von *Stejahel* den erften Unterricht, und erklären denjenigen, welche fchon die nöthigen Kenntniffe in diefer Sprache haben, Gode Mafter pieces of good writing, fo wie fie auch zu Ausarbeitungen und zum Reden anführen.

Herr *Mahl* ertheilt in den *Anfangsgründen* der franzöfifchen Sprache nach *Peifters* Sprachlere und Herrn Profeffor *de la Veaux* Methodenbuch Anweifung.

In der *deutfchen Sprache* fowohl für Ausländer als für Teutfche giebt Herr Profeffor *je* nach *Adelung's* Sprachlehre Anleitung, und läßt feine Zuhörer in eigenen Auffätzen Verfuche anftellen.

Herr Profeffor *Ströhlin* giebt den Fremden in Deutfchen und Franzöfifchen Unterricht, und

Herr Profeffor *la Motte* wird Anleitung zum deutfchen Briefftyl geben.

Desgleichen wird Herre *Erhard* den Anfängern in einigen Stunden fchöne Stellen aus guten klaffifchen Schriftftellern vorlefen, und folche wieder lefen laffen, und dabey Sprachunrichtigkeit und fehlerhafte Ausfprache berichtigen; auch manche Wörter nah ihrer Abftammung, und ihren verfchiedenen Bedeutungen erklären.

B) *In dem Winterhalbjahr.*
Weltweisheit.

Die *Pfychologie* trägt Herr Profeffor *Abel* nach feinem Lehrbuch vor;

Die *Logik* und *Philofophifche Gefchichte*, nach eigenen Heften, Herr Hofrath *Schwab*;

Die *Gefchichte der Religion* fetzt Herr Profeffor *Abel* fort.

Herr Profeffor *Schmid* wird ferner den jüngern Zuhörern die Grundfätze der *Tugendlehre* nach obiger Methode vortragen.

Mathematik.

Die Anfangsgründe der *Arithmetik* lehren Herr *Reichmann* und Herr *Bükel*;

Die ganze *theoretifche* und *praktifche Arithmetik* lehrt Herr Lieutenant *Dattenhofer* nach feinem Lehrbuch;

Herr Profeffor *Kanfler* lehrt die *theoretifche Arithmetik* nach eigener Methode;

Herr Lieutenant *Dattenhofer* die *theoretifche Geometrie* und *Trigonometrie*, ingleichem

Die *Waffenkunft* und *Mafchinenlehre*, fo wie er auch die *Mühlwerke* nach *Mönnich* erklärt;

Die *Analyfis* fetzt Herr Profeffor *Moll* fort, und fängt die *Phyfifche Geographie* und die *Trigonometrie* an.

Die Vorlefungen über die *theoretifche* und *Experimentalnaturlehre* mit hinlänglichen Verfuchen begleitet fetzt Herr Profeffor *Rappot* fort, gleichwie auch

Herr Profeffor *Groß* mit Erklärung der Lehre von der *Elektricität* und mit denen darüber anzuftellenden Verfuchen fortfahren wird.

Gefchichte
und
damit verbundene Wiffenfchaften.

Herr Magifter *Schlotterbek*, Herr *Kellenbach*, und Herr Magifter *Hübner*, ertheilen den erften Unterricht in der *politifchen Erdbefchreibung.*

Herr Profeffor *Hauslentner* wird die Erdbefchreibung *von Afien* lehren.

Herr Profeffor *Göriz* fetzt die *Erdbefchreibung* fort.

Herr Profeffor *Ebe* fein Collegium novelliticum, und

Herr Profeffor *Frank* feine geographifche Vorlefungen gleichfalls fort, und wird für die Repetitionskurfus die *Gefchichte der neueften geographifchen Entdeckungen* erzählen,

Herr Profeffor *la Motte* trägt das Leben großer Männer aus den ältern Zeiten vor.

Herr Profeffor *Drük* wird die *mittlere Gefchichte* nach *Remer* lehren.

Herr Hofrath *Schott* wird die *Gefchichte vom Weftphälifchen Frieden an*, bis auf das achtzehnte Jahrhundert, ingleichem feine

Vorlefungen über die *Statiftik* fortfetzen.

Herr D. *Cott* wird die europäifche Statiftik mit Anwendung eines jeden Satzes der allgemeinen Statiftik auf die einzeln europäifchen Staaten lehren.

Herr Profeffor *Stoll* wird den Fremden die Statiftik in franzöfifcher Sprache vortragen.

Herr

Herr Hofrath *Vischer* wird über die *Diplomatik* nach *Schwabe* lesen.

Philologie, Alterthümer und schöne Wissenschaften.

Die Anfangsgründe der *lateinischen Sprache* lehren Herr Magister *Schlotterbeck*, Herr Magister *Hübner* und Herr Magister *Gauß* nach der *Hauß-naturschen Chrestomathie*, deren sich auch Herr *Kissenbach*, Herr Magister *Nädelen* und Hr. Professor *Handlmaier*, bey ihrem *lateinischen Unterricht* bedienen.

Herr Professor *Franz* wird *Virgils Aeneide* und *Ciceros Briefe*, und

Herr Professor *Drück* den *Florus* und *Eutropius* erklären.

Herr Professor *Naß* wird mit Erklärung des *Tacitus* und der *Briefe des Horaz*, wie auch der *Römischen Alterthümer* fortfahren.

Herr Magister *Gauß* und Herr Magister *Nädelen* werden ferner die *Anfangsgründe der griechischen Sprache* lehren, und

Herr Professor *Naß* wird in der Erklärung der *Denkwürdigkeiten des Sokrates* fortfahren, und damit *Homers Odyssee* verbinden.

Herr Professor *la Motte* fahrt fort, mit den jüngern Zuhörern *Sulzers Vorübungen* zu lesen, und solche denselben zweckmäßig zu erklären.

Herr Professor *Abel* wird seine Vorlesungen über die *schöne Wissenschaften* fortsetzen.

Von allen Lehrern der philologischen Abtheilungen wird wöchentlich eine Stunde zu Uebungen in *deutschen Aufsätzen*, besonders in dem *Briefstyl* ausgesetzt; und in den niedern Abtheilungen der Anfang mit kleinen Geschichten aus *Sulzers Vorübungen*, und mit ganz kleinen Briefen gemacht, welche der Lehrer vorerzählt oder vorliest, und die hernach von den Zuhörern aus dem Gedächtniß niedergeschrieben werden.

Lebende Sprachen.

Die *Anfangsgründe der französischen Sprache* lehren Herr *Mahl*, Hr. Professor *Stochjorph* und Herr Professor *Kuntzler*.

Herr Hofrath *Schwab* wird nach obiger Methode fortfahren, seine Zuhörer im Uebersetzen, Sprechen und Schreiben zu üben.

Herr Professor *la Motte* wird nach der oben bemerkten Lehrart seinen Unterricht in der *französischen Sprache* fortsetzen.

Herr Hofrath *Bar* wird einige der besten *französischen Dichter* und *Prosaiker* mit seinen Zuhörern durchlesen, auch *Aufsätze* und *Redeübungen* damit verbinden.

Herr Professor *de la Veaux* wird nach Maaßgab der Fähigkeit seiner Zuhörer, 1) eine *Einleitung in die französische Litteratur* geben, 2) die besten Schriftsteller, sowohl Prosaisten als Dichter lesen lassen, 3) Anmerkungen darüber diktiren, und 4) die *Uebungen im Briefstyl* fortsetzen, dabey aber die vorher gegebene Muster nimmer vorweisen, sondern nur die zum Grund gelegten Gegenstände anzeigen.

Die Anfänger unterrichtet in der *italiänischen Sprache* Herr Professor *Procopio* nach seiner Sprachlehre, und wird den stärkern den *Tasso* oder *Goldoni* erklären.

Die *Anfangsgründe der englischen Sprache* lehren Herr Rentkammersekretarius *Pfeiffer*, und Herr Lieutenant von *Steinheil*; die geübtern werden sie *Gosse Master Pieces of good writing* übersetzen lassen, und dabey auch zum Reden Anleitung geben.

Die *Anfangsgründe der deutschen Sprache* lehrt Herr *Mahl*, und

Die *deutsche Sprache* sowohl für Ausländer als für Deutsche Herr Professor *Göriz*.

Herr Professor *la Motte* wird ferner Anleitung zum deutschen *Briefstyl* geben,

Herr Professor *Strühlin* setzt seine Uebungen im *deutschen* und *französischen* mit den Fremden, und

Herr *Erhard* gleichfalls seinen Unterricht in der *deutschen Sprache* fort.

Künste.

In den *freyen Handzeichnungen*, wie auch zum Zeichnen nach *Gyps* werden Herr Hofstukkator *Friederich*, und Herr Hofkupferstecher *Necker* Anleitung geben;

In dem *Zeichnen nach der Natur* Herr Professor *Hetsch*, Herr Professor *Müller*, und Herr Galleriedirektor Professor *Harper*;

Im *Pflanzen- und Thierzeichnen* Herr Hofrath *Kerner*;

In den *geometrischen* und *Architekturzeichnungen* Herr Kabinetsdessinateur *Abriot*;

Ebenderselbe lehrt auch die *Perspectiv* für die Künstler nach der Methode des Pater *Pozzo*.

Herr Professor *Hong* wird seine *Enzyklopädie der schönen Künste* nach eigenen Heften fortsetzen; die *Theorie der Künste* nach *Sulzer*, ingleichen die *Litteraturgeschichte der alten Künstler* nach *Pausanias*, und die *Mythologie* nach der *Bibliothek der schönen Künste und Wissenschaften* lehren.

Die *bürgerliche Baukunst* lehrt Herr Hauptmann und Architekt *Fischer*.

In der *Malerey*, unterrichten Herr Hofmaler Professor *Hetsch*, und Herr Galleriedirektor Professor *Harper*;

In der *Kupferstecherey*, Herr Professor *Müller*;

In der *Bildhauerey* Herr Hofstukkator *Friederich*;

In der *Gärtnerey*, Herr Oberhofgärtner *Scheidle*.

Schreiben.

Die *Schönschreibung* wird Herr *Erhard* nach seinen zergliederten und unzergliederten Ableitungen aller gewöhnlich bekannten Schriftalphabete lehren, und die geübtern nach den Vorschriften, die theils die Kunst erklären, theils auf Verstand und Herz wirken, und bey den Fremden Sprachen auch deutsche Uebersetzungen haben sollen, nicht nur mit dem regelmäßigen Zuge, sondern auch mit den nöthigen Vortheilen des Noten- und Geschwindschreibens und der Wortabkürzung bekannt machen.

Die *Rechtschreibung* wird er, nach seinem Entwurfe lehren, und das Fehlerhafte *bey* und *nach* dem Diktiren der *Gesellschaftlichen Briefe*, diesen deren französischen Uebersetzung von Herrn *Huber*, und anderer nützlichen Sachen, sogleich berichtigen.

Herr *Reichmann* wird gleichfalls in dem *deutschen*, und Herr *Mahl* in dem *französischen Recht-* und *Schönschreiben* Unterricht geben.

Ueber

Ueber die Reitkunst ,

in ihrem ganzen Umfange, wird Herr Stallmeister Bühler der jüngere Vorlesungen halten; desgleichen auch die Naturgeschichte des Pferds erklären.

Derselbe und Herr Bereiter Hofmann werden ihren praktischen Unterricht in der Reitkunst fortsetzen.

Zu den übrigen Leibesübungen, ingleichen in der Tonkunst, find für alle Instrumente mehrere Meister angestellt.

Ausser diesen angezeigten Vorlesungen werden auf Verlangen auch noch andre Kollegien, wenn sich eine hinlängliche Anzahl von Zuhörern bey denen in jedem Fache der Wissenschaften aufgestellten öffentlichen Lehrern melden würde, in der Hohen Carlsschule gehalten; so wie auch der hiesige Herzogliche Hof und die übrigen Lokalumstände den Studierenden aus allen Provinzen und Ständen zu ihrer Bildung so reichliche Gelegenheit darbieten, dass Eltern, weder in Absicht auf den moralischen noch physikalischen Theil der Erziehung ihrer Söhne, zu ihrer gänzlichen Beruhigung etwas zu wünschen übrig bleiben dürfte.

II. Vermischte Anzeigen.

In dem Intell. Blatt zur Allg. Lit. Z. No. 4. 1789 zu Jena wird, der Wunsch geäusert, „dass von der Neumark, wovon man noch gar nichts brauchbares habe, eine Karte herausgegeben werden möge."

Diesen Wunsch hat Herr F. L. Güssefeld bereits erfüllt, und bey Weigel und Schneider zu Nürnberg eine neue Karte auf einem grosen Blatt geliefert, worauf noch der Netzdistrict und die angränzenden Länder, als die Ucker- und Mittelmark etc. zu sehen, sie ist bereits fertig und in gedachter Kunsthandlung zu haben.

Der Hr. Domherr von Wendt und Hr. Canonicus de la Tour in Hildesheim haben einen Plan entworfen, Liebhabern der Natur, um ein billiges, Surinamische Naturproducte zu verschaffen. Die Ausführung dieses Plans, der den Naturliebhabern sehr willkommen seyn muss, wird ihnen dadurch möglich, dass sie einen Mann gefunden haben, der zu einer Reise dahin, und zu einer Sammlung der dortigen Geschenke der Natur alle mögliche gute Eigenschaften in sich vereinigt. — Jeder Liebhaber zahlt bis gegen Johannis dieses Jahrs drey Pistolen, und dem Sammler nach seiner Zurückkunft eine Pistole vor seine Mühe. Dagegen macht jeder Liebhaber seine Aufträge auf Insecten, Conchylien, und andere Seeproducte, Vögel, Fische, Amphibien, Pflanzen und deren Saamen, Mineralien u. s. f. nach Belieben, und man wird zur Befriedigung eines jeden Liebhabers die gröste Sorgfalt anwenden. — Um den Liebhabern von den zu hoffenden Vortheilen nur einige Begriffe zu machen, führen wir aus dem Plan an, dass den Insectenliebhabern vor vier Pistolen die Hofnung zu 150 — 200. verschiedenen Arten von Insecten gemacht wird. Jetzt zahlt man dem Naturalienhändler vor ein Stück 1 Rthlr., 1 Ducat, auch wohl ei-

ne Pistole und mehr. Noch steht den Liebhabern frey, sich mit doppelter Einlage bey dieser Unternehmung zu interessiren.

Braunschweig. Die hiesige Freymäurerloge hat hier auf 2½ Bogen in 4to herausgegeben:

Kurze Nachricht von dem durch die hiesige Freymäurerloge seit 1771 unterhaltenen Institut zum Unterricht junger Leute in der Mathematik, französischen Sprache, Geschichte, Erdbeschreibung und Zeichenkunst, nebst einem Vorberichte, dem vaterländischen Publicum gewidmet von der Loge zur gekrönten Säule. Braunschweig, gedruckt bey J. J. Kolb. 1789. Mit einer Kupfertafel.

Dies Institut wurde schon 1771 von der Loge St. Charles de la Concorde gestiftet und schränkte sich nur auf vier Zöglinge ein. Die 1772 entstandene Theurung, in der diese Loge täglich über 50 Arme einige Monate hindurch speisete, hielt die Erweiterung desselben bis 1773 auf. In diesem Jahre vereinigten sich die drey hier befindliche Logen, und richteten diese Schule so ein; dass darinn zwölf Jünglinge unterwiesen werden konnten. Zu ihrer Aufmunterung liess der Herzog Ferdinand eine silberne Medaille prägen, welche jährlich am Prüfungstage in Gegenwart des Herzogs und aller Mitglieder der Loge den ältern Zöglingen zur Belohnung ihres Fleisses und guten Betragens ausgetheilt wird Diese Medaille ist auf der Kupfertafel abgebildet. — Nachher wurde dies Institut noch mehr erweitert; so dass sich jetzt die Summe aller Zöglinge auf zwey und zwanzig beläuft. Ueberhaupt haben in diesem Institut, von der Stiftung desselben an, bis jetzt Drey und siebenzig Jünglinge freyen Unterricht genossen, von welchen bereits viele dem Staate die nützlichsten Dienste leisten. Der Eingang zu dieser Nachricht enthält einige Gedanken über geheime Gesellschaften überhaupt, und über den Orden der Freymaurer insonderheit.

Ganz ohne ihr Vorwissen und Willen, haben Endesgesetzte ihre Namen, in das Verzeichnis der Mitglieder der sogenannten deutschen Union gesetzt gefunden; sie erklären also hierdurch, dass sie keine Mitglieder der Deutschen Union sind, niemals Antheil an den Geschäften derselben gehabt, auch die an sie, desershalb erlassenen Briefe stets unbeantwortet gelassen haben.

Erfurt und Weimar den 10ten März 1789.
D. Planer. D. Rumpel.
D. Buchholtz.

In der aus einem Briefe genommenen Anzeige (S. 14. des Januars v n diesjährigen Intelligenzblatt) die Verschaffung spanischer Bücher betreffend, ist ein Irrthum zu verbessern. Das muss heissen der Real de vellon komme mit allen Unkosten auf 2 gr. höchstens 2 gr. 4 pf. in Golde zu sichern. Vier gr. könnte vom Real de plata gelten.

Hamburg den 20 Febr. 1759.
D. Ebeling.

319

Die Beerfche Buchhandlung in Leipzig hat den ganzen Reft der Auflage von *C. L. Kämmerer*, *die Conchylien
im Cabinette des Herrn Erbprinzen von Schwarzburg-Rudol-
ftadt*, welche der Hr. Verfaffer auf feine Koften herausgab, an fich gekauft. Mit 12 illuminirten Kupfertafeln
koftet diefes Buch 4 Rthlr. mit fchwarzen 2 Rthlr.

Die in den *Oeuvres pofthumes de Frédéric II* abgedruckte *Correspondence avec le général Fo+gué* ift blofser
Nachdruck der 1788. zu Berlin gedruckten *Memoires du
B. de la M. F.* deren Herausgeber fich *Buttner* nennt
und Secretäre des Generals war.

Es hat der Herr Regierungs-Affeffor von Spiller zu
Coburg in dem Intelligenzblatt der A. L. Z. No. 21. öffentlich erklärt, dafs er kein Mitarbeiter an der angekündigten mit dem May diefes Jahres erfcheinenden *Staatswiffen-
fchaftlichen Zeitung* fey, und wir müffen ihm diefes zu feiner beffern Legitimation bezeugen; um fomehr da wir
uns zum ftrengen Gefetz gemacht haben, keinen Mitarbeiter an unfern Inftitut zu affozüren, deffen litterarifcher
Ruf nicht fchon gegründet oder deffen litterarifche Verdienfte uns noch unbekannt find.

Zugleich wird den jetzigen und künftigen Intereffenten diefer Zeitung die Nachricht gewifs angenehm feyn,
dafs wir nunmehr durch eine zweckmäßige Correfpondenten nach Italien, Frankreich, England in den Stand
gefetzt worden find, auch von den wichtigften Nachrichten, welche auf Gefetzgebung irgend Bezug haben,
liefern und dadurch zugleich die Fortfchritte zeigen zu
können, welche auswärtige Nationen in der Verbefferung
ihrer Gefetze von Zeit zu Zeit machen.

So willig wir übrigens Abhandlungen, welche den
angezeigten und vorgefetzten Zweck der SW. Zeitung
entfprechen, in felbige aufnehmen und das fchuldige Ho-
norar bezahlen; So fehr müffen wir uns die unfrankirte
Einfendung folcher Auffätze, worinn auch nicht von ferne der Zweck, welcher dem Inftitut zu Grunde liegt und
den wir doch deutlich genug angezeigt haben, beabfich-
tiget ift, womit man uns aber gleichwohl zeithero behel-
ren wollte, hiermit ein für allemal verbieten.

Die Herausgeber der SW. Zeitung.

III. Antikritik.

In dem 15ten Stück der *oberdeutfchen Lit. Zeitung*
von diefem Jahre ftehet eine Recenfion der von mir kürzlich herausgegebenen *vermifchten Auffätze*, gegen welche
ich einige fehr gegründete Anmerkungen zu machen habe. Diefes foll ganz ohne die Bitterkeit gefchehen, welche fich der Recenfent an manchen Stellen gegen mich
erlaubt hat. 1) Den erften Auffatz *über den mathemati-*

fchen Elementarunterricht, erkläret er grade zu für unnütz.
Und worum? Rechtfertiget er diefes Urtheil durch Beyfpiele? Zeigt er, dafs eine meiner Vorftellungsarten unrichtig, oder einer meiner Vorfchläge nicht anwendbar
fey — Dafs ich mich über einige hätte weiter verbreiten, anderes kürzer faffen follen? Nichts von alle
dem! Statt deffen ftehet das harte, aber gänzlich unbe-
wiefene Urtheil: es fey gar nicht nöthig gewefen,
diefe Arbeit dem Publikum vorzulegen. Wenn ich auch
mit Wahrheit verfichern kann, dafs ich über meine Vorfchläge zur Methode bey dem mathematifchen Unterricht
ernftlich nachgedacht habe, ehe ich fie bekannt machte,
und ihre Tauglichkeit durch die Erfahrung beftätigt gefunden habe; fo fehlt es mir doch gewifs nicht an Befcheidenheit, es jedesmal mit Dank zu erkennen, wenn
Männer von gröfsern Einfichten mich eines beffern belch-
ren. Aber ein blofser Machtfpruch wird keinen Ein-
fichtsvollen weder von der Brauchbarkeit, noch von der
Unbrauchbarkeit eines Buches überzeugen. Ueberhaupt
find dergleichen Machtfprüche heut zu Tage fo ziemlich
aus der Mode gekommen, da man gern wiffen will,
wie man an das Endurtheil kommt. — 2) Der Rec.
meynt, weil meine Arbeit für proteftantifche Länder beftimmt zu feyn fcheine, (wie kommt er zu diefer feltfamen Meynung?) fo wäre fie defto eher entbehrlich, da
man in denfelben die Lehrer nach vorläufig abgelegten
Prüfung auf Fähigkeit wähle; da Liugegen in manchen
Winkeln des katholifchen Deutfchlands fich die Sache anders verhielte. — Ich kann aber ehrlich verfichern, dafs
mir noch nie die Unterfchied zwifchen Proteftanten und
Katholiken eingefallen ift, wenn ich über mathematifche
Gegenftände nachdachte. Sollten Einige der letztern etwas brauchbares in meinem Auffatz finden können, wie
der Recenfent zuzugeben fcheint, warum erklärt er ihn
denn vorher für unbedingt für unnütz? Ueberdas leuchtet mir folgende Schlufsfolge des Rec. nicht recht ein;
weil man in proteftantifchen Ländern angehende Lehrer
zuvor prüft, ehe man fie in Aemter fetzt; fo müffen fie
auch *Alle* gleich fo gefchickt feyn, dafs fie aus diefem
oder jenem Buch keine Vortheile mehr in der Lehrme-
thode lernen können. Wenigftens müfste er doch feine
Behauptung in Anfehung eines folchen Buches einigermafsen rechtfertigen. — 3) Den zweyten Auffatz über
die moralifche Freyheit nach Kantifchen Principien beurtheilt er eben fo allgemein wie den erften, ohne ins Detail zu gehen, und zu fagen, was ihm eigentlich darin
mifsfalle. Nur einmal, as er fagt, dafs dem Auffatz die
nöthige Popularität mangle, verweifet er den Lefer auf
Seite 159; wo nach feiner Meynung übelgerathene Beyfpiele ftehen follen. — Allein diefe Beyfpiele find fich
nicht erfunden, fondern aus dem tiefgedachten Werk entlehnt, woraus ich den Stof zu der ganzen Abhandlung
zufammenfuchte und kurz zufammengezogen habe, wie
ich auch in der Vorrede deutlich fage. — Diefes ift eine Probe, wie vertraut der Rec mit der Materie feyn
mag; über die er fo fertig aburtheilt.

F. W. D. Snell,
Lehrer an dem Pädag. zu Gieffen.

INTELLIGENZBLATT
der
ALLGEM. LITERATUR-ZEITUNG
Numero 40.

Mittwochs den 25ten März 1789.

LITERARISCHE NACHRICHTEN.

I. Vorläufige Berichte von ausländischer Literatur.

A Short Account of the Naval Actions of the East War: in order to prove that the French Nation never gave such slender Proofs of Maritime Greatness as during that Period: with Observations on the Discipline, and Hints for the Improvement of the British Navy. By an Officer. 8. 2 f. 6 d. Murray 1788.

Der Verf. ergriff die Feder, um die Falschheit der Vorstellung zu beweisen, als ob die Franzosen nicht nur den Engländern in Manövriren, Segeln, und Fechten der Flotten gleich gekommen, sondern sie gar übertroffen hätten. Er geht derowegen die einzelnen Vorfälle durch, erzählt zwar nichts Neues, aber doch genau, und interessant. (*M. R. Dec.* 1788.)

Observations on the political Life of Mr. Pitt. 8. 1 f. Ridgway.

Kein vollendetes Gemählde, sondern eine Skizze, die an Caricatur gränzt. Treue und Genauigkeit läst sich von politischen und partheyischen Schriftstellern nicht erwarten.

Die gegenwärtige Lage der politischen Umstände in England veranlast natürlich eine Menge Schriften, von denen im Monthly Review Dec. 1788. S. 549-554. neunzehn Stück angezeigt, und beurtheilt sind, es würde für unsern Plan zu weitläufig seyn, auch nur ihre Titel herzusetzen.

Poems on Slavery; by Maria Falconar, aged 17, and Harriot Falconar aged 14 years. 8. 1 f. 6 d. Johnson. 1788.

Diese junge Lieblinge moralischer Dichtkunst haben schon andre Gedichte herausgegeben, hier haben sie über den Sklavenhandel manches schöne in schönen Versen gesagt. Der ältern Miss sind die Gemählde des Aberglaubens und der Heucheley wohl gelungen, und die jüngere bleibt bey Beschreibung des Elends, welches dieser Handel verursacht, nicht am Parnass hinter ihr zurück. (*M. R. Dec.* 1788.)

Peters Prophecy; or, The President and Poet: or an important Epistle to Sir J. Banks, on the approaching

Election of a President of the Royal Society. With an Etching by an eminent Artist. By Peter Pindar. Esq. 4. 3 f. Kearsley. 1788.

Peter Pindar erklärte ehemahl, dass seine Muse mit Königen zu schaffen haben müsse. Da nun jetzt der eigentliche König des Landes krank ist, so scheint es, dass er doch wenigstens seine poetischen Waffen gegen den König der königlichen Societät richten wollte, den er aber auch mit der ganzen Kraft seiner Satire und seines Witzes engreift. Wodurch Hr. Banks sich die Behandlung zugezogen, wissen wir nicht. Sehr falsch beschuldigt er ihn, dass er unnütze Dinge befördre, und ein Feind erhabner Wissenschaften, der Mathematik u. f. w. sey. Auch Banks Freunde, Blayden, Hamilton, Herschel, Hunter, Aubert, Barrington sind lächerlich gemacht. (*M. R. Dec.* 1788.)

A Review of the Affairs of the Austrian Netherlands in the Year 1787. 8. 2 f. Murray. 1788.

Der Verf. beschreibt die verschiedenen Regierungsformen in den Niederlanden, besonders Braband, erzählt mit Wahrheit und Genauigkeit, in einem correcten und angenehmen Stil, und giebt die Maasregeln an, welche diese Unruhen veranlasten, und dämpften. (*M. R. Dec.* 1788.)

A true Estimate of the Light of Inspiration, and the Light of Human Learning, before and since the Apostolic Age: submitted to the Candidates for Holy orders etc. 4. 1 f. 6 d. Faulder. 1788.

Ein eifriger Schutzredner der Lehre von ordinärer und extraordinärer Inspiration bezeugt hier seine Unzufriedenheit über Horsleys Abhandlung desselben Gegenstands. Menschlicher Verstand kann dem Menschen richtige Begriffe von Gott und Religion geben, u. f. w. Man sieht gleich, zu welcher Schule der Verf. gehört. (*M. R. Dec.* 1788.)

Characteristic of Public Spirit and National virtue; occasioned by the honourable Union of Nobility, Clergy and Gentry, in Support of a late Royal Proclamation. 4. 1 f. 6 d. Faulder 1788.

Eine Schrift aus derselben Schule, und vielleicht von derselben Feder, wie die vorige. Rechtfertigung durch

R r den

den Glauben an Christum ist das einzige, wodurch er eine glückliche Wirkung der königlichen Verordnung gegen Immoralität hoft.

(Monthly Review Dec. 1788.)

Plain Sermons on Practical Subjects, adapted to different Characters. By the late Th: Gordon, Minister of the Gospel at Speymouth, near Elgin. 2 Vols. 8. 10 f. Boards. Cadell.

Der Titel ist richtig, es sind plane und practische Predigten, voll gesunden Menschenverstandes, der durch Beobachtung und Nachdenken genährt worden, sie sind Beweise von unaffectirter Gottesfurcht, und ernstlichem Bestreben, der Tugend und wahren Religion nützlich zu werden. Da sie hauptsächlich für ununterrichtete Menschen geschrieben worden, die zufrieden sind, wenn sie solche Sachen verstehn, und gerührt werden, so darf man keinen Scharfsinn und klassischen Stil darinn suchen.

(M. R. Dec. 1788.)

The Will of King Alfred. Oxford. From the Clarendon Press. 4.

Dies Testament ward in der Neumünster Abtey zu Winchester aufbewahrt, die König Alfred kurz vor seinem Tode gründete. 1769 kam es Hrn. Astle in die Hände, der es Hrn. Manning mittheilte, welcher sogleich eine neue Uebersetzung und Noten dazu machte. Nachher ließ es Hr. A. auf Anrathen einiger Gelehrten zu Oxford drucken. — Das Testament selbst ist seines Inhalts wegen für den Geschichtschreiber, Rechtsgelehrten und Philologen sehr merkwürdig.

(Gentlem. Magaz. Dec. 1788.)

II. Vermischte Nachrichten.

Das ganze hiesige gelehrte Publicum weiss, dass wenigstens während des verstorbenen Bibliothekars Canzler drey und zwanzig jährigen hiesigen Aufstellung, die Churfürstl. Sächß. Bibliothek zu Dresden sowohl für einheimische und auswärtige Gelehrte, als auch für bloße Liebhaber alle Werkeltage Vormittags von 9 bis 12 Uhr, und Nachmittags von 2½ bis 6 Uhr; in den Wintermonaten aber, so lange man, ohne Licht anzuzünden, lesen konnte, offengestanden, dass keinem bekannten Gelehrten der Gebrauch eines Manuscripts, oder anderen seltenen Werke versagt; dass sogar dergleichen, mit Vorwissen ihres Chefs, des Churfürstl. Ober-Kammerherrns, oder gegen eine billige Sicherstellung (weswegen der Bibliothecar Canaler bisweilen selbst, zur Vermeidung alles Tadels, ansehnliche Geldposten bey einem hiesigen Banquier deponiret hat) an fremde Oerter verabfolget worden sind; und dass endlich für die Bibliothek die seit dessen Tod festgesetzte Summe keinesweges eine Erhöhung, sondern vielmehr, ein Jahr ins andere gerechnet, eine merkliche Verminderung des bis dahin gewöhnlichen jährlichen Quanti ist, ohne hierbey die zur Einrichtung ihrer gegenwärtigen Sale etc. erforderlichen Summen (gegen 20000 Rthlr. —) in Anschlag zu bringen.

Es kann jedoch diese Einschränkung nicht getadelt werden, da zeithero ganze Bibliotheken, die Bruhlische, die Bünauische, die Heucherische, die Leipzigerische etc.

auch viele Sammlungen und einzelne alte und neue seltene Werke gekauft, und also die Churfürstl. Bibliothek unter der gegenwärtigen Regierung, theils hiedurch, theils durch die überaus große Anzahl privilegirter Bücher sehr bereichert worden ist, und durch letztere noch täglich vermehret wird.

Zu tadeln ist es aber, dass, wie selbst in einer hiesigen öffentlichen Anzeige ausdrücklich angekündigt worden ist, die Bibliothek nunmehro eigentlich nur Vormittags von 10 bis 12 Uhr, in den Monaten December, und Januar aber und in den hohen Festtagswochen noch weniger gezeigt werden soll, folglich auch nur wenige in öffentlichen Aemtern stehende Gelehrte dieselbe dürften behörig benutzen können.

Da endlich die ganze Bibliothek bereits im Oct. 1786. in den für sie im Japanischen Palais zubereiteten sehr schönen Sälen aufgestellt gewesen, und seitdem hierbey keine merkliche Veränderung gemacht worden; so erfordert die Billigkeit, obige auf unleugbare Thatsachen gegründete Bemerkungen zu Belehrung des Publici, bekannt zu machen.

Für des Kurfürsten von Sachsen Durchlaucht ist es auch unstreitig rühmlicher, wenn er nicht erst jetzt anfängt auf die Bereicherung der öffentlichen Bibliothek zu denken.

A. B. aus Sachsen d. 15 März 1789.

So eben erscheint ein Prospectus eines interessanten Werks, das man unter folgendem Titel unternehmen will: „Raccolta Italiana degli autori che hanno trattati del moto delle acque correnti; de Ripari delle Corresioni de' Fiume, de Torrenti etc.; delle Macchine idrauliche messe dalle acque, come Mulini, Vulchere, Mangani etc.; delle Fabbriche esistenti in acqua o in viva ad essa come Chiuse Porti etc., delle purgazioni de Prati etc.; de Ginochi d'acqua, delle Fontane, degli Acquidotti etc.

Man wird diesen Schriften eine bessere und natürlichere Ordnung geben; auch Noten hinzufügen, alles überflüssige abschneiden. Man wird die Acten der Akademien benutzen, und das vorzüglichste aus einzelnen kleinen Abhandlungen ausheben. Verschiedene neue Schriften werden zum erstenmahl gedruckt erscheinen, und vorzügliche Werke der Ausländer ins Italiänische übersetzen werden. Jeder Band in 4. von 300 bis 430 S. wird dem Subscribenten für 15 R. Paoli verkauft, den Nichtsubscribenten für 20. Jährlich kommen zwey, vielleicht auch 3 bis 4 Bände heraus. Man subscribirt bey den vornehmsten Buchhändlern von Italien. Die ersten Bände erscheinen 1789. *Auszug a. Br. aus Perugia vom 12 Oct. 1788.*

Der Buchdrucker Locatelli in Bergamo will eine neue Ausgabe von dem Werk des D. Pasta: *della Tolleranza filosofica nella medicina* herausgeben. Angehängt werden viele noch ungedruckte Briefe des berühmten Doctor Locess. — Derselbe will auch eine neue Ausgabe eines andern Werks von demselben Verf. *de sanguine et sanguineis concretionibus* herausgeben.

Der Buchdrucker Manini in Cremon kündigt: *un saggio di eccellenti traduzioni di poeti Latini* an. Die größten Kenner dieses Fachs werden daran arbeiten u. s. w. Der lateinische Text wird auch abgedruckt.

Hr.

Hr. Scarpa Prof. in Pavia ist im Begriff herauszugeben: *Anatomicae disquisitiones de Auditu et Olfactu.* Sie betreffen eine wichtige Entdeckung über das Werkzeug des Gehörs beym Menschen, die durch die Anatomia comparata beym Gehörwerkzeug der Insecten, der Würmer, der Fi-

sche, der Amphibien, und der Vögel, gefunden ward. Dergleichen beym Geruch mit Interessanten und ausführlichen Bemerkungen für Naturforscher und Physiologen. Das Werk enthält 26 Kupfertafeln, wovon die größte Anzahl in Folio ist.

LITERARISCHE ANZEIGEN.

I. Ankündigungen neuer Bücher.

Verzeichniß neuer Bücher, welche in der Ostermesse bey der Akademischen Buchhandlung in Strasburg zu haben sind:

Avant-Coureur, oder, Verzeichniß der neuesten, französischen Bücher auf das Jahr 1789. auf fein Papier 4 Rthlr. auf grau Papier 2 Rthlr. 12 gr.

Beschreibung (Physikalische) der französischen und spanischen Pyrenäen, ihrer Höhe, der darauf befindlichen, vorher unbekannten Eisberge, ihrer Producten, ihrer Einwohner, etc. Mit Landkarten und Kupfern. Aus dem Französischen des Hrn. Ramond de la Carbonniere, unter den Augen des Verfassers übersetzt. Erster Theil. gr. 8. 2 Rthlr.

Beytrag zum neuesten französischen Staatsrecht. 8.

Erholungsstunden des Mannes von Gefühl; aus dem Französischen des Hrn. d'Arnaud übersetzt. Zweyten Jahrgang dritten Bandes 2r Theil. 8. 8 gr.

Faujas de St. Fond (Hrn.) physikalische Abhandlung über den Trapp. Aus dem Französischen übersetzt. gr. 8. Auf Schreibpapier 10 gr. auf Druckpap. 8 gr.

Josephine, nach dem Französischen von ***. 8. 6 gr.

Launen (die) des Schicksals und Begebenheiten der Miladi Kilmar. Aus dem Französischen von Hrn. Treichinger. 1r Band. 8. 12 gr.

Magazin (neues) für Frauenzimmer auf 1789. Herausgegeben von Hrn. Prof. Seybold. Erstes Quartal, mit Kupfern. 8. 20 gr.

Reisen durch Numidien und die Barbarey. Aus dem Französischen des Hrn. Poiret. Erster Band. 8. 1 Rthlr.

Sammlung kleiner Romane und Erzählungen. Erstes Bändchen, welches die Geschichte des Abbé Bugoit und Paul und Virginia, nach St. Pierre, enthält. 8. 12 gr.

Seeräuber (der christliche) eine Erzählung. 8. 8 gr. (in Commission.)

Spallanzani (Abt Laz.) physikalische Beobachtungen über die Insel Cythera, heut zu Tage Cerigo genannt. Aus dem Italienischen. Mit einem Kupfer. gr. 8. 6 gr.

Wahnsinn aus Liebe; ein Lustspiel aus dem Französischen des Hrn. Mayeur de St. Paul. 8. 4 gr.

Annales du monde, depuis le deluge jusqu'au Gouvernement d'Othoniel, premier Juge des Israelites. 8. 2 Rthlr.

Histoire de la guerre de sept ans par Mr. d'Archenholz. Traduite par Mr. le Baron de Bock. 2 Vol. av. fig. 1 Rthlr.

Introduction à l'analyse des infiniments petits p. Mr. Euler. Tome second. (wird auf Johannis fertig.)

Précis des operations de la commission intermédiaire d'Alsace jusqu'au 15 Fevr. 1789. 4. 1 Rthlr.

Abregé chronologique de l'histoire de la physique par Mr. de Loys. Tome 3e. gr. 8. 1 Rthlr. 12 gr.

Hr. Prorector Fischer in Berlin hat ein Instrument erfunden, welches er eine Kometenmaschine nennt, und wovon eine kurze Nachricht den Liebhabern der Sternkunde nicht unangenehm seyn wird. Auf einem parallactischen Gestelle (d. h. einem solchen, dessen Hauptsäule nicht senkrecht, sondern der Erdaxe parallel stehet, und sich umdrehen läßet) befindet sich eine in Zeichen und Grade getheilte Scheibe, welche durch eine äußerst leichte Stellung, und ohne alle Rechnung für jede Stunde und Minute, der wahren Ekliptik am Himmel parallel gestellt werden kann. Diese Scheibe stellet die Fläche der Erdbahn vor. Um ihren Mittelpunkt, der die Sonne vorstellt, drehet sich ein Lineal, welches die Erde so träget, daß man ihre Entfernung von der Sonne willkührlich verändern kann. Mit dieser Erdbahn ist eine parabolische Kometenbahn so in Verbindung gesetzt, daß man ihr alle mögliche Neigungen und Lagen gegen die Erdbahn geben kann. Man kann also diese Parabel so stellen, daß sie die Laufbahn irgend eines berechneten Kometen vorstellt, und da man das ganze Instrument vermöge seines Gestelles sehr leicht so richten kann, daß Erd- und Kometenbahn nebst der Erde selbst eben die Lage gegen einander haben, die eben diese Dinge wirklich im Weltraum haben, so stellet dieses Instrument alle Umstände der wahren und scheinbaren Bewegung eines Kometen während seiner Sichtbarkeit, sinnlich dar; welches auf mancherley Art die Untersuchung dieser Dinge für Anfänger und Geübte erleichtert. Man kann sogar statt der Parabel, einen Kreis oder Ellipse aufsetzen, und auf ähnliche Art alle Umstände der wahren und scheinbaren Bewegung irgend eines Planeten sinnlich machen. Die nächste Absicht des Erfinders gieng aber hauptsächlich dahin, die Laufbahn desjenigen Kometen, den die Astronomen schon zweymal, nemlich 1532. und 1661. beobachtet haben, und dessen Zurückkunft daher in diesem 1789sten Jahr nicht ohne Grund vermuthet wird, sinnlich darzustellen, und durch dieses Instrument den Liebhabern der Astronomie, und selbst Anfängern die Aufmerkung desselben zu erleichtern, indem sie vermittelst dieses Werkzeuges, ohne Rechnung und Tafeln die Gegend des Himmels sinnlich vor sich haben, wo eine Erscheinung des Kome-

Rr 2

327

Kometen möglich ist. Eben diesen Dienst würde aber daselbe Instrument auch in der Folge für jeden andern Kometen leisten, sobald man Grund hätte, eine Zurückkunft desselben zu erwarten. Die Brauchbarkeit dieses Instruments wird noch durch die Einrichtung vermehret, daß man Erd- und Kometenbahn abnehmen kann: Denn nunmehr kann der Liebhaber einen andern Aufsatz mit einem beweglichen Fernrohr darauf bringen, und dadurch verwandelt sich das Instrument, in ein vollständiges parallattisches Instrument, welches bekanntlich eins der bequemsten, und fast zu allen astronomischen Beobachtungen brauchbares Werkzeug ist. Der geschickte Berlinische Mechanikus Hr. Elkner hat ein in aller Rücksicht sehr schönes Exemplar dieses Instruments, das Gestelle aus Mahagony Holz, das übrige aus Messing verfertiget, dessen gute und genaue Ausführung seiner Geschicklichkeit viel Ehre machet. Er ist erbötig, es Liebhabern, mit eben der Schönheit und Genauigkeit, für den, in Absicht der mühsamen und schönen Arbeit, und des vielfachen Gebrauchs gewiß mäßigen Preis von 50 Rthlrn. zu liefern. Da indessen diese Summe vielen Liebhabern besonders in Deutschland doch zu hoch seyn möchte, so wird er, wenn es verlangt wird, auch wohlfeilere Exemplare, wo nur das nothwendigste aus Messing, alles übrige aber von Holz seyn wird, für 2 Frd'or verfertigen. Da übrigens dieses Instrument gar nicht zum Messen bestimmt ist, so wird ein solches wohlfeileres Exemplar an Brauchbarkeit dem theuren wenig oder nichts nachstehen. Bey jedem Instrument wird eine kurze Anweisung zum Gebrauch desselben geliefert, der dadurch von allen astronomischen Tafeln und Rechnungen ganz unabhängig wird. Bestellungen können an die unterzeichnete Handlung oder an den Hn. Pr. Fischer selbst gemacht werden. Die Briefe bittet man postfrey zu machen, und die Bezahlung des Instrumentes beyzulegen, auch wegen des Transports, ob er mit der Post oder anderer Gelegenheit geschehen soll, Anweisung zu geben. Fernröhre zum Gebrauch, als parallattische Maschine werden nur auf besondere Bestellung geliefert. In diesem Fall wird der Liebhaber gebeten, die Länge und Beschaffenheit des Fernrohres, und ob es bloß mit einer mikrometrischen Kreisöfnung, oder einem Fadennetz, oder andern Mikrometer versehen seyn soll, selbst zu bestimmen. Das Gestelle ist 18 Rhein. Zolle hoch, um es bequem auf einen Tisch setzen zu können. Man kann daher den Preis dieses Fernrohrs nicht wohl im Voraus bestimmen, und muß für jeden einzelnen Fall der Accord besonders gemacht werden.

In der bevorstehenden Ostermesse wird in der unterzeichneten Buchhandlung eine kleine Schrift zu haben seyn, die außer der Beschreibung dieses Instruments, noch verschiedene andere astronomische Untersuchungen enthalten wird. Ihr Titel wird seyn: Vollständige Nachricht von dem im Jahr 1789 zurück erwarteten Kometen, Beschreibung eines zur Aufsuchung desselben dienlichen Werkzeuges; wenn noch die Beschreibung und Theorie eines neuen Mikrometers kommt: von E. G. Fischer. Dieses Mikrometer

ist eben das, wovon Hr. F. schon in des Hn. Pr. Bode astr. Jahrbuch 1790. eine kurze Beschreibung geliefert hat. Hier wird er die dort versprochene Theorie desselben vollständig liefern.

Berlin den 16ten März 1789.

Königl. Preus. Akadem. Kunst- und Buchhandlung.

In meinem Verlag wird eine Uebersetzung erscheinen von: A Treatise on female Nervous, Hysteric, Hypochondriac and Bilious Diseases, Madness, Suicide, Convulsions Spasmus, Apoplexy and Pilsy by Wil. Rowley M. D. F. R. S.

Korn der ältere in Breslau.

Carl Fellseckers Söhne in Nürnberg besorgen eine Uebersetzung von:

Geographie ancienne moderne historique pr. Grenet welche zur M. M. mit Anmerkungen des Uebersetzers herauskommen wird.

In Leipzig bey Joh. Phil. Haugs Wittwe ist das prächtige und bisher in Deutschland so schwer und kostbar zu erhaltende Werk des D. G. Fr. Oeder Flora danica schwarz und illuminirt gegen baare Zahlung in den civilsten Preisen noch zu erhalten. Da einzelne Hefte mehr gesucht werden möchten, die nicht immer in Menge vorräthig erhalten werden können, so werden die Freunde ergebenst ersucht ihre Bestellungen als obgemeinte Handlung zu machen, die sie in kurzer Zeit accurat und prompt bedienet wird.

In der Gebra und Hauptischen Buchhandlung in Neuwied werden von nachstehenden, so eben erschienenen sehr interessanten Romanen gute Uebersetzungen veranstaltet:

1) Blançay, par l'Auteur du Nouveau Voyage sentimental, 2 part.

2) La Curieuse impertinente, 2 part.

Von meinen Sammlungen getrockneter Pflanzen sind wieder 12 neue Hefte fertig, nemlich:

Arbores, Frutices et Suffrutices L. Decas 7, 8, 9 et 10;
Herbae L. Decas 7. 8. 9 et 10;
Plantae officinales, Decas 9, 10, 11 et 12;
und stehen den Liebhabern, gegen Bezahlung 8 gr. hannov. Cassengeldes für jede Dekade, zu Diensten.

Herrenhausen, bey Hannover, den 10 März 1789.

F. Ehrhart,
königl. churfürstl. Botanicus.

Mittwochs den 25ten März 1789.

LITERARISCHE NACHRICHTEN.

I. Vorläufige Berichte von ausländischer Literatur.

Paris, presso Bolzani: *Elogio di Gesner*. 1789. 90 S. Preis 25 Mailändische Soldi.

Nicht bloß eine Nachricht vom Leben Gesners, sondern auch eine Unterfuchung feines Genies und feiner Werke, und eine Sammlung von Bemerkungen über den moralifchen und politifchen Zuftand der Schweitz. Sehr intereffant find die Dialogen zwifchen G. und dem Vf., die viel Licht über des erftern Manier zu denken, zu empfinden und zu mahlen, werfen. Der Hr. Abt Bertola ift der Verf. Er unterhielt mit Gesner einen weitläufigen Briefwechfel, und befuchte ihn vor zwey Jahren. Oft redet der Freund, und giebt manche Nachrichten von G. häuslichem Leben, und gefellfchaftlichen Verbindungen. — Die Eloge ift dem Gr. Wilzeck, Kaif. Kön. Minifter in der Oefterr. Lombardey, zugeeignet. *(A. B.)*

Der Buchhändler Bandella aus Vicenz kündigt fo eben an, daß bey ihm der dritte Band von *Zimmermanns Erfahrungen* in der Ital. Ueberfetzung herausgekommen. Der Ueberf. ift ein Arzt und verfteht fehr gut deutfch. — Er hat auch Z. *Verfuch über die Einfamkeit* überfetzt. *(A. B.)*

Napoli: *Saggio intorno alle acque minerale di Conturfi*. 8. 1788. 25 kr.

Hr. Macri, Profeffor zu Neapel, ift Verf. diefes Verfuchs. Conturfi liegt in Salerno, die Quelle heifst jetzt Selo, und ift das beruhmte Silaris der Alten. Die vielen Kalktheile, welche diefe Waffer enthalten, thun fonderbare Wirkungen auf Holz und Pflanzen, die man hinein wirft. — Man theilt diefe Waffer in kalte und warme, und alle Verfuche des Verf. laufen darauf hinaus, dafs beym kalten Waffer Luftfäure das Hauptprincipium ausmacht, und dafs das warme aus etwas fixer Luft, einer Kalkerde, die durch Luftfäure in falzigen Zuftand kömmt, und einer grofsen Menge Schwefelleberluft befteht. Diefer Analyfe zufolge wird der Gebrauch des Waffers in verfchiedenen Krankheiten verordnet. Alles ift mit Gründlichkeit und Precifion vorgetragen. *(A. B.)*

Verona, presso Ramanzini: *Dialoghi di Fr. Ventretti, fu profeffore di Matematica nel collegio militare di Verona*. 1789. 8. 212 S. 40 kr.

Dies Werk ift befonders der Rep. Venedig beftimmt, kann aber allen denen nützlich feyn, die fich mit praktifcher Mathematik befchäftigen, befonders Ingenieurs. Viel Klarheit herrfcht darin, und die Auflöfung verfchiedner Probleme ift leicht und deutlich befchrieben. *(A. B.)*

Verona, presso Ramanzini: *Almanaco per l'anno 1789. con diverfe notizie aftronomiche adattote al ufo commune*. 1789. 12 60 S.

Ift keiner von den gewöhnlichen Almanachen, allenthalben entdeckt man die Hand des gelehrten, gefchmackvollen Mannes. *(A. B.)*

Cagnoli, berühmter Mathematiker in Verona, läfst ebenfalls einen *Almanach mit aftronomifchen Nachrichten* drucken. Diefe find fehr gut gewählt und enthalten die neueften Entdeckungen. Angehängt find zwey Tafeln, welche die Sterne der erften und zweyten Ordnung enthalten, die in ihrer richtigen Stellung in beziehung auf einander ftehn, mit einer Erklärung ihrer Namen. Schwerlich findet man auf wenig Seiten fo viel Schönes und Nützliches bey einander wie hier. *(A. B.)*

Livorno, nella Stamp. di Tomm. Maff e Comp.: *L'Infelicità, fpeculazioni morali, o trattato delle miferie umane, e dell'arte di ben vivere; del D. G. B. con note filofofiche dello fteffo*. 1788. 8. S. 312.

Der Verf. ift ein Nachahmer von Young, und fieht die Welt aus einem fehr traurigen Gefichtspunkt an. Das Gedicht ift in drey Theile abgetheilt. Im erften beweift der Verf., dafs alle Menfchen mehr oder weniger unglücklich find; im zweyten dafs fie felbft Schuld daran haben; und im dritten, dafs, weil das Leben ein fo fchlechtes Gut fey, man ein befares hoffen müffe. — Das Gedicht felbft ift leicht verfificirt, und zeigt von vieler Belefenheit. *(Gaz. di Fir.)*

II. Vermifchte Nachrichten.

Die Buchhändler in Neapel haben in einem Avifo zwey Werke des berühmten Prof. Cirillo angekündigt: 1) *Fafciculus primus Plantarum rariarum regni Neapolitani*, mit

S 4

Kupfern. 2) Entomologiae Neapolitanae specimen primum. Fol: mit 4 grossen Kupfern.

Hr. Fabroni, der durch seine lateinisch geschriebene Sammlung von Lobreden auf Italiens berühmte Männer bekannt ist, hat auch eine von italienisch geschriebenen angefangen. Der erste Band erschien 1786, der zweite wird nächstens erscheinen, und enthält unter andern die Lobrede auf den verstorbnen König von Preussen. (Also diesmahl kein berühmter Mann aus Italien.). *A. B. aus Pisa.*

Der Druck des *Storia Ragionata de' Turchi e degl' Imperatori di Costantinopoli, di Germania, di Russia e d'altre Potenze Cristiane* wird in Venedig fortgesetzt. 4 B. sind erschienen.

Eben daselbst wird auch gedruckt: *Prospetto degli affari attuali d'Europa fra le varie potenze belligeranti* etc.

In Pavia ist eine neue Ausgabe von: *Max. Stoll praelectiones in diversos morbos chronicos.* 1785. in 8. 218 S. erschienen, kostet 50 X.

LITERARISCHE ANZEIGEN.

I. Ankündigungen neuer Bücher.

Apocalypsis Joannis, a me anno 1785 editae Pars posterior.

Theils wegen des geäusserten Verlangens nach diesem, zweyten Theil meiner Apocalypse, theils wegen unrichtiger Beurtheilung des Verzugs mit demselben, sehe ich mich genöthiget, bekannt zu machen, dass dieser Theil schon lange fertig lieget, und nur meine Lage dessen Ausgabe verhindert. Dieser Theil hält zwar, ausser den Beweisen zum ersten, manche für die christliche Religion wichtige neue Entdeckungen und ein vollständiges Verzeichniss der Unterscheidungszeichen des widerchristlichen Reiches nach seinem ganzen Umfange in sich. Das aus diesem allen hell hervorleuchtende Göttliche dieser Offenbarung wird zweifelsohne in unsern Tagen auch so manchen Katholiken zu einer noch mehr sich ausbreitenden Aufklärung die Augen öffnen und Ueberzeugung einflößen. Und dieses beweget mich vornehmlich, dass ich mich zu dessen Ausgabe auf den Fall entschliesse, wenn nur die Besitzer des ersten Theils doch auch andere deswegen davon keineswegs ausgeschlossen, auf diesen weit stärker ausfallenden Theil *Sechzehn Groschen*, den Louisd'or zu 5 Thlr. nach sächs. Conventionsmünze gerechnet, ohne weitern Nachschuß pränumeriren wollen. Man kann sich diesfalls an mich selbst, oder auch an Buchhandlungen, Intelligenzcomtoire und Postämter nach Gefallen wenden. Wer die Bemühung einer Pränumerationssammlung gefälligt übernimmt, erhält *einen Rabatt von 25 pro Cent;* und wird zugleich ersuchet, die Pränumerationsgelder an mich zu Ende der Jubilatemesse d. J. einzusenden, damit von solcher Zeit an mit dem Drucke der Anfang gemacht werden könne. Doch soll der Pränumerationstermin um der Auswärtigen willen alsdenn noch bis Johannis gesetzet seyn. Briefe und Gelder erwarte ich *postfrey,* und die Ablieferung der Exemplare erfolget bis Leipzig *frachtfrey.*

M. **Michael Friedrich Semler,**
Corrector zu Neustadt an der Orla.

So gewiß ein jeder Lehrer und Jugendfreund, der Gelegenheit gehabt hat sich mit der Jugend wissenschaftlich zu beschäftigen, aus Erfahrung weiss, dass unter den verschiedenen Disciplinen, worinnen die Jugend unterrichtet zu werden pflegt, keine angenehmer und unterhaltender auch in vieler Rücksicht nützlicher für sie sey, als Geschichte und Geographie, besonders die von unserm Vaterlande: so gewiß wird es auch keinem unbekannt seyn, dass zu einem zweckmäßig unterhaltenden und belehrenden Unterrichte in diesen Wissenschaften, fleißige Vorbereitung, viele Belesenheit und ausgebreitete Kenntnisse erfordert werden. Wie sehr es aber, wenn ich nach nur bey der historischen Geographie von Deutschland stehen bleibe, vielen daran mangelt, das kann man am besten gewahr werden, wenn man bei privat und öffentlichen Unterricht der Jugend beywohnt, wo man gemeiniglich, das fast jede Wissenschaft lebhafter, zweckmäßiger und gründlicher vorgetragen wird, als diese.

Mangel an Hülfsmitteln überhaupt kann nicht Schuld daran seyn, denn beyde, Geschichte sowohl als Geographie von Deutschland, wurden zu keiner Zeit mit mehrerm Fleiße und Forschungsgeiste bearbeitet, als jetzt. Geschichtsforscher vom ersten Range haben die Thaten und Begebenheiten der Deutschen und die Verfassung unsers Vaterlandes beschrieben; und Geographen von gleichem Range haben zur Regentengeschichte und Länderbeschreibung die vollständigsten Werke geliefert, und fast keinen Ort in Deutschland zu finden, dass der ihn nicht wenigstens den Namen und der Lage nach aufgezeichnet hätten. An Hülfsquellen zur Vorbereitung und Erwerbung historisch geographischer Kenntnisse fehlt es also nicht; allein der Ankauf derselben ist so kostbar, dass sie nur von wenigen angeschafft und benutzt werden können, und dies dürfte wohl eine Hauptursache seyn, woher es kommt, dass der historische und geographische Vortrag, ich setze voraus, dass man dieses nicht von der akademischen Lehrart, von welcher hier gar nicht die Rede seyn soll, verstehe — sich öfters weiter sticherdreckt, als was davon im Lehrbuche steht, welches aber die Wißbegierde der Jugend, zumal da selbige in dieser Wissenschaft gemeiniglich weit grösser ist, als in jeder andern, nicht allemal befriedigt. Es fehlt zwar nicht an historischen und geographischen Lehrbüchern, allein letztere sind gewöhnlich gleichsam nur Register von grössern Werken, und enthalten zu wenig Geschichte, welche doch zum Unterricht in der Geographie höchst nöthig ist. Denn, sobald Anfänger eine allgemeine Uebersicht der Länder, Staaten und Provinzen mit ihrem

ihren verfchiedenen Eintheilungen gefafst haben, und
felbige auf den Landcharten zu finden wiffen, mufs die
Geographie hiftorifch vorgetragen werden.

Da nun Gefchichte und Geographie überhaupt unter-
die nöthigen Kenntniffe einer wohlerzogenen Jugend aus
allen Ständen der gefitteten bürgerlichen Gefellfchaft gehört, und daher jeder Vater den Wunfch äufsert, dafs
doch feine Kinder wenigftens in der vaterländifchen Gefchichte und Geographie, die für jedem, der nicht ganz
dem Unwiffenden gleich geachtet feyn will, unentbehrlich ift, nicht nur allgemeine, fondern ausgebreitete Kenntniffe erlangen möchten, fo hoffe ich der Jugend und ihren Freunden keinen unangenehmen Dienft zu erzeigen,
wenn ich das, was ich fchon feit mehrern Jahren hierzu
gefammlet, und in Ermangelung eines bequemen Lehrbuchs zum Unterricht der Jugend benutzt habe, unter
dem Titel:

*Gefchichte und Geographie von Deutschland, als Lehr-und
Lefebuch für die Jugend und zum Gebrauch für Schulen,*
herausgebe.

Bey der Bearbeitung diefes nach den Bedürfniffen unfrer Zeit fo nützlich als nöthigen Buchs, werde ich, fowohl was die Wahl der Sachen als den Vortrag derfelben betrifft, vorzüglich darauf Rückficht nehmen, dafs
es nicht nur für die Jugend und viele andre Lefer, die
dergleichen Nachrichten in gröfsern Werken aufzufuchen,
weder Zeit noch Gelegenheit haben, als ein hiftorifch
geographifches Lefebuch unterhaltend und nützlich, fondern auch für Schulen als Lehrbuch brauchbar werde.
Ich werde in diefer Abficht erftlich die Gefchichte der
Deutfchen überhaupt und im Zufammenhange erzählen,
felbige mit der allgemeinen Geographie von Deutfchland
nach der gewöhnlichen Eintheilung in die bekannten
Kreisländer verbinden; fodann aber die hiftorifche Geographie, oder die Regentengefchichte und geographifche
Befchreibung der deutfchen Staaten ins befondre abhandeln, und dabey die Nebeneinandertheilung der Länder
jedes regierenden Herrn beobachten.

Das Ganze wird wenigftens zwey Alphabet betragen,
und fich füglich in zwey Bände theilen laffen, wovon der
erfte zu Michaelis, der zweyte zu Weihnachten diefes Jahres abgeliefert werden foll.

Um den Ankauf des Buches foviel als möglich zu erleichtern, und der hollen wegen doch einigermafsen gefichert zu feyn, fchlage ich den Weg der Pränumeration
vor, und verlange für jeden Theil, der, wie fchon gefagt, wenigftens ein Alphabet ftark feyn wird, nicht mehr,
als zwölf Grofchen Vorausbezahlung, den Ducaten zu
2 Rthlr. 20 gr. den Louisd'or zu 5 Rthlr. gerechnet. Der
Ladenpreifs dürfte nachher um ein Drittel erhöhet werden. Ich erfuche daher alle wohllöbl. Poftamter, Zeitungsexpeditionen und Buchhandlungen, wie auch alle
Freunde der Gefchichte und Geographie, befonders diejenigen, welche felbige für die Jugend benutzen können,
diefe Anzeige bekannt zu machen; auch ihres Orts fub-
fkribiren zu laffen.

Wer auf 6 Exemplare vorausbezahlt, erhält das fieben-
de frey. Sollten Lehrer in ihren Schulen hiervon Gebrauch zu machen wünfchen, und daher mehrerer Exem-

plare benöthigt feyn, fo werden, wenn fich diefe an mich
felbft wenden, des Preifses wegen, mich noch billiger
finden laffen.

Der *Pränumerationstermin* dauert bis zum *erften Anguft*
d. J. Die Namen der Herren Pränumeranten, welche
dem erften Theile vorgedruckt werden, bitte, fo wie
überhaupt Briefe und Gelder, an die Churfürftl. Sächf.
Zeitungsexpedition nach Leipzig, welche zugleich Pränumeration annehmen wird, oder an mich nach Dresden
poftfrey einzufenden.

In Dresden werden die *hiefigen Buchhandlungen*, fo wie
das *Addrefscomtoir* und Hr. M. *Lipfius* Pränumeration annehmen, aufserdem kann man fich deshalb, in Braunfchweig an die dafige *Schulbuchhandlung*, in Breslau an
Herrn *Korn* den ältern, in Erfurt an die *Kaiferfche* Buchhandlung, in Erlangen an den Herrn Regierungsadvocat
Glafer, in Frankfurt am M. an die *Herrmaunfche*, in Göttingen an die *Vandenhöckifche*, in Gotha an die *Ettingerfche*,
in Hamburg an die *Bohnfche*, in Hannover an die *Schmidt-
fche*, in Leipzig an die *Böhmifche* und *Hilfcherfche*, in
Meifsen an die *Erbfteinfche*, in Nürnberg an die *Grate-
nauerfche*, in Prag an die *Manngoldfche*, in Weimar an die *Hof-
mannfche*, in Wittenberg an die *Kühnifche* und übrigens
an die bekannteften Buchhandlungen jedes Orts wenden,
und dafelbft zu feiner Zeit die Exemplare ablangen laffen.
Dresden, am 18 Februar, 1789.

　　　　　Johann Ephraim Witschel.

Die berühmte Schrift des Hrn. de la Metherie, *Effai
analytique fur l'air pur et les différentes efpéces d'air* T.
I. II., wovon unlängft die *zweyte* Ausgabe erfchienen ift,
bedarf keines Lobes, da ihr Verfaffer, einer der erften
Scheidekünftler Frankreichs, die neueften Entdekungen
mit einer unzähligen Menge eigner Verfuche in gedrängter Kürze zu verbinden gewuft hat. Der Titel fagt viel
zu wenig vom Innhalte, der eine Menge andre verwandte
Gegenftände umfaft, welche au unfern Zeiten befondre
Aufmerkfamkeit erregen. Die *Cruftufsifche* Buchhandlung
in Leipzig wird diefes vorzügliche Buch eheftens dem
deutfchen Publikum in einer Ueberfetzung liefern, welche durch den Fleis eines nahmhaften Scheidekünftlers
ausgearbeitet worden ift.

Histoire de la Rivalité de Carthage et de Rome, à laquelle on a joint la Mort de Caton, tragédie, nouvel-
lement traduite de l'anglais, de M. Addifon. Par A.
H. Dampmartin, capitaine au régiment Royal, cavalerie. Deux vol. In 8°. Prix 7 liv. broché, et 10
liv. fur grand papier. 11 liv. fur papier fatiné. A
Strasbourg, chez J. H. Treuttel, libraire. A Paris,
chez Onfroi, libraire, rue Saint-Victor. Avec approbation, et privilege du Roi.

Autres Nouveautés, qui fe débitent chez le même Libraire.

Vie de Frédéric II, Roi de Pruffe, avec des anecdotes
et des remarques. 4 vol. avec portrait.

— A dite , le Supplément aux anecdotes avec le portrait, féparément , pour servir de suite aux anciennes éditions.

— De ladite , tome 5. 6, 7. ou Lettres sur le regne et la Vie de Frédéric II. avec un grand nombre de nouvelles anecdotes, et un tableau des premieres années du regne de Frederic-Guillaume II. grand. in 8°. 3 vol.

— Le même livre, in 12. pour servir de suite à la petite édition des quatre premiers volum.

Traité caractéristiques et Anecdotes de la vie de Frédéric II, roi de Prusse.

Vie de Frédéric, Baron de Trenck, nouvelle édition, refaite à neuf par ce martyr extraordinaire, lui-même, et propofée par fouscription au profit de fa famille. Elle fera parfaitement bien exécutée et ornée de belles estampes.

Koch, Sanctio pragmatica Germanorum illustrata, cum tabb. aeneis. in 4. Argentorati 1789.

Aus Frankreich haben wir im vorigen Jahre drey Bände fogenannte *Memoires du Duc de faint Simon*, die von den Zeiten Ludwig XIV und der nach feinem Tode eingefallenen Regentenfchaft handeln und viele geheime Vorfälle mittheilen follten, erhalten. Jetzt aber da wir eine Gelegenheit gefunden, die gefammelten Schriften diefes Staatsminifters in dreyzehn gefchriebenen Quartbänden zu kennen und gegen jene gedruckte Bände zu vergleichen, fo müffen wir bekennen dass diefe ganz furchterlich verftümmelt find, die Materien statt in einer auf einanderfolgenden Gefchichterzahlung ohne Ordnung und anekdotenweife durch einander geworfen, und eine Menge Stellen, die der Herausgeber nicht hat lefen und verftehen können, durch eine eigenmächtige Umänderung einen ganz verfchiedenen Sinn erhalten haben; Ebendemfelbe kündigt einige Bände Supplementa an, von welchen wir aber eben fo wenig gutes erwarten können, als die verworfenen Sachen nunmehr nicht können in die gehörige Ordnung umgegoffen werden, und auch die geringere Anzahl der Bände nur einen Auszug der gedachten merkwürdigen Handfchriften anzeiget. Wir freuen uns aber über die Nachricht aus einer bekannten Stadt am Niederrhein dafs diefe nun in ihrer ächten und wahren Geftalt unter die Preffe genommen werden, und dafs ein paar erfahrne und folide Gelehrte zu eigner Zufriedenheit die Mühe übernehmen, diefelbige durch mehrmaliges Durchlefen und Nachfchlagen von dem zufälligen Dunkel zu befreyen und rein und verftändlich ans Licht zu ftellen, zu welcher Mühe freylich viele Zeit erfodert wird, und deswegen die Ausgabe fo viel mehr wird verfpätet werden. Die Theile folgen alfo:

Memoires d'état et militaires de Louis XIV. roi de France et de Navarre 6 Rthlr.

2. Memoires fecrets de la regence de Philipp Duc d'Orleans 3. Rthlr.

3. Memoires pour fervir a l'histoire des hommes illuftres du regne de Louis XIV. et de Louis XV. 4 Rthlr.

4. Traité de Politique 1 Rthlr.

Sollte etwa eine Ueberfetzungsfabrik hier oder da auf diefen Schriftfteller ihr Augenmerk richten, fo wird fie vor jener bis jetzt allein vorhandenen Ausgabe gewarnet, und ermahnt einige Monathe fich noch zurück zu halten, um nach der neuen vollftändigen in 13 Th. beftehenden unferm lieben Vaterlande nicht Quark, fondern auch etwas gutes mitzutheilen.

Die A. Litt. Zeit. wird feiner Zeit nähere Nachricht davon geben und auch wo man eigentlich dafür fich melden könne.

II. Auctionen.

Den 18ten Mai d. J. wird die Bibliothek und Kupfer-Richfammlung des verftorbenen Fürftl. Anhalt Bernburgif. Regierungs Secretärs Hr. L. Keupfch zu Leipzig im Collegio rubro öffentlich veräuffert werden. Sie enthält die vorzüglichften Werke der Theologie, Jurisprudenz, Gefchichte, Münzwiffenfchaft, der neuern Literatur und eine fehr ftarke Sammlung juriftifcher Differtationen nach den Pandekten geordnet. Alle Bücher find gut gebunden, reinlich gehalten, und in den meiften die Journale angezeigt, wo man die Recenfionen derfelben findet.

Die aus beynahe 1000 St. beftehende Sammlung von neuen Kupferftichen, enthält die meiften berühmten Gelehrten von den beften Meiftern als Baufe, Haid etc.

Univerfitäts Proclamator Weigel zu Leipzig nimmt auswärtige Aufträge an.

Das Verzeichnifs der Bücher und Kupferftiche ift den gewöhnlichen Leipziger Bücher Catalogen einverleibt. Ein paar Exemplare find in der Expedition der A. L. Z. zur Einficht zu haben.

III. Bücher fo zu verkaufen.

Bey Chrift. Heinr. Cuno's Erben in Jena find nachftehende Bücher zu haben:

Du Hamel Naturgefchichte der Bäume. a. d. Fr. von Oelhafen, 3 Bände, mit Kupf. gr. 4. Nürnb. 1765. 6 Rthlr. Hoffmanni Opera omnia phyfico-medica etc. cum fuppl. XI Tomi, fol. Genev. 1748—53. 14 Rthlr. Jurisprudentia Romana et Attica, cont. varior. Comment. qui Jus Romanum et Atticum explicarunt. III Tomi. fol. Lugd. Bat. 1738—40. 12 Rthlr. Paffunei Lexicon hebraico-chaldaico-latino-biblicum etc. I Tomi. fol. Avenione. 1765. 16 Rthlr. Livii Hiftoriarum ab urbe condita libri qui fuperf. omnes cum not. varior. cura Drakenborch et Suppl. Freinshemii, VII Tomi, 4 maj. Amftel. 1738—746. 30 Rthlr. Pitifci Lexicon Antiquitatum Romanarum etc. III Tomi, cum fig. fol. Hag. Com. 1737. 8 Rthlr. Valerii Max. factor. dictorumq. memorabilium, libr. IX. cum Not. Perizonii et Schultingii. 4 maj. Leidae, 1726. 3 Rthlr. 8 gr. The Works of Henry Fielding, XII Vol. gr. 12. Edinb. 1767. 9 Rthlr. L'Eneide di Virgilio del Comment. Annib. Caro, II Tom. avec fig. 8. maj. Parigi. 8 Rthlr.

LITERARISCHE ANZEIGEN.

I. Erklärung
*über einige Stellen in der No. 26. d. Int. Blatts ent-
kaltnen Correspondenz Hn. Ob. Hofpr. Stark
in Darmstadt betreffend, auch deffen ebendaf.
Nro. 19. abgedruckte Aufforderung.*

Im 26ften Stücke des *Intelligenzblattes der Allg. Literatur-
Zeitung* d. J. finde ich ganz unvermutheter Weife meinen Namen. Ein ungenannter Herr, der fich für den
Herrn D. und Oberhofprediger Stark in Darmftadt intereffirt, fchreibt an den Herrn Peter Ernft *von der Often genannt Sacken* in Senten in Kurland: ,,Demfelben werde
,,die lebhafte Fehde nicht unbekannt feyn, welche Hr. Ni-
,,colai und die Monatsfchriftfteller in Berlin an einer, und
,,der Oberhofprediger Hr. D. Stark an der andern Seite
,,mit einander vor dem Publikum führen.'' Der Herr von
Sacken antwortet etwas beftimmter: ,,Ihm wären die Strei-
,,tigkeiten bekannt, die Hr. D. Stark mit Hrn. Nicolai und
,,den Monatsfchriftftellern vor dem Publikum führet.''
Diefe beyden Herren, befonders aber die Ungenannte,
wiffen auf allen Fall mehr als ich; denn mir ift nicht bewußt, daß ich befonders *meinerfeits*, mit dem Hrn. O.
H. P. Stark einen Streit hatte, oder jemals gehabt hatte,
auf welchen das was der Herr *von Sacken* über Hrn. Stark in
feinem Briefe fchreibt, irgend einen Einfluß haben könnte.

Zwar hat Hr. Stark, ein Mann, dem zuweilen die
Laune ankommt, die Dinge verkehrt vorzuftellen, in
einer Nachricht, die Er im Auguft vor. J. in die Zeitungen fetzen ließ, mich ohne weitern Grund *feinen Feind*
genannt, und im Intelligenzblatte der A. L. Z. Nro. 19.
S. 151. zählt er mich zu feinen *aufgebrachten* Gegnern.
Dies fcheint auch fein Anonymus *infinuiren* zu wollen;
und eben das *infinuirte* fchon vorher fo manche Waffenträger des Hrn. Stark.

Ich bin keines Menfchen *Feind*, aber ich bin von
jeher ein Feind der Heucheley, der Intriguenmacherey,
der thörichten Schwärmerey, der felbftfüchtigen Pralerey,
der Doppelzüngigkeit, und ein Feind aller andern Lafter
gewefen, die ein ehrlicher Mann haffen foll. Wer diefe Eigenfchaften an fich hat, den muß ich fie, nicht aber
den Menfchen felbft. Diefs habe ich mehrmals öffentlich
und im allgemeinen zu erkennen gegeben. Insbefondere
wüfste ich nicht, daß zwifchen Hrn. Stark und mir jemals etwas vorgefallen wäre, was *entweder* eine *vorzüg-*

liche *Freundfchaft*, oder vorzügliche *Feindfchaft* hätte veranlaffen können. Ich will nach mojnem beften Befinnen
alles erzählen, was möglich wäre hieher zu deuten, und
fo lange ich mich erinnern kann, den Namen Stark gehört
zu haben, vorgegangen ift.

Als Hr. Stark Profeffor in Königsberg war, ward er
wegen der Heterodoxie angeklagt. Ich gehörte damals
doch nicht zu feinen *Anklägern* oder *Gegnern*? Er glaubte
es doch auch wohl nicht?

Nachdem Er von Königsberg und Mitau weg war,
hörte ich, fo wie manche andere Leute in Vertrauen allerley von den klerikalifchen Komödien, die er hin und
wieder gefpielt hatte, von dem Nimbus von geheimnifs-
reichen Wefen, den er um fich verbreitete, und von feinem feltfamen Treiben in einem gewiffen Zirkel. Ich
hörte diefs, wie fo viele andere, denen gewiffe Dinge
nicht ganz unbekannt find; ich dachte dabey das meinige
eben fo wie viele andere, über fo viele zweydeutig und
unerklärlich fcheinende Dinge — und ich fchwieg wie fo
viele andere. Alfo auch damals war ich nicht fein Gegner.

Als ich im September 1781. bey meiner Durchreife
durch Darmftadt den Hrn. O. H. P. befuchte, hielt Er
mich auch nicht für *feinen* Feind oder *Gegner*; denn er
war ja ganz artig gegen mich.

Kurz vorher war der *Stein des Anftofses* erfchienen, eine Schrift wovon in Berlin und auffer Berlin von manchen rechtfchaffenen Leuten geurtheilt ward, daß fie fehr
hämifche Abfichten verrathe. *Nachher* kam St. Nicolai heraus, ein Buch, das vielen offenherzigen und redlichen
Leuten nicht gefallen wollte. Hr. Stark hielt das Unglück, für den Herausgeber von beiden angefehen zu
werden. Es kamen auch die Bücher: *Ueber die alten und
neuen Myfterien* und *Ueber den Zweck der Freymaurerorden*
heraus. Von beyden ward Hr. St. allgemein für den Verfaffer ausgegeben, und fo viel ich weiß, leugnet er es
auch nicht ab. Ich hielt, wie viele andere diefe beyden
letzten Schriften für ein ausgehangenes Schild einer Bude
von feynfollenden Geheimniffen, und Leute, die folche
Prätenfionen machen, find mir immer verächtlich gewefen.
Diefs war meine Meynung von diefen Büchern. Sagt
übrigens Hr. Stark oder fonft jemand, ich verftände fie
nicht, und die darin liegende Geheimniffe wären für
mich allzuhoch oder allzutief; fo mag er es fagen; denn
über folche Dinge läfst fich mit niemand ftreiten. Ich

Tt

ließ es übrigens auch völlig dahin gestellt seyn, ob Hr.
D. St. Herausgeber oder Verfasser dieser Schriften sey.
Ich bekenne gern, daß ich über manche litterarische
Thorheiten meines Zeitalters zuweilen lauter und freymüthiger gesprochen habe, als es für meine Ruhe vielleicht gut ist; aber ich habe doch, über die Thorheiten
dieser vier Bücher, und über den wetterwendischen
Schnickschnack, welcher darin betrifft, nie, so viel
ich mich erinnere, in meinen Schriften auch nur ein
Wort gesagt. Also auch in Absicht dieser vier Bücher,
für welche Hr. Stark viel Zärtlichkeit zu haben scheint
kann er mich weder seinen Feind noch seinen Gegner nennen. Wäre ich eine von beyden gewesen; so würde ich
es nicht vermieden haben, diese vier Bücher in der A. D.
B. anzeigen zu lassen; denn ich zweifle, ob das Urtheil
eines vernünftigen Gelehrten darüber möchte vortheilhaft
ausgefallen seyn. Ich suchte aber von jeher zu vermeiden, Schriften über maurerische Gegenstände überhaupt,
besonders vorgebliche neue Geheimnisse in der A. D. B.
anzeigen zu lassen; weil ich bemerkt habe, daß dasjenige, was etwa nützlich und brauchbar, oder schädlich,
und verächtlich an solchen Büchern ist, dem Publikum
nicht deutlich zu zeigen ist, und also oft, jemehr man
darüber sagt, desto mehr schiefe Urtheile veranlaßt werden. Auch mit diesen Büchern habe ich keine Ausnahme
gemacht; sondern jedem Geheimnißlüstigen überlassen, so
viel Trost darinn zu finden, als er selbst mochte.

Als Hr. Stark im Frühling 1785. sich in Berlin kurze
Zeit aufhielt, hat Er mich nicht für Gegner oder Feind
gehalten; denn Er, der auf seinen Reisen so wenig Leute
besucht, that mir die Ehre, mich zu besuchen. Er hat
diese mir erzeigte Ehre in seinem großen Werke vom Kryptokatholicismus selbst bekannt gemacht; in einem Werke,
welches Er durchaus nicht will dickleibig genannt wissen,
welches aber wirklich so beschwerlich korpulent ist, daß
ich mir nicht die Mühe nehmen mag, die Stelle darin
aufzusuchen. Er versichert da auch: Er erinnere sich
nicht, was Er damals mit mir gesprochen habe; wie man
denn an dem Hrn. O. H. P. die Gabe will bemerkt haben, sich desjenigen nicht zu erinnern, dessen Er sich
nicht erinnern will. Ich aber erinnere mich sehr genau,
was sowohl bey seinem Besuche, als bey meinem Gegenbe-
suche gesprochen ward. Ich will hier nur so viel davon sagen,
daß mir zwar verschiedenes, das Er aufs Tapet brachte,
merkwürdig schien; daß aber nicht der geringste Streit,
noch weniger etwas feindseliges in unserm Unterredungen
zu finden war. So viel wird Er sich wenigstens wohl noch
erinnern, wenn Er auch sonst alles vergessen hätte.

Ein Jahr nachher geschahen die bekannten Vorfälle,
wegen welcher Hr. St. für gut fand, die Herren Biester
und Gedike beym königl. Kammergericht zu verklagen.
Aber mich verklagte Er doch nicht, klagte niemals auch
noch nirgend, daß ich je Ihm etwas zuwider gethan hätte, ob Er gleich kurz nachher mit einem makel aus Gedike,
Biester und mir ein Triumvirat ersinnigen wollte, und,
kurz darauf alles was jene beyden Herren gegen Ihn ver-
schuldet haben sollen, durchaus auch mich hat wollen
entgelten lassen.

Denn als Hr. Stark diesen unglücklichen Proceß, von
welchem er sich so großen Wirkungen scheint versprochen

zu haben, leider! verloren hatte, fing er an, einen andern Weg einzuschlagen, namlich seine Sache vor dem
Publikum zu führen, aber sie in so viel Allotria zu mischen, daß die Hauptsache, ihn selbst betreffend, nie in
das rechte Licht käme, sondern alles sein verwirret und
die Leser ermüdet würden. Nun fuhr mit einem mahle
zuerst der Geist der Feindseligkeit gegen mich in den Hrn.
Oberhofprediger, zugleich mit einer sehr schnell Ihn
überfallenden Liebe zur Orthodoxie und zur Verdam-
mungsucht. Er fiel in seinem dreybändigen Buche, welches ich, um Ihn nicht ferner zu bekümmern, nicht
mehr dickleibig nennen will, mit wahrer Wuth und mit
den größten Grobheiten über mich her, denen ich bloß
Befremden und Verachtung entgegensetzte, weil sein Betragen nichts weiter verdient. Hier hat Er mich erst
selbst zum Gegner erwählt; aber daß Er dabey aufgebracht
und im unanständigsten blindesten Zorn war, nicht ich, wird
jedermann einsehen können, der sich die Mühe nehmen
will, seine langen und heftigen Beschuldigungen und meine kurzen und kalten Beantwortungen zu lesen.

Zu seinen Grobheiten, die Er seitdem bey mehrern
Gelegenheiten wider mich ausließ, that Er nun auch
die hämischsten Verunglimpfungen gegen mich hinzu, bey
Gelegenheit eines Privatbriefes des Herrn Hofraths Weishaupt vom 25sten Jänner 1782, worinn dieser vorgegeben
hatte: „Ich sey vollkommen zufrieden mit dem Illuminaten-
orden," da ich doch zu derselben Zeit noch gar nicht im Illu-
minatenorden war; und auch nachher niemals eine solche
völlige Zufriedenheit erklärt habe. Die verläumderischen
Consequenzen gegen mich, welche sich Hr. Stark hierbey
zu Schulden kommen ließ, nöthigten mich, dieß einzige
Mahl als Gegner wider Ihn aufzutreten, nicht wider seine
Person, nicht wider seine gelehrten Schriften, nicht wider
seine maurerischen Charlatanerien, weder wider seinen
angeblichen Kryptokatholicismus, noch wider seinen viel
unstreitigern Kryptophyprognosismus; sondern nur bloß
wegen seiner verläumderischen Beschuldigungen wider
mich, bloß um die wahre Beschaffenheit der Sache dem
Publikum deutlich vorzulegen und zu zeigen, wie unverantwortlich Hr. Stark mit mir umgegangen ist.
Ich bin dabey keineswegs aufgebracht gewesen, ob ich
gleich die ehrliche Indignation nicht verbergen mochte,
welche dergleichen ganz unverdiente sophistische Verunglimpfungen erregen mußten. Ob ich gleich ohne Umstände beyläufig äußerte, daß ich Hrn. Starks Klerikat
worauf Er so viele Schande, lange Zeit sich so viel zu
Gute gethan, für die abgeschmackteste Mummerey halte;
so ist dabey nicht die geringste Leidenschaft von meiner
Seite gewesen. Ich habe über das alberne Zeug, das er
in seinem Klerikate vornahm, gelacht, und die Achtfel-
gezuckt. Niemahls aber ja damals erboten, meine schlechte Meynung davon zurückzunehmen, sobald Hr. Stark
öffentlich auf eine überzeugende Weise irgend etwas Gutes,
etwas Edles, etwas Gemeinnütziges, etwas einem vernünftigen
Manne anständiges anzeigen könne, was in diesem Klerikate
wirklich gewesen. Ich erbiete mich auch noch dazu
zu. Im Falle es Hr. Stark noch thun will und kann.

Seitdem hat Hr. Stark eine Beleuchtung wider Hrn.
Kestner von Sprengseisen geschrieben, und in derselben auch
in meiner Reichsbeschreibung einige öffentliche Fehler betreffend
den

den Katholicismus u. d. gl. zu finden vermeint. Ich vernehme dieß eben jetzt, da es dem Hrn. Oberhofprediger gefallen hat, diese *zwölf Beschuldigungen*, wegen welcher Er vermeint, daß ich mich *nothwendig vertheidigen müsse*, in der obengedachten 39ten Nro. *des Intelligenzblatts der A. L. Z.* feyerlichst zu wiederholen. Das ist ganz wohl gethan, den ich lese mehrentheils dieß Intelligenzblat. Aber es ist etwas in mir, das

M' uspra-der qxixue ens la haine d'un sot livre;
daher pflege ich des Hrn. Oberhofpr. Streitschriften, und seiner Waffenträger Skartekeu nicht mehr zu lesen, seitdem ich ihre wahre Beschaffenheit habe kennen lernen. Wenn Er also in diesem kunftig auf mich schimpft oder mich herausfordert; so kann es leicht geschehen, daß ich nicht das geringste davon erfahre.

Was nun seine Aufforderung zur Vertheidigung der *zwölf Punkte* betrift; so will ich, nachdem ich sie sorgfaltig überlegt habe, hier nur folgendes sagen. Diese zwölf Punkte sind bloß so feyerlich hingesetzt, um Staub in die Augen zu streuen. Theils sind es wahre Lappalien z. B. Nro. 4. Nro. 5. Nro. 9. Nro. 10. Nro. 12; theils sind die meisten von Hrn. *Stark* so sophistisch gestellt, besonders Nro. 1. Nro. 7. Nro. 8. Nro. 11. daß Er ganz etwas anderes fragt, als ich eigentlich gesagt habe. Ueber alle zwölf aber glaube ich mich bereits so deutlich und genugthuend erklärt zu haben, als es ein vernünftiger Leser verlangen kann, und besonders habe ich Nro. 2. in der im vorigen Jahre herausgekommenen dritten Auflage des zweyten Theils meiner Reisebeschreibung sehr ausführlich und deutlich auseinandergesetzt. Uebrigens bin ich der Meynung, es würde heißen leeres Stroh dreschen, wann man sich mit einem solchem Manne, wie sich Hr. *Stark* in seinem letzten Streite gezeigt hat, ferner einlassen wollte. Er hat gar zu deutlich gewiesen, daß es Ihm nicht um *Wahrheit* zu thun ist, sondern daß Er beständig *sophistische Winkelzüge* gesucht, womit derjenige der sich solcher niedrigen Behelfe nicht schämt, jede Streitfrage bis ins Unendliche ziehen kann; indem er wie das beantwortet, was eigentlich zu beantworten wäre, über andere Sachen aber großes Geschrey macht. Er hat daher so deutlich gesagt, Er wolle bis auf den letzten Augenblick fortschreiben und das letzte Wort behalten, daß ich es bey jetzigem großen Papiermangel für sündlich halte, dem Hrn. O. H. P. Gelegenheit zu geben, noch mehr Papier zu verderben. Ich will ihm lieber gleich jetzt das letzte Wort lassen, und glaube nichts dabey zu verlieren. Meine Schriften liegen der Welt vor Augen, und des Hrn. Oberhofpredigers Beschuldigungen auch. Ich glaube sowohl durch die Beschaffenheit meiner Schriften selbst, als durch die in die Augen fallende Beschaffenheit der Beschuldigungen des Hrn. O. H. P. genugsam gerechtfertigt zu seyn. Er thut mir so ein Schaden darein, daß ich dasjenige, was ich etwa zu meiner fernern Rechtfertigung noch sagen könnte, nicht sage; so will ich den Schaden lieber tragen, als ferner mit Lesung des unerfindlichen Geschwätzes des Hrn. O. H. P. und mit dessen ausführlicher Beantwortung meine Zeit verderben.

Ich glaube also durch meine Schriften selbst, bey unbefangenen Lesern schon völlkommen gerechtfertigt zu seyn; hingegen gönne ich Hrn. *Starck* gern, daß Er an

sich waschen und waschen, ob Er etwa völlig rein und weiß werden könnte! Ich wünsche ihm im voraus Glück, wenn Er durch seine angekündigte Schrift, *Apologismus* betitelt, nun in *sechs bis acht Bogen* bewerkstelligen kann, was ihm vorher durch eine förmliche Injurienklage und durch sechs bis acht Bände und Bändchen eigner Streitschriften nebst sechs bis acht Skarteken seiner Waffenträger, auf welche Er sich fleißigst bezieht, eben nicht gelungen zu seyn scheint. Er bittet ja im voraus so sehnlich, man möchte doch ja *die kleine Mühe* übernehmen, diese angekündigte Schrift zu lesen; wobey er nach der Ihm beywohnenden Billigkeit gegen seine Gegner, von diesen im voraus vermuthet, sie würden anrathen, diese *Schrift nicht zu lesen*, sondern *wegzuwerfen*. Um recht deutlich zu zeigen, wie wenig ich sein Gegner bin, will ich hier öffentlich und im voraus jedermänniglich anrathen, diese Schrift recht sorgfältig zu lesen. Sie wird es verdienen; denn es scheint, sie wird von seinen vorigen Streitschriften ganz verschieden seyn, da sie nach seiner Versicherung die *wesentlichsten Gegenstände* enthalten soll; welches bey den vorigen Streitschriften der Fall keineswegs seyn soll. Und was kann *wesentlicher* bey den Beschuldigungen seyn, über die der Hr. O. H. P. sich zu rechtfertigen hat, als, das Ihm Schuld gegebene *Versprechen wichtiger Geheimnisse durch das berüchtigte Klerikat*, nebst allen den *unanständigen Komödien*, von Konzestellen, *geheimnißvollem Briefwechsel*, *geschmiedeten Dokumenten und Titeln aus den Zeiten der Tempelherren her*, deßmahl gesegneten Vater, Florenz, von liegenden Gründen, welche dem T. O. zugewendet werden sollten, von den Klerikern, die vier Jahrhunderte in beständigem Kummer dahin gegangen seyn sollten, von dem unsterblichen Mittel, welche die Mittel der weltlichen Ritter übersteigen sollen, und dabey doch vom Betteln um Jura stolae etc., welche Komödien Er gestehen soll so weitläufig und so lange dabey spielte! Wahrscheinlicher Weise wird sich nunmehr der H. O.H.P. hierüber deutlich rechtfertigen; Er wird endlich, nachdem Er so lange hinter dem Berge gehalten hat, die von seinem disciplinam ordinis clericorum, wovon Er sich selbst für einen Adepten ausgab, entfalten; Er wird alle Uuerklärlichkeiten und die seltsamen Widersprüche mit dem Charakter eines einsichtsvollen Gelehrten und eines protestantischen Theologen, welche man in dem, was bisher davon bekannt geworden, wahrzunehmen geglaubt hat, auflösen und zeigen, wie unschuldig und nützlich dieses Institut war, das Er mit so großen Eifer und unter so geheimnißvollen Umständen zu unterstützen suchte. Wenn Er aber wider Vermuthen in seinem vorausangekündigten *Apologismus* sich hierüber nicht deutlich erklären sollte; so bin ich der unvorgreiflichen Meynung, daß Er alsdenn ein *sehr wesentliches* Stück würde übergangen haben. Doch will ich diese meine Meynung gern dem Ermessen andrer vernünftigen und unbefangenen Leser überlassen, und sage mit niemand streiten, welcher etwa, auch noch der angekündigte *Apologismus* herauskommt, den Hrn. O. H. P. für *völlig gerechtfertigt*, ja sogar für *unparteyisch, kaltblütig, billig* und *höflich* halten wollte. Hr. Stark hat sich mir auf die unverschämte Art zugenöthigt. Ich habe seine Zunöthigungen kurz abgewiesen,

und

und verachte fie. Ich mag mit ihm weder einen Streit,
noch fonft etwas zu thun haben:

What's Hecuba to me, and I to Hecuba!

Ich fehe mich aber genöthigt, über die Korrespondenz
des *Ungenannten* mit dem Hrn. *von Sacken* noch ein paar
Worte hinzuzuthun, weil ich ohne mein Verfchulden mit
darein gemifcht werde. Ich habe fchon oben gefagt, dafs
der Ungenannte auf eine unartige Art *infinuirt*, als hätte
ich und die Berlinifchen Monatsfchriftfteller *on einer Seite*, und Hr. *Stark an der andern Seite* eine *Fehde* vor dem
Publikum. Auf eine eben fo unartige Art fetzt Er hinzu:
die *Frau von der Recke* habe in diefem von ihm fingirten
Streit eine *anfehnliche Rolle* übernommen.

Ehe ich weiter über diefe letzte Aeufserung etwas
fage, fo glaube ich vorher eine *Unwahrheit* anzeigen zu
müffen, welche fich der Ungenannte wider diefe verehrungswürdige Dame erlaubt. Er fagt:

„Die *Frau von der Recke* habe in Ihrem Etwas über
„Hrn. *Stark, jedem Anonym berechtigt*, fich bey Leu-
„ten, die Hrn. Stark in Kurland gekannt, nach dem-
„felben zu erkundigen.“

Ich glaube hier die Stelle aus der Frau von der Recke
Buche über Hrn. Stark S. 94 herfetzen zu müffen. Diefe
Dame fagt:

„Ich bin überzeugt, dafs niemand von denen, die
„mich genau kennen, zweifeln wird, dafs ich bey
„der Erzählung der Thatfachen, die ich über *Cagli-
„oftro* und über Hrn. Oberhofprediger *Stark* anführen
„mufste, aufs ftrengfte der Wahrheit gefolgt bin,
„Sollten aber einige von denen, die mich nicht ge-
„nau kennen, irgend etwas von *den Thatfachen, die
„ich erzählt habe*, in Zweifel ziehen; fo wunfchte
„ich, dafs diefe ihren hiefigen Bekannten aufgeben
„wollten, fich nach dem Grund und Ungrund deffen
„was ich in diefer und meiner vorigen Schrift dar-
„ftelle, bey folchen hiefigen glaubwürdigen Leuten,
„welche von diefen Sachen gut unterrichtet feyn kön-
„nen, *im Vertrauen* näher zu erkundigen. Es leben
„hier noch manche Perfonen, *welche von Cagliofiro
„betrogen*, und *vom Hrn. Oberhofprediger Stark mit
„Erwartungen hoher Geheimniffe hingehalten worden
„find.* Einige können fich freylich nicht entfchlief-
„fen, öffentlich fich als Zeugen von folchen Thatfa-
„chen, derer Wahrheit fie fehr wohl wiffen, und die
„alle mifsbilligen, anführen zu laffen. Einige wollen
„nur nicht fchriftliches Zeugnifs geben; aber münd-
„lich fagen fie hierüber genug, und noch mehr, als
„ich hier anzuführen nöthig und nützlich geachtet ha-
„be. Wenigftens bin ich gewifs überzeugt, dafs nicht
„alle fich weigern werden, gegen redliche Leute,
„von denen fie gewifs verfichert find, in den Ver-
„bindungen, in welchen fie noch ftehen, nicht com-
„promittirt zu werden, *im Vertrauen der Wahrheit
„ihr Zeugnifs zu geben.“*

Hier fiehet kein Wort von einem *Anonymus;* vielmehr
fteht das Gegentheil da; fie fpricht vom Erkundigen *im Vertrauen.* Die einfichtsvolle Dame zeigt auch
gar zu deutlich im Voraus an, dafs man die wahre Befchaffenheit der Sache *nur im Vertrauen* erfahren werde.
Es läfst fich, wenn man die Sache reiflich überlegt, wohl

fehr leicht einfehen, dafs ein edeldenkender Mann hundert Urfachen haben könne, fich nicht in einen fo ftin-
kenden Streit zu mengen; wie ihn Hr. Stark angefangen
hat, und dafs mancher rechtfchaffener Mann, wenn er
nicht durchaus fich daran gedrungen fühlt, fich nicht
leicht werde bewegen laffen, ein widriges Zeugnifs *fchriftlich* und *öffentlich* zu geben, ob er gleich fich vielleicht
im *Vertrauen* und mündlich näher herauslaffen möchte.
So grofsen Refpect ich daher auch für das Zeugnifs des
Hrn. von Sacken habe; fo glaube ich doch faft, dafs er
ein folches fchriftliches und öffentliches Zeugnifs, wozu
Er an fich gar nicht verbunden war, abzulegen, *mehr Bedenken* würde gefunden, und es vielleicht von fich möchte abgelehnt haben, wenn *die Fragen fo wären geftellt gewefen, dafs Er fie wider Hrn. St. hätte beantworten
müffen.*

Hier mufs ich auch noch, da ich einmal von diefer
Correfpondenz zu fprechen habe, beyläufig bemerken,
dafs der Ungenannte für gut gefunden hat, die *wefentlichfte Frage*, wovon doch die Frau von der *Recke* in der
obigen Stelle fo deutlich redet, *ganz wegzulaffen*, nämlich:

„Ob in Kurland noch manche Perfonen leben, wel-
„che von *Cagliofiro betrogen*, und *vom Hrn.' O. H. P.
„Stark mit Erwartungen hoher Geheimniffe hingehal-
„ten worden find?“*

Das fcheint mir eine fehr zum Zwecke gehörige Frage zu feyn? Ferner übergeht er auch noch viele mehrere Fragen; z. B. wie die Frau *v. d. Recke* S. 5. fagt:

„Ob Hr. Stark bey feinem Aufenthalte in Mietau the-
„tigen Antheil an geheimen Verbindungen genommen
„habe? Ob Er bey den Leuten, welche glaubten,
„grofse Geheimniffe wären noch von unbekannten
„Obern, befonders aus Frankreich, zu erlangen, für
„einen wichtigen Mann, *der die rechten unbekannten
„Quellen der Geheimniffe kennen müfste,* gehalten wor-
„den? Ob Er dabey feinen Schülern *Erwartungen
„vorgefpiegelt*, die Er nicht erfüllet habe?“*

Ferner, wie diefe Dame fich S. 7. ausdrückt:

„Ob man fich fchon zu der Zeit, da der Hr. Ober-
„hofprediger, noch in Mietau war, Ins. Ohr gefagt ha-
„be: Er fey *bey feinem Aufenthalte in Frankreich zur
„röonifchkatholifchen Kirche übergetreten,* um dadurch
„das Fortfetz fo zu gewinnen, in der Sorbonne und in
„den katholifchen Klöftern zu manchen wichtigen mo-
„nerifchen Schriften zu gelangen; nun Er aber diefe
„in Hünden habe, fey Er äufserlich wieder zu feiner
„Kirche zurückgetreten?

Desgleichen, wie Sie fich S. 12. ausdrückt:

„Ob Hr. Stark mit dem Rufe: Er fey *Befitzer der
„längftgefuchten Geheimniffe,* nach Mietau gekommen,
„und: Ob Er in Kurland bey Leuten, wo es wirken
„konnte, immer eine fehr geheimnifsvolle Sprache ge-
„führt, und den Hang nach übernatürlichen Geheim-
„niffen zu manchen guten Seelen recht geflifsentlich
„genährt habe? Ob in einem gewiffen Zirkel Hr.
„Stark mit Cagliofiro für begnäke gleich wichtige
„Leute gehalten worden; und: Ob jeder derfelben
„auch feine magifchen Jünger und Anhänger gehabt
„habe?

Dief

345

Diese und andere Fragen mehr wären eigentlich solche Behauptungen der Frau v. d. Recke, wovon *mehrere Leute etwas wissen* und also darüber zeugen könnten. Und hierüber mußte wohl, nicht bloß *eine einzige*, wenn auch noch so respectable Person, sondern *mehrere*, (weil sehr wohl *einer nicht wissen kann, was viele sehr wohl wissen;*) und zwar nicht öffentlich, sondern dem Verlangen der Frau v. d. Recke zufolge, *im Vertrauen* befragt werden, im Fall man recht *auf den Grund der Sache kommen* wollte, wenn man *gewiß wissen* wollte, wie sich der Ungenannte ausdrückt: „daß an allem dem, was Starks Geg„ner noch *in Kurland* versteckt zu seyn vorgeben, *nichts* „— *gar nichts seyn sollte*." Ich glaube daher, *das Zeugniß des Hrn. von Sacken*, wider welches ich weit entfernt bin den geringsten Zweifel zu hegen, könne *neben dem Zeugnisse der Frau v. d. Recke* sehr wohl bestehen. Hr. v. Sacken ist ein so edler Kavalier, und spricht selbst mit der verdienten Hochachtung von dieser vortreflichen Dame; daß er gewiß nicht glauben kann, Seine Redlichkeit und Wahrheitsliebe werde heruntergesetzt, wenn man annimmt, sie seyen in eben dem Maaße schätzbar, als die Redlichkeit und Wahrheitsliebe der Frau Kammerherrin von der Recke. Jeder von beiden zeugt, seinem Gewissen gemäß, was ihm selbst wiederfahren, und was ihm bewußt ist; nur ward der Hr. v. *Sacken* von dem *Ungenannten über die hauptsächlichsten Behauptungen* der Frau v. d. Recke wider welche, *und hat also auch nicht darauf antworten können*; hingegen ward Er über andere Dinge befragt, worüber die Frau v. d. Recke, so viel ich weiß, nichts behauptet hat; z. B. von des Hrn. *Dr. Starks Tonsur*, von seiner Neigung zum *Katholicismus*, von seinem Umgange mit *katholischen Geistlichen* u. s. w. und wobey also die Frau v. d. Recke nicht widerlegt werden kann.

Doch ich will alles dieses gern dahin gestellt seyn lassen, weil es mir im Grunde ganz gleichgültig seyn kann, ob Hr. Stark gerechtfertigt sey, ob man ihn für gerechtfertigt halte, oder ob beides nicht sey. Ich komme zu dem zurück, was mich näher angehet. Nachdem der Ungenannte es so listig gestellet hat, als ob *ich und die* berlinischen Monatsschriftsteller mit *Hrn. Stark* eine Fehde hätten, so, als ob ich nicht nur zu dem Streite, den die *berlinische Monatsschrift* mit Hrn. Stark hat, gehörte, sondern sogar als ob ich die *Hauptperson* wäre, und wenn er hinzusetzt, die Frau von der Recke habe *in diesem Streite eine so ansehnliche Rolle übernommen*; so kann man dieses nicht anders ausdeuten, als ob Sie bloß *meinen Streit* führe, und *durch mich* etwa wäre bewogen worden, in *meinem* vermeintlichen Streite *eine ansehnliche Rolle* zu übernehmen. Ich kann mit Recht annehmen, daß der ungenannte Sachwalter des Hrn. O. H. P. Stark dieß *insinuiren* wolle, da Hr. Stark selbst nicht entblödet hat, dieß öffentlich und auf die unverschämteste Weise zu sagen; z. B. Ich hätte mich ohne diese Dame nicht mehr zu *retten* gewußt. Ich hätte mich *hinter die Schürze dieser Dame* gesteckt, u. s. niederträchtige Aeußerungen, deren sich ein Mann, der noch einige Lebensart hat, oder noch einigermaßen bedenkt, was er einer der würdigsten Damen schuldig ist, schämen sollte.

346

Ich habe weder einen *Streit* mit Hrn. Stark, noch hat die Fr. v. d. Recke in diesem *nicht existirenden Streite* eine *Rolle* übernehmen, oder mich retten können; da nichts zu retten ist. — Die Sache ist ganz simpel diese: Frau v. d. Recke hatte zu einer Zeit, da kaum noch zwischen Hrn. *Stark* und der *Berlinischen Monatsschrift*, der Streit angegangen war, also noch zwischen *mir* und Hrn. *Stark* kein Streit vermuthet werden konnte, in ihrer Schrift über *Cagliostro* S. 39. gesagt:

„*Cagliostro* habe für Hrn. *Dr. Stark* gewarnet, der „von sich habe glauben lassen, daß er auch *Oberhaupt* „einer geheimnißvollen Gesellschaft gewesen, die er, „es sey nun, in welcher Absicht es wolle, *mit hohen* „Erwartungen hingehalten habe. — Hr. D. *Stark* könn„te den Wahrheitsfreunden den Zusammenhang am „besten erklären; und wie vielen Dank verdiente „er sodann von ihnen! Wäre er selbst hintergangen „worden, so wünschte Sie, daß er eben mit der Of„fenherzigkeit, wie Sie, ebenfalls seine Verirrungen, „andern Betrogenen zur Warnung, ausführlich er„zählen wollte."

Hierauf erklärte sich Hr. Stark in seinem Buche, das nicht mehr *dickleibig* heißen soll, auf eine gar nicht genügende, sondern wegwerfende Art. Die Frau v. d. Recke fand sich dadurch bewogen, der Wahrheit zu Steuer, noch mehr von den Sachen öffentlich zu sagen, die Sie vom Hrn. Stark wußte, und besonders, auf welche unwürdige Weise Er bey Ihr selbst den Hang zur Schwärmerey und Geisterseherey befestigt habe. Sie verlangte von mir, diese Schrift in Verlag zu nehmen. Ich that alles, was möglich war, um Ihr die Herausgabe dieser Schrift abzurathen; theils, weil gewisse Gegenstände mit in Anfrage kommen möchten, von welchen ich nicht einsah daß ein Frauenzimmer davon genug unterrichtet seyn könnte, um sich auf eine genugthuende Weise darüber zu erklären; theils, weil es mir wehe that, daß sich eine Dame vom Stande und von so vortreflichen Geisteseigenschaften den ungezogenen Anfällen eines Mannes, wie Hr. Stark, aussetzen sollte, der, wie es in den beiden ersten Theilen seines Buchs deutlich ist, nur darauf ausgieng, seine Gegner auf die niederträchtigste Weise mit Koth zu bewerfen. Ich weiß sehr wohl: *que cette boue ne fait qu'éclabousser, mais ne fait pas de taches*, und war daher meinetwegen und anderer rechtschaffenen Männer wegen sehr unbesorgt. Zu gleicher Zeit war ich auch weit davon entfernt, diese Dame zu meiner Vertheidigung gegen Hrn. Stark aufzufordern, da ich mit diesem Manne ohnedieß eigentlich gar keinen Streit hatte oder haben wollte, und wohl wußte, daß seine kahlen und aus der Luft gegriffenen Beschuldigungen an mir nicht haften konnten. Im Gegentheil wünschte ich, um dieser Dame selbst willen, daß Sie lieber sich gegen Hrn. Stark nicht vertheidigen, und das zweydeutige Betragen dieses Mannes so lange, so nützlich dieß an sich auch seyn könnte, um sich nicht seinen Grobheiten auszusetzen. Aber die feurige Wahrheitsliebe der edlen Frau siegte über die Vorsichtigkeit, welche ich für Sie zuträglich hielt. Ich gab nicht eher nach, als bis Sie mir positiv erklärte: „Wenn ich die Herausgabe Ihrer Schrift nicht überneh„men wollte; so würde Sie dieselbe in einem andern Ver-

„lage-drucken laſſen." Alles dieſes belegte ich in der Vorrede der Schrift der Frau v. d. Recke mit drey von Ihr an mich, geſchriebenen Briefen. Dieß konnte aber gar nicht hindern, daß nicht Hr. Stark mit unverſchämter Stirn, und wider alle Wahrheit, die Sache ganz anders vorſtellte, als hätte ich die vortrefliche Frau meinetwegen zu dieſem Streite aufgeredet; da es gerade das Gegentheil war. Denn Ihretwegen hatte ich Ihr den Streit mit einem ungezogenen Menſchen abgerathen.

Damit nun Hr. Starck, der ſich alles erlaubt, ſich nicht auch etwa beygehen laſſe, zwey Stellen in dem Briefe des Hrn. v. Sacken, die nicht auf mich gehen können, auf mich zu deuten; ſo halte ich fürs beſte, mich gleich jetzt öffentlich zu erklären.

Ich habe nicht die Ehre, den Hrn. v. Sacken zu kennen, aber jeder, der Ihn kennt, beſchreibt Ihn als einen rechtſchaffenen Mann; und ſo zeigt Er ſich auch in dieſem Briefe durchaus. Ich darf daher hoffen, Er werde mir nicht übel nehmen, daß ich einer Misdeutung ſeiner Worte vorzukommen ſuche, die Er nicht intendiet haben kann. Wenn ich nicht mit einem Manne, wie Hr. Stark, zu thun hätte; ſo würde dieſe Vorſicht vielleicht überflüſſig ſeyn.

Der Hr. v. Sacken ſpricht von der Frau von der Recke, ob Er gleich in verſchiedenen Dingen andrer Meynung als Sie, iſt, mit der Wohlanſtändigkeit und Achtung, die dieſe verehrungswürdige Dame ſo ſehr verdient, und beſchämt dadurch ſtillſchweigend Hrn. Starck, der gegen dieſe Dame alles aus den Augen ſetzte, was nur die gemeine Lebensart von einem irgend wohlerzogenen Menſchen fordert. Hr. v. Sacken läſt der Frau v. d. Recke, deren edlen Charakter Er kennt, die Gerechtigkeit widerfahren; von ihr zu ſagen: „Die wahrhafte Güte Ihres „Herzens iſt ſo ausnehmend groß, daß wenn Sie wüſte, „daß alle die Beſchuldigungen, die dem Hrn. D. Starck „gemacht ſind, auf falſchen Gründen beruhen, Sie nicht „einen Augenblick anſtehen würde, ſelbige zurück zu neh-„men." So weit ich die Frau v. d. Recke und Ihren edlen wahrheitsliebenden Charakter zu kennen die Ehre habe, bin ich ganz vollkommen mit Ihm eins, daß Sie dieſes thun würde. Es käme nur darauf an, dieſe edle Dame davon zu überzeugen. Vielleicht wage ich zu viel, wenn ich vermuthe, es werde dieſes, wenn es möglich iſt, niemand beſſer, als Herr v. Sacken ſelbſt, oder irgend ein anderer edler Kurländer mündlich thun können, wo dich Dinge dieſer Art, wie es mir ſcheint, beſſer als ſchriftlich auseinander ſetzen laſſen. Es wäre doch, zu verſuchen. Mir würde es ſogar wegen der Ehre der Menſchheit, und Gelehrtenkennt angenehm ſeyn, wenn Hr. O. H. P. Starks ſo ſehr zweydeutig auch noch bis jetzt vieles in ſeinem Betragen ſcheint, dennoch völlig konnte gerechtfertigt werden. Und ob ich gleich Hrn. Stark eigentlich beſchuldigte, obgleich ich eher nicht, als bis Er mich ſelbſt auf eine ſehr hämiſche Art angegriffen hatte, und ſelbſt da nur beyläufig anführte, was von ſeiner unerklärlichen Korreſpondenz mit Schwärpern und von ſeinem zweydeutigen Klerikate leidet, nun öffentlich bekannt genug iſt; ſo werde auch ich gern, ſo bald ich völlig überzeugt werde, jeden Zweifel an Hrn. Starks ſchlichten und rechten

Betragen, öffentlich zurücknehmen; — aber auch freylich nicht eher, als bis ich überzeugt bin.

Da nun Hr. v. Sacken von der unverfälſchten Wahrheitsliebe der Frau Kammerherrin von der Recke einen ſo richtigen Begriff hat; ſo wird Er Ihr auch gewiß nicht zutrauen, daß Sie, wenn ich ſo unvernünftig geweſen ſeyn könnte, Sie wider Hrn. Stark aufzuhetzen, mir drey ſolche Briefe geſchrieben haben würde, die ich von Ihr, mit Ihrer ausdrücklichen Erlaubniß, in der Vorrede Ihres Buchs wider Hrn. Stark, habe abdrucken laſſen. Er wird dieſer edlen Frau gewiß nicht zutrauen, daß Sie, wenn Sie dieſe drey Briefe nicht geſchrieben hätte, mir erlaubt haben, würde, drey dergleichen Briefe zu erdichten, in Ihrem Nahmen drucken zu laſſen und noch dazu öffentlich zu ſagen, daß ſie Ihr die Herausgabe dieſer Schrift mit ſo vielen Gründen abgerathen hatte, wenn es nicht wahr wäre.

Wenn aber Hr. von Sacken ſagt: „daß die Frau „Kammerherrin v. d. Recke in dieſe Streitigkeit hinein-„gezogen worden"; ſo darf ich wohl annehmen, dieß könne nicht ſo gemeynt ſeyn, als ob ich dieſe Dame hineingezogen hätte. Dieſem widerſprechen Ihre gedruckten Briefe, und ich habe auch ſchon oben erinnert, daß ich überhaupt mit Hrn. Stark eigentlich keinen Streit gehabt habe, als über ſeine Beſchuldigungen wegen des Illuminatenordens; worüber aber die Frau Kammerherrin nichts geſchrieben hat; daher man ſieht, daß es ſo bloß los als hämiſch iſt, wenn Hr. Stark ſagt: Ich hatte mich ohne dieſe Dame nicht zu retten gewuſt.

Hr. v. Sacken ſetzt noch hinzu: „Die edle Gutmüthigkeit dieſer Dame ſey auf die entſetzlichſte Art ge-„misbraucht worden." Dieß muß auf etwas in Karland vorgefallenes gehen, wovon mir nichts bewuſt iſt. Wenigſtens kann ich es mir ſo recht und ich kann mir nichts niederträchtigeres denken, als die Gutmüthigkeit einer der edelſten und würdigſten Frauen zu misbrauchen. „Indeſſen habe ich nicht zur Verläumdung ſicher, und ich beſonders habe ſchon ſo oft erfahren, daß Leute ſogar von Stadt zu Stadt gereiſet ſind, um Dinge von mir auszubreiten, und auf meine Rechnung zu lügen, woran ich auch nicht im allergeringſten gedacht hatte. Sollte alſo obige Aeuſſerung ſich auch nur auf die obererwähnteſte Reiſe auf etwas beziehen; das man dem Herrn v. Sacken von mir erzählt hätte; ſo glaube ich es von Seiner rechtſchaffenen Denkungsart, wovon ich die höchſte Meynung habe, erwarten zu dürfen, daß Er mir die Bitte nicht abſchlagen werde, die ich hier öffentlich an Ihn thue:

Mich wiſſen zu laſſen, was man Ihm von mir erzählt habe, worauf ſich eine ſo widrige Meynung von mir gründen könnte.

Ich hoffe in ſolchem Falle dàrthun zu können, daß ich bey Ihm verlüumdet worden; denn ich bin unfähig, jemandes Gutmüthigkeit zu misbrauchen, am wenigſten einer ſo verehrungswürdigen Frau.

Es iſt mir nicht gleichgültig, was ein ſo edler Mann wie Hr. v. Sacken von meinem moraliſchen Charakter denken möge. Ich darf von Ihm überzeugt ſeyn, daß Er ſich ſelbſt zu ehre reſpektirt um nicht etwas poſitiv und öffentlich zu behaupten, wovon er nicht die ſicherſten Gründe hat, und wenn es im geringſten mich angehen

soll. So hoffe ich mir versprechen zu können, daß Er die
strenge Gerechtigkeit, welche Er sich bey den fünf über
Hrn. Stark an Ihn gerichtete Fragen vorgeschrieben hat,
auch mir werde widerfahren laßen. Ich muß es Seinem
eigenen Ermessen billig überlaßen, ob Er mir hierüber
nähere Eröffnung öffentlich oder im Privatschreiben thun
will.

Wenn hingegen dieser Herr weder öffentlich noch
in einem Privatbriefe, die obigen Worte auf mich ziehet,
und Hr. Stark oder einer seiner Skartekenschreiber ließe
sich dennoch beygehen, sie auf mich deuten zu wollen;
so glaube ich berechtigt zu seyn, in solchem Falle dergleichen Deutung eines unbestimmten Ausdrucks so lange für eine niederträchtige Konsequenzenmacherey zu erklären, (deren sich Hr. Stark schon mehrere gegen mich
erlaubt hat), bis Ihn Hr. v. Sacken ausdrücklich zu einer
solchen Deutung autorisirt. In diesem letzten Falle aber
bin ich gewiß versichert, würde die Gerechtigkeitsliebe
dieses edlen K. rländers mir nicht versagen, mir die Gründe eines so unverdienten Verdachtes mitzutheilen. Der hämi-
sche und von mir gar nicht veranlaßte Angriff des Hrn.
Stark auf mich, würde alsdann die wohlthätige Wirkung
haben, daß ich Gelegenheit erhielte, einen schimpflichen
Verdacht von mir abzuwenden, der, mir vielleicht, einem oder mehreren edlen Männern Kurlands von bösartigen Leuten beygebracht worden ware. Ich würde sodann Hn. Stark seine grundlosen Beschuldigungen, die
mich ohnedieß nicht sehr bekümmert haben, um so viel
eher vergeben, wenn sie eine für mich so angenehme
Wirkung veranlaßten.

Berlin, den 14 März 1789.

Friedrich Nicolai.

II. Ankündigungen neuer Bücher.

Die Anmerkungen des Hn. Ramond de Carbonniere
zu der Schweizerreise des Hn. Coxe sind bekannt, und
ihr Werth ist entschieden. Der Hr. Verfasser hat unterdessen Gelegenheit gehabt, die Pyrenäischen Gebirge zu
bereisen. So sehr die Alpen bekannt sind, so wenig
kennt man die Gebirgskette welche Spanien von Frankreich trennt. Hr. Baron von Dietrich war der erste welcher die Mineralogen darauf aufmerksam machte, und die
Fleischersche Buchhandlung in Frankfurt am Mayn verdient Dank daß sie dieses vortrefliche und kostbare Werk
den Deutschen in einer Uebersetzung liefert. Hr. Ra-
mando durchreiste die Französischen und Spanischen Alpen
in den Jahren 1778. Er hat seine Bemerkungen niedergeschrieben und theilt sie nun dem Publikum mit Approbation der Akademie der Wissenschaften in Paris mit.
Sie enthalten unter andern Merkwürdigkeiten die Entdeckung daß hier wie in den Alpen, Gletscher oder Eis-
Berge sind, und daß der höchste Gipfel der Pyrenäen 400.
Klafter höher ist als man bisher dafür gehalten hat. Hr.
Ramond beschreibt diese Gebirgskette nach ihrem ganzen
Inhalte physisch und mineralogisch und giebt dabey die
unterhaltendsten Beschreibungen der Gegenden, Aussich-
ten, der Lebensart Gebräuche und Sitten der Bewohner.
Das Original erscheint in zwey Monaten. Zu gleicher
Zeit giebt die Akademische Buchhandlung in Strasburg

eine deutsche unter den Augen des Verfassers verfertigte
Uebersetzung heraus mit K. und Karten 2 B. gr. 8.

Bey dieser Gelegenheit kündigt ebendieselbe Buchhandlung eine Physikalische Beschreibung des Elsasses und Wasgaues
aus dem Französischen des Hrn. Baron von Dietrich unter
den Augen des Hrn. Verfassers verdeutscht, mit Anmerkungen und Kupfern. in gr. 8. an.

Die interessante Reise durch Numidien und die Barbarey von Hn. Poiret mit Anmerkungen, wovon der erste
Theil auf Ostern fertig wird erscheint zuverlässig auf Johannis. Der zweyte Theil enthält Abbildungen der vorzüglichsten und seltensten Pflanzen welche bey dem Original nicht befinden u. auf Anrathen des Ritter de
Canonne dem grossen französischen Botaniker von den
vorzüglichsten Pariser Künstlern dazu gezeichnet und gestochen worden sind.

In derselben Buchhandlung erscheinen auch die Beobachtungen der Gr. R. über die Moldau und Walachey,
und eine interessante Reise durch Syrien nach Jerusalem,
alle mit Kurfürstl. Sächs. Privilegium.

Eine Reise um die Welt, in den Jahren 1785—1788.
mit den Schiffen, König Georg, Capitain Portlock, und
Königin Charlotte, Capitain Dixon, unter der Aufsicht
der incorporirten Gesellschaft zur Beförderung des Rauch-
Handels, welche so eben in London, aus der Feder eines
am Bord der Charlotte befindlich gewesenen Officiers, in
einem Bande in grof Octav erschienen ist, wird in kurzem in dem endesunterzeichneten Verlag ins Deutsche
übersetzt erscheinen.

Frankfurt am Mayn den 16ten März, 1789.

Andreäische Buchhandlung.

In der Hofbuchhandlung zu Hildburghausen und Meiningen, bey J. Gottfried Manisch, sind folgende Verlagsbücher herausgekommen, oder werden noch bis zur jetzigen Ostermesse dieses Jahres fertig:

Andachten für evangelische Christen, 8. 4 gr.

Arbeit und Lohn der auf dem Lande angestellten Aerzte, nebst einem Mönchsbrief und zwey Doctorsgut-
achten. 8. 4 gr.

Bertrands Fest - und Kommunionpredigten, aus dem
Französischen übersetzt von J. A. Emmerich. 2 Bände. 8. 1 Rthlr. 8 gr.

Dieskau, C. J. F. v. das regelmäßige Versetzen der
Baume in Wäldern und Gärten, 2te Aufl. 8. 6 gr.

Familiengelübde, ein Theaterstück mit Gesang. 8. 4 gr.

Geheimniß, das offene, aller Geheimnisse, die Natur-
quelle moralischer und physischer Wunder, zur Entwickelung der höchsten Magie des Orients. 8. 2½ gr.

Gesangbuch zur öffentlichen und häuslichen Gottesverehrung, zum Gebrauch ritterschäftlicher Gemeinde.
8. 8 gr.

Heßbachs, C. F., Nachtrag zum Archiv von und für
Schwarzburg. 8. 3 gr.

— — — Grundriß des Schwarzburgischen Privatrechts.
8. 8 gr.

Kaff.

Keſſel, J. Gottfried. freymüthige Bemerkungen über Hinderniſſe der Volksgluckſeligkeit, vorzüglich in Rückſicht auf Religions- und Sittenverbeſſerung. Für Patrioten und Volksfreunde zur Beherzigung. 8. 14 gr.

Maaſsſtab und Compas aller Vernunft in der allgemeinen Ziel und Maaſsgebenden Gleichgewichtswiſſenſchaft aus dem Vollkommenheitsgrunde. 8. 1¼ gr.

Pſtranger, J. G., Predigten über Sonn- und Faſttage-Evangelia. 4.

De Rebus geſtis Friederici magni, Boruſſorn. regis, junctis cohaerentibus eis rerum in Germania geſtarum hiſtoriis pars I. 8. 12 gr.

Roſenmüllers, J. G., erſter Unterricht in der Religion für Kinder, 4te ganz umgearbeitete und vermehrte Auflage. 8. 4 gr.

— — Religionsgeſchichte für Kinder, 4te verbeſſerte Auflage. 8. 6 gr.

— — Abhandlung über die Stufenfolge der göttlichen Offenbarungen, nebſt einem Anhang über Leſſings Erziehung des Menſchengeſchlechtes, 2te verbeſſerte Auflage. 8. 12 gr.

— — dreyfache Morgen- und Abendgebete auf alle Tage der Woche, 4te verbeſſerte Auflage. 8. 6 gr.

— — hiſtoriſcher Beweis der Wahrheit der chriſtlichen Religion, 2te gänzliche umgearbeitete Ausgabe. 8.

— — Anleitung zum würdigen Gebrauch des heiligen Abendmahls, 2te verbeſſerte Auflage. 8.

Scheidemantel, F. C. G., die Leidenſchaften, als Heilmittel betrachtet, 8. 20 gr.

Schröders, J. M., Sonn- Feyertags- Paſſions- Buſs-Erndte- und Kirchweihpredigten über die gewöhnliche Evangelia, Epiſteln und andere Texte, 1er Theil. 8. 20 gr.

Chriſtliche Spaziergänge zum Ziele der Vernunft in elyſaiſchen Feldern. Vom Geiſt der verzweifelten Metaphyſik. 8.

Erzt-Räthſel der Vernunft-Kritik und der verzweifelten Metaphyſik; in der Unmöglichkeit eines Beweiſes und Nichtbeweiſes, von Daſeyn Gottes aus Moſes Begriffen. 8. 3 gr.

Erfurti, G. G. über das Leben und den Karakter des weiland ſel. Herrn Hofprediger Döhner. 4. 1½ gr.

Gendner, J. C. Gedenket an eure Lehrer, die euch das Wort Gottes geſagt haben! eine Predigt bey dem Leichenbegängniſſe des ſel. Hrn. Hofprediger Döhners, gehalten.

Geiſſler, J. A., Trauerrede von den Troſtmitteln bey dem Abſterben der Untrigen, 4. 3 gr.

Tabelle über die Aufzeichnung und Aufbewahrung der kirchlichen Urkunden. Ein Geſchenk für junge Prediger bey ihrer Inveſtitur. fol. 1½ gr.

Zadens Probe- und Einweihungspredigt in der Stadt-Kirche. Eiſsfeld. 8. 1½ gr.

Im Verlage der Akademiſchen Buchhandlung in Straſsburg, werde ich eine Sammlung kleiner ſeltener botani-

---

ſcher Schriften in lateiniſcher Sprache, mit eigenen Anmerkungen und Zuſätzen begleitet herausgeben. Bey der Auswahl der in meine Sammlung aufzunehmenden Schriften, werde ich theils auf ihre Seltenheit, theils auf die gegenwärtigen Bedürfniſſe und Lücken der Botanik Rückſicht nehmen: in Abſicht auf das erſte habe ich vorzüglich eine Anzahl ſeltener Schwediſcher und Holländiſcher Art Diſſertationen dazu beſtimmt, auch werden keine bereits in andern mehr oder minder ähnlichen Sammlungen aufgenommene Schriften hier wieder abgedruckt werden ſo wie ſchon dafür geſorgt iſt daſs ich mit allenfall coexiſtirenden Sammlungen in gar keine Concurrenz kommen kann. In Abſicht auf die Bedürfniſſe der Botanik werde ich mich bemühen intereſſante Beyträge für die gegenwärtig gar zu ſehr vernachläſigten Theile der Wiſſenſchaft zu liefern, vorzüglich werde ich die Phyſiologie der Pflanzen, die Geographiſche Geſchichte derſelben und die pragmatiſche Geſchichte der Wiſſenſchaft als drey wichtige, und meines Wiſſens vernachläſigte Theile vor Augen haben, doch darüber werde ich mich ausführlicher in der Vorrede zum erſten Theil die eine Ueberſicht des gegenwärtigen Zuſtandes der Pflanzenkunde enthalten ſoll erklären.

Die Sammlung wird unter dem Titel: *Delectus Opusculorum botanicorum* in 6 Octavbänden jeder zu 24-30 Bogen gr. 8. erſcheinen, jedem Band werden ungefähr 6 Kupfertafeln beygefügt und der erſte erſcheint zu Anfang des künftigen Jahres.

Zürich den 8 März 1789.

P. Uſteri, Dr.

Bey dem Buchhändler Chr. Gottfr. Donatius wird zur Oſtermeſſe erſcheinen: *F. D. Behns* Anfangsgründe der Münzwiſſenſchaft beſonders in Rückſicht des Lübeckiſchen Münzfuſſes. Lübeck 1789. 8.

III. Vermiſchte Anzeigen.

Auch ich bin, wie viele, in das Verzeichniſs der Mitglieder der Deutſchen Union, *ohne mein Wiſſen und Willen* gekommen. Ich müſste und würde mehr dawider ſagen, wenn es nicht ſchon von andern geſchehen wäre. Aſcheraleben den 16 Mart. 1789.

C. F. Sangerhauſen.

In die von Hrn. Buchhändler Erbſtein in No. 18. dieſes Intell. Blattes eingerückte Ankündigung meiner Betrachtungen auf jeden Tag im Jahre etc. iſt aus Miſsverſtändniſs die Nachricht gefloſſen, als ſeyen von meinem zu Nürnberg 1781 edirten Chriſtlichen Tagbuch (von dem die angekündigten Betrachtungen ganz *verſchieden ſind*) alle Exemplare vergriffen. Da aber der Verleger verſichert, daſs er derſelben noch mehrere auf dem Lager habe, ſo wird obige Nachricht hierdurch zurückgenommen.

G. E. Waldau, Hofpr. Prßd.

Monatsregister

vom

März 1789.

I. Verzeichniß der im März der A. L. Z. 1789. recensirten Schriften.

Anm. die erste Ziffer zeigt die Numer, die zweyte die Seite an.

II. Im März des Intelligenzblatts.

Werne-

Lightning Source UK Ltd.
Milton Keynes UK
UKHW010608110219
337000UK00006B/315/P